Fourth Edition

Textbook of Oral and Maxillofacial Surgery

구강악안면 외과학교과서

대한구강악안면외과학회

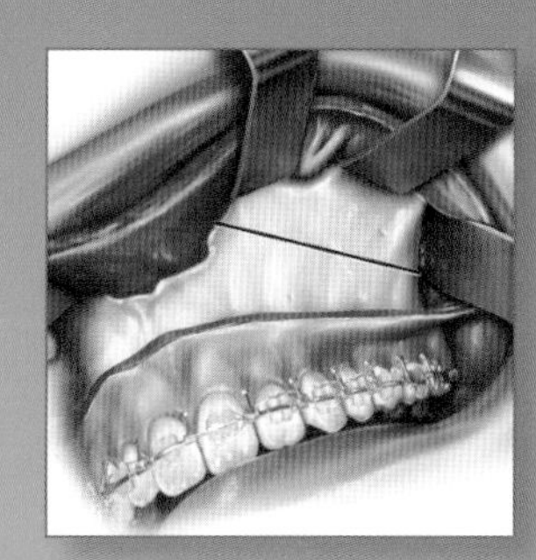

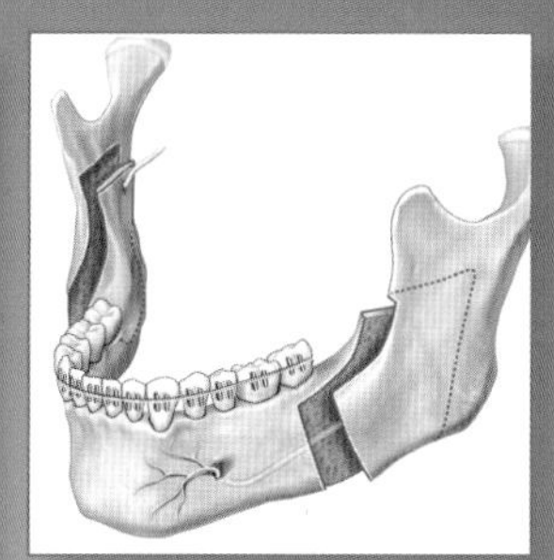

구강악안면외과학교과서 4th Edition

Textbook of Oral & Maxillofacial Surgery

넷째판 1쇄 인쇄 2023년 01월 25일
넷째판 1쇄 발행 2023년 02월 20일

지 은 이 대한구강악안면외과학회
발 행 인 장주연
출 판 기 획 한수인
책 임 편 집 박은선
편집디자인 신지원
표지디자인 김재욱
일 러 스 트 김경열, 유학영, 이호현
발 행 처 군자출판사
등록 제 4-139호(1991. 6. 24)
본사(10881) 파주출판단지 경기도 파주시 회동길 338(서패동 474-1)
Tel. (031) 943-1888 Fax. (031) 955-9545
홈페이지 | www.koonja.co.kr

ISBN 979-11-5955-954-9

정가 180,000원

Textbook of Oral and Maxillofacial Surgery

구강악안면 외과학교과서

구강악안면외과학교과서 4판 E-book

모바일, 태블릿, PC와 함께하는 군자출판사 **E-book 시스템.**

도서를 구매하시면 무료로 E-book을 이용하실 수 있습니다.

군자출판사 E-book을 이용해보세요.

1. www.koonja.co.kr 혹은 QR코드로 접속해 주세요.
2. 회원가입 혹은 로그인을 합니다.
3. [마이페이지] ▷ [E-book]을 클릭 후 [도서 등록하기] 버튼을 누릅니다.
4. 구매하신 도서를 선택하신 후 제공된 코드번호를 입력합니다.
5. 서재목록에서 등록된 도서를 선택하면 내용을 보실 수 있습니다.

E-book 코드

7606-FMRW-BV3U

DIGITAL VERSION

집필진

제4판

교과서 편찬위원회

편찬위원장

차인호 연세대학교 치과대학병원

실행위원

김진우 이화여자대학교 이대목동병원

편찬위원

김문영 단국대학교 치과대학병원
김민근 강릉원주대학교 치과병원
김좌영 한림대학교 강남성심병원
김준영 연세대학교 치과대학병원
김진욱 경북대학교 치과병원
김철훈 동아대학교 의과대학병원
남 웅 연세대학교 치과대학병원
박관수 인제대학교 상계백병원
박주영 서울대학교 치과병원
백진아 전북대학교 치과병원
양훈주 서울대학교 치과병원
오지수 조선대학교 치과병원
유재식 조선대학교 치과병원
이부규 울산대학교 서울아산병원
이 원 가톨릭대학교 의정부성모병원
이재훈 단국대학교 치과대학병원
이정근 아주대학교 치과병원
전상호 고려대학교 안암병원
정승곤 전남대학교 치과병원
최병준 경희대학교 치과병원
최은주 원광대학교 치과병원
황경균 한양대학교 서울병원
황대석 부산대학교 치과병원

교과과정위원회

위원장

남 웅 연세대학교 치과대학병원

위원

김문영 단국대학교 치과대학병원
김민근 강릉원주대학교 치과병원
김진욱 경북대학교 치과병원
박주영 서울대학교 치과병원
백진아 전북대학교 치과병원
석 현 전북대학교 치과병원
오지수 조선대학교 치과병원
정승곤 전남대학교 치과병원
최병준 경희대학교 치과병원
최은주 원광대학교 치과병원
황대석 부산대학교 치과병원

(가나다순, 집필 당시 소속임)

집필진

제4판

집필위원

강영훈 경상국립대학교 창원경상국립대학교병원
고승오 전북대학교 치과병원
국민석 전남대학교 치과병원
권대근 경북대학교 치과병원
권용대 경희대학교 치과병원
김동욱 연세대학교 치과대학병원
김문기 국민건강보험 일산병원
김문영 단국대학교 치과대학병원
김민근 강릉원주대학교 치과병원
김봉철 원광대학교 대전치과병원
김선종 이화여자대학교 이대서울병원
김성곤 강릉원주대학교 치과병원
김성민 서울대학교 치과병원
김영균 서울대학교 분당서울대학교병원
김용덕 부산대학교 치과병원
김욱규 부산대학교 치과병원
김재영 연세대학교 강남세브란스병원
김좌영 한림대학교 강남성심병원
김준영 연세대학교 치과대학병원
김진우 이화여자대학교 이대목동병원
김진욱 경북대학교 치과병원
김창현 가톨릭대학교 서울성모병원
김철환 단국대학교 치과대학병원
김철훈 동아대학교 의과대학병원
김형준 연세대학교 치과대학병원
남 웅 연세대학교 치과대학병원
남정우 원광대학교 산본치과병원
류재영 전남대학교 치과병원
명 훈 서울대학교 치과병원
문성용 조선대학교 치과병원
박관수 인제대학교 상계백병원
박성민 단국대학교 치과대학병원
박영욱 강릉원주대학교 치과병원
박원종 원광대학교 치과병원
박재억 가톨릭대학교 서울성모병원
박정현 이화여자대학교 이대목동병원
박주영 서울대학교 치과병원
박주용 국립암센터 부속병원
박진후 연세대학교 치과대학병원
박창주 한양대학교 서울병원
박홍주 전남대학교 치과병원
백진아 전북대학교 치과병원
변수환 한림대학교 성심병원
변준호 경상국립대학교 경상국립대학교병원
서병무 서울대학교 치과병원
석 현 전북대학교 치과병원
송승일 아주대학교 치과병원
송인석 고려대학교 안암병원
송재민 부산대학교 치과병원
신상훈 부산대학교 치과병원
안강민 울산대학교 서울아산병원
양병은 한림대학교 성심병원
양수남 청주한국병원
양훈주 서울대학교 치과병원
오주영 경희대학교 치과병원
오지수 조선대학교 치과병원
오지현 강릉원주대학교 치과병원
오희균 전남대학교 치과병원
온성운 한림대학교 동탄성심병원
유재식 조선대학교 치과병원
윤필영 서울대학교 분당서울대학교병원
이부규 울산대학교 서울아산병원
이상휘 연세대학교 치과대학병원
이성탁 경북대학교 치과병원
이 원 가톨릭대학교 의정부성모병원
이은영 충북대학교 의과대학병원
이의석 고려대학교 구로병원
이재열 부산대학교 치과병원
이재훈 단국대학교 치과대학병원
이정근 아주대학교 치과병원
이정우 경희대학교 치과병원
이종호 국립암센터 부속병원
이 준 원광대학교 대전치과병원
이지호 울산대학교 서울아산병원
이천의 연세대학교 원주세브란스기독병원
임재석 충북대학교 의과대학병원
전상호 고려대학교 안암병원
전주홍 울산대학교 서울아산병원
정승곤 전남대학교 치과병원
정영수 연세대학교 치과대학병원
정준호 경희대학교 치과병원
정휘동 연세대학교 용인세브란스병원
지유진 경희대학교 강동경희대학교치과병원
차인호 연세대학교 치과대학병원
최문기 원광대학교 치과병원
최병준 경희대학교 치과병원
최성원 국립암센터 부속병원
최소영 경북대학교 치과병원
최은주 원광대학교 치과병원
최진영 서울대학교 치과병원
팽준영 삼성서울병원
한세진 단국대학교 치과대학병원
한정준 서울대학교 치과병원
허종기 연세대학교 강남세브란스병원
홍성옥 경희대학교 강동경희대학교치과병원
황경균 한양대학교 서울병원
황대석 부산대학교 치과병원

(가나다순, 집필 당시 소속임)

발간사

제4판

구강악안면외과학 교과서 3판을 발간한 지 10년 만에 4판을 발간하게 되었습니다. 이 책은 교과서의 본질을 잃지 않으면서 기본적으로 치의학을 공부하는 학생들이 구강악안면외과학을 이해하고 기초지식과 술기를 습득하도록 기본 학습목표를 제시하고 전문의 시험을 준비하는 전공의들에게는 심화 학습목표를 제시하여 각각 눈높이에 맞춘 내용을 충실히 담도록 노력했습니다. 또한 이미 임상경험이 충분한 전문의나 일반 치과의사들도 단계적으로 학습하여 외과적 술기를 익히고 실행하는 데 적용할 수 있도록 구성하였습니다. 3판 발간 이후 변화하는 경향을 반영하여 심미미용수술, 약물관련 악골괴사증 및 수면무호흡증 부분을 새로 저술하였고, 4차 산업혁명과 고령화 사회에 부합하는 내용을 추가하였으며 저작권과 개인정보보호를 위하여 표와 그림, 사진과 일러스트를 추가하고 수정·보완하는 데 힘썼습니다. 특히 디지털 교과서(eBook)를 병행 발간하여 시간과 공간의 한계를 뛰어넘어 책을 활용할 수 있도록 하였습니다. 지난 3판까지 많이 지적되었던 내용의 중복을 대폭 수정하였고 '표준치의학용어집 제5판'을 기초로 상이한 용어의 혼용으로 인한 혼란을 줄이도록 하였습니다.

개정판 발간을 위해 길지도 짧지도 않은 시간 동안 방대한 내용을 구성, 집필, 검토하고 교정하는 작업에 헌신하신 대한구강악안면외과학회 교과서편찬위원회 차인호 위원장과 김진우 간사 그리고 집필진 모두에게 머리 숙여 감사드립니다. 또한 이번 개정판의 초석을 마련해 주신 1, 2, 3판 저자 및 편찬위원분들의 노고에 진심 어린 감사의 인사를 전합니다. 아울러 구강악안면외과학 교과서 4판의 편집과 출판에 도움을 주신 군자출판사에 감사를 표합니다.

이 책은 대한민국에서 구강악안면외과학을 전공하고 가르치는 일에 헌신하는 존경받고 인정된 교수님들의 경험과 지식이 결집된 노력의 결과로, 구강악안면외과학은 물론 치의학을 전공하는 학생과 전공의, 치과의사들에게 훌륭한 동반자가 될 것이며 치의학을 정의하는 교과서가 될 것입니다.

2023년 1월

대한구강악안면외과학회 이사장 **김 형 준**

편찬사

제4판

우리나라 구강악안면외과학 교과서의 역사는 1987년 12월 Gustav O. Kruger의 책을 28명의 교수님들께서 정성스럽게 번역해서 출간한 것에서 시작되었습니다. 이후 환자들을 보면서 축적한 지식을 우리나라 학생과 전공의들에게 가르칠 내용으로 교과서를 발행하겠다는 의지를 가지고 마침내 1998년 제1판, 2005년 제2판, 2013년 제3판이 발행되어 학생, 전공의, 일선에서 진료하는 치과의사들에게 구강악안면외과의 지침서 역할을 해왔습니다.

3판이 발행되고 8년이 지나면서 인구의 고령화, 새로운 질환의 출현, 구강악안면 심미수술의 욕구 및 디지털 치의학의 도입에 따라 새로운 교과서의 편찬이 요구되었습니다. 이에 2020년 4월부터 교과서 개정을 위한 편찬위원회를 구성하였습니다. 학회의 교과과정위원회에서는 국내 모든 치과대학의 학부 강의 내용을 파악하고 기존 교과서 3판의 기본 학습목표를 다시 분석하여 새로운 기본 학습목표를 제시하였습니다. 전문의위원회에서는 각 수련 병원에서 전공의들에게 가르치는 내용과 실제 임상을 수행하는 현황을 참고하여 기존의 심화 학습목표를 새롭게 설정하였고, 이것을 각 챕터의 집필진과 조율하면서 확정하게 되었습니다. 이렇게 학습목표 설정에 많은 노력을 한 것은 학부 학생들의 국가고시와 전공의들의 전문의 고시 수준에 지침을 줄 뿐만 아니라 곧 학회에서 요구하는 기초와 임상 역량의 기준을 제시하는 것이기 때문이었습니다.

편찬위원회와 집필진들이 함께 참여하는 온라인 회의를 10여 차례 진행하면서 제4판 편찬의 기본 방향을 이해하기 쉬운 그림과 도표, 선명한 증례사진, 치의학용어집에 근거한 용어 통일 등으로 설정하였고, 최근 새롭게 대두되는 약물관련 악골괴사증, 폐쇄수면무호흡증후군, 구강악안면 미용수술 부분의 챕터를 신설하고 교과서 전체 내용들을 고려하여 챕터 순서 배열을 새롭게 하였습니다. COVID-19로 대면 회의를 진행하지 못해서 소통에 어려움이 있었으나, 저자들과 편찬위원들의 적극적인 참여로 마침내 4판을 발행할 수 있게 되었습니다. 4판의 교과서 저자가 100여 명으로 보이지만, 실제적으로는 1998년 1판이 발행되고 2판, 3판, 4판 모두 개정 증보판이기 때문에 1판에서 4판까지의 모든 저자가 이 교과서의 저자들이라고 생각합니다.

제1판 교과서 발행할 때부터 집필에 힘써 주신 모든 저자, 편찬위원, 교과과정위원, 전문의위원, 대한구강악안면외과학회 임원 그리고 제4판 발행을 위해 함께 많은 노력해 주신 군자출판사와 실무를 맡아 수고해 주신 김진우 교수께 감사를 드립니다. 저는 편찬위원장을 맡아 학회에서 보람 있는 마지막 봉사를 할 수 있어서 영광이었습니다. 이 교과서가 학생, 전공의, 전문의 그리고 현장에서 진료하시는 모든 치과의사들의 친구가 되기를 바라며, 모자라는 부분은 다음 개정판에서 채워 주시기 바랍니다.

2023년 1월

대한구강악안면외과학회 교과서편찬위원회 위원장 **차 인 호**

집필진

제3판

교과서 편찬위원회

위 원 장 윤규호

위 원 고승오, 권대근, 김경원, 김욱규, 류동목, 민승기, 박영욱, 오승환, 오희균, 유선열, 이백수, 이재훈, 이종호, 차인호, 최진영, 황순정

교과과정위원회

전 위원장 유재하

위 원 장 이재훈

위 원 고승오, 권대근, 김수관, 김욱규, 류동목, 민승기, 박영욱, 오희균, 이백수, 이상휘, 이종호, 차인호, 최진영

집필위원

고승오 전북치전원
국민석 전남치전원
권경환 원광치대
권대근 경북치전원
권용대 경희치전원
권종진 고려의대
김경욱 단국치대
김경원 충북의대
김명래 이화의대
김명진 서울치전원
김선종 이화의대
김성곤 강릉원주치대
김성민 서울치전원
김수관 조선치대
김여갑 경희치전원
김영균 분당서울대
김용덕 부산치전원
김욱규 부산치전원
김일규 인하의대
김진수 경북치전원
김진욱 경북치전원

김창수 성균관의대
김철홍 부산치전원
김철환 단국치대
김학균 충남의대
김현민 가천의대
김현정 서울치전원
김현철 리빙웰치과
김형곤 연세치대
김형준 연세치대
류동목 경희치전원
명 훈 서울치전원
문성용 조선치대
민승기 원광치대
박광호 연세치대
박영욱 강릉원주치대
박재억 가톨릭의대
박주용 국립암센터
박준우 한림의대
박형식 연세치대
박홍주 전남치전원
백진아 전북치전원

서병무 서울치전원
송현철 가톨릭의대
신상훈 부산치전원
신효근 전북치전원
안강민 울산의대
오승환 원광치대
오희균 전남치전원
유선열 전남치전원
유재하 연세치대
윤규호 인제의대
이덕원 경희치전원
이백수 경희치전원
이부규 울산의대
이상한 경북치전원
이상휘 연세치대
이의석 고려의대
이재훈 단국치대
이정근 아주의대
이종호 서울치전원
이 준 원광치대
이진규 M치과의원

장현중 경북치전원
전주홍 울산의대
정영수 연세치대
정인교 부산치전원
정필훈 서울치전원
지영덕 원광치대
진병로 영남의대
차인호 연세치대
최문기 원광치대
최병호 연세치대
최성원 국립암센터
최영준 중앙의대
최진영 서울치전원
팽준영 성균관의대
표성운 가톨릭의대
한세진 단국치대
허종기 연세치대
황대석 부산치전원
황순정 서울치전원

(가나다순, 집필 당시 소속임)

집필진

제2판

교과서 편찬위원회

위 원 장 **유재하**

위　　원 고승오, 권대근, 김성민, 김수관, 류동목, 신상훈, 오승환, 오희균, 이재훈, 이종호

교과과정위원회

전 위원장 정인교

위 원 장 유재하

위　　원 김수관, 류동목, 민승기, 박영욱, 신상훈, 신효근, 유선열, 이상한, 이재훈, 이종호

집필위원

고승오	전북치대	김지혁	강릉치대	신상훈	부산치대	정영수	연세치대
권대근	경북치대	김진수	경북치대	신효근	전북치대	정인교	부산치대
권종진	고려의대	김철환	단국치대	오승환	원광치대	정종철	가천의대
김경욱	단국치대	김형곤	연세치대	오정환	경희치대	정필훈	서울치대
김경원	충북의대	김형준	연세치대	오희균	전남치대	조병욱	베스티안병원
김명래	이화의대	류동목	경희치대	유선열	전남치대	차인호	연세치대
김명진	서울치대	명　훈	서울치대	유재하	연세치대	최병호	연세치대
김성민	강릉치대	민승기	원광치대	이백수	경희치대	최진영	서울치대
김수관	조선치대	박광호	연세치대	이상철	리빙웰치과	표성운	가톨릭의대
김여갑	경희치대	박영욱	강릉치대	이상한	경북치대	허종기	연세치대
김영균	분당서울대	박형식	연세치대	이상휘	연세치대	황순정	서울치대
김용각	원자력병원	박홍주	전남치대	이의웅	연세치대		
김용덕	부산치대	백진아	전북치대	이재훈	단국치대		
김욱규	부산치대	변기정	울산대병원	이종호	서울치대		
김일규	인하의대	서병무	서울치대	이충국	연세치대		
김종렬	부산치대	송현철	가톨릭의대	장현중	경북치대		

(가나다순, 집필 당시 소속임)

집필진

제1판

교과서 편찬위원회

위 원 장 이충국

위 원 김경욱, 김명진, 류동목, 박영욱, 신효근, 여환호, 유선열, 유재하, 이동근, 이상한, 정인교

교 과 과 정 위 원 회

전 위원장 정호균

위 원 장 이충국

위 원 김명진, 김성문, 김여갑, 박형식, 이건주, 이동근, 이상한, 정필훈, 정인교, 차인호

집 필 위 원

강정완 연세치대
강효식 인제의대
권종진 고려의대
김경욱 단국치대
김규식 서울치대
김명래 이화의대
김명진 서울치대
김성문 고려의대
김수경 서울치대
김수남 원광치대
김여갑 경희치대
김영균 조선치대
김영수 동아의대
김오환 전북치대
김용각 원자력병원
김일규 인하의대
김일현 경상의대
김재승 울산의대
김종렬 부산치대
김종배 순천향의대
김종원 서울치대
김진수 경북치대
김태규 부산치대
김형곤 연세치대
남일우 서울치대
류동목 경희치대
민병일 서울치대
민승기 원광치대
박광호 연세치대
박영욱 강릉치대
박형식 연세치대
신효근 전북치대
심광섭 한양의대
양동규 부산치대
여환호 조선치대
염광원 서울치대
오희균 전남치대
유선열 전남치대
유재하 연세치대
윤규호 인제의대
윤중호 연세치대
이건주 한림의대
이동근 원광치대
이상철 경희치대
이상한 경북치대
이용오 계명의대
이의웅 연세치대
이재훈 단국치대
이종호 전남치대
이충국 연세치대
이희철 인제의대
임재석 고려의대
임창준 단국치대
정인교 부산치대
정필훈 서울치대
정호균 중앙의대
조병욱 한림의대
진병로 영남의대
진우정 전북치대
황병남 아주의대

(가나다순, 집필 당시 소속임)

Contents

차례

구강악안면외과학교과서 제4판

구강악안면외과학의 발전과 현황

인간의 존엄성과 삶의 질을 높이기 위해서는 건강한 신체와 정신이 중요하다. 건강한 신체와 정신을 바탕으로 미래를 향한 무한한 가능성과 성취 잠재력을 가진 인간들의 활력소가 건강한 사회를 만들어 오늘날과 같은 세상을 이르게 한 원천이 되었다.

치의학은 인간의 건강 유지와 증진을 목적으로 치아, 치주조직, 구강구조물, 턱뼈, 턱관절, 얼굴 및 이와 연결된 머리와 목 등 주변 구조물에 대하여 의학적 연구를 수행하는 학문이며 치과의사가 의료행위를 하는 의료분야다. 구강악안면외과는 위에 열거한 부위의 질환, 손상, 기형의 예방과 외과적 치료를 목적으로 하는 분야로 정의되며, 치의학과 의학적 지식 및 술기를 동시에 필요로 한다. 치의학과 의학에 있어서 각 분야는 각각 처음부터 법적이나 행정적으로 정해져서 발전된 것이 아니고 오랫동안 치과의사나 의사가 수행했던 일들의 결과로서 생긴 것이라 할 수 있다. 오늘날 구강악안면외과도 많은 선각자들의 꾸준한 노력의 결실로 확립되었다는 것을 명심하고, 이를 바탕으로 구강악안면외과 분야의 미래를 개척해 나가야 할 것이다.

CONTENTS

CHAPTER 01

구강악안면외과학의 발전과 현황

Introduction

학습목적

구강악안면외과학에 관한 학문적인 이해의 바탕을 마련하기 위해 그 특성과 역사를 파악하고, 시술범위(scope)와 치료목적을 이해하여 치과의사로서 기여할 책무를 숙지한다.

기본 학습목표

- 구강악안면외과학의 정의를 설명할 수 있다.
- 구강악안면외과학의 특성들을 설명할 수 있다.
- 서양의 구강악안면외과 발달 과정을 파악하고, 구강악안면외과의 발전에 기여한 요인들을 설명할 수 있다.
- 우리나라에서 구강악안면외과학의 발전 과정을 체계적으로 파악하고 설명할 수 있다.
- 구강악안면외과학의 시술범위와 대체적인 내용을 설명할 수 있다.
- 구강악안면외과 시술의 치료목적과 내용을 설명할 수 있다.
- 구강악안면외과학을 배우는 치의학도의 자세에 대하여 설명할 수 있다.

I. 구강악안면외과학의 특성

1. 구강악안면외과학의 특수성

발생학적으로 자궁 내에서 가장 먼저 자극에 반응을 보이는 구강조직과 신경해부학적으로 가장 높은 감각신경 분포 밀도를 보이는 악안면 부위는 저작, 연하, 감각인지, 호흡 등의 생명유지 과정을 수행하는 핵심 부위이다. 그러나 구강악안면 부위는 외부 환경에 노출되어 있어 신체 어느 부위보다도 손상받기 쉬우며, 발생학적으로도 임신 3주에서 8주 사이의 배아기에 외적 요인과 유전 등에 의해 영향받기 쉬운 부위이다.

2. 구강악안면외과학의 특성

1) 복합된 전문 임상분야

구강악안면외과학이란 구강과 악안면 부위에 발생하는 감염, 손상, 기형 및 종양 등의 질병을 진단하고 외과적 시술과 보조적 치료를 통해 심미적 복원과 기능적 회복을 추구하는 특수한 치과 임상분야로서 외과의 여러 전문분야 중 하나이다.

2) 인류애적 창의성과 도덕적인 진취성

4천 년 전 인도에서 조비술(造鼻術)이 발달했던 것이나, 19세기 중반에 미국 구강외과 의사인 Simon P. Hullihen 등이 악교정 수술을 고안하여 심한 악골기형 환자를 고치기 위해 노력한 것 등에서 인류애를 통한 훌륭한 술기를 고안했음을 알 수 있다.

3. 구강악안면외과의사의 책임

구강악안면외과 분야가 전문적인 교육과 훈련이 필요하다고 인식된 이래 지난 50년 동안 어떻게 교육시키고 자격을 부여해야 할 것인지에 대하여 많은 토론이 있어 왔다. 그러나 최근 국제 구강악안면외과학회(IAOMS)는 각 지역과 국가 간에 전통적인 교육 체계, 전문분야 간에 경쟁, 정부의 정책이나 사회 환경 차이에 따라 각 국가마다 조금씩 다른 것을 인정하고 교육시켜야 할 내용을 표준화하는 것이 더 합리적이라고 판단하게 되었다. Laskin (2008)은 구강악안면외과 전문교육은 각 국가가 기본적인 교육내용을 포함시키는 범위 내에서 가장 적합한 시스템을 선택할 수 있어야 하며 치의학교육 기반 위에 후속적인 의학교육이 필요하다고 인식하면서 최소한의 교육과 임상실습 범위를 전문(expertise) 영역, 역량(competence) 영역, 익숙함(familiarity) 영역으로 나누어 제시하였다. 거기에는 구강병리, 구강내과, 임플란트를 포함한 치조골 수술, 악안면외상, 악교정 수술, 턱관절 수술, 국소적 재건수술, 구순구개열 수술, 구강악안면 악성종양 수술, 국소적 두개안면수술 및 안면 심미수술이 포함되어 있다. 그리고 모든 구강악안면 전문의가 전문 영역과 역량 영역은 필수적으로 전문가여야 하지만 친숙함 영역은 환경에 따라서 유동적일 수 있다고 제시하였다. 또한 교육의 내실화를 위해 국가 간 또는 국가 내에서 전문 분야 간의 상호 교차교육의 필요성도 제안하였다.

전문 분야는 새로운 아이디어나 기술이 추가적으로 유입되지 않으면 더 이상 발전할 수 없다. 따라서 구강악안면외과 분야도 새롭게 개발되는 여러 가지 생체재료를 철저한 검증을 하면서 임상에 적용해야 하며, 컴퓨터와 접목된 기술, 의료용 로봇을 포함한 새로운 의료기기를 이용한 수술법 개발에 적극 참여하고 선도해야 할 것이다.

II. 구강악안면외과학의 역사

1. 세계의 구강악안면외과 역사

구강악안면외과 영역의 질환에 대한 기록은 이집트 시대(BC 1500년경)에 치은농양에 관한 것이 있다. 이후, 그리스 시대에 Hippocrates (BC 460–377)가 악골 골절 고정법, 턱관절탈구 정복법, 발치법에 대한 많은 업적을 남겼다. 로마시대에도 Aulus Cornelius Celsus (BC 25–AD 50)는 구순열 수술, 악골골절의 치료법, 치아재식법, 아프타성 궤양 등을, Aelius Galenus (AD 129–216)는 치통이나 구강궤양 등에 대해서 기술하고 있다. 이후, 16세기경 프랑스에서 Ambroise Pare (1510–1590)에 의해 구순열 수술, 외상이나 매독에 의한 구개천공에 대한 치료, 지혈법, 붕대법 등을 시행한 것이 기록되었으며, 18세기 독일에서는 Lorenz Heister (1683–1758)가 개구장애 치료를 위해 개구기를 고안하였으며, 특히 프랑스의 Pierre Fauchard (1678–1761)는 1728년에 "치과 외과의" 책을 출간하여 최초로 치의학을 과학적이고 체계적으로 기술하면서 근대 치의학의 아버지로 불리게 되었다. 1840년 미국의 Baltimore 치과대학이 세계에서 처음으로 설립되었으며 미국치과의사회가 1859년에 창립되었다. 또한 미국의 Crawford W. Long (1842), Horace Wells (1844), William T. G. Morton (1846), James Y. Simpson (1847)등이 다양한 마취 약제를 사용한 흡입 전신마취법을 도입하면서 무통적 수술이 가능하게 되었다. 20세기에 들어서 각종 항생물질 개발도 구강악안면외과 영역의 관혈적 수술 발달에 기여한 바가 크다.

2. 한국의 구강악안면외과 역사

향약구급방은 고려 고종 때 대장도감에서 간행되었으며, 우리나라에서 가장 오래된 의학서적으로 저자는 미상의 책이며, 치병, 치주질환, 구강질환 등의 치료법과 예방법에 대한 기록이 있다. 조선 후기 선조시대에 허준이 당시 의학을 집대성하여 집필한 동의보감을 1610년에 발간하였으며, 치아 및 구강질환의 예방 및 치료에 관한 새로운 방법이 기록되어 있으나, 구강악안면 부위의 치료 시 관혈적 술기에 관한 내용은 없다.

개화기인 조선조 말에 Horace N. Allen (1884)이 처음으로 발치를 시행하였으며, 그 후 보고에서 충치, 구내염, 악골골절, 구순열 등을 치료하였다고 한다. 1893년 일본인 치과의사 노다(野田應治)가 제물포에서 처음으로 치과의원을 개설하였으며, 구한말 Harold Slade, James Soues, Danlel Nye, David Hahn 등이 서울과 제물포에서 서양식 치과진료를 하였다. 1914년 일본치과의전 출신인 함석태가 우리나라 최초의 치과의사로서 구강외과 전문과목을 표방하여 환자를 진료하였고, 한동찬(1917), 이희창(1921) 등이 구강외과 환자를 진료하였다. 1915년 세브란스연합의학교에 W.J. Scheifley가 부임하여 한국에서는 최초로 치의학교실을 개설하고 치과진료, 교육 및 연구를 시작하였다. 그 이후 세브란스병원에 1921년 미국 선교 치과의사 J.L. Boots와 J. A. McAnlis가 부임하여 구강외과 환자를 진료하였다. 1922년 우리나라 최초의 치과학교인 경성치과의학교가 설립되어, 동부속병원 구강외과에 西山幸男이 교수로 취임하였고, 이춘근 교수를 비롯한 여러 한국인 교실원들이 구강외과 교육과 진료에 종사하였다.

해방 후, 1946년 서울대학교 치과대학에는 이춘근, 오재인, 김용관 등이 구강외과학을 교육시켰으며, 1959년 6월에 대한구강외과학회가, 1962년 11월에는 민병일 등에 의한 대한악안면성형외과학회가 창립되었다. 이후 두 학회는 여러 선진국들과 학술적, 인적 교류를 활발히 하여 비약적인 발전을 이루게 되었다. 1984년에 대한구강·악안면외과학회, 1994년 대한구강악안면외과학회로 개칭되었고, 1975년에 학회지(대한구강외과학회지)가 창간된 이후 그 명칭도 대한구강·악안면외과학회지에서 대한구강악안면외과학회지로 변경되었으며, 현재 연 6회의 영문판이 발행되어 임상 및 기초 연구논문이 발표되고 있다. 1989년에 대한악안면성형외과학회에서 대한악안면성형재건외과학회로 학회명을 개칭한 대한악안면성형재건외과학회도 1978년에 처음 학회지(대한악안면성형외과학회지)를 발간하였으며, 2013년부터는 Maxillofacial Plastic and Reconstructive Surgery로 개칭하여 현재까지 영문, 온라인판으로 많은 학술논문들을 발표하고 있다.

Ⅲ. 구강악안면외과학의 범위와 치료 목적

1. 구강악안면외과의 내용

1) 치과마취와 응급처치

마취의 발달은 외과 분야의 발전을 가속화하였으며 특히 발치를 비롯한 외과적인 술식뿐만 아니라 일반치과 진료 시에도 통증 조절을 위해서는 마취가 무엇보다 중요하며 Xylocaine이 1955년에 소개된 이래 현재까지 유용하게 쓰이고 있다. 2004년 10월에는 대한치과마취과학회가 출범되어 구강악안면외과와 관련된 국소마취, 전신마취, 의식하 진정, 의학적 응급상황 관리 분야 등의 발전에 큰 기여를 하였다.

2) 발치, 치조돌기 수술 및 임플란트

발치나 소수술을 어렵게 하는 전신질환에 대한 연구가 많아졌으며, 퇴축된 치조골의 재건에 있어서 골대용 물질의 이식 및 수술 방법에 대한 많은 발전이 있어왔다.

3) 치성감염

구강악안면외과 분야의 감염성 질환은 대개 구강내의 세균들과 치근단 병소 및 치주질환에 의한 것이다. 구강악안면영역은 두부와 가까우며 간극이 많은 해부학적 약점 때문에 신속하고 적절한 치료가 이루어지지 않으면 기도폐쇄, 패혈증, 종격동염 및 해면정맥동 혈전증 등의 합병증이 병발되어 치명적인 결과가 초래된다. 그러므로 치과의사들은 외과적인 치료원칙과 항생제 요법 등을 잘 시행하여 조기에 감염치료를 할 수 있는 능력을 배양하여야 한다.

4) 악골골절

악골골절은 악안면 영역의 외상에서 가장 빈도가 높으며, 구타, 교통사고, 산업재해 등으로 인하여 발생한다. 치료에 있어서도 초기에는 비관혈적 정복술이 주를 이루었으나, 현재에는 마취 및 수술 기법, 금속판의 개발로 인하여 관혈적 정복술이 주로 행해지고 있다.

5) 치성 상악동질환

상악동염은 그 원인이 일차적으로는 비치성으로 알려져 있으나, 상악 치아에 의한 치성인 경우도 있다. 따라서 상악동염의 발생 시 원인을 정확히 규명하여 치료를 행해야 하며, 이비인후과와의 긴밀한 협조도 필요하다.

6) 구강종양과 낭

구강종양에는 양성과 악성이 있으며, 특히 구강암의 임상 점유 비율이 점점 높아지고 있다. 이러한 추세에 따라 조기 발견 및 치료 방법의 발전이 이루어졌으며, 환자의 생존율 또한 점점 향상되고 있다. 구강암에 대한 TNM 분류와 임상단계 및 조직학적 악성도의 결정은 치료 및 예후 결정에 많은 도움이 되고 있으며, 전산화단층촬영(CT), 자기공명영상(MRI) 및 양전자단층촬영(PET CT) 등을 진단도구로 이용함으로써 병소의 위치, 크기, 경계는 물론 주위 림프절 전이나 타 장기로의 전이를 보다 정확히 진단할 수 있어 구강암의 생존율을 높이는 데 많은 기여를 하게 되었다.

7) 타액선질환

구강의 면역성 유지와 음식물의 소화에 중요한 타액을 분비하는 타액선을 이해하기 위해서는 먼저 해부조직학적 지식과 타액의 화학적 조성이나 생리학적 기능 등의 기초학적인 면을 잘 알아야 한다. 타액선질환은 크게 염증성 질환과 종양으로 나눌 수 있다. 염증성 질환에는 세균성, 바이러스성 그리고 타석에 의한 폐쇄성 타액선염이 주종을 이루고 있으며 특수감염으로 결핵, 방선균증, 유육종 등이 발현될 수도 있다. 또 타액선에는 양성 및 악성 종양도 발생되어 외과적인 처치를 요하는 경우도 많으나 타액선 수술 시 특히 이하선의 경우 안면신경의 손상에 의한 합병증에 신중을 기하여야 한다.

8) 턱관절 기능장애

턱관절 기능장애는 그 원인이 여러 가지가 있으나 아직도 정확한 결론을 내리기가 어려우며, 그 원인은 관절 자체나 관절 외의 근육에 있을 수 있고, 교합과 연관될 수도 있다. 턱관절 기능장애 환자는 늘어가는 추세에 있으며, 치과보철과, 구강내과 등과 협진하는 것이 좋은 결과를 얻을 수 있다.

9) 악안면동통과 신경성 질환

구강악안면영역은 인체에서 감각신경, 운동신경 그리고 자율신경의 분포 밀도가 매우 높은 부위로서 질병 발생 시 동통이나 신경기능의 장애로 많은 고통을 받을 수 있는 원인이 될 수 있다. 악안면 신경질환들의 치료법에는 외과적 수술에 앞서 약물을 투여하는 내과적 처치, 혈행을 개선하기 위한 약물 투여 및 물리요법 그리고 정신적 안정을 유도하기 위한 심리요법을 먼저 시도해 보는 것이 바람직하며 치과진료나 사고로 인한 외상성 신경손상의 경우에는 주로 외과적 처치가 필요하다. 근래에 와서 미세수술의 발달로 그 예후와 효과는 점점 좋아지고 있다.

10) 구순구개열

구순구개열은 안면 부위에 나타나는 기형 중 가장 많이 발생하는 질환으로 출생 시부터 성인에 이르기까지 세심한 관리와 치료가 필요하며, 아이가 성장함에 따라 발생하는 구강환경 변형, 치아 맹출장애, 저작곤란, 치조골의 변화 및 상악골 열성장 등에 의한 치과적인 교정 및 보철 문제, 악교정 수술 등과 같은 치료적인 면을 고려할 때, 구강악안면외과의가 주도적인 역할을 하면서 필요한 전문의들과 협진하는 것이 환자에게 최선의 결과를 가져다 줄 수 있다. 1997년에 대한구순구개열학회가 창립되어 학술적인 연구와 진료에 주력하고 있으며 치과교정과, 소아치과, 이비인후과, 성형외과, 언어치료사 등과 협진하여 출생 시부터 성인에 이르기까지 관리하는 것이 중요하다.

11) 두개악안면 기형

두개안면기형에 대한 수술 분야도 유럽 및 미국에서 먼저 발달되어 왔다. Thoma, Robinson, Kajanjian, Köle 등에 의한 많은 보고가 있었고 Obwegeser 등에 의한 악교정 수술의 구내법이 소개되면서 더욱 활기를 띠었으며, 현재 우리나라에서도 악교정수술 혹은 양악수술이라고 불리며 많이 시행되고 있다. 또 근래에는 국소마취하에 수술이 동반된 급속교정술로 교정치료 기간을 획기적으로 단축시키는 임상적인 시도가 활발히 진행되고 있다.

12) 구강악안면영역의 재건술

최근 증가되는 각종 사고 및 종양 발병 등에 의해 악안면영역의 결손부가 점점 광범위해지는 경향을 볼 수 있다. 이러한 결손부를 재건하기 위하여 생체재료학분야에서는 골대체물의 발달을 가져왔고 악안면 조직의 재건술에 있어서도 근래에 와서 미세수술의 발달은 괄목할 만큼 발전되었다.

13) 전신질환자의 치과치료

의학의 발달과 평균수명의 연장으로 치과의사 특히 구강악안면외과 전문의는 심폐질환, 출혈성 질환, 내분비질환, 뇌혈관질환, 악성종양, 중증심신장애 등의 전신질환이 있으면서 구강악안면 질환이 동반된 환자들의 수술이나 치과진료를 시행하는 기회가 많아지고 있다. 특히 구강악안면외과적인 수술은 일반 치과진료보다 더 스트레스를 유발하고 많은 약물이 투여되며 수술시간이 길어짐에 따라 응급상황의 발생 가능성이 높으므로 환자관리에 유념해야 한다.

2. 구강악안면외과의 치료 목적

모든 질병의 치료 목적은 치료를 통해서 정상적인 외형과 기능의 회복을 이루어 주는 것이다. 구강악안면 영역의 질병, 손상 및 기형을 포함한 결손 등에 관한 치료의 최종 목표도 구강악안면부위의 기능적인 회복, 즉 저작기능, 언어기능 및 해부학적 회복에 주안점을 두어야 할 것이다. 또한 수술 후의 기능 회복과 심미성이 사회에 복귀하여 일상생활을 영위하는 데 충분할 수 있도록 삶의 질도 고려되어야 할 것이다.

참고문헌

대한구강악안면외과학회. 대한구강악안면외과학회 50년사. 서울: 의치학사; 2009.

대한악안면성형재건외과학회. 대한악안면성형재건외과학회 60년사. 서울: 의치학사; 2021.

대한악안면성형재건외과학회. 악안면성형재건외과학. 4판. 서울: 군자출판사; 2021.

민병일. 악안면성형외과학. 1판. 서울: 군자출판사; 1990.

신재의. 한국근대치의학사. 1판. 서울: 참윤퍼브리싱; 2004.

치과의사학교수협의회와 연구팀. 한국 치과의 역사. 서울: 역사공간; 2021.

피에르포샤르(강명신 등 옮김). 치과의사. 서울: 지식을 만드는 지식; 2013.

Aziz SR. Simon P Hullihen and the origin of orthognathic surgery. J Oral Maxillofac Surg. 2004; 62(10):1303-7.

Converse JM. Reconstructive plastic surgery. 2nd ed. Philadelphia: WB Saunders; 1977.

Kruger GO. Textbook of Oral and Maxillofacial Surgery. 6th ed. St. Louis Toronto: Mosby Co.; 1984.

Laskin DM. Oral and Maxillofacial Surgery. St. Louis Toronto: Mosby Co.; 1980.

Laskin DM. The past, Present, and Future of Oral and Maxillofacial Surgery. J Oral Maxillofac Surg. 2008;16:1037-1040.

Perterson LJ et al. Contemporary Oral and Maxillofacial Surgery. St. Louis Toronto: Mosby Co.; 1988.

Thoma KH. The history of oral surgery; the oldest specialty of dentistry. Oral Surg Oral Med Oral Pathol. 1957;10(1):1-10.

Walter Hofmann-Axthelm. History of Dentistry. Chicago: Quintessence publishing; 1981.

구강악안면외과의 기본적 처치

양호한 외과적 처치는 질병을 가진 환자들의 관리를 위해 기초의학(해부, 생리, 생화학, 조직학, 미생물, 병리학 등)의 원리를 제대로 적용하는 것으로 시작된다. 즉 임상적으로 환자의 평가과정, 수술 전 준비과정, 수술 중 관리문제, 무균법, 수술의 기술, 수술 후 관리 과정 전체에 기초 의학이 응용된다는 것이다.

구강악안면외과 영역의 수술을 시행하는 치과의사는 환자의 신체상태뿐만 아니라 정서상태(emotional status)를 이해해야 한다. 이는 정상인뿐만 아니라 전신질환을 동반한 환자의 수술을 안전하게 시행하는 데 더욱 중요하다. 그러기 위해서는 주의 깊은 병력 청취와 현재 투여되는 약제의 확인 및 정확한 의학적 지식에 근거한 환자 심신상태의 평가가 필수적이다. 따라서 술자는 수술 시행에 앞서서 '① 환자가 가진 질병 자체의 특성이 무엇인가? ② 환자의 전신상태가 수술과정에 어떤 영향을 주는가?'의 두 가지 질문에 항상 대비해야 한다. 이러한 질문에 제대로 대응하기 위해서는 ① 광범위한 병력의 청취와 신체검진 ② 이화학적 검사(laboratory examination) ③ 관련 의학과의 자문(consultation) 등이 요구된다.

또한 이 단원에서 언급되는 구강악안면외과 영역의 수술에 필요한 소독법과 기본 수술법 및 수술술기를 익히며 술후의 창상치유 기전을 이해하는 것이 외과적인 시술을 시행하는 치과의사에게 필수적이다.

CONTENTS

CHAPTER 02

구강악안면외과의 기본적 처치

Basic Principles of Oral and Maxillofacial Surgery

학습목적

구강악안면외과 진료 시 기초가 되는 진단법, 소독법, 절개 및 봉합 등의 기본술기와 이때 사용되는 수술기구 등을 숙지하고, 창상치유 기전을 이해하여 바람직한 치유를 유도하는 데 그 목적이 있다.

기본 학습목표

- 외과환자의 병력청취와 신체검사를 시행하는 방법을 설명할 수 있다.
- 구강악안면외과 수술 시 유념할 전신질환들을 설명할 수 있다.
- 임상병리검사의 내용과 그 의의를 설명할 수 있다.
- 기구멸균법의 종류와 그 장단점을 설명할 수 있다.
- 술자, 환자 및 수술실의 무균적 처치방법을 설명할 수 있다.
- 구강악안면외과 영역의 각종 절개 시 유의사항 및 접근방법을 설명할 수 있다.
- 창상봉합술의 목적과 봉합 시 유의사항을 설명할 수 있다.
- 봉합사의 종류와 봉합방법을 구분할 수 있다.
- 창상의 치유기전을 설명할 수 있다.
- 창상치유에 영향을 미치는 요인을 설명할 수 있다.
- 수술기구들의 명칭과 용도를 설명할 수 있다.
- 레이저수술의 원리와 종류를 설명할 수 있다.

심화 학습목표

- 종양표지자 검사법을 설명할 수 있다.
- 심전도검사의 내용을 설명할 수 있다.

Ⅰ. 외과적 진단

1. 구강악안면외과 환자를 위한 신체검사 (Physical examination)

1) 환자의 병력검사

치과의사는 내원한 환자들의 구강내 병리적 상태에 대한 검사와 치료뿐만 아니라 전신적인 문제에 대한 정확한 정보를 습득하여, 환자의 전신적인 문제가 치과적 처치에 미치는 영향을 평가할 수 있어야 한다. 환자의 초진 시 세심한 병력청취와 신체검진 및 이화학적 검사를 통해 전신적인 문제를 평가하며 필요한 경우 주치의나 전문의에게 자문을 구한다. 병력의 정확한 파악은 환자가 안전하게 계획된 치과치료를 받을 수 있는지를 결정하는 데 있어서 가장 유용한 정보가 된다. 특히 병력검사 시 기본적으로 다음의 사항들에 대한 정보를 얻어야 한다.

① 과거의 입원, 수술, 외상 및 질병

② 최근의 감염성 질환이나 증상(B형간염과 AIDS 등의 여부)

③ 최근 사용한 약물이나 과민반응(특히 약물과민반응)

④ 건강과 관련된 습관(음주, 흡연, 약물복용, 하루 운동량과 종류)
⑤ 마지막 검진 날짜와 결과

환자들의 불완전하고 부정확한 대답을 예방하고 병력을 효과적으로 검사하기 위해 표 2-1과 같이 설문지를 사용할 수 있다. 이런 목적으로 사용되는 설문지는 평범한 말로 명확하게 쓰여야 하며 간단해야 한다.

2) 환자의 신체검사

환자가 진료실에 들어올 때부터 걸음걸이, 키 및 건강상태 등의 신체검사를 시작한다. 문진에 앞서 보조인력이나 치과의사는 환자와 여러 대화들을 먼저 나누어 환자의 불안 및 긴장을 해소한 후 진료 의자에 앉아서 좀 더 자세한 신체검사를 시행한다. 환자의 문진이 끝나면 활력징후를 검사한다.

(1) **활력징후 검사**(vital signs)

활력징후에는 혈압, 맥박, 호흡 및 체온 등이 포함되며 환자의 생리적 상태의 변화에 따라 직접 영향을 나타낸다.

① **혈압**(blood pressure)

혈압 측정으로 고혈압 및 기본 심장질환을 알아볼 수 있다. 혈압은 환자가 편안한 상태로 앉은 상태나 누워 있는 상태에서 측정할 수 있다. 혈압대를 팔에 감고, 청진기를 상완 동맥에 정확히 위치시켜서 200 mmHg 이상 수은주를 올리고 맥박이 한 번 뛰는 동안에 2 눈금의 수은주가 내려오도록 하며 수축기와 이완기의 혈압을 측정한다.

수축기 혈압은 좌심실에서 혈액을 수축하는 압력으로서 성인의 경우 120 mmHg 이상을 고혈압 전단계, 140 mmHg 이상을 1기 고혈압, 160 mmHg 이상을 2기 고혈압으로 하며, 90 mmHg 이하를 저혈압으로 정의한다. 이완기 혈압은 심실의 저항성으로 나타나는 혈압으로 실제 고혈압 진단에 더욱 중요하고 80 mmHg 이상을 고혈압 전단계, 90 mmHg 이상을 경미한 고혈압, 100 mmHg 이상을 중증도 고혈압으로 하며, 60 mmHg 이하인 경우를 이완기 저혈압으로 정의한다. 이완기 혈압이 110 mmHg 이상이 되는 심한 고혈압 환자들은 반드시 내과의에게 의뢰해야 하며 처치가 필요한 경우에는 진정제 투여와 혈관수축제 사용 금지 등을 숙지하고 조심스럽게 처치해야 한다.

② **맥박**(pulse rate)

횟수와 리듬이 중요하며 60–100회/분을 정상범위로 보고 60회/분 이하를 서맥, 100회/분 이상을 빈맥이라 정의한다. 일반적으로 요골동맥, 상완동맥, 측두동맥 등을 이용하며 동시에 리듬 및 맥박의 형태 등을 주의 깊게 본다. 강하고 약한 리듬, 불규칙적인 리듬이 나타나면 심근의 이상이므로 내과에 의뢰해야 한다.

③ **호흡수**(respiration rate)

호흡은 횟수, 심도 및 리듬이 중요한 요소이다. 어린이의 경우 30회/분, 어른의 경우 14–18회/분 정도의 정상 호흡 횟수를 가진다. 천식을 비롯한 기관지질환 및 환자의 불안 정도를 확인해야 한다.

④ **체온**(body temperature)

체온은 구강 및 직장에서 직접 측정할 수 있다. 구강 내 체온은 정상적으로 36.5℃이고 직장에서는 약 0.5–1℃ 정도 더 높게 측정된다. 체온은 오전에는 조금 낮고 오후 늦게나 저녁에는 높다. 환자는 체온이 37.5℃ 이상이 되면 추위를 느끼며 38℃ 이상 더 오르면 몸이 떨리기도 하는데 일반적으로 대증요법을 권장하며 전신질환을 동반하지 않는 심한 고열은 일반적으로 얼음찜질로 조절할 수 있다. 환자가 감염성 질환이 있는 경우에도 체온이 올라간다.

(2) **전반적 외모검사**

환자의 영양 및 발육상태를 검사한다. 체격이 균형을 이루는가, 건강해 보이는가 또는 너무 뚱뚱하거나

표 2-1 병력검사(medical history)를 위한 설문지

이름 ________ 성별 ________ 생년월일 ________

주소 ________________________

전화번호 ________ 키/몸무게 ________

검사날짜 ________ 직　업 ________

1. 가장 최근의 내과 검진일 ________
2. 주치의 이름, 주소 ________

3. 현재 내과치료 여부	예	아니오
치료 중이라면 치료받는 이유 ________		
4. 과거의 질병이나 수술 여부	예	아니오
있었다면 질병명과 수술명 ________		
5. 최근 5년 동안 입원 여부	예	아니오
입원했다면 입원 이유 ________		
6. 아래의 질병을 가지고 있거나 과거에 앓았던 경험이 있었는지 여부		
1) 류마티스열 또는 류마티스 심장질환	예	아니오
2) 심장이상	예	아니오
3) 심혈관질환	예	아니오
(1) 운동 시 흉통 여부	예	아니오
(2) 가벼운 운동 시에도 숨이 가쁜지의 여부	예	아니오
(3) 발목 부종의 여부	예	아니오
(4) 누웠을 때 숨이 가쁜지 또는 수면 시 베개가 추가로 더 필요한지의 여부	예	아니오
4) 천식과 건초열	예	아니오
5) 피부발적	예	아니오
6) 실신이나 발작	예	아니오
7) 당뇨	예	아니오
(1) 하루 여섯 번 이상 소변을 보는지	예	아니오
(2) 갈증이 심한지	예	아니오
(3) 구강건조를 느끼는지	예	아니오
8) 간염, 황달, 간질환	예	아니오
9) 관절염 또는 다른 관절이상	예	아니오
10) 위궤양	예	아니오
11) 신질환	예	아니오
12) 결핵	예	아니오
13) 지속적인 기침 또는 객담	예	아니오
14) 성병	예	아니오
15) 기타 다른 질환 여부 ________		
7. 이전의 발치, 수술, 외상과 관련된 비정상적인 출혈 여부	예	아니오
1) 멍이 쉽게 드는지 여부	예	아니오
2) 과거 수혈이 필요했는지	예	아니오
만일 그렇다면 그 상황을 설명하시오 ________		

8. 빈혈 같은 혈액 이상 질환 여부	예	아니오
9. 두경부 영역에 종양이나 다른 질환으로 수술이나 방사선치료 여부	예	아니오
10. 약의 복용 여부	예	아니오
복용하고 있다면 약의 이름 ______		
11. 아래 약들의 복용 여부		
1) 항생제		
2) 항응고제, 항혈전제		
3) 항고혈압제		
4) 코르티코스테로이드		
5) 진정제		
6) 비스포스포네이트제		
7) 인슐린		
8) 디기탈리스		
9) 니트로글리세린		
10) 항히스타민제		
11) 구강 피임제 또는 다른 호르몬제		
12) 기타 다른 약물 ______		
12. 다음 것에 알레르기나 다른 부작용의 여부, 있다면 약의 이름		
1) 국소마취제:		
2) 페니실린이나 다른 항생제:		
3) 아스피린		
4) 요오드나 조영제:		
5) 코데인이나 마약제		
6) 기타 다른 약물		
13. 이전 치과치료와 관련한 문제점의 여부	예	아니오
있었다면 어떤 문제점이었는지 ______		
14. 기술되지 않은 것 중 의사가 알아야 할 질병이나 문제점의 여부	예	아니오
있다면 무엇인지 ______		
15. 방사선에 노출되는 직업에 종사했었는지 여부	예	아니오
16. 콘택트렌즈의 착용 여부	예	아니오
여성:		
17. 임신 중인지의 여부	예	아니오
18. 수유 중인지의 여부	예	아니오
19. 생리 중인지의 여부	예	아니오

가장 불편한 사항을 기재하십시오 ______

환자 서명 ______ 치과의사 서명 ______

마른 체형인가를 관찰하고 두경부의 정상적 발육 정도도 같이 평가한다.

(3) 환자의 인지 정도(mental status)

환자의 시간이나 방향성 등의 의식수준을 평가하고 의식소실 여부, 기억력 상실 여부 및 과거 유사한 경험 등이 있었는지에 관하여 확인하고 이상이 있는 경우에 신경과 혹은 신경외과에 의뢰한다.

(4) 안면부 검사

① 눈 검사

정상적인 해부학적 지식을 숙지하고 눈동자의 움직임 및 결막, 공막, 각막 등의 이상 여부를 확인한다. 또한 안구함몰 및 안구돌출 여부, 눈꺼풀 하수증 및 안구진탕증, 복시현상, 광선공포증, 동공 크기, 빛반사 및 안저경(funduscope)을 이용한 망막부위 울혈 여부 등을 관찰한다. 일반적으로 간질환이 있는 환자의 공막은 노란색을 띠며 빈혈소견이 있을 때 결막의 충혈도가 창백하게 나타난다.

② 귀 검사

동통, 출혈, 분비물 여부, 청력 및 이명(tinnitus) 등의 이상 여부를 검사하고 고막검사와 청력검사 등이 필요할 경우 이비인후과에 의뢰한다.

③ 코 검사

외상 시 흔히 나타나는 비출혈과 뇌척수액 누출 등을 확인하고, 코 훌쩍거림, 과도한 분비물, 코막힘, 비중격만곡, 비정상 후각 및 알레르기성 비염 등 일반적 사항을 검사하고 부비동질환 여부 등도 문진하여 확인한다.

④ 인후부 검사

편도의 크기, 대칭성, 선양조직(adenoid tissue) 크기, 연하능력, 인두, 후두 상태, 목소리 상태 및 객담 여부 등을 검사한다.

⑤ 악관절

동통, 잡음 및 하악의 운동제한을 촉진 및 청진한다.

⑥ 구강

치아와 구강 및 인두점막 병변에 대한 시진, 편도와 구개수의 평가, 혀, 구순, 구강저, 타액선에 대한 촉진, 입술 및 점막의 작열감, 저작곤란, 구취, 연하곤란 및 불량보철물 등을 평가한다.

(5) 경부 검사

목의 운동장애 또는 강직성 여부, 좌우 대칭성, 림프절 위치와 크기를 시진 및 촉진을 통해서 확인하고 감염, 갑상선 기능항진증 등을 확인하여야 한다.

(6) 흉부 검사

흉통, 가슴의 답답함 등을 확인하며 심호흡 시 불편감, 일정한 자세에서의 불편감 등을 임상적으로 먼저 진단하고 폐기능 및 심장기능 이상을 나누어 검사하는 것이 좋다.

① 폐기능 검사

호흡소리를 청진하며 맑은 호흡소리가 들려야 한다. 객담, 객혈, 호흡곤란 및 기침 유무를 확인해본다. 기침 시 객담이 동반되는 경우와 건조한 기침이 있는데, 염증성인 경우 많은 분비물로 인해 객담이 나오게 된다.

② 심장기능 검사

가슴이 답답한지, 손발이 가끔 저리는지, 갑자기 가슴이 아픈지 등의 심장이상과 관련된 임상소견을 확인하고 심장 박동, 횟수 및 리듬 등을 청진을 통하여 자세히 관찰하며 선천성 심장질환 여부도 확인하여야 한다.

(7) 복부 검사

소화가 잘 되는지, 식욕은 있는지 확인하고 복부의

윤곽 등을 시진하여 확인하며 압통 및 동통 여부, 간비대 및 췌장비대 등을 촉진으로써 검사한다.

(8) 비뇨기계 검사

소변 횟수 및 소변량, 색깔, 냄새 등을 확인하며, 다뇨(polyuria), 핍뇨(oligouria), 무뇨(anuria), 야간뇨(nocturia) 및 소변 시 동통 등을 알아본다. 또한 성병 감염 여부를 검사하고 필요에 따라 비뇨기과에 의뢰한다.

(9) 등 검사

요추 동통 및 척추만곡 정도를 확인한다. 간혹 신장질환과 요통의 연관성이 있을 수 있으나 치과진료와 크게 연관되는 것은 없다.

(10) 팔, 다리 검사

잘 움직일 수 있는지, 대칭적인지, 손가락과 발가락은 정상적인지, 부어있지는 않은지, 피부질환은 없는지, 함요부종(pitting edema)은 없는지 등을 확인한다.

2. 전신질환의 평가와 외과적 치료

일반 치과 환자의 진료에서도 전신질환의 평가는 필수적이지만, 구강악안면외과 환자에서 전신질환 평가와 관련 의학과(내과, 소아과 등)와의 협의진료(consult)는 중요하다. 표 2-2는 특히 유념할 전신질환을 나열한 것으로 수술과 관련된 내용을 살펴보도록 하겠다.

환자의 의학적 평가의 결과를 가지고 신체상태 분류를 확정하게 된다. 가장 일반적으로 이용되는 것이 미국 마취과학회(American Society of Anesthesiologists, ASA)의 신체상태(Physical Status, PS) 분류체계이다(표 2-3). 만일 일반 치과의사가 치과적 치료를 시행할 경우 환자가 ASA PS 1이나 비교적 건강한 ASA PS 2 환자가 아니라면 환자를 치료 시 ① 불안감소요법(stress reduction protocol)(표 2-4), 약물에 의한 불안조절 혹은 면밀한 환자감시를 통하여 일반적인 치료계획을 변경하거나, ② 외래수술을 견딜 수 있을 만큼 환자를 준비하기 위한 지침에 대해 의과적 자문을 구하거나, ③ 외래에서의 치료를 미루고 구강악안면외과 의사에게 의뢰한다. ASA PS 3의 경우 단순발치, 임플란트 1개 식립 등은 고려될 수 있으나, 나머지 모든 치과적 수술은 연기 또는 취소하는 것이 타당하다.

표 2-2 수술 시 유념할 전신질환들

1. 심혈관 질환(cardiovascular disease) 1) 선천성 심장질환(congenital heart disease) 2) 후천성 심장질환(acquired heart disease) (1) 허혈성 심장질환(ischemic heart disease) ① 협심증(angina pectoris) ② 심근경색증(myocardial infarction) ③ 관상동맥우회이식(coronary bypass grafting) (2) 부정맥(arrythmia) (3) 심장판막질환(valvular heart disease) (4) 울혈성 심부전(congestive heart disease) (5) 고혈압(hypertension) (6) 류마티스성 심장질환(rheumatic heart disease) (7) 저혈압(hypotension)
2. 폐질환(pulmonary disease) 1) 천식(asthma) 2) 만성폐쇄성폐질환(chronic obstructive pulmonary disease) 3) 결핵(tuberculosis)
3. 간질환(liver disease)
4. 내분비질환(endocrine disorders) 1) 당뇨병(diabetes mellitus) 2) 부신기능부전증(adrenal insufficiency) 3) 갑상선기능항진증(hyperthyroidism) 4) 갑상선기능저하증(hypothyroidism)
5. 출혈성 질환(bleeding disorders)
6. 신장질환(renal disease)
7. 임신(pregnancy) 환자

표 2-3 ASA (American Society of Anesthesiologists) 신체등급 분류와 치료방법 변경

ASA 신체상태 분류(physical status, PS)	내과적 상태	치과치료
PS 1. 건강한 환자 (normal healthy patient)	신체적, 생리적 혹은 정신적 장애가 없는 경우	통상적 치과치료
PS 2. 경도의 전신질환자 (mild systemic disease)	한 가지 또는 복수의 전신질환은 가지고 있지만 조절이 잘 되고 있는 경우(예: 합병증이 없는 당뇨)	스트레스 감소법과 의과와 협진, 필요시 치료방법 변경
PS 3. 고도의 전신질환을 가진 환자 (severe systemic disease but not incapacitating)	전신질환이 제대로 조절되지 않고 있는 경우, 다소의 기능 장애 동반, 즉각적으로 생명에 지장은 없는 상태 (예: 조절되지 않는 당뇨, 안정성 협심증, 심근경색 6개월 이상 경과)	스트레스 감소법과 의과와 협진, 엄격한 치료방법 변경
PS 4. 지속적으로 생명을 위협하는 심한 전신 질환을 가진 환자 (severe systemic disease and a constant life threat)	현저한 기능적 제한이 동반되는 경우 (울혈성 심부전, 불안정성 협심증, 급성 심근경색, 당뇨병성 케톤산증, 악화된 천식 또는 만성폐쇄성폐질환)	최소한의 치과적 응급처치, 반드시 의과와의 협진 및 입원 후 치과진료
PS 5. 수술 없이는 소생을 기대할 수 없는 사망 직전의 환자 (moribund patient who is not expected to survive without the operation)	말기 질환 또는 24시간 내 사망 가능성이 있는 경우 (예: 동맥류 파열)	
PS 6. 뇌사상태의 환자 (declared brain dead donor waiting for organ harvest)	임상적으로 사망 상태로 장기기증 대기 상태	

* 환자가 응급수술을 요하는 경우 PS 등급 숫자 뒤에 E를 붙인다.

출처: 미국마취과학회(American Society of Anesthesiologists, Relative value guide, 2003)

표 2-4 전신질환 환자에서 스트레스 감소 프로토콜

1. 환자의 전신적 위험성 인식
2. 치과치료 전 의학적 자문
3. 아침(기상 후 약 3시간 후)에 치료 약속
4. 대기시간을 최소화함
5. 치료 전, 중, 후 활력징후 측정
6. 치료 중에 정신안정을 시키고 동통 조절함
7. 치료시간을 가능한 한 짧게 함
8. 치료 후 동통 및 불안 조절

1) 심혈관 질환(Cardiovascular disease)

(1) 선천성 심장질환(congenital heart disease)

선천성 심장질환은 성인 심장질환의 불과 2%에 불과하다. 원인으로 복잡, 다양한 다인성의 유전적, 환경적 요인들이 거론되고 있으나 실제로 발생되는 사례의 많은 경우에서 원인이 밝혀지지 않고 있다. 약물, 감염, 그리고 과도한 방사선 노출 등이 원인으로 보고되었으며, 임신 초기에 mumps, rubella, influenza와 같은 바이러스에 감염되거나, 알코올, 페니토인(phenytoin)과 같은 약물에 중독된 경우 발생할 수 있다고 알려져 있다. 다운증후군이나 터너증후군(Turner's syndrome)과 같은 염색체 이상질환의 경우 높은 빈도로 발생한다.

선천성 심장질환은 혈류에 따라 크게 세 가지로 구분된다. 첫째, 혈액의 좌우단락을 보이는 기형으로 심방중격결손, 심실중격결손, 동맥관개존증 등이 있으며, 둘째, 혈액의 우좌단락을 보이는 기형으로 대혈관전위, 동맥간 잔존, 팔로네증후(Tetralogy of Fallot) 등이고, 셋째, 혈류가 폐쇄되는 기형으로 폐동맥협착증

등이 여기에 속한다.

다른 분류체계로 청색증의 유무에 의한 구분법이 있는데, 청색증형의 경우 혈액의 우좌단락이 발생하며 피부와 점막의 청색증, 손·발가락의 곤봉화 등의 증상이 나타날 수 있다. 비청색증형의 경우는 혈액의 좌우단락이 발생하며, 심잡음, 심부전, 호흡곤란 등의 증상이 나타날 수 있다. 선천성 심장질환에 대한 치료는 크게 내과적 치료, 수술적 치료, 심도자를 이용한 중재적 시술(catheter intervention)이 있다. 비청색증의 심장기형은 반드시 수술을 하지 않아도 되는 경우가 많으나, 청색증형 기형은 수술이나 도관을 이용한 시술이 필요하다.

이러한 선천성 심장질환 환자는 결손부위가 합병증에 쉽게 이완되므로 치과치료 후 발생할 수 있는 일과성 균혈에 의한 심내막염에 주의해야 한다. *Streptococcus Viridans*는 구강내 상재균이며 주요 원인균으로 알려져 있다. 심내막염의 가장 흔한 증상은 고열로 그밖에 오한, 체중감소, 호흡곤란, 기침, 흉통 등이 나타날 수 있으며, 피부에 자반 등이 나타날 수 있다. 심내막염은 치료를 하지 않으면 치명적일 수 있고 또한 심장조직이나 판막에 영구적인 손상을 주게 된다. 따라서 선천성 심장질환 환자의 치과치료와 감염성 심내막염의 예방은 함께 생각되어야 한다.

심장질환의 상태에 따른 분류에서 고위험군과 중증도 위험군은 예방적 항생제의 사용이 필요하다. 고위험군에는 청색증형 선천성 심장질환과 인공심장판막, 심내막염의 병력이 있는 경우 등이 포함되며, 중증도 위험군에는 대부분의 선천성 심장질환과 후천적인 판막의 기능부전 등이 포함된다. 예방적 항생제의 투여가 필요 없는 경우는 심실중격결손이나 심방중격결손, 동맥관개존증 등이 외과적으로 치유된 경우와 단순 심잡음만이 있는 경우 등을 들 수 있다.

(2) **후천성 심장질환**(acquired heart disease)

① **허혈성 심장질환**(ischemic heart disease)

허혈성 심장질환이란 심근에 혈액을 공급하는 관상순환계의 이상으로 심근이 충분한 양의 산소와 영양분을 받지 못해서 발생하는 질환을 말한다. 원인인자로는 동맥경화로 인한 관상동맥 협착을 들 수 있고 흡연, 고혈압, 고지혈증(고콜레스테롤혈증), 당뇨병 등이 연관되어 있다. 구강외과적인 수술이 필요한 환자의 경우, 환자의 병력과 과거력을 면밀히 관찰하여야 하며 심전도와 운동부하검사, 24시간 활동 심전도, 흉부X선 촬영, 심장초음파, 관상동맥 조영술이 필요할 수도 있으므로 미리 내과의와의 면밀한 협진이 필요하다. 허혈성 심장질환을 가진 환자의 경우 혈관조영술이나 풍선과 스텐트를 이용한 관상동맥확장술이 시행되기도 한다. 허혈성 심장질환의 경우 심근의 수축상태를 완화하고 심장의 박동을 줄여서 심근의 산소 요구도를 줄이기 위하여 약물(베타차단제, 칼슘통로차단제, 질산염) 등을 투여하거나 관상동맥을 확장시키는 약물(질산염; nitrate)을 투여한다. 이러한 약물의 갑작스런 투약 중단은 혈압과 심박수를 증가시키므로 술전·후에 지속적으로 투여되어야 한다.

a. **협심증**(angina pectoris)

협심증은 심근의 산소요구량이 산소공급량을 초과하여 발생하는 가역적인 심근의 허혈상태이다. 협심증의 가장 중요한 증상은 흉통이며 운동, 흥분, 추위, 과식 등에 의해 유발되며 흉골 부위에서 조여드는 느낌과 압박감이 2-10분간 지속된다. 이 동통은 왼쪽 어깨와 팔, 그리고 하악 부위까지 퍼질 수 있다. 불편감은 심근의 운동요구가 낮아지거나 심장근육에 대한 산소공급이 증가되면 사라진다. 즉 운동의 중지, 안정, 니트로글리세린의 설하 투여로 호전된다.

협심증의 기왕력이 있는 환자의 치과처치 시 가능한 모든 예방적인 수단들을 사용한다. 협심증을 일으켰던 사건, 협심증의 빈도, 지속시간, 강도, 그리고 약물에 대한 반응에 대해 질문하고 관상동맥의 혈전형성을 예방하기 위하여 아스피린이나 항응고제를 투여받고 있는지 파악해야 하며, 이때 환자의 주치의에게도 문의하는 것이 좋다.

안정성 협심증(stable angina)이란 최소한 최근 60일간 흉통의 시작, 심도, 흉통 지속시간이 변화가 없는 경우를 말한다. 즉 특별히 과격한 운동을 하거나 무리하지 않으면 생기지 않고, 생기더라도 니트로글리세린을 투약하면 증상이 사라지는 경우이다. 불안정성 협심증(unstable angina)이란 최근에 생기거나, 휴식 시에도 흉통이 나타나고 언제 협심증이 나타날지 모르는 상태로 서빈도, 심도, 발병지속시간이 불규칙한 협심증을 의미하며 ASA PS 4로 분류된다. 이때는 최소한의 응급 치과처치만 시행하고 외과적 수술은 연기하는 것이 좋다.

치과치료가 필요한 경우 내과의사에게 자문을 구하며, 치료 전 니트로글리세린을 준비한다. 치료 시 환자의 불안감을 최소화하는 것이 중요하며 이를 위하여 전투약을 시행할 수 있다. 만일 환자가 피곤해 하거나 맥박이 빨라지는 등의 변화가 있을 경우 치료를 바로 중단한다. 협심증의 증상이 발생하면 치료를 중지하고 설하로 니트로글리세린을 투여한다(표 2-5).

표 2-5 협심증 병력을 가진 환자의 관리

1. 환자의 내과의에 자문
2. 불안감소요법의 사용
3. 니트로글리세린 정제나 스프레이 비치, 필요시 니트로글리세린 전처치
4. 보충적 산소투여
5. 확실하고 심도 있는 국소마취
6. 아산화질소(N_2O)를 이용한 진정 고려
7. 면밀한 활력징후 감시
8. 사용하는 에피네프린 양 제한(최대 0.04 mg)
9. 환자의 상태를 검색하기 위해 전 수술과정을 통해 환자와의 계속적인 대화 유지

b. 심근경색증(myocardial infarction)

심근경색증이란 지속적인 심근허혈 즉, 관상동맥 혈류량의 부족으로 인하여 심근세포가 비가역적으로 파괴되는 상태를 말한다. 증상은 협심증의 흉통과 비슷하게 압박감과 조여드는 느낌 등을 호소하나, 협심증에 비해 훨씬 정도가 심하다. 협심증은 대개 통증이 5분 이내에 끝나며, 안정을 취하거나 니트로글리세린을 설하 투여 시 호전된다. 하지만 심근경색증으로 진행될 경우 30분 이상 통증이 지속될 수 있으며, 쉬거나 약을 복용해도 반응하지 않는 경우가 많다. 당뇨병 환자나 노인과 같은 약 10-20%의 환자에서는 전혀 통증을 호소하지 않기도 한다. 심근경색 후 6개월 이내에는 통상적인 치과치료를 피하고 필요시에는 내과의사와 상담한 후 응급치료만 시행한다. 치과치료 중에 심근경색 환자들에 대한 관리는 협심증 환자와 비슷하다. 국소마취는 흡인(aspiration)을 먼저 시행한 후 아주 서서히 주입한다. 국소마취제의 에피네프린 사용은 총 용량 0.04 mg 이내로 제한한다. 이는 에피네프린을 1:100,000 농도로 함유한 국소마취제 4 ml 이상을 투여해서는 안 된다는 것을 의미한다(표 2-6).

표 2-6 심근경색 병력을 가진 환자의 관리

1. 환자의 내과 주치의에 자문
2. 경색 후 6개월까지 관혈적 대수술을 연기
3. 환자가 항응고제(아스피린 포함)를 사용하고 있는지 확인
4. 불안감소요법 사용
5. 니트로글리세린 비치, 내과의사의 지시가 있다면 예방적으로 사용
6. 보충적 산소투여
7. 심도 있는 국소마취
8. N_2O 사용 고려
9. 활력징후 감시, 계속적인 대화 유지
10. 에피네프린 사용을 0.04 mg 이하로 제한
11. 구강악안면외과의에게 의뢰 고려

c. 관상동맥우회이식(coronary bypass grafting)과 관상혈관성형술(coronary angioplasty)

허혈성 심장질환에서 약물요법으로 치료될 수 없는 관상동맥질환이 동반되는 경우 관상동맥우회이식(coronary bypass grafting)이나 관상혈관성형술(coronary angioplasty)을 시행하게 된다. 관상동맥우회이식은 관혈적으로 관상동맥의 막히거나 좁아진 부분을 절제 후 다른 부위의 정맥으로 이식하

는 방법으로 새로운 관상혈관을 만들어주는 방법이다. 최근에는 협소화된 관상동맥을 적절한 혈류를 다시 만들어주기 위하여 공기주머니가 달린 도관을 삽입하거나 금속 스텐트(bare-metal stenting) 혹은 약물이 코팅된 스텐트(drug-eluting stenting, DES)를 삽입하는 관상혈관성형술이 일반화되고 있다(그림 2-1). 이 방법으로 성공적인 치료를 받은 경우, 환자의 상태에 따라서 앞서 언급한 협심증이나 심근경색 치료에 준하여 치과치료와 구강외과 수술을 받는 것이 원칙이다. 이러한 수술을 받은 환자의 경우 스텐트 내면이 다시 좁아져 증상이 재발할 수도 있으므로 시술 후 항혈소판제제(aspirin & thienopyridine)를 계속적으로 투여하여 혈전생성으로 인한 심근경색의 재발을 방지하여야 한다. 최근 2009년 호주 및 뉴질랜드 심장학회에 의하면 관상동맥 금속스텐트 삽입 시 3개월, 약물코팅 스텐트 삽입 시에는 12개월간 심장수술을 제외한 나머지 수술을 연기하는 것이 추천된다. 수술을 시행하는 경우라도 악성종양 절제술과 같은 두경부암의 수술 전과 수술 후 이외에는 계속적으로(평생 동안) 항혈소판제제를 투여하는 것이 추천되고 있다. 즉 발치 전후의 출혈성향의 위험성보다 혈전 재형성의 위험성을 더 심각하게 고려하여 치과치료 시 항혈소판제제를 계속 투여하는 것이 추천된다는 것이다.

② 부정맥(arrhythmia)

정상적인 심장기능은 세포의 자동성(임펄스의 생산), 전도성, 흥분성 그리고 수축성에 의해서 좌우되는데 이 중 자동성과 전도성의 장애가 대부분의 부정맥에서 기본적인 원인이 된다. 정상 상태에서는 동방결절(sinoatrial node, SA node)이 임펄스 발생의 주된 역할을 하지만, 전도계의 다른 세포에서도 임펄스를 발생시킬 수 있다. 어떤 비정상 상태에서는 이소성 심박조율기(ectopic pacemaker)가 전도계를 벗어난 곳에서 나타날 수도 있다. 부정맥의 유형이 그것의 원인이 되는 특정한 질병을 시사하는 경우도 있지만, 많은 경우 어떤 특정 질환이라고 단정짓기 어려울 때도 있다. 부정맥의 가장 흔한 원인은 원발성 심혈관장애, 폐의 장애(색전증, 저산소증), 자율신경계 장애, 전신성 장애(갑상선 질환), 약물의 부작용, 전해질불균형 등이다. 임상 증상에 따라 동방결절 기능부전(SA node dysfunction), 방실차단(AV block), 동성빈맥(sinus tachycardia), 심방빈맥(atrial tachycardia), 심방조동(atrial flutter), 심방세동(atrial fibrillation), 그리고 심

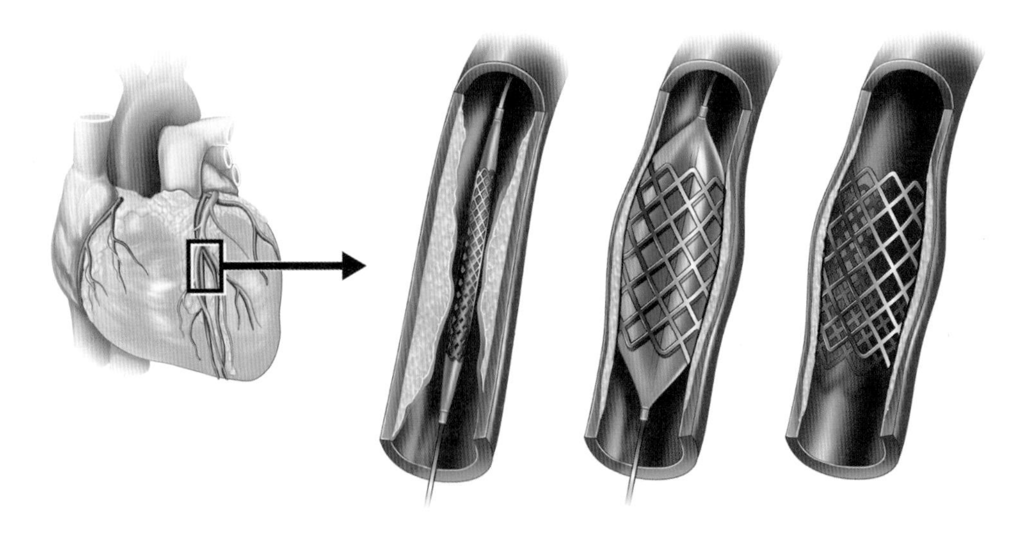

그림 2-1 관상동맥 스텐트 시술.

표 2-7 부정맥 환자에 대한 관리

1. 환자의 내과 주치의에게 자문
2. 불안감소요법 사용
3. 에피네프린 사용을 0.04 mg 이하로 제한
4. 전신마취 피할 것
5. 심박조율기 환자에게 전기장치 주의
6. INR, PT 확인 및 조절
7. 디기탈리스 약물중독 감시

정지(cardiac arrest)로 분류할 수 있다.

심계항진, 현기증, 협심증, 호흡곤란, 실신 등의 병력을 가진 환자는 부정맥이 발생하기 쉬우며, 치과치료를 시행하기 전에 내과의사로부터 평가를 받도록 해야 한다. 불규칙한 맥박을 가진 환자인 경우에는 비록 증상이 없다고 할지라도 내과적 평가를 위하여 의뢰를 하여야 한다. 디곡신(digoxin)이나 프로프라놀롤(propranolol)과 같은 항부정맥 약물을 복용하거나 심박조율기(pacemaker)를 장착하고 있는 환자도 확인해서 내과의사에게 자문을 구하도록 해야 한다. 항응고제를 사용하고 있는 환자에 대해서는 지혈기능을 평가해야 한다. 부정맥을 가진 환자들 중에는 항응고제를 사용하고 있는 경우가 있는데 이들의 프로트롬빈시간(prothrombin time, PT)과 INR (international normalization ratio)을 측정해야 한다.

부정맥이 발생하기 쉬운 환자 및 이미 부정맥을 가지고 있는 환자를 확인하며, 내과병력을 조사하고 활력징후를 평가해야만 한다. 또한 치과 환자에게 간단한 심전도장치를 사용해서 부정맥 환자를 선별하는 것도 좋은 방법이다(표 2-7).

③ 심장판막질환(valvular heart disease)

심장판막질환을 가진 환자의 경우 대부분 증상이 없고, 생활에 지장이 없으므로 국소마취와 구강악안면외과 수술을 시행할 수가 있다. 심장판막질환은 두 가지의 일반적인 위험을 내포하게 되는데 ① 심부전(cardiac failure)의 축적, ② 세균성 심내막염의 위험성이다. 심장판막이상을 가진 모든 환자에서 술전 예방적 항생제 투여를 반드시 고려해야 한다. 세균성 심내막염의 예방을 위한 항생제 처치는 4장. 구강악안면감염(IV. 치성감염의 예방과 항생제 사용의 문제)에서 자세히 언급되어 있다.

심장판막질환을 가진 환자의 경우, 특히 인공판막이나 승모판협착증(mitral stenosis)이 동반된 경우 항응고제 치료를 받게 된다. 이 경우 정상인보다 PT가 1.3-1.5배, INR이 2-3배 정도 높게 된다. 따라서 수술을 시행할 경우 심장내과의사에게 의뢰하여 술후 출혈의 위험성과 혈전색전증(thromboembolism)의 방지의 중요도를 평가하여야 한다. 만일 혈전색전증의 위험이 보통이라면 술전 72시간 전에 쿠마딘(Coumadin) 투여를 중지하고 수술 종료 후 당일 혹은 그 다음날 투여를 재개한다. 혈전색전증의 위험이 높다면, 술전 쿠마딘 투여를 중지하고 헤파린(heparin)을 정주한 후, 수술 6시간 전에 헤파린 투여를 멈춘다. 일단 수술 부위의 출혈이 멈추고 나면 헤파린과 쿠마딘을 다시 쓰면서 수술부위의 재출혈을 면밀하게 관찰한다.

④ 울혈성 심부전(congestive heart failure)

정상적인 심근은 심근에 과도한 요구량이 부하될 때 Frank-Straling mechanism에 의하여 수축력을 증가시키는 과정을 거치게 된다. 만일 이러한 심근의 기능이 원활하지 못하여 신체가 원하는 심박출을 시행할 수 없을 때 혈액이 폐혈류계, 우측심장, 그리고 주요 정맥체계인 간문맥(portal system)에서까지 저류되어 폐부종, 간기능이상, 장의 영양흡수장애 등을 초래하게 된다. 감소된 심박출은 전신적인 허약감을 초래하게 되고, 과도한 조직액은 혈관의 과부하를 유발한다.

울혈성 심부전으로 인하여 환자는 움직이거나 누울 때 숨이 차고 가래를 동반한 기침을 하며, 복부, 다리, 발목 등의 부종을 호소하게 된다. 호흡곤란 때문에 좌위(reclining position)를 취하지 않으면 호흡할 수 없는 상태(좌위호흡; orthopnea), 발작성 야간 호흡곤란이 특징이다. 좌위호흡을 가진 경우 환자는 대개 두세 장의 베개를 상체로 받친 채 수면을 하게 된다.

심부전은 크게 두 가지 기본적인 과정에 의해서 초래된다. 첫째로는 심장에 정맥순환(venous return), 즉 과도한 부하(전부하; preload)가 가해질 때(예: hypervolemia), 혹은 심장에서 동맥혈액이 뿜어져 나가는 과장에서 저항(후부하; afterload)이 발생할 때(예: 동맥협착 등과 같은 경우)를 들 수 있다. 둘째, 심근경색이나 심근병증(cardiomyopathy)과 같이 심근기능이 더 많이 요구되는 상황에 심장이 제대로 기능할 능력이 저하된 경우이다. 전부하의 경우 혈관 내 부피를 줄이도록 식염의 조절(sodium restriction)과 이뇨제 사용으로 조절하고, 후부하는 혈관확장제(vasodilator)를 사용하여 조절하며 심근 수축력은 디곡신으로 심근 효율을 증가시킨다.

울혈성 심부전을 치료하기 위한 투약은 크게 다섯 가지로 들 수 있다. (1) 이뇨제(diuretics): 환자가 순환이 울혈(circulatory congestion)되는 증상을 보이는 경우 이용된다. (2) 혈관확장제: ① ACE inhibitor (angiotensin−converting−enzyme inhibitor), 심부전의 치료에 가장 효과적인 약제, ② 하이드랄라진(hydralizine)과 질산염(nitrate), ③ 칼슘통로차단제, 고혈압이나 심근경색이 동반된 경우, (3) 강심제(inotropic agent): 심근효율을 증가시키는 디곡신은 증상의 개선을 가져오지만 장기생존율은 개선되지 않음, (4) 베타차단제: 교감신경활성도를 차단, (5) 항응고제: 진행된 심부전에서 초래되는 색전증 방지.

울혈성 심부전은 가장 흔한 원인으로는 심장판막질환, 관상동맥 경화성 심장질환, 그리고 고혈압이다. 이 중 고혈압이 가장 큰 선행질환이다. 내과의사에 의하여 식이조절과 약물치료로 잘 조절되는 울혈성 심부전 환자는 외래 구강외과 수술을 안전하게 받을 수 있다. 치료 시 술전 불안감소요법과 적절한 동통조절, 보충적 산소투여가 도움이 된다. 혈관수축제를 최소로 사용하며, 치료시간을 단축하고, 치료 중 계속적으로 맥박검사를 시행해야 한다. 좌위호흡을 하는 환자라면 진료과정 중 똑바로 누운자세로 위치시켜서는 안 된다(표 2-8). 필요한 경우 내과와의 협진하에 이러한 환자들의 전신마취하 수술이 가능하며 술후 환자의 심장과 폐 상태를 면밀히 관찰하고 소변량(urine output)을 잘 체크하여 술후신부전(postoperative renal failure)에 주의한다.

표 2-8 울혈성 심부전 환자에 대한 관리

1. 심장기능이 향상되어 내과의가 치료가 가능하다고 생각할 때까지 치료 연기
2. 불안감소요법 사용
3. 보충적인 산소투여
4. 똑바로 누운자세를 피할 것
5. 구강악안면외과의에게 의뢰 고려

⑤ 고혈압(hypertension)

고혈압은 일반적으로 휴식상태에서 성인의 동맥압이 수축기 140 mmHg, 이완기 90 mmHg 이상인 경우를 말한다. 고혈압 환자의 약 90%는 원인이 밝혀지지 않은 본태성 고혈압(essential hypertension)이며 그 외 유전적 인자, 신경과민, 식염 섭취, 비만증, 직업 등의 요인이 있다. 대부분의 고혈압 환자는 증상이 없으며 때로는 환자 자신이 고혈압이라는 것을 모르고 지내는 경우도 있다.

치과치료 시의 긴장 및 걱정이 환자의 혈압을 위험한 상태로까지 상승시킬 수 있기 때문에 고혈압 환자 및 진단되지 않은 심한 고혈압 환자를 찾아내는 것이 중요하다. 성인에 있어서 경도 및 중등도 고혈압의 경우 국소마취하에서의 구강외과 수술은 금기증이 되지 않는다. 심한 고혈압 환자(수축기 혈압이 200 mmHg 이상이거나 이완기 혈압이 110 mmHg 이상)의 경우 혈압이 조절될 때까지 구강외과 수술은 연기되어야 한다. 혈관질환이나 혈압상승이 있는 환자에서는 부가적인 혈압상승으로 인해 뇌졸중이나 심근경색이 일어날 수 있다(그림 2-2). 고혈압 환자의 치료 시에는 불안완화요법을 사용하고 술전과 수술 중에 활력징후를 관찰한다. 또 에피네프린이 없는 국소마취제를 사용하는 것이 좋다(표 2-9).

고혈압의 약제로는 크게 교감신경차단제(베타차단제 등), 혈관확장제(칼슘통로차단제, ACE inhibitor, 하이드랄라진), 이뇨제(thiazide 등) 등이 처방된다. 이뇨제가 처방된 환자에 있어서 저칼륨혈증(hypokalemia), 저나트륨혈증(hyponatremia) 등이 동반될 수 있으므로 전신마취하 수술 전 확인을 필요로 한다. ACE inhibitor의 경우 고칼륨혈증(hyperkalemia), 신혈류감소(decreased renal perfusion)가 초래될 수 있으므로 역시 수술 전에 전해질불균형 여부를 확인하여야 한다.

경미하거나 중등도의 고혈압(수축기 200 이하 혹은 이완기 110 이하, 화살표)의 경우 대개 외래 구강외과적 수술에 문제가 되지 않는다.

표 2-9 고혈압 환자의 관리

경미하거나 중등도의 고혈압(수축기 >140; 이완기 >90)
1. 외과적 치료에 대한 내과 주치의의 자문을 구함
2. 매 방문 시마다 환자의 혈압측정 및 에피네프린의 사용은 0.04 mg으로 제한
3. 불안감소요법 사용
4. 혈관이완을 유발하는 약물을 투여받는 환자에 있어서 급격한 자세 변화를 피할 것
5. 나트륨을 함유한 정맥 수액제의 투여는 금기
심한 고혈압(수축기 >200; 이완기 >110)
1. 고혈압이 더 잘 조절될 때까지 관혈적 치과치료 연기
2. 응급상황에 대해서는 구강악안면외과의에게 의뢰 고려

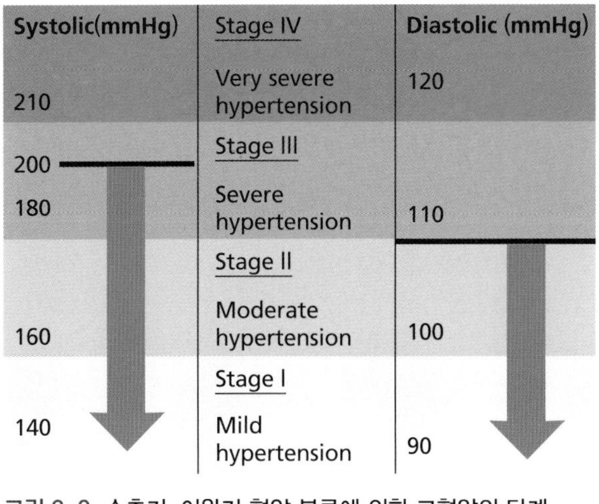

Systolic(mmHg)	Stage	Diastolic (mmHg)
210	Stage IV Very severe hypertension	120
200 180	Stage III Severe hypertension	110
160	Stage II Moderate hypertension	100
140	Stage I Mild hypertension	90

그림 2-2 수축기, 이완기 혈압 분류에 의한 고혈압의 단계. 경미하거나 중등도의 고혈압(수축기 200 이하 혹은 이완기 110 이하, 화살표)의 경우 대개 외래 구강외과적 수술에 문제가 되지 않는다.

⑥ 류마티스성 심장질환(rheumatic heart disease)

류마티스성 심장질환은 일차적으로 어린이와 사춘기 아동에 발생하는 질환이다. 이 질환은 류마티스열의 가장 흔한 증상으로 보통 승모판과 대동맥판막을 침범하며 이환된 판막에 나타나는 반흔과 석회화로 인하여 협착과 역류가 일어난다. 판막의 내막이나 전층에 걸쳐 류마티스성 결절이 나타나 판막의 변형을 초래하며 그 정도가 심할 경우 울혈성 심부전이 뒤따른다. 기왕력이 없는 젊은 환자에서 숨이 짧아지고 호흡부전과 간헐적 발열, 지속적인 맥박 상승이 나타나면 이 질환을 의심해 보고 내과의사에게 의뢰해야 한다. 류마티스열의 병력이 있는 환자에서 세균성 심내막염(bacterial endocarditis)의 예방을 위해 출혈이 예상되는 치과치료 전에 예방적 항생제를 투여해야 한다.

⑦ 저혈압(hypotension)

수축기 혈압이 90 mmHg 이하이거나 이완기 혈압이 60 mmHg 이하이면 보통 저혈압으로 정의된다. 이들 환자에서 일반적인 치과치료는 가능하며, 어떤 국소마취제도 사용 가능하다.

2) 폐질환(Pulmonary disease)

(1) 천식(asthma)

천식은 화학적, 전염성, 면역적, 혹은 정서적 자극의 결과 또는 이 모든 것의 복합작용으로 기침, 호흡곤란, 가슴 답답함, 천명(쌕쌕 소리, 협착음, wheezing) 등을 동반하게 된다. 통상 어린이들에게 빈발하지만 만성적으로 진행된 천식은 만성폐쇄성폐질환(chronic obstructive pulmonary disease, COPD)을 초래한다. 천식을 가진 환자에게는 천식을 촉진시키는 요소, 빈도,

강도, 사용된 약물 그리고 약물에 대한 반응 등에 관한 질문들을 해야 한다. 잘 조절되고 있는 천식 환자의 경우 구강외과수술의 심각한 위험군으로 분류되지 않는다. 잘 조절되는 천식 환자의 경우 술중 기관지경련(bronchospasm)이나 후두경련(laryngospasm)의 위험을 방지하기 위하여, 수술 시작 전 albuterol (교감신경항진제; beta adrenergic agonist)을 분무제(inhaler)로 투여하는 것을 고려한다.

천식 환자에서 만일 기도감염이나 협착음이 나타나면 구강외과 수술을 연기해야 한다. 구강외과 수술이 시행될 때는 불안을 줄이도록 하고 치료시간을 단축한다. 또한 신체적, 정신적 스트레스, 동통, 자극적인 냄새, 과로 등 질환을 악화시킬 수 있는 상태를 피한다. 만일 환자가 스테로이드를 투여받고 있으면 코르티코스테로이드를 추가로 투여할 필요가 있는지에 대하여 담당의사와 상의해야 한다. 천식환자는 분무제를 가지고 내원하도록 하고, 주사할 수 있는 에피네프린(epinephrine)과 테오필린(theophylline; beta agonist) 같은 약품들이 응급사태를 대비하여 응급기구들과 함께 준비되어 있어야 한다(표 2-10). 천식 환자의 경우 지속적인 스테로이드 치료를 받고 있는 경우가 있기 때문에 수술 시 스테로이드 부가투여 여부에 대하여 담당 내과의사와 상의해야 한다.

(2) 만성폐쇄성폐질환(COPD)

만성폐쇄성폐질환이란 유해한 입자나 가스의 흡입에 의해 발생한 폐의 비정상적인 염증반응과 이에 동반되는 완전히 가역적이지는 않으며 점차 진행되는 기류제한을 보이는 만성 호흡기질환이다. 이 환자들은 가벼운 운동에도 호흡곤란이 일어나며, 만성적인 기침을 하여 진한 분비물을 많이 생성하고 빈번한 호흡기 감염을 가지고 있고 숨을 쉬기 위하여 입술을 오므리고 숨 쉴 때에 쌔근거리는 소리를 낸다.

스테로이드로 치료받고 있는 만성폐쇄성폐질환 환자들은 구강외과 수술 전에 추가적인 투여를 해야 하는지를 생각해야 한다. 호흡을 억제하는 진정제, 최면제, 마취제는 피해야 한다. 환자들은 치과의자에 똑바로 세운 자세로 앉을 필요가 있는데, 이는 폐 분비물을 더 잘 처리할 수 있도록 하기 위함이다(표 2-11).

잘 조절되는 천식이나 COPD를 동반하지 않는 심한 흡연자는 ASA PS 2로, 스트레스나 운동 등에 의하여 초래되는 COPD는 ASA PS 3로 분류된다. 잘 조절되지 않는 천식과 COPD는 ASA PS 4로 분류되므로 응급처치 이외의 치과적 수술은 금기이다.

(3) 결핵(tuberculosis)

결핵은 대개 *mycobacterium tuberculosis*에 의해 야기되는 감염으로서 신체 내의 어느 장기에서든 감염

표 2-10 천식 환자의 관리

1. 천식이 잘 조절되고 호흡기감염의 징후가 보이지 않을 때까지 치과치료 연기
2. 수술 혹은 진정을 하기 전 가슴을 청진하여 천명을 감지
3. N_2O를 포함한 불안감소요법 사용. 단, 호흡억제제의 사용은 금기
4. 어린 환자에 있어서 술전 크로몰린 소듐(cromolyn sodium)의 사용 가능성에 대해 내과의에 자문
5. 환자가 코르티코스테로이드를 사용 중이거나 장기간 사용해 온 경우라면 부신기능 저하에 대한 대비
6. 기관지확장제를 함유한 흡입기 구비
7. NSAIDs 사용 금기

표 2-11 만성폐쇄성폐질환(COPD) 환자의 관리

1. 폐기능이 향상되고 치료가 가능할 때까지 치료 연기
2. 청진기로 가슴을 청진하여 호흡음의 적절성 판단
3. 불안감소요법을 사용하되 호흡억제제의 사용은 금기
4. 환자가 오랫동안 산소보충을 받고 있다면 이를 유지하고, 산소보충치료를 받고 있지 않다면 산소투여를 하기 전 내과의사에게 자문
5. 환자가 만성적으로 코르티코스테로이드 치료를 받고 있다면, 환자의 부신기능 저하에 대해서 고려
6. 환자가 바로 누운 자세로 견딜 수 있다는 확신이 설 때까지는 똑바로 누운자세 금기
7. 기관지확장제를 함유한 흡입기 구비
8. 호흡률과 심박률을 면밀히 감시
9. 분비물이 해소될 수 있도록 오후에 치료

될 수 있으나 산소분압이 높은 폐가 가장 감염되기 쉬운 부위이다. 결핵의 특징적인 소견은 병이 상당히 진행될 때까지도 증상이 나타나지 않아 발견이 어렵다는 점이다. 임상증상은 다른 감염질환에서와 유사하게 권태, 불쾌, 식욕부진, 체중감소, 야간발한 및 발열 등이다. 진행된 폐결핵에서는 호흡곤란이 나타나며 방사선 소견은 환자의 연령에 따라 다르다.

치과치료 시 고려해야 할 점은 활동성 결핵 환자인 경우 치료 시 격리, 소독이 필요하고 특별한 주의를 요하므로 응급처치에 국한시키는 것이 좋다. 환자가 화학요법으로 치료를 받아 더 이상 가래에 의한 세균배양이 안 되는 경우는 건강한 사람과 같이 치료하면 된다. 결핵이 의심되는 증상을 가진 환자의 경우는 내과의사에게 의뢰한 후 치료를 시작하는 것이 좋다.

3) 간질환(Liver disease)

단백질 생성은 간의 가장 중요한 기능의 하나로 혈액응고인자, 알부민(albumin) 등이 간에서 형성된다. 만일 혈청 알부민 수준이 2.5 g/dL 이하로 떨어지면 부종, 복수 등이 초래된다. 비타민 K 의존성 혈액응고인자 II, VII, IX, X은 간에서 만들어지므로 간질환 또는 담즙 문제로 인한 심한 비타민 K 흡수장애는 출혈성향을 초래한다. ALT (alanine aminotransferase), AST (asparatate aminotransferase)는 손상된 간세포에서 유리되는 효소로서 ALT가 오직 간세포에서만 분비되는 데 반하여 AST는 근육, 심장, 췌장, 신장, 적혈구 등에도 존재하므로 ALT가 더 민감하게 간질환을 반영한다. 간질환이 동반될 경우 빌리루빈(bilirubin) 수치의 증가, 알부민 수치 및 콜레스테롤 수치의 감소, 프로트롬빈시간(PT)의 증가 등이 나타나게 된다.

치과치료와 연관되는 문제점은 출혈경향과 백혈구감소를 동반하는 간경변에서 감염을 일으키기 쉬운 점, 그리고 바이러스성 간질환에서 간염바이러스의 전파 등이 있다. 간질환 환자 중에서 간염 환자는 높은 비율을 차지한다. 간염의 원인은 바이러스성, 알코올성, 약제에 의한 간장애 등이 있으며 경과에 따라 급성간염과 만성간염으로 분류된다. 급성 및 활동성 간염 환자에서 치과치료는 응급처치만을 시행하고 일상적인 치료는 피하며 먼저 내과의사와 상의한다. 관혈적 치료는 간기능검사 결과가 정상화된 후 시행하는 것이 원칙이다.

B형간염인 경우 간염 표면항원의 존재 유무를 혈청검사로 판별하여 보균자로 밝혀지면 치과치료 시에 엄격한 무균법을 적용하고 전염을 방지하기 위하여 철저한 소독과 주의를 요한다.

간질환 환자는 면역능 저하로 치유능력이 감소되어 있으므로 항생제를 반드시 사용하고 수술 전후 소독을 철저히 한다. 에리스로마이신계나 테트라사이클린 계통의 간독성이 있는 항생제는 되도록 피하고 합성페니실린이나 세팔로스포린 등을 사용한다. 소염진통제도 처방 시 주의하며 약물 해독력 저하로 과잉진정 및 호흡저하를 야기할 수 있으므로 진정제 및 안정제 사용 시 내과의에게 자문을 구하는 것이 필요하다. 치과영역에서 사용되는 국소마취제는 크게 영향을 미치지 않는다(표 2-12).

환자의 출혈성향 검사[PT, aPTT, INR, 출혈시간(BT)], 간기능검사 결과가 정상이면 정상 시술이 가능하다. 하지만 INR (환자의 PT/정상인의 평균 PT) 1.5배 이상, 혈소판감소증, AST, ALT, 빌리루빈 등 간질환과 관련된 효소 수치가 이상 있을 때는 구강외과 수술을 미루는 것이 좋고, 중요한 외과적 수술이 계획되는 경우 PT/aPTT가 정상치의 1.5배 이상 길어진 경우 또는 INR 3.0 이상인 경우 신선동결혈장(fresh frozen plasma)의 수혈이 반드시 고려되어야 한다. 혈소판 수

표 2-12 간기능 저하 환자에 대한 관리

1. 간질환의 원인 파악. 원인이 B형간염이라면, 그에 맞는 주의를 요함
2. 간에 의한 대사 및 배출에 의존하는 약물 금기. 만약 투약이 필요하다면 용량을 변화
3. 심한 간질환 환자에 대해서는 출혈이상에 대한 검사를 위해 혈소판 수치, PT, PTT 및 Ivy 출혈시간(BT) 측정

치(platelet count) 50,000/mm^3 이하면 수치를 증가시킨 후 시술해야 한다.

4) 내분비 질환(Endocrine disorders)

(1) 당뇨병(diabetes mellitus)

당뇨병은 인슐린 생성량의 부족으로 초래되거나(제1형, 인슐린 의존성 당뇨, 유년기에 발생), 인슐린 수용기의 반응성 저하(제2형, 인슐린 비의존성 당뇨, 주로 성인에 발생) 혹은 둘 다에 의해 정상적인 혈당량 유지에 어려움을 갖게 되는 질환이다. 다뇨, 다갈, 다식 및 체중감량 등의 증상을 가지며 당뇨병 환자의 관리에 있어서 수술 전후 대사조절, 창상치유의 문제, 감염에 관하여 주의를 기울여야 한다.

조절되지 않는 당뇨나 혈당수치 240 mg/dl가 초과되는 경우, 그리고 당화혈색소(hemoglobin A1c, HbA1c) 10% 이상인 경우 응급처치나 단순발치 정도의 구강외과적 시술 이상은 미루는 것이 좋다. 인슐린 의존성 당뇨 환자의 경우 인슐린 형성이 저하되어 환자의 포도당 대사능력이 떨어져 있다. 치료로는 인슐린 투여가 유일한 방법이다. 이러한 환자들의 경우 혈청 포도당 수준이 신장에서 재흡수할 수 있는 수준을 넘어서며 당뇨(glycosuria)를 초래한다. 용질 포도당의 삼투압 효과에 의하여 다뇨(polyuria)를 유발하며 이 때문에 환자는 다갈증을 호소하게 된다. 진전된 경우 탄수화물 대사가 변하여 지방의 파괴 및 케톤체 생산을 유발한다. 이러한 상황은 케톤산증(diabetic ketoacidosis)과 같은 대사성산증 및 졸림을 동반한 빈호흡을 초래하며 궁극적으로는 혼수상태를 유발한다. 이때 0.9% 생리식염수와 인슐린을 투여하고, K^+부족(potasium deficiency)을 치료하는 것이 필요하다.

인슐린 비의존성 환자의 경우 대개 비만에 의하여 악화되며 체중, 식이조절, 운동, 경구용 혈당강하제 투여로 치료하게 된다. 이러한 2형 당뇨병 환자의 경우 좀처럼 과혈당으로 인한 케톤산증이 초래되지는 않지만 인슐린 투여에도 불구하고 과혈당 상태로 인한 고삼투압성비케톤성혼수(hyperosmolar nonketotic coma)가 오는 경우가 있다.

단기의 경미하거나 중등도의 과혈당은 대개 당뇨 환자에서 심각한 문제는 아니나, 당뇨치료 중의 과도한 인슐린의 작용으로 혈당이 급격히 떨어져서 저혈당 상태(hypoglycemia)가 초래된다. 뇌에 필요한 당이 고갈되어 혼수를 일으키는 것이 흔하므로(혈당 40−50 mg/dl 이하로 낮아지는 경우), 이 경우 환자에게 혈당을 바로 높일 수 있는 오렌지주스 등을 마시게 하는 것이 필요하다.

잘 조절되는 당뇨의 경우 ASA PS 2 카테고리에 해당하며 조절되지 않는 당뇨는 ASA PS 3, 케톤산증이나 고삼투압성비케톤성혼수는 ASA PS 4에 해당한다. 조절되지 않는 당뇨병 환자에서는 미세혈관의 와해 및 동맥경화증 때문에 창상치유가 지연되는 경향이 있으므로 환자에게 충분한 설명과 주의를 해야 한다. 또 잘 조절되지 않는 당뇨병 환자는 치주질환이나 칸디다증 등의 감염 유발률이 높고 구강악안면 부위의 중증 감염으로 이어지는 경우도 있다. 일단 감염되면 당조절이 어려워지므로 예방적 항생제를 투여하는 것이 좋다 (표 2-13).

경구용 혈당강하제(isophane insulin, NPH)를 복용하는 환자의 경우 구강외과 수술 시 혈당조절은 ① 수술 전 금식하는 경우 NPH를 투여하지 말고, ② 수술 전 식사할 수 있는 경우, 하루 양의 1/2을 수술 당일 오전에 투여하고, 나머지 양은 환자가 식사를 시작할 수 있을 때(점심) 투여한다. 이때 점심때 너무 늦게 먹으면 peak effect가 환자가 자는 밤에 일어나서 저혈당이 초래되므로 식후 너무 늦지 않게 투여하도록 지시하는 것이 좋다.

당뇨 환자가 전신마취 수술을 하는 경우 혈당이 150−250 mg/dl를 유지하도록 주기적인 채혈(약 6시간마다)을 통하여 혈당을 체크해가며 그 결과에 따라 인슐린을 투여하는 것이 필요하다. 환자가 정상적인 식이와 활동을 재개하면 환자가 이전의 당뇨조절 방식을 재개하면 된다.

(2) 부신기능부전증(adrenal insufficiency)

부신기능부전증은 부신피질의 질환에 의하여 초래된다. 급성 부신기능부전증의 주된 특징은 저혈압이며 일반적인 증상은 쇠약, 체중감소, 오심, 구토 등이다. 가장 일반적인 부신기능부전의 원인은 만성적 코르티코스테로이드 투여(이차적 부신기능부전)이다. 특히 천식, 만성폐쇄성폐질환(COPD), 류마티스관절염 환자의 경우 2주 이상 매일 10–20 mg의 프레드니솔론(prednisolone)을 투여하는 경우 내인성 부신 축 억제(endogenous adrenal axis suppression)가 일어나므로 스테로이드 제제를 장기간 투여받아온 환자들은 내인성 코르티코스테로이드 수준을 상승시킬 수 있는 능력이 없어서 치과시술이나 정신적 스트레스에 의해 응급사태(부신위기; adrenal crisis)가 발생할 수 있다. 이러한 갑작스런 쇠약감, 의식의 변화, 저혈압 등이 특징인 부신위기를 방지하기 위하여 치료 약속 전에 담당의사와 상의하여 수술 전과 후에 부가적인 고용량의 코르티코스테로이드 투여가 필요하다(표 2-14).

표 2-13 당뇨 환자의 관리

인슐린 의존성 당뇨
1. 당뇨가 잘 조절될 때까지 수술 연기 및 내과의에게 자문
2. 아침 일찍 약속 시간을 잡고 장시간의 약속은 피함
3. 불안감소요법 사용
4. 맥박, 호흡 및 혈압을 수술 전, 중, 후로 계속 감시
5. 수술 중 계속 환자와 대화 유지
6. 수술 전에 환자가 금식을 하거나 수술 후 식사가 어렵다면 환자에게 인슐린이나 NPH 인슐린의 평상시 용량을 투여하지 않도록 지시하고 0.5% DW용액을 150 ml/시간으로 정맥주사
7. 가능하면 환자로 하여금 정상적인 아침식사를 수술 전에 하고 인슐린의 통상적인 용량과 NPH 인슐린 통상 용량의 반을 투여하고 오도록 지시
8. 환자에게 정상적인 칼로리 섭취와 활동수준으로 회복될 때까지는 통상 용량으로 다시 인슐린을 시작하지 않도록 주지
9. '인슐린 용량을 변화시켜도 되는가?' 의문이 생기면 내과에 자문을 구함
10. 저혈당증의 징후가 있는지 관찰
11. 적극적인 감염치료
인슐린 비의존성 당뇨
1. 당뇨가 잘 조절될 때까지 수술 연기
2. 아침 일찍 진료 약속을 잡고 진료시간은 짧게 함
3. 불안감소요법 사용
4. 맥박, 호흡 및 혈압을 수술 전, 중, 후로 감시
5. 수술 중 환자와 계속적으로 대화
6. 환자가 수술 전 금식해야 하고 수술 후에도 식사가 어렵게 된다면 환자에게 당일 경구 저혈당제를 투여하지 않도록 지시
7. 환자가 수술 전후로 식사가 가능하면 환자에게 정상적인 아침식사를 하고 정상적인 저혈당제 투여를 하고 오도록 지시
8. 저혈당증의 징후가 있는지 감시
9. 적극적인 감염치료

(3) 갑상선기능항진증(hyperthyroidism)

갑상선기능항진증이란 갑상선 자체에서 갑상선호르몬을 과잉생산한 결과 나타나는 갑상선중독증(thyrotoxicosis)을 의미하며, 30대와 40대에서 호발하고 여자에서 많이 발생한다. 과다한 갑상선호르몬의 직접 또는 간접효과에 의하여 환자의 피부는 따뜻하고 습기가 있으며 안색은 장밋빛을 띠고 쉽게 붉어

표 2-14 부신기능억제 환자에 대한 관리

환자가 최근에 코르티코스테로이드를 투여한 경우
1. 불안감소요법 사용
2. 맥박과 혈압을 수술 전, 중, 후로 감시
3. 수술 전, 수술 당일, 수술 다음 날까지 평상시 용량의 2배로 투여하고 오도록 지시
4. 수술 후 이틀째에 환자에게 평상시 용량의 스테로이드로 투여하도록 지시
환자가 최근에 스테로이드를 투여하지는 않았지만 과거 1년 내 2주 이상에 걸쳐 하이드로코티존을 적어도 20 mg 이상 투여받았던 병력이 있는 경우
1. 불안감소요법 사용
2. 맥박 및 혈압을 수술 전, 중, 후로 감시
3. 환자에게 수술 전날과 수술 당일 아침에 60 mg의 하이드로코티존을 투여하고 오도록 지시하거나 치과의사가 수술 전 근주 혹은 정주로 60 mg의 하이드로코티존을 직접 투여
4. 술후 처음 이틀 동안 용량을 40 mg까지 감소시키고 나서 3일간 20 mg까지 줄임. 술후 6일째부터는 추가적인 스테로이드 투여 중지

지며 홍반이 흔히 나타난다. 또 과도한 발한, 안구돌출증, 혈압상승, 심계항진, 빈맥, 식욕증가, 체중감소 등을 나타낸다.

갑상선기능항진증 환자는 에피네프린 등의 혈관수축제에 민감하여 갑상선기능항진을 악화시킬 수 있으며(갑상선중독증) 고열, 빈맥, 고혈압, 신경과적 증상이 동반될 수 있다. 치료받지 않았거나, 부적절한 치료를 받은 갑상선중독증 환자는 갑상선독성발작(thyrotoxic crisis)을 일으킬 수 있는데 이것은 혼수상태 및 사망에 이를 수 있는 매우 심각한 합병증이지만 다행히 흔하지 않다(표 2-15).

표 2-15 갑상선기능항진증 환자에 대한 관리

1. 갑상선 기능이상이 잘 조절될 때까지 수술 연기
2. 수술 전, 중, 후로 맥박과 혈압 감시
3. 에피네프린의 사용량 제한

(4) 갑상선기능저하증(hypothyroidism)

갑상선기능저하증은 갑상선호르몬의 부족에 의하여 발생하는 질병으로서 초기증상으로는 전신쇠약, 피로, 변비, 체온증가, 부종, 건조한 피부, 두통, 생리장애 등의 증상이 나타난다. 갑상선염(특히 하시모토 갑상선염), 갑상선의 방사선치료, 외과적 제거, 과도한 항갑상선제제 투여 등으로 초래된다.

일반적으로 치료받지 않은 갑상선기능저하증의 경미한 증상을 가진 환자는 치과치료 시 별다른 위험이 없다. 하지만 이러한 환자들도 전신마취하 수술 시 호흡기를 제거하기 어려울 정도의 현저한 호흡억제를 나타낼 수 있으므로 수술 전 TSH를 검사하는 것이 좋다. 또한 중추신경억제제에 민감하므로 진정제, 마약제 복용 시 호흡기 억제 또는 심혈관계 억제 증상이 나타날 수 있음을 주의한다.

5) 출혈성 질환(Bleeding disorders)

출혈성 질환은 혈액응고에 관여하는 여러 인자의 양적 또는 질적 이상에 의한 출혈을 말하는데, 원인으로는 혈소판 수의 감소나 기능이상, 혈관의 이상, 혈액응고 인자의 선천적 또는 다른 질병에 의한 2차적인 감소 등에 의해 출혈되는 경우가 대부분이다.

임상증상으로는 특별한 외상 없이도 피부, 점막, 관절 등에 자연출혈이 발생하며 가벼운 외상에 의해서도 쉽게 출혈되는 경향이 있다. 가장 관찰이 쉬운 곳은 피부와 점막이다. 출혈로 피하에 피가 모인 것을 자반이라 하며 크기 및 정도에 따라 점상출혈, 반상출혈, 혈종으로 나눌 수 있다. 유전적 응고결함을 가진 환자에서는 반상출혈과 출혈성 관절증이 자주 나타난다.

치과치료 시 치과의사는 치료를 하기 전에 환자가 출혈성 질환을 가지고 있는지 또는 출혈 문제를 일으킬 수 있는 약제(와파린이나 헤파린과 같은 항응고제, 아스피린)를 투여받고 있는지를 확인해야 한다. 혈소판 수, PT, PTT, BT, tourniquet test 등의 적절한 검사를 시행하고 필요한 경우 진단과 치료를 위해 혈액전문가에게 의뢰해야 한다. 검사결과가 정상으로 나온 경우에는 치료계획의 변경이 필요하지 않지만 잠재적 출혈성 질환이 확인된 환자에서 내과질환의 치료 없이 치과치료를 진행할 때 보존적인 치료만 하고 외과적인 치료는 피해야 한다.

신장투석을 받고 있는 환자들의 경우는 항응고제인 헤파린을 투여받고 있으므로 만약 이런 환자가 투석 당일 치과치료를 하려 한다면 가능한 한 헤파린 효과가 없어질 때까지(IV 투여 시 6시간, 피하주사 투여 시 24시간) 수술을 미뤄야 한다. 만일 헤파린이 불활성화될 때까지 기다릴 수 없다면 조심스럽게 프로타민황산염(protamine sulfate)을 사용할 수 있다.

쿠마딘을 투여하는 환자의 경우 약의 반감기가 1.5-2.5일이며, 작용시간이 2-3일 소요된다. 항응고작용의 지표로 PT를 이용한다. 만일 수술이 계획될 경우 2-3일 전 쿠마딘 투여를 멈추고 수술 당일 아침 PT가 1.5에서 2배 사이라면 수술이 가능하고 2배 이상이면 PT가 1.5배가 될 때까지 가급적 수술을 미루는 것이 좋다. 쿠마딘의 reverse agent는 비타민 K로서 갑작스런 쿠마딘 중지와 비타민 K 투여는 어떤 환자들에게 해로울 수 있으므로 신중하게 접근한다(표 2-16, 17).

표 2-16 응고장애를 가진 환자에 대한 관리

1. 환자 관리 면에서 혈액전문가의 자문이 얻어질 때까지 수술 연기
2. PT, aPTT, Ivy 출혈 시간, 혈소판 수와 같은 기초 응고검사 및 간염검사 시행
3. 응고장애를 교정하는 술식(혈소판 수혈, 인자 대체 혹은 aminocaproic acid 투여)을 행한 후 바로 수술 시작
4. 응고촉진제 도포, 봉합 및 잘 위치시킨 압력팩 등을 이용하여 수술 중 응고 보강
5. 초기 혈병형성을 확인하기 위하여 2시간 동안 창상을 관찰
6. 환자에게 혈병 탈락의 예방법 및 만약 출혈이 다시 시작되는 경우 어떻게 해야 할지를 지시
7. NSAIDs의 처방 금기
8. 수술 중 간염에 대한 주의 및 예방

표 2-17 항응고치료를 받고 있는 환자에 대한 관리

아스피린 혹은 다른 혈소판 억제 약물 투여를 받는 환자들

1. 항응고제를 수일간 중지해도 되는지 내과의에게 자문
2. 혈소판 억제 약물을 중단한 지 5일이 될 때까지 수술 연기
3. 수술 중 혹은 후에 혈병형성과 유지를 촉진시키는 데 도움이 되는 수단을 총동원
4. 출혈이 없다면 수술 다음 날부터 약물치료 재시작

와파린(쿠마딘) 투여를 받는 환자들

1. 수일간 PT를 1.5배 수준으로 조절해도 안전한지를 환자의 내과의사에게 자문
2. PT가 1-1.5배 정도로 조절되면 수술 가능
3. PT가 1.5배 이상으로 조절되면 수술 약 2일 전부터 와파린 투여 중지
4. 수술 중 혹은 후로 혈병형성 및 유지를 촉진시키는 데 도움이 되는 수단을 총동원
5. 수술 당일 지혈된 후 와파린 투여 시작

헤파린 투여를 받는 환자들

1. 수술 기간 동안 헤파린 투여의 안전성에 대해 내과의에게 자문
2. 헤파린 투여 중지 혹은 프로타민으로 헤파린을 역전했다면 적어도 6시간 후까지 수술을 연기
3. 일단 충분히 혈병이 형성되면 헤파린 투여 시작

6) 신장질환(Renal disease)

신부전(renal failure)은 비교적 미약하거나 중등도인 경우 증상이 없지만 빈뇨(oligouria)와 야간뇨(nocturia) 등이 동반되며 말기 신질환 환자의 경우 오심, 구토, 체중감소, 쇠약감 등이 전해질불균형과 함께 나타난다. 통상 사구체여과율(glomerular filtration rate, GFR)이 신장기능을 평가하는 데 가장 중요한 지표가 되는데, GFR은 내인성 크레아티닌(creatinine)이 청소되는 정도(clearance rate)로서 혈청내 및 소변 내 크레아티닌 레벨에 의하여 좌우된다. 만성신부전 환자는 혈액요소질소(blood urea nitrogen, BUN)와 크레아티닌 수치가 높다.

내과적 치료를 받고 있는 대사성 신질환은 일상적인 구강악안면외과 시술의 금기증이 아니다. 급성신부전 환자에서는 응급 치과치료만을 시행하며 선택적인 구강악안면외과 수술은 내과적 문제가 해결된 후로 미루도록 한다. 투석을 받는 환자에서 발치 등 단순한 외래 시술은 대개 국소마취 하에서 문제될 것이 없고 에피네프린이 첨가된 리도카인의 사용도 가능하다. 약물의 선택과 용량은 환자의 주치의와 상의한 후에 결정하도록 한다.

통상적으로 투석은 수술 하루 전 또는 수술 후 1-2일 후에 시행된다. 이는 출혈 소인을 최소화하면서 K^+/수액 평형(potassium/fluid balance)을 맞추기 위함이다.

투석을 받고 있는 환자들에게 구강악안면외과 수술은 가급적 투석치료 다음 날이 가장 추천된다. 그 이유는 투석 중 사용된 헤파린이 완전히 없어져서 환자가 혈관내 용적 및 대사산물 면에서 가장 양호한 생리적 상태에 있기 때문이다. 또한 투석을 받고 있는 환자들은 동정맥문합(AV shunt)을 가지고 있으며 이런 문합은 일시적 균혈증에 의해 감염되기 쉽기 때문에 감염원으로서의 치과병소(만성치근단 병소 및 만성치주병소)를 예방적으로 제거하는 것이 중요하고 관혈적 치과치료를 계획한 경우 예방적 항생제 투여를 시행하도록 한다.

신장을 이식받은 환자들은 대개 장기적인 면역억제 치료를 받고 있으므로 이런 환자는 감염으로부터 저항성이 낮아져 있기 때문에 최적의 구강건강 상태를 유지시키는 것이 필수적이다. 이런 환자들의 평가나 처치를 위한 가장 적합한 시간은 면역억제제의 투여 직전이다(표 2-18).

7) 임신(Pregnancy) 환자

임신 환자는 내분비 및 물질대사가 변화되고 생리적, 기능적으로 특이한 상태이므로 치과치료를 시행함에 있어 특별한 주의가 필요하다. 임신한 환자에게 구강수술을 시행하기 전에 산부인과 의사와 상의해야 한다. 임신부를 치료할 때는 임신부에 대한 영향뿐만 아니라 태아에 대한 영향, 즉 태아에 대한 유전자적 손상 위험을 고려해야 한다. 치과치료와 관련되어 발생할 수 있는 문제점으로는 방사선조사, 약제 투여, 스트레스 등이 태아에 심각한 위해를 끼칠 수 있고 또한 임신 말기에 임신부에서 앙와위를 취할 경우 저혈압의 발생 가능성, 그리고 저영양, 수유에 대한 문제 등이 있다.

임신기간은 3개월 간격으로 제1, 2, 3기로 나눌 수 있는데 임신 환자에서 가장 불리한 치료기간은 첫 3개월인 제1기이며, 이 기간 동안에는 가능한 구강청결지

표 2-18 신부전 환자 및 신투석을 받는 환자에 대한 관리

1. 신대사 및 신배출에 의존하는 약물 사용금지 및 약물 사용 시 용량 조절
2. NSAIDs와 같은 신독성 약물 사용금지
3. 신투석을 받은 후 다음 날까지 치과적 치료 연기
4. 예방적 항생제 사용에 대해 내과의에게 자문
5. 혈압과 심박률에 대한 감시
6. 이차적 부갑상선기능항진증에 대한 징후 검사
7. 치과치료 전 B형간염 검사 고려, 간염에 대한 검사 불가능 시 간염에 대한 충분한 주의

표 2-19 임산부에 대한 관리

1. 가능하면 수술은 분만 후로 연기
2. 수술이 필수적이라면 환자의 산부인과 의사에게 자문
3. 방사선촬영을 되도록 피하고 만약 반드시 필요하다면 적절한 방어를 취함
4. 기형아의 잠재성이 있는 약물의 사용을 피하고 마취가 필요하면 국소마취 시행
5. N_2O 진정이 필요하다면 적어도 50%의 산소와 함께 사용
6. 하대정맥에 대한 압박을 피하기 위해 장시간 환자를 똑바로 누운자세로 유지 금지
7. 환자로 하여금 빈번히 용변을 볼 수 있도록 허용

표 2-20 임산부가 피해야 할 약물

Aspirin and other NSAIDs
Carbamazepine
Chloral hydrate (장기간 사용 시)
Chlordiazepoxide
Corticosteroids
Diazepam and other benzodiazepines
Diphenhydramine hydrochloride (장기간 사용 시)
Morphine
Nitrous oxide (만약 주당 9시간 이상 혹은 산소가 50% 이하로 사용되는 경우)
Pentazocin hydrochloride
Phenobarbital
Promethazine hydrochloride
Propoxyphene
Tetracycline

표 2-21 수유 중 피해야 할 약물

안전	잠재적 위해 (potentially harmful)
Acetoaminophen	Ampicillin
Antihistamine	Aspirin
Cephalexin	Atropine
Codeine	Barbiturate
Erythomycin	Chloral hydrate
Fluoride	Corticosteroids
Lidocaine	Diazepam
Meperidine	Metronidazole
Oxacilline	Penicilline
Pentazocine	Propoxyphene
	Tetracycline

도, 치석제거 등의 치료는 가능하나 약제 투여, 방사선 촬영 등은 피하며 필요하다면 최소한의 응급치료만을 시행하는 것이 좋다. 10주경까지는 방사선 감수성이 높은 시기이므로 특히 주의를 요한다. 제2기에는 일반적인 치과치료가 가능하고 통상적인 치과방사선 촬영을 시행할 수 있다. 제3기에는 장시간 앙와위 자세를 취하게 하지 말고 자주 체위를 바꾸어 저혈압을 방지한다.

대부분의 구강외과 수술은 방사선촬영과 약물투여를 요하므로 태아의 위험을 피하기 위해 선택적인 수술은 출산 후로 연기하는 것이 좋다. 임신은 육체적으로뿐만 아니라 감정적으로 스트레스를 받는 것이기 때문에 불안제거요법이 추천된다. 치과시술 중에 혈압상승이 있는지 각별한 주의를 기울임과 동시에 환자의 활력징후 등을 확인해야 한다(표 2-19, 20). 수유 중인 환자의 경우 투약 시 약물이 모유를 통해 분비될 수 있으므로 유아에게 영향을 준다(표 2-21).

3. 임상병리 검사법

임상병리, 즉 이화학적 검사는 환자의 전신상태를 파악할 수 있는 진단과정의 아주 중요한 검사법이라 하겠다. 이화학적 검사는 선별 목적과 진단 목적의 두 가지 항목으로 나눌 수 있다. 선별검사(screening test)를 통해 초기 혹은 무증상 단계의 환자들을 식별함으로써 적절한 초기치료를 시행하여 양호한 치료결과를 얻을 수 있다. 치과의사들은 모든 이 화학적 검사에 능통할 수 없다 할지라도 선별검사와 진단검사를 적절히 적용하고 검사결과를 해석할 능력을 보유하고, 검사결과에 따라 환자를 적절히 관련 의과분야로 상담을 의뢰할 수 있어야 한다. 이제부터 치과의사가 숙지하여야 할 몇 가지 검사법을 살펴보도록 하겠다.

1) 일반 혈액검사(Complete blood count)

일반 혈액검사는 혈액의 일반적 특성, 각 혈구세포들의 수와 특성 및 혈색소의 양 등에 관한 검사로서 정맥혈이 많이 이용된다(표 2-22).

(1) 백혈구 수(white blood cell count, WBC)

정상치는 5,000−10,000/mm^3이며 정상 이상으로 증가된 경우를 백혈구증가증(leukocytosis), 30,000/mm^3 이상인 경우는 백혈병양 반응(leukemoid reaction), 정상 이하로 감소된 경우를 백혈구감소증(leukopenia)이라고 한다.

이런 양적인 분석 이외에 개별 세포들에 대한 질적인 분석법이 수반된다. 개별 세포들의 상대적 분포는 띠중성구(band neutrophil) 0−5%, 분엽핵중성구(segmented neutrophil) 50−70%, 림프구(lymphocytes) 25−40%, 단핵구(monocytes) 4−8%, 호산구(eosinophil) 1−4%, 호염기구(basophil) 0−1%이다.

(2) 적혈구 수(red blood cell count, RBC)

적혈구는 산소와 이산화탄소를 수송하며 혈액의 pH를 조절하는 역할을 한다. 정상치는 남자의 경우 4,500,000−5,500,000/mm^3, 여자는 4,000,000−5,000,000/mm^3이다.

(3) 혈색소(hemoglobin, Hb)

적혈구의 95%를 차지하며 산소 수송에 관여하고 정상치는 남자가 13.5−18 g/dl이고 여자는 12−16 g/dl이다. 간혹 유전성 질환이나 다른 물질(일산화탄소)과 결합하여 비정상적인 혈색소를 형성되기도 한다.

(4) 적혈구용적률(hematocrit, Hct)

전혈에 대한 적혈구들의 백분율을 의미한다. 정상치는 남자가 40−54%이고 여자가 37−47%이다.

(5) 적혈구침강속도(erythrocyte sedimentation rate, ESR)

혈장 단백질이 적혈구를 응집시키거나 혈장 혹은 적혈구 표면의 생리화학적 성질 변화가 있을 때 증가된

표 2-22 일반 혈액검사

	Normal Value	Increased Value	Decreased Value
Hemoglobin	남성: 13.5–18 g/dl 여성: 12–16 g/dl	Polycythemia	Anemia, hyperthyroidism, liver cirrhosis, severe hemorrhage, hemolytic anemia
Hematocrit	남성: 40–54% 여성: 37–47%	Erythrocytosis, shock, severe dehydration, polycythemia	Anemia, leukemia, hyperthyoridism, acute massive blood loss
White blood cell (WBC)	5,000–10,000 mm^3	Leukemia, hemorrhage, tissue necrosis, trauma or tissue injury, malignant disease	Viral infection, hypersplenism, bone marrow depression
Red blood cell (RBC)	남성: 450–550만 여성: 400–500만	Polycythemia vera, secondary polycythemia, severe diarrhea, dehydration, acute poisoning, pulmonary fibrosis, hemorrhage	Anemia, leukemia, Hodgkin's disease, multiple myeloma, pernicious anemia, lupus erythematosus, Addison's disease, rheumatic fever, subacute endocarditis
Neutrophil	50–70%	Infection, hemorrhage, leukemia	Acute viral infection(influenza, infectious hepatitis, measles, mumps, poliomyelitis), aplastic anemia, pernicious anemia, Addison's disease, thyrotoxicity, acromegaly Hodgkin's disease,
Lymphocyte	25–40%	Infection, hemorrhage, stress, infectious hepatitis, infectious mononucleosis, cytomegalovirus infection, mumps, rubella, lymphocytic leukemia, radiation, lead intoxication	Lupus erythematosus, after administration of ACTH and cortisone, burn, trauma, chronic uremia, Cushing's syndrome, acute radiation syndrome
Eosinophil	0–5%	Allergy, parasitic infection, Addison's disease, lung and bone cancer, chronic skin infection, Hodgkin's disease, myelogenous leukemia, polycythemia	Infectious mononucleosis, hypersplenism, congestive heart failure, Cushing's syndrome, aplastic anemia, pernicious anemia
Basophil	0–1%	Chronic inflammation, polycythemia vera, chronic hemolytic anemia, following splenectomy, following radiation, healing phase of inflammation, collagen disease, infection	Acute allergic reaction, hyperthyroidism, myocardial infarction, bleeding, peptic ulcer, prolonged steroid therapy, urticaria, anaphylactic shock
Erythrocyte sedimentation rate (ESR)	남성: 0–9 mm/hr 여성: 0–15 mm/hr	Inflammatory disease, acute heavy metallic poisoning, carcinoma, cell or tissue destruction, toxemia, syphilis, nephritis, pneumonia, severe anemia, rheumatoid arthritis	Polycythemia vera, sickle cell anemia, congestive heart failure, hypofibrinogenemia

다. 정상치는 남자가 0–9 mm/60 min, 여자가 0–15 mm/60 min이며 결핵이나 골수염과 같은 만성감염 시 주로 증가한다. 또한, 글로불린 변화를 보이는 교원병(collagen disease), 신염(nephritis), 류마티스열(rheumatic fever) 및 이상단백혈증(dysproteinemia)의 진행과정을 평가하는 데 도움을 주고 거대세포성 동맥염(giant cell arteritis)과 류마티스성 다발근육통(polymyalgia rheumatica)의 진단에 아주 유용하다.

(6) C 반응성 단백(C-reactive protein, CRP)

CRP는 염증성 질환 또는 체내 조직의 괴사와 같은 질환에서 현저하게 증가하는 혈장단백의 하나로 급성기 반응 단백질(acute phase reactive protein)의 대표적인 하나이다. 생체에 이상이 발생한 경우 6–24시간 이내의 짧은 시간에 증가함과 동시에 병변 회복 시 24시간 이내로 빨리 감소, 소실되므로 염증성 또는 조직붕괴성 질환의 존재 여부와 그 중증도 판정, 경과관찰 및 예후판정에 대단히 유용하다.

건강인의 대부분은 2 ㎍/ml 이하이지만 10 ㎍/ml 이하를 정상으로 본다. CRP의 증가를 보이는 세균감염 및 바이러스성 감염, 간질환, 류마티스열, 심근경색 및 악성종양 등 다양한 질병의 진단에 도움을 주고 추적관찰에 사용되는 좋은 지표 중 하나이다.

2) 출혈 및 혈액응고장애 검사

출혈성 질환은 치과진료에 상당한 위험성을 초래할 수 있으므로, 반드시 면밀한 병력청취와 적절한 이화학적 검사를 통해 사전에 식별해야 하며, 적절한 내과적 치료와 함께 응급지혈처치 장비 및 재료가 준비된 상태에서 진료에 임하여야 한다(표 2-23).

표 2-23 출혈 및 혈액응고장애 검사

	Normal Value	Increased Value	Decreased Value
Bleeding time (BT)	3–10분 Duke법: 8분 미만 (귓불) Ivy법: 2–9.5분 (전완부)	Thrombocytopenia, platelet dysfunction syndrome, vascular defect, severe liver disease, leukemia, aplastic anemia, DIC	
Prothrombin time (PT)	10–14초	Prothrombin deficiency, vit. K deficiency, hemorrhagic disease of the newborn, liver disease, anticoagulant therapy, biliary obstruction, salicylate intoxication, hypervitaminosis A, DIC, menstruation	
Partial thromboplastin time (PTT)	30–45초	Hemophilia, liver disease, vit. K deficiency, presence of circulating anticoagulants, menstruation, DIC	Extensive cancer, immediately after acute hemorrhage, very early stages of DIC
Platelet count	15–45만/mm^3	Cancer, leukemia, trauma, splenectomy, asphyxiation, polycythemia vera, iron deficiency and posthemorrhagic anemia, acute infection, heart disease, liver cirrhosis, chronic pancreatitis, tuberculosis	Idiopathic thrombocytopenic purpura, pernicious, aplastic and hemolytic anemias, pneumonia, allergic condition, after massive blood transfusion, infection, toxic effects of drugs

(1) 출혈시간(bleeding time)

혈관과 혈소판의 기능을 검사하는 방법이다. 전완부(Ivy 법)나 귓불(Duke 법) 부위에 상처를 낸 후 출혈이 멈추는 시간을 측정하며, 정상치는 1-7분이다. 정상 혈소판 수치를 갖지만 응고장애가 있는 환자들은 정상 출혈시간을 나타낼 수 있으므로 주의하여야 한다.

(2) 혈소판 수(platelet count)

혈소판은 골수에서 형성되어 순환하다가 비장에 의해 제거된다. 약 10일의 평균수명을 갖고 있으며 혈소판응괴(plug)를 통해 혈전(thrombus)을 형성함으로써 지혈을 촉진시킨다. 정상치는 150,000-450,000개/mm^3이며, 50,000개/mm^3 이하로 감소된 경우에 지혈장애가 발생된다. 수술이 가능한 최소한의 혈소판 수는 50,000개/mm^3이며, 30,000개/mm^3 이하이면 자발적인 출혈경향을 보인다.

(3) 부분트롬보플라스틴시간(PTT)

부분트롬보플라스틴시간(partial thromboplastin time, PTT)은 factor V, VIII, IX, X, XI, XII를 포함하고 있지 않으므로 피검물에 이것을 섞었을 때 피검혈장 내에 혈액응고인자가 결핍되어 있으면 응혈이 일어나지 않는다. 따라서 이것은 factor VII을 제외한 모든 응고요소들의 기능을 평가하는 데 이용된다. 정상치는 30-45초이다.

(4) 프로트롬빈시간(PT)

프로트롬빈(prothrombin)은 비타민 K의 필수적인 도움을 받아 간에서 합성된 후 트롬빈(thrombin)의 불활성 전구물질로 작용한다. 트롬빈은 섬유소원(fibrinogen)을 섬유소 단량체(fibrin monomer)로 만들고 다시 중합되어 섬유소응괴(fibrin clot)를 형성한다.

따라서 프로트롬빈 형성장애는 혈액응고부전을 유발하게 된다. PT 측정은 factor I (fibrinogen), II (prothrombin), V, VII, X의 기능을 평가하며 정상치는 10-14초이다.

3) 혈액화학 검사(Blood chemistry test)

입원환자들에 대한 일상적인 선별검사법이 이용되고 있으며 환자들의 약 4%에서 예상치 못한 질환이 발견된다고 보고된 바 있다(표 2-24).

(1) 알칼리성인산염분해효소(alkaline phosphatase)

성인에서는 주로 간장에서 유리되며 소아들에서는 골아세포의 활성 증가로 인해 높은 효소 농도를 나타낸다. 혈중 알칼리성인산염분해효소 측정은 간담도질환(hepatobiliary tract disease)과 골질환의 평가에 아주 유용하다. 정상치는 성인에서는 25-92 U/L이며, 소아에서는 20-150 U/L이다.

(2) 칼슘(calcium)

칼슘 이온은 신경근육계 흥분 감소, 혈액응고 및 일부 효소들의 활성화에 관여한다. 대개 부갑상선호르몬과 칼시토닌에 의해 영향을 받는다. 부갑상선호르몬은 골흡수를 야기하고, 칼슘의 장관 및 신세관에서의 재흡수를 촉진시켜 혈중 농도를 증가시키는 경향이 있다. 정상치는 8.5-10.5 mg/dl 혹은 2.2-2.8 mmol/L이다.

(3) 무기인산(inorganic phosphate)

칼슘과 인산염(phosphate)은 가역적인 관계에 있으며 신장에서 배설됨으로써 조절된다. 부갑상선호르몬은 인산염의 신세관(renal tubule)에서의 재흡수를 억제한다. 정상치는 2.3-4.7 mg/dl 혹은 0.78-1.52 mmol/L이다.

(4) 혈당(blood glucose)

포도당은 세포기능의 필수적인 에너지원이다. 인슐린은 혈당농도를 감소시키며 글루카곤(glucagon)은 증가시킨다. 에피네프린은 간에서 당원분해(glycogenolysis)를 촉진시킴으로써 혈당농도를 증가시키며, 글루코코르티코이드(glucocorticoid)는 간에서 당합성(gluconeogenesis)을 촉진시킨다. 혈당치는 식사

표 2-24 혈액화학 검사

	Normal Value	Increased Value	Decreased Value
Bilirubin	Total: 0.2–1.0 mg/dl	Hepatocellular jaundice(viral hepatitis, liver cirrhosis, infectious mononucleosis), obstructive jaundice, hemolytic jaundice(anemia)	
Blood urea nitrogen (BUN)	8–23 mg/dl	Dehydration, shock, diabetes mellitus, infection, impaired renal function, GI bleeding, chronic gout, acute myocardial infarction, malignancy	Severe liver disease, over hydration, negative nitrogen balance, impaired absorption, nephrotic syndrome
Creatinine	남성: 0.7–1.4 mg/dl 여성: 0.6–1.2 mg/dl	Impaired renal function, muscle disease (gigantism, acromegaly), chronic nephritis, obstruction of the urinary tract	Muscular dystrophy
Protein	Total: 6–8 g/dl albumin: 3.8–5.0 globulin: 2.3–3.5 A/G ratio: 1.5:1–3.0:1	Dehydration, lupus erythematosus, rheumatoid arthritis, chronic infection, multiple myeloma, acute liver disease	Nephrotic syndrome, severe liver disease, malabsorption, diarrhea, severe burn
Glucose	70–110 mg/100 ml	Diabetes mellitus, stress, hyperthyroidism, pancreatitis, Cushing's disease, chronic malnutrition, chronic liver disease, chronic illness	Hypothyroidism, Addison's disease, overdose of insulin, bacterial sepsis, hepatic necrosis, psychogenic causes
Calcium	성인: 8.5–10.5 mg/dl 유아: 11.0–13.0 mg/dl	Hyperparathyroidism, vit. D intoxication, cancer, Addison's disease, hyperthyroidism, Paget's disease of bone, respiratory acidosis	Hypoparathyroidism, hyperphosphatemia, malabsorption, alkalosis, acute pancreatitis, osteomalacia, diarrhea, rickets
Lactic acid dehydrogenase (LDH)	95–200 U/L	Acute myocardial infarction acute leukemia, hemolytic anemia, hepatic disease, skeletal muscle necrosis, acute pulmonary infarction	Cancer therapy
Alkaline phosphatase (ALP)	25–92 U/L	Obstructive jaundice, hepatocellular cirrhosis, biliary cirrhosis, hepatitis, Paget's disease, rickets, osteomalacia, leukemia, hyperparathyroidism	Hypophosphatasia, malnutrtion, scurvy, hypothyroidism, pernicious anemia, milk–alkali syndrome, placental insufficiency
Serum glutamic oxaloacetic trans–aminase (SGOT, AST)	0–40 U/L	Myocardial infaction, liver disease, acute pancreatitis, severe burn, acute renal disease, crushing injury, trauma and irradiation of skeletal muscle	
Serum glutamic pyrubic trans–aminase (SGPT, ALT)	0–40 U/L	Hepatocellular disease, active liver cirrhosis, metastatic liver tumor, obstructive jaundice, infection, toxic hepatitis, liver congestion, pancreatitis	

에 의해 직접적인 영향을 받는다. 따라서 최소한 8-12시간의 공복기 이후 공복 시 혈당치를 측정해야 하며, 공복 시 정상 혈당치는 70-110 mg/dl이다.

당부하검사(glucose tolerance test, GTT)

우선 공복 시 혈당치를 측정하고 75 g의 포도당을 경구 투여, 2시간 경과 후에 혈당치를 측정한다. 포도당 투여 후 15-60분 만에 최고 수치(160-170 mg/dl)까지 상승한 후 점차 감소되면서 2시간 후엔 120 mg/dl 수준에 도달된다. 2시간 후에도 200 mg/dl 이상으로 유지되면 당뇨병을 의심할 수 있다.

(5) 혈액요소질소(blood urea nitrogen, BUN)

요소(urea)는 단백질의 최종 대사산물이며 간에서 합성되고 신장을 통해 배설된다. 따라서 이것은 신장기능 평가에 사용되는 일상적인 검사법이다. 즉 병적상태에 있는 신장의 대사산물 배설능력 저하로 인해 혈액 내에 축적된 대사산물의 축적농도를 나타내준다. 정상치는 8-23 mg/dl이다.

(6) 총단백량(total protein)

혈장의 7% 정도를 구성하고 있으며 간에서 대부분 합성된다. 주 기능은 삼투압의 유지, 산염기 균형, 방어기전, 혈액응고 및 단백질 고갈상태에서 조직에 대한 단백질 공급원의 역할을 한다. 총 단백질 농도가 상승되면 주로 글로불린의 증가(hyperglobulinemia)에 기인한다. 정상치는 6-8 g/dl이다.

(7) 알부민(albumin)

혈장 단백질의 반 이상을 차지하며 알부민과 글로불린의 구성비율(albumin/globulin ratio)은 1.5-3.0이다. 알부민은 혈장 단백질 중 분자량이 작기 때문에 신장질환을 갖는 환자들의 뇨에서 주로 검출되는 경향이 있다. 정상치는 3.8-5.0 g/dl이다.

(8) 빌리루빈(bilirubin)

빌리루빈의 80%는 헤모글로빈의 파괴에 의해 형성되어 간에서는 효소성 결합에 의해 수용성으로 존재하며(direct bilirubin), 간으로 수송되기 전에 혈액 내에선 비결합성 빌리루빈으로 존재하고(indirect bilirubin) 담즙으로 분비된다. 증가된 빌리루빈이 결합성인지 비결합성인지를 결정하는 것은 빌리루빈 증가 원인을 찾는 데 아주 중요하다. 정상치는 0.2-1.0 mg/dl로 2-2.5 mg/dl 이상인 경우 황달 증상이 나타난다.

(9) Lactic dehydrogenase (LDH) 및 Lactate dehydrogenase (LD)

모든 조직의 세포 내 효소이며 심장, 간, 신장, 골격근 및 적혈구에 고농도로 존재한다. 혈중농도 증가는 세포파괴, 세포로부터의 유리 및 종양세포 증식을 의미하며 심근경색증, 간질환, 백혈병, 악성림프종, 악성빈혈 및 암종 등의 원인에 의해 나타난다. 정상치는 95-200 U/L이다.

(10) Serum glutamic oxaloacetic transaminase (SGOT) 및 Aspartate aminotransferase (AST)

심장근과 간에 다량 존재하지만 골격근, 신장, 비장 및 뇌에는 소량 존재하고 있으며 심근과 간 손상을 평가하는 데 유용하게 사용된다. 정상치는 0-40 U/L이다.

(11) Serum glutamic pyrubic transaminase (SGPT) 및 Alanine aminotransferase (ALT)

ALT는 간세포에 가장 풍부하며 신장, 심장 및 골격근에도 존재하고 있다. 이것은 간 손상을 평가하는 데 유용한 지표로 이용되고 있으며 정상치는 0-40 U/L이다.

(12) 크레아티닌(creatinine)

크레아티닌의 혈중농도는 사구체 여과능력에 좌우되며 식사에 의해 거의 영향을 받지 않고 BUN에 비해 더욱 민감한 신장기능 검사방법이다. 정상치는 0.6-1.4 mg/dl이며 근육질환이나 신장손상 시 증가된다.

4) 혈청 전해질 검사(Serum electrolyte test)

혈청 전해질 검사에는 혈청 내 Na^+, K^+, Cl^-, CO_2 농도 등이 포함된다(표 2-25).

(1) Sodium (Na^+)

정상치는 135-148 mEq/L이며 저나트륨혈증(hyponatremia)은 간경화, 울혈성 심부전증, 이뇨제의 과다사용, 부적절한 항이뇨호르몬의 분비 및 물중독(water intoxication)과 관련이 있으며 고나트륨혈증(hypernatremia)은 심한 구토, 설사 및 발한 등에 의한 과도한 수분소실 및 당뇨병과 연관이 있다.

(2) Potassium (K^+)

정상치는 3.5-5.0 mEq/L이며 저칼륨혈증(hypokalemia)은 부적절한 칼륨 섭취 혹은 위장관이나 배설기관을 통한 과도한 소실(구토, 설사, 비위관 흡인술, 이뇨제)에 기인한다. 고칼륨혈증(hyperkalemia)은 수술, 분쇄손상(crush injury), 적혈구용혈, 신부전증 및 산증에 의한 칼륨의 세포외 방출과 연관이 있다.

(3) Chloride (Cl^-)

정상치는 98-106 mEq/L로, 나트륨 농도와 관련성이 있으며 심한 구토로 인해 저하되는 경향이 있다.

(4) Bicarbonate (HCO_3^-)

신체 내 산-염기 평형에 관계되며 정상치는 19-25 mEq/L이다.

5) 혈청검사(Serum test)

혈청검사에는 매독(syphilis) 검사, 바이러스 검사 및 종양 표지자 검사 등이 있다.

(1) 매독검사

① Non-treponemal test

a. VDRL (venereal disease research laboratory)

1기말, 2기 혹은 3기 매독 환자들의 진단에 민감한 검사법이지만 전신홍반루푸스(SLE)나 한센병(leprosy) 등과 같은 다른 질환이나 마약중독자들에서도 양성반응을 보일 수 있다. 따라서 양성반응을

표 2-25 혈청 전해질 검사

	Normal Value	Increased Value	Decreased Value
Sodium	135–148 mEq/L	Dehydration, coma, diabetes insipidus, primary aldosteronism, tracheobronchitis Cushing's disease	Severe burn, severe diarrhea, vomiting, Addison's disease, severe nephritis, drug, edema, sweating
Potassium	3.5–5.0 mEq/L	Renal failure, burm, trauma, infection, acidosis, Addison's disease, internal hemorrhage	Severe vomiting, diarrhea, severe burn, starvation, chronic stress, malabsorption
Chloride	98–106 mEq/L	Dehydration, anemia, Cushing's syndrome, hyperventilation, renal disorder	Severe vomiting, severe diarrhea, fever, Addison's disease, ulcerative colitis, severe burn, acute infection (pneumonia)
HCO_3^-	19–25 mEq/L	Metabolic alkalosis(Blood pH>7.35): Persistent Vomitting, decreased blood Volme, hyperaldosteronism, excessive diuretic dosage Respiratory acidosis(pH <7.35): Acute or Chronic respiratory failure	Metabolic acidosis(pH<7.37): Ethanol toxicity, diabetic ketoacidosis renal failure gastrointestinal loss, shock Respiratory alkalosis(pH>7.45): Hyperventilation

보이면 반드시 이차검사를 시행하고, 이차검사에서도 양성이면 좀 더 특이성이 있는 검사를 시행하여야 한다.

b. RPR (rapid plasma reagin)

소의 심장으로부터 얻어진 cardiolipin 항원을 이용하여 매독 감염 시 형성되는 reagin이라는 항체를 검사하는 방법으로 VDRL 검사법에 비해 더욱 용이하고 경제적인 방법이며, 집단검진 시에 편리하게 사용될 수 있다.

② **Treponemal test**

a. FTA-ABS (fluorescent treponemal antibody-absorption)

사균화시킨 *treponema pallidum* 균주를 항원으로 하여 피검 혈청과 반응시킨 후, 여기에 형광을 입힌 antihuman globulin을 첨가하였을 때, 피검 혈청 내에 매독 항체가 형성되어 있다면 이는 human globulin과 결합하여 형광성을 발휘하게 되는데, 이것을 형광현미경으로 관찰하는 방법이다. Non-treponemal test에 비해 특이성과 민감성이 훨씬 높다.

(2) 바이러스 검사

① **바이러스성 간염 검사**

바이러스성 간염(viral hepatitis)은 A형, B형, C형, E형, D형간염으로 분류된다. 간염의 진단은 임상적 및 이화학적 검사를 통해 이루어지며 A형간염은 면역학적 분석을 통해 anti-HA antibody titer가 상승되면 진단이 가능하고, B형간염은 B형간염표면항원(hepatitis B surface antigen, HBsAg)에 대한 민감성 검사가 많이 이용된다. 그러나 보다 정확한 진단을 위해서 B형간염C항원(hepatitis B core antigen, HBcAg)에 대한 검사가 시행되기도 하며 감염의 예후 및 전염성 평가를 위해 B형간염 e항원(hepatitis B envelop antigen, HBeAg)에 대한 검사가 시행되기도 한다.

② **후천면역결핍증후군(acquired immune deficiency syndrome, AIDS) 검사**

사람면역결핍바이러스(human immunodeficiency virus, HIV) 검사는 안전한 혈액의 확보와 개인의 HIV 감염 유무를 진단하기 위하여 실시되고 있다. HIV 감염진단은 한 번의 검사로 결정할 수 없으며, 선별과 확인검사의 과정을 거쳐야 한다. 효소면역시험법(enzyme linked immunosorbent assay, ELISA)은 검사가 비교적 쉽고 많은 양의 샘플 검사가 가능하므로 가장 많이 사용하는 검사방법이다. 민감도가 매우 높지만 위양성률도 높아서 HIV에 대한 항체 검출에 가장 널리 사용되는 웨스턴블롯(Western blot)을 보조검사법으로 사용한다. 이 외에 신속검사법(rapid test), 입자응고법(particle agglutination, PA), 항원검사법, 면역형광항체법(immunofluorescent assay, IFA), 핵산검사와 정량검사법 및 바이러스의 조직배양법 등이 널리 사용되고 있다.

(3) 종양표지자(tumor markers)

종양표지란 종양세포가 만드는 물질로 혈액 내에서 종양인자를 조기에 발견하여 종양의 예후 추정과 항암치료 및 수술 후 재발경과를 관찰하는 종양지표물질로서 임상에서 이용되는 조기 종양진단법이다. 종양표지자 검사의 수치가 정상 수치라 하더라도 암을 100% 배제할 수 없지만, 확진이 아님에도 유용하게 이용할 수 있는 이유는 소량의 혈액만으로 간단하게 검사가 가능하고, 일반인들의 건강검진을 위한 선별검사로 이용할 수 있으며, 환자의 감별진단과 종양의 크기 추정 및 재발 유무 평가 등에 큰 도움이 되는 진단법이기 때문이다. 구강편평세포암의 진단을 위해 SCC antigen, CEA, AFP (alphafetoprotein), Cyfra 21-1 등을 검사법으로 사용한다.

6) 요검사(Urinalysis)(표 2-26)

(1) 외관(appearance)

소변(urine)은 투명하거나 호박색을 띠는 것이 정상

표 2-26 요검사

	Normal Value	Positive or Increased Value	Decreased Value
Color	Yellow, amber, straw colored	• Colorless: large fluid intake, reduction in perspiration, chronic interstitial nephritis, untreated diabetes mellitus, diuretics, diabetes insipidus, alcohol intake	• Orange: fever, concentrated urine, restricted fluid intake, excessive sweating • Brownish yellow or greenish yellow: indicate bilirubin • Red: hemoglobinuria • Dark brown: melanotic tumor, Addison's disease
Specific gravity (SG)	1.015–1.025	Diabetes mellitus, nephrosis, dehydration, fever, vomiting, diarrhea	Diabetes insipidus, glomerulonephritis, pyelonephritis, severe renal damage
pH	4.6–8.0 Average: 6(acid)	• Alkaline (7<): urinary tract infection, pyloric obstruction, salicylate intoxication, chronic renal failure	• Acid (7>): acidosis, diarrhea, uncontrolled diabetes, pulmonary emphysema, starvation, dehydration
Protein	Negative	nephritis, nephrosis, polycystic kidney, renal stone, fever	
Sugar	Negative	Trauma, toxemia, ascite diabetes mellitus, brain injury, myocardial infarction	
Ketone bodies (Acetone)	Negative	Fever, anorexia, diarrhea, fasting, prolonged vomiting, following anesthesia, starvation	
Blood	Negative	Lower urinary tract infection, lupus erythematosus, heavy smoker, malignant hypertension, glomerulonephritis	
Hemoglobin (Heme)	Negative	Extensive burn, crushing injury, transfusion reaction, hemolytic anemia, malaria	
Bilirubin	Negative	Hepatitis, liver disease, obstructive biliary tract disease	
Nitrate	Negative	Bacteriuria	
White cells	0–4	Urinary tract infection, renal infection	
Casts	Negative	Renal parenchymal infection, acute glomerulonephritis	
Epithelial cells	Occational renal epithelial cell found	Pyelonephritis nephrosis, amyloidosis, interferiong factor	

	Normal Value	Positive or Increased Value	Decreased Value
Crystals	Presence or absent	Poisoning abnormal finding: cystine, leucine, tyrosine, cholesterin/cholesterol, drug crystal (sulfonamide)	
Urobilinogen	1–4 mg/24 hr	Hemolytic anemia, pernicious anemia, malaria	Cholelithiasis, severe inflammatory disease, cancer, severe diarrhea
Urea nitrogen	10–22 mg/24 hr	Prerenal & postrenal azotemia	Severe liver disease, rapid overhydration, low protein diet
Bence Jones protein	Negative	Multiple myeloma, tumor metastasis to bone, amyloidosis, macroglobulinemia, chronic lymphocytic leukemia	
Porphyrin	Porphyrin: 50–300 mg/24 hr Porphobilinogen: 0–2 mg/24 hr	Cirrhosis, cancer, infectious hepatitis, Hodgkin's disease, heavy metal poisoning, vit. deficiency, central nervous system disorder	
Calcium	100–300 mg/averagediet (24 hr) 50–150 mg/lowcalcium diet (24 hr)	Hyperparathyroidism, sarcoidosis, metastatic malignancy, Wilson's disease, glucocorticoid excess	Hypoparathyroidism, vit. D deficiency, malabsorption syndrome

이나 식후엔 혼탁할 수도 있으며 농축되면 붉은색을 띠는 경향이 있다.

(2) 비중(specific gravity)

요를 응집할 수 있는 신장의 능력을 의미한다. 정상 비중은 대개 1.015–1.025이다.

(3) pH

정상 pH는 4.6–8.0으로 다소 산성을 띤다. 설사, 고열, 당뇨성 산증 및 탈수의 경우에는 더 산성을 띠게 되지만 급만성 신부전증, 비뇨기 감염증 등의 질환에서 알칼리성을 띠기도 한다.

(4) 요당(urine glucose)

포도당은 정상적인 경우 신장에서 거의 재흡수되고 요 중에 나타나지 않아야 한다. 그러나 혈중 당농도가 180 mg/dl를 초과하면 요 중에도 발견된다.

(5) 단백뇨(proteinuria)

정상적인 경우 단백뇨가 나타나선 안 된다. 그러나 심한 운동 직후, 강추위에 노출된 경우 및 사구체 투과력을 증가시키는 신장질환에서 발견되는 경우가 있다.

(6) 케톤(ketones)

탄수화물이 부족한 상태에서 신체는 에너지원으로 지방을 이용하게 되며, 이는 케톤체(ketone bodies)로 환원됨으로써 요 중에 출현할 수 있다. 또한 비조절성 당뇨병에서 검출된다.

(7) 빌리루빈(bilirubin)

정상적으로 검출되지 않지만 간질환, 담도폐쇄(biliary obstruction) 및 췌장암의 경우에 검출될 수 있다.

(8) **현미경적 검사**(microscopic examination)

요원주(urinary casts), 적혈구, 백혈구 및 세균의 존재를 밝히며 요원주와 세포들의 수는 수/high power field (hpf) 혹은 수/low power field (lpf)로 표기되고, high power filed에서 5개 이상의 백혈구, 2개 이상의 적혈구가 관찰되면 비정상적인 것으로 간주된다. 현미경적 검사는 배뇨 후 4시간 이내의 신선뇨로 실시해야 하며, 부득이 오래 두었다가 검사해야 할 경우엔 미리 요에 포르말린 등 적당한 보존제를 첨가해 두어야 한다.

7) 심전도 검사(Electrocardiogram, ECG)

심장의 수축에 따르는 활동전위의 시간적 변화를 그래프에 기록한 도면을 판독하여 정보를 얻는다. 심근은 흥분하면 막의 탈분극이 생기고 250–300 ms 동안 계속해서 재분극했다가 원래의 정지전위로 돌아오는데 이것을 활동전위라 한다. 심장의 흥분은 우심방의 동결절(심장박동조절세포)에서 발생한 흥분이 자극전달계를 사이에 두고 심방, 심실중격, 심실로 점차 전파된다. 이때 흥분부위와 미흥분부위 사이에 전위차가 생기고 전류가 흐른다. 이 때문에 체표면에서도 전위차가 발생하는데 이것을 기록한 것이 심전도이다(그림 2-3).

체표면의 심전도파형에는 심방의 흥분에 의해 생기는 파(atrial contraction; P파), 심실의 흥분에 의해 생기는 파(ventricular contraction; QRS파), 심실의 흥분소거에 의해 생기는 파(ventricular repolarization; T파)가 있다. 이 밖에 심방의 흥분소거에서 오는 Ta파나 아직 발생원이 분명하지 않은 U파가 기록되는 경우도 있다. 심전도의 진단학적 의의는 부정맥이나 자극생성전달이상의 진단, 심근질환, 특히 협심증이나 심근경색의 진단, 심장비대의 진단 등에 있다. 특히, 부정맥이나 심근질환에 대한 심전도의 진단학적 의의는 다른 검사법을 능가하는 중요한 것이다. 협심증이나 심근경색에는 QRS파와 T파의 이행부(ST부)에 변화가 나타난다. 이것은 허혈부와 비허혈부의 심근 사이에 막전위차에서 오는 이상전류가 흘러 이것이 심전도의 ST부에 반영되었기 때문이다. ST부의 변화가 어떤 유도에서 생긴 것인가에 따라 경색이나 허혈부위를 어느 정도 진단할 수 있다.

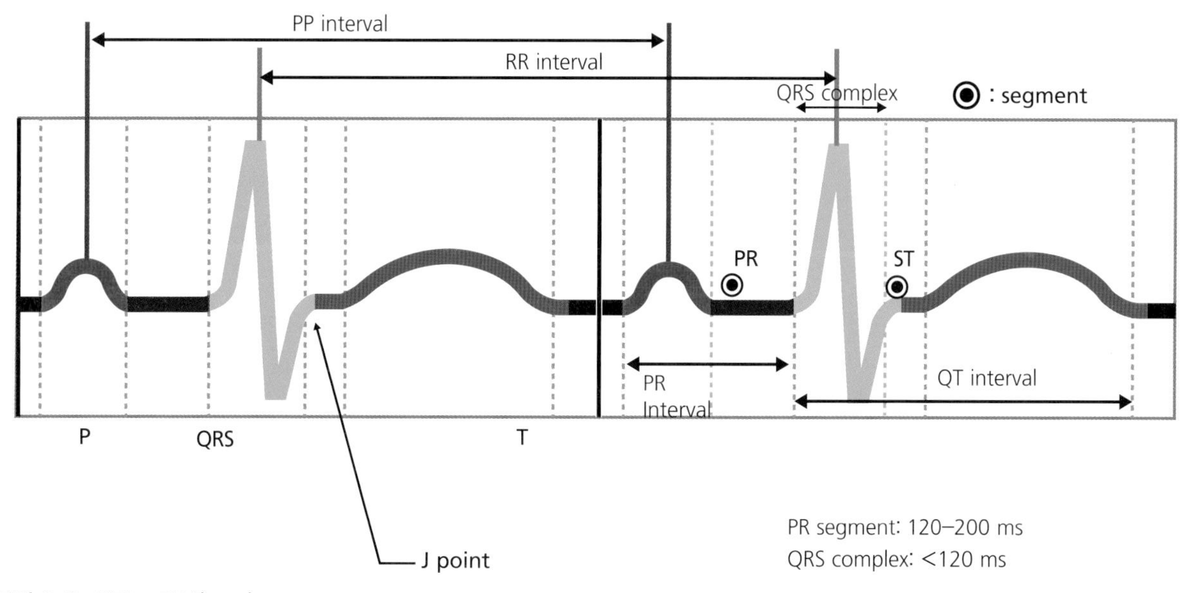

그림 2-3 심전도 검사(ECG).

II. 소독법

감염방지는 외과시술에서 필수적인 것이며 기구, 설비 및 부품의 소독이나 올바른 드레싱에만 국한되는 것이 아니므로 주위 환경의 병원균 감소에 대한 필요성을 인식하는 것도 매우 중요하다. 외과의사는 병원 직원 및 환자들 간의 교차감염 방지와 실내공기 중 미생물 감소 및 무균상태를 파괴하는 직원의 실수나 부주의 등을 항상 유의해야 한다. 근래에는 기구와 설비의 소독에 있어서 화학적인 방법을 선호하고 있지만, 증기열은 미생물을 파괴하는 데 아직까지도 가장 믿을 만하고 경제적인 방법이다. 증기열 외의 물리적인 방법으로는 여과, 방사선조사 및 초음파를 이용하는 방법 등이 있으나 이것들은 포화증기를 사용할 수 없을 때 이용한다.

멸균법(sterilization)은 세균과 바이러스의 완전한 파괴 방법을 의미하며 멸균법과 유사한 의미인 위생법(sanitization), 방부법(antisepsis) 및 소독(disinfection) 등은 완전한 멸균상태를 충족시킬 수 없다는 사실을 명확히 인식해야 한다. 교과서에서 'cide' 그리고 'stat'과 같은 접미사를 사용하는데, 이들은 미생물의 생활주기에 대한 여러 영향을 나타낸다. 살균제는 세균을 죽이며, 정균제는 세균의 성장을 억제한다. 병원체가 형성하는 포자는 일반적인 소독법으로는 제거하는 것이 불가능하며, 포화증기는 가장 실제적이고 경제적이며 효과적인 포자 박멸방법이다.

1. 기구의 멸균법 및 관리 시 준수사항

1) 기구의 멸균법

기구의 멸균법은 다음과 같이 세 가지로 분류한다.

① **열멸균법**: 고압증기멸균, 불포화화학증기멸균, 건열멸균, 열전도멸균

② **화학멸균법**: ethylene oxide (EO) gas, glutar-aldehyde, chlorine dioxide

③ **방사선멸균법**: 감마선, 방사성동위원소

(1) 고압증기멸균법(autoclave)

압력 증기에 의한 소독은 포자형성균, 바이러스 및 진균을 포함한 미생물을 확실하게 파괴할 수 있는 가장 효과적인 방법이다. 고압증기멸균기는 공기차단실이 있는 탱크로서 기구를 고압증기에 노출시킨다. 고압증기소독기는 기기의 기능을 감지할 수 있도록 압력계기가 부착되어 있고, 기구소독실 내부에 진공상태를 유지하기 위하여 하나 이상의 진공펌프를 사용하고 있다. 치과 외래시술에 가장 적절한 고압증기소독기는 다음 범위 내에서 작동될 수 있도록 제작되어 있다.

① 15 psi 압력 하에서 121℃ (250°F)로 15분간 작동

② 30 psi의 압력 하에서 134℃ (270°F)로 최소 3분간 작동

모든 생물체를 확실하게 파괴하기 위한 최소의 온도는 121℃이다. 멸균시간은 소독하려는 기구의 크기에 따라 변화되며 포장하지 않은 기구들은 3분 'flash cycle'이 적절하다. 포장된 기구와 외과용 팩의 경우에는 증기의 적절한 침투를 위하여 좀 더 긴 소독시간이 필요하며, 색 변화 테이프와 지시지 등을 이용하여 적절한 소독이 되었는지를 확인할 수 있다.

에어터빈을 사용하는 치과용 핸드피스는 고압증기멸균소독법에 의해 적절히 소독할 수 있으므로 무균상태의 수술실에서도 사용 가능하다. 액체도 고압증기소독이 가능하지만 이때는 소독온도에서 불활성화되지 않아야 한다. 고압증기소독은 녹슬기 쉬운 물품에서는 사용할 수 없으며 광섬유 케이블(fiberoptic cable)과 관절경 등 정밀한 기구에서는 수명을 감소시키므로 사용을 피하는 것이 좋다.

(2) 건열멸균법

이 방법은 치과 분야에서 광범위하게 사용되는 소독법으로 일부 치과용 핸드피스, 분말, 기름, 종이 및 천으로 된 제품과 170℃ (340°F) 이상의 온도에는 노출

이 금지된 물품 그리고 증기, 끓는 물 및 화학소독법으로는 소독할 수 없는 광범위한 물품들을 매우 효과적이고 경제적으로 소독할 수 있는 방법이다.

건열은 유리제품을 파괴하지 않고 기구들을 부식시키지도 않는다. 더욱이 대류오븐을 사용할 수 있는데 이는 고압증기소독기보다 비용이 저렴한 반면에 적절한 사용기간이 지나면 가열장치가 타 버리고 주기적으로 오븐의 온도조절 장치를 조절해야 할 필요가 있다. 건열소독은 보통 160℃에서 2시간, 140℃에서는 3시간 이상 지속되어야 멸균된다.

(3) 열전도멸균법

Bead sterilizer를 이용하여 주로 버와 같이 작은 기구나 근관치료 도중에 오염된 근관치료 기구를 짧은 시간 내에 멸균시킬 수 있으나 일상의 멸균법으로 활용한다든지 장시간 사용하는 기구를 멸균하기에는 부적합하다. Glass beads, molten metal, salt medium 등을 이용한 열전달 기구들(heat transfer devices)도 건열소독의 한 방법이다.

(4) 화학 또는 한냉멸균법

기구를 소독액에 담가서 소독을 하는 방법은 아마도 가장 널리 사용되는 방법이나, 전문가들 사이에서는 좋지 않은 방법으로 여겨지고 있다. 70-90%의 isopropyl alcohol을 이용한 화학소독법이 아직까지 많은 의료기관들에서 사용되고 있으나 알코올의 효과에 대한 평가가 정립되어 있지는 않다. 한냉멸균을 위한 수단으로 사용되는 알코올은 모든 미생물에 대해 거의 효과가 없으며 특히 포자형성균에 대해서는 전혀 효과가 없다. 알코올은 혈액, 농 및 기타 체액 등이 존재할 경우 실제적으로 효과가 없으며 휘발성과 빠른 증발 속도 때문에 비용이 많이 드는 편이고 용액 내 기구를 부식시키는 경향이 있다.

수용성 4가 암모늄 화합물인 benzalkonium chloride는 시험관 연구에서 매우 효과적인 물질로 규명되어 많이 사용되어 왔으나 수년간 사용한 결과 4가 암모늄 화합물들은 병원성 감염에서 나타나는 많은 저항 균주들에 대하여 거의 효과가 없는 것으로 나타났다. 따라서 일반 위생이나 가정에서의 사용을 제외하고는 병원에서는 거의 사용되고 있지 않다.

화학멸균법에 있어서 오랜 역사를 가진 aldehyde는 산과 알코올의 중간체이다. 최근에 2% glutaraldehyde 화합물 수용액이 한냉멸균법에 약간의 효과가 있음이 입증되었으며 알칼리성 용액이나 강화된 산성용액의 형태로 시판되고 있다.

Chloride bisphenol 또는 2-5% 농도의 hexachlorophene은 그람양성균과 음성균에 대해 효과적인 제균제로 작용한다. 그럼에도 불구하고 화학소독액에 기구를 담가서 소독을 하는 한냉멸균법은 세균을 죽이기 위해서는 18-24시간 정도의 장시간을 요하며 그 후에도 모든 포자형성균과 진균들이 적절히 제거되었는가에 대한 의문점으로 인해 현재 별로 각광을 받고 있지 못하다.

(5) 가스멸균법

Ethylene oxide (EO) 가스는 온도, 습도 및 가스가 조절되는 환경조건 속에서 사용될 때 매우 효과적으로 세균을 파괴시킬 수 있고 열과 물에 약한 기구의 소독에 효과적이다. 현재 사용하는 일반적인 방법은 상온 30%의 습도에서 EO를 12시간 정도 기구에 노출시키는 것으로 적절한 소독시간은 소독하려는 기구들의 양에 따라 결정된다. 기본적인 사용방법은 가스가 통과할 수 있는 플라스틱 주머니에 기구를 넣어 금속탱크 소독기에서 일정한 속도로 EO를 공급하는 것이다. 이 방법은 치과용 핸드피스나 다른 작동부품이 달려 있는 기구들을 손상 없이 소독할 수 있다는 점에서 치과 영역에서 많이 사용되어 왔다.

EO 소독기들은 비교적 경제적이나, 카트리지 형태로 공급되는 가스는 비싸고 또한 다시 사용할 수 없는 단점이 있다. 장시간 동안 가스를 유지시키기 위해서 소독기는 완전히 밀봉되어야 하며 보통 밤 사이에 소독을 시행한다. 대기 중에서 가스농도가 3% 이상이 되면 폭발 위험이 있고, 인화성이 강하므로 안전하게 사용하기 위해 프레온, 이산화탄소 또는 질소와 혼합하여 사용하고 소독실은 적절히 환기를 시켜야 한다. EO 가스는 투과성이 매우 높기 때문에 포장되어 소독한 물건들은 소독이 완결된 뒤에 반드시 24시간 정도 환기를 시켜야 한다. 그러나 포장되지 않은 견고한 기구들은 EO가 투과할 수 없기 때문에 환기를 시키지 않고 사용할 수 있다. EO를 이용한 소독법은 일회용품의 소독을 위해 산업체에서 많이 이용한다.

저온의 hydrogen peroxide (H_2O_2) 가스를 이용한 멸균법(STERRAD® system)은 넓은 범위의 의학 장비와 외과적 기구들의 미생물들을 효과적으로 불활성화시킬 수 있는 방법이다. 46–55℃의 저온에서 30–40분 정도의 짧은 시간으로 멸균을 시행하기 때문에 열이나 습기에 민감한 기구들의 멸균도 안전하게 시행할 수 있으며 과정이 간단하다는 장점이 있다.

표 2-27에서는 여러 종류의 멸균방법을 비교해서 정리하였다.

(6) 열탕소독법

끓는 물에 기구를 넣어서 소독하는 이 방법은 포자형성균을 제거할 수 없기 때문에 오늘날에는 사용이 제한되고 있다. 끓는 물의 온도는 100℃ (212℉)이나 모든 미생물을 파괴하기 위한 온도는 최소 121℃이다. 모든 기구들을 완전히 담근 상태에서 최소한 30분 정도 끓여야 한다. 열탕소독법은 임시 기구의 소독을 위한 응급적인 수단으로 사용될 수 있으며 조직을 통과하는 기구의 멸균에는 부적절하다.

2) 기구 관리 시 준수사항

① 기름과 구리스(grease)는 소독의 주요 방해물이다. 기름 묻은 기구는 소독하기 전에 용매로 닦고 비누와 물을 사용해서 철저하게 완전히 닦아야 한다. 최근 초음파 세척기의 개발로 세척효과를 높일 수 있게 되었다.

② 젖은 기구를 일정 시간 동안 공기 중에 방치하면 녹이 슬게 된다. 그러므로 열탕 소독 후에는 기구가 뜨거운 동안에 소독된 수건으로 기구의 습기를 제거하여야 한다.

표 2-27 여러 가지 멸균법의 비교

멸균법	Autoclave	Dry heat	EO gas	Glutaraldehyde
작용 기전	단백질 파괴	산화	알킬화	알킬화
멸균 조건	121℃ 15 psi 15분 132℃ 30 psi 6–7분	160℃ 2시간 120℃ 5시간 이상	상온 36시간 49℃ 2–3시간	6 3/4–10시간 (제품에 따라 다름)
단점	– 금속(탄소강)에 녹과 부식을 일으키고 기구의 날을 무디게 함 – 합성수지에 손상을 줌 – 멸균 후 건조 과정을 별도로 거쳐야 함	– 멸균시간이 길 – 온도가 높아 금속성이 변하거나 납착부가 떨어질 수 있음 – 반복 사용하면 날이 무뎌짐	– 멸균시간이 매우 길며, 하루 정도 환기를 요함 – 독성이 있고 발암물질이므로 취급 시 주의를 요함	– 멸균 포장 및 확인이 어려움 – 관리가 까다롭고 계속 사용하면 비경제적 – 피부, 점막에 유해함
장점	– 침투력이 우수하여 커다란 포장, 다공성 제품, 면제품에 적합 – 물, 화학용액, 배지의 멸균에 좋음	– 멸균기의 값이 저렴함 – 유리, 건조된 화합물, 분말 제품에 적합	– 고무제품에 적합 – 규모가 큰 병원용으로 적합	– 열에 민감한 제품에 적합 (합성수지, 화이버옵틱 등).

③ 열탕소독 및 고압증기 멸균법에서 수돗물을 이용할 경우 수돗물에는 석회염이 많이 들어 있으므로 끓는 동안 기구에 석회염이 쌓일 수 있다.

④ 피하주사용 바늘과 주사기의 소독은 교차감염을 피하기 위하여 각별한 주의를 요한다. 피하주사기와 바늘은 반드시 고압증기멸균법으로 소독해야 하며 한냉소독법은 부적절하다. 현재 거의 모든 주사용품들은 멸균되어 한 개씩 일회용으로 포장되어 나온다. 항상 소독된 cartridge-needle unit를 사용하는 폐쇄주입체계(closed injection system)를 통하여 주사 시 감염을 최소화할 수 있다. 주사용품은 내용물, 용량 및 유효기간 등을 미리 확인해야 하며, 사용 후 완전히 폐기함으로써 모든 교차감염의 위험을 제거해야 한다.

⑤ 기구는 소독된 무명천이나 종이팩에 잘 보관해야 한다. 이들 소독된 기구를 사용하지 않은 경우에도 반드시 30일마다 다시 고압증기소독기에서 소독하여야 한다.

⑥ 기구를 포장한 팩은 기구함 내에 잘 정돈해서 통상적인 수술에 필요한 기구들을 쉽게 쓸 수 있어야 한다. 기구들은 팩으로부터 꺼내어 메이요 트레이(Mayo tray)나 치과용 진료대 위에 나열될 수 있으며 필요한 부가적인 기구들을 첨가할 경우 보조자는 한냉소독용액 용기 내에 있는 소독된 기구겸자(pickup forceps)를 이용해서만 소독된 기구를 취급하여야 한다.

2. 수술팀의 무균처치

1) 무균처치를 위한 기본 준비

수술실에서의 무균처치를 위하여 술자 자신을 포함한 수술팀 모두가 다음의 장비들을 착용한다.

① 소독가운

② 수술모자

③ 수술신발

④ 소독마스크

최근 섬유유리(fiber glass)가 함유된 마스크가 개발되어 술자의 입이나 코에서 기인되는 오염인자들을 95-100%까지 여과해내고 있다. 수술실의 오염은 수술실 내의 인원수, 움직임 및 수술팀 간의 대화량에 정비례한다는 연구결과도 있는 만큼 수술실에서는 될 수 있는 대로 필요 없는 움직임을 삼가고 정숙한 분위기를 유지하도록 한다. 경미하나마 상기도 감염 등이 있는 수술인원은 오염원이 될 수 있으므로 수술팀 구성에서 제외할 수 있다.

2) 술자 손의 소독

술자 손의 소독은 피부표면의 세균과 부착품을 기계적으로 제거해내고 동시에 소독약을 이용해서 화학적으로 처치하는 행위를 말한다. 구체적인 방법은 다음과 같다(그림 2-4).

① 손톱은 짧게 유지하고 손톱 때가 없도록 한다. 멸균수로 손에서 주관절(팔꿈치)까지 손으로 문질러 씻는다.

② 브러시와 소독약을 이용하여 손가락의 첨단에서 손, 팔꿈치 상부까지 3분간 마찰, 세척한다.

③ 멸균수와 함께 브러시를 이용하여 손톱, 손을 닦는다. 브러시를 버리고 멸균수로 손에서 팔꿈치까지의 거품을 씻어낸다. 필요한 경우 브러시를 바꾸어 소독약에 의한 브러시 세척을 3분간 행한다.

④ 다 씻은 후 멸균타월로 손가락, 전완부의 순으로 물기를 제거한다.

소독약으로 자주 사용하는 베타딘(Betadine; iodophore)이나 세정제와 결합된 히비탄(Hibitan; chlorhexidine gluconate) 모두 상처감염 방지에 효과적인 것으로 알려져 있다. 또한 3분 세척과 5분 혹은 그 이상의 세척을 비교했을 때 세척 시간에 따른 상처감염의 차이도 없는 것으로 조사되었으며 브러시와 스펀지 같은 스크럽(scrub) 재료에 의한 차이도 없는 것으로

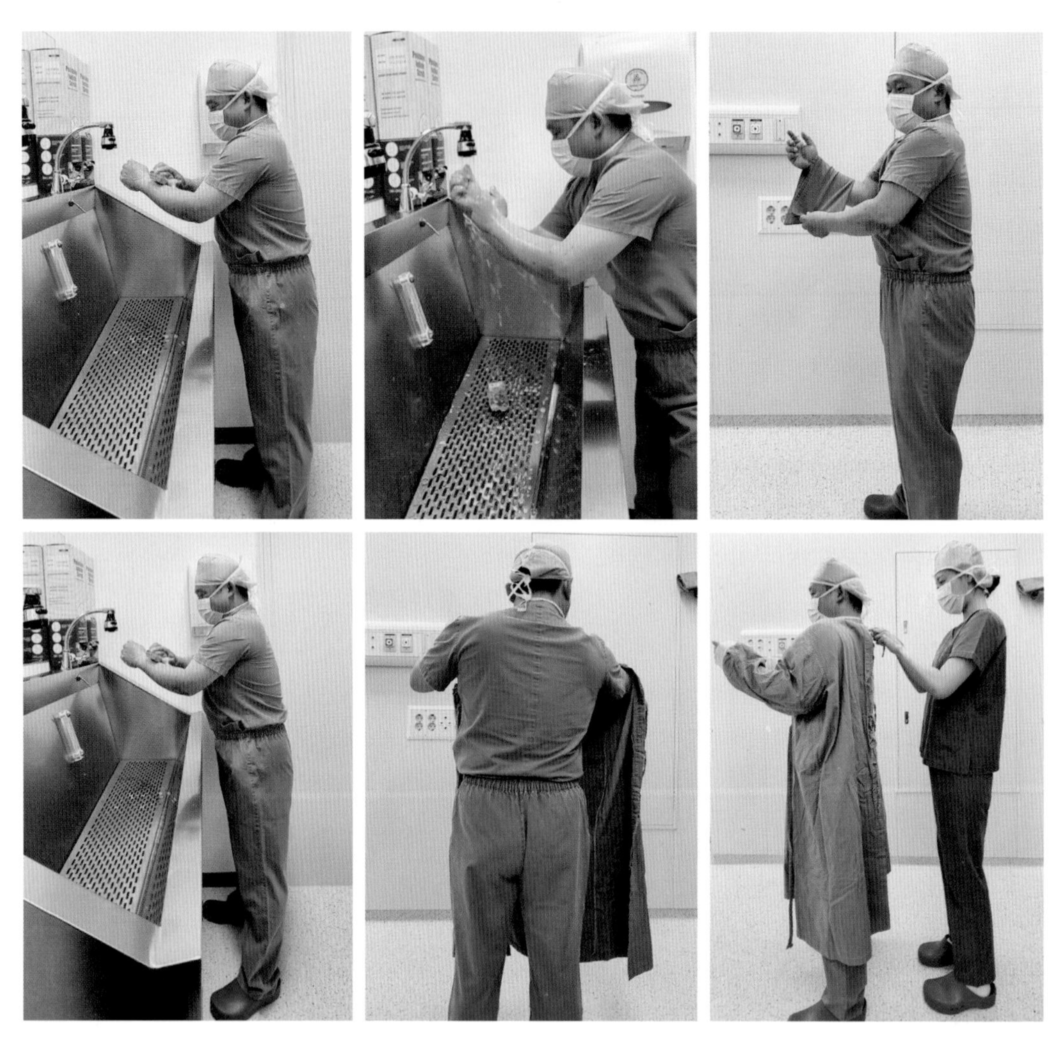

그림 2-4 술자 손의 소독 및 수술가운 착용과정.

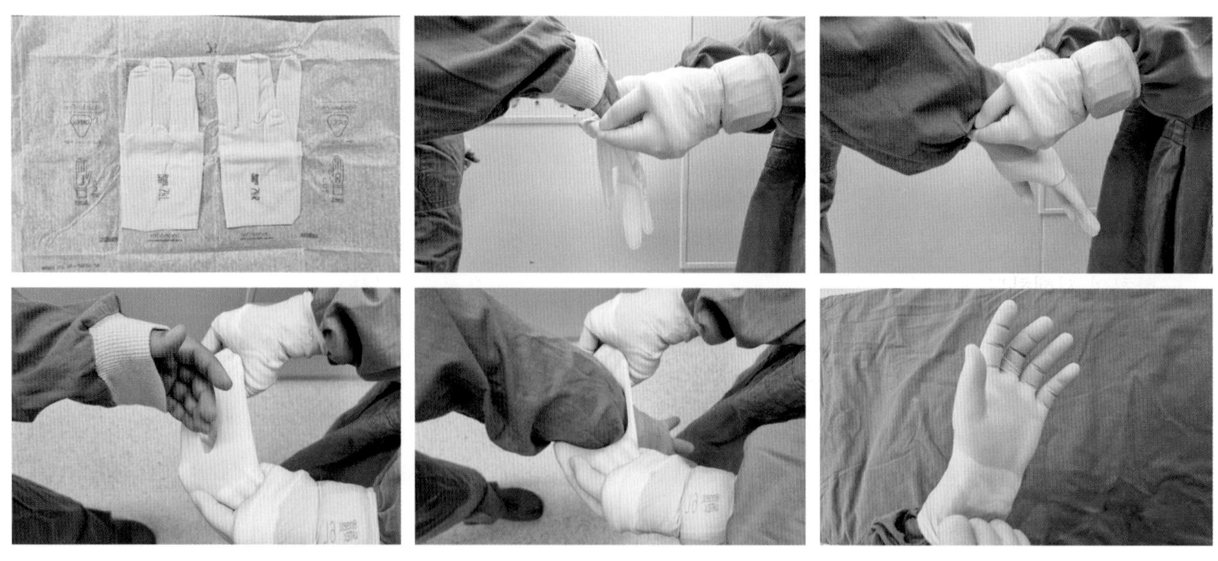

그림 2-5 수술장갑 착용법.

판명되었다.

3) 수술가운 및 수술장갑의 착용

수술가운 및 수술장갑을 착용할 때는 그림 2-4, 2-5와 같이 보조자의 도움을 받아 술자의 손과 팔의 무균상태를 유지할 수 있다.

3. 환자의 소독

1) 구강내 소독

구강내 소독은 수술부위가 구강내 일부에 국한된다 하더라도 구강 전체를 모두 소독해야 한다. 왜냐하면 구강은 점막으로 덮여 구석구석까지 연결이 되어 있고 타액에 의하여 항상 노출되어 있기 때문이다. 구강내의 치아와 점막 모두를 소독하는 데 이용되는 소독약은 10% 베타딘 용액이나 요오드팅크(iodine tincture)가 있다. 구강내 접근을 하더라도 구강주위 소독은 필요한데 구강내 소독 후 비첨, 비익, 구각부 및 하악골 하연 등 구강을 중심으로 10–15 cm의 범위는 소독한다. 구순부는 구강내 소독약을, 안면피부는 피부소독에 이용된 소독약을 이용하는 것이 보통이다.

2) 피부의 소독

술전에 수술부위의 모발은 제거하도록 하는데 단순한 면도는 오히려 절개부위의 감염을 증가시킬 우려가 있다. 모발을 탈모제를 이용하여 제거하거나 전혀 제거하지 않는 것은 수술부위 감염에 미치는 영향에 큰 차이가 없다고 하며 술전 모발 제거는 필요할 경우에만 국한하여 시행하도록 한다.

피부소독에 가장 많이 쓰이는 소독제는 요오드 화합물인 베타딘이며, 이는 자극성이 적고 요오드가 복합체로부터 천천히 유리되어 소독효과가 좋다. 구체적인 소독방법은 다음과 같다.

① 10×15 cm^2당 1 ml의 베타딘을 도포하고 멸균브러시 혹은 멸균스펀지로 5분간 충분히 마찰시킨다. 이때 절개가 가해질 부위를 가장 먼저 닦고 점차 원심 방향으로 동심원을 그려나가도록 하여 한번 소독된 부위가 브러시에 의해 다시 접촉되는 일이 없도록 한다.

② 멸균거즈를 이용하여 소독 시 발생한 거품을 닦고 다시 베타딘을 도포한다.

③ 두 번째 도포한 후에는 닦아내지 않고 그대로 건조시킨다.

④ 필요한 경우 70% ethyl alcohol로 탈색한다.

3) 방포(Draping)

소독되지 않은 부분은 멸균천으로 완전히 피복하고 소독된 수술부위만을 노출시키는 것을 원칙으로 한다. 구강악안면영역의 수술인 경우는 우선 두부를 감싸는 double head drap를 실시하고 수술부위의 주변에 멸균포를 덮은 다음 멸균된 공포(가운데 구멍이 뚫린 천)로 덮어 수술부위만을 노출시킨다.

수술부위 이외에 술자와 조수의 몸이 닿기 쉬운 곳과 수술대와 마취기 사이 등에도 멸균천을 덮어 소독부위를 불결부위와 격리시킨다. 수술부위의 소독 후 멸균처리된 폴리비닐 제재의 surgical drap을 공기가 사이에 들어가지 않도록 소독부위에 밀착시키고 이 위에 절개를 직접 가하기도 하는데 피부소독의 관점에서 유용한 방법이다.

4. 수술실 무균처치

수술실 크기는 통상 합리적인 동선 확보를 위해 최소한 6×6 m^2 이상되는 것이 바람직하며 또한 수술실 내 천정, 벽 및 바닥 등은 소독약품을 반복 사용해도 마모나 표면박리를 일으키지 않는 편평하고 내구성이 강한 재질로 이루어져야 한다(그림 2-6).

수술실 출입 시 실내공기 오염을 방지하기 위해서는

문이 한 번에 한쪽만 열리는 에어락커(air locker)라든지 에어샤워(air shower) 등의 설비가 바람직하며 또한 안정된 실내로부터 수술실 내로 오염된 공기의 흡인을 피하기 위해서는 양압식 여과환기가 필요하다.

현재 많은 병원에서 수술실 내 환기되는 공기의 청정도를 유지하기 위해 HEPA (high efficiency particular air) 필터 설치와 실내 온도, 공기의 흐름을 조절할 수 있는 고가의 장비를 설치하여 수술실 무균처치를 위해 운영하고 있다.

그밖에 수술실 내 기구 등은 2% phenol 용액, 3% cresol 용액, iodoform 용액 등 여러 가지 소독약품을 이용해 청소 및 소독을 시행한다.

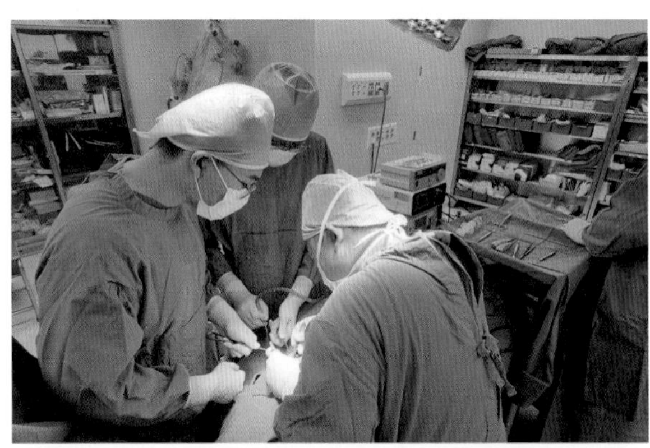

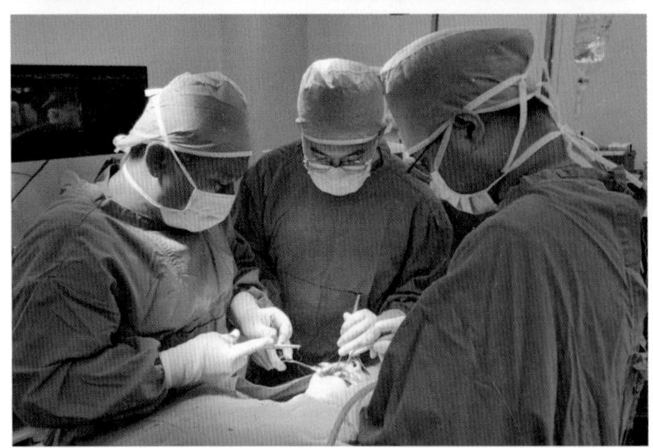

그림 2-6 수술실 전경.

Ⅲ. 기본 수술법 및 수술기구

1. 절개(Incision)

구강외과 시술에서 정확한 절개선의 설정은 매우 중요한데 절개선이 잘못 설정되면 수술 시 시야가 불충분하고 수술시간의 연장과 이로 인한 조직의 과도한 손상으로 창상치유가 지연되는 경우를 흔히 볼 수 있다. 구강외과 영역에서 흔히 사용되는 외과용 메스 파지법은 펜 파지법(pen grasp)과 테이블칼 파지법(table knife grasp)이 있다(그림 2-7).

외과용 메스 파지법은 술자 개개인의 기호에 따라 다르지만 외과용 메스는 어떤 경우라도 단단히 그러나 가볍게 잡아야 하며 손가락이 떨릴 정도로 잡아서는 안 되고, 절개선에 인접한 골이나 치아에 손가락을 지지하여 외과용 메스를 받쳐 보다 안전한 절개를 시행해야 한다.

■ 다음은 일반적인 피부 절개 시 유의할 사항들이다.

① 절개 시에 메스 날은 처음에는 직각으로 시작하여 중간은 사선, 마지막은 다시 직각으로 하여 절개를 끝내야만 절개선의 깊이가 일정하게 된다.

② 일격에 피부 전층까지 일정한 깊이로 들어가서 절개한다.

③ 절개 시 가능한 한 모낭, 혈관 및 신경 등의 방향과 평행하게 절개하여 절단하지 않는 것이 좋다.

④ 피부 절개 시는 항상 그 크기와 방향이 섬유의 주행방향과 일치하는 Langer선에 따라 절개하는 것이 좋다.

⑤ 안면부의 피부수술은 술후 반흔조직의 크기가 최소로 되게 한다. 자연적인 주름, 머리카락으로 덮이는 부분, 피부점막 경계 또는 비순이행부나 악하경부와 같은 눈에 잘 보이지 않는 부분에 절개선이 오도록 한다.

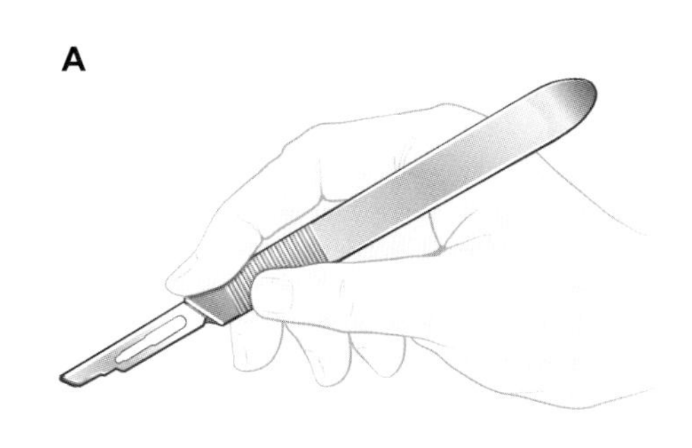

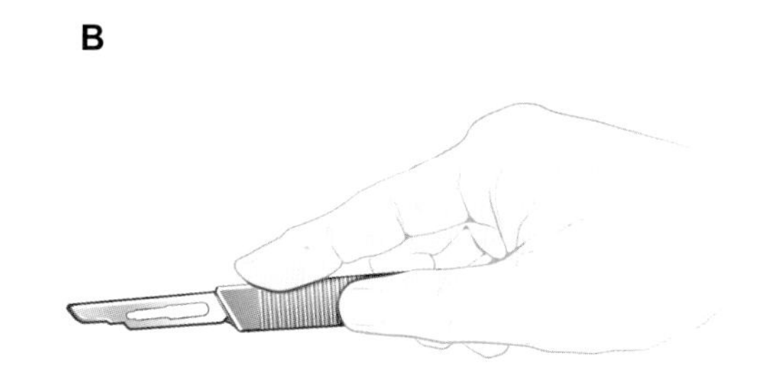

그림 2-7 A: 구강악안면외과 영역에서 일반적으로 사용되는 펜 파지법은 외과용 메스 손잡이를 모지와 인지, 중지 사이에 파지하는 것이다. 짧고 섬세한 절개가 안전하게 이루어질 수 있도록 견고한 부위에 안정위(rest position)를 세 번째와 네 번째 손가락에서 얻어야 한다. B: 테이블칼 파지법은 외과용 메스의 손잡이를 모지와 중지로 잡고, 손바닥으로 손잡이 위쪽을 지지해주어야 한다. 인지는 칼날의 둔한 끝에 안정을 두고, 보다 힘찬 절개를 위한 적당한 압력을 주어야 한다.

2. 조직박리(Tissue dissection)

조직박리란 날카로운 가위와 칼 등으로 조직층을 하나씩 자르면서 원하는 부위까지 도달하고자 하는 술식을 말한다.

날카로운 기구를 사용한 조직박리는 뭉툭한 기구에 의한 것보다 조직에 대한 외상은 적으나 자세한 해부학적 구조에 대한 지식을 전제로 해야 한다. 피부 및 피하조직을 절개한 후 신경과 혈관을 확인하면서 한 층씩 박리해 간다. 수술 목적상 필요치 않은 혈관은 결찰하거나 전기소작하며 신경은 절단 또는 박리시킨다. 각 층을 해부해가면서 층마다 박리를 시행하여 봉합 시의 긴장을 줄여준다.

일반적으로 조직박리는 가장 천층에서 시행하는 것이 좋으나 해부학적 위치에 따라 다소 차이가 난다. 이것은 그 부위 해부학적 구조물에 대한 외상을 줄이기 위한 고려이다.

3. 피하박리(Undermining)

박리란 창상봉합 시 창연의 긴장을 없애주는 방법으로 조직의 외상을 줄이기 위해 스킨훅 등을 사용하여 피부를 들어 올린 후 끝이 뭉툭한 가위 등을 이용하여 조직층 사이의 부착을 이단시키는 과정으로 조직층 사이의 부착을 절단시키는 것을 의미하지 않는다. 따라서 창상연 하부로 가위를 접어서 넣은 후 벌리면서 이단시켜야 한다.

4. 견인(Retraction)

견인이란 수술부위의 시야를 확보하고 수술을 용이하게 할 뿐 아니라 기구조작으로 인한 미세한 연조직의 손상을 방지하기 위한 행위이다. 수술부위와 수술방법에 따라 여러 가지 형태의 견인기(retractor)가 사용된다.

조직의 견인 시 무리한 힘을 가하게 되면 불필요한 부종과 조직에 손상을 주어 감염의 원인이 될 수 있으므로 유의해야 한다. 또한 저작근에 대한 무리한 견인은 수술 후 개구장애를 초래할 수 있으므로 조심하여야 한다.

5. 지혈(Hemostasis)

수술 중 혈관이 잘리거나 찢기면 창상부위에 혈종이 형성되어 창상연에 무리한 힘이 가해지며 불필요한 파괴물이 형성되므로 반드시 지혈해야 한다. 지혈방법으로는 전기소작에 의한 지혈법, epinephrine, oxidized cellulose (Oxycel, Surgicel), microcrystalline collagen (Avitene), absorbable gelatine sponge (Gelfoam), tissue thromboplastin 등의 지혈제를 이용한 방법, 결찰법 및 압박법 등이 있다.

6. 창상봉합(Suture)

1) 봉합사의 종류

생체 내에서 봉합사가 분해되는 속도에 따라 두 가지로 분류할 수 있다. 즉 조직 내에서 빨리 분해되어 60일 이내에 인장강도(tensile strength)가 없어지는 것을 흡수성 봉합사(absorbable suture)라 하고 인장강도가 60일 이상 지속되는 것을 비흡수성 봉합사(nonabsorbable suture)라 한다.

(1) 흡수성 봉합사

주로 피하조직, 근육조직 등을 봉합할 때 사용되는데 비흡수성 봉합사보다 조직반응을 더 심하게 일으킨다. 흡수성 봉합사는 다시 비합성인 것과 합성인 것으로 구분할 수 있다.

① Catgut

양의 소장 점막하층과 소의 소장 장막층에서 얻어지는 비합성 흡수성 봉합사로 약물처리를 한 chromic catgut이 있는데 이들은 낮은 인장강도를 가지며 단백질 분해와 탐식작용에 의해 분해되므로 합성 흡수성 봉합사보다 조직반응을 심하게 일으킨다.

② Polyglycolic acid (Dexon), **polyglactic acid** (Vicryl), **polydioxanone** (PDS)

합성 흡수성 봉합사로 수술 후 2–5주 사이에 효소에 의해 가수분해되고 비합성 봉합사보다 가벼운 조직반응을 나타내며 또한 결찰이 용이하고 잘 풀리지 않으므로 현재 널리 사용되고 있다. PDS는 흡수기간의 반이 지난 28일째에도 강한 강도를 가진다.

③ Glyconate (Monosyn)

단선 합성 흡수사로 경미한 초기 염증성 조직반응을 유발한다. 인장강도는 13–14일 정도 유지되며 60–90일 사이에 흡수가 완료된다. 오랜 기간 상처봉합을 유지해야 할 시에는 권장되지 않는다.

(2) 비흡수성 봉합사

비흡수성 봉합사는 주로 피부봉합에 사용된다. 그러나 오염된 조직 내에서는 감염의 원인이 될 수 있기 때문에 사용이 제한되나 나일론과 다크론(Dacron) 봉합사는 다른 비흡수성 봉합사보다 오염된 조직내 감염유발률이 낮다.

① 견사(mersilk)

구강내의 봉합에 가장 많이 사용된다. 사용이 편리하고 점막에 자극이 없으며 값이 저렴한 장점이 있다. 그러나 인장강도가 낮고 매듭이 잘 풀리는 단점이 있다.

② 나일론(nylon), **폴리에스테르**(Dacron)

피부봉합에 가장 많이 쓰이는 재료로 염증반응이 적고 인장강도는 높으나 매듭이 크고 잘 풀리는 단점이 있다.

③ Polypropylene (Prolene)

부드러워 조직통과가 쉽고 조직에 거부반응이 적다. 우수한 탄력성을 지니며 혈관수술에 사용된다. 기구에 의해 실의 표면에 손상을 주면 실이 쉽게 끊어진다.

④ Polybutylate (Ethibond)

코팅된 폴리에스테르로 만든 비흡수성 복선 봉합사로 경결을 초래하는 초기 염증반응을 최소화한다. 봉합사의 강도는 시간이 지나도 큰 변화가 없으며 모든 수술에서 연조직을 당겨 봉합하거나 결찰하는 데 사용한다.

⑤ 금속

스테인리스 스틸이나 탄탈륨이 쓰이고 가장 강력한 매듭을 만들 수 있다. 감염의 확률이 높거나 켈로이드(keloid)가 잘 형성되는 환자의 봉합에 이용된다.

2) 봉합침

봉합침은 stainless steel과 carbon steel 등으로 만들고 직선형과 만곡형의 두 가지 기본적 형태를 지닌다. 몸체(body)의 형태에 따라 둥근형(round), 삼각형(cutting) 및 역삼각형(reverse cutting)으로 분류되는데 둥근형은 구내봉합과 근막봉합에, 삼각형은 미세한 성형수술에, 역삼각형은 피부봉합에 가장 많이 사용되고 있다(그림 2-8). 봉합침은 3/8원 봉합침이 많이 사용되고 창연부가 인접되어 있을수록 만곡도가 큰 것을 사용한다(그림 2-9).

3) 봉합 방법

적절한 봉합술은 봉합사와 봉합침의 물리적, 생리적 특성을 잘 이해하고 적절한 봉합 방법을 선택하는 것이 중요하다.

(1) 단순단속봉합(simple interrupted suture)

가장 보편적인 봉합 방법으로 각각의 봉합이 독립적

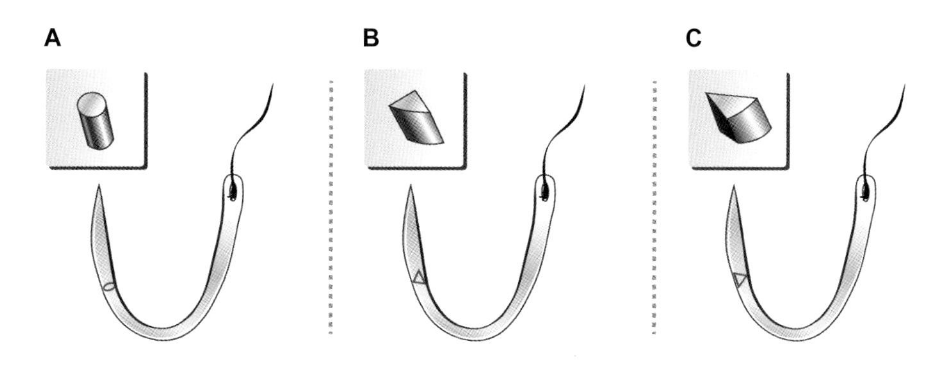

그림 2-8 봉합침의 단면에 따른 분류.
A: 둥근형(round) B: 삼각형(cutting) C: 역삼각형(reverse cutting).

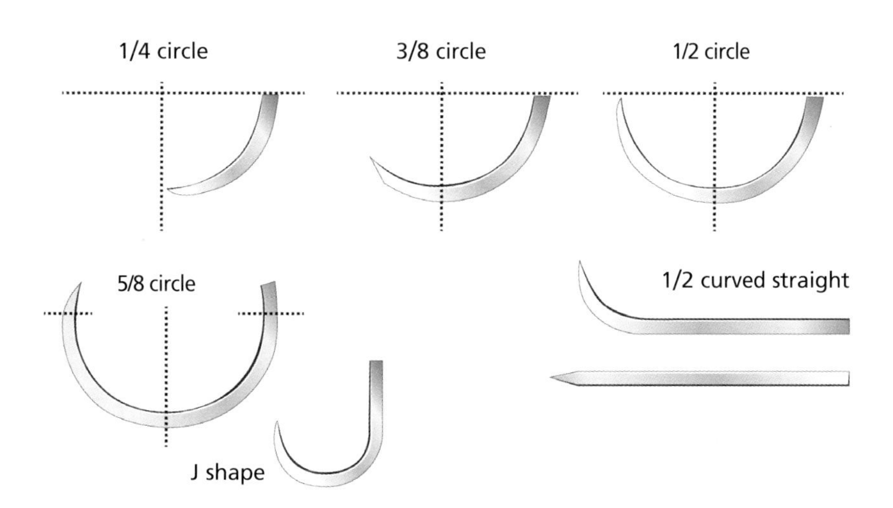

그림 2-9 봉합침의 만곡도에 따른 분류.

이고 강한 접합이나 어느 정도의 장력(tension)이 존재하는 부위에서도 연속봉합법보다 더 선호되고 있다(그림 2-10).

(2) 연속봉합(continuous suture)

깨끗한 창상을 빨리 봉합해 주고자 할 때 시행하는 방법으로 전체 봉합선에 균등한 장력분배가 이루어지고 방수효과가 우수하나 장력이 존재하거나 심미성이 요구되는 부위에는 사용하지 않아야 한다(그림 2-11).

(3) 연속잠금봉합(continuous locking suture)

연속봉합에 비해 절개선에 수직으로 배열되는 장점이 있으나 창상연의 혈행이 감소하여 치유가 지연된다. 심미성이 요구되지 않은 부위에서 어느 정도의 장력이 존재하여도 사용 가능하다(그림 2-12).

(4) 매트리스봉합(mattress suture)

이 봉합의 목적은 단순단속봉합보다 창연을 좀 더 외반(eversion)되게 하는 데 있다(그림 2-13). 이 봉합은 창상수축으로 인하여 열개(dehiscence) 또는 광범위한 반흔형성이 초래될 가능성이 있는 부위에 이용될 수 있다.

① 수직 매트리스봉합(vertical mattress suture)

피판 변연부(flap edge)의 혈행과 평행하게 봉합선이 지나가므로 창상치유에 장해를 주지 않는 장점이 있다. 따라서 장력이 큰 부위와 구강내 골이식부위나 보다 깊은 곳의 접합에 유용하다.

② 수평 매트리스봉합(horizontal mattress suture)

장력이 심한 곳에 주로 사용하며 방수효과가 뛰어나고 혈행이 많은 부위에 지혈효과를 갖지만 혈행을

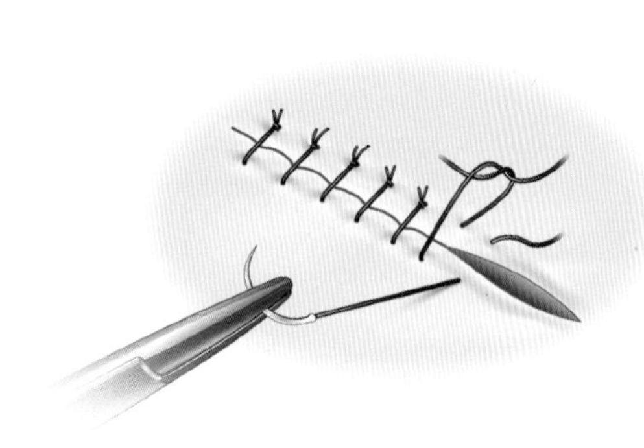

그림 2-10 단순단속봉합.

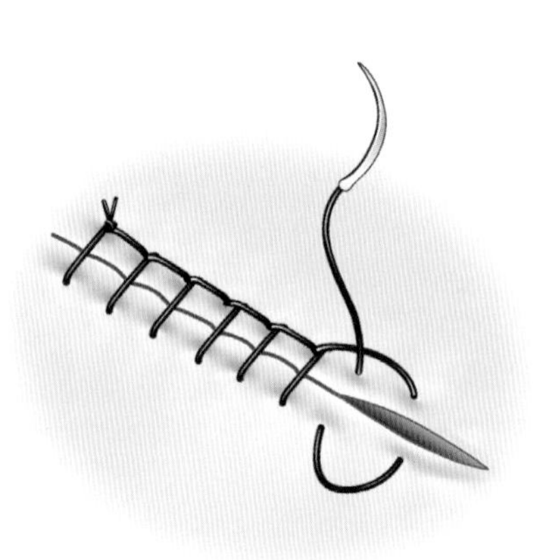

그림 2-12 연속잠금봉합.

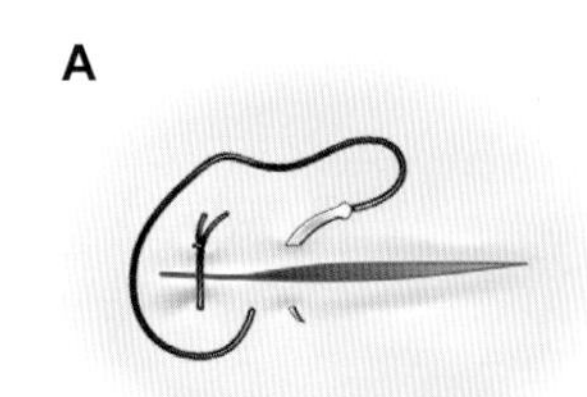

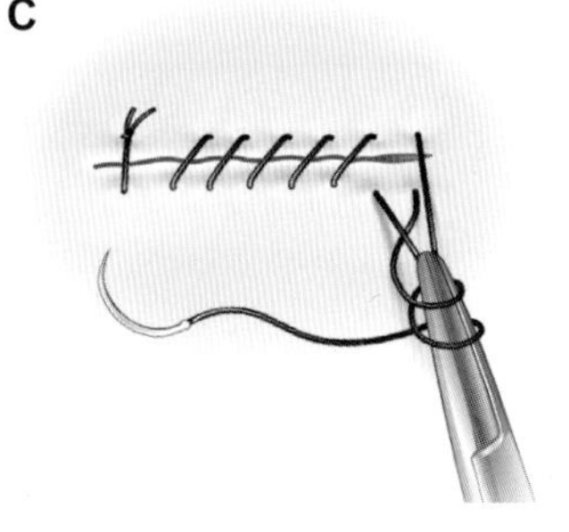

그림 2-11 연속봉합.

감소시켜 창상치유를 지연시키는 단점이 있다. 만일 부적절하게 봉합된다면 창상연의 괴사와 열개를 초래할 수도 있다.

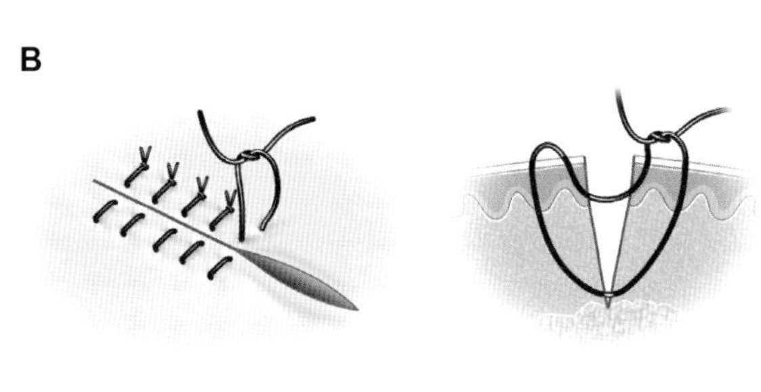

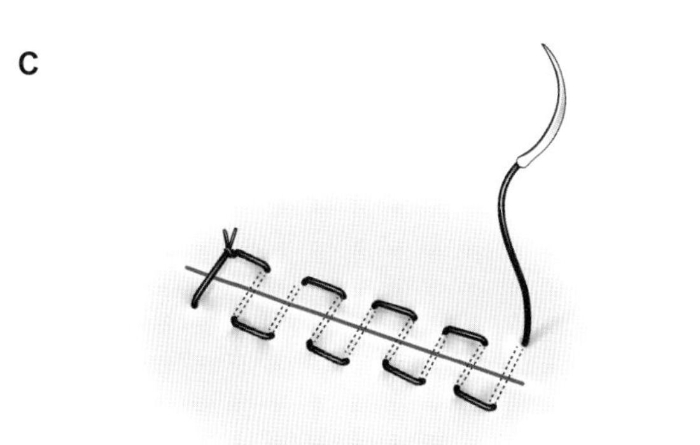

그림 2-13 매트리스봉합.
A: 수평 매트리스봉합 B: 수직 매트리스봉합 C: 연속수평 매트리스봉합.

(5) 8자봉합(figure of 8 suture)

발치와에 주로 사용되며 사강을 줄이고 발치와 내부의 혈병을 유지할 수 있다(그림 2-14).

(6) 피하봉합(subcuticular suture)

열창이 깊을 때 사강이 생기지 않도록 하기 위하여 조직의 깊숙한 곳을 봉합할 때 시행하는 방법이다(그림 2-15).

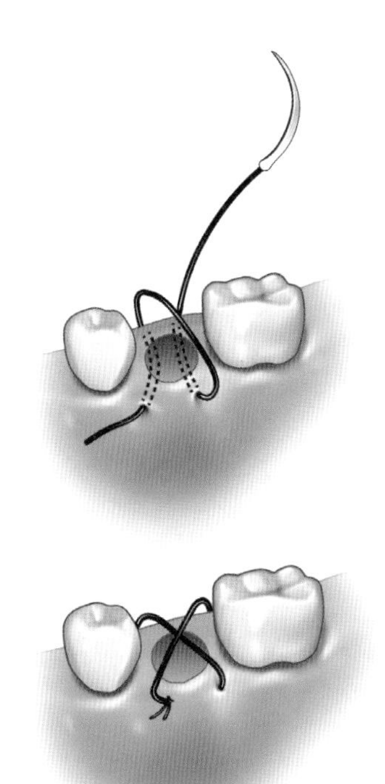

그림 2-14 8자봉합.

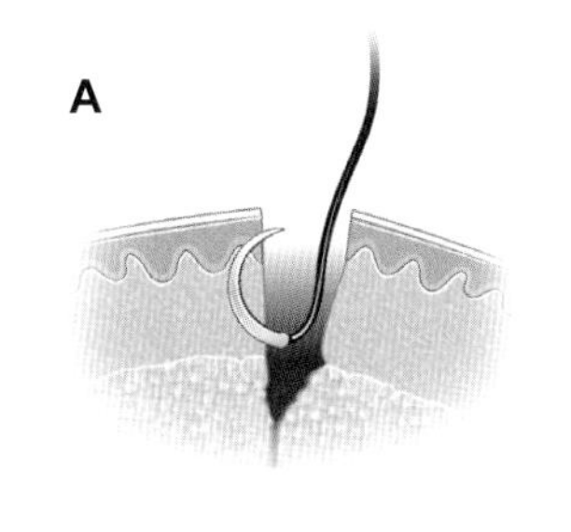

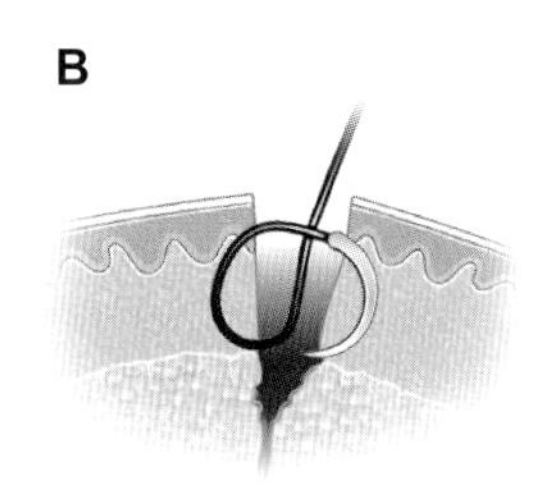

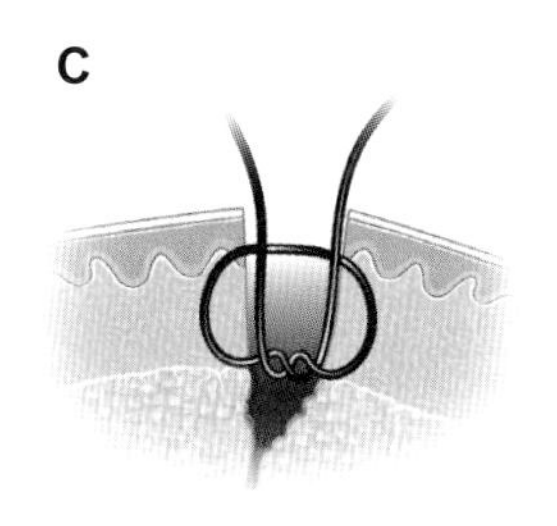

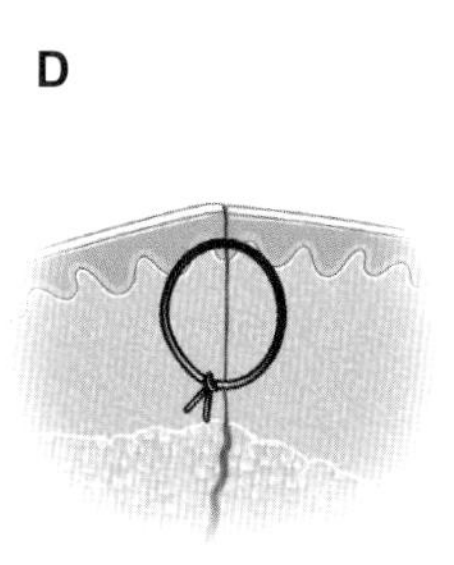

그림 2-15 피하봉합.
A: 봉합침을 먼저 심부에서 상층부로 삽입한다. B: 반대편에서는 상층부에서 심부로 삽입한다. C: 스퀘어 매듭을 형성한다. D: 매듭을 가능하면 짧게 절단하여 조직 내에 매몰되는 양을 최소로 한다.

(7) **3점봉합**(three point suture)

삼각형의 피판(flap) 형성 시 피판의 혈행이 나빠지므로 피판첨부의 괴사를 예방하기 위하여 3점봉합을 사용한다(그림 2-16).

4) 봉합의 원칙

① 봉침기로 봉합침의 첨부(point)에서 3/4 위치를 잡는다.

② 봉합침은 조직 표면에 수직으로 들어가야 하고 그 만곡도에 따라 조직을 통과해야 한다.

③ 봉합침이 조직으로 들어가는 깊이는 조직연(edge)에서의 거리보다 크게 해서 조직이 외반(eversion)되게 하고 절개선에서 같은 거리 및 같은 깊이를 유지해야 한다(그림 2-17).

④ 피판(flap)인 경우 유동조직(free side)에서 고정된 조직(fixed side)으로 봉합한다.

⑤ 양쪽 조직의 두께 차이가 있다면 봉합침은 얇은 조직에서 두꺼운 조직으로 통과해야 하고 얇은 조직에서는 보다 깊게 통과해야 한다(그림 2-18).

⑥ 봉합은 단지 접합(approximation)만 되도록 결찰하고 장력 하에 접합되지 않도록 한다. 만약 장력이 존재한다면 조직을 박리하여 장력을 최소화한다(그림 2-19).

⑦ 봉합은 3–4 mm 정도의 간격으로 한다.

⑧ 매듭(knot)은 절개선상에 두지 않는다.

⑨ Dog-ear가 생기지 않게 한다(그림 2-20).

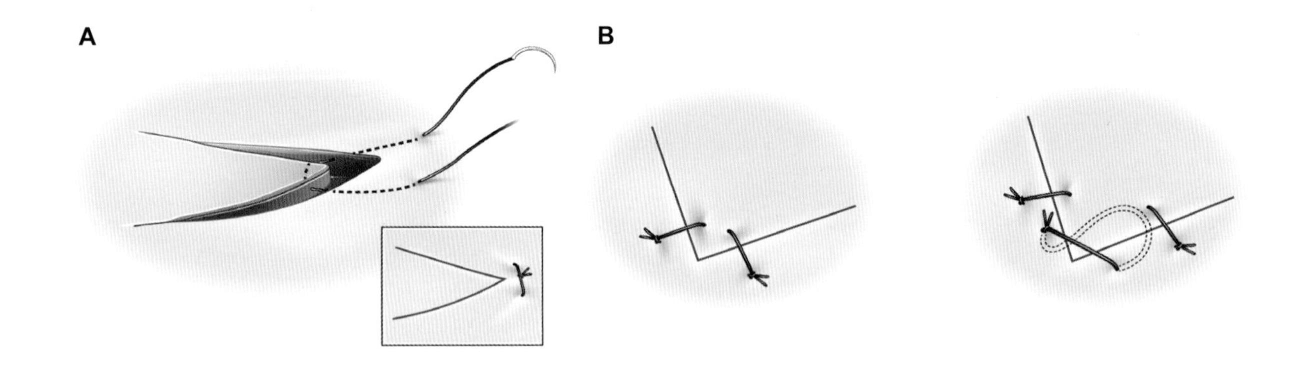

그림 2-16 3점봉합.
A: 적절한 3점봉합 B: 부적절한 3점봉합.

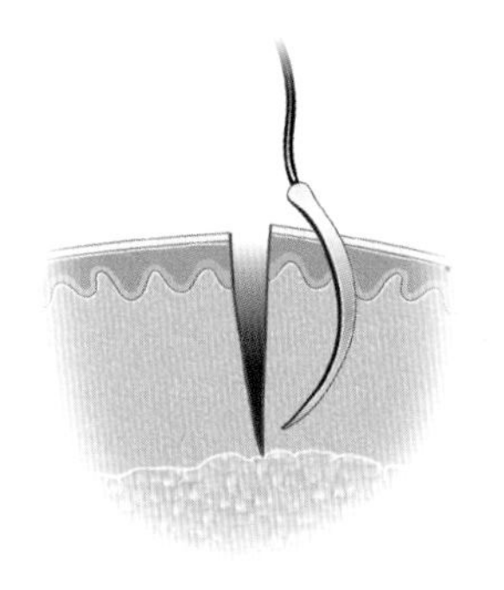

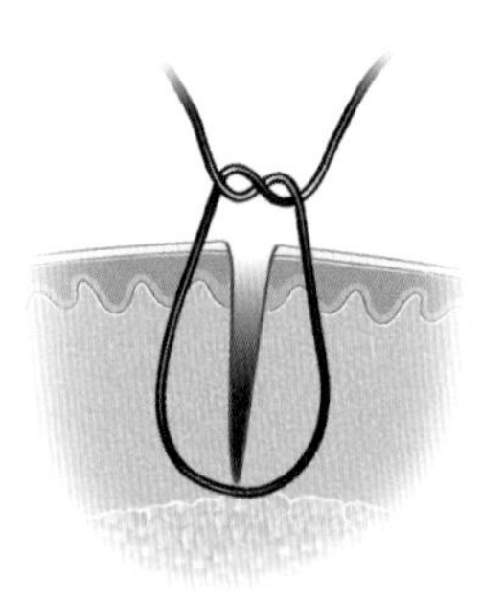

그림 2-17 조직을 통한 봉합침 통과.

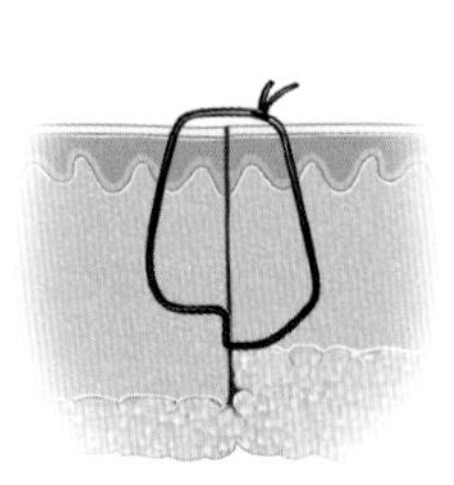

그림 2-18 두께 차이가 있는 조직의 봉합.

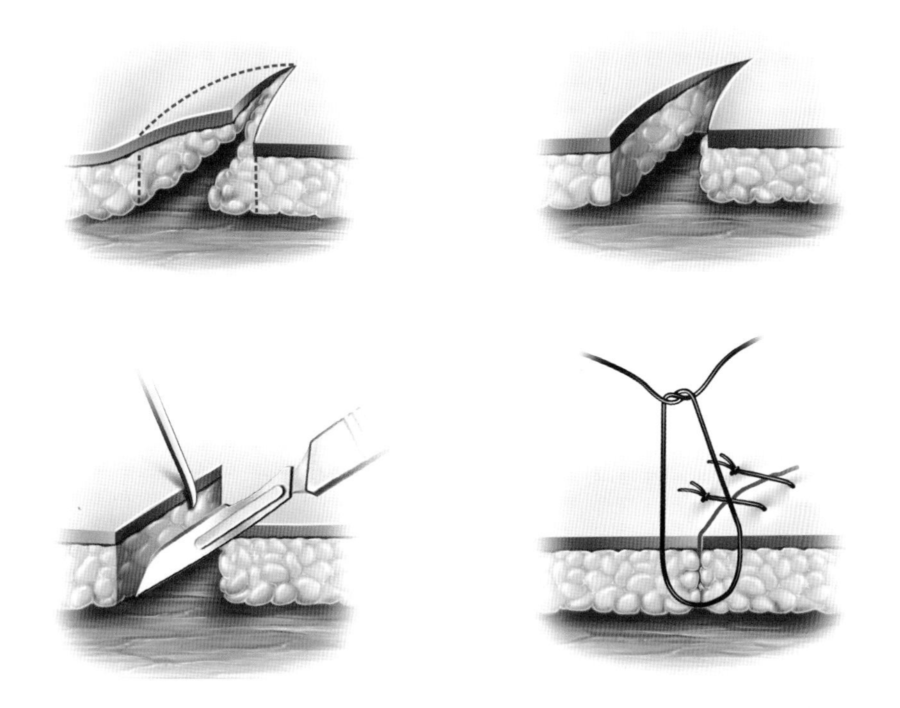

그림 2-19 **조직의 박리(undermining).**
경사진(oblique) 손상조직은 조직의 생활력이 상실될 수 있으므로, 봉합 전에 제거하고 조직을 박리하여 장력 없이 봉합한다.

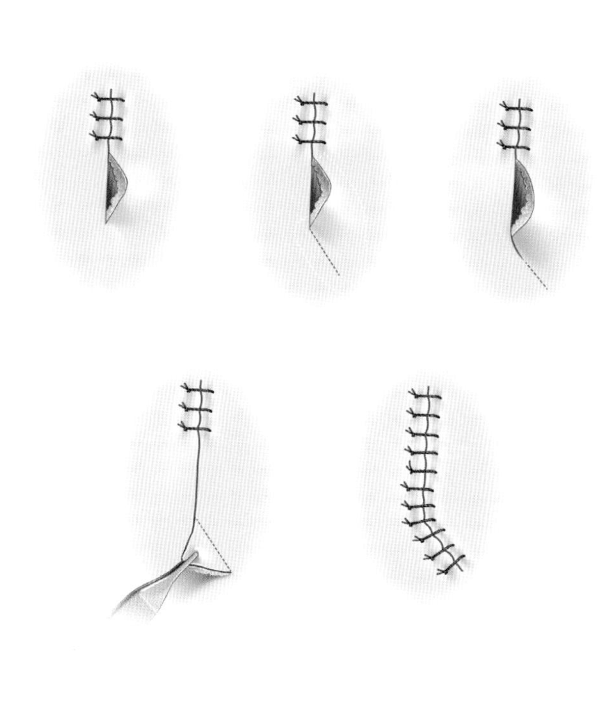

그림 2-20 **Dog-ear 제거.**
여분의 조직을 박리하고 30도 정도의 절개를 형성하여 여분의 조직을 당겨서 절제한 후 봉합한다.

5) 결찰법(Knot tying)

외과의사들이 널리 사용하는 결찰법에는 기구결찰, 한손 또는 두손 결찰법이 있으며 구강내와 같이 좁고 접근이 어려운 부위에서는 기구결찰법이 보다 유용하다. 한손 또는 두손 결찰법은 수술 시 지혈을 하기 위해 혈관을 신속하게 결찰해야 할 경우 유용하다.

(1) 기구결찰법

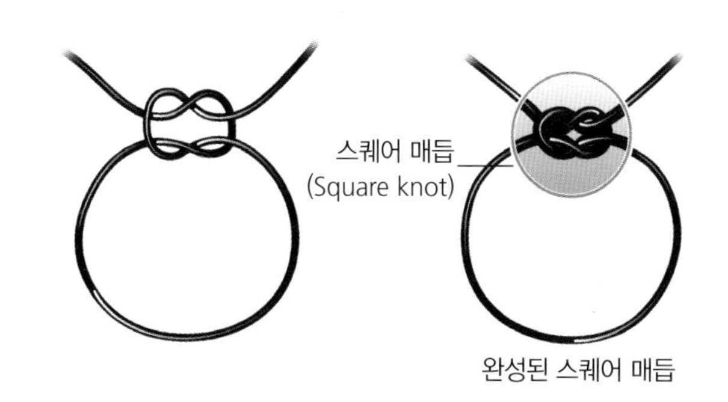

그림 2-21 **스퀘어 매듭(square knot).**
가장 쉽지만 합성 또는 단선 봉합사를 사용할 경우 느슨해질 수 있다.

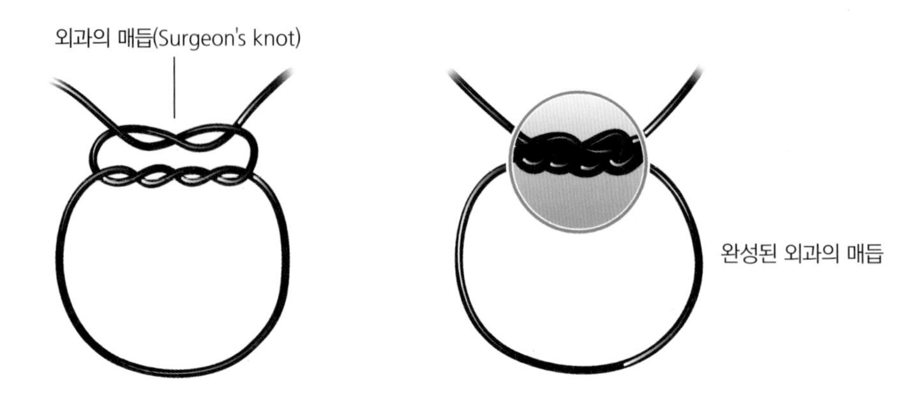

그림 2-22 외과의 매듭(surgeon's knot).
첫 번째 외벌매듭이 이중으로 되어 있어 단단하게 조여져 미끄러짐과 느슨함을 방지할 수 있다. 합성사를 사용할 때 풀어지는 것을 방지하기 위해 외과매듭에 하나의 추가적인 외벌매듭이 더해질 수 있다.

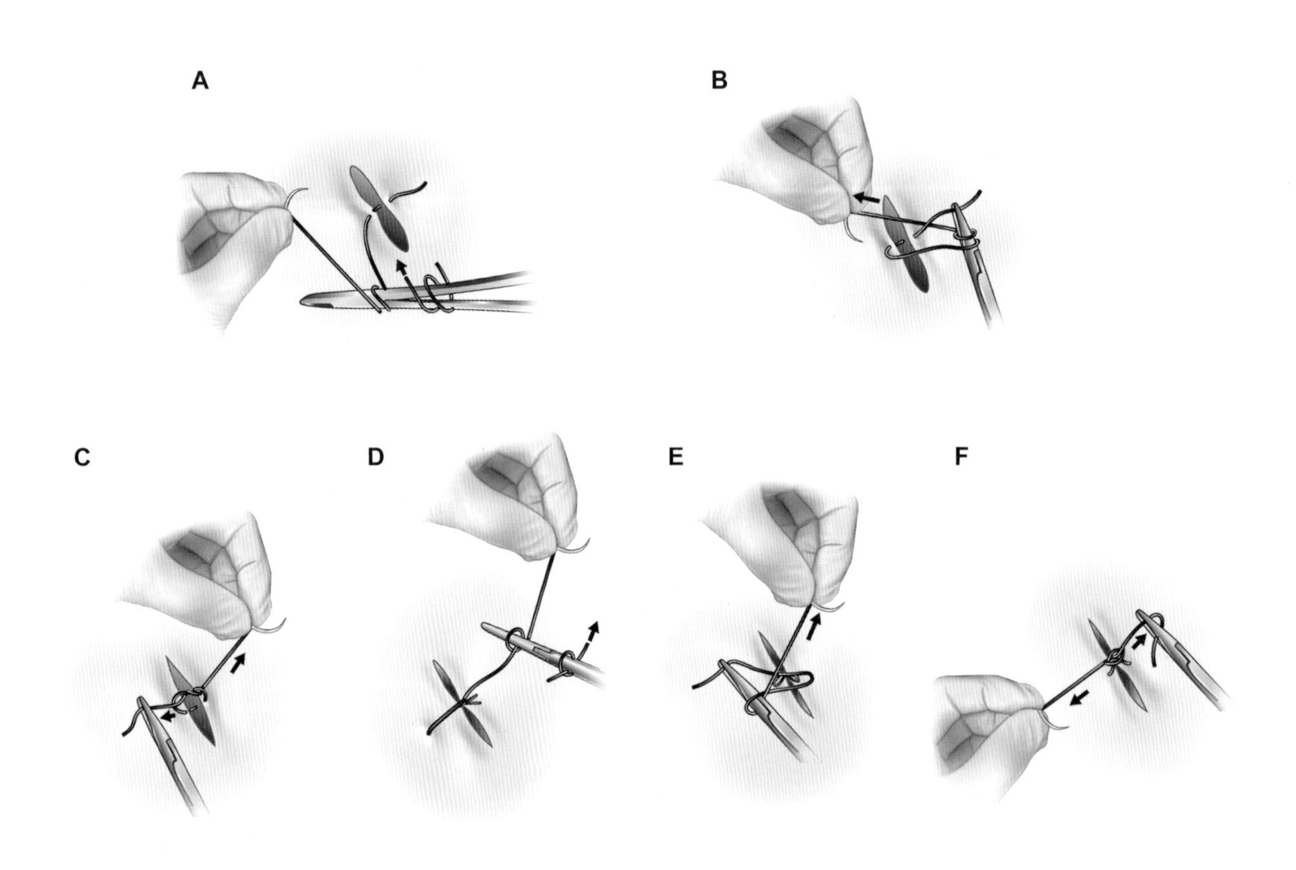

그림 2-23 외과의 매듭법(surgeon's knot).
A: 봉합의 긴 쪽 끝에 있는 봉합침을 왼손에 잡고, 봉합겸자(needle holder)는 시계 방향으로 두 바퀴 돌려서 감싼다. B: 봉합겸자를 가로질러서 봉합사의 짧은 쪽 끝을 잡는다. C: 손과 봉합겸자를 반대 방향으로 해서 매듭을 단단히 만든다. 매듭은 창상의 한쪽에 놓여야만 한다. D: 봉합겸자를 봉합사의 긴 쪽 끝의 주위를 시계 반대 방향으로 한 바퀴 돌려서 감싼다. E: 기구로 창상의 반대쪽으로 봉합사의 짧은 쪽을 잡는다. F: 매듭은 창상의 같은 쪽에서 꽉 묶는다.

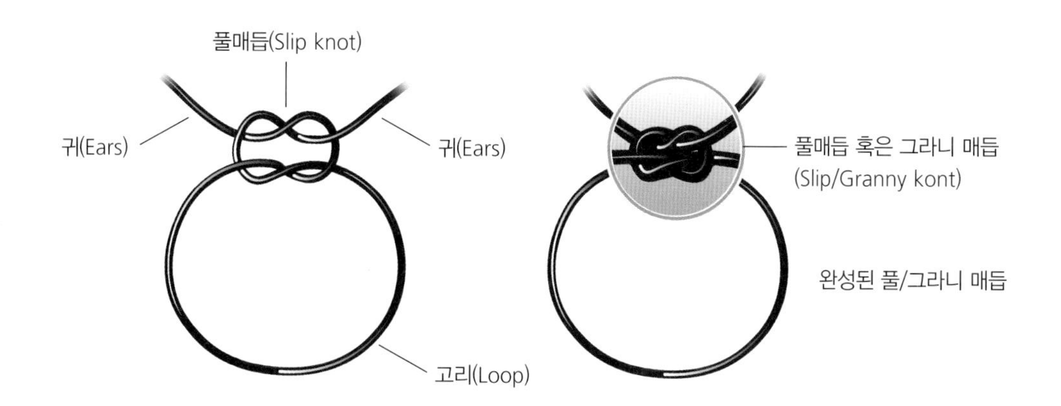

그림 2-24 그라니 매듭(granny knot).
두 개의 매듭이 같은 방향으로 만들어지며 두 번째 외벌매듭이 매듭지어질 때 매듭은 더 팽팽해질 수 있다. 원하는 정도의 조임을 얻은 후 반대 방향으로 한 개의 추가적인 외벌매듭에 의해 고정할 수 있다.

① 스퀘어 매듭(square knot)

가장 간단한 매듭으로 각각 반대 방향으로 만들어진 두 개의 외벌매듭(over-hand knot)을 결찰함으로써 만들어진다. 봉침기(needle holder)에 봉합사를 감아 고리(loop)를 만든 후 반대 방향으로 한 번 감아 매듭을 완성한다. 느슨해지기 쉬워 피판의 긴장이 적은 경우에 사용한다(그림 2-21).

② 외과의 매듭(surgeon's knot)

첫 번째 매듭은 이중 외벌매듭이고 두 번째는 단일 외벌매듭이다. 봉침기에 봉합사를 두 바퀴 감아 이중 외벌매듭을 만들고 다시 반대 방향으로 한 바퀴 감아 매듭을 완성한다. 미끄러짐과 느슨함을 방지할 수 있어 피판의 장력이 큰 경우에 사용한다(그림 2-22, 23).

③ 그라니 매듭(granny knot)

두 개의 단일 외벌매듭을 같은 방향으로 매듭을 형성하면 더욱 팽팽해질 수 있어 원하는 정도까지 조일 수 있다. 적절한 정도의 조임을 얻은 후 반대 방향의 또 다른 외벌매듭에 의해 매듭을 고정시킨다. 피판의 긴장이 큰 경우에 사용하는 매듭방법이다(그림 2-24).

(2) 한손 결찰법 및 두손 결찰법

그림 2-25, 26과 같은 순서의 방법으로 한손 또는 두손을 이용하여 매듭을 형성한다.

■ 한손 결찰법(one-hand tie)

① 실을 한 번 교차시켜서 왼손의 검지와 엄지로 봉합침이 달려있지 않은 한쪽 실끝을 잡고 손바닥을 위로 향하게 한다. 오른손으로 봉합침이 달려있는 쪽의 실을 잡는다. 왼손의 실을 왼손 약지의 척측(ulnar)을 이용하여 오른쪽으로 민다.
② 오른손의 실을 왼손 중지의 요측(radial)에 올려놓아서 고리를 형성한다.
③ 왼손의 중지를 강하게 구부린다.
④ 왼손 중지의 끝을 왼손의 실 하방으로 삽입하여 중지 손톱으로 왼손의 실을 건다.
⑤ 왼손의 실을 놓고 왼손 중지를 펴서 왼손의 실을 고리의 상방에서 하방으로 통과시킨다.
⑥ 왼손의 실을 왼손 중지와 약지로 잡고 매듭을 조인다.
⑦ 왼손 검지를 이용하여 매듭을 단단하게 조인다.
⑧ 왼손의 실을 엄지와 검지로 다시 잡고 손바닥을 위로 한 상태에서 오른손의 실을 왼손 약지의 척측에 댄다.

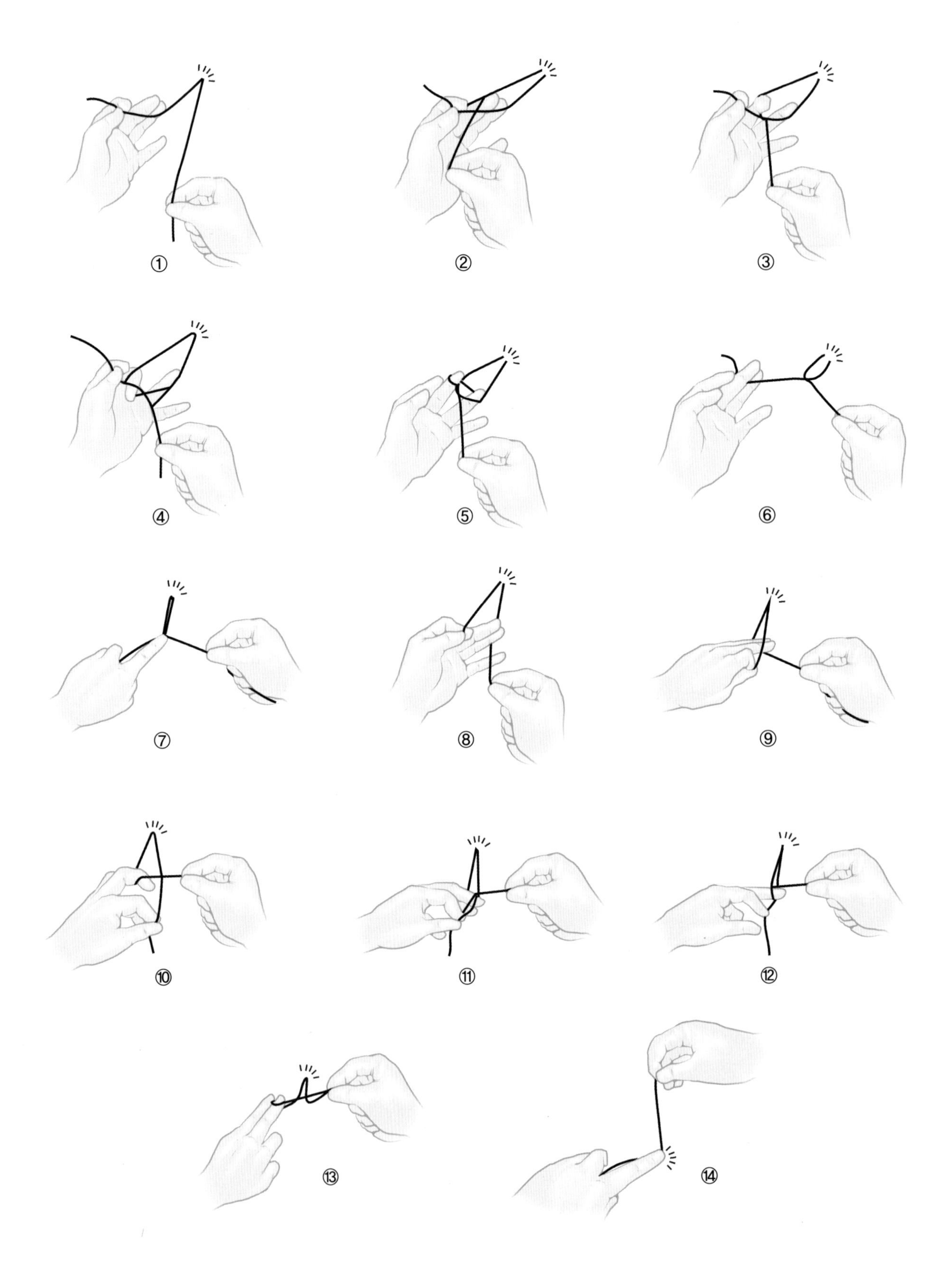

그림 2-25 한손 결찰법.

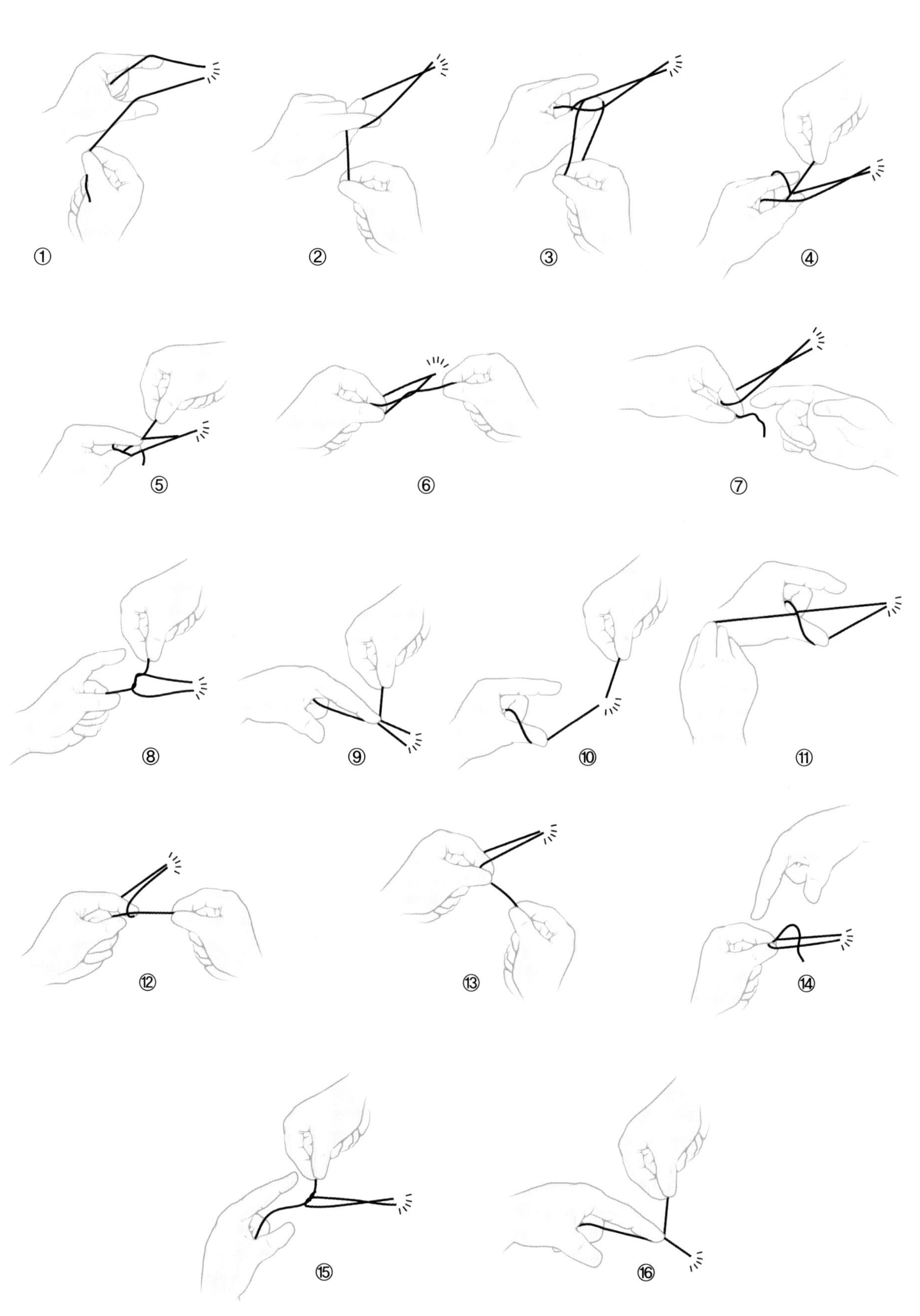

그림 2-26 두손 결찰법.

⑨ 왼손 약지로 오른손의 실을 걸면서 왼손을 뒤집어 그림과 같이 고리를 형성한다.

⑩, ⑪ 왼손 중지와 약지를 강하게 구부려서 왼손의 실을 두 손가락 사이로 잡는다. 이때 오른손 실을 왼손 엄지의 방향으로 이동시켜주면 이 과정이 용이하다.

⑫ 왼손 엄지와 검지 사이의 실을 놓는다.

⑬ 왼손 중지와 약지를 펴서 왼손의 실을 고리의 하방에서 상방으로 통과시킨 후 실매듭을 조인다.

⑭ 왼손 검지를 이용하여 매듭을 단단하게 조인다.

■ **두손 결찰법(two-hand tie)**

① 오른손으로 봉합침이 달려있지 않은 한쪽 실끝을 잡고 왼손의 중지와 약지를 이용하여 봉합침이 달려있는 쪽의 실을 10 cm 정도의 길이로 걸고 왼손의 엄지와 검지를 이용하여 실을 그림과 같이 잡는다.

② 왼손의 엄지를 검지 하방으로 교차시켜서 고리를 형성한다.

③ 검지를 고리로부터 빼내고 엄지를 고리 안쪽으로 더 밀어낸다.

④ 오른손의 실을 위로 접어서 왼손 엄지 위에 그림과 같이 놓는다.

⑤ 오른손의 실을 왼손 엄지와 검지를 이용하여 잡는다.

⑥ 왼손의 손목을 비틀어서 오른손의 실을 고리의 상방에서 하방으로 통과시킨다.

⑦ 오른손의 실을 놓아서 실이 고리를 완전히 통과하도록 한다.

⑧ 고리를 통과한 실을 오른손으로 다시 쥐고 잡아당겨서 매듭을 조인다.

⑨ 왼손의 검지를 이용하여 매듭을 단단하게 조일 수 있다.

⑩ 그림과 같이 왼손의 실을 왼쪽 엄지로 건다.

⑪ 오른손의 실을 왼손의 엄지와 검지 사이로 가로질러 고리를 형성한다.

⑫ 왼손 검지를 고리 안에 삽입한 다음, 왼손 엄지를 고리에서 빼내고 오른손의 실을 왼손 검지 위에 그림과 같이 놓는다.

⑬ 오른손의 실을 왼손 엄지와 검지를 이용하여 잡는다.

⑭ 오른손의 실을 놓고 왼손 손목을 비틀어 오른손 실을 고리의 하방에서 상방으로 통과시킨다.

⑮ 고리를 통과한 실을 오른손으로 다시 잡고 당겨서 매듭을 조인다.

⑯ 마찬가지로 왼손의 검지를 이용하여 매듭을 단단하게 조일 수 있다.

6) 비봉합법

(1) 외과용 테이프(surgical tape)

열상이 깨끗하고 얕은 경우에 봉합보다 간편하게 사용될 수 있으나 피부봉합보다는 결과가 좋지 않다. 발사 후에 외과용 테이프로 봉합선을 보강해주면 봉합선 반흔이 넓어지는 것을 방지할 수 있는데 적어도 3주 이상 사용하는 것이 바람직하다. 가장 보편적으로 사용되는 것이 Steri-Strip (3M Co.)이다.

(2) 조직접합제(tissue adhesives)

접착성이 강한 물질을 사용하여 봉합에 의해 부가적인 창상을 피할 수 있는 방법으로 cyanoacrylate가 많이 사용된다. Cyanoacrylate는 조직의 순간적인 접착, 지혈작용, 조직에 염증반응을 거의 일으키지 않는 장점이 있으나, 접합제가 창상 속에 들어가면 세포 독작용과 이물반응을 일으키고 창상면 사이에서 장벽이 만들어져 창상치유를 지연시키므로 이를 표면에만 적용하도록 주의해야 한다. 이는 치주치료와 미세혈관수술에서 흔히 사용되며, 가장 보편적으로 사용되는 것이 Super Glue (Super Glue Co.)이다.

(3) 스테이플(Staple)

창상을 닫아주는 데 시간이 단축되고 간편하게 사용되나 감염을 일으킬 가능성이 높고 창상연을 정확히 접합시키기가 어렵다.

7. 발사(Stitch-out)

봉합사를 제거해주는 시기는 부위에 따라 다르지만 창상이 벌어지지 않는 한 최대한 빨리 발사하여 봉합 반흔의 형성을 줄이는 것이 중요하며 일반적으로 얼굴과 목에서는 3-5일, 구강내에서는 5-7일, 두피에서는 7-10일 정도가 적당하다.

8. 드레싱(Dressing)

드레싱은 여러 가지 약제나 기자재를 이용하여 창상을 세척 및 소독하고, 혈종(hematoma) 형성을 방지하기 위해 압박을 가하거나 창상을 감싸고 지지하여 국소조직의 자연치유를 돕는 치료행위를 말한다. 깨끗하게 봉합된 창상부위는 $5 \times 5\ cm^2$, $10 \times 10\ cm^2$ 거즈패드를 사용하여 24시간 내지 48시간 동안 감싸고, 압박드레싱은 48시간 내지 72시간 동안 위치시켜 봉합부위를 다시 벌어지게 하는 부종을 줄이고, 사강(dead space)을 제거하며, 2차적인 모세혈관 출혈을 방지하여 혈종의 형성을 억제한다. 적절한 압박드레싱은 창상 부위의 심미적인 결과를 가져오며 창상치유를 촉진하지만, 부적절한 압박드레싱은 혈류정체나 종창을 심화시켜 창상치유를 지연시킬 수도 있다.

9. 배농과 충전(Drain & Packing)

배농은 감염의 우려가 있는 연조직 혹은 경조직의 사강 내에 혈종이나 장액종(seroma)의 형성을 방지하는 목적으로 사용되며 압박드레싱의 사용이 어려운 부위에 많이 이용된다. 가장 보편적으로 사용되는 재료는 고무이고, 배농관은 주위피부와 봉합해 두어야 한다. 배농은 화농을 외부로 배출하는 출구로 사용된다. Iodoform gauze strip, rubber strip, penrose drain, rubber tube, hemovac 등을 이용한다. 충전은 사강을 채워 넣고 2차적인 치유를 촉진하기 위해 사용되며 가장 흔히 사용되는 재료는 요오드 거즈(iodoform gauze)이다. 또한 충전재료에 국소적인 약제의 사용이 가능하다.

10. 수술기구

구강악안면외과 영역에 자주 사용되는 기구들은 언제든지 사용할 수 있도록 무균의 포장이나 기구함에 넣어서 보관하고, 기구를 오래 사용하고 기능을 유지하려면 세심한 주의와 취급이 필요하다. 수술이 끝난 후 기구에 묻은 피나 이물질들을 깨끗이 씻어낸 다음 건조한 후 소독하고 특히 날카로운 끝을 가진 기구들은 비닐 튜브 등으로 보호하고 포장한 후 소독하여 보관하여야 한다.

1) 외과용 칼대와 칼날(Scalpel handles and blades)

외과적 절개를 위해 사용되는 외과용 칼은 칼대(handle)와 칼날(blades)로 이루어진다.

주로 사용되는 칼대는 3번이나, 가끔 보다 길고 얇은 7번 칼대를 사용하기도 한다. 구강내 수술 시 일반적으로 사용하는 칼날은 15번이다. 이와 비슷한 모양으로 크기가 큰 10번 칼날은 주로 피부절개 시 사용된다. 11번 칼날은 농양의 절개나 자절(stab incision) 시, 12번 칼날은 구치부 치주치료 및 상악 결절부의 절개 시 이용된다(그림 2-27).

2) 골막기자(Periosteal elevator)

골막기자는 골막의 절개 후 골부위로부터 골막박리 및 거상 시 이용되며, 구강내 점막골막피판 거상 후 견인기로도 사용할 수 있다. 여러 형태 중 9번 molt 골막기자가 널리 사용된다(그림 2-28).

3) 조직겸자(Tissue forceps)

(1) 애드슨 조직겸자(Adson's forceps)

① 브라운-애드슨 조직겸자(Brown-Adson's forceps)

조직을 파지할 경우 힘을 균형 있게 분산시킬 때 사용하나 조직이 찢어질 수 있다.

② 톱니형 조직겸자(serrated dressing forceps)

연조직수술 시 가장 좋은 겸자로서 조직견인 시 외상을 최소로 할 수 있다.

③ 유구 조직겸자(toothed forceps)

낭 제거 시와 같이 큰 파지력이 요구될 때 사용하나 봉합 시 사용하면 절개연에 외상을 주어 미적인 결과를 얻을 수 없다(그림 2-29).

(2) 비숍-하만 조직겸자(Bishop-Harman forceps)

미세한 수술 시 많이 사용하며 유구형과 톱니형으로 나뉜다(그림 2-30).

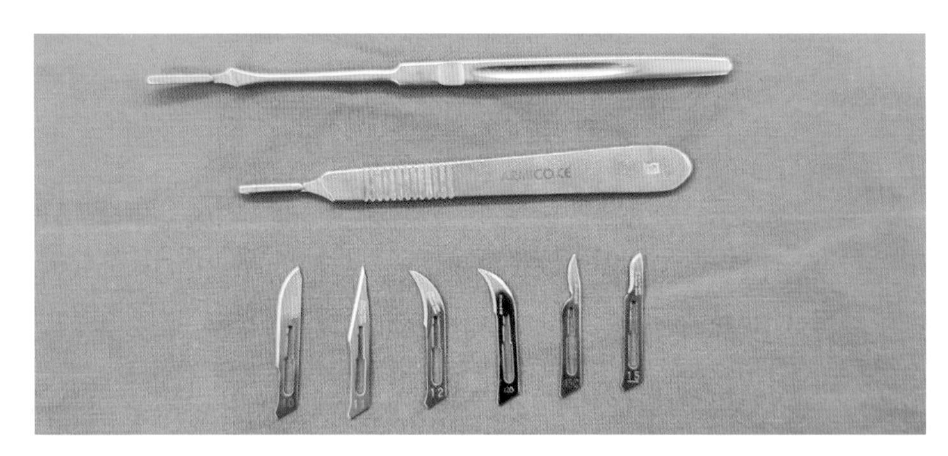

그림 2-27 외과용 칼대와 칼날.

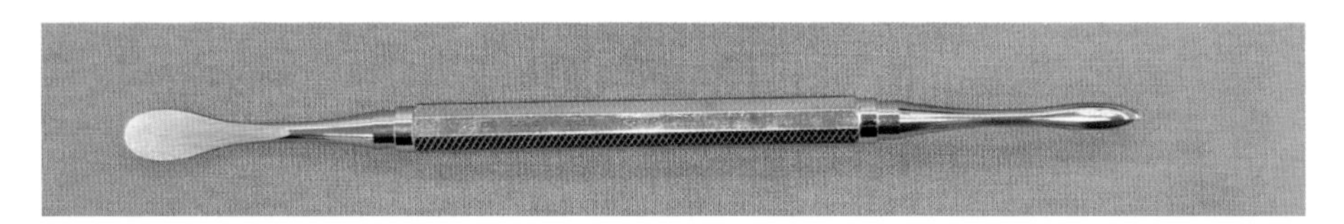

그림 2-28 골막기자(periosteal elevator).

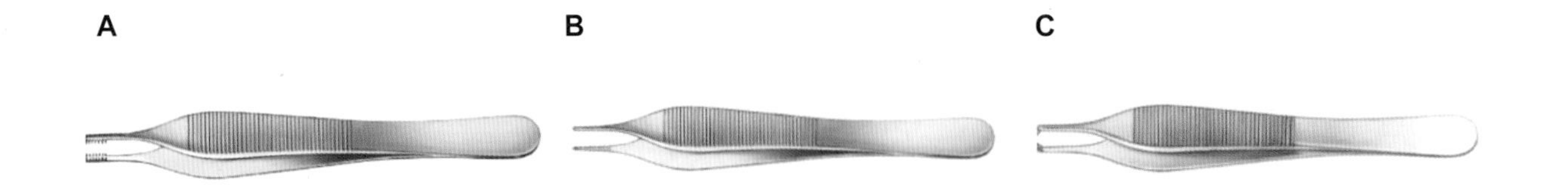

그림 2-29 애드슨 조직겸자. A: 브라운-애드슨 겸자 B: 톱니형 조직겸자 C: 유구 조직겸자.

(3) **쥬월러 조직겸자**(Jeweler's forceps)

전기소작법에 의한 지혈 시 주위조직의 파괴를 줄이기 위해 많이 사용된다. 또한 미세한 봉합 제거 시에도 사용된다(그림 2-31).

4) 지혈겸자(Hemostatic forceps)

지혈겸자로는 할스테드(Halsted), 하트만(Hartman)과 켈리(Kelley) 등이 있다. 크기에 따라 구분하며, 할스테드가 가장 작고, 켈리가 가장 크다. 미세한 혈관출혈의 지혈 시에는 할스테드와 하트만 지혈겸자가 사용되며 큰 혈관의 경우에는 켈리를 이용한다. 5인치의 할스테드 지혈겸자를 보통 모스키토(mosquito)라 한다. 각각의 지혈겸자는 직선형과 곡선형으로 나뉜다(그림 2-32).

5) 가위(Scissors)

조직절단용 가위, 박리용 가위, 봉합제거용 가위 및 붕대 절단용 가위로 나눌 수 있다.

(1) **조직절단용 가위**(tissue-cutting scissors)

스티븐 건절단용 가위(Stevens tenotomy scissors)는 끝이 뭉툭하며 직선형과 곡선형이 있다. 이 가위는 대부분의 성형외과적 절개 시에 적당하며 박리 시에도 사용할 수 있다.

그래들 봉합제거용 가위(Gradle stitch scissors)는 스티븐 가위에 비하여 작고 끝이 날카로우며 약간 굴곡이 되어 있다. 따라서 스티븐 가위보다 유용성은 떨어진다. 보통 작은 부위의 절개나 봉합제거 시에 사용된다.

아이리스 가위(Iris scissors)는 위의 두 가위에 비해 지레력(fulcrum power)은 작으나 날이 톱니형으로 되어 있어 조직의 미끄러짐을 방지할 수 있으므로 절단능력을 증가시킬 수 있다(그림 2-33).

그림 2-30 비숍-하만 조직겸자.

그림 2-31 쥬월러 조직겸자.

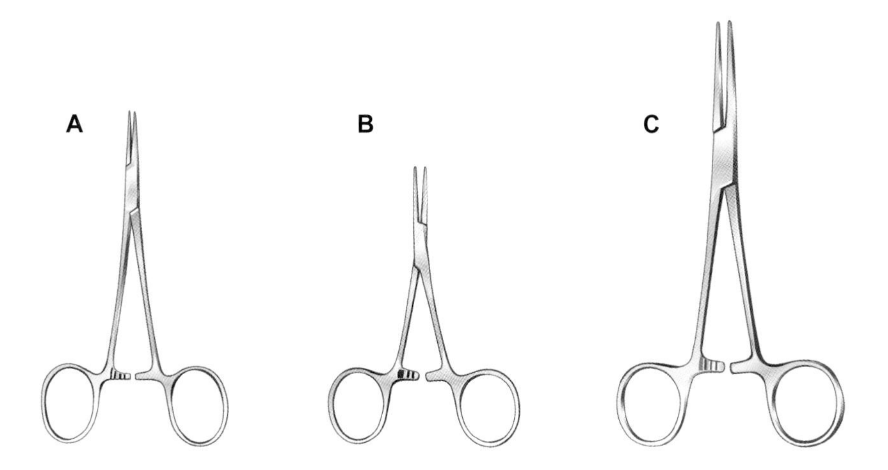

그림 2-32 지혈겸자.
A: Halsted B: Hartman C: Kelly (직선형, 곡선형).

(2) **박리용 가위**(undermining scissors)

앞에서 언급한 스티븐 건절단용 가위는 박리 시에도 유용하다. 특히 곡선형이 직선형에 비해 유리하다. 광범위한 부위의 박리 시에는 메젠바움 가위(Metzenbaum scissors)가 이용된다. 이 가위는 스티븐 가위에 비해 끝이 더 넓고 목도 길어 광범위한 부위의 박리에 유리하다(그림 2-34).

(3) **봉합제거용 가위**(suture removal scissors)

쇼트벤트 봉합제거용 가위(Shortbent suture-removal scissors)는 날이 곡선형이며 한쪽에는 봉합사를 쉽게 잡기 위한 원형굴곡이 있으므로 봉합제거 시 유리하다. 미세한 봉합제거 시에는 아이리스 가위가 사용된다.

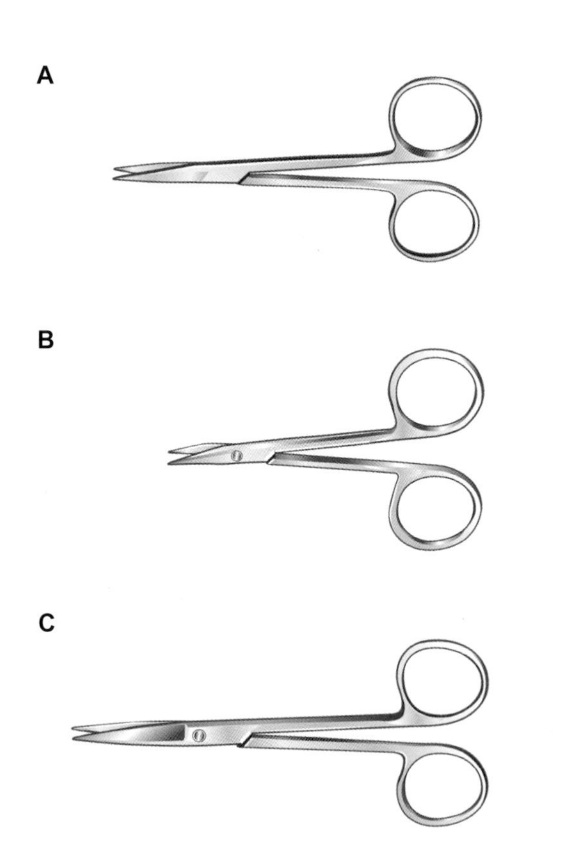

그림 2-33 조직절단용 가위(Tissue-cutting scissors).
A: 스티븐 건절단용 가위 B: 그래들 봉합제거용 가위 C: 아이리스 가위.

(4) **붕대절단용 가위**(bandage scissors)

리스터 붕대절단용 가위(Lister bandage scissors)는 각진 날을 가지고 있으며 날의 한끝은 뭉툭하여 조직에 외상을 주지 않고 붕대를 절단할 수 있게 되어 있다(그림 2-35).

6) 스킨훅(Skin hook)

조직 절개 시 또는 복원 시 조직에 외상을 주지 않고 견인할 경우에 스킨훅을 이용한다. 여러 가지 모양의 스킨훅이 있으며 보통 단설구(single pronged head)가 많이 쓰인다. 이설구(double pronged head)는 심부조직의 견인 시 많이 쓰인다(그림 2-36).

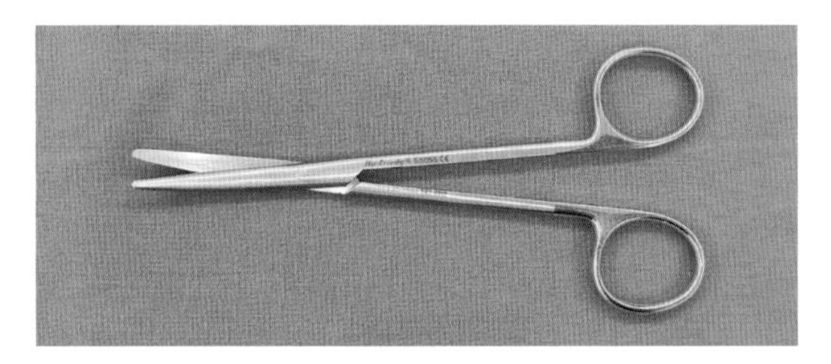

그림 2-34 박리용 가위: 메젠바움 가위.

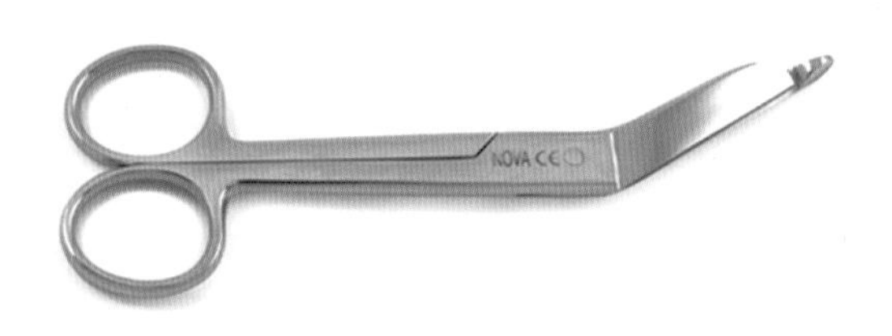

그림 2-35 붕대절단용 가위: 리스터 붕대 절단용 가위.

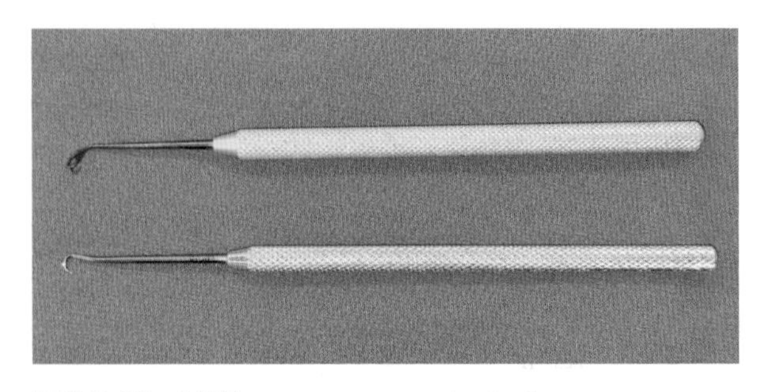

그림 2-36 스킨훅.

7) 봉침기(Needle holders)

성형외과 수술 시에는 웹스터 봉침기(Webster needle holder)가 가장 많이 사용된다. 평탄형과 다이아몬드형이 있으며, 다이아몬드형은 파지력은 우수하나 봉합사 사용 시 봉합사를 뭉그러뜨릴 수 있으므로 유의하여야 한다. 아주 미세한 봉합 시에는 카스트로비조 봉침기(Castroviejo needle holder)를 사용한다(그림 2-37).

8) 견인기(Retractor)

수술부위 시야 확보, 용이한 수술 및 기구에 의한 연조직 손상을 방지하기 위해서는 조직의 견인이 필요하다. 이러한 목적을 위해 사용되는 견인기는 수술부위, 수술방법에 따라 다양하다.

주로 구강내에서 사용되는 견인기는 Austin, Minnesota 등이 사용되며, 점막골막의 견인 시 사용된다. 그 밖에 골절과 악교정 수술 시 다양한 형태의 견인기가 필요하게 된다(그림 2-38).

9) 그 밖의 기구들

개구기, 석션팁, 골절단기(osteotome), 골겸자(bone rongeur), 골끌(chisel), towel clip, 미세 수술기구 등이 있다(그림 2-39).

11. 레이저(Laser)

레이저란 유도방출에 의한 빛의 증폭(light amplification by stimulated emission of radiation)에 의해 인위적으로 만들어진 단일 주파수의 고도의 규칙성을 가진 빛이다. 이 빛은 산란되지 않아 에너지 효율이 높기 때문에 일반적인 빛에 비해 이용도가 높아 의료, 항공 · 우주산업, 통신, 정보처리, 가공 및 계측 등 여러 분야에서 사용하고 있다.

레이저는 높은 응집성, 지향성, 그리고 에너지 효율로 인하여 산업의 여러 분야에서 이용되고 있으며,

A

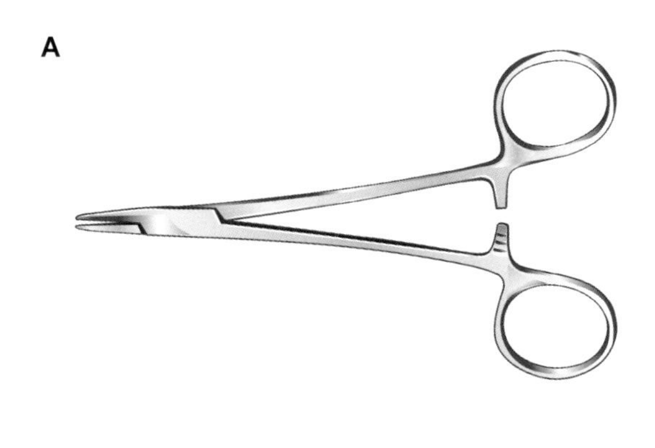

B

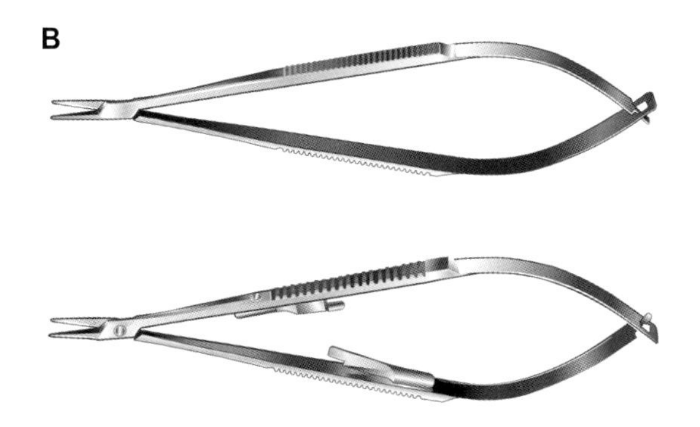

그림 2-37 봉침기.
A: 웹스터 봉침기 B: 카스트로비조 봉침기.

A

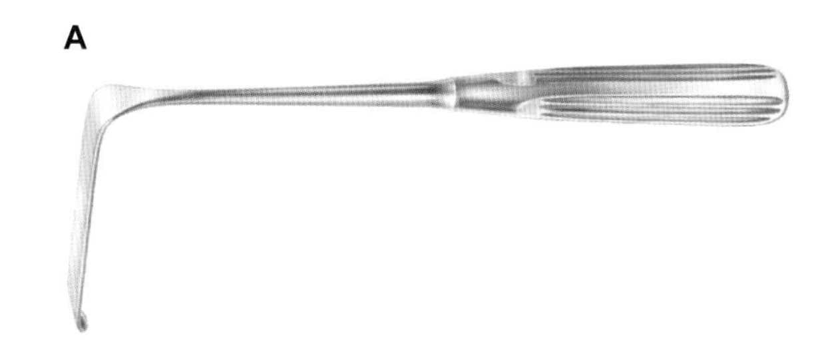

B

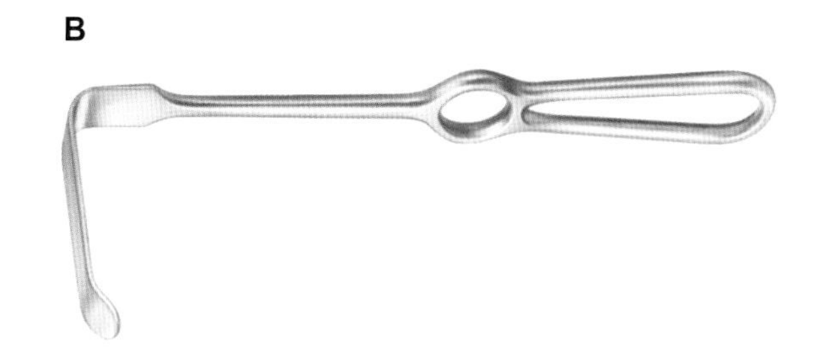

그림 2-38 견인기. A: Austin B: Minnesota.

의료분야에서도 레이저의 광열반응과 광화학반응을 이용하여 조직의 절개, 염증과 창상의 치유, 동통의 조절 및 질환의 진단 등 여러 분야에서 그 이용이 점점 증가되고 있는 추세에 있다. 이는 광화학적, 광열적, 광역학적 및 광전기적인 상호작용에 의한다.

레이저 빛의 특징에는 ① 유도방출에 의해 증폭된 빛(amplified light), ② 공진기 내에서 일방향의 빛만 선택하는 직진성(collimated light), ③ 거리가 멀더라도 빛의 세기가 거의 줄어들지 않는 지향성(directional light), ④ 한 가지 색을 가지고 있는 순수한 빛(monochromatic light)이 있다.

구강악안면외과 영역에서 사용되는 레이저의 장점들에는 ① 우수한 지혈효과로 수술시야가 좋고 수술시간이 단축되며, ② 인접조직 손상의 최소화, ③ 수술후 동통이 없거나 감소, ④ 림프관을 봉쇄하여 수술 후 종창을 감소, ⑤ 세균을 감소시키거나 멸균으로 인해 수술 후 감염의 감소, ⑥ 반흔조직 및 창상수축의 감소, ⑦ 상악 정중부 소대절제술에서는 임상적 효과가 좋고 수술 후 통증이 없어서 레이저시술이 표준술식으로 자리 잡아가고 있으며, ⑧ 과도한 치은조직으로 비심미적인 미소선(smile line)을 가진 환자에게 조직피판이나 봉합의 필요 없이 쉽게 조직을 제거할 수 있다.

레이저와 조직의 상호작용에는 반사(reflection), 흡수(absorption), 투과(transmission) 및 산란(scattering)이 있다. 반사는 광에너지가 조직표면에서 거의 또는 전혀 흡수되지 않고 반사되어 조직에 아무런 영향을 주지 않으며, 흡수는 광에너지가 유효한 열에너지로 전환됨을 의미한다. 투과는 어떠한 상호작용도 없이 자유롭게 조직을 통과하여 반사와 같이 조직에 거의 또는 전혀 영향을 주지 않으며, 산란은 레이저 에너지가 일정하지 않은 방향으로 재방출된 후 더 넓은 표면에 흡수되어 강도와 정확도가 낮은 분산된 열효과를 나타낸다.

매질에 따라 레이저는 크게 고체 레이저(Ruby, Nd:YAG, Ho:YAG, Er:YAG), 기체 레이저(CO_2, Argon), 액체 레이저(dye) 그리고 반도체 레이저 등으로 분류되며, 치과영역에서 응용되는 레이저는 크게 열성 레이저(thermal mode laser)와 비열성 레이저

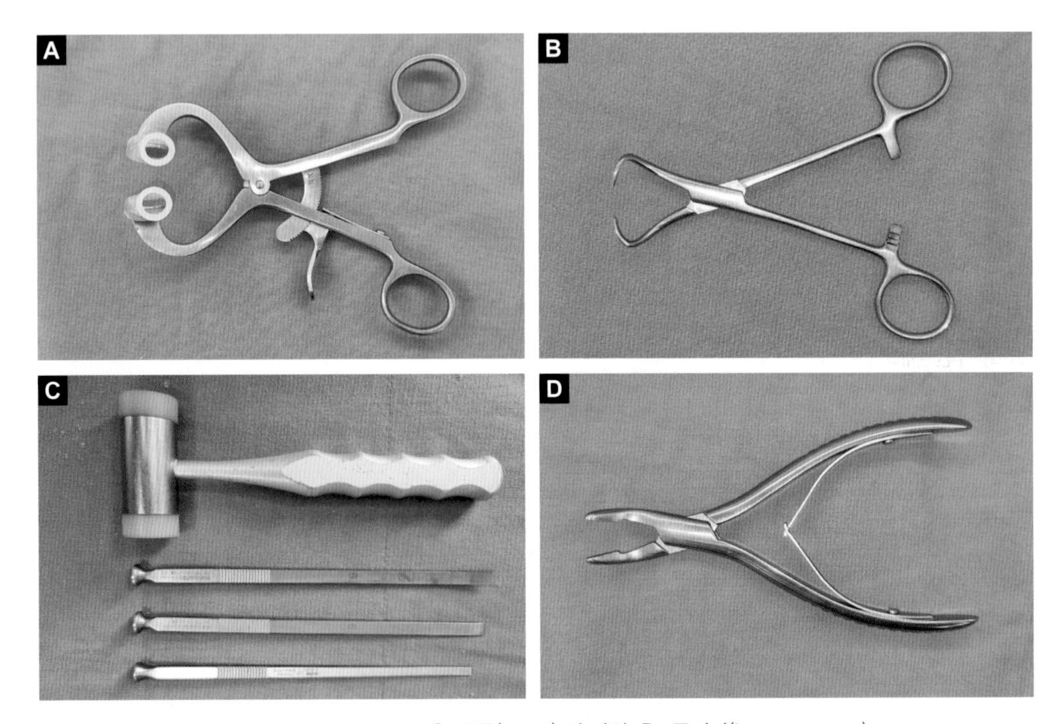

그림 2-39 그 밖의 기구들. A: 개구기 B: towel clip C: 골끌(chisel) 및 망치 D: 골겸자(bone rongeur).

표 2-28 Thermal and athermal mode laser

Thermal mode laser	Athermal mode laser
CO_2 Laser	Excimer laser
Argon laser	Nd:YLF laser
Nd:YAG laser	
Er:YAG laser	
Ho:YAG laser	

(athermal mode laser)로 분류된다.

열성 레이저에는 이산화탄소 레이저(CO_2 laser, Carbon Dioxide), 아르곤 레이저(Argon laser), 엔디야그 레이저(Nd:YAG laser, Neodymium:Yttrium Aluminum Garnet), 어븀야그 레이저(Er:YAG laser, Erbium:Yttrium Aluminum Garnet), 홀미윰야그 레이저(Ho:YAG laser, Holmium:Yttrium Aluminum Garnet) 등이 있으며, 비열성작용 레이저에는 엑시머 레이저(excimer laser), Nd:YLF 레이저(Neodymium:Yttrium Lithium Fluoride laser)가 있다(표 2-28).

Ⅳ. 창상치유 및 기전

1. 창상치유와 관련된 용어

창상(wound)이란 세포손상을 동반한 조직의 해부학적, 기능적 연속성의 차단을 말한다. 모든 손상받은 조직은 가능한 한 정상에 가깝게 회복되도록 하는 치유(healing) 과정을 거친다. 잃어버린 조직의 회복은 두 가지 다른 과정, 즉 재생(regeneration)과 복원(repair)에 의해 이루어진다. 치유과정의 최종산물이 손상받기 전의 상태와 구조적, 기능적으로 구분할 수 없다면 재생된 것이고, 대조적으로 조직의 완전성이 섬유성 결체조직에 의해 다시 이루어졌다면 복원에 의한 치유가 이루어진 것이다. 재생과 달리 복원된 조직은 손상받지 않은 정상 조직보다 기능적으로 불완전하다. 조직의 재생성향은 세포 수준에서 결정되며 재생에 참여하는 세포는 그들의 재생능력에 따라 불안정 세포(labile cell), 안정세포(stable cell) 및 영구세포(permanent cell)로 구분된다.

표피의 각화세포나 구강점막 상피세포 같은 불안정 세포는 수명이 다할 때까지 계속 분열한다. 분열률이 낮은 섬유아세포와 같은 안정세포는 손상을 받았을 경우 이에 대한 반응으로 급속한 증식을 한다. 예를 들면 골 손상에 대한 반응에서는 급속한 증식을 한다. 골 손상은 분화경향이 있는 간엽세포를 조골세포나 골세포로 분화시킨다. 영구세포는 신경이나 심근세포와 같이 태어난 후에 분열하지 않는 세포를 말한다. 보통의 환경에서 골의 치유(재생)와 진피의 치유(복원)는 다르다. 결과적으로 재생능력이 있는 조직에서의 섬유화는 부적절한 치유인 반면, 어떤 조직에서는 섬유성 반흔이 정상적인 치유과정일 수 있다.

임상적 과정에서 창상치유는 1차, 2차 및 3차 치유로 구분할 수 있다(그림 2-40). 1차치유는 날카로운 창상이 빠른 시간 안에 최소의 공간을 두고 변연 사이가 재접합되었을 때 일어난다. 봉합된 외과적 절개나 적절히 정복된 골절부위를 예로 들 수 있다. 2차치유는 조직 결손부가 새로운 결체 조직으로 채워지는 경우를 말한다. 이런 형태는 조직 결손부를 남기는 절제형 손상이나 복합 골절의 자연 치유 등에서 볼 수 있다. 3차치유는 2차치유 후의 외과적 봉합이나 조직이식의 경우에 일어난다. 이런 형태의 봉합을 지연성 1차봉합이라고도 한다.

1) 1차치유

1차치유는 날카로운 변연을 가진 창상이 발생 후 짧은 시간 내에 재접합되었을 때 일어난다. 비록 약간의 상피화가 24시간 내에 발생하여 상처를 박테리아 감염으로부터 보호하지만, 1차봉합 창상에서는 상피화나 창상의 수축이 거의 없다.

2) 2차치유

2차치유는 외과적 처치 없이 자연적인 생물학적 과정에 의하여 일어나며 보통 연조직의 상실과 연관된 큰 창상에서 발생한다. 비록 상피화와 콜라겐 침착이 연관되지만, 큰 개방성 창상에서는 상처의 피복에 창상의 수축이 가장 중요한 역할을 한다. 수축이 발생하지 않거나, 피하조직이 접합되지 않으면 육아형 표면이 단지 상피세포에 의하여 덮인다.

최종 반흔(resultant scar)은 창상수축(wound contraction) 현상 때문에 2차치유에서 훨씬 많다.

3) 3차치유(지연성 1차봉합)

일반적으로 오염된 상처의 봉합은 환자의 염증반응과 면역반응에 의하여 창상의 감염이 조절될 때까지 연기되어야 한다. 그러나, 3차치유에서 가장 중요한 점은 창상의 강도가 증가할 때까지 연기되어서는 안 된다는 것이다.

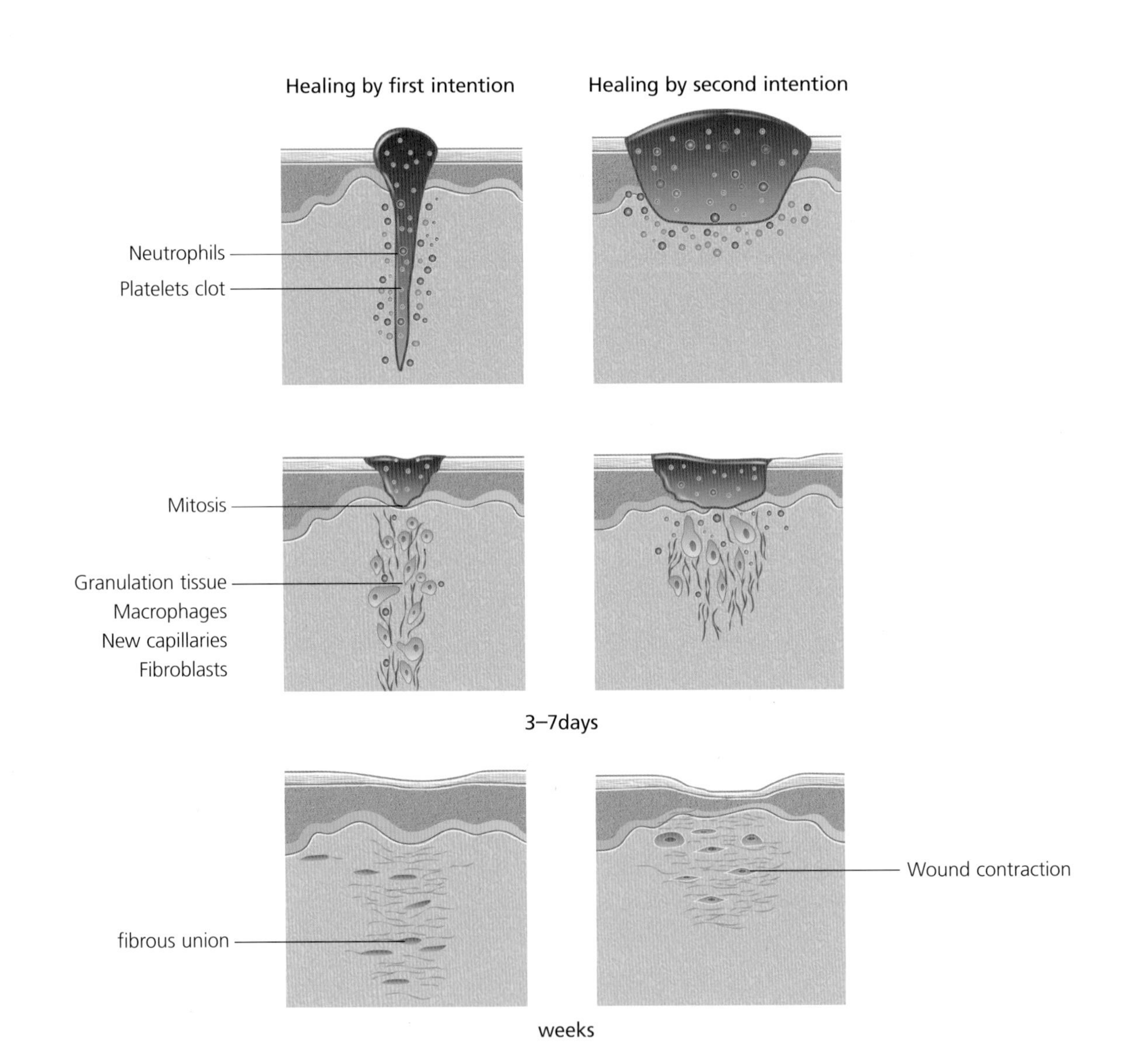

그림 2-40 1차성 창상치유와 2차성 창상치유의 시기별 단계(**steps**).

2. 피부치유의 단계 (Stages of cutaneous healing)

피부창상의 치유는 치유과정의 전형으로서 모든 조직의 치유는 부차적인 변화를 제외하면 피부 창상의 치유와 같은 과정을 거친다.

1) 염증기(Inflammatory phase)

염증은 손상에 대한 최초의 반응이다. 염증반응은 치유과정을 촉진시키고 구조적 완전성을 수복하기 위한 환경을 제공해 준다. 조직의 외상이나 국소적 출혈은 Hageman factor를 활성화하여, 응혈, 보체와 kinin 증가, mitogen과 화학유인물질(chemoattractants)의 분비 등 여러 가지 생화학적 반응을 일으키기 시작하며 혈소판이 모여들어 손상된 표면에 달라붙는다. 이 혈소판들은 응혈과정을 증폭시키고 세로토닌(5-hydroxy tryptamine), 아데노신3인산(ATP), 프로스타글란딘(prostaglandin) 등을 분비한다. 프로스타글란딘 같은 아라키돈산(arachidonic acid)의 대사산물에 의한 초기 혈관수축은 효과적인 지혈에 의한 혈액소실 방지에 도움을 준다.

브라디키닌(bradykinin)과 히스타민(histamine) 같은 물질은 혈관 내벽세포의 가역적인 분리를 일으키고 이로 인한 변연화 증가는 곧바로 내벽세포 사이에 혈구누출(diapedesis)에 의한 백혈구 침윤을 가져온다.

중성구가 첫 번째로 출현하여 박테리아와 죽은 조직들을 용해시키고 탐식하여 감염을 방지한다. 손상 후 중성구가 2-3일간 우세하게 존재하다가 점차 숫자가 감소하여 다른 염증세포로 대체된다.

보체 화학 주성인자도 또한 많은 수의 림프구를 움직여 상처 부위에 밀집된 침윤을 일으킨다. 손상 부위에 밀집된 T와 B림프구는 림포카인(lymphokine)을 분비하여 항생작용에 기여한다. 5-6일 정도면 염증 조직 내에서 대식세포가 가장 우세한 탐식세포가 된다. 피브린분해산물 같은 화학 유인물질에 의해 모여든 대식세포는 중성구에 의해 시작된 작용을 계속 수행해 나간다.

박테리아를 죽이고, 혈관확장 매개체를 생산하는 것 외에도, 대식세포는 치유능력에 직접 관련이 있는 섬유아세포 화학주성인자, 섬유아세포자극인자 등을 분비한다. 동시에 트롬빈에 의한 혈소판의 활성은 혈소판유래성장인자(platelet-derived growth factor, PDGF)와 섬유모세포성장인자(fibroblast growth factor, FGF)를 포함한 성장인자를 분비한다. 이러한 성장인자는 섬유성 증식이나 새로운 혈관생성을 위한 mitogen과 자극제로서 역할을 한다.

2) 신혈관생성(Neovascularization, angiogenesis)

창상의 신혈관 생성은 손상 후 며칠 안에 시작된다. 염증세포와 섬유아세포는 대사가 활발하기 때문에 창상치유 부위의 국소적인 저산소증을 일으킨다.

손상된 세포로부터 분비되는 인자들과 더불어 이러한 저산소상태는 혈관생성을 자극한다.

국소적인 산증(acidosis)과 lactate의 침착은 창상부위 미세환경의 조절을 통해 섬유아세포 증식과 교원질 합성을 일으킨다. 활성화된 대식세포는 PDGF와 더불어 혈관 내벽세포에 대한 화학적 유인인자로 작용하는 FGF 같은 혈관생성인자를 분비한다.

이러한 새로운 혈관의 발현은 섬유아세포의 증식과 더불어 일시적인 회복조직인 육아조직을 형성한다.

3) 섬유아세포 증식(Fibroblast proliferation)

섬유아세포는 손상 후 이틀째부터 창상부위에서 증식하기 시작한다. 국소적인 조직저산소증, 대식세포 및 혈소판성장인자에 의해 자극된 간엽세포들이 창상 섬유아세포의 전구체가 되는 것으로 생각된다. 대식세포가 창상부위에 울타리를 형성한 후 성숙한 섬유아세포가 나타난다. 섬유아세포는 활발하게 분열하고 대사를 하기 때문에 새로운 혈관을 통해 공급되는 신선한 영양분을 필요로 한다. 증식하는 섬유아세포와 새로운 혈관 간의 부착 역할을 하는 혈병 내의 피브린에 의해 세포의 내적 성장이 도움을 받는다. 최종적으로 섬유아세포의 증식에 의하여 창상 가장자리가 교원질 가닥에 의해 연결된다.

4) 결체조직 회복(Connective tissue restitution)

섬유아세포들은 모교원질을 침착시킨 후 교차결합을 통해 교원질 합성을 한다. 새로 생성된 교원질은 프로테오글리칸(proteoglycan) 같은 다른 간질기질 구성물과 상호작용하여 세포외기질을 만들고, 이것은 창상부위의 기능적, 구조적 완전성에 중요한 역할을 한다. 시간이 경과함에 따라 교차결합의 진행과 새로 형성된 교원질의 개조에 의해 창상의 장력이 증가한다.

5) 상피화(Epithelialization)

새로 형성된 결체조직이 상피와 재접합함으로써 표피의 치유가 완료된다. 상피화는 창상부위를 봉인하여 섬유성 단백질과 합성된 기질이 조직결손부를 메워 구조적 완결성을 이루게 해준다. 재상피화의 실패는 창상이 계속 오염되기 쉽게 만든다.

탈락이나 절제에 의한 편평상피의 결손 시 24-48시간 안에 변연 기저부 상피세포들이 반응한다. 기저세포들의 분열이 현저히 증가하여 간엽조직과의 연결성을 유지하면서 세포크기가 증가하고 편평해지며 창상을 가로질러 유주한다. 이 반응은 대식세포와 혈소판에서 분비된 표피 성장인자에 의해 시작된다. 일단 한 층이 만들어지면 유사분열에 의해 여러 상피세포층이 만들어진다. 초기에 형성된 얇은 표피는 창상표면과 상피돌기에 의한 고정이 결여되어 있기 때문에 쉽게 찢어지고 탈락할 수 있다.

3. 창상수축(Wound contraction)

수축은 창상봉합의 중요한 부분을 차지하는 재상피화와 더불어 창상부위 공간을 극적으로 감소시키는 복잡한 과정이다. 임상적으로 손상 후 5-10일 사이에 창상육아조직 내의 수축성 요소에 의해 창상수축이 일어난다. 수축의 정확한 원인은 아직 알려지지 않았지만 하나의 가설로 "근섬유아세포"라 불리는 특수한 섬유아세포가 교원기질 내에 존재하기 때문으로 생각된다.

급속히 수축하는 점막창상은 최소의 재상피화를 필요로 하기 때문에 작은 반흔을 남길 수 있다. 그러나, 수축은 어떤 부위에서는 적절하지만 다른 부위에서는 파괴적일 수 있다. 예를 들면, 손상부위와 범위에 따라 수축은 운동을 제한하며 심하면 골격계의 성장을 방해할 수도 있다. 그러므로 창상수축은 손상받지 않은 정상 구조물보다 덜 기능적이고 변형을 가져올 수 있는 해로운 효과의 가능성을 가진 과정으로 고려되어야 한다.

4. 반흔 개조(Scar remodeling)

손상 후 일주일 이내에 관찰되는 교원질 분해효소의 활성도 증가는 반흔 개조의 시작을 나타낸다. 반흔 개조의 과정은 오랜 기간 동안 지속되어 결국 반흔 크기의 감소와 교원섬유의 재구성을 가져온다. 섬유아세포에서 나온 교원섬유는 처음에는 불규칙하게 침착된다. 시간이 지남에 따라 섬유의 방향성이 잡혀가고, 재구성이 일어나서 교원섬유는 분자 간 결합과 장력을 증가시킬 수 있는 구조로 배열된다.

5. 창상치유에 영향을 주는 요소들

1) 창상감염

박테리아에 의한 오염이 창상치유를 방해하는 주원인이다. 모든 창상은 어느 정도 박테리아 오염이 되어 있지만 감염으로 구분될 만한 미생물의 숫자는 조직 1 g 당 105−106개이다.

박테리아는 백혈구 단백분해효소(neutrophil proteases)와 내독소 분비를 통해 다양한 정도의 염증 반응을 일으키며 그에 따르는 세포와 교원질의 용해는 치유를 방해한다. 잔사 제거, 적절한 지혈 및 사강의 제거 등의 꼼꼼하고 정확한 외과적 술식을 통하여 감염의 위험성을 최소화할 수 있다.

2) 조직관류

손상부위의 매우 낮은 산소 수준은 젖산(lactic acid) 생성과 함께 조직의 pH를 낮추고 조직파괴를 초래한다. 국소적 순환의 장애는 또한 창상부위의 영양과 산소공급을 방해한다. 백혈구, opsonin, 그리고 다른 염증매개물질의 이동이 지연되어 탐식, 방어작용의 효과가 감소하고 박테리아의 증식을 촉진시킨다. 불충분한 산소공급은 높은 산소수준을 필요로 하는 교원질의 합성도 저해한다. 당뇨, 방사선조사, 소혈관 동맥경화증, 만성감염 등 치유 저해요소들은 대부분 산소전달계의 잘못에 기인한다.

3) 당뇨병

심한 당뇨병 환자는 치유가 잘 되지 않는다. 소혈관 폐색이 순환을 방해하고 그에 따른 창상허혈이 주요인이 된다. 또한 고혈당증, 인슐린 결핍, 인슐린 저항성과 관련된 대사장애는 좋지 못한 치유를 일으킨다. 인슐린 결핍은 백혈구 기능결함을 가져오고 이것은 임상적으로 감염빈도 증가로 나타난다.

4) 약물치료

치료약물은 염증반응과 세포대사뿐 아니라 치유과정의 비율과 질도 변화시킬 수 있다. NSAID (nonsteroidal anti-inflammatory drug)는 어느 정도 교원질합성을 감소시킨다. 외부로부터의 corticosteroid 투여는 prolyl hydroxylase와 lysyl oxidase 활성을 저하시켜 섬유아세포와 신혈관 생성을 억제한다. 염증반응과 교원질 합성의 감소 이외에도 상피화와 수축도 방해받는다. 대부분의 항암제는 단백질합성이나 세포분열을 감소시켜 섬유아세포, 교원질 생성을 감소시키며 화학요법에 따른 백혈구감소증은 창상 감염을 쉽게 하고 창상 부위에 지속적인 염증반응을 일으킨다. 항암제 투여는 해로운 효과 때문에 수술 후 합병증의 가능성이 줄어들 때까지 연기되어야 한다.

6. 잘못된 치유(Aberrant healing)

비정상적 기전에 의한 잘못된 치유로는 과량의 반흔조직 생성, 수축, 경결 및 유착 등이 있다. 교원질 침착과 파괴 사이의 불균형이 비대 반흔이나 keloid 형성 등 과량의 반흔형성으로 나타난다.

이 병소들은 과량의 교원질 침착으로 특징지어지며 교원 분해 효소의 부적절한 용해능력이나 교원질합성 역할을 하는 prolyl hydroxylase의 증가 때문에 발생하는 것으로 보인다. 비대반흔은 보통 창상범위 내에 손상 직후 나타나 잔존하다가 결국은 사라지지만 켈로이드는 손상 수개월 후에 창상 범위를 넘어 존재하며 쉽게 사라지지 않는다.

7. 창상치유 시 고려사항

① 환자의 전신적인 건강상태와 영양상태를 고려해야 한다. 당뇨병 환자나 단백질 혹은 비타민 결핍증이 있는 환자에서는 창상치유가 지연되거나 창상치유가 되지 않는다.

② 술후 감염은 창상치유 과정에 방해가 되므로 무균적 수술이 필수적이다.

③ 창상부위의 정상 혈액공급은 치유과정에 중요하다. 봉합 시 변연부위에 과도한 장력이 오지 않도록 해야 한다.

④ 심하게 타박상을 받거나 감염된 조직은 최소한의 변연절제에 의해 창상치유가 촉진된다.

⑤ 창상 부위의 적절한 지혈과 혈종의 제거 및 과도한 조직액의 제거가 필요하다.

⑥ 다음과 같은 경우는 창상을 개방하고 자주 관찰해야 한다.

a. 사람의 교상(bite wound)

b. 화농성의 감염이 존재하는 경우
c. 조직손실이 심하여 일차적인 봉합이 어려운 경우

⑦ 봉합부의 지속적인 동통 호소는 피부봉합이 너무 단단하기 때문이다. 대개 3-4일 후에는 대부분 봉합의 최대 목적이 달성되었으므로 제거해도 좋다.

⑧ 창상부위의 가려움증은 봉합사, 거즈, 붕대 및 국소도포제 등에 대한 과민반응이다.

⑨ 봉합된 창상에 조직액이 비정상적으로 모여 있으면 조직액을 배출시켜야 한다.

⑩ 유색인종 중 감수성이 예민한 사람에서는 켈로이드가 생길 수 있으므로 과거력을 조사해야 한다.

참고문헌

김진, 강낙헌. 치과 임플란트 봉합술 외과적 봉합술 지침서. 서울: 대한나래출판사; 2005. p. 74-79.

민병일. 악안면성형외과학. 군자출판사; 1990. p. 34-68.

이귀녕, 권오헌. 임상병리 파일. 3판. 서울: 의학문화사; 2000. 232-4, p. 872-942.

Fisher SE, Frame JW. The effect of the CO2 surgical laser on oral tissues. Br J Oral Maxillofac Surg 1984;22:414.

Fonseca RJ, Walker RV. Oral and maxillofacial trauma, 2nd ed. W.B. Saunders co; 1997. p. 13-57.

Frame JW. Removal of oral soft tissue pathology with the CO2 laser. J Oral Maxillofac Surg 1985;43:850.

Hibst R. Mechanical effects of erbium:YAG laser bone ablation. Lasers Surg Med 1992;12:125.

Horch HH, Gerlach KL, Schaefer HE. CO2 laser surgery of oral premalignant lesions. Int J Oral Maxillofac Surg 1986;15:19.

Horch HH, Gerlach KL. CO2 laser treatment of oral dysplastic precancerous lesions: a preliminary report. Lasers Surg Med 1982;2:179.

Kim IS, Kim YK. Analysis of clinical effect of CO2 laser illumination after surgical extraction of impacted third molar. J Korean Assoc Oral Maxillofac Surg 2001;27:349.

Kim UG. Laser in medicine. Korea: Medical Publisher; 2000. p. 347-61.

Kruger GO. Textbook of oral and maxillofacial surgery. 6th ed. C. V. Mosby; 1984. p. 22-39.

Laskin DM. Oral and maxillofacial surgery, vol 1. C.V. Mosby; 1980. p. 255-91.

Lee SC, et al. The effect of erbium:YAG laser osteotomy on bone healing. J Korean Association Oral Maxillofac Surg 1998;24:213.

Lenz HJ, Eicher G, Schaffer J, et al. Production of a nasoantral window with the argon laser. J Maxillofac Surg 1977;5:314.

Lewandrowski KU, Lorente C, Schomacker K., et al. Use of the Er:YAG laser for improved plating in maxillofacial surgery: comparison of bone healing in laser and drill osteotomies. Lasers Surg Med 1996;19:40.

Miserendino LJ, Pick RM. Lasers in dentistry. Quintessence; 1995. p. 20-2.

Peterson LJ, et al. Contemporary oral and maxillofacial surgery, 3rd ed. C.V. Mosby; 1998. p. 2-21.

발치

발치는 치과임상에서 빈번하게 시행되는 소수술로 환자에게 공포심을 유발시키지 않고, 통증 없이 안전하게 발치를 시행하고 시술 후 합병증이 일어나지 않게 하는 것이 치과의사에게 부여된 큰 과제이다. 따라서 발치는 환자의 전신상태를 고려하면서 최소한의 외상만으로 발치하여, 치유에 가장 적절한 발치창이 남도록 해야 하므로 충분한 기술과 수련이 요구된다.

발치는 치은과 치주환상인대를 절단한 후 치근막을 탈구조작에 의해 분리하는 기술이므로 아무리 과학적인 원리 하에서 시행하더라도 생체에 외상을 가하지 않을 수 없다. 그러므로 최소한의 외상으로 발치하여 발치창을 신속히 치유시키기 위해서는 치아 주위의 구강해부학, 병력청취, 방사선사진 검사, 전신상태 검진 및 구강악안면 검진, 술전 투약 등 발치 전 고려사항, 발치에 필요한 기구의 선택과 이용법, 발치의 임상술기, 창상치유, 발치 도중이나 발치 후 합병증 등에 대한 광범위한 내용을 숙지해야 한다. 또한, 발치의 필요성, 발치과정 및 예후 등에 대해 환자에게 설명하고 동의를 받고 치료계획과 발치 중의 문제점 등을 의무기록으로 작성하여 두는 것이 필요하다.

CONTENTS

CHAPTER 03

발치

Tooth Extraction

학습목적

발치와 관련하여 환자의 평가와 발치술식의 원리, 발치기본 술기를 습득하고 발치와 연관된 특별한 고찰 등을 숙지하여 치과임상에 적절하게 응용할 수 있도록 한다.

기본 학습목표

- 발치 시 해부학적 취약구조(상악동, 하치조신경, 설신경, 구강악안면 혈관 등)를 이해하며, 합병증을 예측하고 대처할 수 있다.
- 발치의 전신적 및 국소적인 적응증과 금기증을 평가할 수 있다.
- 공포심이 많은 환자를 발치 전에 진정시키는 방법을 설명할 수 있다.
- 발치에 사용되는 기구들의 이름을 익히고 용도를 설명할 수 있다.
- 발치기자(elevator)와 발치겸자(forceps)의 작동 원리를 이해하고 적절히 사용할 수 있다.
- 치근파절로 인한 난발치 시 점막골막피판의 형성법과 수술술기를 적용할 수 있다.
- 매복지치의 분류법과 난이도 지수를 규정하여 적절히 대처할 수 있다.
- 발치창의 치유과정을 이해하여 발치 후 처치와 주의사항을 설명할 수 있다.
- 발치 시술 중이나 시술 후에 나타날 수 있는 합병증들을 예측하고 대처할 수 있다.
- 발치 후 치조골염(alveolar osteitis)의 발병기전과 후처치법을 이해하고 대비할 수 있다.
- 전신질환자에서 발치 시 유의점들(출혈, 감염 등)에 대해 관련 전문의와 상의해 적절히 관리할 수 있다.
- 미맹출치아의 외과적인 치관노출술에 대해 적응증을 알고 관련 전문과(소아치과, 교정과 등)와 협의진료를 시행할 수 있다.

심화 학습목표

- 매복지치 발치 시 피판형성, 골삭제, 치아분할 및 발치 후 봉합술식을 설명할 수 있다.
- 의도적 재식술의 적응증과 수술방법을 설명할 수 있다.
- 치아이식술(transplantation)의 적응증과 수술방법을 숙지하고, 술 후 처치와 경과를 설명할 수 있다.
- 전신질환자에 대한 발치 여부를 판단하고, 발치 후 합병증을 감소시킬 수 있는 의학적 처치를 할 수 있다.
- 항암치료나 방사선 암치료를 받는 환자에 대한 발치 여부를 평가하고 발치 후 처치를 시행할 수 있다.
- 전신마취나 의식하 진정마취에서의 발치 시 주의사항을 설명할 수 있고 전신마취에 따른 합병증을 마취과와 협진하여 해결할 수 있다.
- 발치와 병행하여 시행할 수 있는 술식들에 대하여 이해하고 이를 임상에서 적용할 수 있다.

I. 발치에 필요한 국소해부

치아는 치근과 치조골이 치근막에 의해 연결되어 일종의 관절을 형성하는 상태로 치조골에 식립되어 있다. 치근막은 치근과 강하게 결합하여 치아를 지지하고 구강내 세균의 침입을 막는 역할도 하고 있다. 그러므로 발치는 치아와 치주조직을 결합하고 있는 치주환상인대를 절단한 후, 치근과 치조골을 결합하고 있는 치근막을 탈구 조작에 의해 제거하는 술식이라고 할 수 있다. 따라서 발치를 시행하려면 치아와 주변조직에 대한 해부학적 지식, 각각 치아의 해부학적 특성과 치아가 식립된 치조골주위 구조물의 조직학적 양상도 잘 알고 있어야 한다. 특히, 상악에서는 구치의 근첨과 상악동과의 관계를, 하악에서는 구치의 근첨과 하악관과의 관계를 숙지해야 한다.

1. 치아식립의 양상

상하악골의 외층은 치밀골로 덮여 있으며 내층은 해면골로 구성되어 있는데, 치근 주위에는 치아로부터 전해오는 교합압을 견디기 위한 치조벽이라 불리는 한 층의 치밀골질이 형성되어 있다. 치조벽은 층판골(lamella bone)로 치아의 이동이나 교합압에 의해 지속적으로 흡수 또는 첨가가 일어나서 층판구조를 보이며, 두께 및 형태가 서서히 조금씩 변화한다. 치조벽과 치근을 결합하고 있는 치근막 섬유(periodontal fibers)는 콜라겐 섬유(collagen fiber)로 이루어져 있다. 이들 섬유군은 그림 3-1과 같이 치조와 안에서 치아와 수직으로 연결되어 치축방향의 교합력뿐만 아니라 모든 방향의 힘에 견딜 수 있도록 배열되어 있다. 또한 치축에 대하여 횡단면을 보면 그림 3-2와 같이 주로 치축을 중심으로 하여 방사상으로 주행하는데, 치근에 가해지는 모든 방향의 수평력이나 회전력에 저항할 수 있도록 배열되어 있다. 치아와 치조골을 결합하는 치근막에는 치근막 섬유 이외에 미분화 간엽세포(mesenchymal cell)와 이들에게 영양을 공급하는 풍부한 혈관조직(vascular network)이 포함되어 있어 마치 치조벽의 골막과 같은 역할을 한다.

2. 치조골, 치근막 및 치은의 혈관분포

발치 후의 출혈, 발치창의 치유 등을 설명하기 위하여 치조골이나 치은의 영양공급 혈관(동맥)의 분포를 이해하는 것이 중요하다.

상악치조돌기 및 치아는 안와하관(infraorbital canal) 속에서 분지하는 전상 및 중상 치조동맥과 상악결절의 치조공으로 들어오는 후상치조동맥의 영양공급을 받는다. 안와하공을 나온 안와하(infraorbital)동맥이 하행하여 전치부에서 대구치까지 방사상으로 퍼져, 전방에서는 상순동맥, 중앙에서는 안면동맥 분지, 후방에서는 후상치조동맥의 분지가 더해져서 상악치은(점막) 협순측에서 영양공급을 하고 있다. 구개측 치은(점막)에는 대구개(greater palatine)동맥의 분지가 영양공급 혈관이다.

하악 치조골 및 치아는 모두 하치조동맥의 분지에 의해 영양공급을 받으며, 하악순측 전치와 소구치 부위의 치은(점막) 부위는 이(mental)동맥과 하순(inferior labial)동맥의 분지가, 대구치 부위의 치은(점막) 부위는 협(buccal)동맥과 안면동맥의 분지가 영양공급 혈관이다.

따라서 발치 시에 치은(점막) 골막피판을 형성해도

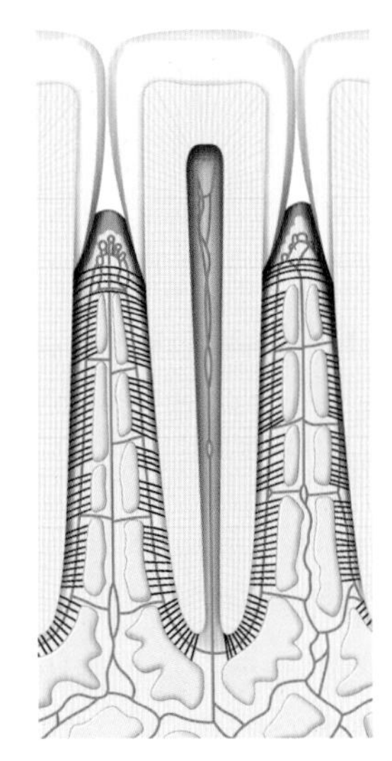

그림 3-1 하악전치의 치조골내 식립양태로 교합압에 견디는 치근막 섬유와 치수 및 치조골내 혈류의 연결을 보임.

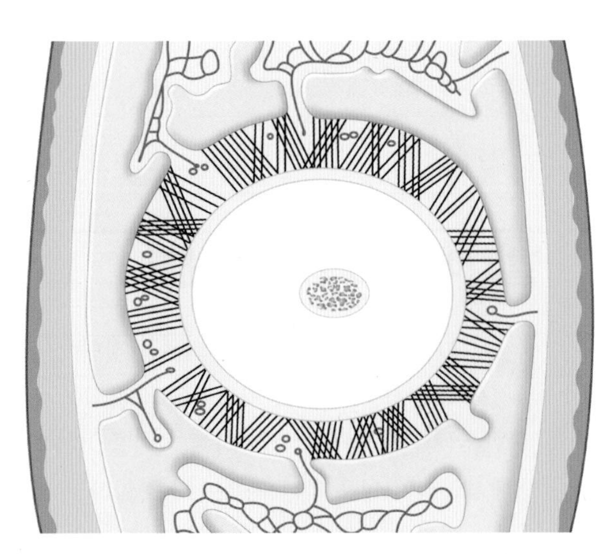

그림 3-2 하악전치 치근의 횡단면으로 치밀한 치근막 섬유의 배열과 주위골 조직 사이의 network.

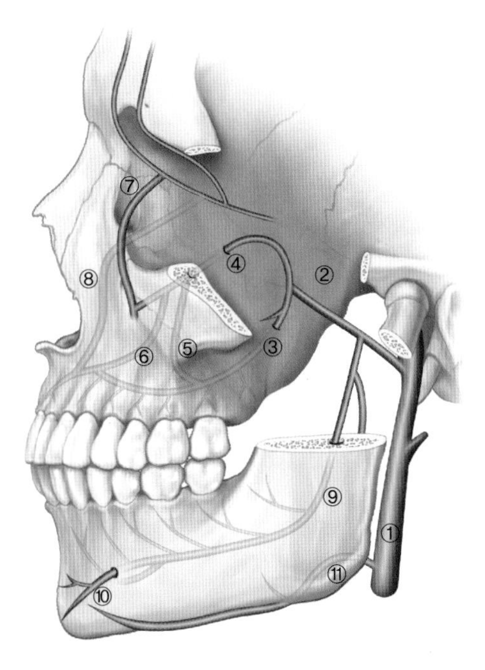

그림 3-3 **상하악 치아들의 동맥혈관순환.**
① 외경동맥 ② 상악동맥 ③ 후상치조동맥 ④ 안와하동맥 ⑤ 중상치조동맥 ⑥ 전상치조동맥 ⑦ 각동맥 ⑧ 외측비동맥 ⑨ 하치조동맥 ⑩ 이동맥 ⑪ 안면동맥

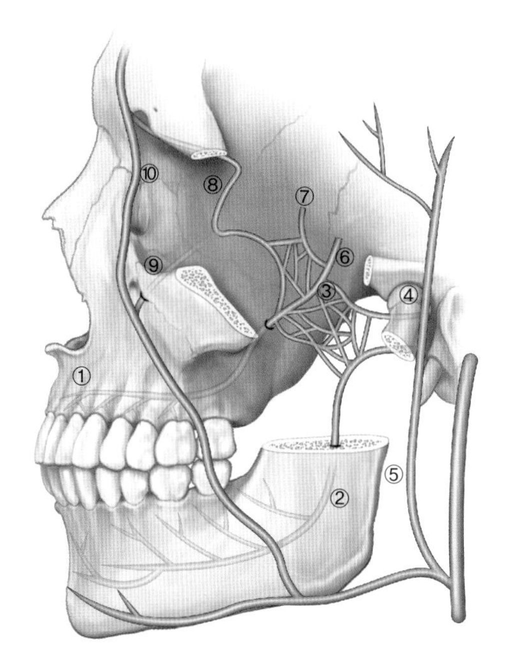

그림 3-4 **상하악치아의 정맥혈 배출과 해면정맥동과 연관된 정맥들.**
① 상치조정맥 ② 하치조정맥 ③ 익돌정맥총 ④ 상악정맥 ⑤ 하악후정맥 ⑥ 난원공정맥 ⑦ 중경막정맥 ⑧ 하안정맥 ⑨ 안와하정맥 ⑩ 각정맥

치은과 치조골로 공급되는 혈행이 잘 유지된다(그림 3-3). 상하악 치아와 치은(점막)에 분포하는 정맥은 동맥과 인접해 주행하지만, 치아와 치은의 정맥혈류가 배출되는 곳은 익돌정맥총(pterygoid plexus)이고, 이것은 해면정맥동(cavernous sinus)과 긴밀히 연관되어 있다(그림 3-4).

3. 치아 부위에 따른 식립의 양상

치아와 치조골의 양태는 해부학적으로 매우 다양하므로, 각 치아의 식립양상, 치근의 길이, 주위의 근육부착 등 종합적인 해부학적 지식을 습득하여야 한다.

4. 발치를 곤란하게 만드는 식립양태

발치를 곤란하게 하는 해부학적 요인으로는 치조골 및 치근막의 변화, 치근이상, 맹출이상을 들 수 있다.

1) 치조골 및 치근막의 변화

치조골이 치아보다 유연하고 탄성이 있으며, 치아 주변에 치근막 공간이 있으므로 발치를 할 수 있다. 그러나 장기간 교합력이 가해지지 않은 치아나 근관치료가 이루어졌던 치아는 때때로 치조골의 경화나 치근막의 위축이 발생하기도 하며, 드물게는 치조벽과 치근이 골성유착(bony ankylosis) 되기도 한다. 이러한 경우 일반적인 발치는 어려우므로, 난발치로 예상하고 시술하는 것이 좋다.

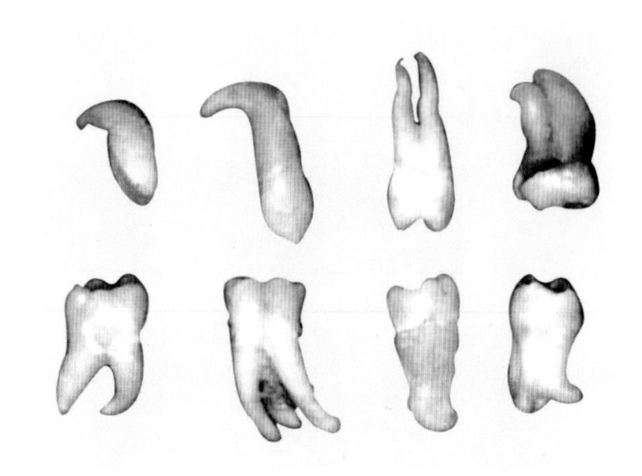

그림 3-5 만곡된 치근과 시멘트질 비대를 보이는 치아들.

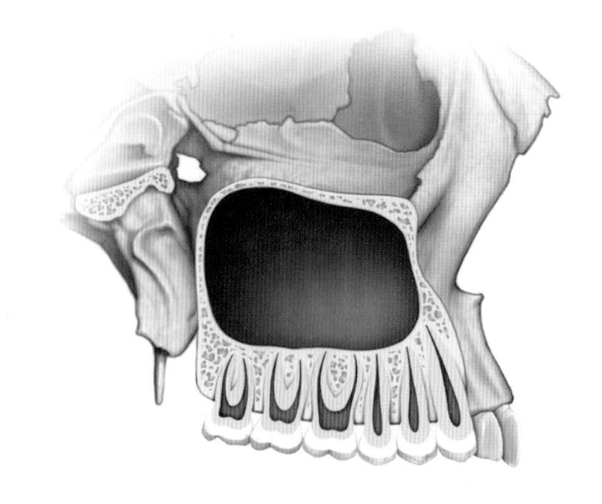

그림 3-6 상악구치의 근첨과 상악동의 관계.

2) 치근의 이상

치근이 치경부에서부터 치근첨부로 갈수록 치아의 폭경이 가늘어지며 현저한 만곡이 없는 경우에는 일반적인 발치가 가능하다. 그러나, 그림 3-5와 같이 치근의 비대, 치근의 만곡, 심한 이개(divergence), 부근(accessory root)이 있는 경우에는 일반적인 발치가 어렵다. 이런 경우나 치질 자체가 약한 경우에는 난발치가 예상된다.

3) 맹출이상

매복된 치아뿐만 아니라 경사진 치아, 회전된 치아, 전위 치아(displaced tooth) 등도 발치하기가 매우 어렵다. 또한 맹출이상이 있는 치아들은 치근막 위축이나 치근의 형태학적 이상을 동반하는 경우가 많으므로 발치 시 이를 고려해야 한다.

5. 발치 합병증과 국소해부

발치 도중 상악동 천공, 치근의 상악동 이입 및 하치조신경혈관다발이 손상되는 경우가 발생할 수 있으므로 발치 관련 해부학적 구조물의 형태와 위치를 잘 알고 있어야 한다(그림 3-6).

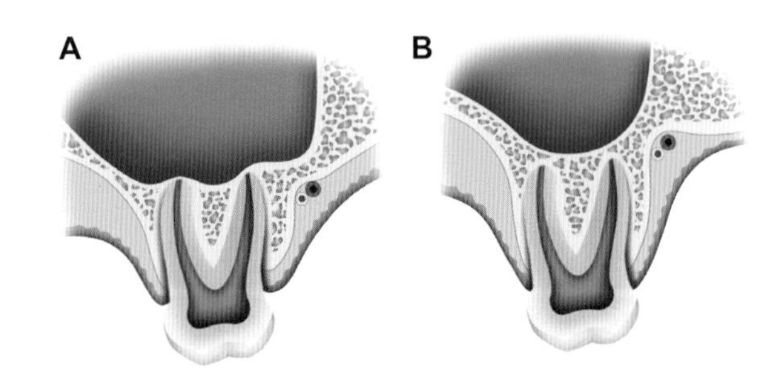

그림 3-7 구강전정과 구개의 높이와 모양에 따른 구치부 치근첨의 상악동 근접도.

1) 상악치아와 상악동의 관계

발치로 인하여 상악동의 문제가 발생하는 부위는 제2소구치에서부터 제3대구치까지의 치아들이다. 상악동이 발달된 경우 측절치의 근첨부근까지 상악동벽이 확장되어 있는 경우도 있으며, 상악동의 함기화(pneumatization)로 인하여 치근 하방에 바로 근접하여 있는 경우도 많다. 표 3-1은 치근첨부와 상악동 바닥 사이의 평균 거리이고, 표 3-2는 치근첨이 상악동 바닥(sinus floor)에 노출되어 있는 빈도를 나타낸 것이다. 실제 임상에서는 치근첨이 상악동 내부로 솟구친 경우도 있으므로 발치 시 특히 주의해야 한다. 임상 경험에 비추어 보면 그림 3-7A와 같이 구강전정(vestibule)과 구개(palate)가 얕고 치조돌기의 밑면이 넓은 경우, 구개가 깊은 그림 3-7B와 같은 형태보다 치근첨이 상악동

표 3-1 치근첨과 상악동저의 거리

치아명	치 근	거 리(mm)
P1		8.5
P2		5.3
M1	근심	4.3
	원심	4.1
	구개	3.3
M2	근심	2.5
	원심	1.9
	구개	2.9
M3	근심	3.9
	원심	6.6
	구개	5.3

표 3-2 근첨이 상악동저에 노출되어 있는 빈도

치아명	치 근	빈도(%)
C		4.0
P1		4.0
P2		8.0
M1	근심	8.0
	원심	8.0
	구개	24.0
M2	근심	8.0
	원심	8.0
	구개	12.0

저에 노출되어 있을 가능성이 높다.

2) 하악치근과 하악관과의 관계

하악관(mandibular canal)은 하악공에서 전하방으로 내려가 제2대구치 치근첨 하방에 도달하면 수평으로 주행해서 설측 치밀골판을 따라 전방으로 전진하여 제1소구치 근첨 부근에서 절치지(incisive branch)를 낸 후 다시 후상방을 향하여 이공(mental foramen)으로 나온다(그림 3-8). 구치부 치근첨에서 하악관까지의 거리는 제2대구치나 지치에서 최소 길이가 0.5 mm로 가장 가까우며 발치 시 하치조신경혈관다발 손상을 초래할 위험이 있다(표 3-3).

제2대구치나 제3대구치 발치 시 발치기자(elevator), 외과큐렛(surgical curette) 또는 치아를 절단하는 버(bur)로 하치조신경혈관 다발에 손상을 일으키거나, 치아가 탈구되는 도중 치근첨에 의하여 하악관 주변의 골조직이 변위되어 신경손상을 야기할 수 있다. 따라서 하악지치의 외과적인 발치 시에는 신경손상을 예방하기 위하여 표준 치과방사선사진(standard dental X-ray), 파노라마방사선사진(panoramic view)이 기본적으로 필요하며, 이 영상에서 하치조신경관과 근접되어 보이면 콘빔전산화단층촬영(cone beam computed tomography, CBCT)이 필요하다.

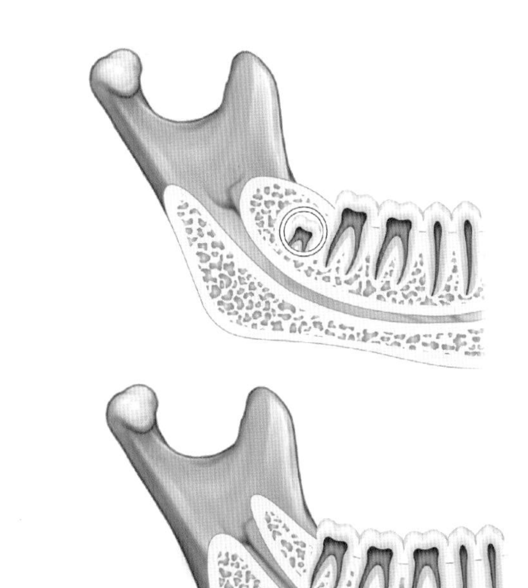

그림 3-8 하악구치의 근첨과 하악관내 신경혈관의 관계.

3) 하악 제3대구치와 설신경의 관계

Pogrel 등은 설측 피질골에서 수평거리 3.45±1.48 mm, 수직거리 8.32±4.05 mm에 설신경이 주행한다고 하였으며, 최근 Behnia 등은 사체 430구에서 총 669건의 설신경 주행에 대하여 조사한 결과, 85% 정

표 3-3 하악관과 치근첨과의 거리

치아명		평균	Max (mm)	Min (mm)
P2		7.6	11.5	1.5
M1	근심	8.8	12.5	3.5
	원심	7.9	12.5	2.5
M2	근심	8.8	12.0	0.5
	원심	6.0	12.0	0.5
M3		5.0	9.5	0.5

도가 설측 피질골과 수평으로 2.06 mm, 수직으로 3.01 mm 부위를 주행한다고 하였다.

하악 제3대구치 협측은 두터운 피질골이 존재하나, 설측은 전위된 치근으로 인하여 피질골이 거의 없거나 매우 얇은 경우가 많다. 이러한 경우, 발치 중에 얇은 설측 피질골이 골절될 수 있고, 내측에 위치한 설신경이나 악하선, 설하선 등이 손상을 받을 수 있다. 실제 Medeiros와 Gaffre´e는 구치부 후방 얇은 설측 피질골로 인해 치아가 전위되거나 구조물이 손상될 가능성을 설명하였으며, Ertas 등은 매복 제3대구치의 원심 설측 경사로 인해 설측 피질골이 매우 얇아져 인접 구조물이 자극을 받을 수 있다고 하였다. 또한, Kiesselbach도 치조능선 형태와 매복 제3대구치의 위치 등에 따라, 설신경이 제3대구치 내측 혹은 후방을 덮은 골막에 직접적으로 접촉하고 있을 가능성도 있다고 하였다.

II. 발치의 적응증과 금기증

발치는 비가역적인 최후의 치료방법이므로 발치가 필요하다는 판정을 내리기까지는 신중하게 판단하여야 한다. 근관치료, 치주치료 및 보철치료가 발달함에 따라 치아를 보존하여 저작에 도움을 줄 가능성이 높아졌지만, 보존 불가능한 치아나 맹출이상 등 치아의 존재 자체가 구강건강에 해로운 원인이 되는 경우는 발치의 적응증이 될 수 있다.

발치의 금기증으로는 전신질환 또는 임신이나 월경 등의 특수한 생리적 신체상태를 들 수 있다. 과거에는 절대로 발치를 해서는 안 되는 절대적 금기증과 조건에 따라 발치가 가능한 상대적 금기증으로 나누어져 있었으나, 점차로 절대적 금기증이 현저하게 줄어들고 있으며 대부분이 상대적 금기증으로 취급되고 있다. 상대적 금기증의 경우에도 환자의 상태를 충분히 파악하고 필요에 따라서는 관련되는 전문의들과 협의를 통하여 술전에 충분한 대책과 준비를 할 필요가 있다.

1. 적응증

치아 주위에 병적인 조건이 있거나, 보존, 치주, 보철치료를 하여도 치아가 제대로 기능을 하지 못하는 경우 발치의 적응증이 된다. 때로는 보철치료(총의치, 국소의치 등)를 하기 위하여, 혹은 계승치아나 주변 치아의 정상적인 맹출을 유도하거나 교정치료가 필요한 경우 발치를 시행할 수 있다.

1) 발치의 적응증

① 급성 혹은 만성 치수질환으로 근관치료 및 치근단 절제술로 보존이 불가능한 치아
② 치료가 곤란한 급성 혹은 만성 치주염
③ 치아파절이나 치조골 외상으로 치료가 불가능한 치아. 골절선상에 포함된 치아는 대부분 보존할 수 있지만 치아의 손상이 심하거나 주위 골조직으로부터 탈구가 심하여 감염의 위험이 높은 경우는 발치한다.
④ 교합면까지 맹출되지 않은 매복치나 과잉치
⑤ 만기 잔존된 유치 등과 같이 교정적인 면에서 발치를 필요로 하는 치아
⑥ 보철물 설계와 안정성을 위해 발치가 필요한 치아

⑦ 낭종, 골수염, 종양 및 골괴사 등의 경우처럼 치아를 포함하고 있는 주위골이 병적인 상태에 있는 치아
⑧ 방사선치료가 시행될 부위에 있는 치아로서 방사선 치아우식증, 치주괴사 등에 의해 방사선골괴사(osteoradionecrosis, ORN)를 유발할 가능성이 있는 치아. 그러나 치아 주위 악골에서 방사선골괴사가 진행된 경우는 특별한 주의를 요한다.
⑨ 지치 발치의 필요성
- 지치 자체에 질병이 있는 경우
- 지치 주위에 염증을 일으켰을 경우
- 대합치와 협점막을 상해할 경우
- 제2대구치에 치아우식증 및 치주염을 유발시키는 경우
- 교정학적 필요성

2. 금기증

발치의 금기증에 대한 추가적인 처치와 치료가 시행된 상태에서는 금기증이 해소되어 발치 적응증이 될 수 있다. 그러나 금기증이 아주 중대하여 해결되지 않는 한 발치를 연기할 수밖에 없다. 일반적으로 금기증은 전신적 금기증과 국소적 금기증으로 구분된다.

1) 전신적 금기증

(1) 순환기 질환

① 허혈성 심장질환

허혈성 심장질환이란 주로 동맥경화에 의해 심장에 영양을 공급하는 관상동맥에 협착이나 경색이 일어나 심장에 혈액 순환장애가 초래된 상태를 말한다. 심근의 국소적인 괴사를 동반하는 심근경색증과 괴사를 동반하지 않는 협심증으로 구분된다. 양쪽 모두 전흉부의 쥐어 뜯는 느낌(교액감)을 수반하는 동통 발작을 나타내는 것이 특징이다. 동통 발작은 협심증에서는 2-5분으로 짧으며, 니트로글리세린(nitroglycerine)의 투여가 효과적인데 반하여 심근경색에서는 보다 강한 동통 발작이 30분 이상 지속되며 니트로글리세린에 반응이 없는 것이 특징이다.

a. 심근경색의 경우 발작 후 6개월 이내 또는 6개월 이상이 경과하였어도 부정맥이나 협심증의 발작이 남아 있으면 발치는 금기이다.
b. 협심증이라도 발작이 10분 이상 지속되고 니트로글리세린에 효과가 나타나지 않는 경우라면 발치는 하지 않는 것이 좋다. 발치가 가능하다고 판단한 경우에도 진정법을 병행하여 발작과 관련된 빈맥과 혈압의 상승을 억제해야 한다.

② 판막증 및 심내막염

a. 판막증은 판막 또는 그 지지조직의 염증이나 변성에 의해 폐쇄부전이나 협착 등의 판막 기능장애를 일으킨 상태로 대부분은 류마티스성 열에 기인한다.
b. 심내막염은 심내막 특히 판막의 세균감염에 의한 질환으로 판막증이나 선천성 심장질환 등 심내막에 세균이 번식하기 쉬운 조건 하에서 치과, 이비인후과 영역의 만성 병소로부터 전이된 병소감염이나 상기 부위 수술로 인한 일과성 균혈증(transient bacteremia)에 의하여 발생되는 경우가 많다. 발치 시에는 일과성 균혈증에 대응하기 위하여 시술 전, 후에 항생제를 투여한다. 또한 인공판막치환술을 받은 환자들에서는 항응고제가 투여되고 있으므로 출혈에 대한 대책도 필요하다.

③ 선천성 심장질환

태생기의 심장, 대혈관의 분화발육 이상에 의하여 발생한 심장기형은 대개 조기에 사망하게 되지만, 발치를 포함한 일반 치과치료의 대상이 되는 연령까지 생존할 빈도가 높은 선천성 심장질환에는 심방중격결손(atrial septal defect, ASD), 심실중격결손(ventricular septal defect, VSD), 폐동맥협착(pulmonary artery stenosis, PAS), 동맥관개존증(patent ductus arteriosus, PDA), 및 팔로네증후(tetralogy of Fallot, TOF) 등이

있다. 어느 경우든 심부전 상태가 아니라면 발치는 가능하지만 발치 시에는 일과성 균혈증에 대비하기 위해 시술 전, 후에 항생제를 투여해야 한다.

④ 고혈압

a. WHO에서는 수축기혈압 140 mmHg 이상, 이완기혈압 90 mmHg 이상인 것을 고혈압으로 정의하였으나, 미국심장학회를 비롯한 많은 심장전문단체에서는 120/80 mmHg를 기준으로 제시하고 있는 경향이다.

b. 발치의 금기증으로 문제가 되는 것은 동맥경화가 진행되어 뇌나 심장 또는 신장에 합병증을 보이는 환자로서 발치 중 혈압의 현저한 변동으로 뇌 또는 관상동맥에 장애가 일어날 우려가 있는 경우이다.

c. 충분히 조절되고 있는 환자의 경우, 통상의 발치라면 문제가 발생할 소지가 거의 없지만 진정법을 병행하여 혈압의 변동을 억제하는 것이 바람직하다.

d. 고혈압 환자의 처치 시에는 동통 조절을 효과적으로 시행하는 것이 가장 중요하다. 동통은 비대해진 혈관운동 반응을 일으킬 수 있으며, 마취 깊이나 지속시간이 불충분한 경우 내인성 카테콜아민의 분비가 수반되는데, 이 양이 마취제에 포함된 용량을 초과하는 경우가 많다. 따라서 고혈압 환자의 처치 시에 국소마취제 속에 승압제(pressors)를 사용하지 말라고 하는 개념은 그 근거를 잃어가고 있다.

e. New York Heart Association에서는 심혈관질환자에서는 투여된 전체 에피네프린 용량이 0.2 mg을 초과하지 않도록 권장하고 있다(이 용량은 1:100,000 에피네프린을 함유한 마취용액 약 18–20 ml, 약 10 앰플에 해당한다). 드문 경우지만 monoamine oxidase inhibitor 제제로 치료 중인 환자에서는 혈관수축제의 사용이 금기이다.

(2) 혈액질환

적혈구계의 재생불량성 빈혈, 백혈구계의 백혈병, 혈소판계의 혈소판감소증이나 혈소판무력증, 선천성 혈액응고인자 이상에 의한 혈우병, 폰빌레브란트병(von Willebrand disease), 무섬유소원증은 모두 출혈 경향이 있기 때문에 발치의 절대적 금기증으로 되어 있었으나, 오늘날에는 거의가 상대적 금기증으로 취급되고 있다. 발치는 항상 전문의의 협력을 얻어 전신적 지혈관리를 기초로 시행하여야 하며 국소적 지혈방법도 매우 중요하다.

(3) 당뇨

당뇨병은 인슐린 작용의 절대적 혹은 상대적 부족에 의하여 유발되는 대사이상으로 고혈당 외에 혈관장애가 중심이 되는 심장, 신장 등의 기능저하, 내분비 상호 간의 조절이상, 수분과 전해질의 이상 등을 수반한다. 따라서 치료되지 않은 채로 방치되어 있는 환자나 치료를 받고 있어도 조절이 불충분한 환자에게 발치를 시행하면 당뇨병성 혼수가 발생할 수 있으며, 속발증으로 신장장애 또는 뇌 · 심혈관장애를 악화시킬 위험이 있다. 치료에 의하여 충분히 조절되고 있는 환자라면 발치해도 좋다.

■ 발치 시 주의할 점은 다음과 같다.

① 치통으로 인하여 환자가 충분히 섭생을 못할 경우 저혈당 쇼크를 일으킬 우려가 있으므로 사전에 내과의사와 충분히 협의한다.

② 에피네프린을 포함하지 않는 국소마취제를 사용해도 정신긴장이나 발치로 인한 외상으로 인하여 체내에서 내인성 에피네프린이 분비되어 혈당이 상승하므로 진정법을 병행하는 것이 바람직하다.

③ 창상치유 능력이나 감염에 대한 저항력이 저하되어 있으므로 시술 전후에 항생제를 투여하여야 한다.

(4) 간질환 및 신장질환

① 혈액응고인자 중 제VIII인자를 제외한 대부분(특히 비타민 K 의존인자인 제II, VII, IX, X인자들)은 간에서 만들어지므로 중증의 간기능장애 환자에 있어서는 출혈성 경향이 문제가 된다.

② 신부전 환자는 일반적으로 혈소판기능이상 등에 의한 출혈 경향이 있다. 특히 인공투석 치료를 받고 있는 환자는 투석 중에 헤파린이 투여되므로 더욱 심한 출혈 경향이 있다. 투석 후 1일, 특히 4시간 이내의 발치는 금기이다. 또한 신부전 환자는 창상치유 능력과 감염에 대한 저항력이 저하되어 있으므로 발치 전후에 항생제 투여가 필요한데 신장의 배설기능이 저하되어 있으므로 투여량과 투여방법에 대한 충분한 고려가 필요하다.

(5) 부신피질 스테로이드 투여자

애디슨병(부신피질 기능저하증)이나 스테로이드 결핍증은 매우 위험하다. 스테로이드 호르몬요법을 받고 있는 환자나 최근까지 그것을 투여받았던 환자는 부신피질자극호르몬(ACTH)의 분비가 억제되어 부신의 위축 또는 예비력이 저하되어 있으므로 발치로 인한 외상에 의하여 부신위기(adrenal crisis)라고 불리는 쇼크를 일으킬 우려가 있다. 발치 전에 스테로이드제를 증가시키거나 재투여할 필요가 있다. 이와 같은 맥락으로, 면역억제제 및 항암화학요법제 등의 약제들은 발치 전 주의가 요구된다.

(6) 소모성 질환

소모성 질환 환자들은 발치와 같은 외과적 치료 후에 좋지 않은 예후를 가져올 위험성이 있다.

(7) MRONJ (medication related osteonecrosis of the jaw)

골다공증이나 다발성 골수종 및 악성종양으로 비스포스포네이트(bisphosphonate)계, 혈관형성억제제(anti-angiogenic)계 약제를 투여받은 환자의 경우, 발치와 같은 외과적 수술 후 연조직이나 경조직의 치유지연으로 연조직의 부종, 염증, 뼈의 노출, 부골의 형성 및 악골괴사가 발생할 수 있다. 이에 따라 발치 등의 외과적 시술 시에는 MRONJ 관련 약물 투여 여부를 확인하고, 2015년 대한구강악안면외과학회와 대한골대사학회가 공동으로 발표한 MRONJ 치료지침에 근거한 치료를 시행한다.

(8) 임신

임신 그 자체는 질병 상태가 아니지만 임신 3개월까지는 유산의 위험이 있고, 임신 7개월 이후에는 조산의 위험이 있으므로, 발치를 시행할 필요가 있는 경우에는 임신 4-6개월에 시행하는 것이 좋다. 이러한 경우에도 자세한 치료계획은 임산부의 상태에 대하여 산부인과 의사와 상의하여 결정하는 것이 좋다. 단, 임신 6-8개월째로 염증이 심한 경우, 방사선 방호용 에이프런을 하고 치근단촬영 및 수일간의 항생제 투여는 가능하다. 치료가 필요한 경우 환자와 보호자에게 충분히 설명하고, 산부인과 의사와도 협의하여 진행하는 것이 좋다.

(9) 월경

월경 시에는 정신적으로 불안정해지고 혈액응고, 섬유소용해계에도 이상이 발생한다. 또 국소적으로도 치은의 혈액순환이 증가하고 혈관의 취약성도 높아 가급적 이 시기에 발치를 피하는 것이 좋다.

2) 국소적 금기증

국소적 금기증은 주로 감염과 관련되지만 드물게는 악성 질환과 관련되는 경우도 있다.

① 봉와직염(cellulitis)이 동반된 급성 감염은 더 이상 확산되지 않도록 치료하여야 한다. 환자에게 독소혈증(toxemia)이 나타날 수 있으며 이로 인하여 복잡한 전신적 요인이 발생된다. 이러한 경우 우선적으로 시행하여야 할 일은 전신적 감염조절이다. 전신적 감염조절이 가능하고 발치가 생명을 위협하지

않는다고 판단되면, 감염의 원인이 되는 치아는 가급적 빨리 발치를 시행한다. 항생제의 발달이 미진했던 과거에는 감염이 국소화되고 농이 제거되어 만성상태로 전환되기까지는 발치를 시행할 수 없었다. 그러나 항생제가 발달된 오늘날에는 항생제가 적당한 혈중 농도에 이르러 전신적인 조건이 조절되므로 가급적 빨리 원인치아를 발치하는 것이 감염조절에 도움이 된다.

② 지치 주위에는 호기성세균들과 혐기성세균들이 함께 존재하고, 이 부위는 목 주위의 근막들과 직접 연결되어 있으므로 감염의 파급이 용이하며, 발치 시에 골삭제 등의 복잡한 시술이 필요하므로, 급성 지치주위염은 다른 국소적 감염보다 더욱 보존적으로 치료를 시행하는 것이 좋다.

③ 급성 감염성 구내염은 불안정성, 소모성 및 동통성 질환으로 발치로 인하여 질환이 더욱 복잡해질 수 있다.

④ 악성종양이 증식하는 부위에 포함되어 있는 치아는 발거할 경우 종양의 성장이 급증하고 발치 창상은 치유되지 않는다.

⑤ 방사선치료에 의하여 방사선조사를 받은 악골에서 치아를 발거하는 경우 혈류공급의 결핍 때문에 방사선골괴사가 발생할 수 있다.

III. 발치 전 고려사항

1. 방사선사진 검사

발치하기 전에 반드시 구강내 방사선사진 혹은 파노라마사진을 촬영하여 치근의 형태, 치근의 석회화 유무, 하치조신경 및 상악동과의 관계를 미리 관찰하는 것이 필요하다. 치아 주위의 낭종 혹은 종양 등의 병소가 의심될 때는 파노라마나 전산화단층촬영을 하여 악골의 상태를 확인한 다음 발치를 하여야 한다. 낭종이나 종양이 있을 때 치아만 발거하면 발치창이 치유되지 않고, 악성종양의 경우 발치로 인하여 더욱 악화될 수도 있다.

1) 치근막과 치조골의 상태

오래전에 근관치료를 받았던 치아나 대합치가 없든지 맹출부전으로 인하여 장기간 교합력이 가해지지 않았던 치아에는 치근막 위축이나 치근의 골성유착이 발생하는 경우가 많다. 또 중년 이후의 매복치에서는 치근뿐만 아니라 치관까지 골성유착이 되어 있거나 치조골의 탄력이 없어 발치가 쉽지 않은 경우가 있으므로 주의를 요한다.

2) 치근의 형태이상(그림 3-9)

① 방사선사진으로 치근이개와 치근첨 비대를 확인한다.

② 근원심적인 치근만곡은 방사선사진으로 명확하게

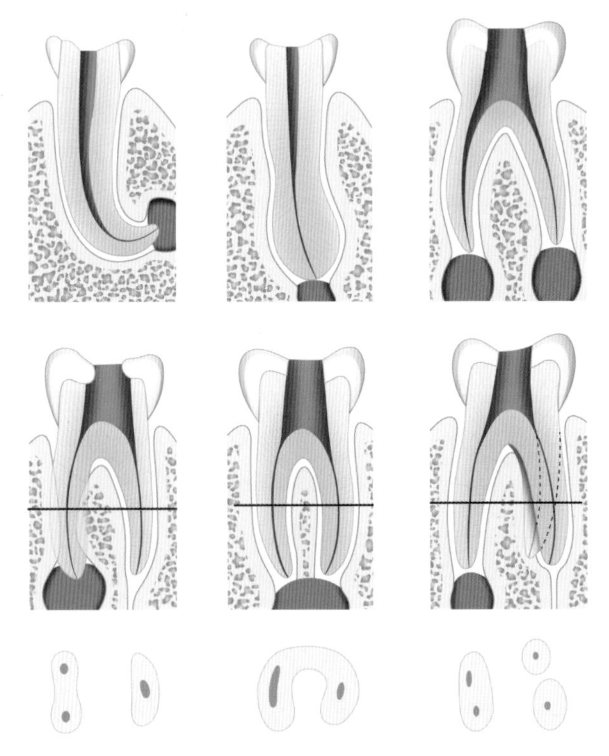

그림 3-9 발치를 곤란하게 하는 각종 치근 형태.

알 수 있다. 순(협)설적 만곡의 경우는 판독 시 주의를 요하며 통상적으로 치근이 이상할 정도로 짧게 보인다.

③ 부근(accessory root)은 주로 하악 제1대구치의 원심근이나 지치에 나타난다.

④ 치근의 분기가 불완전한 치근형태는 판독이 어려우며, 주로 하악 제2대구치와 지치에 나타난다. 얼핏 보기에 근원심 2근으로 분기한 통상의 뿌리 형태로 보이지만 이들 사이의 치근막선 및 치조백선이 약간 불명료하게 나타나게 된다. 이와 같은 치아는 치근분리를 시도하여도 잘 되지 않으므로 주의를 요한다.

3) 매복치의 위치 확인

과잉 매복치를 포함하면 매복치의 빈도가 가장 높은 곳은 상악 전치부이고 그 다음으로 상하악 지치부이다. 방사선검사 기술을 활용하여 매복치의 위치와 매복치가 근접하고 있는 정상 치아의 치근과의 관계를 정확하게 알아두고 발치를 시행하여야 한다.

(1) 편심투영법(tube-shift technique)

치아의 근원심 단면에 수직으로 X선의 주선이 통과하도록 하는 것이 일반적인 정방선 투영이고 주선의 촬영을 근심 또는 원심으로 기울여서 촬영하는 것이 편심촬영법이다. 편심투영법으로 촬영하면 관구(tube)에 가까운 물체는 필름에 가까운 물체보다 측방으로 많이 떨어져서 촬영된다. 이 원리를 이용하여 정상 치아에 대한 매복치의 순설(구개)적인 위치관계를 알 수 있다(그림 3-10). 그러나 매복치와 정상 치아 간의 거리가 너무 가까운 경우에는 판독이 어려울 수 있다. 콘빔전산화단층촬영(CBCT)을 이용하면 매복치아의 위치를 정확하게 알 수 있어 유용하다.

(2) 전치 이외의 매복치 촬영

파노라마사진이 매우 유용하여 매복치의 위치관계를 대부분 알 수 있으나 상 · 하악 및 근원심적인 대략적인 위치를 파악할 수 있는 정도이다.

■ 협설적인 위치관계 확인을 위한 방법

① 상악: 편심투영법

② 하악: 표준필름 혹은 교합필름을 물게 하고 아래턱밑 방향에서 치축에 평행하게 촬영하는 방법이 매우 유효하다.

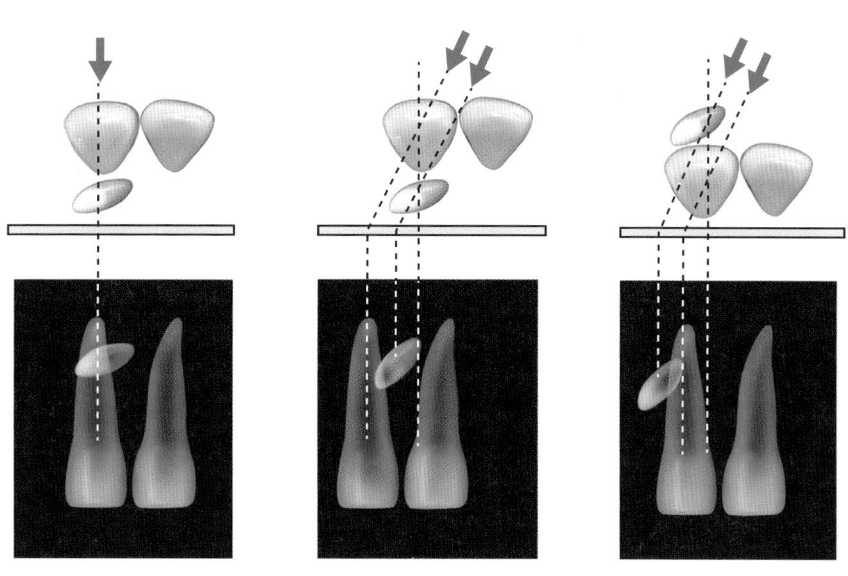

그림 3-10 근원심적 편심투영법.

4) 치근과 상악동 또는 하악관의 위치적 관계

① 치근과 상악동과의 관계

파노라마사진이 적합하지만 표준필름을 사용하여 근첨이 상악동 내로 노출되어 있는지와 치근막선과 치조백선(lamina dura)의 소실 유무를 관찰하여 판독한다. 또한 CBCT를 촬영하여 상악동 상태와 치근첨 관계를 판독한다.

② 하악구치 치근 또는 매복치와 하악관의 관계

기본적으로 파노라마사진이 유효하지만 협설적인 관계는 표준필름을 이용한 상하악적 편심투영법(그림 3-11)이 유용하게 사용될 수 있으며, 구체적인 하악관의 위치를 파악하는 데는 CBCT가 필수적이다.

2. 심리학적 고려

발치를 성공적으로 수행하기 위해서는 충분한 지식과 숙련을 바탕으로 환자의 심리학적인 측면을 고려하는 것이 매우 중요하다.

1) 행동과학적 평가

같은 자극에 대하여 나타내는 반응이 다양한 것은 아래 요인에 기인한다.

- 환자의 성격(금욕주의적 성격 혹은 극단적으로 예민한 성격)
- 환경
- 동통역치(pain threshold)의 개인차

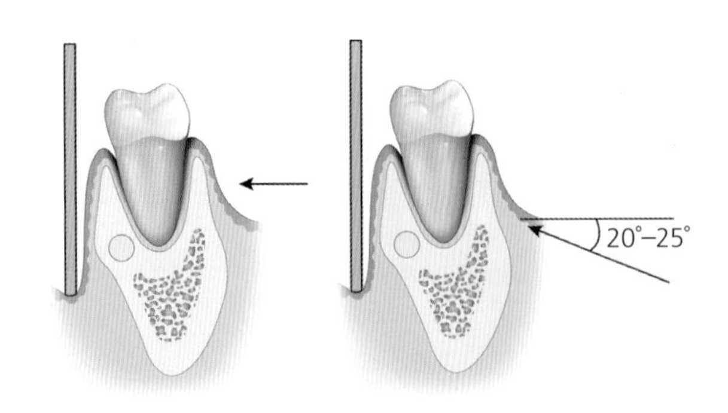

그림 3-11 상 · 하적 편심투영법.

객관적인 근거 없이 동통을 느끼는 정신신체장애(psychosomatic disorder)가 있으며, 두려움은 다음의 여러 가지 요인들과 연관되어 나타날 수 있다.

① 두려움 그 자체

환자의 기억에 있던 냄새, 색깔 및 상황 등의 외적요인도 있지만, 주로 내적요인이 잠재의식 속의 두려운 기억을 되살아나게 한다.

② 시술에 대한 두려움

시술에 대한 두려움은 정상적으로 발생하는데, 이러한 두려움을 최소화하기 위하여 시술 전에 환자를 충분히 심리적으로 안정시키는 것이 중요하다. 대부분의 경우 시술자가 사려 깊은 관심을 보임으로써 충분히 조절되는 경우가 많다.

③ 심미성 상실에 대한 두려움

여성에서 특히 폐경과 함께 동반되는 정신적 불안에 의하여 가중되는 경우가 많다. 발치의 이유를 병리학적으로 충분히 설명하여 환자 자신이 먼저 발치를 원하도록 유도하는 것이 좋다.

2) 발치 환자의 심리적 준비

공포, 불안 등을 해소하기 위하여 치료 전에 환자의 심리상태를 평가하여 치료계획 수립 시에 고려하는 것이 좋다.

① 자신감, 의지, 태도, 행동 등에 대한 평가를 통하여 환자의 반응을 예상한다.

② 연령, 인종, 건강 및 신체적 상태와 심지어 직업 등도 환자 평가에 도움이 된다.

③ 대화로써 발치에 대한 문제점을 환자에게 주지시키는 것이 좋으나 강압적이나 두려움을 주는 용어의 사용은 피하는 것이 좋다.

3) 심리학적인 면에서의 치료실 관리

환자가 불안하지 않도록 치료실 전체의 분위기를 안정감 있게 하고 치료를 받는 동안의 불편을 최소화하는 것이 좋다.

① 진료에 관련되는 모든 사람은 환자가 도착하는 순간부터 환자에게 관심을 보이도록 하여야 한다. 부산하고 비인간적인 진료실의 분위기와 환자를 무시하는 듯한 태도는 좋지 않다.

② 진료실의 소음을 방지하여 환자에게 편안한 분위기를 조성해 주어야 한다.

③ 기구는 가능한 한 환자의 시야 밖에 있어야 하며 아주 독한 약품 냄새가 나지 않도록 주의한다.

④ 사용하는 용어는 환자에게 불안감을 느끼지 않도록 잘 선택하여 사용한다(예: 주사바늘 → 포인트 등).

3. 술전 투약(Premedication)

치료실에 들어오면서부터 겁을 내는 환자는 치료 전날 밤이나 치료실에 도착하기 2시간 전에 술전 투약을 실시한다. 약제의 투여경로, 약의 종류 및 사용량에 따라 효과의 심도와 발현시간이 다르므로 이를 고려해야 한다. 국소마취하에 매복치를 발거할 경우 술전 투약은 시술에 도움을 주며 pentobarbital 0.1 g 이하를 경구투여하거나 2 ml를 정맥주사한다. 이러한 환자는 보호자의 동행이 필요하다. 오늘날 가장 많이 사용되는 약제는 diazepam 3-20 mg을 베릴증상이 나타날 때까지 정맥주사하며 meperidine (Demerol)과 아산화질소(N_2O)를 보조적으로 사용한다. 집이나 대기실에서 경구투여할 수 있는 barbiturate나 정신안정제로부터 치료대에서 근육주사하는 barbiturate까지 다양한 약물을 사용할 수 있다.

■ **Diazepam**

신속한 진정을 위해서 20 mg 이하를 정맥내 주사하는 방법이 가장 많이 사용된다. 팔의 중앙척측피정맥(median basilic vein)이나 손등의 정맥에 주로 주사한다. 분당 5 mg 정도의 속도로 주사하여 안검이 감길 때 멈추도록 한다. 주사바늘을 뺀 후 즉시 구강내로 국소마취를 시행한다. 시술 직전에 정신안정제를 정맥주사하는 것이 가장 효과적이다.

4. 마취법의 선택

1) 환자의 연령과 신체 상태

① 아동

대개 흡입형태나 소량의 정맥내 수면제를 함께 사용한다.

② 노인

생리적으로 모든 약제를 잘 대사시키지 못하므로 용량을 줄여 사용한다. 필요할 경우 두려움을 덜어주기 위하여 조심스럽게 안정제를 사용하면서 국소마취를 시행한다.

2) 감염

감염이 있는 경우는 국소마취 약제가 충분히 효과적으로 발현되지 않으므로 가급적 전달마취를 하는 것이 효과적이다. 마취액이 봉와직염이 있는 부위에 주입되면 심한 동통과 함께 감염의 확산이 발생할 수 있으므로 마취액은 감염되지 않은 부위에 주입한다. 급성 감염의 경우 발치 전에 항생제의 적절한 혈중 농도가 유지되도록 하는 것이 중요하며 환자의 상태가 전신마취의 금기증이 되지 않는 한 전신마취 하에서 발치하는 것을 고려해 볼 필요가 있다.

3) 개구장애

① 구강외 전달마취를 사용한다.

② 경련이 일어난 근육의 피부에 에틸염화물(ethyl chloride)을 뿌려서 입을 벌리게 한 다음 통법으로 국소마취를 시행할 수 있다.

③ 근육이완이 충분히 일어날 수 있도록 전신마취를 선택하여 치료하기도 한다.
④ 턱관절 강직이 있는 경우는 구외전달마취나 기관절개술(tracheostomy)을 행하고 전신마취를 행할 수 있지만 시술부위로의 접근이 어려운 문제점이 있다.

4) 환자의 감정상태

안정제가 필요한 환자는 보호자가 동행하도록 하여 치료하며 술후 운전을 하지 않도록 설명한다.

5) 치료시간과 종류

치료시간이 오래 걸릴 것이 예측될 때는 전신마취로 시행하는 것이 좋다.

6) 알레르기

진료실에는 알레르기 반응의 치료에 필요한 적절한 약물과 응급장비 세트를 구비하여야 한다.
① 국소마취제에 대하여 알레르기를 경험한 환자에게는 겪은 반응의 형태에 대하여 질문하고 평가를 위하여 전문의에게 의뢰한다.
② 프로카인(procaine)과 리도카인(lidocaine)은 화학구조가 다르기 때문에 프로카인에 과민반응을 보이는 환자라도 리도카인에 대해서는 과민반응을 나타내지 않을 수 있다. 리도카인에 대한 알레르기 반응의 발생빈도는 낮지만 과민반응이 발생할 수도 있다.

7) 환자의 요구

환자의 요구에 따라 국소마취와 전신마취 및 진정법을 선택하여 치료한다.

8) 시술자의 경험과 장비

시술자의 경험과 병원의 마취장비에 따라 마취법을 선택하여 치료한다.

5. 소독, 세척 및 수술 준비

구강 내에는 정상균총(normal flora)이 잠재성의 유독병균(virulent pathogen)을 내포하고 있어서 완전멸균 상태가 불가능하지만 상처오염을 방지하기 위하여 노력하여야 한다. 교차감염(cross infection)으로 인하여 수술 후 창상의 파열과 치유지연이 발생하지 않도록 충분히 세척하고 모든 기구는 소독하여 사용한다. 소독과 멸균의 개념을 숙지하고 멸균수술방법을 사용하여 창상의 오염을 방지하기 위하여 노력한다.

① 소독(disinfection)

물체의 표면에 있는 세균의 아포를 제외한 미생물을 사멸하는 방법으로 감염의 위험성을 낮춘다.

② 멸균(sterilization)

모든 종류의 미생물과 아포를 완전히 사멸하는 것이다.

1) 기구 소독

① 기구 소독의 가장 좋은 방법은 내압식 증기멸균소독이다.
② 소독을 시행하기 전에 수술기구에 붙어있는 응고된 혈액과 조직물들을 솔과 비누로 꼭 제거해야 한다. 초음파 장비를 이용하여 제거하는 방법도 좋다.
③ 기구가 녹슬지 않도록 하며 모든 기구는 날카로워야 한다.

2) 창상감염의 예방

손소독: hexachlorophene 혹은 povidone-iodine을 반복하여 사용하면 소독효과가 뛰어나며 세균수를 현저히 감소시킬 수 있다.

■ 손세척 방법

① 손과 전박을 팔꿈치까지 2-3% hexachlorophene이나 povidone-iodine을 사용하여 2-3분 씻는다.
② 70% alcohol을 적신 거즈로 1-2분간 씻어낸다.

3) 환자의 피부소독

70% alcohol 단독으로도 매우 높은 살균효과가 있으며 피부세균의 대부분을 파괴시킬 수 있다. 0.5% aqueous chlorhexidine diacetate를 사용하면 효과적이다.

4) 구강 점막의 소독

효과적인 구강소독제로는 0.5% chlorhexidine, povidoneiodine 살균액(betadine) 및 weak iodine solution 등이 있다.

5) 세척 및 소독포 씌우기

■ **세척(scrub)**

① 손톱은 짧게 매끄럽게 관리하고 손톱부터 닦기 시작한다. 손가락 사이, 손가락관절 마디 및 전박 등을 철저히 닦는다.
② 2% hexachlorophene이 함유된 손톱솔(nail brush)로 손끝이 밖으로 향하게 하고 손을 바꾸어 가면서 거품을 내어 손과 전박의 모든 표면을 철저히 문지른다.
③ 손, 팔의 거품은 흐르는 물에 대고 씻어낸다.
④ 손을 팔꿈치보다 높이 쳐들어 손의 물이 하방으로 내려가도록 한다.
⑤ 소독된 수건으로 손을 건조시킨다.

■ **수술 중의 무균법**

수술실 모자, 마스크, 소독된 가운을 입고 무균법으로 수술한다. 환자에게 수술포를 씌우기 전에 불필요한 외투 등은 벗기고 넥타이를 풀게 하고 허리띠도 가능하면 느슨하게 하고 마음을 편하게 해준다. 환자를 진료 의자에 앉히고 환자의 머리를 포로 싸서 머리카락에 의한 오염을 방지한다. 여자 환자의 경우에는 화장을 지우게 한다. 소독제를 이용하여 피부와 입안을 소독한다. 가슴과 팔 등을 덮을 수 있도록 충분한 포를 씌우고 클립으로 고정한다. 진료용 의자의 table arm도 소독된 포로 덮는 것이 좋다.

6. 발치의 순서 및 발치할 치아 결정

1) 발치의 순서

① 상악치아를 하악치아보다 먼저 발치한다(상하악 매복치를 발거할 경우는 제외). 마취의 효과가 상악에서 빨리 나타나기 때문이며, 하악치아를 먼저 발치하고 상악치아를 나중에 발치할 경우, 상악치아의 법랑질 혹은 충전물 등의 잔사가 하악치아의 발치와로 떨어질 염려 때문이다.
② 다수 치아를 발거할 경우 최후방 치아를 먼저 발거한다. 출혈 시 혈액이 구치부로 모이기 때문에 전방치아를 먼저 발거하면 시야확보가 어렵기 때문이다.
③ 해부학적인 구조 때문에 발거가 어려운 치아(견치 및 제1대구치)의 경우 인접치아를 먼저 발거한다. 이 두 치아들은 안면부에서 소위 골주(骨柱)에 위치하기 때문에 발거 시 외상이 많이 가고 발거가 어려우므로, 인접치아가 먼저 발거되면 시야가 잘 확보되고 인접 치조골 팽창효과를 얻기가 용이하기 때문이다(예: #8, #7, #5, #6, #4, #2, #3의 순서로 발치하는 것이 좋다).
④ 치아나 치근이 파절된 경우 파절된 치아를 완전히 제거한 후에 다음 치아를 발거하는 것이 좋다. 인접 발치와로부터 출혈이 없어 시야확보가 용이하고 치근의 위치를 잊어버리는 등의 불편을 덜 수 있기 때문이다.

2) 발치할 치아의 숫자 결정

치아와 주위 조직의 조건뿐만 아니라 환자의 건강상태에 따라 많은 변수가 있다.

① 단순 발치의 경우 한쪽 부위에 있는 상, 하악 잔존구치를 한꺼번에 발거할 수 있다.
② 다른 외과적 시술은 종창과 불편감이 사라지고 백혈구의 수치가 정상으로 되돌아오게 되는 1주일이 경과된 후에 시행하는 것이 좋다.

IV. 발치에 필요한 기구와 선택

특별한 기구를 필요로 하는 여러 가지 방법뿐만 아니라 개인의 선호도에 따라 사용할 수 있는 매우 다양한 기구가 있다. 초보자는 기본적인 기구부터 사용법을 익히고, 스테인리스 제품이 관리하기가 용이하며, 2세트 이상을 구비하는 것이 기구순환에 유리하다. 오랜 기간 동안 인정된 발치기구는 다음과 같다.

1. 발치겸자(Forceps)(그림 3-12, 13)

- Standard forceps No.1: 상악 전치 때로는 소구치용
- Standard forceps No.65: 상악 치근용
- Standard forceps No.10S: 상악 구치용
- Ash forceps, Mead No.1: 하악 치아용
- Standard forceps No.16, Cowhorn: 하악 구치용
- Standard forceps No.150: 상악소구치용, Standard forceps No.151은 하악소구치용인데, 이는 상기 다섯 가지 기본 발치겸자 외에 필요에 따라 추가될 수 있다. 이 외에 유치용 상·하악 발치겸자가 있다.

- 골겸자(rongeur) No.4 universal은 골절제술용
- 골줄(bone file) No.10
- 골끌(bone chisel gardner) No.52
- 나무 망치(mallet) standard No.1
- 핸드피스와 버(bur)
- 골막기자(periosteal elevator)
- 견인자(retractors) Austin
- 소파기(curette): Molt No.2
- Molt No.5, 6: 오른쪽과 왼쪽으로 구부러져 있다.
- 지침기(needle holder)
- 봉합침 1/2 circle-cutting/round edge
- 봉합사: 일반적으로 black silk 3-0
- 조직가위
- 봉합가위
- 지혈겸자(hemostat): curved, straight
- Allis 조직겸자: 조직의 파지를 위한 겸자
- Adson 조직겸자
- College 겸자(college pliers)
- Russian 겸자(russian forceps)

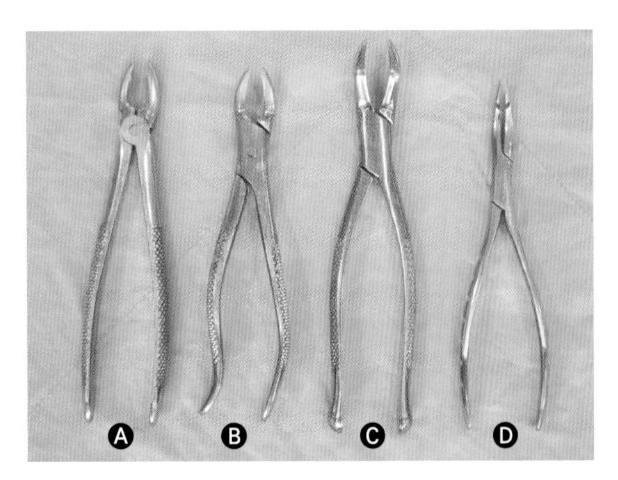

그림 3-12 발치겸자(상악용).
A: 상악전치용(No.1) B: 상악소구치용(No.150) C: 상악대 구치용(No.10S) D: 상악치근용(No.65).

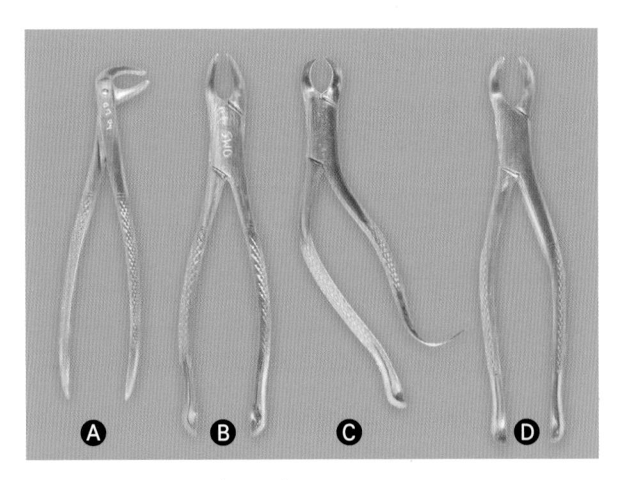

그림 3-13 발치겸자(하악용).
A: 하악전치용(Mead No.1) B: 하악소구치용(No.151) C: 하악대구치용(No.16, Cowhorn) D: 하악대구치용.

2. 발치기자(Elevators, Exolevers)(그림 3-14)

파절이 일어나지 않는 매우 튼튼한 기구가 필요하며 정교하고 날카로운 기구가 필요하다. 보통 3개가 1조(오른쪽용, 왼쪽용, 똑바른 형태)로 구성되어 있다.

- Winter exolevers 14R 및 14L: long Winter exolevers는 깊게 박혀있는 하악구치 치근에 사용한다.
- Winter exolevers 11R 및 11L: short Winter exolevers는 치조골의 상단 가까이에 박혀있는 치근의 발치에 사용한다.
- Straight-shank No. 34: shoehorn exolever는 전치뿐만 아니라 치근을 발치할 때 사용한다. Krogh exolevers, Krogh 12B는 매복지치의 발치를 위해 사용한다.
- Root exolevers No.1 및 3은 파절된 치근단의 발거시에 사용한다.

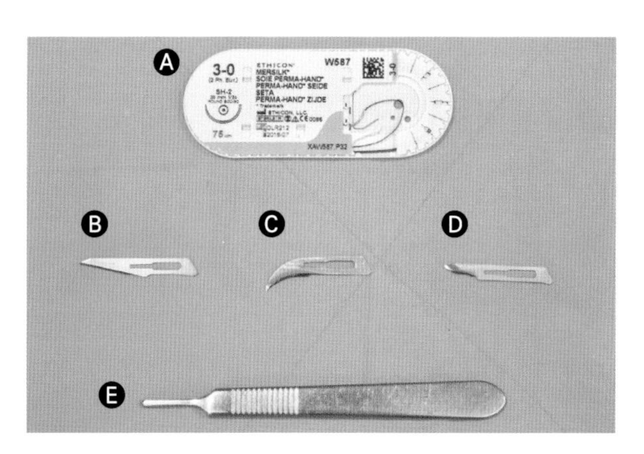

그림 3-15 A: 봉합사(3-0 black silk) B: 메스(#11) C: 메스(#12) D: 메스(#15) E: 메스대.

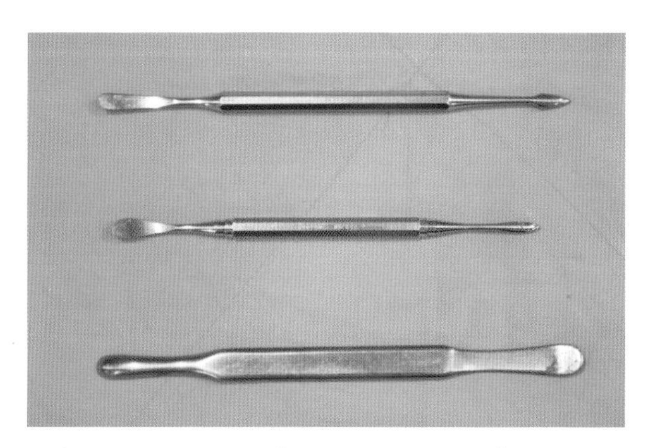
그림 3-17 각종 골막기자(periosteal elevator).

3. 외과용 기구(그림 3-15~18)

메스대(bard-park handle) No.12 또는 No.15 Blade가 가장 많이 사용된다.

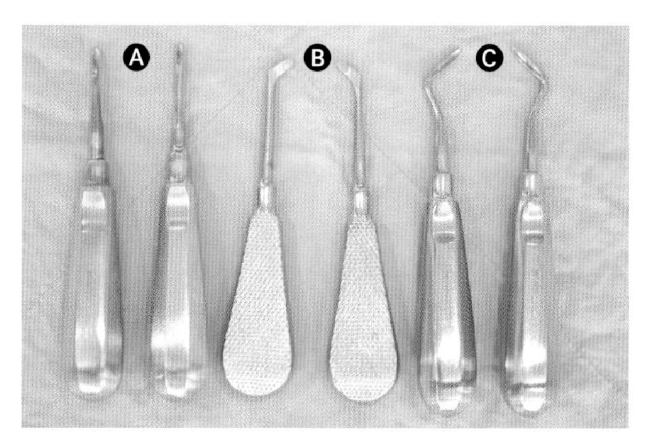

그림 3-14 발치기자. A: straight B: curved C: root elevator.

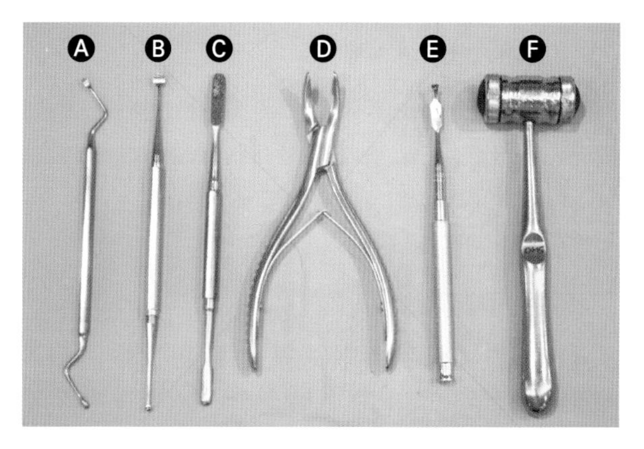

그림 3-16 A: 소파기(curved) B: 소파기(straight) C: 골줄 D: 골겸자 E: 골끌 F: 망치.

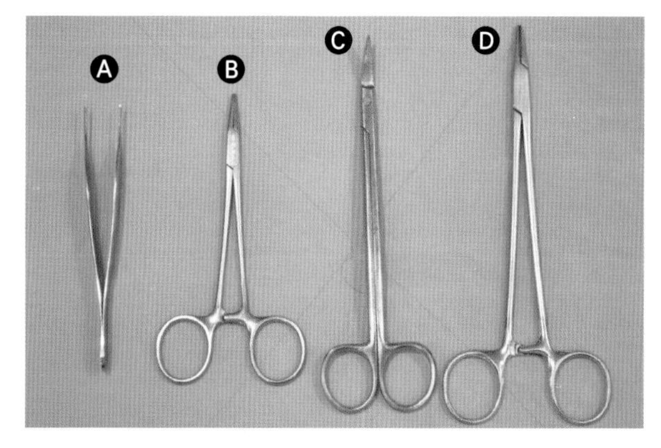

그림 3-18 A: Adson 조직겸자 B: 지혈겸자 C: 봉합가위 D: 지침기.

V. 발치의 임상술기

1. 기본기술

1) 자세

정확하고 안전한 발치를 위해서는 술자의 자세, 환자의 자세 및 술자와 환자의 위치관계가 매우 중요하다. 술자가 가장 용이하게 발치조작을 할 수 있는 자세이면서 동시에 환자에게도 안락한 자세인 것이 바람직하지만, 상반되는 면도 있어서 일률적으로 결정하기는 어렵다. 원칙적으로는 술자의 자세에 맞추어 조절하지만 환자의 상태에 따라서 환자가 편한 자세를 가장 우선으로 하는 경우도 있다. 술자와 환자의 위치관계는 발치의 대상이 되는 치아의 종류나 발치법에 따라 다르지만 원칙이 있다.

(1) 술자의 자세

'발치 중의 자세만 보고서도 그 사람의 실력을 알 수 있다'고 말할 정도로 술자의 자세는 중요하다. 치과진료 전반에 앉은 자세 진료가 정착되고 있다.

① 기본자세(그림 3-19, 20)

양발을 어깨 폭보다 약간 넓게 벌리고 자연스럽게 선다. 두 팔꿈치를 가볍게 구부린 후 사용하는 팔의 팔꿈치를 가능한 한 몸쪽에 붙인다. 팔의 전반부를 앞으로 내밀어서 양손의 손가락끝을 가볍게 합친 자세를 취한다.

② 손의 위치(그림 3-21)

환자의 턱이 술자의 손의 위치에 오도록 의자의 높이와 머리 받침대를 조절한다. 술자의 손과 환자의 턱의 위치관계는 발거되는 치아의 위치 또는 겸자발치에 의한 것인지 발치기자에 의한 것인지에 따라 다소 달라진다.

그림 3-19 발치 시 술자의 기본자세(선 자세).

그림 3-20 발치 시 술자의 기본자세(앉은 자세).

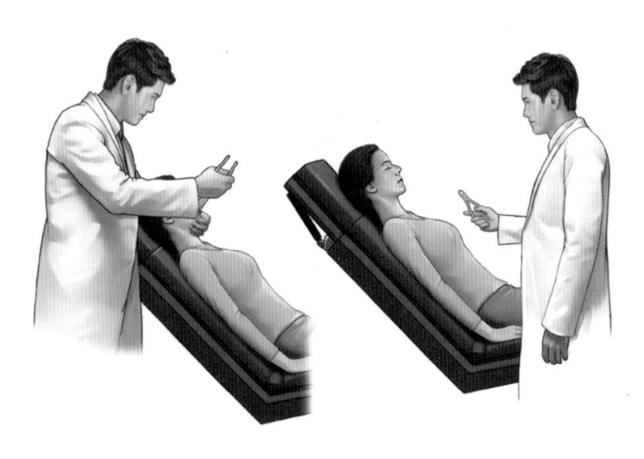

그림 3-21 발치 시 술자의 손의 위치.

■ **왼손의 위치:** 발치할 때마다 사용하는 발치겸자에 따라 오른손을 편리하게 사용할 수 있도록 왼손의 위치를 다르게 해야 한다.

- 하나의 손가락을 치아 위의 순측 혹은 협측 치조골에 위치시켜 치조골의 확장과 치조골 속 치아의 움직임을 감지할 수 있도록 하고 다른 손가락은 입술과 혀를 젖히는 데 사용한다.
- 세 번째 손가락이나 엄지손가락은 발치겸자를 환치부로 인도하고 치아가 갑자기 빠지는 경우 반대악 치아가 발치겸자에 의하여 손상받는 것을 방지하도록 한다.
- 하악 발치 시에는 오른손에 잡고 있는 발치겸자에 의하여 가해지는 힘과 같은 힘을 왼손을 이용하여 반대 방향으로 가함으로써 악관절의 손상과 동통이 야기되지 않도록 한다.

③ 술자의 머리자세

술자의 머리자세에 따라 시야의 폭과 시점이 결정되므로 머리자세는 매우 중요하지만 개인의 버릇이나 시력에 차이가 있기 때문에 규정하기는 어렵다. 그러나 목을 현저하게 전방으로 구부리는 자세나 머리를 옆으로 기울여 비스듬하게 환자를 보는 듯한 자세는 가능한 한 피하는 것이 좋다.

(2) 환자의 자세(그림 3-22)

환자의 등을 곧게 펴게 하여 편안히 의자에 앉히고 등판을 45° 눕힌다.

① 머리는 거북하지 않도록 쭉 펴게 하여 상체와 머리가 일직선이 되게 한다. 머리 받침대의 중심이 환자의 제1–2경추의 위치에 오도록 조절하면 환자의 두부를 확실하게 조절할 수 있다.

a. 환자가 개구하면 하악의 교합평면이 바닥과 수평이 되어 술자가 환자의 구강내 위치적 관계를 입체적으로 파악하기 쉽기 때문에 우발사고의 방지에 도움이 된다.

b. 머리 받침대가 머리를 지탱하고 있으므로 머리나 목의 과도한 긴장을 방지할 수 있다.

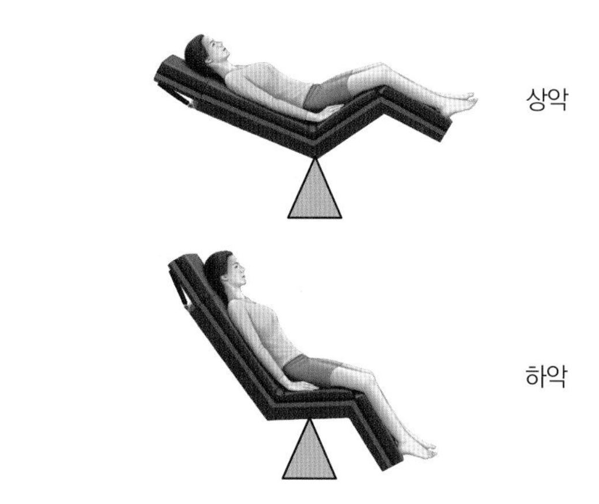

그림 3-22 발치 시 환자의 자세.

② 일반적으로 전신질환으로 인하여 위험도가 높은 환자에서는 수평위를 취하지만 다음의 환자들에서는 수평위에서 상체를 약 15° 일으킨 자세가 좋다.

a. 신경질적인 환자

b. 임신부, 고령자 및 폐기능에 문제가 있는 환자. 복부 장기에 의하여 폐 또는 심장이 압박을 받기 때문이다.

2. 겸자발치

겸자발치는 발치력을 치아에만 가할 수가 있으므로 발치에 수반하는 치주조직의 손상이 거의 없다. 또 발치력을 가하는 방향으로 치아가 탈구하여 발거되므로 발치운동의 방향이나 발치력을 조절하기 쉬운 이점이 있다.

따라서 겸자발치는 발치의 기본이 되어 있고 겸자로 파지할 수 있는 치아는 모두 겸자로 발거하는 것이 원칙이다. 겸자는 취부, 관절부 및 손잡이로 구성되어 있다(그림 3-23).

겸자발치는 치경부 섬유다발(환상인대)의 절단, 겸자 파지 및 겸자의 적합, 발치운동(협·설운동 및 회전운동)의 순서로 시행한다.

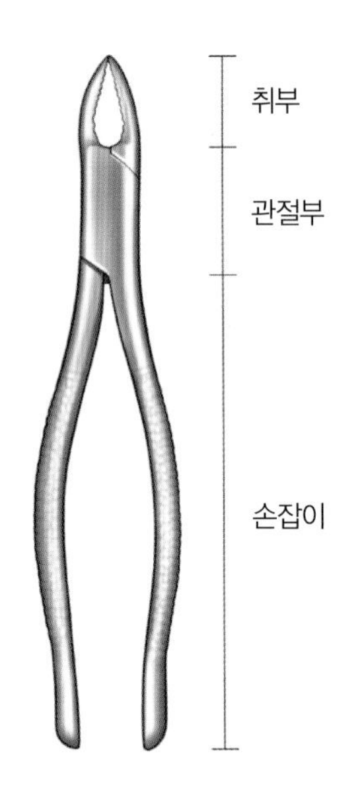

그림 3-23 발치겸자 각 부분의 명칭.

1) 겸자 파지법(그림 3-24, 25)

파지법은 겸자의 종류에 따라 다르며 바른그립(grip)과 역수그립으로 나눌 수 있다.

발치겸자는 손잡이의 끝 부위를 잡아야만 최대한의 힘을 얻는 기계적 이점을 얻을 수 있다.

(1) 바른그립

손바닥으로 겸자의 손잡이를 확실하게 감싼 후 겸자를 닫는 힘(치아를 파지하는 힘)을 검지, 중지 및 약지의 세 손가락으로 가하고 손잡이 사이에 들어간 새끼손가락 등으로 겸자를 벌린다. 엄지는 겸자관절의 후방에 위치시킨다. 엄지로 치아를 파지하는 힘을 미묘하게 조절한다.

(2) 역수그립

그립의 기본은 동일하지만 엄지를 손잡이의 후단 사이에 댄다.

2) 치경부 섬유다발(환상인대, Circular ligament)의 절단

치경부에는 시멘트질과 치은연이 강인한 치은시멘트질 섬유로 결합되어 있고 치간유두부에서는 중격횡단섬유다발이 치은 치간유두 및 인접치를 결합시키고 있으므로 발치를 시작할 때 우선 이 섬유다발을 절단한다.

① 확실하게 절단하지 않은 채 발치할 때의 문제점으로는 발치겸자의 정확한 적합이 불가능하므로 겸자가 미끄러지거나 치은연에 손상을 줄 수 있다. 또한 치은변연 조직이 찢어질 수 있다(특히 하악 제2, 3대구치의 설측점막은 상당히 얇기 때문에 찢어지는 것을 조심해야 한다).

② 절단기구로는 칼날(hooked scalpel No.12, 전치부에서는 No.11도 가능), 소파기, 탐침기(explorer) 등을 이용한다.

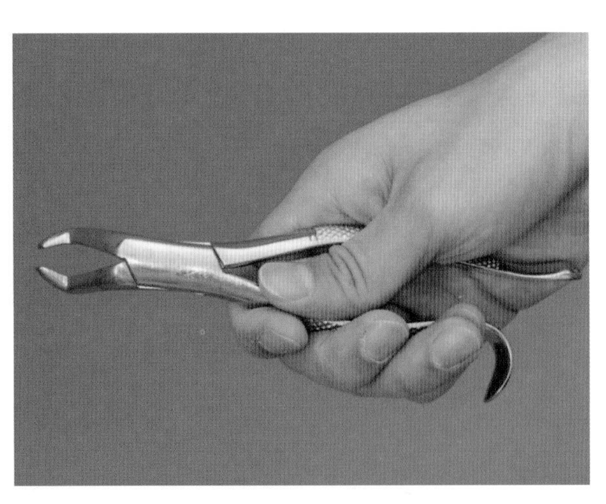

그림 3-24 겸자 파지법: 바른그립.

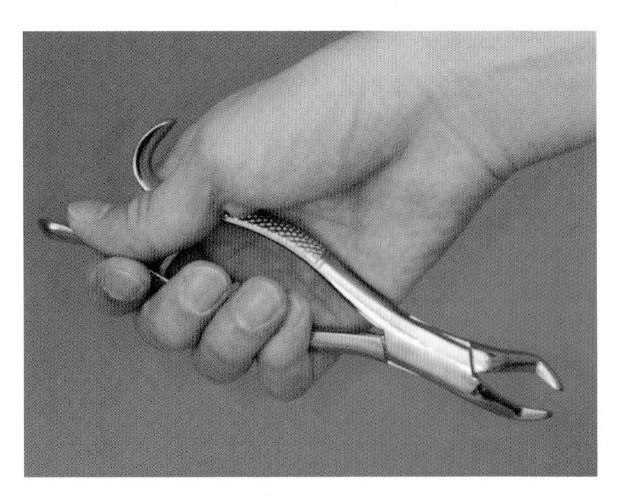

그림 3-25 겸자 파지법: 역수그립.

3) 겸자의 접합(그림 3-26)

① 가능한 한 환자의 눈을 피해 환자의 뒤에서부터 왼손의 엄지 또는 다른 손가락으로 가려서 구강내에 넣는다.

② 왼손 엄지와 검지로 겸자의 취부가 치은연과 치아 사이에 들어가도록 유도한다.

③ 겸자 취부의 선단을 치아의 최대 풍융부를 넘어 우선 설측에 접합시키고 그 다음에 협측에 접합시켜 깊게 밀어 넣는다.

④ 발치겸자의 장축은 치아의 장축과 평행해야 한다. 일치하지 않을 때는 치아에 적합한 겸자를 사용하지 못한 경우처럼 치아 파절의 원인이 된다.

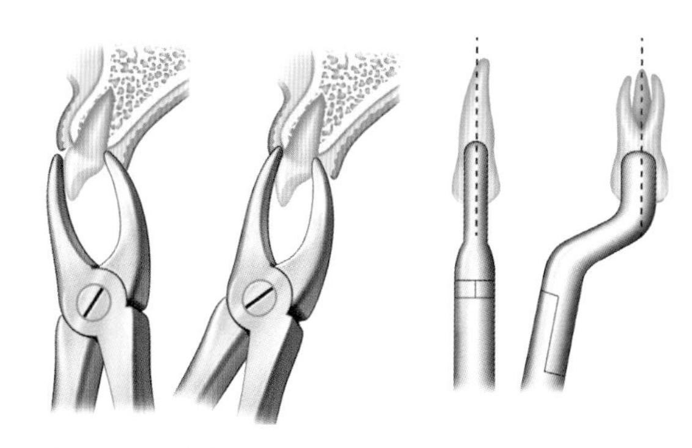

그림 3-26 겸자의 접합.

4) 발치운동(그림 3-27)

단순발치가 가능한 것은 치근보다 치조골 쪽이 잘 휘어지는 점과 치근막 간격이 존재하기 때문이며 발치술은 이를 최대한으로 이용하는 것이다. 즉 발치겸자를 기울일 때 응력이 집중되는 부분의 치근막섬유가 조금씩 절단되는 점을 이용하여 탈구시키고 발거하는 것이다.

발치운동은 주로 협·설방향의 동요운동이지만 단근치에서는 여기에 치축을 중심으로 한 회전운동을 병행할 수 있다.

발치 시 제1운동의 방향(힘을 가하는 첫 방향)을 선택할 때 고려되어야 하는 사항은 ① 치아 부위에 따른 식립양상, ② 치질의 붕괴상, ③ 치조골의 흡수, ④ 치근의 만곡상 등이다. 즉 제1운동의 방향은 환치를 겸자로 파지한 후 협(순)측이나 설측으로 겸자를 기울여 보아서 쉽게 움직이는 쪽이 된다.

발치운동은 어깨에서 팔의 전반부 전체에 힘을 모은 후 아주 천천히 행하는 것이다. 하악치아를 발거하는 경우에는 하악골을 고정시켜 두지 않으면 악관절의 손상을 초래할 수 있으므로 왼손으로 고정하여야 한다. 겸자발치 시의 왼손의 위치는 그림 3-28과 같다.

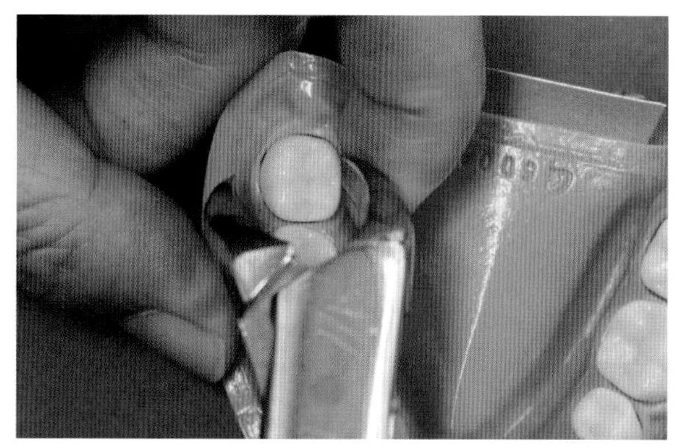

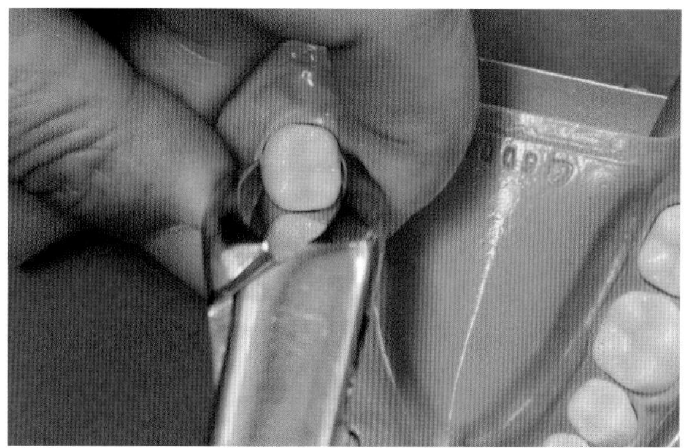

그림 3-27 하악 대구치 발치 시 발치겸자의 사용.

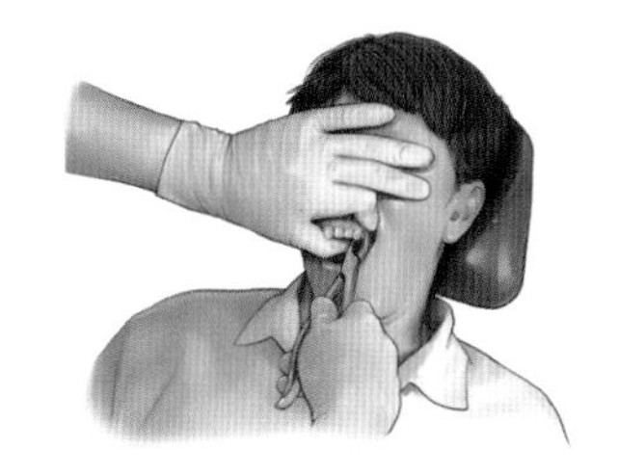

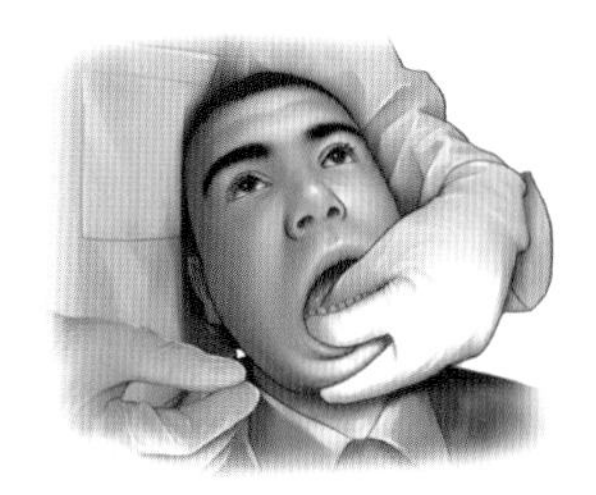

그림 3-28 겸자발치 시 왼손의 위치.

5) 발치운동의 실제

치아식립 양상에 의한 발치운동은 다음과 같다.

① **상악전치:** 순측 → 구개측 → 원심으로 회전 → 하방
측절치와 견치의 치근은 근원심으로 압편되어 있기 때문에 회전운동은 어느 정도 제한된다.

② **상악소구치:** 협측 → 구개측 → 협측 → 하방
회전운동은 이용할 수 없다. 제1소구치는 2근으로 분기하는 경우가 많고 근첨도 가늘기 때문에 탈구하는데 세심한 주의가 요구된다.

③ **상악대구치:** 협측 → 구개측 → 협측 → 구개측 → 협측 → 하방
상악소구치의 발거와 동일하게 발치운동은 오로지 협설측 방향이 되는데, 3근으로 분기하고 골내 식립이 좋아서 탈구에 가장 힘이 요구되는 치아이다. 골내 식립이 좋아서 겸자를 걸어도 꼼짝도 안 하는 경우나 치관파절이 예상되는 경우는 치관을 제거한 후 치근을 분할하여 발치하는 것이 좋다(그림 3-29).

④ **상악 제3대구치:** 맹출 방향이 다양하고 또 가장 안쪽에 위치하기 때문에 시야가 좁고 또한 크게 개구시키면 하악의 근돌기가 협측으로 내밀어지므로 겸자발치가 불가능한 경우가 많다. 따라서 발치기자 발거술이 요구되는 경우가 많다.

⑤ **하악전치:** 순측 → 설측 → 순측 → 상방
순설 방향으로 발치운동을 행한다. 마지막에 치조골을 골절시키지 않는 상방으로 발거해야 한다. 견치에는 회전력을 어느 정도 이용할 수 있다.

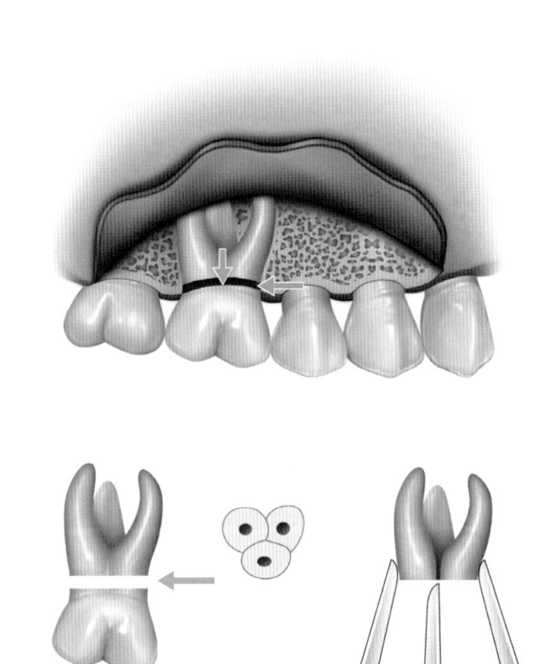

그림 3-29 상악대구치 치근 분할.

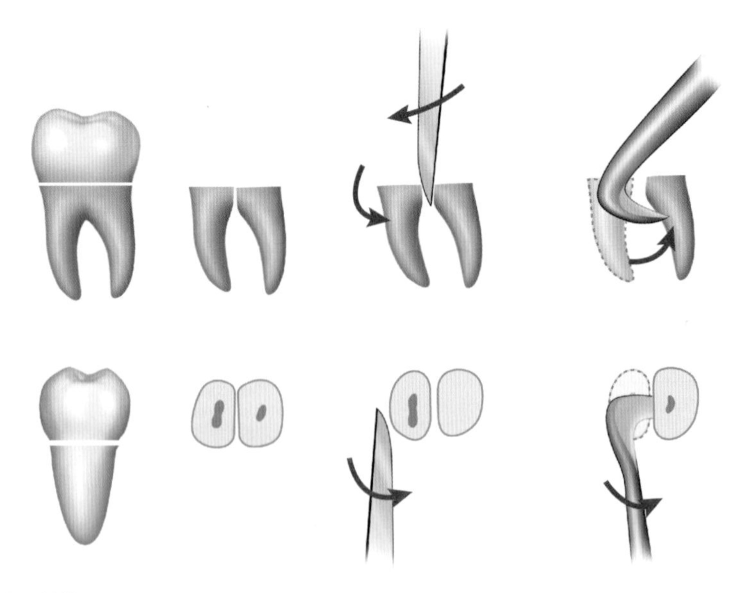

그림 3-30 하악대구치 치근 분할.

⑥ **하악소구치**

치조골은 두껍고 치밀해서 탄성이 부족하지만 치근의 형태가 원추형에 가까우므로 발치는 비교적 용이하며 협설방향의 운동보다는 주로 회전운동을 이용한다.

⑦ **하악대구치**

협설방향으로 서서히 힘을 가하여 주로 설측방향으로 발거한다. 치조골은 두텁고 치밀하며 치근도 2근으로 분기되어 있고 골질도 치밀하기 때문에 강한 발치력이 요구된다. 특히 제1대구치는 원심근이 2근으로 분기하는 경우도 있기 때문에 어렵다. 상악대구치와 마찬가지로 치관을 제거하고 치근을 분할한 후에 발거하는 것이 좋을 때도 있다(그림 3-30).

⑧ **하악지치**

파지가 가능한 경우는 협설방향의 발치운동으로 탈구 발거한다. 대부분 맹출이상이 있기 때문에 외과적 발치의 적응이 된다. 모든 하악치아 발거 시에는 반드시 반대측 손의 엄지를 발치겸자 관절부에 위치시켜 발거하는 치아가 정출될 때 상악치아가 발치겸자에 의하여 외상을 입는 것을 방지하여야 한다.

3. 발치기자 발치

치관이 붕괴되어 있거나 치근은 정상이어도 맹출 이상의 치아로서 겸자로 파지할 수 없는 치아를 발치할 경우 발치기자는 매우 유용하게 사용되는 발치기구이다. 그러나 발치기자는 발치력을 가할 때 어떤 경우에라도 지탱할 곳이 필요하기 때문에 치주조직(주로 치조골)이나 인접치아에 손상을 주는 경우가 있으므로 주의가 요구된다. 발치기자는 취부, 지주 및 손잡이로 구성되어 있다(그림 3-31).

1) 발치기자 파지법

발치기자의 손잡이를 손바닥의 생명선을 따라 놓고 엄지, 중지, 약지 및 소지의 네 손가락으로 확실히 잡고 검지는 똑바로 뻗어 손가락끝을 발치기자의 취부 조금 아래에 둔다. 이것은 발치기자를 검지가 연장된 것처럼 사용할 수 있기 때문에 발치운동을 미묘하게 조절할 수 있고 발치기자가 미끄러져 벗어났을 때의 사고를 방지할 수 있는 장점이 있다(그림 3-32).

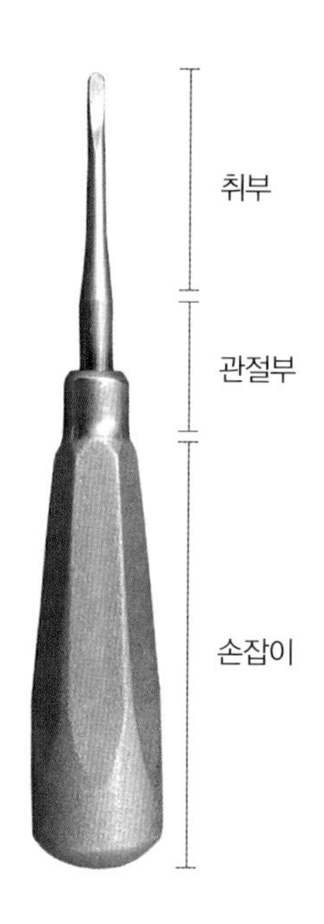

그림 3-31 발치기자 각 부분의 명칭.

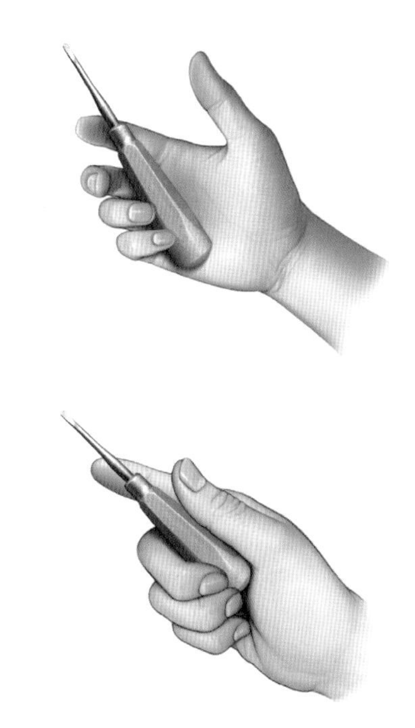

그림 3-32 발치기자 파지법.

2) 발치기자 사용 시의 환자보호(그림 3-33, 34)

시술 중에는 발치기자에 가해지는 몇 배의 힘이 치아나 악골에 작용하기 때문에 하악골 탈구를 방지하기 위하여 아래턱을 잘 잡아 주어야 하며, 부주의로 인하여 발치기자가 미끄러져서 발생할 수 있는 인접 연조직과 경조직 손상을 방지하는데도 세심한 주의가 필요하다.

① 가해지는 힘의 방향을 조심스럽게 지속적으로 조절하는 것이 중요하다.
② 수술하는 바로 인접 부위는 손가락으로 방어한다.
  a. 상악: 검지와 엄지로 시술 중인 치조골을 감싼다.
  b. 하악: 검지와 중지로 시술 중인 치조골을 감싸고 나머지 세 손가락으로 하악골을 잡아 악관절 탈구를 방지한다.

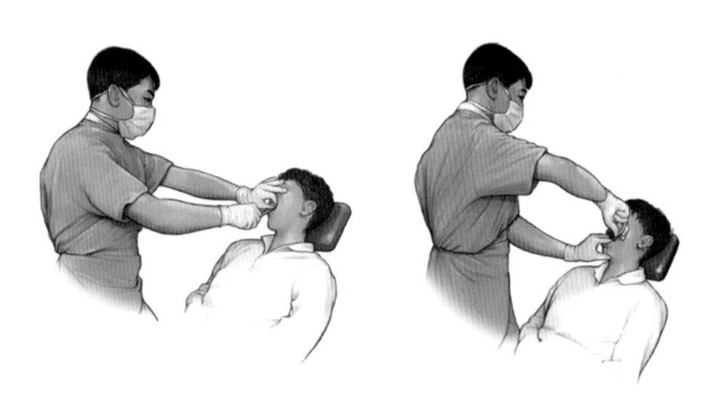

그림 3-33 발치기자 작용 시의 왼손의 위치.

3) 발치기자 삽입부의 확보

발치기자를 삽입하기에 앞서 치주환상인대의 절단이 선행된다. 치주환상인대의 절단에는 blade나 탐침기(explorer)를 이용하는 것이 좋다.

발치기자는 치근막 사이에 정확하게 삽입되어야만

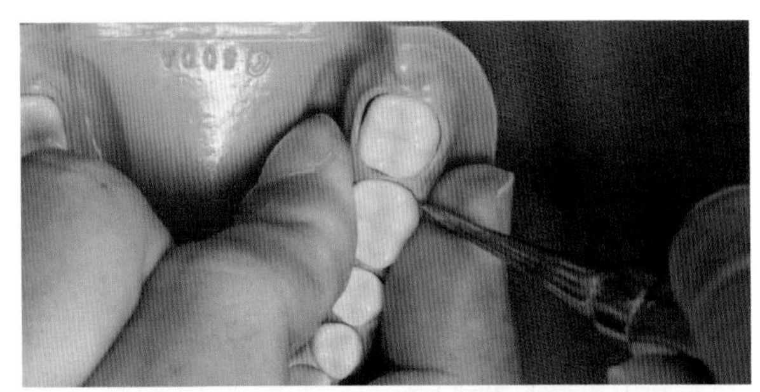

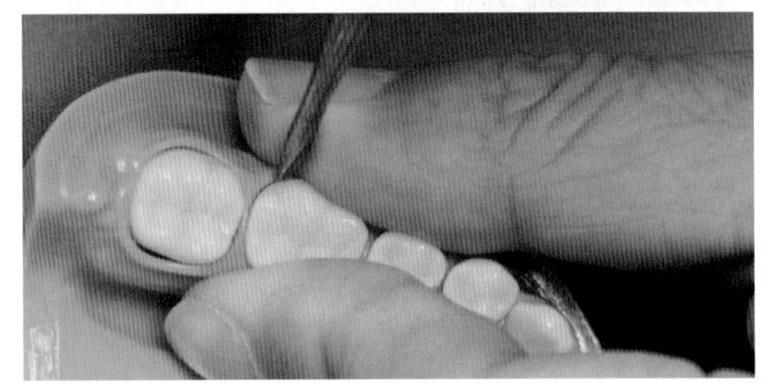

그림 3-34 하악 제1대구치 발치기자의 사용.

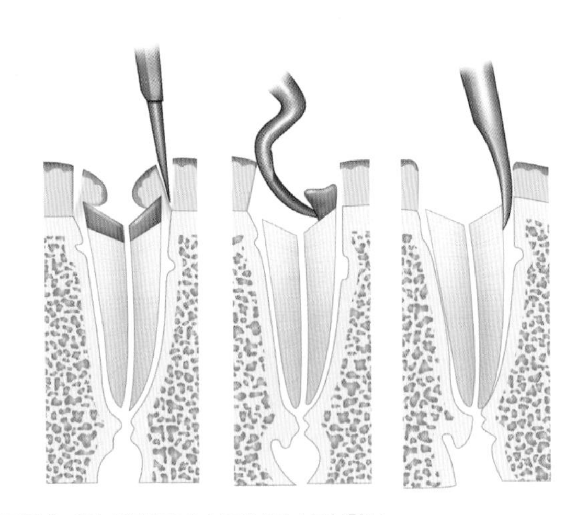

그림 3-35 발치기자 삽입부의 시야 확보.

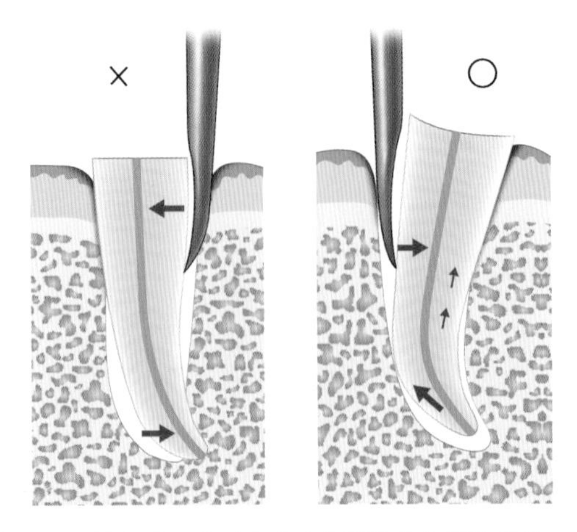

그림 3-36 원심 만곡된 치근에서의 발치기자 삽입 위치.

힘을 발휘하는 발치기구이다. 이때에도 발치기자의 blade는 항상 치근면 쪽에 붙어 있어야 한다. 치관이 붕괴된 잔근의 대부분은 치은 또는 육아조직으로 덮여 있고 치질은 치관을 중심으로 깔대기 모양으로 연화되어 있으므로, 발치 시에는 우선 치은이나 육아조직을 제거하거나 일부를 박리하여 치근면의 연화된 치질을 제거하고 치조골과 치근막 사이를 확인하여야 한다(그림 3-35).

통상 치근은 원심으로 경사져 있고 근만곡이 있는 경우도 원심측으로 향하고 있어 일반적으로 발치기자의 삽입부위는 협측에서는 근심협부(mesiobuccal region)가 된다. 그러나 치근의 식립 방향이나 치근만곡의 상태에 따라서는 원심협부가 선택될 수 있다(그림 3-36).

4) 발치기자의 삽입 위치

발치기자의 삽입 위치에 따라 발치력이 가해지는 방향과 주위조직에 가해지는 손상 여부가 달라지므로 삽입 위치의 결정은 매우 중요하며, 치근막 간격의 넓이, 치조골의 강도, 치근의 만곡 유무 및 그 방향, 인접치의 상태 등을 고려하여 결정한다.

발치기자를 삽입할 위치 선정 시 주의할 사항

❶ 상하악 견치의 순·협측 치조벽은 얇기 때문에 이곳에 발치기자를 삽입하면 치조와벽이 파절될 위험성이 많다. 그러나 하악지치 협측의 치조벽은 두텁고 충분한 강도가 있으므로 협측에 삽입하여도 상관없다.

❷ 하악에서는 절대로 설측에 발치기자를 삽입해서는 안 되지만 상악의 전치 및 소구치 발치 시에는 구개측에 발치기자를 삽입해도 관계없다.

5) 발치기자에 의한 발치운동

일반적으로 사용되고 있는 straight 발치기자에 의한 발치운동은 쐐기작용과 지렛대작용으로 구분할 수 있다. 그러나 발치기자에 의한 발치는 쐐기작용과 회전지레(윤축) 작용을 혼합하여 사용한다. 즉 치근막 사이에 조심스럽게 발치기자를 삽입하는 동시에 발치기자를 완만하게 회전시켜 치근막 사이를 확장하면서 조금씩 발치기자를 밀어넣고 회전시키는 것을 반복하면서 치아를 탈구시키는 것이다.

(1) 쐐기작용(wedge principle)

발치기자의 취부를 치근막 사이로 삽입하여 근첨방향으로 밀고 들어가면 치조골의 탄성으로 인하여 그 방향의 치근막 간격이 확대되어 치근막 섬유가 절단되어 탈구작용을 일으키게 된다. 이것은 겸자발치의 협(순)설 운동 때에 나타나는 현상과 거의 동일하다(그림 3-37).

(2) 지렛대작용(lever principle)

두 가지 타입이 있다. 취부의 폭과 손잡이의 직경이 지레의 원리와 같아서 그림 3-38과 같이 취부의 폭에 비하여 손잡이의 직경이 클수록 회전 torque는 커진다.

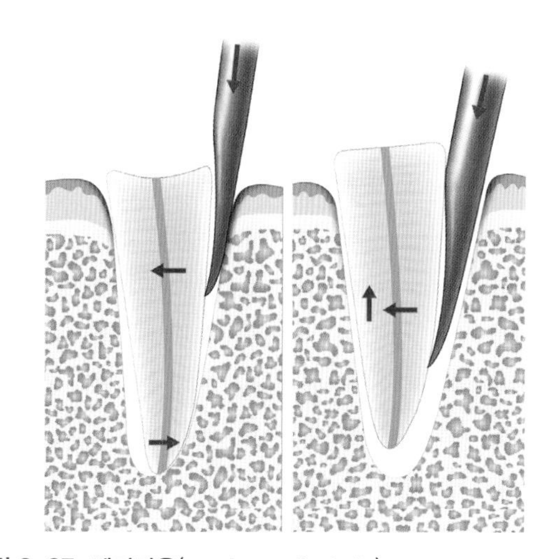

그림 3-37 쐐기작용(wedge principle).

그림 3-38 지렛대작용(lever principle).

다만 인접치를 기점으로 하는 지렛대운동을 치아의 탈구에 절대로 이용해서는 안 된다.

① 쐐기처럼 치근막 사이에 삽입한 발치기자의 취부를 미세하게 좌우로 회전시킴으로써 치근을 치조골 내에서 동요하게 하여 치근막섬유를 절단하는 것으로 주로 원추형 치근의 경우에 사용한다. 주로 치근막 사이를 확장하는 데 도움이 된다(lever principle)(그림 3-38).

② 지치 등 치열의 후방에 위치하는 치아가 근심으로 경사져 있는 경우 이것을 원심방향으로 일으켜 세워 탈구시키는 경우에 사용한다(wheel and axle principle)(그림 3-39).

4. 외과적 발치의 기본술기

발치겸자나 발치기자만으로 발거가 곤란한 치아나 치근 들은 점막골막 피판(mucoperiosteal flap)을 형성하여 발치의 장애가 되는 치조골을 삭제하는 외과적 발치를 해야 한다.

외과적 발치의 순서는 ① 점막골막 피판의 설계와 형성, ② 치조골의 삭제, ③ 치아의 분할 및 발치, ④ 창상의 봉합으로 나눌 수 있으나 상호 관련된 일련의 순서이므로 어느 것도 소홀히 할 수는 없다.

1) 점막골막 피판의 설계와 형성

(1) 외과적 피판의 적응증

① 비관혈적 시술방법이 실패하였을 경우

잔존 치근을 통법으로 제거할 수 없는 경우 및 치밀골로 싸여 있어서 발거가 어려운 치아는 외과적 피판을 만들면 발치기자나 겸자의 적용이 가능해진다.

② 처음부터 외과적 피판을 형성하여 시행하는 것이 좋은 경우

a. 심한 우식증이나 큰 충전물로 치관부위가 파절될 가능성이 높은 경우나 치관이 없는 경우

b. 근관치료를 오래전에 시행하여 골유착이 의심되는 경우

c. 치근이 넓게 이개되어 있거나 만곡된 경우 또는

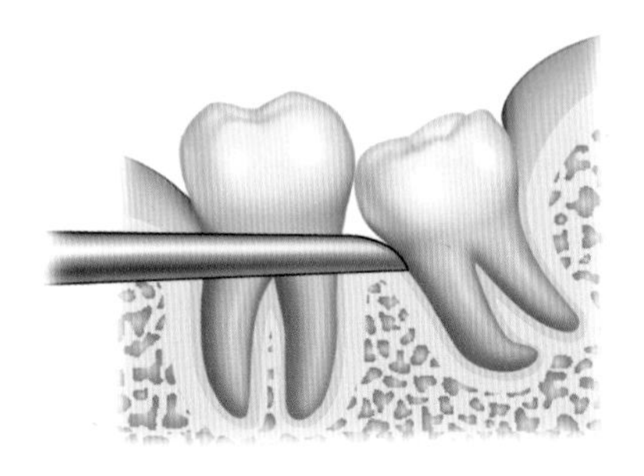

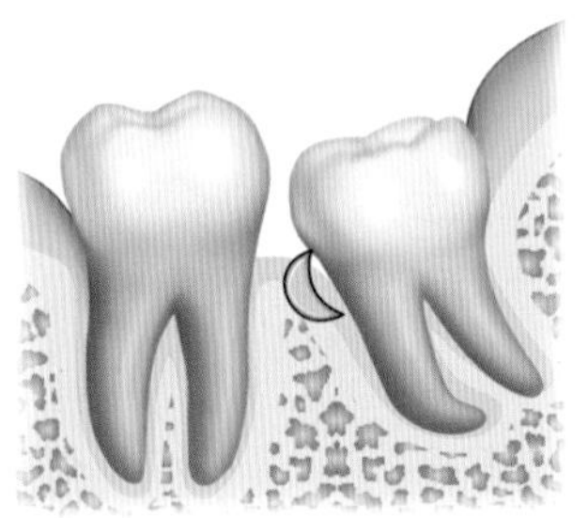

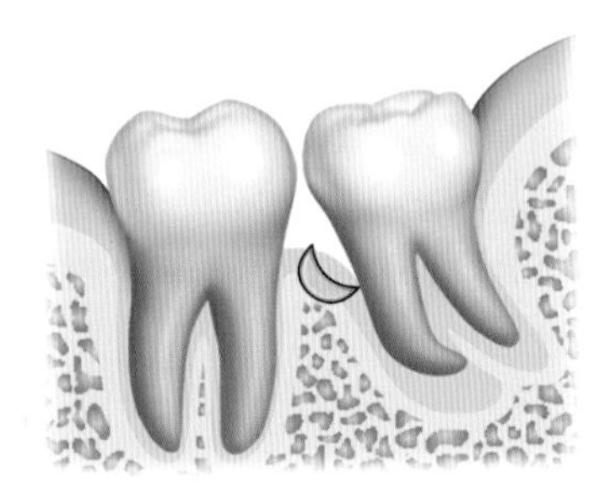

그림 3-39 윤축작용(wheel and axle principle).

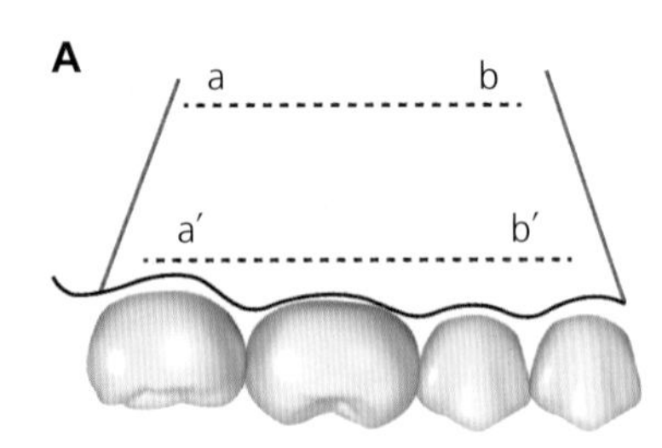

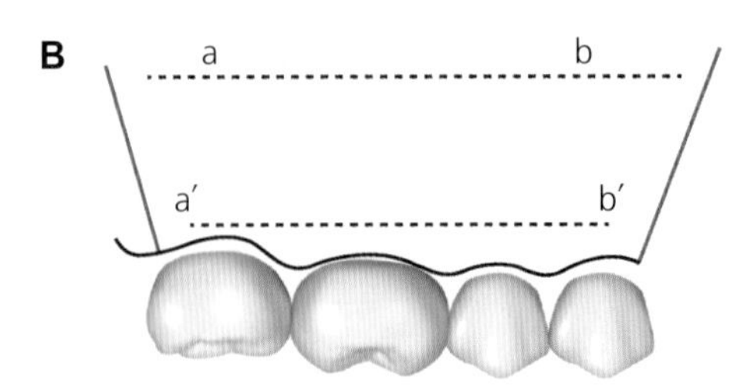

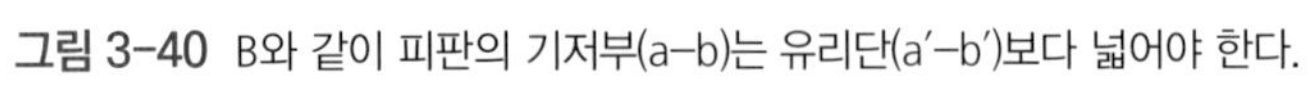

그림 3-40 B와 같이 피판의 기저부(a–b)는 유리단(a′–b′)보다 넓어야 한다.

백악질 과형성으로 증식된 경우
d. 상방의 골이 증식되어 있거나 치밀한 경우
e. 치근막이 위축되었거나 결손된 경우
f. 작은 발치와를 통하여 제거할 수 없는 커다란 병소가 있는 경우
g. 매복치아의 경우

(2) 외과적 피판 설계의 원칙

① 피판에 혈액의 공급이 잘 될 수 있도록 피판의 기저부는 유리단보다 넓어야 한다(그림 3-40).
② 피판은 점막, 점막하조직과 골막 등 골을 덮고 있는 모든 조직이 포함되어야 한다.
③ 피판 변연부에 손상을 주지 않고 골의 제거를 위한 적절한 시야와 공간을 얻을 수 있도록 피판은 충분히 크게 형성하여야 한다.
④ 절개는 항상 제거되지 않는 골질 위에 설정하여 절개 부위의 봉합 시에 봉합부가 하부의 건전한 골에 의하여 지지를 받도록 설계한다.

(3) 피판의 종류(그림 3-41)

① Neumann법(치은구를 따른 횡절개와 근·원심 2개의 수직절개선을 가진 피판)

사다리꼴의 점막골막 피판이 형성된다. 치조연의 골 제거가 필요한 경우나 모든 매복치 발치에 응용할 수 있다. 골막박리 면적이 넓어지고 또한 봉합이 부정확할 경우에는 술후에 치은연의 퇴축을 초래하는 단점이 있다. 편측만의 수직절개를 사용할 수도 있다.

② Partsch법(치은협이행부에 중심을 두는 반원형의 점막골막 피판)

골막박리 면적이 적고 술후에 치은연이 퇴축하지 않지만, 치은연 가까운 부위에 있는 매복치나 치조연의 골삭제를 요하는 경우에는 이용하지 않는다.

(4) 점막골막 피판의 형성

피판에 부수적인 손상이 생기지 않도록 주의하여야 한다. 메스를 가한 부위가 골면에 직각이 되도록 하고 표면에서 골막까지 한 번에 절개함이 원칙이며 메스가 비스듬하면 얇은 쪽 표피의 혈액순환이 나빠져서 창상이 폐쇄되지 않거나 점막의 위축이 일어난다. 만약 골막이 완전히 절단되지 않으면 박리 시에 골막이 찢어져 치유가 불량해진다.

치은조직과 안면표정근 부착부의 골막박리 시에는 세심한 주의가 요구된다. 골막이 찢어지거나 골면에 잔존하면 피판의 영양공급이 나빠져서 술후의 반응성 염증도 심하고 골아세포의 재생도 나빠진다.

치조연부에는 치은부 골막과 치조골이 단단히 결합되어 있기 때문에 점막골막 박리 시에 치은 열상이 생기지 않도록 조심하여야 한다.

2) 치조골의 제거

골끌(bone chisel)이나 외과용 버(bur)를 사용한다.

(1) 골끌을 이용한 치조골 제거

골끌을 엄지, 검지, 중지 및 약지로 확실하게 파지하고 새끼손가락은 손의 고정에 이용한다. 골끌로 골

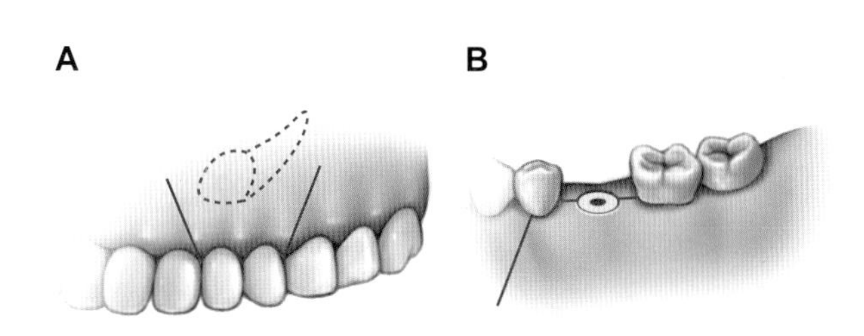

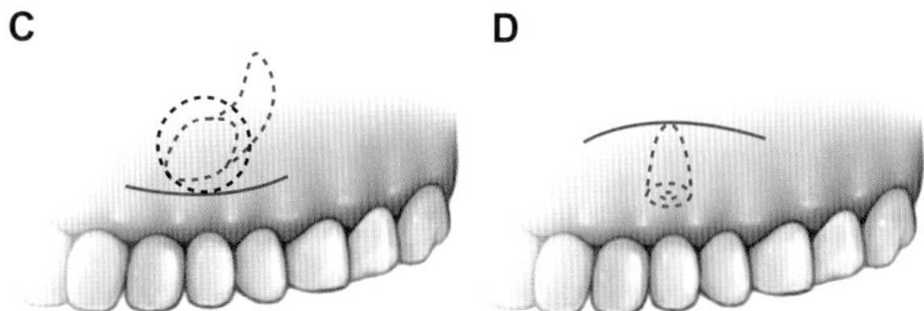

그림 3-41 피판의 기본형. A, B: Neumann법 C, D: Partsch법.

삭제를 하고자 하는 골면에 상처를 만들어 골끌이 미끄러져 벗어나지 않도록 한 후 본격적으로 망치질(mallet)을 한다. 망치질은 골끌의 머리에 닿는 순간 정지하여야 한다. 즉 절대로 박아 넣어서는 안 된다. 술자가 미숙하거나 공포심이 강한 환자의 경우에는 외과용 버를 사용하는 것이 좋다.

(2) 외과용 버를 이용한 치조골 제거

불안해하는 환자에게는 골끌과 망치보다는 핸드피스 사용이 훨씬 친숙하게 느껴질 수 있다. 골끌을 사용함으로써 생기는 물리적인 타격을 없앨 수 있고, 망치질을 해야 하는 여분의 보조자가 필요없게 된다. 핸드피스를 사용하는 경우 버에 의하여 발생되는 열을 감소시키기 위해 시술부위에 소독된 차가운 생리식염수를 뿌려주게 되는데 이는 시술시야를 좋게 하는 이점도 있다. 매복치 주위 치조골에 깊게 홈을 파서 기구의 지렛대작용에 효율성을 줄 수 있다.

주의해야 할 점

❶ 핸드피스와 버를 완전히 소독해서 사용해야 한다. 시술부위가 근막간극과 연결되어 있는 경우에는 감염 시 심각한 합병증을 유발할 수 있다.

❷ 시술 중이나 후에 그 부위를 반드시 멸균생리식염수로 충분히 세척하여야 한다. 버 사용으로 고열이 발생하여 골괴사가 유발될 수 있으며, 삭제된 골파편은 이물질로서 염증성 반응을 일으킬 수 있기 때문이다. 단순한 멸균수를 사용하면 세포내액과 삼투압차가 크기 때문에 창상에 접한 세포가 장애를 입어 치유가 늦어지기 때문에 멸균생리식염수를 사용하는 것이 좋다.

3) 치아의 분할 및 발치

골끌의 사용 시에는 골끌의 각도 결정이 중요하다. 하악 지치나 상악구치에서 설측방향이나 상악동 방향으로 골끌을 향하게 하면 치조골 골편이나 치아가 들어가 버릴 우려가 있다. 버를 사용할 때는 하악의 수평매복지치 바로 밑에 하악관이 존재하는 경우 하치조신경혈관다발을 손상시킬 우려가 있다.

4) 병적조직의 제거

질병의 원인을 야기한 치아를 발거한 후에는 치근주위에 남아있는 병적인 조직(농양, 육아종, 낭종 등)을 소파술(curettage)로서 제거한다.

5) 창상의 봉합(그림 3-42)

수술의 마지막 과정으로 봉합의 원칙을 준수해야 좋은 결과를 얻을 수 있다.

■ 봉합의 원칙은 다음과 같다.

① 원칙적으로 바늘은 가동조직에서 고정조직으로 통과한다.

② 부착치은부에서 봉합을 용이하게 하기 위하여 반대측 치은의 골막 박리가 필요한 경우가 많다.

③ 바늘이 통과하는 위치는 창연에서 2−3 mm, 봉합 간격은 4−5 mm 정도가 적당하다.

④ 조직의 긴장이 심하거나 어쩔 수 없이 골결손 부위에서 봉합하는 경우에는 수직 또는 수평매트리스(mattress)봉합을 하면 창면의 접촉면적이 넓어지고 동시에 상피가 말려 들어가는 것을 방지할 수 있다.

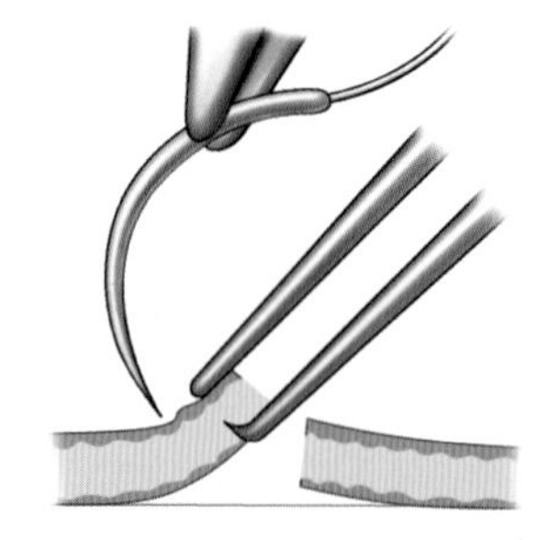
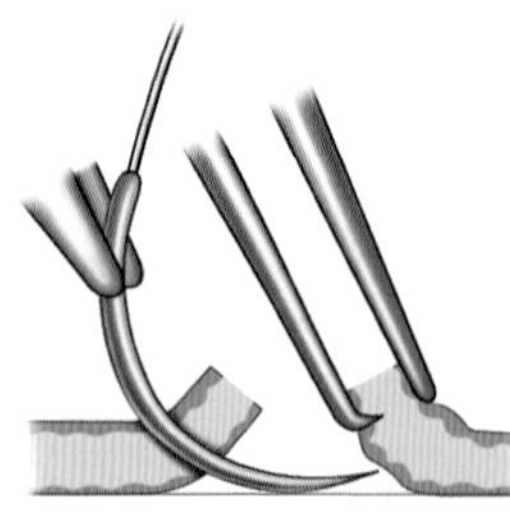
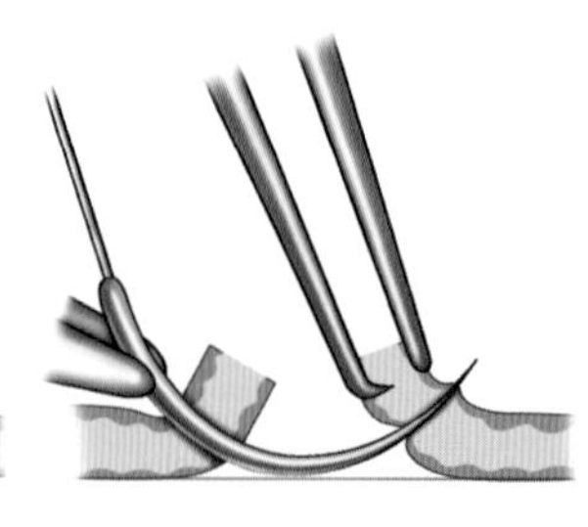
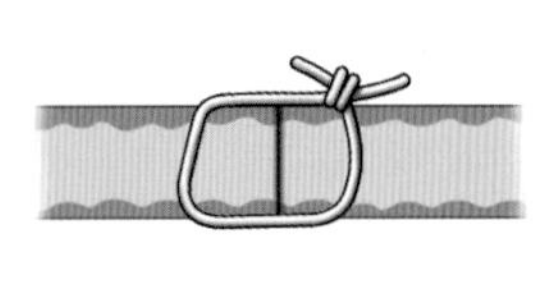

그림 3-42 **창상의 봉합과정.** 발치창 봉합의 경우 점막골막피판을 모두 포함시켜 eversion되게 봉합하여 지혈과 치유를 돕는다.

⑤ 실매듭은 느슨하지도 않고 너무 당기지도 않아서 피판이 확실하게 밀착되는 정도가 좋다.
⑥ 창상연에 봉합선이 eversion이 되도록 봉합해야 후에 창상수축이 일어나도 창연의 함몰을 예방할 수 있다.

5. 난발치(매복치 제외)

치아의 형태 또는 식립상태 이상 등으로 인하여 정상적인 발치기자나 겸자발치법으로 발치를 못하는 경우, 점막골막 피판의 박리, 골삭제, 치아의 분할 등의 기술을 필요로 하는 발치를 일반적으로 난발치라고 한다.

매복치 발치야말로 난발치이지만 내용 정리상 여기에서는 제외해 기술한다.

- 대상: 치근막 위축, 치근과 치조골의 골성유착, 치근만곡이나 치근첨 비대가 있는 치아 등

1) 치근막 위축이 있는 치아

(1) 난발치의 원인

치근막 간격이 좁은 대부분의 치아들은 치조골의 경화 또는 치밀화 때문에 발치겸자나 발치기자의 역할이 원래의 기전대로 유효하게 작용하지 못한다.

(2) 발치계획 및 발치기술

수술적으로 치아의 탈구운동이 가능한 공간을 만들도록 계획한다. 치조골을 제거하는 방법과 치근의 일부를 제거하는 방법 등이 있다.

① 치조골을 제거하는 방법

통상적으로 순·협측의 치조골벽을 제거한다. 제거량은 치근막 위축의 정도, 치근의 길이, 치근의 형태에 따라 달라진다(그림 3-43).

a. 치근막 위축이 심하지 않는 경우: 발치기자를 삽입하기 위한 공간을 만드는 것으로 충분하다.
b. 위축이 심하여 유착에 가까운 경우: 치근 길이의

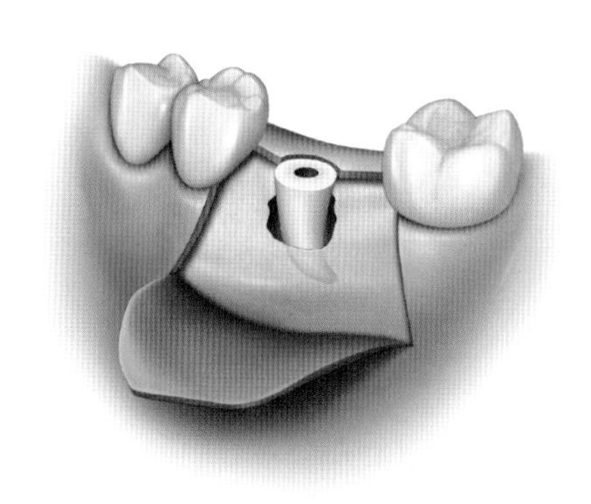

그림 3-43 치조골을 삭제하고 발치기자 삽입부를 확보하는 법.

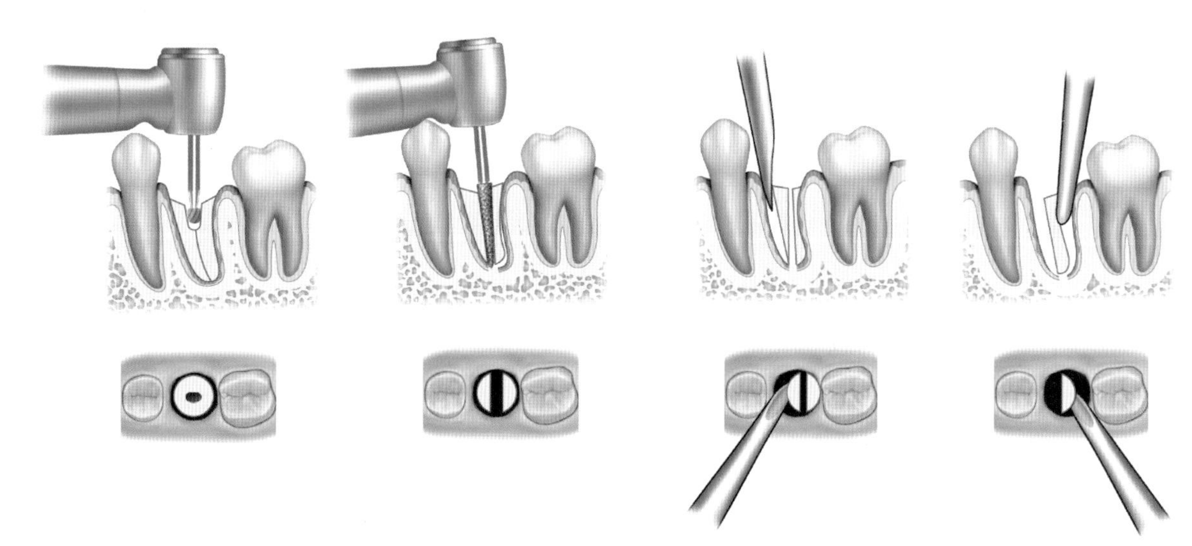

그림 3-44 치근의 일부를 협설 수직방향으로 분할하고 발치하는 법.

반 이상의 깊이까지 협측치조골을 제거한다.

c. 골제거에는 골끌이나 버를 사용한다.

② **치근의 일부를 분할하는 방법**

발치 후에 치조정 높이 감소가 우려되는 경우나 치조벽이 두꺼워서 다량의 골삭제를 해야만 하는 경우에는 치근을 분할하여 치근을 치조벽에서 탈구시킬 수 있는 공간을 만든다. 치근을 협설 혹은 근원심 수직 방향으로 분리하여 각각 발거하는 방법이다(그림 3-44).

2) 치근과 치조골의 유착 치아

유착이라고 하여도 거의가 섬유성이며 치근과 치조골이 구별되지 않는 골성유착은 매우 드물다. 유착이 있는 치아들은 치조벽이 현저하게 치밀화되어 있는 것이 보통이므로 발치 후 개방창으로 두면 치조골염(dry socket)이 되는 경우가 많기 때문에 발치와를 봉합하는 것이 좋다.

① **섬유성 유착의 경우**

치근막 위축의 경우처럼 치조골벽을 제거하는 방법과 치근을 분할하는 방법을 병행하여 발치한다.

② **골성 유착의 경우**

치질을 삭제한 후 경화된 치조골의 출혈이 확인되는 부분까지 제거하고 피판을 덮어 봉합한다. 감염의 우려가 크면 드레인(drain)을 삽입한다.

3) 치근만곡 치아

치근만곡이 심하지 않은 경우에는 발치력을 가하는 방향만 틀리지 않으면 발치는 용이하다. 낚시바늘 모양으로 만곡이 심한 경우 원심측 치근이 만곡된 경우에는 원심측의 치조골을 제거하여 발치를 용이하게 할 수 있다(그림 3-45).

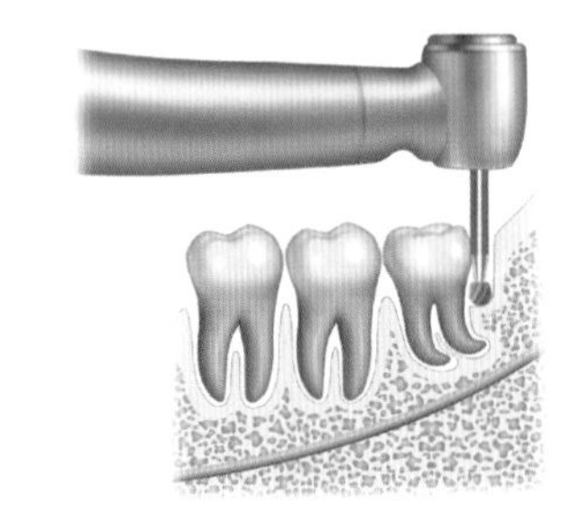

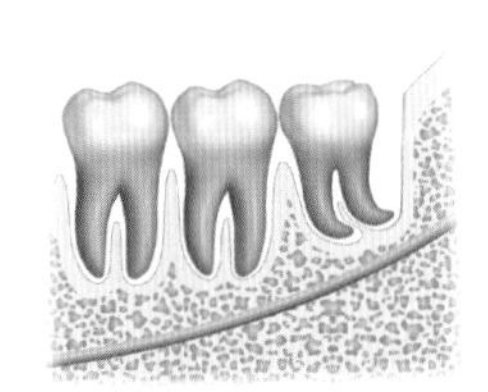

그림 3-45 원심측 만곡치근이 있는 경우 발치를 위해 상방 치조골을 삭제하는 모습.

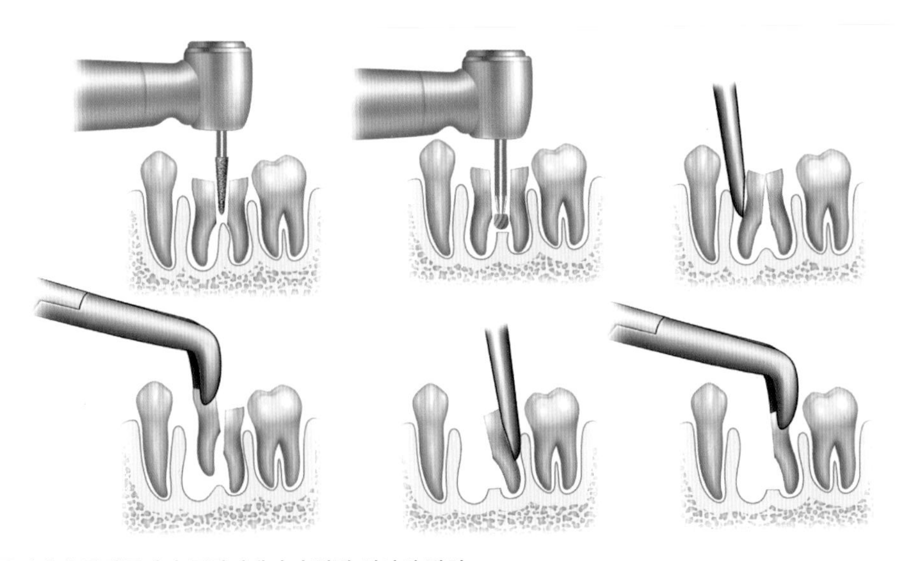

그림 3-46 치근이개에 근만곡이나 근단비대가 수반된 치아의 발치.

4) 치근첨 비대 치아

치근첨 비대가 난발치의 원인이 되는 것은 근첨부에 undercut이 있고 치근막 위축이 수반되는 경우가 많기 때문이다. 발치계획 및 발치기술 적용 시는 근단부의 undercut이 발치 시에 저항이 되지 않도록 하는 것이 중요한데 그 방법은 다음과 같다.

① 치조와벽을 제거하는 방법

치근이 짧은 경우에 적용하며 근단부까지 치조와벽을 제거하고 undercut을 없앤다.

② 치근첨 비대부에 해당되는 치조와벽을 개방하는 방법

치근이 긴 경우나 치조정의 저항을 피하고자 하는 경우에 사용한다. 치근의 분할 후 undercut 부분을 제거하고 잔존치근을 발치한다.

③ 치근을 삭제하는 방법

근단부의 undercut이 심하지 않은 경우에는 치근막 위축 시와 동일하게 치질만 삭제하여 발치할 수도 있다.

5) 치근이개 치아

치근을 각각 단독으로 분리하면 외과적 발치술을 이용하지 않아도 간단하게 발치할 수 있다. 치근이개에 만곡이나 근단비대가 수반되어 있는 경우에는 근간중격을 삭제하면 용이하게 발치할 수 있다(그림 3-46).

6) 압편된 치근 치아

하악 제1대구치의 근심근은 종종 근원심적으로 강하게 압편되어 치근의 단면이 평탄형으로 된 경우가 많다. 치근을 세로로 분할하거나 근간중격을 삭제하면 쉽게 발치할 수 있다(그림 3-47).

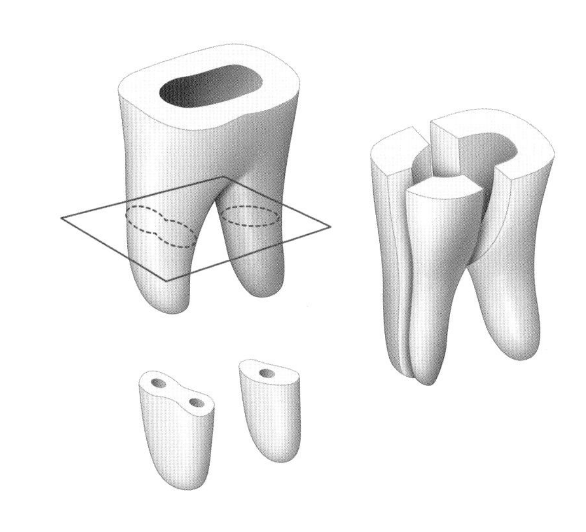

그림 3-47 압편된 치근의 분할.

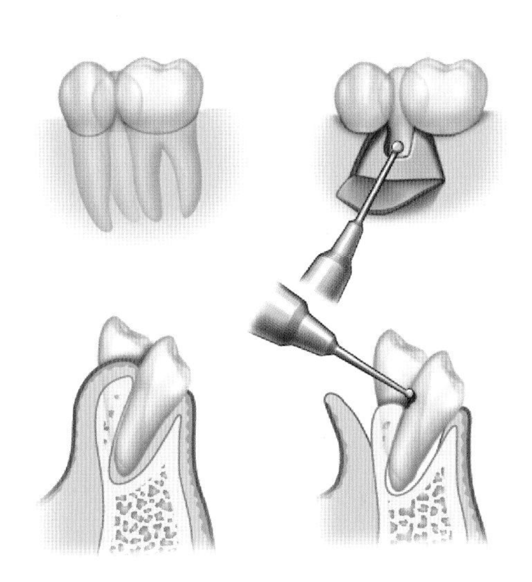

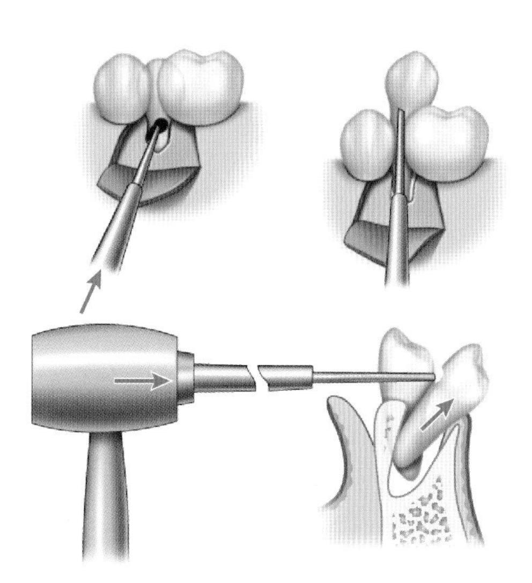

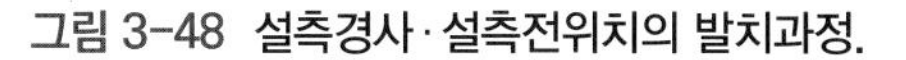

그림 3-48 설측경사·설측전위치의 발치과정.

7) 설측경사 · 설측전위치 치아

설측으로 경사되거나 전위되어 있어서 겸자나 발치기자를 바르게 적합할 수 없는 치아의 발치는 난발치이므로 유의해야 한다. 특히 하악 제2소구치에 많으며 매복된 경우에는 설측 골삭제만 하면 동일한 방법으로 시행될 수 있다.

■ 발치의 실제(하악 제2소구치의 경우)(그림 3-48)

① 치주환상인대를 절단한 후 인접치 협측의 치간유두 및 치은연을 박리한다(피판 형성).

② 인접치 사이에 제2소구치 치경부 협측으로 얕은 스텝을 만든다.

③ 발치기자를 정확히 스텝형성부에 밀착시키고 발치기자의 원리를 적용시킨다.

④ 통상적인 발치기자의 적용법으로 발치가 되지 않으면, 발치기자를 망치(mallet)로 가볍게 쳐서 치아를 탈구시키고 발치한다.

⑤ 발치 후에 협측치은과 설측치은을 봉합 고정한다.

8) 치조골 내에 남은 부러진 잔근

감염근관 혹은 근첨병소가 있는 경우는 반드시 발거하여야 하지만 생활치였던 지치나 전위치의 근첨은 방치하여도 골에 둘러싸여 버리므로 아무런 장애가 없는 경우도 있다.

■ 발거의 원칙은 다음과 같다(자세한 것은 잔근제거술 참조).

① 발치와를 충분히 지혈하고 치경(dental mirror)을 사용하여 치근 파편을 확인하고 탐침(explorer)을 근관공에 삽입하여 흔들어본다. 겸자나 발치기자에 의하여 탈구운동이 어느 정도 정확하게 실행되었다면 파절된 치근첨도 탈구되어 있을 경우가 많다. 이와 같은 경우 탐침만으로 용이하게 발거될 수 있다.

② 비스듬하게 파절된 경우 치조연에서 가까운 쪽의 치근막 강에 root picker를 삽입하면 쉽게 파절근첨을 탈구시킬 수가 있다(그림 3-49).

③ 상악 구치부 특히 제1대구치의 근첨이 상악동 내로 들어갈 수 있는 위험과 하악대구치 특히 지치의 근첨이 하악관이나 구강저로 들어갈 수 있으므로 조심하여야 한다. 근간중격을 삭제하고 잔존치근의 상태를 육안으로 확인한 후 root picker를 삽입하는 것이 좋다(그림 3-50).

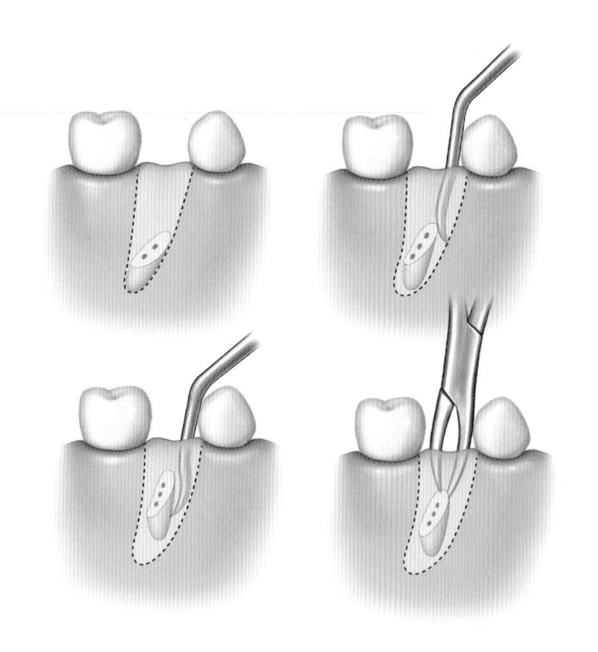

그림 3-49 비스듬하게 파절된 치근을 탈구시키고 발치하는 모습.

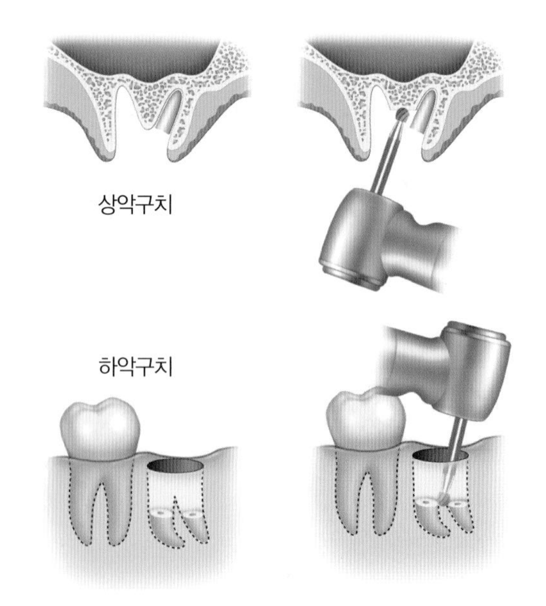

그림 3-50 구치부 잔존치근을 제거하기 위해 치근간 중격골을 삭제해 발치를 용이하게 하는 모습.

(1) 해부학적 치경부에서 치아가 파절된 경우

해부학적으로 맞는 겸자로 잡아 발거할 수 있다. 작고 예리한 소파기로 협측이나 순측 치은을 박리하여 치조골에서 지렛점을 얻어 발거할 수 있다. 즉 발치겸자의 협측 취부가 연조직 하방 협측 치조골에 놓이게 된다. 치근을 잡고 있는 예리한 발치겸자에 하방으로 힘을 주면 치주인대가 절단되면서 치근이 빠져 나오게 된다.

(2) 치근파절이 치조연 직하방에서 일어난 경우

특히 상악에서는 직선형 발치기자를 사용한다. 기구를 치아 장축에 나란히 위치시키고 치근의 구개면을 따라 올라가 작용시키되 필요하다면 지렛점이 구개측에 위치하도록 한다. 다른 방법으로 치아장축에 직각이 되게 협측에서 들어가서 치간 치조골을 지렛점으로 사용하는 방법도 있다.

(3) 치근파절이 치조와 1/2 이상으로 깊은 경우

치근용 발치기자(root elevator)를 사용한다. 치근용 발치기자는 미세한 기구이므로 쉽게 파절될 수 있어 조심하여야 한다. 치근첨 자체에 압력이 가해질 경우 이것이 상악동이나 하악관 또는 연조직 내로 들어갈 수 있으므로 세심한 주의가 요구되는데, 가장 중요한 것은 적절한 시야의 확보이다.

시야가 확보되면 치근용 발치기자 등의 기구를 치조와벽과 치근의 최상연(치조와연에서 가장 가까운 치근의 측면) 사이에 놓고 치근을 반대편으로 기울인다. 치근면의 경사된 상태는 치아의 파절면을 관찰함으로써 알 수 있다. 발치와 벽을 조금 삭제하여 지렛점을 좋게 하는 것도 치근단의 방향으로 압력을 받는 것을 피할 수 있는 좋은 방법이다.

(4) 관혈적 술식(open method)

치조와벽이 단단하거나, 치근첨의 만곡이 심하거나, 접근하기가 어렵거나 시야 확보가 어려워서 비관혈적 술식으로 힘든 경우에 많은 시간을 소비하기 전에 외과적 피판을 형성한다. 통상의 피판형성은 협측에 시행한다. 순측 혹은 협측골을 외과용 골끌, 버 혹은 골겸자(bone rongeur)로 제거하고 치근을 노출시켜 발치한다.

(5) 시야확보를 위한 방법

① 출혈 때문에 시야가 불확실한 경우는 치조와 내에서 거즈로 수분간 압박하거나 1:1000 에피네프린을 거즈에 적셔 사용할 수도 있다.

② 조명, 술자와 환자 사이의 위치관계, 혀와 협부의 견인 및 건조 등이 함께 조화를 이루어야 한다.

(6) 잔근 제거의 실제

① 상악 제3대구치

치경을 사용함으로써 간접적으로 좋은 시야와 접근이 허용된다. 이때 술자는 환자의 후방에 위치한다. 흔히 협측 치근은 만곡되어 있어서 상당한 동요를 주어야 할 필요가 있다. 구개측 치근은 단단한 치조와 벽에 둘러싸여 있고 치근이 상악동에 근접하여 있으므로 치근에 직접적인 힘을 주어서는 안 된다. 치조와벽과 치근 사이의 공간은 치조와벽을 확장하여 확보하는 것이 좋다.

② 상악 제1소구치

치근이 작고 가늘다. 협측 치근은 쉽게 얇은 협측 치조골을 뚫고 골막과 치조골 사이로 밀려들어갈 수 있으므로 손가락을 협측면에 대고 이를 감지하면서 방지하도록 한다. 구개측 치근은 치근간 치조골을 확장하여 발거한다.

③ 하악대구치

치관이 치조연 하방에서 파절되고 두 개의 치근이 아직 연결되어 있는 경우 치근을 분리하여 발거하는 것이 유리하다. 치근의 분리는 외과용 골끌, 버 혹은 발치기자 등을 이용할 수 있다(그림 3-51).

a. 첫 번째 치근: 발치기자를 보다 짧은 치근위에 올려놓고 이를 지렛점으로 이용하여 발거하거나 치간 치조골에서 지렛점을 얻어 발거한다. 원심

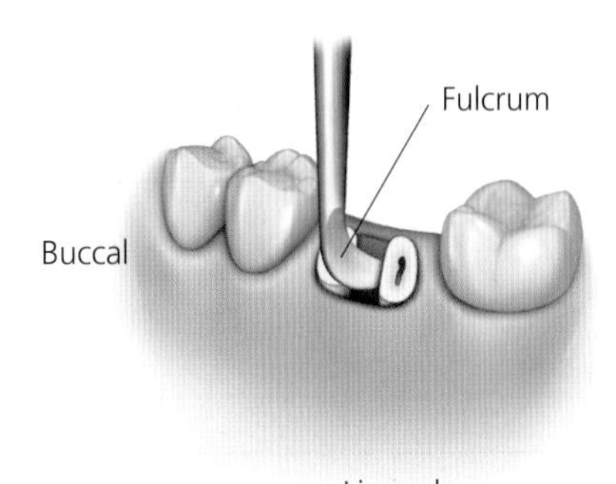

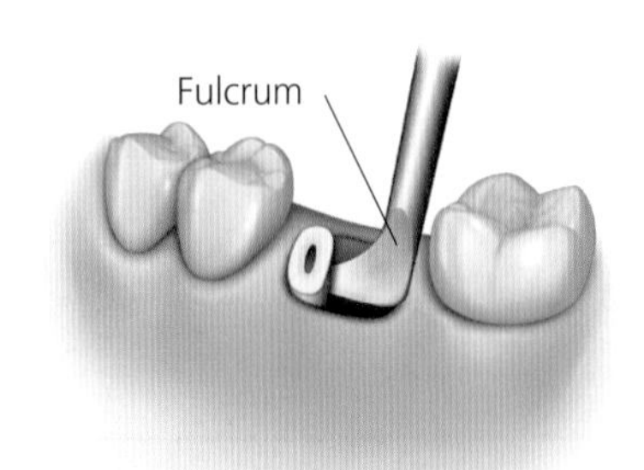

그림 3-51 하악대구치 치근의 발치.

근을 먼저 발거하는 것이 좋다.

b. 두 번째 치근: 발치기자로 치간부에 지렛점을 높이 잡아 제거하거나 긴 Winter 발치기자를 비어 있는 치조와 속으로 깊이 넣어 제거한다.

(7) 잔근 제거 시 고려할 사항

① 악골 내에 잔존치근이 있을 때는 감염가능성이 있는지 고려해야 한다.

② 잔존치근과 골경화증의 방사선학적 감별진단이 문제가 된다. 골경화증은 확진이 가능하면 제거하지 않으나 확진은 조직학적 진단으로만 가능하기 때문이다. 골경화증이 치조와나 영양관 사이에 형성되어 있다면 감별진단이 상당히 어렵다.

③ 제거를 위해서는 정확한 위치 확인이 필수적이며 특히 무치악인 경우에는 필요하다. 해부학적 목표물이 없는 경우 치근의 주위를 마취하고 봉합침을 그 부위에 꽂아 봉합침과 치근 사이를 방사선학적으로 비교한다. 교합촬영 사진은 협설측의 위치 판정에 도움을 준다. 잔존치근이 골내에 위치하지 않고 골과 골막 사이에 존재하는 경우도 있으므로 주의를 요한다.

④ 골내의 위치가 확인되면 일반적으로 치조능선에 절개하고 전방에 수직절개를 하여 협측에 점막골막 피판을 형성하고 협측 치밀골을 제거하여 발거한다.

6. 유치 발치

유치 발치도 기본적으로는 영구치 발치와 동일하지만 치근의 형태에 차이가 있는 점, 후속 영구치가 존재하는 점, 치근의 흡수정도와 흡수형태가 다양하다는 점에서 유치 특유의 문제점도 있다.

1) 유치 발치의 적응증

- 치관의 붕괴가 현저하고 수복 불가능한 유치
- 근첨병소가 있어서 후속 영구치에 장애를 미친다고 생각되는 유치
- 치성 화농성 감염증의 원인이 되는 유치
- 치성감염 병소의 원인이라고 생각되는 유치
- 치근이 협측 치조점막을 뚫고 구강내로 노출되어 주위 점막에 장애를 미치고 있는 유치
- 외상에 의하여 치근이 파절된 유치
- 영구치의 정상적인 맹출 및 배열에 방해가 되고 있는 유치
- 과잉치
- 수유 시 방해가 되고 있는 선천성 기형치(neonatal tooth)

2) 유치 발치의 금기증

성인의 경우와 기본적으로 동일하나 유아와 소아는 감염에 대한 저항력이 낮다는 점을 유의하여야 한다.

3) 발치 전의 주의사항

(1) 소아 및 보호자에 대한 설명

소아의 병력을 청취한 후에 발치가 필요하다고 판단되면 먼저 보호자에게 발치의 필요성을 설명하고, 소아에게도 발치의 필요성을 알기 쉽게 설명하고 이해할 수 있도록 노력한다. 동통이 야기되는 경우는 참도록 정직하게 이야기하는 것이 좋다.

(2) 진단 및 방사선사진 검사

발치 전에 유치의 동요도, 누공의 유무를 검사하고 방사선사진상에서 치근의 흡수 정도, 근첨병소의 위치와 크기 및 후속 영구치와의 관계 등을 충분히 파악한다.

4) 발치법

(1) 유전치의 발치

① 후속 영구치의 치낭에 의한 상악유절치 치근의 흡수는 근첨부의 구개측에서 시작하여 구개측의 치경부로 진행된다. 상악유절치의 치근의 흡수가 거의 없는 경우는 치축에 따른 회전운동으로 탈구시켜 순측으로 발거한다.

② 상악유절치의 치근이 중등도로 흡수가 진행된 경우는 치근첨 순측이 얇게 남아 순측 치근막에 결합되어 있으므로 치근을 순측 치조벽에서 떼어내듯이 탈구시켜 구개측 방향으로 발거한다. 치근의 2/3 이상이 흡수되어 있는 경우는 축회전에 의하여 탈구시킨 후 구개측방향으로 발거한다.

③ 하악유전치의 치근은 상악에 비하여 순설적인 압편이 적고 보다 원형을 띤 삼각추형으로서 가늘고 길기 때문에 신중한 발치가 필요하다.

(2) 유구치의 발치(그림 3-52)

① 치근의 흡수는 영구치의 치낭에 접한 치근의 내면에서 일어나므로 발치의 난이도는 치근의 흡수 정도에 크게 좌우된다. 상악유구치의 치근은 3근이 서로 크게 이개하고 그 사이에 영구치가 있고, 하악유구치의 치근은 2근이 근원심으로 크게 이개하여 그 사이에 영구치가 있다.

② 치근의 흡수가 거의 없는 경우는 버로 치근을 하나씩 분리한 후 발거한다. 영구치가 유치와 함께 발거된 경우는 즉시 발치와 바닥에 영구치를 재이식하고 발치창을 봉합 폐쇄하면 치아의 손상이 없는 경우에는 생착은 비교적 양호하다.

③ 유치 치근단을 발치하다가 영구치에 해를 끼치게 될 것 같으면 치근단을 그대로 두는 것이 좋다. 그러면 흡수가 되거나 나중에 영구치에 해를 주지 않고 제거할 수 있다.

5) 발치 후 주의사항

■ 기본적으로는 성인과 동일하나 다음 사항을 유의하는 것이 좋다.

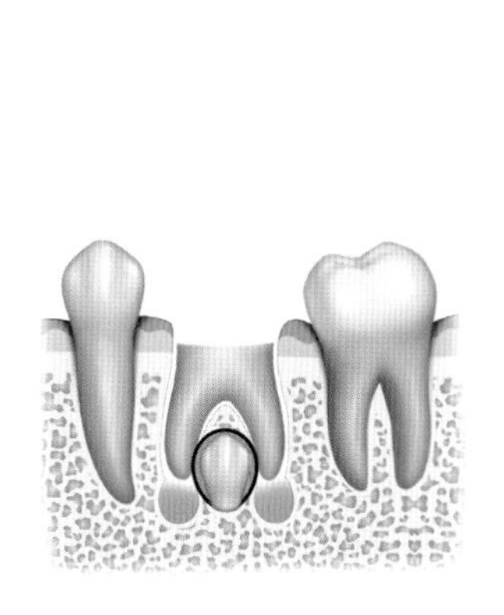
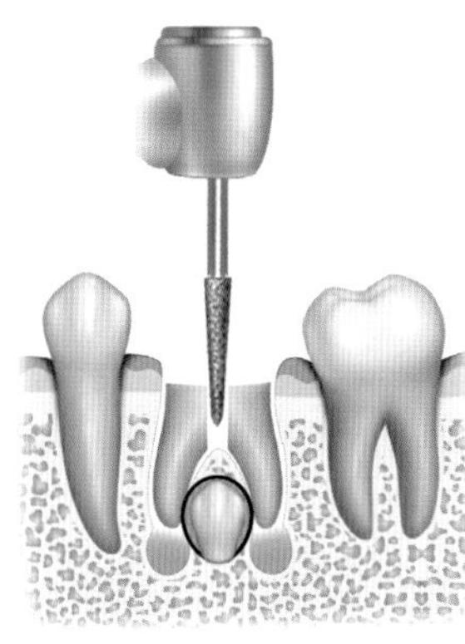
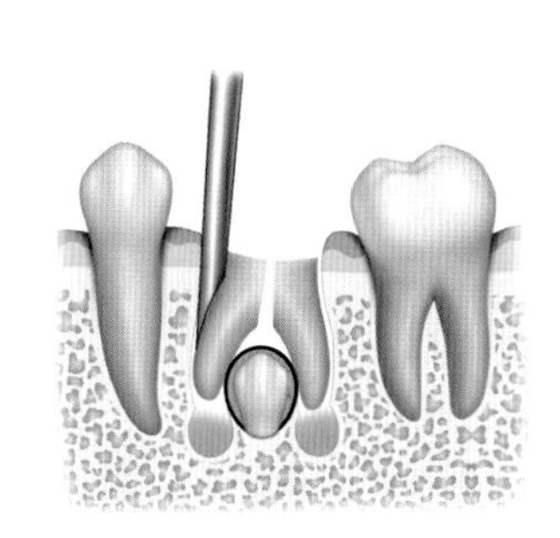
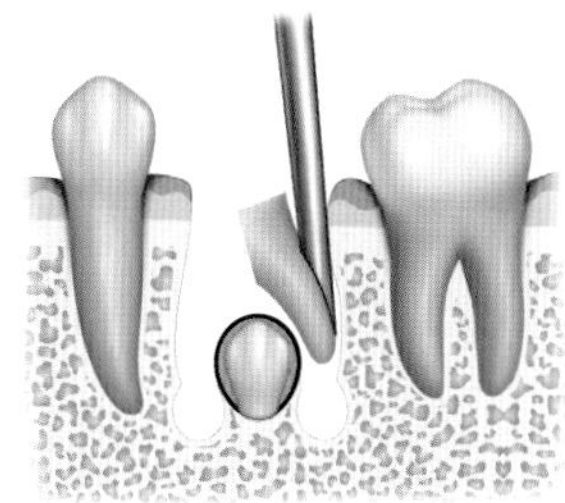

그림 3-52 유구치의 발치 과정.

① 발치 후 병소를 소파해 제거할 때는 영구치를 손상하지 않도록 주의한다. 손상할 우려가 있으면 무리하게 적출하지 말고 경과를 관찰한다.
② 하악공 전달마취하에 발치한 경우는 마취효과가 소실될 때까지 구순과 혀를 깨물지 않도록 주의시킨다.
③ 영구치 맹출 시까지 시일이 많이 걸리는 경우는 간격 유지장치 장착을 고려하는 것이 좋다.

7. 매복치 발치

제3대구치의 발치는 구강악안면외과 전문의에 의해 가장 빈번하게 시술되는 수술이다. 20세기 초반에는 발치와 관련된 심각한 합병증 등으로 인해 지치주위의 병적인 소견이 확실할 때까지 발치를 미루었으나 효과적인 핸드피스의 개발과 파노라마와 콘빔전산화단층촬영 영상, 개선된 국소마취, 외래전신마취, 진정법, 효과적이고 안전한 항생제 개발 등으로 사랑니 발치가 간단하고 안전하게 시행될 수 있음에 따라 예방목적의 지치발치가 성행하게 되었다. 그러나 최근에는 예방 발치에 대한 의문이 제기되어 비용대비 효용, 공공의료 보장성, 환자의 의사결정 선호도 등에 대한 연구가 시작되었다. 사랑니에서 흔히 보이는 미맹출치, 부분맹출치, 매복치는 각각의 의미하는 바가 다른데 그 정의를 보면 미맹출치아는 연조직에 의해 완전히 덮여있고 골에 의해 부분적 혹은 완전히 묻혀있는 경우를 말한다. 부분맹출치는 치아가 구강에 노출되어 있으나 완전히 맹출되지 않은 상태로 정의되며, 이 경우 지치주위염(pericoronitis)이 발생될 수 있다. 매복치는 치아가 정상기능의 위치로 맹출하는 데 지장이 있는 치아로 정의된다. 매복치 자체로는 발치의 적응증이 되지 않으며 임상적인 위치에 관한 표현으로 사용된다.

증상(symptom)은 환자가 자각하는 병에 의한 증거이며 통증, 종창, 개구제한, 구취, 저작곤란, 연하곤란 등이 있다. 임상징후(clinical sign)는 치과의사가 발견하는 질환의 객관적 소견 또는 증거로 탐침에 의한 출혈, 병적 치주낭 깊이, 촉진 시 동통, 방사선상 병적소견 등이 있다. 그러므로 환자의 자각적인 증상은 없으나 임상징후가 있을 수 있다. 이러한 경우 환자에게 권유되는 지치발치는 치료 목적의 발치로 간주된다.

예방 목적의 발치는 임상증상이나 병적소견이 없이 맹출되지 않았거나 매복된 치아를 발치하는 것이다. 예방적 발치에 따른 직간접 비용과 환자의 불편감, 사회적 손실, 시간적 손실, 장단기 합병증 등을 고려한다면 병적인 소견이 나타난 이후에 발치하는 것보다 명백한 이점이 없다면 증상이 없는 매복지치의 예방적 발치를 추천하지 않을 수도 있다.

1) 하악 매복지치의 발치

매복지치 발치의 적응증과 금기증은 표 3-4와 같다.

지치는 마지막에 맹출하므로 맹출에 필요한 공간이 부족하여 매복상태로 있는 경우가 많다. 특히 하악에서는 제2대구치의 후방에 하악지 전연이 근접하고 있어서 비록 정상 방향으로 맹출한 치아라 하더라도 두

표 3-4 제3대구치 발치의 적응증 및 금기증

제3대구치 발치의 적응증
• 재발성 혹은 심각한 지치주위염
• 제2대구치 후방의 5 mm 이상의 치주낭이 존재하는 치주질환
• 수복치료가 불가능한 치아우식증
• 지치 혹은 인접치아의 흡수
• 제2대구치의 원심면의 치아우식증 치료를 원활하게 하기 위해
• 치근단 치주염
• 낭종 및 양성종양
• 악교정수술 시의 필요성
• 골절선상의 지치(제거하는 편이 유리한 경우)
제3대구치 발치의 금기증
• 어린 환자의 지치치배
• 골질로 둘러싸인 무증상, 무병소의 매복지치
• 연조직에 묻힌 무증상, 무병소의 지치–예방적 발치의 필요성이 없는 경우
• 매복지치 발치가 환자의 전신건강에 심각한 위험요소가 될 때
• 골절선상의 지치(제거하는 편이 불리한 경우)

터운 연조직에 둘러싸여 만성치관주위염이 존재하고 언젠가는 지치주위염 등의 급성 화농성염증을 야기하게 된다(그림 3-53). 또한, 깊은 위치에 매복하고 있기 때문에 전혀 무증상인 지치라도 장래 인접치의 치근을 흡수하거나 감염될 가능성이 있기 때문에 환자가 젊은 시기에 발치해 두는 것이 좋다. 하악 매복지치의 발치를 안이한 마음으로 시작해서는 안 된다. 이것은 점막, 근, 골의 일부가 포함되는 복잡한 수술이다. 매복지치의 발치법과 그 난이도는 지치의 매복위치, 지치의 형태, 지치와 주위골과의 관계, 지치와 하악관의 관계 등에 따라 다양하다. 술전의 검사를 통하여 지치의 매복상태를 정확하게 파악하고 환자의 전신상태도 고려한 후에 안전하고 확실한 수술계획을 세워야 한다.

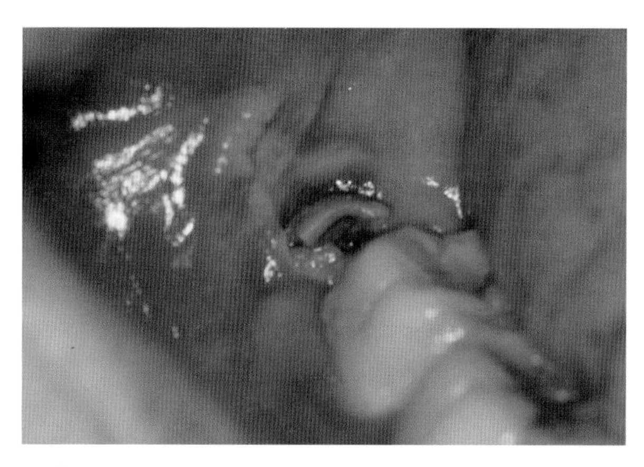

그림 3-53 하악 좌측 지치주위염의 구강내 소견으로 농(pus) 형성과 치은종창이 보임.

(1) 매복지치의 매복상태 확인(표 3-5)

매복상태를 올바르게 파악하는 것은 발치의 난이도를 알고 정확한 발치계획을 세우기 위한 대전제이다.

표 3-5 하악 매복지치의 분류

제2대구치 치축에 대한 매복치의 치축 방향
• 근심경사 • 수평위 • 수직위 • 원심경사
협 · 설측 경사
• 설측전위 • 협측전위
치조능에 대한 매복의 위치
• 고위 • 저위

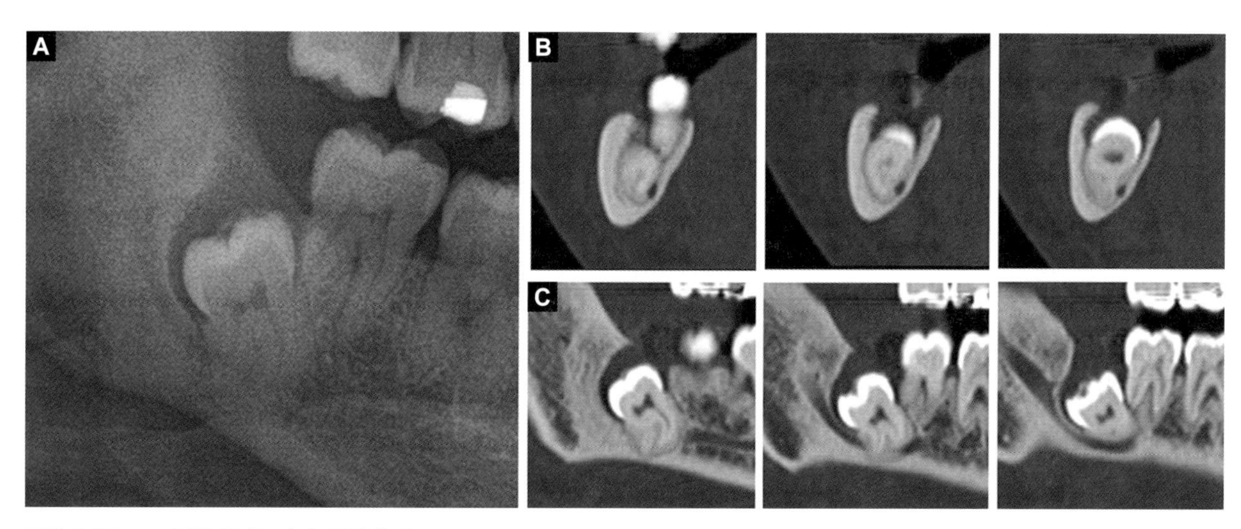

그림 3-54 CT 영상과 파노라마 영상의 비교.

A: 파노라마 영상으로 48번 치아의 치근과 하치조신경이 밀접하게 위치하여 있음을 확인할 수 있으나 협설측으로의 위치관계는 확인할 수 없음. B: 재구성 CT의 하악골 단면상으로 치근이 하치조 신경의 협측부위에 존재하며 강하게 신경을 압박하고 있음을 확인할 수 있음. C: 재구성 CT의 시상면 단층영상에서 하치조신경을 압박하고 있는 치근의 수와 형태를 확인할 수 있음.

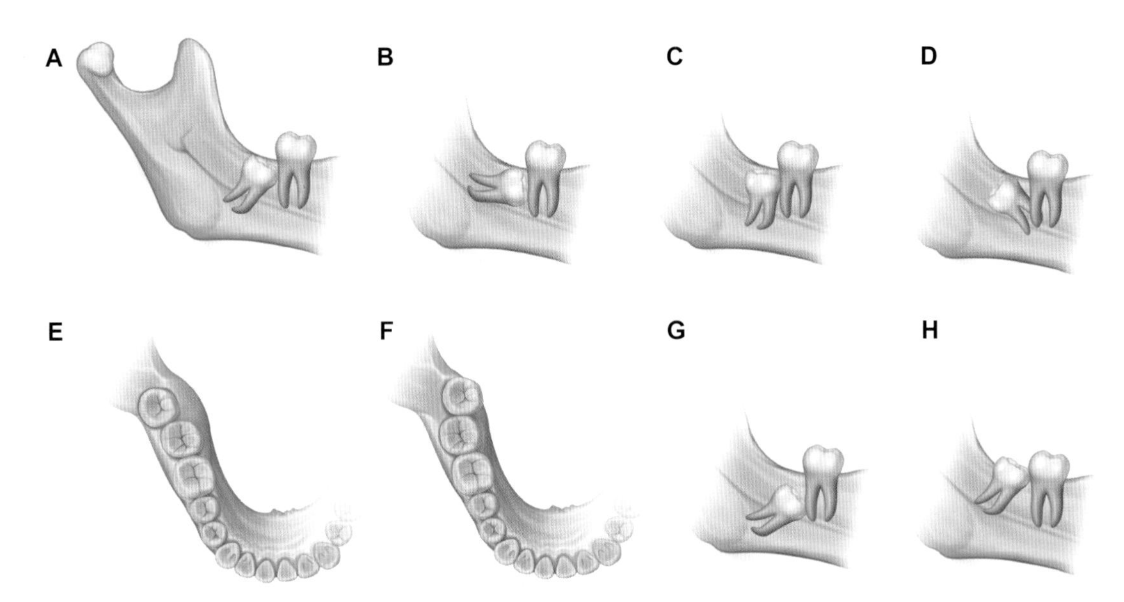

그림 3-55 하악 매복지치의 분류.
A: 근심경사 B: 수평 C: 수직 D: 원심경사 E: 협측전위 F: 설측전위 G: 저위 H: 고위.

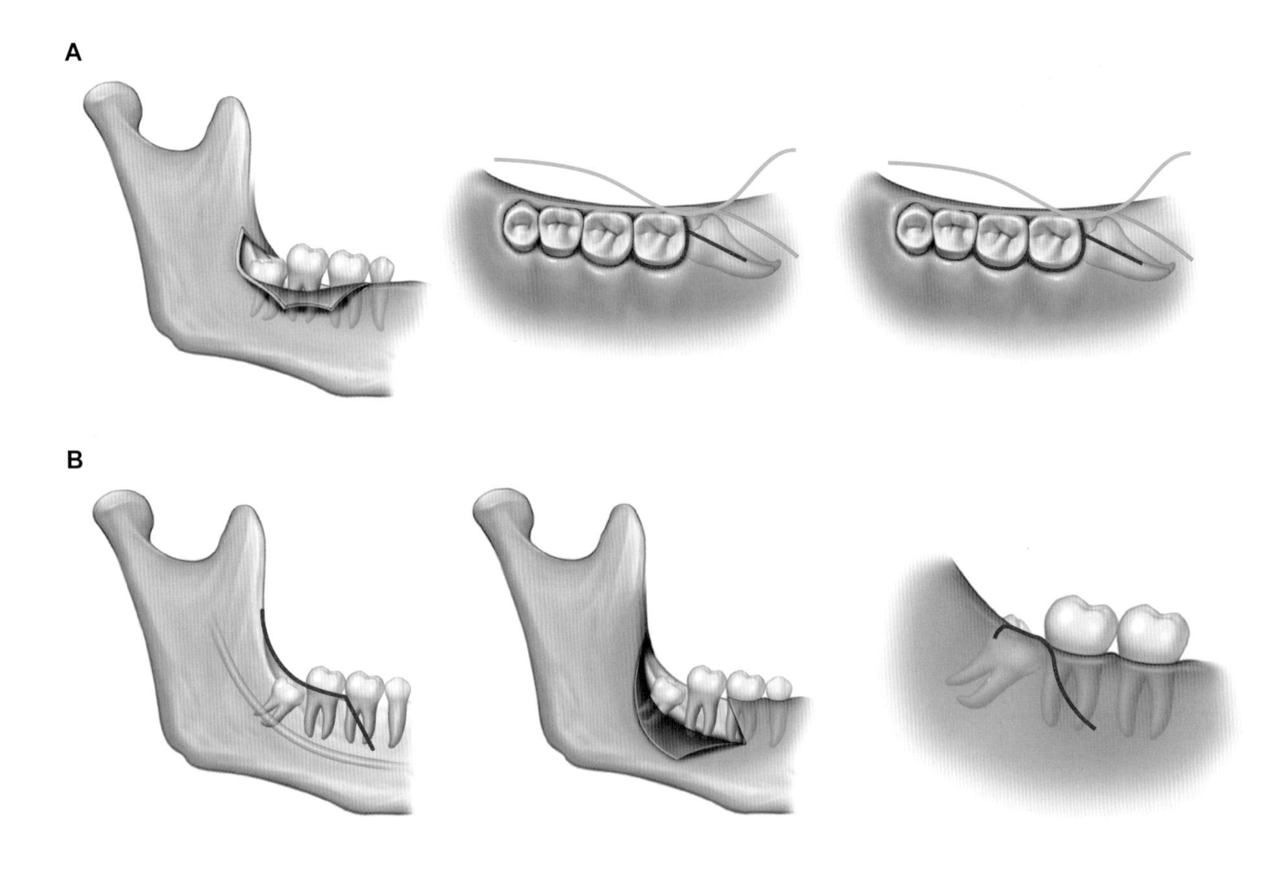

그림 3-56 피판의 형성. 후방연장절개선의 위치는 하악지의 골면위에 놓이도록 설정하며 설측으로 치우치지 않도록 주의함. **A:** 변연 직선 피판(envelope flap). 전방의 절개는 치은열구를 따라 7번 혹은 6번 치아의 협면에 형성함. **B:** 삼각피판(triangular flap). 수직절개의 위치는 제2대구치의 원심이나 근심 우각부위에서 전하방으로 경사지게 설정함. 노출을 많이 원하면 전방으로의 연장을 통해 시야확보가 가능함.

표준필름으로 근첨부가 확인되지 않는 경우는 파노라마사진을 이용할 수 있다. 최근에 의료용 영상 재구성 CT촬영을 하면 지치와 하치조신경관과의 거리 및 위치관계를 정확하게 판단할 수 있으며, 비용이 보다 저렴한 콘빔전산화단층촬영술(CBCT)도 이와 같은 정보를 제공하는 데 유용하다(그림 3-54, 55).

매복치와 하악관이 근접하고 있거나 직접 접하고 있는 경우에는 하치조신경혈관 다발에 손상을 주지 않도록 주의하여야 한다. 치관의 위치와 만곡도가 있어 발치가 용이하지 않을 경우 치관의 분리를 계획하여 발치를 시행하는 것이 바람직하다.

또한 지치 발치 시 발치기자의 접합을 주의하여 제2대구치를 탈구시키지 않도록 하여야 하며 제2대구치의 원심근에 손상을 입히지 않도록 주의하여야 한다.

(2) 발치의 실제

하악 매복지치의 발치과정은 다음과 같다.

① **마취 심도의 확인**(입술, 혀의 지각이 변하는지 촉진 및 문진)

② **피판의 형성**(그림 3-56)

a. 연조직을 촉지하여 골조직 위에 절개를 시행한다.

b. 피판의 설계는 술자마다 각각 설정하는 이유가 다르기 때문에 위치가 다를 수 있다. 가장 일반적으로 사용되는 피판은 매복된 치아의 바로 뒤쪽에서 제1대구치까지 앞쪽으로 확장한 변연직선피판(envelope flap)이다. 깊게 매복된 치아를 제거하기 위해 더 넓은 시야 확보가 필요한 경우 변연직선피판만으로는 충분하지 않을 수 있다. 이 경우 절개선 앞쪽에 수직절개를 시행하여 삼각피판(triangular flap)을 만들 수 있다. 변연직선피판은 일반적으로 합병증이 적고 삼각피판보다 더 빨리 치유되며 통증이 적은 장점이 있지만 지치의 후방부를 노출하기 위해서 후방절개를 더 많이 연장해야하는 단점이 있고, 제2 또는 제1대구치까지 전방으로 절개를 연장하여야 충분한 시야를 확보한다. 설신경의 직접적인 절단을 방지하기 위해 절개의 후방 연장은 하악지의 전방경계의 외측면을 따라 연장한다. 삼각피판에서 수직의 절개는 제2대구치의 원심이나 근심우각 부위에서 전하방으로 경사지게 설정하며 치주조직의 과도한 거상을 피하고 충분한 시야를 확보할 수 있다. 삼각피판은 견인기로 협부조직피판을 당겨 충분한 시야확보 및 조직을 보호한다. 술자마다 수직절개의 위치는 선호하는 부위가 다를 수 있다.

③ **피판의 거상**

수직절개에서부터 피판을 조심스럽게 박리하여 들어 올린다(그림 3-57A). 시술부위가 넓게 노출되면 적절한 견인기를 피판 밑에 넣어 연조직을 견인한다. 설측 피판의 박리 및 거상에 대해서는 논란이 있다. 설측 피판의 박리 시 일시적 설신경의 감각이상이 증가하는 요인으로 보고되고 있는데, 핸드피스 사용 시 연조직이 근접한 경우 감김에 의한 설신경 손상이 우려되므로 조심스러운 박리 후에 견인기를 이용하여 골막하에 삽입하여 피판을 설측으로 젖혀 연조직을 시술부위에서 배제하는 것이 바람직할 수 있다(그림 3-57B).

④ **골삭제**

압력질소 혹은 전기로 구동되는 핸드피스에 구형 버 혹은 직선의 피셔버(fissure bur)를 이용하여 협측골을 제거한다. 이때 멸균된 식염수 혹은 냉각세척액을 이용하여 열이 발생하는 것을 방지한다. 피셔버 형태의 외과용 버의 경우 부주의한 조작으로 설측 연조직의 손상과 동반되어 설신경손상의 우려가 있어 사용에 주의하여야 한다. 교합측과 협측 골을 제거하여 치관부의 치경부까지 노출시킨 후 계획된 바에 따라 치관부를 절단하여 분리한다. 설측 골은 설신경의 손상우려가 있으므로 제거하지 않도록 하는 것이 좋다. 골성유착이 있는 경우는 치아를 덮는 골의 대부분을 제거한다(그림 3-57C, D).

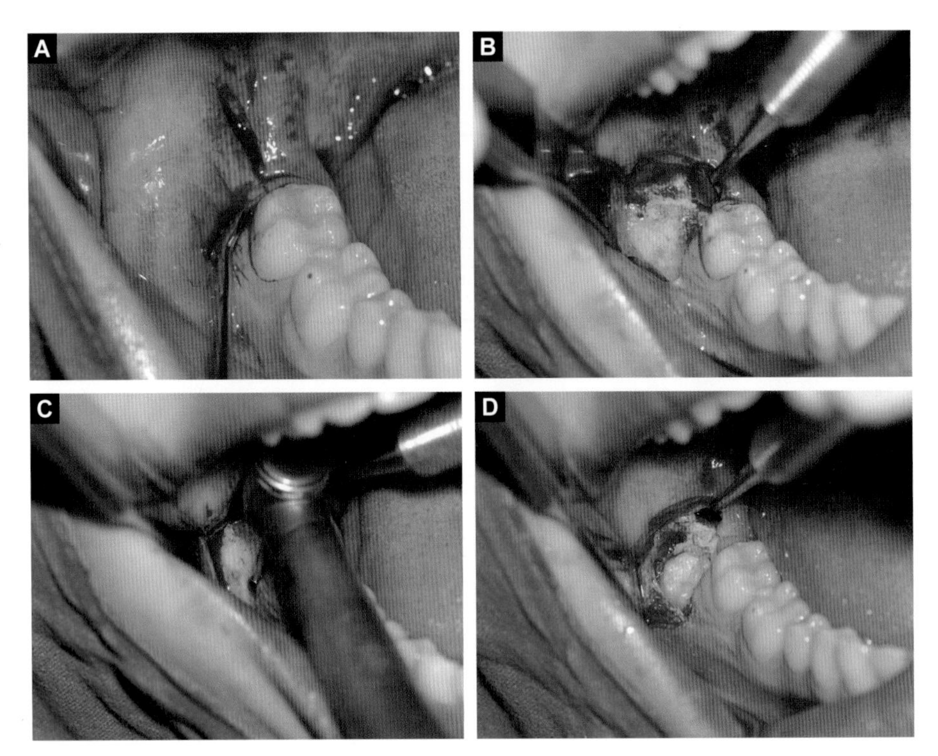

그림 3-57 삼각피판의 박리 및 치관 노출. A: 15번 외과용 수술칼을 이용하여 후방절개 및 수직절개을 시행한 후 몰트큐렛을 사용하여 부착 치은부위부터 후방으로 피판의 박리를 진행하고 있음. 후방절개의 위치는 하악지의 외사선을 내측으로 넘어가지 않도록 주의하여 외측부위에 설정함 B: 설측피판의 박리를 몰트큐렛으로 시행함 C: 고속회전절삭기로 치관노출 시행 D: 노출된 치관부.

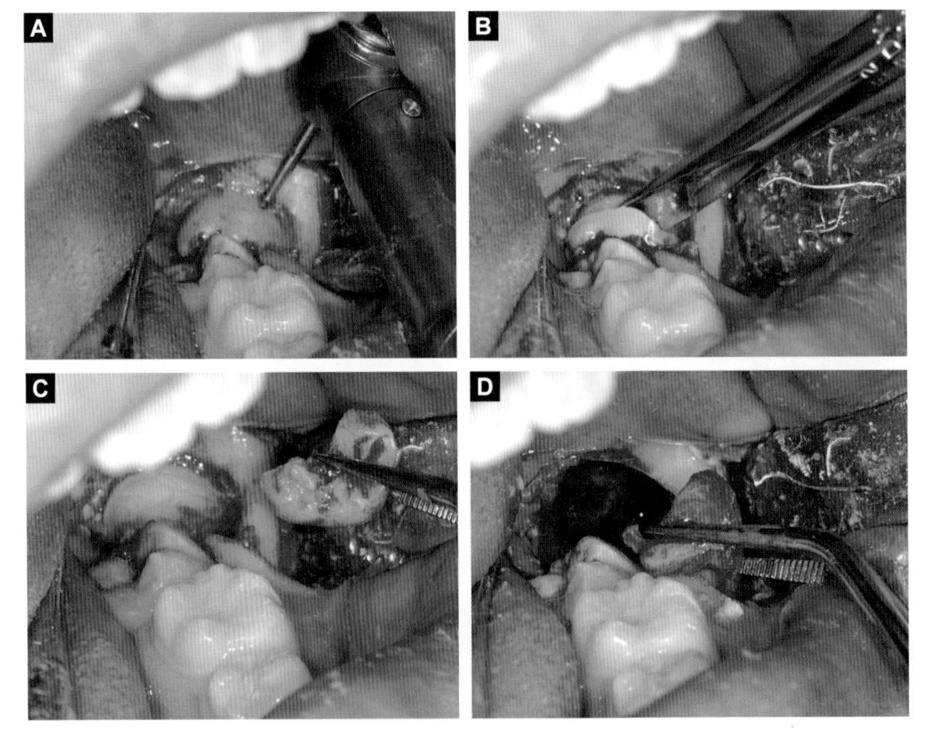

그림 3-58 치아의 절단 및 분리 제거. A: 고속회전절삭기에 부착된 #6번 원형 버를 이용하여 치관과 치근을 분리함 B: 발치기자를 이용하여 치관과 치근을 완전히 분리함 C: 치관을 제거함 D: 치관과 분리된 치근도 재분리하여 제거함.

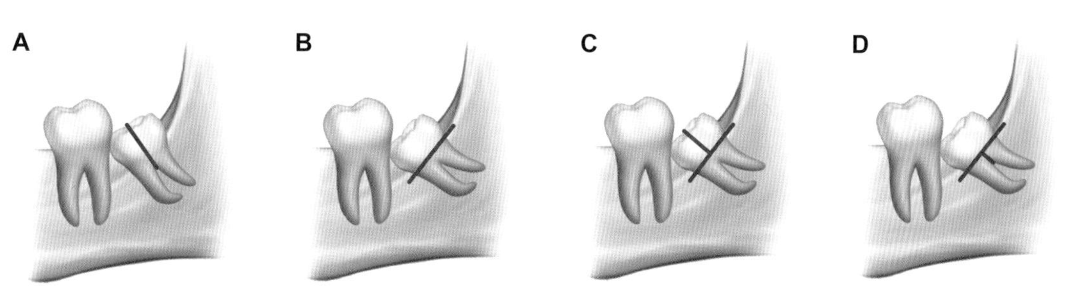

그림 3-59 **치아의 분할 전략.** A: 매복된 치아의 장축이 인접 7번 치아와 유사하거나 경사도가 경미하다면 지치를 근원심의 방향으로 2분할하여 각각 제거함 B: 근심경사도가 심한 경우 치관부를 절단하여 분할 발치함 C: 치관부 분할 이후에도 치관이 커서 나오지 않는 경우 치관 분리를 추가하여 제거함 D: 치관을 분할하여 제거한 후 치근부를 재분할하여 발치함.

⑤ 치아의 분할 및 발치

치관을 분리 제거한 후 골이나 치아파편을 생리식염수로 세척하면서 제거하고, 발치와 내의 연조직(치낭이나 치관주위의 불량육아조직)도 소파기로 제거한다. 치근을 분할하는 경우에는 지치의 치수강, 근관의 위치와 방향이 참고가 된다(그림 3-58).

발치기자를 삽입하고 통상의 발치력을 가해도 꼼짝하지 않는 경우는 골의 삭제량이 너무 적거나, 치근의 이상 또는 골성유착 등의 가능성을 의심하고 방사선사진을 재검사하여 원인을 제거해야 한다. 각종 하악 매복지치의 분할 전략은 매복된 치아의 상태와 치근의 형태에 의해 변화될 수 있다. 인접된 제2대구치의 장축과 매복된 지치의 장축이 경사도가 경미하거나 유사할 때 매복된 지치를 근원심으로 2분할하여 각각 제거할 수 있다(그림 3-59A). 지치의 근심경사도가 심한 경우 치관부를 절제하여 치관과 치근부를 분할하여 제거할 수 있다(그림 3-59B). 이 경우 치관부의 크기가 커서 한번에 나오지 않으면 치관부를 추가로 2분할하여 제거한다(그림 3-59C). 치관부를 분리제거한 후 치근의 만곡도가 크거나 치근 사이의 골질이 단단하여 치근 제거가 잘 되지 않을 경우 치근부를 분할하여 제거할 수 있다(그림 3-59D). 설측 피질골의 천공은 설신경의 손상 가능성을 높이므로 치관 및 치근 분리 시 절삭기가 설측골을 침범하지 않도록 주의한다.

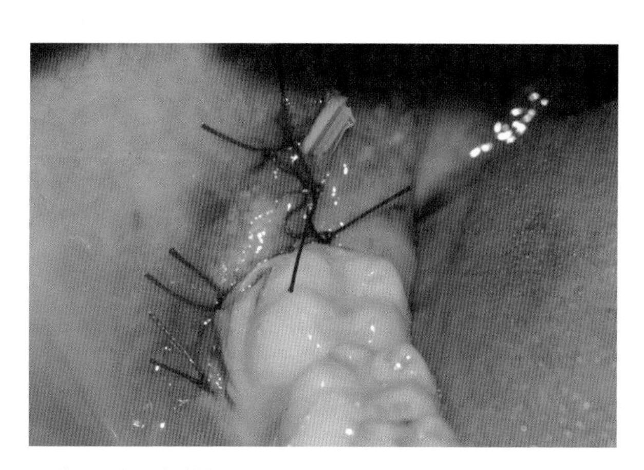

그림 3-60 **발치창에 삽입된 드레인.** 매복 발치 후 혈종의 방지를 위해 드레인을 발치창에 봉합을 이용하여 고정한 모습.

⑥ 봉합

창상봉합을 시행하기 전에 발치창 내에 골 파편, 치낭(dental follicle), 염증성 육아조직이 남아있지 않도록 제거하고 확인한다. 출혈은 점막하혈종 형성으로 감염을 초래할 위험이 증가하므로 정확한 점막골막피판의 봉합은 매우 중요하다. 봉합이 긴밀하게 될 경우 혈종이 과도하게 형성되는데 이를 방지하기 위해 띠 모양의 드레인을 하루 정도 창상에 봉합하여 두는 방법을 선택할 수 있다(그림 3-60).

■ 수술 전후 스테로이드의 사용

수술 후 심한 종창이 예상될 경우 스테로이드의 투여를 고려할 수 있다. 수술 전 혹은 수술 중에 투여한 덱사메타손, 메틸프레드니솔론은 부종을 감소시키고 불편감을 줄이는 효과가 있음이 보고되고 있다.

2) 상악 매복지치의 발치

상악지치도 맹출할 수 있는 공간이 부족하여 매복될 수 있다. 그러나 해부학적인 면에서 볼 때 발치의 방법이나 발치 시 주의할 사항은 하악지치의 경우와 다소 다르다. 상악지치의 매복은 하악보다 다양하지 않고, 골질이 하악에 비해 유연하기 때문에 골제거의 범위도 적다. 또한 상악골은 하악골에 비해 탄성이 있으므로 치아를 분할하지 않아도 발치 가능한 증례가 많다. 그러나 발치 시 시야가 매우 좁고, 기구조작이 어려우며, 탈구조작이 잘못되면 치아를 상악동 속으로 밀어 넣을 수도 있다는 어려움이 있다. 상악 매복지치의 발치과정은 다음과 같다.

(1) 매복상태의 확인

불완전 매복치에서는 구강 내에 맹출하고 있는 치관 부분에서 어느 정도 예측은 가능하지만, 대부분의 매복치 상태의 확인은 표준 치과방사선사진 검사나 파노라마방사선사진 검사를 통해 알아야 한다. 이때 점검할 사항은 다음과 같다.

표 3-6 상악 매복지치의 분류

A. 제2대구치에 대한 지치의 매복 깊이
Class A: 매복지치의 최하점이 제2대구치 교합면과 같은 높이에 있음
Class B: 매복지치의 최하점이 제2대구치 교합면과 치경부 사이의 높이에 있음
Class C: 매복지치의 최하점이 제2대구치 치경부 위에 있음
B. 제2대구치의 치축에 대한 매복지치의 치축 방향
1. 수직위
2. 수평위
3. 근심경사
4. 원심경사
5. 역위
6. 협측경사
7. 설측경사
C. 매복지치와 상악동과의 관계
1. 상악동 근접이 있음(매복지치와 상악동 사이의 골의 두께가 2 mm 이하)
2. 상악동 근접 없음(2 mm 이상의 골두께)

① 매복치의 위치와 제2대구치에 대한 치축의 방향
  - 표 3-6은 Winter가 상악 매복치를 분류한 것이다. 이것은 매복의 깊이, 매복치의 치축방향, 상악동과의 관계 등을 기초로 한 것으로 발치의 난이도를 가늠하는 기준이 될 수 있다.

② 치아의 형태

③ 주위 골조직의 상태

④ 여포간극(follicular space)의 감소 또는 소실

⑤ 치아와 주위골의 유착유무

⑥ 제2대구치와의 관계

⑦ 상악동과 매복지치와의 관계

상악동과 매복치 사이에 골이 2 mm 이상만 있어도 지치를 상악동 속으로 밀어 넣는 경우는 없다. 그러나 골벽이 얇은 경우는 발치기자나 골끌 사용 시 주의를 기울여야 되므로, 발치 전에 미리 상악동과 매복치 사이의 골두께를 충분히 확인한 후에 발치계획을 세워야 한다.

(2) 발치계획 세우기

① 제거할 골의 부위와 정도

구개측에 매복된 경우를 제외하고는 매복지치의 협측골을 제거하여 발치하는데, 치조정과 상악결절부의 골은 가능한 한 남긴다. 골의 제거량은 매복치의 깊이에 따라 다르지만 발치기자가 매복치 치경부에 삽입될 수 있을 때까지 골을 제거함이 원칙이다.

② 치아의 분할 여부 결정

하악과 달리, 상악은 외측을 덮는 치밀골이 매우 얇으며 다공성이고 골에 어느 정도 탄력성이 있기 때문에, 치관이 충분히 통과할 수 있을 정도의 골을 제거하면 통상적으로 치아를 분할하지 않아도 발치를 시행할 수 있다. 치아의 분할이 필요한 경우라도, 인접치에 걸려 있는 부분만을 외과용 버로 삭제하고 발치기자의 기점이 되는 부분은 남겨 두어야 한다.

③ 피판의 설계

상악 매복지치 발치를 위한 피판의 절개선은 매복의 깊이와 협설적 위치관계에 의하여 결정되므로 하악에 비해 별로 다양하진 않다. 가장 일반적으로 사용되는 피판은 하악과 마찬가지로 변연직선피판(envelop flap)이다(그림 3-61A). 상악 제3대구치 발치 시 수직절개는 거의 필요하지 않지만 상악 제3대구치의 교합면이 상악 제2대구치 치근의 중간 부분보다 상방에 위치한 경우엔 수직절개가 유용할 수 있다.

원심절개는 그림 3-61B와 같이, 상악절흔(상악결절과 익돌구 사이)에서 상악결절의 정상 능선을 지나, 제2대구치 원심의 중앙으로 형성한다. 그 다음에는 치경부를 따라 제2대구치의 협측으로 계속 절개해 나가다가, 종절개를 제2대구치의 원심우각부에서 시작하여 전상방으로 경사지게 절개한다(그림 3-61B). 이 경우 제2대구치 협측의 치은부착부의 박리를 피할 수 있으며 술후 불편감을 줄일 수 있다. 그러나 시야확보가 어려운 경우 제2대구치 근심우각부 혹은 제1대구치 원심우각부까지 종절개의 시작 부위를 설정할 수 있다(그림 3-61C).

한편 매복치가 구개측에 위치된 치아를 발거할 경우에는 절개선을 추가로 설정해야 한다. 즉 원심절개에 이어 대구치의 구개측 치경부에 절개를 가하고 구개측 점막골막 피판을 박리하면 양호한 시야를 얻을 수 있

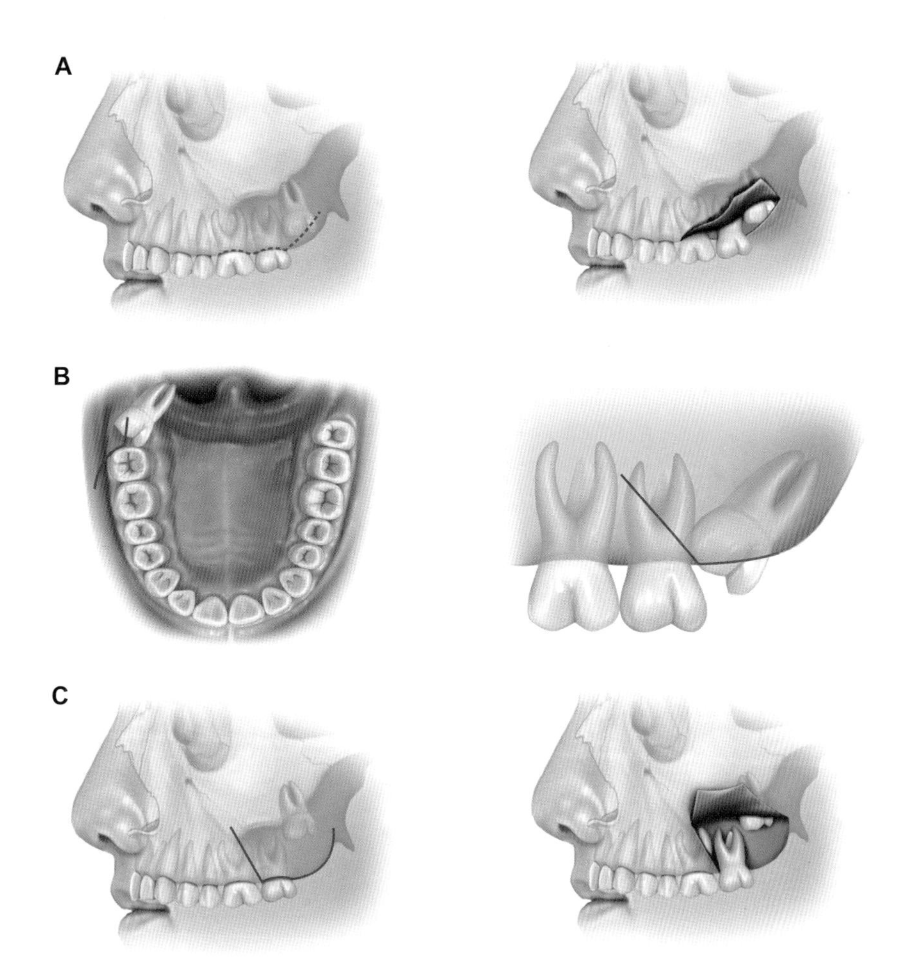

그림 3-61 상악 매복지치 발치를 위한 피판의 형성. A: 변연직선피판(envelope flap). 전방의 절개는 치은열구를 따라 7번 혹은 6번 치아의 협면에 형성함 B: 삼각피판(triangular flap). 교합면과 협측에서 본 절개선의 방향. 직선 혹은 약간 굴곡진 S자형 절개로 상악후구치부 골을 노출시킴. 협측 절개선의 설정은 7번 치아의 후방에서 전방으로 경사지게 설정함 C: 7번 치아의 근심우각부 혹은 6번 치아의 원심우각부에 수직절개를 가한 삼각피판.

다. 이때 주의할 사항은 구개혈관(대구개 동맥과 정맥)의 손상을 피하기 위하여 구개점막에는 종절개를 가하지 않는 것이 좋다. 드물기는 하지만 매복지치가 상악동 후벽이나 내측벽 속에 존재하는 경우가 있다. 이와 같은 경우에는 상악동근치술(Caldwell–Luc operation) 때의 접근법처럼 상악동을 경유하여 발치를 시행하기도 한다. 이때에는 발치 후 출혈이 상악동내로 고여서 상악동구(ostium maxilla)를 통해 비강 속으로 출혈을 야기할 수 있으므로, 비강상악동절개술(nasal antrostomy)을 시행하고서 발치창과 상악동 내부의 출혈을 압박하기 위하여 바셀린거즈(vaseline gauze)를 상악동 내에 삽입했다가 3–4일 후 제거하는 것이 도움이 된다. 그러나 발치와에 과도한 출혈이 없고 상악동과 비강의 개통이 원활하다면 비강상악동절개나 상악동의 거즈 삽입은 불필요하다.

(3) 발치순서와 요점

① 수술부위의 확보

상악지치의 발치는 하악지치에 비하여 더욱 수술부위가 좁아서 발치조작을 하기 어렵다. 환자가 크게 개구하면 하악의 근돌기(coronoid process)가 상악지치부의 협측을 막아버리므로, 입을 거의 다문 상태에서나 중등도로 개구시킨 상태로 발치하려고 하는 쪽으로 하악을 측방변위시키면 발치조작에 필요한 공간을 확보하는 데 도움이 된다.

② 점막골막 피판의 형성

원심절개는 점막이 두꺼운 치조정부를 따라 12번 외과용 칼을 사용해 발치계획 때 설정한 절개선을 따라 시행한다. 종절개는 15번 칼을 이용하여 계획한 절개선을 따라 시행하는데 매복지치 주위의 점막이 얇고 취약하므로 부주의한 열상을 주지 않도록 주의한다. 그 다음에는 골막기자(periosteal elevator)를 이용해 점막골막 피판을 박리하고 상악지치용 견인기(retractor)를 사용해 수술부위를 확보한다.

③ 골의 제거

매복치 상부를 덮고 있는 골은 외과용 버(surgical bur)나 골끌을 사용해 제거하는데, 이때 주의할 사항은 제2대구치 치근을 덮고 있는 골은 절대로 제거해서는 안 된다는 것이다. 지치치관을 덮고 있는 가장 얇은 부분의 골을 제거하여 치관의 일부를 노출시키고, 여기에서 치관의 최대 풍융부가 완전히 노출될 때까지 계속 골을 제거해 나가면 상악동을 천공시키는 것을 피할 수 있다. 통상적으로 치아의 분할은 불필요한데, 만약에 분할을 할 경우에는 절대로 골끌을 사용하지 말고 외과용 버를 사용해야 한다. 그 이유는 지치를 골끌로 분할하다가 상악동 또는 익구개와(pterygopalatine fossa)로 밀어넣을 우려가 있기 때문이다.

④ 발치

매복치를 노출시켰으면 다시 치관과 주위골 사이에 발치기자를 삽입시키기 위한 공간을 만든다. 공간은 매복치의 근심협측에 형성하여야 하며, 매복치의 상방으로 발치기자를 삽입하여 매복지치를 협측에서 원심하방으로 향하여 탈구시켜 발치한다. 발치기자를 올바른 위치에 삽입하는 것이 최대의 요점이며, 감각만이 아닌 눈으로 확인하면서 시술에 임해야 한다. 지치를 탈구시킬 때 손가락으로 제2대구치를 촉지하여 동요가 생기는지 즉각적으로 탐지하여야 한다. 만일 제2대구치의 동요됨을 느끼면 즉시 지치의 타구를 중단하

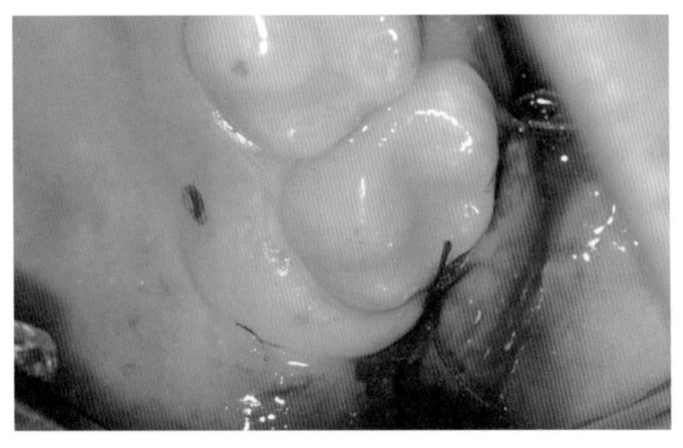

그림 3-62 상악지치 발치 후 봉합모습. 4-0 vicryl로 봉합을 완성함.

고 걸리는 부분이 어디인지 확인한 후 걸림을 제거하고 다시 탈구를 시도한다.

⑤ 창상봉합

하악지치의 봉합과 동일하지만 협측점막골막 피판이 약하므로 열상에 유의해 봉합해야 한다(그림 3-62).

(4) 위험요소의 평가

제3대구치 발치의 난이도를 높이는 요소로 환자요인, 치성요인, 수술요인으로 대별할 수 있으며 이 중 환자요인에서 환자의 나이가 25세 이상인 경우 65세까지 지속적으로 난이도가 높아지는 요인으로 받아들여지고 있다.

■ 상하악 매복지치 발치에서 난이도 지수 (difficulty index)(표 3-7)

다음은 Pederson이 제안한 매복된 제3대구치의 난이도 지수로 첫째 맹출된 제2대구치에 대한 공간적 관계, 둘째 매복의 깊이 수준, 셋째 하악 제2대구치 후방 부위에서 매복지치가 맹출할 공간이 하악골 상행지 전방에 존재하는지의 여부에 따라 매복치를 분류하였으며 각각 점수를 부여하여 합산된 점수에 따라 매복치 발치 시의 난이도가 다르다고 하였다. 난이도 지수에 관련된 사항은 다음과 같다.

표 3-7 매복된 하악지치 발치를 위한 난이도 지수

Classification	Value
Spatial relationship	
• Mesioangular	1
• Horizontal/transverse	2
• Vertical	3
• Distoangular	4
Depth	
• Level A	1
• Level B	2
• Level C	3
Ramus relationship/space available	
• Class Ⅰ	1
• Class Ⅱ	2
• Class Ⅲ	3
Difficulty Index	
• Very difficult	7–10
• Moderately difficult	5–7
• Minimally difficult	3–4

① 제2대구치에 대한 매복지치의 방사선학적인 공간 관계

공간적인 관계의 종류로는 근심경사(mesioangular), 수평경사/횡적경사(horizontal/transverse), 수직경사(vertical), 원심경사(distoangular) 등이다.

다행히 하악 매복치아는 근심경사가 많고, 상악 매복치아는 원심경사가 많아 발치에 용이한 면이 있다. 또한 매복상태는 협설측의 위치관계가 고려되어야 하는데 하악에서는 매복치관이 설측방향으로 위치하는 반면 상악은 협구개측 위치에서 중앙부에 매복되는 경우가 많다.

② 매복의 깊이(depth)

상하악 매복치는 전방의 제2대구치 치경부에 근접된 깊이수준(depth level)에 따라 3종류로 구분된다. 깊이수준 A (level A)는 매복치관이 제2대구치 치경부 상방에 있고, 깊이수준 B (level B)는 매복치 교합면이 제2대구치 치경부에 근접된 깊이이며, 깊이수준 C (level C)는 매복치 치관 전체가 제2대구치 치경부 하방 치근첨부에 근접된 상태이다.

③ 하악골 상행지 관계/매복치 맹출공간 존재 여부

하악 매복지치는 외사선이나 하악골 상행지 전방경계에 대한 관계에 따라 3종류로 분류된다.

제1등급(class I)은 하악 제2대구치 후방에 매복지치가 맹출할 공간이 있는 경우로 매복치 상부에 골침착이 적은 경우이다. 제2등급(class II)은 하악 제2대구치 후방에 매복지치가 맹출할 공간이 좁은 경우이며, 제3등급(class III)은 매복치의 치관이 완전히 상행지 내부에 포함되어 있어 하악 매복치가 맹출할 공간이 거의 없는 경우이다(그림 3-63).

Pell과 Gregory에 의한 분류는 지치와 하악지의 전방연과의 관계(1, 2, 3급)와 지치와 인접치교합면과의 관계(A, B, C급)로 분류한다(그림 3-63). 그러나 이 분류법에 의한 난이도의 예측은 신뢰하기 어렵다는 지적이 있다. Pederson은 Pell과 Gregory의 분류법에 더해 구치의 경사위치를 전방경사, 수평전위, 수직위, 후방경사로 나눈 것을 첨가해서 난이도 지수를 제안하였다. 그러나 이 Pederson의 난이도 지수에 대해서도 그 신뢰도에 의문을 제기하는 보고가 있다. Diniz-Freitas 등은 치근의 굴곡 정도가 수술의 난이도에 미치는 영향이 크지만, 이 지수들에서는 이것을 반영하지 못한 것이 난이도의 신뢰성을 낮추는 이유라고 설명하였다. Renton 등에 따르면 1,400명의 환자에서 수술시간이 길어지는 주된 요인은 매복 깊이, 골의 밀도, 환자의 나이와 인종, 하치조신경의 근접도 그리고 수술집도의의 숙련도와 관련이 있다고 하였다.

인종의 문제에 있어 비서구인의 경우 난이도가 높다 하였으나 이는 연구자의 사회적 배경이 비서구인이 많지 않은 영국의 병원 환자를 대상으로 한 것으로 환자의 인종적 변수가 우리와는 다를 것으로 판단된다. 이 변수는 오히려 수술집도의의 숙련도에 따라 영향을 받을 것으로 예상된다.

3) 매복과잉치 발치

(1) 일반적 고려사항

치조골의 어느 부위에서나 과잉치는 매복될 수 있지만 대개는 상악전치부에 정중치(mesiodens) 1–2개의 형태로 나타난다. 대개의 경우 정중치는 성장하고 있는 영구치의 결합조직에 가해지는 손상을 적게 하기 위하여 영구절치의 치근단이 완성된 후에 발거한다. 간혹 과잉치에 의해 방해를 받아 영구절치가 맹출이 안되는 경우에는 과잉치 발치를 고려해야 한다. 상악 전치부 과잉치는 발치를 시행하기 전에 방사선사진 검사로 순측 치조골에 근접된 상태인지, 구개측 치조골에 가까운지를 반드시 확인해야 한다. 일반적인 파노라마사진으로는 순측–구개측 위치 파악이 어려워 표준방사선 촬영 시 2개의 다른 수평각을 주어 다른 정상치아의 치근과의 위치관계를 확인할 수 있다. 교합방사선사진은 상악의 전치부 매복부위에서 구개측에 위치한 과잉치를 확인하기 용이하나, 구치부에서는 해부

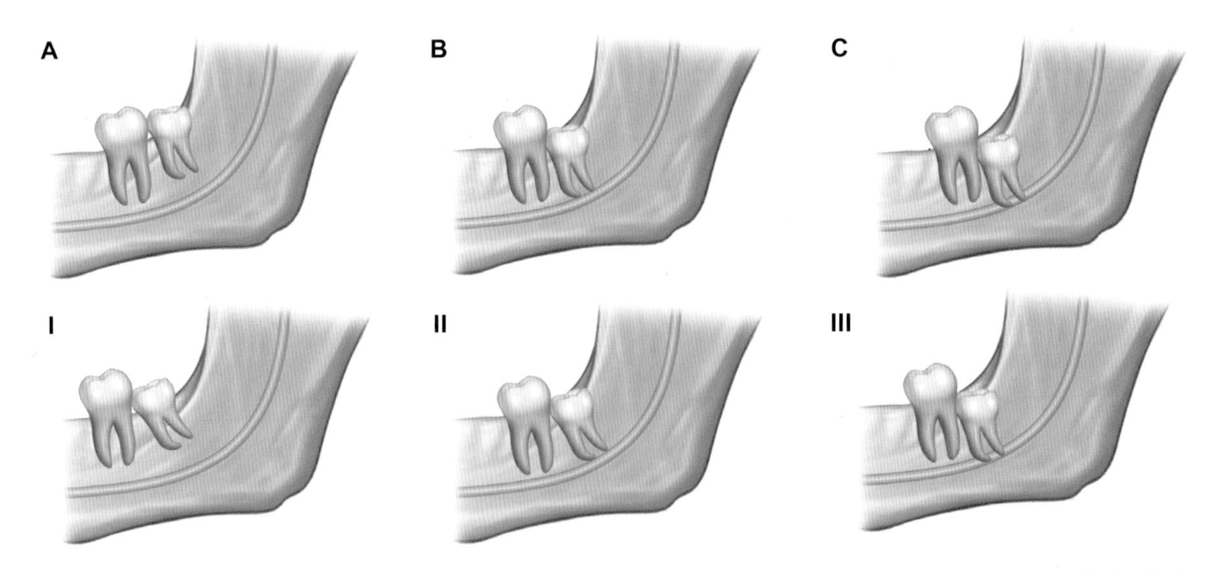

그림 3-63 Pell과 Gregory에 의한 하악지치의 위치 분류. A: 지치와 인접치사이의 관계에서 교합면과 일치하거나 높이 맹출된 경우 B: 지치의 가장 높은 위치가 인접치의 교합면과 치경부 사이에 존재 C: 지치의 가장 높은 부위가 치경부의 하방에 존재 I: 지치의 치관이 하악지에 포함되지 않은 경우 II: 지치치관의 절반 미만이 하악지에 의해 덮인 경우 III: 지치의 치관부 절반 이상이 하악지에 의해 덮인 경우.

학적인 구조물의 중첩과 방사선 필름을 제자리에 위치시키기가 어려워 정확한 영상의 획득이 곤란할 수 있다. 또 다른 방법으로 의료용 영상재구성 CT나 CBCT를 촬영하면 인접 정상치아와의 위치관계를 보다 명확히 판별할 수 있다.

(2) 제거 술식

위치 확인이 어렵고 영구치에 손상을 주지 않고 발거해야 하기 때문에 어려운 술식이다. 술식은 매복된 견치 제거방법과 유사한데, 만약 구개측에 근접된 상태라면 다음과 같다.

① 한쪽의 제1소구치에서 반대측 제1소구치까지 구개측의 치경부 둘레에 절개를 행하고 구개피판을 박리해 들어올린다.

② 골표면에서 확실한 융기를 발견할 수 없을 때에는 중절치 뒤 절치공 후방에서 골삭제를 시작한다. 이때 중절치 둘레에는 골이 칼라 형태로 남아있어야 한다.

③ 영구중절치가 맹출하지 않았으면 나타나는 치아를 해부학적 구조 및 CT 영상에서 보이는 위치와 비교하여 과잉치인지 정상 영구중절치인지를 감별하고 발치한다.

④ 발치가 끝나면 발치와를 점검하고 치관을 싸고 있던 치낭을 제거한다. 골내에 치낭의 상피조직을 잔존시키는 것은 바람직하지 못하다.

⑤ 구개측 점막골막피판을 제위치로 근접시키고 봉합한 다음, 압박지혈을 위해 미리 제작해둔 외과용스플린트(surgical splint)로 약 2일 정도 압박해준다. 그 이유는 점막골막 피판을 박리한 경우에는 아무리 변연부를 확실하게 봉합해도 술후의 내출혈이나 반응성 염증의 삼출액이 골막하에 모여 골막이 재차 넓게 박리되어 혈종에 의한 감염 가능성이 높아 현저한 치유부전의 원인이 되기 때문이다. 만약 순측에 과잉치가 매복되어 있는 것으로 확인되면 상악전치부 치은조직의 심미성을 고려해서 그림 3-41의 Partsch법에 의한 피판을 형성하여 외과적으로 발거한다.

4) 상악 매복견치 발치

매복된 견치의 경우 환자의 나이, 인접부위의 치성 혹은 비치성의 병적인 소견, 잔존유치, 맹출공간 부족, 인접치아와의 관계 등을 고려하여 발치, 맹출유도, 비발치 경과관찰, 인접치아 공간확보 등의 선택적 치료계획을 수립하여야 한다. 환자에게 제안하는 치료방법의 잠재적 위험요소, 합병증의 가능성을 자세히 설명하고 대안적인 치료 방법 또한 설명해야 한다.

매복된 견치의 발치는 비가역적이고 인접조직에 미치는 잠재적인 합병증이 발생할 수 있기 때문에 최후의 선택으로 남겨두는 것이 바람직하다. 맹출유도는 모든 환자에게서 우선적으로 고려해야 한다. 이때 교정 전문의의 자문을 구하여 맹출 가능성과 맹출이 불가능한 치근만곡 혹은 치아의 골성유착 여부 등에 대한 의견을 청취하여야 한다.

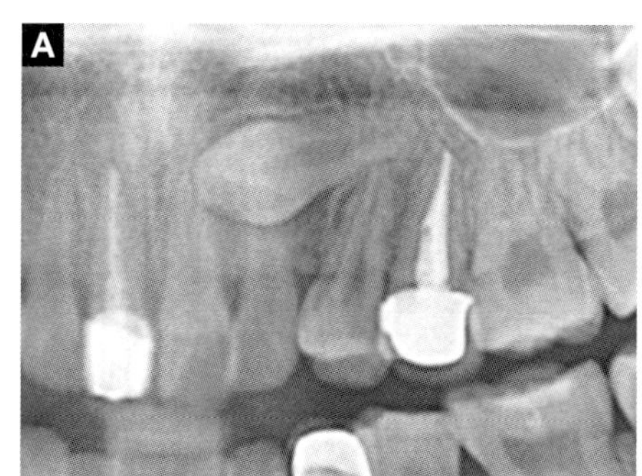

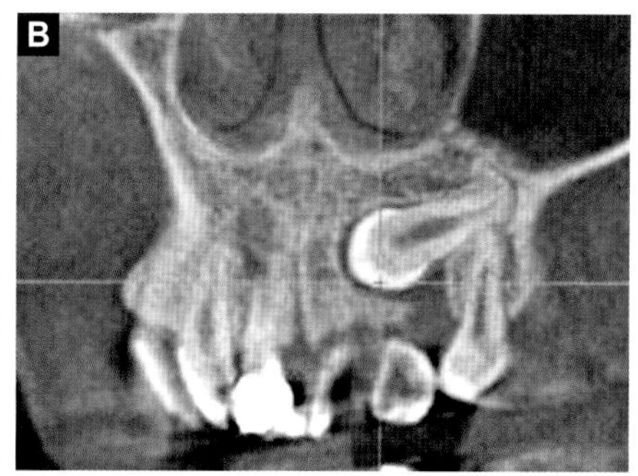

그림 3-64 A: 상악 좌측 견치가 중절치에서 제2소구치까지 가로질러 매복된 모습 B: 같은 환자의 CT 소견.

(1) 발치방법과 난이도를 결정하는 요소

① 매복치의 위치(인접치 치근과의 관계, 비강이나 상악동과의 관계): 발치술식을 결정하는 데 가장 중요한 요소가 된다. 상악정중치(mesiodens)에 비교하면 훨씬 다채롭지만 기본적으로는 순측, 구개측 및 중간위(치관은 구개측이고 치근은 협측인 것이 많다)의 세 형태로 분류된다. 절치나 소구치의 치근이 순측으로 경사된 경우에서도 순측에 풍융하게 느껴지므로 순측의 촉진으로 매복치의 위치를 판정하는 것은 신뢰성이 없다. 파노라마 사진 및 구내사진을 함께 병용하는 것이 좋다(그림 3-64). 역시 의료용 영상 재구성 CT나 CBCT를 촬영하면 주변의 치아와 비교하여 정확한 위치를 판단할 수 있다.

② 주위 치조골의 치밀도

③ 소포강(follicular space)의 유무

④ 치근의 형태(매복견치의 대부분은 근첨 1/3부위에서 만곡하고 있다)

(2) 구개측 매복견치

가장 일반적인 매복 형태로 발치의 과정은 다음과 같다(그림 3-65, 66).

① 점막골막 피판 형성

한쪽의 소구치에서 반대측 소구치까지 구개측 치경부에 절개를 시행한다. 매복과잉치에 비하여 견치가 훨씬 크기 때문에 박리하는 범위는 커진다. 박리 시에 비구개신경 혈관 다발이 방해가 되면 이것을 결찰(또는 전기 응고)한 후 절단해도 신경혈관기능장애는 적다.

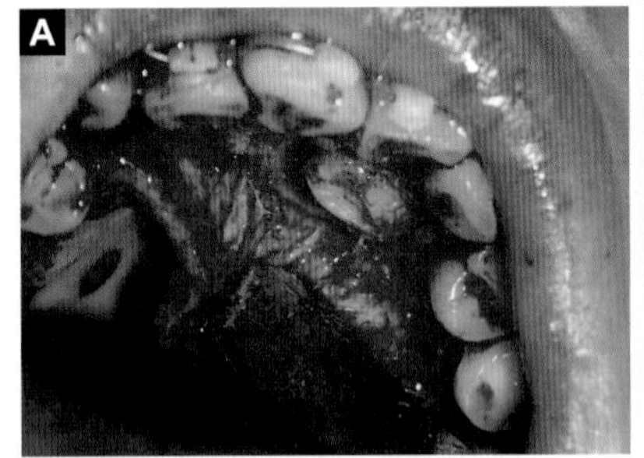

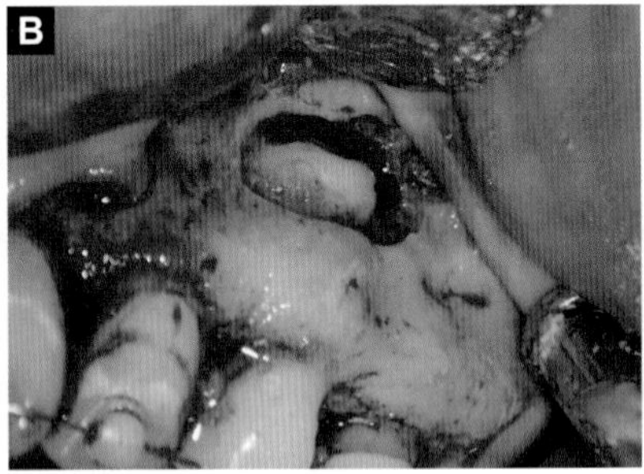

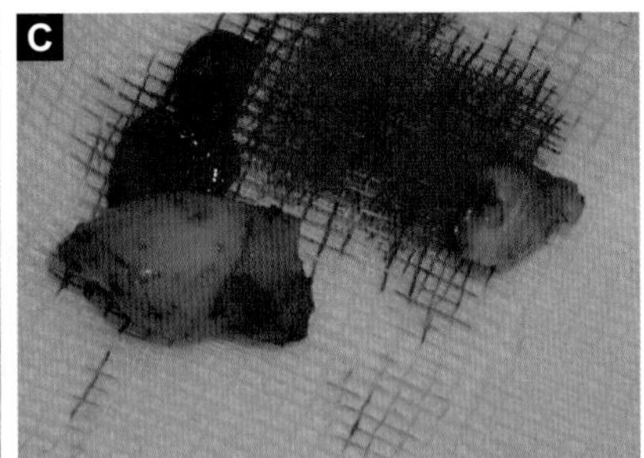

그림 3-65 A: 전형적인 구개측 판막을 거상하여 매복견치의 치관부를 노출시킨 모습 B: 순측을 가로질러 위치한 치근의 위치로 인해 순측 판막을 거상함 C: 인접 치아들을 보호하기 위해 치아를 절단하여 순측 및 구개측으로 각각 발치한 모습.

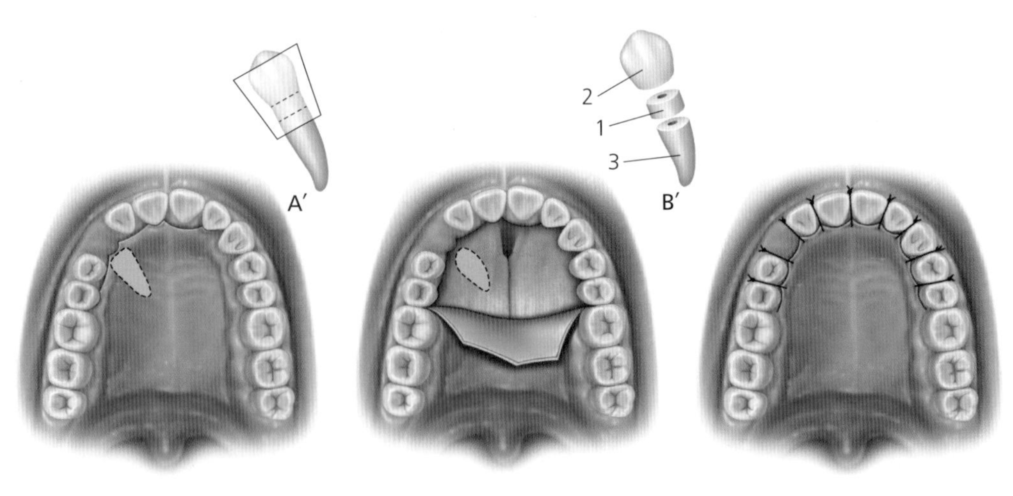

그림 3-66 구개측 매복견치의 발치.

② 골의 제거

매복견치의 위치, 치축의 방향, 치아의 크기, 치근의 만곡 방향과 그 정도에 따라 매복견치가 빠져나오는 방향을 알 수 있으므로 그 장애가 되는 골을 우선적으로 제거한다. 그러나 인접치의 치근에 손상이 가해져서는 안 된다. 골의 제거는 우선 치관의 형태와 방향에서 치축의 방향을 추측할 수 있을 때까지 시행한다. 절치 부위의 골을 제거할 때는 발치와 주위에 적어도 1–2 mm 정도의 골변연이 남아 있도록 주의를 요한다.

③ 치아의 분할

견치는 크기 때문에 골만 제거해서 발치할 수 있는 경우는 드물다. 분할 위치와 분할 방향은 치관의 위치와 치근의 만곡 방향에 따라 달라지므로 골의 제거와 함께 생각하지 않으면 안 된다.

④ 발치

대부분 발치기자를 사용하며 치근이 길고 동시에 만곡하고 있는 경우가 많으므로 발치력을 가하는 방향이 중요하며 비강이나 상악동에 치근을 밀어넣지 않도록 조심해야 한다. 발치 후에는 치관을 싸고 있는 치낭을 제거하고 비강이나 상악동으로의 천공 유무를 확인한다.

⑤ 봉합

생리식염수로 골이나 치아 삭제 파편을 세척한 후 창상을 봉합하고 미리 준비한 외과용 스플린트를 사용하여 피판을 밀착 압박시킨다.

(3) 순협측 매복견치

발치의 과정은 다음과 같다.

① 피판 형성

Neumann식 절개 또는 Partsch식 절개로 피판을 형성한다. 충분한 크기의 점막골막 피판의 형성이 필요하다.

② 골의 제거, 치아의 분할 및 발치

골제거 시에는 인접치의 치근단 위치를 염두에 두고 항상 인접치아의 치근이 손상되지 않도록 주의하여야 한다. 발치와가 상악동과 개통될 확률도 높으므로 조심하여야 한다.

(4) 중간위 매복견치

대개 치관이 구개측에 치근은 협측 피질판 가까이 소구치의 치근단 사이에 위치하게 된다. 구개측은 통상의 방법으로 노출시킨 후 치관을 제거하고 협측부 소구치들의 상방에 피판을 형성하여 매복치의 치근단 부위를 덮고 있는 골을 제거해서 형성된 공간을 통하여 치아를 구개측으로 밀어내어 치아를 발거한 후 봉합한다.

5) 상악 매복소구치 발치

상악 매복소구치의 위치와 주위 조직과의 관계를 확인하는 것은 어렵다. 구치부는 치조돌기의 폭이 넓기 때문에 매복치에 의한 융기를 촉진할 수 없는 경우가 많다. 매복견치보다 훨씬 더 상악동으로 근접해 있으며 대부분이 종이장 같이 얇은 한 층의 골로 경계를 이루고 있으며 때때로 골질이 결손되어 직접 상악동 점막으로 덮여 있는 경우도 있다. 발치 시에 상악동으로의 천공이나 치아가 들어갈 우려가 있다는 점을 유의하여야 한다.

■ 상악 매복소구치 발치 시 고려할 사항은 다음과 같다.

① 매복치가 협측 또는 중간에 위치하고 있는 경우는 협측에 큰 피판을 형성한다.
② 구개측에 위치한 경우는 제2대구치까지 연장하여 구개 측에 큰 피판을 형성한다. 피판박리 시에 대구개동 · 정맥을 절대로 손상시켜서는 안 된다.
③ 발치와의 일부가 상악동이나 비강과 개통하는 경우가 많지만, 수술부위의 지혈을 완전하게 행하고 피판을 정확하게 봉합 폐쇄하면 큰 문제는 없다.

6) 하악 매복견치 및 소구치 발치

하악견치와 소구치가 매복하는 빈도는 상악견치보다 훨씬 낮다. 발치 시에 하치조신경이나 이신경을 손상할 염려가 있으므로 술전의 방사선검사로 매복치와 하악관 및 이공의 위치를 정확하게 파악하는 것이 중요하다. 따라서 축투영법이나 상하적인 편심투영법이 매복치아 주위 구조물과의 관계를 아는 데 도움이 된다. 이 경우에도 의료용 영상 재구성 CT나 CBCT를 촬영하면 정확한 위치 판단에 도움이 된다. 하악의 표면은 두꺼운 치밀골질로 덮여 있고 그 속은 매복치 외에 인접치의 치근이나 하치조신경, 이신경혈관 등으로 복잡하기 때문에 골의 제거에는 세심한 주의를 요한다. 점막골막 피판의 설계 착오로 골막이 손상되면 치유가 현저하게 지연되므로 주의를 요한다.

(1) 하악 매복견치의 발치

하악 매복견치는 수직으로 순측에 매복되어 있는 경우가 많지만, 하악저부에 근심경사 하거나 수평위로 매복된 경우도 있다. 드물게는 인접치근의 설측에 매복하여 매복치의 치관이 인접치 치근과 밀착되어 있는 경우도 있다. 인접치 치근과 얽혀서 심부에 매복된 소구치의 발치 시에는 하치조신경이나 이신경 또는 인접치 치근의 손상이 문제가 된다. 치조골 또는 협측 치밀골벽을 삭제하여 매복치를 발치하게 되는데, 삭제하는 위치와 범위가 이공이나 인접치 치근의 위치에 의하여 제한되는 경우도 있다.

(2) 하악 매복소구치의 발치

맹출 순서로 보아 제1대구치의 근심편위(mesial drifting)에 의하여 맹출 공간이 좁아져 제2소구치가 설측으로 경사하여 매복되는 경우가 많다. 그 외에 드물기는 하지만 근심 또는 원심 방향으로 경사 또는 거의 수평위치가 되므로 술전에 충분한 발치계획이 수립되어 있지 않으면 안 된다.

8. 발치 후의 처치와 주의사항(표 3-8)

표 3-8 발치 후 주의사항

발치 후 주의사항
발치는 중등도의 외과적 처치로서 회복의 속도는 상당 부분 본인의 주의와 협조에 영향을 받습니다. 아래의 내용을 잘 읽고 시행하십시오.
예상되는 상태
1. **동통:** 불쾌감은 통상 마취가 깰 때 최고도에 달하게 됩니다. 불쾌감을 최소화하기 위하여 불쾌감이 시작되기 전에 처방된 진통제를 드십시오. 2. **출혈:** 삼출성 출혈은 수술 후 1일 정도는 예상됩니다. 출혈은 압박에 의하여 가장 잘 조절될 수 있습니다. 3. **종창:** 종창은 발치 1일 경과 후에 최고도에 달하며 약 1주일간 지속됩니다. 종창을 줄일 수 있는 가장 좋은 방법은 이를 뺀 부위의 얼굴에 냉습포를 대는 것입니다.
지켜야 할 일
1. 처방된 약제는 지시대로 복용하십시오. 2. 지혈을 위하여 물려드린 거즈는 약 1시간 이상 물고 있고, 침은 삼키든지 입 밖으로 흐르는 것을 휴지로 닦아내십시오. 3. 종창을 줄이기 위하여 냉습포를 하십시오. 얼음을 비닐봉지에 넣고 수건으로 싼 다음 10–20분 대고 10–20분 쉬는 방법으로 2일간 계속하십시오. 4. 종창을 줄이기 위하여 베개를 높게 하여 주무십시오. 5. 발치한 부위는 구강세척제를 사용하고, 다른 치아부위는 양치질을 평상시처럼 하십시오. 6. 음료수나 연질식이를 가능한 한 많이 드십시오. 7. 충분한 휴식은 빠른 회복에 큰 도움이 됩니다.
피해야 할 일
1. 거친 음식물로 이를 뺀 자리에 자극을 주지 마십시오. 2. 이를 뺀 자리를 빨지 마십시오. 3. 침을 뱉지 마십시오. 4. 이를 뺀 자리 부근의 얼굴에 열을 가하지 마십시오. 5. 최소한 2일간은 심한 운동을 피하십시오. 6. 껌을 씹지 말고 담배를 피우지 마십시오. 7. 약 복용 중에는 술을 금하십시오.
예상보다 심한 상태가 발생하면 아래의 전화로 연락하십시오.
전화: 치과의사:

발치를 시행한 후에는 발치된 치아를 관찰하고 근첨의 파절 유무를 확인한다.

치아를 분할하거나 삭제한 경우는 치아나 골의 파편 외에 치석이나 인접치아들의 충전물 파편이 치조와 내에 잔류하지 않도록 주의한다.

■ 발치 후 유의할 사항은 다음과 같다.

① 근첨병소가 있으면 방사선사진으로 병소와 주위조직 간의 관계를 확인하면서 근첨병소를 치과용 소파기로 적출하되 다음 사항을 유의해야 한다.

- 상악전치부의 정맥에는 밸브(valve)가 없으므로 근첨부의 소파술로 인하여 감염된 물질과 혈전이 두개강으로 올라가서 해면정맥동혈전증을 유발할 수 있으므로 주의한다.
- 상악구치의 발치 시에는 상악동과의 교통 유무를 확인하고, 하악구치에서는 하치조신경 및 하치조동·정맥의 손상에 주의한다.
- 농루치를 발거한 경우에는 발치창 내에 잔류하고 있는 만성염증성 육아조직을 소파술로 제거한다. 발치 후 감염과 출혈의 원인으로 가장 빈도가 높은 것이 이 염증성 육아조직의 잔류이기 때문이다.

② 또한, 치은열창, 치조골 파절 및 날카로운 골면의 유무를 관찰해야 하는데 작은 치은연 열창의 봉합은 불필요하며, 파절된 치조골편이 골막에 부착되어 있으면 이를 보존한다. 날카로운 골면은 보철물의 장착에 장애가 되거나 동통을 일으킬 우려가 있는 부분만을 제거하면 되는데 치은유두가 절제되지 않은 경우에는 봉합을 할 필요가 없다.

③ 다수 치아를 한꺼번에 발치한 경우는 치간에 해당하는 부위에서 협설로 봉합하여 발치창이 벌어지지 않도록 지지하여 준다. 이때 발치와 자체를 완전히 폐쇄할 필요는 없다.

④ 멸균거즈 또는 솜을 발치창 주위의 협설측 치은에 충분히 덮이게 대고 협(순)설측의 치조연을 향하여 압박한다. 효과적인 압박지혈 효과를 얻을 수 있고 치은연이 안쪽으로 말리므로 발치창 내의 혈병 유지도 양호해진다(그림 3-67).

⑤ 발치와를 충분히 덮을 수 있는 멸균거즈의 중앙부에 찬 생리식염수를 살짝 묻힌 후 물고 있게 한다. 생리식염수를 묻히는 것은 발치와로부터 흘러나온 혈액 이 거즈에 스며들어가 거즈를 제거할 때 발치와 내의 혈병과 분리되면서 다시 출혈되는 것을 방지하려는 것이다. 그 밖의 발치후 주의사항과 예상되는 상태, 지켜야 할 일과 피하여야 할 일에 대해서는 표 3-8에 기록했다.

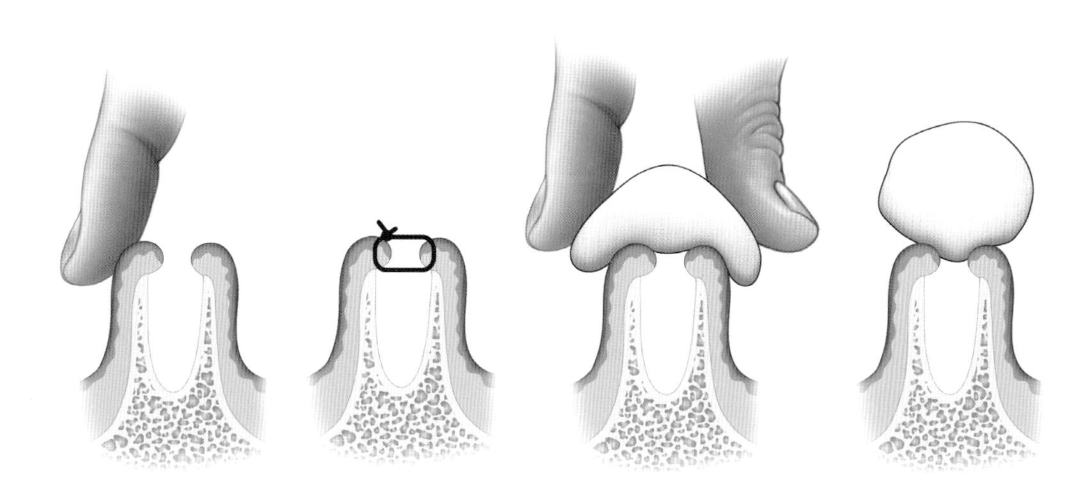

그림 3-67 발치 후 봉합을 시행하고서 발치창 압박을 위해 손가락으로 발치창 내부를 향해 거즈(gauze)압박하는 모습.

9. 발치창의 치유과정과 고려요소들

1) 발치창의 치유과정

발치창은 치은에서 치조심부에 달하는 실질 결손창으로서 이차적으로 치유되는 골의 개방창이다. 치조벽은 혈병으로 보호되고 치조벽에는 치근막의 일부가 잔존하고 있어서 여기에서 증식되는 섬유아세포가 발치와 내의 혈병을 신속하게 기질화하므로 치유가 지연되는 일은 드물다. 그러나 치조벽이 치밀하고 치근막 위축이 있는 경우에는 발치와 벽에 치근막 조직은 거의 남아 있지 않아서 신생혈관이나 골아세포의 공급원이 치조벽의 소공에 국한되어 혈병의 기질화는 현저히 늦어지고 혈병은 자연히 융해 탈락하여 건성 발치와(dry socket)가 되기도 한다. 후유증이 없는 발치창의 치유과정은 다섯 기(stage)로 분류할 수 있다.

(1) 제1기(출혈 및 혈병 형성기)

발치 직후 치근단 혈관의 열창과 치주조직으로부터 출혈이 있게 되며 수분에서 30분 사이에 출혈은 멈추게 되고 혈병이 형성되기 시작한다. 다음 1-2일 동안에 주위 조직에서 염증 과정이 시작된다.

(2) 제2기(육아조직에 의한 혈병의 기질화기)

술후 2-3일째에 혈병의 기질화가 시작되어 술후 7일경까지 혈병은 육아조직으로 치환된다. 이 과정 중에 치조능에서는 파골세포에 의한 골흡수가 시작된다.

(3) 제3기(결합조직에 의한 육아조직의 치환기 및 창상의 상피화기)

좀 더 성숙된 결합조직에 의한 육아조직의 치환은 술후 3일 혹은 4일에 시작되어 약 20일 후에 완성된다. 그러나 골형성의 첫 번째 징후는 5-8일 사이에 나타난다. 치조능의 날카로운 골연에서는 골파괴성 흡수가 동시에 일어나서 발치와의 깊이는 감소된다. 발치와의 상피화는 치은연에서 술후 4일경부터 시작되지만 약 24-35일 경과 후에도 종결되지는 않는다.

(4) 제4기(거친 원섬유성 골에 의한 결합조직의 치환기)

술후 38일경까지 발치와의 2/3가 거친 원섬유성 골로 채워지지만 이 과정은 술후 6-8주까지도 종결되지는 않는다. 이 시기에 방사선 촬영을 하면 미성숙 골의 방사선투과성 때문에 density의 증가는 없다.

(5) 제5기(치조돌기의 재건 및 성숙 골조직에 의한 미성숙 골의 치환기)

술후 40일경 발치와가 원섬유골로 전부 채워지더라도 조직표본상에서 치조백선의 윤곽은 관찰된다. 신생골 지주의 숫자와 배열은 치조골에 가해지는 기능적 응력에 따라서 달라진다. 발치창의 치유는 임의적으로 다섯기로 분류하였지만 실제적으로는 많은 변화들이 동시에 일어난다. 치조능에서의 재건과정은 발치 3일 후부터 시작된다.

발치 후 시간 경과에 따른 치유과정을 기술하면 다음과 같다. 발치 직후 발치와에 혈병이 형성되어 처음 24-48시간 동안 혈관의 확장과 증식이 이루어지며, 백혈구가 침입하고, 피브린 층이 형성된다. 발치 후 첫 주에 피브린으로 형성된 혈병의 재구성이 이뤄지고 세포의 이동과 혈관 형성의 임시 비계(scaffold)로 작용한다. 발치창연의 상피층이 재구성된 혈병의 위로 증식하여 덮힌다. 치조골 상부에 파골세포들이 축적되어 골파괴를 활발히 진행시킨다. 제2주차에는 혈병 내의 섬유조직의 형성이 진행되고 신생혈관이 증식한다. 골량조직이 혈병 내에 형성이 되며 치조골벽의 치밀골 골흡수가 더 확실히 진행된다. 제3주차에는 발치와가 육아조직으로 채워지고 내부에 초기 골량조직이 발치창 주변부에서부터 점차 형성된다. 창상의 외부는 완전히 상피화가 진행되어 덮히게 된다. 골형성과 골흡수가 함께 나타나는 왕성한 골개조(remodeling)가 수주간 더 지속된다. 발치 후 6-8주까지도 방사선사진상에는 골형성의 증거가 분명하게 나타나지 않는다. 골개조가 더 진행되어 발치 후 6-8개월이 경과하면 방사선사진에 발치와의 흔적이 희미해지거나 불분명해진다.

2) 발치창의 치유를 지연시키는 요소

일반적인 창상의 치유를 지연시키는 요소로는 감염, 창상의 크기, 혈류공급 상태, 이물질, 환자의 전신상태, 창상부의 안정(resting of the healing part) 등의 여섯 요소들이 거론되지만 창상부의 안정은 발치창과 직접 관계되지 않는다.

(1) 감염

구강은 수많은 세균들에 노출되어 있고 형성된 혈병이 음식물 등에 의한 기계적인 자극을 받기 쉬우므로 발치창이 감염되어 치유가 지연되기 쉽다. 또한 발치를 완료한 후 치근 주위에 존재하던 병적조직(특히 감염된 낭종, 만성 염증성 육아조직, 농양 등)을 남겨두는 경우, 감염상태가 악화되어 치유가 지연되므로 발치 시에 이를 반드시 제거하여야 한다.

(2) 창상의 크기

창상의 크기가 클수록 치유과정이 긴 것은 자명한 이치이다. 창상의 크기를 줄이기 위하여 봉합을 해주는 것이 효과적이다. 봉합의 이점은 다음과 같다.

① 창상의 크기 감소 효과
② 혈병과 육아조직의 보호
③ 창상을 덮기 위한 상피증식의 양을 감소시킨다.

(3) 혈류공급 상태

치유과정에 가장 중요한 요소이다. 통상 발치와로의 혈류공급은 치유에 충분하지만 혈류 공급에 문제가 있는 경우는 ① 동맥경화증이 있는 환자, ② 치조골이 치밀한 환자, ③ 발치 시에 과도한 외상이 가해진 경우 등이다.

(4) 이물질

발치창 치유지연의 가장 흔한 원인이 된다. 가장 흔한 것은 골편인데, 작은 조각들은 자연히 흡수되는 경우도 있으나 큰 조각은 괴사하여 화농을 일으켜서 육아조직의 형성을 지연시키거나 표면 상피화를 방해하게 된다.

(5) 환자의 전신상태

창상치유에 있어서 국소적인 요소보다 전신적인 요소가 훨씬 중요한 요소가 된다. 심한 빈혈, 당뇨병 및 만성 소모성질환들이 치유에 나쁜 영향을 미치게 된다.

3) 정상적인 치유를 유도하기 위한 유의사항

① 환자의 전신상태를 술전에 파악하여 조절이 필요한 경우는 조절하고 발치한다.
② 발치 중에는 조직에 과도한 외상이 가해지지 않도록 조심스럽게 조작한다.
③ 발치 후 발치와에는 골편 등의 이물질이 남아 있지 않도록 깨끗이 씻어낸다.
④ 가능하면 연조직은 봉합한다.
⑤ 구강 청결상태를 좋게 하고 기계적 및 화학적 자극을 피하도록 한다.

Ⅵ. 발치의 합병증

1. 발치 시행 중의 합병증

술전에 발치될 치아 주위조직의 해부학적 관계, 병리조직학적 소견 및 환자의 전신상태를 충분히 파악하고 발치를 시행하면 대부분의 합병증을 방지할 수 있으며 합병증이 발생되어도 그 즉시 정확한 대응이 가능하다.

그러나 난발치 시에는 예상외의 합병증이 일어날 수 있으므로 항상 신속하고도 정확한 대응이 가능하도록 평상시에 준비와 주의가 필요하다.

발치 중에 치관이나 치근파절은 가장 흔히 일어나는 속발증이다. 그 외에 드물게 인접치아의 손상, 치조골이나 상악결절(tuberosity)의 골절, 상악동의 천공 및 상악동 내 치근의 이입, 인접조직간극(space) 속으로 치근의 전위, 연조직 열창, 신경손상, 과도한 출혈, 심지어 엉뚱한 치아의 발치 등이 일어날 수 있다.

1) 치아의 파절

발치겸자(forceps)를 사용한 발치에서 흔하고 실활된 치아(devitalized tooth)에서 치질이 취약해(brittle) 파절이 잘 일어난다. 또한 치근만곡이나 시멘트질의 비대(hypercementosis)같은 구조적 이상이 있을 때 치근 파절의 가능성이 높다. 만약 치조와 심부에서 치근이 파절되어 치근첨부 조각이 남아있다면 상악동천공이나 하치조신경손상의 위험여부를 판단하여 완전발거의 여부를 결정해야 한다(그림 3-68).

이때는 특히 잔존치근 주위에 감염(infection) 여부가 잔존 치근을 완전히 발치할 것인지 그대로 두고서 경과를 볼 것인지의 판단에 중요한 요소이다. 일반적으로 치조골 내 심부에 감염되지 않은 잔존치근은 여러 학자들의 조직학적 연구에서 그대로 남겨두어도 생체적응이 잘되는 것으로 밝혀졌으나, 감염된 잔존치근은 제거되어야 한다. 치조와 내부의 잔존치근은 root picker, bayonet forceps, small elevator 등을 이용해 제거하지만, 시야가 불량할 때는 피판(flap)을 형성하는 open method로써 제거되어야 한다. 또한 다근치아(multirooted tooth)의 경우 드릴을 이용해 치근을 분할해 발치하거나, 잔존치근 주위골을 삭제하여 발치를 용이하게 하기도 한다.

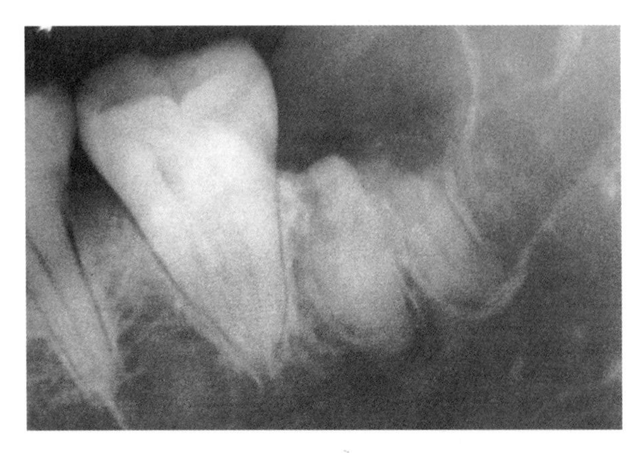

그림 3-68 파절된 하악지치의 치근.

2) 인접치아의 손상

인접치아의 손상에는 인접치아의 흔들림(동요, loosening), 정출(avulsion), 파절(fracture)이 있다.

(1) 인접치아의 흔들림(loosening; 동요)

부적절한 elevator의 사용, 너무 큰 발치겸자의 사용, 과도한 인접골 삭제 등이 원인이다. 동요도가 미미하면 환자에게 며칠간 유동식(soft diet)을 섭취시키면서 경과를 관찰하지만 중등도 이상의 동요도가 있으면 치아는 부목고정(splint)이 되어야 한다.

부목고정에는 강선결찰(wire ligature), 선부자(arch bar), 교정용 밴드(band), 급속경화레진(fast curing acrylic resin) 부목 등을 이용하고 고정기간은 2-4주일간 유지된다.

(2) 인접치아의 정출(avulsion)

치근의 형태가 원추형(cone shape)일 때나 발치기구를 부적절히 사용할 때 가끔 일어난다. 정출된 치아는 즉시 발치와(socket) 속으로 재위치시키고 견고히 부목고정되어야 한다. 이 경우 부목고정에는 선부자(arch bar)나 아크릴 레진 부목이 강선보다 효과적인데 그 이유는 강선고정의 경우 치아가 발치와(socket)로부터 밀려나가는(extrusion) 경향이 있기 때문이다. 정출된 치아는 정복고정술 시행 후 근관치료가 필요한 경우가 많다.

(3) 인접치아의 파절(fracture)

발치 도중 발치겸자(forceps)가 미끄러지거나 인접치아나 대합치아에 타격을 가하거나 또는 발치기자(elevator)를 잘못 위치시킨 상태에서 과도한 힘을 주는 경우 치아가 파절될 수 있다. 부분적인 치관파절만이 있는 경우는 수복치료를 시행하면 예후도 좋지만 치수가 노출되는 치관파절은 즉각적인 치수복조술이나 근관치료를 요할 수 있다.

인접치아의 파절선이 치근까지 침범된 경우는 발치를 요할 수 있으나, 치근파절선이 치은직하부인 경우는 근관치료와 치관확장술로 치아를 보존할 수도 있다.

3) 엉뚱한 치아의 발치

간혹 발치할 치아를 잘못 판단하여 엉뚱한 치아를 발치하는 경우는 즉시 발치된 치아를 재위치시키고 부목고정을 시행해야 한다. 때로는 성공적인 재부착을 위해 근관치료가 필요하다.

4) 치조골의 골절

난발치에서 치조골의 골절이 자주 발생한다. 골절된 치조골이 골막과 유리되어 혈행공급이 차단될 가능성이 높으면 치아와 함께 제거함이 원칙이지만 골막이 부착된 치조골편은 정확히 정복되고 고정되어야 치조골의 골흡수를 예방할 수 있다.

골절된 치조골편의 고정에는 발치창의 치은연을 관통한 봉합법이나 강선(wires)을 이용한 골간고정, 환상악골고정 등이 이용된다. 이는 일반적인 교통사고 등으로 인한 치조골 골절의 치료원칙과 동일하다.

사용된 강선은 5-6주일 후 치조능(alveolar crest) 상방에 작은 절개를 해서 강선을 절단해 제거하게 되나, 때로는 발치 도중에 치조골의 작은 골편이 파절되거나 압궤된(crushed) 것을 모르고 지내는 수가 있다. 이들 파절된 작은 골편은 증상 없이 흡수되거나 발치와 내에서 부골로 작용해 만성 화농과정을 일으키기도 한다.

5) 상악골 결절의 골절

상악 제2대구치나 제3대구치 발치 시 상악골 결절의 골절이 때때로 일어난다. 상악골 결절(조면)은 의치의 유지에 중요하므로 상악결절을 유지하는 것은 중요하다. 상악골 결절의 골절이 발생되는 순간 발치를 중단하고 골절편이 재유합(reunion)되도록 상악 제2대구치나 제3대구치 앞쪽 치아들에 부목고정술(splinting)을 약 4-6주일간 시행하는 것이 좋다.

상악결절의 골절을 방지하기 위해서는 겸자발치에 앞서 elevator를 먼저 사용해 발치와를 팽창시키거나, 치근별로 분할해서 발치하는 방법(sectioning technique), 협측 피판을 형성해 치조골의 일부를 제거하고 발치하는 방법 등이 사용된다.

만약 발치할 치아들이 감염되어 동통이 있을 가능성이 높으면 상악결절과 치아를 분리해 발치를 완료하고서 파절된 골편을 재위치시키고 골간 강선고정술(interosseous wires)이나 인접 치은부 봉합술을 통해 골편을 안정화시킨다. 그러나 파절된 상악골결절과 치아의 분리가 불가능한 경우에는 부득이 한꺼번에 제거할 수도 있겠지만 이때는 치은점막과 상악동의 내부점막(antral lining)이 찢어질 우려가 있고 골수강에 근접된 해면골내 출혈 가능성이 높으므로 특별한 주의를 요한다. 즉 상악동 개통 여부를 확인하고서 잔존 치조골의 예리한 변연을 smoothening하면서 과잉치은과 점막을 절제하고서 견고한 봉합을 시행한다.

6) 상악동 천공

상악구치부 치근이 상악동저 내부로 돌출되어 있거나 치근첨부의 감염이 있는 경우 염증과정에 의해 상악동저의 골이 파괴되어 발치 시 상악동이 천공되는 수가 있다.

대부분의 경우 천공의 크기가 작고, 상악동이 감염

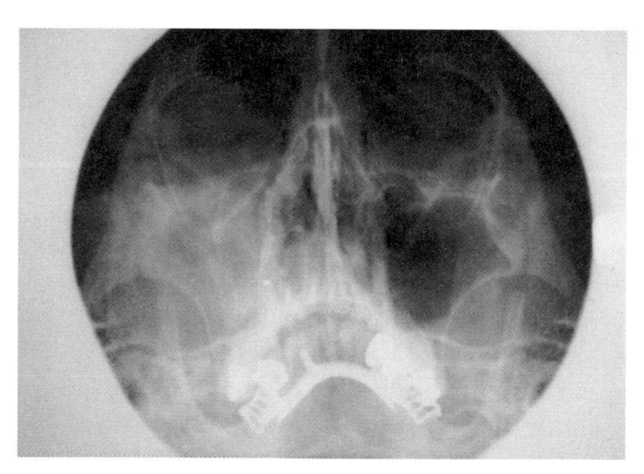

그림 3-69 상악동염을 보이는 Waters' view (편측 haziness가 관찰됨).

된 상태가 아니면 발치창을 채우는 혈액응고(blood clot)로 천공은 자연히 폐쇄되지만, 상악동이 감염된 상태이면 천공은 계속 잔존하여 구강상악동누공을 형성한다. 상악동염의 존재여부는 증상보다는 방사선사진(Waters' view 등)으로 확인하는 것이 객관적인 면에서 바람직하다(그림 3-69).

발치 도중 상악동천공이 의심되면 천공 여부를 확인하기 위해 콧구멍을 막고 호흡을 내쉬는(blow) 시험을 한두 번 해보고 천공이 일단 확인되면 발치창 주위의 치은을 가능한 근접되게 봉합하는 것이 발치창의 치유를 촉진해 구강상 악동 누공의 형성을 방지하는 데 도움이 된다. 이때 주의할 사항은 천공 여부를 계속 확인하려고 수차례 코를 풀어보게 한다거나 탐침으로 검색하거나(probing) 상악동 내부를 세척(irrigation)하는 것은 상악동 관통을 확대하거나 상악동 내부로 감염을 파급시킬 우려가 있다.

한편 발치창의 내부에 흡수성 gelatin sponge (gelfoam)을 삽입해서 혈액응고체에 지지를 통해 발치창의 치유를 촉진시키는 것도 도움이 된다.

상악동천공의 크기가 큰 경우는 Berger's buccal flap (그림 3-70) 등을 사용해서 천공폐쇄 수술을 시행할 수 있으나 환자의 증상과 방사선사진상 상악동염의 증거가 없어진 경우에만 시행해야 한다. 협측이나 구개측의 점막피판을 이용하여 상악동천공을 폐쇄하는 방법은 발치와 부위로 피판의 회전이 용이하지 않고 봉합시에 완벽한 방수봉합을 이루기가 어려워 종종 실패하는 경우가 있다.

발치 후에 발생하는 상악동천공을 폐쇄하는 방법으로 협부지방피판을 이용하는 방법도 있다(그림 3-71). 협부지방피판의 경우, 지방조직을 주성분으로 하기 때문에 타액의 상악동 내로 누수를 막기에 용이하고, 지방피판의 특성상 회전이 용이하여 점막피판에 비하여 누공의 폐쇄가 기술적으로 용이하다.

■ 구강 상악동 관통창 폐쇄수술 후 환자에게는 다음과 같은 주의사항을 지키게 해야 한다.

① 약 1주일간 코를 풀지 말 것
② 재채기할 때는 입을 벌린 채로 할 것
③ 격렬한 구강세정을 피할 것
④ 며칠간 비교적 유동식을 섭취할 것
⑤ 수술 후 비출혈이 계속되면 즉시 병원으로 내원할 것(비출혈이 계속되면 콧구멍을 통한 압박지혈이나 antrostomy 통한 vaseline gauze packing으로 지혈함)

7) 상악동 내부로 전위된 치근

발치 도중 치근이 상악동 속으로 들어가면, 치근잔사가 상악동저의 점막하방에 위치되는지 상악동점막을 관통했는지 확인한다.

■ 상악동 내부로 밀려들어간 치근을 제거하는 방법은 다음과 같다.

① 술자가 상악동 내로 치근이 전위된 부위를 관찰하는 동안 환자는 코를 풀 듯이 공기를 불게 하여 (blow-out) 치근이 공기압력으로 다시 탈출되기를 기대한다.
② 발치와(socket) 내부에 suction tip을 사용해 상악동 내 함입된 잔존치근의 제거를 시도한다. 이 방법만으로 치근 제거가 용이하지 않으면 상악동내를 생리식염수로 세정(irrigation)하면서 suction tube로 흡인한다.
③ 구강상악동 관통창상의 크기가 크다면, 길다란 iodoform gauze를 발치와를 통해 상악동 내부로 삽입해 잔존치근과 iodoform gauze의 마찰(friction)에 의해 치근이 끼워져서 나오게 할 수도 있다. 그러나 이 술식은 기존의 구강상악동 천공의 크기를 확대시킬 우려가 있으므로 주의를 요한다.
④ 위의 세 가지 보존적인 방법으로 잔존치근이 제거되지 않으면 부득이 상악동 속으로 직접 들어 가는 외과적 접근방법이 필요하다. 즉, Caldwell-Luc operation 접근법으로 개방창을 형성해 양호한 시야를 확보하고서 잔근을 제거한다. 잔근 제거 후에

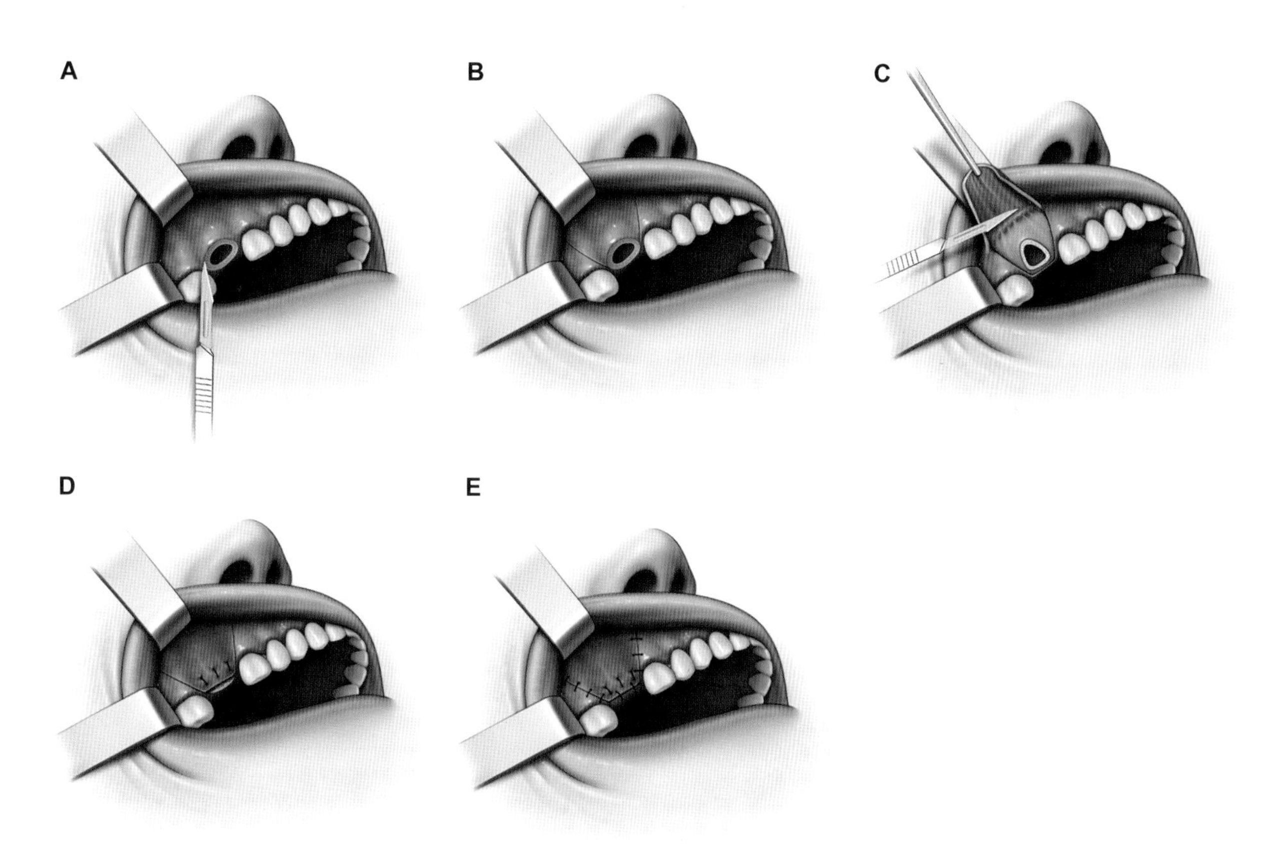

그림 3-70 **Berger's buccal flap.**
A: 천공부의 가장자리를 절개한다. B: 천공부의 가장자리에서 구강전정 쪽으로 벌어지는 형태의 수직절개를 가한다. C: 피판을 거상하고 상악동 내 감염조직을 제거할 수 있는 만큼 골창을 넓히고 감염조직을 제거 후 releasing incision을 골막에 가한다. D: 피판은 천공부의 구개측 가장자리에 맞게 다듬고 매트리스봉합을 시행한다. E: 추가적인 단속봉합을 시행한다.

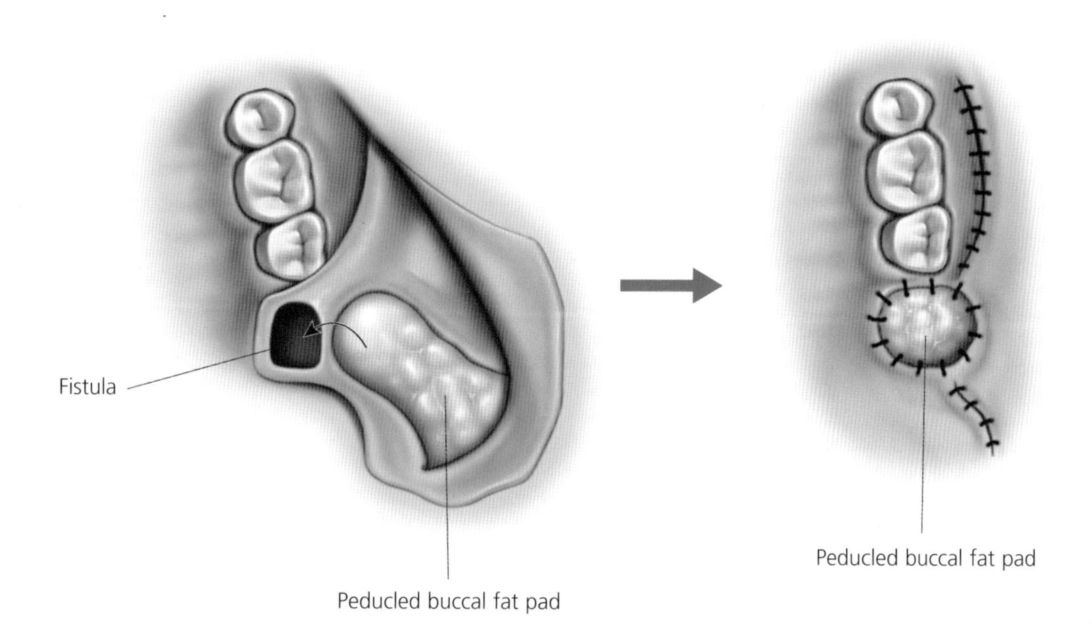

그림 3-71 **협부지방 피판을 이용한 상악동천공 폐쇄.**

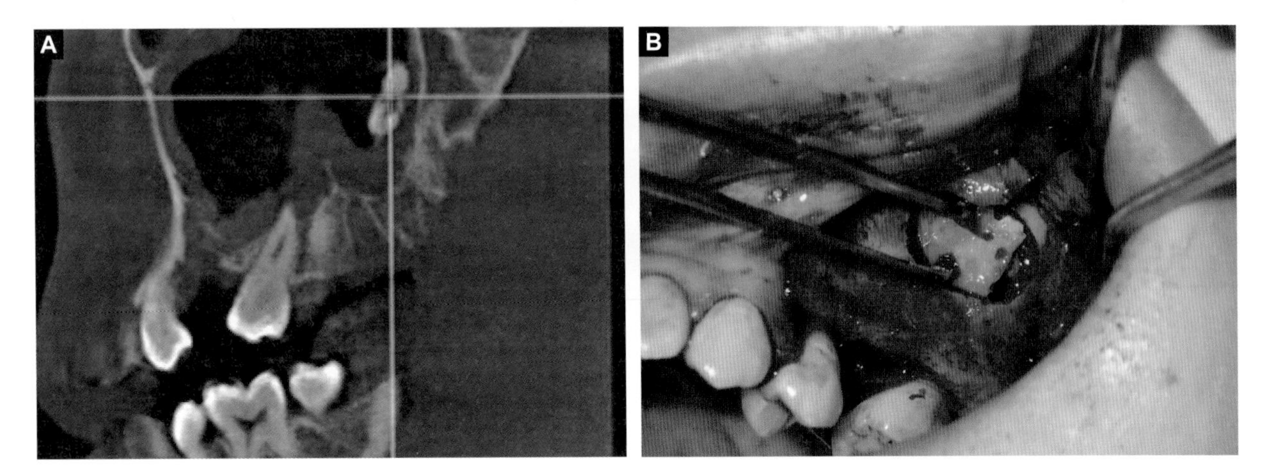

그림 3-72 A: 불완전 맹출한 상악 좌측 제1소구치의 발치 중 치근이 파절되어 상악동 내부로 전위된 모습 B: 전위된 치근을 상악동 측벽을 통한 접근으로 제거하는 모습.

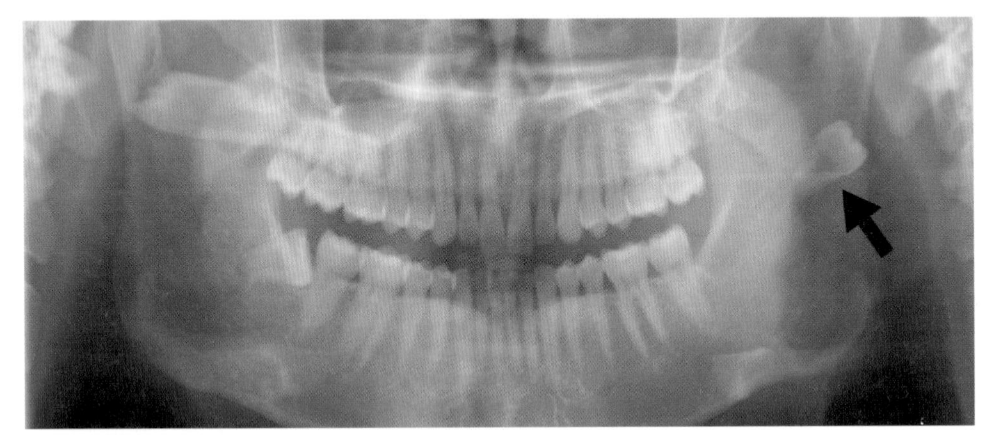

그림 3-73 하악 좌측의 설측으로 편위된 매복된 제3대구치 발치 과정에서 익돌하악간극으로 편위된 치아. 편위된 치아는 좌측 하악지 후연에 걸쳐있다.

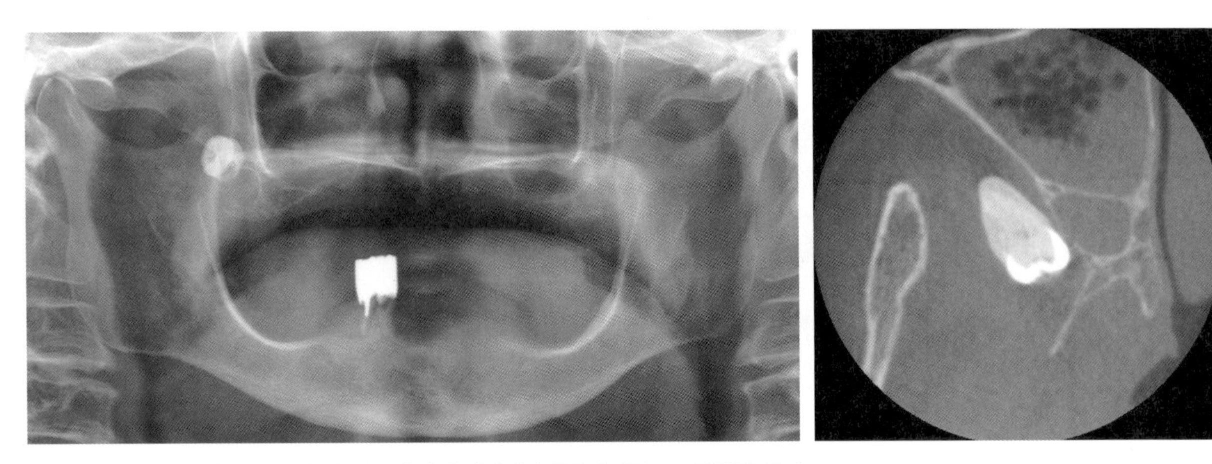

그림 3-74 상악 우측의 매복된 제3대구치 발치 과정에서 측두하간극으로 편위된 치아.

는 구강상악동 누공이 생길 우려가 있으므로 발치창을 봉합하는 것이 좋으며, 상악동염의 가능성이 있다면 Caldwell-Luc 수술을 시행하여야 한다(그림 3-72).

8) 근막간극으로 전위된 치아나 치근

하악 제2대구치나 제3대구치를 발치하는 동안 설측 치조골이 골절되거나 관통되어 치아나 치근이 익돌하악간극이나 악하간극 내부로 전위되는 수가 있다(그림 3-73). 특히 치근단 감염이 있는 경우 설측 치조골이 흡수되면 파절된 치근을 제거하려고 시도하다가 치근이 악하간극 내부로 빠지기도 한다. 이 경우 제거하려는 시도는 우선 설측 피판을 형성해 시야를 확보하고서 suction tip이나 hemostat 등으로 집어내는 것이 원칙인데 이때 잔존 치근의 이동을 방지하기 위해서 구강외 악하부(submandibular region)에서 압력을 상방으로 가하는 것이 도움이 된다. 설측 피판 형성으로 제거할 수 없을 만큼 파절치근이 심부로 전위된 경우 악설골근(mylohyoid muscle) 내부로 접근을 시도해야 한다.

그 외에도 상악 제3대구치 발치 시 치아나 치근이 측두하간극 내부로 전위되는 경우가 있다(그림 3-74). 특히 치아가 원심경사 되어 있는 경우 치아를 원심 쪽으로 미는 힘을 가했을 때 측두하간극 내부로 밀려들어 갈 수 있다. 이 경우 협측 피판을 형성해 시야를 확보하고서 hemostat 등으로 집어내는 방법에 의해 제거할 수 있다. 이처럼 간극으로 전위된 때에는 구강내 감염전파의 가능성이 높으므로 항생소염요법이 필수적이다.

9) 치은 및 점막의 열창

난발치 시 발치기구들의 부적절한 사용은 구강점막과 치은의 우발적인 열창을 초래한다. 경미한 조직손상은 감염에 대한 저항성이 있으므로 흔히 합병증 없이 치유되지만 이물질 오염을 방지하기 위한 등장성 생리식염수 세정이 필요하다. 만약 봉합이 필요하면 특히 사강(dead space)과 혈종(hematoma)의 형성을 방지하려고 각층별로 접근되어야 하지만, 만약 심부 관통열창(deep puncture wound)이면 조직 내부에 혐기성세균이 잔존해 감염을 유발시킬 가능성이 높으므로 창상을 폐쇄시키지 말고, 드레인을 사용한 개창(opening)을 유지함이 원칙이다. 또한 심부 관통창에서는 다양한 세균들이 창상 속으로 파급될 수 있으므로 광범위 항생제의 사용이 필요하다.

10) 하치조신경 및 설신경 손상

간혹 해부학적으로 하악 제3대구치의 치근이 하치조신경에 근접되어 있어 발치 시 신경손상의 원인이 되기도 하지만, 발치 중 파절된 치근을 제거하기 위한 무리한 소파술(curettage)이나 발치기자의 잘못된 사용으로 신경이나 혈관의 손상을 야기한다(그림 3-75). 이런 손상은 하순과 턱(lower lip & chin) 부위의 이상감

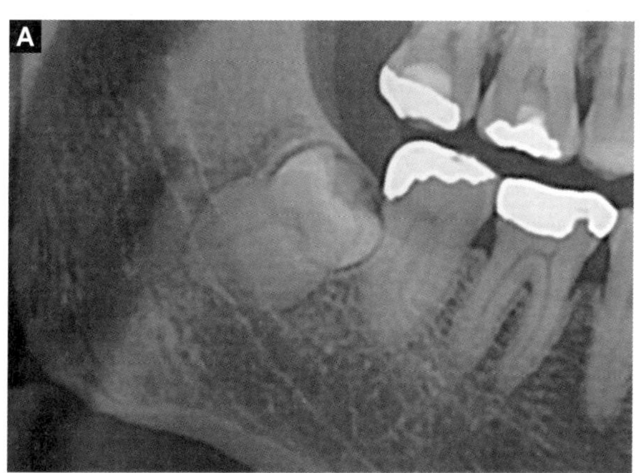

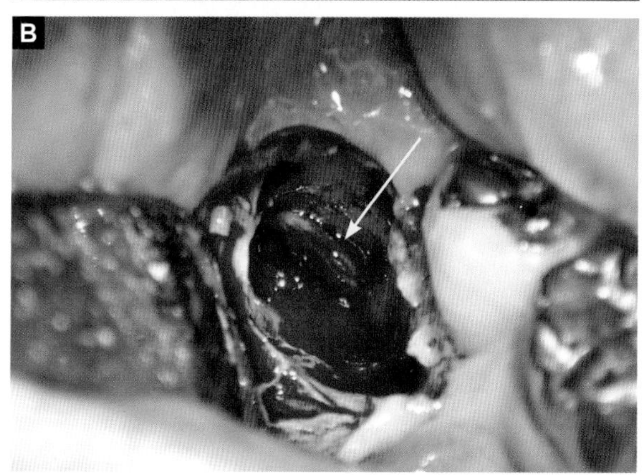

그림 3-75 A: 매복된 하악 우측 제3대구치의 치근이 하치조신경관을 가로질러 지나가는 모습이 관찰되는 파노라마방사선사진 B: 발치 후 발치와의 설측으로 하치조신경이 뚜렷하게 관찰됨.

각이나 무감각을 초래하지만, 대부분은 6주일-6개월 경과 후 재생되어 회복된다(그림 3-76). 그러나 상당 기간이 경과되어도 회복되지 않을 경우 환자는 불편감이 크고 의료분쟁의 소지도 있으므로 초기 단계부터 적극적인 물리치료, 약물치료(소염제, tegretol, vitamin B complex 등 사용), 심리적인 안정요법(psychologic care) 등에 주력해야 한다.

말초신경의 손상 후 재생(regeneration) 과정이나 발치 등의 외상후동통증후군(즉, 삼차신경통성 동통, 작열통, 환상통 등)의 자세한 병리기전과 치료 및 예후에 대해서는 교과서의 외상성 신경손상 부분을 참조 바란다. 만약 물리치료나 약물치료 등의 대증요법에도 신경손상이 회복되지 않으면 하악관의 골벽창상이 신경을 침범했을 가능성이 크므로 감압법수술 등을 고려해야 한다. 만약 외상성 신경종이 원인이라면 절제하고서 미세현미경 수술로 재문합하거나 신경이식술을 시행해야 한다. 또한 하치조신경의 이신경지(mental branch)도 소구치 부위의 잔존치근 발치 시 손상가능성이 있으므로 피판형성 시 이신경의 보호에 유념해야 한다.

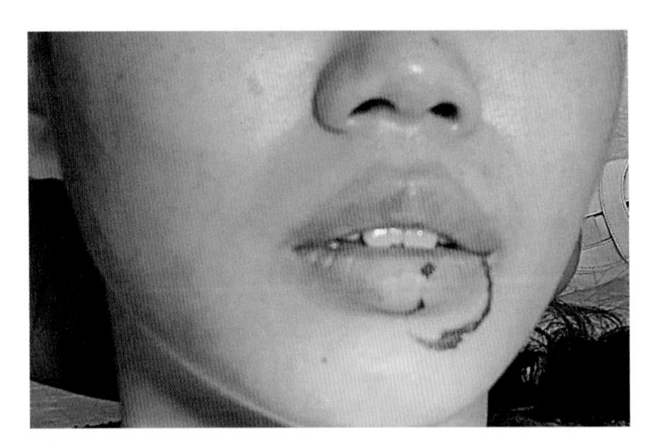
그림 3-76 하악지치 발치 후 하순지각마비가 나타난 부위.

설신경의 손상도 하치조신경의 손상과 마찬가지로 발치와 연관되어 발생할 수 있고, 그 원인으로는 국소마취 시 바늘에 의한 손상, 설측 피질골의 골절에 의한 손상, 발치와 연관된 기구에 의한 손상 등이 있을 수 있다. 설신경 손상에 따른 환자의 증상은 이환측 혀의 전방 3분의 2의 감각둔화가 나타날 수 있다. 설신경의 경우 하악 제3대구치의 변연부 치은에서 2.28-8.32 mm 가량 떨어져서 주행하므로 환자에 따라서 설측 치은의 열상이 발생하는 경우 손상이 일어날 수 있다(그림 3-77). 신경손상 후 재생과정은 하치조신경의 손상 후 경과와 유사하다.

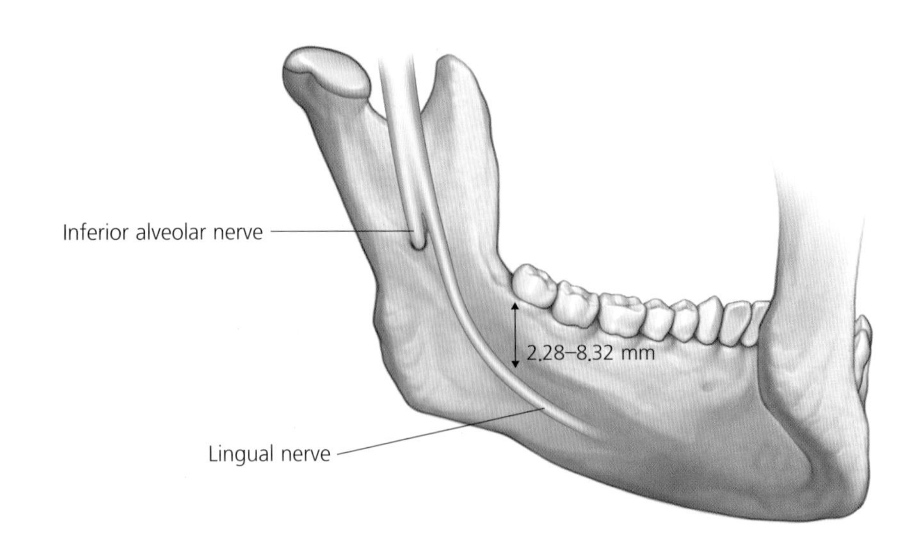

그림 3-77 설신경(lingual nerve)의 주행 경로와 하악 제3대구치와의 관계.

11) 출혈

발치 동안 때때로 동맥이나 정맥의 손상으로 과도한 출혈이 발생되기도 한다(그림 3-78). 그러나 대부분의 출혈은 염증부위의 조직들이 과도하게 충혈되어 있어서 발치 시 기구들(흡인기, 큐렛 등)에 의한 과도한 외상으로 발생된다. 연조직에서 발생되는 스며나오는 출혈(oozing)은 습한 거즈를 이용한 압박지혈로 지혈이 가능하지만 큰 혈관은 hemostat으로 혈관을 잡고 봉합사로 결찰하는 것이 좋다.

발치 도중 치조골로부터의 출혈은 발치와를 거즈로 전색해서 수분간 압박함으로써 억제할 수 있으나, 출혈이 계속되면 흡수성 지혈거즈나 bone wax를 이용하거나, 큐렛 같은 둔탁한 기구로 골 부위를 압궤해서 지혈시켜야 한다. 이때 출혈을 억제하기 위해 에피네프린에 적셔진 거즈를 사용하기도 하는데, 이는 수술 후 출혈 가능성과 심장질환자에서 혈압상승으로 심각한 합병증을 야기할 수 있으므로 에피네프린 사용은 피해야 한다. 잔존된 치근을 발치하는 동안 하치조 동맥과 정맥의 열창으로 과도한 출혈을 야기할 수도 있는데 이때는 발치와를 5–10분간 거즈로 압박해 지혈을 시도하고서 다시 발치를 시행토록 한다. 그래도 출혈이 지속되면 gelfoam 등으로 발치와를 packing하고 치은을 봉합해 지혈하고, 약 1주일 정도 경과 후 잔근발치를 새로 시도함이 좋다.

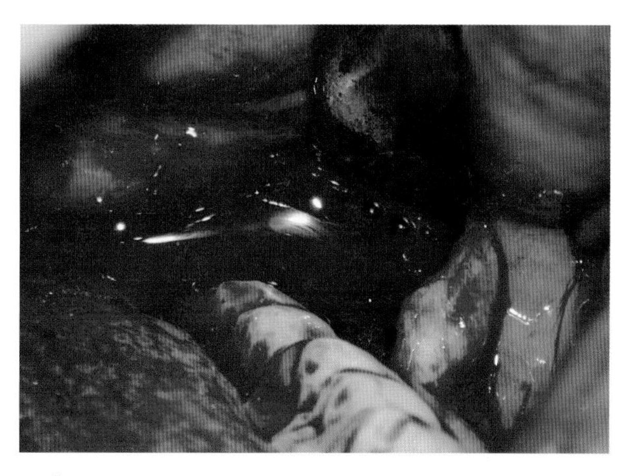

그림 3-78 하악 제3대구치 발치 중 과도한 출혈이 관찰되었다.

12) 피하기종

바람이 나오는 핸드피스나 압축공기 분무(spray)에 의해 근육 내부나 근막간극의 결합조직 속으로 공기가 들어가서 생긴다.

피하기종에 의한 종창은 빨리 발생하고 관련 조직은 바삭바삭하는 소리가 느껴질 수 있다. 피하기종 발생 후에 호흡하는 데 장애가 없다면, 치료는 필요치 않으나 공기가 흡수될 때까지 약 1–2주 동안 안정을 취하면서 감염방지를 위해 항생요법이 필요하기도 한다.

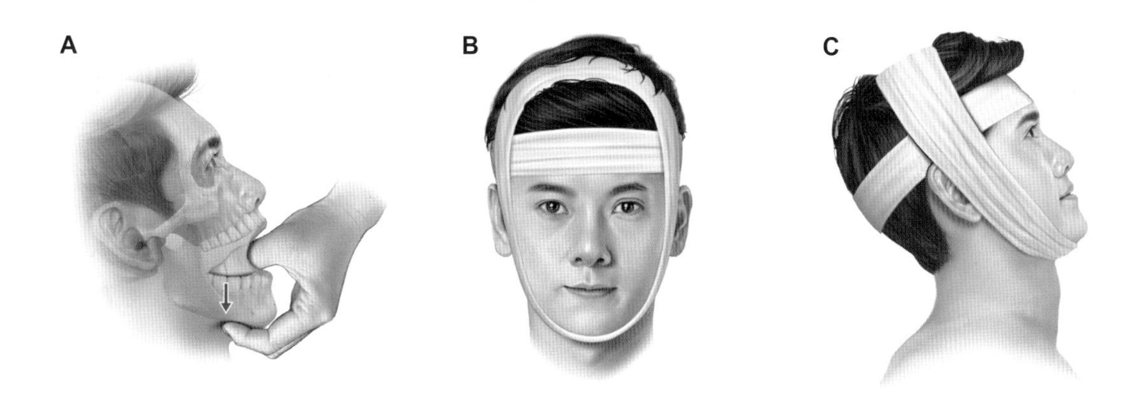

그림 3-79 하악탈구의 정복방법.

A: 탈구 시 술자는 환자의 턱근육의 이완과 정신안정을 유도하고 손으로 하악골을 하방으로 밀었다가 후방으로 넣어주면 하악과두가 제자리로 가게 된다. B, C: 하악탈구를 정복한 후에 붕대로 고정하여 준다(Barton's bandage 시행).

13) 악관절부 외상

하악치아의 발치 시 악관절낭(capsule)과 인대 부위에 상당한 긴장상태를 유발하여 발치 후에 하악운동의 제한과 동통이 초래될 수 있다.

따라서 이러한 합병증을 방지하기 위해서는 하악치아 발치 시 하악골의 안정성을 확보해서 발치를 시행해야 한다. 또한 발치 시 장시간에 걸쳐서 입을 크게 벌렸거나, 하악 발치 시 하악의 고정이 불충분하면 악관절 탈구가 일어나기도 한다. 탈구 시 정복의 방법은 그림 3-79와 같다.

2. 발치 후의 합병증

발치 후 합병증은 심각할 수 있고 때로는 치명적일 수도 있으므로 술자는 합병증을 조기에 인식해서 초기에 치료하도록 노력해야 한다.

1) 출혈

발치 후 1시간 정도 경과 후 약간의 oozing이 되는 것은 정상일 수 있으나, 거즈 압박과 얼음찜질을 시행함에도 지속적으로 출혈이 일어나면 확실한 지혈을 시도해야 한다.

(1) 일차적인 출혈

발치창 출혈이 있는 환자가 내원하면 우선 생리식염수로 세척하면서 과도한 혈액응괴(blood clot)를 흡인하고서 일단 거즈 biting을 시행하고 전신상태를 평가해야 한다(그림 3-80A).

혈압과 맥박을 측정해 순환기능의 적정성을 평가하면서 쇼크의 증상들(혈압하강, 약하면서도 빠른 맥박, 차고 끈적끈적한 피부, 창백)이 있으면 즉시 지지요법(supportive therapy)이 시행되어야 한다. 환자의 전신상태가 안정된 후 혈관수축제가 포함된 국소마취제(2% lidocaine with 1 : 100,000 epinephrine)로 국소마취하에 출혈부위를 정밀조사한다. 출혈부위가 치은이면 창상연을 봉합해서 지혈시키고 치조골 내 출혈이면 발치와 상부의 치은을 봉합해서 지혈하거나 gelfoam 등으로 발치와를 packing해서 지혈시키는데, 창상감염에 의한 이차적인 후출혈을 예방하기 위해서는 배농로를 미리 확보하기도 한다.

발치 후 출혈의 원인은 국소적인 것과 전신적인 것으로 구분되며 표 3-9와 같다.

만약 출혈의 원인을 국소적으로 결정하기 어려우면 전신적 원인을 찾기 위해 혈액학적 검사를 조기에 시행함이 유용하며, 필요시에는 혈액내과 전문의에게 의뢰한다.

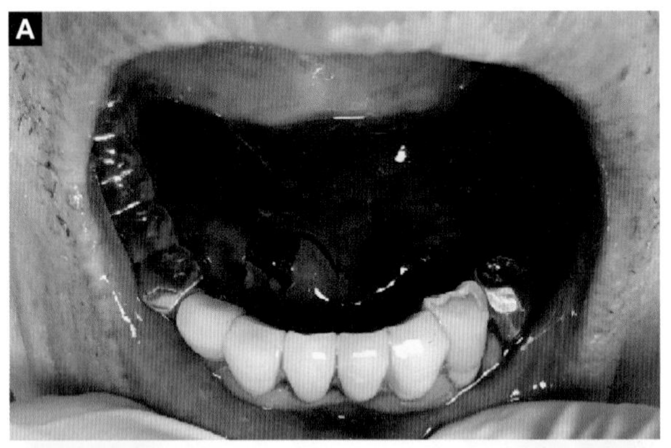

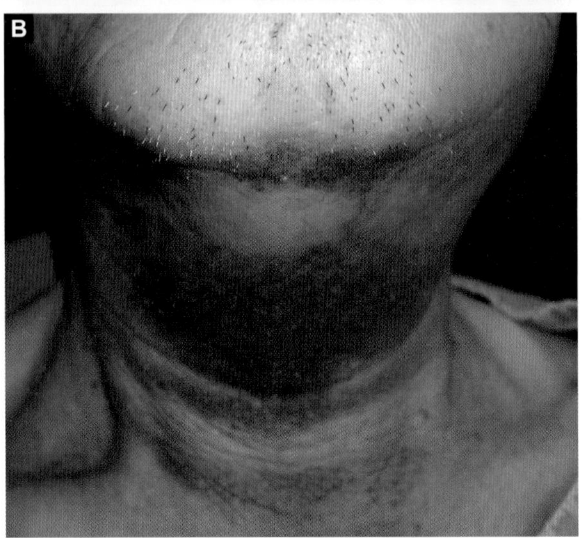

그림 3-80 하악 소구치 발치 후 출혈이 과도해 응급실로 내원한 환자. **A:** 구강내 혈종(blood clot)이 가득 차 있다. **B:** 턱밑으로 반상출혈이 관찰된다.

표 3-9 **발치 후 출혈의 원인**

국소적 원인	본질적인 요소	증상
1. 발치 후 관리불량(발치창의 기계적 자극, 과도한 세구)	혈전 및 봉합사 탈락	
2. 부적당한 발치조작		
1) 혈관수축제를 첨가한 국소마취제의 과도한 사용	중소혈관의 반발성 확장	
2) 발치 시의 외상	압박지혈이 불가능한 혈관손상	
3) 염증성 육아조직의 잔존	혈관의 수축부전과 국소섬유소용해 항진	
4) 혈관주행이상과 풍부한 혈종 존재	압박지혈이 불가능한 혈관손상	
전신적 원인		
1. 선천성 출혈성 요인		
1) 혈관이상	혈관의 취약성, 수축력 저하	피부에 붉은 반점
2) 혈소판 이상(수의 감소내지는 기능이상)	혈소판혈전 형성부전	피하 점상출혈, 치은출혈
3) 응고인자 이상(특정 응고인자의 결핍)	혈전 형성부전	코피, 관절강내 출혈, 근육내 혈종
2. 속발성 출혈경향		
1) 혈액질환(급성백혈병)	주로 혈소판 감소	혈소판혈전 형성부전
2) 간질환 및 항생물질 투여	복수의 응고인자 부족	혈전 형성부전
3) 알레르기, 교원병	혈소판감소, 혈관벽장애	혈소판혈전 형성부전
4) 허혈성 심질환, 신투석	항응고제 투여	혈전 형성부전
5) 당뇨병, 고혈압	혈관의 취약성, 맥압항진	혈소판혈전 형성부전
6) 약물 부작용(아스피린, 기타)	혈소판감소, 혈소판 기능저하	혈소판혈전 형성부전

(2) 이차적인 출혈

발치 후 며칠이 지난 후 창상감염 등으로 육아조직 내부 혈액응괴의 상실이나 혈관의 침식(erosion)으로 발생한다.

치료는 우선 감염이 있으므로 항생제를 사용하고 발치창 내부에 이물질(foreign body)의 존재를 확인하면서 발치와 내부를 배농시키고 주위 치은을 봉합하거나 감염의 정도가 미미하면 gelfoam 등의 삽입으로 지혈을 시도한다.

(3) 반상출혈과 혈종

발치 후 경도의 반상출혈은 흔한데, 특히 노인에서는 모세혈관이 취약하고 조직의 탄력성이 불량해 반상출혈이 많으므로 합병증이라기보다는 정상반응이다(그림 3-80B). 그러나 지속적인 반상출혈과 혈종의 형성은 합병증으로 흔히 발치하는 동안 지혈을 적절히 시행하지 못해서 발생된다. 따라서 발치 도중 발치와나 인접 치조골로부터 출혈이 지속되면 주위치은조직의 봉합만으로는 지혈이 어려우므로 발치와 내부로 gelfoam 같은 물질의 삽입, 거즈압박, 술후 얼음찜질이 필요하다(그림 3-81).

그리고 환자에게는 반상출혈이나 혈종에 의한 조직의 변색은 조직내부로 출혈이 있어 적혈구의 축적과 헤모글로빈 파괴로 일어난 것이지, 멍이 들거나 괴저 과정이 아님을 인식시키고 변색이 사라지는 데 수주일의 시간이 필요함을 설명해 준다.

2) 종창

염증성 부종(edema)은 발치 후 인접조직에서 흔히 보이고, 이는 보통 외과적인 손상의 정도에 비례한다.

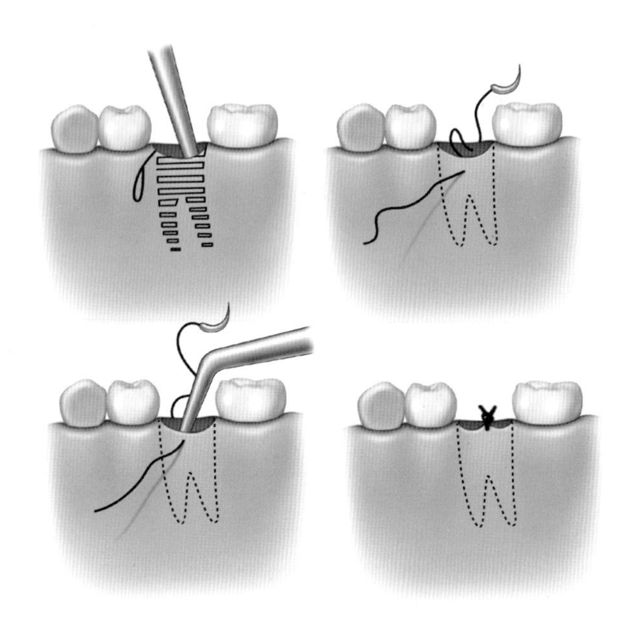

그림 3-81 출혈되는 발치창 내부의 혈병(blood clot)을 제거하고 생리식염수로 세척한 후 gelfoam을 채우고 봉합하는 과정.

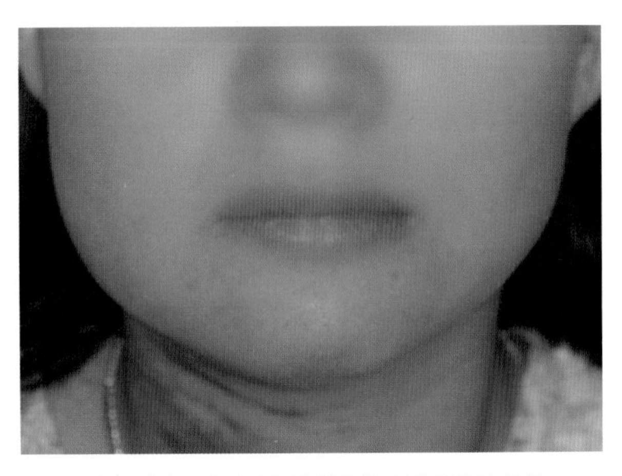

그림 3-82 하악지치 발치후 발생된 협부 및 악하부 종창.

과도한 부종이 발생되는 원인으로는 발치 도중 연조직의 열창, 골막의 손상, 피판의 부주의한 견인, 파절된 골의 자극 등이다. 발치 후 며칠 경과된 종창은 피부 온도의 증가, 조직의 발적, 고열 등이 있어 술후 부종과는 구분된다(그림 3-82). 감염에 의한 부종은 항생 소염요법, 절개 및 배농술, 생리식염수를 이용한 창상세척 및 온습포를 하여 치료한다.

3) 동통(Pain)

발치 후 2일 이상 동통이 지속되거나 3-5일 후 동통이 시작되면 흔히 창상감염의 증상이다. 이러한 창상감염은 치조골감염(dry socket)이거나 감염성 골막염(septic periosteitis)이다.

흔히 이러한 감염은 자가치유(self-limiting)되므로 관련된 동통의 경감에 주력하면 되지만, 효과적인 치료를 위해서는 감염성 골막염과 골염(osteitis)을 감별해야 한다.

(1) 감염성 골막염(septic periosteitis)

감염성 골막염의 동통을 억제하기 위한 국소적인 치료법은 뚜렷한 것이 없다. 다만 항생소염요법과 온습포 및 따뜻한 생리식염수를 이용한 창상세척이 종창과 동통에 따른 경련(spasm)을 경감시키는 데 큰 도움이 된다.

(2) 치조골염, 건성발치와(dry socket)

수술 후 지연성 동통(delayed pain)의 가장 흔한 원인이고, 동통이 지극히 강렬하고 방사통이어서 매우 고통스럽다. 치조골염의 발생과정은 최초에는 발치창 내 혈액응괴(blood clot)가 지저분한 회색모양이고, 용해되면 발치창내 혈액응괴가 괴사되고 육아조직 없이 치조골이 노출되며, 진단을 위해 probe 삽입 시 매우 예민한 증상을 보인다.

화농은 없지만 악취(foul odor)가 있고 동통은 격렬하며(throbbing) 특히 잔존 치근막과 치조골에서 노출된 신경종말(nerve endings) 자극 시 심하다. 흔히 발치 3-5일 후 시작하고, 방치하면 7-14일 이상 동통이 지속되기도 한다.

- 치조골염의 원인은 다음과 같은 것들이 고려된다.
  ① 발치 전 기존 감염 존재
  ② 발치 도중 치조골 외상(trauma)
  ③ 국소마취 시 사용된 혈관수축제의 지혈효과
  ④ 발치 후 발치와 속으로 세균 유입

⑤ 경화성 치밀골(dense bone) 존재
⑥ 전신쇠약
⑦ 과도한 구강세척과 흡인으로 혈액응괴(clot) 상실

이들 가운데 가장 문제가 되는 것은 발치 시 외상과 그에 따른 감염이다. 1973년 Birn은 치조골염의 병인론에 대해 발치 시 외상과 감염이 골의 염증을 야기하고 그 결과로 조직활성제(tissue activator)를 유리하는데, 이것이 clot 내부의 플라스미노겐을 플라스민으로 변화시킴으로써 치조골염의 병인이 시작된다고 했다. 이때 합성된 플라스민은 섬유소를 용해하는 단백분해효소로 blood clot을 용해하고 clot 내에 있는 kininogen으로부터 kinin을 유리시켜 심한 동통을 야기하게 되므로 그는 치조골염을 섬유용해성 치조골염이라 명명했다. 이러한 Birn의 학설은 과거의 개념(발치 시 외상이 치조골에 손상을 야기해 감염에 대한 저항성이 감소되며, 세균이 blood clot의 용해를 야기한다는 개념)들을 확장하게 되었고 현재까지도 유용하게 받아들여지고 있다. 치조골염의 세균종류에 대해 1929년 Schroff 등은 fusiform bacilli와 Vincent's spirochetes가 많다고 했으나 현재는 호기성세균과 혐기성세균의 혼합감염으로 여긴다.

치조골염의 치료는 우선 동통완화에 주력하면서 감염 억제를 위한 발치창의 세척(3% H_2O_2 & warm saline 이용), 발치창 신경종말의 진정 및 배농로 확보

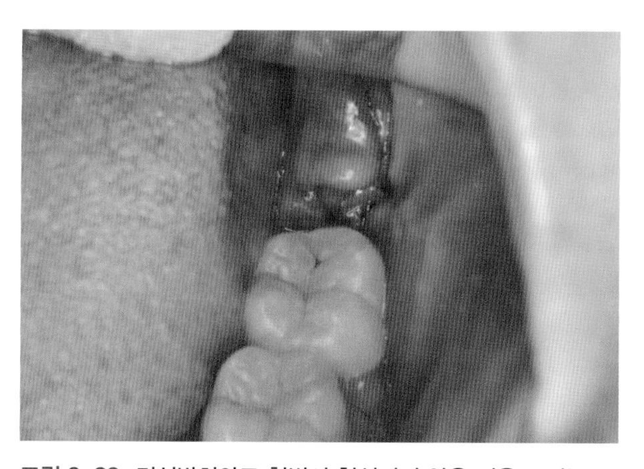

그림 3-83 건성발치와로 혈병이 형성되지 않은 것을 보여줌.

(eugenol을 살짝 묻힌 iodoform gauze drainage), 항생소염요법, 전신상태의 개선을 위한 supportive care가 필요하다(그림 3-83). 여기서 특히 유의할 사항은 발치창 내 혈액응괴(clot)를 새롭게 형성시키기 위해 소파술(curettage)을 시행하는 것은 오히려 치조골염 파급(spread)을 조장할 뿐만 아니라 새로 형성된 혈액응괴도 용해될 우려가 있으므로 삼가야 한다는 것이다.

(3) 발치 후 동통의 예방

① 조직을 조심해서 조작해야 하며, 특히 골막과 점막은 수초가 없는 자유신경종말(free nerve endings) 분포가 많고 수술외상에 지극히 예민하므로 세심한 조작이 필요
② 조직손상을 최소화하기 위해 sharp instruments를 사용
③ 발치창 내 이물질(치아파편, 충전재료, 골파편 등)을 완전히 제거
④ 잔존 sharp bone은 smoothening하고 연조직은 가능한 한 봉합함
⑤ 발치 후 압박 드레싱과 냉찜질을 하여 술후 부종과 출혈 방지
⑥ 진통제는 발치 후 동통 발생 전에 투여
⑦ 발치한 첫날은 약제투여 간격을 짧게 해 투약효과를 증진시킴

4) 감염

발치뿐만 아니라 모든 외과적 창상감염에 관련된 요소들은 다음과 같다(표 3-10).

따라서 발치 시에는 창상감염에 관련된 요소들을 고려하면서 시술해야 하고, 발치 후 처치 시 감염방지를 염두에 두어야 한다.

발치의 자극에 의한 기존 염증의 재발이나, 발치 후 2차 감염에 의하여 염증이 발치창 주위조직으로 확대될 우려도 있다. 특히 악하간극이나 저작근막과 위치적으로 가까운 관계에 있는 하악지치의 발치 후에는 감염으로 인해 주위조직에 봉와직염이나 간극농양을

표 3-10 창상감염에 관련된 요소들

1. **국소요소:** 세균의 수, 세균의 독성, 실활조직, 혈액공급 감소, 이물질(foreign bodies) 등
2. **전신요소:** 패혈증, 숙주저항성 감소(당뇨병, 영양장애, 항암제 사용 후 세포독성, 악성종양)
3. **환경요소:** 소독 부적절, 술자의 위생상태
4. **내인성 요소:** 환자의 피부와 머리털, 수술부위에 감염된 조직 존재, 환자의 구강과 인두에 저항성 세균 존재
5. **외과적 요소:** 불충분한 지혈, 사강(dead space)의 존재, debridement의 부적절, 봉합이나 견인 시 조직괴사, drain의 부적절한 장기사용, 수술시간 과도, 감염된 창상의 일차 봉합

초래할 가능성이 크므로 주의를 요한다(그림 3-84~86).

발치 종료 후 염증반응은 약 2일 후면 상당히 소실되는데 그 이후에도 종창과 동통이 지속되면 발치 후 감염가능성이 크므로 항생소염요법 등을 계속 시행해야 한다. 불행히도 환자에게 고열이 발생하고, 섭식장애가 있는 경우에는 입원치료를 요할 수도 있다. 발치 후 감염증 역시 다른 치성감염처럼 전파경로는 인접조직, 림프계, 혈관계를 거치므로 적극적인 감염관리를 해야 한다.

5) 개구장애

가장 흔한 원인은 발치 시 조직 손상에 관련된 염증 때문에 일어나는 근육경련이다. 여기에 수술 후 동통이 근육경련과 개구제한을 악화시킨다. 또 다른 개구장애(trismus)의 원인은 3가지가 있다. ① 창상감염, 특히 익돌하악간극, 교근하간극, 측두간극농양, ② 부적절한 국소마취 방법, ③ 시술 동안 악관절부 손상 등이다.

수술외상에 의한 개구장애의 치료목표는 주위조직의 염증과 근육경련의 해소인데, 이를 위해 물리치료(hot pack and massage)와 감염조절을 위한 항생소염요법, 배농술, 동통조절을 위한 진통제의 투여 등이 고려된다.

근육이완제(muscle relaxant)는 이런 개구장애 시에는 효과가 없고, 운동요법 역시 급성 개구장애 상태에서는 경련성 근육에 손상을 초래할 가능성이 있어 피

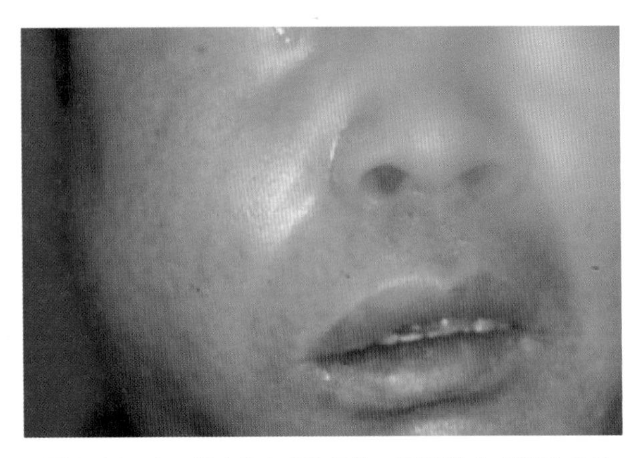

그림 3-84 당뇨 환자에서 하악 우측 지치발치 후 형성된 우측 협부와 측두부간극 농양.

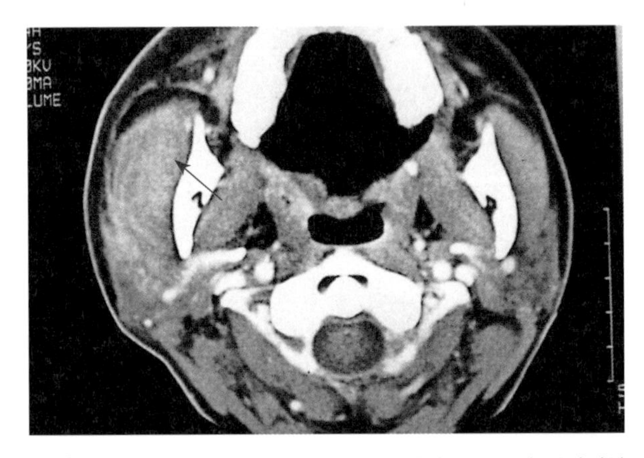

그림 3-85 하악 우측 지치발치 후 형성된 교근부위 봉와직염(cellulitis)의 전산화단층사진 소견으로 교근비대가 특징적으로 보임.

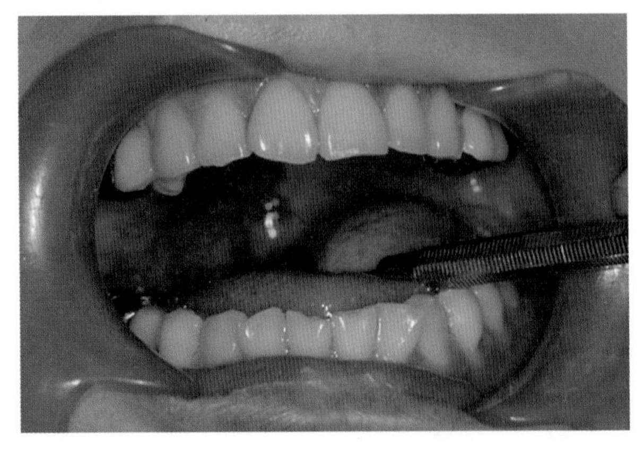

그림 3-86 하악 우측지치 발치 후 익돌하악간극, 협부농양으로 발생한 개구장애.

하는 것이 좋으나, 전신상태가 회복되면 운동요법은 근육 내 혈액순환을 개선해 근육기능을 증진시키므로 개구에 도움이 된다. 일반적으로 동통과 염증이 완화됨에 따라 개구량은 서서히 증진된다.

6) 화농성육아종

발치 후 발치창 주위의 병적조직을 절제하거나 치아탈구 동안 압궤(crusing)된 골을 제거하지 못했을 때는 감염된 부골(sequestrum)로 인해 화농(suppuration)이나 염증성 육아조직의 과도한 증식이 초래되어 화농성육아종이 형성된다. 흔히 괴사되어 분리된 골편이 방사선사진상에 보일 수 있다. 치료 시 배농을 위해 발치창연을 개방해 부골을 제거해야 하므로 적절한 소파술과 창상세척이 필요하다. 이때 모든 육아조직을 철저히 제거하려고 완벽한 소파술을 시행하는 것은 잔존 치근막 부위에 손상을 주어 오히려 창상치유를 지연시키므로 부골만을 제거하기 위한 소파술이 바람직하다. 일반적으로 감염의 증거가 없다면 항생제치료나 발치와를 packing하는 것은 적응증이 못되지만, 감염의 증거가 확실하면 발치창을 통한 배농로의 설정이 필요하다.

3. 발치에 수반된 전신적인 응급상황

질병의 예방이 중요하듯 응급상황도 발생된 후의 처치보다 사전대비로 인해 응급상황의 발생을 예방하는 것이 좋다. 일반적으로 국소마취하에 시행되는 발치로 인한 전신적 응급상황(예: 실신, 과환기, 알레르기, 이물흡인 등)을 예방하기 위해서는 시술에 앞서 환자의 병력청취와 전신상태의 검사, 활력징후 측정, 약제 투여 후 알레르기 유무 등을 기본적으로 살피고 평소에 전신상태에 대한 지속적인 관심과 문제점을 함께 해결할 수 있는 전문의와의 협의진료가 중요하다. 또한 마취와 발치기술에 대한 불안과 공포를 경감시키기 위한 술자의 신뢰감 있는 의연한 태도, 약제 투여, 평안감을 느끼게 하는 진료환경의 설정이 필요하다. 치과외래에서 발치로 인한 응급상황이 적다고 하더라도 만약 발생되면 치명적인 결과를 초래할 수 있으므로 치과의사와 보조인력(치과위생사, 간호사, 간호조무사)은 항상 만약의 사태에 대비해야 한다.

그러기 위해서는 평소에 유사한 응급상황에서 관련 치과 의료진이 마치 소방훈련을 하듯이 협동 팀의 개념으로 훈련하여 응급상황의 처치에 친숙해져야 한다. 응급처치는 분초를 다투는 위급상황이므로 응급기구나 장비세트 및 약제들을 즉각적으로 사용할 수 있도록 적절한 위치에 설치해두고, 수시로 점검해서 약제나 장비들의 시효만기를 확인해야 한다. 그리하여 응급상황이 발생되면 치과의사는 환자처치에 대한 지시를 내리면서 상태를 확인하고, 보조인력도 환자를 면밀히 관찰하면서 활력징후의 측정, 필요한 기구나 약제들의 준비, 환자상태의 기록 등을 도와서 종합적인 환자관리에 만전을 기해야 한다. 흔히 치과외래에서의 응급처치로 소생이 되지만 심한 전신질환자처럼 생명이 위태한 경우에는 인근 종합병원으로 전원시켜야 되는 만큼, 평소에 의뢰할 인근 병원과 소통을 하고 있으면 좋다.

■ 치과외래에서 국소마취하에 발치를 시행할 때 당면할 수 있는 응급상황은 다음과 같다.
- ① 실신(syncope)
- ② 과환기(hyperventilzation)
- ③ 심근경색증(myocardial infarction)
- ④ 심장마비(cardiac arrest)
- ⑤ 마취사고(anesthetic accidents)
- ⑥ 급성알레르기반응(acute allergic reaction)
- ⑦ 부신피질호르몬 치료를 받는 환자의 순환성허탈(circulatory collapse in patients on cortico-steroid treatment)
- ⑧ 약물 유해반응과 약물 상호작용(adverse drug reactions and drug interaction)
- ⑨ 뇌전증(epilepsy)
- ⑩ 급성 저혈당증(acute hypoglycemia)

⑪ 히스테리 반응(hysteric reactions)

⑫ 이물흡인(foreign body aspiration)

이러한 내용들은 발치에서만 문제되는 것은 아니고 구강악안면외과 영역의 모든 시술에서 주의해야 할 응급상황이기도 하다.

Ⅶ. 발치 시 특별 고려사항

1. 급성염증 상태에서의 발치

항생제가 발달하면서 급성염증을 보이는 치아를 치료하는 개념도 변화되었다. 과거에는 감염이 가라앉아 국소화되고 화농될 때까지 급성증상을 완화시키는 것이 필요했고, 그 다음에 치아를 발치했다. 오늘날에는 항생제의 발달로 급성염증기에도 적절한 항생제의 혈중농도가 유지되면 발치가 가능해져 급성염증을 유발한 원인치아를 발치할 때까지 기다리는 기간(즉, 급성염증반응이 가라앉는 기간)을 줄일 수 있게 되었다. 발치라는 조작이 치근막과 치조골에 손상을 야기해 급성염증을 더 악화시킬 우려가 있다고 하여도 감염의 원인이 치아인 경우라면 원인제거로 인해 감염의 해소가 촉진될 수도 있으며, 발치창을 통한 배농술을 시행할 경우 급성감염의 완화에 도움이 되기 때문이다. 과거처럼 급성염증이 완화되어 만성화되고 국소화되어 배농술을 시행할 시기까지 기다려 발치할 수도 있지만, 국소화된 농양형성은 조직이 파괴되어야만 농(pus)이 형성되고, 항생제를 사용할 경우 농형성이 안 될 수도 있어 급성염증이 가라앉을 때까지 발치를 연기하게 되어 시간이 너무 지체되는 단점이 있다.

따라서 급성염증을 보이는 치아라고 하더라도, 일단 항생제가 혈중농도에 도달되고 그 치아가 원인치아라면 발치를 고려하는 것이 바람직하다. 다만 이 경우는 술후 계속적인 치과의사의 관찰이 가능하고 항생제와 수액 정맥주사가 가능한 종합병원급 이상의 병원에서 시행함이 좋겠다. 만약 난발치가 예상되면 주위조직으로 감염을 파급시키지 않도록 항생소염요법을 계속하면서, 외과적인 피판형성 및 골삭제 등의 시술을 해야 한다. 급성염증반응을 보인 치아를 발치한 후에는 감염의 증상이 완전히 사라졌다고 하여도 3일간은 계속 항생제 투여를 해야 한다.

2. 전신질환자에서의 발치(심신장애자 포함)

모든 구강악안면외과의 술식이 그렇듯이 발치도 특히 난발치인 경우 환자에게 정신적, 신체적 스트레스를 가하고 혈관과 뼈노출에 따르는 균혈증 발생 등으로 전신적인 합병증을 초래할 우려가 있다. 앞에서 발치의 전신적인 금기증에 대해서 언급했지만 금기증이 되는 전신질환이라고 하더라도 그 경중의 상태에 따라 발치가 가능한 경우는 의외로 많다. 더욱이 현대에는 의학의 발달로 과거에는 치명적이라고 여겼던 많은 전신질환을 치료할 수 있게 되고 국민의 평균수명도 상

표 3-11 ASA 분류와 치과진료

ASA 신체상태 등급	
Ⅰ급	정상인
Ⅱ급	경도-중등도의 전신질환자
Ⅲ급	활동이 제한되나 무기력하지는 않은 고도의 전신질환자
Ⅳ급	무기력하고 생명위협이 항존하는 전신질환자
Ⅴ급	24시간 내에 사망가능한 전신질환자
치과진료 변형	
Ⅰ급	통상적인 치과진료 가능
Ⅱ급	가능한 한 치과진료 stress 감소
Ⅲ급	우선 담당의사와 consult, 치과치료 시 엄격한 stress 감소
Ⅳ급	의사와 consult 시급, 입원시켜서 최소한의 응급 치과진료만 시행
Ⅴ급	Life support만 하고 치과진료는 시행치 말 것

당히 연장되어 치과의사는 여러 가지 전신질환의 병력을 가진 환자를 자주 접하는 만큼 이들을 선별하여 발치가 필요한 경우에는 해당 의사들과 협의하여 안전한 발치를 시행하고 후처치를 시행함은 매우 긴요하다. 현재 가장 많이 사용되는 전신질환의 상태 분류는 미국마취과학회(American Society of Anesthesiology)에서 창안한 5단계 신체적 상태이며, 치과치료의 변형은 미국의 많은 치과대학에서 1977년부터 사용되고 있다(표 3-11). 이러한 분류체계에 따른 치과치료의 변형목적은 전신질환을 가진 환자를 적절한 의학적 위험 범주로 분류하여, 치과치료를 정확하고 안전하게 시행키 위함이다.

신체등급에 따른 치과치료 시 고려점은 신체등급 Ⅰ인 경우 전신질환을 가지고 있지 않은 건강한 정상인으로 발치를 포함한 일상적인 치과치료가 가능하지만, 신체등급 Ⅱ만 되어도 경미한 중등도의 전신질환 병력이나 현증이 있는 만큼, 치과치료 특히 구강외과적인 수술 시 스트레스 감소에 유념해야 된다는 것이다. 여기서 스트레스 감소는 불안을 완화시키기 위한 정신안정법을 의미하는 것으로 치료 전날 밤에 충분한 수면을 취하도록 투약을 한다든지, 치료시간을 아침시간대에 시행하면서 짧은 시간에 끝냄, 고온 다습한 환경을 피함, 발치술식의 숙달, 술자에 대한 신뢰도, 수술 후 동통과 불안 해소책 등을 말한다.

신체등급 Ⅲ은 무력하지는 않으나 활동이 어느 정도 어려운 심한 전신질환을 가진 환자로 우선 관련 전문의의 협의진료가 필요하고 치과치료 시 엄격한 스트레스 관리가 필요하다. 치료되지 않은 심장병, 내분비질환, 혈액질환 등의 전신질환뿐만 아니라 심신장애자(지체부자유자, 시각과 청각 장애자, 음성언어기능 장애자, 정신지체) 등도 여기에 포함된다(그림 3-87, 88).

신체등급 Ⅳ은 활동이 어렵고 환자의 생명이 위험한 심각한 전신질환을 가진 환자로서, 치과치료는 최소한의 응급진료만을 시행하고 입원시킨 상태에서 치과치료를 요하는 경우이다(그림 3-89). 따라서 전신질환이 신체등급 Ⅲ이나 Ⅳ인 경우의 발치는 해당 의사와 협

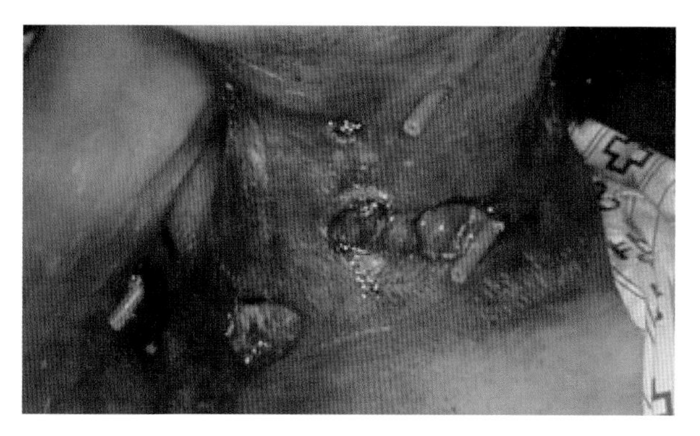

그림 3-87 알코올 중독증 환자에서 하악치아 발치 후 발생한 급성 근막염.

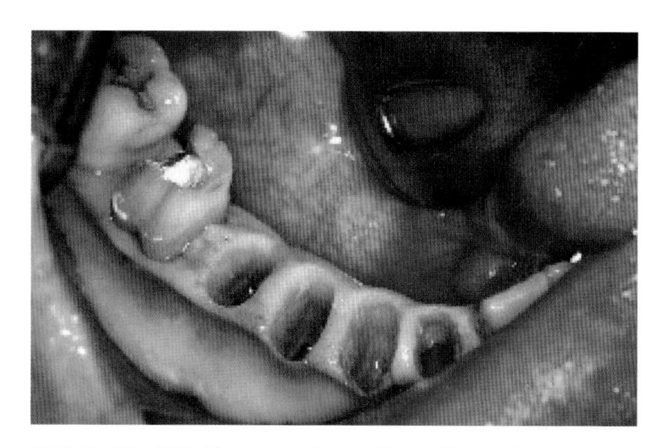

그림 3-88 백혈병(leukemia)으로 항암화학요법 후 발생한 치조골 괴사.

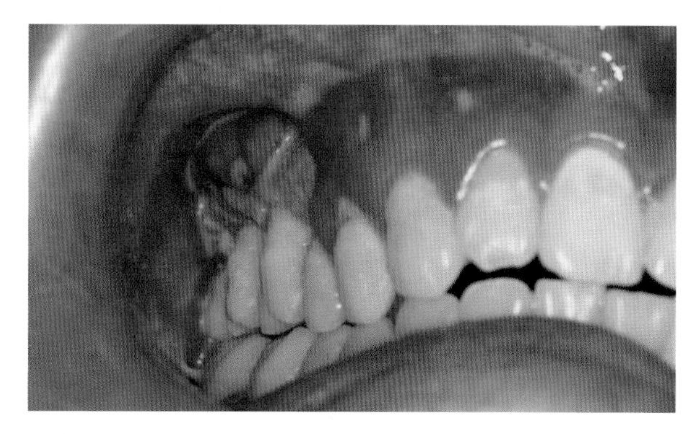

그림 3-89 심한 당뇨 환자에서 입안털곰팡이증(mucormycosis)에 의한 상악치조골 괴사.

의진료를 시행하되 처음부터 감염의 원인치아를 발치하는 것보다 항생소염요법, 교합조정, 근관치료를 통한 배농, 감염치아 주위 농양부 절개 및 배농술 등을 시행

해 감염과 통증을 해소시킨 후에 발치 및 발치창 주위 농양부를 통한 배농술 등을 시행함이 바람직하다.

3. 항암화학요법과 관련된 환자에서의 발치

항암요법은 여러 종류의 악성종양의 치료에 효과적으로 이용되고 있는데 항암제는 종양세포와 같이 빠르게 성장하고 있는 세포에 비특이적으로 작용하여 세포를 파괴하거나 성장을 억제하는 역할을 한다. 정상세포 중에서 세포분열 속도가 빠른 구강점막을 포함한 위장관의 상피, 골수세포 등이 영향을 받는다. 항암요법은 보통 여러 차례로 나누어 시행하므로 혈관구조에 대한 효과가 미약하므로 항암요법 치료 중 항암제를 투여하지 않는 회복기에는 거의 정상적인 상태로 회복이 가능하다. 다시 말하면 항암제의 영향은 일시적이며 시간이 경과함에 따라 발치를 포함한 통상적인 치과치료가 가능하다. 치과의사는 치과치료 전에 항암요법 시작 날짜 및 혈액검사결과에 대해 알고 있어야 한다. 조혈기관(예: 백혈병)의 암종으로 치료를 받고 있다면 항암요법뿐 아니라 종양 자체의 영향으로 혈구수가 심하게 감소되어 있다. 이런 환자의 경우 감염과 출혈 소인을 항상 지니고 있으므로 담당 내과의사와의 협진이 필수적이다. 비골수성암종인 경우 항암요법을 시행하는 동안에만 감염이나 출혈이 발생할 소인을 가지고 있지만 항암요법을 종결하면 곧 회복된다. 수복이 힘든 치아는 항암요법 전에 발치되어야 한다. 현재 항암요법을 받고 있는 환자의 경우 백혈구 수나 혈소판 수를 확인하고 발치가능성 여부를 결정해야 한다. 백혈 구수가 2,000/mm^3 이상이고 이중 다형핵 백혈구수가 최소한 20% 이상이며 혈소판 수가 50,000/mm^3 이상인 경우 발치가 가능하다. 항암치료가 끝난 지 3주 이내에는 가급적 발치하지 않는 것이 좋으며 꼭 필요한 경우 예방적 항생제의 투여가 필요하다.

4. 두경부에 방사선치료를 받은 환자에서의 발치

방사선요법은 두경부 영역의 암종을 치료하는 데 있어 일반화된 방법으로 두경부암 환자의 상당수가 수술 전후로 방사선치료를 받는다. 방사선치료에 있어 방사선조사를 통해 정상세포는 손상을 주지 않으면서 종양세포만을 파괴하는 것이 이상적이지만, 실제로는 인접 정상 연조직과 경조직의 생활력에 심각한 영향을 미친다. 그러므로 이러한 치료가 예정된 사람이나 이미 받은 환자에 있어서 발치를 포함한 구강내 소수술 시 고려하여야 할 점이나 술후 관리에 대해 관련 요소들을 숙지하여야 한다.

1) 방사선치료 전의 발치

일단 방사선치료 전 발치의 필요성이 있다고 판단되었을 때, 일반적으로 무외상성 발치의 원칙이 적용된다. 이때 중요한 점은 일차적인 연조직 봉합이 이루어질 수 있도록 치조돌기의 적절한 골다듬기를 하여야 한다. 일단 방사선치료가 시작되면 정상적인 골재형성이 불가능하므로 날카로운 치조돌기로 인하여 치조골이 노출되고 골괴사가 발생할 수 있다. 즉 적절한 피판을 형성하여 적절한 골다듬기와 함께 발치를 시행하며 빠른 연조직 치유를 위하여 점막골막 피판은 가능한 최소한의 외상을 주며 다루어야 한다.

수술 시 예방적 항생제 투여도 필요하며, 창상이 완전히 치유되지 않았다면 방사선치료는 연기해야 한다. 그렇다면 일반적으로 발치 후 얼마나 기다렸다가 방사선치료를 시행하여야 하는가? 이 물음에 대한 절대적인 답은 없으나 분명한 것은 방사선치료는 가능한 한 늦게 시행되는 것이 좋으며 대개 발치창 치은부 상피층이 피복되기 시작하는 시기인 약 2-3주 이후에 방사선치료를 시작하는 것이 좋다. 만약 창상에 열개가 있을 경우에는 가능하면 방사선치료는 연기하여야 하며 창상이 완전히 치유될 때까지 세척과 항생제 투여가 필요하다.

마지막으로 방사선치료 전 고려하여야 할 부분은 매복된 제3대구치에 대한 처치인데, 만약 부분적으로 맹출된 제3대구치가 있을 때는 지치주위염을 예방하기 위해 발치하는 것이 추천되나 완전 매복된 경우라면 발치하지 않고 남겨두는 것이 현명하다.

2) 방사선치료 후의 발치

방사선치료 후 발치는 가장 어려운 발치에 속한다. 그 이유는 방사선치료 후 발치가 가능한가? 가능하다면 어떻게 해야 하는가? 가능한 시기는 언제인가? 등에 대해 아직까지도 여러 가지 서로 다른 견해가 있으며, 그 결과를 예측하기 힘들기 때문이다.

물론 방사선치료 후 발치는 전신상태가 회복되면 가능할 수 있다. 연조직의 일차봉합 없이 단순발치를 하거나, 외과적 발치를 통한 치조골성형술 및 연조직의 일차봉합을 시행할 수도 있다. 두 방법 모두 시행 후 비슷한 정도의 방사선골괴사 발생빈도를 보이는 것으로 되어 있고, 예방적 항생제 투여가 추천된다. 발치 후 방사선골괴사 등과 같은 합병증 예방을 위한 다른 방법으로는 고압산소요법이 효과적인 것으로 보고되고 있다. 고압산소요법은 환자를 고압의 산소에 노출시킴으로써 조직에 국소적 산소분압을 높여 허혈상태의 조직에 혈관증식을 촉진시킴으로써 골괴사의 발생을 예방한다.

방사선조사 후의 발치에 대한 논란이 많으며, 고압산소요법을 위한 장비의 부족 및 이러한 환자에서 발치와 관련된 감염과 방사선골괴사 등 합병증의 빈도가 상당히 높아 구강악안면외과 전문의에게 의뢰하는 것이 추천된다.

5. 입원환자에서의 발치

발치가 위험한 전신질환을 가진 환자나 심신장애자처럼 환자관리에 문제가 있는 경우, 또한 발치수술 후에 특별한 관심을 가지고 관찰해야 되는 경우는 발치를 위해 환자를 입원시킬 필요가 있다.

이때 입원하는 임상과는 반드시 치과(구강악안면외과)를 주무과로 정할 필요는 없고, 전신상태의 경중에 따라 관련 의학과(주로 내과)로 입원한 상태에서 상호협의하에 발치 및 후처치를 시행할 수도 있다.

병원에 입원한 모든 환자는 각 질환의 병력청취와 신체검진을 시행해야 되며 필요한 임상병리검사를 시행하게 된다. 즉 적혈구 검사, 백혈구수 검사, 뇨검사, 혈소판수 검사, 흉부방사선사진, 혈청 검사 등을 시행하며 필요에 따라 40세 이상인 경우 심전도, 전해질 검사, 혈액응고검사, 동맥혈가스분석 등의 이학적 검사를 실시한다.

치과의사는 입원사유와 치료한 내용, 환자상태의 변화 및 필요한 지시사항, 향후 치료계획 등을 입원기록(병록지)에 정확히 기재해야 한다.

만약 입원한 환자가 전신마취하에 수술방에서 수술을 받게 되면 관련 임상의학과(주로 마취과)의사와 협진하여 전신마취와 수술에 따른 문제점을 파악하고, 여기에 철저한 대비를 해야 한다. 왜냐하면 전신마취하 수술은 아무리 소수술이라고 하더라도 마취와 수술에 따른 합병증이 생명에 위협을 줄 만큼 심각할 수 있기 때문이다. 또한 치과의사는 국소마취하에 입원환자를 치과외래에서 발치하거나, 병원 수술실을 이용해 발치를 시행할 수도 있다. 병원 내 수술실에서 발치를 시행한다면 수술에 앞서서 필요한 기구들과 장비들이 발치에 적절히 준비될 수 있는지를 미리 점검해야 한다.

수술실에서는 무균적인 시술이 필수이며, 준비된 수술복을 입고서 모자와 마스크를 착용한 다음, 손과 팔을 세정(scrub)하고 소독된 수술복과 수술장갑을 착용하고서 수술을 시작한다. 또한 환자의 구강주위는 표면의 오염된 물질을 제거하기 위해 소독용액(betadine, zephiran chloride, chlorhexamed solution 등)으로 처리한다. 치아 1–2개를 발치하는 경우처럼 경미한 수술을 할 때는 구강을 격리시키기 위해 무균처리된 수건을 설치하기만 해도 필요한 드래핑이 되는 셈이다. 그러나 여러 개의 치아를 발치하는 경우와 더욱 중한 수술을 하는 경우에는 무균적인 드래핑을 위해 환자 전체를 덮어서 오염되지 않게 해야 한다. 발치도 수술인 만큼 어느 환자에서나 수술 전 활력징후를 측정하고, 전신상태에 대해 검진하면서 주의 깊게 시행해야 한다. 필요하면 발치 도중에도 활력징후를 살펴야 하고, 수술 후에도 주의사항을 철저히 주지시켜 합병증 발생을 방지토록 노력해야 한다. 아울러 수술에 대한 의무기록을 철저히 시행해야 하며, 특히 마취의 종류, 사용된 약제들, 수술의 진행내용, 수술 중 합병증(예: 심한 출혈), 수술 종료 시 환자의 상태를 반드시 기재토록 습관을 들여야 한다.

통상적인 수술 후 지시사항은 환자의 거동상태(ambulation 여부로 회복 시까지 침상안정, 그 다음에 걸어 다님), 부종에 대한 냉찜질, 감염에 대한 항생제 및 소염진통제 사용, 동통에 대한 진통진정제 등 투약, 음식물 섭취 종류 등의 내용을 포함한다.

입원환자를 담당하는 치과의사는 입원기간 중 매일 환자상태의 진행과 진료내용 및 향후 치료계획을 기록으로 작성해 두어야 한다. 또한, 환자가 퇴원할 때는 퇴원사유, 수술기록, 수술 후 과정, 퇴원 시의 상태, 퇴원 후 투여할 약제명, 향후 통원치료 예정일 등을 포함한 퇴원요약서(discharge summary)를 작성해 보관해야 한다.

6. 전신마취(의식하 진정) 하에서의 발치

종합병원에서 발치를 위해 입원하여 전신마취나 의식하 진정마취하에 발치를 시행하기도 한다. 전신마취란 환자의 대뇌피질의 작용이 억제(cerebral cortical depression)되어 의식이 없는 상태이므로, 치과의사가 발치를 시행할 때, 환자가 동통으로 인한 고통스러운 반응을 나타내지 않아 발치 술식은 오히려 적용하기 용이할 수 있지만, 전신마취 도중이나 전신마취 종료 후 예기치 않은 합병증도 발생할 수 있으므로 모든 가능한 합병증에 대비할 만한 훈련된 인력과 장비를 갖추어야 한다.

하지만, 최근에는 국소마취하의 난발치에 너무 불안과 공포감이 심한 환자나 다루기 어려운 어린이나 심신장애자에서 사용하기 용이한 전신마취제(nitrous oxide, N_2O 등)나 각종 주사용 약제들(valium, ketamine, barbiturate, midazolam)을 이용한 정맥내마취(intravenous anesthesia)가 임상에 도입되어 많이 시행되고 있다. 전신마취하에 발치를 시행할 때는 치과의사와 보조원(치과위생사)뿐만 아니라 마취과의사와 조수(간호사 포함) 등 관련 의료진 모두의 조직과 팀워크가 매우 중요하다. 팀의 각 구성원은 전신마취의 방법과 수술내용을 이해하고 있어야 하고, 필요한 기구나 장비 등도 서로 미리 알고 있어야 한다. 수술에 필요한 모든 기구들은 쉽게 쓸 수 있도록 하기 위해 기구들을 편리한 위치에 두고, 항상 비슷한 것끼리 묶어 놓아야 하며, 자주 사용하는 기구들은 가까운 곳에 놓아두어야 한다. 또한 수술실 내에서는 가능한 한 불필요한 행동을 자제하고, 움직일 때도 부드럽게 하고 뚜렷한 목적을 가지고 이동해야 한다. 전신마취하 발치 도중이나 발치후 출혈이나 분비된 타액이 구인두나 세기관지로 흡입되면 전신마취 도중이나 마취 후 회복과정에서 치명적인 호흡계합병증(주로 무기폐; atelectasis)을 유발할 우려가 있으므로, 전신마취가 유도되면 발치에 앞서서 우선 개구기를 이용해 구인두를 살펴보고 목젖 근처에 거즈팩을 위치시켜야 한다. 그래야 발치 도중에 발생된 출혈이나 이물질, 타액 등이 구강내 고여 있어도 기도로 흡인되는 합병증을 방지할 수 있다.

발치는 통상적으로 시행하되 전신마취 시에는 혈관수축 효과가 없기 때문에, 발치 후 가능한 한 발치와 주위 연조직을 봉합하는 것이 술후 지혈 및 창상치유에 도움이 된다. 국소마취하 발치와는 달리 전신마취하 발치는 환자의 의식이 없고 전신마취가 종료되어도 완전한 의식회복에는 상당한 시간(약 1시간)이 소요되므로, 발치와 봉합이 종료되어도 환자가 의식회복이 될 때까지 거즈압박지혈을 지속적으로 시행하면서 후출혈 등의 합병증을 면밀히 관찰해야 한다. 만약 한꺼번에 여러 개의 치아를 발치하는 경우 수술시간이 길어지면 출혈을 감소시키기 위해 이미 발치된 부위에다 습한 압박거즈(wet compression gauze)를 장착해서라도 실혈량을 감소시킬 필요가 있다.

발치의 기술은 힘에 의한 것이 아니다. 이는 전신마취 상태에서 발치하는 경우에도 똑같이 적용된다. 환자의 주관적인 증상이 없기 때문에 초심자는 발치기자에 무리한 힘을 주거나 연조직을 부주의하게 견인시키기 쉽다. 수술 후 창상치유가 양호하게 이루어져 환자에게 고통스럽지 않고 술자도 평안감을 맛보려면 전신마취하의 발치에서도 외과적 원칙에 입각한 조심스러운 시술이 이루어져야만 한다.

Ⅷ. 치아맹출의 외과적 유도 및 교정적 치아이동을 위한 외과적 치관노출술

부정교합이나 병적인 과정으로 정상적인 위치에 맹출하지 못하는 치아들은 외과적인 도움과 교정적인 치아 이동으로 자연적인 정상 맹출이 유도될 수 있다. 흔히 치아의 맹출은 치은의 섬유화나 흉터 형성으로 장애를 받는다.

이런 맹출유도 술식은 유치에서 영구치로 교환되는 혼합 치열기, 즉 치아의 정상 맹출능력과 악골의 가소성(plasticity)이 있는 시기에 시행하면 좀 더 간단하게 치료를 진행할 수 있으나 성장이 완료된 후에도 적절한 교정치료를 동반하면 좋은 예후를 기대할 수 있다.

1. 맹출지연의 양상

1) 유치의 만기잔존에 의한 생리적인 맹출지연

영구치 맹출지연의 가장 흔한 원인은 유치가 정상시기에 탈락되지 않는 것이다. 맹출지연되는 치아는 주로 견치와 소구치 부위인데 실제 연령과 생리적인 연령의 차이에 기인한다.

유치의 만기잔존으로 영구치의 정상시기 맹출이 지연되면 임상적 및 방사선학적 평가를 시행해서 맹출양상이 정상인지, 편측성 혹은 양측성인지, 계승 영구치의 치근형성 정도와 잔존 유치치근의 흡수 정도를 평가해야 한다.

만약 치아들이 맹출은 늦지만, 정상순서로 맹출하고 있다면, 맹출 진행정도를 3-6개월간 관찰함이 좋다. 그러나 맹출지연상태가 편측성이고 국소적인 문제를 야기한다면 계승 영구치 치근형성이 2/3 정도 되는 시기에 유치를 발치하고, 영구치 상방의 조직들을 제거하는 것이 바람직하다. 이때 발치와를 폐색하는 것은 불필요하지만, 계승 영구치가 정상 맹출될 때까지 간격유지장치를 장착하는 것이 도움이 된다.

2) 병리적인 맹출지연

내분비기능의 장애와 같은 전신질환에 의해 영구치의 맹출이 지연된다. 즉, 구루병(rickets), 크레틴병(cretinism), 쇄골두개골이골증(cleidocranial dysostosis)은 유치의 탈락을 지연시켜 영구치의 맹출지연을 야기하므로, 이들 전신질환에 대한 적절한 조기 치료가 필요하다.

3) 유치의 유착에 의한 맹출지연

때로는 유치의 유착이 발생되어 계승영구치 맹출을 방해하는 경우도 있다. 이런 때에는 시간이 경과되어도 계승영구치의 맹출은 계속 지연되므로 계승영구치 조직에 손상을 주지 않도록 조심하면서 유착된 유치를 외과적으로 발거한다. 이런 유착치아의 난발치에는 시야확보와 접근을 용이하게 하기 위한 피판의 형성, 인접골 삭제와 치아의 분할 등 매복치 발치에 준용한 기술을 적용함이 바람직하다.

4) 부적절한 위치 또는 맹출공간 부족으로 인한 미맹출치아

계승영구치아는 맹출의 잠재능력을 가지지만 맹출할 공간이 부족하여 정상맹출이 되지 않을 수 있다. 이런 때는 우선 미맹출치아의 치관을 외과적으로 노출시키고 맹출에 장애가 되는 치아들은 교정치료를 통해 정상위치로 이동시켜 정상맹출을 유도할 수 있다.

2. 미맹출치아의 외과적 노출

미맹출치아가 자연적으로 맹출되지 않을 것으로 판단되면, 그 치아를 외과적으로 노출시키는 것이 도움이 된다. 외과적인 노출을 시행하는 치아는 주로 미맹출되었거나 매복된 상악 견치와 소구치, 하악의 견치와 소구치이다(그림 3-90).

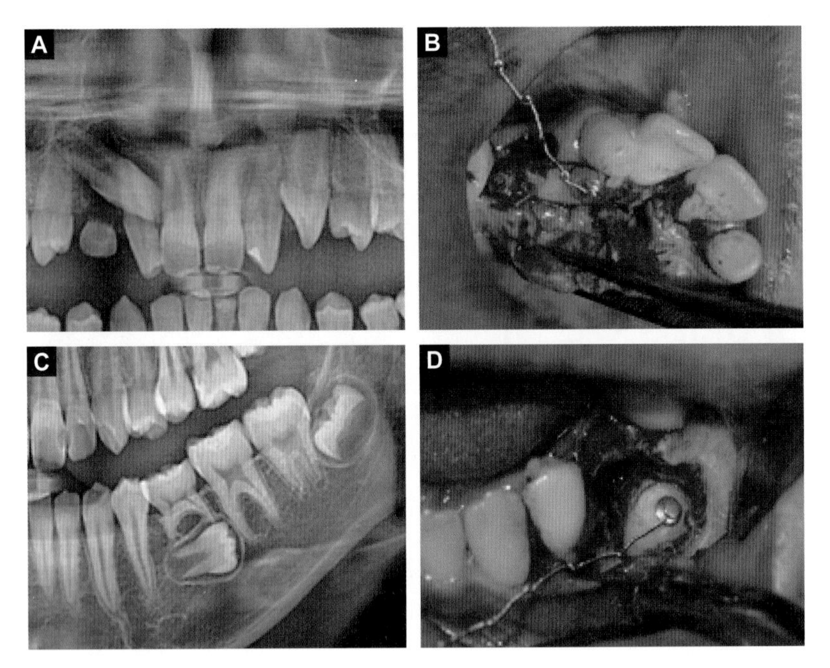

그림 3-90 흔한 매복치의 외과적 노출술.
A: 상악 우측 견치가 매복된 모습 B: 구개측 판막을 거상하여 외과적 노출술을 시행하는 모습 C: 하악 좌측 제1유구치가 잔존하고 제2소구치가 매복된 모습 D: 협측판막을 거상한 후 외과적 노출술을 시행함.

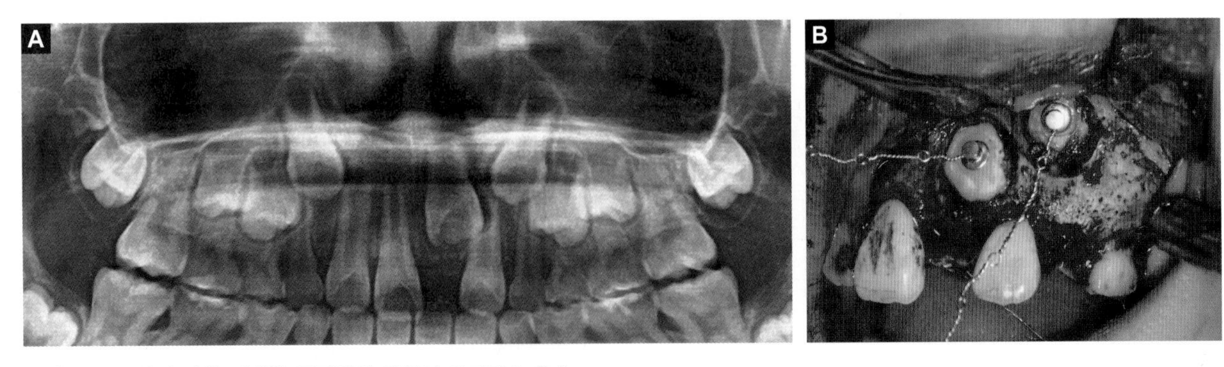

그림 3-91 상악 좌측 미맹출 중절치와 견치의 외과적 노출술.
A: 상악에 여러 개의 미맹출치아가 관찰되며 교정치료를 위해 좌측 중절치와 견치의 외과적 노출술이 계획됨 B: 상악 좌측 중절치와 견치의 치관을 치조골 외부로 노출시키고 교정용 버튼을 장착한 모습.

이때 치근형성이 완전히 이루어지지 않은 미맹출치아가 치관이 연조직으로만 덮여 있다면 단순한 연조직의 절제만으로 맹출유도를 시도할 수 있으며, 미맹출치관의 상부에 골이 잔존되어 있으면, 연조직 절제와 함께 골제거술이 필요하고 치유과정 중 인접 연조직의 내성장이 일어나는 것을 방지하기 위해 외과적인 치관노출부를 개방 드레싱으로 치료할 수 있다. 외과적인 노출에도 불구하고 자연적인 맹출이 일어나지 않으면 치아에 견인력을 적용해 치아를 올바른 위치로 유도하는 교정치료가 필요하다. 치근형성이 완료된 매복치는 비록 맹출을 위한 공간이 확보된 경우라도 외과적 치관노출술만으로는 자연맹출을 기대하기 어렵다. 따라서 수술 후 자연적 맹출을 기대하기 어려울 때에는 교정치료를 위한 계획이 이루어진 뒤에 수술을 시행하여야 한 번의 수술로 원하는 결과를 얻을 수 있다(그림 3-91).

매복된 대구치의 경우도 외과적 노출술을 시행할 수 있는데 주로 인접한 치아에 우식증, 치근흡수 등이 발생하여 예후가 불량할 것이 예상될 때 인접치의 발치 후 이 부위로 교정적 치아맹출을 유도하기 위해 시행한다. 그중 빈도가 높은 것은 제2대구치가 손상으로 인해 예후가 불량할 것으로 예상될 때 제2대구치를 발치하고 매복된 제3대구치를 제2대구치 부위로 교정적 이동을 시행하는 경우이다(그림 3-92).

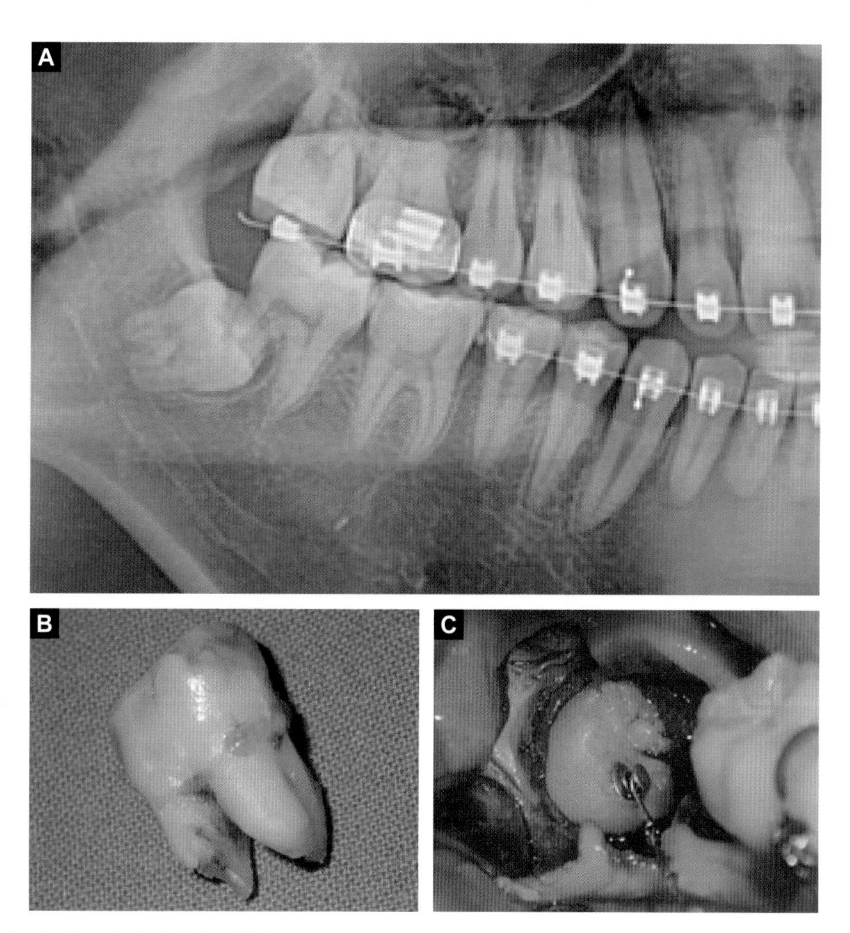

그림 3-92 하악 우측 제3대구치의 외과적 노출술.

A: 하악 우측 제3대구치의 매복과 제2대구치의 원심 치근 흡수가 관찰되어 제2대구치를 발치하고 제3대구치의 교정적 맹출유도를 시행하기로 결정함 B: 발치한 제2대구치의 원심 치근이 흡수되어 치수가 노출된 모습 C: 매복된 제3대구치 주변의 골삭제 후 교정용 버튼을 부착함.

3. 교정치료를 동반한 미맹출치아의 외과적 노출술에서 고려할 사항

교정치료를 위한 외과적 노출술에서 고려할 사항은 다음과 같다.

① 치관에 부착하는 교정용 버튼의 부착위치를 미리 교정치료 담당의와 협의하여 결정하고 교정치료 중 버튼이 탈락하지 않도록 단단히 부착되었는지 수술 중에 확인한다.
② 판막의 설계 시에 수술 후 연조직 외부로 치관이 계속 노출되어 있도록 할 필요는 없다. 이는 개방법이라 하여 과거에 많이 사용되었으나 현재는 교정용 버튼에 연결된 강선만 교정치료에 필요한 방향으로 노출되도록 하는 폐쇄법을 주로 사용한다.
③ 치조골 내에 매복된 치관을 노출시킬 때 골 삭제량을 충분히 하여 치아의 이동을 쉽게 하는 것이 좋고 이때 치아가 이동할 것으로 예상되는 방향의 치조골도 충분히 삭제하는 것이 좋다.
④ 매복된 치아 주변에 낭종과 같은 병소가 의심되는 조직이 있다면 충분히 제거하여 주고 필요할 경우 조직검사를 시행하며 교정치료 담당의에게 그 결과를 알려주어 추적관찰할 수 있도록 한다(그림 3-93).
⑤ 매복치의 발치를 시행할 때와 외과적 원칙은 동일하나 발치와 달리 수술의 대상이 되는 치아를 보존하는 것이 중요하므로 수술에 의한 외상이 치아에 직접적으로 가해지는 것을 최대한 피하여야 한다.

IX. 의도적 재식술

외상으로 치아가 치조와로부터 탈락된 경우 탈락된 치아의 기능을 유지시키기 위하여 본래의 치조와 내에 재위치시키는 술식을 치아재식술이라 한다. 특히 통상의 치료방법으로 치유가 곤란한 치아를 발거하여 병소를 제거하고 구강 외에서 근관치료한 후 다시 심는 것을 의도적 재식술이라 한다.

1. 적응증

통법에 의한 근관치료가 불가능한 치아가 일정기간 유지되는 것이 바람직할 때 의도적 재식술을 시행한다. 즉 근관치료 중 기구가 근단부를 넘어서 부러져 제

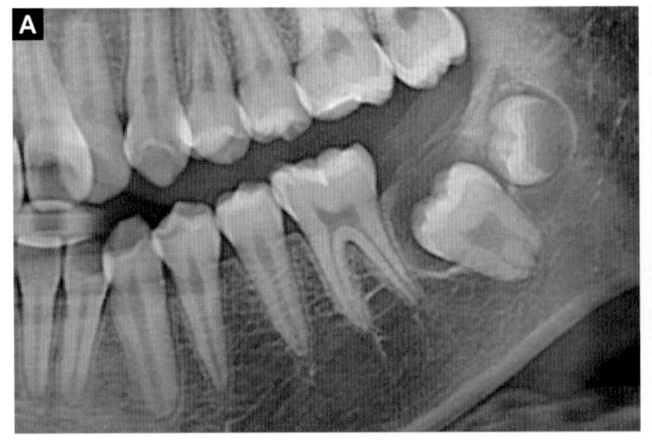

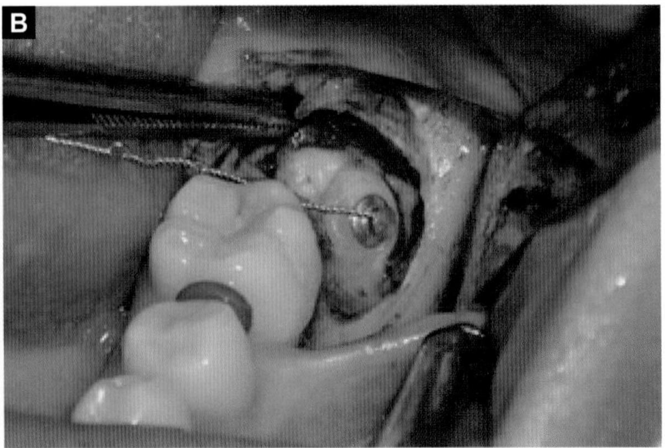

그림 3-93 작은 함치성 낭종을 동반하여 매복된 하악 좌측 제2대구치의 외과적 노출술.
A: 하악 좌측 제2대구치의 치근은 완성되었으나 매복되어 있으며 치관주위에 원형의 방사선 투과성 병소가 관찰됨 B: 외과적 치관노출술이 시행되었고 병소는 적출하여 조직검사 후 낭종으로 진단함.

거할 수 없는데 통증이 있거나, 치근관의 협착 또는 만곡이 심하여 더 이상 근관치료를 계속할 수 없을 때, 근관충전재가 근단부를 넘은 상태에서 통증이 있는 경우, 치근관벽이 천공되었을 때, 근단에 병소가 있는 상태에서 근관이 폐색되어 더 이상의 접근이 어려운 경우, 치근외면 또는 치근내벽에서 치근흡수가 진행될 때, 기타 세심한 근관치료에도 불구하고 치근단의 병소가 호전되지 않을 때, 해부학적으로 상악동이나 하악관 혹은 이공에 근접되어 외과적 치근단절제술이 어려운 경우, 치근이 근단의 병소와 함께 절제됨으로써 치근의 길이가 짧아 정상적인 기능을 기대하기 어려운 경우 등으로 치아를 보존하기 위한 노력이 한계에 도달했을 때에, 환치를 발거하여 구강외에서 근관치료한 후 다시 재식하는 의도적 치아재식술이 고려될 수 있다(그림 3-94).

2. 수술방법

■ 의도적 재식술의 시술방법은 다음과 같다.

① 통상의 국소마취 후 치조벽과 치조중격의 골절이 없도록 치아를 조심스럽게 발거하여 생리식염수에 넣고, 치조와 내의 근단병소나 이물을 제거한다.

② 발거치아의 치근을 관찰하여 부착된 병소를 제거하고 tetracycline이 용해된 생리식염수에 적신 거즈로 싸서 근관치료를 시행한다.

③ 치아의 근관치료가 끝나면 치조와를 생리식염수로 세척한 후 치아를 가볍게 치조와 내에 재식한다.

④ 재식된 치아는 강선결찰, wire-resin 또는 레진 부목(resin splint)을 이용하여 고정하고 교합간섭을 제거한다. 치근유착을 줄이기 위하여 약 2주 후 고정장치를 제거한다.

치아재식술에 있어 항생제는 명백히 감염이 존재하거나 전신적인 상태가 불량할 경우 4-5일 정도 투여하고 필요한 경우 항파상풍 제제를 주사한다. 술후 1주일간은 유동식과 클로르헥시딘 용액이나 베타딘용액을 이용한 구강세척을 권하며 부드러운 칫솔로 사용하도록 한다.

3. 경과 및 예후

의도적 재식 후 첫 1개월은 매주, 다음 1개월은 2주에 한 번, 그 후에는 6개월에 한 번씩 내원시켜 치은과 치주인대의 재부착 정도, 진행성 염증의 속발 여부, 강직증의 진행 등을 방사선학적 검사와 임상검사를 통하여 파악해야 한다.

의도적재식술 역시 외상으로 탈락된 치아의 재식술

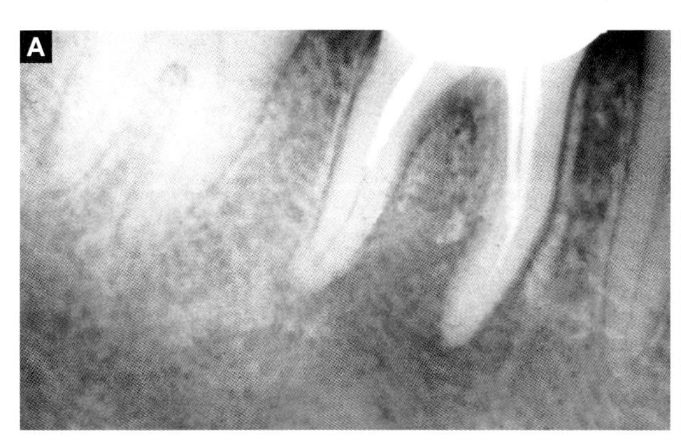

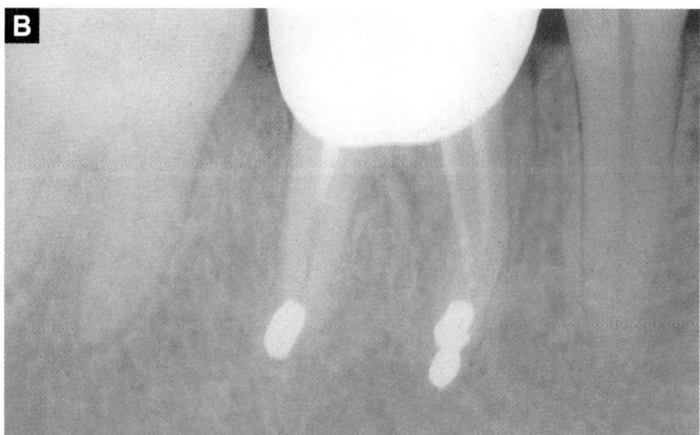

그림 3-94 의도적 재식술의 예.
A: 협소한 근관으로 인한 불완전한 근관치료로 만성 치근단농양에 이환된 하악 제1대구치 B: 의도적으로 발거하여 구강외에서 근단부를 역충전하고 재식한 치아의 3년 후 모습.

에서처럼, 예후에 있어서 중요하게 고려되는 사항들은 다음과 같다.

① 발치된 치아와 치조와의 손상 정도

치주인대가 과도히 손상받았거나 치조와에 골절이 있을 경우에는 좋은 결과를 기대하기 힘들다.

② 기능력에 의한 자극(functional stress)

재식 후의 강직과 대체성 흡수는 재식치아를 조기에 기능하게 하여 초기에 형성되는 치조골과 치근의 부분적 융합을 방해하여 최소화시킬 수 있다.

③ 환자의 연령

성장 중인 어린이에서 재식 후 치아강직이 발생하면 저위교합을 유발하여 심미적 문제 및 교정치료 시 어려움을 야기할 수 있으나, 성인에서는 오히려 흡수 속도가 느리게 진행되므로 유리할 수가 있다.

재식된 치아의 경과가 불량한 경우는 초기고정의 불충분으로 치근막의 재부착이 이루어지지 못하거나, 재부착이 이루어진 후 치근흡수가 발생하기 때문이다. 또한 치아강직에 이은 대체성 치근흡수의 경우에는 치아의 동요를 일으키지 않아 치아의 고유기능이 계속 유지되므로 양호한 임상적 경과를 나타낸다(그림 3-95).

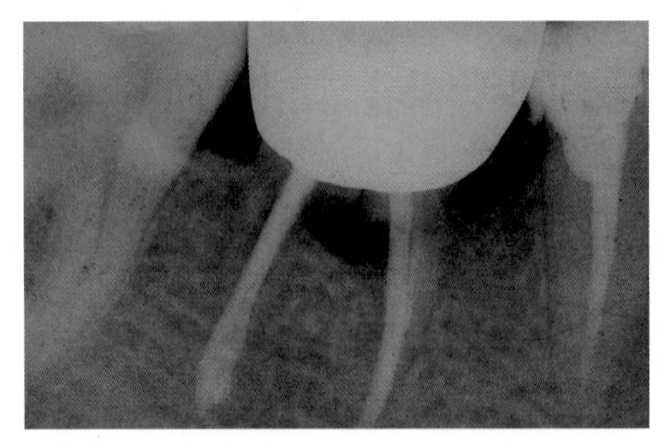

그림 3-95 대체성 치근흡수가 완전히 진행될 때까지 7년간 기능을 유지한 하악 제1대구치.

X. 치아이식술

치료목적으로 치아를 본래의 위치에서 다른 치아의 치조와로 옮겨 심거나, 매복되어 있던 치아를 제 위치로 옮겨 심는 것을 치아이식술이라 하며, 이 술식이 동일 개체에서 이루어질 경우 자가치아이식술, 다른 개체간에 이루어질 경우 이인자형 치아이식술이라 한다.

1. 치료원칙

1915년 Widman이 매복견치를 정상위치에 이식한 이래 치아이식에 대한 많은 시도가 이루어져 주로 임상적 유용성이 적은 제3대구치나 매복소구치, 그리고 교정 목적으로 발거하는 소구치를 결손된 하악구치부나 상악전치부로 옮겨 심는 자가치아이식술이 시행되어 왔다. 이와 같은 이식치아의 성공적인 생착을 위해서는 치주인대와 백악질의 활성유지가 중요하며 수술 시 이식치아에 대한 직접적인 손상을 피한다면 치주인대의 재부착이 이루어져 정상치아와 같이 기능을 할 수 있고, 증례 선택을 잘하면 치근흡수도 드물어 성공적인 술식으로 이용될 수 있다. 자가치아이식은 치근단 형성정도에 따라 술식의 응용과 예후에 차이가 있어 치근이 완성된 치아보다는 미완성된 치아에서 이식치아의 보존과 치수의 활성 유지가 더욱 성공적으로 이루어진다. 즉, 치수조직의 재혈관화는 미완성 치근단의 넓은 치근첨을 통해 용이하게 이루어질 수 있으며 치배유두는 감염에 저항성이 커 구강외에서 잘 생존하고, 미완성 치근의 치주인대는 완성 치근의 치주인대보다 두껍고 단단하여 이식하였을 경우 정상적인 재부착에 유리할 뿐만 아니라, 주변 치조골 등 새로운 치주조직의 형성에도 유리한 것으로 알려져 있다.

자가치아이식술은 수술 시 치아를 부드럽게 다루어 외상을 가하지 않고 치주인대의 건조를 막아주면서 시간적으로 지체됨이 없어야 성공을 기대할 수 있다. 이

인자형 치아이식술 시 이식된 치아는 이식 직후 강직증이 발생되어 견고히 고정됨으로써 이후 수년간 만성적인 진행성 치근흡수에 의해 탈락될 때까지 치아의 기능을 유지하기도 한다. 그러나 이인자형 치아이식술에 있어 치아경조직은 서서히 거부(rejection)되고 치수, 치주인대 등의 연조직들은 초기의 면역반응에 의해 파괴되므로 자가이식술에서와 같은 치주인대의 재부착현상은 관찰되지 않는다. 반면에 염증반응에 의한 치주낭 형성, 수직적 골소실과 함께 광범위한 강직증에 이은 치근흡수가 일어난다. 근래에 조직에 대한 저장술의 발달로 치아은행의 이용 및 조직적합성과 면역억제술의 개발로 이인자형 치아이식에 대한 실험적 연구가 이루어지고 있고 실패 시 치아가 탈락되어도 골조직으로 대체되어 치조골에 손상부를 남기지 않는다는 장점이 있으나, 실제 임상적 적용은 아직까지 일반화할 수 없는 수준이다.

2. 적응증

자가치아이식술을 위해서는 적절한 증례선택이 중요하다. 우선 기능을 하지 않는 이용 가능한 치아가 존재하여야 하며, 이식될 부위와 적합한 근원심 폭경이 확보되어야 하고 이식될 부위에는 급성 치근단 염증이 없어야 한다. 또한 이식하기에 가장 적절한 치아는 치근이 2/3 정도 형성된 치아이며, 완성된 치근을 가진 치아를 이식하였을 경우 이식 후 근관치료를 요할 수도 있다. 이상과 같은 사항을 고려하여 다음과 같은 예에서 자가치아이식술을 적용할 수 있다.

① 하악 제1대구치가 치아우식증 등으로 조기발거될

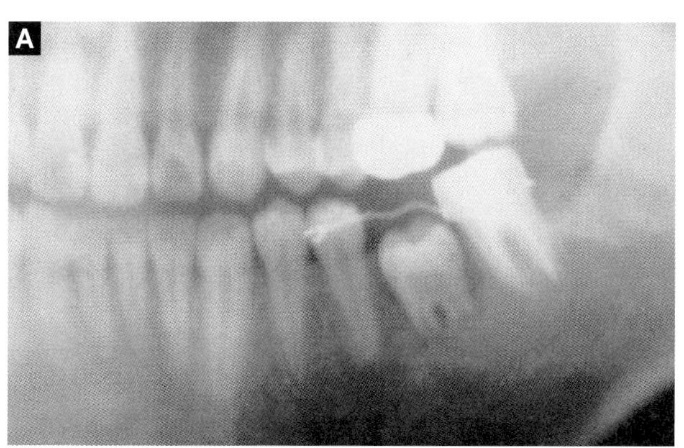
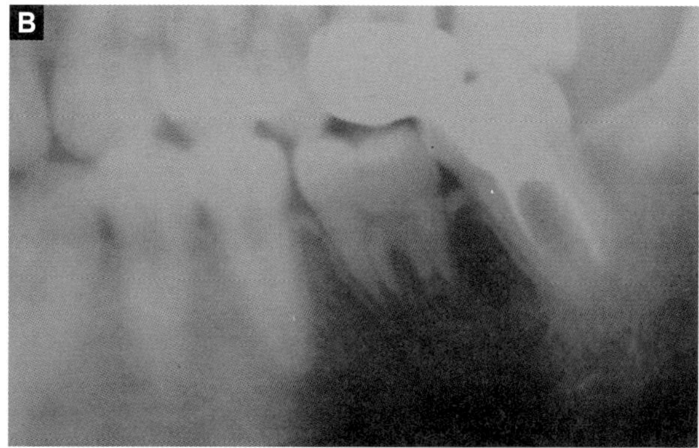

그림 3-96 하악 제1대구치 위치로 자가이식된 하악 제3대구치. A: 이식 직후 B: 이식 2년 후 치근의 성장으로 정상교합에 이른 모습.

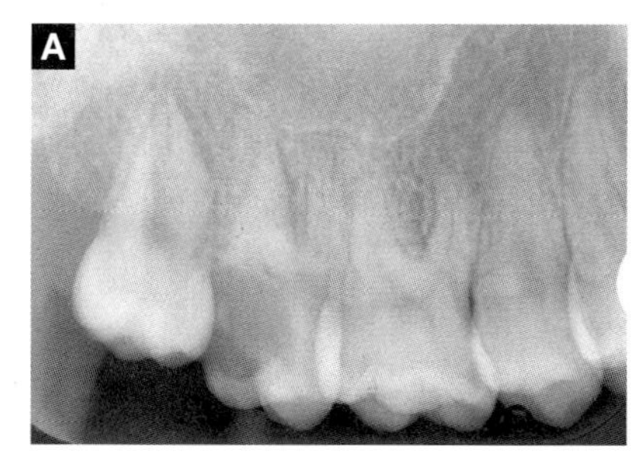
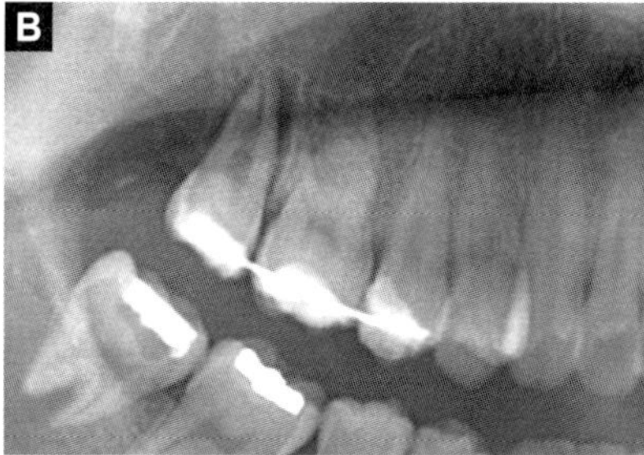
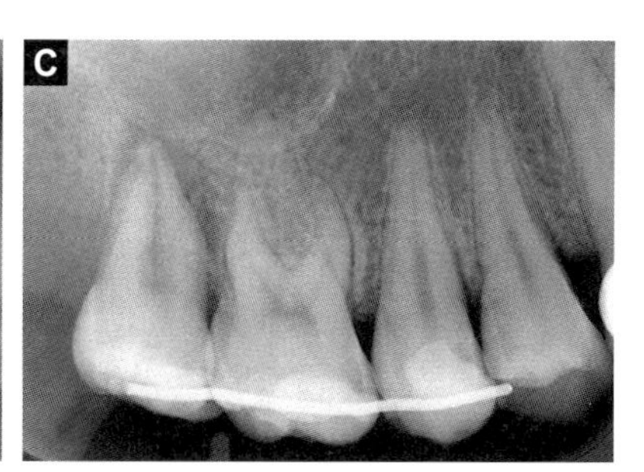

그림 3-97 복구 불가능한 심한 우식 소견을 보이는 제2대구치를 발치후 사랑니로 자가 이식한 증례. A: 술전 소견. B: 사랑니 이식 직후 C: 술후 1달 후 소견.

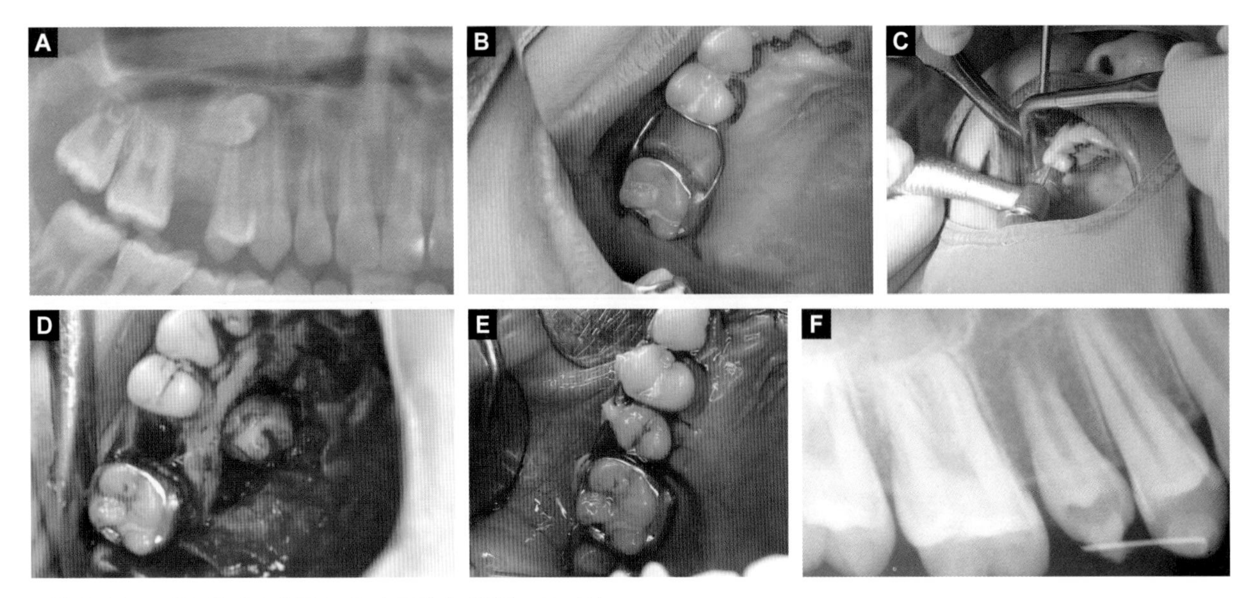

그림 3-98 구개부에 매복된 상악 제2소구치의 제위치로의 이식.
A: 환자의 파노라마 소견 B: 환자의 구강내 소견. 상악 제2소구치 부위의 공간을 확보하기 위하여 간격유지장치를 장착하였다. C: 치아가 이식될 공간을 마련하고 있다. D: 구개부에 매복된 치아를 치아의 손상 없이 조심스럽게 발거하는 모습 E: 발거한 치아를 상악 제2소구치 위치에 이식하고 고정한 모습 F: 치아 이식 후 방사선 소견.

경우 발육 중인 하악 제3대구치를 이식한다(그림 3-96).

② 상악 절치가 외상 등의 이유로 상실되었을 경우 교정 목적 등으로 제거한 하악소구치를 이식한다.

③ 상악 제3대구치를 조기상실된 상악 구치부나 그 외의 결손치 부위에 이식한다(그림 3-97).

④ 전위된 상악 매복견치나 매복중절치 혹은 하악의 소구치를 제 위치에 이식한다(그림 3-98).

3. 수술방법 및 후처치

자가치아이식술은 치근의 상태에 따라 그 방법에 있어 약간의 차이가 있어 일반적으로 치근이 미완성된 치아는 이식할 곳을 먼저 형성해 놓고 이식치아를 발거하여 신속히 새로운 치조와 내에 옮겨 초기고정하며, 치근이 완전히 형성된 치아는 이식 약 2–3주 후에 이식치아의 상태에 따라 근관치료를 시행한다.

■ 일반적인 수술방법을 약술하면 다음과 같다.

① 통법에 의한 소독과 국소마취 후 이식할 부위를 노출시키고 드릴 내로 생리식염수 세척이 가능한 외과용 버와 임플란트용 드릴을 이용하여 인위적 치조와를 형성한 뒤 세척한다.

② 발치겸자를 이용하여 외상을 최소로 하여 이식치를 발거하고, 치배유두에 손상을 주지 않도록 치관부만을 잡아 치근의 발육에 맞는 위치에 놓는다.

③ 하악의 경우 이식된 치아는 특별히 고정장치를 사용하지 않고 치간봉합이나 치주팩을 이용하여 고정하며, 강선이나 그 외에 고정장치를 이용할 경우에는 치경부에 손상을 주지 않도록 교합면에 고정술을 시행한다. 상악의 경우 고정은 중력의 작용으로 하악보다는 견고히 해주어야 하며, 하악소구치를 상악중절치 부위에 이식하였을 경우 교정용 밴드를 이용한 고정술을 시행한다. 치근의 발육이 2/3 이상 형성된 경우는 이식치아의 위를 지나는 강선꼬임이나 교정용 arch–wire를 연결한다.

④ 특히 매복견치를 정상위치로 이식할 경우 순측 치

조골을 제거한 후 순측으로 접근하는 것이 바람직하다. 술후 방사선사진을 촬영하고 통상의 예방적 항생제와 진통제를 처방한다. 치간봉합에 의한 고정을 한 경우 이식 1-2주에 봉합사를 제거하되, 이식치아의 정출을 막기 위하여 강선 꼬임이나 느슨한 고정을 3-4주간 유지한다. 이식 후 3주간은 이식치아의 유지력이 약하므로 교합자극을 피하여야 하며 6주 경과 후 정상적으로 음식을 섭취하게 한다.

그 외 기타 응용술식으로, 이식하여야 할 부위가 상악 소, 대구치부라면 상악동과의 위치관계상 이식치의 치근길이보다 수용부의 가용골 높이가 불충분한 경우가 있다. 이때에는 인공치아이식술시 사용되는 상악동거상술(sinus lift) 기법을 응용하여 적용시킬 수 있다(그림 3-99).

4. 경과

자가치아이식술은 적절한 발육단계에 있는 이식치아를 선택하여 신속하고 세심한 수술을 시행한다면 진행성의 치근흡수 없이 5년 이상 이식치아가 유지된다. 치아이식술이 실패할 경우는 1년 이내에 이식치아가

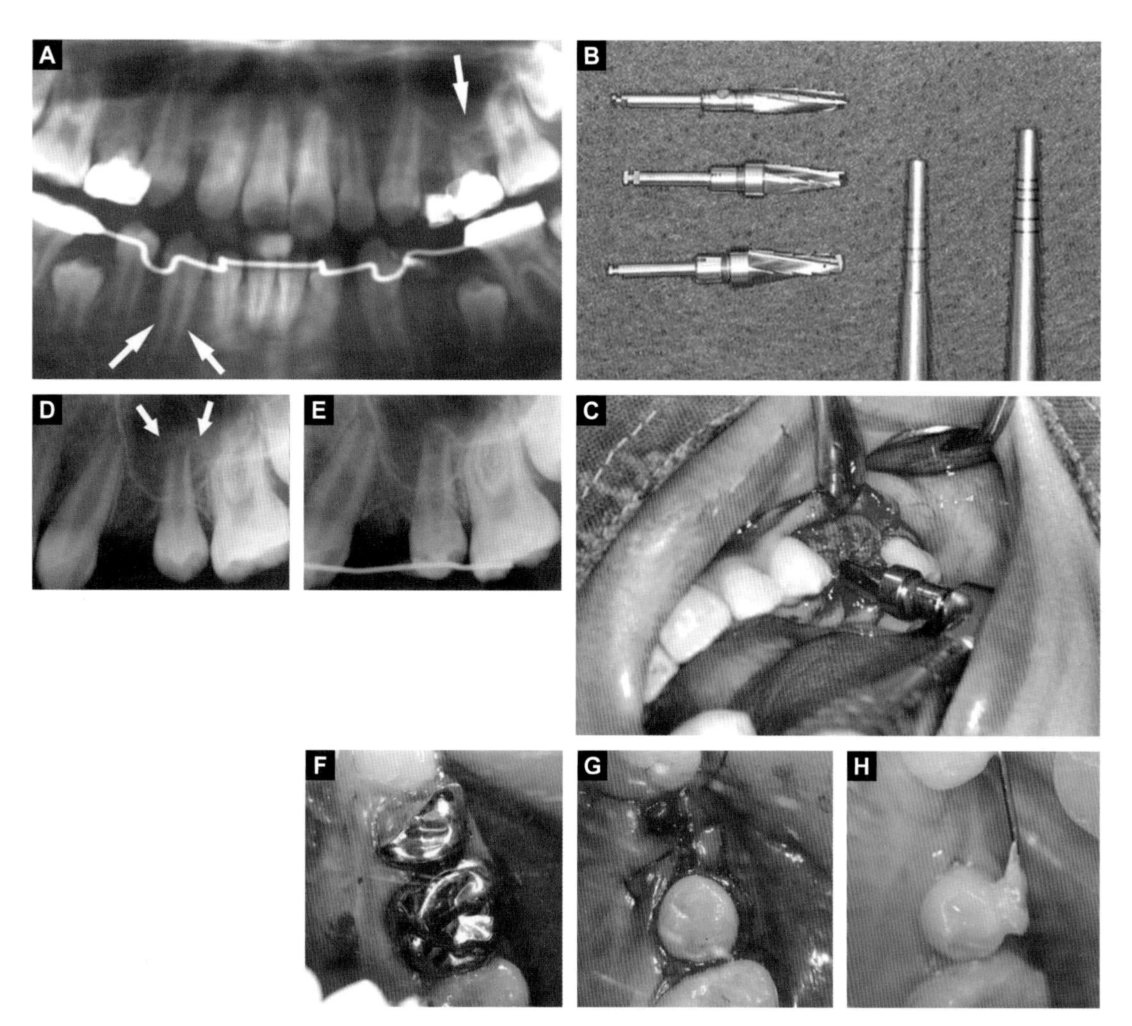

그림 3-99 교정치료가 계획된 환자로서 상악 좌측 잔존 제1, 2유구치를 발치하고 하악 우측 제1소구치를 자가이식하기로 하였다. **A**: 술전 panoramic view **B**: 발치와 크기에 적합한 골절단기(osteotome)와 기존 임플란트 드릴 선택 **C**: 술중 드릴링 모습 **D**: 이식 직후의 치근단방사선사진 **E**: 이식 4주 후 치근단방사선사진 **F**: 술전 구강내 소견 **G**: 이식 직후 구강내 소견 **H**: 이식 4주 후 구강내 소견.

탈락하게 되며, 성공할 경우에는 치근흡수의 방사선학적, 임상적 증상이 없고 2년 동안 미완성 치근의 발육이 이루어지면 장기적으로 정상치아와 유사하게 기능할 수 있는 매우 양호한 예후를 보인다.

만약 이식된 치아가 치수활성을 유지하지 못하여 근관치료를 요하고 치근흡수가 발생되어도, 이는 서서히 진행되기 때문에 수년간을 치아의 간격유지와 기능적, 심미적 측면에서 본래 치아의 역할을 수행하므로 완전한 시술은 아닐지라도 임상적으로 유용한 술식이 될 수 있다.

XI. 발치와 병행되는 부가술식

발치 후 발생할 수 있는 신경손상이나 발치 후 발생하는 치조골의 위축 및 저작기능의 감소를 최소화할 목적으로 발치와 병행하여 이루어질 수 있는 술식들에는 치관절제술, 치조골보존술, 교정력을 이용한 치아이동술, 치배절제술 등을 들 수 있다.

1. 치관절제술(Coronectomy)

치관절제술은 매복된 하악 제3대구치가 하치조신경에 근접하여 있는 경우 신경에 근접하여 있는 치근은 남기고 치관만 제거하는 술식이다. 부분 치아제거술, 부분 치아절제술 혹은 의도적 치아잔존술 등으로 불리우며, 치관부위를 절제해내고 치근부위를 의도적으로 남겨두어 추후 부분적인 맹출을 추가적으로 유도한다는 전략이다. 치근의 위치가 하치조신경관과 겹쳐있고 CT 촬영에서 근접되어 있는 것을 확인한 경우 완전 발치에 대한 대안적 치료법으로 사용될 수 있다.

치관절제술 후 발생하는 합병증은 시술부위 감염과 통증인데, 그 원인은 치관을 충분히 절제하지 못하고 법랑질을 남기는 경우에 빈발한다(그림 3-100). 이러한 경우에는 재수술을 통하여 잔존치아를 모두 제거하거나 잔존치아의 전체 제거가 용이하지 않는 경우 잔존 법랑질이라도 제거하여야 한다. 또한 치근의 형태가 원뿔형인 경우 치관-치근 분리 시 의도하지 않게 치아가 움직여 신경손상이 될 수 있으므로 주의를 요한다. 치관절제술의 환자의 연령이 20대 이하로 젊은 경우에는 치관절제술 후 잔존치근이 구강 측으로 이동하여 하치조신경과 거리도 멀어지고 발치도 용이해지는 경우가 있다. 하지만 이러한 현상은 30대 이후에는 거의 관찰되지 않는다.

2. 치조골보존술(Ridge preservation)

발치 후 잔존치조제는 흡수되게 된다. 따라서 추후 임플란트를 이용하여 수복하고자 하는 경우 잔존치조제의 양이 모자라서 부가적인 골이식술이 필요한 경우가 많이 있다. 임플란트의 수복이 필요 없는 하악 제3대구치의 경우에도 매복 정도가 심한 경우 발치 후 하악 제2대구치의 원심면에 깊은 치주낭이 형성되고 여

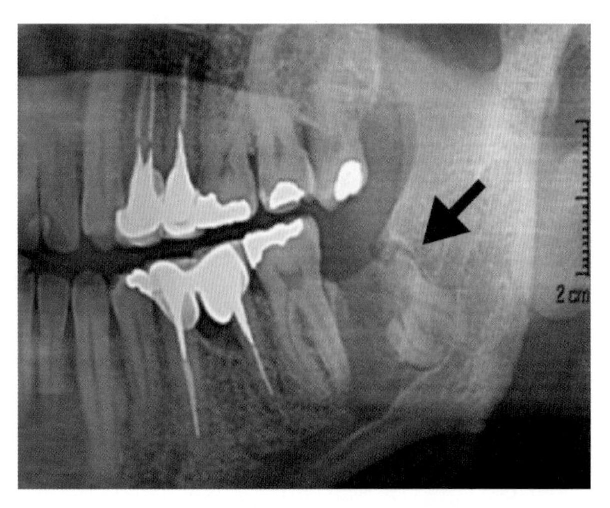

그림 3-100 치관절제술 후 원심면에 잔존 법랑질이 존재하여 감염된 경우.

기에 음식물이 많이 저류되어 감염되는 경우가 많다. 이와 같은 경우에 치조골보존술을 시행하게 되면 발치 부위의 골재생을 돕게 되어 잔존치조골의 양도 많이 보존할 수 있게 되고 발치 후 합병증의 발생도 예방할 수 있게 된다(그림 3-101). 각종 임상시험에 나온 결과를 보면 치조골보존술을 시행한 경우가 그렇지 않은 대조군에 비하여 통계적으로 유의할 만큼 적은 발치 후 치조골 폭경과 고경의 변화를 보인다.

이러한 목적으로 사용되는 재료로는 대부분 교원섬유 소재의 제품들이 대부분이고, 그 이외 소재의 제품들도 연구실 수준에서는 많이 연구되고 있으나 상품화된 것은 드물다. 수평으로 매복된 하악 제3대구치의 경우 하악 제2대구치 원심면에 깊은 골결손부를 발치 후에 보이게 되는데, 이 경우 아무런 이식을 하지 않은 경우 골재생은 약 2 mm를 보이는 것에 비하여 차폐막을 적용한 경우 4 mm 이상의 골재생을 보인다.

이 외에도 치조골 보존을 발치 즉시 임플란트 식립을 시행함으로써 도모할 수 있다(그림 3-102). 이 술식의 장점은 통상적으로 임플란트를 식립(발치한 뒤 4–6개월 기다렸다 식립)할 때보다 치료기간이 단축되고 치조골 흡수가 덜 일어나는 것이다. 발치 즉시 임플란트 식립의 성공을 위해서는 임플란트 고정체의 초기고정(initial stability) 확보가 요구된다. 임플란트와 지대주 경계(implant abutment junction)가 치조골 상단보다 1–2 mm 가량 깊게 위치하도록 임플란트 식립을 해야 하며, 임플란트 고정체와 발치와 사이의 공간(gap)에 부가적인 골이식이 필요할 수도 있다. 발치 즉시 임플란트 식립 시 고려해야 할 사항으로는 발치할 치아의 위치, 감염 및 염증소견 여부, 발치 후 발생된 골결손 정도 등이 있다.

치아의 위치는 식립되는 임플란트의 위치에 영향을 미치기 때문에 기울어져 있거나 이상적인 위치에 위치하지 않은 치아의 발치 후 즉시 임플란트 식립을 하는 것은 주의해야 한다. 또한 발치할 치아 주변에는 감

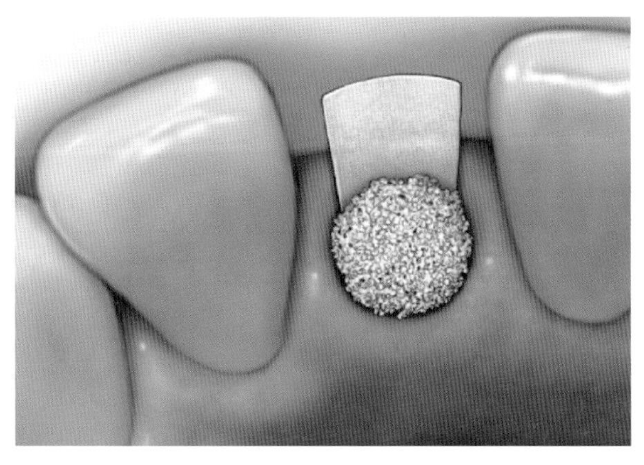

그림 3-101 차폐막과 발치와 충전재를 이용한 치조골보존술.

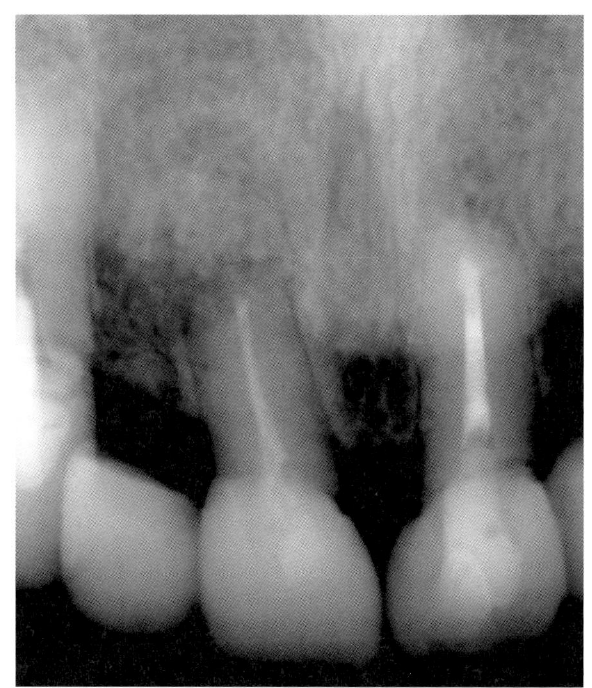

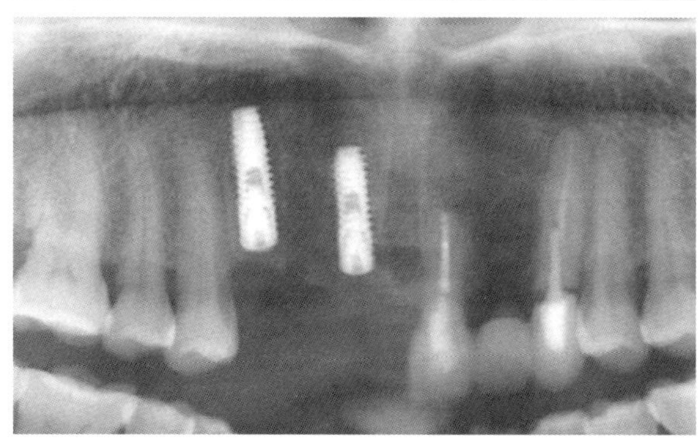

그림 3-102 상악 우측 전치부에 발치 즉시 임플란트를 식립한 증례. A: 발치 전 치근단방사선사진 B: 발치 즉시 임플란트 식립 후로 발치와의 치조백선과 임플란트 고정체 사이의 공간(gap). 임플란트 고정체가 치조정보다 깊게 식립된 것이 관찰된다.

염과 염증소견이 없을 때 발치 즉시 임플란트 식립을 하는 것이 권장된다. 발치 후 발생된 골결손이 5벽성(five-wall defect)인 경우가 가장 이상적이며, 4벽성(four-wall defect)인 경우엔 선택적으로 발치 즉시 임플란트 식립을 할 수 있다. 하지만 3벽 이하의 골결손을 보이는 경우엔 발치 즉시 임플란트 식립의 비적응증이 된다.

3. 교정력을 이용한 치아이동술

매복된 하악 제3대구치가 하치조신경관과 너무 근접하여 있어서 발치 시에 신경손상을 피할 수가 없는 경우 매복된 제3대구치에 교정력을 가하여 치아를 이동시켜서 하악 제3대구치를 하치조신경관과 거리를 이개시켜서 발치하는 방법이 있다(그림 3-103). 치아에 교정력을 가하는 경우 치근주위의 치조골연화 현상에 의하여 치아의 동요도가 증가하므로 발치를 보다 용이하게 할 수 있다. 하지만 매복된 치아의 경우 치아 이동경로를 정확하게 잡지 못하면 인접치아에 손상을 줄 수 있고, 하악 제3대구치의 경우 치근이 여러 개인 경우 치아 표면적이 증가하여 보다 강력한 고정원(anchorage)이 필요할 수 있다.

4. 치배절제술(Germectomy)

치근의 1/3 이하가 생성되었을 때 지치를 제거하는 방법으로 발치와 관련된 합병증이 적을 수 있으며 그 나이는 6–17세 사이가 된다. 그러나 성장이 완료되지 않은 어린이에서의 발치는 난이도가 높은 술식이기 때문에 꼭 필요한 경우가 아니면 권장하지 않는다.

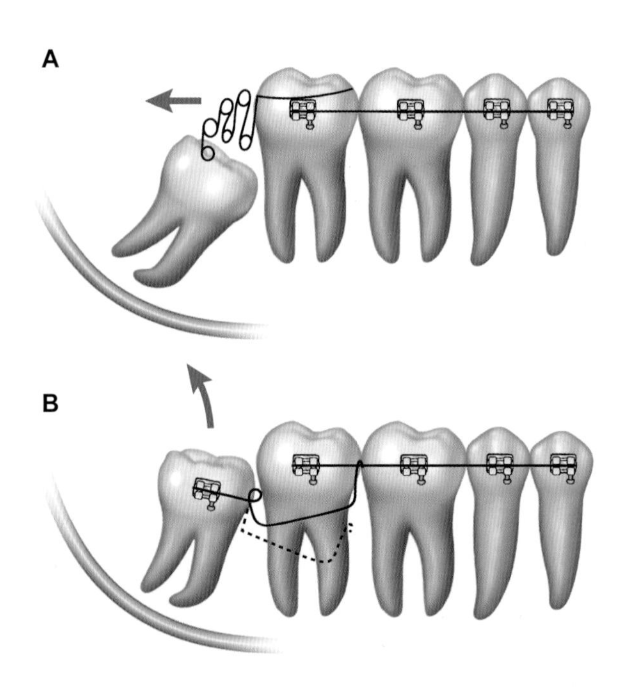

그림 3-103 근심으로 매복된 하치조신경관에 근접한 하악제3대구치를 교정장치를 이용하여 시계 반대 방향으로 회전시켜서 치근단과 하치조신경 사이의 거리를 증가시켜서 신경손상의 가능성을 줄이게 된다.

참고문헌

김종원, 임창준. 임상구강 · 악안면외과학. 서울: 군자출판사; 1993. p. 132-47.

윤중호, 이충국. 발치의 이론과 실제. A color atlas of teeth extraction in dental practice (Noma, H. and Kaneko, Y. 번역서). 서울: 지성출판사; 1995. p. 1-231.

이유미, 권용대 등. Medication related osteoradionecrosis of the jaw: 2015 Position Statement of the Korean Society for Bone and Mioneral Research and the Korean Association of Oral and Maxillofacial Surgeons. 대한골대사학회지. 2015;22(4):151-165.

한성희. 하악 제3대구치 발치 후 발생한 하치조신경 및 설신경 손상에 관한 연구. 대한치과의사협회지. 2009;47:211.

Anand R, Shankar DP, Manodh P, et al. Short-Term Evaluation of Gustatory Changes After Surgical Removal of Mandibular Third Molar-A Prospective Randomized Control Trial. J Oral Maxillofac Surg 2018;76(2):258-266.

Aribau-Gumà C, Jorba-García A, Sánchez-Torres A, Sànchez-Garcés MÀ. Alveolar ridge preservation: an overview of systematic reviews. Int J Oral Maxillofac Surg 2022;51(2):234-242.

Behnia H, Kheradvar A, Shahrokhi M. An anatomic study of the lingual nerve in the third molar region. J Oral Maxillofac Surg 2000;58:649-51; discussion 652-3.

Berger A. Oroantral openings and their surgical correction. Arch Otolaryngology. 1936;130:400-2.

Bui CH, Seldin EB, Dodson TB. Types, frequencies, and risk factors for complications after third molar extraction. J Oral Maxillofac Surg 2003;61:1379.

Diniz-Freitas M, Lago-Méndez L, Gude-Sampedro F, et al. Pederson scale fails to predict how difficult it will be to extract lower third molars. Br J Oral Maxillofac Surg 2007;45(1):23-6.

Ebenezer V, Balakrishnan K, Asir RV, Sragunar B. Immediate placement of endosseous implants into the extraction sockets. J Pharm Bioallied Sci. 2015;7(Suppl 1):S234-237.

Ertas U, Yaruz MS, Tozoğlu S. Accidental third molar displacement into the lateral pharyngeal space. J Oral Maxillofac Surg 2002;60:1217.

Esen E, Tacsar F, Akhan O. Determination of the anti-inflammatory effects of methylprednisolone on the sequelae of third molar surgery. J Oral Maxillofac Surg 1999;57:1201.

Falace DA. Emergency dental care. Williams & Wilkins; 1995. p. 227-53.

Fonseca RJ, Marciani RD, Turvey TA. Oral and maxillofacial surgery, 2nd ed. Saunders; 2009. p. 540-546.

Fonseca RJ, Walker RV. Oral and maxillofacial trauma. W.B. Saunders; 1991. p. 13-57.

Frenkel B, Givol N, Shoshani Y. Coronectomy of the mandibular third molar: a retrospective study of 185 procedures and the decision to repeat the coronectomy in cases of failure. J Oral Maxillofac Surg 2015;73(4):587-94.

Garcia AG, Sampedro FG, Rey JG, Vila PG, Martin MS. Pell-Gregory classification is unreliable as a predictor of difficulty in extracting impacted lower third molars. Br J Oral Maxillofac Surg 2000;38:585.

Hatano Y, Kurita K, Kuroiwa Y, et al. Clinical evaluations of coronectomy (intentional partial odontectomy) for mandibular third molars using dental computed tomography: a case-control study. J Oral Maxillofac Surg 2009;67:1806.

Kalantar Motamedi MR, Heidarpour M, Siadat S, et al. Orthodontic Extraction of High-Risk Impacted Mandibular Third Molars in Close Proximity to the Mandibular Canal: A Systematic Review. J Oral Maxillofac Surg 2015;73(9):1672-85.

Kim HS, Yun PY, Kim YK. Intentional partial odontectomy-a long-term follow-up study. Maxillofac Plast Reconstr Surg 2017;39:29.

Kim JC, Choi SS, Wang SJ, et al. Minor complications after mandibular third molar surgery: type, incidence, and possible prevention. Oral Surg Oral Med Oral Pathol Oral Radiol Endod 2006;102(2):e4-11.

Kim JW, Jo YY, Kim JY, et al. Retrospective comparative clinical study for silk mat application into extraction socket. Maxillofac Plast Reconstr Surg 2019;41:16.

Kim MK, Han W, Kim SG. The use of the buccal fat pad flap for oral reconstruction. Maxillofac Plast Reconstr Surg 2017;39:5.

Liedholm R. Mandibular third molar removal: patient preferences, assessments of oral surgeons and patient flows. Swed Dent J 2005;175 Suppl 1.

Lysell L. Current Concepts and Strategies for Third Molar Removal. Oral and Maxillofacial Surgery. UK: Wiley-Blackwell; 2010. p. 195-218.

Malamed SF. Medical emergencies in the dental office. 4th ed. C.V.Mosby; 1993. p. 161-93.

Marx RE, Cillo JE Jr., Ulloa JJ. Oral bisphosphonate induced osteonecrosis: risk factors, prediction of risk using serum CTX testing, prevention, and treatment. J Oral Maxillofac Surg 2007;65:2397.

Medeiros N, Gaffrée G. Accidental displacement of inferior third molar into the lateral pharyngeal space: case report. J Oral Maxillofac Surg 2008;66:578-80. doi: 10.1016/j.joms.2005.10.042.

구강악안면감염

감염이란 인간(숙주)과 그 환경(병균들) 간에 불균형으로 발생되는 장애로서 감염의 치료란 병균들의 환경을 파괴하고 숙주의 방어기전을 높여서 이들 사이에 균형을 회복하는 것이다. 생활에서 음식물을 섭취하는 관문이 되는 구강은 항상 수많은 병균들(미생물)이 존재하는 만큼 치과임상에서 감염관리는 중요한 의미를 갖는다. 비록 구강악안면 부위는 풍부한 혈행과 림프조직에 의한 면역기능이 발달되어 있다고 하여도 최근 우리의 생활에서 심한 치아우식증과 치주염을 유발하는 각종 음식물의 증가, 환경오염, 현대인의 스트레스 증가 및 운동부족 등으로 인체의 면역능력이 저하되어 진행성 치성감염의 빈도가 크게 증가되고 있다. 흔히 치성감염은 생명의 위협을 초래하지 않는다는 통념이 있으나 방치할 경우에는 그 파급의 양상이 각종 골수염, 봉와직염, 간극농양, 림프절염, 균혈증 등으로 진행되어 기도폐쇄, 패혈증, 종격동염, 해면정맥동 혈전증 등의 합병증으로 생명에 위협을 초래할 가능성이 있다.

또한, 심장병 등의 전신질환이 있는 쇠약한 환자에서의 치성감염은 원거리까지 전이(distant metastasis)되어 치명적인 감염이나 영구적인 장애를 유발할 우려도 있다. 더욱이 발치나 치조골 성형술 등 구강내 외과적인 처치를 시행하는 치과의사들에게는 외과적 시술 후의 창상감염으로 인해 환자와 술자 모두에게 당혹감과 고통을 초래하게 되므로 감염의 처치와 예방은 치과임상에서는 항상 고려해야 할 사항이다.

따라서 이 단원에서는 치성감염의 병인과 진행경로, 인체의 방어기전을 고려한 치료원칙과 항생제 요법, 진행된 감염의 전파양상과 인체의 저항기전, 감염의 합병증과 예방법, 항생제 사용의 문제점 등을 알아보고자 한다.

CONTENTS

CHAPTER 04

구강악안면감염
Oral and Maxillofacial Infection

학습목적

구강악안면영역의 연조직 및 경조직에 발생하는 급·만성 감염에 대한 병인, 진행 양상, 치료원칙 및 치료전략 등을 숙지하여 환자를 진단하고 치료하는 능력을 배양함을 그 목적으로 한다. 또한 백신의 원리와 백신을 통해 예방할 수 있는 질병들에 대해 학습한다. 예방접종의 원칙 및 이상적인 백신의 속성 및 종류에 대해 알아봄을 목적으로 한다.

기본 학습목표

- 치성감염의 원인균을 설명할 수 있다.
- 치성감염의 진행양상을 설명할 수 있다.
- 치성감염에 대한 숙주의 방어기전을 설명할 수 있다.
- 치성감염의 치료원칙을 설명할 수 있다.
- 항생제 요법의 적응증과 금기증을 설명할 수 있다.
- 항생제 선택과 투여의 원칙을 설명할 수 있다.
- 감염치료의 실패요인을 설명할 수 있다.
- 진행된 치성감염과 관련된 상하악의 근막간극들을 해부학적으로 설명할 수 있다.
- 치성감염에서 치명적인 종격동염까지의 진행경로를 설명할 수 있다.
- 치성감염의 진행과 림프계의 반응(lymphadenopathy)을 해부학적으로 설명할 수 있다.
- 치성감염이 해면정맥동 혈전증(thrombosis)을 야기할 수 있는 이유를 해부학적으로 설명할 수 있다.
- 치성감염에 의한 치명적인 합병증(기도폐쇄, 패혈증 등)의 원인과 치료법을 설명할 수 있다.
- 악골 골수염의 종류, 병태생리, 진단과 치료법을 설명할 수 있다.
- 악안면 수술 시 창상감염의 예방을 위한 원칙을 설명할 수 있다.
- 세균성 심내막염의 우려가 있는 심장병의 종류와 세균성 심내막염 예방을 위한 처방을 설명할 수 있다.
- 항생제 선택의 기본 원칙이나 약물별 주의사항들을 설명할 수 있다.
- 항생제 사용시 부작용의 내용과 부작용 발생 시 처치법을 설명할 수 있다.
- 예방접종의 원리를 이해하여 현재 이용 가능한 백신들에 적용할 수 있다.
- 백신 제조의 주요 범주 기술을 설명할 수 있다.

심화 학습목표

- 치성감염의 진단 및 수술법의 임상술기 등을 시행할 수 있고, 합병증을 처치할 수 있다.
- 악골 골수염의 진단과 수술을 포함한 치료를 시행할 수 있다.

I. 치성감염의 양상과 치료원칙

1. 치성감염의 세균학

치성감염을 일으키는 박테리아들은 대부분 숙주의 구강 내에 있는 상재균들의 일부분이다. 이러한 균들은 집락을 형성하며 치은열구나 구강점막에서 발견되고, 주로 호기성 그람양성 구균, 혐기성 그람양성 구균, 혐기성 그람음성 간균들이며, 치아우식증, 치은염이나 치주질환을 야기하고 괴사된 치수나 깊어진 치주낭을 통해 인접한 주위조직에 치성 감염을 일으키게 된다(표 4-1).

치성감염을 일으키는 미생물에 대한 연구가 광범위하게 진행되었으며 이러한 연구를 통하여 중요한 사항들을 발견하였다. 첫째, 치성감염은 단일균이 아닌 여러 균들에 의해서 발생된다는 사실이다. 여러 균들의 집락에 의해서 쉽게 감염이 야기될 수 있으며, 드물게는 단일균에 의해서도 감염이 발생되기도 하지만 대부분 치성감염의 경우 평균 5종류의 균주가 발견된다. 둘째, 치성감염을 일으키는 균은 호기성세균과 혐기성세균 모두 관여한다는 사실이다. 구강 내에는 호기성세균과 혐기성세균이 복합적으로 상주하고 있으므로 이러한 사실은 놀랄만한 일은 아니다. 치성감염에서 순수한 호기성세균이 차지하는 비율은 5%이고 순수한 혐기성균에 의한 경우는 35%이며, 양자 모두에 의해 발생되는 경우가 60%를 차지한다.

치성감염을 일으키는 호기성세균은 **표 4-1**에서 보는 바와 같이 여러 종이며 이중 대표적인 것이 연쇄상구균으로 치성감염을 일으키는 그람양성균 중 약 70%를 차지한다. *Staphylococcus*, *Streptococcus* (Group D), *Neisseria*, *Corynebacterium* 그리고 *Haemophilus* 등의 종들도 드물게 관찰된다. 혐기성균도 **표 4-1**에서 보는 바와 같이 더욱 다양한 종들로 구성되지만 *Streptococcus*, *Peptostreptococcus*, *Peptococcus* 등으로 구성되는 혐기성 그람양성 구균들과 Bacteroides, *Fusobacterium* 등의 그람음성 간균이 주종을 이룬다. 그 외 그람양성 간균들인 *Eubacterium*, *Lactobacillus* 등도 발견된다. 혐기성균 중 병원성을 갖는 균은 그람양성 구균과 그람음성 간균이며 혐기성 그람양성 간균과 그람음성 구균은 치성감염에 결정적인 역할은 하지 않고 기회감염을 일으킨다.

호기성균과 혐기성균을 혼합하여 심부조직에 접종시키면 호기성 연쇄상구균 같은 높은 독성을 지닌 균에 의해 봉와직염 형태의 감염이 발생되고, 호기성균들이 점점 성장함에 따라 산화–환원 전위차가 낮아져 혐기성균이 득세하게 된다. 감염이 만성으로 진행되어 농이 형성되면 혐기성균이 대부분을 차지하게 된다. 봉와직염의 경우처럼 초기 감염에는 호기성 연쇄상구균 감염이 특징이지만 만성농양의 경우에는 혐기성 감염이 특징이다.

표 4-1 치성감염에 관련된 세균들

호기성세균	빈도	혐기성세균	빈도
그람양성 구균			
Streptococcus spp.		*Streptococcus spp.*	C
Alpha hemolytic	VC	*Peptostreptococcus spp.*	C
Beta hemolytic	U	*Peptococcus spp.*	C
Group D	R		
Staphylococcus spp.	R		
그람음성 구균			
Neisseria spp.	R	*Veillonella spp.*	U
그람양성 간균			
Corynebacterium spp.	R	*Eubacterium spp.*	U
그람양성 간균			
Haemophilus influenzae	R	*Bacteroides*	
Eikenella corrodens	R	*oralis*	VC
		melaninogenicus	VC
		gingivalis	VC
		fragilis	R
		Fusobacterium spp.	VC

VC, very common; C, common; U, unusual; R, rare.

2. 치성감염의 진행

치성감염은 치수–치근단을 통한 경로와, 깊은 치은열구–치주낭을 통한 경로 등 두 가지 경로가 있다. 하악 지치주위염은 치은열구–치주낭 경로를 통해 발생하며, 치수–치근단 경로를 통해 치성감염이 흔하게 발생한다. 치아우식에 의한 치수괴사는 세균이 치근단으로 확장될 수 있는 경로를 확보해 준다. 일단 조직 내에서 세균들이 번식되어 감염이 발생되면 모든 방향으로 동일하게 감염이 확산되지만, 가장 조직 저항이 적은 곳으로 우선 확산된다. 치성 감염은 치근단을 넘어 망상골 내로 전파되고, 망상골을 뚫고 나가 치밀골에 이르게 되며 만일 치밀골이 얇으면 감염은 치밀골을 침식시키고 연조직에 이르게 된다(그림 4-1). 항생제를 단독 사용할 시에는 감염의 진행을 멈추게 할 수는 있지만, 감염의 원인이 제거되지 않은 경우에 항생제를 중단할 경우 치성감염이 재발될 수 있다. 그러므로 근관치료나 발치를 통하여 감염의 원인을 제거해야 한다.

치성감염이 치밀골을 뚫고 나와 확산되는 해부학적 위치는 예측할 수 있는 바, 감염의 원인이 되는 치아의 치근단 부위 골의 두께와 천공된 상·하악골 부위의 근육부착 관계 등에 의해 감염이 확산되는 경로가 결정된다.

그림 4-2는 치성 감염이 골을 뚫고 주위 연조직으로 확산되는 과정을 보여준다. 그림 4-2A에서는 구개측보다 순측의 골이 얇기 때문에 감염이 순측골을 뚫고 확산되며, 그림 4-2B에서는 순측보다 구개골이 얇기 때문에 구개측으로 감염이 확산되는 모습을 보여준다. 그림 4-3에서는 감염이 골을 뚫고 나와 연조직으로 확산되는 경로와 천공된 골 부위의 근육부착 관계와 밀접함을 보여주고 있다. 천공 부위가 근육부착 부위보다 낮은 경우 구강전정 농양이 형성되고(그림 4-3A), 치근단 병소의 위치가 근육부착 부위보다 높은 경우 협부 간극 농양으로 확산된다(그림 4-3B).

표 4-2에서 보는 바와 같이 일반적으로 상악치아의 감염 시 순측이나 협측의 치밀골이 천공되고, 근육

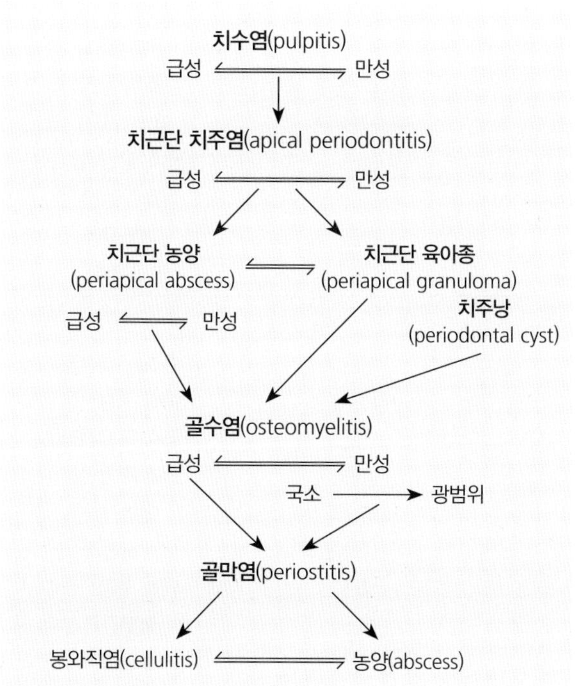

치수염(pulpitis)
급성 ⇄ 만성
↓
치근단 치주염(apical periodontitis)
급성 ⇄ 만성
치근단 농양 (periapical abscess) ⇄ **치근단 육아종** (periapical granuloma)
급성 ⇄ 만성
치주낭 (periodontal cyst)
↓
골수염(osteomyelitis)
급성 ⇄ 만성
국소 → 광범위
↓
골막염(periostitis)
봉와직염(cellulitis) ⇄ 농양(abscess)

그림 4-1 치수염과 치주염에서 봉와직염과 간극농양까지의 진행경로(상관관계).

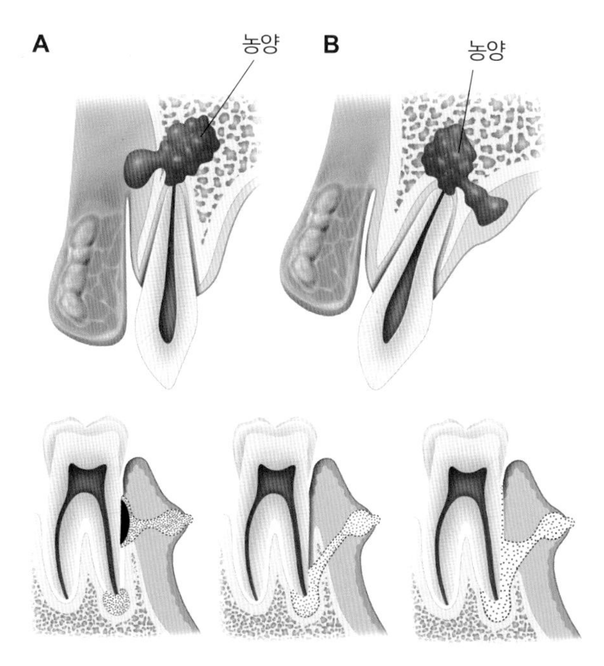

그림 4-2 치성감염의 골침범 시 가장 얇고 취약한 골을 통하여 연조직으로 확산되는 모습.

A: 치근단 병소가 순측으로 확산되는 농양 B: 치근단 병소가 구개측으로 확산되는 농양

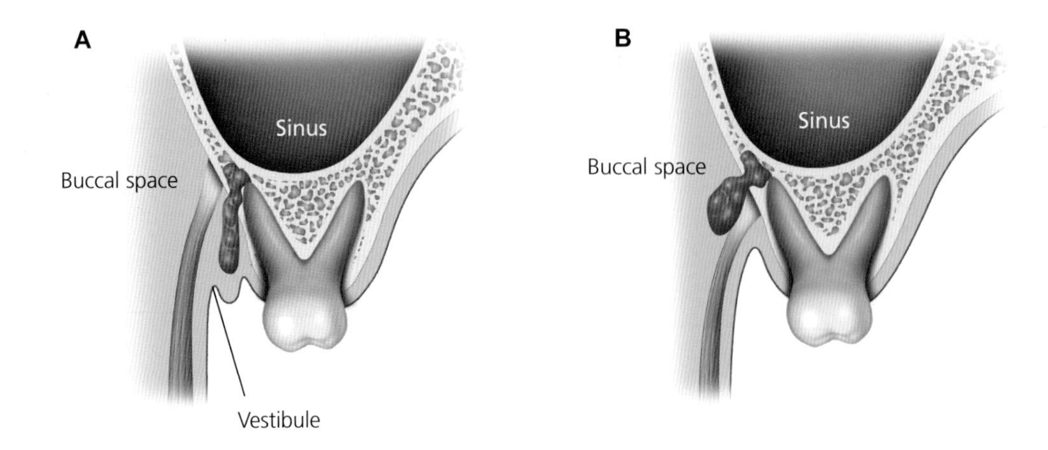

그림 4-3 치성감염에 의한 골천공과 근육부착의 관계.
A: 치근단농양이 근육부착부보다 낮을 때의 구강전정농양(vestibular abscess) B: 치근단농양이 근육부착부보다 높을 때의 협부간극농양(buccal space abscess)

표 4-2 치아에 따른 감염의 확산

치아	골천공 부위	부착근육과의 위치관계	관련된 근육	감염이 국소화되는 위치
상악				
중절치	순측	하방	구륜근	순측 구강전정
측절치	순측	하방	구륜근	순측 구강전정
	(구개측)	–	–	(구개측)
견치	순측	하방	구각거상근	순측 구강전정
	순측	(상방)	구각거상근	(견치간극)
소구치	협측	하방	협근	협측 구강전정
대구치	협측	하방	협근	협측 구강전정
	협측	상방	협근	협부간극
	(구개측)	–	–	(구개측)
하악				
전치	순측	상방	이근	순측 구강전정
견치	순측	상방	구각하제근	순측 구강전정
소구치	협측	상방	협근	협측 구강전정
제1대구치	협측	상방	협근	협측 구강전정
	협측	하방	협근	협부간극
	설측	상방	악설골근	설하간극
제2대구치	협측	상방	협근	협측 구강전정
	협측	하방	협근	협부간극
	설측	상방	악설골근	설하간극
	설측	하방	악설골근	악하간극
제3대구치	설측	하방	악설골근	악하간극

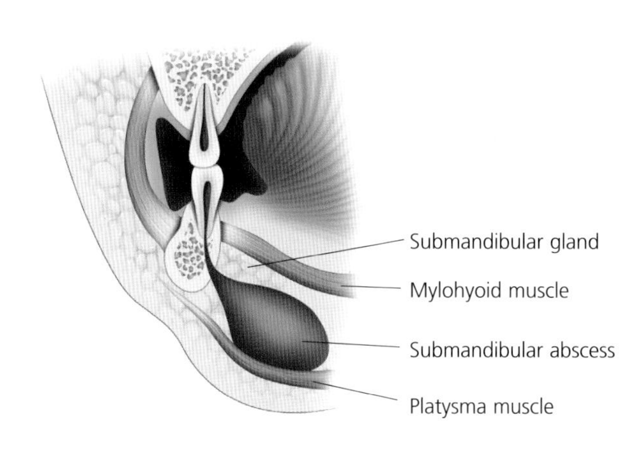

그림 4-4 악하부의 간극농양으로 악설골근 하방에 농양 형성.

부착 부위 하방으로 감염이 확산되어 대부분 구강전정농양으로 진행된다. 때때로 심하게 경사된 측절치나 상악 제1대구치의 구개 치근을 통하여 구개농양이 발생될 수 있으며, 상악견치의 감염에서 치근의 길이가 길어 치근단의 위치가 구각거근(levator anguli oris muscle) 상방에 위치할 경우 견치 간극농양으로 진행된다. 대부분의 상악대구치 감염에서는 치근단의 위치가 협근 부착부 상방에 위치하므로 협부 간극농양으로 진행된다.

하악 전치, 견치, 소구치 등의 감염은 순협측골을 천공시키고 근육 부착부보다 상방에 치근단이 위치하므로 구강전정농양으로 진행되며, 하악대구치 감염의 경우에서는 전치부보다 설측 치밀골을 천공시키기 쉽다. 하악 제1대구치는 설측이나 협측 비슷한 비율로 천공되며, 하악 제2대구치의 경우 설측으로 천공되는 빈도가 협측보다 높고, 하악 제3대구치의 경우에서는 항상 설측으로 천공된다. 그리고 하악 설측골에 부착되는 악설골근의 위치에 따라 감염이 악하간극 또는 설하간극농양으로 확산된다(그림 4-4).

치은열구-치주낭에서 진행된 치성감염은 순협측을 천공시키고 구강 연조직으로 확산되는 모습을 보여 준다. 또한 이러한 치성감염은 치근단 경로로 유사하게 협부 간극농양, 구강전정농양, 악하간극 또는 설하간극 등으로 진행될 수도 있다(그림 4-5).

치성감염의 경우 대부분 구강전정농양으로 진행되며, 면역기능이 있으면 자연적으로 농이 터져 배농되므로 동통을 인지할 수 없는 경우가 많기 때문에 치료를 받지 않는 경향이 있다. 간혹 만성으로 진행되면 구강 내로 누공이 형성될 수 있는데, 이 누공을 통하여 계속 배농된다면 환자는 통증을 느끼지 못하게 된다. 항생제를 투여하면 배농은 멈추지만 약물투여를 중단하면 다시 재발하게 되며, 이러한 경우 괴사된 치수를 발수하거나 이환치를 발거하여 감염의 원인을 제거하는 것이 필수적이다.

3. 숙주의 방어기전(Host defense mechanism)

인간은 오랜 역사를 통하여 끊임없이 변화되는 자연환경에 적응하여 왔으며 생존을 위한 방어기전을 획득하여 왔다. 감염은 숙주, 환경 그리고 세균이라고 하는 세 인자들 간의 균형이 파괴되었을 때 발생된다. 같은 환경 조건 하에서도 숙주의 감염 저항성에 따라 임상적 증상이 나타날 수도 있고 그렇지 않을 수도 있으므로 감염 발생에서 가장 중요한 요소는 숙주 요소라고 말할 수 있다. 세균의 병원성은 세균이 지니고 있는 독성과 양에 의해 결정된다. 예를 들어, 발치하기 전 구강을 세척하는 것은 구강 내 존재하는 수많은 균들 중 많은 부분을 제거함으로써 병원성의 정도를 떨어뜨리는 효과적인 방법인 것이다.

인간이 지니고 있는 신체의 방어기전은 국소적 면역, 체액성 면역, 세포성 면역 등 크게 세 가지로 나눌 수 있다(표 4-3). 국소적 면역에 의한 방어기전은 두 가지 요소로 구성된다. 첫째는 표피나 점막에 의한 기계적 방어기능으로, 박테리아가 하부조직으로 확산되는 것을 막는 해부학적인 방어벽 역할을 한다. 화상, 외과적 절개, 깊은 치주낭, 그리고 괴사된 치수 등을 통하여 이러한 해부학적 방어벽은 파괴되어 세균은 심부로 침입하게 된다. 둘째로는 정상 상재균들의 존재이다. 항

표 4-3 신체 방어기전에 관여하는 요소들의 상호작용(실선은 관여인자들이며, 점선은 기능을 표시함)

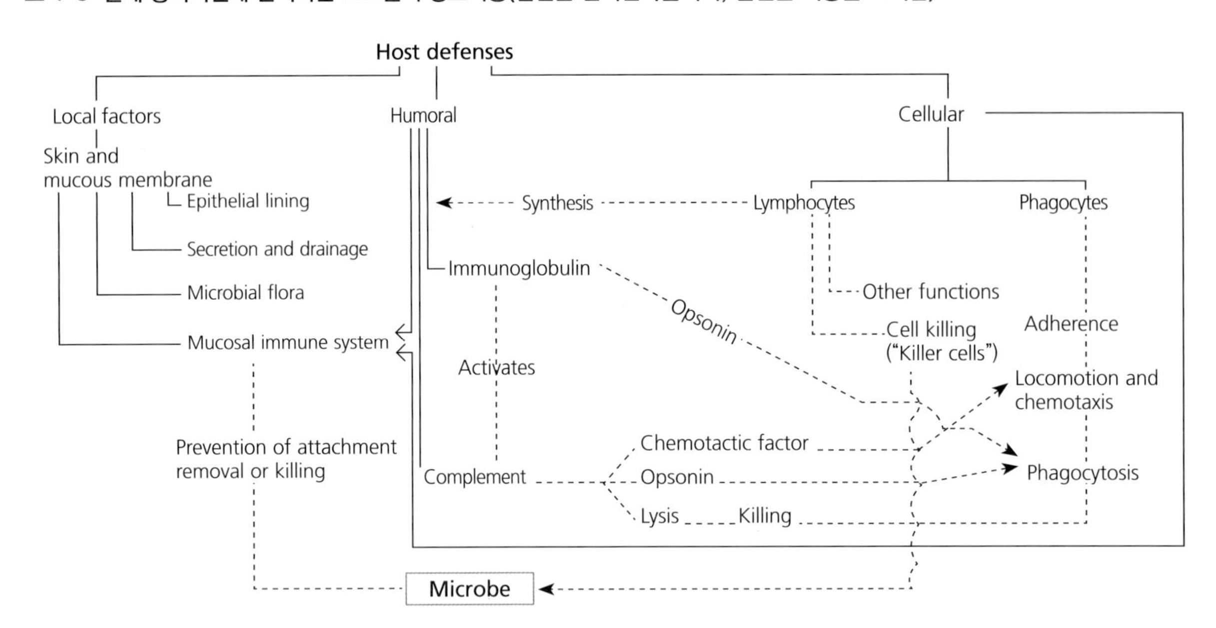

생제 투여로 인해 정상 상재균들이 소멸되거나 구성비율에 변화가 있어 다른 감염균으로 대치된다면 감염이 발생하게 된다. 예를 들어, 페니실린을 장기간 투여하면 구강 상재균이 파괴되고 구강내는 페니실린에 저항성을 지닌 칸디다로 대치되어 결과적으로 구강칸디다증을 일으키게 된다.

체액성 면역은 비세포성으로서 혈장이나 신체에서 분비되는 분비액 내에 존재하며, 보체와 면역글로불린이라는 두 요소가 주된 기능을 담당한다. 면역글로불린은 침입한 박테리아에 부착하는 항체로서 백혈구의 탐식작용을 더욱 활성화하고 세균을 보다 효과적으로 죽이는 역할을 한다. 면역글로불린은 B림프세포에서 분화된 형질세포에서 생성되며 다섯 종류로 구분된다. 전체 면역글로불린의 75%를 차지하는 IgG는 주로 그람양성세균에 대해 면역기능을 수행한다. 전체 면역글로불린의 75%를 차지하는 IgG는 축축한 점막에서 발견되기 때문에 분비성 면역글로불린이라고 알려져 있는데, 점막 표면에 세균이 부착되는 것을 방지한다. IgM은 약 7% 정도를 차지하며 주로 그람음성세균에 대한 면역기능을 수행하며, IgE는 지연성 과민반응에 중요한 역할을, IgD는 항원의 인식과 항체 합성에 중요한 역할을 한다. 보체는 간에서 형성되는 혈청 단백질의 복합체로서 활성화되어야 기능을 할 수 있다. 보체의 활성은 단백질이 쪼개지면서 연속적인 일련의 반응으로 개시되며, 쪼개진 단백질은 보체를 활성화시키는 역할을 담당한다. 보체의 기능을 살펴보면 첫째, 박테리아를 인식하는 데 중요한 역할을 한다. 둘째, 다형핵 백혈구를 혈관 내에서 박테리아가 침범한 곳까지 이동시키는 화학주성을 증가시킨다. 셋째, IgG 같은 면역글로불린은 박테리아의 표면에 부착하여 옵소닌 과정을 진행시켜 세균 파괴를 돕는다. 넷째, 옵소닌에 의하여 감작된 박테리아에 대한 탐식작용을 증진시킨다. 마지막으로 리소좀 효소로 세균의 세포막을 천공시켜 백혈구의 탐식 기능을 증진시킨다.

세포성 면역은 탐식세포와 림프세포가 담당한다. 감염 초기에 탐식작용을 담당하는 세포는 다형핵세포이다. 이러한 세포는 화학주성에 의해 박테리아 감염이 있는 부위로 이동하며, 반응은 신속히 일어나지만 오래 지속되지는 않는다. 그리고 적은 수의 박테리아에 대해서만 탐식작용을 할 수 있다. 다음 과정은 혈액 내 단핵세포가 혈관밖 조직으로 이동됨으로써 시작되는데 조직에 존재하는 단핵세포가 탐식세포이다. 탐식세포는 박테리아를 탐식해서 죽이고 분해하는 기능을 갖고 있으며 다형핵 백혈구보다 오래 산다. 단핵 세포는 감염의 말기나 만성염증 시 관찰된다. 림프세포의 작용은 앞에서 언급한 바와 같이 B림프세포는 적절한 자극을 받아 형질세포로 분화되며, 형질세포에서 IgG와 같은 특별한 항체를 생성된다. T림프세포는 이식거부나 종양세포 감시자 역할을 한다. 그러나 어떤 형태의 감염에서는 T림프세포가 B림프세포를 도와주는 역할을 담당하기도 한다.

한편 국소적 면역성과 전신적 면역성 사이의 중간형상(interphase)으로서 역할을 하는 면역요소로 타액과 치은열구액이 있다. 이들은 림프조직과 연관이 되면서 혈행에 관련된 장관연관림프조직(gut-associated lymphoid tissue, GALT)로 표시될 수 있으며, 구강 내에서 치은영역(gingival domain)과 타액영역(salivary domain)을 구성한다(그림 4-5).

앞에서 언급된 대로 구강 내의 수많은 병균들의 증식에 의한 치성감염의 위협에도 불구하고, 구강주위에

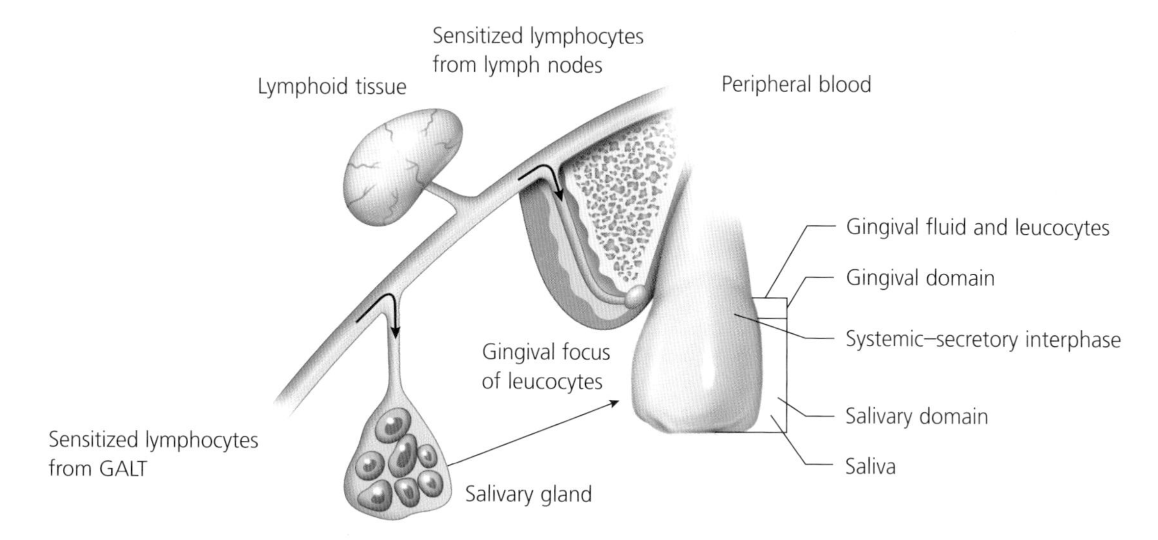

그림 4-5 전신면역과 국소면역 사이의 중간상(interphase)을 나타내는 치은영역(gingival domain)과 타액영역(salivary domain). 림프조직과 혈행이 연관된 장관연관림프조직(gut–associated lymphoid tissue, GALT).

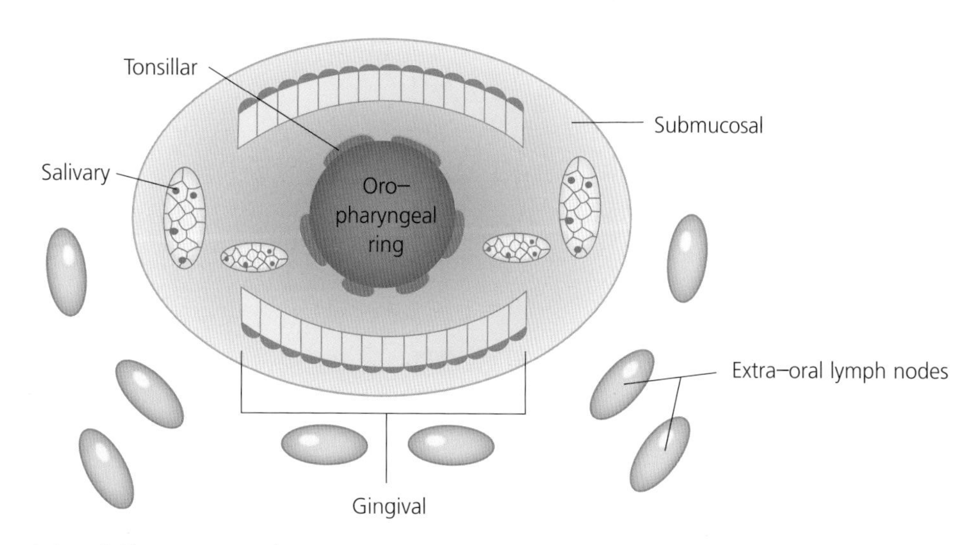

그림 4-6 구강주위 림프조직의 조직화(organization).

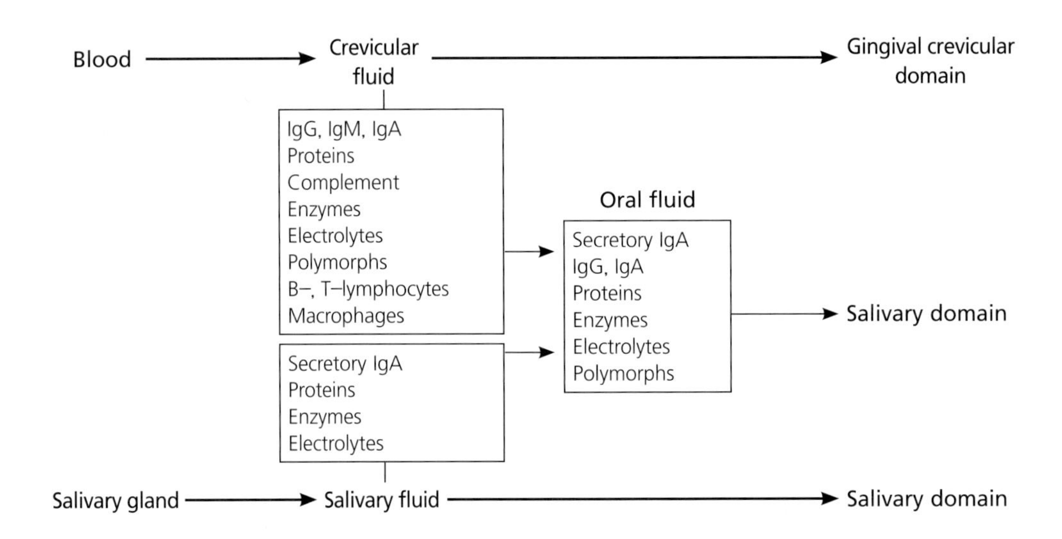

그림 4-7 혈행을 거친 치은열구액과 타액선을 거친 타액에서 체액면역과 세포면역의 성분들.

는 수많은 림프조직(치은, 점막하부, 타액선부, 구인두부 등에 존재)과 풍부한 혈행에 의한 체액면역 요소와 세포면역 요소의 공급으로 구강면역이 잘 유지되어, 구강을 면역학적으로 잘 구축된 부위라고도 한다(그림 4-6, 7).

4. 치성감염의 치료원칙

치과임상에서 빈번히 다루는 대표적인 질환이 감염이다. 일반적으로 치성감염은 국소화되어 일반적인 처치만으로 치유되는 경우가 대부분이지만, 짧은 시간 내에 근막을 통하여 급격히 퍼져 생명을 위협하는 경우도 있다. 치성감염은 원인을 해결하고, 적절한 외과적 배농을 시행하는 것이 치료의 주된 내용으로서, 다음의 치료원칙들을 숙지해야 적절하게 치료할 수 있다.

1) 기본원칙 1: 감염의 심각성 정도를 우선 결정한다

치성감염은 국소적이면서도 가벼운 경우에서부터 심각하고 생명을 위태롭게 만드는 경우까지 그 정도가 다양하다. 대부분의 치성감염은 심각한 상태가 아니며 따라서 일반적 치료(근관치료, 치주치료, 절개 및 배농술 등)만으로 해결할 수 있는 경우가 대부분이다. 환자의 첫 내원 시 가장 중요한 것은 감염의 심각성 정도를 파악하는 것이며, 이에 대한 결정은 감염질환에 대한 자세한 병력 청취와 이학적 검사를 통하여 할 수 있다.

(1) 병력 청취

병력 청취의 첫째 목적은 환자의 주소를 알아내는 것이다. 감염 시 환자는 치통이 있다든지, 턱이 부었다든지, 잇몸이 부었다는 등의 주소를 가장 흔하게 호소하며 환자의 주소는 반드시 환자가 표현하는 말 그대로 기록해야 한다.

다음은 감염이 얼마나 지속되었는지를 알아내는 단계로 먼저 환자에게 "처음으로 동통, 부종이나 배농 등을 경험한 것은 언제였습니까?" 등의 질문으로 감염의 발병일을 알아내고, 첫 감염의 증상이 있은 후 증상의 변화는 없는지, 증상이 악화되었다가 완화되는 등의 변화가 있는지 또는 지속적으로 악화되는지 등을 묻고, 마지막으로 감염이 몇 시간 내에 급속히 악화되었는지 아니면 수일 또는 수주일에 걸쳐 계속 악화되었는지를 물어 감염의 진행 정도를 결정한다.

환자가 호소하는 주소 중 가장 흔한 것이 동통으로,

동통이 어디서 시작되었으며 어떻게 진행되었는지를 물어야 한다. 부종은 확실하게 육안적으로 관찰될 수도 있지만 그렇지 않을 수도 있으며, 환자에게 어느 부위에 얼마만 한 크기의 부종을 인식하는지를 질문하는 것도 중요하다. 다음으로 환자에게 우선 국소적인 열을 느끼는지 물어보고, 감염부위의 발적과 색깔 변화에 대하여 질문한다. 또한 기능상실을 확인해야 하는데 개구장애(trismus), 연하곤란, 호흡곤란 그리고 저작곤란 등에 관하여 질문한다. 이 단계에서 마지막으로 환자 자신의 전신적인 상태에 대해서 환자 자신이 어떻게 느끼는지를 물어본다. 환자가 피곤함, 열감 등을 경험하고, 전신에 힘이 빠지는 느낌 등을 전신 무력증(malaise)이라고 표현하며, 이는 중등도 또는 심한 감염상태에서 나타나는 전신적인 반응이다.

환자의 과거병력 조사 중 그동안의 치료에 대해서도 문진한다. 자가치료나 병원에 간 모든 과거병력을 질문해야 한다. 때로는 환자 자신이 항생제를 구입하여 복용한 경우도 있고, 감염 초기에 응급실로 내원하여 치료를 받고 치과로 의뢰되었으나 의사의 충고나 지시사항을 무시하고 지내다가 감염이 악화되어서야 다시 내원한 경우도 임상에서 경험할 수 있다. 그리고 환자의 전신적 과거병력을 면담이나 질문서를 통하여 기록해 두어야 한다. 여기에는 흡연 등의 유무와 같은 사회적 병력과 감염증과 연관된 전신적인 상태 확인을 위한 체계별 문진(review of system)을 포함한다.

(2) 환자의 신체검사(physical examination)

신체검사는 대개 “big to small” 또는 “outside then inside”의 순서로 진행한다. 우선 환자의 활력징후를 기록한다. 활력징후에는 체온, 맥박수, 혈압, 그리고 호흡수 등이 포함된다. 감염 시 전신적인 반응으로 체온이 상승되기 때문에 온도의 변화가 명백히 나타난다. 환자의 맥박은 체온이 상승되면 같이 올라간다. 치성감염이 발생한 환자는 맥박이 1분당 100회 이상, 호흡수가 분당 20회 이상으로 올라갈 수 있으며 혈압 상승도 발생할 수 있다. 감염이 심한 경우 체온은 38℃ 이상으로 상승하며, 이는 균혈증이나 전신감염의 가능성을 의미할 수도 있으며, 즉각적인 치료가 필요할 수 있다. 만일 맥박이 분당 100회 이상이면 중증의 감염이 의심되며 더욱 적극적인 치료가 요구된다. 활력징후 중 감염 시 가장 변화가 없는 것이 혈압이며, 만일 환자가 심한 동통이나 불안감이 있는 경우 수축기 혈압이 약간 상승할 수 있다. 환자의 호흡수는 주의 깊게 관찰되어야 하며, 치성감염 시 인두 부위의 근막간극으로 염증이 확산되면 상기도 폐쇄가 발생될 수 있다. 호흡수를 측정할 때 치과의사는 환자의 기도폐쇄 유무를 확인하고 호흡장애 유무를 확인하여야 한다. 이때 도움이 되는 것은 산소포화도(SpO_2)로서 정상인에서 95%보다 낮아진다면 기도에 문제가 생겼을 가능성을 의미한다. 감염환자에서 체온상승이 조금 있는 것 외에는 다른 활력징후가 정상이면 쉽게 치료가 되나 체온, 맥박수, 호흡수 등이 상승되어 비정상적인 활력징후를 보이는 경우에는 감염의 정도가 심각함을 의미하며 다른 합병증이 야기될 수 있다.

일단 활력징후가 측정이 되면 다음으로 환자의 전신적 모습을 육안적으로 관찰한다. 경도의 국소적 염증보다 감염이 더 진행된 경우 환자에게서 피곤한 느낌, 열감 그리고 전신무력증 등을 느낄 수 있다. 이를 독성의 모습(toxic appearance)이라고 표현한다(그림 4-8).

환자의 머리나 목 부위에 감염의 징후가 있는지 부

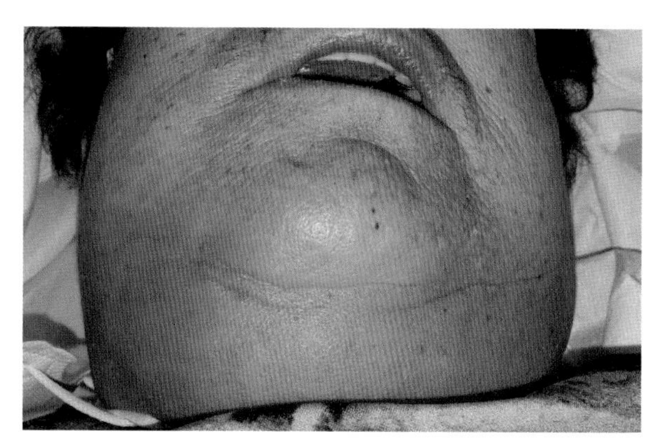

그림 4-8 Toxic appearance를 보이며 내원한 환자에서 진행된 경부감염증이 관찰되고 있음.

종이나 발적의 유무를 조사한다. 환자로 하여금 개구, 연하, 깊은 호흡 등을 시켜보아 기능장애의 여부를 확인한다. 예를 들어 개구 제한은 저작간극과 연관된 감염일 수 있으며, 이는 기도와 연관된 심부 간극으로 감염이 확산될 수 있는 위험성을 의미한다.

종창부위는 촉진을 해보아야 한다. 부드럽게 종창부위를 촉진함으로써 압통(tenderness), 국소열, 종창 부위의 특징 등을 파악한다. 종창에 대한 느낌은 연한 파동성 감촉으로부터 단단한 경결감까지 다양하며, 경결감(induration)이란 과도한 운동으로 딱딱해진 근육을 만지는 듯한 느낌이고, 파동성(fluctuation)이란 풍선 내에 물을 채우고 만지는 느낌이다. 파동성은 종창의 하부 조직에 농이 형성되었음을 의미한다.

다음 단계는 감염의 원인을 찾기 위해 구강내 검진을 시행한다. 아마도 심한 치아우식증에 이환된 치아, 확실한 치주농양, 심한 치주질환 등을 발견할 수 있을 것이다. 어느 부위의 치은에 종창이나 파동성의 병변이 있는지 혹은 구강전정농양이나 배농관이 있는지도 자세히 살펴보아야 한다.

(3) 방사선 검사(radiologic examination) 및 검사실 검사(laboratory test)

주로 병소부위의 치근단 방사선사진을 이용하나 병소가 광범위하고 개구제한이 있거나 구외 방사선사진에서 참고할 사항이 있을 때는 파노라마사진과 같은 구외 방사선사진을 촬영한다. 정확한 치성원인을 확인하기 어려운 경우에는 콘빔전산화단층촬영술(cone beam computed tomography, CBCT) 촬영이 도움이 될 수 있다. 또한 심부 근막간극에 이환된 감염증이 의심되는 경우에는 조영제를 투여하고 촬영한 조영증강 전산화단층촬영술(contrast-enhanced computed tomography, CECT)이 필요하다.

그 외에도 혈액검사는 주로 병원급에서 이루어질 수 있지만 증가된 백혈구 수치 결과 등을 통해서 감염증의 심도에 대해 파악할 수 있는 정보가 될 수 있다. 이러한 방사선 및 혈액 검사 등은 환자에 대한 중요한 정보를 제공하지만, 병력조사 및 임상검사를 대체할 수는 없다.

(4) 전반적인 평가

이상의 검사를 통해 환자가 봉와직염(cellulitis)인지, 농양인지를 감별해야 한다. 봉와직염과 농양은 경결감 유무, 동통의 정도, 감염 부위의 크기 및 변연 경계부의 명확도, 촉진 시 감촉, 농형성 유무, 환자의 위험도 등에서 명확히 차이가 나는 다른 상태이므로 반드시 감별해서 치료해야 한다.

봉와직염은 급성상태가 많고 일반적으로 감염 초기 상태인 한편 농양은 만성상태이다. 그리고 봉와직염은 갑자기 병발하고 조직이 팽창되므로 농양의 경우보다 동통이 심하고, 조직 사이로 광범위하게 감염이 확산되므로 일반적으로 농양의 경우보다 병소가 크며, 농양의 경우와 달리 감염이 국소화되어 있지 않으므로 병소의 경계 부위가 불명확하다. 촉진에서도 봉와직염과 농양은 명확한 차이를 보이는 바 촉진 시 초기 봉와직염의 경우 말랑말랑하면서 부드러운 감을 느끼나, 봉와직염이 심한 경우에는 단단한 판상의 경결감(board-like induration)을 느끼게 되며 판상 경결감의 정도가 심해질수록 그만큼 봉와직염의 상태도 심하다고 볼 수 있다. 농양의 경우 조직 내 농이 형성되어 있으므로 촉진 시 파동성을 느낄 수 있다. 또한 초기 봉와직염은 그리 위험하지 않으나 좀 더 진행되어 경결감이 심하고 급속히 봉와직염이 확산되는 상태라면 매우 위험할 수 있다. 반대로 농양은 만성 감염상태이고 국소화되어 주위 조직확산이 심하지 않으므로 덜 위험하다고 할 수 있다. 그리고 농이 형성된다는 것은 신체의 방어기전에 의해 감염이 조절되고 국소화되었다는 것을 의미한다. 그러나 임상에서 봉와직염과 농양이 매우 심한 경우에는 감별하기 어려운 경우가 많다. 특히 연조직 깊이 발생한 농양의 경우에는 이를 발견하기란 말처럼 쉽지 않으며, 경결감을 보이는 봉와직염 내부에도 농양이 형성되어 있을 수 있다.

2) 기본원칙 2: 환자의 신체 방어기전 상태를 평가한다

치성감염의 치유에 있어 가장 중요한 부분은 정상적인 신체 방어기전(host defense system)의 존재이다. 따라서 환자의 전신상태를 정확하게 파악하여야 한다. 이는 환자 병력에 대한 철저한 조사를 의미한다. 신체 방어기전에 제약이 있을 때에는 외과적 치료와 함께 대개 부가적인 항생제 치료를 통해서 감염을 적극적으로 대처해야 한다. 환자의 과거 병력을 평가할 때도 감염에 저항할 수 있는 전신상태를 부분적으로 파악할 수 있도록 되어 있다. 어떤 종류의 전신질환이나 약물은 환자의 신체 방어기전을 약화시킬 수 있다. 신체 방어기전이 약화된 경우에는 감염질환에 이환되기도 쉽고, 이환되면 잘 낫지도 않고 심각하게 진행될 가능성이 높아진다. 그러므로 효과적으로 치료하기 위해서는 신체 방어기전을 약화시키는 질환이나 약물을 숙지하여 신체 방어기전에 문제가 있는 환자를 잘 구분할 수 있어야 한다. 신체 방어기전을 약화시키는 질환이나 약물들은 조직 내로 박테리아가 쉽게 침투하게 하고, 더욱 활발하게 번식하도록 도우며, 신체면역을 약화시킨다.

동반질환은 두 가지 주요 범주로 살펴볼 수 있는 데, 각각 조절되지 않는 대사성 질환과 면역계에 영향을 미치는 상태이다. 잘 조절되지 않는 당뇨병은 치유부전과 연관된다. 고혈당은 감염증에 저항력이 감소되는 상태를 야기한다. 따라서 적절한 외과적 치료와 함께 당조절이 필수적이다. 심한 알코올중독 역시 대개 영양실조를 동반하며 역시 감염증에 저항하는 신체 능력을 저하시키는 경우이다. 요독증(uremia)이 야기되는 심한 당뇨병이나 신부전 말기 환자와 같이 조절되지 않은 대사성 질환이나, 영양 결핍을 동반한 심한 알코올중독은 백혈구의 기능을 약화시킨다. 다시 말해 백혈구의 화학주성, 탐식작용 그리고 식균작용을 약화시킨다.

백혈병과 림프종과 같은 혈액암은 백혈구 기능에 부정적인 영향을 초래하여 감염증에 저항하는 데 영향을 미친다. 암치료에 사용되는 항암제들은 백혈구 수를 mm 당 1,000개까지 감소시킨다. 이렇게 백혈구 수치가 감소된 상태에서는 박테리아 침입에 대하여 효과적으로 대항할 수 없다. 자가면역성질환 환자나 장기이식을 받은 환자는 면역억제제를 투여받게 되어 신체 방어기전이 약화된다. 이들 약물들은 B림프세포와 T림프세포의 기능을 저하시키고 면역글로불린 생성을 감소시킨다. 따라서 이러한 약물을 투여받고 있는 환자의 경우에는 심각한 감염에 빠지기 쉽다. 또한 몇몇의 약물들은 중단 후에도 1년여 또는 그 이상의 기간까지도 영향을 미치기도 한다.

앞서 언급한 질환이나 약제를 투여받고 있는 감염 환자의 경우 적절한 치료가 진행되어도 치성감염의 확산과 치료 저조의 위험성이 증가된다. 감염이 신속히 확산되므로 아주 적극적인 치료가 요구된다. 초기에 감염의 원인을 제거하고 적절한 항생제를 정맥주사나 근육주사 하도록 해야 한다. 그리고 일반적인 구강외과적 치료를 받는 경우에도 예방적 항생제를 투여하여 감염을 예방하도록 한다.

3) 기본원칙 3: 일반 치과의사가 치료할지, 구강악안면외과 전문의가 치료할지를 결정한다

대부분의 치성감염은 일반 치과의사에 의해 적절한 치료, 즉 어렵지 않은 외과적 시술과 항생제 투여에 의해 치유될 수 있다. 그러나 어떤 경우에는 생명을 위협하는 잠재성을 지니고 있으며, 적극적인 내과적 처치나 외과적 시술이 요구된다. 이런 특별한 상황에서는 감염의 심각성을 초기에 알아내어 구강악안면외과의사에게 의뢰를 해야 한다. 통원 치료가 가능한 경우도 있지만 입원치료를 해야 하는 경우도 있다. 치성감염 환자가 치과에 내원했을 때 감염의 심각성 정도를 판단할 수 있는 기준을 갖고, 이 기준에 속하는 경우에는 즉시 전문의에게 의뢰하는 것을 심각하게 고려해야 한다. 전문의에게 즉시 의뢰해야 할 경우는 세 가지로 요약할 수 있다.

첫째, 급속히 진행되는 감염의 증상을 보이는 경우

이다. 진찰을 받기 하루나 이틀 전에 감염이 시작되었으나 급속하게 종창이 확산되고, 동통이 심해지며 관련된 증상이나 징후가 악화되는 경우에는 생명을 위협하는 잠재적 부위까지 감염이 확산될 가능성이 높으므로 적극적으로 치료를 해야 한다. 근막간극으로 진행되어 즉시 수술적 치료가 필요한 경우에는 입원치료가 가능한 병원급 의료기관에서 전문의 진료가 권장된다. 호흡곤란과 연하곤란을 동반한 경우에는 기도확보에 문제가 있을 가능성이 높으므로 되도록 구강악안면외과 전문의가 있는 병원급 의료기관 응급실로 곧바로 의뢰하는 것을 고려해야한다.

둘째, 호흡곤란이 있는 경우이다. 감염으로 인해 상기도에 심한 연조직 부종이 발생하면 기도 유지에 어려움이 있다. 환자는 누워있을 수 없고, 말하기 곤란하며 숨쉬기가 어렵다. 이런 경우는 즉시 응급실로 보내 기도 유지를 위해 필요한 모든 조치를 다 해야 한다.

셋째, 응급상황은 연하곤란이 있는 경우이다. 종창이나 개구장애가 있는 환자의 경우, 연하곤란이 있을 수 있다. 이는 대부분의 경우에서 인두공간이 좁아졌음을 의미하고, 급성 호흡곤란이 발생될 잠재적 가능성을 나타내는 불길한 징후이다. 이런 상황의 경우에도 외과적 시술을 통한 기도유지가 필요할 수 있으므로 환자를 응급실로 신속하게 의뢰해야 한다.

기타 다음의 몇 가지 다른 사항들도 역시 전문의에게 의뢰하는 기준으로 이용될 수 있다. 탈수, 체온 상승, 전신무력감 등의 전신징후, 개구제한(대략 전치부에서 25 mm 이하), 악하 간극농양이나 협부 간극농양과 같이 감염이 치조부를 넘어서서 구강외 근막간극을 침범한 경우, 신체 방어기전에 제약이 있는 경우, 수술에 있어서 전신마취가 필요하거나 이전 치료가 실패한 경우에는 전문의에게 의뢰해야 한다. 감염이 있는 경우 일반적으로 체온의 상승이 일어나지만 고열이 지속되면 감염의 상태가 심각함을 나타내므로 전문의에게 의뢰해야 한다. 개구장애는 저작근으로 감염이 침범했음을 의미한다. 심한 개구장애에서는 환자의 개구량이 작아질수록 구인두 부위로 감염이 심각하게 진행되었음을 의미한다. 이런 경우에도 상기도 폐쇄 여부를 평가하기 위해 전문의에게 의뢰해야 한다. 감염이 전신적으로 확산되어 독성의 모습(toxic appearance), 생기없이 풀린 눈, 다물지 못하고 벌리고 있는 입, 탈수되어 병색이 완연한 표정 등을 보이는 경우에도 전문의에게 의뢰를 해야 하며, 그리고 신체 방어기전에 문제가 있는 감염 환자는 입원시켜 관련된 전문의들에게 효과적인 치료를 받도록 해야 한다.

한편, 치조부와 구강 전정부에만 국한되어 나타나는 국소화된 감염증에 대해서는 일반적인 치과 외래에서 처치가 가능한 수준이다. 이런 경우에는 외과적 처치에 있어서 주변 해부학적 구조물에 주의하면서 종종 원인치료와 함께 진행하면 된다.

4) 기본원칙 4: 외과적 치료를 통하여 배농 및 감염의 원인을 제거한다

치성감염 처치의 원칙은 외과적 시술을 통하여 배농을 시행하고 감염의 원인을 제거하는 것이다. 간혹 항생제 치료가 우선이라고 생각하는 경우가 있는데 이는 오해이다. 많은 근거들을 바탕으로 항생제 치료보다 외과적 치료가 임상성적에 있어 우세함을 나타내었다. 감염증을 치료하기 위한 외과적 치료 범주에는 괴사된 치수를 제거하는 시술과 치주치료에서부터 발치, 더 나아가서는 턱밑 또는 목 부위를 절개하는 복잡한 외과적 시술까지 다양하다. 감염 시 외과적 처치의 일차적 목적은 축적된 농을 배농시키고 괴사된 조직을 제거하는 것이며, 이차적 목적은 감염의 원인을 제거하는 데 있다. 감염의 원인은 주로 괴사된 치수나 깊은 치주낭이다. 전형적인 치성감염의 형태는 크기가 작은 구강전정농양이며, 이 경우 근관치료, 발치, 절개 및 배농 등의 치료방법을 선택할 수 있다. 감염증에 이환되어 개구가 제한되는 경우처럼 발치를 할 수 없는 상황이라면 근관치료를 통하여 감염의 원인이 되는 치수를 제거하고, 교합력을 줄인다. 근관치료(발수 및 근관개방술)를 통해서도 제한적이지만 배농될 수 있는 통로를 확보할 수 있다. 치아를 보존할 수 없으면 가능한 한 빨리 발치하여 감염의 원인을 제거함과 동시에 농의 배출구를 확보한다.

근관치료나 발치 외에도 절개 및 배농이 필요한 경우가 있다. 농이 확실히 형성된 농양으로 진단되면 필히 배농을 해야 한다. 발치나 근관치료를 시행하였더라도 농주머니 내에 존재하는 농을 제거하기 위하여 절개를 시행해야 하는 경우도 있다. 배농에 실패하면 비록 항생제를 투여하더라도 감염이 악화되거나 증세가 나아지지 않는다. 농이 형성되어 있는지 아닌지 판단하기 어려우면 18-gauge 주사기를 이용하여 시험적 농의 흡입을 시도한다. 농이 형성된 경우 절개를 시행하면 농이나 박테리아를 배출할 수 있는 통로를 확보할 수 있고, 조직의 긴장도를 감소시키기 때문에 염증부위의 혈행상태가 좋아지고 신체의 면역기능도 증진시킨다. 절개와 배농 후 고무로 만들어진 배출관(drain)을 삽입함으로써 지속적으로 배농이 되도록 한다. 외과적 처치의 목표는 배농될 수 있는 통로를 만들어 유지시켜 주는 것임을 명심해야 하며, 근관치료를 통하여 배농이 적절하지 않을 때에는 절개를 통하여 배농시켜야 한다. 배농을 통하여 세균 감염도를 감소시켜 신체 방어체계로 하여금 잔여 세균들을 제거하기 용이하도록 하고, 감염된 조직의 압력을 감소시켜 주는 효과를 발휘한다. 국소조직의 압력 감소는 국소혈류량을 증가시켜 부가적 항생제가 감염부위에 더 잘 적용되도록 하고 방어체계의 가동을 도모한다.

절개 및 배농의 기술에 대하여 살펴보자. 우선 가장 일반적인 경우에 해당하는 파동성이 있는 구강전정농양의 경우, 첫 번째 단계는 적절한 절개 및 배농 부위를 선택한다. 다만 감염증으로 인하여 개구가 제한이 있는 등의 하악 운동에 제약이 발생하는 경우에는 국소마취를 통해 통증이 조절되면 오히려 하악운동이 개선될 여지가 있다. 그럼에도 불구하고 하악운동이 개선되지 않아 수술이 필요한 부위에 적절한 접근이 어려운 경우에는 전문의에게 의뢰를 고려한다. 절개위치는 중력에 의해 배농이 가장 잘 될 수 있는 부위를 선정한다. 절개위치가 선정되면 해당 부위에 국소전달마취를 시행하거나 배농위치 전후방에 침윤마취를 시행한다. 대개 전달마취가 선호되는데, 그 이유는 감염부위는 보통 산성의 pH를 지니게 되며, 마취제의 확산에 부정적인 영향을 주어 적절한 마취 심도를 얻기 어렵게 만들 수 있기 때문이다. 또한 감염부위에 대해 침윤마취를 시행하는 중에 주사 바늘을 통해 감염원이 비감염부위에 전파될 위험성이 있다. 절개를 시행하기 앞서 주사기를 이용하여 농배양 및 항생제감수성검사를 위하여 농을 채취하고 그람염색, 배양 및 항생제감수성검사 등을 시행한다.

농을 채취하기 전 점막표면은 베타딘(betadine)과 같은 살균소독제를 이용하여 소독하며, 멸균거즈로 자입될 부위를 건조시키고, 미리 준비된 18-gauge 주사침과 적당한 크기의 주사기를 인체내에 형성된 농주머니에 주입하여 1-2 mm 가량의 농을 채취한다. 주사기내 기포를 제거하고 주사침은 고무마개로 막아 외부공기와의 소통을 막고 즉시 미생물검사실로 보낸다. 이런 방법으로 호기성 및 혐기성 배양과 그람염색검사를 할 수 있다. 치성감염에서는 검사실에서 혐기성세균이 배양될 수 있도록 농채취 시 주의가 요구된다.

농배양을 위한 과정이 끝나면 11번이나 15번 수술도(surgical blade)를 이용하여 점막과 점막하 조직을 절개하여 농주머니를 개방해 배농시킨다(그림 4-9). 절개는 일반적으로 종창이 가장 심한 부위에 시행하여 배농이 더욱 용이하게 이루어지도록 한다. 다만, 하악소구치부의 이신경(mental nerve)처럼 주요 해부학적 구조물을 침범하지 않도록 주의해야 한다. 또한 상악에서는 중력을 고려하여 저절로 배농이 용이한 부위에 절개하도록 한다. 절개는 대개 1 cm 이상이며, 점막과 점막하조직을 포함하는 깊이로 시행한다. 대개 배농이 잘 이루어지지 않는 경우는 길이나 깊이 면에서 충분한 절개가 진행되지 않는 경우이며, 짧은 경우 농이 있는 부위를 찾지 못하거나 얕은 경우에는 배농이 제대로 이루어지지 않을 수 있다. 이러한 경우를 예방하기 위하여 1 cm 이상 절개하고 골막까지 절개하여 골이 접촉되도록 하는 것을 추천한다. 절개가 완료되면 골막기자를 넣어 골막하 공간에 적절한 깊이로 배농로를 형성하였는지 확인하고, 구부러진 지혈겸자를 농주머니 속으로 삽입하여 초기 절개 시 개통이 안 된 농주머니가 개통되도록 지혈겸자를 여러 방향으로 벌려준다. 이때 지혈겸자가 주요 해부학적 구조물에 위해를 가하지 않도록 주의한다. 배농되는 농을 환자가 삼키지 않도록 주의하고 전부 흡입기로 흡입(suction)하도록 한다. 배농이 확실하게 되었다고 생각되면 배출관을 삽입시켜 배농의 통로를 확보한다. 구내농양의 배농에 쓰이는 배출관의 일반적인 재료는 1/4 인치 Penrose 배출관이며, 멸균된 러버댐 또는 글러브 조각도 많이 사용된다. 농주머니의 깊이만큼 가위로 잘라서 사용하고, 지혈겸자를 이용하여 삽입한 후 봉합사로 배출관을 인접조직에 봉합 고정하여 배출관이 유지되도록 한다. 괴사된 조직은 찢어질 염려가 있으므로 건전한 조직에 봉합하고, 증상이 개선되고 농주머니에서 농이 나오지 않을 때까지 보통 2–5일간 유지시킨다. 배출관이 제거되면 상처는 대개 이차치유가 진행되도록 그대로 둔다.

한편 부드럽고 말랑말랑한 느낌의 초기 봉와직염의 경우에는 절개 및 배농의 시술이 일반적으로 필요 없으며, 대개 괴사된 치수를 제거하거나 이환된 치아를 발거하고 관찰해야 한다.

5) 기본원칙 5: 감염으로 인해 약화된 전신상태를 호전시킨다

치성감염 환자의 경우 대개 감염과 관련된 동통과 종창 등의 불편감 때문에 수분이나 영양공급이 불충분하게 된다. 전신 상태를 개선시키기 위하여 수분 보충, 영양공급, 통증조절, 항생제 치료, 당조절 등이 고려된다. 동통 때문에 환자는 음식 섭취가 불량하고, 제대로 쉬지 못하여 전신 면역기능이 떨어질 가능성이 높다. 절개 및 배농을 시행한 후에 많은 물과 주스, 고칼로리의 영양을 섭취하도록 하고, 동통 없이 편안히 안정을 취할 수 있도록 진통제를 처방한다. 그 외에도 고혈압, 부정맥, 심장질환, 자가면역질환 등의 전신질환이 있는 경우에도 특별한 고려가 필요하며, 대개 관련 분야 전문의에게 협진 의뢰가 필요하다.

6) 기본원칙 6: 적절한 항생제를 선택하여 투여한다

치성감염의 치료를 위하여 항생제를 선택하는 데 각별한 주의를 기울여야 한다. 적절하게 치료되고 있는 치성감염에서 항생제가 반드시 필요한 것은 아니다. 경우에 따라서는 항생제 내성이나 부작용의 가능성에 대해서도 고려해야 한다. 치료를 위한 모든 요소들을 신중히 고려한 다음, 임상의는 항생제가 전혀 필요치 않은지, 아니면 광범위항생제 혹은 항생제 병용투여가 필요한지 등을 결정해야 한다. 다양한 요소들을 고려

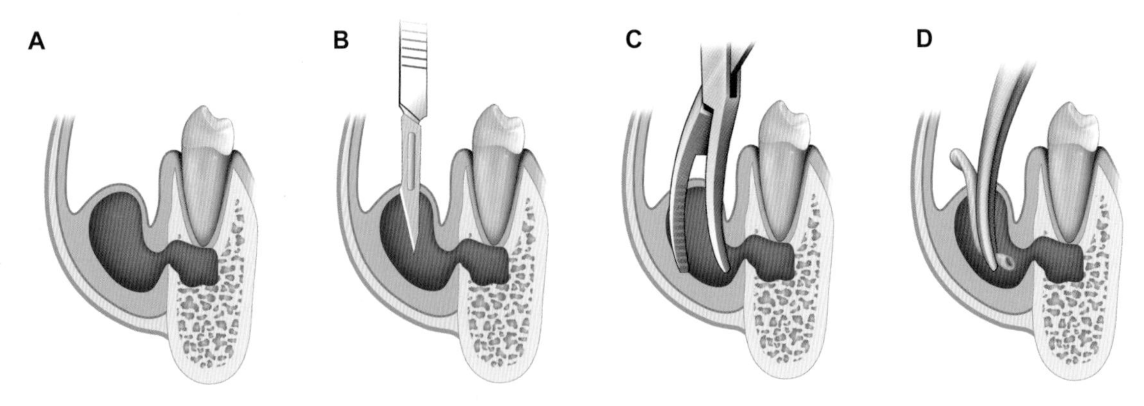

그림 4-9 A: 하악 소구치부 치근단 감염이 협측골면과 전정의 농양으로 확대된 예. B: 제11번 수술도로 절개. C: 절개부의 지혈겸자에 의한 확대. D: 배출관을 농양의 깊은 곳에 삽입(배출관은 조직에 봉합하여 고정함).

하여 적절한 항생제를 선택해야 하는데, 항생제는 동전의 양면과도 같아서 적절히 사용되었을 때는 감염질환을 극적으로 치유하지만, 잘못 사용되면 비용과 위험성에 있어서 이익보다는 손해를 가져다준다. 그러므로 항생제는 다음과 같은 기준을 고려하여 적절히 선택해야 한다.

(1) 어떤 경우에 항생제 투여가 필요한가?

항생제 치료가 고려될 때, 임상의는 그에 따른 위험성과 이익에 대해 각각 신중하게 평가가 필요하다. 모든 감염증에 항생제가 필요하다는 것은 일반적으로 잘못된 생각이며 경우에 따라 항생제가 유용하지 않고 금기증인 경우도 있다. 따라서 항생제 투여가 필요하다고 결정을 내리는 데 있어서 다음 세 가지 요소가 고려되어야 한다.

첫째, 내원 당시 감염의 심각성 정도이다. 만약 치성감염이 심부간극에 이환된 경우에는 항생제 치료가 도움이 될 수 있다. 항생제 치료를 통해 증상이 개선되면, 보다 확실하게 외과적 치료를 시행할 수 있다. 둘째, 적절한 외과적 처치를 수행할 수 있는지의 여부이다. 많은 경우에 원인치를 발거하면 감염은 빨리 치유될 수 있다. 그러나 경우에 따라서는 발치가 불가능할 수도 있다. 이런 경우에는 항생제를 투여하여 감염을 조절한 후 발치를 하도록 한다. 셋째, 환자의 신체 방어기전 상태이다. 젊고 건강한 환자는 신체 방어기전이 양호하므로 감염의 치유를 위하여 더욱 적은 항생제가 필요한 반면, 신체 방어기전이 약화된 환자, 예를 들어 심각한 대사성 질환을 앓고 있거나 항암제 투여를 받고 있는 경우에서는 경미한 감염에도 다량의 항생제 투여가 필요할 수 있다.

상기에 기술한 세 가지 요소를 충분히 고려하면 치과에서 항생제 투여가 필요한 적응증이 어떤 경우인지 명확해진다. 첫 번째, 가장 흔히 발생되는 적응증은 경계가 불명확하고 종창이 확산되어 있으면서 중등도 또는 심한 동통을 동반한 급성감염의 경우이다. 이 경우는 대개 봉와직염 상태이며 적절한 항생제 치료와 원인치에 대한 치료로 빠른 치유를 기대할 수 있다. 두 번째 적응증은 신체 저항성이 약화된 환자에서 감염이 발생된 경우이다. 이러한 환자의 경우에는 어떤 경우의 감염이라도 항생제가 투여되어야 한다. 세 번째, 감염이 구강외 근막간극까지 이행된 경우이다. 이러한 경우 구강외 조직으로 감염이 확산될 가능성이 높고 신체 면역기능만으로 감염을 조절하기 어렵다. 네 번째 적응증은 38℃ 이상의 고열과 개구장애, 그리고 안모에 종창을 동반한 심한 지치주위염의 경우로서 매복된 하악 제3대구치의 경우에서 흔히 볼 수 있다. 마지막으로 골수염 환자들은 감염의 치료를 위해 외과적 처치와 함께 항생제 투여를 시행해야 한다.

그리고 항생제는 창상치유를 촉진하지도 않고 세균이 없는 상황에서는 어떠한 도움도 주지 않으므로 세균이 그 질환의 원인일 경우에만 투여해야 한다. 항생제 투여가 바람직하지 않고 금기증이 되는 경우도 있다. 첫째, 염증의 정도가 경미하고, 잘 국소화된 만성농양의 경우에서는 환자의 신체 방어기전이 정상적이고 면역기능을 약화시키는 질환을 지니고 있지 않는다면 배농 및 절개, 원인치 처치를 통하여 빠르게 회복된다. 둘째, 안면 종창없이 국소화가 잘 된 구강전정농양의 경우도 항생제 사용의 금기증에 해당된다. 이러한 경우 치수강을 개방하고 괴사된 치수를 제거하거나 치아를 발거하고 절개 및 배농을 시행함으로써 빠른 치유를 가져올 수 있다. 세 번째 금기증으로는 치근관을 멸균시킬 목적으로 항생제를 사용하지 않는다. 비록 치근관에서 채취한 표본의 농배양 검사에서 세균이 검출되었더라도 이는 괴사조직이 불완전하게 제거된 데 그 원인이 있는 것이므로 항생제를 투여해도 효과가 없을 것이다. 넷째, 경미한 동통과 치은 부종을 동반하는 경증의 지치주위염에는 항생제를 투여할 필요가 없다. 이러한 경우 과산화수소 용액이나 chlorhexidine 용액의 소독으로도 감염증은 해소될 수 있다.

급성치수염의 경우라면 항생제 치료보다는 적절한 보존수복치료 또는 근관치료가 도움이 될 것이다. 만성치근단농양의 경우도 근관치료 또는 발치를 통한 치료만으로 충분하다. 또한 건성치조골염은 염증과정으로서 감염이 아니므로 통증조절과 발치와 내 소독 및 첩약 등의 치료가 요구된다. 요약하면 항생제는 신체 방어기전이 약화된 환자나 외과적 처치로 치유가 되지 않는 감염에서 주로 투여되어야 한다.

(2) 치성감염에 효과적이라고 알려진 항생제를 우선 투여한다.

치성감염을 일으키는 세균들은 일반적으로 어떤 세균인지 잘 밝혀져 있을 뿐만 아니라 세균에 대한 항생제 감수성도 잘 알려져 있다. 치성감염에 대한 많은 연구에서도 일관성 있는 결과를 보이고 있으므로 통상적인 치성감염의 경우 농배양이나 항생제감수성검사는 필요하지 않다. 치성감염은 대개 통성 연쇄상구균, 혐기성 연쇄상구균, *Prevotella*, *Fusobacterium* 등의 정상 구강내 상재균으로부터 야기된다.

구강내 세균들에 대한 항생제 감수성이 잘 밝혀져 있기 때문에 치성감염에 효과적인 항생제로는 호기성, 통성 연쇄상구균 및 혐기성균들에 효과적인 페니실린(penicillin), 에리스로마이신(erythromycin), 클린다마이신(clindamycin), 아지트로마이신(azithromycin) 등을 대표적으로 고려해볼 수 있으며, 혐기성균이 검출

표 4-4 경구로 흔히 투여되는 항생제들의 특성

	Penicillin V	Erythromycin	Clindamycin	Cephalexin	Cefaclor
살균 또는 정균작용	Bactericidal	Bacteriostatic	Both	Bactericidal	Bactericidal
항균범위	Streptococci	Gram-positive cocci, oral anaerobes	Gram-positive cocci, anaerobes	Gram-positive cocci, some gram-negative rods, oral anaerobes	Gram-positive cocci, some gram-negative rods
약제 투여 간격	250-500 mg qid	250-500 mg qid	150-300 mg q6h	500 mg qid	500 mg qid
대사	Kidney	Liver	Liver	Kidney	Kidney
독성과 부작용	Allergy	Nausea, vomiting, cramping, diarrhea	Nausea, vomiting, cramping, diarrhea, antibiotic associated colitis	Allergy, antibiotic associated colitis	Allergy, antibiotic associated colitis
주요 적응증	Drug of choice	Useful alternative for mild infection	Useful alternative especially for resistant anaerobes	Broader spectrum needed	Broader spectrum needed
	Metronidazole	**Doxycycline**	**Amoxicillin**	**Clotrimazole**	**Dicloxacillin**
살균 또는 정균작용	Bactericidal	Bacteriostatic	Bactericidal	Bactericidal	Bactericidal
항균범위	anaerobes	Gram-positive cocci, some gram-negative rods, oral anaerobes	Gram-positive cocci, *E-coli*, *H. Influenza*, oral anaerobes	*Candida* organisms	*Staphylococci*
약제 투여 간격	250 mg qid	100 mg qid	250 mg qid	10 mg qid	250 mg qid
대사	Liver	Liver	Kidney	Gut	
독성과 부작용	Nausea, vomiting, cramping, diarrhea, disulfiram-like effect	Teeth discoloration, photosensitivity, vomiting, diarrhea	Allergy, antibiotic associated colitis	-	Allergy
주요 적응증	Only anaerobic bacteria involved	Broad spectrum in mild infections	Broader spectrum needed	Thrush	*Staphylococcus* infection

된 심각한 감염증에서는 절대 혐기성균에 효과적인 메트로니다졸(metronidazole)의 사용을 고려할 수 있다(표 4-4). 또한 환자 순응도를 고려한 용법과 약물 효용성을 고려하여 처방하도록 한다.

일반적으로 우선적으로 선택되는 약물은 페니실린이다. 페니실린에 과민 반응이 있는 환자에게 대체약물로 이용할 수 있는 항생제로는 에리스로마이신과 클린다마이신이 있다. 세팔로스포린(cephalosporin)계인 세팔렉신과 세파클러는 광범위항생제가 요구될 때 사용되는 약제이며, 페니실린에 알레르기 반응을 보이는 환자에게 세팔로스포린계 약물을 투여할 때에는 세팔로스포린계 약물에 대해서도 알레르기 반응이 나타날 수 있으므로 주의해서 투여해야 한다. 테트라사이클린은 이 약제에 저항성을 보이는 구강세균이 많다고 하더라도 여전히 치성감염에 사용될 수 있는 유용한 약제 중의 하나이다. 메트로니다졸은 혐기성세균에만 작용하는 약제이므로 순수하게 혐기성세균에 의한 감염이라고 의심되는 경우에만 투여해야 한다.

파동성이 있는 농양 환자를 치료할 때에는 18-gauge 주사침의 주사기로 적은 양의 농을 흡인하여 유리 슬라이드 위에 얇게 떨어뜨려 도말표본을 만들어 몇 초 동안 고정한 후 관찰하거나 보관할 수도 있다. 감염의 원인균에 대한 추가적인 정보가 필요한 경우에는 그람 염색을 시행한다. 그러나 모든 치성감염에 대하여 농배양과 항생제감수성검사를 시행하는 것은 경비를 낭비하는 결과를 초래할 수 있다. 그러나 경우에 따라서는 반드시 농배양과 항생제감수성검사를 시행해야 될 경우가 있다. 첫째, 감염의 발현이 빠르면서 감염이 급속히 확산되는 경우에는 농배양과 항생제감수성검사를 시행해야 한다. 이 같은 감염증에서 원인 세균에 대한 확인이 지연될 경우 심각한 결과를 야기할 수 있다. 둘째, 술후 감염의 경우이다. 만약 환자가 첫 수술 시 감염의 소견이 없었으나 수술 3-4일 후 감염으로 내원했다면 상재균에 의한 감염일 가능성이 줄어들기 때문에 원인 세균을 밝혀내는 것이 감염의 치료에 있어서 결정적인 역할을 할 수 있다. 셋째, 잘 치유되지 않는 감염증의 경우이다. 넷째, 재발된 감염증의 경우이다. 초기 감염증은 치유되고 2일 이상 2주일이 지나도록 감염의 증상이 없다가 다시 이차적인 감염이 발생했다면 감염은 항생제에 저항성을 가진 세균에 의해서 발생했을 가능성이 증가하므로 농에 대한 검사를 필요로 한다. 다섯째, 신체 면역기전에 이상이 있는 환자의 경우이다. 원인 세균은 일반적인 치성감염과 차이가 없을지라도 이러한 환자들은 감염에 대한 저항력이 약화된 상태이기 때문에 항생제의 최대 효과를 얻기 위하여 원인 세균의 정확한 진단이 필요하다. 여섯째, 골수염의 경우와 만성적인 방선균증(actinomycosis)이 의심될 때이다.

(3) 가능한 항균범위가 좁은 항생제를 선택하여 투여한다.

항생제를 투여하면 그 항생제에 감수성이 있는 세균은 모두 죽게 된다. 만약 항균범위가 좁은 항생제를 투여하면 가능한 원인 세균만을 선택적으로 죽일 수 있게 된다. 광범위항생제를 사용하면 다양한 신체 기관에 존재하는 정상 균주를 변화시키게 된다. 이는 뜻밖의 역효과를 나타낼 수 있다. 또한 내성 발생 가능성 역시 높이게 된다. 따라서 임상의는 항상 좁은 항균범위의 항생제 사용을 고려해야 하며, 치성감염에서는 연쇄상구균과 혐기성균이 그 대상에 해당한다. 단순한 수준의 치성감염에서는 페니실린, 아목시실린, 클린다마이신, 메트로니다졸을 고려할 수 있으며, 복잡한 치성감염에서는 아목시실린/클라불란산(amoxicillin/clavulanic acid), 아지트로마이신, 퀴놀론(quinolone)계 항생제 등을 고려해볼 수 있다. 결론적으로 요약하면 원인 세균에 대해 항균범위가 좁은 항생제는 항균범위가 넓은 항생제와 마찬가지의 효과를 얻으면서도 숙주에 존재하는 상재균의 조성 변화를 야기하지도 않고 내성 발현의 기회도 차단할 수 있다.

(4) 독성과 부작용이 최소한인 항생제를 선택한다.

대부분의 항생제는 여러 독작용과 부작용을 가지고

있으며 이러한 독작용과 부작용이 경미할 수도 있지만 임상에서 사용할 수 없을 정도의 심각한 것일 수도 있다. 치성감염에 주로 이용되는 일반적인 항생제들은 대개 독작용 발생률이 아주 낮으나, 임상의는 약물 투여 시 발생 가능한 독작용과 부작용을 이해하고 있어야 한다.

페니실린의 경우 두드러기, 발진 및 위장장애(설사) 등의 알레르기는 흔한 부작용이며, 아나필락시스와 같은 심각한 유해반응은 드물다. 아지트로마이신은 유해반응이 비교적 드문 것으로 알려져 있다. 클린다마이신의 장기 투여는 위막성 대장염의 발생과 연관이 있다. 그러나 몸상태가 나빠진 환자들에게서는 어떤 항생제에서도 그러한 증상이 발생할 수 있다. 퀴놀론계 목시플록사신(moxifloxacin)은 광범위항생제이며 구강세균에 효과적인 것으로 알려져 있으나 여러 중요한 유해반응들이 발생할 수 있는 것으로 알려져 있다.

(5) 가능하면 살균성(bactericidal) 항생제를 선택한다.

살균성 항생제는 세균을 직접 죽이고, 정균성(bacteri-ostatic) 항생제는 세균의 증식과 성장을 억제한다. 살균성 항생제는 보통 새로 증식하는 세균의 세포벽에 작용하여 세포벽의 생성을 억제한다. 세포벽이 온전하지 못하면 삼투압의 변화에 대응할 수 없게 되고 사실상 세균은 죽게 된다. 실제 세균과의 전쟁에서 항생제는 세균을 직접 죽이는 역할을 하는 반면, 숙주의 백혈구, 보체 그리고 항체는 큰 역할을 하지 못한다. 정균성 항생제는 세균증식을 지연시켜 감염부위로 면역 관련 세포들의 이동을 허용하여 면역세포들이 감염부위에 존재하는 세균을 탐식하여 죽일 수 있도록 한다. 따라서 정균성 항생제는 신체 방어기전이 정상적인 환자에게 투여해야 하며, 방어기전에 문제를 가진 환자에게는 살균성 항생제를 투여해야 한다.

(6) 가격을 알고 항생제를 선택한다.

항생제의 가격은 매우 다양하다. 최근에 개발된 약물은 좀 더 비싼 경향이 있는 반면, 여러 회사에서 생산되는 오래된 약물은 저렴한 편이다. 다른 요소가 동일할 때는 임상의는 값이 저렴한 항생제를 처방해야 한다.

7) 기본원칙 7: 적절한 용량의 항생제를 적당한 간격으로 투여한다

항생제는 적절한 용량과 적절한 간격 및 기간으로 투여되어야 한다. 적절한 용량은 보통 제조자에 의해서 추천되며, 적절한 용량이란 독작용을 일으키지 않으면서 세균을 충분하게 죽일 수 있을 만큼의 혈장농도를 유지시킬 수 있는 용량이다. 약물의 혈장최고치농도(peak plasma level)는 보통 감염에 관련된 세균에 대한 최소억제농도(minimal inhibitory concentration, MIC)의 최소 4–5배는 되어야 한다.

투여간격도 일반적으로 투여용량과 마찬가지로 제조자에 의해 추천되며, 이는 약물의 혈장 반감기에 의해 결정된다. 투여간격을 정확히 지키는 것은 살균성 항생제보다 정균성 항생제의 사용 시 더욱 중요하다. 살균성 항생제에 노출된 세균은 세포벽이 파괴되어 죽게 되지만, 정균성 항생제에 노출된 세균은 항생제의 효과가 사라지면 단백질 합성을 다시 시작하기 때문이다.

항생제는 적절한 기간 동안 계속해서 투여되어야 한다. 일반적으로 감염이 소실된 후 2–3일간 더 투여하는 것이 원칙이다. 그러나 치유가 잘 되지 않은 감염증의 경우, 보다 오랜 기간동안 추가적인 항생제가 필요할 수도 있다. 임상의는 처방된 약을 환자가 지시대로 복용하도록 명확히 이야기를 해주는 것이 중요하며, 만약 어떤 불가피한 이유로 항생제 복약을 중단해야 한다면 남은 항생제는 폐기하도록 해야 한다. 향후 언제 발생할지 모르는 감염에 대비해서 남은 항생제를 보관해서는 안 된다. 환자 임의로 판단하여 항생제를 복용하는 것은 효과적이지 않을 뿐만 아니라 개인이나 사회 전체의 건강에도 바람직하지 않다.

8) 기본원칙 8: 환자의 치료경과를 자주 평가한다

치성감염의 환자에게 적절하게 외과적 시술을 하였

다면 이후 치료경과에 대해 주의 깊게 추적 관찰해야 한다. 대부분의 경우 외과적 치료 후 환자를 주기적으로 치과에 내원시켜 치료의 경과를 평가해야 한다. 만약 치료가 성공적이라면 종창과 동통 등의 증상이 현저하게 완화된다. 치과의사는 배출관 제거 여부를 판단하기 위하여 절개부위 및 배농상태를 주의 깊게 관찰해야 한다. 동통 외에 체온, 개구제한, 종창 등의 변화도 검사하고 환자 스스로 회복되는 느낌을 갖는지의 여부에 대해서도 질문한다.

만약 치료효과가 잘 나타나지 않는다면 무엇이 잘못되었는지 면밀히 그 원인을 찾아야 한다. 가장 흔한 원인은 부적절한 외과술이다. 예를 들어, 치아가 발거된 경우라면 잘 되었는지, 부골이 형성되었거나 이물질이 남아있지 않는지 등을 살펴본다. 치수 제거 또는 치주치료 등의 치료 이후에도 증상이 개선되지 않은 경우라면 발치 필요성을 고려해야 한다. 또는 원인 평가가 적절하였는지에 대해서도 다시 확인하고, 절개 및 배농이 적절하지 못한 경우에는 추가적인 외과적 치료가 요구된다. 전신 상태가 좋지 않은 경우라면 전신 제약사항에 대해 교정이 필요하며, 그러한 경우에는 보다 적극적인 외과적 치료와 부가적인 항생제 요법이 필요하다. 끝으로 약물치료가 제대로 효과를 발휘하지 못하는 경우이다. 용법대로 복용이 잘 되었는지, 항균제 감수성검사에 맞지 않는 항생제가 투여되고 있지는 않은지 살펴봐야 한다. 만약 이전에 항균제감수성검사가 시행되지 않았다면, 시행을 고려해야 한다. 두 번째로 빈번한 원인은 환자의 신체 방어기전이 약화된 경우이다. 환자의 전신적 과거병력을 재검사하고 전신질환과 관련된 사항에 대해 좀 더 주의 깊게 질문한다. 탈수나 동통에 의한 국소적 방어기전의 저하를 고려해야 하며 필요한 경우 이를 해소해야 한다. 치료 실패의 또 다른 흔한 이유는 이물질의 존재이다. 치성감염에서 흔하지는 않을지라도 이물질의 존재 유무를 확인하기 위해 치근단 방사선사진을 촬영할 수도 있다.

마지막으로 투약되는 항생제에 문제가 있을 수 있다. 먼저 치과의사는 처방대로 환자가 제대로 약을 복용했는지의 여부를 확인해야 한다. 왜냐하면 의사의 지시에 따라 약을 제대로 복용하지 않은 환자가 의외로 많기 때문이다. 항생제와 관련하여 고려해야 할 다른 사항은 감염부에 항생제가 제대로 도달하는가 하는 점이다. 외과적 시술이 부적절하였거나 감염부위에 혈액의 공급이 제대로 되지 않고, 약물의 용량이 충분하지 않은 경우에는 세균에 효과가 있을 만큼 충분한 항생제가 환부에 도달하지 않을 수 있다. 항생제와 관련된 또 다른 문제는 원인세균에 대한 진단이 부정확한 경우이다. 만약 치료 초기에 농배양이나 항생제감수성 검사가 시행되지 않았으면 검사를 위해 농을 채취해야 한다. 왜냐하면 세균학적 진단이 잘못되었거나 항생제에 내성을 지닌 세균의 존재로 인해 치료의 실패가 가능하기 때문이다.

치성감염에서 이차감염이나 중복감염(superinfection)이 발생될 수 있는데, 가장 흔하게 발생되는 경우는 구강 혹은 질 내에 발생하는 칸디다증(candidiasis)이다. 항생제 투여로 정상 상재균의 분포가 변화되어 *Candida*가 과증식된 결과로 발생된다. 또한 최종적으로 감염의 재발 여부를 확인하기 위해 환자에게 감염 증상을 알려주고 그 증상(붓고, 아프고 열이 나는 등)이 있을 때에는 재내원시켜 주의 깊게 관찰해야 한다. 재발성 감염은 치료를 불완전하게 받은 환자에서 나타날 수 있다. 예를 들면, 환자가 너무 조기에 항생제 복용을 중단한 경우나 배출관을 너무 조기에 제거하여 배농될 수 있는 출구가 조기에 폐쇄된 경우에 다시 감염이 진행될 수 있다. 이런 경우 치료는 처음부터 다시 시작해야 한다.

5. 항생제

항생물질이란 곰팡이나 세균들이 자신들의 생존을 위하여 외부로부터 다른 미생물의 침입을 방어하려고 분비해 내는 물질이며, 병원체의 생명에 대항하는 물질이란 뜻이다. 항생제란 항생물질을 추출, 정제 가공하여 특정 병원체를 정균 또는 살균하도록 만든 제제이다.

정균성 항생물질은 살균작용은 못하고 세균의 번식을 억제하는 데 그친다. 최저억제농도(minimal inhibitory concentration) 이상의 혈중 농도를 유지시켜야 하기 때문에 혈중반감기마다 일정량을 되풀이하거나 1회 투여량을 늘려 투여한다. 비교적 전신상태가 좋은 환자의 가벼운, 또는 중간 정도의 감염증은 정균성 항생물질로도 효과가 있지만 중증환자 또는 방어능력이 떨어져 있는 환자의 감염증에는 살균성 항생물질이 사용된다. 살균성 항생물질로서 치료를 해도 증식휴지기에서는 세균을 죽일 수 없으므로 살균성 항생물질에서도 일정한 간격으로 투여를 계속해야 한다.

1) 항생제의 분류

작용기전에 따라 항생제를 분류하면 다음과 같다.

(1) 세포벽 합성 저해(페니실린, 세팔로스포린계)

세균세포는 동물세포와 달리 세포질막 외부에 세포벽이 있고 동물세포에는 없다. 세포벽에 작용하는 항생물질은 동물에는 거의 장애가 없다.

(2) 세포질막의 손상(Polymyxin B; Colistin)

세포질막은 세포 내용물과 외부를 차단하는 역할 이외에 필요한 물질을 세포 내로 들여보내고 세포 내에서 대사로 생긴 물질을 세포 외로 배설하는 작용을 한다. 세포질막에 작용하는 항생물질은 세포질막에 손상을 주어 세균세포 내의 물질이 밖으로 나와 세균이 죽게 된다.

(3) 세포질 내 단백질 합성 억제(Lincosamide계, 아미노글라이코사이드계, 테트라사이클린계, Macrolide계 및 Chlorampenicol 등)

세균이 증식하려면 필요한 단백질이 세포질 내에서 합성되어야 한다. 단백질 합성이 억제되면, 세균이 증식할 수 없다.

(4) 핵산(DNA, RNA 등) 대사 억제(Rifampin, Enrofloxacin, Danofloxacin, Nalidicix acid 등)

세균 분열에 앞서 세균 증식의 과정인 DNA 복제와 전사 및 RNA 생성에 지장이 생기면 정상적인 분열이 될 수 없으므로 항균작용이 된다.

(5) 일반 대사 억제(Sulfamethazine, Sulfathiazole, Sulfadimetoxin 등)

일반적인 세균은 엽산을 형성하기 위하여 PABA를 필요하게 되는데, 이와 유사한 구조를 갖는 화합물을 투여함으로써 가성 엽산이 형성되어 핵산을 이루는 염기의 변형을 초래하여 정상적인 세포분열을 막는 작용(항균 작용)을 나타낸다.

2) 항생제 선택의 원칙

적절한 항생제 선택의 원칙들에는 다음과 같다.

(1) 원인균을 분리한다.

호기성 및 혐기성 농배양을 시행해야 한다.

(2) 항생제감수성검사로 적절한 항생제를 선택한다.

검사 결과가 나오기까지는 경험적 항생제를 투여한다. 즉 일반적으로 치성감염에 많이 수반되는 세균을 인지하고 그에 적절한 항생제를 선택하여 사용한다.

(3) 좁은 항균범위의 항생제를 일차적으로 선택한다.

(4) 부작용이 적은 항생제를 사용한다.

① **부작용(side effect):** 짧은 시간 동안 정상량을 투여한 후 발생하는 문제이다.

② **알레르기 반응(allergic reaction):** 염증, 부종, 수포-궤양 형성, 담마진(urticaria), 자반증(purpura), 무과립구증(agranulocytosis), 혈청병(serum-sickness), 혹은 anaphylactoid reaction 등의 다양한 반응을 보인다.

③ **약물의 독성(toxicity reaction):** 흔히 과도한 용량이나 과도한 투여기간의 결과로 발생하는 숙주 조직에 대한 어떤 손상을 의미한다.

(5) 환자의 약물치료 병력을 참고하여 선택한다.

(6) 정균성(bacteriostatic)인 약제보다는 살균성(bactericidal)인 약제를 선택한다.

(7) 임상적으로 효과가 확실히 증명된 항생제를 사용한다.

(8) 저렴한 약제를 우선적으로 선택한다.

3) 약물에 따른 주의사항들

(1) 페니실린계

페니실린계(Penicillins)는 세균의 세포벽 합성과정의 최종 단계를 억제한다. 그람양성 세균감염에 효과가 있으며, 대부분의 그람음성세균에 효과가 없다. 독성은 매우 적지만, 과민반응(hypersensitivity)이 나타날 수 있다. 알레르기 반응이 인종에 따라 0.7-10% 정도 나타난다. 페니실린의 부작용은 적으나, 알레르기 반응은 페니실린의 주된 부작용으로, 전체 인구의 2-3%에서 페니실린에 대한 알레르기 반응을 보인다. 페니실린에 담마진(hives), 소양증(itching), 천식음(wheezing) 등의 알레르기 반응을 보이는 환자에게는 페니실린을 재투여하지 않는다. 정상 용량으로 페니실린이 투여된 경우 기타 다른 주된 부작용이나 독작용은 보이지 않는다. 암피실린(ampicillin)은 천연 페니실린에 효과가 없는 일부 그람음성세균에 효과가 있으며, 다소 넓은 항균범위를 가졌으나 penicillinase에 대한 저항성은 없다. 부작용으로는 오심, 구토, 설사, 근육경련 등이 나타날 수 있으며, 근육주사제의 경우 국소동통을 유발할 수 있다. 그 외 발진(rash), 가려움, 담마진, 아나필락시스반응(anaphylactic reaction) 등이 나타날 수 있으며, 장내 저항성 세균에 의한 중복감염이 생길 수 있다. 페니실린에 대해 심한 알레르기가 있는 경우에는 사용 금기이다. 아목시실린(amoxicillin)은 위산에 저항성이 있어서 식전 또는 식후 경구적으로 투여할 수 있으며, 암피실린과 동일한 항균범위를 가졌다. 그러나 암피실린보다 신속하고 효율적인 흡수가 일어난다. 암피실린과 유사한 부작용을 나타내며, 가장 흔한 것은 과민반응이다. 담마진, 발진(rash), 오심, 구토, 설사 등의 부작용은 ampicillin보다 다소 드물게 나타나며, 페니실린에 심한 알레르기가 있는 환자에는 금기이다.

(2) 마크로라이드계

마크로라이드계(Macrolides)에는 에리스로마이신, Oleandomycin, Josamycin, Leukomycin, Midecamycin 등이 있다. 작용기전은 50S subunit에 결합하여 tRNA가 acceptor site에서 donor site로 이동하는 것을 억제한다. 페니실린과 유사한 항균범위를 지니며, 페니실린에 과민반응이 있는 환자에 대신 사용할 수 있다. 비교적 심한 독성이나 부작용은 없으나, 과량(500 mg 이상) 투여할 때 오심, 구토, 설사 등을 일으킬 수 있다. 에리스로마이신은 페니실린에 알레르기 반응이 있는 경우에 사용하는 정균제로, 장구균(*enterococcus*)과 그람음성 간균에 대한 항균력이 없다. 금기증에는 알레르기가 있는 경우이며, 대단한 부작용은 없으나, 위의 불쾌감, 오심, 구토, 설사 등의 부작용이 있다. 하루에 2 g을 2주 이상 투여하면 가역적인 황달이 발생한다.

(3) 클린다마이신

클린다마이신(Clindamycin)은 세균의 단백질 합성을 억제함으로써 항균작용을 나타내는 정균제로, 부작용들에는 위막성 대장염(pseudomembranous colitis)은 *Clostridium difficile*의 독소로 생기며, 설사, 복통, 발열, 점액혈변 등이 나오고, 심하면 사망하기도 한다. SGOT가 상승하는 수가 있다. 빨리 정맥주사를 할 경우에는 순환장애가 생길 수 있으며, 10%에서는 피부발진이 나타날 수 있다.

에리스로마이신과 클린다마이신의 독작용이나 부작용의 발생 비율이 낮다. 주로 오심, 구토, 위경련(abdominal cramping), 설사 등의 부작용을 보일 수 있으며, 약물 투여 시 적은 양의 음식을 섭취하거나 약용량을 조금 줄여 투여함으로써 이러한 부작용들을 감소시킬 수 있다.

클린다마이신은 위막성 대장염에 의한 심각한 설사를 야기할 수도 있다. 암피실린과 경구용 세팔로스포린도 이러한 문제를 야기할 수 있으며, 이는 소화관에 존재하는 많은 수의 혐기성 상재균을 죽임으로써 *clostridium difficile*과 같은 항생제에 저항성이 있는 세균이 과증식되고, 이 세균에 의해 분비되는 대사물질이 소화관 벽에 독작용을 유발하기 때문에 발생된다. 클린다마이신, 세팔렉신, 세파클러, 그리고 암피실린을 투여하는 경우 치과의사는 환자에게 심각한 설사가 발생할 수 있다는 가능성을 얘기해야만 하고 만약 증상이 발현되면 의료진에게 반드시 연락을 취하도록 교육한다.

(4) 린코마이신

린코마이신(lincomycin)은 클린다마이신, 에리스로마이신과 유사한 항균범위를 가졌다. 흔한 그람양성 세균들에 대해 효과가 있다. 페니실린 과민증 환자나 probenecid, aspirin 등 페니실린과 상호작용하는 약물을 복용 중이어서 페니실린을 사용할 수 없을 때에 국한해서 사용한다. 그람음성 세균감염에는 효과가 없으며, 장기투여 시 중복감염에 의해 위험한 위막성 장염 또는 칸디다증이 가끔 발생한다.

(5) 세팔로스포린계

세팔로스포린계(cephalosporins)는 세균의 세포벽 합성을 억제하여 세균을 죽이는 살균제이다. 대개 penicillinase 저항성이며, 대체로 β-lactamase에도 저항성이 있다. *Enterococcal streptococcus faecalis*를 제외한 대개의 그람양성세균과 *neisseria* group 등 그람음성 구균에 대해 효과가 있는 광범위항생제이다. 페니실린과 교차과민 반응이 거의 없다. 따라서 페니실린에 과민반응이 있는 환자에 사용할 수 있으나, 페니실린에 대해 매우 심한 반응을 보인 경우에는 세팔로스포린의 사용을 피한다. 가장 중요한 부작용인 과민반응은 약 1-5%에서 나타나며, 페니실린에 알레르기 반응을 보이는 환자의 5-15%에서 이 약제 역시 알레르기 반응을 보일 수 있으므로 주의해서 투여해야 하고, 페니실린에 아나필락시스가 있는 환자에게는 세팔로스포린 역시 생명이 위험한 응급상황을 발생시킬 가능성이 높기 때문에 절대 투여해서는 안 된다. 그 외 부작용에는 위장장애(경한 설사, 구역, 구토 등), 주사부위의 동통과 화끈거림(burning), 혈액장애 등이 있다.

(6) 아미노글리코사이드계

아미노글리코사이드계(aminoglycosides)는 30S ribosomal subunit에 tRNA의 결합을 방해함으로써 단백질 합성을 억제하는 살균제로, 대부분의 그람음성 간균과 약간의 그람양성세균들에 의한 감염증의 치료에 유효하지만, *streptococci*, *pneumococci*, *Clostridia*, anaerobes와 fungus에는 저항성이 있다. 금기증으로는 알레르기가 있는 경우로, 특히 신장 기능이 떨어진 환자(kidney insufficiency)에서 사용을 금한다. 부작용으로는 알레르기 반응으로 발진과 발열, 신독성(nephrotoxicity), 이독성(ototoxicity), 신경근 차단(neuromuscular blockage) 등이 있다. 이독성으로 streptomycin, gentamicin, tobramycin은 전정기능장애를 유발하여 운동실조(ataxia), 안구진탕(nystagmus), 현기증(vertigo), 구역 및 구토 등의 증상으로 이어지고, kanamycin, neomycin, amikacin은 이명(tinnitus)과 와우각 장애를 유발한다. 신경근 차단 시에는 골격 마비가 생겨 호흡곤란 내지는 무호흡의 상태가 되며, 특히 중증근무력증(myasthenia gravis)에서 흔히 나타나며, 심한 저칼슘증이 있거나 신경근 차단제를 사용한지 얼마되지 않은 환자에서도 잘 생긴다. 이러한 신경근 차단은 neomycin, kanamycin, amikacin, gentamicin, tobramycin의 순서로 호발한다. Streptomycin은 살균제이며, 그람음성 간균에 효과적이며, 중대한 부작용으로 신장독성과 이독성이 나타난다. Gentamicin은 심한 그람음성균 감염에 중요한 약물로, 전정부(vestibular portion)에 손상을 주어 현기증(dizziness)과 현운(vertigo)이 발생할 수 있다. Amikacin은 병원에서 종종 나타나는 gentamicin 저항성 균주나 tobramycin 저항성 균주에 효과가 있다. 이 독성이 내이의 와우부(cochlear portion)에서 발생하여 난청(deafness)이 발생할 수 있다.

(7) 테트라사이클린계

테트라사이클린계(tetracyclines)는 광범위항생제로, 정균적인 항생제이다. 30S ribosomal subunit에 결합하여 aminoacyl tRNA가 acceptor site에 결합하는 것을 억제하며, 그람양성 세균감염, 그람음성 세균감염, *spirochetes*, 일부 *richettsia* 감염에 사용된다. 독성과 저항성 균주의 출현 가능성 때문에 시술 전 균혈증(bacteremia)을 예방하기 위한 목적으로 사용되어서는 안 되며, 치성 감염의 치료에는 효과적인 약이 아니다. 독작용과 부작용은 적은 편이며, 임신 중인 환자나 치배가 발육 중인 환자에게 이 약제를 투여하면 이 약제와 칼슘간 착화(chelation)가 발생하여 치아변색, enamel hypoplasia, enamel pitting, 교두 이형성, 치아우식 과민성 등이 나타난다. 오심, 구토, 위경련, 설사 등과 같은 일반적인 위장관 문제를 야기할 수 있으나 테트라사이클린이 에리스로마이신, chlortetracycline이나 oxytetracycline보다 훨씬 적으며, 신장 기능부전 환자나 임산부에서 간손상을 일으킬 수 있다. 광과민증으로 인해 햇빛에 노출되면 피부가 흑갈색으로 변색되거나 손톱이 느슨해질 수 있다. 피부 과민반응(특히, demechlocycline)이 나타날 수 있다. 장기보관으로 변질 분해된 테트라사이클린을 복용하면 Fanconi-like syndrome, 오심, 구토, 다음, 다뇨 등이 나타난다. 우유 등 칼슘이 많은 음식이나 Al, Mg, Ca 염으로 된 제산제와 같이 복용하지 않아야 한다. Minocycline은 비교적 더 완벽하게 대사에 의해 제거된다. 따라서 신부전 환자에게 투여하였을 때 다른 테트라사이클린계보다 minocycline은 덜 축적되지만, 역시 심한 간독성을 나타낼 수 있으므로 사용해서는 안 된다. 오심, 구토, 운동실조, 현기증 등이 자주 나타난다. 부작용은 사용개시 후 24-48시간에 나타나며, 사용을 중단하면 사라진다. Doxycycline은 다른 테트라사이클린과 유사한 항균범위를 가졌으며, 위장관에서 다른 테트라사이클린보다 잘 흡수되고 음식물이나 우유에 의해 흡수가 별로 방해받지 않는다. 이는 신부전 환자의 신장외 감염(extrarenal infection)에 사용할 수 있는데, 다른 테트라사이클린에 비해 위장관 부작용이 심해 식욕감퇴, 오심, 구토, 설사 등이 나타나며, 음식과 같이 복용하면 이들 부작용이 감소된다. Al 등 금속염으로 된 제산제와 같이 투여해서는 안 된다.

(8) 메트로니다졸

메트로니다졸(metronidazole)은 혐기성 구균, Bacteroid 등의 혐기성 그람음성 간균, 포자를 형성하는 혐기성 그람양성 간균에 효과가 있는 살균제이며, 호기성세균과 조건부 혐기성세균은 저항성이 있다. 경구적 투여 후 잘 흡수되며, 간에서 50%가 대사된다. 가장 흔한 부작용은 두통, 오심, 구강건조, 금속성 맛 등이며, 구토나 설사 등도 나타날 수 있다. 신경독성으로 현기증 등이 나타날 수 있으며, 디설피람 효과(disulfiram effect)가 있어 알코올과 같이 복용하면 복부팽만, 오심, 구토, 홍조(flushing), 두통 등이 나타난다. 특히 비경구용으로 투여되는 항생제들은 보다 심각한 독작용을 보인다.

(9) 반코마이신

반코마이신(vancomycin)은 세균의 세포벽 성분인 peptidoglycan의 합성을 억제하는 살균제이다.

여러 그람양성세균에 대해 살균적이며, 세균성 심내막염 예방을 위한 페니실린-스트렙토마이신 복합투여를 대신할 수 있다. 다른 항생제와의 사이에 교차

내성이 없으며, 치료 도중에 내성균이 생기는 일도 거의 없고, 내성균은 발견 당시와 비교하여 지금도 증가하지 않고 있다. 부작용으로는 대량을 투여하거나 장기간 사용하면 귀가 멀거나 치명적인 요독증(uremia)을 유발할 수 있으며, 신장으로부터 거의 전부가 배설되기 때문에 신부전인 환자에게 투여하는 것은 금기이다. 발열, 오한, 주사부위의 정맥염(phlebitis)이 있으며, 대량의 용액으로 희석하여 서서히 주사하면 훨씬 적어지고, 빨리 주사하면 심한 통증을 유발한다.

(10) 클로람페니콜

클로람페니콜(chloramphenicol)은 세균의 단백질 합성을 억제함으로서 항균작용을 나타내는 정균제이며, 장티푸스(typhoid fever), 세균성 뇌막염, 혐기성세균 감염, 뇌농양에 사용하는 광범위항생제이다. 경구나 정주하며, 근육내 주사는 효과가 떨어지고 부작용이 있으니 사용하지 않는다. 심각한 부작용으로 종종 조혈기능을 억제시켜 재생불량성 빈혈(aplastic anemia) 및 과립백혈구감소증을 일으키므로 다른 약물이 효과가 없는 경우에 한정하여 사용한다.

(11) 퀴놀론계

퀴놀론(quinolones)은 핵산 대사를 억제하는 살균제이다. 퀴놀론계 물질인 nalixidic acid는 그간 요로감염에 사용되었으나, 세균의 저항성이 빨리 나타나는 단점이 있다. 근래 개발된 불소화합물인 norfloxacin 및 ciprofloxacin은 이 같은 단점이 보완되어 항균요법의 우수성이 인정되고 있다. 특히 항균범위가 넓을 뿐만 아니라 경구적 투여가 유효하고 부작용과 세균 저항성의 발생이 낮아 여러 감염증의 치료에 이용되고 있다. 최근에는 pefloxacin, ofloxacin, cinoxacin, moxifloxacin 등이 개발되어 사용되고 있다. Ciprofloxacin은 통기성 그람음성 간균, 포도상구균 및 혐기성균에 효과적이며, 경구 투여 후 신속히 흡수되어 높은 혈중 농도를 지속적으로 유지하여 1일 2회 요법이 가능하며, 부비강 점막, 객담, 타액 등 전신장기에 고농도로 이행한다. 요도감염, 세균성 위장관염의 치료에 많이 이용되며, 호흡기 감염 및 구강악안면 감염의 치료에도 효과적이다. 경구투여로 잘 흡수되며, 대부분이 변화없이 요로 배설되지만 일부는 간에서 대사된다. 비교적 안전하지만 위장관 장애(구토, 설사, 복부 팽만감), 중추신경계 부작용(불면증, 현기증, 두통), 피부발진 및 일광과민의 부작용이 보고되고 있다. 어린이에게 관절병변을 일으킬 가능성이 있으므로 사춘기 이전의 아동과 임산부에서는 사용을 삼가는 것이 좋다. 사용할 때 주의사항들에는 Al, Mg, Ca을 함유한 제산제에 의해 흡수가 감소되므로 제산제와 병용해선 안 되며, theophylline을 대사하는 간효소를 억제하여 결과적으로 theophylline toxicity를 초래할 수 있다. Ofloxacin은 그람양성 및 음성균에 대해 광범위한 항균효과가 있으며, 요도감염의 치료에 가장 유용하다. 여러 항생제들에 저항성 균주가 발생되어 효과가 없거나 사용할 수 없을 때 ofloxacin이 매우 유용하게 사용될 수 있다. 그외에도 levofloxacin, moxifloxacin 등 1일 1회 요법이 가능하면서 항균범위를 달리하는 항생제들이 지속적으로 개발되고 있다.

II. 진행된 치성감염과 합병증

항생제가 개발되고 구강위생에 대한 관심이 높아짐에 따라 치성감염의 발병률은 과거에 비해 많이 감소되었으며, 치성감염은 전신적인 기저질환이 있는 환자를 제외하고는 일반적으로 항생제 투여와 국소적인 외과적 처치에 의해 치료될 수 있다. 협측 또는 설측의 구강전정에 발생한 농양의 경우 치아를 발거하거나 간단한 절개와 배농으로 치료할 수 있다. 그러나 경우에 따라서는 치성감염이 진행되어 인접한 근막간극으로 전파(propagation)되거나 림프계로 번지며, 세균의 증식이 과도하여 식세포의 기능에 이상이 생기면 림프절에서 모든 세균들을 처리하지 못해, 혈관으로 들어가서 전신장기로 퍼지는 패혈증(septicemia)으로 진행될 우려도 있다. 이 장에서는 진행된 치성감염과 관련된 두경부의 근막간극, 림프계, 혈행 전파 등의 합병증에 대해 기술하고자 한다.

1. 진행된 치성감염과 두경부의 근막간극

치성감염은 주로 치수와 치주질환 2가지 경로를 통하여 발생된다. 치수감염에 의한 치근단 감염은 골수를 통하여 치조골의 가장 얇은 부분을 천공시키고 인접조직으로 확산되는 경로를 따르며, 치주낭으로부터 감염은 인접조직으로 직접 확산되는 경로를 가진다. 일반적으로 흔한 치근단 감염에서는 골이 침식된 후 구강전정농양으로만 국한될 것인지 혹은 근막간극농양으로 진행될 것인지는 감염이 확산되는 부위의 근육 부착관계에 의하여 일차적으로 결정된다. 대부분의 경우 구강전정농양을 형성하지만 때로는 직접 근막간극으로 확산되어 근막간극 감염을 야기한다. 근막간극이란 근막으로 둘러싸여 있는 잠재성의 공간으로 감염에 의한 화농성 삼출물에 의해 침식되거나 팽창될 수 있다. 어떤 근막간극은 중요한 신경혈관 구조물을 함유하고 있으며, 이 경우에 compartment라고 명칭하고, 어떤 경우에서는 소성결합조직으로 채워져 있는데 이를 cleft라 한다. 치성감염이 발생한 치근단 주변이나 치아 주변에서 직접 이환되는 간극을 일차성 근막간극이라 부르는데 상악에서는 견치간극, 협부간극, 측두하간극 등이 있으며, 하악에서는 이부간극, 협부간극, 악하간극 그리고 설하간극 등이 있다. 이어 일차성 근막간극의 감염이 더욱 확산되어 파급되는 근막간극을 이차성 근막간극이라고 한다.

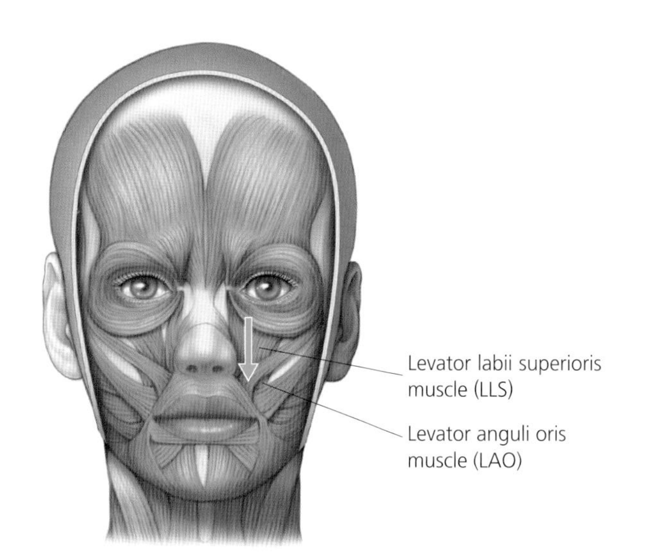

그림 4-10 견치간극농양의 해부학적 위치.

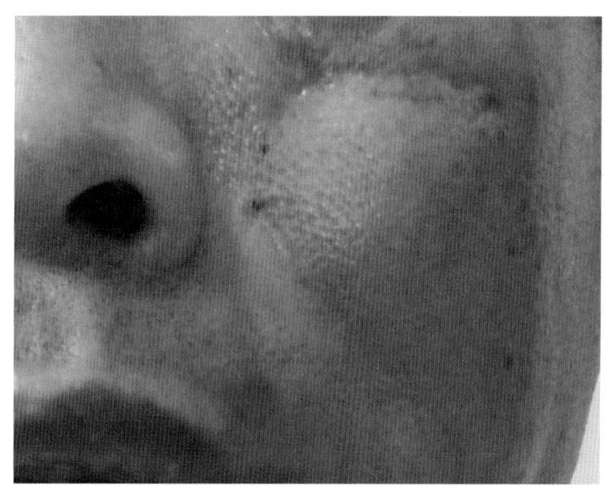

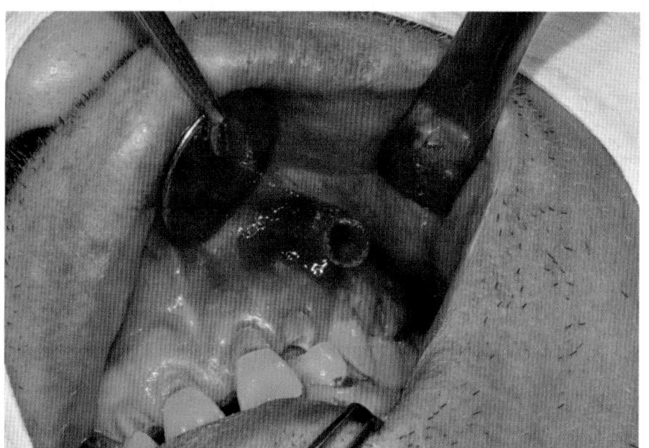

그림 4-11 견치간극농양 환자.

1) 상악에 존재하는 일차성 근막간극 감염

(1) 견치간극농양(canine space abscess) 및 안와하간극농양(infraorbital space abscess)

견치간극은 구각거상근(levator anguli oris muscle, LAO)과 상순거상근(levator labii superioris muscle, LLS) 사이의 얇은 잠재성 간극이다. 견치간극은 상악 견치 부위의 감염과 관련이 있는데, 견치는 치근의 길이가 길기 때문에 외측 치조골을 넘어 상방으로 안면 표정근 부위까지 감염이 확산될 수 있다. 견치간극은 구각거상근의 기시부 상방과 상순거상근의 기시부 하방 사이의 골로 감염이 확산되어 형성되며 임상적으로 비순구의 약화를 보이는 안면부종이 특징적이다(그림 4-10, 11). 그리고 이 간극농양이 자발적으로 배농되는 경우 주로 눈의 내안각(medial canthus) 직하방 부위나 코 옆으로 배출구가 형성된다. 그러므로 만성적인 피부 누공이 코의 외측이나 눈 주변에 있을 때에는 반드시 상악치아의 치근단 감염을 의심하여야 한다(그림 4-12). 견치간극농양이 상방으로 확산되면 눈밑의 부종을 일으키는데 이를 안와하극 농양이라 하며, 눈이 거의 감길 정도로 부종이 커질 수 있다. 원인은 상악 견치나 소구치가 흔하다. 치료는 두 간극감염이 대동소이한데, 구강내로 견치부 전정이나 소구치부 전정을 횡절개하고 농양 중심부에 이르면 쉽게 농배출을 이룰 수 있으며 배농관을 삽입한다.

(2) 상악 협부간극농양(maxillary buccal space abscess)

상악 협부간극은 협근 부착부 상방의 골이 침식되는 경우 형성되며 외측에서는 안면 피부, 내측에서는 협근에 의해 경계된다(그림 4-13, 14). 이 근막간극은 상악 치아나 하악 치아로부터 감염이 확산되어 형성될 수 있으나 대부분의 경우 상악 대구치가 원인이며 상악 소구치도 감염원이 될 수 있다. 임상적으로는 협골궁 하방과 하악하연 상방, 그리고 교근 전방부의 종창을 특징적으로 관찰할 수 있으며, 촉진 시 출렁거림과 통증을 호소하여 비교적 쉽게 진단할 수 있다.

협부간극농양은 저작근 주변이 아니기 때문에 개구장애나 저작장애 등이 심하지 않으며, 절개는 구강내로 협부에 종절개를 가하거나 상악전정부에 횡으로 절개를 가하여 농양 중심부로 접근하여 배농관을 삽입한다.

(3) 측두하간극농양(infratemporal space abscess)

측두하간극은 상악 후방에 위치하여 내측으로 접형골의 익돌돌기 외측판, 상방으로 두개저에 의해 경계되며, 외측에서 심부 측두간극과 연결되어 있는 공간으로 주로 상악 대구치의 감염이나 발치 후 감염으로

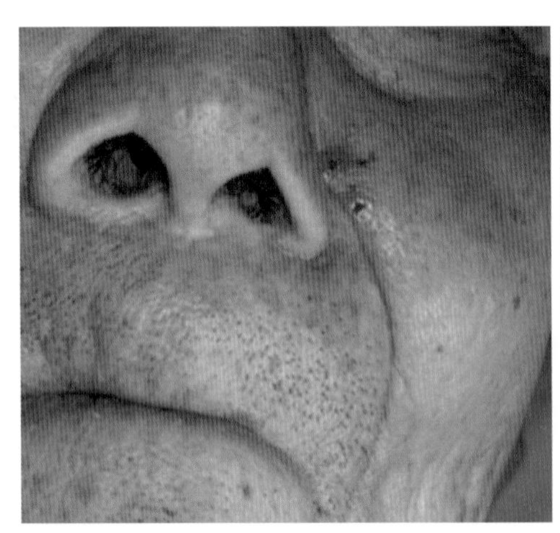
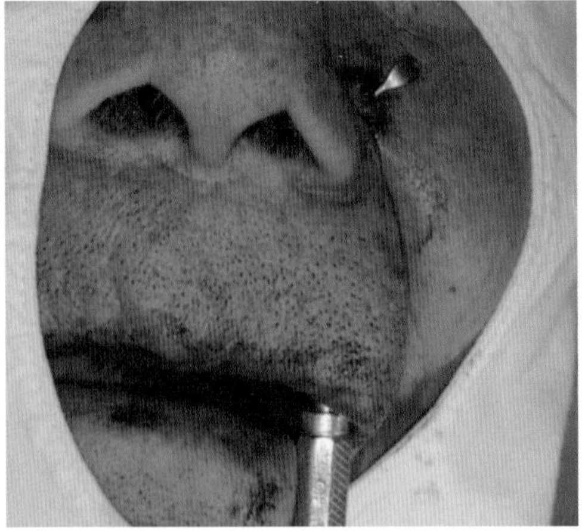

그림 4-12 만성 안면부 누공을 가진 견치간극농양 환자의 모습. 피부누공이 코나 눈 주변에 있을 때 반드시 상악치아의 치근단 감염을 의심하여야 한다.

많이 발생한다(그림 4-15, 16). 감염이 상악 후방부, 하악과두의 전방부의 악골로 둘러싸인 부위에 있기 때문에 얼굴 외형으로는 부종이 심하지 않아 진단을 놓치는 경우가 많다. 전신적인 감염증상을 호소하면서 중등도의 개구장애와 동통, 상악 후방부 촉진 시 통증이 있고 상악 대구치의 감염이나 발치경력이 있을 때에는

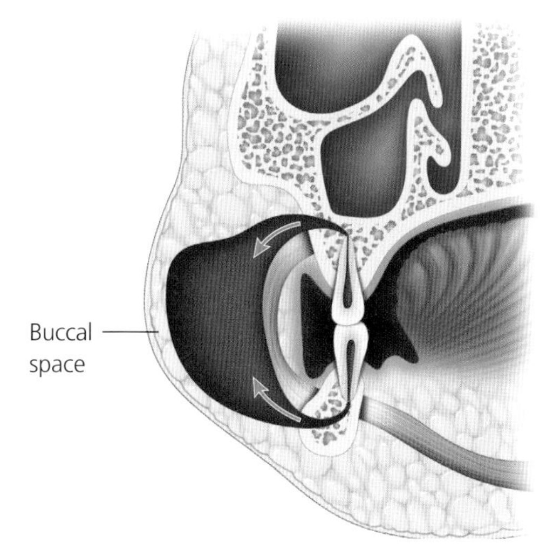

그림 4-13 협부간극농양의 해부학적 위치와 감염 진행방향.

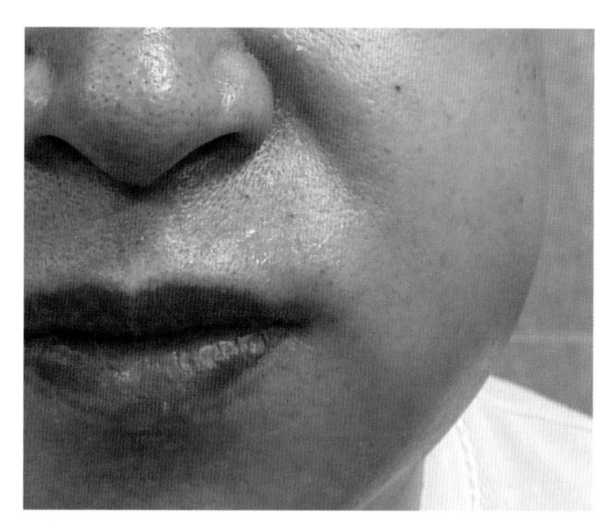

그림 4-14 협부간극농양 환자.

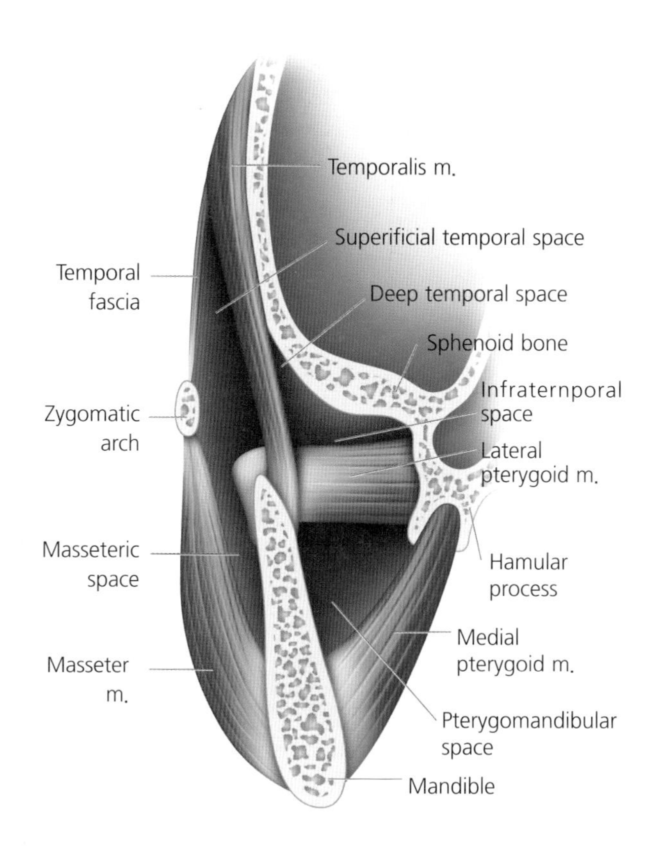

그림 4-15 하악골 상행지와 저작근육의 교근, 익돌하악, 측두하간극들.

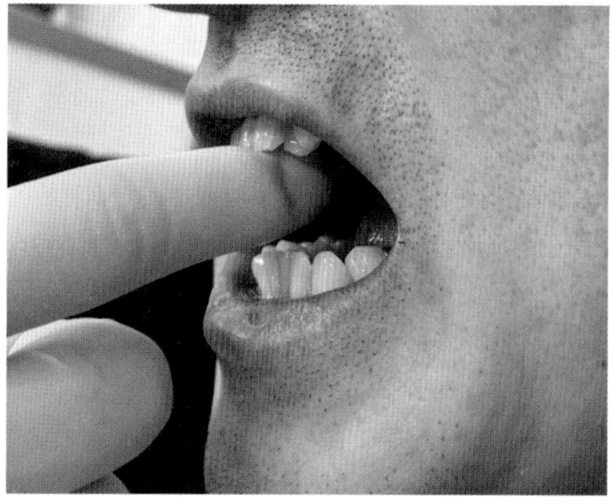

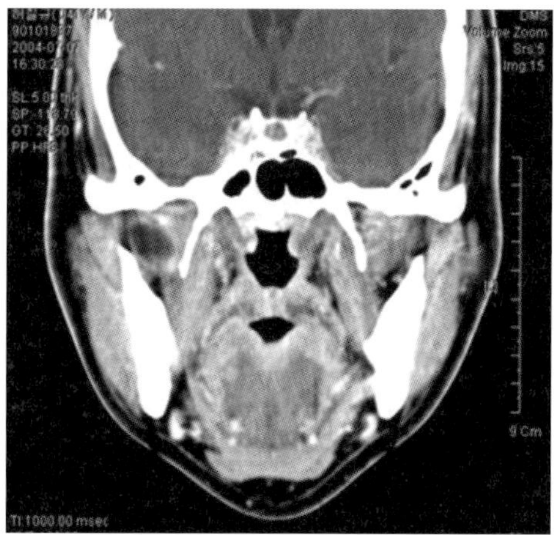

그림 4-16 측두하간극에 발생된 농양의 임상사진 및 CT상.

반드시 전산화단층촬영(computed tomography)을 비롯하여 혈액검사, 초음파 등의 진단검사를 통해 감염을 확인하여야 한다. 치료는 즉각적으로 상악전정부를 절개하여 상악후방부로 접근하며, 배농이 원활하지 않은 경우에는 악하부 절개를 통하여 측두하공간으로 접근하고 배농관을 삽입한다.

2) 하악에 존재하는 일차성 근막간극 감염

하악 치아에 감염이 발생하면 주로 구강전정으로 확산되나, 주위 근막간극으로도 감염이 진행될 수 있다. 하악에 존재하는 일차성 근막간극은 이하간극, 협부간극, 악하간극 그리고 설하간극 등 네 부위이다.

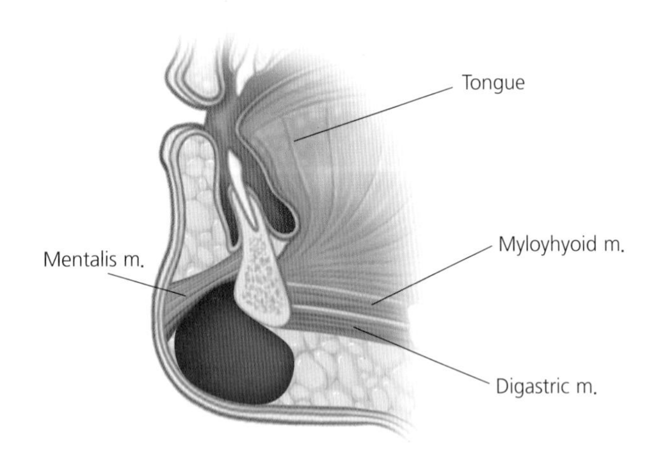

그림 4-17 이하간극농양의 해부학적 위치.

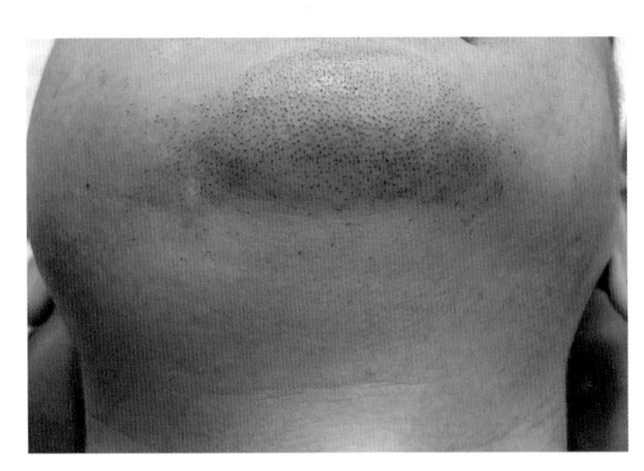

그림 4-18 이하간극농양 환자.

(1) 이하간극농양(submental space abscess)

이하(턱아래) 간극은 좌우 양측 악이복근의 전복 사이와 좌우 악설골근의 하방 그리고 해당 피부 사이에 위치한다. 주로 하악전치 치근단 감염으로 발생되며, 하악전치의 치근이 길기 때문에 감염으로 인해 이근(mentalis m.)의 부착부 하방부위로 파급되고 하악하연 아래로 진행되어 이하간극으로 확산된다(그림 4-17, 18). 때로는 주변 설하간극이나 악하간극 감염이 확산되어 발생하는 경우도 많다. 절개는 구내 및 구외절개 모두가 가능하며 감염의 정도에 따라 선택한다.

(2) 하악 협부간극농양(mandibular buccal space abscess)

협부간극은 대부분 상악 치아로부터 감염되나 하악 치아에 의해서도 감염될 수 있으며 상악 치아에 의한 감염 경로와 유사한 양식으로 하악 치아에서도 감염이 확산된다(그림 4-17). 증상은 상악의 협부간극 감염과 유사하며, 하악으로부터 유래된 농양은 하악구치부 전정부를 절개하여 배농한다

(3) 설하간극농양(sublingual space abscess)

설하간극은 구강저의 구강점막과 악설골근 사이에 위치하며, 후방경계가 열려있어 자유로이 악하간극과

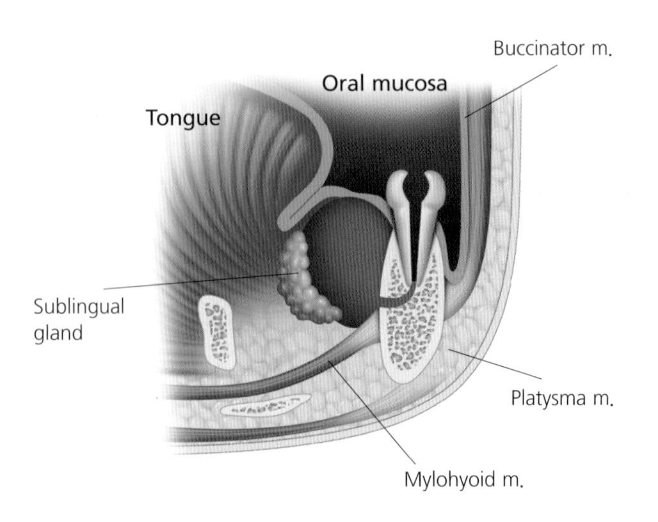

그림 4-19 설하간극농양의 해부학적 위치.

개통되고 후방부위에서 역시 이차성 근막간극과도 연결되어 있다(그림 4-19). 하악소구치에 의해서 감염이 될 수 있으나 대부분 하악대구치의 감염으로 하악골 설측으로 감염이 확산되는데, 악설골근의 경계에 의해 감염이 악하간극 혹은 설하간극으로 진행될 것인지 결정된다. 만일 악설골근의 상방부위에서 감염이 확산된다면 설하간극으로 진행되고, 악설골근의 하방 부위로 확산된다면 악하간극으로 진행된다. 따라서 주로 하악 소구치와 제1대구치의 감염은 설하간극과 관련이 있고, 하악 대구치의 경우는 주로 악하간극으로 진행된다. 하악 대구치의 경우는 치근의 길이에 따라 악·설하간극 중 어느 한 곳 혹은 두 간극 모두 이환시키기도 한다. 임상적으로 구강외 부종은 약간 있거나 전혀 없을 수도 있으며, 구강내 구강저의 종창이 심하여 혀가 거상되면 보통 양측성으로 발생되어 환자가 중설을 보이기도 하고, 심한 경우에는 호흡곤란이 올 수도 있다(그림 4-20, 21). 치료는 주로 구강내 설측 절개가 효과적이나, 정도가 심하면 이하부나 악하부 구강외로부터 접근하여 배농시키는 것도 도움이 된다.

(4) 악하간극농양(submandibula space abscess)

악하간극은 하악의 후방부의 악설골근, 해당 부위 상피 그리고 천층근막 사이에 위치하며(그림 4-22) 악하간극의 후방 경계에서 이차성 근막간극과 연결된다. 악하간극 부위에 감염이 이환되면, 임상적으로 하악 하연부위에서 종창이 시작되어 내측으로는 악이복

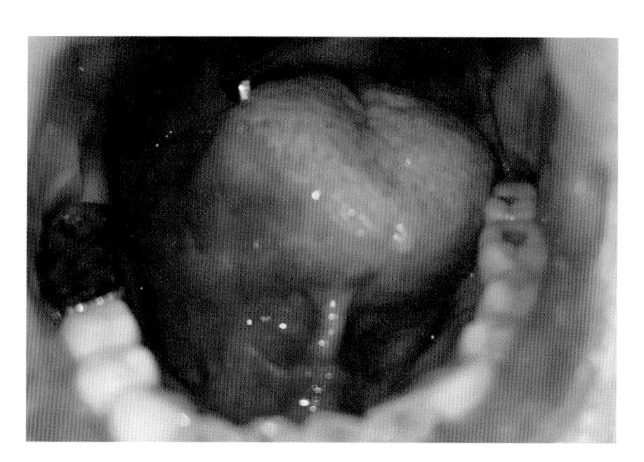
그림 4-20 하악 우측 설하간극농양 모습.

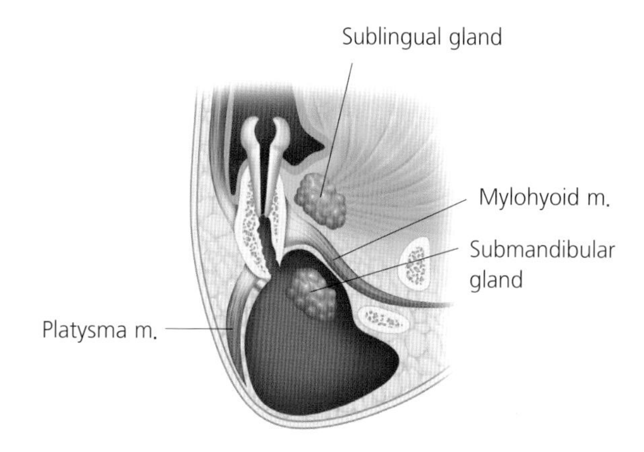

그림 4-22 악하간극농양의 해부학적 위치.

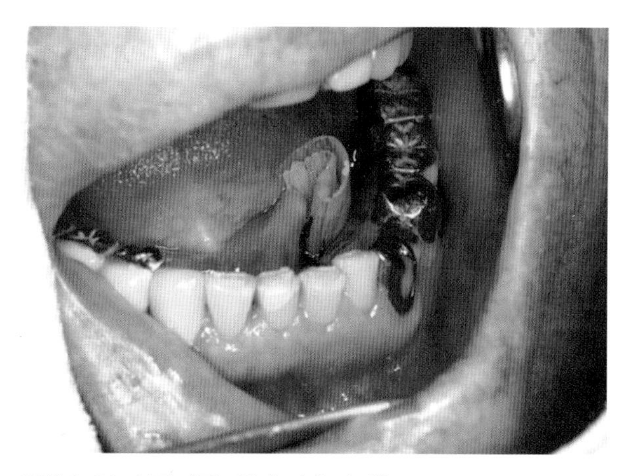
그림 4-21 설하간극농양의 절개 및 배농.

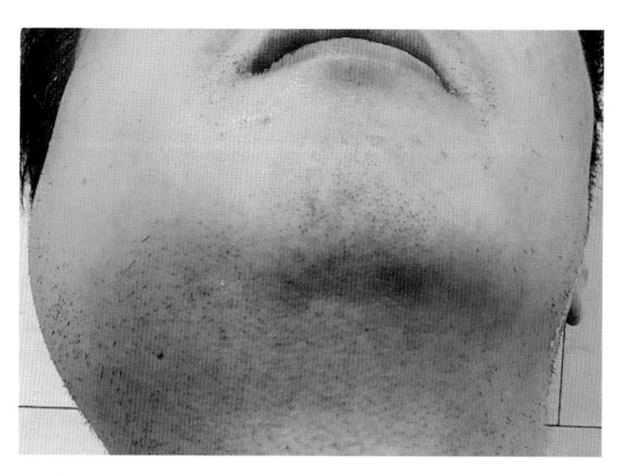
그림 4-23 악하간극농양 환자 모습.

근, 후방으로는 설골까지 종창이 확장되는데 하악 우각부 내측으로 종창이 있는 전형적인 모습이 된다(그림 4-23). 주로 하악 소구치 및 대구치의 감염에 의하여 환자는 약간의 개구제한과 더불어 연하곤란, 저작곤란 등을 호소하는데 특히 하악 제3대구치 발치 후 합병증으로 이 부위에 감염이 많이 발생한다. 이 간극은 후방으로는 익돌하악간극, 내후방으로는 부인두간극, 상방으로는 측두간극 등 여러 방향으로 쉽게 파급될 수 있는 중심이 되는 공간이므로 감염증상을 면밀히 파악하여 주변으로 파급되었는지를 정확히 판단하여야 하며, 필요하다면 CT를 이용하여 반드시 이를 확인하여야 한다. 구강내 설측 및 협측 절개 혹은 악하부 절개를 통하여 하악 하연의 내측으로 접근하여 농배출을 확실히 이루어야 한다.

양측성으로 이하간극, 악하간극 그리고 설하간극이 함께 감염된 경우를 루드위그 앙기나(Ludwig's angina)라 하는데 양측성으로 3간극이 감염되어 이차성 근막간극으로 감염이 빠르게 확산되는 봉와직염의 일종이다. 주원인은 연쇄상구균에 의한 치성감염이며, 구강저의 심한 부종으로 인해 혀가 거상되고, 설골 상방의 악하 부위에는 촉진 시 딱딱한 경결감이 존재하며 개구제한과 연하곤란이 있으며 때로는 호흡곤란을 보이기도 한다. 이 감염은 놀라운 속도로 빨리 진행되어 상기도 폐쇄로 인한 호흡곤란으로 때로는 사망에 이를 수 있기 때문에 CT를 이용하여 즉각적으로 진단한 후 응급수술을 통하여 이환된 각 간극을 철저하게 절개·배농해 주어야 한다. 또 기도유지에 특별히 신경을 집중해서 필요하다면 반드시 기관절개술을 시행하여야 한다(그림 4-24, 25).

3) 이차성 근막간극 감염

일차성 근막간극들은 상하악 치아와 인접한 부위에 위치하고 있으며, 일차성 간극감염에 대한 처치가 제대로 되지 않으면, 이차성 근막간극으로 감염이 확산된다. 이들 간극들은 주로 저작근과 저작근 사이, 또는 저작근 인접 소성결합조직에 형성되는데, 특징적으로 혈액공급이 원활하지 않은 결합조직의 근막으로 둘러싸여 있기 때문에 자연적인 농배출이 어려우므로 적절한 외과적 처치 없이는 치료가 매우 어렵다. 또한 저작근에 매우 가까이 위치하기 때문에 심한 개구장애 및 저작장애, 연하곤란 등을 일으켜서 환자로 하여금 섭식장애, 영양불균형 등을 초래하므로 환자는 심한 피로감, 권태 등의 중증감염 증상을 보이게 된다. 감염이 방치되면 경부의 심부간극이나 상방 두개저 부위로 파급될 위험이 있다.

(1) 교근하간극 농양(submasseteric space abscess)

교근하간극은 교근과 하악지 사이에 위치하며(그림 4-15 참고), 주로 협부간극이나 하악 제3대구치 주위의 연조직 감염이 확산되어 발생한다. 임상적으로는 교근과 단단한 하악골 사이에 자리잡고 있기 때문에 외적으로 교근부 종창이 심하지는 않으나, 단단한 팽창

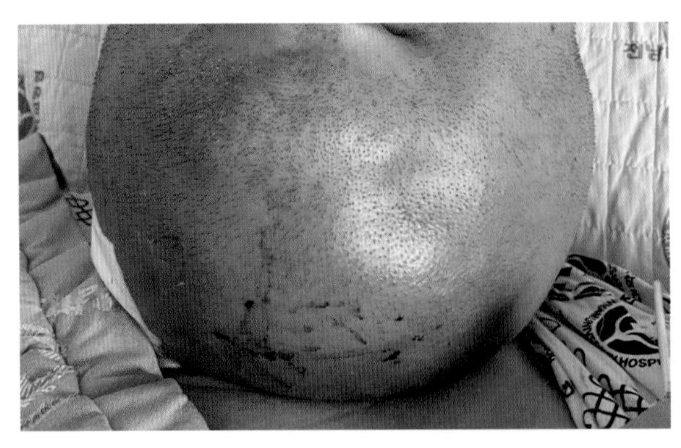

그림 4-24 악하부에서 경부하방까지 종창이 파급된 Ludwig's angina.

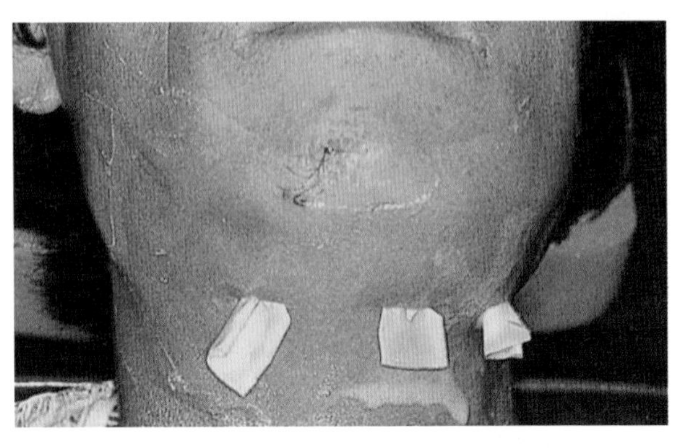

그림 4-25 악하부와 이하부의 절개 및 배농술로 치유 중인 모습.

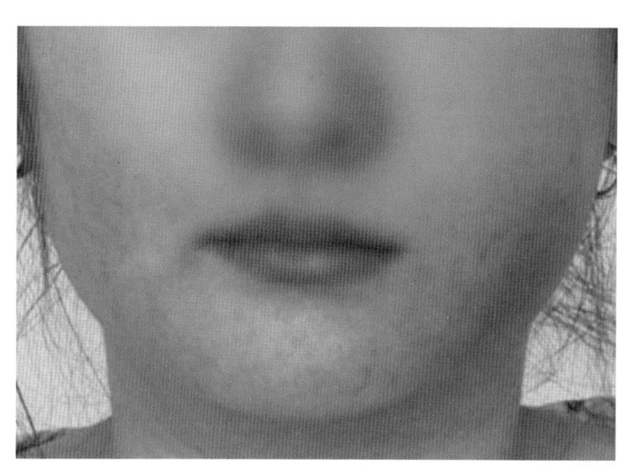

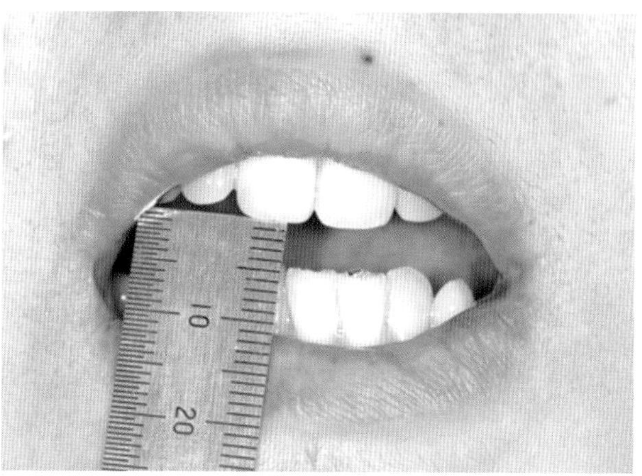

그림 4-26 하악 좌측 제3대구치의 치관주위염이 파급되어 교근하 간극농양으로 이환된 환자의 모습. 종창은 심하지 않지만 고도의 개구장애를 보이고 있다.

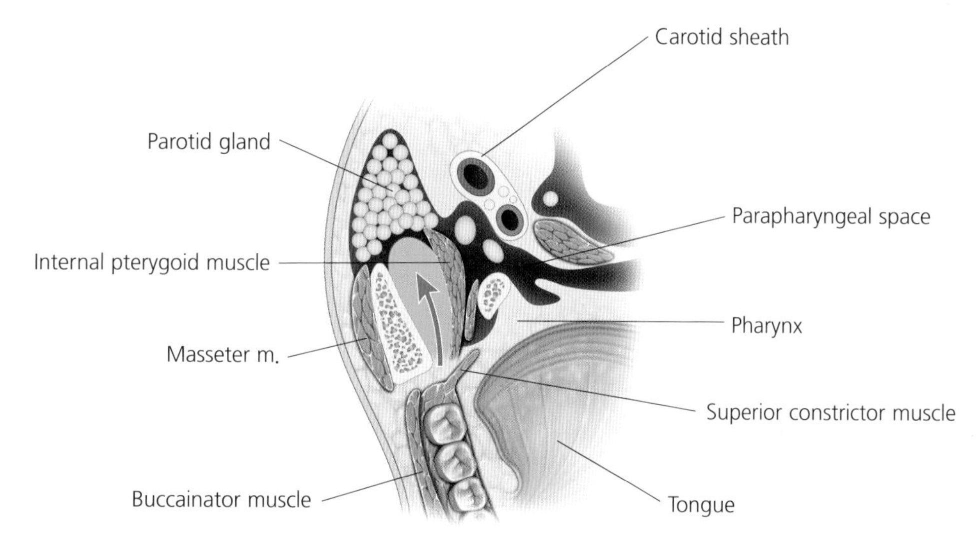

그림 4-27 익돌하악간극 농양의 해부학적 위치.

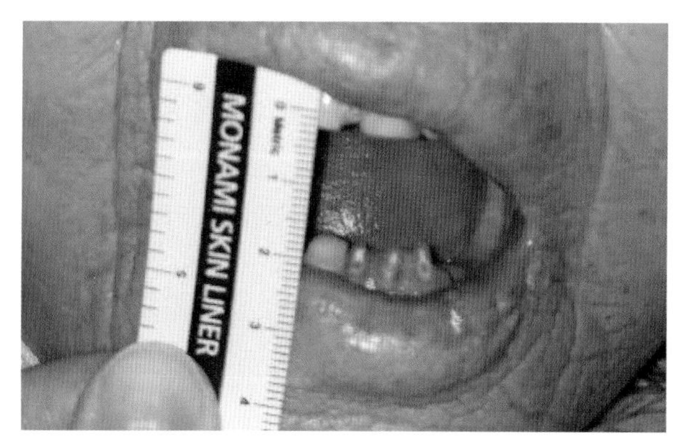

그림 4-28 개구장애를 가진 익돌하악간극 환자의 개구 모습.

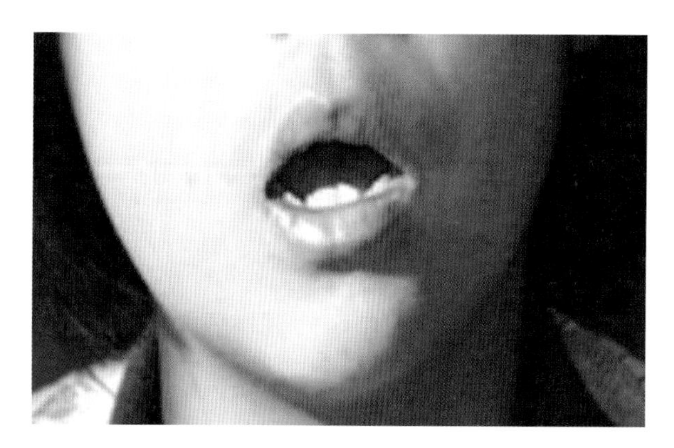

그림 4-29 하악 좌측 제3대구치 발치 후 1개월만에 내원한 환자. 환자는 겉으로 보이는 종창은 사라졌지만 개구장애는 계속 남아있어 내원하였다. CT 검사결과 구강 내로는 잘 보이지 않는 익돌하악간극농양을 확인하였으며 절개 및 배농 치료 후 호전되었다.

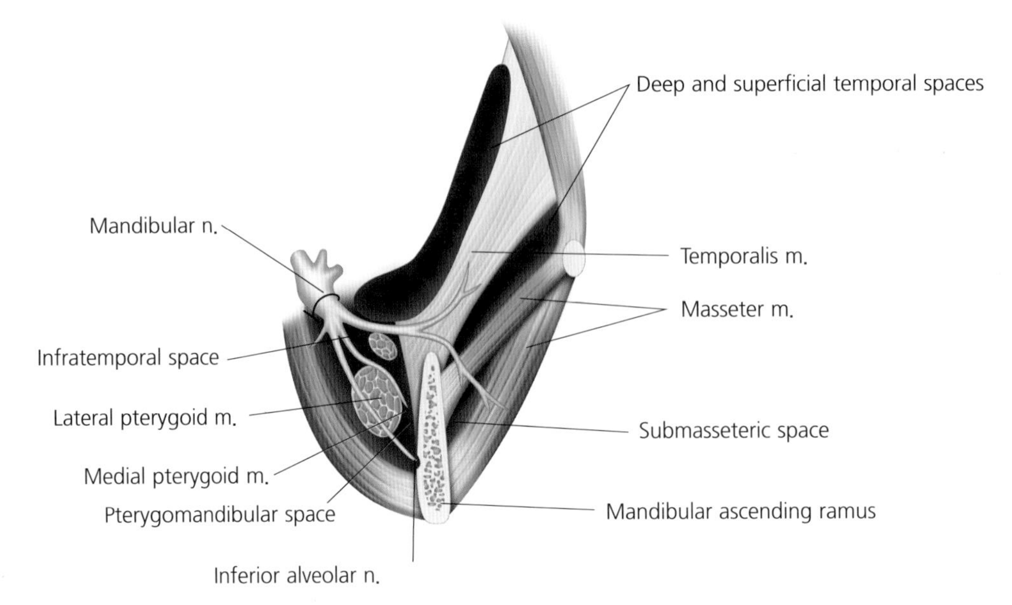

그림 4-30 표재성 측두간극과 심부 측두간극 농양의 해부학적 위치.

성 부종이 있고 심한 압통과 개구제한을 보이는 것이 특징으로 임상적으로 의심스러울 때에는 반드시 CT로 확인하여야 한다. 치료는 단단하고 비좁은 교근하방 내로 접근하면 충분한 농배출이 어려우므로 구강외 악하부 절개를 통하여 하악지와 교근 사이를 확실하게 절개하는 것이 좋으며 농배출 후에는 배농관을 잘 유지하여야 한다. 또 회복기간 중에는 급성 동통이 가라앉은 후 적극적인 개구연습을 하여야 한다(그림 4-26).

(2) 익돌하악간극농양(pterygomandibular space abscess)

익돌하악간극은 하악골의 내측과 내익돌근 사이에 위치하며(그림 4-27), 하치조신경 전달마취 시 국소마취액이 주입되는 부위로서 하악지와 내익돌근 사이에 위치하기 때문에 종창이 외부로는 잘 보이지 않으나 환자는 혀외측 후방 부의 약간의 종창과 압통, 그리고 심한 개구장애를 호소한다. 설하간극이나 악하간극에서 감염이 확산되어 발생할 수도 있지만, 주로 하악 제3대구치의 감염이나 발치 후 감염으로 잘 발생하며 종창이 외부로 뚜렷치 않기 때문에 진단이 어려울 수 있다. 특히 제3대구치 발거 후에 종창이 심하지 않으면서 개구장애가 계속된다면 이를 의심하고 CT를 촬영하여 확인하여야 한다. 절개는 일반적으로 구강내로도 가능하나 보다 확실한 치료를 위해서는 악하부로 접근하는 것이 좋다(그림 4-28, 29).

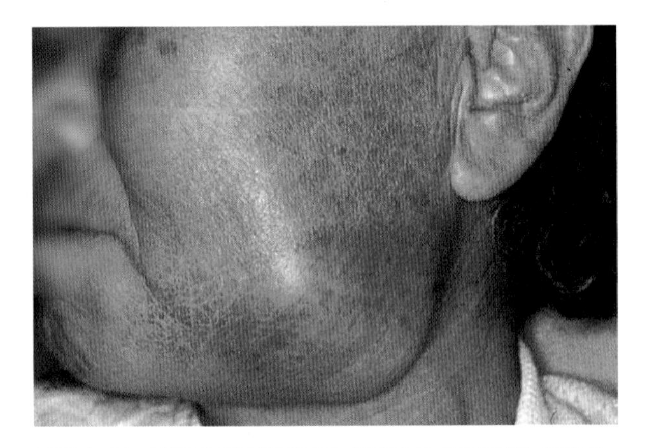

그림 4-31 진행된 치성감염으로, 상방으로 측두간극농양까지 파급된 모습.

(3) 측두간극농양(temporal space abscess)

측두간극은 교근간극과 익돌하악간극의 후상방에 위치하며 측두근에 의하여 표재성 측두간극과 심부 측두간극으로 나뉘는데(그림 4-27, 30), 표재성 측두간극은 측두근과 측두근막 사이에 존재하고, 심부 측두간극은 두개골과 측두근 내측에 존재한다. 감염은 주로 1차 간극감염이 아주 심하거나 전신질환 등으로 면역이 매우 저하되어있는 환자에서 잘 발생하며 임상적으로는 심한 개구장애를 보이면서 관골궁을 중심으로 상방과 하방에 둥그런 종창을 보이는데(아령 모양)(그림 4-31), 반드시 CT를 촬영하여 감염의 부위를 정확히 확인한 후 절개를 시행하여야 한다. 절개는 측두부와 구강 내 상악 전정부로 광범위하고 확실하게 절개하여 농배출을 이루어야 한다.

4) 심경부 간극 감염(Deep neck space infection)

일차성 또는 이차성 근막간극을 넘어서 치성감염이 확장되는 예는 흔하지 않다. 하지만 최근에는 노령인구의 증가와 함께 전신질환을 가진 노인환자의 경우 오랜 병상생활로 면역성이 떨어져 감염이 발생하면 2차 간극을 넘어 심경부 근막간극으로 파급되는 경우도 흔하게 발생하고 있다. 그리고 심층 경부간극까지 염증이 확산되면 상기도 폐쇄나 종격동염과 같은 합병증의 발생으로 생명이 위협받는 심각한 상태에 빠질 수 있다.

(1) 측인두간극농양 및 부인두간극농양(lateral and parapharyngeal space abscess)

익돌하악간극 감염이 후방으로 확산되면 측인두간극(lateral pharyngeal space)으로 이환된다. 측인두간극의 상방경계는 두개저의 접형골, 하방경계는 설골, 외측 경계는 내익돌근, 내측경계는 상인두수축근(superior pharyngeal constrictor m.), 전방경계는 익돌하악봉선, 후내방경계는 전척추근막(prevertebral fascia)이다(그림 4-32). 그리고 측인두간극은 경상돌기(styloid process)와 이 돌기와 관련된 근육과 근막에 의해, 주로 근육들을 함유하고 있는 전방 구획과 경동맥초(carotid sheath)와 뇌신경들을 함유하고 있는 후방 구획으로 구분된다. 측인두간극 감염에 이환되면 임상적으로 내익돌근 감염에 의한 심한 개구장애, 경부종창 특히 하악 우각부 하방의 경부종창 그리고 구강 내 측인두벽의 종창 등을 관찰할 수 있다. 환자는 연하곤란을 호소하고, 체온 상승이 극심하고 매우 아픈 표정을 짓게 된다(그림 4-33). 측인두간극 감염은 심각한 몇 가지 잠재적인 문제점을 가지고 있다. 첫째, 치성감염이 측인두간극으로 이환되면 빠른 속도로 진행되어 심각한 상태에 도달할 수 있다. 둘째, 측인두간극에 포함된 해부학적 구조물에 직접적인 영향을 줄 수 있

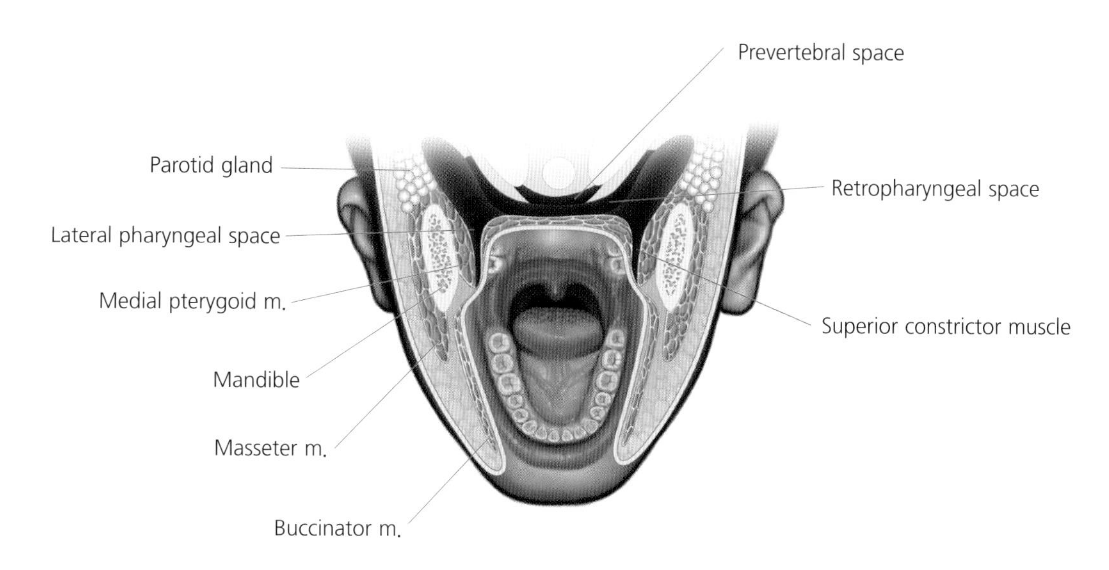

그림 4-32 측인두간극은 내익돌근의 측면과 상인두수축근의 내면에 위치하며, 후인두간극은 전척추근막과 상인두수축근 사이에 있다.

다는 점인데, 특히 후방 구획이 감염된 경우 내경정맥의 혈전증, 경동맥이나 그 분지들의 부식으로 인한 출혈, 제 9·10·11·12뇌신경과 관련된 신경장애들이 발생할 수 있다. 셋째, 만일 측인두간극에서 후인두간극(retropharyngeal space)으로 감염이 진행되면 심각한 합병증이 야기될 수 있다(그림 4-34).

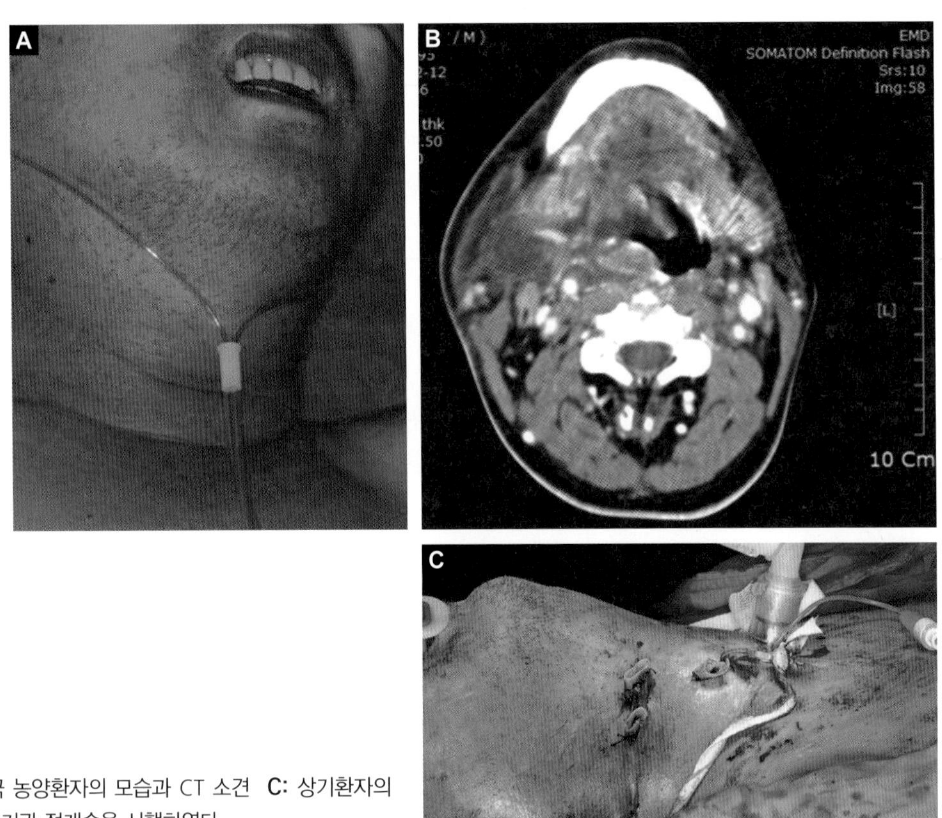

그림 4-33 A, B: 측인두간극 농양환자의 모습과 CT 소견 C: 상기환자의 절개 시 모습. 기도유지를 위해 기관 절개술을 시행하였다.

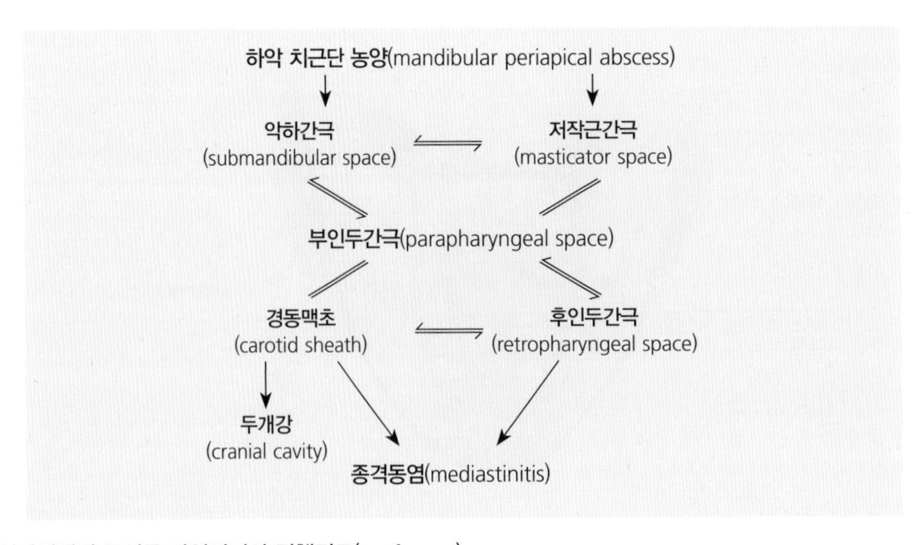

그림 4-34 치성감염에서 종격동 감염까지의 진행경로(pathway).

(2) **후인두간극농양**(retropharyngeal space abscess)

후인두간극은 인두 후방에 위치한다. 이 간극의 전방 경계는 상인두 수축근과 이 근육의 근막, 후방 경계는 전척추 근막의 익근막층이다(그림 4-32, 35). 후인두간극은 두개저에서 시작하여 하방으로 제7경추 혹은 제1흉추까지 연장되고 이 부위에서 익근막(alar fascia)은 전방으로 협인두근막(buccopharyngeal fascia)과 합쳐진다. 후인두 간극에는 중요한 해부학적 구조물들은 포함되어 있지 않으므로 이 간극이 감염되더라도 측인두간극 감염에서와 같은 치명적인 문제를 야기하지 않는다. 그러나 중요한 사실은 후인두간극이 이환되면 감염이 종격의 후상방부로 빠른 속도로 확산되어 심각한 합병증이 발생될 수 있다는 사실이다. 경부로 감염이 확산되었다면 후인두간극의 크기가 증가하여 기도 폐쇄의 위험 여부를 결정하기 위하여 경부 측면 방사선사진이나 CT를 촬영하여 평가해야 한다.

(3) **전척추간극농양**(prevertebral space abscess)

후인두간극 감염의 또 다른 위험성은 전척추간극으로 점진적으로 감염이 확산될 수 있다는 점이다. 전척추간극은 익근막에 의해 후인두간극과 분리되어 있다. 따라서 익근막이 천공되면, 척추전간극으로 감염은 확산된다. 척추전간극은 두개저의 인두결절(pharyngeal tubercle)에서 하방으로 횡격막까지 연결되어 있으므로 이 간극으로 감염이 확산되면 빠른 속도로 감염은 횡격막까지 진행될 수 있고, 아울러 그 경로를 따라 흉곽과 종격동까지 감염이 확산될 수 있다(그림 4-34, 35).

후인두간극이나 척추전간극이 감염에 이환된 환자는 다음과 같은 세 가지 심각한 합병증이 발생할 가능성이 있다. 첫째는 후인두벽의 전방변위로 인한 상기도 폐쇄의 가능성이고, 둘째는 후인두간극 농양이 파열되어 농이 폐로 유입되어 질식을 야기시킬 수 있으며, 셋째는 후인두간극으로부터 종격내로 감염이 확산되어 흉부가 심한 감염에 이를 수 있다.

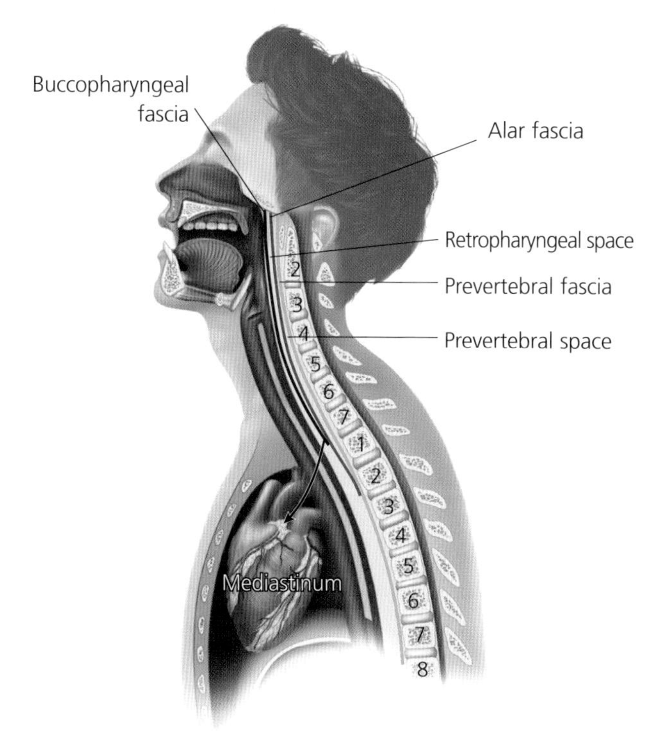

그림 4-35 후인두간극이 이환되면 후상방 종격이 이차감염될 가능성이 있으며, 전척추간극의 감염 시 하부경계인 횡격막, 즉 전체 종격의 감염 위험이 있다.

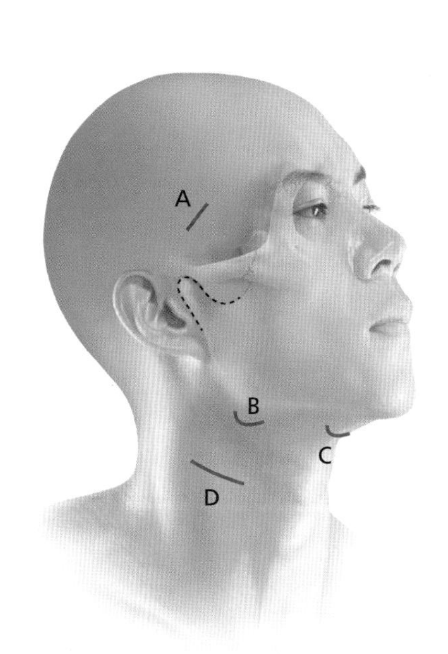

그림 4-36 여러 가지 근막간극 농양부위에서 전형적인 I&D 부위들(구외접근법).

A: Superficial and deep temporal space **B:** Submandibular, masseteric & pterygomandibular space **C:** Submental space **D:** Lateral pharyngeal and retropharyngeal space.

5) 근막간극 감염의 처치

감염을 치료하는 방법은 그 정도에 상관없이 같다고 볼 수 있지만, 근막간극 감염의 경우에는 보다 광범위하고 적극적으로 그리고 지속적으로 시행하여야 한다. 즉 근막간극 감염은 감염이 전신적으로 영향을 미친 상태이므로, 환자를 입원조치하여 적절한 항생제와 수액을 투여함으로써 환자의 저하된 면역기능을 회복시키면서 가장 중요하게는 가능한 한 빨리 감염부위를 정확히 판별하여 외과적으로 절개 및 배농술을 시행하여야 한다. 근막간극 감염은 그 위치에 따라 절개 및 배농의 위치가 다르므로 CT 촬영을 통한 정확한 진단이 필수적이며 필요에 따라 전신마취에 의한 절개 및 배농술이 환자의 고통을 줄여줄 수 있다(그림 4-36). 그러나 실제 임상에서는 이런 해부학적 위치보다는 간극 농양부의 파동성이 있는 곳에 시행하게 된다. 왜냐하면 농(pus)의 배출을 위한 절개는 조직손상이 적고 가장 짧은 거리에서 배출되게 해야 그 효과가 크기 때문이다. 많은 임상 경험과 실험적 증거들을 통해서 촉진이나 주사기를 이용한 흡인으로 농형성을 확인할 수 없는 봉와직염의 경우에도 절개를 시행하면 빠르게 치유된다는 사실을 확인할 수 있다. 따라서 농이 확실히 형성되었다는 증거가 있을 때까지 기다려서는 안 되며, 봉와직염 상태라 할지라도 환자의 고통 감소와 빠른 처치를 위해 충분한 항생제와 수액을 공급한 후에는 즉각적인 절개술을 시행하여야 한다. 1차 절개술 이후에는 환자의 상태 변화, 특히 혈액학적 지표의 변화를 매일 주의 깊게 체크하여야 한다. 2차 근막간극 감염이나 심한 경부근막 감염은 심한 봉와직염 상태인 경우가 많고 1차 절개술 이후에도 주변으로 파급될 수 있기 때문에 환자상태를 면밀히 관찰하여 주변으로 파급된 징후가 보이면 즉각적인 2차 절개수술이 필요하다. 감염이 1차 간극을 넘어 2차 간극이나 경부 간극으로 이환된 경우에는 환자의 기도유지가 확보되지 않아 호흡곤란이 발생하는 경우가 많다. 이에 1차 절개 및 배농 시에 기도유지를 위해 기관지절개술을 시행하여야 하는 경우도 흔하다. 심한 경부감염이 있을 때 기관지절개술

표 4-5 악안면부에서 림프절염의 원인균들

Bacteria	Mycobacteria	Fungi
Staphylococcus	*M. tuberculosis*	Histoplasma
Streptococcus	*M. scrofulaceum*	Blastomyces
brucella	*M. fortuitum*	Coccidioides
Francisella tularensis		Sporothrix
Corynebacterium diphtheriae		Parasites
Treponema pallidum	Toxoplasma	Viruses
Yersinia species		Coxsackie virus
Nocardia	Rickettsia	Cytomegalo virus
Actinomyces	Rickettsia akari	Rubella
Pasteurella species	Rickettsia tsutsugamushi	Rubella
Calymmatobacterium granulomatis		Mumps
Actinobacillus mallei		Epstein–Barr
Streptobacillus moniliformis		
Unknown		
Cat–scratch disease		

은 기도가 변위되고 종창으로 인하여 기도폐쇄가 발생할 수 있기 때문에 1차 절개 시 장차 기도유지가 필요하다고 생각되는 경우에는 기관지절개술을 시행한다.

2. 치성감염의 진행과 림프계의 반응

치성감염을 일으킨 세균들이 림프절에 도달되면 식세포들은 포식작용(phagocytosis)에 의해 미생물을 탐식하게 되는데, 이러한 염증반응으로 림프절은 팽창되고 동통을 느끼는 상태가 된다. 이를 림프절염(lymphadenitis)이라고 하는데 급성감염일 경우에는 림프절이 유연하고 촉진 시 동통을 자각하나 만성감염일 때에는 무통성의 경결한 림프절이 촉진된다. 악안면영역에서 림프절염의 원인이 되는 병균들은 매우 다양해 박테리아뿐만 아니라 바이러스, 진균, 기생충, 리켓차 등도 연관된다(표 4-5).

만약 환자의 국소적인 저항기전(defense mechanism)이 병균에 감염된 림프절을 효과적으로 제어하지 못하면 과도한 세포반응과 화농이 형성되는데, 이런 경우 시간경과에 따라 저절로 가라앉기도 하지만 심하면 절개 및 배농술(I&D)이 필요할 수도 있다. 또한 림프절이 파괴되어 림프의 유출이 막히거나 여러 개의 림프절이 합병되기도 한다. 표 4-6에서는 악안면영역에 분포된 림프절의 명칭을 기술하였으며, 이는 그림 4-37의 림프 흐름을 고려해서 이해해야 한다.

3. 치성감염의 합병증

많은 항생제가 개발되었고 감염처치를 위한 외과적인 술식이 발전했지만 두경부 감염의 합병증은 여전히 나타날 수 있다. 합병증의 원인은 신체 방어기전과 관련된 숙주요인, 세균의 병원성의 정도와 관련된 세균요소 및 임상의의 적절한 처치와 관련된 치료요소 등으로 구분할 수 있다. 최근에는 노인인구의 증가와 더불어 전신질환을 가진 노인환자에서 중증의 치성감염이 증가하고 있으며 이에 따라 합병증도 증가할 수 있다. 그러나 의료기술의 발달과 구강악안면 감염치료의 경험 축적으로 합병증 발생을 줄일 수 있으며 이를 위해서는 즉각적인 진단과 치료계획 수립, 그리고 적극적인 처치가 무엇보다도 중요하다.

표 4-6 악안면영역에 분포된 림프절과 관련부위

Nodes	Sites
Anterior auricular (preauricular, parotid)	Skin anterior to the temple, external meatus, lateral forehead, lateral eyelids, infraorbital nodes, posterior cheek, part of outer ear, parotid gland
Infraorbital	Skin of inner corner of eye, skin of anterior face, superficial aspect of nose
Buccal	Skin over anterior face; mucous membrane of lips and cheeks; occasionally mandibular and maxillary teeth and gingiva
Mandibular (supramandibular)	Skin over mandible; mucous membrane of lips and cheeks; occasionally mandibular and maxillary teeth and gingiva
Submental	Tip of tongue, mid–portion of lower lip, chin, lower incisors and gingiva
Submandibular (submaxillary)	Upper and lower teeth and gingiva except mandibular incisors; anterior nasal cavity and palate; body of tongue, upper lip, lateral part of lower lip, angle of the mouth, medial angle of the eye, submental nodes
Superficial cervical	Pinna and adjacent skin; pre–and postauricular nodes
Deep cervical	Submandibular, submental, inferior auricular, tonsillar, and tongue nodes

1) 급성 기도폐쇄

감염이 급속히 진행되어 악하간극, 측인두간극, 후인두간극으로 파급되면 기도가 좁아져 환자는 호흡곤란을 느끼게 된다. 환자의 호흡곤란은 종창으로 인하여 기도가 변위되거나 기도가 좁아져서 일어나는 경우도 있다. 그러나 좁아진 기도 안의 분비물 과다로 인한 기도의 유지가 어려워지는 것이 더 문제가 되는 경우가 많다. 따라서 기도폐쇄를 판단할 때에는 물리적인 좁아짐뿐만 아니라 환자의 치유기간 동안 현재의 기도가 얼마나 잘 유지될 수 있을 것인가를 판단하는 것이 중요하다. 왜냐하면 심한 분비물에 의한 기도폐쇄는 공기의 흐름을 막을 뿐만 아니라 장기화되었을 때에는 흡인성폐렴(aspiration pneumonia) 등을 일으킬 수 있기 때문이다.

급성 기도폐쇄를 보이는 환자의 중요한 임상적 징후는 구강저의 종창으로 혀를 제대로 움직일 수 없거나 개구장애, 목부위 경직, 연하 곤란, 과도한 타액분비 등의 증상을 보인다. 생명을 위협하는 심각한 기도폐쇄는 악하간극, 측인두간극, 후인두간극 등과 관계가 깊다. 이 간극들의 외측은 심경부 근막의 표재층으로 둘러싸여 있다. 이 표재층은 견고하여 감염이 외부으로 확산되기보다 쉽게 팽창될 수 있는 구강으로 감염이 확산되어 기도폐쇄를 야기할 수 있다. 진단은 반드시 임상적 판단과 더불어 경부의 측면 연조직 방사선사진, CT 및 흉부 방사선사진을 찍어서 이루어져야 한다. 또한 기도의 폐쇄 여부, 경부와 척추의 연조직 부종 여부 등을 확인하면서 기도가 얼마나 오래 유지될 수 있을 것인가에 따라 치료방법을 결정하여야 한다(그림 4-38). 응급상황이라면 즉시 기관삽관술을 시행하며, 감염치료 기간 동안 기도유지가 잘 안 될 것으로 예상될 때는 기관절개술을 시행하는 것이 좋다.

2) 종격동염

항생제 투여와 외과적 시술이 이루어지는 경우에도 종격동염은 사망률이 35-50%에 이르는 심각한 합병증이다. 보통 후인두간극의 염증이 익근막(alar fascia)을 뚫고 종격동에 확산된다. 일반적인 증상으로 지속적인 고열, 흉통, 호흡곤란 및 연하곤란 등이 있다. 흉

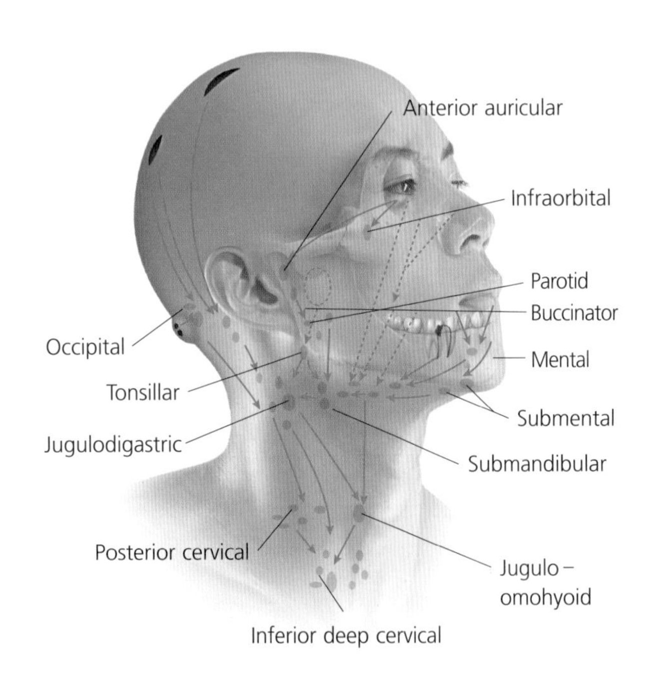

그림 4-37 두경부 림프절의 **drainage** 방향.

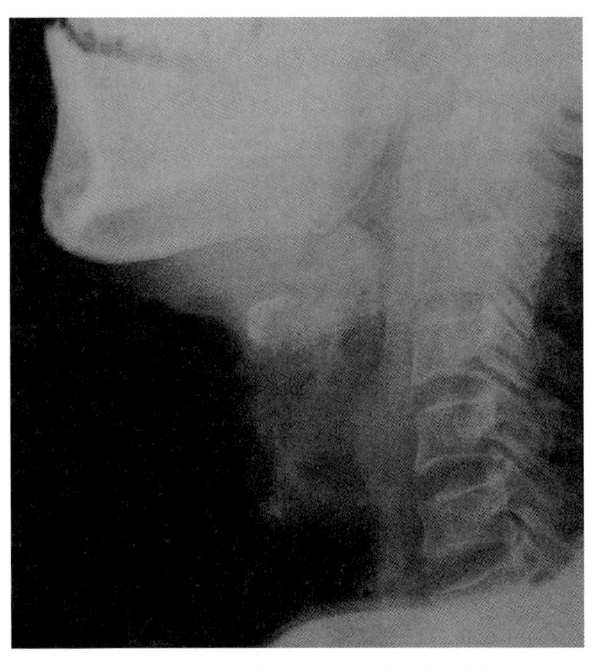

그림 4-38 진행된 치성감염의 파급에 의한 기도의 부종상태를 확인하는 경부측면 방사선사진(**soft tissue technique**).

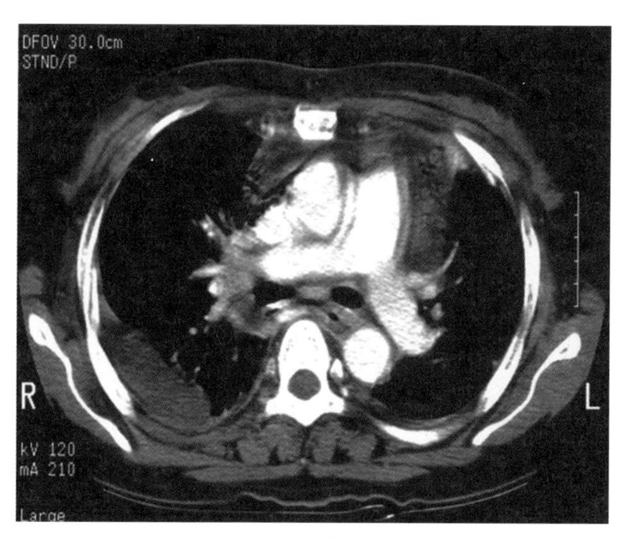

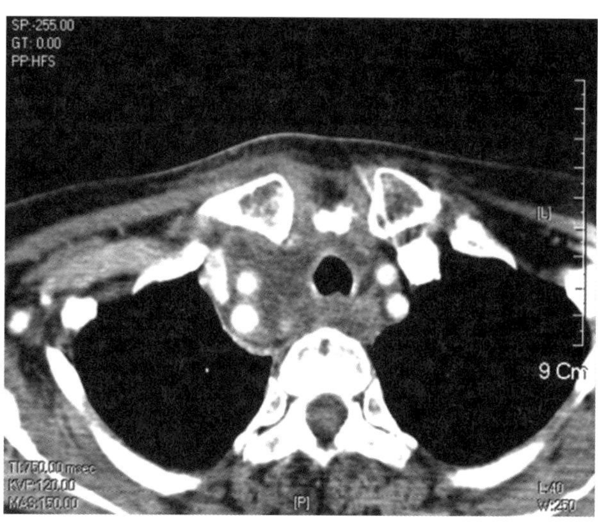

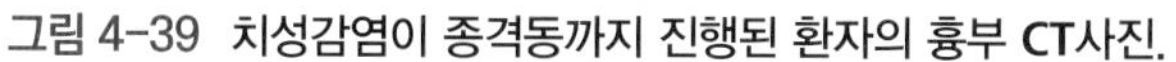
그림 4-39 치성감염이 종격동까지 진행된 환자의 흉부 CT사진.

부 상방에 경결감이 있으면서 우묵부종(pitting edema)이 나타나거나 지속적인 흉통을 호소하면 종격동염을 의심해야 하며, 즉시 흉부 방사선사진과 CT를 찍어 이를 흉부외과와 상의하여야 한다. 흉부 방사선사진에서 종격동의 확산, 기도의 전방변위, 종격동 기종 및 경추전만(cervical lordosis)의 상실 등을 관찰할 수 있고, CT에서 종격동내의 농을 확인할 수 있다. 원인균은 주로 혐기성 연쇄상구균과 혐기성 그람음성 간균으로 치성감염의 경우와 다를 바 없다. 치료를 위해 즉각적인 고농도 항생제의 정맥 주입과 흉부외과 전문의에 의하여 종격동에 대한 절개 및 배농이 이루어져야 한다(그림 4-39).

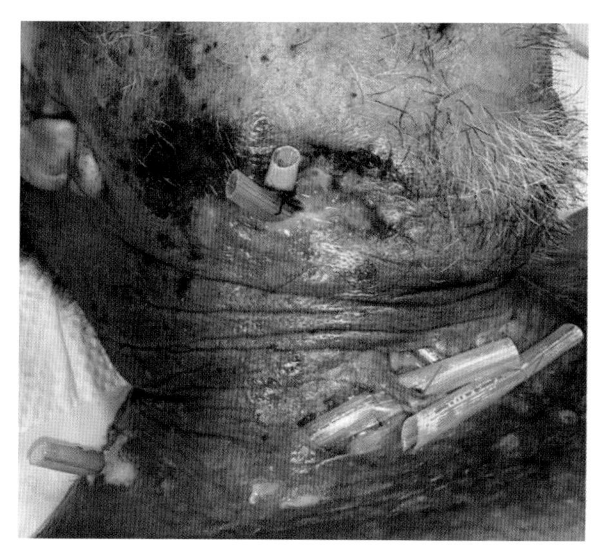
그림 4-40 경부의 괴사성 근막염 발생부위로 I&D 시행 때 괴사된 근막이 제거되어 drain이 헐렁한 채로 위치됨.

3) 경안면부 괴사성 근막염

괴사성 근막염은 표재성 근막층의 심한 세균성 감염증이다. 주로 사지, 몸통, 회음부에 발생하고 두경부에는 아주 드물게 발생한다. 사망률이 30-50%에 이르는 심각한 합병증으로 주로 면역기능이 떨어진 고령의 전신질환자에서 발생한다. 두경부에서는 감염이 주로 심부에 존재한다. 그러나 목의 하방부, 앞가슴 부위, 또는 등 부위로 내려갈 때, 또한 상방으로 측두부 쪽으로 올라갈 때 피부 직하방의 근막과소성 결합조직층 및 지방층을 타고 파급되면서 이 부위가 급격히 괴사되는 소견을 보인다. 이에 따라 피부는 경계가 불명확한 거무스레한 자주색으로 변하면서 수포를 형성하거나 상방피부가 괴사된다. 피부를 열어보면 구정물을 보듯 지저분한 화농, 악취나는 분비물 등의 전형적인 양상을 보인다(그림 4-40). 전신적인 반응으로 패혈증, 저혈압, 고열, 황달, 혈색소뇨증 등이 나타날 수 있다. 원인

세균은 용혈성 연쇄상구균, *Staphylococcus aureus*, 기타 혐기성균들과 그람음성균들이다.

치료를 위해 항생제도 투여해야 하지만 즉시 이환부위의 피부를 광범위하게 절개하여 모든 괴사조직을 완전히 제거해 주는 것이 가장 중요하다. 치료가 지연될 경우 괴사가 널리 퍼져 전신적인 패혈증이 올 수도 있고, 치료가 된다해도 괴사가 광범위할수록 향후 피부 재건술이 더 어려워지기 때문이다. 감염이 사라지면 급격한 피부의 수축이 진행되어 운동장애 등이 발생하므로 피부이식이나 물리치료 등을 통하여 결손부위를 재건하도록 한다.

4) 안와 봉와직염

상악에 발생한 치성감염은 드물게 상방으로 확산되어 안와 주위나 안와 봉와직염을 야기한다. 이 경우 안검의 발적 및 부종의 전형적인 임상적 양상을 보이면서 안구운동의 장애, 사골염이나 안압상승으로 인한 안구운동 시 동통, 그리고 안구돌출이 발생할 수도 있으며 심한 경우 안와주위의 혈관 폐쇄로 실명이 올 수도 있다. 진단을 위해 CT가 필수적이며, 안압을 떨어뜨리고 신속한 배농을 위하여 안과의에 의하여 눈 주위로 절개 및 배농술이 시행되어야 한다. 고농도의 항생제를 투여하면서 해면정맥동 혈전증이나 뇌농양으로의 진행을 면밀히 관찰하여야 한다. 또한 전신적인 패혈증이나 균혈증을 대비해야 한다.

5) 해면정맥동 혈전증

해면정맥동 혈전증은 혈행을 통하여 치성감염이 상방으로 확산되어 야기된다. 세균이 조직을 따라 확산되면서 특정 세균들의 내독소는 혈관내피세포의 상해를 유발해 정맥내로 이입된다. 정맥내에서는 세균의 군집으로 이루어진 혈전이 형성된다. 이 혈전들은 익돌정맥총(pterygoid plexus)과 emissary vein을 따라 상악 후방으로 올라갈 수도 있고, 하안정맥(inferior opthalmlic vein), 상안정맥(superior opthalmlic vein) 그리고 angular vein을 따라 상악 전방으로 해면정맥동에 침범할 수 있다. 안면이나 안와에 존재하는 정맥들은 판막(valve)이 없어 어떤 방향으로든 혈액이 흐를

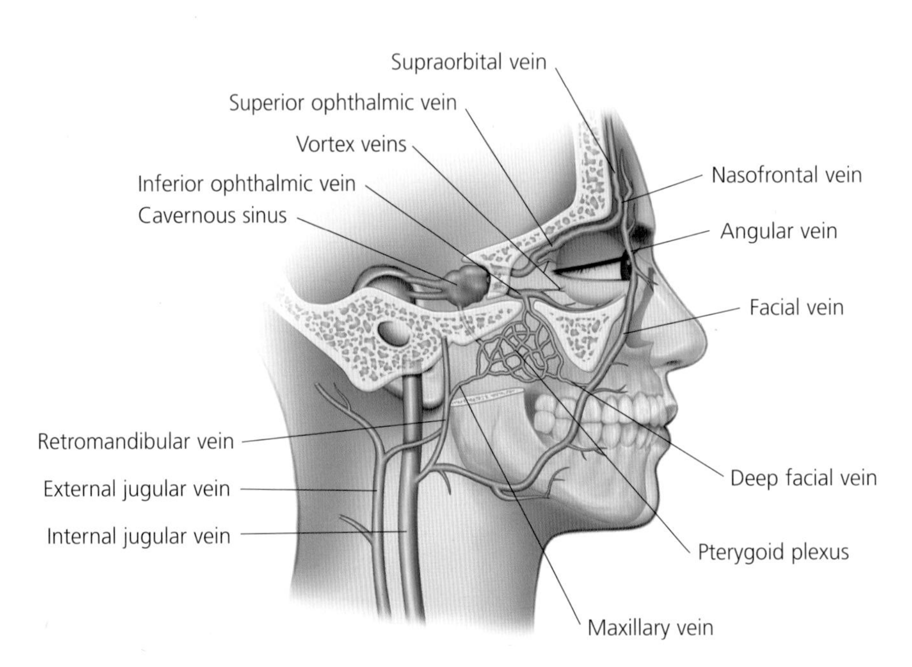

그림 4-41 악골로부터 해면정맥동까지 감염의 혈행성 전파. 전방으로는 상하 ophthalmic vein을 경유하고, 후방으로는 익돌정맥총의 emissary vein을 경유함.

수 있기 때문에 세균은 정맥혈 배출계(venous drainage system)를 따라 이동하여 해면정맥동의 혈전증을 야기할 수 있는 것이다(그림 4-41). 해면정맥동 혈전증은 안와 봉와직염과 거의 같은 경로로 발생하여 순차적으로 증상이 나타난다. 또한 안와 봉와직염의 증상 이외에 두통, 뇌압상승, 고열과 혼수 등의 뇌 증상을 보이며 생명을 위협하는 심각한 감염이다. 진단은 임상 증상과 더불어 CT 및 자기공명영상(magnetic resonance imaging), 그리고 뇌척수액 검사로 확진할 수 있다. 치료를 위해 뇌압을 낮추는 동시에 고농도의 항생제 및 적극적인 약물 투여, 그리고 외과적인 처치가 요구되지만 오늘날에도 여전히 사망률이 높다.

6) 뇌농양

뇌농양은 해면정맥동 혈전증과 비슷하게 혈행성으로 패혈성의 색전(septic emboli)이 확산되어 발생한다. 가장 흔한 증상은 두통이며, 오심, 구토, 발작 등도 자주 나타난다. 환자의 약 50%에서 시신경 유두부종(papilledema)을 볼 수 있으며, 그 외에 연하곤란, 운동실조증(ataxia), 반신마비 등이 나타날 수 있다. CT, 방사성동위원소 사진 등을 이용하여 진단할 수 있다. 치료를 위해 항생제 투여와 외과적 배농 등을 시행한다. 예후는 염증 초기일수록 양호하고, 치료 당시의 뇌손상 정도에 좌우된다.

7) 경막하농양

모든 두개내 세균감염의 25%를 차지하며 사망률은 15-43%에 달한다. 주로 부비동염의 확산에 의해 발생한다. 임상적 증상은 뇌농양과 비슷하나 구개신경마비, 반신마비, 발작 등이 흔하게 나타나는 점이 다르다. 치료방법은 항생제 투여와 외과적 배농이다.

Ⅲ. 악골 골수염, 방선균증, 칸디다증, 국균증

1. 악골 골수염(Osteomyelitis)

1) 악골 골수염의 정의

골수염이란 문자 그대로 골수의 염증을 의미한다. 임상적으로는 보통 골이 감염된 상태의 의미로 사용된다. 골수염은 골수강과 해면골에서 시작하여 피질골로 확장되고 결국 골막까지 퍼져나간다. 세균이 해면골을 침범하게 되면 골수강의 염증과 부종을 일으키고 골에 분포하는 혈관을 압박하여 결국 혈류공급장애가 심해진다. 해면골에서 미세혈관 순환의 장애가 발생하면 허혈상태가 되고 결국 충분한 영양과 산소공급이 이루어지지 않아 골이 괴사된다. 또한 괴사된 골을 흡수해서 제거하는 신체의 기능이 약화되고, 혈액순환의 장애가 발생하면 신체 방어기전을 담당하는 인자들이 해당조직에 도달하지 못하기 때문에 세균감염의 가능성은 증가하게 된다. 이와 같은 과정을 통하여 골수염이 발생한다(그림 4-42). 한편 악골의 골수염은 크게 급성 화농성골수염과 만성 화농성골수염의 두 가지 형태로 구분한다. 급성 화농성골수염은 소인이 발생한 후 얼마 지나지 않아 발생하고 치료의 적합성 여부에 따라 완전히 치유되거나 만성적인 단계로 넘어갈 수 있다. 만성 화농성골수염의 경우는 임상적으로 확진이 될 때까지 몇 주일 소요되거나, 통상적인 치료로 잘 치유가 되지 않아 질환 자체가 장기간 지속된 경우이다.

2) 악골 골수염의 원인

오늘날은 과거에 비해 영양상태가 양호하고 사회적으로 건강에 대한 관심이 높을 뿐만 아니라 쉽게 병원을 찾을 수 있기 때문에 악골 골수염의 빈도는 아주 낮다. 더구나 항생제의 개발, 진단기기의 발달 그리고 치료방법의 눈부신 발전 등으로 치성감염에서 골수염으로 확산되는 경우는 드물다.

그러나 일단 골수염이 발생하면 더 진행되지 않도록 적극적으로 치료해야 한다. 골수염이 확산되어 하악골의 많은 부분이 소실되거나 하악과두 등이 소실되면 기능적, 심미적인 결함을 야기할 수 있다.

악골 골수염은 원인에 따라 크게 ① 혈행성 원인에 의한 골수염, ② 골질환이나 혈관질환과 관련된 골수염, ③ 치성이나 비치성 국소적 감염에 의한 골수염 등으로 구분할 수 있다.

(1) 혈행성 원인에 의한 골수염

성인보다 어린이에서 호발하며 감염에 의하여 패혈성의 혈전이 악골의 수질강으로 확산되어 발생된다. 상악의 경우 해면골에 수질강이 하악보다 풍부하므로 상악에서 빈발한다. 혈행성 원인에 의한 골수염의 발생 빈도는 1% 이하이다.

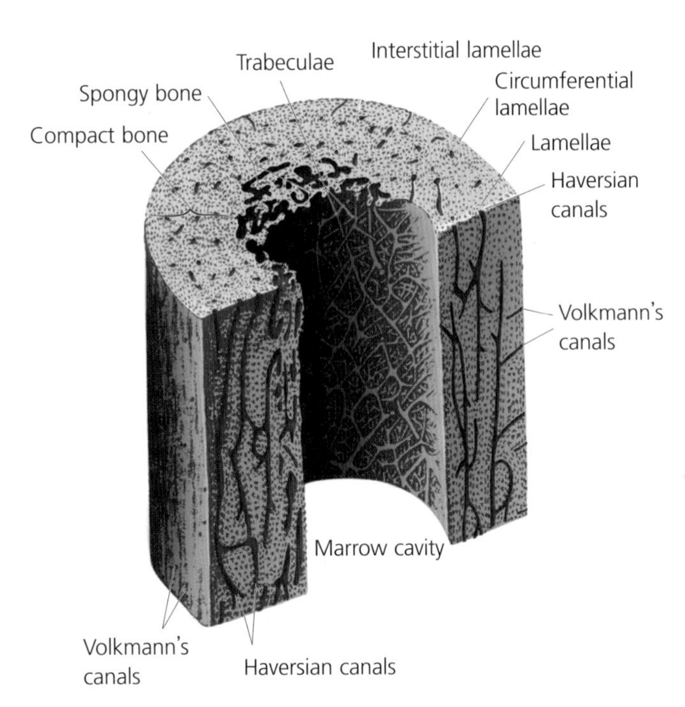

그림 4-42 피질골에 대한 골수강의 관계와 혈행공급의 상호관련성을 보이는 모식도.

골수염의 경우 농(pus)이 골수강 내로 퍼지고, 하버스관(Haversian canal)을 관통해서 골막층으로 퍼지면서 혈전형성(thrombosis)과 혈관 collapse를 초래한다. 일단 농이 피질골에 도달하면, 혈류 공급에 장애를 초래해 avascular bone 상태가 되고, 여기에 병균들이 상주한다.

(2) 골질환이나 혈관질환과 관련된 골수염

건강한 골에는 별 문제가 되지 않는 세균의 침입이라 하더라도 질환에 의하여 골조직의 혈액공급 장애가 발생하면 골수염의 가능성은 높아진다. 심각한 영양장애(malnutrition), 당뇨병, 백혈병, 알콜리즘, AIDS, 무과립구증(agranulocytosis), 매독, 파제트병(Paget's disease) 그리고 방사선치료나 항암화학요법을 시행받은 경우 등이 이에 속한다. Calhoun 등은 골수염 환자 60명 중 당뇨병 환자가 8%, 동맥경화증 환자가 3% 그리고 고혈압 환자가 28%였다고 보고하였다.

(3) 치성, 비치성에 의한 국소적 감염에 의한 골수염

치아우식증, 치주질환, 인접 연조직의 감염, 상악동염, 이부(ear) 감염 또는 골절부위의 감염 등 국소적 감염에 의하여 골수염이 발생할 수 있다.

과거에는 골수염의 경우 80–90%가 *Staphylococcus aureus*의 감염에 의하여 발생한다고 알려졌었다. 그러나 이는 과거 하악골 골수염에 대한 미생물학적 연구에서 조직 내에서 빠져나온 농을 채취하여 배양하였기 때문에 포도상구균에 오염되었고 또한 호기성 조건에서 농배양을 시행하였으므로 혐기성세균이 배양되지 않은 결과이다.

그러나 최근의 미생물학적 연구에 의하면 골수염의 원인균은 치성감염을 일으키는 세균과 유사하다. 즉 연쇄상구균, *peptostreptococcus*와 같은 혐기성 구균, *fusobacterium*과 *bacteroides*와 같은 그람음성 간균들이 주 원인 세균들이다. 따라서 악골 골수염은 포도상구균이 원인 세균인 다른 부위의 골수염과는 근본적으로 다르다고 할 수 있다.

3) 악골 골수염의 병태생리학(표 4-7)

하악골의 경우, 오훼돌기(coronoid process)는 측두근에 분포하는 혈관에서, 하악과두는 외익돌근에 분포하는 혈관에서 혈액공급을 받는 것을 제외하고는 하치조동맥과 골막에서 혈액공급을 받고 있다. 골막에 분포하는 혈관은 피질골과 평행하게 주행하면서 피질골을 뚫고 하치조동맥과 교통하고 있다. 그러나 골막의 혈행은 풍부하지만 해부학적으로 치밀한 피질골을 뚫고 골수강으로 들어가는 골막의 혈관은 매우 제한되어 있어 하악골은 주로 하치조동맥을 통하여 혈액을 공급받는다.

하악골 골수강으로 감염이 진행되면 염증 삼출액에 의하여 하치조동맥의 허탈(collapse)이 발생하고 골 내 압력이 증가된다. 허혈이 발생되는 부위는 어느 부위의 정맥이 부종이나 혈전에 의하여 폐쇄되는가에 달려 있다. 골내 압력이 증가하면 하치조신경의 압박으로 하순의 감각이상이나 소실이 올 수도 있다.

염증이 진행됨에 따라 해면골 골편이 괴사되어 부골이 형성되고, 하버스관(haversian canal)과 볼크만관(Volkmann's canal)을 통하여 염증이 확산되어 피질골의 허혈이 발생한다. 농이 형성되어 피질골을 뚫고 나오면 골막이 골에서 분리되고, 괴사된 피질골은 파골세포에 의하여 주위 골로부터 분리되어 부골(sequestra)이 된다. 이 부골주위를 새로운 골이 형성되어 둘러싸는데 이를 골구(involucrum)라고 한다.

상악에서는 골수염이 발생하는 경우가 드물다. 상악은 혈액공급이 풍부하고, 상악에 분포하는 동맥들이 거미줄처럼 서로 연결되는 복잡한 혈관망을 형성하고 있다. 그래서 하악의 경우처럼 주로 하나의 혈관에 의하여 혈액이 공급되는 것이 아니라 서로 다른 동맥으로부터 혈액이 공급되기 때문이다.

최근의 연구에 의하면 악골의 골수염은 주로 하악체에 호발하고(83%), 다음으로 하악 중앙부(20%), 우각부(18%), 하악지(7%), 하악과두(2%) 그리고 상악골(1%) 등의 순으로 호발하였으며, 두 부위 이상 중복되어 발생되는 경우 하악체와 하악 중앙부의 중복 발생 빈도가 가장 높았다.

4) 악골 골수염의 진단

통상적인 안면 방사선사진이나 CT의 경우, 급성 골수염의 상태에서 최소한 1-2주는 지나야 골의 변화를 보이는 소견을 관찰할 수 있다. 30-50% 정도의 골이 탈회되어야 방사선학적 변화가 감지되는데, 이 정도 탈회되는 데 1-2주가 소요되기 때문이다. 따라서 통상적인 방사선사진에서 골의 흡수 소견을 확인할 때까지 치료를 연기하면 결정적인 치료시기를 놓칠 가능성이 높다.

방사성동위원소를 이용한 골스캔(bone scan)은 골수염의 초기 진단에 도움이 된다. 골수염 발생 후 24시간 정도 지나면 골스캔에서 골수염 소견을 확인할 수 있기 때문이다(그림 4-43).

Technetium 골스캔의 경우 골형성 또는 골파괴 세포의 활동성이 있으면 양성반응을 보이므로 골수염의 초기 진단에 도움이 될 뿐만 아니라 치료경과를 평가하는 데도 이용할 수 있다. Gallium 스캔의 경우 Gallium 동위원소가 과립구에 부착되며 특히 활동적으로 분열하고 있는 백혈구, 종양세포, 골아세포 등에 부착한다. 따라서 감염이 진행되고 있는 경우에는 Gallium 스캔상 양성반응을 확인할 수 있다.

방사성동위원소를 이용한 골스캔은 비특이적 소견을 보이므로 반드시 임상소견과 함께 평가해야 한다. 그러나 통상적인 방사선사진에 비해 급성 골수염을 조

표 4-7 골수염의 병리기전 모식도

하악골 골수강으로 감염이 진행
↓
충혈이나 모세혈관의 삼투성의 증가, 과립세포 침윤
↓
세균에 의한 파괴, 혈관색전이 일어날 때 조직괴사
↓
염증삼출액에 의하여 하치조동맥의 허탈 발생
↓
골내 압력 증가
↓
하치조신경 압박으로 하순의 감각이상이나 감각소실
↓
골수염의 진행으로 피질골, 골막이 천공되고 피하농양, 누공 형성
↓
생활골과 괴사골이 분리되는 부골화
↓
부골화 골편이 신생골의 골구와 분리

기 진단하는 데 도움이 될 뿐 아니라 치료의 경과를 평가하는 데도 유용하다.

5) 골수염의 종류

(1) 급성 악골 골수염

농이 확산되는 부위에 따라 급성 골수염은 급성 해면골내 골수염과 급성 골막하 골수염으로 구분할 수 있다. 그러나 이들의 임상적 소견은 비슷하다.

하악골에 발생한 급성 화농성골수염의 임상적 증상으로는 심한 동통, 압통, 부종이 있고, 때로는 고열과 권태감 등이 나타나기도 한다. 이 경우 골수염이 발생되기 전 치성감염이나 악골골절 등과 같은 분명한 요인이 존재하는 경우가 많다.

급성 화농성골수염의 경우 방사선사진상 골의 변화를 관찰할 수 없다. 방사선사진상 골의 변화를 감지할 수 있을 정도의 골소실이 발생되는 데 7-14일 정도 소요되기 때문이다.

(2) 만성 악골 골수염

만성 화농성골수염의 임상적 증상이나 징후는 급성과는 다르다. 감염부위의 치아는 동요도가 있고, 촉진이나 타진에 반응한다. 대개 농이 점막이나 피부의 농루를 통하여 배출되며, 동통이나 압통은 존재하나 체온 상승은 나타나지 않는다(그림 4-44).

만성 골수염의 경우 보통 방사선사진상 감염된 부위에서 "moth-eaten" 양상의 골파괴를 관찰할 수 있다. 방사선투과상 내에 방사선불투과상을 보이기도 하는데, 이는 흡수되지 않은 괴사골이 남아있는 것을 보여주는 것이며 이를 부골(sequestra)이라고 한다. 장기간 지속된 골수염의 경우에 방사선사진상 투과상을 보이는 부위의 인접 부위에 현저한 방사선불투과성을 보이는 소견을 관찰할 수 있다. 이는 염증 반응의 결과 잔존 골조직의 골형성이 증가되어 나타난다.

① 만성 재발성 다발성골수염(chronic recurrent multifocal osteomyelitis)

어린이에서 아주 드물게 다발성으로 발생한다. 특별히 수년에 걸쳐 증상의 악화와 완화가 반복되는 특성이 있다. 발병하는 평균 나이는 14세이며, 악골보다는 장골(long bone)에서 빈발하고 대칭적으로 동시에 발생할 수 있다. 방사선학적으로 경계가 불명확한 다방성의 방사선투과성을 보인다. 양측성으로 발병한 경우 체루비즘(cherubism)과의 감별이 필요하다.

이 질환의 경우 하악과두를 포함하는 경우가 보통이나 체루비즘은 하악과두를 포함하지 않는다. 이 질환은 혈행성 감염에 의해 발생하는 것으로 생각된다.

② Garre 경화성골수염(Garre's sclerosing osteomyelitis)

이 질환은 1893년 Carl Garre에 의해 처음 기술되었

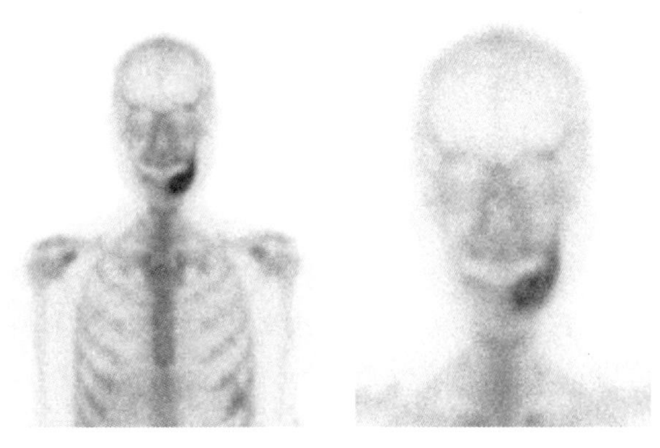

그림 4-43 좌측 하악골의 초기 골수염 상태를 나타내는 bone scan 소견.

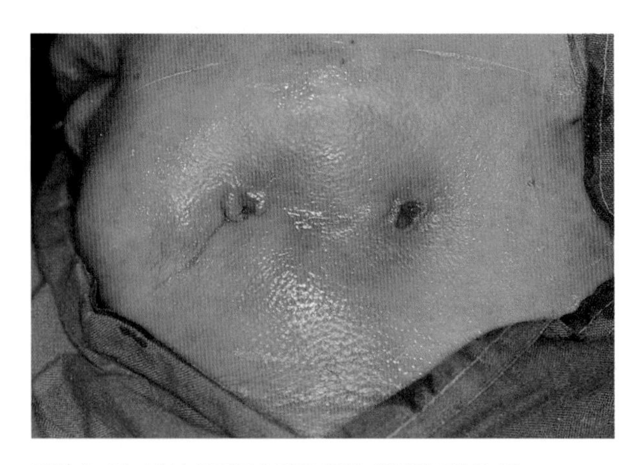

그림 4-44 만성 하악골수염에 의해 형성된 피부누공.

다. 주로 청소년기에 발생하고, 대부분 하악 대구치 부위에서 발생한다. 특징적인 임상적 소견은 치아우식증과 관련된 하악골 하방 경계부의 골성 종창이다. 동통, 체온 상승, 백혈구증가증, 림프선증 등이 나타나지는 않는다. 방사선소견 상 하악 피질골 외방에 양파 껍질 형태(onion skin effect)의 골 침착이나 층구조를 지니지 않은 일정한 모양의 골소주를 확인할 수 있다. 이 경우 방사선학적으로 유잉육종(Ewing's sarcoma), 골육종, 섬유성 이형성증 등과 감별이 필요하다. 이 질환은 신체 방어기전이 아주 양호한 경우 경도의 감염에 의해 발생하며 발치나 근관치료 등으로 감염의 원인을 제거하면 골증식상은 사라진다. 치료를 위해 감염의 원인을 제거하고 주기적인 임상적, 방사선학적인 검사를 시행한다. 보통 항생제 투여는 필요하지 않다.

③ 만성 화농성골수염(chronic suppurative osteomyelitis)

만성 화농성골수염의 원인은 크게 세 가지로 나눌 수 있다.

- 첫째, 이물질과 관련된 경우이다. 이물질이 존재하면 반흔조직이 형성되어 혈행이 감소하고 면역에 관여하는 세포들이 염증조직 주위로 도달하기 어려워 세균이 번식하기 쉬워진다.
- 둘째, 면역기능을 억제하는 전신질환과 관련된 경우이다. 신체 방어기전이 정상적인 경우, 세균이 해면골로 침범하기 어렵다. 따라서 보통의 경우 악골에 골수염이 발생하기는 쉽지 않다. 그러나 알코올중독에 의한 영양결핍, 당뇨병, 정맥내 약물남용, 백혈병, 겸상적혈구빈혈증 및 항암요법 등으로 신체 방어기전이 약화되어 있는 경우, 치성감염이나 골절에 의해서 골수염이 발생하기 쉬워진다.
- 셋째, 서서히 증식하므로 배양이 어려운 *Actinomyces*, *Eikenella corrodens*, mycobacteria 등의 세균이나 항생제에 내성을 지닌 Methicillin 저항성 포도상구균 등과 관련된 경우이다.

④ 만성 미만성 경화성 골수염(chronic diffuse sclerosing osteomyelitis)

이 질환의 원인은 아직 정확히 모르며, 대부분 청소년기에 발생한다. 동통이 아주 심하기 때문에 환자는 장기적인 마약 등의 약물의존 상태에 빠지는 경우가 빈번하다. 이환된 골은 많은 경우 약간 확장되며 방사선학적으로 해면골 내에서 경계가 불명확한 미만성의 경화된 소견을 보인다. 하악골 어느 부위에서나 발생될 수 있으나 호발부위는 하악체와 하악지이다. 이 질환은 섬유성 이형성이나 개화성 골이형증(florid osseous dysplasia) 등과 감별이 필요하다. 섬유성 이형성의 경우 일반적으로 동통이 없는 데 반해 이 질환은 동통이 심하다. 한편 개화성골이형증은 이환부위가 치조골에 제한되는 데 반해 이 질환은 하악지, 하악 기저골 등에 광범위하게 이환된다.

(3) 골절이 수반된 골수염

안면골의 심한 외상 등으로 인하여 복합골절이 발생한 경우 너무 작은 골편은 혈액의 공급을 받기 어렵다. 이러한 골절편의 무리한 고정은 골절의 치유에 도움이 되지 못하며 경우에 따라서는 정복과 고정의 실패로 인하여 골수염을 유발할 수 있다. 골절 후 이차적으로 골수염이 발생하면, 가능한 초기에 악간고정을 시행해야 한다. 골절선상에 있는 동요도를 보이는 치아와 이물질은 제거하고 가능한 초기에 골절선상에 있는 골수염에 포함된 변연골의 절제술을 시행한다. 절제술로 인하여 발생한 골의 결손부는 가능한 강판 등을 이용하여 공간을 유지하고 염증소견이 완전히 소멸한 후에 골이식 등을 시행하는 것이 좋다.

(4) 신생아 골수염

신생아 골수염은 대부분 태어난 후 몇 주내에 주로 상악에서 발생한다. 항생제를 사용하기 전의 치사율은 약 30% 정도였다. 이 질환은 혈행성 감염으로 분만 시 조산원의 손가락이 구강점막에 손상을 주거나 출생 직후 호흡통로를 청결히 하기 위하여 점막흡인구를 사용할 때 외상으로 인해 발생하는 것으로 생각된다.

임상 증상으로 안와주위까지를 포함한 광범위한 안면의 봉와직염을 보이는 경우도 있다. 봉와직염에 선행하여 민감성과 피곤이 나타나고, 고열, 식욕결핍, 탈수증세가 나타난 다음 발작과 구토가 나타난다. 내측 안각의 종창, 안검의 부종, 눈의 감김, 결막염 및 안구돌출증 등의 증상이 나타난다. 구강내 소견으로 감염된 부위의 상악이 협측과 구개측으로 붓게 되는데 특히 이러한 현상은 구치부에서 심하다.

*Staphylococcus aureus*가 주된 원인균이다. 영구적인 시각손상, 신경학적 합병증, 치배와 악골결손을 예방하기 위해 신속하고 집중적으로 치료를 시행해야 한다. 치료가 지연되어 방치되는 경우 뇌경막동(dural sinus)까지 확장된다는 보고도 있다. 이 질환은 드물지만, 지연된 부적절한 치료에 의하여 안면기형 및 심각한 후유증을 유발할 가능성이 있다.

(5) 방선균성 하악골 골수염

방선균증은 안면 경부, 복부 및 흉부의 연조직과 가끔 골조직까지 침범하는 특징을 가지고 있는 육아종성이고 화농성 증세를 나타내는 만성감염이다. 2/3 정도는 안면 경부에서 발생한다. 염증의 파급은 조직을 따라 직접 퍼지거나, 혈행성으로 퍼진다.

방선균종 중에 *Actinomyces israelii*가 가장 주된 원인균이며, *A. viscosus*가 그 다음으로 많이 나타난다. *A. naeslundii*, *A. odontolyticus*, *A. meyeri* 및 *A. bovis*가 나타나는 경우는 매우 드물다. 현재 방선균은 진균이 아니라, 그람양성, 비호기성, 비포자 형성균, 비내산성균으로 받아들여진다. *A. israelli*가 동반된 감염은 *Bacteroides*와 같은 다른 구강미생물과 협력하여 조직손상이나 염증부위에서 발생한다.

임상증상으로 피부에 단단한 연조직 덩어리가 나타나는데, 이것은 자색이거나 짙은 적색이고 파동감이 있는 반면 반질반질한 부위를 보인다. 과립물질을 함유한 혈청액의 자발적인 배농이 일어나기도 하며, 거즈로 누르면 유황과립(sulfur granule)이라 부르는 노란 물질이 선명하게 보인다. 이것은 세균의 집락을 의미한다.

방선균증의 진단은 병소의 배양이나 생검에 근거해야 한다. 초기에는 그람염색도말을 위하여 가검물을 흡인하는데, 이는 미생물의 혐기성 또는 호기성 판별을 위해서도 반드시 필요하다. 형광항체검사는 *A. israelli*와 *A. naeslundii*를 구별하는 데 이용한다.

방선균감염은 단단한 골과 연조직에 반흔을 형성하여 "Lumpy jaw"라는 용어로 쓰여 왔다. 반흔조직은 미생물의 항구 역할을 하며, 감염된 부위의 혈류공급을 감소시켜 항생제의 침투를 어렵게 한다. 따라서 모든 농양은 크기에 관계없이 배양과 감수성검사를 위하여 흡인해야 한다.

(6) 방사선조사로 인한 골수염과 골괴사

악성종양의 방사선치료는 인접 연조직과 경조직의 생활력에 심각한 문제를 유발한다. 특히 골조직은 무기물질 조성 때문에 연조직보다 더 많은 에너지를 흡수하며 이차방사선에 훨씬 더 민감하게 반응한다. 방사선골괴사는 방사선이 조사된 조직의 산소결핍, 낮은 세포성과 낮은 혈류공급에 의한 것으로 생각된다. 악골에 5,000 rad 이상의 방사선조사는 골세포의 죽음을 초래하고 폐쇄성 진행성 동맥염(동맥내막염, 동맥주위

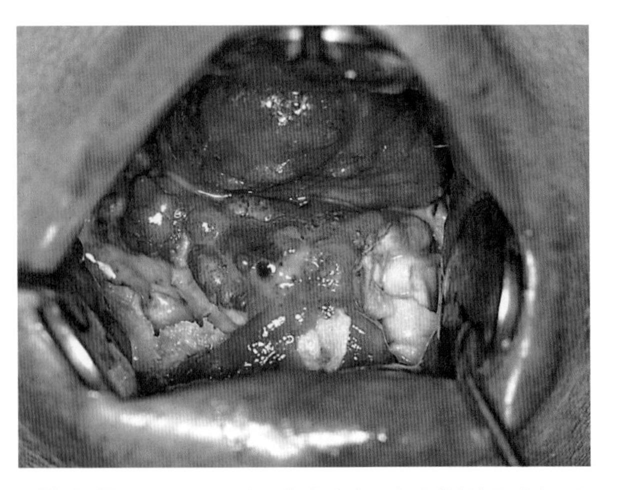

그림 4-45 구강내로 골이 노출된 하악골의 방사선성 골괴사로 동통을 유발함.

염, 초자질환, 혈관의 섬유화와 색전증)이 나타난다. 골막주위 혈관과 하치조동맥과 같은 큰 혈관이 받는 영향은 크다. 그 결과로 조사선이 직접 골 부위에 무균적 괴사를 유발하고 인접골과 조직의 혈관에 합병증을 유발한다. 이러한 부위는 감염에 대한 신체의 효과적인 반응이 크게 줄어든다.

통증과 골의 노출은 방사선조사에 의한 악골 골괴사의 주된 임상적 특징이다(그림 4-45). 급성감염에서는 자주 나타나지는 않지만, 초기 증상으로 개구장애, 호흡 시 악취, 체온상승 등이 나타날 수 있다. 회색에서 노란색으로 노출된 골은 구강내와 구강외 누공을 통해 관찰된다. 또한 병리적 골절이 나타날 수도 있다.

6) 악골 골수염의 치료(표 4-8)

골수염에 대한 처치는 내과적, 외과적 방법 모두 필요하다. 골수염 환자의 대부분은 신체 방어기전이 약화된 경우가 많기 때문에 치과의사는 이를 염두에 두어야 하며 필요시 내과적 문의를 해야 한다.

급성 골수염의 경우 우선 적절한 항생제를 투여한다. 치성감염이나 악골골절 같은 골수염의 선행요인이 존재하면 이들도 동시에 주의 깊은 치료를 해야 한다. 대부분의 경우 연쇄상구균과 혐기성 균주가 원인균이므로 일차적으로 페니실린을 선택한다. 환자의 증상이 심각하면 항생제 정맥주사를 위해 입원도 고려하여야 한다. 만일 환자가 페니실린에 과민성이 있다면, 클린다마이신을 선택한다. 클린다마이신은 연쇄상구균과 혐기성세균 모두에 효과적이다. 급성 화농성골수염에 대한 외과적 처치로 감염부위의 실활치 발거, 골절부위의 고정을 위해 이용된 강선과 골판(bone plate)의 제거, 동요도를 보이는 부골편의 제거 등이 제한적으로 이루어진다. 악골골절에 의한 급성 골수염의 경우 골절편을 확고하게 고정시켜야 한다.

만성 골수염의 경우에는 적극적인 항생제의 투여와 외과적 처치가 필요하다. 골수염부위에 혈액공급의 장애가 심하기 때문에 보통 환자를 입원시켜 고용량의 항생제를 정맥주사하여 초기 증상을 조절해야 한다.

표 4-8 골수염의 치료원칙

1. Evaluate and correct host defence deficiencies
2. Gram stain: culture and sensitivity
3. Imaging: rule out bone tumor
4. Stain-guided empirical antibiotics
5. Remove loose teeth and sequestra
6. Culture-guided antibiotics: repeat culture
7. Consider irrigating drains/PMMA-antibiotic beads
8. Sequestrectomy, debridement, decortication, resection and reconstruction

우선 선택되는 항생제는 페니실린이고, 페니실린을 선택할 수 없는 경우에는 이차적으로 클린다마이신을 선택한다. 외과적 시술 시에 농을 채취하여 농배양과 항생제 감수성검사를 시행하여, 그 결과를 토대로 필요하면 항생제를 변경한다. 그리고 허혈 및 괴사부위가 넓으므로 이에 대한 외과적인 처치는 적극적으로 시행한다. 충분한 구강외 절개를 시행하여 모든 괴사골을 제거하고, 혈액공급이 원활히 이루어지도록 하여 항생제와 신체 방어기전에 관여하는 세포들이 전달되도록 한다. 부골을 제거하고(sequestrectomy), 모든 실활골들은 절골겸자(rongeur)나 드릴을 이용하여 제거한다. 신선한 출혈을 보이는 골이 나타날 때까지 모든 방향으로 실활골을 제거한다. 제거된 실활골이 상처부위에 남아있지 않도록 완전히 세척한다. 보통 일차성 봉합을 시행하며, 술후 세척과 흡인을 위하여 창상 내에 드레인을 위치시킬 수도 있다. 정맥주사를 통한 항생제를 투여하며, 보통 1주일 이상의 입원치료가 필요하다. 만일 치료가 성공적이라면 농의 배출도 없고 창상치유도 원활하여 일차성 창상치유가 이루어진다.

급성, 만성 골수염의 경우 치성감염의 경우보다 항생제를 장기간 투여해야 한다. 경미한 급성 골수염의 경우 치료에 반응이 좋은 경우에도 항생제는 최소한 4주 투여해야 하고, 치료에 대한 반응이 좋지 않은 만성 골수염의 경우 심하면 여섯 달 동안 항생제를 투여해야 하는 경우도 있다.

(1) 부골적출술과 배형성술(sequestrectomy and saucerization)

부골은 일반적으로 피질골성이지만 망상골 또는 피질골성 망상골로 보이며, 일반적으로 감염 발생 후 최소 2주 정도 지난 후에야 관찰되기 시작한다. 부골의 흡수는 파골세포에 의한 용해작용으로 육아조직이 부골안으로 증식하여 이루어진다. 만약 부골이 완전히 흡수되기 전에 부분적으로 치유가 되면 농의 축적에 의하여 재발될 수 있다. 만성상태에서 골구(involucrum) 또는 골막에 의하여 형성된 골의 껍질은 농이 상피표면으로 빠져나오기 위하여 통로를 형성하고 천공된다. 또한 부골은 혈관이 없으므로 항생제의 침투가 어렵다. 따라서 항생제 요법만으로는 부골에 대한 근본적인 처치가 어려우며, 부골로 인한 골의 상실 또는 골장력의 감소로 인하여 감염부위에서 병리적 골절이 발생할 수도 있다.

일단 부골이 완전히 형성되면 외과적인 외상을 최소로 하여 제거해야 한다. 이 방법은 감염의 확산을 예방할 수 있으며 치아를 유지할 수 있고, 골 삭제량을 최소로 할 수 있다고 알려져 있다. 그러나 환자의 구강위생상태의 불량 등으로 인하여 지속적인 누공과 합병증 등을 수반한 장기간의 감염이 존재할 수도 있으므로 좀 더 광범위한 외과적인 처치술이 필요하게 되는 경우도 있다.

배형성술(saucerization)은 골수염 중심부를 덮는 괴사골의 변연을 절단하여 부골의 접근을 쉽게 하여 해당 부위골을 절단하는 것이다(그림 4-46). 수술 후의 흉터를 적게 하기 위하여 배형성은 가능하다면 구강내로 시술되어야 한다. 수술로 인한 결함부는 개방시켜서 수술 도중에 인지하지 못한 부골을 치료 도중에 제거한다. 병소부위의 감압은 농, 잔사, 부골 등의 추출을 쉽게 할 수 있으므로 배형성술은 급성시기가 지나면 바로 시행하는 것이 바람직하다. 확실한 괴사골과 예리한 첨단 변연부를 제거하는 것 이외에 설측 피질골을 삭제할 필요는 없다. 악설골근이 설측에 부착하여 풍부한 혈류공급이 이루어지기 때문이다.

배형성술이 구강외로 시행되면 결손부는 봉합을 하지 않고 개방하여 packing을 한다. 그러나 연조직이 일차적으로 수복되면 폐쇄 세척 흡인법을 이용한다.

(2) 피질골박리술(decortication)

하악골의 피질골박리술은 병소보다 1–2 cm 정도 광범위하게 감염된 골의 측하방 피질골판을 제거함으로써 골수강으로의 접근을 보다 용이하도록 하는 술식이다. 피질골박리술은 병소부위의 피질골이 무혈관 구조이며 미생물의 은신처라는 전제에서 시행한다. 보통 육아조직과 농은 항생제가 통과할 수 없는 골수강 내에 존재한다. 부골이 형성될 때까지 기다리면 확산의

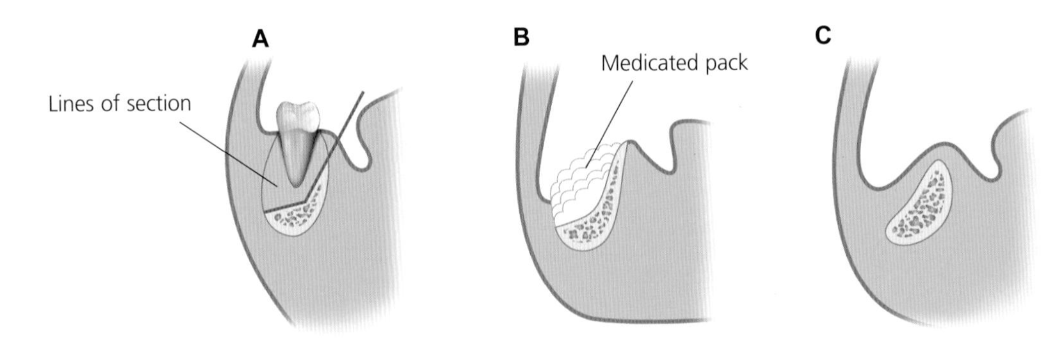

그림 4-46 배형성술의 모식도.

A: 제거할 부위 골의 외형: 점막을 젖힌 후 느슨한 치아는 제거하고 협측 피질골판을 병발부위보다 확장하여 절개한다. 모든 변연으로부터 출혈이 될 때까지 골을 연마한다. 부골은 제거된다. B: Medicated pack을 절제한 골 상방 부위에 위치시키되 약간 올라오게 채운다. 점막을 다듬은 후 팩(pack)이 자리에서 유지되게 봉합을 한다. C: 치유된 후 골은 재형성되고 정상 점막으로 덮이게 된다.

위험, 농양의 형성 및 봉와직염 발생의 가능성이 높아진다. 또한 항생제 투여 기간이 길어지고 치료 후 회복이 늦어진다.

피질골박리술은 일차적 또는 이차적 만성 골수염의 초기 치료에 이용하거나 초기 보존적 방법이 실패한 상황에서 보편적으로 사용한다. 일반적으로 구강외 접근방법으로 시행하지만 최근에는 안면의 반흔형성을 피하기 위해 구강내 접근방법이 보다 선호되고 있다(그림 4-47).

골은 반드시 병소주위의 이환되지 않은 부위까지 제거하여 골 변연부에 출혈을 유도한다. 골상(bone bed)은 완전히 세척한 후 피판을 일차적으로 폐쇄한다. 골 결손부에 인접한 혈관분포 연조직의 부착 유지를 위해 압박붕대를 사용하여 사강(dead space)의 형성을 방지한다.

만약 병소가 광범위하여 설측 피질골까지 삭제할 경우 수술 도중에 하악골의 골절을 예상할 수 있다. 이와 같은 경우에는 악간고정이나 악내고정을 시행하며 골 이식이 필요할 수도 있다.

(3) 폐쇄 세척 흡인법

병소의 골삭제 후 잔류골이 어느 정도의 만성적인 감염을 일으킬지를 예상하기는 어렵다. 배농관을 병소부위에 위치시킴으로써 농과 혈장을 배출시킬 수 있고, 항생제를 고농도로 투여할 수 있는 통로로 이용할 수 있다. 배농관을 위치시킨 후, 창상은 구강 내외로부터 완전히 방수가 되도록 폐쇄시키고, 식염수로 관을 관류시킨 다음, 다른 관은 음압으로 연결시킨 후 세척 용액을 한쪽 관으로 주입한다(그림 4-48). 다양한 세척 용액을 주입할 수 있고, 항생제, 습기제, 단백용해 효소를 함유해서 주입하기도 한다. 배양을 위한 표본은 순환이 끝나는 구심 배농관에서 얻는다. 세척은 최소 1주일간 계속 시행하며, 배양이 음성으로 3회 판정될 때까지 지속한다.

(4) 적출과 즉각적 재건

병리적 골절, 피질골박리술 후 염증의 존재, 양측 피질골판에 병적인 상태가 현저한 경우에는 악골을 절제한 후 즉시 재건이 효과적이다. 하악골 골수염의 치료 시 하악골의 제거가 효과적인 방법은 아니지만, 불가피하게 적출을 시행한 경우에는 환자의 심미적, 기능적인 문제의 해결을 위하여 재건이 필요하다. 골이식에 가장 많이 사용되는 부위는 자가망상 장골과 늑골 등이다. 이식편의 고정을 위해 타이타늄 소강판과 나사 또는 타이타늄 메쉬를 이용한다. 최근에는 유리 피판을 이용한 하악골의 재건도 보편화되고 있다(그림 4-49).

(5) 고압산소요법(그림 4-50)

만성 산재성 경화성골수염과 만성 화농성골수염 및

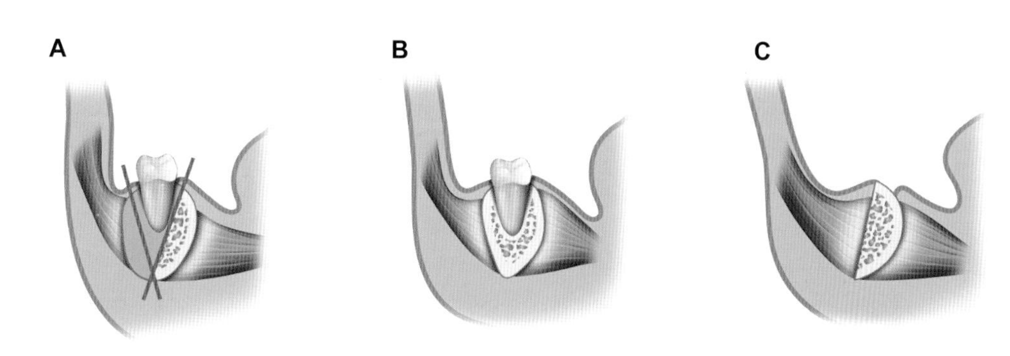

그림 4-47 하악골의 피질골박리술 모식도.
A: 병소보다 1–2 cm 더 측하방으로 피질골판을 제거 B: 치아가 존재한 상태 C: 치아가 제거된 상태로 혈관이 분포된 근육피판이 골표면에 부착

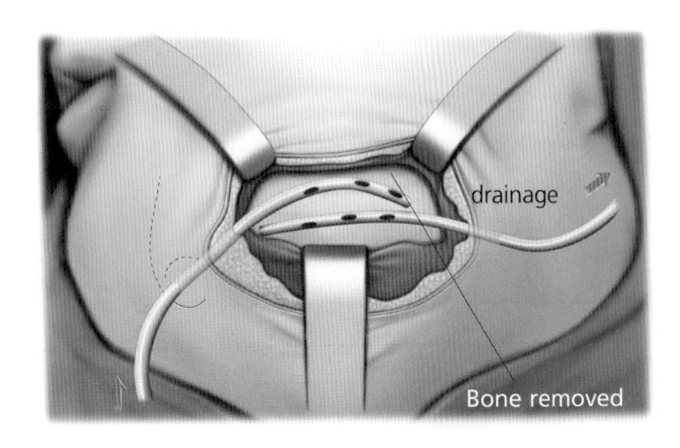

그림 4-48 폐쇄창 세척을 위한 튜브 위치의 도해. 한쪽 튜브는 세척액의 주입에, 다른 쪽은 배출을 위해 이용된다.

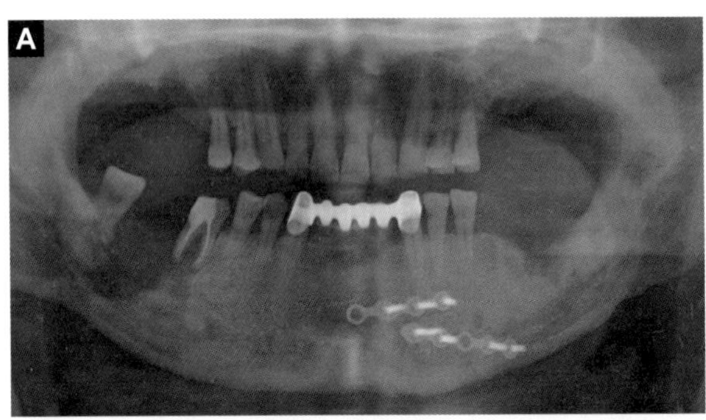

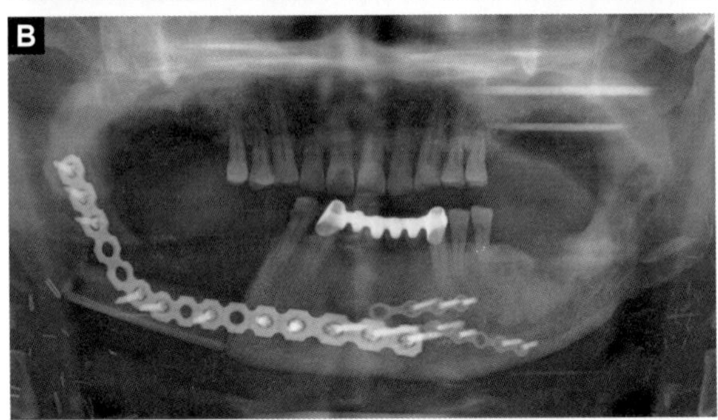

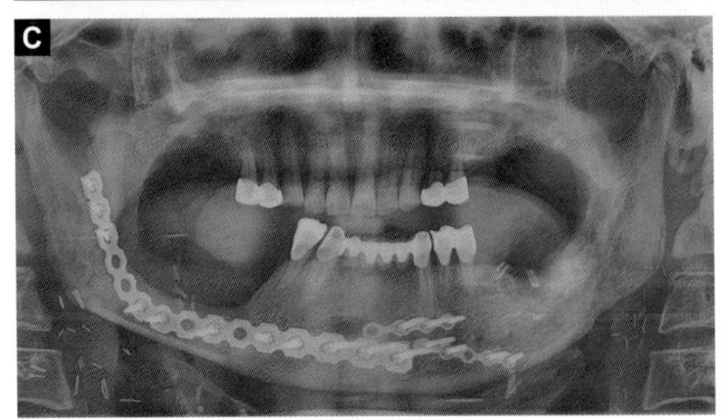

그림 4-49 방사선조사 후 발생한 골수염.
A: 우측 하악골 골수염 소견 B: 악골 절제 후 재건용 금속판과 함께 비골(fibula)을 이용하여 악골을 재건한 모습 C: 수술 후 6개월 파노라마사진

방사선조사 골괴사에는 고압산소요법이 효과적이며, 특히 방사선조사 골괴사에 유용하다. 고압산소요법은 섬유아세포의 활성을 증가시켜 새로운 교원질 합성을 촉진시키고 창상부위에 새로운 혈관의 형성을 촉진하며, 또한 직접적인 살균성과 제균성을 가지고 있다. 고압산소요법은 외과적인 처치와 병행하는 것이 일반적인 방법이다. 외과술식의 시행 전후 어느 시기나 가능하며, 환자의 상태와 술자의 판단에 따르게 된다. 그러나 때로는 산소독성이 나타날 수도 있으므로 세심한 주의를 기울여야 한다. 통상 절대기압 2.4기압하에 1회에 90분을 초과하지 않아야 하며, 총 투여시간은 22.5시간을 넘어서는 안 된다.

주요한 합병증으로는 폐조직의 섬유증, 저산소증 및 산증, 오심, 구토, 어지러움, 이통(otalgia) 등이 있으며, 이와 같은 산소독성의 예방을 위하여 고압산소 투여기간 동안 비타민 E를 투여한다. 또한 산소중독의 위험성 때문에 만성폐쇄성폐질환, 급성 바이러스 감염, 귀질환, 임신, 구상적혈구증 및 밀폐공포증 환자에서는 금기이다.

2. 방선균증(Actinomycosis)

방선균증은 악골의 연조직에 발생하는 상대적으로 드문 감염질환이다. 주로 *Actinomyces israelii*에 의해 야기되나 *A. naeslundii* 혹은 *A. viscosus*에 의해 야기되기도 한다. 방선균은 과거에 혐기성 진균으로 생각하였으나, 지금은 구강내 상재균의 일종으로 혐기성세균이라고 명백하게 밝혀져 있다.

방선균은 세균독성이 낮아 구강내 외상, 얼마 지나지 않은 발치창, 심한 우식증 치아 등과 같은 국소적으로 세균이 잘 배양될 수 있는 조건이 갖추어져야 방선균증이 발생될 수 있다. 감염은 연조직에서 시작되어 점차 인접조직으로 확산된다. 다른 감염과는 달리 방선균증은 해부학적 구조물을 따라 확산되는 것이 아니라 그것들을 파고 들어가 소엽모양의 위종양

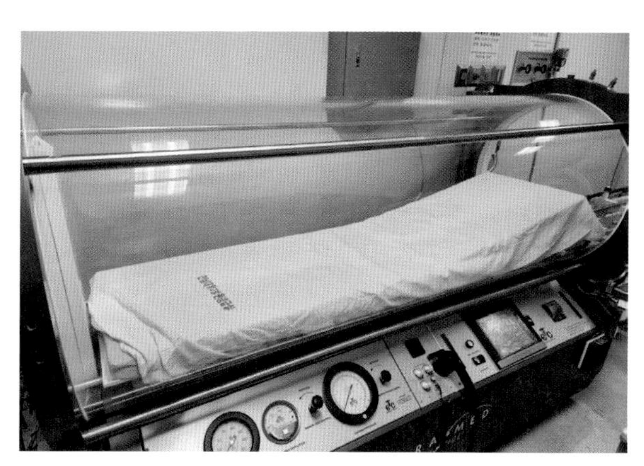
그림 4-50 고압산소 tank로, 누운 자세에서 고압산소요법을 받음.

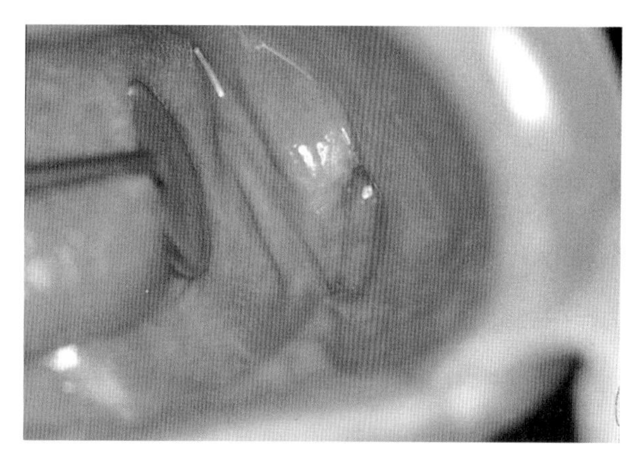
그림 4-51 하악골 내 침범된 방선균증 부위를 적출한 후 지속적인 iodoform gauze packing drainge로 치유된 모습.

(pseudotumor)을 형성한다. 특히 피부를 뚫고 나오면서 다수의 농루(sinus tract)를 형성하는데 이는 구강 안면 방선균증의 특징적인 소견의 하나이다. 저절로 농루를 따라 배농되면 환자의 동통은 경미해질 것이다.

방선균증은 임상적으로 악골과 관련된 종양으로 보일 수 있고, 진행되어 피부에 형성된 다발성의 농루로부터 배농이 되는 양상을 보일 수도 있다. 배출되는 삼출액은 특징적으로 유황과립을 가지고 있다. 유황과립은 크기가 약 1–2 mm 되는 세균 덩어리이다. 이를 그람염색해서 주의 깊게 관찰하면 그람양성 간균들이 집합된 것임을 알 수 있다. 삼출액에서 유황과립이 존재하면 방선균증이라고 추정할 수는 있으나 혐기성 균배양에서 방선균이 확인되어야 확진이 가능하다. 균배양은 보통 brain–heart agar나 blood agar상에서 4–6일간 시행한다.

방선균증 환자의 약 50% 정도에서 방선균을 배양할 수 없다. 그러나 이 질환의 임상적인 양상은 아주 특징적이다. 초기에 항생제 치료에 잘 반응하는 것처럼 보이나 항생제 투여를 중단하면 재발된다. 그리고 많은 환자의 경우에서 같은 부위에서 감염이 여러번 재발되는 기왕력을 가지고 있다. 이러한 임상적인 양상은 아주 특징적이어서 환자의 기왕력을 통해 방선균증에 대한 추정적인 진단이 가능하다. 방선균증에 대한 치료는 절개 및 배농을 시행하고 농루는 모두 절제해낸다 (그림 4-51). 이런 외과적인 처치를 통하여 감염된 부위로 항생제가 잘 도달될 수 있도록 한다.

페니실린에 알레르기 반응이 없으면 페니실린을 투여한다. 그 용량은 질환의 상태에 따라 달라진다. 만일 감염의 정도가 심한 경우나 악골이 이환된 경우에는 입원시켜 고용량의 페니실린을 정맥주사해야 한다. 임상적으로 치유될때까지 하루 천만 단위의 페니실린을 정맥주사한다. 대개 3–14일 정도 정맥으로 투여하며, 퇴원 후에도 경구적으로 페니실린을 1회 500 mg씩, 하루에 4회, 3개월 동안 계속적으로 복용해야 한다. 이렇게 장기간 투여하는 이유는 감염의 재발을 방지하는 데 있다. 두 번째로 선택되는 약물은 독시사이클린(doxycycline), 미노사이클린(minocycline) 등의 테트라사이클린 제제이다. 상기 두 약물은 장기간 항생제를 복용하는 동안 하루 1회 투여가 가능하기 때문에 일반적으로 추천되고 있다.

3. 칸디다증(Candidiasis)

*Candida albicans*는 구강내 존재하는 진균이다. 이것은 환자의 전신건강이 나빠지지 않는 이상 질환의 원인으로 작용하는 경우는 드물다. 칸디다증에 걸리는 보편적인 두 가지 이유는 장기간에 걸친 항생제 투여

의 경우와 백혈병이나 기타 악성종양의 치료를 목적으로 항암 화학요법을 받은 경우이다. 칸디다균이 구강 내에서 과성장하면 표층 감염을 야기한다. 임상적으로 하얀 반점들을 구강점막에서 관찰할 수 있으며 이를 거즈로 문지르면 쉽게 탈락하고 하방조직이 노출되어 출혈경향이 있다(그림 4-52). 칸디다균은 배양이 쉽고 그람염색에서 특징적인 소견을 보이므로 쉽게 진단할 수 있다.

구각구순염(angular cheilitis)은 칸디다균에 의해 악화될 수 있다. 이런 환자들의 대부분은 무치악이면서 과피개교합을 갖고 있어 만성적으로 구각부가 젖어 있어 칸디다균이 자랄 수 있는 좋은 조건이 된다.

구강 칸디다증의 일반적인 처치는 국소적인 항진균제의 도포이다. 가장 많이 사용되는 약제로는 나이스타틴(nystatin)과 클로트리마졸(clotrimazole) 두 가지이다. 이 두 가지 약 모두 정제 형태로 판매되고 있으며, 완전히 녹을 때까지 구강 내에 머금고 있게 된다. 나이스타틴은 약물이 전혀 흡수되지 않아 부작용이 전무하기 때문에 선호되는 약이며, 클로트리마졸 또한 독성이 아주 작다. 통상적으로 2주 동안 한 번에 한 알씩 하루에 4-5회 구강 내에서 녹인다. 칸디다증의 증상과 징후는 통상 빨리 해소되지만 14일 동안 계속 치료를 지속하지 않으면 재발될 수 있다. 만일 환자가 의치를 장착하고 있다면, 의치를 사용하지 않는 숙면 중에는 클로르헥시딘 용액에 담가두어야 한다.

구강 칸디다증은 케토코나졸(ketoconazole)이나 플루코나졸(fluconazole)과 같은 약을 전신적으로 투여하여 치료할 수도 있다. 두 약제 모두 국소 도포에 반응하지 않는 구강 칸디다증에 상당한 효과가 있으나, 두 약제 모두 독성을 지니고 있으므로 국소도포 약물로 치료가 실패한 경우에만 사용하는 것이 좋다. 두 약제 중 최근에 개발된 플루코나졸이 케토코나졸에 비해 독성이 적다. 칸디다증은 보통 전신적인 문제가 있는 환자에게 발생한다는 사실을 기억하는 것도 중요하다. 최근에 항생제를 복용한 사실도 없고, 항암 화학요법을 받은 사실도 없으며, 기타 전신면역을 약화시킬 질환에 이환된 기왕력이 없음에도 불구하고 칸디다증에 감염되면 본인도 모르고 진단되지 않은 채 내재되어 있는 다른 면역기능 저하 질환을 의심해보아야 한다. 이 중 대표적인 질환이 후천면역결핍증후군(AIDS)이다.

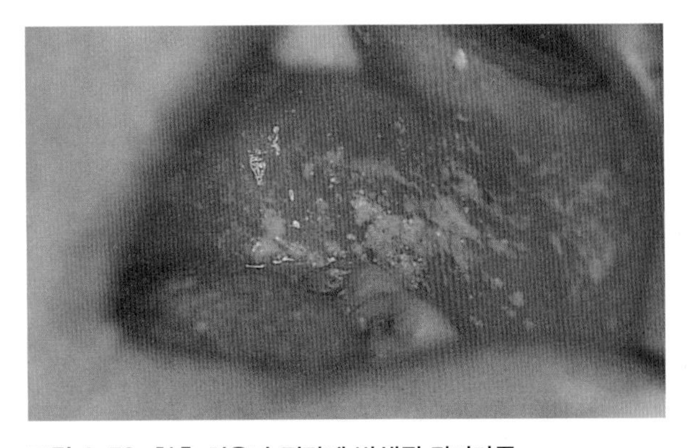

그림 4-52 협측 치은과 점막에 발생된 칸디다증.

4. 국균증(Aspergillosis)

국균증은 자연계에 존재하는 누룩 곰팡이과에 속하는 아스페르길루스(*aspergillus*) 균종에 의하여 발생하는 질환으로 염증성 육아종 형성이 특징이다. 아스페르길루스 진균류는 동양의 양조업에 가장 중요한 누룩곰팡이의 일종이다.

1813년 조류의 질환으로 인식된 국균증은 1850년 인간에게 감염된 것이 처음 보고되었으며, 1970년대에는 미국인 100만 명당 5명 정도 발생되는 비교적 드문 질환이다. 현재 국균증은 점점 증가하고 있는 추세로 여러 가지 복합적인 요인이 관계되어 있다. 국균증은 처음으로 보고된 이후 주로 상악동 등의 부비동에 발생되는 비안와형 국균증은 세균성 만성 상악동염과 유사하여 감별이 필요하다. 국내에서는 1978년 폐국균증이 발표된 이래 1997년까지 약 300여 증례가 문헌에 보고되어 비교적 빈도가 높은 감염성 질환이다. 악안면 부위에 발생되는 비안와형 국균증은 폐국균증 다음으로 빈발하는 질환으로 과거에 비하여 점점 발생빈도가 높아지고 있는 추세이다.

발생빈도의 증가와 관계된 사항들에는 장기간 항생제의 오용 및 남용, 스테로이드 제제의 장기사용, 항암제의 복용, 면역억제제, 항대사제, 조절되지 않는 당뇨병 등에 의해 증가하는 양상을 보이고 있다.

상악동에 발생한 국균증은 약 50% 이상에서 방사선사진에 석회화된 병소가 보이는 것으로 보고되고 있다. 일반 방사선사진에서 방사선불투과성 응집을 발견할 수 있는데, 이것은 아스페르길루스균이 생성한 인산칼슘(calcium phosphate)이나 황산칼슘(calcium sulfate)이 침착된 결과로 해석하고 있다. CT촬영이 평면 촬영보다는 칼슘 또는 금속성분의 검출에 유리하며, MRI가 CT촬영보다 민감하여 T2강조영상에서 신호강도가 감소하면 균종(mycetoma)의 특성으로 알려져 있다. 국균증 이외의 일반적인 상악동염에서도 3% 정도의 상악동 내의 석회화 병소를 나타낼 수 있으므로 주의 깊은 감별이 필요하다.

비침윤형과 침윤형 모두 악안면부위(상악동)에 발생한 국균증의 치료는 Fungus ball (aspergIloma, mycetoma, mycotic mass)을 외과적으로 완전히 제거한다. 보통 Caldwell-Luc 수술로 이루어진다. 수술 후 처음 얼마 동안은 약물이 묻은 삽입물을 외과적 결손부에 느슨하게 놓아도 좋으나 배농이 가능해지도록 수일 내로 제거해주어야 한다.

침윤형인 경우에서는 상악골절제술 등의 치료가 요하는 경우도 있으며 amphotericin B의 사용이 추천되기도 한다. 침윤형이나 면역학적으로 기능이 떨어진 경우 진균제의 사용에 주의가 요한다. 항진균제만으로는 상악동 국균증의 치료에 효과적이지 못하며 반드시 외과적 수술과 함께 사용되어야 한다. Amphotericin B를 사용할 경우에는 매일 0.5-0.6 mg/kg 또는 성인 환자의 경우 최소 총량이 2 g을 투여해야 하며, 기간은 6-8주까지 지속되어야 한다. 신장과 간에 대한 주기적인 검사로 부작용을 세밀하게 관찰해야 한다. 알레르기형인 경우에는 외과적 시술 후 전신적 스테로이드 투여나 흡입법이 추천되기도 하지만 아직 널리 인정받지는 못하고 있다.

Ⅳ. 치성감염의 예방과 항생제 사용의 문제

감염이 확실한 경우에 적절한 항생제를 투여함으로써 환자가 질환을 극복하는 데 도움을 준다고 하는 사실은 주지의 사실이다. 감염예방을 위한 항생제 사용의 타당성 문제도 학문적으로 명확히 확립된 부분이기는 하지만 널리 수용되어 이용되고 있지는 않은 것 같다. 여기서는 수술 시 창상감염과 관련된 요소, 예방적 항생제(prophylactic antibiotics)의 사용과 전이성감염의 예방을 위한 항생제의 사용을 구분하여 기술하고, 항생제 사용 시 부작용을 검토한다.

1. 창상감염과 관련된 요소 및 처치법

1) 국소적 요소

창상조직 내에 105 CFU (colony forming units)/ml 이상의 세균이 존재하면 감염이 유발될 수 있다는 보고를 볼 때 창상 내의 세균 수가 많을수록 감염이 유발될 확률이 높다. 또한 창상 내에 이물질(foreignbody), 죽은 조직(devitalized tissue)이나 혈종을 유발하는 사강(dead space)은 세균이 서식할 수 있는 좋은 환경을 제공한다. 그러므로 수술 시 멸균 생리식염수로 충분히 세척을 시행하고, 이물질이나 죽은 조직들을 철저히 제거해야 하며, 사강을 만들지 않기 위해 배농(drainage)이나 압박 드레싱을 적절히 시행해야 한다.

2) 전신적 요소

창상감염을 유발할 수 있는 전신질환으로는 첫째, 잘 조절되지 않은 대사성 질환으로 당뇨, 신장병, 간경변, 영양결핍 등이 있으며 둘째, 숙주의 방어기전을 약화시키는 질환으로 면역억제제, 악성종양, 백혈병이나 골수종 같은 혈액질환, 후천면역결핍증후군 등이 있다. 그 외 과도한 흡연이나 알코올 남용, 과도한 피로 등도 창상감염을 유발할 수 있는 소인들이다. 이러한 환자들에서는 술전, 술후 예방적 항생제의 투여가 필수적이며, 장시간의 외과적 처치는 피하는 것이 바람직하다.

3) 환경적 요소

수술 시나 술후 창상관리 시 무균시술이 이루어지지 않은 경우엔 창상 내로 들어가는 세균의 수가 많아져 감염을 유발할 수 있다. 비록 구강을 완전히 무균상태로 만드는 것을 불가능하지만, chlorhexidine이나 povidone-iodine 같은 소독제로 구강내를 철저히 소독하고 수술 중 충분한 세척과 흡인(suction)으로 세균수를 최소화시키는 것이 중요하다. 또한 무균상태의 수술기구와 수술실 환경, 그리고 외과의의 술전 손소독이 그 어떤 항생제보다 감염 예방에 효과적이다.

2. 예방적 항생제 투여의 원칙

술후 창상감염을 예방하기 위해 항생제를 투여하는 것은 어떤 면에서는 매우 바람직하고 효과적일 수 있다. 예방적 항생제 투여의 장점은 감염률을 감소시켜 술후 환자의 병적상태를 감소시켜 전체적인 항생제 투여량을 줄임으로써 내성 균주가 발현될 기회를 감소시킬 수 있다는 점 등이다. 그러나 예방적 항생제 투여의 단점 또한 존재하는데, 숙주의 상재균 조성을 변화시켜 항생제에 저항성을 지니고 독성이 강한 세균이 과증식되어 또 다른 감염을 유발할 수 있다. 그리고 감염의 위험도가 낮은 경우에도 무분별한 항생제의 투여로 인해 국가적인 의료비 지출을 증가시킬 수 있다. 마지막으로 예방적 항생제에 대한 믿음으로 치과의사가 무균 수술의 원칙을 경시할 우려가 있다는 점이다.

예방적 항생제 투여의 원칙들을 열거하면 다음과 같다.

1) 기본원칙 1: 외과시술 자체가 감염 가능성이 아주 높은 경우에만 시행한다

외과시술 자체가 감염 가능성이 아주 높을 시 예방적으로 항생제를 투여할 경우 감염 발생률을 감소시킬 수 있다. 예방적 항생제 투여 없이 외과술식의 기본적인 원칙을 정확히 준수하면서 행해진 무균상태 수술의 경우 감염 발생률은 약 3%다. 이것은 건강한 환자의 경우 외래에서 시행하는 대부분의 술식, 즉 단순발치, 설소대절제술, 생검, 치조골성형술 그리고 골융기절제술 등을 시행할 때 예방적 항생제 투여가 필요 없음을 의미하며, 비록 항생제를 예방적으로 투여하더라도 감염 발생률은 별 차이가 없다. 그러나 외과적 요인으로 인해 예방적으로 항생제를 사용해야 하는 경우가 있다. 첫째, 감염을 일으킬 수 있는 가장 명확한 방법은 많은 양의 세균을 조직내 접종시키는 것이므로 오염시킬 가능성이 높은 시술의 경우에는 예방적 항생제 사용의 적응증이 된다. 일반적으로 구강내에서 행해지는 외과술식은 감염을 야기할 만큼 많은 세균으로 오염되지는 않는다. 둘째, 수술 범위가 광범위하고 장기간 수술을 하는 경우이다. 수술의 범위가 넓을수록, 수술시간이 길어질수록 감염 발생률은 증가한다. 셋째, 임플란트와 같은 이물질을 조직내 이식하는 경우이다. 많은 연구에서 이러한 경우 예방적으로 항생제를 사용함으로써 감염 발생률을 낮출 수 있다고 보고하고 있다. 그리고 예방적 항생제 사용의 여부를 결정하는 데 있어 아주 중요한 요소는 환자의 신체 방어기전이다. 신체 방어기전에 이상이 있는 환자는 감염 발생률이 높기 때문에 항생제를 예방적으로 투여해야 한다. 환자가 항암제나 면역억제제를 투여받고 있는 경우에는 소수술 시에도 항생제를 예방적으로 투여해야 한다. 장기이식을 받은 환자들은 생명연장의 수단으로 면역억제제를 복용할 것이므로 예방적 항생제의 투여가 필요하다.

2) 기본원칙 2: 정확한 항생제를 선택하여 투여한다

구강내 수술 시 감염예방을 위한 항생제의 선택은 다음과 같은 기준을 바탕으로 이루어져야 한다.

첫째, 치성감염을 일으킬 수 있는 대부분의 세균에 대해서 효과적인 항생제를 선택해야 한다. 앞서 언급했듯이 치성감염의 원인세균은 호기성 연쇄상구균, 혐기성 연쇄상구균 그리고 혐기성 그람음성 간균들이다. 둘째, 항균범위가 좁은 항생제를 선택해야 한다. 그렇게 함으로써 상재균의 조성 변화를 최소화할 수 있다. 셋째, 가장 독작용이 적은 항생제를 투여해야 한다. 넷째, 약물은 살균성 약물을 선택해야 한다. 면역 기능이 정상인 환자에서는 정균성 항생제가 도움을 주지만, 치과환자들 중 예방적 항생제를 투여하는 경우는 신체 방어기전에 문제가 있는 환자들이므로 살균성 항생제를 투여해야 한다.

앞서 기술한 네 가지 선택 기준을 고려할 때, 구강외과수술을 위해서 예방적으로 투여할 수 있는 항생제 중 우선 선택되어야 할 항생제는 페니실린이다. 페니실린은 원인세균에 대해서 효과적으로 작용하고, 항균범위가 좁고, 독성이 낮을 뿐만 아니라 살균성 항생제이다. 페니실린에 경미한 알레르기가 있는 환자에게는 1세대 세팔로스포린계 약물을 투여한다. 그러나 페니실린에 과민반응이 있는 환자의 5-15%에서 세팔로스포린에 과민반응을 보이므로, 심한 페니실린 과민반응 과거력이 있는 환자에서는 사용하지 않는 것이 좋다. 세팔로스포린계 약물은 페니실린과 마찬가지로 원인세균에 대해 효과적이고, 독성이 낮고 살균성 항생제이나 항균범위가 넓으므로 페니실린을 사용할 수 없는 경우에 이차적으로 사용한다. 세 번째는 클린다마이신으로 항균범위가 좁고, 혐기성세균에 살균성을 지니고 연쇄상구균에 대해서도 효과적이지만 앞서 언급한 두 약물에 비해 상대적으로 독성이 강하다. 네 번째로 선택될 수 있는 약물은 Macrolide계 항생제(erythromycin, azithromycin, clarithromycin)이다. 이 약물은 그람양성균에 항균력이 강하고 위장관에도 경미한 독성을 나타내나 정균성 항생제이므로 페니실린에 과민반응이 있는 환자에서만 선택적으로 사용한다.

3) 기본원칙 3: 혈중 항생제 농도가 충분히 높아야 한다

페니실린이나 세팔로스포린 같은 β-lactam 항생제들은 시간의존형 살균작용을 나타내므로, 제조사의 지시에 따라 정확한 시간 간격을 유지하면서 투여하는 게 바람직하다. 대수술이 예상되거나 환자의 방어기전에 문제가 있는 경우에는 술전, 술중, 술후 항생제를 투여해서 혈중 항생제 농도를 유지함으로써 창상감염 예방에 기여할 수 있다.

4) 기본원칙 4: 효과적으로 가능한 짧은 시간동안 항생제를 투여한다

예방적 항생제의 효과를 높이기 위해서 수술 시작 전에 투여함으로써 수술 중 적절한 혈중농도가 계속 유지되어야 한다. 일단 외과시술이 끝나고 난 후 항생제를 추가적으로 계속 투여하더라도 효과가 적으므로 수술이 끝난 직후 최종적으로 항생제를 한 번만 투여한다. 만약 수술시간이 짧은 경우이면 수술 전 항생제를 1회 투여하는 것으로 충분하며, 수술이 1-2시간 걸리면 환자가 치료실을 떠나기 전에 항생제를 한 번 더 투여해야 한다. 창상이 폐쇄되고 혈병이 형성된 후에는 추가적인 항생제가 필요 없을 만큼 창상에 존재하는 세균의 수는 적다. Lovato 등은 하악골 골절 환자에서 술후 1일간 항생제를 투여한 환자군과 10일간 투여한 환자군에서 창상감염의 비율은 비슷하다 보고했다.

3. 전이성감염 예방을 위한 원칙

전이성감염이란 세균이 침투한 부위와는 별개의 부위에 발생하는 감염의 경우를 일컫는다. 가장 전형적 예가 세균성 심내막염이며, 이 질환은 치과치료에 의해 세균이 순환계로 침투되어 병발한다. 전이성감염의 발생률은 예방적 항생제를 투여함으로써 감소시킬 수 있다.

전이성감염이 발생되기 위해서는 몇 가지 선행조건이 충족되어야 한다. 첫째로 가장 중요한 것은 감염이 발생되기 쉬운 취약부위가 존재해야 한다는 것이다. 내피 표면이 변형된 기형적인 심판막의 경우가 아주 좋은 예이다. 다음은 취약부위에 세균이 착상되어야 한다. 구강내 시술 후 발생한 일시적인 균혈증(bacteremia) 때문에 취약부위로 세균이 이동, 착상된다. 건강한 사람은 정상적인 일상생활 과정에서도 적은 양의 세균이 혈액 내에 존재할 수는 있으나 전이성 감염은 발생되지 않는다. 전이성감염이 발생되기 위해서는 많은 양의 세균이 취약부위로 이동되어 착상되어야 한다. 균혈증의 지속기간 또한 중요한 역할을 한다. 구강외과 수술 후의 균혈증은 보통 수술이 종료된 후 10분 이내에 신체의 세망내피계(reticuloendothelial system)에 의해서 완전하게 제거된다. 그리고 전이성 감염이 발생되기 위해서는 국소적 면역기능에 장애가 있어야 한다. 세균이 기형적인 심장판막 부위에 착상되면 이 세균들이 얇은 섬유소막(fibrin coating)에 의해 보호되어 혈구의 탐식작용을 방해한다. 임플란트와 같은 이물질에 착상한 세균은 백혈구에 의해서 쉽게 탐식되지 않고 적은 수의 세균일지라도 감염을 야기할 가능성이 있다.

1) 감염성 심내막염의 예방

감염성 심내막염은 치과시술 결과 순환계로 침투한 세균이 비정상적인 심장판막의 병적 증식물에 부착됨으로써 야기된다. 이러한 심장판막의 병적 증식물은 비정상적인 심장판막 주위에 형성된 와류에 의해 발생된다. 와류에 의해 심내막 표면이 탈락되고, 결합조직이 노출된다. 노출된 결합 조직에 혈소판과 섬유질이 침착되어 무균의 섬유질-혈소판 혈전(sterile fibrin-platelet thrombus), 즉 심내막 증식물(vegetation)이 형성된다. 이 증식물은 심내막염을 일으키기 전까지는 전혀 문제가 되지 않지만, 이 부위에 감염이 발생한다면 입원해서 정맥주사를 통한 고농도의 항생제 치료를 받아야 한다. 이 질환에 이환되면 초기에는 100% 회복되더라도 재발된다면 환자의 5년 생존율이 약 60%로 떨어진다.

세균성 심내막염을 유발시키는 구강내 세균은 주로 연쇄상구균 특히, *Streptococcus viridians*이다. 그러므로 치과치료와 관련하여 발생하는 세균성 심내막염을 방지하기 위한 예방적인 항생제 처방은 연쇄상구균을 표적으로 한다. 이 경우 예방적 항생제 사용 목적은 균혈증의 정도를 감소시키고, 신체의 세망내피계의 활동을 돕고, 손상된 심장판막과 심내막 증식물에 부착되는 세균을 감소시키는 것이다.

표 4-9 치과치료 전 예방적 항생제가 필요한 고위험군

- 감염성 심내막염의 병력이 있는 환자
- 인공심장판막 환자
- 좌심실 보조 장치가 있는 환자
- Cardiac valvulopathy가 있는 심장이식 환자
- 다음의 선천성 심장질환
  (1) 치료되지 않은 선천성 청색증 심장질환
  (2) 인공물이나 장치를 삽입하고 수술한 지 6개월 이내인 경우
  (3) 인공장치에 인접한 부위에 defect가 있어 수술했거나 수술 후에도 defect가 남아있는 경우

치과임상에서 점막의 출혈을 야기하는 치과술식을 시행할 때에는 예방적인 항생제를 투여해야 하는데, 즉 발치, 치주수술, 치은하 치석제거술, 외과적 근관치료 그리고 절개 및 배농 등과 같은 술식을 하는 경우에는 항생제를 투여해야 한다. 그러나 치은연상 치태제거술, 교정장치의 장착, 치아수복, 보존치료 등과 같은 술식은 심내막염을 야기할 수 있을 정도의 균혈증을 야기하지 않으므로 항생제를 투여할 필요가 없다.

미국 심장학회(American Heart Association)가 2021년 치과치료 전 예방적 항생제가 필요한 고위험군에 대하여 새로운 가이드라인을 제시하였다(**표 4-9**).

아울러, 치과치료 후 균혈증의 지속시간이 10분 이내이므로 예방적 항생제의 처방지침도 간소화되었는데, 이는 불필요한 항생제 투여로 인한 부작용을 최소화하기 위한 것으로 **표 4-10**에 정리되어 있다. 세균성 심내막염의 위험이 있는 환자 중 류마티스열의 재발 방지를 위해 페니실린을 장기간 복용하고 있는 경우 페니실린에 내성을 지닌 연쇄상구균이 존재할 가능성이 상대적으로 높으므로 에리스로마이신이나 클린다마이신을 복용시키거나 비경구적으로 예방적 항생제

표 4-10 세균성 심내막염 예방을 위한 처방(수술 30-60분 전 투약)

환자의 상태	항생제	성인	소아
경구복용	Amoxicillin	2 g	50 mg/kg
경구복용이 불가능한 경우	Ampicillin OR	2 g IM or IV	50 mg/kg IM or IV
	Cefazolin or Ceftriaxone	1 g IM or IV	50 mg/kg IM or IV
페니실린 알레르기가 있는 경우	Cephalexin OR	2 g	50 mg/kg
	Azithromycin or Clarithromycin OR	500 mg	15 mg/kg
	Doxycycline	100 mg	<45 kg, 2.2 mg/kg >45 kg, 100 mg
경구복용이 불가능하고 페니실린 알레르기가 있는 경우	Cefazolin or Ceftriaxone	1 g IM or IV	50 mg/kg IM or IV

를 투여해야 한다. 연속적으로 여러 번에 걸쳐 치과치료가 필요한 경우 1주일의 치료간격을 두고 약속을 잡도록 한다. 왜냐하면 며칠간 계속 항생제를 투여하게 되면 항생제에 내성을 지닌 연쇄상구균의 과증식을 유발할 수 있기 때문이다. 투여된 항생제에 억제된 세균이 회복되는 데 1주일 정도 소요된다.

세균성 심내막염의 위험을 가진 환자들을 위하여 포괄적인 구강위생관리 프로그램이 수립되어야 한다. 치아우식증이나 치주질환은 초기에 관리되어야 하고, 만약 구강수술이 필요하다면 가능한 균혈증의 정도를 줄일 수 있는 모든 조치를 취해야 한다. 그리고 수술을 한 번에 하는 것보다는 수술계획을 잡아 몇 회에 나누어 시술함으로써 수술의 범위를 줄이는 것이 좋다. 예를 들면, 만약 10개 치아의 발거가 필요하다면 한 번에 모두 발거하지 말고 3회에 나누어서 한 번에 3개 혹은 4개의 치아를 발거해야 한다. 그리고 술전 클로르헥시딘과 같은 소독제로 구강을 청결히 한다. 치아주위나 치아에 존재하는 세균이 적을수록 균혈증의 정도는 경미해진다.

처방을 한 치과의사로서 세균성 심내막염을 예방하기 위한 모든 조치를 취했다하더라도 질환이 발생할 수 있다는 사실을 기억해야 한다. 이러한 사실을 치과치료 전 환자에게도 주지시켜야 하고, 치과치료 후 고열이나 전신무력감 등의 세균성 심내막염의 증상이나 징후가 발생한다면 환자로 하여금 의사에게 즉각 연락을 취하도록 한다.

2) 기타 심혈관계 증례에서 감염의 예방

첫째, 관상동맥우회술이식(coronary artery bypass graft, CABG)의 경우이다. 정맥이식을 이용한 관상동맥재건술식은 전이성감염을 일으키는 소인이 아니므로 이 술식을 시행받은 환자에게 치과치료 시 예방적 항생제를 투여할 필요가 없다. 정맥경로형 인공심장박동기(transvenous pacemaker)를 가진 환자의 경우 상대정맥(superior vena cava)을 통해 심장의 우심방으로 얇은 철사선을 내는 전지팩(battery pack)이 흉부에 매식되어 있다. 치과치료 시 일반적으로 예방적 항생제를 투여하지 않으나 환자의 심장 전문의에게 문의하도록 한다.

신장투석 중인 환자의 경우 앞팔에 동정맥 션트장치(arteriovenous shunt appliance)가 매식되어 있다. 균혈증에 의해 전이성감염이 이러한 측로장치에 발생될 수 있다. 이 경우 구강내 세균이 아닌 포도상구균에 의해 주로 발생하므로 예방적 항생제의 사용이 일반적으로 필요하지 않다. 그러나 치과의사는 최상의 치료를 위해서 환자의 신장 전문의에게 문의해야 한다.

수두증(hydrocephaly) 환자는 뇌실심방션트(ventriculoatrial shunt)로 뇌압을 떨어뜨릴 수 있다. 이런 션트(shunt)는 판막의 기능이상을 초래할 수 있기 때문에 예방적 항생제의 사용이 필요하다. 환자의 신경외과 전문의에게 문의해야 한다.

심한 동맥경화증을 가지고 있고 이형성 물질로 동맥의 일부를 이식(alloplastic vascular graft)한 환자들은 전이성감염의 위험성이 매우 높다. 이형성 물질로 혈관 이식 후 대체 혈관의 내부는 내피화 과정을 밟게 되는데, 이 과정이 약 3-6개월 소요된다. 이 내피화 과정이 완성될 때까지 이형성 물질은 혈관강에 노출되어 있으므로 구강내 세균에 의한 균혈증으로 이식부에 감염이 발생할 수 있다. 그러므로 이식 후 첫 6개월은 예방적 항생제를 반드시 투여하고, 6개월이 경과된 후에는 예방적 항생제의 투여는 필요 없다. 그러나 광범위한 구강외과수술을 시행하기 전에는 혈관수술 전문의(vascular surgeon)에게 문의해야 한다.

3) 인공관절 환자의 감염 예방

혈행으로 세균이 이동되어 인공관절 부위에 감염을 일으킬 수 있다. 인공관절 주위에 감염이 발생되면 인공관절을 제거해야 하기 때문에 심각하다. 발치에 의한 균혈증으로 그러한 감염이 발생될 수 있다고 믿어왔으나, 최근의 많은 연구결과 구강외과수술 후 나타나는 균혈증은 일시적인 현상이며, 감염을 야기할 만큼 인공관절이나 그 주위조직을 오랫동안 세균에 노출시키지는 않는다는 사실이 밝혀졌다. 오히려 신체 다른 부위의 만성적인 감염에 의해서 인공관절로의 감염이 야기된다. 대표적으로 요로감염, 호흡기감염 그리고 피부감염 등을 들 수 있으며, 이러한 감염증에 의해 만성 패혈증(chronic septicemia)이 발생되어 인공관절에 감염이 발생된다. 그러나 치성감염도 경우에 따라서는 인공관절의 염증을 유발할 정도의 패혈증을 일으킬 수는 있다.

인공관절을 가진 환자에게 예방적 항생제의 투여 여부에 대한 워크숍이 개최되었는데, 감염질환 전문의들, 정형외과 전문의, 치과의사들이 참가하여 내린 결론은 경우에 따라서는 예방적인 항생제 투여가 필요하지만 어떠한 결론을 내리기에는 과학적인 증거가 불충분하다는 것이었다. 오히려 항생제를 예방적으로 투여할 것인가의 결정은 환자의 정형외과 전문의와 상의하고 난 후, 치과의사의 임상적 판단에 의해서 결정되어야 한다고 하였다. 그리고 임상적으로 명확한 감염증이 구강 내에 존재한다면 치과의사는 외과적 시술과 항생제 투여로 감염을 적극적으로 치료해야 하고, 가능하다면 농배양과 항생제 감수성검사를 시행해야 한다고 결론내렸다.

4. 항생제에 대한 부작용(Adverse reaction)

치성감염을 억제하기 위해 사용되는 항생제들은 많은 이득에도 불구하고 알레르기, 독작용, 중복감염, 내성 등의 문제가 있어 임상에서 사용할 때 주의를 가지고 처방해야 한다. 여기서는 일반적인 부작용을 다루고, 각각의 항생제에 따른 부작용과 유의사항은 약전이나 별도의 설명서를 참조하기 바란다.

1) 과민반응(Allergy)

항생제를 포함한 약제들은 분자량이 작은 화합물이어서 합텐(hapten)으로 작용하는데, 분해되면 조직단백이나 polypeptide와 연합해 항원(antigen)이 된다. 따라서 즉각적인 체액면역반응(humoral immune reaction)이 일어나게 되고, B림프세포에 의해 형성된 혈장항체(serum antibody)를 통해서 항원 -항체반응이 발생하게 된다.

이런 항원-항체 반응이 작용부위의 세포에 손상을 주어 활동성 매개자(histamine, bradykinin 등)를 유리해, 순환혈액을 통해 2차적인 부위에서 여러 가지 과민반응들(혈관평활근 수축과 vascular permeability 증가, drug fever, 피부반응, organ cytotoxicity, 아나필락시스 등)을 야기하게 된다.

알레르기 반응의 부위별 증상들은 표 4-11와 같으며, 치료에 있어서는 피부반응이 먼저 나타나고 그 정도가

표 4-11 알레르기의 부위별 증상들

부위	증상
피부 및 점막	Flushing, itching, urticaria (hives), angioedema, morbilliform rash, piloerection Itching of lips, tongue, palate, and external auditory canals; and swelling of lips, tongue, and uvula
호흡계	Nasal itching, congestion, rhinorrhea, sneezing Throat itching and tightness, dysphonia, hoarseness, stridor, dry staccato cough Lower airways: increased respiratory rate, shortness of breath, chest tightness, deep cough, wheezing/bronchospasm, decreased peak expiratory flow Cyanosis Respiratory arrest
소화기계	Abdominal pain, nausea, vomiting (stringy mucus), diarrhea, dysphagia
순환계	Chest pain Tachycardia, bradycardia (less common), other arrhythmias, palpitations Hypotension, feeling faint, urinary or fecal incontinence, shock Cardiac arrest
중추신경계	Aura of impending doom, uneasiness (in infants and children, sudden behavioral change, eg. irritability, cessation of play, clinging to parent); throbbing headache (pre-epinephrine), altered mental status, dizziness, confusion, tunnel vision
기타	Metallic taste in the mouth Cramps and bleeding due to uterine contractions in females

표 4-12 알레르기의 치료법

반응	치료법
피부, 점막 증상	경미하면 항히스타민제 경구투여, 심하면 Avil 50 mg IM 또는 IV, 더 심하고 edema 지속되면 epinephrine 투여
호흡계 증상	Epinephrine 1 : 1000을 0.01 mg/kg IM (성인에서 최대 0.5 mg) 기도유지, 6-8 L/min 산소 공급, 항히스타민제나 코티코스테로이드 투여
순환계 증상	호흡계 증상 치료법과 유사하나, 아나필락시스 쇼크의 경우 supine position, 기도확보, 호흡과 순환유지, epinephrine 주사, 활력징후 감시, 수액요법

심하면 diphenhydramine HCL (Benadryl, Avil)의 근육주사 등을 먼저 시행하지만, 호흡계나 순환계의 증상이 먼저 발현되면 epinephrine의 피하주사 또는 근육주사를 우선적으로 시행해야 한다(**표 4-12**).

항생제 사용 시 알레르기 반응의 예방을 위해서는 과거 유사한 항생제에 과민반응이 있었는지 등의 병력청취를 철저히 하고, 페니실린 등 알레르기 빈도가 높은 약제를 근육주사나 정맥주사한 후에는 일정기간(약 30분 이상) 환자를 관찰한 후에 귀가토록 함이 바람직하다.

2) 항생제의 독성(Toxicity)

항생제는 숙주의 세포기능보다 세균의 세포기능을 더 방해하도록 만들어졌는데, 이때 숙주조직에 대한 손상을 약물 독성(drug toxicity)이라 한다.

흔히 발생되는 독성에는 신경성, 신장성, 간성(hepatic), 혈액학적 독성들이 있고 소화계에서 장염(colitis)과 관련된 독성도 있다.

(1) 신경독성(neural toxicity)

아미노글리코사이드 투여 시 내이(inner ear)에 약물의 농도가 높아지면 전정(vestibule)과 와우각(cochlea)의 감각세포에 진행성 변화가 생기고, 감각세포가 파괴되면 재생이 되지 않아 대개 영구적인 장애가 남게 된다. 전정장애 증상으로는 운동실조, 현기증, 구토 등이 있고, 와우각 장애 시에는 이명 및 고음역 청력장애가 올 수 있다.

(2) 신장독성(renal toxicity)

신장독성을 일으키는 약제(예: 아미노글리코사이드)는 신장의 상피세포들에 손상을 초래한다. 이는 항생제의 투여기간과 관련이 있으며, 대부분 약을 중단하면 회복이 가능하므로 가역적(reversible)이라 할 수 있다. 아울러 페니실린과 아미노글리코사이드는 대부분 신장으로 배설되므로, 신장질환이 있는 환자에서는 용량조절에 유의해야 한다.

(3) 간독성(hepatic toxicity)

간에서 주로 대사와 배설이 되는 클로람페니콜, 클린다마이신, 에리스로마이신, 테트라사이클린 같은 약물은 간세포(hepatocyte)를 죽이고, 간의 효소의 혈장치(plasma level)를 증가시킨다. 어떤 항생제는 폐쇄황달(obstructive jaundice)이나 담즙울체성 간염(cholestatic hepatitis)을 유발하는데, 이는 약물투여를 중단하면 수일 내에 증상이 사라진다.

(4) 혈액학적 손상(hematologic injury)

클로람페니콜 같은 일부 항생제는 빈혈, 백혈구감소증, 혈소판감소증 등을 유발할 수 있는데, 발생빈도는 용량에 비례하며 투약을 중단할 경우 회복된다. 하지만 클로람페니콜에 의해 유발된 재생불량성 빈혈은 치명적일 수 있으며 이는 용량에 관계없이 발생하므로, 현재는 안과에서 점안액 등으로 사용하는 것을 제외하고는 거의 사용하지 않는다.

(5) 소화기계 합병증

많은 항생제들이 복통, 설사, 소화불량 등의 소화기계통의 합병증을 유발하는데, 특히 클린다마이신 같은 항생제는 투여 환자의 0.1-10%에서 위막성 대장염(pseudomembranous colitis)을 유발할 수 있다. 이는 클린다마이신이 장내 정상 세균 조성에 변화를 일으켜 *Clostridium difficile*이 우세해져서 발생하는데, 이의 치료로는 메트로니다졸이 효과적이다.

3) 중복감염(Superinfection)

중복감염이란 최초의 세균(first bacteria)을 죽이기 위해 사용된 항생제에 내성이 있는 이차적인 세균(second bacteria)이 다른 부위나 동일 부위에서 감염을 일으킨 것을 말한다. 치과임상에서는 구강내 칸디다증(candidiasis)이 가장 흔하다. 항생제를 처방하면 중복감염의 가능성이 항상 있으므로, 이를 항상 염두에 두어야 한다.

4) 세균의 내성(Bacteria with antibiotics resistance)

항생제를 계속 투여할 경우, 어떤 세균은 항생제에 대해 감수성이 저하되거나 항균작용이 나타나지 않게 되는데, 이런 현상을 세균의 내성 또는 세균의 저항성이라고 한다.

세균의 내성을 유발하는 대표적인 물질이 β-lactamase인데, 이를 생성하는 유전자는 세균의 염색체에 있거나 plasmid에 존재한다. 또 다른 내성 기전은 항생제 결합 단백질(antibiotics-binding protein)에 변화를 유발하여 항생제의 작용을 방해하거나, 세균의 세포막에 변형이 생겨 항생제 투과성을 저하시키는 것이다. 일부 세균들은 DNA gyrase의 돌연변이를 일으킴으로써 항생제의 작용을 차단하기도 한다.

V. 백신

백신의 중요성은 그 누구도 부인하기 힘들다. 특히나 소아에서 디프테리아, 홍역, 소아마비와 같은 감염병 감소에 크게 기여하였다. 우리는 백신을 통해 어떻게 하면 더 나은 면역을 달성할 수 있을 것인가? 백신은 오랫동안 효능과 내약성을 보여주었지만 접종률은 여전히 충분히 높지 않다. 이로 인해 보건전략으로써 백신접종의 효과와 영향력이 감소된다. 의료인과 대중에게 백신의 중요성을 설명함으로써 백신접종률을 끌어 올릴 수 있다. 추가로, 거대군집을 접종함으로써 누릴 수 있는 집단면역 효과를 고려한다면, 높은 접종률은 예방접종의 완전한 이점을 성취하는 데 필요하다. 즉, 백신접종을 위해 적절한 집단을 목표로 하여 충분한 접종률을 성취함으로써 비접종군이나 면역저하군을 보호할 수 있다. 더불어 최근 새로운 기술들은 백신 개발에 혁명을 일으키고 있다. 더 높은 항원 함량을 갖는 백신이 개발될 뿐 아니라 대안 투여방법을 개발하거나 백신항원에 대한 면역반응을 강화할 수 있는 물질과 같은 다른 보조제 또한 연구 중이다. 새롭고 더 효과적인 백신을 가능케 하는 기술들은 앞으로 백신접종의 이점을 더 증대시킬 것이다.

1. 예방접종의 원칙

예방접종이란 인공적으로 면역을 유도하거나 질병에 대해 보호를 제공하는 행위이다. 사람은 다음 세 가지 메커니즘 중 하나로 미생물에 의한 질병에 면역이 될 수 있다.

① 증상 또는 무증상 감염이 발생하고 보호면역반응을 능동적으로 생성하는 면역 체계로 회복(예: 선천능동면역)

② 감염 발생을 막기 위해 면역이 있는 사람으로부터 얻은 항체를 주입(예: 인공수동면역)

③ 특정 항원을 주입받아 면역체계를 자극하여 질병발현 없이 면역 반응을 야기(예: 인공능동면역)

인공수동면역은 면역체계를 자극하지는 않는다. 이러한 면역 절차의 전형적 행태는 특정 감염성 질병을 치료하거나 막기 위한 사람의 전혈청이나 사람 과면역 글로불린의 사용이다. 기본전제는 비면역 숙주에게 면역획득한 사람으로부터 획득한 항체를 주입하는 것이다. 항체 물질은 임상적 또는 아임상적 미생물 질병으로부터 회복되거나 백신접종에 의해 면역을 얻은 기증자로부터 얻는다. 이동된 면역글로불린은 유증상 또는 무증상 감염이 발생하기 전 체내의 감염원이나 독소를 불활성하거나 제거한다. 수동면역법은 비면역자가 특정 질병에 노출된 후(예: 파상풍에 대한 가능한 노출) 발현된다. 외인성으로 주입된 항체들은 즉각 접종받은 사람을 보호하는 데 이용 가능하며, 따라서 항원에 대한 노출과 보호반응의 출현 간에 간극을 좁힐 수 있다. 하지만, 주입된 항체들은 빠르게 체내에서 제거되기 때문에, 수용자의 면역장치는 반응할 시간이 없을 것이다. 수동면역은 일부 질병들로부터 보호해준다. 하지만, 항체 농도가 전형적으로 14-28일 내 빠르게 감소한다는 점에서 단지 일시적이라 할 수 있다. 하지만 가장 흔한 형태인 수동면역법, 즉 선천수동면역은 이와 다르다. 선천수동면역에서 태아 또는 유아는 어머니로부터 면역글로불린을 받는다. 면역글로불린은 임신 마지막 3개월 동안 태반을 통과하여 이동되며 특정 질병으로부터 적어도 산후 3-4개월 동안 특정 질병으로부터 보호할 수 있다. 능동면역법과 관련하여는 특정 항원 투여 후 면역체계는 항원특이 체액성 면역(항체 또는 면역글로불린)이나 또는 세포-매개면역에 의해 감작된 CD4+T림프구를 발달시킬 수 있다. 능동면역법을 적용하는 데 있어 중요한 요인은 질병을 일으키지 않으면서 면역학적 성질이 질병유발원과 동일하거나 유사한 항원을 사용하는 것이다. 일단 인공능동면역이 상대적으로 무해한 백신항원으로 개시되면, 독성 미생물이 백신접종 맞은 개인에 침투 시 거의 혹은 전혀 임상적 감염증세가 발생하지 않을 것으로 예상된다. 백신의 사용은 또한 질병예방에 있어 선호되는 접근법이다. 왜냐하면 보호 항원이나 감작 T 세포를 자극하는 것 이외에 백신접종은 접종 후 수년간 지속될 수 있는 면역학적 기억을 만들어내기 때문이다. 이 개념은 많은 심각한 감염성 질병을 통제하는 데 유효한 것으로 보여진다. 또한 능동면역은 개인이 원인균에 노출되거나 질병에 걸리기 전 도입될 때 매우 효과적이다.

2. 이상적인 백신의 특성

백신의 개발과 제조 시 이상적인 조제물질의 기본사항들을 지키기 위해 부단한 노력이 이루어져야 한다(표 4-13). 가장 중요한 것은 일단 백신은 사람에게 사용 시 안전해야 한다는 것이다. 가능한 백신 관련 부작용에 대해 지속적인 감독 및 평가는 임상시험 통과 및 정부의 인가를 받은 뒤에도 계속 지속되어야 한다. 따라서 백신 안정성은 가장 중요한 평가요인이다. 모든 보건의료전문가들은 미국 질병통제예방센터(CDC)와 다른 보건 기관에 의한 지속적인 백신 평가결과들을 인지하고 있어야 한다. 이는 보건전문가로서 중요한 부분으로 적절한 과학적·임상적 정보가 백신 안정성에 대해 문의하는 누구에게든지 제공될 수 있어야 함을 뜻한다.

표 4-13 이상적인 백신의 속성과 요구사항

• 안전성이 우수하여야 함
• 면역원성: 숙주의 적절한 면역반응을 자극
• 일생 면역을 제공함
• 한 번만 투여하여도 가능함
• 부작용을 발생시키지 말아야 함
• 알레르기 반응을 일으키지 말아야 함
• 비면역 억제성: 수용자를 다른 질병에 취약하게 만들어선 안 됨
• 경제성이 우수함

비록 백신접종이 많은 감염성 질병들에 대해 매우 널리 사용되는 예방책들 중 하나이지만, 어떠한 백신도 완벽하지 않고 부작용 또한 발생한다. 비록 오늘날의 백신들이 매우 안전하고 효과적이며, 심각한 부작용이 없긴 하지만, 빈번한 작은 국소적 과민반응과 극도로 드물게는 심각한 전신질환까지 보고된 바 있다.

일반적으로 면역저하 환자에서는 생독백신으로 접종해서는 안 된다. 이는 백신 접종 시 주요 고려사항으로 그 중요성이 더 커지고 있는데, 이는 면역저하자이면서 긴 수명을 갖는 사람들의 비율이 최근 몇 십년간 빠르게 증가하고 있기 때문이다. 여기서 고려해야 할 두 가지는 다음과 같다.

① 면역저하 환자의 면역체계는 약독화 백신을 억제하지 못해 병에 걸릴 수도 있다.
② 면역저하 환자의 백신 접종은 면역반응을 자극하지 못할 수도 있다.

추가로 태아에서 백신접종이 위험하다는 직접적인 증거가 없긴 하지만, 대부분의 생약독백신은 일반적으로 임산부에는 접종되지 않는다.

3. 백신의 종류

두 종류의 백신이 성공적으로 사용되어 왔다. 생약독화 미생물 백신과 불활화 미생물 또는 미생물의 성분이다. 이 백신들은 흔히 ① 불활화 전병원체(whole pathogen), ② 생, 약독화 미생물, ③ 미생물 제품 및 ④ 구성성분 백신 등 4가지 주요분류로 분류한다. 각 분류의 대표적인 백신 목록은 표 4-14에 제시되어 있다. 이러한 광범위한 분류 외에도 일부 백신들은, 특히 어린이를 위한 혼합조제제는 일상적으로 투여된다. 예를 들어 홍역, 유행성 이하선염, 풍진과 디프테리아, 무세포성 백일해, 파상풍 백신요법 등이 있다.

표 4-14 사람 백신의 대표적 예

불활화 전병원체(whole pathogen)
• A형간염 • 인플루엔자 • 소아마비(IPv) • 일본뇌염 • 콜레라(*Vibrio cholerae*) • 장티푸스(살모넬라 장티푸스)
생, 약독화 미생물
• 천연두 예방접종을 위한 천연두 바이러스 • 소아마비(OPV) • 인플루엔자: 생약독화 인플루엔자 바이러스 • 홍역 • 유행성 이하선염 • 풍진 • 수두 • 대상포진
미생물 제품 백신(product vaccine)
• 파상풍 • 디프테리아 • 탄저균
구성성분 백신
• B형간염(B형간염 표면항원) • 폐렴구균(폐렴구균기원의 캡슐형 다당류) • 헤모필루스 인플루엔자 B형(캡슐형 다당류 및 다당류/단백질 복합 백신) • 무세포성 백일해(정제된 세균성분과 불활화 백일해독소) • 수막구균성 수막염(수막구균 유래한 캡슐형 다당류)

참고문헌

김경욱 외. 구강악안면감염학. 1판. 서울: 지성출판사; 2007. p. 125-9.

김규식, 이동근. 구강악안면의 감염질환. 서울: 군자출판사; 1992. p. 143-212.

남일우. 악안면 구강외과학. 고문사; 1987. p. 77-127, 201-13.

조한국. 구강병리학. 서울: 고문사; 1982. p. 363-83.

홍사석. 이우주의 약리학 강의. 선일문화사; 1987. p. 524-58.

Archer WH. Oral and maxillofacial surgery. vol I. WB saunders; 1975. p. 438-517.

Blitzer A., et al. Surgery of the paranasal sinuses. WB saunders; 1985. p. 189-96.

Cardona V, Ansotegui IJ, Ebisawa M, et al. World allergy organization anaphylaxis guidance 2020. World Allergy Organ J. 2020 Oct 30;13(10):100472. doi: 10.1016/j.waojou.2020.100472. PMID: 33204386; PMCID: PMC7607509.

Christine Lovato, Jon D Wagner. Infection rates following perioperative prophylactic antibiotics versus postoperative extended regimen prophylactic antibiotics in surgical management of mandibular fractures. J Oral Maxillofac Surg 2009;67:827-32.

Conley JJ. Complications of head and neck surgery. WB saunders; 1979. p. 99-123.

Falace DA. Emergency dental care. williams & wilkins; 1995. p. 209-45.

Kruger GO. Textbook of oral and maxillofacial surgery, 6th ed. C.V. Mosby; 1984. p. 167-228, 281-95.

Laskin DM. Oral and maxillofacial surgery. vol II. C.V. Mosby; 1985. p. 219-89.

Little JW, et al. Dental management of the medically compromised patient, 5th ed. C.V. Mosby; 1997. p. 103-30.

Peterson LJ, et al. Contemporary oral and maxillofacial surgery. C.V. Mosby; 1993. p. 407-82.

Roitt IM, Lehner T. Immunology of oral diseases, 2nd ed. Blackwell scientific publications; 1983. p. 279-304.

Shafer WG, et al. A textbook of oral pathology. 4th ed. WB saunders; 1983. p. 479-525.

Simons FE, Ardusso LR, Bilò MB, et al. World Allergy Organization. World allergy organization guidelines for the assessment and management of anaphylaxis. World Allergy Organ J. 2011 Feb;4(2):13-37. doi: 10.1097/WOX.0b013e318211496c. Epub 2011 Feb 23. PMID: 23268454; PMCID: PMC3500036.

Topazian RG, Goldberg MH. Management of infection of the oral and maxillofacial regions. WB Saunders; 1981. p. 173-266.

Topazian, Goldberg, Hupp. Oral and maxillofacial infections. 4th edition. 2002. p. 399-407.

Wilson WR, Gewitz M, Lockhart PB, et al. American Heart Association Young Hearts Rheumatic Fever, Endocarditis and Kawasaki Disease Committee of the Council on Lifelong Congenital Heart Disease and Heart Health in the Young; Council on Cardiovascular and Stroke Nursing; and the Council on Quality of Care and Outcomes Research. Prevention of Viridans Group Streptococcal Infective Endocarditis: A Scientific Statement From the American Heart Association. Circulation. 2021 May 18;143(20):e963-e978. doi: 10.1161/CIR.0000000000000969. Epub 2021 Apr 15. Erratum in: Circulation. 2021 Aug 31;144(9):e192. Erratum in: Circulation. 2022 Apr 26;145(17):e868. PMID: 33853363.

약물관련 악골괴사증

비스포스포네이트, 데노수맙 등의 골흡수억제제는 골다공증 및 골전이 악성종양 등 다수 골질환의 치료 및 증상완화 목적으로 널리 쓰이는 약제이다. 하지만 심각한 합병증으로서 악골괴사증이 보고되어 관련 연구가 진행되어 왔으나, 현재까지 명확한 발생 기전 및 치료법은 불분명한 부분이 상당 존재하며, 전 세계적인 고령화 사회로의 진입에 따라 약물관련 악골괴사증(medication-related osteonecrosis of the jaw, MRONJ)의 발생빈도도 또한 지속적으로 증가할 것으로 예상된다. 본 챕터에서는 약물관련 악골괴사증의 정의, 역학, 병태생리, 위험요인을 이해하고, 더 나아가 치료법 및 예방과 사전 치과적 평가에 대해 이해하며, 의과적 협의진료에 대해 설명할 수 있도록 기술한다.

CONTENTS

CHAPTER 05

약물관련 악골괴사증

Medication-Related Osteonecrosis of the Jaw (MRONJ)

학습목적

약물관련 악골괴사증의 진단과 병인, 위험요인, 관련 약물에 대해 이해하고 치료 및 예방에 대해 숙지함을 목적으로 한다.

기본 학습목표

- 약물관련 악골괴사증을 유발할 수 있는 약물에 대해 숙지하고, 병태생리에 대해 설명할 수 있다.
- 약물관련 악골괴사증의 정의, 역학, 진단에 대해 이해할 수 있다.
- 약물관련 악골괴사증의 임상적 및 영상학적 특성에 대해 설명할 수 있다.
- 약물관련 악골괴사증의 위험요인 및 치료법에 대해 설명할 수 있다.
- 약물관련 악골괴사증의 예방 및 사전 치과적 평가에 대해 설명할 수 있다.
- 약물관련 악골괴사증의 예방, 진단, 치료와 관련하여 의과와의 협의진료에 대해 이해하고 설명할 수 있다.

심화 학습목표

- 약물관련 악골괴사증에 대한 수술법을 이해하고 상세히 설명할 수 있다.
- 약물관련 악골괴사증의 예방을 위한 휴약기(drug holiday)의 원리를 이해하고 환자 개인별로 적절한 휴약기를 제시할 수 있다.
- 약물관련 악골괴사증의 부갑상선호르몬 등을 이용한 치료적 접근에 대해 이해하고, 기타 골대사에 영향을 줄 수 있는 약물과의 관계에 대해 설명할 수 있다.
- 약물관련 악골괴사증과 관련된 약물 및 치료지침에 대한 최신 연구경향에 대해 설명할 수 있다.

Ⅰ. 약물관련 악골괴사증(MRONJ)과 관련된 약물

1. 비스포스포네이트(Bisphosphonates) 계열 약물

1865년 처음 합성된 비스포스포네이트 계열 화합물은 탄산칼슘의 침착방지 효과를 통해 수도관 부식방지와 경수의 연화(water softener) 등의 산업적인 목적으로 주로 사용되었다. 비스포스포네이트가 의학적으로 사용된 계기는 피로인산염(pyrophosphate)이 석회화(calcification) 과정과 연관이 있음을 발견하면서 시작되는데, 골다공증 약제로 개발되어 임상에서 활발하게 사용되기까지 약 50년의 세월이 소요되었다. 19세기 말 산업적 목적으로 개발된 비스포스포네이트는 의학적 목적으로 사용되기 시작한 20세기 이전에 이미 'Phossy Jaw'라고 불리는 턱뼈 괴사증 유발 소견이 보고된 바 있다.

1969년 1세대 비스포스포네이트인 에티드로네이

트(etidronate)와 클로드로네이트(clodronate)가 칼슘인결정체의 형성을 억제하고 혈관의 석회화를 막는다는 연구가 보고되었으며, 이후 파미드로네이트(pamidronate)가 골다공증 약제로 보고되었으나 임상 프로토콜의 어려움 및 골다공증에 대한 낮은 인지도 등으로 거의 사용되지 않았다. 1990년대 알렌드로네이트(alendronate)가 골다공증 약제로 개발되어 활발하게 이용되기 시작하였으며, 1990년 후반에 리제드로네이트(risedronate)와 2000년대 중반 이반드로네이트(ibandronate)와 졸레드로네이트(zoledronate)가 개발되어 출시되었다(표 5-1).

알렌드로네이트의 FIT (fracture intervention trial I, II) 연구에 의하면 알렌드로네이트는 폐경 여성의 척추골절을 44-47%까지 감소시켰으며, 대퇴골절과 손목골절 또한 각각 51%, 48% 감소시키는 것으로 보고되었다. 알렌드로네이트는 5 mg, 35 mg, 70 mg의 약제가 사용되고 있으며 근래에는 비타민 D3 (콜레칼시페롤)를 주 1회 제제에 포함시키거나 5 mg 제제에 칼시트리올을 포함시킨 복합제도 이용되고 있다. 리제드로네이트의 골절 감소 효과는 VERT (vertebral efficacy with risedronate therapy) 연구 발표에 따르면 척추골절이 41-49%, 비척추골절이 33-39% 감소됨을 보고하고 있다. 알렌드로네이트와 동일하게 경구 제제만 있으며, 투여 주기에 따라 매일, 주 1회, 월 1-2회의 5 mg, 35 mg, 75 mg, 150 mg 제형이 있다.

이반드로네이트의 효과에 관련한 BONE (ibandronate osteoporosis vertebral fracture trial in North America and Europe) 연구에서 이반드로네이트 치료를 통해 척추골절이 50-62% 감소되었고 비척추골절은 50% 감소되었음을 보고하였다. 경구용 제제로서 월 1회 150 mg, 3개월 1회의 주사용 제제 3 mg 제형이 출시되어있다. 졸레드로네이트는 강한 약효를 보임으로써 골전이 악성종양, 고칼슘혈증, 골격계증상(skeletal related events, SREs) 등 악성종양과 관련한 환자에게 우선 허가되었으나, HORIZON-PFT 연구에서 척추골절이 70%, 대퇴골절이 40% 감소됨을 보고함으로써 골다공증 치료에도 현재 널리 사용되고 있다.

이처럼 비스포스포네이트는 수많은 임상연구 및 역

표 5-1 비스포스포네이트의 종류

성분명	R2 사슬	상대적 효력 (Relative potency)	투여
에티드로네이트(etidronate)	$-CH_3$	X 1	경구
클로드로네이트(clodronate)	-CL	X 10	경구 / 정주
파미드로네이트(pamidronate)*	$CH_2-CH_2-NH_2$	X 100	정주
알렌드로네이트(alendronate)*	$-(CH_2)_3-NH_2$	X 1,000	경구
이반드로네이트(ibandronate)*	$CH_2-CH_2N(CH_3)(CH_2)_4-CH_3$	X 5,000	경구 / 정주
리제드로네이트(risedronate)*	(구조식: 피리딘-CH_2-C(OH)($PO(OH)_2$)$_2$)	X 5,000	경구
졸레드로네이트(zoledronate)*	(구조식: 이미다졸-CH_2-C(OH)($PO(OH)_2$)$_2$)	X 10,000	경구 / 정주

* R2 사슬에 질소를 포함하는 비스포스포네이트(N-containing bisphosphonates)

표 5-2 골다공증에 사용되는 주요 약제들의 골절 감소 효과와 악골괴사증 유발 관련성

작용	약제	투여방법	성분	골다공증성 골절 감소	악골괴사증 유발 관련성
골흡수억제 (antiresorptive)	Bisphosphonate	IV, PO	Alendronate	높음	높음
			Risedronate	높음	높음
			Ibandronate	높음	높음
			Zoledronate	높음	높음
	RANKL antibody	SC	Denosumab	높음	높음
	Estrogen	PO	Conjugated estrogen	높음	낮음
	SERM	PO	Raloxifene	낮음-높음	낮음
			Basedoxifene	낮음-높음	낮음
골생성(anabolic)	PTH	SC	Teriparatide	높음	–
		SC	Abaloparatide	높음	–
골생성 및 골흡수억제	Sclerostin antibody	SC	Romosozumab	높음	불확실

학 연구를 통해 골밀도 증가 및 골표지자 감소, 골절 감소 효과가 입증되었으며, 현재 골다공증 치료의 first-line 치료법으로 자리잡았다. 골다공증뿐만 아니라, 골전이 악성종양 및 골격계증상, 고칼슘혈증 치료, 그리고 파젯병과 골형성부전증과 같은 대사성 골질환(metabolic bone diseases) 등 다양한 골질환에 효과적으로 사용되고 있다(표 5-2).

그림 5-1 비스포스포네이트의 기본구조.

하지만 2003년 미국의 구강악안면외과의사인 Marx가 종양 환자에서 처음으로 비스포스포네이트의 사용과 관련된 악골괴사증을 보고하였으며, 현재는 악골괴사증을 유발시킬 수 있는 여러 약물 중 가장 주된 약물로 받아들여지고 있다.

1) 비스포스포네이트의 약리학

비스포스포네이트는 pyrophosphate의 P–O–P 구조에서 산소가 탄소로 치환된 P–C–P 구조로서 인체 내에서 매우 안정적으로 존재한다. 2개의 곁사슬 중 R1 사슬은 골에 대한 친화도를 증가시키며, R2 사슬은 골흡수를 억제하는 약리학적 작용을 나타낸다. 초기에 개발된 에티드로네이트와 달리 R2 사슬에 아미노기($-NH_2$) 및 고리 구조물(heterocyclic ring)이 추가되어 약제의 효능과 안정성이 증가하였다(그림 5-1).

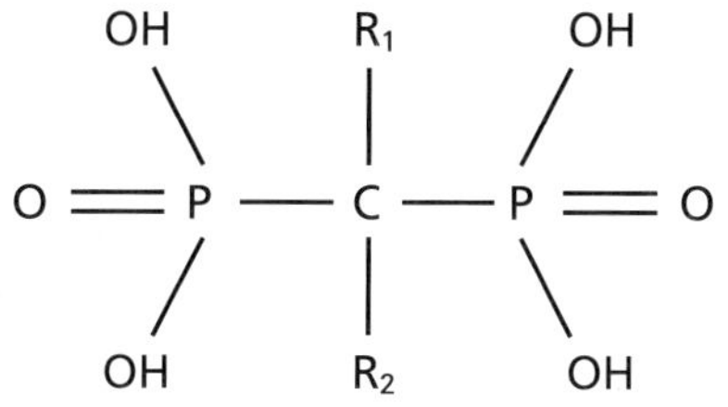

비스포스포네이트는 복용 후 대부분 소장에서 수동확산을 통해 흡수되나 흡수율은 0.5–5%로 매우 낮으며, 몸에 흡수된 후에는 대사가 되지 않은 상태로 골격계의 수산화인회석과 결합하여 수년에서 수십 년 동안 존재하게 된다. 골내에 안정적으로 존재하던 비스포스포네이트는 파골세포에 의한 골흡수 진행 시 유리되어 파골세포 내로 함입되어 약리학적 작용을 나타내게 된다. R2 사슬에 질소를 포함하지 않는 초기 비스포스포네이트는 세포독성을 나타내는 ATP 유도체로 대사되어 파골세포를 사멸시키며, R2 사슬에 질소를 포함하는 비스포스포네이트는 mevalonate pathway에 필수적인 farnesyl pyrophosphatase (FPP)를 차단하여 파골세포의 사멸을 유도한다. 즉, 두 형태의 비스포스포네이트 모두 파골세포의 증식, 분화, 부착, 파골작용 억제와 파골세포의 사멸을 유도하여 골흡수를 억제한다.

2. RANKL 단클론항체: 데노수맙 (Denosumab)

데노수맙(denosumab) 또한 골흡수 억제를 목적으로 개발이 된 약제이나 작용 메커니즘은 비스포스포네이트 계열 약물과 비교하여 확연히 다르다. 비스포스포네이트가 파골세포에 직접 작용하여 활성을 억제하고 세포사멸을 유도하는 것이 주작용이라고 한다면, 데노수맙은 파골세포의 분화, 증식, 활성 등에 깊이 관여하고 있는 RANK/RANKL/OPG 시스템의 RANKL (RANK ligand)에 대한 단클론항체이다. 이를 통해 데노수맙은 RANKL에 결합하여 파골세포의 분화 및 증식, 그리고 최종적으로 골흡수를 억제하게 된다(그림 5-2).

데노수맙이 악골괴사증을 유발하는가에 대해서는 약간의 논란이 있으나 수많은 동물실험, 임상연구에서 데노수맙 단독 사용에 의한 악골괴사증이 규명되었으며 그 영향은 가장 강력한 비스포스포네이트인 졸레드로네이트와 유사하거나 더 높은 것으로 보고되고 있다. 데노수맙을 투여한 환자에서의 악골괴사증은 초기의 연구에서는 100,000인-년(patient-years) 당 0–30.2명의 발생률을 보고하고 있으며, 골다공증 환자에게 시행된 FREEDOM study에서는 100,000명

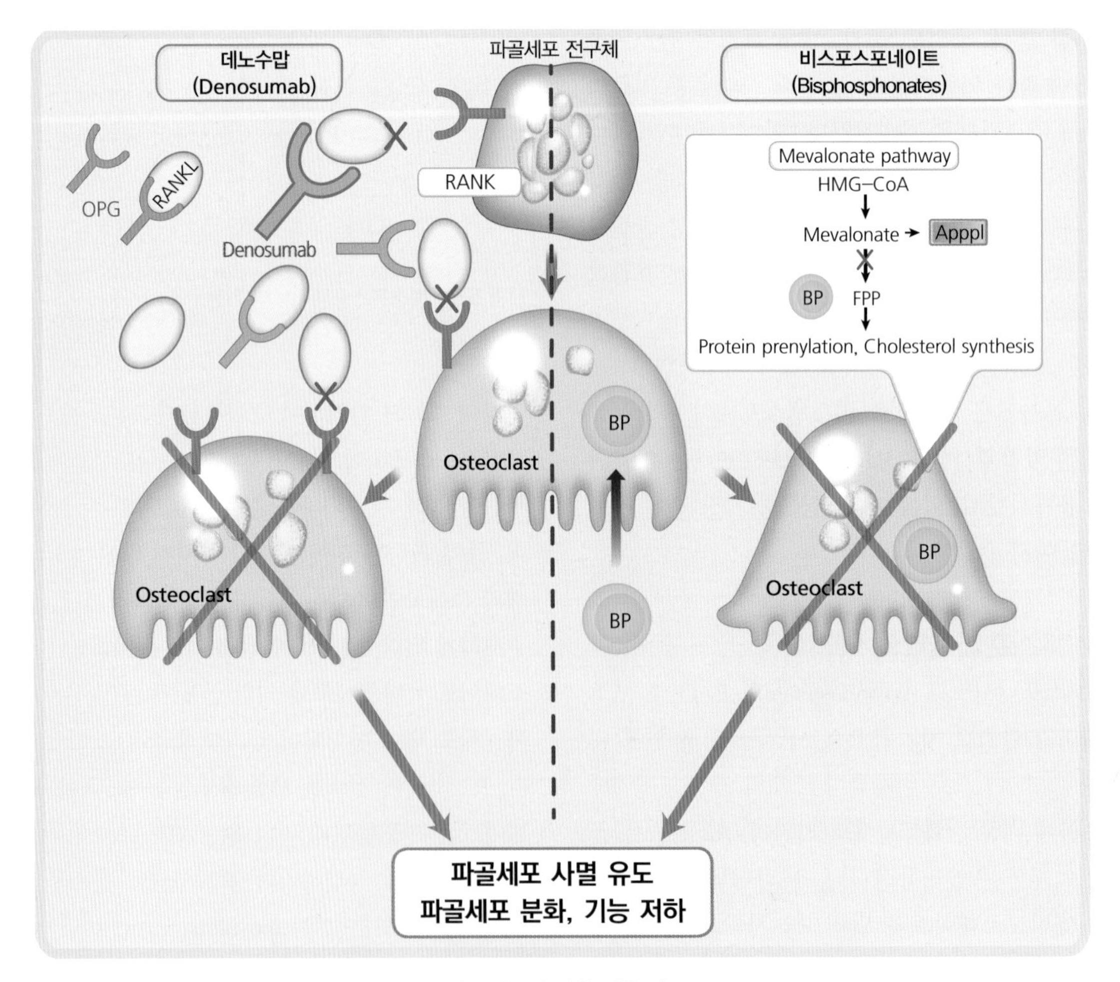

그림 5-2 비스포스포네이트 계열 약물과 데노수맙의 파골세포에 대한 작용 비교.

(participant-years)당 5.2명을 보고하고 있다. 다만 비스포스포네이트보다 데노수맙에 의한 악골괴사증의 발병률이 저농도, 고농도 모두 유의하게 더 높다는 백서가 발간된 바 있으며, 최근의 공신력있는 문헌들에 따르면 골다공증 치료를 위해 사용된 저농도 데노수맙에 의한 악골괴사증의 발병률이 10,000인-년(patient-years)당 28.3명으로서 기존 보고보다 훨씬 높은 발병률을 보고한 바 있다. 치과수술을 받는 경우 치과수술을 받지 않은 환자에 비해 훨씬 높은 발병률을 나타내는데, FREEDOM extension 연구에서는 치과수술을 받은 경우 0.68%의 발병률(11/1,970명), 치과수술을 받지 않은 경우 0.05%(1/1,621명)를 보고하였다.

비스포스포네이트의 악골괴사증 발병률은 문헌마다 차이가 있으나, 골다공증 치료 목적의 경구 비스포스포네이트의 경우 10만 명당 1.05-1.69인-년(patient-years), 정주 비스포스포네이트의 경우 0-90인-년을 보고하고 있다.

현재 출시되어 있는 엑스지바(Xgeva)와 프롤리아(Prolia)는 동일 성분이나 용량의 차이로 적응증이 다르며, 엑스지바(1개월마다 120 mg 투여)는 고형암 등의 골전이 환자에서 골격계 증상의 발생위험 감소 적응증을 가지며, 프롤리아는 폐경 후 여성 골다공증 치료, 남성 골다공증 환자의 골밀도 증가, 안드로겐 차단요법을 받고 있는 비전이성 전립선암, 환자의 골소실 치료, 아로마타제 저해제 보조요법을 받고 있는 여성 유방암 환자의 골소실 치료 등에 사용되며, 6개월마다 60 mg씩 투약하도록 승인되어 있다.

최근의 메타 분석에서는, 데노수맙 단독 사용에 의한 악골괴사증의 유병률이 4%인 반면 비스포스포네이트 사용 이후 데노수맙 투여 환자에서 pooled weighted prevalence가 13%로 증가함을 보고한 바 있다. 이에 비스포스포네이트 사용 후 데노수맙을 투여하는 환자는 악골괴사증에 대한 각별한 주의를 요한다. 반면, 치과치료로 인한 데노수맙 중단 시 rebound fracture 발생 가능성을 염두에 둬야 하며, 환자 개개인의 위험과 효용을 고려하여 결정하여야 한다. 비스포스포네이트와 달리 골조직에 축적되지 않으므로, 데노수맙 투여 중지 이후 악골괴사증의 spontaneous 치유를 보고하는 여러 실험적 보고가 있으나 아직 임상적 근거는 부족하다.

데노수맙이 급여화가 되면서 골다공증 치료를 위해 사용되는 경우가 최근 급속도로 늘어나고 있다. 치과치료를 위해 휴약기를 가지게 되는 경우 데노수맙은 반감기가 약 2개월로써 약 6개월의 휴약기를 가지면 악골괴사증의 위험이 극히 감소한다. 다만 데노수맙 치료 전 비스포스포네이트 치료를 시행해 왔던 경우는 그 위험이 잔존해 있을 가능성을 염두에 두어야 한다. 또한 비스포스포네이트 치료를 해 오다가 데노수맙으로 최근에 교체한 환자의 경우 약제의 상가효과(additive effect) 혹은 시너지 효과에 따른 악골괴사증 발병 위험의 증가도 꼭 고려되어야 할 부분이다. 골다공증 치료면에서, 데노수맙의 휴약 시 골절 위험도가 증가하는 rebound fracture의 가능성이 증가하므로, 치과치료를 위한 약제 휴약을 상당히 꺼리게 된다. 현재의 골다공증 치료 가이드라인은 데노수맙 치료 후 비스포스포네이트를 투여하여 골경화(consolidation)를 시킨 후 휴약하길 권고하고 있으며, 이와 관련한 치과적 치료에 대한 권고사항은 아직 없기 때문에 개별 환자의 위험과 효용을 고려한 치료계획 수립이 필요하다.

3. 스클레로스틴 중화 항체(로모소주맙) 및 부갑상선호르몬 제제

최근에 개발되어 승인된 로모소주맙(romosozumab; 이브니티)은 골세포 등이 분비하는 스클레로스틴(sclerostin)에 대한 중화 항체로서, Wnt signaling 억제에 대한 중화 반응으로 골모세포 형성 및 기능을 촉진시키는 약물이다. 상기 기술한 골흡수억제제와는 달리 골형성을 촉진하고 약간의 골흡수를 억제하는 임상적 효과를 기대할 수 있다. FDA에 승인받은 골형성 촉진제는 테리파라타이드(teriparatide), 아발로파라타이드(abaloparatide), 로모소주맙 3개이다. 더 상세히 기술하자면 테리파라타이드와 아발로파라타이드는 조골세포와 골세포의 부갑상선호르몬 수용체 타입 1 (PTHR1)에 결합함으로써 Wnt 경로를 활성화시키고, 이는 골세포의 스클레로스틴 발현을 낮춘다. 두 약제는 G protein−independent R0와 RG를 각각 형성함으로써 약리작용을 나타내며, 테리파라타이드는 cAMP 분비를 연장하여 뼈 성장을 촉진하는 역할이라면 아발로파라타이드는 일시적으로 강한 cAMP 분비를 유발하나 지속시간이 더 짧다. 로모소주맙은 유사하게 스클레로스틴을 억제하여 Wnt/beta−catenin 경로를 활성화하지만 수용체에 작용하는 기전이 아니며 스클레로스틴에 직접 작용하는 항체이다. 골흡수를 촉진하는 스클레로스틴을 억제함으로써 골생성을 촉진하고 골흡수를 억제하는 dual effect의 약리적 효과를 나타낸다.

2상 임상연구 결과 12개월 간 매달 로모소주맙을 투여 시 요추 골밀도 증가가 11.3% 보고되었으며 이는 PTH (1−34)보다 증가폭이 큰 것이며, FRAME 연구에서 데노수맙(프롤리아) 투여군 대비 로모소주맙(이베니티)−데노수맙(프롤리아) 전환 투여군이 척주골절 위험을 75% 감소시킨 것으로 나타나 골다공증 치료에 큰 기대를 받고 있다. 그러나 동일 연구에서 매우 적은 환자 수이지만(3,321명 중 2명) 악골괴사증 환자가 발병한 것으로 보고되어, 이에 대한 추가적인 연구가 필요하다. 부갑상선호르몬 제제는 로모소주맙과는 달리 악골괴사증을 유발시키지 않으며 오히려 치료적 효과를 나타내는 것으로 보고된다.

4. 그 외 약물관련 악골괴사증을 유발할 수 있다고 알려져 있는 약물

주로 악성종양의 치료 및 장기이식 후 면역억제 등을 위한 혈관생성 억제제 그리고 표적치료제, 특히 VEGF (vascular endothelial growth factor) 표적치료제 등이 악골괴사증의 발병과 관련되어 있다고 알려져 있다. 이 약제는 혈관신생성 및 신호전달체계의 다양한 신호분자와의 결합을 통해 신혈관 형성을 억제하는데 주로 위장, 신장세포암, 신경내분비 종양 등에 효과적으로 사용되고 있다(표 5−3).

특히 다발성골수종을 포함한 골전이 악성종양을 치료받고 있는 환자의 경우 고농도의 골흡수억제제뿐만 아니라, 혈관생성억제제를 함께 투여받기 때문에 약물관련 악골괴사증의 발병률이 훨씬 높은 것으로 보고된다. 그뿐만 아니라 악골괴사 병소 절제 시에도 혈관생성 억제제를 투여받고 있는 환자에서는 점막혈관체계의 이상으로 인하여 절제연을 설정하는 데 어려움이 있다. 골흡수억제제의 단일 복용에 의한 악골괴사증의 발병률은 혈관생성억제제의 단일 복용에 의한 악골괴사증의 발병률보다 훨씬 높은 것으로 보고되고 있다.

표 5−3 그 외 약물관련 악골괴사증을 유발할 수 있다고 알려져 있는 약물

Drug	Mechanism of action	Primary indication
Sunitinib (Sutent®)	Tyrosine kinase inhibitor	GIST, RCC, Pnet
Sorafenib (Nexavar®)	Tyrosine kinase inhibitor	HCC, RCC
Bevacizumab (Avastin®)	Humanized monoclonal antibody	mCRC, NSCLC, Glio, Mrcc
Sirolimus (Rapamune®)	Mammalian target of rapamycin pathway	Organ rejection in renal transplant

* GIST (gastrointestinal stromal tumor, 위장관기질종양), RCC (renal cell carcinoma, 신장세포 암종), pNET (pancreatic neuroendocrine tumor, 췌장 신경내분비 종양), HCC (hepatocellular carcinoma, 간세포 암종), mCRC (metastatic colorectal carcinoma, 전이성 결장직장 암종), NSCLC (non−squamous non−small cell lung carcinoma, 비편평 비소세포 폐암종), Glio (Glioblastoma, 교모세포종), mRCC (metastatic renal cell carcinoma, 전이성 신장세포 암종).

II. 약물관련 악골괴사증(MRONJ)의 병태생리

약물관련 악골괴사증의 병태생리는 근래 큰 진전이 있었으나 아직도 임상가와 연구자들 사이에서 많은 이견이 존재한다. 골흡수억제제의 투여 및 염증과 감염의 존재가 약물관련 악골괴사증을 유발하는 데 필수적인 부분이라고 받아들여지고 있으나, 여전히 다양한(multifactorial) 원인에 의해 약물관련 악골괴사증의 발병이 설명될 수 있다(그림 5-3).

1. 골재형성의 억제(Bone remodeling inhibition)

비스포스포네이트와 데노수맙 등의 골흡수억제제의 골재형성 억제기전은 약물관련 악골괴사증의 가장 주된 발병원인으로 여겨지고 있다. 골흡수억제제는 파골세포의 생성, 분화, 기능을 직접적으로 억제하는데, 이러한 파골세포의 억제에 따른 골흡수와 커플링을 통한 재생의 기능억제는 약물관련 악골괴사증의 주된 발병기전이 된다.

2. 염증과 감염(Inflammation or infection)

여러 연구에서 치아 발거가 약물관련 악골괴사증의 주된 발병원인으로 보고하고 있으나, 대개 발치된 치아는 발치 이전 치주적 혹은 근단부 질환을 가지고 있는 것으로 미루어볼 때, 염증과 감염은 악골괴사증의 주요한 발병기전으로 여겨지고 있다. 악골괴사증의 발병부위 주변에는 염증성 사이토카인이 흔하게 발견되며, 류마티스관절염과 같은 전신적 염증상태에서 악골괴사증이 더 흔하게 발병되는 것으로 보고된다. 또한 염증과 감염의 정도는 약물관련 악골괴사증의 발병률, 심각도 및 질병의 치유와도 깊은 관련이 있다고 보고된다.

좋지 못한 구강위생 및 바이오필름의 존재는 악골괴사증의 발병과 깊은 관련이 있으며, 반대로 골흡수억제제 사용 전 구강위생관리를 시행한 경우에 악골괴사증의 발병률이 유의하게 감소한다. 이를 돌이켜볼 때, 임상적으로 구강위생관리 및 감염성 원인을 제거하는 것은 약물관련 악골괴사증의 위험을 유의하게 낮출 수 있다.

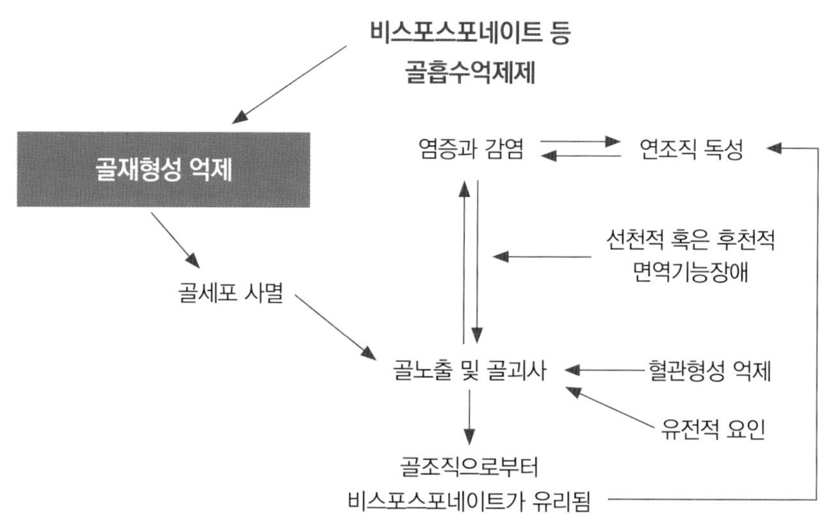

그림 5-3 약물관련 악골괴사증의 병리기전.

3. 혈관형성 억제(Angiogenesis inhibition)

골괴사(osteonecrosis)는 고전적으로 대퇴골이나 하악과두의 골세포의 사멸과 혈류 감소로 인한 무혈성, 무균성 괴사가 특징적인 형태이다. 그러나 약물관련 악골괴사증은 악안면부에 골흡수억제제 혹은 혈관생성억제제 투여 후 괴사 및 노출된 골로 정의된다. 비스포스포네이트는 여러 실험실 연구와 동물연구를 통해 혈관생성을 직접적으로 억제한다는 연구결과가 있으며 동물실험 등에서는 감소된 혈류와 미세혈관이 보고된 바 있다. 그뿐만 아니라 발치와의 정상 치유과정에서 발견되는 혈관생성도 비스포스포네이트에 의해 억제되는 것이 규명되었다. 비스포스포네이트 및 데노수맙이 악골괴사증의 발병 중 혈류를 감소시키는 것은 잘 알려져 있다.

VEGF 억제제, tyrosine kinase receptor 억제제, 면역조절제(immunomodulatory drugs) 등의 혈관생성억제제는 악골괴사증과 깊은 관련이 있으며, 다발성골수종과 같이 골흡수억제제와 동시 투여를 하는 환자의 경우 훨씬 높은 약물관련 악골괴사증의 발병률이 보고된다. 일반적으로 골흡수억제제 단독사용에 의한 약물관련 악골괴사증의 발병률은 혈관생성억제제 단독 사용의 발병률보다 낮다. 약제의 사용과 관련하여 점막의 미세혈관이상이 실제의 악골괴사 병소와 인접해 있을 수 있으며, 이는 실제 약물관련 악골괴사증의 치료 시 절제연을 결정하는 데 상당히 어려운 부분으로 작용하게 된다.

4. 선천적 혹은 후천적 면역기능장애 (Innate or acquired immune dys-function)

상기에서 기술한 바와 같이 염증과 감염이 약물관련 악골괴사증 발병의 중요한 기전임에도 불구하고 구강내 감염이 있는 모든 환자가 약물관련 악골괴사증이 발병하는 것은 아니다. 이와 관련하여 당뇨 혹은 류마티스질환, 장기 스테로이드 투여자, 그리고 면역억제제를 복용 중인 환자에서 약물관련 악골괴사증의 높은 발병률이 보고되었다. 골전이 악성종양을 가진 환자에서의 면역체계장애가 보고된 바 있으며, 동물실험을 통해서도 항암치료, 스테로이드 사용, DMARDs (disease-modifying antirheumatic drugs)와 약물관련 악골괴사증 유발 약물들의 동시사용은 악골괴사증의 발병률과 심각도를 훨씬 증가시킨다. 근래의 연구에 따르면 인간 및 쥐의 약물관련 악골괴사증 골조직에서 T세포의 수와 패턴이 변화된 것을 보고한 바 있다.

5. 유전적 요인

2014년 약물관련 악골괴사증과 관련하여 골재형성, 교원질 생성, 특정 대사성골질환 등과 관련된 SNPs (single-nucleotide polymorphisms)와 관련 연구들이 보고된 바 있다. 최근의 연구에 따르면 골재생을 조절하고 염증의 감소와 혈관형성 촉진을 통해 SIRT-1 유전자가 약물관련 악골괴사증의 치료 목적으로 사용될 수 있음이 규명된 바 있다. 그 외에도 PPAR gamma와 CYP2C8과 같은 혈관형성, 골재형성, 면역반응과 관련된 유전자가 약물관련 악골괴사증의 발병과 관련이 보고되었는데, 이는 약물관련 악골괴사증이 다인성 질환임을 간접적으로 시사하며 유전적 원인이 질병 발생에 중요한 부분을 차지함을 시사한다. 그러나 현재의 연구는 충분한 연관성과 근거가 규명되지 않았으므로 추가적인 연구가 필수적이라 할 수 있다.

이 외에도 비스포스포네이트의 구강점막에 대한 연조직 독성과 미세손상의 축적, 골세포의 사멸 등과 관련한 기전들이 있다.

Ⅲ. 약물관련 악골괴사증(MRONJ)의 정의와 진단

2003년 처음 보고된 악골괴사 증례 이후 골흡수억제제로 사용되는 비스포스포네이트가 악골괴사의 원인이 될 수 있음이 꾸준히 밝혀져 왔다. 2007년 미국골대사학회(American Society of Bone and Mineral Research)와 미국구강악안면외과학회(American Association of Oral and Maxillofacial Surgery)에서 별도로 마련된 태스크포스팀에 의하여 각각 연구된 후 비스포스포네이트 관련 악골괴사(bisphosphonate-related osteonecrosis of the jaw, BRONJ)로 정의된 새로운 유형의 악골괴사는 점차 비스포스포네이트뿐 아니라 다양한 약물에 의해서 발생할 수 있다는 사실이 밝혀지게 된다. 반드시 비스포스포네이트뿐만 아니라 면역조절제나 혈관형성억제제에 의해서도 악골괴사가 발생한다는 사실을 근거로 2014년 질환의 정의를 약물관련 악골괴사증으로 갱신하였고 이와 동시에 꼭 골의 직접적인 노출뿐 아니라 구강내 혹은 피부까지로의 누공 형성도 악골괴사의 한 형태로 보게 되었다. 현재 비스포스포네이트뿐 아니라 이와 다른 기전으로 골흡수억제효과를 보이는 약물로서 프롤리아(Prolia®)라는 상품명으로 출시된 데노수맙까지 포함하는 골흡수억제제 계열에서 주로 악골괴사를 유발하는 것으로 알려져 있고, 이외에도 원발성 종양의 골전이를 방지할 목적으로 사용되는 다양한 종류의 면역조절제 혹은 혈관형성억제제들에서도 유의할 만한 악골괴사의 소견을 보이고 있다. 미국구강악안면외과학회의 2022년 개정 백서에 이르러 질환의 정의에 있어서 '골흡수억제제 단독 또는 혈관형성억제제나 면역조절제가 동시에 투여되는 경우'라는 조건이 기존의 단순한 '골흡수억제제 또는 혈관형성억제제나 면역조절제가 투여되는 경우'라는 조건을 대치하고 있어서 질환의 정의가 더욱 정교해졌다.

1. 약물관련 악골괴사증의 정의

첫째, 악골(턱뼈) 부위에 뼈가 노출되어 있거나 누공이 형성되어 있으면서 이 상태가 적절한 치료에도 불구하고 치유되지 않고 8주 이상 지속되는 경우, 둘째, 비스포스포네이트를 포함하는 골흡수억제제를 단독으로 또는 골흡수억제제와 동시에 혈관형성억제제나 면역조절제를 투여한 병력이 있거나 현재 투여하고 있는 경우, 마지막으로 턱부위에 방사선치료를 받은 과거력 혹은 여타 부위 악성종양의 턱뼈로의 전이가 없는 경우, 위의 3가지를 모두 만족하여야 하며 이는 그 자체로 임상진단의 기준이 된다. 이 외에 또 다른 진단기준으로 영상학적 기준이나 조직학적 기준에 관한 정의가 꾸준히 시도되고 있으나 아직까지는 임상진단이 이 질환을 정의하는 유일한 기준이다.

2. 약물관련 악골괴사증의 진단

현재까지는 질병의 정의에 부합하는 3가지 사실을 확인하는 임상진단이 확실한 진단법이다. 확인 과정에 CT 등의 영상진단을 활용하거나 괴사부위 생검을 통하여 방선균을 확인하는 방법을 보조적으로 사용하기도 하고 CTX (C-terminal telopeptide) 등 골대사표지자(bone turnover marker)를 확인하기도 한다. 다만 방선균 및 골대사표지자를 이용한 방법은 많은 논란이 존재한다.

1) 임상진단

임상진단의 기준은 이 질환의 정의와 일치한다. 즉, 악골부위에 뼈가 노출되어 있거나 누공이 형성되어 있으면서 이 상태가 적절한 치료에도 불구하고 치유되지 않고 8주 이상 지속되고, 비스포스포네이트를 포함하는 골흡수억제제를 단독으로 또는 골흡수억제제와 동시에 혈관형성억제제나 면역조절제를 투여한 병력이 있거나 현재 투여하고 있으며, 턱부위에 방사선치료를 받은 과거력 혹은 여타 부위 악성종양의 턱뼈로의 전이가 없을 때 약물관련 악골괴사로 진단한다.

2) 보조진단법

(1) 영상학적 검사

① 방사선영상진단

파노라마방사선영상에서 치조골 또는 하부기저골까지의 골용해가 관찰되거나 골용해를 바탕으로 부골의 형성이 관찰되기도 한다. 진단을 위하여 이환된 하악골의 피질골 두께의 변화를 관측하는 방법 등 여러 방법이 시도되고 있으나 질병특유(pathognomonic)의 소견은 아니다. 상악골이 이환된 경우 CT 영상소견에서 만성상악동염에서 주로 관찰되는 점막의 비후가 관찰되기도 한다. 그림 5-4에 악골괴사의 CT 소견을 예시해 두었다.

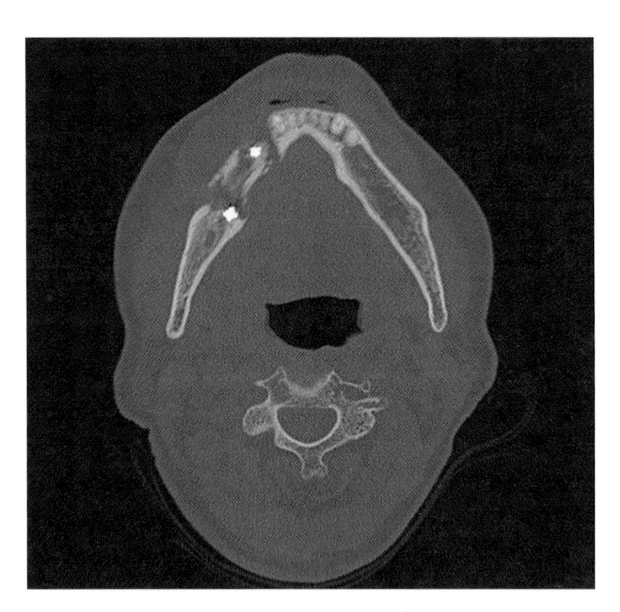

그림 5-4 약물관련 악골괴사증의 CT 소견. 하악 좌측 구치부의 골파괴 소견을 나타내고 있다.

② 신티그램조영술(scintigraphy)

신티그램조영술은 특정 장기 또는 조직에 흡수되는 약물에 부착된 방사성동위원소를 일정량 투여 후 이 약물이 방출하는 감마선을 이차원적으로 수집하는 핵의학 진단검사의 한 종류로서 악골괴사가 의심될 때 시행할 수 있다. 메틸렌디포스포네이트(methylene-diphosphonate, MDP)는 주로 골조직에 잘 부착하는데 영상으로 검출 가능한 테크네튬-99m을 MDP에 화학적으로 부착함으로써 골조직에 부착될 수 있도록 하여 영상화시킨다. 이 영상에서 차이를 보이는 부분은 생리학적 기능에 차이가 나타나는 것으로 판단한다(그림 5-5). 최근은 SPECT-CT 등 신티그램조영술의 정확성을 높인 영상촬영 방법들이 소개되어 활발히 이용되고 있다(그림 5-6).

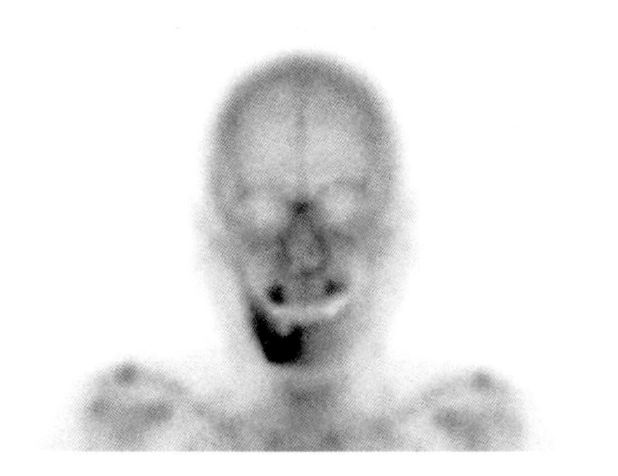
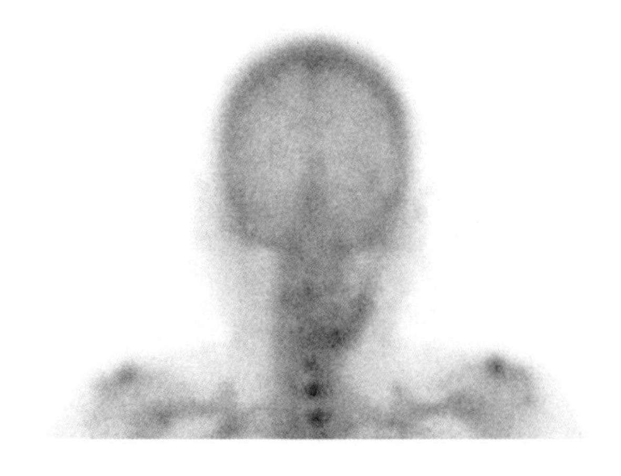

그림 5-5 약물관련 악골괴사증의 신티그램조영술 - 골스캔 소견.

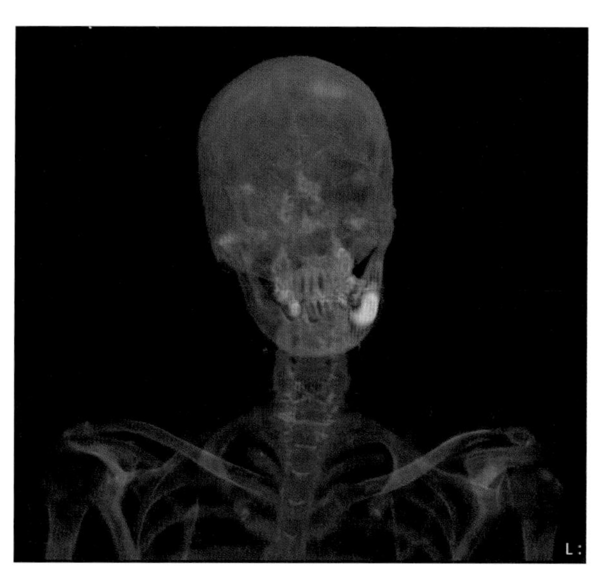

그림 5-6 약물관련 악골괴사증 병소를 나타내는 Bone-SPECT 3D 사진.

③ **양전자방출단층촬영**(positron emission tomogtaphy;PET)

양전자는 양의 베타붕괴 과정을 거쳐 방출되는 입자로 양전자방출단층촬영이란 양전자를 방출하는 방사성동위원소를 정맥주사하고 양전자방출단층촬영기를 이용하여 이를 추적하는 방법으로 암검사나 뇌기능검사에 주로 사용되지만 뼈의 대사영상도 얻을 수 있는 점에 착안하여 악골괴사의 진단에 사용할 수 있다. 방사성동위원소로 [18F]NaF을 이용하면 뼈의 대사과정을 들여다보기 수월한데 이 방법을 통하면 뼈의 대사상태에 관한 3차원 정보를 얻을 수 있다.

(2) 이화학적 검사

① **CTX** (type I collagen C-telopeptide crosslink) **등 골흡수표지자**

골다공증치료 효과 및 환자의 투약순응도(compliance) 확인에 사용되는 골교체표지자로서 CTX가 악골괴사의 진단에 사용될 수 있다고 제안된 바 있다. 제I형 교원질의 말단 카르복실기과 아미노기에 있는 α-1 사슬은 증령과 함께 사슬재배열(β-isomerizatiison)을 일으킨다. CTX와 type I collagen N-telopeptide (NTX)는 각각 카르복실기 말단, 아미노기 말단에서 사슬재배열의 결과로 생성되는 사슬간 연결로 골흡수가 일어날 때 각각의 말단부에서 유리된다. CTX는 NTX에 비해 일간변동률이 적어 사용되고 있으며, 악골괴사가 파골활동의 감소라는 데 착안하여 보조검사로 사용되어 왔으나 현재는 근거가 부족한 것으로 알려져 있다.

② **골형성표지자**(bone formation marker)

CTX가 파골세포 활동에 관한 표지자로서 사용되는 데 비하여 골형성 작용에 대한 평가를 이용한 골교체 표지자로서 기질단백질 중 하나인 오스테오칼신(OC), 단백질 생성과정 중 번역후변형(post-translational modification) 산물 중 하나인 제1형교원질 아미노기말단펩티드(procollagen type I N-terminal propeptides, P1NP), 그리고 골특이효소 중 하나로서 알칼리인산분해효소(alkaline phosphatase) 등은 골모세포 활동에 대한 표지자로 사용할 수 있다. 다만 상기 기술한 골흡수 및 골형성표지자와 약물관련 악골괴사증의 관련성에 대해서는 많은 논란이 있다.

3) 감별진단

약물관련 악골괴사와의 감별진단이 필요한 질병은 건조와(dry socket; 치조골염), 상악동염, 치은염, 치주염, 우식증, 치근단 병변, 섬유골성 병변, 육종 또는 암종, 만성경화성골수염, 측두하악관절장애 등이다. 최근 유병률이 급격히 증가한 약물관련 악골괴사 외에도 빈도는 낮지만 치성감염의 후유증으로 나타나는 하악골수염도 감별진단 목록에 포함되어야 한다. 만약 환자가 악성종양 치료 목적으로 안면부에 방사선치료의 병력이 있다면 방사선골괴사와 감별해야 한다. 턱뼈에 대한 일차 종양의 전이 가능성은 항상, 특히 암 환자에서 염두에 두어야 한다.

3. 병기구분(Staging)

비스포스포네이트에 의한 악골괴사가 처음 알려졌을 때 정의 상 정상적으로 발견되지 않아야 할 골의 노출을 기준으로 병기는 3단계로 구분되었다. 그러나 2014년 AAOMS에서 그간의 추적검사 결과 꼭 골의 노출이 없는 경우라도 어떤 비특이성 증상들을 호소하는 환자들의 약 절반가량에서 향후 수년 내에 골노출 현상이 발생되는 것을 보고 비특이성 증상들을 포함하는 병기를 새로 포함시켰으며 이러한 비특이성 증상이 없더라도 관심 약물을 투여받고 있는 환자군을 따로 추가하여 현재에 이르고 있다. 구체적인 내용은 다음과 같다.

1) 위험기(At risk stage)

눈에 띄는 골노출이나 비특이성 증상조차 없이 단순히 관심 약물을 투여받고 있는 상태이다.

2) 0기(Stage 0)

골노출이나 누공 등 눈에 띄는 임상증상은 없지만 아래와 같은 비특이성 증상 혹은 임상 및 영상학적 징후가 있는 경우이다.

(1) 증상

① 치성 원인이라고 판단할 수 없는 치통
② 턱뼈의 둔통. 둔통이 TMJ 근처로의 방사통(radiating pain)이 되기도 한다.
③ 상악동 염증이나 상악동점막의 비후와 관련된 부비강의 통증
④ 하치조관으로의 염증 파급과 관련된 하순 감각저하 등 감각이상

(2) 임상징후

① 만성치주염으로 진단할 수 없는 치아의 동요
② 구내 혹은 구외의 종창

3) 1기(Stage 1)

골노출이나 탐침 시 골에 닿는 누공이 발견되지만 정작 환자는 통증이나 누출(discharge) 등의 증상이 없는 경우이다. 가끔 방사선영상에서 치조골에 국한된 방사선소견이 보이는 경우 병기 0으로 오판되기도 한다.

4) 2기(Stage 2)

확연한 골노출 또는 탐침 시 골에 닿는 누공소견이 관찰되고 감염이나 염증의 소견이 동반되는 경우이다. 가끔 방사선영상에서 치조골에 국한된 방사선소견이 보이는 경우 병기 0으로 오판되기도 한다.

5) 3기(Stage 3)

확연한 골노출 또는 탐침 시 골에 닿는 누공소견이 관찰되고 감염이나 염증의 소견은 물론, 다음의 소견이 한 가지 이상 관찰되는 경우이다.

① 치조골 너머 기저골 영역까지 이환된 골노출(하악골 하연, 하악지, 상악동, 관골 등까지 확대된 경우)
② 병적골절
③ 구외까지 확장된 누공
④ 구강-상악동 누공/구강-비강 누공
⑤ 하악관 너머 하악골 하연까지 혹은 상악동기저부까지 확대된 골흡수

Ⅳ. 약물관련 악골괴사증(MRONJ)의 역학

1. 약물관련 악골괴사증의 발생률 (Incidence)

1) 골다공증 환자에서의 발생률

골다공증 환자에서의 약물관련 악골괴사증의 발생률은 골다공증 치료를 위해 사용된 약물의 종류에 따라 달리 보고되고 있다.

먼저, 비스포스포네이트를 투여받은 환자에서 약물관련 악골괴사증의 발생률은 0.02–0.05%로 보고되고 있다. 2008년 우리나라 15개 병원에서 시행된 합동 연구에서 비스포스포네이트를 투여받은 전체 60만명의 환자 중 254명의 환자에서 악골괴사증이 발생하여 발생률은 0.04%로 보고되었다. 평균연령은 70세였고, 21.8%의 환자는 정주 투여에 의해 발생하였다. 최근 보고된 4년 경과 관찰연구에서 약물관련 악골괴사증의 누적 발생률은 100,000명당 20.9명(person–years)으로 보고되었다. 비스포스포네이트의 투여방법에 따라, 경구 투여받은 환자에서 악골괴사증의 발생률은 100,000명당 1.04–1.69명(person–years), 정주 투여받은 환자에서는 100,000명당 0–90명(person–years)로 보고되었다. 3년간 골다공증 치료를 목적으로 졸레드로네이트를 투여한 임상시험에서 악골괴사증의 발생률은 0.017%로 매우 낮은 것으로 나타났다. 이 발생률은 연구를 3년 더 지속하였을 때에도 크게 다르지 않았다.

RANKL inhibitor인 데노수맙을 투여받은 환자의 경우, 악골괴사증의 발생률은 비스포스포네이트를 투여받은 환자와 비교하여 비슷하거나 낮은 것으로 알려져 있다. International Task Force on ONJ는 비스포스포네이트를 경구 및 정주 투여받은 환자에서의 악골괴사증 발생률이 100,000명당 각각 1.04–69명(patients–years) 및 0–90명(patients–years)이었다고 보고한 반면, 데노수맙을 투여받은 환자에서 ONJ 발생률은 10만명당 0–30.2명(patients–years)이었다고 보고하였다. 한편, 2017년 보고된 데노수맙 사용 후 10년 경과 관찰 연구에서 악골괴사증의 발생률은 0.3%로, 비스포스포네이트와 비교하여 거의 10배 높았다. 이와 같이, 데노수맙을 투여받은 환자의 악골괴사증 발생률은 연구에 따라 넓은 범위를 갖기에, 보다 정확한 위험도 예측을 위한 추가 연구가 필요하다.

로모소주맙을 투여받은 환자에서 악골괴사증의 발생률은 0.03–0.05%로, 알렌드로네이트에서의 0.05%와 비슷하였다. 다만, 로모소주맙은 최근 도입된 치료약제로, 악골괴사증의 발생위험도에 대해서는 지속적인 연구가 요구된다.

2) 악성종양 환자에서의 발생률

졸레드로네이트를 투여받은 악성종양 환자에서 악골괴사증의 발생률은 0–18%의 범위로 보고되고 있으나, 대부분 5% 미만으로 나타났다. 이 수치는 위약으로 치료받은 악성종양 환자보다 2–10배 높다. 졸레드로네이트 1년 사용 후 ONJ의 발생률은 0.6%, 2년 후에는 0.9%, 3년 후에는 1.3%로, 사용기간이 길어짐에 따라 발생률이 증가하는 것으로 나타났다. 비스포스포네이트를 정주 투여받는 악성종양 환자에서 악골괴사증의 발생률은 매년 10만 명당 0–12,222명으로 나타났다.

데노수맙을 이용하여 치료받은 악성종양 환자에서 악골괴사증의 발생률은 0–6.9%로 보고되었으며, 대부분 5% 미만을 보여 졸레드로네이트 투여 환자에서의 약물관련 악골괴사증 발생위험성과 비슷한 것으로 나타났다.

3) 양성 골질환 환자에서의 발생률

데노수맙은 RANK–RANKL의 상호작용과 관련된 골내 거대세포종양의 치료에도 드물게 사용되고 있으며, 이때 악골괴사증의 발생률은 0.7–9.1%로 보고되었다. 이러한 수치는 데노수맙을 악성병소에 사용한 환자에서의 약물관련 악골괴사증의 발생률(0–6.9%)과 비슷하다. 그러나, 골흡수억제제를 이용하여 치료받는 양성 골질환 환자에서 악골괴사증의 위험도를 보다 정확하게 평가하기 위해서는 추가적인 연구가 필요하다.

골형성부전증을 비롯한 몇몇 골질환을 갖는 소아 환자에서 비스포스포네이트 사용 후 약물관련 악골괴사증의 발생에 대한 연구는 매우 제한되어 있으며, 기존 발표된 체계적문헌고찰(systematic review)들에서 약물관련 악골괴사증이 발생된 증례는 없었다.

V. 약물관련 악골괴사증(MRONJ)의 각종 위험요소

1. 전신적 위험요소

1) 골흡수억제제 치료의 기간

골흡수억제제의 투여 적응증과 관계없이 투여기간은 약물관련 악골괴사증의 위험요소이다. 먼저 악성종양 환자에서 골흡수억제제 투여의 경우를 살펴보면, Henry 등(2014)이 발표한 졸레드로네이트 또는 데노수맙을 투여받은 악성종양 환자 5,723명을 대상으로 한 연구에서 약물관련 악골괴사증의 발생위험은 졸레드로네이트와 데노수맙 각각 1년 후 0.5%, 0.8%, 2년 후 1.0%, 1.8%, 3년 후 1.3%, 1.8%였으며, Saad 등(2012)도 비슷한 결과를 보고하였다. 최근 발표된 체계적문헌고찰에서는 졸레드로네이트를 투여받은 악성종양 환자들 중 약물관련 악골괴사증의 발생위험은 치료 2년 후 1.6–4.0%인 반면, 치료 2년 이상 경과한 후에는 3.8–18%로 증가하였다. 같은 연구에서 데노수맙 투여 후 약물관련 악골괴사증의 발생위험은 치료 2년 이내에는 1.9%인 반면, 2년 이후에는 6.9%로 증가한다고 보고하였다.

골다공증 치료를 위한 비스포스포네이트의 투여에 있어서, 투여 용량과 빈도를 고려한 축적 용량은 약물관련 악골괴사증의 주된 위험요소일 수 있지만, 전반적인 위험은 낮은 것으로 알려져 있다. 13,000명이 넘는 Kaiser Permanente 회원들을 대상으로 한 후향적 설문연구에서, 골다공증 치료를 위해 비스포스포네이트를 경구 투여받는 환자에서 약물관련 악골괴사증의 위험도는 투여 첫 4년에는 0.1%를 보였으나, 4년 이후에는 0.21%로 두 배 증가한다고 보고하였다. 이 연구를 기반으로 몇몇 가이드라인에서는 4년을 역치로 제안하기도 하였다. 보다 최근에 시행된 prospective, randomized placebo controlled trial에서는 비스포스포네이트 투여 9년까지 비스포스포네이트를 치료받은 환자에서 약물관련 악골괴사증의 유의한 증가는 관찰되지 않았다. 한국인을 대상으로 한 연구들에서는 약물관련 악골괴사증이 골다공증 치료 목적으로 비스포스포네이트 사용 2–10년 후에 발생하였다. 비스포스포네이트와는 달리 데노수맙은 뼈 내에 축적되지 않으며, 골 흡수 억제 효과가 보다 일시적이다. 골다공증 환자에서 데노수맙을 이용한 randomized controlled trial (RCT)에서 약물 복용 후 3년 동안 약물관련 악골괴사증이 발생하지 않았다. 같은 연구그룹이 10년 경과 관찰 후 보고한 연구에서는 약물관련 악골괴사증이 13명의 환자, 100,000명당 5.2명(participant–years)에서 발생하였다.

2) 인구통계학적 및 생활방식 요인

고령, 여성, 흡연, 비만 등과 같은 생활방식 및 인구통계학적 요인들이 약물관련 악골괴사증의 위험인자로서 알려져 왔다. 65세 이상의 환자에서 유병률이 증가하는 것으로 보고되었으며, 최근 한국인을 대상으로 시행한 연구는 70–79세 환자에서 가장 높은 유병률을 보고하였다. 반면, 양성 골질환으로 골흡수억제제를 투여받은 24세 이하의 환자들은 약물치료의 기간이 길어지더라도 약물관련 악골괴사증의 위험을 보이지 않았다. 다만, 소아 환자를 대상으로 한 연구들은 아직 데이터가 제한적이기에 지속적인 조사가 요구된다. 여성에서 약물관련 악골괴사증의 유병률이 높은 것은 골흡수억제제를 처방하는 기저질환(예: 골다공증, 유방암 등)을 반영하는 것으로 생각된다. 흡연과 약물관련 악골괴사증과의 관계에 대해서는 연구들마다 다양한 결과가 보고되었다. Case-control 연구는 악성종양 환자에서 흡연이 약물관련 악골괴사증의 위험인자로서 통계적 유의성에 근접하였다고 보고한 반면(OR=3.0; 95% CI=0.8-10.4), 이후 시행된 연구들에서는 흡연은 악골괴사증과 관련이 없는 것으로 나타났다.

3) 동반질병과 병용투여 약물 관련 요인

약물관련 악골괴사증의 대부분은 골다공증 환자보다는 유방암, 다발성골수종, 전립선암, 신장암과 같은 악성종양 환자에서의 골흡수억제제 사용과 관련하여 발생하였으며 악성종양의 종류도 위험인자로 보고되었다. 당뇨, 류마티스 관절염, 빈혈(hemoglobin <10 g/dL), 갑상선기능저하증, 투석 등은 약물관련 악골괴사증의 위험성을 증가시키는 동반질환들로 보고되었다. 병용투여 약물 관련한 위험도는 글루코코르티코이드, 화학항암제, 혈관형성억제제 등의 투여 시 증가하였다.

4) 유전적 요인

Farnesyl pyrophosphate synthase, cytochrome P450, CYP2C8, VEGFA, SIRT1/HERC4 등에서의 다형성이 비스포스포네이트 치료를 받을 때 악골괴사증 위험도 증가와 관련이 있다고 여러 연구에서 보고되었다. 비록 이러한 연구들에서 약물관련 악골괴사증의 발생에 유전적 요인의 가능성을 제시하였지만, 아직 악골괴사증의 발생에 어떠한 방식으로 영향을 주는지에 대해서는 충분히 밝혀지지 않았다.

2. 국소적 위험요소

약물관련 악골괴사증 발생의 국소적 위험요소에 대해 높은 근거를 갖춘 논문들이 여전히 부족하지만, 발치 및 임플란트 수술을 포함한 치아-치조골 수술, 잘 맞지 않는 의치, 하악골 융기, 치근단 또는 치주조직의 감염 등이 국소적 위험요소로 여러 연구들에서 자주 언급되고 있다.

1) 치아-치조골 수술

치아-치조골 수술은 약물관련 악골괴사증의 발생을 증가시킬 수 있기 때문에 골흡수억제제 치료를 받는 환자들에서 주의를 기울여야 하며, 기존 연구들에서 치아 발거는 약물관련 악골괴사증 환자의 62-82%에서 악골괴사증의 소인으로 보고되었다. 비스포스포네이트를 투여받는 골다공증 환자 중 발치 후 약물관련 악골괴사증이 발생할 위험은 현재 0-0.15%로 추정되고 있으며, 데노수맙 투여 골다공증 환자의 경우에는 발치 후 약물관련 악골괴사증의 발생위험이 1%로 보고되었다. 비스포스포네이트를 투여받는 악성종양 환자들에서는 발치 후 약물관련 악골괴사증의 발생위험이 1.6-14.8%의 범위로 보고되고 있으나, 대부분의 결과가 1-5%의 위험도를 보였다.

골흡수억제제를 투여받은 환자들에서 치과 임플란트 식립, 근관치료, 치주술식과 같은 다른 치아-치조골 수술 후 약물관련 악골괴사증 발생위험은 잘 알려져 있지 않았으나, 과거 한 연구는 골다공증 치료 목적으로 데노수맙 치료를 받는 환자 212명 중 1명의 환자(0.5%)에서 약물관련 악골괴사증을 보고하였다. 골흡수억제제를 투여받는 악성종양 환자들에서 이러한 술식으로 인한 약물관련 악골괴사증 발생위험에 대한 연구는 거의 보고되지 않았다. 현재의 부족한 데이터를 바탕으로, 골다공증 환자들에게는 약물관련 악골괴사증의 발생, 조기 및 후기 임플란트 실패 등의 잠재적인 위험에 대해 위험도가 낮기는 하지만 이를 충분히 설명하는 것이 권장된다. 한편, 골흡수억제제 치료를 받는 악성종양 환자들에서는 이러한 치아-치조골 술식의 시행을 매우 신중히 결정해야 한다.

2) 해부학적 요인

약물관련 악골괴사증 발생의 해부학적 요인에 대한 연구가 충분하지 않지만, 대체적으로 상악(25%)에서보다 하악(75%)에서 빈번하게 발생하는 것으로 알려져 있으며, 상하악 동시에 발생하는 경우도 4.5%로 보고되었다. 하악골은 두꺼운 피질골 구조로 상악골에 비해 상대적으로 적은 혈류공급을 갖기에, 약물관련 악골괴사에 취약할 수 있다. 구강내 돌출된 골조직은 종종 상대적으로 얇은 점막으로 덮여 있기에 지속적인 의치의 사용 시 또는 고형 음식물의 저작 시에 쉽게 자극을 받을 수 있다. 이로 인해 자극받은 점막의 염증 및 골노출이 유발될 수 있고, 약물관련 악골괴사증의 병인에 기여할 수 있다. 과거 졸레드로네이트 투여를 받은 악성종양 환자들을 대상으로 한 연구에서, 의치의 사용은 약물관련 악골괴사증 발생의 증가된 위험과 관련이 있었다(OR=4.9; 95% CI=1.2-20.1). 1,621명의 정주 투여 졸레드로네이트, 이반드로네이트, 파미드로네이트를 정주 투여받은 1,621명의 악성종양 환자를 대상으로 한 연구에서도, 의치의 사용은 약물관련 악골괴사증의 위험을 2배 증가시켰다.

3) 구강내 질환의 동반

구강내 염증성 질환, 치근단병소, 치주질환 또한 약물관련 악골괴사증의 국소적 위험요소이며, 이에 대한 적절한 치료가 이루어지지 않을 경우 약물관련 악골괴사증의 발생을 유발할 수 있다. 약물관련 악골괴사증이 발생한 악성종양 환자들 중에서, 구강내 염증성 병소가 전체 50%에서 악골괴사증의 위험요소로 작용하였다. 감염 및 염증의 완전한 치료가 어려운 경우 발치를 고려해야 하며, 발치 후 적절한 관리가 필요하다.

VI. 약물관련 악골괴사증(MRONJ)의 치료와 관리

1. 환자의 약물투여 상태에 기초한 관리 전략

1) 악성종양 치료를 위해 약물치료가 계획된 환자

이러한 환자의 경우 약물관련 악골괴사증의 발생을 최소화하는 것이 목표이다. 물론 고용량의 약제투여와 관련하여 침습적 치과치료와 무관하게 악골괴사증이 발생하는 경우가 없는 것은 아니나 대부분의 경우는 침습적인 치과치료와 관련되어 있다. 따라서 환자의 전신상태가 허락한다면 약제의 투여를 최대한 미루고 구강건강을 최상의 상태로 만들도록 한다.

두경부 방사선치료 전 방사선골괴사증을 예방하기 위하여 구강검진 및 필요한 치료를 시행하는 것처럼 약물을 투여하기 전 종양내과 등 의과와의 상의하에 환자에게 예방적 처치를 시행한다. 예후가 불량할 것으로 예상되는 치아는 발치를 시행하고 필요한 치아-치조골 수술도 이 시기에 시행한다. 환자의 전신상태가 허락한다면 적절한 골치유나 점막치유가 될 때까지 약제의 투여를 연기한다. 치아우식 조절, 보존치료, 예방적 치료와 비수술적 근관치료가 적절한 치아 건강을 유지하기 위해 필수적이다.

2) 약물관련 악골괴사증의 징후는 없으나 악성종양 치료를 위해 약제를 투여받고 있는 환자

발치나 다른 치아-치조골 수술이 필요한 상황이 발생하지 않도록 구강위생관리를 하는 것이 무엇보다 중요하다. 가능하면 치조골에 외상을 줄 수 있는 술식은 피하는 것이 좋다. 파절된 치아나 진행된 치주염이 있어 발치와 같은 치아-치조골 수술을 피할 수 없는 상황이라면, 환자에게 연관된 위험성에 대해 충분한 설명을 시행하고 동의를 받도록 한다.

약제의 일시적 중단(drug holiday)이 환자에게 도움이 되는지에 대해서는 아직 명확하지 않다. 보존을 할 수 없는 치아는 치관을 제거하고 치근을 남겨둔 채 근관치료를 시행하는 것도 방법이 될 수 있다. 이와 같은 환자에서 임플란트 치료는 악골괴사증을 유발할 가능성이 있으므로 치료계획을 신중히 선택해야 한다.

3) 골다공증 치료를 위해 약물치료가 계획되어 있는 환자

약물관련 악골괴사증의 빈도는 낮지만 비스포스포네이트 약제는 골에 축적되므로 약제의 투여기간이 길어질 경우 악골괴사증과 같은 문제가 발생할 수 있음에 대해 설명하는 것이 좋다.

골다공증 약물(특히, 비스포스포네이트나 데노수맙, 로모소주맙)을 투여 예정 중인 환자에서 향후 문제가 발생할 수 있는 치아의 검사와 치주질환에 대한 검사를 시행하는 것이 권장된다. 치과의사는 아래의 사항을 시행하는 것을 권장한다.

- 환자에게는 치실, 불소도포, 구강세정제 사용 등을 통한 구강위생 관리를 교육
- 악골괴사증과 관련된 위험요소를 평가(동요도가 있는 치아, 치주염, 잔존치근, 치근단병소, 잘 맞지 않는 의치 등)
- 예방적 치료나 보존적 치료의 시행
- 비스포스포네이트를 투여하기 전 예후가 불량할 것으로 예상되는 치아의 발치
- 비스포스포네이트 투여 전 침습적 치과치료를 시행할 경우 완전히 치유되는 기간을 고려
- 정기적인 체크를 시행
- 치료계획 수립 시 이익-위험도를 고려

4) 약물관련 악골괴사증의 징후는 없으나 골다공증 치료를 위해 경구용 약제를 투여받고 있는 환자

이러한 환자의 경우 약제를 투여받은 기간과 위험인자에 대한 고려가 반드시 필요하다. 앞서 언급한 바와 같이 비스포스포네이트 약제는 골에 축적되므로 이미 장기간 약제를 투여받은 환자의 경우 악골괴사증의 위험성이 증가할 수 있다. 물론 골다공증 치료를 위하여 저용량의 경구용 비스포스포네이트를 투여받는 환자의 경우 악성종양의 치료 및 전이를 예방하기 위하여 졸레드로네이트와 같은 고용량의 정주용 비스포스포네이트를 투여받는 환자에 비해서는 악골괴사증의 발생이 현저히 낮지만, 악골괴사증의 발생 가능성은 여전히 존재한다.

골다공증 치료를 위하여 저용량의 경구용 약제를 투여받는 환자들은 그 증상이 상대적으로 경증인 경우가 많아 계획된 치과치료가 금기인 것은 아니나 스테로이드를 동시에 사용하거나 당뇨가 있는 환자의 경우 그 위험도가 높아질 수 있으므로 주의를 요한다.

(1) 임상적인 위험요인이 없고 2-4년 이내의 상대적 단기간 경구용 비스포스포네이트 치료를 받은 환자

치아치조 수술(dentoalveolar surgery)을 포함한 대부분의 치과치료는 변경 없이 시행한다. 다만 비스포스포네이트를 지속적으로 투여받는 환자에서 임플란트를 시행하는 경우, 그 가능성이 낮다 하더라도 반드시 환자에게 악골괴사증의 가능성에 대하여 설명하고 동의서를 받도록 한다. 또한 동의서에는 식립 당시에는 문제가 없더라도 장기간에 걸쳐 실패 가능성이 있으며 결과적으로 임플란트를 제거할 수도 있다는 내용이 반드시 포함되도록 한다.

이러한 환자의 경우 담당 내과의와 상의하여 약제의 용량을 조절하거나 일시적으로 중단하는 것을 고려하는 것이 좋으며, 필요할 경우에는 다른 약제로 변경하는 것에 대해 상의하는 것이 좋다. 필요시 구강악안면외과 전문의와 상의하는 것도 도움이 될 수 있다.

(2) 상대적으로 경구용 비스포스포네이트의 사용기간은 짧으나 임상적 위험요인이 존재하는 환자

스테로이드를 동시에 투여받고 있거나 혈관형성억

제제를 투여받는 환자, 또는 당뇨가 있는 환자가 여기에 해당된다. 이러한 환자는 환자의 상태가 허락하는 전제하에 담당 내과의사와 상의하여 침습적 치과치료 전 비스포스포네이트를 2–4개월 정도 일시적으로 중단(drug holiday)하는 것이 추천된다. 비스포스포네이트는 침습적 치과치료 후 재상피화가 완전히 이루어지는 2개월 정도 후에 재투여를 시작하도록 한다. 다만 일부 문헌에서는 이러한 약제의 일시적 중단이 약물관련 악골괴사증의 예방에 효과적인지에 대한 의문을 제기하고 있으며 이익–위험도를 고려할 필요가 있다고 설명하고 있어 이에 대한 보다 많은 연구가 필요할 것으로 보인다.

(3) 임상적 위험요인과 관계없이 장기간 경구용 비스포스포네이트 투여를 받고 있는 환자

경구용 비스포스포네이트를 장기간 투여받는 환자의 경우 약제의 축적효과로 인해 약물관련 악골괴사증의 위험이 증가한다. 어느 정도 약제를 복용하면 위험도가 증가하는가에 대해서는 아직 많은 연구가 필요한 실정이나 2014년 미국구강악안면외과학회의 공식 입장문(position paper)에 따르면 4년 이상 경구용 비스포스포네이트를 투여할 경우 위험도가 높아진다고 한다.

이러한 범주에 속하는 환자들은 앞서 언급한 바와 같이 환자의 전신상태가 허락한다면 2–4개월 정도 약제를 일시적으로 중단하는 것이 필요하다. 하지만 역시 아직은 많은 연구가 필요하다.

5) 골대사마커를 이용한 약물관련 악골괴사증의 위험 예측

2007년 미국의 구강악안면외과 의사인 Marx 등이 혈청 CTX 수치를 이용하여 약물관련 악골괴사증의 위험을 예측할 수 있다고 주장한 바 있다. 그러나 근래까지 시행된 임상연구들의 결과에 따르면 혈청 CTX를 약물관련 악골괴사증과 유의한 관련이 없는 것으로 결론지어지고 있다. 그 외 다른 골대사마커 등을 이용한 연구들이 활발히 지속 중이다.

6) 치과 임플란트와 약물관련 악골괴사증

치과 임플란트 식립술 및 관련 자가골, 이종골, 합성골 이식술은 약물관련 악골괴사증을 유발할 수 있는 것으로 알려져 있다. 수술적 요인 이외에도 이미 성공적으로 식립되어 잘 기능하고 있는 임플란트가 악골괴사증을 유발할 수 있다는 여러 보고가 있으나 많은 논란이 존재한다.

2. 약물관련 악골괴사증의 치료

약물관련 악골괴사증 치료의 목표는 통증조절을 포함하여 증상을 완화시키고 삶의 질을 개선하는 데 있다. 치료는 크게 보존적 처치, 수술적 처치 및 부갑상선호르몬과 같은 부가적 약제를 사용하는 부가적 처치로 나누어 볼 수 있다. 보존적 처치와 외과적 처치를 결정하는 것은 환자별로 이루어져야 하며 환자 개개인의 필요에 따라 조정되어야 한다. 이러한 처치를 결정함에 있어서는 현재 증상에 따른 삶의 질을 포함한 위험과 이익의 비율(risk vs. benefit ratio), 수술 후 환자의 치유 능력, 환자의 구강상태 및 기능, 수술 후 재활치료 등 많은 요인들이 고려되어야 한다.

1) 보존적 처치

약물관련 악골괴사증의 보존적 처치는 여러 문헌에서 그 효과가 보고되어 왔으며, 단독으로 사용될 수도 있고 외과적 처치와 동반하여 사용되기도 한다. 보존적 처치는 동반된 전신질환 등으로 인해 수술적 치료가 불가능한 모든 병기에서 효과적으로 사용될 수 있다. 보존적 처치는 괴사되거나 노출된 골이 부골화(sequestration)가 진행되는 동안 환자를 교육하고 심리적으로 안심시키며, 통증을 조절하고 이차감염을 방지하는 데 중점을 둔다.

이를 위해 항생제를 투여하거나 구강세정제를 사용하여 적절한 구강위생을 유지하여야 한다. 또한 부갑상선호르몬의 투약, 고압산소요법 또는 저출력레이저의 사용 등 부가적인 요법이 시도되기도 한다. 이러한 부가적인 요법에 대해서는 뒤에서 다시 언급하기로 한다.

괴사되거나 노출된 골이 정상적인 골에서 떨어져 나오면서 질환이 해소될 수 있기 때문에 앞서 기술한 바와 같이 수술적 치료가 불가능한 보다 진행된 병기(2기나 3기)에서도 보존적 치료가 적용될 수 있다. 이러한 부골이 형성되었는지를 확인하기 위해서는 영상학적 평가가 무엇보다 중요하다. 부골의 형성을 확인함으로써 외과적 처치의 수준을 잠재적으로 감소시킬 수 있다(그림 5-7).

또한 보존적 치료를 시행 받는 환자에서 병기가 진행되는지를 확인하기 위해서 능동적인 임상검사 및 영상학적 검사가 필수적이다. 보존적 치료에 효과가 없고 병기가 진행되는 환자의 경우에는 보존적 치료를 지속하기 보다는 조기에 외과적 처치가 권유된다.

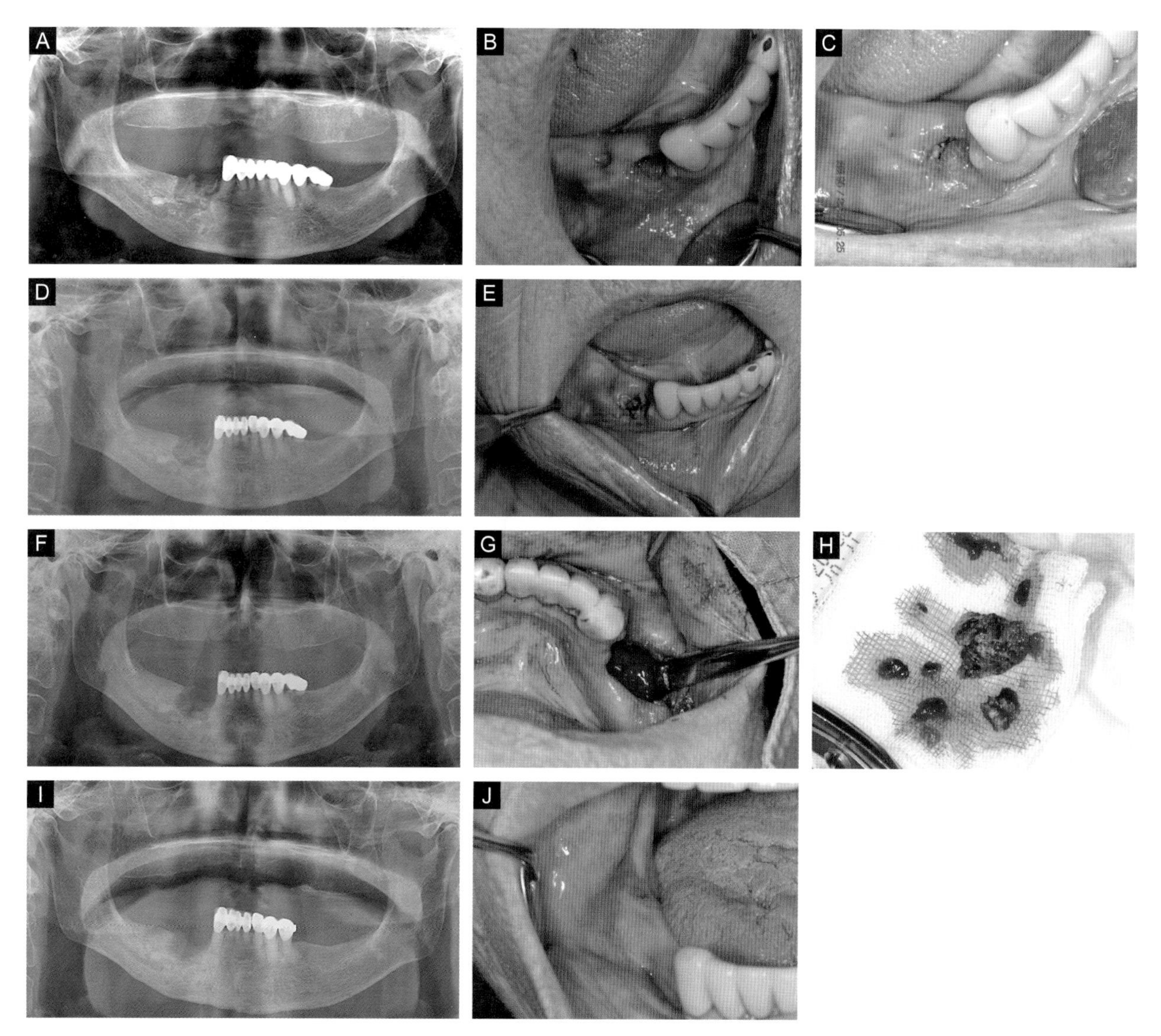

그림 5-7 A, B: 86세 여자 환자로 발치 후 1개월 째 하악 좌측 소구치 부위에 비정상적인 치유과정을 보인다는 주소로 내원함. C: 발치 후 2개월 이상 경과한 시점에도 치유되지 않고 하방의 골이 노출됨. D, E: 보존적 처치 후 부골이 형성됨이 관찰됨. F–H: 부골적출술을 시행함. I, J: 부골적출술 후 양호한 치유경과를 나타냄.

2) 외과적 처치

보존적 처치가 약물관련 악골괴사증의 치료로 많이 적용되어 왔지만, 외과적 처치 또한 모든 병기에서 높은 성공률이 보고되고 있다. 1기와 같은 초기 병소에서는 보존적 처치를 권유하고 있지만, Ristow 등은 1기와 같은 초기 병소에서도 보존적 처치만으로 병소가 완전히 치유되는 경우는 극히 드물다고 보고하였다. 앞서 언급한 바와 같이 예측하기는 어려우나 시간이 지남에 따라 병소가 치유되지 않고 악골괴사증의 범위가 넓어지거나 병기가 진행될 수 있다. 게다가, 비수술적 치료가 항상 부골을 형성하여 약물관련 악골괴사증을 해소할 수 있는 것도 아니다. 따라서 보존적 처치와 함께 외과적 처치를 시행하는 것이 더 좋은 치료 결과를 보여줄 수 있다. Ristow 등은 또한 그의 연구에서 조기에 외과적 처치를 시행하는 것은 병의 진행을 막고 환자에게 보다 좋을 결과를 가져올 수 있는 하나의 치료 옵션이 될 수 있다고 제시한 바 있다.

하악의 변연골 또는 분절골 절제술(marginal or segmental resection) 그리고 상악골 부분 절제술과 같은 외과적 처치는 1기를 포함한 모든 병기에서 적용될 수 있다(그림 5-8). 외과적 처치를 시행하는 경우 괴사골 경계를 지나 생활골(vital bone)에서 출혈이 있는 곳까지 절제해야 한다. 수술을 시행할 경우 광범위한 절제가 치료에 보다 효과적이라는 연구 결과가 대부분이지만, 일부에서는 골다공증 치료를 위해 경구 비스포스포네이트를 투여받는 환자에서 보존적 수술(conservative surgical treatment)을 통해서도 효과적인 치료를 할 수 있다는 보고도 있다. 다만 환자의 병기와 투여약제 등과 같은 요인(factor)에 대한 종합적인 고려가 필요하다. 특히 악성종양이나 전이성 암종의 치료 및 관리와 관련하여 비스포스포네이트 계열의 약제나 데노수맙을 투여받는 환자의 경우 악성종양과 관련된 환자의 예후, 삶의 질, 위험/이익을 고려한 항암화학요법과 같은 부가적인 치료의 중단여부 등에 관한 추가적인 고려가 필요할 수 있다.

이러한 환자에 대한 치료가 아직까지 명확히 정립된 것은 아니다. 하지만 일차적으로 구강악안면외과 전문의에게 의뢰를 하는 것이 추천되며, 앞서 언급한 여러 가지 요소에 대한 고려가 복합적으로 필요하므로 구강악안면외과의사뿐만 아니라 환자, 보호자 및 해당 진료

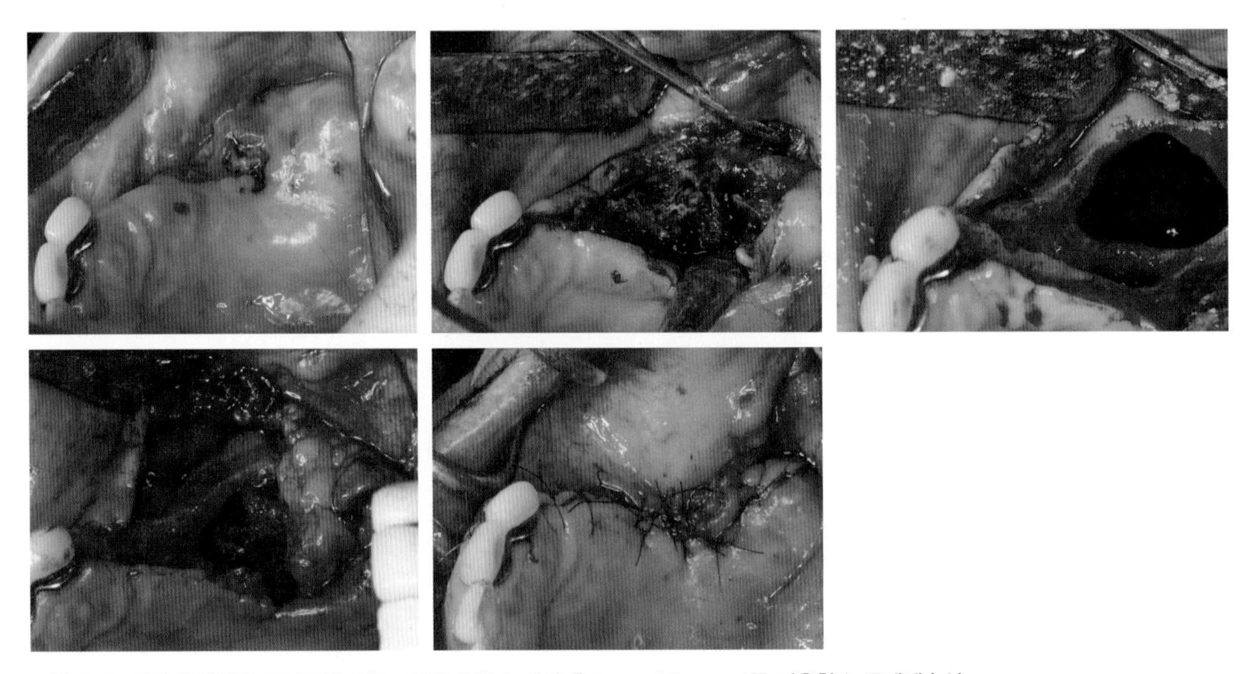

그림 5-8 상악에 발생한 약물관련 악골괴사증과 병소 제거 후 buccal fat pad를 이용한 누공폐쇄술식.

과 의사들이 참여하는 다학제 진료가 필요할 수 있다.

광범위 절제술을 시행하는 경우에도 병소와 생활골의 경계를 명확히 결정하는 것은 쉽지 않다. 실제로 출혈이 있는 생활골까지 절제를 한다고 하나 이 또한 불필요하거나 과도한 수술적 치료가 될 가능성이 있다. 연구자들은 이러한 문제를 해결하기 위하여 형광보조 수술법(fluorescence-guided surgical management)과 같은 방법을 이용하기도 한다. 이러한 보조적인 기구를 이용한 방법은 괴사골과 생활골을 구별할 수 있어 수술 경계(surgical margin)를 결정하는 데 도움을 줄 수 있다는 장점이 있으나, 아직 대규모의 환자를 대상으로 한 전향적인 연구가 많지 않다는 점, 명확한 표준화가 이루어지지 않았다는 점에서 한계를 지닌다.

보존적 처치와 외과적 처치에 대한 논쟁은 계속 있으나, 외과적 처치는 점막피개를 유지하고 삶의 질을 향상시키며, 모든 병기에서 골흡수억제제의 재시작을 편리하게 할 수 있다. 앞서 언급한 바와 같이 최근의 경향은 보존적 치료와 함께 외과적 치료를 병행하는 것이 보다 효과적이라는 보고가 많다. 아직까지 외과적 처치에 있어서 휴약기(drug holiday)의 장점은 명확히 확인되지 않았다.

3) 병기에 따른 치료법(표 5-4)

환자의 병기 및 상태에 따라 권장되는 보존적 치료 및 외과적 치료법은 아래와 같다. 다만, 약물관련 악골괴사증의 현 병기의 분류는 모호한 점이 있기에 아래 기술할 병기에 따른 치료법의 구분을 필수로 요하는 것은 아니다.

(1) 0기(stage 0)

① 증상에 따른 치료를 시행한다.
② 통증과 감염을 조절하기 위해 필요한 경우 항생제 치료를 시행한다.
③ 병기가 악화되는지 주의 깊은 관찰이 필요하다.

표 5-4 병기와 그에 따른 치료전략(Staging and treatment strategies)

MRONJ 병기구분	치료전략
위험기 (At risk category)	특별한 치료는 필요하지 않음(No treatment indicated) 환자 교육(Patient education)
0기(Stage 0)	통증조절과 항생요법을 포함한 전신적인 관리(Systematic management, including the use of pain medication and antibiotics)
1기(Stage 1)	구강세정제의 사용(Antibacterial mouth rinse) 분기별 경과관찰(Clinical follow-up on an quarterly basis) 환자 교육 및 지속적인 약제 사용에 대한 고려(Patient education and review of indications for continued antiresorptives therapy)
2기(Stage 2)	항생제 사용(Systematic treatment with oral antibiotics) 구강세정제의 사용(Oral antibacterial mouth rinse) 통증 조절(Pain control) 주변 연조직 자극과 감염 조절을 위해 괴사조직의 제거(Debridement to relieve soft tissue irritation and infection control)
3기(Stage 3)	구강세정제의 사용(Antibacterial mouth rinse) 통증 조절 및 항생제 사용(Antibiotic therapy and pain control) 장기간의 감염 및 통증 조절을 위한 수술적 치료(Surgical debridement/resection for longer term palliation of infection and pain)

(2) 1기(stage 1)

① 구강살균세정제(클로르헥시딘)로 구강세척을 시행한다.

② 3개월마다 추적검사를 실시한다.

③ 증상이 없이 유지되며 병기가 악화되지 않는 경우 외과적 처치는 필요하지 않을 수 있다. 보존적 처치에 반응하지 않는 경우 외과적 처치가 필요할 수 있다.

④ 환자교육 및 지속적인 비스포스포네이트 투여 여부에 대해 협의하여 진료를 시행한다.

(3) 2기(stage 2)

① 구강살균세정제(클로르헥시딘)로 구강세척을 시행한다.

② 증상 및 통증 조절을 위해 필요한 경우 항생제를 투여한다. 대부분의 경우 페니실린에 잘 반응한다. 알러지와 같은 과민반응이 있는 경우에는 퀴놀론, 클린다마이신, 독시사이클린 및 에리트로마이신을 투여한다.

③ 경구 항생제에 잘 반응하지 않을 경우에는 항생제 복합요법을 실시할 수 있고 필요하면 주사제를 투여한다.

④ 보존적 처치에 반응하지 않거나 구강위생을 적절히 유지하지 못하는 경우 외과적 처치가 필요할 수 있다.

⑤ 적절한 항생제를 투여하기 위해 노출된 골 표면의 바이오필름을 채취하여 미생물 배양을 시행한다.

(4) 3기(stage 3)

① 외과적 절제를 포함한 광범위한 괴사조직의 제거와 항생제요법의 병용이 효과적이다.

② 병소에 이환된 조직을 제거하고 재건용 금속판(reconstruction plate) 또는 obturator를 이용한 즉각적인 재건이 필요하다. 다만 재건용 금속판을 이용한 경우 이차적인 감염의 가능성이나 금속판 주위의 나사가 느슨해지는(loosening) 것에 대한 고려가 필요할 수 있다.

③ 필요한 경우 혈관화 골(vascularized bone) 단독 또는 혈관화 골조직 및 연조직을 포함한 피판을 이용한 재건을 시행한다.

④ 전이성 암과의 감별을 위하여 악성종양의 병력이 있는 환자들에게서는 병소 전반에 걸친 조직병리학적 검사가 필요할 수 있다.

다만 한 환자에서도 다양한 병기가 나타날 수 있으며, 현재의 병기의 기준은 그 경계가 모호한 면이 있다. 따라서 이러한 병기에 따른 치료법은 절대적인 것은 아니며 개별 환자의 동반질병(comorbidity)을 파악하여 치료계획을 세우는 것이 중요하다.

4) 항생제 치료

약물관련 악골괴사증의 발생은 일차적으로 감염과는 관련성이 적은 것으로 생각되나 지속적으로 구강내로 골이 노출되며 병기가 진행됨에 따라 감염이 증가하는 경우가 많아 항생제 투여가 필요할 수 있다. 1기(Stage 1)에서는 대부분 항생제의 사용이 필요하지 않을 수 있으나 2기(Stage 2) 또는 3기(Stage 3)에서의 보존적 처치 및 외과적 처치 모두에서 필요할 수 있다. 앞서 언급한 바와 같이 적절한 항생제를 선택하기 위해 골표면에서 바이오필름을 채취하여 미생물 배양을 시행하는 것이 좋다. 대부분의 경우 페니실린 계열의 항생제가 효과가 좋으나 페니실린에 과민반응을 보이는 환자들은 퀴놀론, 클린다마이신, 독시사이클린 및 에리트로마이신을 투여한다. 만성화되어 치료가 어려운 경우 여러 가지 항생제를 조합한 복합적인 치료가 필요할 수 있으며, 장기간에 걸친 항생제 처치와 정맥로를 통한 항생제 주사요법이 요구되기도 한다.

하지만 어떠한 항생제가 전체적인 치료기간 동안 가장 효과적인지에 대한 합의점은 여전히 도출되지 않았으며 항생제의 용량에 대해서도 명확히 정립되지는 않았다. 또한 장기간의 항생제 사용에 따른 위장관계, 다중약물내성 균주의 발현 및 *Clostridium difficile* 감염과 같은 부작용도 고려해야 할 부분이다.

5) 구강세정제

약물관련 악골괴사증 환자에서 모든 병기에서 구강세정제의 사용이 권고된다. 0.12% 클로르헥시딘(chlorhexidine)의 사용은 노출되거나 괴사된 골에서 바이오필름을 제거하여 상처관리(wound care) 및 구강위생 개선에 도움을 줄 수 있어 많은 문헌에서 이의 사용을 권고하고 있다. 일부에서는 0.2% 클로르헥시딘을 사용하거나, 다른 종류의 구강세정제를 이용한 연구들도 보고되고 있으나 아직 연구가 많이 필요한 실정이다. 다만 장기간 사용할 경우 치아착색, 미각변화 등을 일으킬 수 있으므로 주의를 요한다.

3. 약물관련 악골괴사증 치료를 위한 다학제적 접근

약물관련 악골괴사증이 발생한 환자의 치료계획 수립을 위해서는 환자의 연령, 성별, 질병의 단계와 크

표 5-5 약물관련 악골괴사증 치료를 위한 다학제적 접근

의료인	역할
의사	1. 약제의 투여여부를 환자 개개인의 위험/이익을 고려하여 결정 2. 구강위생관리를 위해 치과적 평가를 의뢰 3. 조절가능한 전신적 및 국소적 위험요인에 대한 조절 4. 치과의사에게 의학적 진단, 환자의 상태, 약제의 종류 및 투여기간에 대한 정보 공유 5. 골다공증 환자의 경우 골절 합병증 위험 평가
치과의사	1. 환자의 전신적, 국소적 위험요인에 대한 파악 2. 약제 치료 시작 전이거나 치료 중인 경우 적절한 구강검사를 시행하고 구강위생관리 중요성에 대해 설명 3. 골다공증 치료의 중요성을 환자에게 설명하여 환자가 임의로 약을 중단하지 않도록 지도 4. 약제 치료 전 필요한 경우 발치, 보존적 치료 및 치주적 치료 시행 5. 약물관련 악골괴사증의 발생 가능성에 대해 설명하고, 필요시 의사 및 구강악안면외과 전문의와 상의하여 치료계획 수립 및 의뢰 6. 다음의 경우 구강악안면외과 전문의에게 의뢰하는 것이 권장됨 (1) 원인을 특정할 수 없는 비특이적 증상을 호소 (2) 약물관련 악골괴사증이 의심되거나 발생하여 정확한 평가와 처치가 필요한 경우 (3) 구강암의 병력이 있거나 악성종양과 관련하여 약제를 투여받는 경우
구강악안면외과 전문의	1. 환자의 전신적, 국소적 위험요인을 토대로 전반적 치료계획 수립 2. 약제 치료 시작 전이거나 치료 중인 경우 (1) 전반적 구강상태 검진을 포함한 악골괴사증 발병 위험 평가 (2) 필요시 발치 및 임플란트 등의 구강수술을 시행하며, 기타 보철, 치주, 보존 등 치료가 필요한 경우 타 과로 의뢰 (3) 장기간에 걸친 구강관리의 중요성에 대한 환자교육 (4) 약물관련 악골괴사증의 발생가능성 및 위험요인의 조절에 대한 설명 3. 약물관련 악골괴사증이 발생한 경우 (1) 약물관련 악골괴사증 의심 및 발생 환자에 대한 의뢰를 받음 (2) 구강위생 관리의 중요성, 위험요인 조절의 중요성에 대한 강조 (3) 병기, 증상의 심각성, 기능 및 전반적인 상태에 대해 포괄적으로 평가하여 치료방법을 결정하여 수행함 치료방법은 보존적, 수술적, 약물적 방법을 포함함 4. 의사와 상의하여 치료계획을 수립 및 공유

기, 동반된 전신질환 등 다양한 요소에 대한 고려가 필요하다. 이를 위해서 환자중심의 치료계획이 수립되어야 하며 해당 약제를 처방한 의사와 치과의사, 필요시 구강악안면외과 전문의 사이에 긴밀한 협조 및 치료정보에 대한 공유가 필요할 수 있다(표 5-5).

중요한 것은 조기에 병소를 발견하여 진행이 되지 않도록 하는 것이다. 이를 위해 앞서 언급한 여러가지 환자의 약물투여 상태에 따른 관리전략에 따라 적절한 예방조치를 하는 것이 필요하다. 특히 골전이 방지를 위해 약제를 투여 받는 환자들에 대해서는 종양내과 의사들과의 협조가 필요하다. 최근 약물관련 악골괴사증으로 진단된 환자들의 경우, 약제의 투여가 지속되어야 할지 약제를 중단해도 괜찮을지에 대한 고려와 함께 향후 치료방향에 대한 논의가 필요하다. 구강악안면외과 전문의를 포함한 치과의사들은 환자의 전신적 상태, 약제 투여종류와 기간에 대한 정보를 반드시 제공받아 알고 있도록 하는 것이 필요하다.

Ⅶ. 약물관련 악골괴사증(MRONJ) 치료에 사용되는 부가적 치료법

여러 연구들에서 수술적 치료가 보존적 치료보다 우수한 결과를 가져온다는 것이 입증되었다. 하지만 수술의 효과를 극대화하고 큰 수술이 불가능한 상태의 환자들을 위해 부가적 치료법들이 연구되고 있다. 현재 주로 언급되는 부가적 치료법들에는 테리파라타이드, rhBMP-2, 고압산소요법(hyperbaric oxygen), 저출력레이저치료(low level laser therapy) 및 platelet rich fibrin (PRF) 등이 있다. 그렇지만 아직은 여러 부가적 치료법의 표준화된 적용 방법이 없으며 약물관련 악골괴사증 치료에서 부가적 치료법의 역할에 대한 근거가 보다 필요하다.

1. 1-34 인간재조합 부갑상선호르몬(테리파라타이드)

테리파라타이드(teriparatide, TPTD)는 84개의 아미노산으로 구성된 부갑상선호르몬 중에 1-34 아미노산으로 구성된 재조합 펩타이드로, 골다공증이 있는 남성 및 폐경 후 여성의 치료용으로 승인받은 치료제이다. 현재, 골다공증 골절을 동반한 심한 골다공증에서 선택적으로 사용되고 있다. 일반적인 용법은 매일 20 μg을 피하로 주사하는 것이다. 골형성을 촉진하는 골다공증치료제로는 현재 TPTD 이외에도 아발로파라타이드, 로모소주맙이 있다.

부갑상선호르몬이 과도하게 생성되는 부갑상선항진증(hyperparathyroidism)은 골격계로부터 칼슘이 혈중으로 대량 유리되어 골격이 약해지는 현상을 초래하나, 간헐적인 TPTD의 투여는 receptor activator of nuclear factor-kappa B ligand (RANKL)의 감소 및 osteoprotegerin(OPG)의 증가를 유도하여 골의 재형성을 촉진시킨다.

비교적 적은 양의 간헐적인 TPTD 투여는 골에 동화작용(anabolism)을 일으키는데, 이러한 동화작용은 골

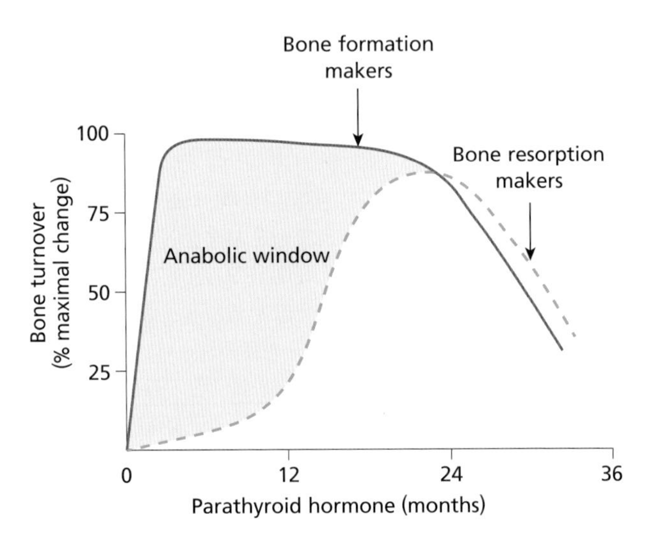

그림 5-9 Anabolic window. 소량의 테리파라타이드를 간헐적으로 주사할 경우, 골형성 지표가 빠르게 증가하는 반면 골흡수 지표는 느리게 올라감으로써 나타나는 현상으로 이와 같은 처치가 골형성을 증가시킬 수 있다.

모세포 계열의 세포들에게 직접적인 영향을 미치고 골격계에 관련 있는 성장인자(예: IGF-1)를 통해 골형성을 촉진시킨다.

이러한 간헐적인 소량의 부갑상선의 투여는 P1NP나 오스테오칼신(osteocalcin)과 같은 골형성표지자를 빠르게 증가시키고 반면 CTX나 NTX 같은 골흡수표지자를 서서히 증가시키는데, 이때 골형성이 우세한 현상으로 골형성이 촉진되고 이러한 골표지자들의 변화양상은 'anabolic window'라는 표현으로 불리어지고 있다(그림 5-9).

약물관련 악골괴사증의 가장 가능성 있는 병인을 장기간의 과도한 골흡수억제제로 인한 골교체율 억제의 결과로 약물관련 악골괴사증이 발생한다고 가정하였을 때, 골재형성과 동화작용을 촉진하는 TPTD의 생리학적 기전이 약물관련 악골괴사증 치료에 효과가 있을 것으로 보인다. 대부분의 환자가 조직재생이 활발하지 못한 노년층인 것을 감안하면, 골형성을 촉진하는 치료방식은 약물관련 악골괴사증 치료에 도움이 될 것으로 여겨진다

TPTD의 약물관련 악골괴사증 치료효과의 유효성을 검증하기 위해 여러 임상연구가 시행되어 왔다. TPTD의 투여를 통한 골표지자의 개선 및 골재생 등의 수술 후 창상치유 효과에 대한 연구들이 발표되어 비교적 단기간의 TPTD의 이용이 약물관련 악골괴사증 병소의 치유를 촉진시킨다는 결과들이 발표되었다(그림 5-10). 그러나 약물관련 악골괴사증 질환의 특성상 높은 근거수준의 비교임상이 어려워 약물관련 악골괴사증의 치료에 있어 확실한 TPTD의 유효성 정립에는 추가적인 연구가 필요하다.

이에 약물관련 악골괴사증 치료에 있어 TPTD의 정확한 용량, 기간 및 시점을 어떻게 해야 하는지에 대한 관심이 증가하고 있다. 약물관련 악골괴사증의 예방 및 회복에 있어 TPTD를 수술 전후에 투여하는 게 모두 효과가 있었음을 보고하였으며, 비교적 최근의 임상연구에서 수술적 처치 후 TPTD를 단기간 투여하는 것이 병소의 골재생을 유의하게 증가시켰다고 하여 술 후 창상의 재생적 측면에서 좋은 결과를 보일 수 있는 가능성을 제시한다.

부작용으로는 일부 동물실험에서 TPTD의 지속적인 투여가 골종양의 발생 가능성을 보고하였다. 그렇지만 성인에서 골다공증 치료를 위한 용량으로 제한된 기간 동안의 TPTD의 사용이 골종양의 발생을 증가시킨다고 보긴 어렵다. 전신적인 반응으로 TPTD 치료를 받은 환자들 중에서 오심, 불쾌감, 신기능장애 등의 일시적인 부작용이 발생하였다고 보고하였다.

위에서 살펴본 내용을 토대로, 약물관련 악골괴사증 치료에 있어 외과적 치료 전후에 낮은 용량의 TPTD 투여가 병소 치유에 효과적임을 알 수 있다. 비록 TPTD 투여의 표준 프로토콜은 없지만, 이전에 보고된 여러 임상 보고들을 참고하였을 때 낮은 용량 및 단기간의 TPTD 적용은 치료 예후를 좋게 할 것으로 보인다.

2. 인간재조합 골형성 단백질-2 (Recombinant human bone morphogenetic protein-2, rhBMP-2)

rhBMP-2는 TGF-β의 superfamily에 포함되는 신호전달 분자로 구성되어 있다. rhBMP-2는 현재 유일하게 FDA에서 승인받은 골이식재 대체물로 사용 가능한 골유도(osteoinduction) 성장인자이다. 골유도 특성을 지니고 있어 정형외과 및 구강악안면외과에서 골조직재생이 필요한 경우에서 임상적으로 사용되고 있다. rhBMP-2는 파골세포에 있는 BMP 수용체를 통해 조골세포의 분화를 촉진시킴으로써 파골세포 활성 및 골재형성을 유도한다. 파골세포 활성을 억제하는 골흡수억제제의 약리학적 효과로 인해 골재형성이 억제되는 과정을 약물관련 악골괴사증의 주요 병리학적 기전으로 볼 수 있는데, 이러한 약물관련 악골괴사증 환자의 치료에 있어 rhBMP-2를 사용함으로써 이 과정을 억제하고 골재형성을 유도하는 긍정적 효과를 기대할 수 있다.

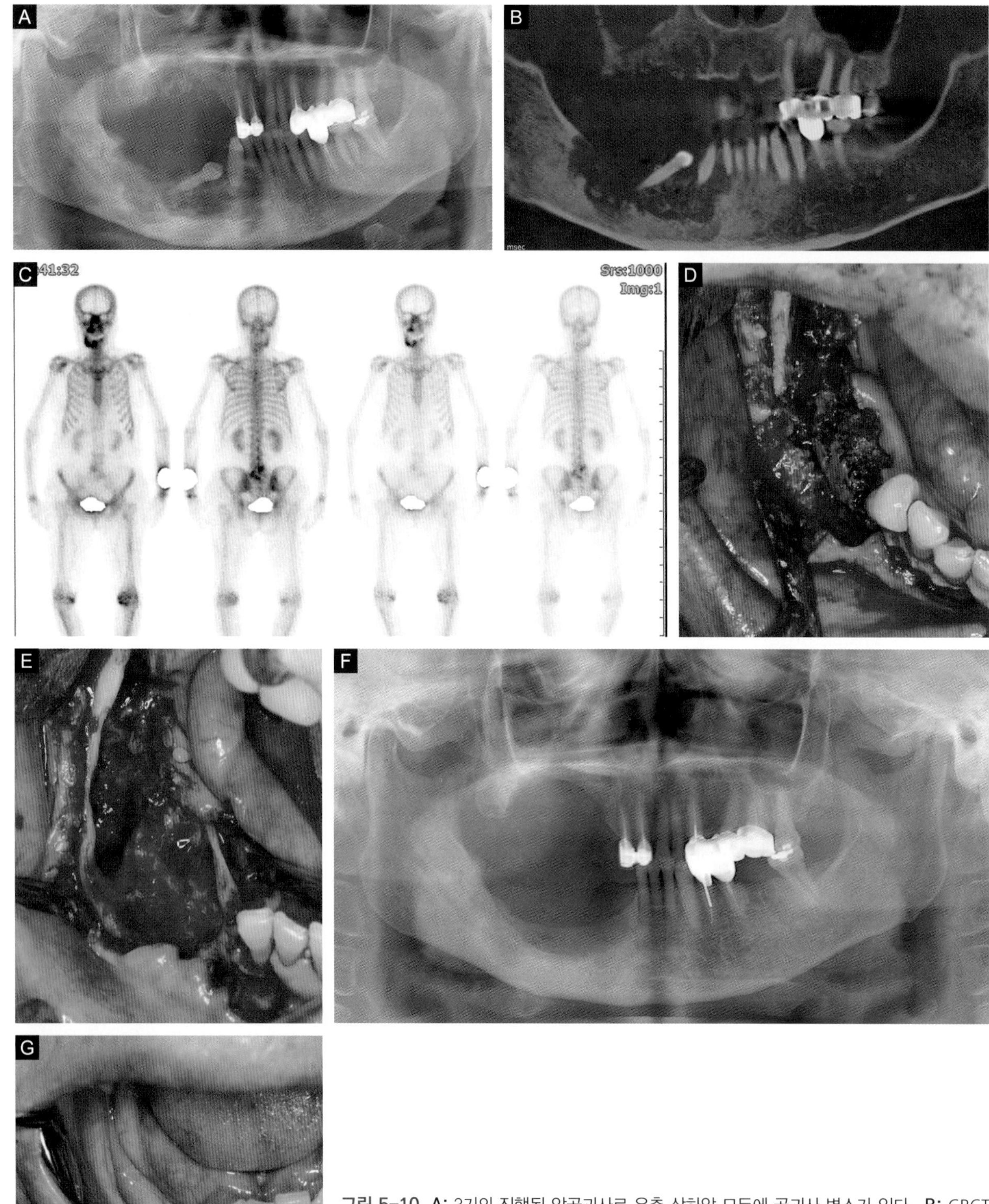

그림 5-10 A: 3기의 진행된 악골괴사로 우측 상하악 모두에 골괴사 병소가 있다. B: CBCT 소견상 광범위한 부골의 형성과 상악골 부골화로 인한 상악동염이 관찰된다. C: 전신 골스캔 검사에서 phase 3에도 우측 상하악골의 방사성동위원소의 섭취가 줄어들지 않은 소견이다. D: 부동화된 하악골 E: 괴사부위를 모두 절제한 후의 소견 F: 수술 및 6개월의 테리파라타이드 치료를 병행 후, 병소가 치유되고 일부 골재생 소견이 관찰되었다. G: 수술 및 6개월의 테리파라타이드 치료를 병행 후, 병소가 치유되고 일부 골재생 소견이 관찰되었다.

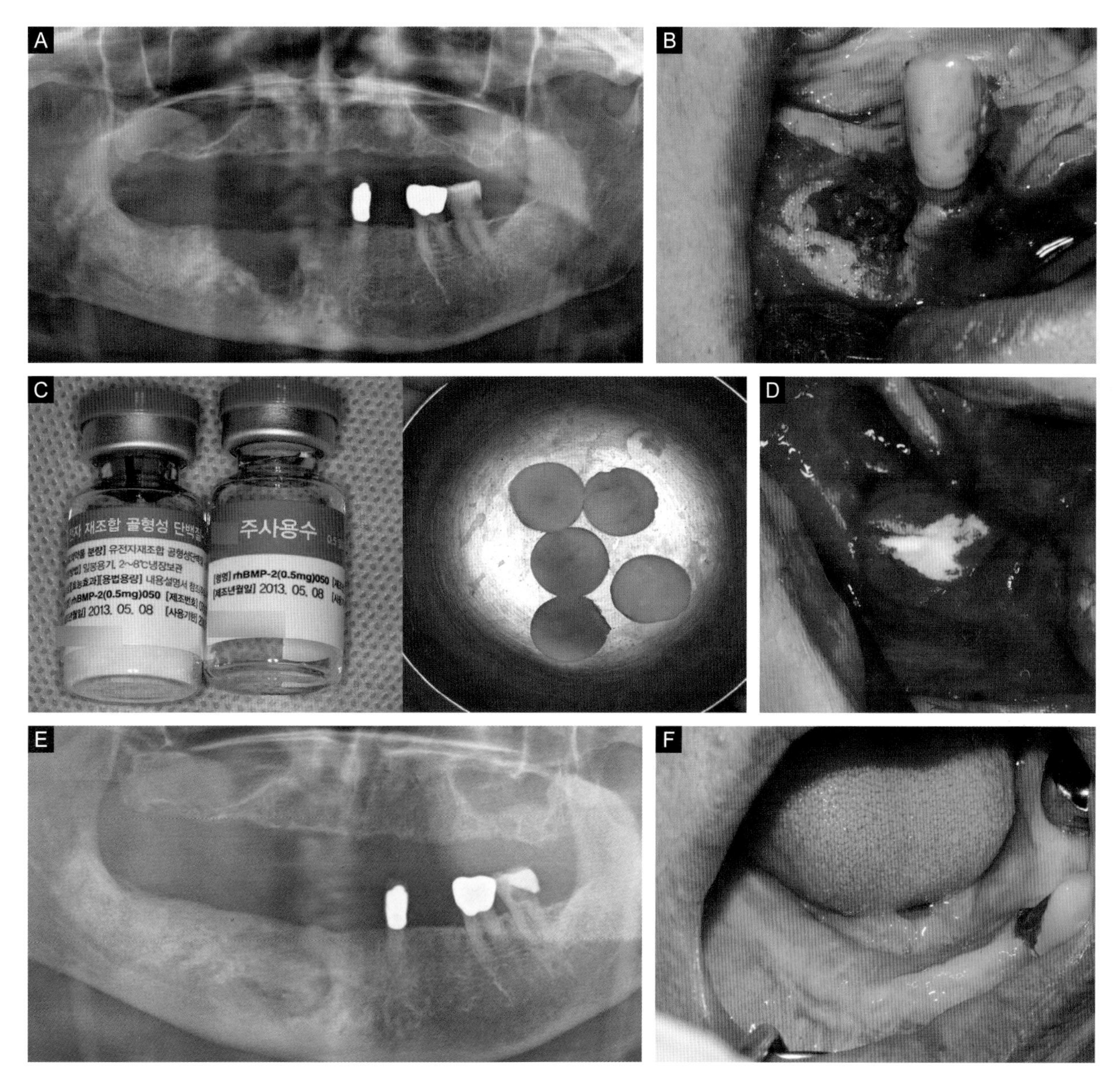

그림 5-11 **A:** 우측 하악골체부에 골괴사로 인한 골용해와 부골의 관찰된다. **B:** 수술 시 골결손부가 관찰되었다. **C:** 인간재조합골형성 단백질을 주사용수에 용해시켜 콜라겐 스펀지에 적시고, 약 15-20분 정도 기다린 후 사용한다. **D:** 수술 골결손부에 인간재조합골형성 단백질이 함유된 콜라겐 스펀지가 삽입되었다. **E:** 술후 경과에서 골재생을 확인할 수 있다. **F:** 술후 경과에서 염증소견 없이 창상의 치유가 잘 이루어졌다.

이 효과를 높이기 위해, 수술부위에 위치한 rhBMP-2의 장기간 안정 및 적용을 위해 적절한 지지체(scaffold)가 필요하다. Tricalcium phosphate (TCP), demineralized bone matrix, hydroxyapatite 및 absorbable collagen sponge (ACS)와 같은 여러 종류의 지지체가 있다. 이 중에서 ACS가 가장 많이 사용되고 있다(그림 5-11). ACS는 다양한 형태, 높은 생체 친화성, 쉬운 사용방법, 상대적으로 낮은 비용과 항원성 등의 여러 장점을 가지고 있다. rhBMP-2의 조기 방출(initial burst)로 인해 rhBMP-2가 충분히 작용하지 못하고 사라지는 문제로 인해 ACS와 함께 사용하여 방출 속도를 늦출 수 있으며 ACS에 적신 상태로 적용 시

수술부위에서 지속기간이 두 배 정도 길어진다는 보고가 있다. 또한 이러한 점을 고려하여, 수술부위의 치유 및 새로운 골형성이 중요한 약물관련 악골괴사증 환자에서 rhBMP-2와 ACS의 적용이 미치는 효과에 관한 여러 연구가 진행되었으며 외과적 치료 후 rhBMP-2와 ACS를 적용하였을 때 골형성이 촉진되었다.

약물관련 악골괴사증 환자들은 대체로 고령이며 다른 전신질환을 가지고 있기 때문에, 환자의 상태를 고려하여 주의 깊은 치료계획 설정이 중요하다. 비록 rhBMP-2가 FDA에서 승인한 유일한 골유도성 골이식 대체제이지만, 여러 연구들에서 부종, 장액종, 염증 및 발암성 등의 부작용이 있다고 보고되었다. 한편, ACS의 구조적 취약성으로 인해 rhBMP-2가 장기간 유지될 수 있도록 보호하기에 적합한 지지체로 보기 어렵다는 단점이 있다. rhBMP-2가 오랜 기간 동안 효과적이며 안정적으로 수술부위에 있을 수 있게 지지하는 이상적인 지지체에 대한 추가적인 연구가 필요할 것이다.

3. 고압산소요법(Hyperbaric oxygen)

고압산소요법은 고압산소관 내에서 환자가 100% 산소를 호흡하는 치료법으로, 흡입한 산소가 혈장에서 용해되면서 혈류 및 조직에서 산소의 농도가 증가된다. 그리고 증가된 산소의 농도를 꾸준히 지속함으로써 상처치유를 촉진시킨다. 증가된 산소농도는 신생혈관증식, 염증 감소 등을 촉진시키는 신호전달체계에 관여하는 활성산소 및 활성질소의 양을 늘리는 데 영향을 미친다. 고압산소요법의 기전에 따라, 방사선골괴사증이나 만성골수염 등의 정상적인 골회복이 일어나지 않는 부위에서 치료 목적으로 고압산소요법을 적용하는 것을 고려할 수 있다. 여러 논문에서 이와 관련하여 연구를 시행하였다.

Freiberger 등은 두 번에 걸쳐 약물관련 악골괴사증 환자에서 고압산소요법의 효과에 대해 보고하였다. 그들은 고압산소요법을 외과적 치료 및 전신적 항생제 치료와 함께 사용하였을 때 효과적이라고 보고하였다. 낮은 병기에서는 고압산소요법의 단독치료도 사용하였을 때 효과가 있을 수 있으나 심한 상태에서는 외과적 치료와 함께 하였을 때 효과적으로 보이며, 고압산소요법을 수술 전과 직후에 부가적으로 사용하는 것이 효과적일 것으로 여겨진다.

기압장애, 근시, 발작, 폐부종 등은 고압산소요법의 경미한 합병증으로 대체로 가역적인 증상을 보인다. 그러나, 간질, 갑상선항진증 및 폐질환을 겪고 있는 환자들에서는 고압산소요법의 사용여부에 대한 주의 깊은 결정이 필요하며, 현재 병원내 산소챔버의 운영문제로 국내에서 고압산소요법 치료는 사실상 어려운 상황이며 유효성 정립에 있어 아직 근거 수준이 미약하다.

4. 저출력 레이저치료(Low level laser therapy, LLLT)

LLLT를 통한 biostimulation 효과는 점막치유의 촉진, 세균 수 감소 등의 효과를 보일 수 있어 약물관련 악골괴사증 환자의 증상 경감을 기대할 수 있다. LLLT에 쓰이는 레이저는 일반적으로 diode laser이며 파장은 다양하게 사용되고 있으나 800-900 nm대의 영역이 일반적이다.

비침습적인 치료법이기에, 외과적 치료를 하기가 어렵고 회복이 더딜 것으로 보이는 고령의 환자에서 외과적 치료의 대안으로 LLLT를 고려할 수 있다. 또는 근치적인 큰 수술이 어려운 환자에서 악골의 연속성을 유지하는 비교적 보존적인 수술 후에 LLLT 등의 부가적 처치가 환자 삶의 질을 개선시킬 수 있다.

LLLT는 단독으로 사용된 경우보다 복합치료의 하나로 사용되는 것이 효과적인 것으로 보이며 보존적 치료나 외과적 치료만 단독으로 시행한 경우보다 LLLT를 함께 치료에 적용한 경우에서 보다 좋은 결과를 보였다고 보고하였다.

몇몇 연구에서 LLLT가 약물관련 악골괴사증 환자의 치료에 좋은 결과를 나타냈지만, 대체로 낮은 병기의 환자였다. 진행된 병소에 대하여서 아직은 단독적인 치료로 LLLT를 적용하는 것은 효과가 없으며, 이것을 임상에 도입할 근거 수준은 약하다.

5. Leukocyte-platelet rich fibrin (Platelet concentrates)

혈소판풍부혈장(platelet rich plasma, PRP)이후 혈액내의 혈장성분을 농축한 제제가 소개되었으며 혈소판풍부섬유소(platelet rich fibrin, PRF)이 가장 대표적이다. 혈장성분에 있는 다양한 성장인자 등의 영향으

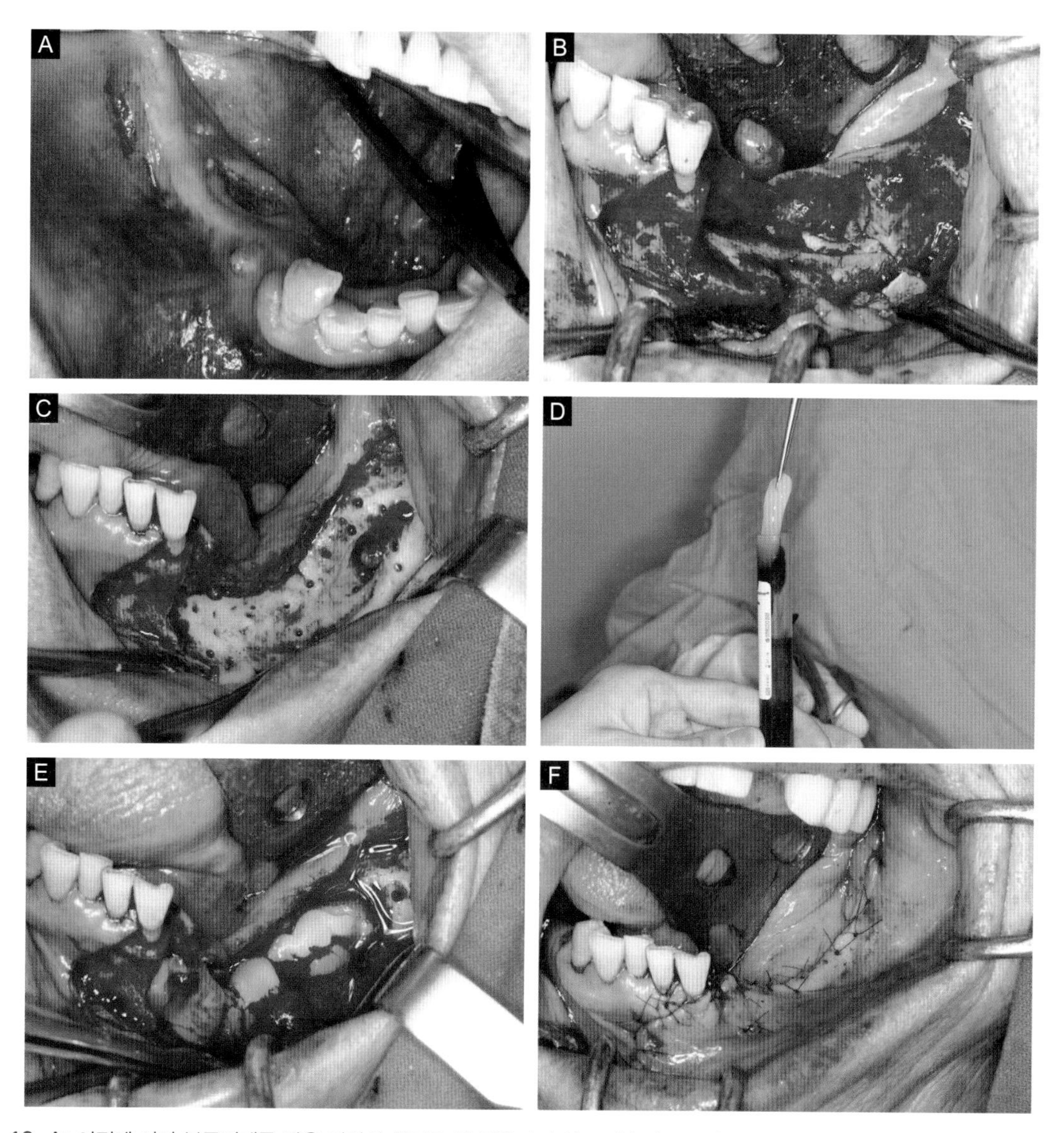

그림 5-12 A: 이전에 이미 부골절제를 받은 병력의 환자로 잘 치유되지 않고 다수의 누공과 괴사골의 노출이 보인다. B: 괴사된 부위가 블록으로 제거되고, 날카로운 절제 변연부위가 다듬어질 것이다. C: 날카로운 절제 변연부가 다듬어지고 피질골의 천공을 형성하여 골치유를 돕게 하였다. D: 환자의 혈액을 원심분리하여 혈소판농축액을 제조한다. E: 수술결손부를 혈소판농축액으로 채웠다. F: 일차봉합으로 수술부 창상을 봉합하였다.

로 치유촉진 효과가 있을 것이라는 기대로 PRF는 구강조직 재생에 널리 응용되고 있으며 이에 따라 약물관련 악골괴사증의 치유를 위해 사용되기도 한다(그림 5-12).

PRF는 부골절제술 등과 같은 외과적 처치로 생긴 외과적 결손부에 삽입되어 사용되거나 차폐막 형태로 사용되고 있다. 또한, rhBMP-2와 함께 결손부에 삽입되어 rhBMP-2의 지지체 역할로 사용되기도 한다. 최근의 한 비교임상연구에서 진행된 약물관련 악골괴사증(2, 3기)환자에서 수술적 처치 그룹과 수술 및 PRF를 이용한 그룹 간의 비교를 통해 PRF를 추가한 그룹에서 유의하게 우수한 임상경과를 보이기도 하였다.

PRF를 외과적 처치와 함께 부가적 시술로 사용한 연구들에서 모두 이의 사용이 치유에 도움을 주는 것으로 보고하였으나 PRF의 단일처치 효과가 아닌 모두 외과적 처치와 함께 시행되었다는 것을 감안한다면, 그 근거 수준은 미약하다 할 수 있다.

6. 항흡수제의 휴약(Drug holiday)

항흡수제의 장기적인 복용으로 체내에 비스포스포네이트가 골격계에 축적되어 골대사의 과도한 저하가 침습적인 치과치료와 맞물려 약물관련 악골괴사증이 발생할 수 있다는 이유로 비스포스포네이트의 휴약이 많이 거론되어 왔다.

항흡수제의 휴약이라는 개념은 기본적으로 장기간의 비스포스포네이트 치료가 비정형성 대퇴골 골절 등의 부작용의 위험이 있어 순응도가 우수한 항흡수제 복용 환자들에서 일시적인 휴약이 골다공증 골절의 위험을 높이지 않는다는 데에서부터 나온 것이다. 약물관련 악골괴사증의 치료와 예방의 차원에서 논의되는 항흡수제의 휴약은 이와는 다른 것으로 많은 논란이 있어왔다. 거듭된 논란에도 그동안 많은 전문학술단체들에서 2개월 또는 3개월 정도의 비스포스포네이트의 휴약을 권고해왔다. 그러나 최근에 들어서 약물관련 악골괴사증의 치료나 예방을 위한 휴약기의 임상적 근거가 마련되지 못하고 있어 골다공증 환자에서 비스포스포네이트와 같은 항흡수제의 휴약에 대한 지침이 제안되지 못하였다. 골다공증 치료 환자에서 비교적 낮은 약물관련 악골괴사증 발생 확률을 감안하면, 약물관련 악골괴사증의 예방을 위한 통상적인 항흡수제 휴약은 일반적으로 지지되지 못하고 있는 실정이며 휴약 고려 시에는 골다공증 골절의 위험도에 대한 평가, 구강악안면외과적 시술의 침습도 및 골대사에 영향을 주는 기타 다른 동반질병의 고려가 선행되어야 한다.

그렇지만 치조골이 비교적 건전한 치아의 발치와 같은 시술 후 국소적인 골대사의 증가는 시술부위의 비스포스포네이트의 영향이 보다 커질 수 있으므로 조직의 치유가 이루어지는 기간 동안 휴약이 가능하다면 고려될 수 있다.

최근에는 데노수맙과 같은 RANKL inhibitor 계열의 항흡수제의 사용이 확대되었으며 데노수맙의 약물동역학적 특성을 이용한 적절한 휴약기의 설정이 약물관련 악골괴사증의 예방에 효과가 있을 것이라는 기대가 높아지고 있다. 골다공증으로 인한 골절이 발생하는 경우 중대한 위협이 되기 때문에 골다공증에 대한 적절한 치료의 유지는 매우 중요하다. 실제 임상에서 휴약 가능성은 해당 환자를 치료하는 담당 주치의의 평가를 통해 이루어져야 하므로 우리가 환자에서 시행할 치과치료의 침습도 및 소요되는 치료기간에 대한 정보를 잘 제공하는 것이 중요하다.

참고문헌

김선종, 김진우 외. 악골괴사증의 예방과 치료. 서울: 대한나래출판사; 2015.

Black DM, Reid IR, Cauley JA, et al. The effect of 6 versus 9 years of zoledronic acid treatment in osteoporosis: a randomized second extension to the HORIZON-Pivotal Fracture Trial (PFT). J Bone Miner Res 2015;30(5):934-944.

Cicciu M, Herford AS, Juodzbalys G, et al. Recombinant human bone morphogenetic protein type 2 application for a possible treatment of bisphosphonates-related osteonecrosis of the jaw. J Craniofac Surg 2012;23(3): 784-788.

Freiberger JJ, Padilla-Burgos R, McGraw, et al. What is the role of hyperbaric oxygen in the management of bisphosphonate-related osteonecrosis of the jaw: a randomized controlled trial of hyperbaric oxygen as an adjunct to surgery and antibiotics. J Oral Maxillofac Surg 2012;70(7):1573-1583.

Giudice A, Barone S, Giudice, et al. Can platelet-rich fibrin improve healing after surgical treatment of medication-related osteonecrosis of the jaw? A pilot study. Oral Surg Oral Med Oral Pathol Oral Radiol 2018;126(5):390-403.

Hadaya D, Soundia A, Freymiller, et al. Nonsurgical Management of Medication-Related Osteonecrosis of the Jaws Using Local Wound Care. J Oral Maxillofac Surg 2018;76(11):2332-2339.

Hallmer F, Andersson G, Gotrick B, et al. Prevalence, initiating factor, and treatment outcome of medication-related osteonecrosis of the jaw-a 4-year prospective study. Oral Surg Oral Med Oral Pathol Oral Radiol 2018;126(6):477-485.

He L, Sun X, Liu Z, et al. Pathogenesis and multidisciplinary management of medication-related osteonecrosis of the jaw. Int J Oral Sci 2020;12(1):30.

Henry D, Vadhan-Raj S, Hirsh V, et al. Delaying skeletalrelated events in a randomized phase 3 study of denosumab versus zoledronic acid in patients with advanced cancer: an analysis of data from patients with solid tumors. Support Care Cancer 2014;22(3):679-687.

Hoff AO, Toth BB, Altundag K, et al. Frequency and risk factors associated with osteonecrosis of the jaw in cancer patients treated with intravenous bisphosphonates. J Bone Miner Res 2008;23(6):826-836.

Japanese Allied Committee on Osteonecrosis of the Jaw. Antiresorptive agent-related osteonecrosis of the jaw: Position Paper 2017 of the Japanese Allied Committee on Osteonecrosis of the Jaw. J Bone Miner Metab 2017;35(1):6-19.

Jung J, Yoo HY, Kim GT, et al. Short-Term Teriparatide and Recombinant Human Bone Morphogenetic Protein-2 for Regenerative Approach to Medication-Related Osteonecrosis of the Jaw: A Preliminary Study. J Bone Miner Res 2017;32(12):2445-2452.

Khan AA, Morrison A, Hanley, et al. International Task Force on Osteonecrosis of the, J. Diagnosis and management of osteonecrosis of the jaw: a systematic review and international consensus. J Bone Miner Res 2015;30(1):3-23.

Kim HY, Lee SJ, Kim SM, et al. Extensive Surgical Procedures Result in Better Treatment Outcomes for Bisphosphonate-Related Osteonecrosis of the Jaw in Patients With Osteoporosis. J Oral Maxillofac Surg 2017;75(7):1404-1413.

Kim JW, Kim SJ, Kim MR. Simultaneous Application of Bone Morphogenetic Protein-2 and Platelet-Rich Fibrin for the Treatment of Bisphosphonate-Related Osteonecrosis of Jaw. J Oral Implantol 2016;42(2):205-208.

Kim JW, Kwak MK, Han JJ, et al. Medication Related Osteonecrosis of the Jaw: 2021 Position Statement of the Korean Society for Bone and Mineral Research and the Korean Association of Oral and Maxillofacial Surgeons. J Bone Metab 2021;28(4):279-296.

Kim KM, Park W, Oh SY, et al. Distinctive role of 6-month teriparatide treatment on intractable bisphosphonate-related osteonecrosis of the jaw. Osteoporos Int 2014;25(5):1625-1632.

Kim KM, Rhee Y, Kwon YD, et al. Medication Related Osteonecrosis of the Jaw: 2015 Position Statement of the Korean Society for Bone and Mineral Research and the Korean Association of Oral and Maxillofacial Surgeons. J Bone Metab 2015;22(4):151-165.

Kim SH, Lee YK, Kim TY, et al. Incidence of and risk for osteonecrosis of the jaw in Korean osteoporosis patients treated with bisphosphonates: A nationwide cohort-study. Bone 2021;143:115650.

Kwon YD, Lee DW, Choi BJ, et al. Short-term teriparatide therapy as an adjunctive modality for bisphosphonate-related osteonecrosis of the jaws. Osteoporos Int 2012;23(11):2721-2725.

Lee JK, Kim KW, Choi JY, et al. Bisphosphonates-related osteonecrosis of the jaw in Korea: a preliminary report. J Korean Assoc Oral Maxillofac Surg 2013;39(1):9-13.

Li RH, Wozney JM. Delivering on the promise of bone morphogenetic proteins. Trends Biotechnol 2001;19(7):255-265.

Lo JC, O'Ryan FS, Gordon NP, et al. Predicting Risk of Osteonecrosis of the Jaw with Oral Bisphosphonate Exposure, I. Prevalence of osteonecrosis of the jaw in patients with oral bisphosphonate exposure. J Oral Maxillofac Surg

2010;68(2):243–253.

Marx RE. Pamidronate (Aredia) and zoledronate (Zometa) induced avascular necrosis of the jaws: a growing epidemic. J Oral Maxillofac Surg 2003;61(9):1115–1117.

McGowan K, McGowan T, Ivanovski S. Risk factors for medication–related osteonecrosis of the jaws: A systematic review. Oral Dis 2018;24(4):527–536.

Myneni Venkatasatya SR, Wang HH, Alluri S, Ciancio SG. Phosphate buffer–stabilized 0.1% chlorine dioxide oral rinse for managing medication–related osteonecrosis of the jaw. Am J Dent 2017;30(6):350–352.

Ng TL, Tu MM, Ibrahim MFK, et al. Long–term impact of bone–modifying agents for the treatment of bone metastases: a systematic review. Support Care Cancer 2021;29(2):925–943.

On SW, Cho SW, Byun SH, Yang BE. Various Therapeutic Methods for the Treatment of Medication–Related Osteonecrosis of the Jaw (MRONJ) and Their Limitations: A Narrative Review on New Molecular and Cellular Therapeutic Approaches. Antioxidants (Basel) 2021;10(5):680.

Qu X, Wang Z, Zhou T, Shan L. Determination of the molecular mechanism by which macrophages and γδ–T cells contribute to ZOL–induced ONJ. Aging (Albany NY) 2020;12(20):20743–20752.

Ruggiero SL, Dodson TB, Aghaloo T, et al. American Association of Oral and Maxillofacial Surgeons' Position Paper on Medication–Related Osteonecrosis of the Jaw–2022 Update. J Oral Maxillofac Surg 2022;80(5):920–943.

Ruggiero SL, Dodson TB, Fantasia J, et al. American Association of Oral and Maxillofacial Surgeons position paper on medication–related osteonecrosis of the jaw––2014 update. J Oral Maxillofac Surg 2014;72(10):1938–1956.

Saag KG, Petersen J, Brandi ML, et al. Romosozumab or Alendronate for Fracture Prevention in Women with Osteoporosis. N Engl J Med 2017;377(15):1417–1427.

Tomo S, da Cruz TM, Figueira JA, et al. Fluorescence–guided surgical management of medication–related osteonecrosis of the jaws. Photodiagnosis Photodyn Ther 2020;32:102003.

Tsao C, Darby I, Ebeling PR, et al. Oral health risk factors for bisphosphonate–associated jaw osteonecrosis. J Oral Maxillofac Surg 2013;71(8):1360–1366.

Vahtsevanos K, Kyrgidis A, Verrou E, et al. Longitudinal cohort study of risk factors in cancer patients of bisphosphonate–related osteonecrosis of the jaw. J Clin Oncol 2009;27(32):5356–5362.

Yang G, Collins JM, Rafiee R, et al. SIRT1 Gene SNP rs932658 Is Associated With Medication–Related Osteonecrosis of the Jaw. J Bone Miner Res 2021;36(2):347–356.

상악동질환

상악동은 구강과 가장 가까이 인접해 있는 구조물로서 치과의사라면 반드시 알아야 한다. 상악동은 상악 치아 및 치주조직에서 발생하는 치성감염성 질환, 낭성질환, 종양 등으로 인하여 이환될 수 있으며, 반대로 상악동에서 일차적으로 발생하는 질환이 이차적으로 구강 또는 안면부로 전파될 수 있다. 또한 상악동은 다양한 중안면부의 외상이나, 악안면 기형의 외과적 치료 시에도 포함되는 구조물이다. 따라서 상악동의 정상적, 비정상적 상태를 이해하는 것은 치과의사에게 반드시 필요하다.

치과임상에서 상악 구치부의 치근이 상악동저와 근접하여 발치수술 시 상악동 내로 치근의 전이, 상악동저의 천공 등과 같은 합병증이 많이 일어날 수 있으며, 최근 임플란트수술의 발전으로 상악 치조골 골량의 부족을 극복하기 위한 상악동 골이식술이 많이 시행되고 있어 상악동에 대한 해부학적 구조 및 생리학, 그리고 병리학을 반드시 이해해야 한다.

이 단원에서는 상악동의 일반적인 해부학, 발생학, 생리학을 설명하고, 치성 상악동감염의 병인과 진행, 임상적 진찰 및 방사선학적 검사법 등을 서술하였고 그 치료 원칙과 약물요법, 외과적 치료, 그리고 합병증의 예방 등을 이해할 수 있도록 하였다. 상악동에서 발생하여 구강으로 파급될 수 있는 주요 종양성, 비종양성 질환에 대해 서술하였고 또한 치조골 외과술에서 가장 흔히 발생되는 구강-상악동 누공 형성의 병인 및 그 치료법에 대하여 이해할 수 있도록 하였다.

CONTENTS

CHAPTER 06

상악동질환
Disease of Maxillary Sinus

학습목적

상악동을 포함한 부비동들의 해부–생리를 이해하고 다양한 치성 상악동질환 및 치료방법을 이해함으로서 임상 적용 및 활용 능력을 배양한다.

기본 학습목표

- 상악동을 포함한 부비동의 발생과 해부학 구조를 설명할 수 있다.
- 상악동을 포함한 부비동의 생리학적 기능을 설명할 수 있다.
- 상악동질환의 임상적 증상 및 방사선학적 검사를 포함한 진단학적 검사를 설명할 수 있다.
- 상악동 감염성 질환의 원인, 세균학적 분포, 임상적 증상, 내과적 및 외과적 치료법을 설명할 수 있다.
- 구강–상악동 누공의 원인, 진단 및 외과적 치료법을 설명할 수 있다.
- 상악동질환에 대한 다양한 외과적 접근 및 치료방법을 설명할 수 있다.
- 상악동 내 발생하는 양성 및 악성종양의 감별진단 및 치료법을 설명할 수 있다.

심화 학습목표

- 다양한 상악동질환을 감별하기 위한 기본 방사선사진, CT, MRI 사진을 판독하고 설명할 수 있다.
- 상악동의 생리학적 기능을 이해하고 다른 부비동과의 연관성을 설명할 수 있다.
- 구강–상악동 누공의 진단과 수술법의 술기를 이해한다.
- 상악동 내 다양한 외과적 접근술을 역사적으로 고찰하고 각각의 장단점을 이해한다.
- 기능적 내시경 부비동 수술법의 기본 술식을 이해한다.
- 상악동 내의 양성 및 악성병소를 감별하고 외과적 치료법을 설명할 수 있다.
- 상악동 악성종양의 종류 및 병리학적, 방사선학적, 임상적 양상을 설명할 수 있다.

Ⅰ. 상악동의 발생과 해부학적 이해

부비동(paranasal sinus)은 상악동(maxillary sinus), 사골동(ethmoid sinus), 전두동(frontal sinus), 접형동(sphenoid sinus)의 4쌍으로 이루어져 있다. 부비동은 점막으로 이장되어 있으며 공기를 함유하고 있다. 그 중 상악동은 사골동, 전두동 및 접형동에 비해 발생학적으로 가장 먼저 나타나는데 태생기 3개월경에 비강의 중비도(middle meatus) 부위에서 측방으로 점막이 함입됨으로써 상악동의 발생이 시작된다. 출생 후, 안면골이 두개골로부터 성장함에 따라 상악동은 매년 수직적으로 2 mm, 전후방으로 3 mm씩 계속해서 성장한다. 출생 시에는 상악동이 직경 1 mm도 되지 않으나, 출생 후 8세까지 성장이 모든 방향으로 빠르게 계속되고 16세경에 상악동의 직경과 부피는 최대치에 도달한다. 영구치의 맹출에 따라 치조골의 함기화(pneumatization)로 인해 상악동의 바닥은 비강의 바닥보다 3–5 mm 하방에 위치하게 된다.

영구치의 맹출 후에는 상악동의 팽창이 멈추나(그림 6-1), 일부에서는 성장이 멈춘 후에도 팽창 및 함기화가 지속되어 구치부 치근이 상악동저 안으로 함입되기도 한다. 상악 구치의 소실 후 상악동저는 잔존 치조 돌기부까지 함기화가 일어나는데, 따라서 유치악과 무치악의 상악동저는 차이가 나타난다.

상악동은 기저부, 첨부, 그리고 4개의 벽으로 구성된 피라미드 모양이다. 기저부는 비강의 수직벽이며 첨부는 상악골과 관골의 접합부위이다. 상악동이 팽창할 때 첨부는 관골 쪽으로 팽창한다. 평균적으로 첨부는 기저부에서 약 25 mm 상방에 위치하며, 다른 세 면은 상방, 전방, 후방 벽을 이루게 된다. 상방벽은 상악동의 천정 부위로서 안와저를 형성하며, 전방벽은 상악골의 안면부이고, 후방벽 및 측방벽은 상악동의 후측방벽을 형성하는데, 이는 측두하와로부터 나누어져 상악결절과 익돌와를 형성한다. 성인 상악동의 평균 크기는 길이 34 mm, 높이 33 mm, 폭 23 mm이고 부피는 약 15 cc 정도로 알려져 있다. 상악동과 비강을 연결하는 상악동구(ostium maxillare)는 직경이 3–10 mm 정도 되는 타원 혹은 길다란 틈(slit) 모양이며 상악동의 내측벽 2/3 높이의 중비도에 반월형의 상악동 열구(반월열공, hiatus semilunaris)의 하방 혹은 후방 끝에 위치하고 있으며(그림 6-2), 상악동 내에 존재하는 호흡성 상피인 점액분비형 위중층 섬모성 원주상피(mucous secreted pseudostratified ciliated columnar epithelium)의 작용으로 이장상피에서 생성된 점액과 상악동 내 이물질을 비강으로 배출시킨다.

상악동을 이루는 골과 상악동 점막은 상악동맥의 가지인 전상, 중상 및 후상 치조동맥, 안와하동맥, 대구개동맥 및 전구개동맥으로부터 혈액을 공급받는다. 이 중 후상치조동맥 및 하안와동맥은 골내성(endosseous) 및 골외성(extraosseous) 문합을 이루는데, 상악동내에서 골내성 및 골외성 문합의 형성을 이중동맥열(double arterial arcade)이라 한다.

골내성 문합은 상악동의 측방벽에서 이루어져 그 부위의 골 및 상악동점막의 외측부위에 혈액공급을 한다. 골내성 문합은 100%의 빈도를 나타내나 골외성 문합은 약 47%의 빈도를 보인다. 이는 측방벽의 골막 가까이 위치하며, 골내성 문합에 비해 상방에 분포하며, 치조능에서 약 23–26 mm에 존재한다. 한편, 전구개동맥은 상악동 점막의 중앙과 내부, 및 상악동구가 위치하는 기저부(비강측)에 분포한다(표 6-1).

상악동의 정맥계는 동맥과 동명으로 이들과 평행하

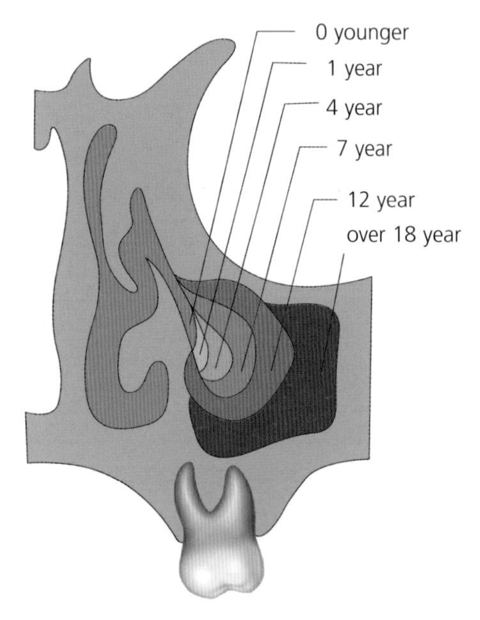

그림 6-1 상악동의 함기화를 보여주는 모식도로 연령에 따른 상악동의 팽창을 보여준다.

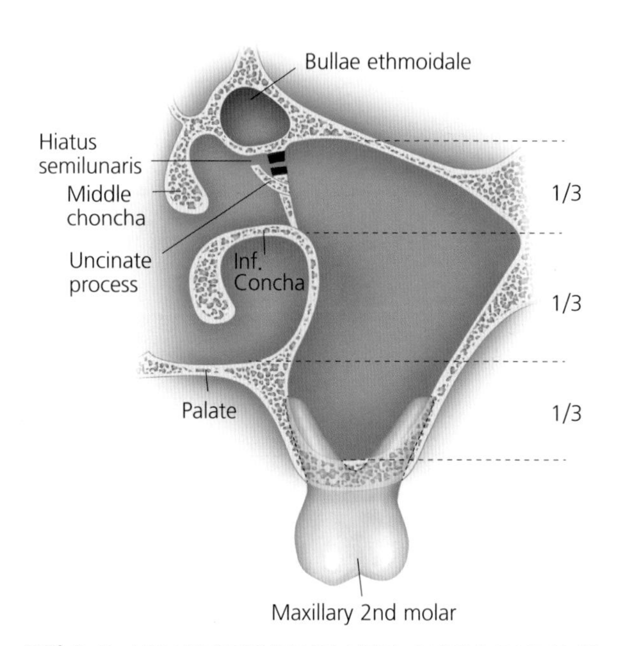

그림 6-2 상악 제2대구치부에서의 상악동 수직단면 모식도로 상악동구(검은색 점선)는 내측벽 상방 2/3 부위에 위치하며 구개부 및 상악동 열구 등의 관계와 부피를 보여준다.

게 주행하며, 상악동구 근처의 정맥총으로 기시하여 전방으로는 안면정맥에, 후방으로는 상악 및 경정맥들로 연결되며, 림프계는 악하절로 유입된다.

상악동의 신경분포는 삼차신경의 상악분지의 가지인 전상, 중상 및 후상 치조신경과 하안와신경 및 대구개신경으로 이루어진다(표 6-2).

상악동의 교감신경은 상경부교감신경절(superior cervical sympathetic ganglion)의 T1-2로부터 나오는 신경섬유이며, 부교감신경은 상타액핵(superior salivary nucleus) VII으로부터 나온 익구개신경절(pterygopalatine ganglion)의 신경섬유이다. 사소한 자극에 대해 수성의 비루(watery rhinorrhea)가 발생하는 것과 같은 혈관운동성 비염(vasomotor rhinitis)은 비강의 부교감신경계의 이상에서 발생하는 것으로 알려져 있다. 또한, 상악동 및 싱악동 개구부는 안신경과 상악신경이 감각을 담당하므로 상악동 염증이 두통이나 치통 등의 연관통으로 발생하기도 한다.

표 6-1 상악골 후방의 동맥분포(이중동맥열)

Endosseous Anastomosis (within the Lateral Wall of Sinus)
Lateral wall of sinus and sinus membrane supplied by
Posterior superior alveolar artery
Infraorbital artery
Extraosseous Anastomosis (within Periosteum and below the Zygomatic Arch)
Sinus mucous membrane supplied by
Posterior superior alveolar artery
Infraorbital artery
Posterior lateral nasal artery (medial and posterior wall)

표 6-2 상악동의 신경지배

Area of coverage	Nerve
Anterior wall of the sinus	Anterior superior alveolar nerve
Posterior wall of the sinus	Posterior and middle superior alveolar nerves
Superior wall and part of medial wall	Infraorbital nerve
Ostium and inferior wall of the sinus	Greater palatine nerve

II. 상악동 및 상악동 개구부의 생리학적 기능

점막으로 이장된 공동인 상악동은 공기 공급, 분비물의 제거, 두개골 중량의 감소, 목소리의 울림 부여, 흡기의 습도 증가 및 호흡 중 발생된 내압 차이를 감소시키는 등의 다양한 기능을 지니고 있다. 이와 같은 상악동의 정상적인 기능을 유지하기 위해서는 점막의 정상적인 섬모운동, 상악동구의 개방 및 정상적인 분비물의 생성이 필요하다.

상악동 점막은 섬모를 지닌 골점막(mucoperiosteum)으로 일명 “Schneiderian membrane”으로 불리운다. 상악동 점막은 비강 점막과 같은 호흡성 상피로 이루어져 있으나, 이에 비해 좀 더 얇고 혈관이 적어, 창백하고 푸른색을 띠고 있다.

조직학적으로는 ① 섬모원주상피세포(ciliated columnar epithelial cells), ② 비섬모원주세포(nonciliated columnar cells), ③ 기저세포(basal cells), ④ 배상세포(goblet cells), ⑤ 장점액세포(seromucinous cell)로 이루어져 있다.

섬모세포는 세포마다 약 50-200개의 섬모로 이루어져 있으며, 섬모운동을 통해 분비된 점액과 이물질을 상악동내에서 상악동구를 통해 비강으로 배출한다. 비섬모세포는 근단형태로 미세융모를 함유하고 있어 체면적을 증가시켜 흡입된 공기의 습도 및 온도를 높인다.

기저세포에는 필요에 따라 원주세포와 배상세포로

분화하는 줄기세포의 기능이 있다.

배상세포는 당단백(glycoprotein)을 분비하는 세포로 점액을 담고 있는 과립들이 세포내에서 이동하여 세포외 유출과정을 거쳐 세포 표면으로 분비되어 점액의 점도와 탄력도를 제공한다. 이는 다른 부비동에 비해 상악동 점막에 가장 많이 분포한다. 한편, 상악동 점막에는 조골세포가 거의 없는 반면에, 파골세포가 존재하여 상악구치부 치아의 소실 후에 상악동을 팽창시키는 작용을 한다. 또한, 상악동 점막은 골에 부착하는 탄력섬유가 거의 없어 골로부터 쉽게 거상되며, 약 0.3–0.8 mm 두께를 지니고 있으나, 흡연자는 점막이 매우 얇거나 두꺼울 수 있으며 편평상피세포를 지니는 특징이 있다.

정상적인 경우 상악동의 점액은 장액 및 배상세포에서 교감 및 부교감신경의 자극에 의해 매일 1 L씩 분비된다. 점액의 상층부는 유점액층으로 끈적하여 박테리아 및 이물질을 부착시키며, 하부층은 얇은 장액성으로 윤활유의 역할을 한다(그림 6-3). 생성된 점액은 원주상피의 섬모운동(분당 15 cycle)을 통해 분당 약 9 mm의 속도로 상악동구로 이동된다.

상악동 점막의 섬모는 다양한 경우에 가역적 또는 비가역적인 손상을 받을 수 있다. 예를 들면, 병원성 감염, 오염에 노출, 알러지, 지속적인 탈수, 유전적 장애, 흡연, 항히스타민, 항콜린치료제 및 혈압강하제 같은 다양한 약물에 의해서 섬모의 수가 줄거나, 섬모운동이 저해될 수 있다. 또한, 충혈완화제(decongestant)는 상악동 점막의 다양한 층을 변하게 하여 섬모운동을 저해한다. 반면에, 장기간의 항생제 투여는 섬모운동을 매우 높게 증가시킨다.

한편, 상악동 점막의 세포는 비강 및 다른 부비동의 상피세포처럼 기도의 기능을 유지하는 데 중요한 뉴로펩타이드 분해효소, 엔도텔린(endothelin), 아라키돈산 대사산물, 염증성 사이토카인 및 산화질소(nitric oxide, NO) 등 다양한 화학물질을 합성하고 분비한다. 이 중 산화질소는 L–arginine으로부터 nitric oxidase synthase (NOS)에 의해 생성되며, 이는 혈관내피세포와 신경섬유에 원래부터 존재하는 constitutive NOS (cNOS)와 미생물이나 염증매개 사이토카인 등에 자극받은 세포에서 생성되는 inducible NOS (iNOS)가 있다(그림 6-4). iNOS를 생성하는 산화질소는 혈관을 확

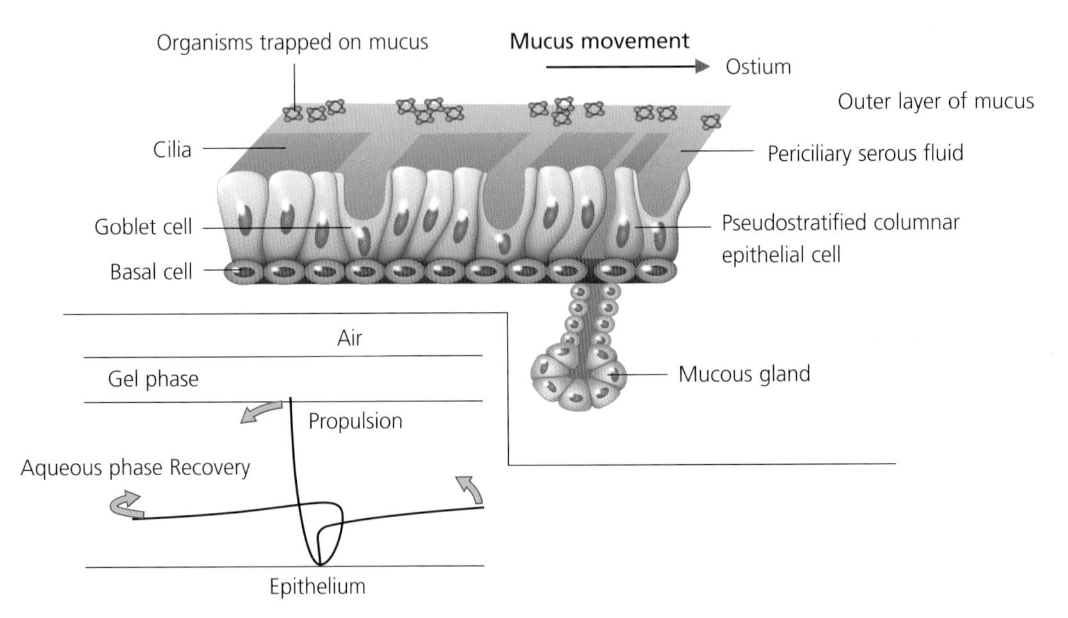

그림 6-3 위중층원주상피 세포들은 세포마다 50–200개의 섬모를 가지며, 그것들은 상악동 배상세포와 선조직으로부터 매일 1 L의 점액을 배출하기 위해 소공을 자극한다. 정상적인 점막은 두 층을 가진다. 바닥층은 장액성층이며, 위층은 점액성층이다. 섬모는 점액성층에서 소공 쪽을 향해서 뻣뻣한 움직임을 보이며, 장액성층 안에서 이완된 회복의 움직임을 보인다.

장시키고 peroxinitrite, hydroxyl radical을 생성하여 superoxide anion과의 반응을 통하여 세포독성을 나타내기도 하지만, 상악동 점막의 섬모운동을 활발하게 하는 작용을 지니고 있다. 즉 상악동내 염증이 심해지면 염증세포들에 의해 산화 질소가스가 매우 높은 농도를 나타낸다.

정상적인 호흡상피세포는 iNOS가 지속적으로 발현되어 산화질소가 생성되지만 호흡상피세포가 손상되면 iNOS 발현이 없어진다. 또한, 부개구부(accessory ostium)와 같이 상악동구 이외의 다른 배출구가 존재하면 산화질소의 농도가 떨어져서 섬모운동이 저하되어 결국 염증이 유발된다.

상악동구는 전두동 및 전사골동의 자연구와 같이 중비도의 누두(infundibulum)로 배출되며 개구비도단위(ostiomeatal unit, OMU)를 이룬다. 이들의 개방은 부비동 기능이 정상화되는 데 절대적인 조건으로, 폐쇄 시에는 비강과 부비동의 기체교환 장애가 발생된다. 상악동은 보통 한 개의 상악동구를 지니나 소수의 경우 부개구부가 존재하기도 한다. 상악동구는 7–11 mm의 길이에, 직경은 2–6 mm 크기의 타원형 구로, 비강으로 연결되는데, 일반적으로 상악동의 정상기능을 위해서는 크기가 최소한 5 mm여야 한다. 정상에서는 산소분압이 16% 정도이나 상악동구가 폐쇄되면 11% 이하로 떨어지고 이산화탄소 분압이 증가되며, 코를 풀거나 훌쩍거릴 때 음압이 발생하여 비강내의 균이 상악동으로 쉽게 들어가게 된다. 산소분압이 떨어지면 백혈구의 화학주성, 포식작용 및 탈과립(degranulation)이 증가하며, pH의 감소로 인해 섬모운동이 저하된다. 이러한 요인들은 상악동내 분비물을 저류시키고 세균의 증식을 용이하게 하여 상악동염을 유발한다(그림 6-5). 상악동구는 기포성갑개(concha bullosa), 비중격만곡, 역곡중비갑개(paradoxical middle turbinate), Haller 봉소(Haller cell), 비제봉소(agger nasi)의 함기화 및 구상돌기(uncinate process)의 기형과 같은 비강의 해부적 이상, 반복되는 상기도 감염, 알러지 염증 및 면역질환과 같은 전신질환, 안면부 외상, 수영과 다이빙 및 종양 등과 같은 국소적 요인에 의해 점막의 부종으로 폐쇄되는 등의 비치성 원인, 상악구치부 치아조직의 염증 및 처치, 임플란트 시술과 상악동거상술 같은 치성 원인으로 인해 상악동염이 발생되어 상악동구가 막힐 수 있다.

상악동개구부에는 환자마다 다양한 변이를 보여서 내시경수술을 힘들게 하는 구조물이 있다. 상악동개구부의 상외측에 존재하는 사골세포의 하나인 Haller 봉

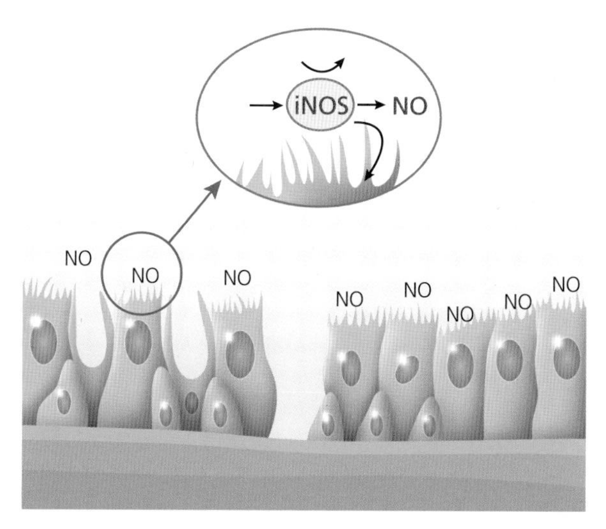

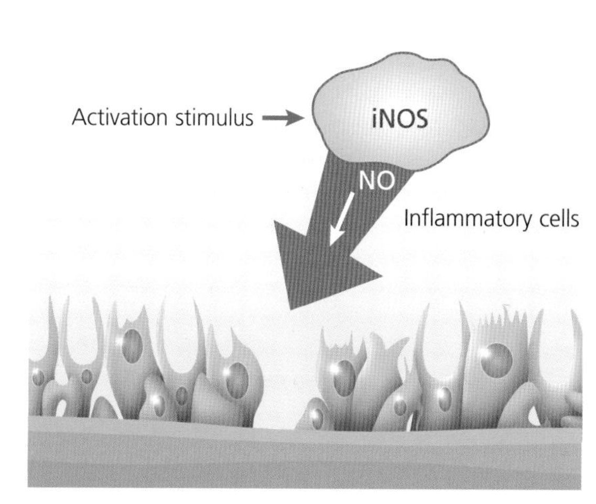

그림 6-4 상악동 점막에서 **iNOS** 효소에 의한 산화질소 생성 과정을 보여주는 모식도.

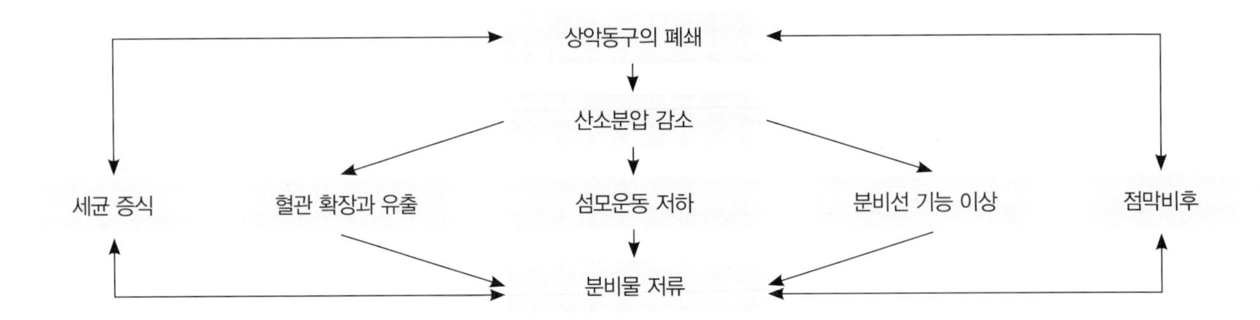

그림 6-5 상악동구가 폐쇄되어 생기는 악순환.

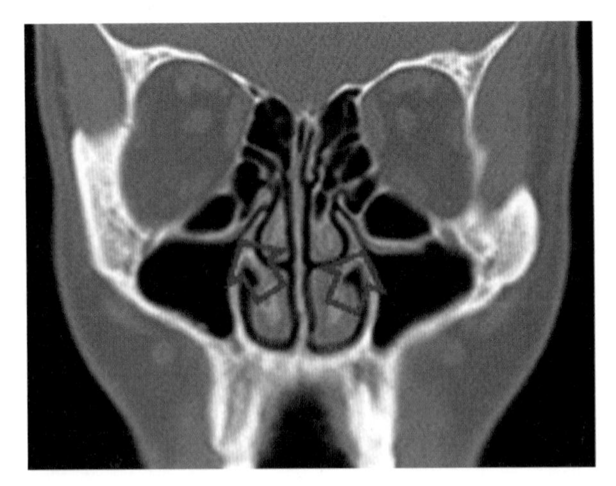

그림 6-6 상악동개구부의 상외측에 존재하는 Haller 봉소를 보여주는 전산화단층영상.

소는 안와하봉소(infraorbital ethmoidal cell)라고도 불리우며, 중비도 개방술을 어렵게 한다(그림 6-6). Haller 봉소 자체만으로도 중비도를 좁게 하기 때문에 수술 시에 반드시 제거해야 하나, 안구와 근접해 있기 때문에 조심해야 한다. 또한, 중비갑개포(concha bullosa)와 구상돌기의 이상 등도 중비도 부위의 접근을 어렵게 하는 해부학적 변이들이다.

Ⅲ. 상악동의 임상적 · 방사선학적 검사

상악동질환의 진단 및 처치는 환자 병력의 정확한 청취에서 시작된다. 이를 바탕으로 임상적 검사를 진행하며 다양한 양상을 보이는 인접 구조물이 많아 여러 기능적, 해부학적 중복성이 혼재되어 있음을 고려해야 한다. 또한, 과거 병력상 전신 질환, 약물투여, 환자의 알레르기, 상기도 감염, 상악동이나 비강의 과거의 수술력 등도 고려되어야 한다.

상악동염의 임상증상으로 이환된 안면부 및 구강 전정부에 부종과 발적이 나타나며, 비루가 있거나 코막힘 증상 및 두통을 호소한다. 견치와 부위부터 협골 융기부위의 안면부 및 구강내를 타진 또는 촉진 시에 동통을 나타낸다. 또한 치성 급성상악동염의 경우에는 상악구치부 치아의 동통과 타진반응에 민감한 동통을 호소한다. 좀 더 세분화해보면, 동통, 압력 및 종창은 상악동의 전벽 부위가 질병에 이환되었다는 것을 의미할 수 있고, 코막힘, 배농, 비출혈 및 악취 등은 중벽 부위에 문제가 있음을 암시하며, 복시, 안구 돌출, 결막 부종, 두통, 지각 및 시력 감소는 상악동의 상방벽과 관련되었을 수 있음을 나타낸다. 개구장애의 증상은 측벽부위와 관련될 수 있고, 의치가 안 맞거나 치아의 동요 등은 구개골 및 치조골 질환과 연관되어 있다.

임상적 검사법으로 증상에 따라 시진, 촉진, 타진, 비경검사, 비강 및 상악동의 내시경검사 및 상악동 흡인법 등이 선택적으로 시행된다. 상악동 투시검사를 시행할 수도 있는데, 암실 내에서 구강 내 구개측이나 협측에서 밝은 빛을 비추어 상악동을 투과하는 빛의 정도를 관찰하는 방법으로 한쪽 상악동만 이환된 경우에는 정상적인 다른 쪽을 기준으로 빛의 투과정도를 비교할 수 있으며, 이환된 쪽에서는 삼출액, 잔존 조직, 농 및 비후된 점막 등으로 인해서 빛의 투과도가 감소된다. 이는 방사선촬영이 어려운 경우 치성 동통이나 치성감염의 감별에 유용하게 이용될 수 있다. 상악동 흡인법은 먼저 비강 내를 마취하고 16게이지 바늘로 하비갑개 하부에 천자를 시행하고 음압을 유지시켜 흡인하거나, 11게이지 골수생검용 바늘을 이용하여 구강 내의 절치와 부위에 마취를 시행한 후 천자를 시행하며, 채취된 표본으로 세균배양검사 또는 항생제감수성 검사 등을 시행한다.

방사선학적 검사는 상악동 병소의 진단에 가장 중요하다. 치성 상악동염인 경우 염증을 야기한 치아를 발견하기 위해 치근단방사선, 교합촬영 또는 파노라마 사진이 유용하며, 발치 도중 치아, 치근 및 이물질의 상악동 내 전이를 평가하는 데 도움이 된다. 그러나 이러한 사진들은 상악동 전반을 관찰할 수 없기에 워터스(Waters'), Caldwell 및 측두방사선사진을 촬영하여 관찰한다(그림 6-7).

상악동 관련 방사선사진에서는 정상의 경우 경계부위가 피질골로 둘러 싸여진 명확한 방사선투과상을 보이게 되고, 상악골이 무치악인 경우에는 상악동의 함기화로 치조정 가까이 상악동이 확장된 소견을 보인다. 비정상적인 소견으로 비후된 점막소견이나 분비액이 차 있거나 이물질의 소견이 관찰될 수 있다. 비후된 상악동 점막의 소견은 일반적으로 만성 상악동염을 암시하며, 상악동에 점액, 농양, 그리고 혈액 등의 축적이 있으면 상악동 기저부에 액체가 고이게 되어 방사선불투과상이 혼재되어 나타난다. 상악동의 좌우 모습을 비교하는 것이 판독에 도움이 되며, 파노라마사진에서는 매복된 상악 제3대구치나 상악 대구치의 치근단의 첨부가 상악동으로 돌출되어 있는 소견도 흔히 나타난다. 일반적으로 방사선 불투과상이 나타나는 상악동의 방사선소견은 상악동염에 의한 점막의 비후, 분비액의 축적, 안면부의 외상에 의한 혈종의 형성, 그리고 양성 및 악성 종양의 발생과 관련되어 빈번하게 나타나며, 상악동 피질골 파괴의 소견은 외상, 종양의 침습, 외과적인 상악동 처치와 관련이 있다.

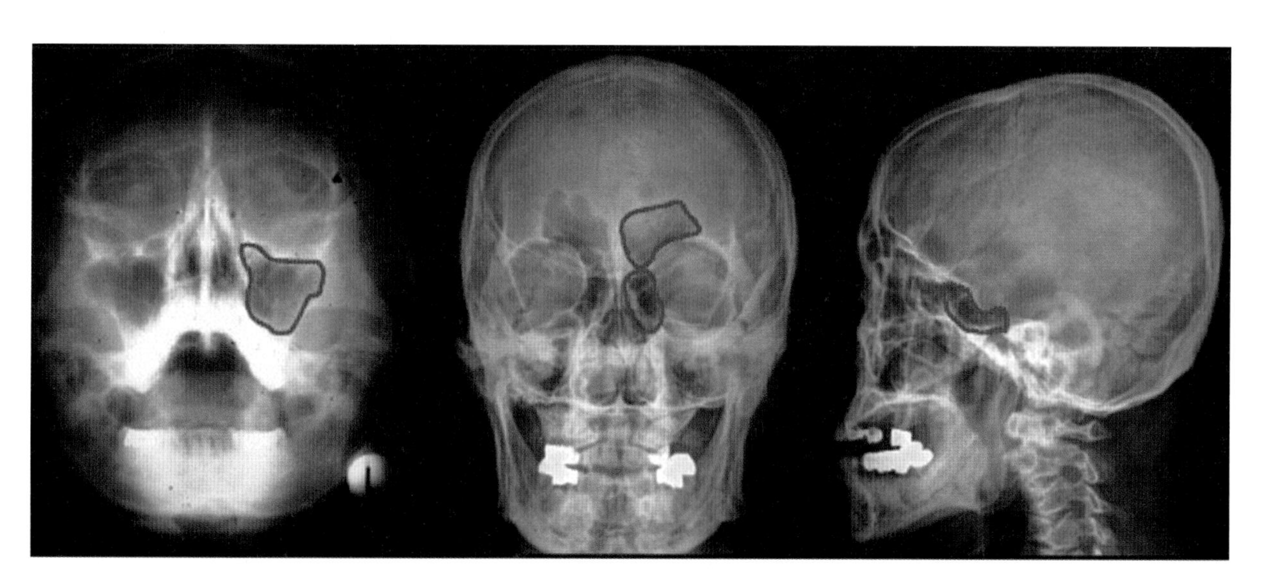

그림 6-7 좌측부터 Waters' view, Caldwell view 및 Skull lateral 방사선사진으로 각각 상악동, 전두동 및 사골동, 그리고 접형동을 보여준다.

급성 상악동염의 방사선소견으로 점막이 비후되고 점액과 농양이 축적되어 상악동내 불규칙적인 방사선불투과성이 증가한다. 만성 상악동염에서는 비후된 점막, 비강 또는 상악동 내의 폴립 등의 소견이 관찰되고, 상악동 내에 분비액이 차게 되어 방사선투과성이 감소하게 된다. 치성 낭종성 병소나 치근단육아종 등의 질환에서도 상악동내로 확장된 방사선학적 병소를 발견할 수 있으며, 상악동 내로 치아, 치근, 임플란트 및 다른 이물질이 함입된 경우에도 방사선불투과성 물체의 소견을 관찰할 수 있다.

상악동의 전산화단층촬영(computed tomography)이나 자기공명영상(magnetic resonance image)으로 보다 세밀하게 상악동질환을 감별할 수 있는데, 특히, CT는 상악동 평가에 유용하다. 상악동 점막이나 골구조의 이상 유무를 입체적으로 판단할 수 있으며 상악동 부위의 외상, 염증성 질환 및 양성, 악성종양 등의 감별에 가장 유용하다. 동시에 상악동 내부나 상악동벽의 공간적인 자료를 제공하는 데 있어 가장 효과적이다. 최근에는 Cone Beam CT의 보급으로 외래에서 손쉽게 촬영이 가능해짐으로써 상악동에 대한 방사선학적 진단이 훨씬 용이해졌다(그림 6-8).

Ⅳ. 상악동의 감염성 질환

상악동 점막은 감염이나 알러지 반응과 같은 상악동의 염증성 질환에 취약하여 점막은 과증식(hyperplasia) 또는 비대(hypertrophy)되고, 방사선소견의 변화를 동반하며, 여러 상악동염의 징후 및 증상이 발생하게 된다. 상악동구가 폐쇄되면, 상악동의 분비세포가 분비한 점액이 장기간 고여 있게 되어 세균이 증식하고 감염이 발생하게 된다(그림 6-9).

감염이나 알러지 등의 원인에 의해 발생된 부비동의 염증상태를 부비동염(paranasal sinusitis)이라고 하며, 범부비동염(pansinusitis)은 대부분 혹은 모든 부비동에 염증이 발생한 것을 의미한다(그림 6-10). 상악동염의 증상은 비치성과 치성으로 구분할 수 있다. 비치성 급성상악동염은 모든 나이에서 발생할 수 있으며, 이환 부위의 압박감, 동통 및 불편감 등의 증상이 빨리 나타나고, 안면의 종창이나 홍반, 권태감, 체온 상승 등이 동반될 수 있으며, 악취를 동반한 점액성 농양이 비강과 비인두부위로 배농될 수 있다. 또한, 비치성 급성상악동염은 혈액학적 검사에서 백혈구 수치가 높게 나

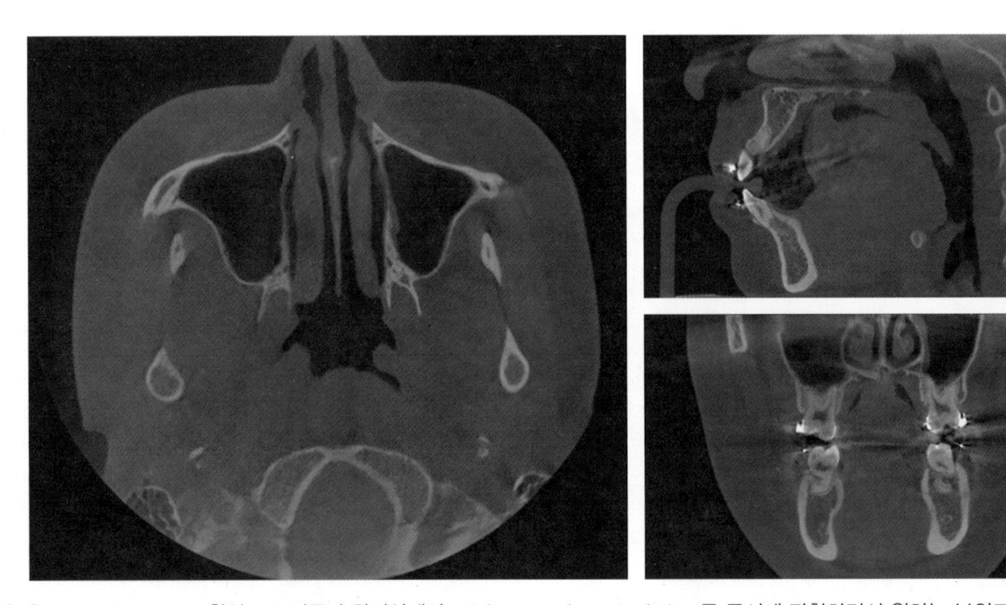

그림 6-8 Cone-beam CT 촬영으로 컴퓨터 화면상에서 axial, coronal, sagittal view를 동시에 관찰하면서 원하는 부위로 조절하여 입체적으로 확인할 수 있다.

타난다. 사골동염, 전두동염 및 상악동염이 심할 경우에는 안와주위종창이 발생하고 실명과 같은 심각한 합병증도 초래될 수 있다.

비치성 만성상악동염은 급성 부비동염이 적절히 치유되지 않거나 급성 염증의 반복이환, 장기간 항생제 치료를 받은 환자에서 발생한다. 급성 상악동염에 비해 발열이나 안면통, 두통 등의 통증은 드문 편이나 코막힘, 점액 농성비루, 후비루, 기침, 두통, 피곤함, 구취 등의 증상이 나타난다.

치성 상악동염은 상악 구치부의 급성 또는 만성 치근단염과 치주질환에 의한 감염, 외상으로 인한 치아의 손상 및 상악골 골절, 발치, 치조골성형술, 임플란트수술, 골이식술 및 구강과 상악동을 개통시킬 수 있는 외과적 치료와 연관되어 나타날 수 있으며, 빈도는 전체 상악동염의 10-12%를 차지하는 것으로 알려져 있으나 최근 임플란트 식립을 위한 상악동거상술이 보편화되면서 좀 더 높은 빈도로 발생한다. 치성 상악동염의 증상은 비치성 상악동염과 같으나, 치아와 연관된 증상 및 원인이 되는 치아가 반드시 존재하며, 적절히 치료하지 않은 경우에는 범부비동염으로 쉽게 이환된다. 또한 흔치는 않으나 안와주위 봉와직염, 해면동 정맥염, 뇌막염, 골수염, 뇌종양 및 사망을 초래할 수도 있다.

상악동염을 야기하는 세균은 비치성감염과 치성감염에 따라 차이를 보인다. 비치성 상악동염의 균주는 비강에 상주하는 균주들로 호기성균이 대부분이고 혐기성균은 적은 편이다. 대표적인 호기성 균주들은 *Streptococcus pneumoniae*, *Haemophilus influenzae*, *Branhamella catarrhalis*, *Streptococcus viridans*, *Staphylococcus aureus* 등이며, 혐기성 균주들은 *Enterobacteriaceae*, *Porphyromonas*, *Prevotella*, *Peptostreptococcus*, *Veillonella*, *Propionibacterium*, *Eubacterium*, *Fusobacterium* 등이다.

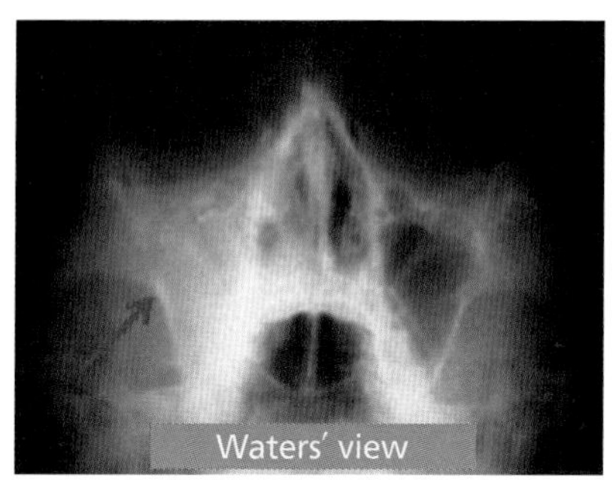

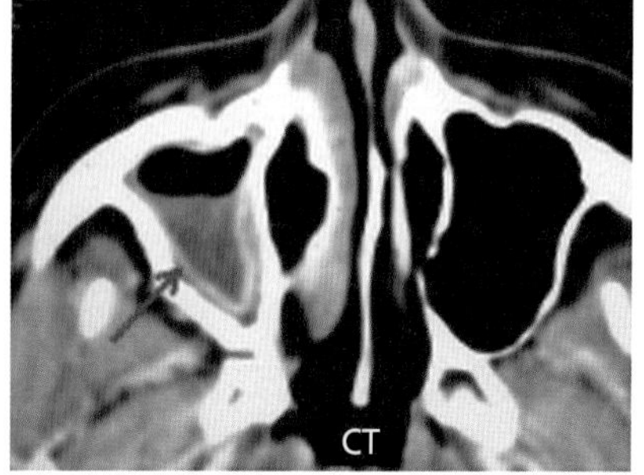

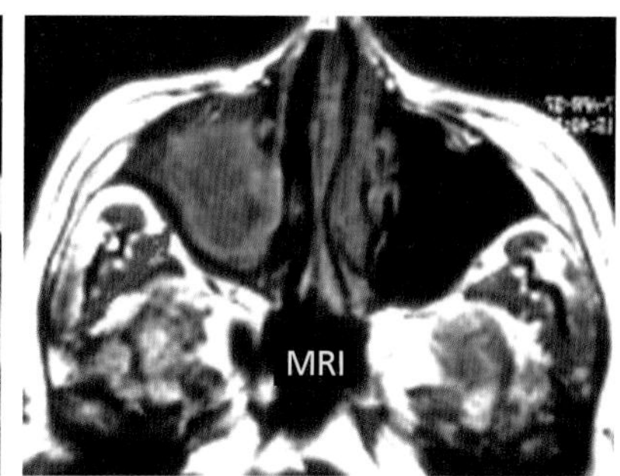

그림 6-9 방사선영상에서 우측 상악동의 감염성 소견을 보이고 있다.

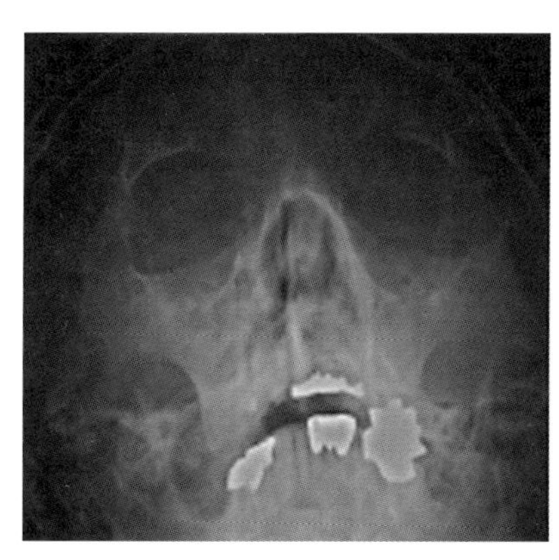
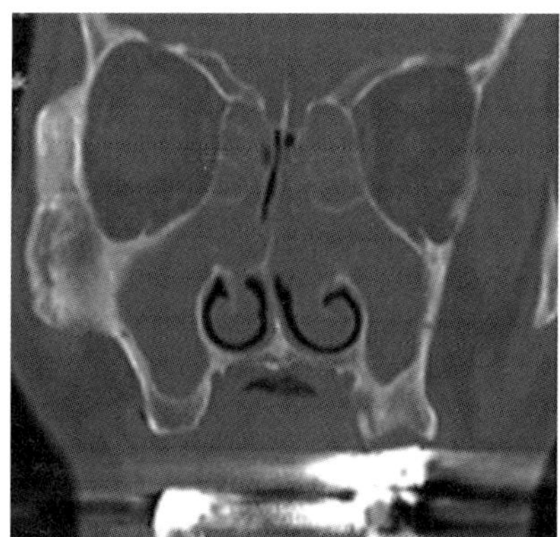
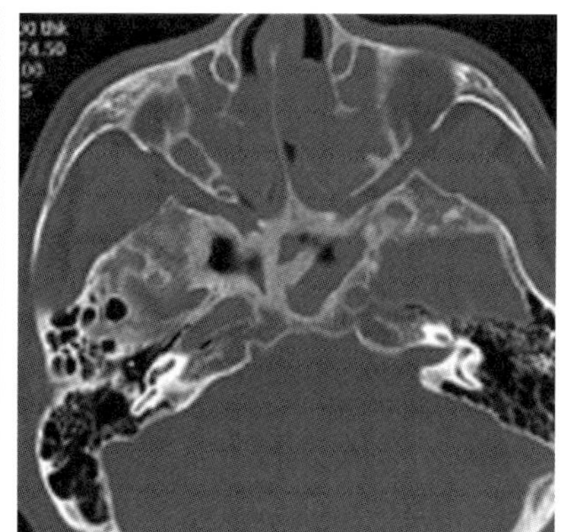

그림 6-10 상악동구가 막혀서 범부비동염으로 진행되어 있는 환자의 방사선사진으로 상악동 및 전체 부비동 내부가 모두 점액성 염증조직으로 가득 차 있는 모습이 보인다.

치성 상악동염의 경우 *H. influenzae* 또는 *S. aureus*는 거의 나타나지 않으며, 치성감염의 원인균과 같은 호기성 및 혐기성 연쇄상구균, 혐기성 *Bacteriodes*, *Enterobacteriaceae*, *Peptococcus*, *Peptostreptococcus*, *Porphyromonas*, *Prevotella*, *Eubacterium* 등이 원인균이다. 분비물에 악취가 있으면 혐기성세균에 의한 감염이며 대부분 치성감염인 경우가 많다.

비치성 만성상악동염의 주요 원인균은 보고에 따라 다양하나 주로 *Staphylococcus aureus*, *Coagulase-negative staphylococcus* 등이고, *Pseudomonas aeruginosa*, *Klebsiella pneumoniae*, *Proteus mirabilis* 등의 그람음성균도 자주 나타나며, 혐기성세균의 검출률은 4-90%까지 매우 다양한 것으로 알려져 있다.

치성 만성상악동염의 경우 원인균은 급성과 큰 차이가 없으며, 호기성균 감염이 약 10%, 혐기성균 감염이 40-50%, 혼합감염이 40-50%로 보고되고 있다. 상악동염이 약물에 잘 반응하지 않거나, 자주 재발하는 경우에는 혼합 감염의 가능성을 고려해야 한다.

그 밖에 상악동염을 야기하는 병원균으로는 바이러스성 상악동염이 전체 급성 상악동염의 약 50%를 차지하며, Rhinovirus, Parainfluenza, Echo, Coxsacki, 호흡기세포융합바이러스(RSV) 등이 흔하다. 또한, 진균에 의해서도 발생할 수 있는데 모균증(mucormycosis), 칸디다증 및 아스페르길루스증(aspergillosis) 등이 있으나, 매우 드물며 전신쇠약, 당뇨, 면역억제제를 장기간 사용한 환자에서 나타날 수 있다.

V. 상악동 감염의 내과적·외과적 치료

1. 내과적 치료

상악동 감염은 다양한 원인으로 발생하고 많은 경우 외과적인 처치가 필요하며, 반드시 상악동염의 원인을 찾아서 이를 제거하는 것이 좋다. 상악동염은 대부분 폐쇄로 인해 점액 분비가 잘 안되어 발생하므로 먼저 가습을 해서 비강이나 상악동구의 건조된 분비물의 배출이 쉽게 이루어지도록 내과적인 처치를 시행한다. 동시에 항생제, 전신적 또는 국소적인 충혈제거제(decongestant) 등을 처방하여 상악동 내 점막의 부종과 비후된 염증을 감소시켜 상악동구에서 분비액의 배출이 촉진되도록 한다. 경우에 따라서는 통증을 완화시키기 위해 일반적인 진통제 및 마약성 진통제를 투여하며, 2% Ephedrine 혹은 0.25% Phenylephrine과 같은 혈관수축제를 함유한 비강분무제와 항히스타민제를 투여할 수 있다. 항생제는 10일에서 14일 정도 투여하는데, 재발이나 만성 상악동염으로의 진행을 막기 위해서는 길게는 3주까지 사용하기도 한다. 투여 72시간 정도 경과 후 증상의 호전이 없으면 투여한 항생제의 적절성을 평가하기 위해 검출된 농양에서 호기성 및 혐기성 세균에 대한 농 배양검사와 항생제 감수성 검사를 시행한다. 원인균이 β-lactamase를 생성하는 세균이라면 trimethoprime-sulfamethoxazole, amoxicillin-clavulanate와 같은 항생제가 효과적이다.

급성 상악동염의 경우 통증이 심하고 심각한 증상을 보이는 경우도 있으므로 적극적인 약물투여와 외과적 처치를 즉시 시행해야 한다. 만성 상악동염의 진단과 치료는 복합적으로 고려하고 치료 과정도 단기간이 아닌 지속적으로 고려해야 한다. 만성 상악동염은 진단 과정에서 다양한 요인을 고려해야 하고 치료기간이 길어질 수 있다. 상악동구의 유지를 위해 생리식염수 및 3-5%의 고장액식염수(hypertonic saline)를 이용한 세척이 큰 도움이 된다.

2. 외과적 치료

외과적 처치는 약물요법에 효과가 없거나, 상악동에 국한되지 않은 염증이 안면부 및 안와부 등으로 파급되거나 합병증이 나타나는 경우에 시행되며, 악안면부 염증 치료의 원칙에 준하여 감염원의 제거를 목표로 하게 된다. 외과적 치료를 위해 폐색의 원인이 될 수 있는 폴립이나 비중격에 대한 외과적 교정, 진균의 수술적 제거, 비강 또는 상악동 종양의 진단을 위한 조직검사 등을 시행한다. 이를 위해 비강 혹은 비중격의 개방 수술, Caldwell–Luc 술식과 같은 상악동근치술, 흡인 및 세척술, 비강–상악동개방술(naso–anthrostomy) 및 상악동구의 확장을 위한 기능적 내시경 부비동수술 등을 시행한다.

1) 상악동근치술(Caldwell-Luc operation)

상악동근치술은 약물요법이 상악동염을 효과적으로 치료하지 못하는 경우나, 상악동내 낭종제거, 치성 상악동염의 수술, 상악동내 이물제거술 및 상악동 종양 등을 효과적으로 제거하기 위한 수술법으로 대표적으로 Caldwell–Luc 수술이 알려져 있다. 이 술식은 1893년 미국 내과의인 George Caldwell과 1897년 프랑스의 이비인후과의사인 Henry Luc의 이름을 딴 수술법으로, 상악골 전방부나 동측 제2대구치 상방에 구멍을 뚫고 상악동 내의 병적인 점막을 제거한 후에 하비도(inferior meatus)를 통해 비강과 상악동을 연결시키는 창을 형성하는 술식이다. 전신마취 또는 국소마취하에 상악 견치부터 제1대구치부위까지 구강 전정부에 점막 절개를 시행하거나 상악구치부의 치은 열구절개와 견치부의 수직절개를 시행하여 피판을 거상시켜 상악동의 전외벽을 노출한 후에 견치와 부위에서 치근단 상방에 약 2 cm 크기의 골창(bone window)을 만들고, 상악동 내부의 병소를 모두 제거한다. 이후 비강으로 접근하여 하비도 부위에 약 1 cm 높이, 길이는 2 cm 크기의 비강–상악동 개방술을 시행하고, 긴 니트로프라존연고 거즈를 이용하여 상악동을 충전한 후 천공부위로 연장시켜 비강 내로 빼낸다. 통상적인 구강내 봉합 시행 후, 술후 약 5–7일경 비강으로부터 연고 거즈를 제거하고 상악동 세척을 시행하여 상악동이 치유되고 점막이 새로 형성되도록 한다.

Caldwell–Luc 술식은 부비동 내시경술이 실패한 경우 및 상악동 개구부가 넓게 유지됨에도 불구하고 사골동과 전두동의 증상 없이 상악동염이 재발한 경우에

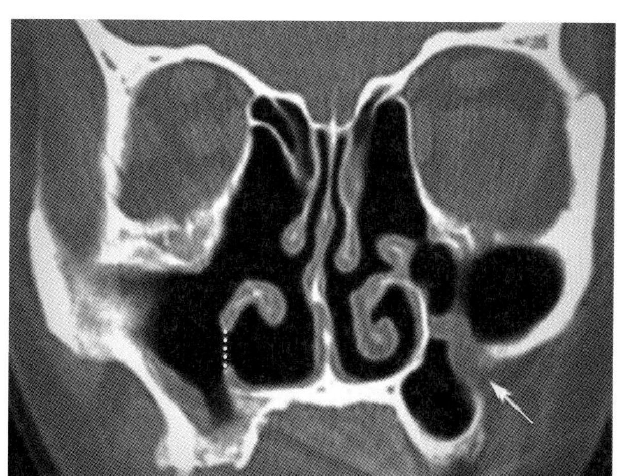

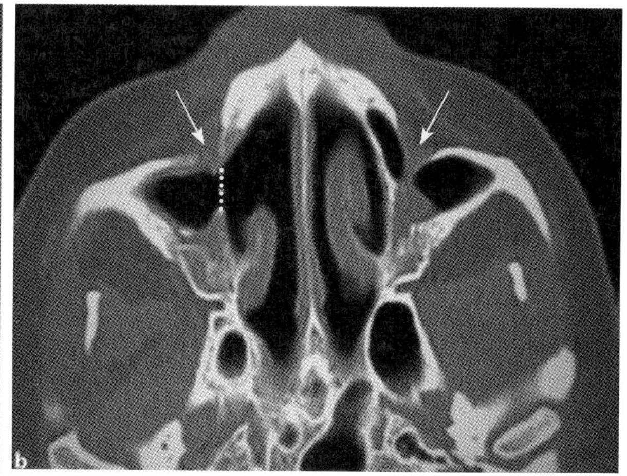

그림 6–11 **Caldwell–Luc 수술 이후의 CT 영상.** 양측으로 상악동 전방벽의 골결손부(화살표)와 하비도에 상악동과 비강의 개통부위(우측, 점선)가 관찰된다.

사용할 수 있다. 그림 6-11과 같이 Caldwell-Luc 술식 이후의 CT 영상에서는 치조돌기 상방의 전방 상악골에 국소적인 골결손부가 남아있고 하비도 부위에서 상악동으로 개통되어 있는 소견이 관찰된다.

그러나 하비도 골개창술의 효과에는 논란이 있다. 수술 후 3개월 내에 82%에서 하비도 골개창 부위가 막히기 때문이다.

2) 기능적 내시경 상악동수술(Functional endoscopic sinus surgery, FESS)

부비동 및 상악동의 수술에 있어 내시경을 이용한 최소침습 수술법이 비약적으로 발전되어 왔다. 상악동근치술의 경우 기능적인 회복이 어려운 상악동 내 점막을 모두 제거하지만, 기능적 내시경 상악동수술은 적절한 환기와 배출을 도모하여 병적인 점막의 회복을 기대할 수 있다는 전제하에 상악동구만을 넓혀준다. 즉 기능적 내시경 상악동수술에서는 병적 점막의 존재와 상관없이 비강-상악동의 새로운 개방구를 형성하지 않고, 막혀 있거나 작은 기존 개방구의 통로를 유지하기 위해 구상돌기를 포함한 주변조직에 대해 최소한의 처치만을 진행한다. 이는 내시경 부비동수술(endoscopic sinus surgery, ESS)과 혼용되기도 하지만, 상악동염의 치료를 위한 내시경수술은 상악동구를 넓혀주는 동시에 상악동 내의 병적인 점막을 선택적으로 제거하는 술식이라고 할 수 있다(그림 6-12). 상악동에 병적 점막이 존재하는 경우 이를 선택적으로 제거해주는 것이 단순히 상악동구만을 유지, 확장시키는 것보다는 빠른 치유를 도모할 수 있기 때문이다.

피부 및 점막을 절개하지 않고 내시경을 통해 비강으로 접근하여 진단과 동시에 치료하는 술식이다. 직경 4 mm의 성인용, 직경 2.7 mm의 소아용 내시경이 있으며, 내시경 끝의 각도도 0, 30, 45, 70, 90, 120°로

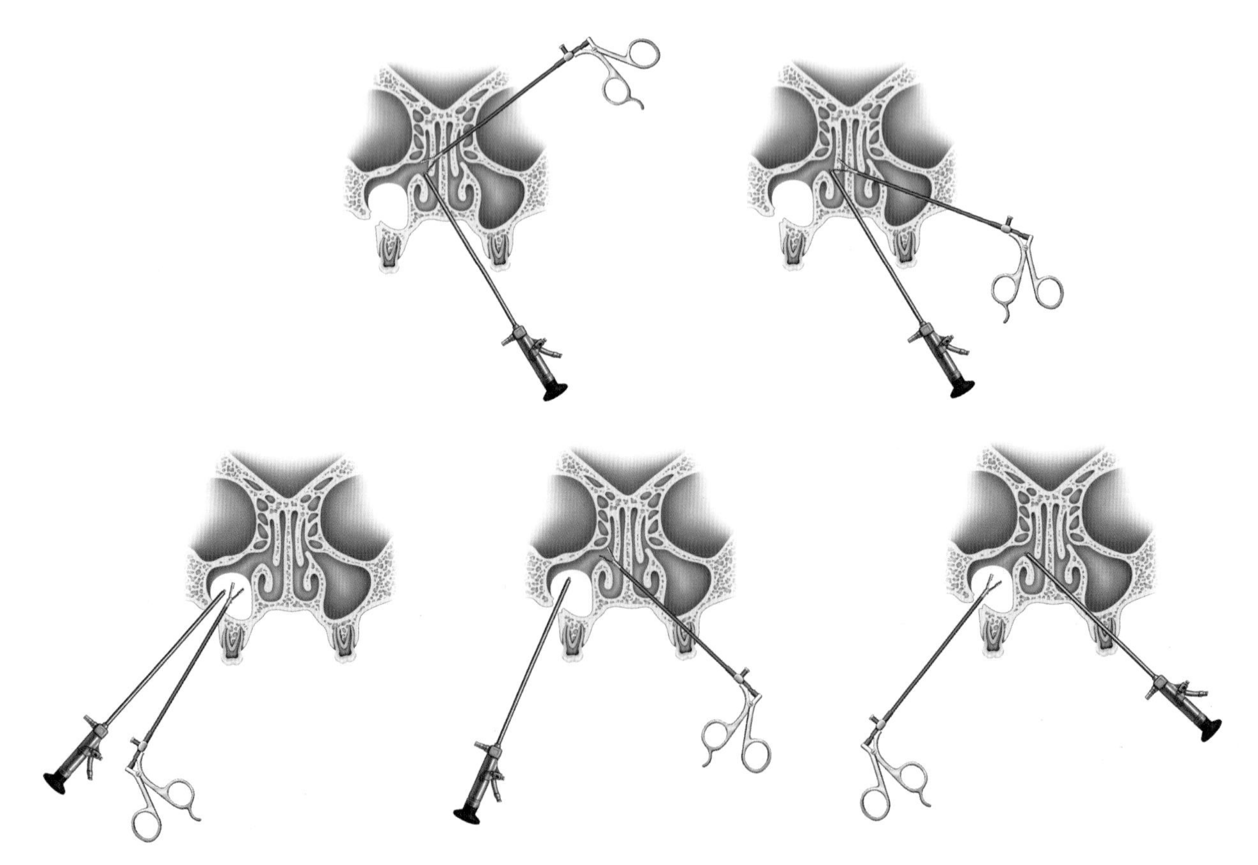

그림 6-12 상악동수술을 위해 구강 및 비강을 통한 내시경의 다양한 접근로를 보여주는 모식도.

다양하게 제작되어 비강 내부 및 상악동구를 통해 상악동 내부를 보다 더 잘 관찰할 수 있다(그림 6-13).

이러한 기능적 내시경 부비동수술은 부비동염, 상악동염 및 종양을 조기에 정확히 진단하고, 만성 부비동염의 원인을 제거할 수 있다. 또한 상악동근치술 후에 발생할 수 있는 상악동 개구부의 해부학적 변형 및 여러 안면부 감각이상을 피할 수 있고, 수술 후 통증을 줄일 수 있다. 또한 입원기간이 상대적으로 짧아 술 후 2-3일 내에 퇴원 가능하다. 그리고 비중격의 만곡이 없는 경우 양쪽 상악동을 동시 수술할 수도 있다(그림 6-14). 그러나 부비동염의 진행이 심하여 내시경수술로 병변의 완전한 제거가 힘든 경우 상악동근치술에 의한 접근이 필요할 수 있다. 특히 상악동 구치부와 연관된 치성 원인의 병변일 경우 내시경의 접근이 어려워 상악동근치술 또는 상악동내 세척술이 요구된다.

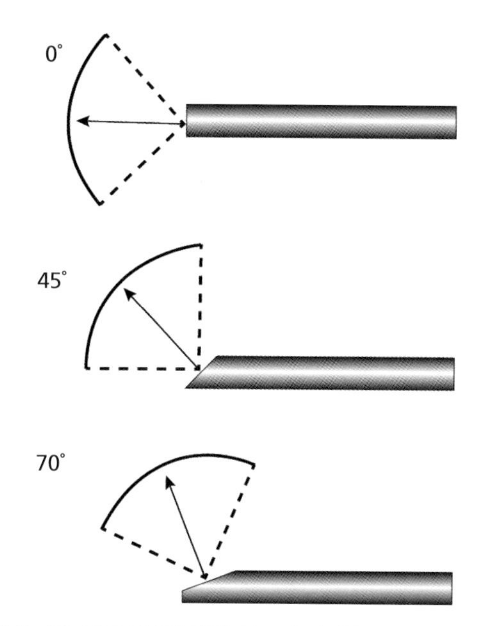

그림 6-13 비내시경의 첨부 각도와 시야를 보여주는 모식도.

따라서 치과 영역에서 기능적 내시경 상악동수술은 일반적으로 상악동 세척을 포함한 내과적 처치법으로 치료되지 않는 경우 및 재발성 세균성 상악동염의 경우 우선 고려된다. 이 외에 항생제에 반응하지 않는 중증세균성 부비동염, 비용종(nasal polyp), 점액류, 점액저류낭종 및 사골동염에 기인한 안구주위 봉와직염 등에 고려할 수 있다. 내시경 상악동수술이 시행된 이후 재수술 또는 재검사가 요구되는 경우에 수정 내시경 상악동수술(revision endoscopic sinus surgery, RESS)을 시행한다.

내시경 상악동수술 후에는 수술부위를 청결히 하고 자연개방부를 잘 유지한다. 보통 술후 1일경 지혈을 위해 비강 충전하였던 거즈 등을 제거한다. 필요하면 수술부위의 혈병 및 가피 등을 조심하여 제거하고 시술 후 3-7일경부터 생리식염수를 통한 자가 세척을 시행한다. 비용종이나 커다란 낭종 및 알레르기가 있었던 경우에는 스테로이드 비분무제를 적용하여 상악동구의 유지를 돕는다.

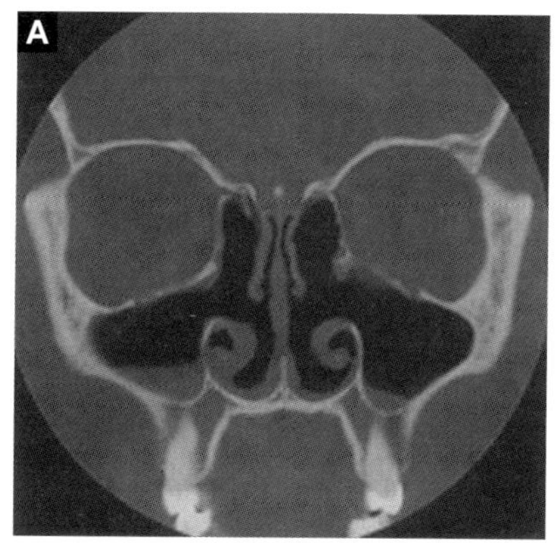

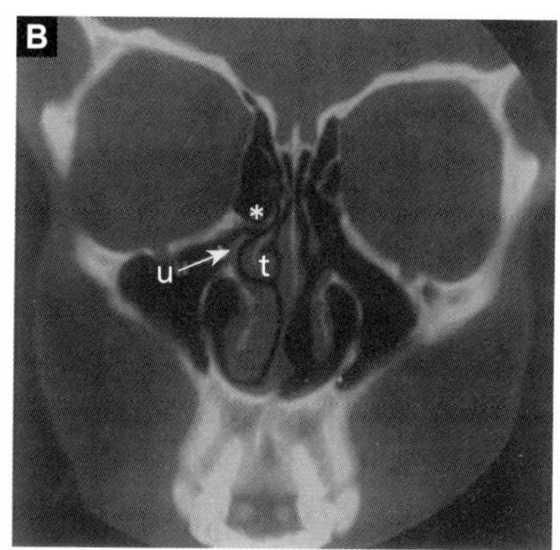

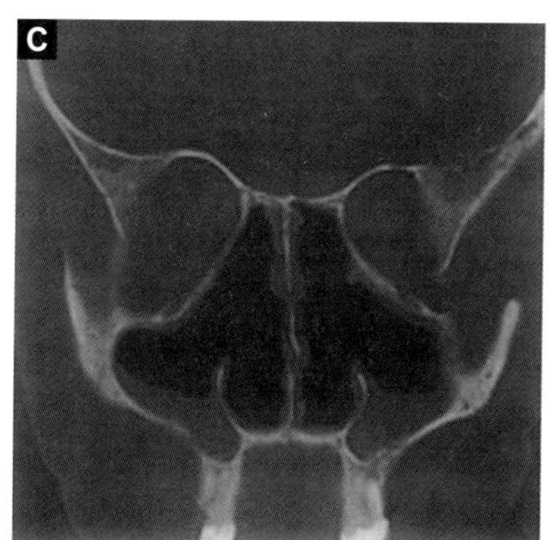

그림 6-14 내시경 상악동수술 후 CT 소견.
A: 일반적인 시술 후 B: 최소한으로 진행되어 구상돌기제거술(uncinectomy, u)이 시행되지 않고 하비갑개(inferior turbinate, t) 및 서골포(ethmoidal bulla, *)가 잔존하는 소견 C: 광범위하게 시술되어 구조물이 많이 제거된 소견.

Ⅵ. 구강–상악동 누공의 치료 및 합병증

발치 또는 외상과 관련하여 구강과 상악동 간에 누공이 발생할 수 있다. 무치악 부위에 인접한 치아, 치근의 이개가 심한 치아를 발거할 때 발생하기 쉽다. 특히 상악동이 치아주위의 무치악 치조돌기로 함기화된 경우, 치조골은 약해지고 치근은 더욱 상악동에 근접하게 된다. 또한 치근단 병소에 의한 상악동 기저부의 골파괴, 발치기구의 무리한 사용, 상악동을 포함하는 외과적 수술의 과거력 등으로 인해 구강–상악동 누공 발생의 가능성이 높아진다.

구강–상악동 누공은 상악 구치의 발치 시에 많이 발생한다. 이 합병증은 상악동 내부로 치근의 첨부가 돌출되어 있거나 거의 골로 덮여 있지 않을 경우 발생 가능성이 높아진다. 파절된 치근을 발치용 기자(elevator)로 제거할 때 그리고 만성 치성감염이 상악동과 치근 사이의 골을 파괴시켰을 때에도 발생할 수 있다. 구강–상악동 누공은 대부분 크기가 작으며, 시간이 지나면 발치와를 채우는 혈병이 작은 누공을 폐쇄시키는 경우가 많다. 그리고 이환된 상악동의 감염이 없다면, 특별한 처치 없이 이차성 치유(secondary healing)를 유도할 수 있다. 염증이 없는 상악동에 작은 누공이 생기면 발치와의 혈병이 유지되도록 치은 조직을 가능한 대로 접합 위치시켜 단단히 봉합을 시행한다. 접합이 어려운 경우에는 협측 치조정 부위의 골을 일부 삭제한 이후에 치은 조직을 접합시키는 것이 발치와의 폐쇄에 도움이 된다.

수술 후 약 10–14일 동안 환자는 코를 풀지 않도록 주의해야 하고 입안을 격렬히 세척하는 것을 피하며, 재채기할 때는 입을 벌리도록 하고, 빨대를 이용한 음료 섭취와 흡연 등을 피한다. 술후 2–3일 간격으로 내원하도록 하여 경과를 관찰한다. 구강 내로 바람이 샌다던지, 비루증 등의 상악동염의 증상이나 비출혈 등이 있는 경우에는 구강악안면외과 전문의에게 의뢰해야 한다. 대부분의 구강–상악동 누공이 위와 같은 처치를 통해 치유되지만, 일부의 경우 누공이 폐쇄되지 않기도 한다. 이는 상악동이 감염된 경우, 누공의 직경이 5 mm 이상인 경우, 발치와의 치은 접합 봉합술이 잘 안 된 경우, 창상의 이개가 발생한 경우, 술후 환자 관리가 부적절한 경우 및 흡연 등과 관련이 있다. 누공의 폐쇄를 위한 여러 외과적 술식이 있으며, 그 결손부의 위치와 크기 및 공여부의 상태와 양을 고려하여 선택한다. 골결손 부위에 봉합선이 위치하지 않도록 하고 봉합 시 피판에 장력이 생기는 것을 피해야 한다. 협부점막 피판 전위술과 구개피판 전위술이 주로 쓰인다.

1. 협부점막 피판 전위술

작은 크기의 누공은 협부점막 피판을 이용하여 폐쇄할 수 있다. 활주피판(sliding flap)과 전진피판(advancement flap)의 2가지 형태가 있다(그림 6-15). 전진피판은 기저면이 넓어 혈류공급에 유리하고 골이 노출되지 않으며 회전이 필요하지 않다. 또한 Caldwell–Luc 술식과 동시에 시행 가능하다. 하방 판막부위의 골막에 부가적인 이완절개를 시행하면 피판의 가동성이 높아진다. 협측 전정이 얕아지는 것이 전진피판의 단점이다. 활주피판은 수술부위가 무치악인 경우 널리 이용된다. 부착치은의 양이 적을 경우 가동성이 떨어진다.

2. 구개피판 전위술

대구개혈관의 혈류공급을 받는 구개피판은 전진피판, 회전 전진피판, 도상 피판 및 점막하 결합조직피판 등의 형태로 이용 가능하다. 대구개동맥을 통해 혈류공급이 유지되며 치조능에 부착치은을 부여할 수 있다. 그러나 최후방 구치부와 같이 누공의 폐쇄를 위해

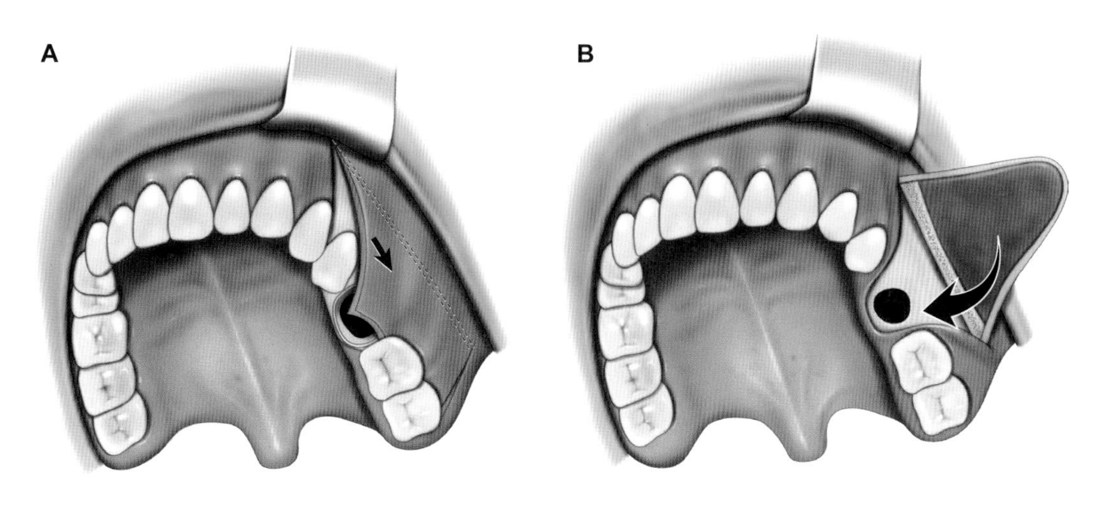

그림 6-15 **협부 점막피판 전위술.** A: 활주피판 B: 전진피판.

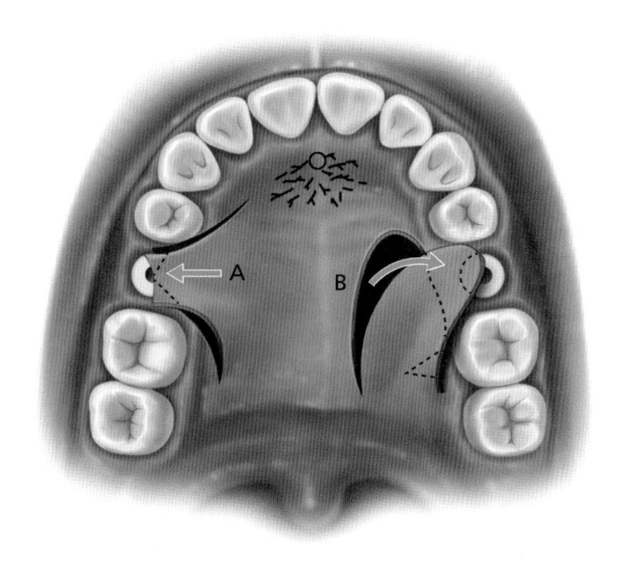

그림 6-16 **구개피판 전위술.** A: 전진피판 B: 회전 전진피판.

회전이 많이 필요한 경우에는 혈관의 접힘이 발생하여 원활한 혈류공급이 어려워질 수 있다. 또한 피판 회전 후 공여부의 구개골이 노출되면 이차치유가 필요하다. 구개점막은 탄력이 낮아 전진 이동이 어렵기 때문에 전진피판보다는 회전 전진피판이 널리 쓰인다(그림 6-16).

한편 최근에는 자가협부지방대를 이용한 폐쇄술, 자가 혈액유래 피브린응고 물질을 이용한 폐쇄술 등도 이용되고 있다. 누공 폐쇄의 성공을 위해 상악동 감염 처치, 이물질 제거, 수혜부 골조직 위에 봉합선의 설정, 긴장도가 없는 피판의 형성, 그리고 적절한 혈관경을 가진 피판의 이용이 추천된다.

Ⅶ. 상악동의 양성병소와 치료

치과진료 시 환자의 부비동 및 상악동에 영향을 주는 병리학적 질환을 접할 기회가 점차 많아지고 있다. 상악동의 양성병소에는 낭종성 및 종양성 질환이 있다. 병소가 서서히 커져 상악동의 인접 해부학적 구조물을 침범할 정도가 되면 증상과 징후가 뚜렷해진다. 이에 따라 상악골의 외형이 변화될 수 있고, 심하면 안면부의 변형이 나타날 수 있다. 상악동구가 막히면 비루증, 비폐색 및 부비동 전체의 감염이 초래될 수 있고, 삼차신경의 상악 분지를 침범하는 경우에는 이상감각의 증상이 나타날 수도 있다. 병소가 안와를 침범할 정도로 커지면 시각장애 또는 안구돌출증이 나타날 수도 있다. 일반적인 상악동의 양성병소는 표 6-3의 분류와 같다. 주로 발생하는 상악동 양성병소는 다음과 같다.

표 6-3 상악동의 양성병소 분류

상악동의 양성병소 분류
상악동의 낭
① 내인성 낭
• 점액낭(mucous retention cyst)
• 점액류(mucocele)
• 비분비성 장액낭(nonsecreting serous cyst)
• 진주종(cholesteatoma)
② 외인성 낭
• 치성각화낭(odontogenic keratocyst)
• 함치성낭(dentigerous cyst)
• 치근낭(radicular cyst)
• 석회화치성낭종(calcifying odontogenic cyst)
상악동의 종양
① 내인성 종양
• 편평유두종(squamous papilloma)
• 역위형유두종(inverted pailloma)
• 유년기섬유성혈관종(juvenile angiofibroma)
• 혈관 병소(vascular lesions)
• 점액종(myxoma)
• 거대세포종(giant cell tumor)
② 외인성 종양
• 법랑모세포종(ameloblastoma)
• 선양치성종양(adenomatoid odontogenic tumor)
• 치아종(odontoma)
• 치성 점액종(odontogenic myxoma)
비종양성 상악동 양성병소(Tumor-like lesions of the maxillary sinus)
① 거대세포 육아종(giant cell granuloma)
② 섬유성 병소(fibrous lesions)
• 화골성 섬유종(ossifying fibroma)
• 섬유성 이형성증(fibrous dysplasia)

1. 점액류(Mucocele)와 점액저류낭 (Mucous retention cyst)

점액류와 점액저류낭종 발생의 주요인은 상악동 점막분비도관의 폐색이다. 원인은 불명확하지만 알러지나 염증의 결과로 나타난다. 점액류는 조직학적으로 상피조직의 구성이 없는 낭종을 뜻한다. 낭종벽은 명확하지 않고 육아성 조직으로 이장되어 있으며, 내부에는 점소(mucin)와 염증성 세포를 포함한다. 그러나 부비동에서 발생한 거의 모든 점액류에서는 상피조직성 낭종벽이 관찰된다.

점액저류낭종(mucous retention cyst)은 상악동의 양성질환 중 발생빈도가 가장 높고 20−40대에 호발한다. 만성, 팽창성의 분비성 낭종으로 호흡 상피로 이장되어 있다. 점액선 낭종의 팽창으로 상악동 점막에 점액이 축적되어 발생하는 것으로 알려져 있다. 파노라마방사선사진에서 성인의 1−3% 정도에서 발견되며, 타원형 혹은 반달모양의 방사선불투과상으로 나타난다. 상악동 기저부에 발생하는 경우가 많다. 경계는 명확하며, 몇 mm의 작은 경우부터 상악동을 채울 만큼 큰 경우까지 다양한 크기를 보인다.

증상이 나타나는 경우는 별로 없고, 보통 특별한 처치는 필요 없다. 수개월 후 방사선사진을 촬영해 보면 자연스럽게 사라져 있는 경우도 있다. 그러나 점액저류낭종 이외의 다른 소견이 발견되거나, 상악동질환의 증상을 동반한 경우에는 전문의에게 의뢰하여야 한다.

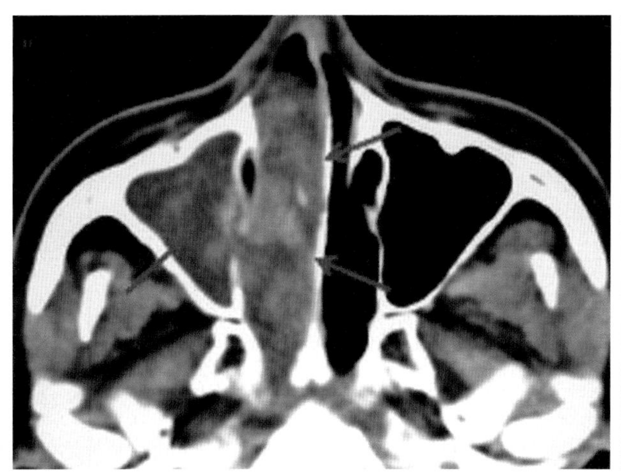
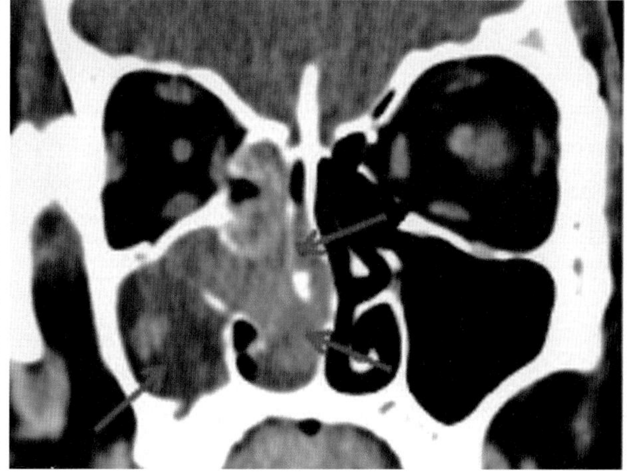

그림 6-17 **상악동 용종(antrochoanal polyp).** 점액류, 점액저류낭종 및 악성종양과의 감별 필요.

점액저류낭종은 방사선소견이 유사한 다른 질환들과 감별되어야 한다. 치성낭종, 상악동폴립, 양성 또는 악성종양 등과 감별이 필요하다(그림 6-17). 아주 드물지만 이차적 감염에 의해 상악동내 농류(pyocele)가 발생할 수도 있다. 이 경우 급성 상악동염의 증상이 있으면 인접 해부학적 구조물까지 침범할 수 있다.

2. 비분비성 장액성 낭종(Non-secreting serous cyst)

이 낭종은 상악동 점막 결합조직의 국소적인 부종으로 인한 팽창 후 퇴화 과정의 결과로 나타난다. 주로 알러지 반응의 결과로 나타나며, 상악동에서 발견되는 위낭(pseudocyst)의 가장 흔한 형태이다. 일반적으로 증상이 없으며, 치료를 필요로 하지 않는다. 방사선학적으로 병소는 상악동저의 둥근 경계의 밀도를 나타낸다. 일반적으로 주변 상악동 점막은 정상소견을 보인다.

3. 상악동염의 술후 상악낭종 (Postoperative maxillary cyst)

상악동염의 술후 낭종은 만성상악동염의 근치수술 시행 수개월에서 수년 후에 발생하는 질환이다. 1927년 일본의 Kubo 등이 술후 협부낭종(postoperative cheek cyst)으로 최초 보고한 이후 점액저류낭종(post-operative maxillary mucocele) 또는 술후 상악낭종(postoperative maxillary cyst) 등으로 불려 왔다. 술후 상악낭종은 상악동근치술 후 주로 발생하고, 10년에서 15년마다 재발하는 것으로 알려져 있다. 이미 내시경접근법이 보편화되어 있기 때문에 앞으로 이 질환의 발생이 계속 감소할 것으로 예상된다(그림 6-18).

여러 원인으로 발생 가능하나, 대개 상악동근치술 이후 골결손 부위에서 골의 재형성이 이루어지기 전에 수술부위에 축적된 점액이 점막을 비후시키고, 동시에 하비도 부위의 비강과 상악동을 연결한 천공부가 폐쇄되어 새로운 낭종이 형성된 것으로 이해되고 있다. 여성보다는 남성에서 호발하고, 뺨과 구강전정부의 부종과 통증을 호소하는 전형적인 증상을 보인다. 방사선학적으로 단방성 또는 다방성으로 명확한 경계를 지니는 방사선투과성의 상악동내 낭종의 형태를 보인다. CT를 통해 골의 천공 유무와 인접 치아의 치근부의 포

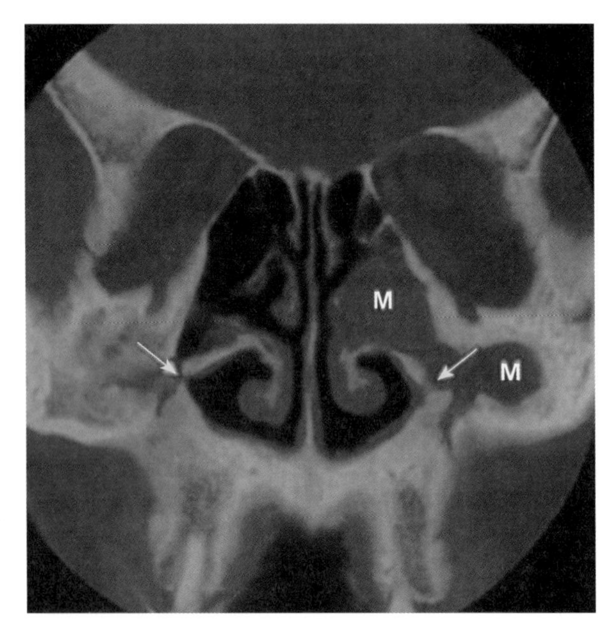

그림 6-18 술후 상악낭종을 보여주는 CT의 모습으로 낭종이 다방성으로 진행된 점액종(M)처럼 보인다.

함 여부 및 낭종의 수, 크기, 위치 및 형태를 판별할 수 있다. 상악동내 흡인술을 시행하면 일반적으로 갈색의 점액성 삼출액이 흡인되고 필요시 성분분석을 할 수 있다. 조직학적 소견으로 얇은 섬유성 결합조직과 섬모성 원주 상피세포로 이장된 얇은 낭종벽을 확인할 수 있고, 이차감염이 된 경우에는 육아조직성의 두꺼운 낭종벽이 관찰된다.

상악동 내부의 재점막화를 위해 Caldwell-Luc 재수술로 낭종의 완전한 제거를 시도하며, 섬유화 조직으로의 대치는 최소화한다. 또한 하비도 및 중비도 개방술을 시행하여 생리적 상악동구를 유지하는 것이 좋다.

4. 진주종(Cholesteatoma)

조직학적으로 편평상피와 섬유성 조직으로 구성된 기질 내에 케라틴을 포함하는 소견을 보인다. 콜레스테롤이 반드시 나타나는 것은 아니므로 각화종(keratoma)이라고도 불리우며, 주로 측두골의 유양돌기 부분에서 발생하고 상악동을 포함한 부비동에는 매우 드물게 발생한다. 상악동에 발생하면 병소가 팽창함에 따라 동통이 증가하고, 비루증(rhinorrhea)이나 상악동염을 일으키기도 한다. 또한 병소가 커짐에 따라 주변골을 침범하여 안면부의 부종이나 촉진 시 심한 동통을 동반하게 되며, 비강폐색이나 안와저의 침범으로 인한 안구운동 제한, 안구돌출증 등의 증상이 동반되기도 한다.

보통 상악동근치술 등을 통해 적출해내며, 대부분 적출 후 조직학적 소견으로 확진 가능하다.

5. 편평유두종(Squamous papilloma)

비강점막에서 호발하며, 비강 및 상악동의 양성종양 중에서 약 3% 미만의 발생률을 보인다. 조직학적으로 피부에서 발생하는 각화성 편평유두종과 유사하며, 비점막에서 발생하여 상악동을 침범하는 경우가 많다.

6. 역위형유두종(Inverted papilloma)

발병 원인은 거의 알려져 있지 않으나, 알레르기, 만성 염증, 바이러스 감염 등에 의한 것으로 추정된다. 재발 가능성이 높은데, 40-60%에 달하는 것으로 보고되고 있다. 병소에 인접한 상악동 점막의 이형성(metaplasia)으로 인해 병소가 여러 부위로 확장되는 경우가 많다. 비강의 외측벽에서 호발하고 인접 부비동을 침범한다. 상악동구와 사골동의 경계부에서 호발한다. 소아 및 청소년에서는 드물며 주로 중년에서 발생한다. 남성에 주로 나타나며 백인에 더 많이 발생한다. 편측 비폐색 및 비충혈, 비출혈, 두통의 증상을 동반한다. 대개 역위형 유두종 환자는 알레르기 과거력이 없다. 외과적 절제술이 추천되며, 술후 2년 내에 재발하는 경우가 많고, 약 5%의 경우에서는 악성 변이되기도 한다.

7. 유년기섬유성혈관종(Juvenile angiofibroma)

비교적 드문 양성종양이다. 병소는 국소적으로 침윤적이며, 피막화가 되어 있지 않다. 10-17세의 유년기에 호발하며, 후비공이나 비인두부위에 많이 발생한다. 원인은 밝혀지지 않았지만 발육기의 호르몬이 영향을 끼치는 것으로 알려져 있다. 비폐색, 빈번한 비출혈, 화농성 비루, 콧소리 등의 증상이 나타난다. 조직학적 검사를 통해 일반적인 비강내 폴립과 감별이 필요하다. 이 종양은 출혈 위험성이 있으므로 생검 시 주의가 필요하다. 병력과 진찰소견 및 방사선학적 평가를 기초로 진단한다. 조직학적으로 결합조직의 기질과 풍부한 혈관 내피세포망으로 구성되어 있고, 결합조직은 일부에서 초자체 형성이 나타나며 세포의 변성이 나타나는 부위도 있다.

Ⅷ. 상악동의 악성종양과 치료

두경부 악성종양은 부비동에서 드물게 나타나지만, 부비동 중에서는 상악동에서 가장 많이 발생한다. 상악동 악성종양의 90%는 40대 이상에서 호발하며 남자에서 2배 많이 발생한다. 상악동을 포함하는 편평세포암은 다른 구강내 편평세포암과는 다르게 약 10% 미만에서 경부림프절 전이를 보이는 것으로 알려져 있다.

상악동 원발암의 TNM 분류는 골조직으로 둘러싸인 해부학적 특성으로 인해 원발부를 감싸고 있는 골조직으로의 침습 여부가 이 T 분류에 있어 다른 암종과는 특이적이며 N, M 분류는 다른 암종과 같다(표 6-4).

표 6-4 상악동내에 발생한 원발성 종양(T)

진단하기 힘든 원발성 종양
종양세포가 오직 한 층에서만 발견되는 매우 초기 단계 종양으로 carcinoma (cancer) in situ로 명명하기도 함
골의 파괴 또는 침식이 없고 상악동 점막에만 국한된 종양
경구개 및 중비도로 연장, 상악동 후방벽과 익돌판으로 연장 등을 포함하여 골침식 또는 파괴를 야기하는 종양: 종양은 골, 협부 피부, 다른 부비동으로 침식
종양이 다음 해부학적 구조물 등을 침식: 상악동 후방벽의 골, 피하조직, 안와 내측벽 또는 안와저, 익돌와, 사골동
중증도의 진전된 또는 매우 진전된 국소질환
중증도의 진전된 국소질환. 종양은 전방부 안와 구조물, 협부 피부, 익돌판, 하측두와, 사상판, 접형동, 전두동 등을 침식
매우 진전된 국소질환. 종양은 다음 해부학적 구조물들을 침식: 중두개와, 삼차신경의 상악분지 이외의 뇌신경(V2), 비인두 또는 사대

상악동의 악성종양은 초기에는 증상이 없으나, 크기가 커지면서 코가 막히거나 협측 피부가 부어오르고 비출혈 등의 증상이 나타난다. 이 경우 초기에 항생제요법이나 알레르기 치료 등의 과정을 거치는 경우가 많다. 이에 따라 악성종양이 증식하며 비루관이 폐색되어 유루증(epiphora) 등의 증상이 나타나기도 한다. 또한 안와저를 침범하여 복시, 안구운동 제한 및 안구돌출 증상 등의 안과적 증상을 동반할 수 있으며, 상악동 전벽의 침윤으로 협점막 부위의 궤양이 구강 내에서 관찰되기도 한다(그림 6-19).

상악동의 악성종양은 염증성 질환과 유사한 증상을 나타내기 때문에 생검을 통해 병리조직학적 소견을 확인하는 것이 좋다. 상악동 내부에 국한된 종양의 경우 상악동구를 통해 내시경을 이용하여 생검을 진행할 수도 있다. 필요시 하비갑개 하방으로 비강-상악동 절개술을 이용하거나 Caldwell-Luc 술식도 활용할 수 있으며, 이 경우 가급적 치은연을 따라 절개함으로서 협점막으로 종양이 파급될 가능성을 방지할 수 있다.

상악동 악성종양의 약 80%가 편평세포암이며, 그 외에 선양낭성암(adenoid cystic carcinoma), 선암(adenocarcinoma) 및 육종(sarcoma) 등이 발병하며 드물게 비호지킨 림프종도 발생한다(그림 6-20).

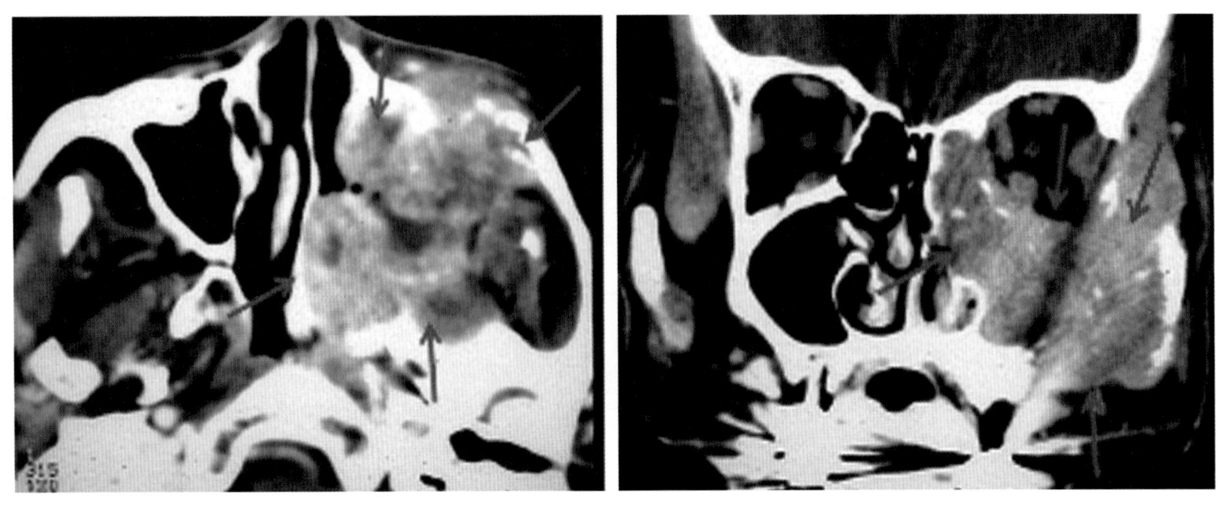

그림 6-19 상악동 내부에 일차적으로 생긴 편평세포암으로 화살표와 같이 상악골 및 주변골의 심한 파괴양상을 보인다.

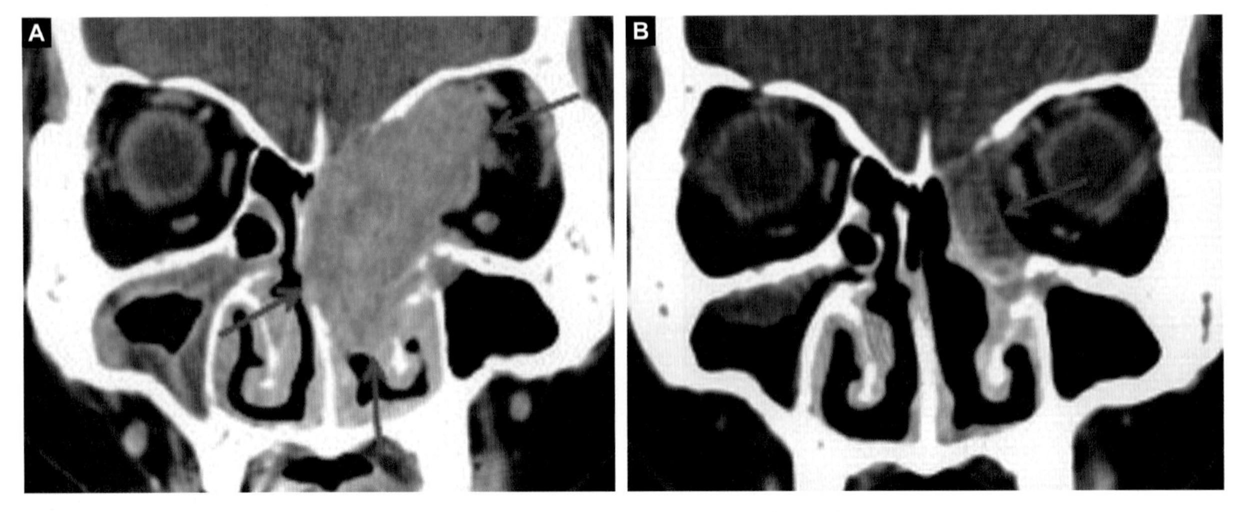

그림 6-20 **상악동 개구부, 비강 및 안와부를 침범한 림프종.** A: 항암치료 전 B: 항암치료 후.

수술을 위해 Weber-Fergusson 절개법을 통한 상악골절제술을 시행할 수 있는데, 내상악골절제술(medial maxillectomy), 분절형 상악골절제술(segmental maxillectomy) 등으로 나누어 시행하게 된다. 절개선도 중안모 확대 절개선(midfacial degloving incision) 등과 같이 다양하게 변형하여 활용할 수 있다. 외과적인 접근 외에 조직병리학적 소견에 근거하여 방사선조사법, 항암화학요법 및 이들의 병용요법을 치료법으로 고려하여야 한다.

상악동에는 낭종, 종양 및 종양성 유사 병소 등이 다양하게 나타날 수 있다. 한편 양성병소인 경우에도 국소적으로 침윤적이며 파괴적인 양상을 보일 수 있다. 특히 악성종양과 만성 염증성 질환은 비슷한 임상적, 방사선학적 징후와 증상을 보이는 경우도 있다. 따라서 이들 각각의 병태생리학적 특징을 이해하는 것이 중요하다. 상악동의 악성종양은 구강의 경우와는 달리 잠행성이며, 인접구조물 침습 등으로 병기가 진전된 시기에 발견되는 경우가 많다. 따라서 조기 진단 및 치료를 위해 노력해야 한다.

참고문헌

김법수, 허원실. 치성 상악동염에 대한 기능적 부비동 내시경술의 치험례. 대한구강악안면외과학회지. 1997;23:159-67.

대한이비인후과학회. 이비인후과학. 3판. 서울: 군자출판사; 2018.

Almagro MA, Marco JM, Galvis CG, et al. Relations between the maxillary sinus and upper maxillary process: Anatomopographic study. Acta Otorhinolaringol Esp 1995;46:409-15.

Anderhuber W, Weiglein A, Wolf G. Nasal cavities and paranasal sinuses in newborns and children. Acta Anat(Basel) 1992;144:120-6.

Anon JB, Rontal M, Zinreich SJ. Maxillary sinus anatomy. In: Anon JB, Rontal M, Zinreich SJ, editors. Anatomy of the paranasal sinuses. New York: Thieme; 1996. p. 18-21.

Bhattacharyya N. Clinical outcomes after revision endoscopic sinus surgery. Arch Otolaryngol Head Neck Surg 2004;130:975-8.

Carl E. Misch. Contemporary implant Dentistry. Mosby Elsevier; 2008. p. 911-2.

Chandra RK, Schlosser R, Kennedy DW. Use of the 70-degree diamond burr in the management of complicated frontal sinus disease. Laryngoscope 2004;114:188-92.

Constantinidis J. Endonasal Maxillary Sinus Surgery. In: Stucker FJ, Souza C, Kenyon GS, Lian TS, Draf W, et al. Rhinology and Facial Plastic Surgery. Leipzig: Springer; 2009. p. 553-8.

Fowler KC, Duncavage JA, Murray JJ, Tanner S. Chronic sinusitis and intravenous antibiotic therapy: resolution, recurrent and adverse events. J Allergy Clin Immunol 2003;111:s85.

Gomez M, Maraqa N, Alvarez A, et al. Complications of outpatient parenteral antibiotic therapy in childhood. Pediatr Infect Dis J 2001;20:541-3.

Goodfellow AF, Wai AO, Frighetto L, et al. Quality-of-life assessment in an outpatient parenteral antibiotic program. Ann Pharmacother 2002;36:1851-5.

Herbert DC. Closure of a palatal fistula using a mucoperiosteal island flap. Br J plast Surg 1974;27:332-6.

Ito T, Hara H. A new technique for closure of oroantral fistula. J Oral Surg 1980;38:509-12.

James R. Hupp, Edward Ellis III, Myron R. Tucker. Contemporary Oral and Maxillofacial Surgery. Mosby Elsevier; 2008. p. 383-95.

Kaliner M. Medical management of sinusitis. Am J Med Sci 1998;316:21-8.

Kang SK, White PS, Lee MS, et al. A randomized-control trial of surgical task performance in frontal recesssurgery: zero degree versus angled telescopes. Am J Rhinol 2002;16:33-6.

Kayalioglu G, Oyar O, Govsa F. Nasal cavity and paranasal sinus bony variations: a computed tomographic study. Rhinology 2000;38:108-13.

Kennedy DW. Technical innovations and the evolution of endoscopic sinus surgery. Ann Otol Rhinol Laryngol Suppl 2006;196:3-12.

Kim SM, Kim MK, Kwon KJ, et al. Diagnosis and treatment of unilateral maxillary sinus hypoplasia. J Korean Assoc Maxillofac Plast Reconstr Surg 2012;34:127-32.

King JM, Caldarelli DD, Pigato JB. A review of revision functional endoscopic sinus surgery. Laryngoscope 1994;104:404-8.

Mann W, Beck C. Inferior meatal antrostomy in chronic maxillary sinusitis. Arch Otorhinolaryngol 1978;221:289-95.

Matheny KE, Duncavage JA. Contemporary indications for the Caldwell-Luc procedure. Curr Opin Otolaryngol Head Neck Surg 2003;11:23-6.

McGowan DA, Baxter PW, James J. The maxillary sinus and its dental implications. Boston: Butterworth-Heinemann Ldt; 1993. p. 1-33.

Mehra P, Jeong D. Maxillary sinusitis of odontogenic origin. Curr Allergy Asthma Rep 2009;9:238-43.

Modic MT, Weinstein MA, Berlin AJ, et al. Maxillary sinus hypoplasia visualized with computed tomography. Radiology 1980;135:383-5.

Pérez-Piñas, Sabaté J, Carmona A, et al. Anatomical variationsin the human paranasal sinus region studied by CT. J Anat 2000;197:221-7.

Rose GE, Sandy C, Hallberg L, et al. Clinical and radiologic characteristics of the imploding antrum, or "silent sinus" syndrome. Opthalmol 2003;110:811-8.

Sandler NA, Johns FR, Braun TW. Advances in the management of acute and chronic sinusitis. J Oral Maxillofac Surg 1996;54:110513.

Senior BA, Kennedy DW, Tanabodee J, et al. Long-term results of functional endoscopic sinus surgery. Laryngoscope 1998;108:151-7.

Soparkar CN, Patrinely JR, Cuaycong MJ, et al. The silent sinus syndrome: a cause of spontaneous enophthalmos. Opthalmol 1994;101:772-8.

Stammberger HR, Kennedy DW, Bolger WE, et al. Paranasal sinuses: anatomic terminology and nomenclature. Ann Rhinol Otol Laryngol Suppl 1995;167:7-16.

Toskala E, Rautiainen M. Effects of surgery on the function of maxillary sinus mucosa. Eur Arch Otorhinolaryngol 2005;262:23640.

구강악안면외상

고대 이집트로부터 현대에 이르기까지 악안면외상의 치료는 긴 역사를 가지고 있다. 시간이 흐름에 따라 발전을 거듭하여 18, 19세기에 이르러 악안면 골절은 성공적으로 치료되기 시작했다. 당시에는 패혈증의 가능성이 늘 존재하였을 뿐 아니라 가능한 마취의 정도도 제한적이어서, 치료는 보존적이었고 치아는 다양한 스플린트나 붕대를 이용하여 단순히 고정되었다. 현대의 감염조절 능력과 plate의 개발은 치료에 혁신을 가져왔다. 따라서 오늘날에는 관혈적 정복이 골절 치료의 기준이 되었고 악골 골편의 고정을 위하여 titanium plates가 이용되고 있다. 이러한 술식은 낮은 합병증을 보이며 환자로 하여금 신속한 일상생활로의 복귀를 가능하게 하였다. 치과의사 특히 구강악안면외과 의사는 이러한 기본적인 악안면외상의 유형, 안면부외상의 진단에 필요한 검사방법과 이와 관련된 해부학적 구조를 이해하고, 나아가 안면부골절의 분류와 치료방법 및 악안면조직 손상의 치유기전과 치료법을 파악하여야 한다.

CONTENTS

CHAPTER 07

구강악안면외상
Oral and Maxillofacial Trauma

학습목적

구강악안면 손상의 종류, 병인, 병태 및 치유생리, 진단, 치료방법 등에 관한 사항을 숙지하여 임상에서 손상의 상황에 따라 대처하고 치료능력을 배양하는 데 그 목적이 있다.

기본 학습목표

- 악안면 손상에 관련된 요소들과 손상의 기전을 설명할 수 있다.
- 악안면외상환자의 초기평가와 응급처치 원칙을 알고 대처할 수 있다.
- 악안면외상에 대하여 즉각적으로 검사하여 응급조치에 필요한 기본적인 진단을 할 수 있다.
- 안면골절을 분류하고 적절한 방사선학적인 평가의 종류를 설명할 수 있다.
- 악안면영역에서 흔히 발생하는 연조직 손상의 종류와 치료방법을 설명할 수 있다.
- 치아 및 치조골 손상을 진단하고 치료할 수 있다.
- 하악골절을 진단하여 치료하는 방법을 알고 각 방법의 차이를 파악할 수 있다.
- 하악골절의 술후 합병증 등을 나열하고 그 원인과 후처치를 설명할 수 있다.
- 하악과두골절의 생체역학적 고려사항과 치료 시 관혈적 정복술의 적응증을 감별할 수 있다.
- 하악과두골절의 합병증들을 이해하고 그 관리법을 설명할 수 있다.
- 상악골과 관골골절의 진단, 치료 및 합병증 관리법을 설명할 수 있다.
- 안면외상이 안면골 성장에 미치는 영향을 설명하고 성인골절과 다른 소아골절의 치료원칙을 설명할 수 있다.
- 골절치유의 과정을 시기에 따라 병리조직학적으로 설명할 수 있다.
- 골절치유에 영향을 주는 유전, 전신, 국소요소들을 설명할 수 있다.

심화 학습목표

- 악안면외상 부위들에 대한 각각의 수술법을 이해하고 상세히 설명할 수 있다.
- 부정유합 및 비유합으로 인한 부정교합 교정을 위한 수술방법의 적응증, 수술법을 설명하고 시행할 수 있다.
- 외상으로 생긴 안면부반흔에 대한 연조직 처치법 등을 설명할 수 있다.
- 전신 다발성외상 환자에서의 치료순서를 설명하고 악안면외상에서의 처치법을 단계적으로 설명할 수 있다.
- 총상의 인체손상 기전을 파악할 수 있다.
- 총상 발생 시 시기별로 실행할 사항들을 정리할 수 있다.

Ⅰ. 악안면외상학의 역사

안면골 골절에 대한 언급은 기원전 17세기경에 쓰인 것으로 추정되는 파피루스(Edwin Smith Papyrus)의 상형문자에서부터 찾아볼 수 있다. 이때 이미 하악 복합골절, 상악골절, 관골골절에 대한 진단과 린넨끈(linen thread)을 이용한 붕대법을 기술하고 있다.

1. 하악골절의 역사

히포크라테스(Hippocrates, BC 460-375)는 역사상 최초로 하악골절의 치료법에 대한 기록을 남겼다. 그는 가죽을 이용한 붕대법에 대해 언급하였으며, 골절된 하악을 정복한 후 gold wire를 이용한 치간고정을 시행하여 고정(immobilization)을 시도하고 만일 gold wire가 없거나 만족스럽지 못하다면 린넨끈을 이용할 수 있다고 하였다. 또한 신속한 치유를 위하여 적절한 교합을 회복하는 것이 중요함을 강조하였다. 소라누스(Soranus of Ephesus, BC 98-138)의 저서에서는 안면과 두부손상이 있을 때의 다양한 붕대법이 나타나있다.

셀수스(A. Cornelius Celsus, AD 178)는 골절된 하악의 치료로 치간결찰(interdental wiring)과 환자의 음식섭취 방법까지 언급하였다. 살리세토(William of Saliceto)는 골절된 턱뼈의 치아와 골절되지 않은 반대편 턱뼈의 치아를 서로 묶는 악간고정(intermaxillary fixation, IMF)의 개념을 이용하여 골절을 치료하였다. 골절 직후 이러한 악간고정을 이용하는 것은 그 후 수 세기 동안 유용한 방법으로 널리 이용되어 온 것으로 보이며, 1887년 Thomas L. Gilmer가 자신의 이름을 딴 악간고정법을 개발한 이래 Oliver, Winter, Ivy 등에 의하여 수정되었다.

중세가 지난 후 골절된 하악을 고정하기 위하여 여러 가지 장치물이 고안되었다. 1779년에 Chopart와 Desault에 의해 악간스플린트(intermaxillary splint)가 고안되었으며(그림 7-1), 1836년경부터는 악간고정의 개념이 다시 도입되어 악골골절에 대한 근대적 방법이 개발되기 시작하였다. 악간고정으로 인한 치료기간 중의 저작불가능에 주목한 킹슬리(Norman W. Kingsley, 1829-1913)는 splint를 끼면서 음식을 먹을 수 있는 Kingsley splint (그림 7-2)를 고안하였다. 이후 1차 세계대전 중에는 headcap이 달린 Kazanjian splint가 여러 번의 수정이 가해지면서 Kazanjian, Federspiel(1927) 등에 의해 체외골격 고정장치(extraskeletal appliance)로 발전하게 되었다.

악골 골절치료를 근대적으로 발전시키는 데 중요한 단계 중의 하나는, 골절된 하악에 환강선고정(circumferential wiring)을 시행하는 것이었다(Jean-Baptiste Baudens, 1840). 이후 환강선고정을 시행할 때 강선만 이용하는 것보다는 납판으로 보강을 하거나(C.A. Robert, 1852), splint를 함께 이용하는 방법(Gilmer, 1881)이 제시되었다.

1840년에 Baudens는 하악골절에서 골간결찰(interosseous wiring)을 최초로 이용한 것으로 알려져 있다. 또한 Gurdon Buck (1807-1877)은 하악정중부가 골절, 함몰된 채로 2주 반 동안 방치되어 좌측 중절치와 측절치가 손가락 한 개 거리만큼 변위된 환자를 강선으로 골간고정하여 성공적으로 완치시킴으로써 근대적 골절치료의 새장을 열었다.

1866년에 Thomas Gunning은 Gunning splint를 고

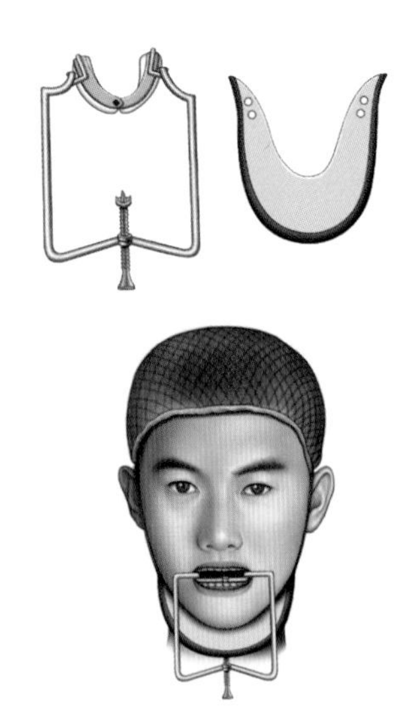

그림 7-1 **Chopart와 Desault의 악간 스플린트(intermaxillary splint)** (1779).

그림 7-2 **Kingsley: 구외로 고무견인 스플린트(1855).**

안하였다(그림 7-3). 이 스플린트는 음식섭취를 위한 공간이 있는 경질고무로 만들어졌다. Angle은 1890년에 골간 강선고정법의 대안을 제시하였다. 그것은 Angle's apparatus로(그림 7-4), 각 골절편의 치아에 밴딩을 시행한 후 강선을 밴드에 함께 고정하였다.

2. 상악골절의 역사

상악골절의 치료에 사용된 최초의 체외골격고정장치(extraskeletal fixation)는 van Grafe (1823)에 의하여 고안되었다. 그는 말에게 심하게 짓밟혀 다친 마부를 자신이 고안해 낸 특별한 장치를 이용하여 4주 이상의 고정 끝에 완치시켰다고 보고하였다.

1900년 Rene Le Fort (1869–1951)는 상악골절을 연구하기 위하여 35구의 사체를 이용, 힘의 방향과 작용지점에 따른 골절양상을 비교한 후 그 결과를 정리했다(그림 7-5). 그 후 Wassmund 등도 상악골절을 새롭게 분류하였으나 최근까지도 Le Fort의 분류는 유용하게 쓰이고 있다. 상악골절의 치료를 위하여 구강내 고정장치가 도입되기 전에는 여러 가지 구강외 장치가 고안되었으나 현재까지 사용되고 있는 것은 거의 없다.

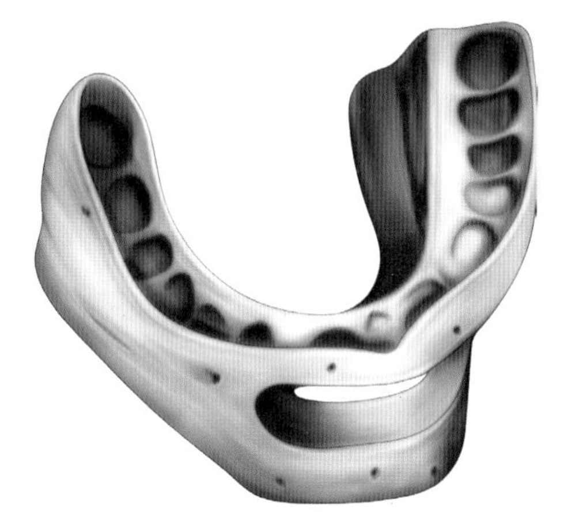

그림 7-3 **Gunning splint** (1866).

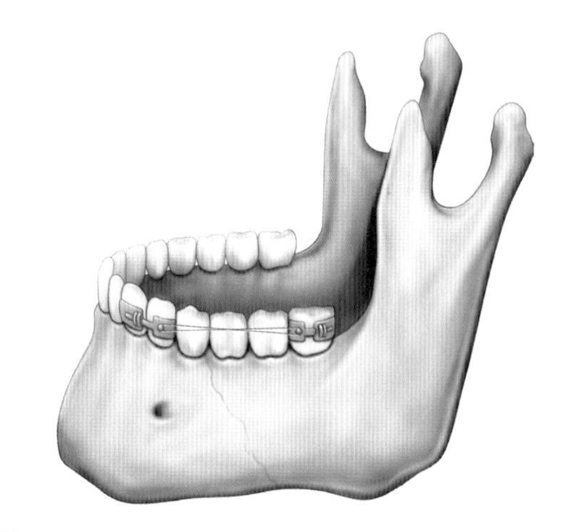

그림 7-4 **Angle's apparatus.**

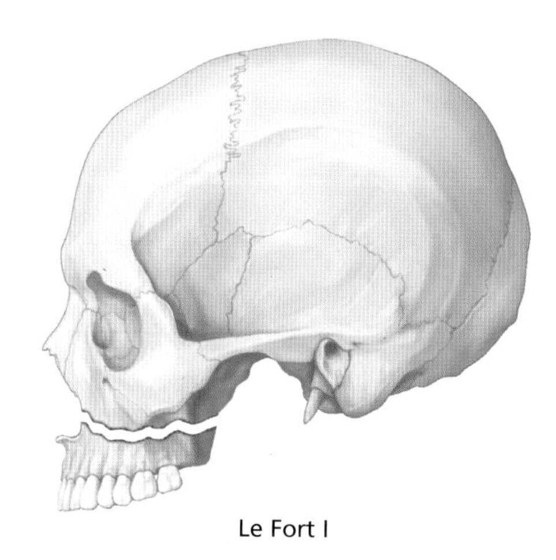

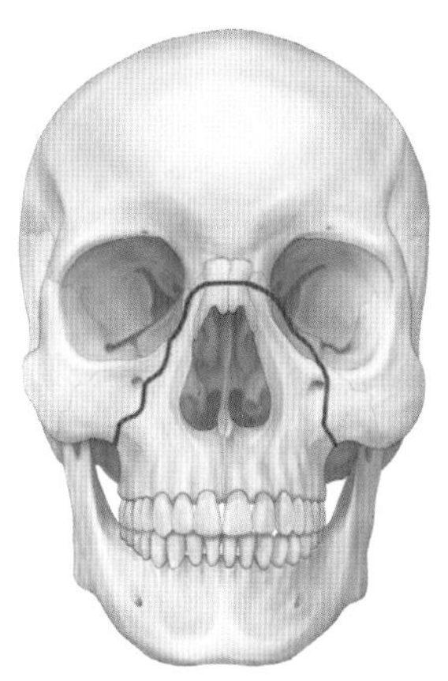

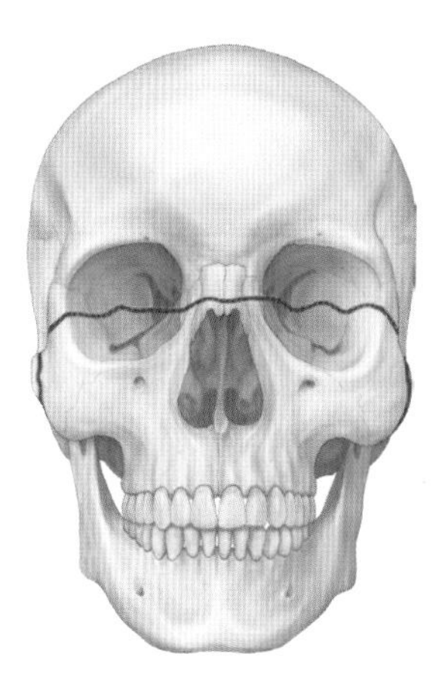

그림 7-5 **Le Fort의 전형적인 상악골절 취약선들.**

3. 관골골절의 역사

관골골절 역시 상하악 골절과 마찬가지로 Smith Papyrus에서 언급되고 있다. 이후에 1751년 du Verrney에 의하여 관골의 해부학적, 임상적 연구와 골절치료의 증례보고가 발표되었다. 그는 구강내를 촉진하여 관골궁골절을 진단할 수 있었으나, 단순히 수상부위의 이물질을 꺼내거나 어금니를 꽉 깨물어 측두근의 힘에 의해 관골궁이 정복되도록 유도하는 정도로 치료할 수밖에 없었다. Blow out fracture는 안와저의 골절을 의미하는 것으로 1889년 Lang에 의해 처음으로 기술되었다. 그 후 silver wire를 이용하여 함몰된 관골을 견인해내거나(Lothrop, 1906), 구강내를 통하여 transvestibular approach로 관골궁을 정복하는 방법(Keen, 1909)이 이용되었으며 Gillis, Kilner, Stone은 1927년 현재 널리 이용되는 측두접근법(temporal approach)을 발표하였다. 관골에 대한 체내고정(internal fixation)은 1940년 Adams에 의해 처음 이루어진 것으로 알려져 있다(그림 7-6).

4. 현대 악안면외상학의 역사

최근 수십 년간 안면골절의 수술적 치료를 위한 다양한 술식과 접근법들이 보고되었다. 동물의 사지골절에 체외핀 고정법(external pin fixation)이 성공하고 난 후 Andreasen (1936)은 이를 안면골절에 적용하였고 1942년 정도까지 많은 호응을 얻었다.

Miton Adams가 1940년 심한 다발성 안면골절을 관혈적 정복술과 체내고정(open reduction with internal fixation)을 이용하여 성공적으로 치료하였다. 이후 intramedullary pin fixation (Brown & McDowell, 1942)이 하악골절에, 횡측 안면핀고정법(transverse facial pin fixation)(Brown, Fryer, McDowell, 1952)이 중안면골절의 치료에 도입되었다.

골절부를 plate와 screw로 연결하는 bone plating system은 사람의 사지의 골절에 처음 적용되었고 (Hansmann, 1886, 그림 7-7), Thoma (1958), Hoffer and Arlotta (1961) 등에 의해 개발되었다. 이것은 골절부위를 압박하는 형태(compression plate)는 아니었다. 초기의 이러한 골판은 1960년대 후반에 Luhr 등에 의해 개발되어 dynamic compression plate (DCP) 또는 Luhr plate라고 불리며, 더 나은 기능적 안정성을 가질 뿐만 아니라 술후 악간고정이 필요 없는 compression plate에 의해 대치되었다. 또한 1973년 Michelet 등에 의하여 개발되고 1975년 Champy 등에 의하여 수정된 monocortical miniplate osteosynthesis가 소개되면서 최근 다양한 각각의 증례에 적절한 plate system이 임상에서 선택적으로 이용되고 있다.

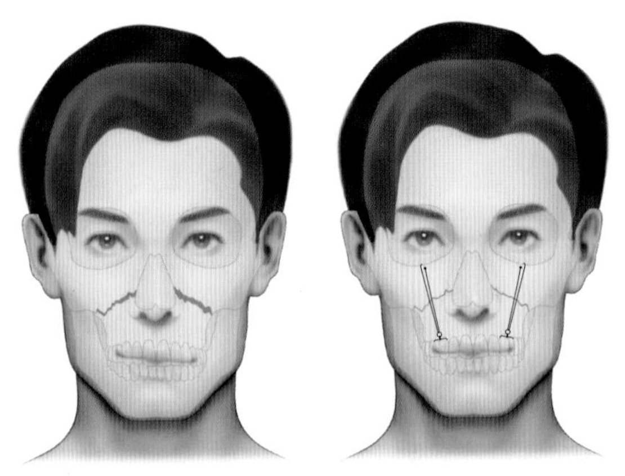

그림 7-6 **Adams: 상악골절의 현수강선(wire suspension) 내고정.**

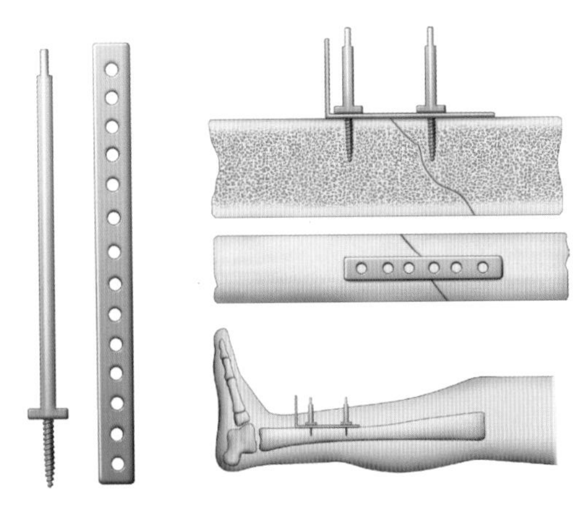

그림 7-7 **Hansmann: plate osteosynthesis.**

II. 외상학의 발생현황, 원인 및 응급처치

또한 악안면부위의 해부학적인 특성으로 인하여 골절의 양상과 이에 따른 처치방법 및 치료의 예후가 다양하므로 악안면 손상에 대한 정확한 진단 및 치료계획의 수립이 타 부위보다 어렵다고 할 수 있다.

안면은 형태적으로 많은 노출을 보이므로 다른 신체부위보다 외력에 의한 손상의 가능성이 높고, 최근 사회구조의 복잡한 변화와 경제적 여유로 인한 스포츠 및 여가활동의 증가 등으로 인하여 손상의 양상도 다양해졌다. 또한 안면골 골절은 상악골, 하악골, 비골, 관골 등의 복합골절이 빈번히 일어나며 이로 인하여 기능적 및 심미적인 문제를 야기하게 된다. 따라서 안면 손상이 기능적, 심미적 장애를 남기지 않고 치료될 수 있는가는 환자에게 다른 어떤 부위의 손상보다도 중요한 관심사이다.

안면의 변형이나 반흔을 최소화하고 개구장애, 저작장애 등의 기능장애를 남기지 않기 위해서는 수상 후 가급적 조기에 적절한 치료를 받는 것이 중요하다. 그러나 빠른 시간 내에 치료가 이루어져야 하는 환자들의 경우 두부 등 신체 타 부위의 중요장기 손상을 동반하고 있는 경우가 많아 구강악안면외과의 치료 시작이 늦어지는 경우도 있다(그림 7-8).

특히 교통사고 환자의 70% 이상이 두부손상을 야기하며, 그 외 사고에서도 1/3이 두부손상을 야기한다고 하며, 100명 중 70.3명(오토바이 사고는 93.7명)이 두부 및 뇌손상을 나타낸다고 한다(그림 7-9).

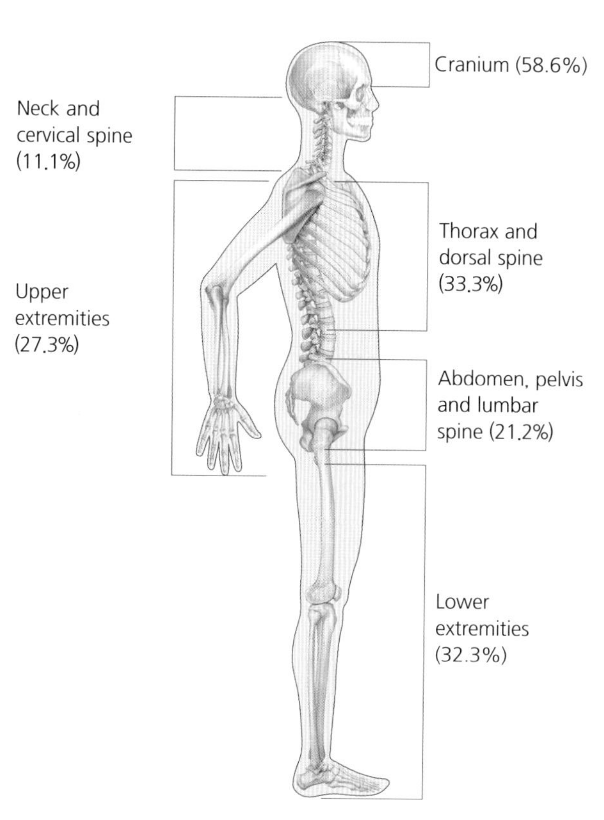

그림 7-8 범안면골절과 동반된 신체부위별 수상빈도.
연합손상은 중복해서 포함시켜 전체 %가 100%를 초과함(경북대학교 치과대학 구강악안면외과 연구, 2020).

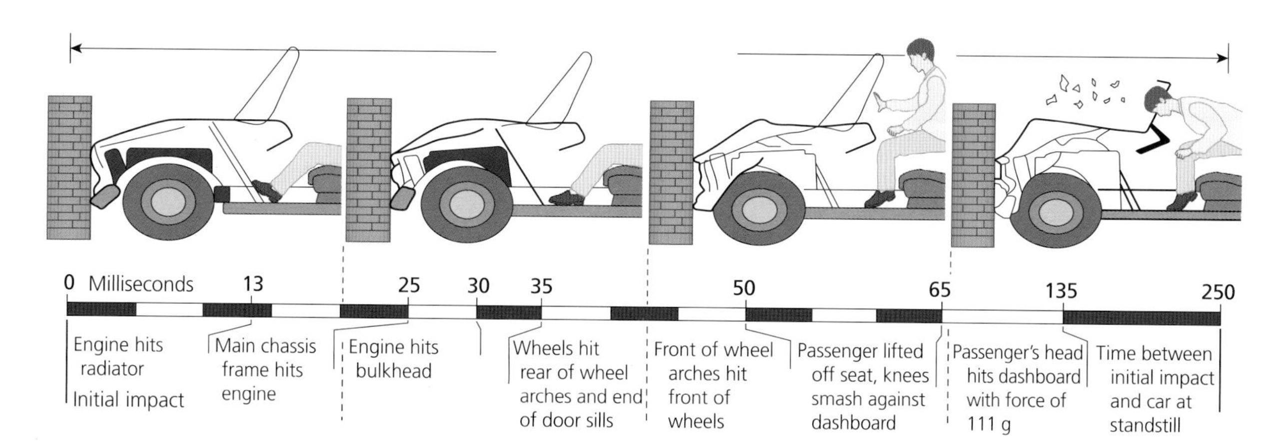

그림 7-9 자동차 안전도검사 중 충격실험에서 나타날 수 있는 두부손상의 양상.

1. 손상의 발생빈도 및 원인

악안면 손상의 발생빈도에 대한 연구에서 2007년 1년 동안 미국에서는 안면골절로 여겨지는 응급실 내원 환자는 407,167건이었다고 보고되었다. 안면골절 환자의 평균 나이는 37.9세였으며, 모든 내원 환자 중 68% 정도가 남자였고 약 36%가 주말 동안 발생하였다. 안면골의 폐쇄성골절(closed fracture)이 개방골절(open fracture)보다 더 많았으며, 가장 빈번하게 발생하는 안면골절은 비골의 폐쇄성골절(55.8%)이었고, 빈번하게 보고된 부상의 원인은 폭행(37%), 추락(24.6%), 오토바이 사고(12.1%), 교통사고(2%), 자전거 사고(1.6%) 등이었다. 함부르크 대학병원에서는 지난 30년간 처치한 안면손상 환자들의 통계분석 결과, 교통량의 증가와 고도산업화로 악골골절의 발생빈도가 점차 증가하고 있으며 하악골절 발생빈도가 1.2배 늘어난 반면 중안면골 골절 발생빈도는 5.5배로 급격히 늘어났고, 전체적으로 볼 때 하악골절 발생빈도가 55%, 중안면골 골절 발생빈도가 45%로 나타났다. 우리나라에서도 중안면골 골절 발생빈도가 상대적으로 높아졌다고 하였지만, 지역의 특성에 따른 차이를 보였다(표 7-1).

성별 및 연령별 차이에서 악골골절은 여성보다는 물리적인 활동이 왕성한 남성에게 더 빈발하며 남녀비는 대체로 4:1에서 8:1로 보고되고 있다. 남성의 경우에 그리고 나이가 젊을수록 구타나 폭력에 의한 수상이 많으며 연령별로 볼 때 20대가 가장 많은 빈도를 보였고 10대나 30대가 그 다음을 차지하였다.

악골골절을 야기할 정도의 손상에는 외상과 같은 동적인 요소(dynamic factor)와 악골자체의 문제인 정적

표 7-1 국내 동일지역에서의 악안면골 골절의 그룹별 발생빈도 비교

	이 등 (1988)	김 등(2001)	전 등(2014)	박 등(1989)	장 등(1996)	진 등(2018)
조사지역	대구	대구	대구	서울	서울	서울
조사시기(년도)	1981–1987	1995–1999	2008–2012	1982–1987	1992–1995	2010–2017
환자수	418명	516명	1,262명	630명	177명	2,076명
Midface	17.00%	17.60%	4.3%	51.30%	24.30%	87%
Midface + Mandible	6.20%	14.40%	7.8%	10.20%	16.40%	0.9%
Mandible	76.8%	68.00%	88%	35.90%	59.30%	11.5%
기타				2.70%		

표 7-2 국내에서의 지역에 따른 악안면골 골절의 원인별 발생빈도 비교

	진 등(2018)	김 등(1998)	백 등 (2000)	전 등(2014)	이 등 (2005)	오 등(2007)
조사지역	서울	마산	전주	대구	부산	광주
조사시기	2010–2017	1997	1996–1999	2008–2012	1999–2003	1998–2005
환자수	2,076명	240명	128명	1,262명	466명	616명
교통사고	10.0%	47.90%	64.10%	22.6%	33.50%	23.40%
폭행사고	28.8%	20.00%	3.90%	19.5%	22.30%	18.10%
안전사고	48.3%	38.00%	25.80%	40.1%	30.90%	47.20%
스포츠	10.7%			7.5%		
기타	2.2%	7.10%	6.20%	10.3%		11.40%

인 요소(stationary factor)가 관련된다. 동적인 요소에 의한 악골골절의 가장 큰 원인은 교통사고나 구타 등과 관련이 있으며, 추락, 스포츠, 산업재해 등으로 인하여 초래되는 경우가 많다. 사회구조가 복잡해질수록 교통사고의 비율이 증가하고 있는데, 국내의 보고에 의하면 교통사고가 안면골골절의 원인인 경우가 약 30%에서 60%에 이르지만 각 연구대상의 지역적, 사회적, 경제적 여건에 따라 다양한 차이를 보이고 있다(표 7-2).

동적인 요소는 타격의 정도, 방향에 따라 차이가 있다. 아주 약한 타격은 불완전굴곡골절(greenstick fracture)이나 편측성 단순골절을 초래한다. 강한 타격은 골편의 변위를 동반한 복합분쇄골절을 야기할 수도 있다. 흔히 타격의 방향에 의하여 골절의 수나 골절의 위치가 결정된다.

정적인 요소는 악골 자체의 문제이며 생리적인 연령도 아주 중요하다. 악골이 성장 중인 어린이는 창문 밖으로 떨어져서 불완전골절이나 또는 전혀 골절이 발생하지 않을 수도 있다. 그 반면에 석회화가 많이 된 두개골을 가진 고령의 사람인 경우에는 융단에 넘어져서도 복합골절을 야기할 수도 있다. 골에 부착된 근육의 수축에 의하여 심한 긴장을 가지고 있는 골은 아주 미약한 타격에 의해서도 골절된다. 반면에 빨리 달리는 자동차에서 떨어진 취객은 단지 타박상만을 입을 수도 있다. 이는 이완된 근육은 쿠션 역할을 하고 반면에 긴장된 근육은 골에 응력(strain)으로 작용하기 때문이다.

악골 자체의 취약성은 개개인에 따라 다르고 동일인이라 해도 시간에 따라 변한다. 그리고 골다공증(osteoporosis)이나 큰 낭(cyst) 같은 생리적, 병리적인 상태처럼 깊이 매복된 치아도 악골의 우각부를 약하게 한다. 훈련받는 운동선수처럼 칼슘이 아주 많이 축적되어 있는 경우에는 악골의 골절이 적어진다. 권투선수에서의 악골골절은 석회화의 증가와 패드가 붙은 복싱글러브(padded boxing gloves)의 사용 및 고무로 된 마우스가드(rubber mouthguard)의 착용과 훈련에 의하여 잘 발생하지 않는다.

2. 골절부위별 빈도

한편 부위별 분포에서 안면골 골절 중 비골골절이 가장 많다고 알려져 있으나 이를 제외하면 하악골절이 가장 많으며 전체 안면골절의 40%에서 70%를 차지한다. 이는 하악골이 안면골 중에서 돌출되어 있어 외상에 노출되기 쉽고 두개부와는 비교적 작은 구조물인 악관절에 의해서만 그 연결성을 유지하고 있으므로 외력이 분산되지 못하고 집중되며 골유합선이 없어서 충격이 흡수되기 어렵다는 해부학적 특성을 그 원인으로 들 수 있다.

한편 골절의 원인에 따라 분포도 달라지는데, 교통사고의 경우에는 과두하 골절이 빈발하지만 구타로 인한 골절의 경우 하악우각부가 더 잘 이환되며 특히 좌측 부위에 많이 나타나는데, 이는 대부분의 경우가 상대편이 오른손잡이이기 때문이다. 추락의 경우에는 과두하부가 가장 높은 빈도를 보인다.

3. 안면골의 강도

안면을 구성하는 골의 내하중력은 표 7-3과 같이 나타났다. 즉 상악골 및 하악골은 전두골에 비해 약한 완충장치가 되어 수상 시에 두개저를 보호하고 있다. 하악골의 골절형태는 하악골의 구조와 치열의 상태 및 개인이 가진 하악골의 강도와 감싸고 있는 연조직의 특성 그리고 충격속도와 충격방향, 충격 전달물체의 모양 등에 따라 결정된다고 할 수 있다.

표 7-3 안면골의 내하중력(단위: pound)

상악골		150-300
하악골	(정중부)	550-900
	(우각부)	300-750
관 골	(본 체)	200-650
	(관골궁)	200-400
전두골		800-1,600

정중부와 악관절을 따라 425파운드로 턱을 가격했을 때 단순 과두하 골절이 생기며 550파운드로 가격시에는 양측성으로 생긴다(그림 7-10). 정중부 골절에는 550에서 900파운드의 힘을 필요로 하며 1×4인치의 표면적으로 300에서 700파운드의 힘으로 하악체를 옆에서 가격하면 골절이 유발된다(표 7-3). 충격이 하악에 전달되면 골은 안으로 굽고 가격을 당한 부위에는 압축력이 발생하고, 그 반대면에는 인장력이 발생한다. 골절은 인장변형이 골의 저항을 넘어설 때 일어나고, 부가적인 간접골절은 더 큰 힘이 가해졌을 때 일어난다. 그 예로 좌측 하악각부위의 가격은 그 부위의 직접골절과 우측 하악체부위의 간접골절을 야기한다. 가끔 단지 간접골절의 결과로, 턱부위의 가격으로 한쪽 혹은 양쪽 과두하방의 골절을 야기할 수도 있다. 간접골절은 반대편의 인장변형의 양상(opposite tensile strength pattern)을 나타낸다. 즉, 인장변형이 가격당한 반대부위에서 일어나는 것이다(그림 7-11). 불완전골절에 있어서 골절은 인장부위에서, 굽힘은 압축부위에서 일어난다.

4. 골절과 동반된 연조직 손상

안면골절과 동반되어 머리, 목, 몸통의 연조직 손상, 두개골내 부상, 다른 부위 골의 골절 등이 주로 나타난다. 이러한 손상 중 가장 많은 동반되는 연조직손상은 주로 교통사고나 추락 등으로 나타나며 종류별로는 열상(53.0%)이 가장 많고, 그 외 구내외 관통성 열상(10.6%), 연조직결손(2.3%) 등이 보고되고 있다.

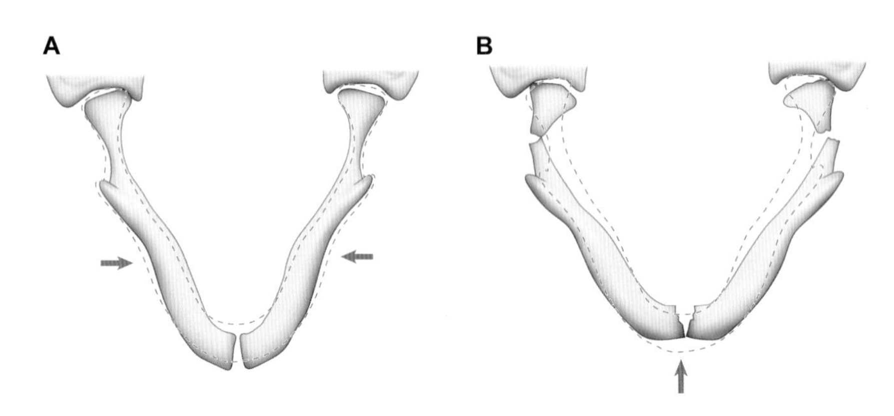

그림 7-10 **하악골 정중부에서의 골절기전.** A: 외측가격에 의한 간접골절 B: 정중부 가격에 의한 직접골절 및 양측 과두부 간접골절.

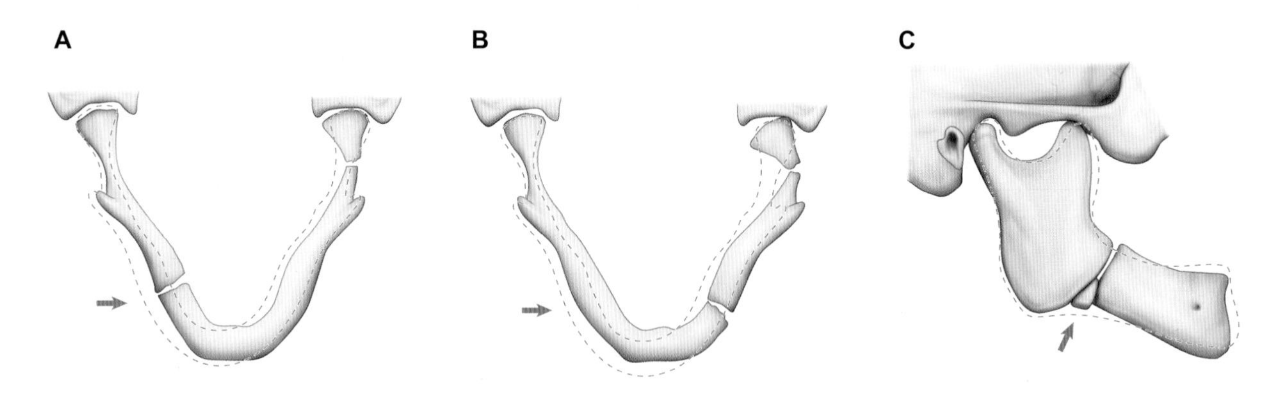

그림 7-11 **하악골절의 기전.** A: 외측가격에 의한 직접골절 및 과두부 간접골절 B: 반대측 가격에 의한 간접골절로 반대측 골체부 및 과두부 골절 C: 하악하연에서의 직접골절.

Ⅲ. 외상환자의 응급처치

1. 초기평가와 처치

외상환자의 초기 평가 및 처치는 생명유지 기관의 손상 정도를 신속하게 판단하기 위해 정확하고 체계적으로 이루어져야 한다. 외상으로 인한 사망의 약 25-30%는 체계적이고 조직적인 접근으로 예방될 수 있다.

통계에 따르면 외상 후 사망은 세 유형의 분포를 갖는다. 첫째는 외상 후 수초 내지 수분 이내로서 주로 뇌, 뇌간, 상부척수, 심장, 대동맥 혹은 대혈관의 열창에서 기인한다. 이런 환자의 생명은 거의 구할 수 없다. 둘째는 외상 후 수 시간 이내로서, 신속한 평가 및 처치로서 생명을 구할 수 있기 때문에 이 시기를 '황금시간(golden hours)'이라 한다. 이때 사망은 주로 경막하 및 경막외혈종(subdural & epidural hematoma), 혈기흉(hemo-pneumothorax), 비장파열, 심장압전(cardiac tamponade), 간장파열, 대퇴골절, 상당한 실혈을 동반한 다발성손상(multiple injuries) 등 때문이다. 셋째는 외상 후 수일 내지 수주로서 거의 항상 패혈증과 여러 장기부전(organ failure) 때문에 사망한다.

1) 손상심도 평가(Assessment of injury severity)

외상환자 분류의 일차적 목적은 환자를 평가하여, 손상심도 및 응급성에 따라 치료의 우선순위를 확립하는 것이다. 환자의 평가는 활력징후 및 의식 정도에 기초하여 이루어지며 손상심도를 신속하게 평가하기 위한 수단으로서 외상등급(trauma score)(표 7-4, 5), 손상심도 등급(injury severity score) 등이 개발되었다. 전반적인 환자평가에 기초하여 논리적이고 순서적인 최우선 순위가 확립되어야 한다.

손상환자는 치료의 긴급성에 따라 세 군으로 구분될 수 있다. 첫째 즉시 치료가 요구되는 군은 전체 외상환자의 5%에 불과하지만 전체 사망 환자의 50% 이상에 해당한다. 호흡장애(embarrassment), 다량출혈, 두개내 출혈(intracranial bleeding)이 이에 포함된다. 둘째 곧 치료가 필요한 군에는 전체 외상환자의 10-15% 정도로 치료가능한 허혈(treatable ischemia), 근육의 큰 창상(large wound of muscle), 내장의 창상(wound of the bowel), 뇌의 개방성 창상(open wound of brain), 개방성 기흉(open pneumothorax), 사지의 개방성 골절(open fracture of the limb) 등이 포함된다. 마지막으로 치료가 지연될 수 있는 군으로 생명을 위협하지 않는 대부분의 외상이 이에 속한다. 일반적으로 평가 및 경과관찰 후 내과적이나 외과적 처치를 요하는 단계이다.

최근 국내에는 응급환자 분류도구(Korean Triage and Acuity Scale, KTAS)가 개발되어 응급의료센터에서 적용되고 있다. 진료의 우선순위를 5단계로 구분하고 있으며, 낮은 등급일수록 중증도가 높아 진료의 우선순위가 높다(표 7-6).

2) 일차평가(Primary assessment)

일차평가는 신속하고 효과적으로 이루어져야 하고 생명을 위협하는 상황에 대해 동시적으로 처치를 해야 한다.

A: 기도확보 및 경추보호(airway & cervical spine)
B: 호흡 및 환기(breathing)
C: 순환 및 지혈(circulation & bleeding control)
D: 신경학적 검사(disability, neurologic examination)
E: 환자의 노출(exposure)

(1) 기도확보와 경추보호(airway & cervical spine)

외상환자의 초기평가 시 최우선 순위는 환자의 기도를 확보하고 유지하는 것이다. 외상환자는 구강내나 안면부의 출혈, 이물질의 흡인, 위 내용물의 역류 등으로 인해 상기도가 막혀있을 수 있다. 하지만 대부분의 상기도폐쇄의 원인은 특히 의식불명의 환자에서 혀의 위치 때문에 일어나게 된다.

표 7-4 손상의 등급(trauma score) 계산방법

	Rate	Codes	Score
A. Respiratory rate	10–24	4	
Number of respirations in 15 sec: multiply by four	25–35	3	
	>35	2	
	<10	1	
	0	0	A. __
B. Respiratory effort			
Retractive – Use of accessory muscles or intercostal retraction	Normal	1	
	Retractive	0	B. __
C. Systolic blood pressure	>90	4	
Systolic cuff pressure – either arm (ausculate or palpate)	70–89	3	
No carotid pulse	50–69	2	
	<50	1	
	0	0	C.__
D. Capillary refill			
Normal – forehead or lip mucosa color refill in 2 sec	Normal	2	
Delayed – more than 2 sec capillary refill	Delayed	1	
None – no capillary refill	None	0	D. __
E. Glasgow Coma Scale			
1. Eye opening		**Total GCS Points**	
Spontaneous	4	14–15 5	
To voice	3	11–13 4	
To pain	2	8–10 3	
None	1	5–7 2	
2. Verbal response		3–4 1	
Oriented	5		
Confused	4		
Inappropriate words	3		
Incomprehensible sounds	2		
None	1		
3. Motor response			
Obeys commands	6		
Purposeful movements (pain)	5		
Withdrawal (pain)	4		
Flexion (pain)	3		
Extension (pain)	2		
None	1		E. __
		Trauma Score: A + B + C + D + E	

표 7-5 손상등급별 생존가능성

Trauma Score	Probability of Survival (%)	Trauma Score	Probability of Survival (%)
16	99	8	26
15	98	7	15
14	96	6	8
13	93	5	4
12	87	4	2
11	76	3	1
10	60	2	0
9	42	1	0

표 7-6 응급환자 분류도구(Korean Triage and Acuity Scale, KTAS)

KTAS 1. 즉각적인 소생술(Resuscitation)
- 즉각적으로 적극적인 처치가 필요하며 생명이나 사지를 위협하는(또는 악화 가능성이 높은) 상태 - 즉시 의사가 진료
KTAS 2. 긴급(Emergency)
- 생명이나 사지, 신체기능에 잠재적인 위협이 있으며 이에 대한 빠른 중재적 시술이 필요한 경우 - 10분 이내 의사가 진료 또는 간호사 재평가가 실시되어야 함
KTAS 3. 응급(Urgency)
- 잠재적으로 응급 중재술이 필요한 심각한 문제로 진행할 수 있는 상태. 업무나 일상생활에서 신체 기능에 상당한 불편감이나 영향을 미치는 정도 - 30분 이내 의사가 진료
KTAS 4. 준응급(Less urgency)
- 환자의 나이, 통증이나 악화/합병증에 대한 가능성과 관련된 상태. 1-2시간 안에 처치나 재확인을 받으면 될 정도 - 1시간 이내 의사가 진료
KTAS 5. 비응급(Nonurgency)
- 긴급하지만 응급은 아닌 상태. 만성적인 문제로 인한 것이며, 악화의 가능성이 있는 경우도 있고, 없는 경우도 있는 상태. 이와 같은 질병이나 손상 중 일부는 검사나 중재적 시술을 지연해서 시행하거나 다른 지역 병원에 의뢰할 수 있음 - 2시간 이내 의사가 진료

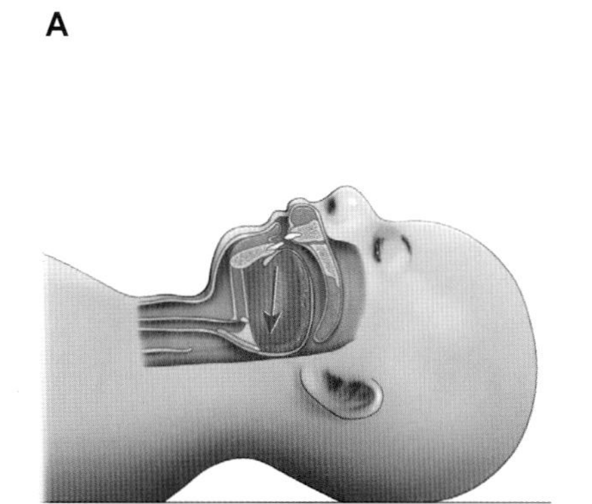

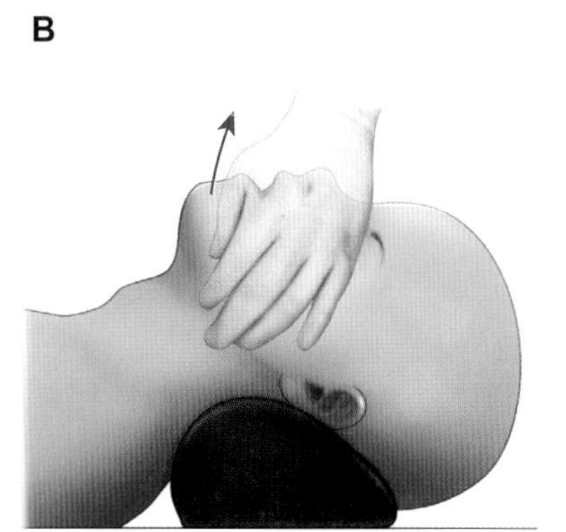

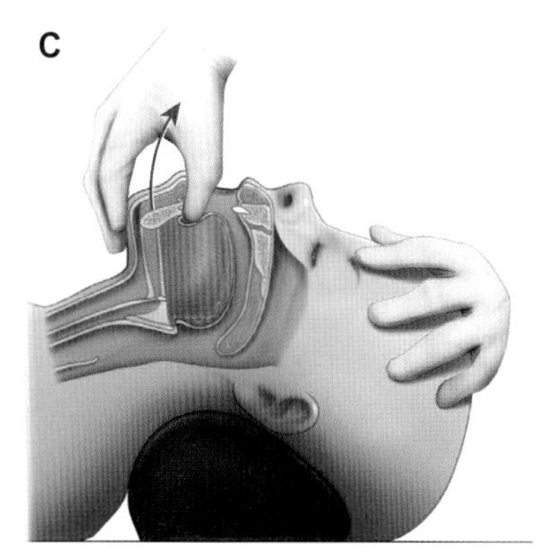

그림 7-12 A: 의식불명 환자의 혀 위치 B: jaw thrust 과정 C: 경추를 고정하고 chin-lift를 시행하는 모습.

우선 환자의 턱을 들어 올리거나(chin-lift) 하악골을 당김으로 혀를 올바르게 위치시키고 기도를 열어주어야 한다(그림 7-12). 다음은 손가락을 구내로 넣어 이물질, 구토물, 혈액이나 기도폐쇄의 원인이 될 수 있는 의치 등을 쓸어내는 동작으로 제거한다. 인두의 축적물을 제거하는 데는 편도흡인기(tonsillar suction tip)가 유용하다.

쇄골 상방에 손상을 받은 환자는 경추의 손상이 우려되므로, 환자의 목을 과신장 혹은 과굴곡시키지 않도록 주의해야 한다. 과도한 경추의 운동은 신경손상을 동반하지 않은 골절을 마비(paralysis)를 동반한 골절로 악화시킬 수 있다. 경추손상이 의심되면 neck collar 등을 이용해 경추를 중립위치에 고정시킨다.

(2) 호흡(breathing)

기도확보 후에는 폐기능을 평가해야 한다. 만약 환자가 자발적으로 호흡을 하는 데 불편감이 있다면 안면 마스크(face mask)를 사용해 산소를 공급한다.

단순히 공기가 교환되고 있다고 해서 적절한 환기가 이루어지고 있다고 볼 수 없다. 기흉(pneumothorax), 동요흉(flail chest), 혈흉(hemothorax) 또는 얕은 호흡은 흉벽은 움직이지만 효과적으로 환기가 이루어지지는 않는다. 매우 느리거나 빠른 호흡수는 불량한 환기를 의미하며 호흡이 악화되면 기관내삽관(endotracheal intubation) 및 보조환기(assisted ventilation)를 시작해야 한다. 보조환기장치에는 bag-valve 장치(ambu-bag)나 양압 인공호흡기(ventilator) 등이 있다.

환자의 가슴을 노출시켜 늑간근 및 쇄골상근의 함몰 없이 양쪽 흉벽이 고르게 확장되는가와 빈호흡이나 얕은 호흡 같은 비정상적인 호흡형태가 보이는지 관찰한다. 또한 흉벽의 타박상, 동요흉, 출혈 및 목의 기관변위, 피하기종, 경정맥확장 여부를 검사해야 한다. 촉진으로 늑골이나 흉골의 골절, 피하기종, 상처부위를 확인하고, 청진으로 환기장애가 의심되는 부위의 호흡음을 확인한다.

① 흉부와 상복부 손상

기도폐쇄를 제외한 환기장애의 원인은 개방성 기흉, 긴장성 기흉, 동요흉 및 심한 혈흉 등으로 인한 흉벽기전의 변화로부터 야기되며 생명을 위협하게 되므로 즉각적인 확인과 처치가 필요하다(그림 7-13). 또한 횡격막 하방의 상복부 손상들(liver, spleen, gastric injuries)도 호흡기능 시 횡격막의 기능을 악화시키므로 호흡에 장애를 초래하는 만큼 반드시 평가되고 관리되어야 한다. 기흉 또는 혈흉은 흉벽손상 또는 흉막(lung pleura)의 열상으로 흉강내에 음압이 소실되고 공기나 혈액이 찰 때 발생한다. 개방성 기흉(open pneumothorax)은 흉벽의 개방성 창상으로 인해 발생한다. 호흡 시 창상을 통한 공기의 이동을 들을 수 있으며 밀봉붕대(occlusive dressing)를 이용하여 단순 기흉으로 바꿀 수 있다. 비개방성 기흉은 네 번째 늑간 공극에 흉관을 삽입함으로써 공기나 체액을 제거한다. 긴장성 기흉(tension pneumothorax)은 흉벽의 개방성 상처가 일방성 밸브(one way valve)로 작용하여 흡기 시 공기가 흉강으로 들어가나 호기 시에 빠져나올 수 없을 경우에 발생한다. 흉강압의 점진적인 상승은 반대쪽으로의 기관 및 종격(mediastinal structure)의 변위와 하대정맥의 압박을 야기할 수 있다.

동요흉은 인접한 세 개 이상의 늑골이 두 부위 이상에서 동시에 골절되어 호흡 시 자유롭게 움직이는 흉벽편(segment of chest wall)이 존재할 때 발생한다. 흡기 및 호기 시 흉벽편은 흉벽과 반대로 움직여서 환기

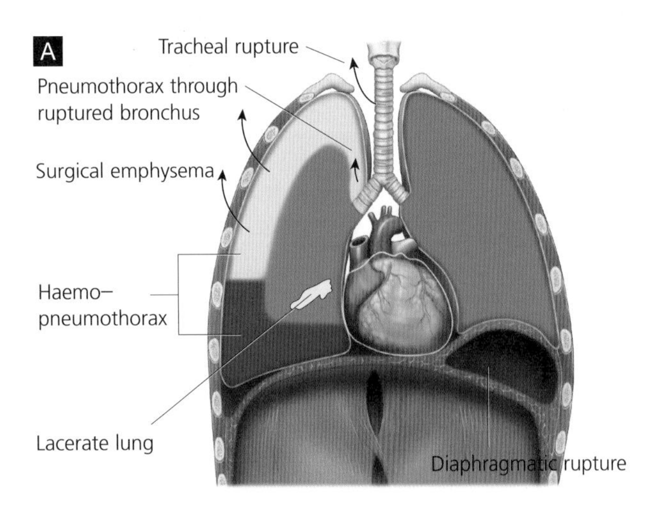

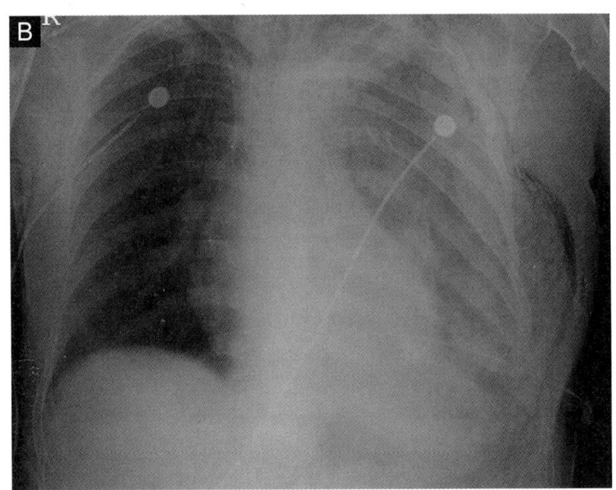

그림 7-13 흉부에 손상을 받아 나타내는 기흉 및 혈흉의 모식도(A)와 혈흉을 나타내는 방사선사진(B).

효율을 떨어뜨린다.

② **산소포화**(oxygenation)

환자의 기도 및 호흡을 확보한 후, 외상 후에 감소되었던 조직의 산소포화를 반전시키기 위해서 환자에게 부가적인 산소투여를 해야 한다. 산소는 비관(nasal cannula), 안면마스크(face mask), 기관내관(endotracheal tube) 등을 통해서 공급된다. 환자에게 100% 산소를 공급할 경우, 정상 호흡 시보다 5배 더 산소가 폐포에 도달할 수 있다. 비관을 통한 2-8 L/min의 산소투여로 흡기산소농도(FiO_2)를 증가시킬 수 있다. Bag & mask system을 사용할 경우 FiO_2를 더 증가시킬 수 있다. 악안면 부위, 경척추나 흉부의 손상으로 이것들의 사용이 어려운 경우에는 삽관(intubation)을 통해 산소를 공급해야 한다. 기관내삽관(endotracheal intubation)은 기도를 보호하는 데 도움을 주고, 적절한 폐의 확장이 가능하게 해준다. 산소공급은 헤모글로빈이 포화될 수 있는 동맥내산소분압(PaO_2가 60에서 70 mmHg이상)을 얻을 때까지는 100% FiO_2를 유지시켜 준다. 그러나 100% 산소를 24시간 이상 계속 투여하게 되면 산소중독 현상이 나타나게 되므로 PaO_2 농도가 적절한 수준이 되면 40-60%까지 낮추어 투여한다.

(3) 순환 및 지혈(circulation & bleeding control)

적절한 기도확보와 호흡이 성립된 후에는 심혈관계 평가 및 조직내 기본순환을 신속히 회복시켜 주어야 한다. 외상 환자에서 가장 흔한 쇼크의 원인은 출혈에 의한 저혈량성 쇼크(hypovolemic shock)이다. 적절하지 못한 관류(perfusion)는 빠른 시간에 뇌나 신장에 심각한 손상을 가져오게 되므로 쇼크의 정도에 대한 정확한 진단이 요구된다.

조직의 관류와 산소화는 심박출량에 의존하는데, 피부의 관류, 맥박수, 요배출과 환자의 정신상태 등의 검사를 통해 가장 잘 평가된다. 통상 혈압으로 심박출량이나 과소혈증(hypovolemia)을 판단하지만, 응급 상황에서는 믿을 만하지 못하다. 왜냐하면 혈관내 혈액의 소실은 보상기전으로 인해 혈압과 반드시 직선적인 상관관계를 갖지는 않기 때문이다.

피부의 관류(skin perfusion)는 환자의 초기평가 시 조직의 관류상태를 평가하는 믿을 만한 지표이다. 피부의 모세혈관은 교감신경과 부신의 자극에 의해 차단되며 이때 피부는 발한을 보이며 촉진 시 차갑거나 축축하게 된다. 손톱이나 발톱의 창백검사(blanch test)는 혈량을 추정하는 데 유용하며 정상적으로는 2초 이내이다.

맥박 수는 실혈에 대해 혈압보다도 더 민감하게 반응하게 되나, 다른 요인 즉 환자의 흥분상태, 동통, 정서 상태에 따라 반응하는 정도는 다르게 된다. 그러나 성인에서 120회 이상의 빈맥을 보이면 과소혈증을 의심할 수 있다. 또한 맥박이 촉진되는 부위는 심박출량의 지표가 될 수 있다. 전완동맥이 촉진되는 경우 수축기 혈압이 80 mmHg 이상임을 의미하며, 대퇴부는 70 mmHg 이상, 경동맥은 60 mmHg 이상일 때 촉진된다.

혈관내 혈량감소는 신장으로의 혈액흐름을 감소시켜 뇨량의 감소로 반영되게 된다. 외상 환자의 경우에는 방광에 도관(foley catheter)을 삽입하여 뇨의 양을 15분마다 검사하게 되는데 최소 0.5 mL/1 kg/hour 정도는 되어야 정상적이라 할 수 있다. 그렇지 못하다면

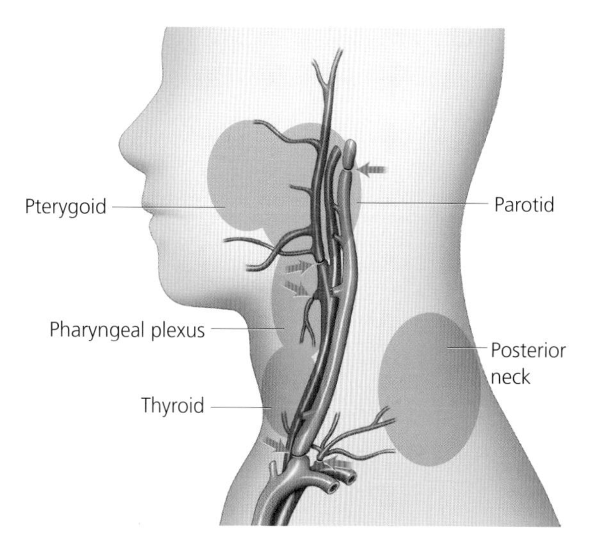

그림 7-14 두경부에서 가장 출혈 가능성이 높은 혈행 밀집부위.

최소한 뇌의 양을 유지하기 위하여 수액을 투여하기 시작해야 한다.

정신상태의 이상은 아주 진전된 혈액소실 상태가 아니면 보기 힘들다. 왜냐하면 보상기전이 혈압이 60 mmHg 이하로 떨어지기 전까지는 뇌에 혈류량을 유지시켜 주기 때문이다. 그러나 정신상태의 변화는 두부외상, 척수손상, 약물중독, 저산소증 환자에게서도 나타나므로 감별진단해야 한다.

① **지혈**(bleeding control)

출혈은 순환혈액의 급성 소실로 정의된다. 정상적인 혈액의 부피는 체중의 7% 정도로, 70 kg의 성인 남성에서 약 5 L 정도이다. 출혈은 체내출혈과 체외출혈로 나눌 수가 있는데, 외부 출혈은 직접적인 압력으로 지혈이 가능하다. 사지의 출혈은 해당 사지를 높게 위치시켜야 한다. 적절한 힘으로 압력을 지속해야 하는데, 만약 압박드레싱이 축축해지더라도 이를 제거하지 말고 그 위에 새로 덮어야 한다. 안면 및 목 부위는 혈류가 풍부하기 때문에 큰 두피손상, 코나 중안면의 골절 그리고 목의 관통상은 짧은 시간 안에 많은 출혈을 야기할 수 있다(그림 7-14). 특히 구강내 출혈은 그 자체로 상기도폐쇄의 위험성이 따르고, 피를 뱉어낼 경우 환자주위가 핏덩어리로 적셔져 정서적 불안 공포를 야기할 뿐만 아니라, 피를 삼키는 경우 위장내 자극(gastric irritation)에 기인한 오심과 구토의 가능성도 있다. 더욱이 구토를 하는 경우 토물(vomitus)에 함유된 위산이 폐기관지로 흡인되는 경우에는 폐렴(pneumoniaitis) 발생이나 질식사(asphyxia)의 우려도 있어 주의가 필요하다. 구강악안면부 손상에 의한 출혈 발생 시 지혈은 우선 습기있는 거즈(wet gauze)로 출혈창상 내부에 압력을 가해 지혈 및 혈종형성의 방지를 도모하고, 환자의 전신상태가 안정된 후 제대로 된 지혈처치와 창상봉합술을 시행함이 원칙이다. 그러나 출혈의 부위가 설하부(sublingual region)인 경우 압박지혈 처치가 혀의 후하방 변위를 가져와 기도에 장애를 초래할 우려도 있으므로 기관내삽관 등으로 기도의 안정을 확보한 상태에서 압박지혈을 시도해야 한다. 코나 중안면의 골절 시에는 내경동맥의 가지인 사골동맥이나 상악동맥의 손상에 의해 출혈이 야기될 수 있다. Le Fort I 이나 안면골절과 연관된 내상악동맥의 출혈은 비강에 거즈를 장시간 채워 넣어 지혈한다(그림 7-15). 액체 thrombin이나 에피네프린을 거즈에 첨가하거나 머리를 들어올린 자세가 지혈에 도움이 된다. 그러나 상악골절과 동시에 구개골 수직골절이 동반되는 경우는 비강출혈을 방지하기 위한 비폐색법이 오히려 골절편의 변위를 악화시키고 뇌척수액 유출가능성도 높이기에, 우선 그림 7-16과 같이 국소 마취하에 구개횡단 강선결찰(transpalatal wiring) 방법으로 골절편을 근접시키는 지혈처치를 완료하고서 비폐색법을 시행해야 한다. 다만 구개횡단강선 결찰법을 이용한 지혈처치 시에는 환자가 차후 음식물을 삼킬 때 강선이 혀에 자극을 초래하는 불편감이 크므로 구개부 강선을 가는 고무카테터(nelaton catheter)로 감싸주는 처치가 필요하다. 또한 하악골절의 경우도 그림 7-17A에서처럼 골절편 사이의 혈관과 골수강에서 과도한 출혈이 발생되므로, 그림 7-17B와 같이 골절편 양측의 건전한 인접치아들을 이용한 치간결찰 강선고정술(interdental wiring)이 지혈처치에 큰 도움이 된다. 다만 하악골절부의 경우 출혈부는 차후 혈종형성 과다와 치성감염 등으로 골절부 감염의 우려도 매우 높으므로, 국소마취하에 치간결찰 강선고정술 시행 시 개방된 골절창상 내부로 배농재(rubber drain, iodoform gauze 등)를 미리 삽입해 두면 창상감염 방지뿐만 아니라 하악골의 연속성 유지로 저작 및 연하기능 회복에도 도움이 된다.

또한 내부출혈이 가능한 부위는 흉강, 복부, 후복막과 사지 등도 있으므로 완전한 신체검사와 방사선 및 전산화단층촬영(CT)이 진단에 도움이 된다.

② **저혈량성 쇼크**(hypovolemic shock)

복합적인 외상 환자에서 가장 흔한 쇼크의 원인은 출혈로 인한 과소혈증이며, 급성 실혈에 따른 생리적 반응은 표 7-7과 같이 분류된다. 수액요법을 위한 혈관

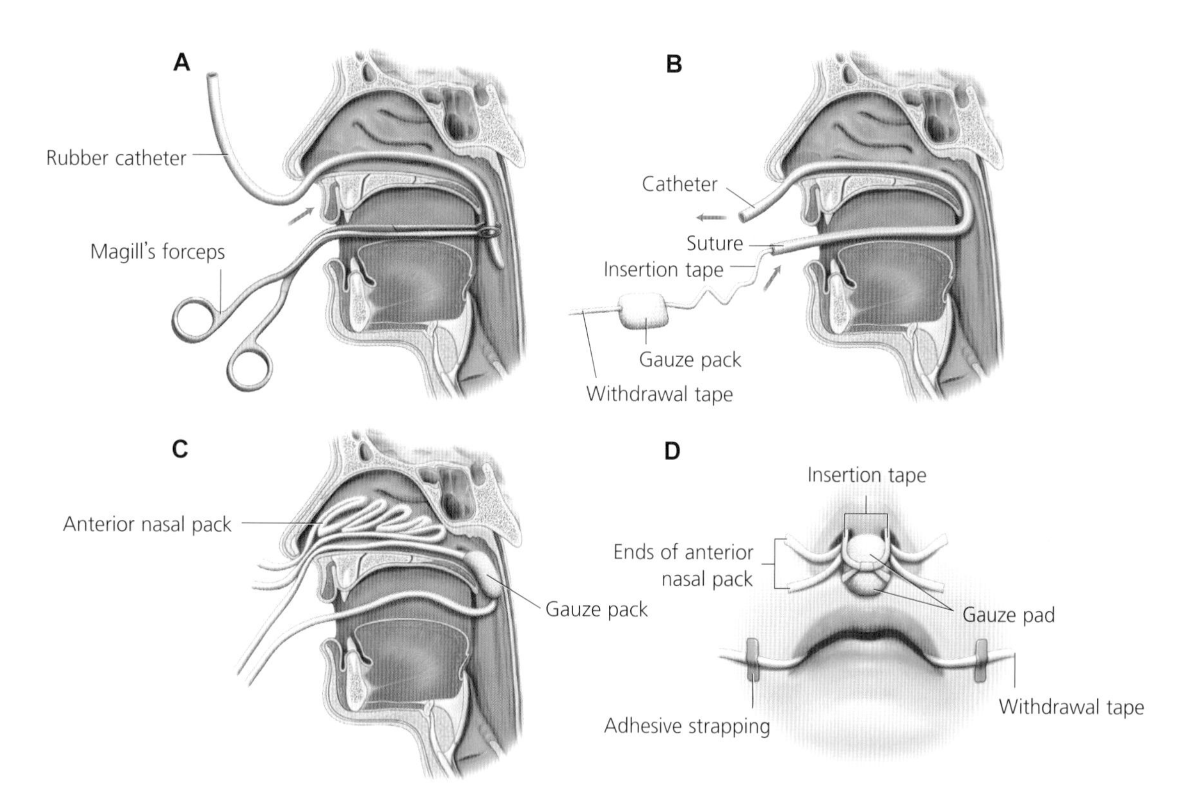

그림 7-15 비강출혈의 지혈: 전방과 후방 비폐색법(**technique of nasal packing**).

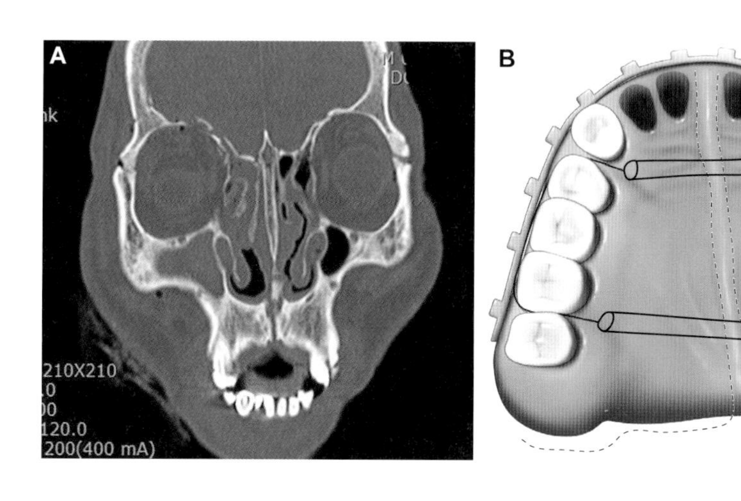

그림 7-16 상악골절과 구개골절이 동반된 **CT** 소견(**A**)과 구개횡단 강선결찰(**transpalatal wiring**) 및 상악치아상에 아치바(**arch bar**)를 장착한 모습(**B**).

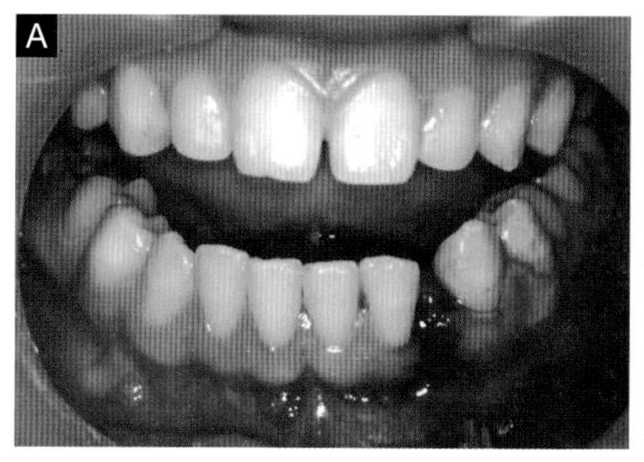

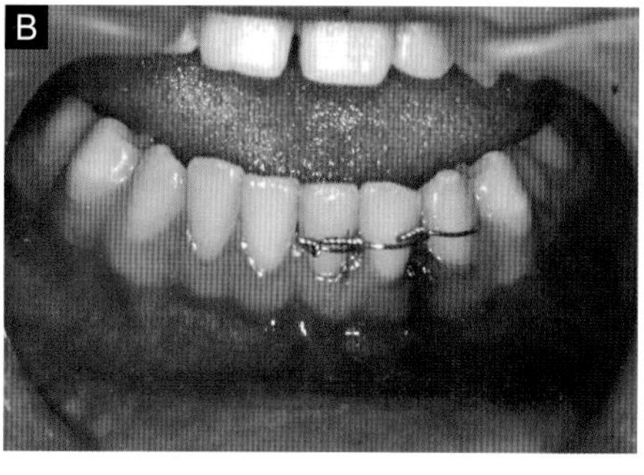

그림 7-17 **A:** 하악골 정중부 치아사이 골절로 출혈되는 모습 **B:** 하악 정중부 골절부를 interdental wiring을 하고서 골절부에 인접한 개방창상 내부로 작은 rubber drain 삽입 후 봉합한 모습.

표 7-7 혈액상실량에 따른 저혈량성 쇼크의 정도와 생리적 반응

정도	혈액상실량	의식상태	혈압	맥박	소변배출량
Mild	1,000 cc	Thirsty	↓↑	↓↑	↓↑
Moderate	1,000–2,000 cc	Anxious	↓↑	↓↑	↓
Severe	2,000 cc	Agitated	↓	↑	↓

카테터는 최소한 2개의 짧고 굵은 것(16G 이상)이 좋다. 우선 양팔의 전완와에 있는 요측피정맥(cephalic vein) 또는 척측피정맥(basilic vein)에 카테터를 위치시킨다. 초기의 수액으로는 대부분 전해질 용액인 lactated ringer 용액이 사용된다. 수축기 혈압이 적어도 80에서 100 mmHg 이상으로 회복되지 않는다면 추가적인 수액, 혈액 공급 및 지혈이 필요하다. O형 혈액은 가장 흔하고, 항원이 없기 때문에 과도한 실혈 환자의 응급수혈에 사용될 수 있다. 4 Unit의 적혈구(red blood cell) 수혈당 1 Unit의 신선냉동혈장(fresh frozen plasma)을 공급하는데, 이는 혈량을 증가시키고, 혈소판을 제외한 혈액응고요소를 공급하기 위해서다. 일단 환자가 안정되고 추가적인 수혈이 요구될 때는 교차시험을 통해 혈액형에 맞는 혈액을 공급하여야 한다. 그리고 저혈량성 쇼크 발생 시 Trendelenburg 자세는 피해야 한다. 이러한 자세는 비록 뇌혈류량은 증가시키나 말초혈관의 확장으로 심장으로의 정맥순환을 방해하기 때문이다. 또한, 뇌의 충혈을 유도하여 조직의 저산소증을 야기하며, 복부장기가 횡격막을 압박하여 폐확장을 방해, 호흡을 억제할 수 있다. 구강악안면 혈관의 손상만으로 저혈량성 쇼크가 발생되는 경우는 드물기에 외상환자에서 저혈량성 쇼크가 발생되었다면 치과의사는 구강악안면 이외의 흉강, 복강, 뇌, 대퇴부 등에서 내출혈 가능성을 고려해 관련의학과(응급의학과, 흉부외과, 일반외과, 신경외과, 정형외과 등)와 함께 원인을 찾아야 한다. 다만 다발성외상(교통사고, 산업재해, 폭행 등 대부분의 손상은 다발성외상임) 시 구강악안면 혈관의 손상이 쇼크를 촉진하는 경우는 많으므로 다량의 출혈을 야기하는 동정맥에 대해서는 미리 숙지할 필요가 있다. 구강악안면영역에서 많은 출혈을 야기하는 동맥으로는 상악동맥(internal maxillary artery), 설동맥(lingual artery), 치조동맥(alveolar artery), 안면동맥, 측두동맥 등이며, 정맥으로는 익돌정맥총(pterygoid plexus), 하악후정맥(retromandibular vein), 설정맥(lingual vein), 치조정맥(alveolar vein), 안면정맥 등이다.

(4) 신경학적 검사(disability, neurologic examination)

환자의 의식상태나 동공크기 및 반응을 평가하기 위해 간이 신경학적 검사를 실시한다. 의식이 없으면서 빛에 대한 동공반응이 비정상적일 경우에는 두부 응급 CT 촬영이 요구되며, 스테로이드나 만니톨(mannitol) 투여, 수액제한 등 초기처치가 이루어져야 한다.

빛에 대한 동공반응은 뇌기능에 대한 빠른 평가를 제공한다. 동공은 동일하게 반응해야 하며, 동공반응의 변화는 뇌 또는 시신경의 손상이나 두개내압의 변화를 의미한다. 혼수(coma) 또는 의식저하의 가장 흔한 원인은 저산소증, 고탄산가스혈증 그리고 뇌의 저관류이다. 더 자세하고 정량적인 신경학적 검사는 이차평가에서 이루어진다.

(5) 환자의 노출(exposure of the patient)

환자의 모든 부위가 시진, 촉진될 수 있도록 환자를 완전히 노출시켜야 하며, 척수보호대 등으로 의복을 벗기기가 어려운 경우 환자의 의복을 잘라내게 된다.

3) 이차평가(Secondary assessment)

이차평가는 일차평가 및 처치가 완료된 이후에 시작

한다. 이차평가 기간 동안 환자의 활력징후는 지속적으로 감시되어야 한다. 이차평가는 외상환자의 주관적 및 객관적 평가를 포함한다.

주관적인 평가는 간단한 문진을 포함하는데, 여기에는 투여 중인 약물, 알레르기, 수술전력, 손상 시의 상황, 부위, 정도와 현재의 주소(chief complaint)의 심도 등이 있을 수 있다.

만약 환자가 문진에 응할 상태가 되지 않는다면 가족, 목격자, 다른 환자의 증언이 도움을 줄 수 있다. 객관적 평가는 환자의 머리에서 발끝까지의 시진, 촉진, 타진 및 청진을 통한 철저한 검사를 포함한다.

(1) 두부 및 두개골(head and skull)

두부와 두개골에 대한 일차손상에는 두피의 열창, 찰과상, 탈구와 타박상, 두개골의 골절, 뇌의 타박상, 두개내출혈 등이 있다. 또한 뇌는 두개내출혈, 저산소증(hypoxia), 허혈(ischemia) 등으로 인해 이차적인 손상을 입을 수가 있다(그림 7-18). 저산소증이나 허혈에 의한 이차적인 뇌손상은 두개내압(intracranial pressure, ICP)의 상승에 대한 적극적인 처치로 충분히 예방 가능하다. 뇌손상 환자의 가장 흔한 사망원인은 두개내압 상승이다.

두부손상을 받은 환자의 효과적이고 안전한 평가는 신경학적 검사와 CT상의 병소검사로 이루어지는데, CT는 두개내의 출혈, 타박상, 이물질, 두개골의 골절을 신속히 진단할 수 있게 해준다(그림 7-19).

CT촬영의 적응증은 발작(seizure activity), 2-3분 이상 지속된 의식소실, 정신상태의 이상, 신경학적 검사상의 이상, 두개골 골절의 증거가 있을 때이다. 그러나 잠시 동안의 의식소실만 있었거나 의식이 명료한 환자에서 미약하게 구토증이 있는 경우는 거의 적응증이 되지 않는다.

두부에 대한 신체검사는 두피의 창상과 이물질의 존재 확인이 포함된다. 두피는 혈류가 풍부하기 때문에 특히 아동에게 있어서 심한 출혈을 보일 수가 있다. 또한 두개저 골절의 증상에 대한 검사도 포함되어야 하는데, 양측성 안구주위의 반상출혈(racoon's eyes), 귀 후방 유양돌기(mastoid process)의 혈종(Battle's sign), 고실혈종(hemotympanum), 뇌척수액(CSF)을 포함하는 비루(rhinorrhea) 및 이루(otorrhea), 공막하출혈(subscleral hemorrhage) 등이 그 증상이다.

신경학적 검사는 간단해야 하고, 의식의 정도, 운동 및 뇌신경의 기능을 잘 평가해야 한다. Thomas와 Jennett의 Glasgow Coma Scale (GCS)(표 7-4)은 의

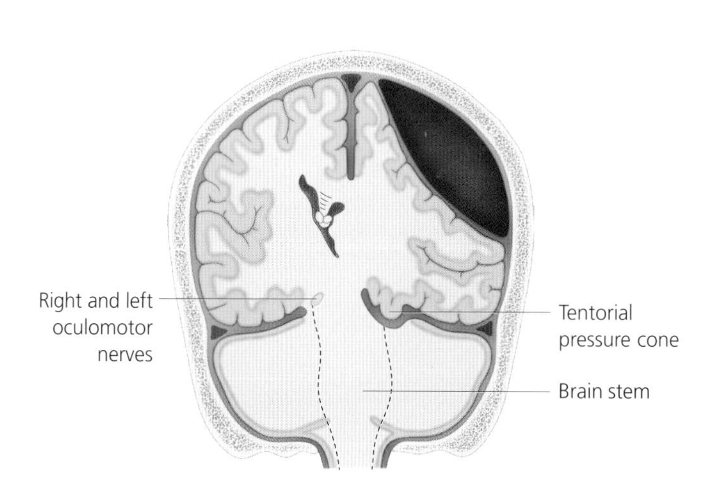

그림 7-18 천막압력 cone이 있는 경막외혈종(두개내출혈).

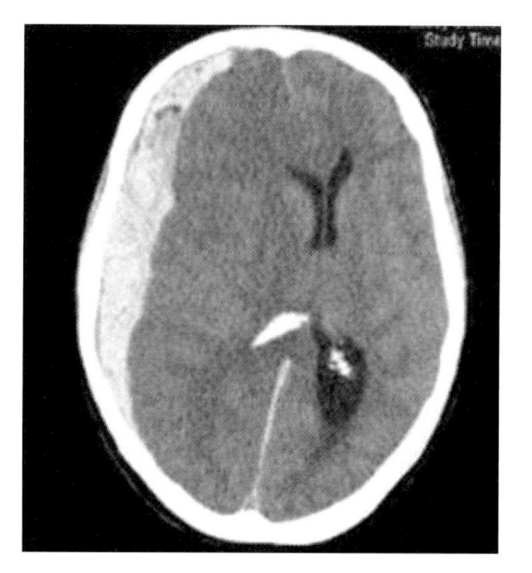

그림 7-19 두부손상 후 뇌실의 전위가 있는 경막하혈종의 CT 소견.

식장애 및 혼수의 정도를 평가하기 위해 개발되었다. GCS는 뇌기능, 뇌손상 및 환자의 경과를 평가하는 데 이용될 수 있다.

운동기능검사는 기능에 어떤 불균형이 있는지를 평가한다. 의식이 있는 환자는 의사의 지시에 따라 사지를 움직이게 하며, 어떤 운동이 불가능할 경우는 해당 사지나 척수에 손상이 있음을 의미한다. 의식이 없는 환자의 경우에는 심부건반사나 발바닥반사 검사를 이용하여 감각의 입력과 운동의 출력 양자를 평가한다.

외상환자의 눈을 관찰함으로써 많은 정보를 얻을 수 있는데, 정상적으로 한쪽 눈에 빛을 비추면 양쪽 동공은 동일하게 축소된다. 만약 동공이 빛에 반응하지 않으면 이는 시신경(optic nerve) 또는 동안신경(oculomotor nerve)의 손상을 의미하며 좌우 동공반사를 통하여 손상된 뇌신경이 어느 쪽의 시신경 또는 동안신경인지를 감별진단할 수 있다. 한쪽 동공의 산대는 동측 뇌의 이탈(herniation)을 의미하고, 양쪽 동공의 산대는 심한 중뇌의 손상이나 부교감신경 기능의 상실을 의미한다. 반대로 동공이 조그만 점 크기로 축소할 경우에는 약물과용이나 교감신경성 기능의 소실을 의미한다.

기타 뇌간의 기능을 평가하기 위한 임상검사에는 각막반사(5번 뇌신경), 시각두부조작법(oculocephalic maneuver) 또는 인형눈반사(8번 뇌신경), 시각전정반응(oculo-vestibular response)검사(제 3, 4, 6, 8번 뇌신경) 등이 있으며, 척수손상을 평가하기 위한 항문의 괄약근 검사도 있다.

코나 귀를 통한 뇌척수액(CSF)의 누출은 두개저의 골절과 깊은 연관을 갖는다. 이는 맑거나 붉은 색이 섞인 액체(clear or red-tinged fluid)로서 나타난다. 비점액과의 감별은 'ring sign'이 유용한데, 귀나 코로부터의 혈액을 거름종이에 한 방울 떨어뜨리면 혈액성분은 중앙에 남아있고 맑은 액이 주변에 환상으로 나타나게 된다.

(2) 흉부

직립 흉부방사선사진에서 종격이나 횡격막 하방의 공기의 존재, 종격의 편향을 포함한 팽창, 흉곽의 손상과 골절, 흉곽내 액체의 존재 등을 확인하고, ECG, 동맥혈가스분석, 적혈구용적률(hematocrit), 요분석을 실시하여야 한다.

또한 폐좌상(pulmonary contusion)에 대한 평가를 실시하여야 하는데, 폐좌상은 흉부의 둔상(blunt trauma) 시 흔한데 폐포의 부종과 단락(shunt)을 야기한다. 폐좌상은 호흡부전이 즉시 나타나지 않고 24-72시간 후에 발생하기 때문에 치명적인 흉부손상에 속한다. 환자는 동통과 호흡곤란을 호소하며 혈액가스분압은 점진적으로 악화된다. 흉부방사선사진에서는 해당 부위에 불투명 소견이 나타난다.

기타 흉곽내 혈관손상, 기관-기관지 손상, 식도손상, 외상성 횡격막탈장(hernia), 심근좌상 등이 고려되고 평가되어야 한다.

(3) 악안면외상(maxillofacial injuries)

두경부손상에 따른 출혈이나 분비물, 하악골 골절, 중안면부 손상, 치아나 의치 등의 이물질들은 기도확보에 어려움을 가져오게 만든다. 이럴 경우에 흡입기를 이용해서 구강내나 상기도를 깨끗이 해야 한다. 경구기도유지기(oropharyngeal airway, oral airway, Guedel pattern airway)가 혀를 위치시키는 데 도움이 되지만 목을 함부로 다루지 않도록 조심해야 한다. 또한 중안면 골절이 경비삽관(nasal intubation)의 금기증은 되지 않으나 뇌척수 비루가 있는 경우 경비삽관이 제한될 수 있으며 골절편이 변위되지 않도록 삽관 시 주의해야 한다.

신체검사는 연조직부터 시작하며, 열창은 괴사조직 제거술(debridement)을 실시하고 안면신경이나 이하선관 등의 중요구조물의 손상 여부를 검사한다. 안면의 대칭성과 변색 또는 부종을 검사한다. 안면골의 촉진은 안와상연부터 시작하여 외측연, 하연, 관골융기, 관골궁, 비골을 촉진한다. 골연의 계단(step)이나 불규칙성은 골절을 의미한다. 삼차신경 분포영역의 감각이상의 여부도 평가한다. 구강내 검사는 상실치, 열창, 교합이상 등을 평가한다.

(4) 척수(spinal cord)

척수손상 환자는 감각의 소실에 의해 가슴, 복부, 사지의 주요한 손상에 대한 불편감을 거의 느끼지 못하게 된다. 경추손상은 교감신경계 기능의 소실에 따라 빈맥, 사지 냉증, 관류 장애와 요량의 감소 등 저혈량성 쇼크의 증상 없이 70–80 mmHg의 수축기 혈압을 보인다. 신경성 쇼크는 동맥계의 팽창, 근육 긴장의 소실과 반사 소실 등에 기인한다. 경추의 방사선 사진의 확인 후 이상이 없을 시에만 경추 보호대를 벗긴 다음 이차적인 신체검사로 들어가게 된다.

검사는 척수와 두부가 중립위에서 움직이지 않게 조심스럽게 진행한다. 경부와 척수는 변형, 부종, 반상출혈, 근경련 또는 압통을 검사한다. 또한 두부손상에서와 마찬가지로 신경학적 검사를 시행하게 된다. 늑간근 마비로 인한 저환기는 하부경추 또는 상부척추의 손상의 결과이며 C3–C5 경추손상은 횡격막마비로 복부호흡을 보이게 된다.

(5) 비뇨기 외상

요도파열의 주된 원인은 둔상이며, 골반골절 환자의 약 95%에서 후방 요도파열이 동반된다. 외요도구(urethral meatus)의 혈액은 요도손상의 유일한 지표가 되는데, 배뇨관의 삽입 전에 약간의 혈액이라도 주의깊게 검사해야 한다. 이때 폴리카테터의 삽관은 요도의 불완전 열상을 완전열상으로 바꾸어 회음부 혈종을 야기할 수 있기 때문이다.

요분석 시 10개 이상의 적혈구가 확인되는 경우는 비뇨기의 손상을 의심할 수 있다. 혈뇨(hematuria)는 신(renal) 손상의 최상의 지표이지만 손상의 심도와는 비례하지 않을 수 있다.

(6) 복부외상

복부외상은 신체검사가 가장 효과적인 진단도구이다. 복부 관통상 시에는 일반적으로 개복술(laparotomy)이 가장 안전한 처치수단이고, 둔상의 경우에는 복부의 경직이나 압통이 개복술의 주요한 적응증이 된다. 직립 및 앙와 복부방사선사진, 흉부방사선사진 또는 CT의 촬영이 필요하며, 가능하면 위 내용물을 제거하기 위해 비위관(nasogastric tube)을 삽입한다.

(7) 사지(extremities) 골절

골반뼈(pelvis)와 대퇴골(femur), 다른 장골의 다발성 골절은 저혈량성 쇼크의 원인이 될 수 있다. 보통 비개방성 골반골절 시의 실혈량은 1–5 L 정도이고, 대퇴골은 1–4 L, 팔은 0.5–1 L 정도이다.

사지에 대한 신체검사는 시진과 촉진으로 이루어지는데, 압통, 변색, 부종, 변형을 보이는 부위는 X선사진으로 다시 확인해 보아야 한다. 또한, 모든 말초의 맥박은 혈관손상 여부를 확인하기 위해 잘 촉진되어야 한다.

직접적인 압박이 지혈을 위해 사용되고, 골절부위는 재빨리 부목으로 고정되어야 한다. 지방색전증후군(fat embolism syndrome)은 장골의 골절(특히 대퇴골) 시 지연성으로 종종 나타날 수 있다. 이는 지방이 골절부위의 혈액 속으로 들어가 폐포에 축적되어 발생한다.

2. 기도의 처치(Airway management)

외상환자의 처치에서 기도에 대한 처치는 가장 중요한 부분이다. WHO의 보고에 의하면 교통사고 사망원인의 약 15%가 호흡폐쇄이며, 응급실에서 삽관을 시행하는 환자의 약 28%가 외상환자이다.

일반적으로 외상환자의 기도처치 과정은 다음과 같다.

① 초기평가: 기도폐쇄 확인
② 기도확보, 이물질 제거 및 환자 재위치

③ 인공기도기(artificial airway) 사용, 수동식 인공호흡기(bag-valve-mask)를 이용한 환기
④ 기관내삽관의 시행
⑤ 삽관술이 불가능할 경우 외과적 기도확보술의 시행

1) 기도장애에 대한 검사 및 처치

평면 방사선사진을 통해서는 감소된 기관공간, 혀의 부종, 성문(glottis)의 부종, 기관의 편향, 피하기종, 이물질 등을, CT를 통해서는 후두나 인두내의 부종 정도를 알 수 있다. 그러나 이러한 검사는 환자가 안정된 후 이차적으로 얻을 수 있기 때문에 제한적이다.

안면외상이나 무의식 환자에서 기도장애가 있을 때는 앙와위를 피하는 것만으로도 생명을 구할 수 있다. 이는 앙와위에서 혀의 후방부위가 인후를 막거나, 성문의 후방전위가 후두에서 기도장애를 야기하기 때문이다. 폐쇄된 기도에 대한 3가지 간단한 처치는 다음과 같다.

- 이부 거상(chin lift): 한 손으로 이부(턱끝)를 잡고 하악을 전방으로 당기면서 하순을 누르고 개구시킨다.
- 악골 추력(밀기)(jaw thrust): 양손으로 하악 우각부를 잡고 하악을 전방으로 밀면서 개구시킨다.
- 두부기울기(head tilt): 양손으로 목을 과신장시켜 후두와 인두가 일직선이 되도록 하여 기도를 확보한다.

환자의 경추손상이 의심될 경우는 이부거상이 선호되고, 두부기울기는 금기증이 된다. 그러나 최근에는 이부거상의 안정성이 의심받고 있다.

2) 기도장애의 특별한 환경

(1) 경추손상(cervical spine injuries)

쇄골 상방에 외상의 증거가 있는 환자, 무의식을 동반한 두부외상 환자는 경추손상이 없다고 증명될 때까지는 경추손상이 존재한다고 가정해야 한다.

경추손상이 의심되는 무호흡 환자 또는 응급 기도확보가 요구되는 경우는 경비적 기관삽관술을 시도하고 불가능할 경우는 외과적 기도확보를 시행해야 한다. 경추방사선사진을 찍을 수 있는 상태에서는 경추손상이 확인되면 경비적 기관삽관을, 경추손상이 제외되면 경구적 기관삽관을 시행한다.

(2) 도리깨하악골(flail mandible)

정중부를 포함한 양측성 우각부, 과두의 복합적인 골절의 경우에는 혀나 설골, 관련 근육계의 적절한 유지가 힘들어진다. 따라서 근육계가 후방으로 작용됨에 따라 기도가 막히게 된다. 이러한 상황을 '도리깨하악골(flail mandible)'이라 한다(그림 7-20).

응급치료는 혀, 하악골, 구강저를 견인하고 골절부위를 선부자, 상부자, 치간고정 등으로 임시고정하여 기도를 확보해 주어야 한다. 설견인을 위한 봉합이 필요하다면, 혀의 혈관이나 설하신경의 손상을 피하기 위해 혀의 중앙선에 위치시킨다.

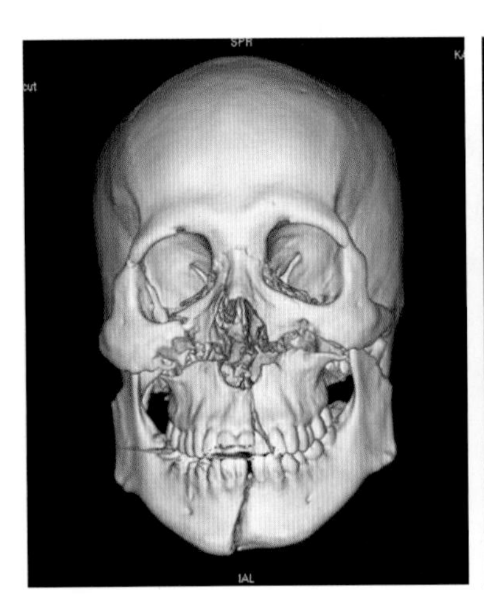

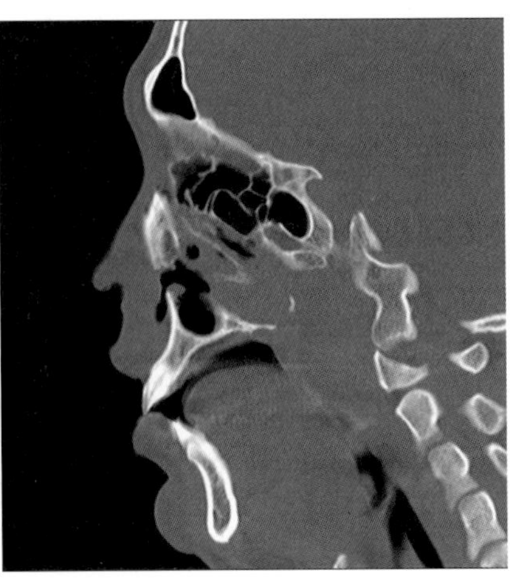

그림 7-20 하악골 정중부 및 양측 과두하부 다발성골절로 하악골이 후방전위되어 기도폐쇄를 초래한 도리깨하악골.

(3) Le Fort 골절(fracture)

중안면골절(Le Fort fracture)에서 기도장애는 주로 익상근육계의 견인과 비강 및 부비동 점막의 출혈 때문이다. 통계에 의하면 더 높은 단계의 Le Fort 골절일수록 더 많은 호흡계통의 문제를 일으킨다고 한다(그림 7-68 참고).

(4) 이물질

기도를 폐쇄하는 대표적인 이물질은 파절된 치아나 탈구된 골조각, 파절된 보철물 등이다. 우선 구강내를 손으로 훑어내고 큰 흡인기로 흡인(suction)해낸다. 만약 천명(stridor), 언어곤란(dysphonia), 호흡곤란과 흉골상부 및 늑간 견인이 존재한다면 후두-기관 폐쇄를 의심해야 한다. 이런 환자의 처치는 100%의 산소를 공급하면서 환자를 Trendelenburg 자세로 눕혀 이물질이 더 이상 후방으로 들어가는 것을 방지하는 것이다. 이물질을 기도내로 더 밀어 넣을 수 있으므로 성급한 삽관은 피하는 것이 좋다.

(5) 후두골절(laryngeal fracture)

후두는 하악이나 안면이 보호하므로 후두골절은 드물다. 주로 무딘 외상을 통해 발생하나, 증상이 미미하거나 나중에 나타나기 때문에 주의해야 한다.

후두손상의 증상으로는 객혈(hemoptysis), 연하곤란, 쉰 목소리(hoarseness), 천명, 흉골상부의 공기전색, 경부 표피손상 등을 들 수 있다. 만약 환자가 의식이 있다면 앙와위는 기도장애를 더 악화시킬 수 있으므로 일으켜 앉히는 것이 좋다.

하인두와 성문의 개폐관계를 관찰함으로써 확진하는데, 협조가 가능한 환자의 경우에는 혀를 앞쪽으로 당긴 상태에서 치경(dental mirror)을 이용해 후두를 확인한다. 상태가 불안정한 환자의 경우는, 조심스럽게 광섬유 후두경(fiberoptic laryngoscope)을 이용해 더 정확하게 검사할 수 있다.

대부분의 후두의 손상은 심하지 않아서 안정과 관찰, 습한 산소의 공급, 흡입식 호흡 확장제, 스테로이드 등으로 치료가 가능하다.

3) 기관내삽관(Endotracheal intubation)

기관내삽관은 가장 흔히 사용되는 기도확보 술식이다(그림 7-21, 22). 적응증은 기도개방(airway patency) 확보, 기관-기관지 청소, 흡인방지, 환기조절, 응급소생을 위한 약물투여 등이다. 수술실에선 적절한 술전 산소화(preoxygenation)로 환자가 5-8분간의 무호흡 상태를 견딜 수 있지만, 외상환자의 경우는 그렇지 못하므로 빠른 시간 내에 삽관을 시행하는 것이 중요하다.

(1) 경구삽관술(oral intubation)

하악에 유연성이 없거나, 인두에 부종이 있는 경우에 Jackson의 후두경을 사용하면 편리하다. 이것은 'ㄱ'자의 손잡이가 연결된, 속이 빈 광섬유관으로 구성되어 있다. 표준 후두경과는 달리 설부종에 의해 시야가 방해받지 않으나 시야가 제한되면 특수한 흡입관이 필요하다.

촉각(tactile) 경구삽관술은 혼수상태의 환자에 사용하는 맹목법(blind technique)이다. 왼손의 검지와 중지 사이에 기관튜브를 잡아 집어넣고 후두개(epiglottis)를 직접 촉지한 상태에서, 튜브를 기관으로 유도한다. 이 방법의 장점은 머리나 목을 움직이지 않아도 되고, 인두의 분비기능을 방해하지 않으며, 후두경이 없을 때 유용하게 사용할 수 있다는 점이다.

(2) 경비삽관술(nasal intubation)

구강악안면외과에서 친숙한 술식이나 응고장애, 두개저의 골절, 위치를 잘 모르는 상기도내의 이물질, 비강폐쇄 환자의 경우 금기증이 된다. 국소혈관 수축제와 마취제를 적절히 사용하면 맹목의식삽관(blind awake intubation)도 성공적으로 가능하며, 출혈을 최소화할 수 있다.

두개내압의 상승은 두부외상 환자의 삽관 시에 흔히 일어날 수 있는데, 삽관 시의 이러한 혈관계 반응을 희석하기 위하여 펜타닐(1 μg/kg)이나 리도카인(1.5-

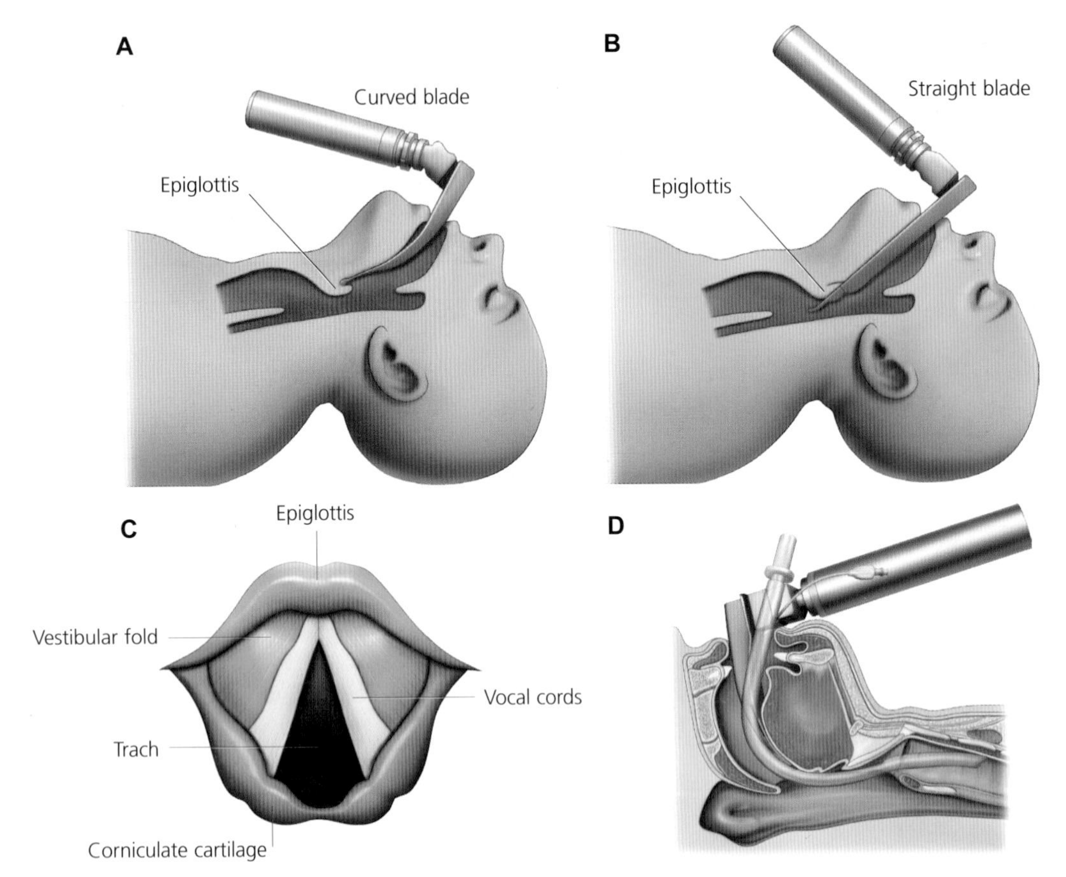

그림 7-21 **기관내삽관을 하는 과정.** 입을 벌려 후두경 날을 허의 왼쪽에서 오른쪽으로 밀면서 구강내로 넣고 날을 후두부로 전진시킨다. 곡선형(A)과 직선형(B) 후두경 날의 적절한 위치. 후두경날 앞에 성대를 확인하고(C), 기관튜브를 삽입한다(D).

2 mg/kg)을 정맥 내로 투여하기도 한다. 만약, 비도를 지날 때 비출혈이 있거나, 신속한 삽관이 가능하지 않다면 커프(cuff)를 부풀게 하고 튜브를 코의 후방까지 빼 후비강의 충전(packing)효과를 도모하여 출혈로부터 기도를 보호할 수 있다.

(3) 광섬유후두경(fiberoptic laryngoscope)

1972년 Taylor의 광섬유기관지경(bronchoscope) 이후, 기구의 발달로 광섬유후두경은 기관삽관술을 시행할 경우에서 성공적인 삽관을 가능케 해주었다. 그러나 이 방법은 훈련이 필요하며, 매우 불안정한 응급환자에서 여러 가지 기관삽관 시도가 실패한 경우에는 효과적이지는 않다.

4) 외과적 기도확보술(Surgical airway)

지금까지 소개된 방법으로도 기도확보가 실패했을 경우는 외과적 기도확보가 필요하다. 외과적 기도확보는 일반적으로 우선적 처치법은 될 수 없지만 술자의 판단에 외과적 기도확보가 필요하다고 생각되면 되도록 빨리 시행해야 한다.

(1) 윤상갑상절제술(cricothyroidotomy)

이 술식은 기관절제술보다 빠르게 시행할 수 있고, 상대적으로 중요 구조물이 인접해 있지 않아 술식이 쉽고, 부작용이 적기 때문에 응급 기도확보술로 이용되고 있다. 또한 기관절제술에 비하여 목을 신장시킬 필요가 없다는 장점이 있다.

적응증은 삽관술이 금기증이거나 불가능할 때, 경추

의 손상, 부종이나 이물질에 의한 구강-인두폐쇄, 심한 비만 환자 등이다. 반면, 위험 없이 정상적인 삽관이 가능한 환자나 12세 이하의 환자는 절대적인 금기증이 되고, 후두에 손상이 있거나 감염, 종양이 있는 경우는 상대적인 금기증이 된다.

응급 윤상갑상절제술의 술식을 살펴보면(그림 7-22), 먼저 국소마취를 하고 기침반사를 줄이기 위해 4% 리도카인을 기관내에 주사한다. 설골과 갑상융기, 윤상연골의 위치를 확인한다. 술자의 왼손으로 후두를 고정시킨 다음 왼손 검지손가락으로 윤상갑상공간을 촉진하며 갑상융기에서 하방으로 2-3 cm가량 수직절개한다. 여러 개의 근막을 거쳐 윤상갑상연골막에 이른 후 윤상갑상동맥과 성대를 피하기 위해 막하부에서 미측 30-40도 방향으로 수평찌르기 절개(stab incision)를 실시한 후 수평, 수직적으로 벌린다. 윤활제를 바른 기관절개용 튜브(외경 8 mm)나 커프가 있는 기관튜브(외경 6 mm 이하)를 삽입한다.

합병증으로는 성문하협착, 출혈, 일시적 변성 등이 있으며 발병률은 10-32%로 다양하다.

(2) 기관절제술(tracheostomy)

후두골절이나 손상이 응급 기관절제술의 가장 일반적인 적응증이다. 경추, 후두손상을 동반한 경우를 제외하고는 악안면 손상에서 기관절제술은 적응증이 되지 못한다. 해부학적 계측점의 소실과 기도폐쇄를 동반한 무딘 후두손상이 진정한 적응증이 된다. 가능하다면 응급 기관절개술은 수술실에서 행해져야 한다. 만약 그렇지 못하다면 부적당한 광원(light)과 부족한 장비로 인해 합병증이 증가하게 된다.

기관절제술의 절대적 금기증은 존재하지 않으나 경부의 부종, 목의 비만, 경부 수술이나 방사선치료의 병력이 존재하는 경우에는 시행하기 힘들다.

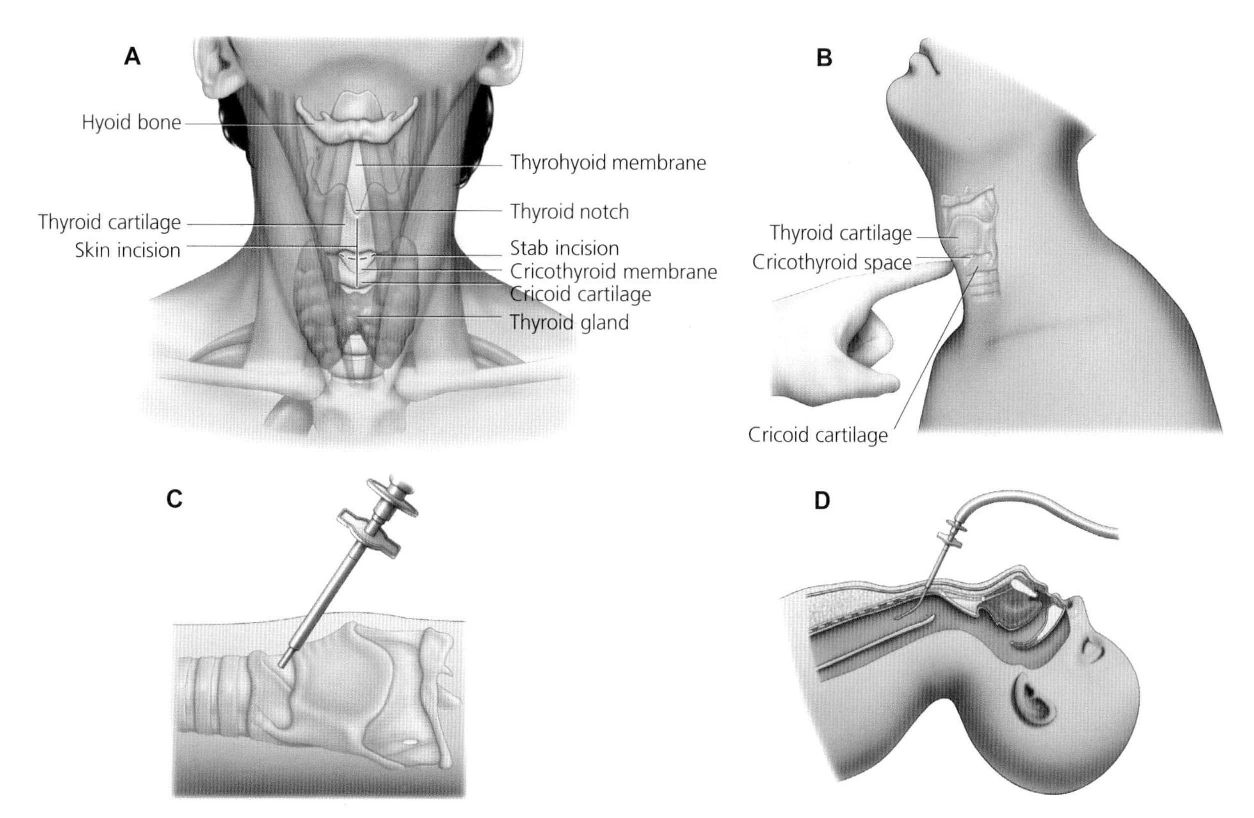

그림 7-22 **윤상갑상절제술(cricothyroidotomy).**
A: 관련 해부도 및 피부절개선 B: 자입점 촉진 C: 주사침 자입각도 D: 유입된 튜브의 연결 모습.

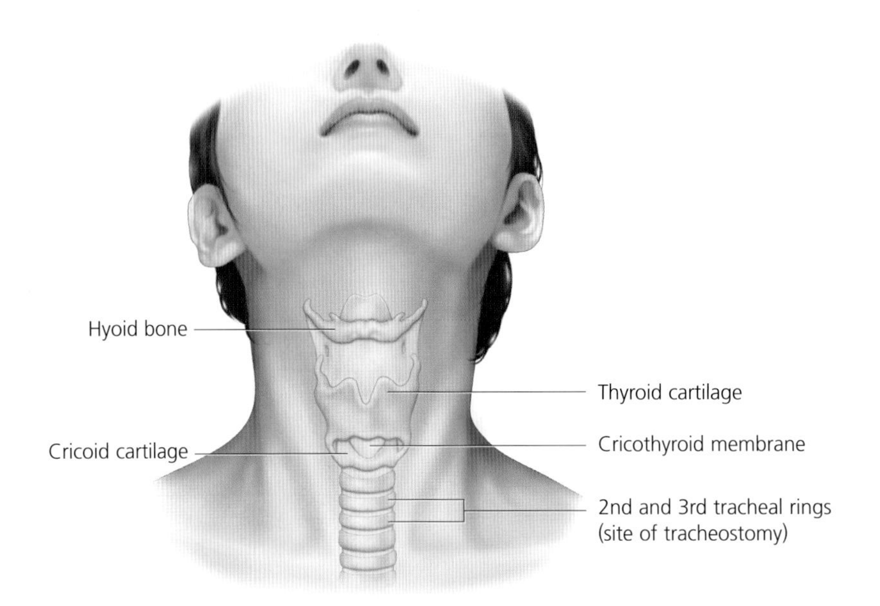

그림 7-23 기관절제술의 위치.

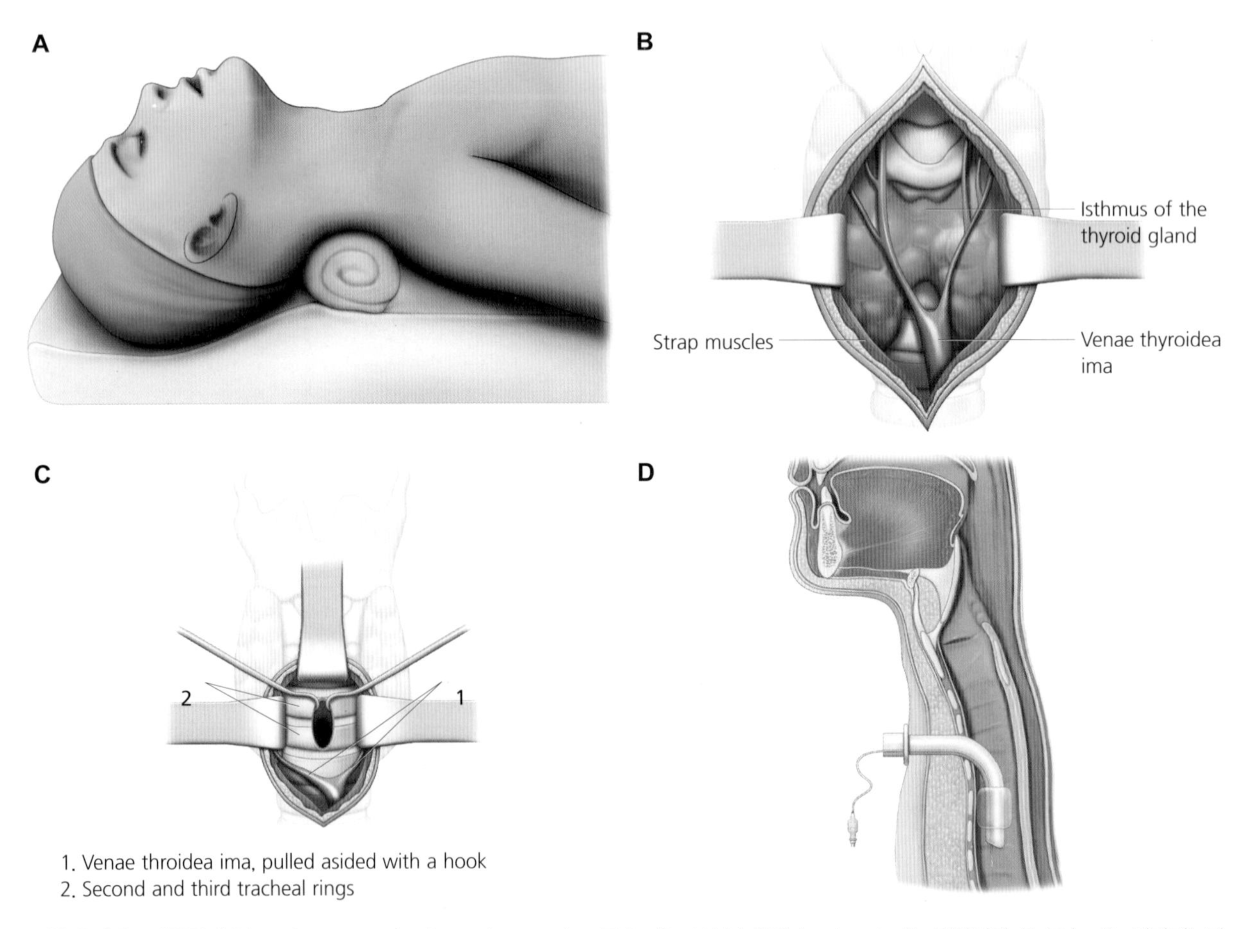

그림 7-24 기관절제술(tracheostomy). A: neck extension 모습 B: 시술부 주위 landmark C: 기관절개 후 모습 D: 기관캐뉼라 (tracheal cannula) 삽입 모습.

먼저 수건을 말아 어깨 밑에 놓아 목을 과신장시킨다. 국소마취 후 윤상연골 하연에서 시작해 3-4 cm를 수직적으로 절개하여 양측의 신경, 혈관 구조물을 피한다. 수직절개와 수평절개 모두 가능하지만, 응급 상황에서는 수직절개가 정중선에서의 박리에 용이하고, 주위구조물의 손상을 줄일 수 있어 많이 사용된다. 반면 수평절개는 비응급 상황에서 심미적으로 좋은 결과를 위해 추천된다. 피하와 경근막, 근육 등을 둔하게 박리(blunt dissection)하여 갑상선 협부의 인대를 절개하면 기관환(tracheal ring)에 이른다(그림 7-23). 기관을 열기 이전에 주사바늘을 이용해 적절한 위치인지 흡인시켜 본 다음, 기관의 두 번째와 세 번째 고리 사이를 개방시킨다. 기관절제용 튜브를 개방된 기관에 삽입하고 커프를 부풀린다. 절개된 피부는 느슨하게 고정봉합한다(그림 7-24). 피부봉합이 너무 단단하게 봉합되면 강제적 호기나 지속적인 양압환기 시 발생하는 공기의 배출을 막아 피하기종이 생길 수 있다.

수술 후 삽입된 도관을 통하여 습도가 높은 산소를 공급해야 하고, 흉부X선 사진의 촬영이 필수적이다. 술후 4시간 동안은 15분 간격으로 도관내의 분비물을 세척해내며 이후 1시간 간격으로 시행한다.

기관절제술 후에 나타나는 가장 흔한 합병증은 지연출혈이며 그 외 감염, 도관의 폐쇄, 도관의 탈락, 기흉 등이 있다. 1차 출혈이 가장 잘 일어나는 부위는 전경정맥(anterior jugular vein), 하갑상정맥, 갑상동맥의 전방가지이다.

5) 소아의 기도확보

소아에서 가장 분명한 기도의 구조물은 설골과 윤상연골이다. 윤상갑상막은 7-8세에 이르기까지 잘 촉진되지 않는다. 윤상연골 부위는 소아의 기도에서 가장 좁은 곳이다(성인에서는 성문 부위).

소아에서의 삽관술은 작은 크기, 상이한 해부학적 구조, 삽관가능 시간의 감소 때문에 어려울 수 있다. 의식이 명료하고 저항하는 경우 삽관은 표면마취제와 정주 안정제의 투여가 고려되어야 한다. 일반적으로 외상환자의 경우에는 경구삽관술이 주로 사용되고 경비삽관술은 비강이 좁고, 비대한 아데노이드(adenoid)의 출혈, 튜브의 유연성 부족 때문에 매우 힘들게 된다.

12세 이하에서 윤상갑상절제술은 촉진이 어렵고 윤상갑상공극이 좁아서 금기증이 되고, 경피적 경기관 환기(percutaneous needle ventilation)가 안전하게 사용될 수 있다. 응급 소아 기관절제술은 어렵고, 후유증이 많이 발생하기 때문에 잘 사용되지 않는다.

Ⅳ. 진단 및 치료방침

1. 즉각적인 평가와 처치

악안면부 외상환자는 많은 경우, 심각한 두경부 손상을 동반하거나 신체 타 부위의 손상을 동시 다발적으로 가지고 있으므로 이와 연관된 생명위협 요인에 대한 평가와 처치를 최우선적으로 시행해야 한다. 특히 구강 내 출혈은 상기도 폐쇄 우려와 연하 시 오심과 구토 가능성 및 음식물 섭취장애, 정서적 불안공포를 크게 유발하므로 즉각적인 지혈처치를 시행하되 차후 혈종형성에 의한 창상감염도 우려되므로 적절한 관리가 필요하다.

2. 병력조사 및 이학적 검사

환자가 일단 안정되면 병력을 정확하게 조사하도록 한다. 병력은 환자로부터 직접 얻는 것이 원칙이나 환자가 의식불명이거나 신경학적 이상이 있을 경우 동반자나 목격자를 통해 수집할 수 있고, 사고 정황을 육하원칙에 따라 상세히 기록하며 사고 당시 의식소실 여부 및 현재의 동통, 감각이상, 시력이상, 부정교합 등 증세를 조사한다. 또한 이상과민증 유무나 현재 복용 중인 약물, 파상풍면역 경력과 같은 과거력도 완벽하게 조사되어야 한다.

안면부에 대한 이학적 검사는 계획된 순서에 의해 체계적으로 이루어져야 한다. 먼저 연조직의 열상, 찰과상, 좌상, 부종, 혈종형성 등 외상흔적을 주의 깊게 조사한다. 특히 결막하 출혈을 동반한 안와주위의 반상출혈은 종종 안와외륜골 혹은 협골 복합체의 골절을 의미하며, Battle 징후라고 불리는 귀 후방의 피하출혈상은 두개저 골절을 암시하고 구강저의 반상출혈은 전방부 하악골절을 나타내기도 한다.

안면의 신경학적 검사도 면밀하게 시행되어야 한다. 시력, 안구운동, 빛에 대한 동공반사 등은 세심하게 평가하여 2, 3, 4, 6번 뇌신경의 손상여부를 가리도록 한다. 안면표정근(7번 뇌신경), 저작근(5번 뇌신경)의 운동기능과 안면부의 감각(5번 뇌신경) 등도 평가되어야 한다. 경미한 열상일지라도 주의 깊게 세척한 후 안면신경이나 Stensen's duct 같은 구조물의 손상여부를 평가하도록 한다.

하악골은 외측연, 하연, 내측연, 관절부 등에 국소적인 동통이 있는지 여부를 주목하면서 촉진한다. 교합도 살펴보고 교합평면상에 층이 져 있는 부분이나 치은부 열상이 있는 곳을 특히 주의 깊게 관찰하도록 한다. 골절이 의심되는 부위는 양수촉진으로 골편의 움직임이 있는지 확인하고 주위치아의 동요도 또한 평가한다. 중안면 손상에 대한 평가는 상악골의 동요도 측정과 교합관찰을 통해 먼저 이루어진다. 안와외륜골, 협골, 비골 등에 존재하는 층이 져 있는 변형을 잘 촉진하도록 한다. 부종이 심할 경우 이러한 촉진은 쉽지 않다. 또 좌우 비측안각(Medial canthus) 거리를 측정하여 비안와사골(nasoorbitoethmoid) 손상 시 발생할 수 있는 외상성 원위안각(traumatic telecanthus)을 평가한다. 비경(nasal speculum)은 코 내부의 출혈이나 혈병의 위치파악, 특히 비개부위의 시진을 위해 유용하게 사용될 수 있다.

구강내 검사를 통하여 점막과 혀의 손상을 살피고 치아와 치조골 손상, 교합이상 등을 확인하도록 한다.

3. 방사선학적 평가

면밀한 임상적 검사 후에 검사결과를 확인하고 안면 손상의 부가적 정보를 얻기 위해 방사선사진촬영이 시행된다. 방사선학적 검사는 이학적 검사를 바탕으로 최소한으로 이루어져야 하나 항상 두 가지 이상 각도에서 입체적으로 골절을 확인해야 한다. 하악골절이 있는 경우 두개골의 후전방촬영, 측면경사촬영(oblique lateral view), Towne 촬영, 파노라마촬영 등을 많이 시행하고 중안면 골절의 평가에는 Waters 촬영, 두개측면촬영(skull lateral view), 후전방촬영(skull AP view), 이두정촬영(submento-vertex view) 등을 응용할 수 있으며 필요시 교합사진 또는 치근단사진을 사용하기도 한다. 요즘에는 CT 촬영을 많이 하여 두개-뇌손상을 확인하면서 특히 하악과두부와 중안면 골절 평가에 유용하게 쓰고 있다.

4. 안면골절의 분류

손상의 형태, 힘의 크기, 방향, 그리고 수상골의 부위, 형태, 부착근육의 작용방법에 따라 여러 가지 양상의 골절을 나타낼 수 있다.

1) 골절선 방향에 따른 변위여부로

- 불리골절(unfavorable fracture)
- 유리골절(favorable fracture)

2) 골단절 상황에 따라

- 완전골절(complete fracture)
- 불완전골절(incomplete fracture)
- 불완전굴곡골절(greenstick fracture)

3) 연조직 손상유무에 따라

- 폐쇄성 골절(closed fracture)
- 개방성 골절(open fracture)

4) 골절선 수에 따라

- 단발성 또는 단순골절(simple fracture)
- 다발성 골절 또는 분쇄골절
  (multiple or comminuted fracture)

5) 골절 부위에 따라

- 하안면골절(하악골절): 정중부, 체부, 우각부, 상행지, 과두돌기 골절
- 중안면골절: Le Fort Ⅰ, Ⅱ, Ⅲ골절, 협상악 복합체 골절, 협골궁 골절, 비안와사골 골절

5. 복합손상 시의 치료방침

만약 중안면부와 하안면부의 손상(골절, 열창)이 동시에 발생된다면 치료순서는 '위에서 밑으로(top to bottom)', '밑에서 위로(bottom to top)', '밖에서 안으로(outside to inside)' 그리고 '안에서 밖으로(inside to outside)' 등 다양한 방법을 적용할 수 있다.

다발성 복합손상 시 골절양상은 매우 다양하게 나타나기 때문에 정해진 정복순서나 원칙은 없으며 골절양상에 따라 상황에 맞추어 정복고정해야 한다. '고정조직에서 유동조직', '단순골절에서 복잡골절' 등의 원칙 및 술자의 편의성 등을 고려하여 효율적인 정복순서를 결정하도록 한다.

1) 밑에서 위로(Bottom to top)

다발성 복합손상의 치료 시에는 먼저 하악골의 정복과 고정을 먼저 시행하고 그 후 상하악 교합을 이용하여 상악 구조물을 정복고정하고 이를 토대로 관골복합체, 비안와사골 등으로 순차적으로 정복, 고정해 나간다.

2) 위에서 밑으로(Top to bottom)

두개안면골 수준에서 정복 및 고정을 먼저 시행하고 아래 방향으로 순차적으로 정복, 고정한다. 이때도 적절한 상하악 복합체의 정복이 중요하지만 머리덮개뼈 정복 후 시행하더라도 무방할 수 있다.

3) 안에서 밖으로(Inside to outside)

먼저 골조직을 정복하고 깊은 곳에서부터, 그리고 구강 쪽에서 바깥피부 쪽으로 봉합해 나간다. 설측, 구개측 열창은 악간고정 전에 봉합하고 협점막과 입술의 열상은 악간고정 후 봉합해도 무방하다.

4) 밖에서 안으로(Outside to inside)

광대뼈와 관골궁을 먼저 정복시켜 바깥쪽에서부터 안쪽으로 고정해 나가는 방법으로 안면폭의 대칭성을 맞추는 데 용이하다는 장점이 있다. 또한 붕괴된 안면골이나 심하게 변이된 골절편을 정복하기 위한 충분한 공간을 확보할 수 있으며 골절부에 생긴 빈틈에 골이식 적용여부를 쉽게 결정할 수 있다.

6. 골절치료의 목적

골절이란 골의 수용범위를 초과한 외력이 가해져 골조직의 연속성이 단절된 상태를 말하는 것으로, 치료목표는 단절된 골조직을 확실히 재결합하고 골절 이전의 강도를 유지함으로써 손상받은 골기능을 회복하는 것이다. 특히 악골골절의 경우는 저작기능의 회복을 위해 정상적 교합상태의 회복이 절대적으로 필요하다. 따라서 이와 같은 골절치료의 일반적 원칙은 정복, 고정, 그리고 기능훈련이다.

정복(reduction)은 전위된 골편을 본래의 해부학적 위치로 복원시켜 주는 것으로 비관혈적 정복과 관혈적 정복으로 나눈다. 비관혈적 정복(폐쇄정복; closed reduction)은 골절편의 촉진과 교합회복 등을 통하여 시행할 수 있는데, 골절부위로의 혈행을 손상시키지 않는다는 장점은 있으나, 눈으로 직접 확인할 수 없으며 정확하게 직접 고정할 수 없는 단점이 있다. 관혈적 정복(개방정복; open reduction)은 골절부위를 직접 보면서 시술하여 정확성을 기할 수 있고 직접고정을 할

수 있는 장점이 있으나 수술로 인하여 혈행감소와 반흔조직(scar)이 남는다는 단점이 있다.

한편 골절편이 움직이면 골결합이 일어나지 않으며 환자는 통증과 함께 불편감을 호소한다. 따라서 근육과 골격이 운동 시 골편을 이탈시키려는 힘에 저항할 수 있는 장치로 정복부위를 안정화시켜야 한다. 이러한 시술을 고정(fixation)이라 하며 직접고정과 간접고정의 두 가지 방법이 있다. 직접고정은 관혈적 정복과 동시에 노출된 골절부위를 가로질러 고정이 이루어진다. 고정의 견고성에 따라 골간 강선결찰고정(interosseous wiring; nonrigid fixation)에서부터 소강판고정(miniplate; semirigid fixation), 압축강판견고고정(compression bone plate; rigid fixation) 등으로 나눈다. 악골골절에서 가장 많이 사용되는 간접고정 방법은 악간고정(IMF)이며, 그 외 골격핀을 사용하는 악외고정법(external skeletal pin fixation)이 있다.

고정이 견고하지 못한 골간 강선결찰이나 간접고정에서는 골결합을 허용하는 기간까지 탈락되려는 힘이 가해지지 않도록 비가동화(immobilization)가 필요하다. 환자의 나이나 상태에 따라 다르나 종래의 방법으로는 3-6주의 악간고정기간(period of immobilization)이 필요하였고, 최근에는 직접 견고내고정 후 비가동화 기간을 일주일 이내로 단기간화하여 환자의 불편을 최소로 하면서 조기에 기능회복을 도모하는 것이 주류를 이루고 있다.

V. 연조직 손상

안면부 연조직 손상은 일반 낙상에서부터 산업재해 폭발사고와 같은 다양한 원인에 의해 발생할 수 있다. 이로 인해 심미적, 기능적, 정신적 장애를 가져올 수 있으므로 초기처치 및 관리가 중요하다. 손상받은 안면부 연조직의 해부학적 위치를 회복하고 감염을 최소화함으로써 반흔 등으로 인한 이차적 기능장애가 발생되지 않도록 하여야 한다.

1. 연조직 손상에 따른 진단 및 평가

손상받은 부위에 대해 체계적인 진단 및 평가를 시행해야 하며 이때 다음과 같은 사항을 평가해야 한다.

- 손상기전
- 손상부위와 정도
- 상처부 감염유무 및 정도
- 조직 상실량
- 골손상여부
- 환자의 나이와 협조도
- 의식수준
- 경추(cervical spine)손상 유무
- 비루계(nasolacrimal apparatus), 이하선 및 이하선 도관, 안면신경 손상 정도 및 유무
- 전신질환 유무
- 파상풍 면역상태
- 교상발생 시 원인

대부분 연조직 단독손상의 경우 추가적인 검사가 필요하지 않다. 그러나 연조직 외상 깊이를 확인하고 이물질을 확인하기 위해 방사선검사, CT 검사가 필요하며, 타액선조영상(sialogram)은 이하선 및 도관의 손상 정도를 파악하는 데 이용되며, 손상된 신경가지의 확인을 위해 신경자극검사가 필요할 수 있다. 손상기전은 상처오염 정도, 연조직괴사 관련 위험성, 골 및 심부영향, 초기 외과적 시술 기준, 항생제치료 결정에 영향을 준다. 교상이나 폭발성 상처는 무딘 외상(blunt trauma)에 의한 상처보다 더 오염을 일으키고 인접부위에 보다 광범위하게 영향을 준다. 간염 및 HIV와 같은 감염유무, 파상풍(tetanus)에 대한 면역성 및 개에 의한 교상 시 광견병 가능성을 확인해야 한다.

2. 치료 시 고려사항

1) 전신상태 평가

연조직 손상의 치료 시 환자의 전신상태를 먼저 평가한다. 다음에 국소적인 연조직손상의 치료에 임해야 한다.

2) 복합다발성 손상

복합다발성 안면부 손상인 경우는 전신마취를 하며, 환자의 나이, 손상 정도 등을 고려하여 시야확보, 기능평가, 상처의 회복을 위해 부가적인 진정치료가 필요할 수 있다. 대부분의 경우 국소마취로 연조직손상의 치료를 시행한다. Epinephrine이 포함된 lidocaine 1% 용액은 지혈에도 효과적으로 작용한다.

3) 창상봉합

창상봉합에 앞서서 시행할 사항들은 다음과 같다.

① 안면부의 오물과 혈액을 제거하기 위해 창상세척(scrubbing)을 한다.

② 깊은 손상부는 조심스럽게 생리식염수 등으로 세척한다.

③ 세척솔(brush)이나 blade를 이용하여 입자물질을 제거한다. 이때 부분층 찰과상이 전층 찰과상으로 되지 않도록 조심한다.

④ 대부분의 안면부손상은 매우 날카로운 기구로 발생한 경우를 제외하면 어느 정도의 변연절제술(debridement)이 필요하지만 안면부는 혈류공급이 좋기 때문에 과도한 변연절제는 필요 없다.

⑤ 완전한 지혈이 창상봉합 전에 이루어져야 한다.

4) 사강(Dead space)

사강이 생기지 않도록 층별봉합을 시행하여 적합한 깊이수복과 상처변연부 외번을 시행한 후 상처상피화를 증가시키고 동통을 감소시키기 위해 습윤드레싱(wet dressing, moist wound dressing)을 시행한다.

5) 광범위 조직손상

심도 조직손상과 폭발, 교통사고처럼 광범위 조직손상이 발생한 경우 상처부위에 대해 깊은 세척이 먼저 시행되어야 하고 안면신경, 이하선이 표시(tagging)되어야 하며 지연봉합 및 재건이 필요할 수 있다. 향후 광범위 조직박리를 동반한 국소피판(local flap, regional flap), 피부이식술 등이 고려될 수 있다.

6) 이하선 손상

외안각(lateral canthus) 수직선 후방부위 심부열창은 안면 신경, 이하선이 포함되므로 해부학적 구조 확인 및 수복이 필요하다. 이하선도관(Stensen's duct)은 이주(tragus)와 상순 중간점을 연결한 선 중간 1/3에 위치하며 안면신경의 협측 분지(buccal branch)와 평행하게 주행한다. 상악 제2대구치의 맞은편 협측으로 개구하므로 의심될 때에는 튜브를 삽입하여 손상 여부를 확인하도록 한다. 만일 Stensen's duct가 절단되었으면 양 절단부위를 확인하여 끝과 끝을 문합시키는 수술이 필요하며 내측으로 주행하는 안면신경손상 또한 신경문합을 위한 의뢰가 필요하다.

7) 눈 부위 연조직 손상

안구주위 연조직 손상 시 안구자체 손상 및 움직임, 각막 찰과상, 전방출혈, 시각의 외상성 변화, 비루계 검사가 필요하고 특히 해당부위 열상이나 골절이 포함될 경우 자세히 검사해야 한다. 눈의 내측에서 콧등의 측면 사이에는 누기(lacrimal apparatus)가 위치한다. 눈물샘에서 나온 눈물은 상안검과 하안검의 변연에 있는 puncta로 들어가서 비누기(nasolacrimal apparatus) 내에 있는 소관(canaliculi)을 거쳐 하비도(inferior meatus)로 흘러나오게 된다. 눈물의 반 이상이 inferior canaliculus로 배출되기 때문에 이 부위가 외상에 의해 손상되면 재건을 해주는 것이 필요하다. 하안검(lower eyelid)의 내측 1/3이 손상당하면 일단 inferior canaliculus를 다친 것으로 간주해야 하며 튜브를 스텐트로 하여 봉합하여야 한다(그림 7-25).

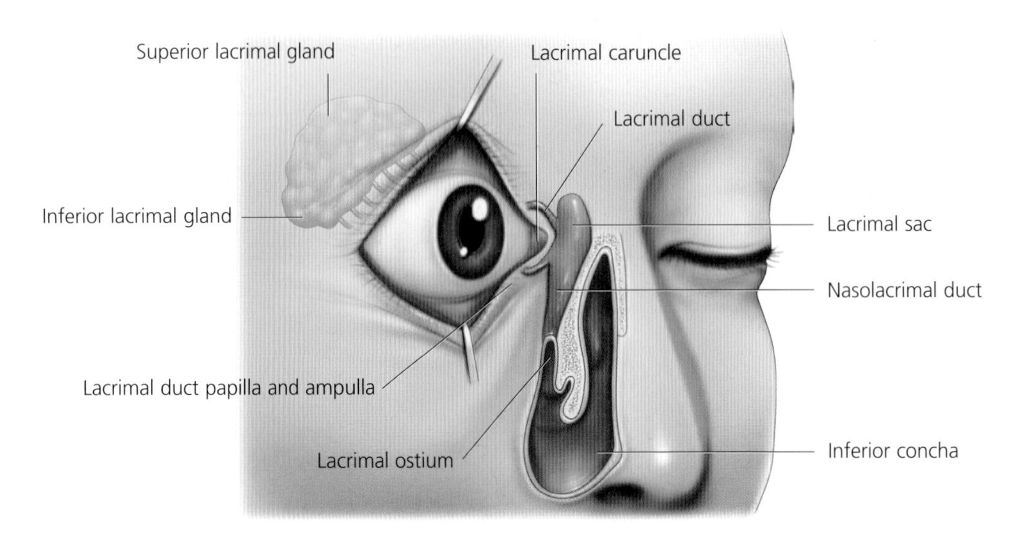

그림 7-25 **Nasolacrimal system의 해부.**

8) 안면신경 평가

부분마취와 상처봉합 전에 근신경차단을 피하기 위해 안면신경이 건전한지를 평가해야 한다. 만약 안면신경손상 가능성이 있을 경우 즉각적인 end-to-end anastomosis나 신경이식을 위한 미세현미경수술을 필요로 하므로 전문 구강악안면외과로 의뢰되어야 한다.

9) 반흔교정(Scar revision)

전층 안면열창의 경우 반흔이 발생 가능하므로 환자와 보호자에게 시술 전 미리 이차적인 반흔제거술 또는 교정술 가능성을 알려주어야 한다.

3. 손상의 종류와 치료

1) 좌상(Contusion)

둔한 물체에 의해 피부나 점막의 파열 없이 피부나 피하조직에 광범위한 좌멸, 파괴 등을 동반하며 출혈이 나타나게 되나, 피하출혈은 자연적으로 멈추게 되며 보통 48시간 이내에 반상출혈(ecchymosis)이 현저하게 나타난다. 초기에는 타박상부위가 붉거나 청색을 띠지만 수일 후에는 황갈색으로 변하며 치유된다. 안면부에 발생한 타박상은 초기에는 냉습포로 후기에는 온습포를 시행하며 혈액이 한정(encapsulation)된 혈종 상태이면 절개를 통해 흡인을 필요로 할 수 있다.

2) 찰과상(Abrasion)

피부표면이 문질러지거나 벗겨짐으로써 야기되는 창상을 말하며, 표피가 박탈되었기 때문에 피하조직 내에 있는 신경말단이 노출되어 동통이 심하지만 출혈은 매우 적어 저절로 지혈되는 경우가 많다. 피부창상부위를 세척 및 청결하게 하고 항생제가 함유된 연고를 국소도포한다. 창상부위는 건조한 상태보다는 습윤상태로 유지하는 것이 상피형성을 빠르게 하므로 습윤드레싱이 추천된다. 진피까지 깊게 형성된 찰과상은 반흔조직의 형성과 영구적인 결손이 발생될 수 있다. 만일 창상을 세척한 후 이러한 깊은 찰과상이 드러나면 변연절제술과 봉합 또는 피부이식을 요할 수 있다.

3) 외상성 문신(Traumatic tattooing)

이물질이 진피와 진피하층 내로 유입되었을 때 조직 내 영구적인 문신으로 남을 수 있으며 상처를 받은 당시에 세척비누나 거즈로 세심하게 문질러 닦아야 하며 심하면 세척솔을 사용하여 생리식염수로 자주 세척한다.

4) 관통창(Puncture wounds)

일반적으로 칼이나 예리한 물체에 의해 조직이 관통되는 경우로 창상의 입구는 좁으나 하부조직 내로 깊숙이 관통되어 있어 감염을 전파할 수 있으며 파상풍 감염의 위험이 항상 존재한다. 창상은 일차봉합에 의하여 봉합시키기보다 개방된 채로 두어 육아조직이 차올라 오도록 유도하는 것이 좋다. 또한 상처부위를 조심스럽게 평가하고 이물질이 남아 있는지 확인해야 한다.

5) 열창(Laceration)

조직이 외력에 의해 찢어진 상태를 말하며 창상의 깊이는 여러 가지를 들 수가 있으며, 칼이나 유리에 의한 예리한 절창을 incised wound라 하고, 창연의 괴멸 없이 혈관이 예리하게 절단되었으므로 출혈도 많다. 자창(stab wound)은 칼이나 송곳 등 날카로운 것으로 찔린 것을 말하며, 심부의 큰 혈관이 손상된 경우도 있어 화농이나 파상풍 감염을 일으킬 수 있다. 열창은 안면 연조직 창상 중에 가장 많으며 감염예방, 반흔형성 방지의 관점에서 신속하게 봉합폐쇄(조기 일차봉합, early primary closure)하는 것을 원칙으로 하며 초기 수상 후 24시간 이내, 가능한 6시간 이내 처치하는 것이 바람직하다.

창상표면을 소독액을 적신 거즈로 잘 닦아내고 이물이나 유리된 연조직편, 혈종 등을 제거한다. 유리조각 등 이물이 연조직 깊숙이 들어가 있는지 잘 살핀다. 명백히 괴사되고 함몰된 조직은 적절하게 변연을 절제해 내고 조직편을 봉합할 때 사강을 남기지 않도록 하며 깊은 열창의 경우 피하매몰봉합(subcutaneous buried suture), 층별봉합(layer suture)를 확실히 한다. 근층을 정확히 접합시키지 못하고 피부만을 봉합한 경우 이상한 풍융감이 남게 된다(그림 7-26). 그러나 다음의 경우에는 일차적인 봉합이 좋지 못한 결과를 낼 수도 있어 창상의 배농과 계속적인 습식드레싱(wet dressing)을 하거나 오염된 상처를 깨끗하게 세척한 후에 5일에서 10일 이내에 지연 일차봉합(delayed primary closure)을 시행한다.

① 동물에 의한 교창(bite wound)
② 충분히 세척되지 못하는 깊은 상처 및 감염된 상처
③ 봉합하기 위해서 지나친 장력이 발생하는 경우
④ 심한 출혈이 있거나 바로 봉합하는 경우 혈종이 고일 가능성이 높은 경우
⑤ 봉합하지 않아도 반흔 형성이 적은 상처

안면부 열창은 봉합의 원칙을 준수하면서 시행하여야 최소한의 반흔을 남기면서 심미적인 결과를 얻을 수 있다. 피부이완선을 고려하고 여의치 않을 때는 Z 성형술(Z-plasty) 등을 응용할 수 있다. 가는 흡수성 봉합사로 피하봉합이 필요할 때가 많고 피부에는 6-0 또는 7-0 나일론이 많이 쓰인다. 피부봉합사는 보통 4일 후에 제거한다. 일차봉합의 실패는 다음과 같은 요

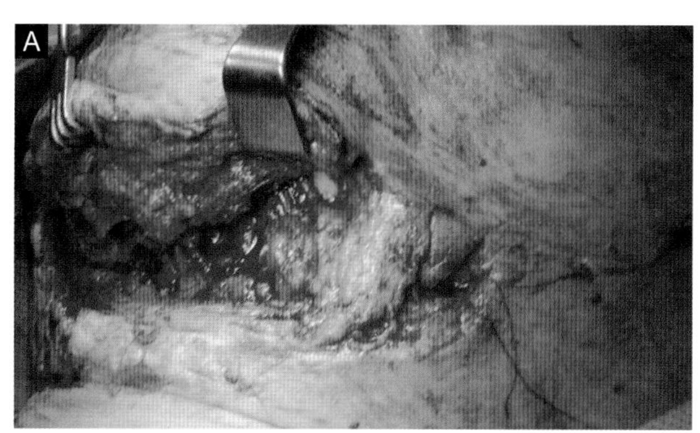

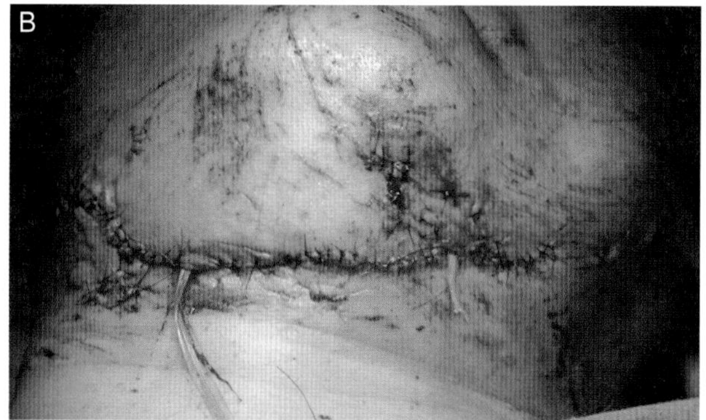

그림 7-26 하악에 발생한 열창. **A:** 봉합 전 모습으로 오물 및 이물질을 제거하기 위해 충분한 창상세척(scrubbing)이 필요하다. **B:** 봉합 후 모습으로 혈종방지 및 감염 가능성으로 드레인을 넣은 모습.

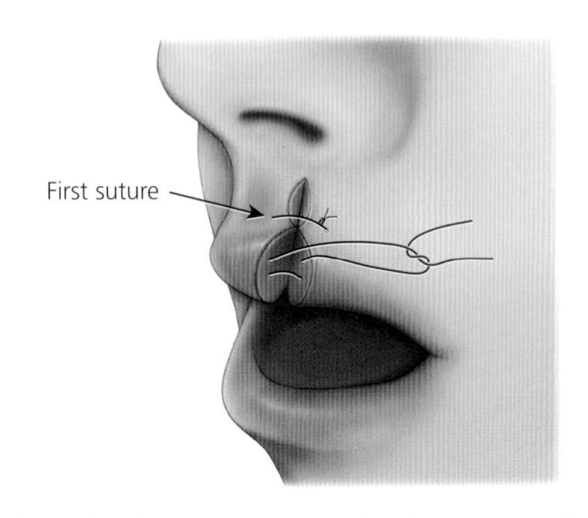

그림 7-27 입술부위 열창 시 Vermillion border가 기준점이 된다.

소에 의해 초래될 수 있다.

① 깊은 조직의 배농을 고려하지 않는 견고한 창상봉합
② 부적절한 압박붕대 사용법
③ 구강내 점막봉합 실패
④ 이차출혈
⑤ 회복된 창상을 이차적으로 조작하는 경우
⑥ 부적절한 항생제 투여

입술 부위의 열창은 치아, 치조골 손상과 동반되는 경우가 많다. Vermillion border를 잘 맞추어 봉합한 후 나머지 부위를 봉합한다(그림 7-27). 손상된 근육은 가능한 원래 형태로 봉합해 준다. 구강점막은 통상적으로 3-0나 4-0 chromic gut으로 봉합하며 깊을 경우 근육봉합과 표층봉합을 나누어하여 사강이 없도록 해야 한다. 혀도 층별봉합(layer-by-layer suture)하여 주며 표층부에는 4-0 vicryl을 사용한다.

6) 총상, 미사일 파편창 및 전상(Gunshot, Missile, War wound)

총탄 등에 의하여 하부 골조직 분쇄 및 내부파괴를 유발하며 물체의 속도, 형태, 맞은 각도에 따라 양상이 다양하게 나타난다. 환자 기도유지, 출혈조절 및 체액 안정화가 일차적 목적이다. 하방골 손상 정도 및 파편 위치를 결정하고 안면손상의 전반적 평가 후에 일차적인 외과적 치료가 시작되어야 한다.

7) 화상(Burns)

화상은 끓는 액체, 뜨거운 금속, 수증기와 같은 열성 원인과 화학약품, 전기, 방사선, 태양열 등에 의해서 발생할 수 있다. 1도 화상은 피부표면에 홍조를 띨 정도의 화상이며 별다른 처치가 필요 없다. 2도 화상은 피부나 점막에 수포를 형성하며 동통을 없애기 위하여 냉습포를 하고 창상소독 후 건조시키거나 수포 속의 조직액을 배출시킨 후 붕대교환을 하며, 3도 화상은 피부 전층이나 심부까지 이르는 심한 화상으로 동통에 의한 쇼크치료나 체액손실에 대한 보상적 수액투여, 피부이식 등을 필요로 한다.

Ⅵ. 경조직 손상

1. 치아손상 및 치조골 손상

치아·치조골에 대한 손상은 자주 발생하며 다양한 사건에 의해 야기된다. 이러한 외상의 대부분은 교통사고(자동차·오토바이·자전거), 폭력, 산업재해사고, 운동과 관련된 외상 등에 의해 발생된다. 이러한 손상은 치아 및 치조골에 국한될 수도 있으나 교통사고나 산업재해 등에서는 안면골과 여러 장기에 외상을 동반하게 된다. 또한 혼수상태 환자의 기도유지를 위한 bite block 장착 시나 전신마취 시의 기도삽관 시에도 치아 및 치조골의 손상이 일어날 수 있다.

치아 및 치조골의 손상은 그 원인에 따라 직접적인 외상에 의한 것과 간접적인 외상에 의한 것으로도 나눠볼 수 있다. 전자에는 주로 상악전치부가 해당되는데, Angle 분류 Class II division I에서와 같이 상악 전치부가 전방으로 돌출되고 상순의 피개가 불충분한 경우에 자주 일어난다. 몇몇 연구에서는 상악 전치부가 돌출된 경우의 아동에서 정상교합에 비해 치아손상의 확률이 약 2배 정도 높다고 보고하고 있다. 후자에는 주로 구치부가 해당되는데 교통사고, 격렬한 운동, 추락사고 등과 같이 비교적 큰 힘이 이부를 포함한 하악골 하연을 통하여 교합된 치아로 전달됨으로써 일어나는 것이다. 이때는 치아의 중심구를 통하여 치근부위까지 파절이 일어나게 되므로 발치를 요하게 되는 경우가 대부분이다.

Andreasen은 치아손상의 원인과 병인론의 고찰을 통해 유치열 손상에서 치관 및 치근파절은 10%인데 반해 치아탈구 및 탈락은 75%임을 보고하였다. 하지만 영구치열에 대한 평가에서는 치관 및 치근파절이 39%임을 보고하였다. 이러한 차이는 아마도 성인과 소아의 차이와 지지 구조물의 해부학적 차이에 기인하는 것으로 보인다.

1) 분류

치아 및 치조골 손상에 대한 분류에는 그동안 여러 가지 방법들이 사용되었으며 그중에서도 세계보건기구(WHO)분류법을 보완한 Andreasen 분류법 등이 많이 사용되고 있으며 치아손상에는 Ellis 분류법도 많이 사용되고 있다. Andresen 분류법은 치아와 치수 손상, 치주조직의 손상, 치조골의 손상, 치은 및 구강점막의 손상 등 4가지의 범주로 나뉜다(그림 7-28~30). Ellis 분류법 역시 법랑질, 상아질, 치수, 치근 손상으로 가지 범주로 나뉜다.

(1) 치아와 치수손상(그림 7-28)

① **치관잔금:** 치질의 손실 없이 법랑질의 갈라짐

② **비복잡 치관파절:** 치수의 노출 없이 법랑질 또는 법랑질과 상아질의 파절

③ **복잡 치관파절:** 치수의 노출을 동반한 법랑질과 상아질의 파절

④ **비복잡 치관-치근파절:** 치수의 노출 없이 법랑질, 상아질, 백악질의 파절

⑤ **복잡 치관-치근파절:** 치수의 노출을 동반한 법랑질, 상아질, 백악질의 파절

⑥ **치근파절:** 상아질, 백악질, 치수의 파절

(2) 치주조직의 손상(그림 7-29)

① **치아진탕:** 비정상적인 치아의 동요나 전위 없이 타진검사에만 반응이 있는 경우

② **아탈구:** 치아의 동요는 있으나 전위가 없는 경우

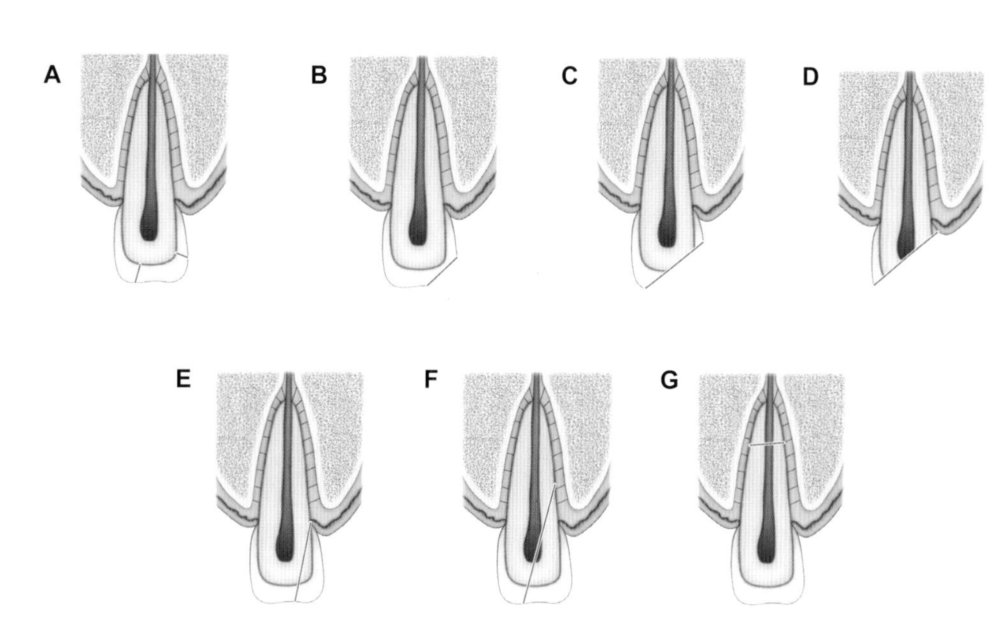

그림 7-28 치아와 치수손상.
A: 치관잔금 B, C: 비복잡 치관파절 D: 복잡 치관파절 E: 비복잡 치관-치근파절 F: 복잡 치관-치근파절 G: 치근파절.

③ **탈구**

a. 함입성 탈구(중심성 탈구): 치조골의 골절과 함께 치아가 치조골 내부로 전위되는 경우

b. 정출성 탈구(주변성 탈구, 부분탈락): 치조골로부터 치아가 부분 탈락되는 경우

c. 측방성 탈구: 치조골의 골절을 동반하며 치축 방향을 제외한 다른 방향으로의 치아전위

④ **탈락:** 치아가 치조골로부터 완전히 탈락된 경우

(3) 치조골의 손상(그림 7-30)

① **치조와의 분쇄골절:** 치조와의 분쇄골절과 함께 함입성, 또는 측방성 탈구가 일어남

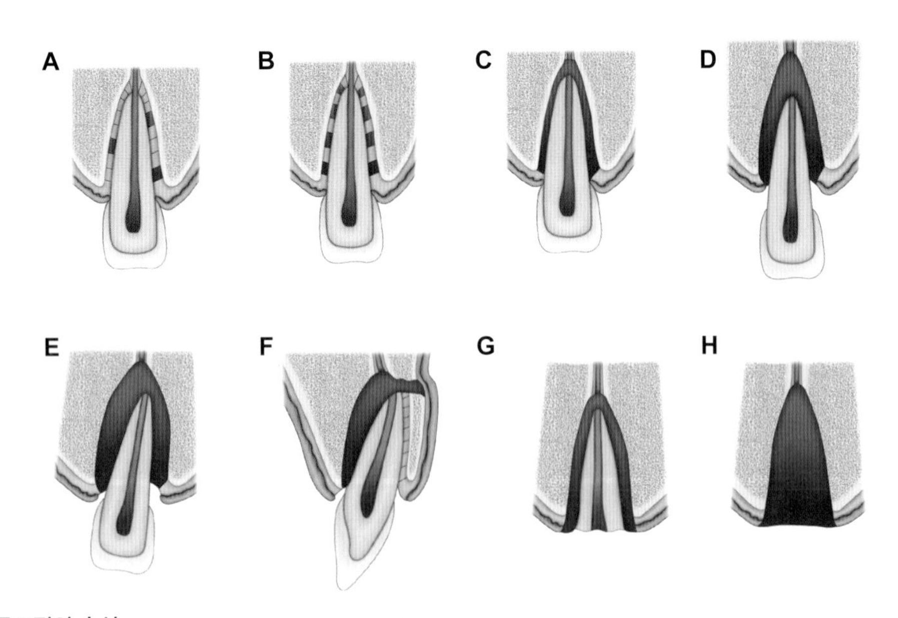

그림 7-29 **치주조직의 손상.**
A: 치아진탕 B: 아탈구 C: 함입성 탈구 D: 정출성 탈구 E, F: 측방성 탈구 G: 잔존치근 파절 H: 탈락.

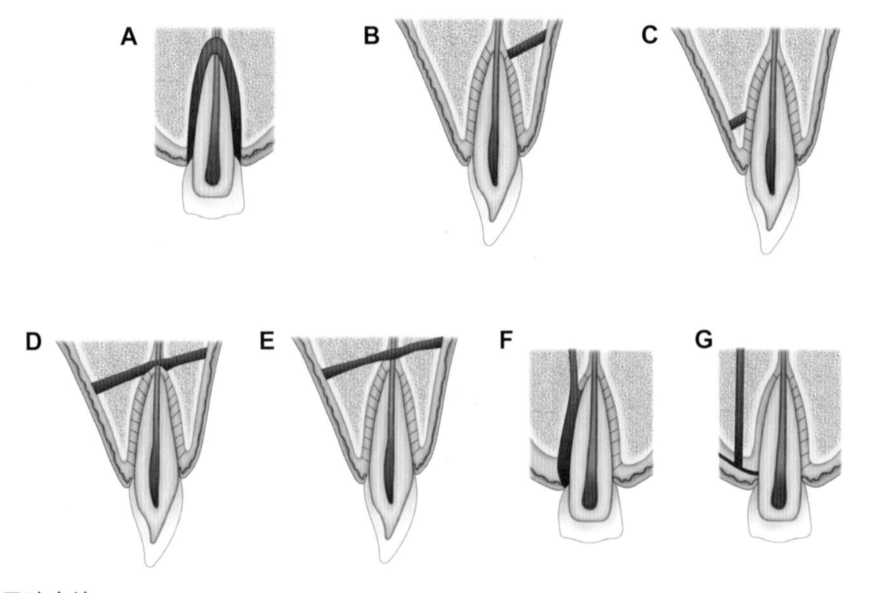

그림 7-30 **치조골의 손상.**
A: 치조와의 분쇄골절 B, C: 치조와벽의 골절 D, E: 치조돌기의 골절 F, G: 상악골 또는 하악골의 골절.

② **치조와벽의 골절:** 순측 혹은 설측 치조와벽의 골절
③ **치조돌기의 골절:** 치조돌기의 골절, 또는 그 하방으로 일어남
④ **하악골 또는 상악골의 골절을 포함한 치조골 골절**

(4) 치은 및 구강점막손상
① **찰과상**(abrasion)
② **좌상**(contusion)
③ **열창**(laceration)

2) 검사 및 진단

치아, 치조골 및 안면외상환자에 있어서 검사는 일차적으로 이루어져야 하며 동시에 병력에 대한 자세하고 주의 깊은 청취가 요구된다. 즉, 의식소실 등의 여부, 사고의 경위 및 기전 등을 알아보면서 경추, 두부, 흉부, 복부 및 사지 등에 대해서도 명확한 손상 이외의 종창, 출혈, 압통검사 등을 시행하며, 필요하면 방사선검사 및 해당 과의 진찰을 통해 먼저 중요장기에 대한 손상 여부를 배제하여야 한다. 특히, 이때 기도 및 호흡에 대한 평가는 가장 중요한데 호흡의 변화나 호흡보조근의 사용이 관찰되면 흉부에 대한 직접적인 손상이나 기도부의 종창, 탈구된 치아 등을 포함한 이물질의 흡입 등을 의심해야 한다. 이러한 문제는 흉부방사선사진을 통하여 알아볼 수 있다.

이렇게 중요장기에 대한 손상여부가 진단되면 좀 더 정확한 구강악안면부에 대한 검사가 이루어져야 한다. 구강내에 대한 시진을 통하여 출혈부위를 찾아내어 지혈시키고 치조골 손상이 심하여 치아의 탈락여부가 불명확할 때에는 치아 전체의 수를 세어서 탈락 치아의 개수와 위치를 확인하는 것이 좋다. 특히 이때 병력상 탈락된 치아에 대하여 환자가 구강외로 이탈된 기억이 나지 않는다면, 구강내에 남아 있는지, 연조직 내에 묻혀 있는지, 기도흡입 되었는지, 또는 삼켰는지를 확인해 보아야 한다. 치아를 삼켰을 때는 불과 몇 시간만에 장에 도달하는 경우도 있으므로 흉부방사선사진(chest PA)뿐만 아니라 복부방사선사진(flat & upright abdomen view)으로 치아의 위치를 확인하여야 한다. 대부분의 경우 3-4일 내에 소화관을 통하여 배출되므로 이 기간 동안 지속적인 관찰이 필요하다. 구강점막의 손상에 대해서는 특히 타액선 도관의 손상에 대해 평가가 이루어져야 하겠다.

치아의 타진은 부드럽게 행해져야 한다. 타진을 통해 자극에 대한 환자의 반응뿐 아니라 느낌, 소리, 치아의 움직임을 평가할 수 있다. 다른 병적 조건없이 나타나는 통증은 치아가 손상되었음을 의미한다. 하나 또는 이웃한 치아들의 타진에 대한 둔통은 부분탈구 또는 치아와 치조골 전체 골절을 의미할 수 있다.

부가적인 치아 손상여부 검사로 생활력 검사와 방사선사진검사가 있다. 생활력 검사에 쓰이는 온도(냉·온)검사는 모두 정확하다고 보기는 어렵지만 보통 뜨거운 거타퍼차(gutta-percha)를 이용하여 치수의 반응을 관찰하게 된다. 전기치수검사는 다른 방법에 비해 객관적인 검사법이다. 다만 치아의 맹출 단계, 수복물 또는 우식의 존재, 치아가 타액 및 혈액으로부터 격리되는지 여부 등 몇 가지 요소에 의해 좌우된다는 점을 고려해야 한다. 중요한 것은 대부분의 경우 외상 후 초기에는 전기치수검사에 대해 반응이 감소하며, 몇 달 후에나 반응이 정상으로 나타나는 경우가 있으므로 섣불리 근관치료를 시행하지 않는 것이 바람직하다.

치아, 치조골외상 시 사용되는 방사선사진에는 치근단, 교합, 파노라마방사선사진이 사용된다. 치근단사진이 치근파절이나 치조골 골절을 정밀하게 검사하는데 사용되며, 임상적으로 치근 또는 치조골의 골절이 의심되나 이 사진으로 나타나지 않는 경우에는 각도를 달리하여 몇 장의 사진을 찍어봄으로써 확신할 수 있으며, 초기에 방사선사진에 나타나지 않았던 파절선이 몇 주간의 기능 후에 사진상에 명확히 나타나는 경우도 있음을 명심해야 한다. 치근단방사선사진은 이와 같이 치료 전의 진단과정뿐만 아니라 치아고정 후 치아가 치조와에 적절히 위치되었는지의 여부도 확인시켜 준다.

교합사진은 외상부위에 적은 압력을 주므로 환자에

게 편안하며 더 넓은 부위를 관찰할 수 있다. 또한 구강저부위의 이물질을 찾거나 치근단사진이나 파노라마사진으로 찾기 어려운 치조골을 포함한 하악골 정중부의 선상골절을 찾는 데 도움을 준다.

파노라마사진은 상악골 및 하악골의 전방부위를 판단하는 데는 상의 정확도가 떨어지나 관절부위를 포함한 상하악 기저골의 골절을 판단하는 데는 좋다. 또한 심하게 변위된 치아, 방사선불투과성의 이물질이나 파편 등을 찾을 수 있고 상악동의 혼탁도로 상악골의 골절을 추측할 수도 있다.

3) 치료

(1) 치관잔금

이 경우 다양한 치료가 필요하지는 않지만 치수생활력 검사를 통한 정기적인 평가가 있어야 한다. 만일 치수괴사가 발견되면 적절한 근관치료와 수복치료가 요구된다.

(2) 치관파절

법랑질에만 국한된 경우 파절된 부위를 연마하고 필요하면 레진을 이용한 수복만으로 충분하다. 만약 상아질이 노출되었다면 치수조직으로부터 2차 상아질이 생성될 수 있도록 상아질 부위에 수산화칼슘제제를 도포한 후 레진을 통한 수복을 하게 되는데 이때는 치수의 생활력에 대한 주기적인 검사가 요구된다. 이런 종류의 손상에 대해 약 7%까지 치수괴사가 나타난다고 보고된 바 있다. 치수노출을 야기하는 치관파절은 4가지 방법으로 처리될 수 있다. 즉 치수복조, 치수절단, 치수절제, 발치 등인데 치료방법의 선택은 환자의 연령에 따른 치열의 종류(영구치열, 유치열), 치근의 성장완료 여부, 손상시간과 치료시기의 간격, 치수노출의 크기, 다른 치아외상의 유무(치근파절, 탈구, 치조와 골절), 다른 병적인 조건(치아우식증, 치수질환, 근관치료 경험유무) 등 여러 요소에 의해 결정된다.

영구치의 경우 치아를 유지하려는 모든 노력이 필요하며 발치는 최후의 수단이 된다. 반면, 외상성 치수노출이 있는 유치는 치수복조, 치수절단, 치수절제로 치료될 수 있지만 여러 이유로 발치를 결정할 수도 있다.

그 이유 중 가장 중요한 것은 환자의 비협조와 불순응이며 작은 크기의 치아, 큰 치수강의 치아, 영구치에 의해 치근 흡수가 있는 경우이다.

치수복조는 일반적으로 작은 치수노출, 근관학적으로 건강하고 치조골손상이 없는 치아에 적용된다. 성공 확률을 높이기 위해 러버댐(rubber dam)으로 치아를 격리하고 적절한 멸균액으로 세척 후 치료해야 한다. 치수복조 후 임시수복물을 만들어준다.

치아의 치관부에 위치한 치수의 일부를 제거하는 치수 절단술은 치수노출 크기가 커서 치수복조를 시행할 수 없을 때 또는 손상 후 96시간이 지난 경우에 행해진다. 치수노출 부위 치수의 얕은 치수절단술(2–4 mm)은 미성숙한(최근 맹출한) 치아에 행해지며 그렇게 함으로써 충분한 치아조직을 유지해 상아질 침착을 통해 치아를 단단하게 한다. 게다가 이 방법은 지속적인 근관 형성과 폐쇄를 가능케 한다. 전통적인 치수절단술은 치수제거 시 백악 법랑 경계부위까지 내려간다. 치경부 치수제거 후 남아있는 치수조직은 수산화칼슘함유 재료로 덮이고 임시 수복된다.

치수절단술은 단지 임시적이고 응급적인 방법으로 고려되며 치아와 치근이 완전히 성장한 치아라면 근관치료가 행해져야 한다. 왜냐하면 치수절단술의 성공률은 72%라 보고되기 때문이다. 모든 치수조직을 제거하는 치수절제술은 치수복조나 치수절단을 행할 수 없는 근관이 완전히 형성된 성장한 치아의 응급적인 경우에 사용된다. 그 후 일반적인 근관치료 및 수복치료가 행해진다.

(3) 치근파절

치근파절은 단독, 또는 치관에서 치근으로 파절이 연장되어 발생한다.

치관–치근파절은 종종 치료의 딜레마에 빠지게 한다. 선택되는 치료방법은 파절의 범위, 즉 얼마나 치근쪽으로 연장되었는가에 달려 있다. 만일 파절이 골경계 또는 그 위에서 멈추면 파절된 치관–치근을 제거하고 필요하면 치수절단술 혹은 절제술을 시행한다. 그리고 임시수복물을 한다. 만일 파절선이 치조능 아래 치근까지 접근하면 영구적인 수복물을 만들기가 어렵다. 이때는 적은 양의 치은과 치조골성형술이 시행되어야 한다. 파절의 경계에 도달하기 위해 교정적 정출이 고려되기도 하지만 대부분 발치가 시행된다.

치근파절은 보통 파절의 해부학적 위치에 근거해 분류된다. 즉, 파절선의 위치에 따라 치관부, 중간, 치근 1/3로 나뉘는데, 치관부 1/3 치근 파절은 파절선이 치은열구와 개통되며 심한 치관동요를 보인다. 이론적으로 치관을 인접 치아와 고정함으로 치유된다. 불행히 치수괴사는 이러한 손상의 50%에서 발생하며 따라서 치료는 파절된 치관부위를 제거하고 남아있는 치근의 치수제거술 후 보철적 재건을 하는 것이다.

치아의 중간, 치근 1/3의 파절은 단지 20%의 치수괴사와 관련되며 초기치료는 가능한 손상 후 빨리 치아를 재위치하고 적절한 장치로 고정하는 것이다. 과도한 동요를 보이지 않으면 고정은 불필요하나 동요가 보이면 고정은 2-4개월간 유지되어 석회화 또는 치아조직의 점착, 섬유성 결체조직, 섬유성 결체조직과 골, 파절편 사이의 육아조직에 의해 치유가 되게 한다.

만약 4가지 기전 중 앞의 3가지 기전 중 하나에 의해 치유가 일어나면 치아는 보통 동요를 나타내지 않고 치수생활력검사에 정상반응을 보이고 치수괴사를 알아보기 위한 정기적 검사 외에는 더 이상의 치료를 요하지 않는다. 그러나 육아조직에 의해 치유가 일어나면 치아는 일반적으로 느슨해지고 여러 증상과 함께 누공이 생기게 된다.

이런 경우 치료는 이환된 치아를 발거하는 것이다. 유치에서 치근파절의 치료는 보통 동요하는 치관부만 제거하고 치근부는 그대로 두어 생리적으로 흡수되도록 한다.

(4) 진탕 혹은 민감(concussion or sensitivity)

이 경우 치료는 필요치 않으며 주기적인 치수생활력 검사를 통하여 혹시 일어날 수 있는 치수괴사를 조기에 발견하는 것이 좋다. 다만 교합 시 치아접촉에 의한 통증이 심할 경우 반대 치아의 접촉부위를 약간 삭제하여 교합력을 줄여 준다.

(5) 아탈구 또는 동요(subluxation or mobility)

많은 경우 외상으로 가해진 충격이 식별될 정도의 동요를 야기하나 임상적 또는 방사선적으로 해부학적 변위를 야기하지는 않는다. 임상적으로 치은열구부에서 출혈을 일으킬 수 있을 정도의 비정상적 치아동요를 보인다. 방사선사진을 통해 치근파절을 배제해야 한다. 치아는 타진에 민감할 수도 있고 그렇지 않을 수도 있다. 동요의 정도에 따라 진탕과 비슷하게 치료한다. 동요에 따라 고정의 필요성이 요구되며 정기적인 관찰과 방사선사진, 치수생활력 검사가 필요하다. 만일 앞서 말한 치수변성의 증후가 있으면 근관치료를 요한다.

(6) 변위, 탈구(displacement, luxation)

치아의 외상성 변위는 충격이 가해진 방향에 따라 어느 방향으로도 발생할 수 있다. 변위는 주위치조골의 골절과 동반될 수 있다. 변위는 치아함입, 치아정출, 순측전위, 설측전위, 측방전위로 표현된다. 치아함입의 원인은 상악에서 상방을 향한 외상력 그리고 하악에서 하방으로 향한 외상력이다. 치아함입은 전방 상악골의 해부학적 형태와 골의 특성상 상악에서 훨씬 흔하다. 하악골의 전방부는 치밀하며 상악보다 덜 압축성이 있어 이 부위는 치조돌기의 골절이 되기 쉽다. 때로 함입이 광범위하고, 치아가 탈락된 것처럼 보일 수 있다. 예를 들어, 상악 중절치는 직상방으로 전위되어 비강으로 들어갈 수 있다. 방사선사진으로 치아탈락을 배제하고 함입된 치아의 위치를 알 수 있다. 일반적으로 함입된 영구치는 재맹출하도록 그냥 둔다. 만약 재맹출이 2-3개월 안에 일어나지 않으면, 맹출을 위한 교정이 필요하다.

함입된 유치의 치료에는 논란이 있다. 어떤 연구는 함입된 치아의 재맹출을 위한 보존적 접근을 추천한다. 특히 함입된 치아의 외과적 시도가 그 아래 영구치의 손상 가능성이 있는 경우는 더욱 그러하다. 다른 연구자는 잔존하는 유치가 영구치에 손상을 줄 수 있기에 즉각적인 발치를 추천하고 있다.

외상으로 인한 정출 또는 함입 이외의 전위된 영구치는 가능한 빨리 재위치되어야 한다. 때로 전위가 주위 치조골의 팽창과 골절을 동반한다. 이러한 치아는 타진 시 둔탁한 소리와 대부분 치수생활검사 시 정상적으로 반응하지 않는다. 방사선사진을 통해 치근파절을 배제해야 한다. 전위치아를 재위치하는 데는 손의 힘으로 충분하다. 부드럽게 연조직을 다룸으로써 전위된 치아를 재위치할 때 혈액공급이 잘 되도록 한다. 치은봉합이 필요할 시 가능하면 연조직의 긴장을 적게 한다. 전위된 치아의 고정은 다음에 논의될 방법 중 한 가지를 행한다. 정기적인 임상적, 방사선학적 평가가 수개월간 행해져야 한다. 치수괴사가 명백하면 근관치료가 필요하다.

정출된 유치는 발치한다. 함입과 마찬가지로 측방, 순측, 구개측 전위는 논란이 있다.

(7) 탈락(avulsion, exarticulation)

탈락된 치아에 대한 치료방식의 결정에서 중요한 요소는 치조와에서 치아가 탈락된 시간에 있다. 탈락 후 30분 안에 재식된 치아의 96%가 방사선사진상 치근흡수가 없는 반면, 손상 후 90분 이후 재식된 치아의 90% 이상이 흡수소견을 보였다. 그러나 치아의 장기 생존율에 있어서는 탈락된 치아가 어떻게 운반되고 보존되었는지가 중요하다. 이상적으로는 일시적인 재식 상태로 환자가 이동되는 것이 추천된다.

치아가 치관부만 부드럽게 다뤄지고 치조와에 위치한다면 치아가 완전한 제 위치에 있는가는 문제되지 않는다. 일시적인 재식이 불가능하면 환자의 구강내 또는 우유 용기 등에 보관되어 이동되어야 한다. 우유는 치주섬유세포의 생존을 위한 매개체로 타액이나 물보다 우수하다. 탈락된 치아의 치근 표면은 건드려지거나 문질러지면 안 된다.

치근을 닦기 위한 기계적인 시도가 있어서는 안 되는데, 왜냐하면 이것은 남아있는 치주인대에 손상을 주며 재식의 성공을 위협하기 때문이다. 치근 표면의 혈병이나 이물질을 제거하기 위해 생리식염수를 뿌리거나 식염수에 적신 거즈를 사용한다. 치아를 잡을 때 치관부만 잡고 치근부는 접촉하지 않도록 한다.

만일 탈구된 치아의 근첨이 아직 폐쇄되지 않았다면 치아는 면밀히 관찰되어야 한다. 임상적, 방사선학적으로 치수조직의 재혈관화가 일어나는지 알 수 있다. 만일 치근흡수나 치수괴사의 소견이 관찰되면 치아재식 후 늦어도 2주 안에 가능한 빨리 근관치료를 해야 한다. 재식 전 근관치료는 흡수나 강직 같은 합병증과 관련되므로 이러한 것은 금기가 된다. 탈락된 유치는 발생하는 영구치 손상을 피하기 위해 재식되면 안 된다.

치아가 재식될 치조와를 다룰 때 주의가 필요하다. 재식부위에 부가적인 손상이 가해지지 않도록 해야 한다. 치조와를 소파해선 안 되며 심한 세척(irrigation)이나 흡인(suction)을 재식부위에 해선 안 된다. 치아를 치조와에 부드럽게 위치시키고 적절히 위치를 잡아준다. 교합이 평가되어야 하며 그 치아에 대한 교합력은 제거되어야 한다. 가능하면 재식된 치아의 양쪽 두 치아를 이용해 고정한다. 2–3주의 짧은 기간의 고정으로 충분한 지지를 얻을 수 있고, 고정기간이 길어지면 치근의 강직과 치근흡수가 일어날 수 있다.

일반적으로 재식된 치아들은 초기에는 견고하고 기능을 잘하는 것 같으나 점차적으로 진행성 치근흡수(progressive root resorption) 소견을 보여 결국 상실되는 경우가 많다. 따라서 치료의 성공여부는 활성을 유지한 치주인대가 백악질에 건강하게 재부착(reattachment) 되는가에 좌우되며 탈구된 치아가 신속히 치조와 내로 재위치되지 못할 경우 그 부착조직들은 비가역적으로 손상되어 정상적인 치주인대의 재부착이 이루어지지 못하고 골조직이 치근면에 융합되는 치아강직(tooth ankylosis)이 발생한다.

만약 탈락되어 상당한 시간이 지연되고 치면이 오염되어 치주인대가 비가역적으로 손상된 것으로 판단되는 증례에서는 강직이 필연적으로 발생하므로 재식술을 시행하고자 하는 경우 불소용액에 담가두었다가 근관치료를 완료한 후 재식을 권하고 있다.

Schulman 등은 재식될 치아를 불소용액에 담글 경우 불소가 치근의 백악질 격자 속에 침투하여 파골세포에 의한 치근흡수에 저항성이 커진다고 하였으며, 치아로부터 유리된 잉여불소는 치조골 내에 흡수되어 파골세포의 작용을 억제함으로써 골조직과 치근의 흡수를 감소시키고, 골형성을 촉진함으로써 강직현상을 증대시킴으로 결과적으로 대체성 치근흡수(replacement root resorption) 과정을 지연시켜 치아로서의 기능을 연장할 수 있다고 하였다. 하지만 불소는 치주인대를 실활시킴으로 이 술식은 반드시 치주인대의 활성이 기대되지 않을 때, 즉 구강외에서 치아가 1시간 이상 방치되었다든지 완전히 건조된 상태에서 30분 이상 경과하였다든지 또는 전반적으로 오염되었을 경우에 한하여 시행하여야 한다.

재식치아의 가장 이상적인 결과인 치수의 재혈관화(revascularization)는 치아가 탈구된 이후 즉시 재식술이 이루어지고 치근첨이 완전히 형성되지 않았을 경우에 가능하다. 이 경우 재식치아는 정상치아와 같이 활성을 유지할 수 있으나 치근이 완성된 치아에서는 치주인대의 재부착이 성공적으로 이루어져도 치수내로의 혈류량이 감소하여 치수의 섬유화가 야기됨으로써 치수의 활성을 유지하기 어렵다. 또한 대부분의 환경에서는 치수괴사가 속발되므로 적절한 시기에 근관치료를 시행하여야 한다.

재식 후의 감염률은 낮으나, 감염과 동반되는 염증에 의해 흡수가 일어날 수 있다. 당시의 상황에 따라 예방적 항생제의 사용이 결정된다. 파상풍 면역상태를 점검하고 필요하면 투약한다.

(8) 치조돌기의 골절

치조돌기의 골절은 성인에서 주로 발생하며 악궁의 전치부에 주로 발생한다. 유치악과 무치악 모두에서 발생되며 1개의 치아만을 포함하기도 하지만 대개 다수 치아를 포함한다. 구개부의 악궁형태는 구조적으로 강하므로 상악의 치조돌기 골절은 치조골의 순측에서 매우 빈번한 반면 구개측 치조돌기는 구개 지지대로 작용한다. 순측의 골절 발생 시 치관은 후하방으로 변위된다. 상방으로 향한 힘은 상악골에서 치아의 함입을 만들고 순측 치조골의 전방변위와 골절을 야기한다. 하방으로 향한 충격으로 야기되는 하악 치아의 함입은 흔치 않기에 순측 · 설측판의 골절이 하악에선 훨씬 흔하며, 치조골 골절과 치아의 순측 혹은 설측의 전위가 일어난다.

통체동요(en bloc mobility)를 하는 인접치들은 대개 치조돌기의 골절을 나타내고 타진 시 둔통을 나타낸다. 거친 골 변연과 치은의 열상, 반상출혈은 치조골의 골절 가능성을 나타낸다.

치료는 대개 단순하다. 골절편의 혈액공급을 위해 주의가 필요하며, 그 부위의 세척은 조심스럽게 행해지고 작은 정출된 골편은 제거되어야 한다. 치아의 전위된 골편을 조심스럽게 정복해야 하며 대개 고정이 필요하다. 연조직은 필요시 봉합한다. 교합을 검사하여 필요하면 조절한다. 고정은 4주간 유지된다. 항생제와 파상풍 예방은 당시 상황에 따른다. 방사선사진을 통해 치아의 치조골의 재위치가 확실한지 확인한다.

(9) 고정방법

고정의 목적은 치아를 잘 위치시켜 치주인대가 치유되도록 하는 것이다. 고정은 생리적 이동을 허용할 정도로 약간 느슨해야 한다. 만약 치아의 견고한 고정, 특히 3주 이상 완벽한 고정이 계속되는 경우 치조돌기에 대한 치근부의 밀착으로 인해 강직증을 야기하며 강직증은 치근흡수로 이르게 된다. 만약 치조골 골절이 발생하면 고정장치는 더욱 견고하게 만들어져 골조직의 치유를 가능케 해야 한다. 이 장치는 적어도 4주 동안 유지되어야 한다. 치근흡수는 다음과 같은 치근 손상에 의해 야기된다. 길어진 완전 탈구시간, 치과의사에 의한 치근의 과도한 세척, 치관 대신 치근에 위치한 강선 등이다. 따라서 고정방법을 계획할 때, 탈구된 치아의 생리학적 이동을 허용함과 동시에 치조골 골절의 움직임이 없도록 해야 한다. 즉 이미 손상된 치근에 더 이상 손상을 주지 않는 방법과 적절한 고정기간을 선택해야 한다.

가장 오래된 고정법은 아치바(arch bar)와 강선고정법이다(그림 7-31). 이 방법은 치조골 골절에 우선 사용되어야 한다. 그림 7-32와 7-33은 손상치아나 치조골절편의 고정을 위한 Erich arch bar와 환치아 결찰을 보여주는 것으로 이때 26-28 gauze의 가는 강선이 적절한데, 그 이유는 두꺼운 강선보다 훨씬 쉽게 치아에 접합되기 때문이다. 특히 강선이 상악 전치부의 구개면을 지날 때는 설면결절(cingulum) 상방으로 위치하게 하여 강선이 조여질 때 치아가 치조와로부터 정출되는 것을 방지하도록 한다. 이것은 또한 강선에 의한 치근의 손상을 방지하기 위해 행해진다. 아치바는 견고한 고정을 요구하는 골절을 포함하는 손상에만 적용된다.

산부식 복합레진 치과재료의 사용은 고정을 위한 정확하고 쉬운 방법이다. 이 방법은 탈구된 치아의 처치에 표준으로 여겨진다. 이것은 하나 혹은 여러 개의 전위된 치아의 치료뿐 아니라 치조골 골절에도 사용된다. 이 방법의 장점은 장치를 장착하기 위해 필요한 힘이 강선이나 아치바를 적용하는 데 필요한 힘보다 작기 때문에 손상부위에 훨씬 적은 자극을 준다. 선호되는 방법은 복합레진 재료를 이용해 반견고 강선 또는 heavy nylon cord로 손상치아와 인접치를 연결하는 것이다. 이 방법은 생리적 이동을 허용하며 강직증 없이

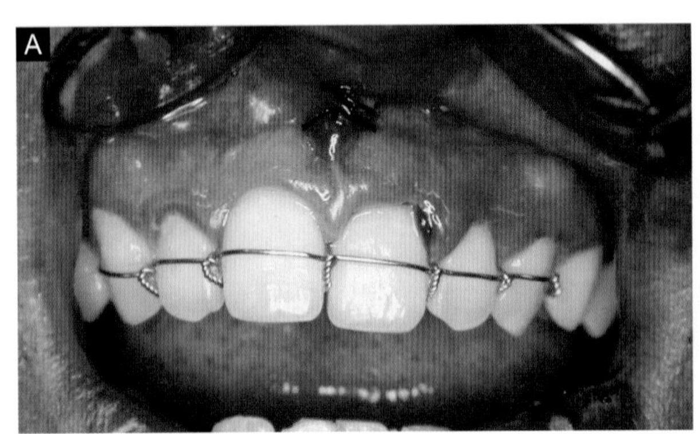

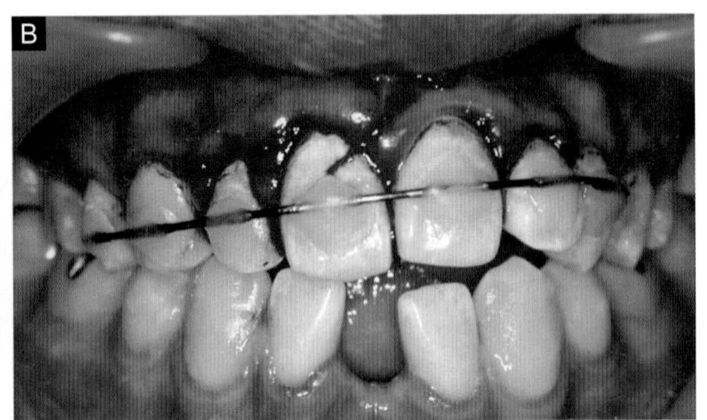

그림 7-31 **외상으로 인한 탈구치아의 재식 후 보편적인 고정장치.** A: 강선접합 고정 B: 와이어-레진 고정.

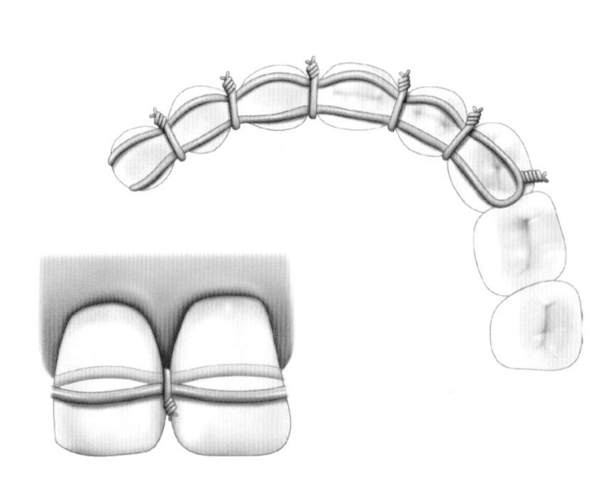

그림 7-32 **Essig 강선고정법.** 환상으로 다수의 치아를 포함하는 첫 번째 강선고정 후 치아 사이에 각각 2차 강선으로 조인다.

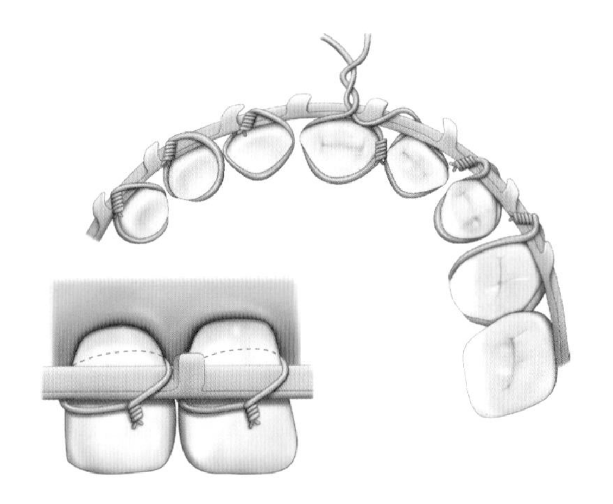

그림 7-33 **Erich arch bar와 강선을 이용한 고정방법.** 아치바를 적절히 contouring한 후 26-28gauge의 와이어로 고정하며 특히 설측에서는 강선이 설면결절(cingulum) 상방으로 위치되도록 한다.

치유를 증진시킨다. 그러나 시일이 경과되면서 레진 부착이 약화되어 탈락할 우려가 있다.

(10) 즉시 재식술(immediate replantation)

탈구된 치아가 비교적 깨끗한 환경에서 습기를 유지한 채 1시간이 경과되지 않았을 경우 다음과 같이 즉시 재식술을 시행한다.

① 치아는 생리식염수에 담가 놓고 환자의 구강검사 및 방사선검사를 시행한다.

② 치조와 내의 파절편, 오염물 등은 조심스럽게 제거하고 생리식염수로 가볍게 세척하되 치조와내를 소파기(curette)로 긁지 않는다.

③ 치아의 길이를 측정한 후 치아를 가볍게 치조와에 밀어 넣고 재식치아 주변을 봉합하고 강선결찰이나 와이어-레진, 교정용 밴드나 혹은 acid-etch technique을 이용한 브라켓 등으로 약 2주간 고정한 후 조기에 생리적 운동(physiologic movement)을 허용하여 재식 후 강직을 예방한다.

④ 치수에 대한 처치는 치근의 발육단계에 따라 미완성 치근첨을 가진 치아의 경우 발수를 하지 않고 경과를 관찰하며, 치근이 완성된 경우 재식 후 경과에 따라 약 2주 후 고정장치를 풀기 전에 발수하던지 고정장치를 풀고 나서 3-4주째에 발수를 시행한다.

⑤ 발수한 치아는 calcium hydroxide로 임시충전하고 거타퍼차를 이용한 영구충전은 약 1년 후에 시행한다.

(11) 근관치료 후 재식술(delayed replantation)

탈락된 치아가 구강 외에서 1-2시간 이상 방치되었거나 전반적으로 치면이 오염되어 치주인대의 비가역적 손상이 의심될 경우에는 치아강직에 이은 대체성 흡수가 필연적이다. 따라서 시간적으로 여유가 있으면 다음과 같은 술식에 의해 근관충전 후 재식술을 시행한다.

① 치조와의 상태를 조사하고 치근표면의 연조직 잔사를 제거하되 백악질 표면을 소파기로 긁지 않는다.

② 2% NaF 용액에 약 20분간 치아를 담근 후 생리식염수로 반복 세척한다.

③ 생리식염수에 적신 거즈로 치아를 잡고 통법에 의해 발수 및 근관충전을 시행한다.

④ 재식이 용이하도록 치근단을 2 mm 정도 자른 후 치조와 내에 삽입하고 교합조정을 시행한다.

⑤ 약 2주간 치은의 재부착을 위하여 고정한다.

⑥ 필요할 경우 치내 임플란트를 식립하여 흡수되는 재식치아를 보강할 수 있다.

4) 합병증

치아·치조골 외상으로 야기되는 가장 흔한 합병증은 치수괴사이며 이것의 발병률은 손상의 강도에 의해 결정된다. 법랑질의 잔금이나 파절에 국한되는 외상은 치수괴사 발생과 관련이 되지 않는 것 같다. 상아질의 노출은 치수괴사의 7%까지 연관되며, 반면 치수노출과 치근파절은 20-30%까지 관련된다. 탈구와 관련된 치수괴사의 발생률은 15%에서 96%에 이르며 이는 탈구의 방향과 치근성장 단계에 따라 다르다. 탈락된 치아가 2시간 이상 치조와 밖에 있으면 100% 치수괴사가 된다. 치수생활력검사가 치수괴사를 나타내면 치료의 선택은 근관치료 혹은 발치이다.

악안면외상에 이어 감염이 생길 수도 있지만 두경부 부위의 우수한 혈액공급과 외상 후 예방적인 항생제 투여로 인해 감염은 드물다. 비록 모든 종류의 치아나 치조골 손상에 대한 항생제 사용에 대해서는 논란이 있지만, 대부분의 외과의는 탈구 혹은 치조돌기 골절, 특히 손상이 일어난 시간이 오래된 경우, 고정이 어려운 경우 등에서는 적절한 항생제를 투여한다. 치아나 치조골편을 적절히 재위치시키지 못하면 교합이상과 치료 후 치주결손 같은 어려움이 생기며 곧이어 치아 상실과 보철치료가 필요하게 된다.

비록 치근흡수(그림 7-34)와 강직은 모든 치아나 치조골 손상의 잠재적인 합병증이지만, 보통 탈락, 치조돌기 골절, 탈구, 영구치 혹은 유치의 치근파절과 관련있다. 치근흡수는 치근, 치주조직, 치수의 외상성 혹은

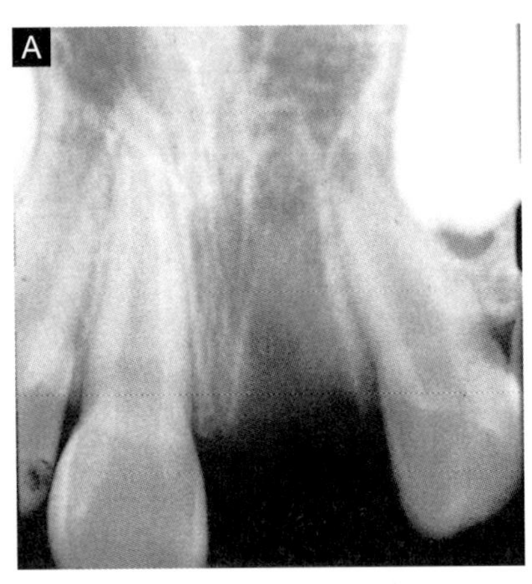

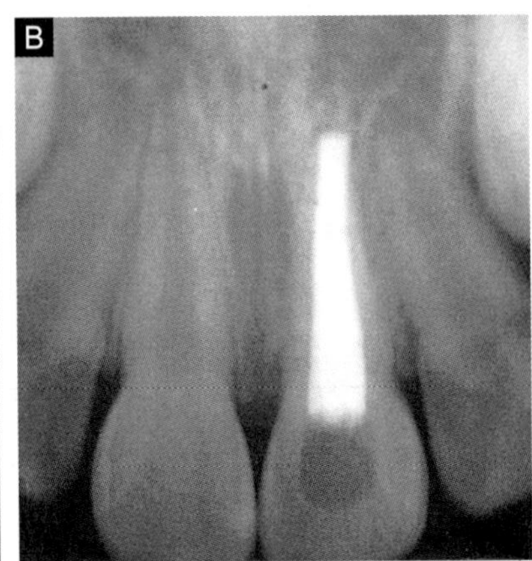

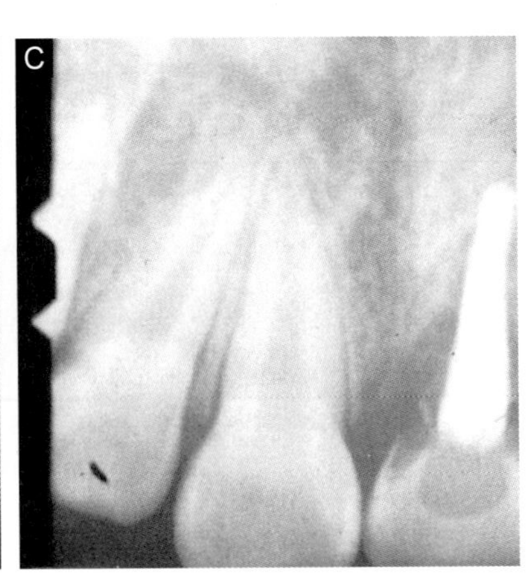

그림 7-34 치아재식술 시 치근흡수 소견
A: 외상으로 인하여 탈구된 상악전치부 B: 근관치료 후 재식술을 시행했으나 치근흡수가 일부 진행된 소견 C: 재식 30개월 후 완전히 흡수된 치근.

의원성 손상에 의해 일어나는 염증과정에 의해 야기된다. Andreasen은 치근흡수를 조직학적으로 분류하였다. 외흡수는 3가지로 분류된다.

① 새로운 백악질로 대체되는 치근의 표면 흡수가 특징인 표면 흡수
② 부근 치수조직에서의 염증반응으로 백악질과 상아질이 흡수되는 것이 특징인 염증 흡수
③ 골에 의해 치아의 점진적인 흡수가 대체되어 생리적 재맹출을 방해하는 교환 흡수 강직증

내흡수는 2가지 형태로 나뉜다.

① 치수에서의 염증으로 상아질의 흡수가 일어나는 염증 흡수
② 치수강이 불규칙하게 확장되고 여기에 석회화된 조직이 대체되어 근관의 폐쇄가 일어나는 대체 흡수

방사선소견상 내 또는 외흡수 발생 시 즉시 근관치료를 하여 흡수과정을 막아야 하며 근관치료가 된 경우는 장기간의 관찰이 필요하다. 유치의 경우 흡수소견 시 발치와 공간 유지가 필요하다. 동물실험을 통해 밝혀진 바에 의하면, 재식 전 fibronectin 용액에 담긴 탈락된 치아는 초기 섬유소혈병의 생성이 증가되고 가장 중요한 백악질의 흡수와 이어 일어나는 강직증이 예방된다.

유치의 탈구와 전위는 계승치의 손상과 관련될 수 있으며 특히 만곡근을 야기하기도 한다. 게다가 유치의 외상 후 영구치의 10%까지 법랑질 형성부전증을 나타내기도 한다. 이러한 전위된 유치의 치료에 대해 논란이 있다. 즉 치료를 하지 않는다는 주장과 발치를 해야 한다는 주장이 있다. 외상 후 치관의 색의 변화 또한 나타날 수 있으며 특히 이것은 치수조직으로 적혈구가 함입되기 때문이다. 우선은 치아가 분홍빛을 나타내며 혈색소의 파괴와 대사로 인해 푸른 또는 회색을 띠게 된다. 검사에 대한 장에서 언급했듯이, 외상 시 치아나 치아조직의 흡입과 삼킴이 일어날 수 있다. 탈락된 치아나 주위조직에 대한 행방을 모르는 환자는 비록 어떤 증상이 없더라도 흉부, 복부 방사선검사를 해야 한다.

2. 하악골절

골절이란 작용된 외력이 골의 수용범위를 초과함으로서 골조직 자체의 연속성이 단절된 상태를 말하는 것으로 치료목표는 단절된 부위를 확실하게 골결합하고 골절이전의 강도를 유지함으로써 손상받은 골기능

을 회복하는 것이다. 특히 하악은 저작계의 주요부분으로 골절치료 후 외상 전의 저작기능을 회복하기 위해서는 환자의 정상적인 교합회복이 절대적이다.

따라서 이와 같은 골절치료의 일반적인 원칙은 정복, 고정, 그리고 기능훈련이다.

▪ 정복(reduction) 방법

(1) 비관혈적 정복(closed reduction)

골절부위의 외과적 노출없이 악간고정 등으로 골절편을 유지 또는 회복하는 방법.

(2) 관혈적 정복(open reduction)

골절부위의 일부 혹은 전부를 외과적으로 노출하여 직접 골절부위를 시각적으로 확인하면서 골절부위를 회복시키는 방법.

▪ 고정(fixation) 방법

(1) 직접고정

관혈적 정복과 동시에 노출된 골절부위를 가로질러 고정이 이루어진다. 따라서 직접고정의 견고성에 따라 간단한 골간강선결찰(interosseous wiring; nonrigid fixation)에서부터 인장력이 가해지는 골절부위의 소강판 고정(mini-bone plate; semirigid fixation), 압축강판 고정(compression) 등으로 나눈다.

(2) 간접고정

근심 및 원심부 골절편의 비가동화로 이루어진다. 하악골절에 가장 많이 사용되는 간접고정은 악간고정(intermaxillary fixation, IMF; maxillomandi-bular fixation, MMF)이며, 그 외에 골격핀을 이용한 악골외 고정법(external skeletal pin fixation)이 있다.

▪ 골절부위 안정화 및 기능훈련

골절부의 골결합을 위해서는 골절부위 안정화, 즉 임상적으로 골절부의 골결합을 촉진하는 충분한 기간까지 비가동화(immobilization)가 이루어져야 한다. 즉 간단한 골간결찰을 행한 직접고정이나 악간고정 등의 간접고정에서는 술후 이 기간 동안만큼은 골절부위에 가해지는 이탈력에 저항할 수 있어야 한다.

따라서 골간 강선결찰을 행한 종전까지의 대부분의 하악골절 처치에서는 성인에서는 6주, 청년에서는 4-4.5주, 어린이에서는 3-4주 정도의 악간고정기간(period of immobilization)을 필요로 하였으나, 최근 들어 골절부위에 인장력이 가해지는 소강판을 이용한 직접고정이 보편화됨으로써 악간고정기간을 최소화하거나 기간이 짧아져 조기 개구운동이 이루어지고 있다.

여기에서는 하악의 전반적인 골절에 대해 논하고, 진료 시 특히 유의할 하악과두 골절에 대해서는 다음 장에 별도로 자세히 언급한다.

1) 골절의 분류

상악과 달리 하악 골절편의 변위여부는 충격, 힘의 방향과 힘 이외에도 골절선의 방향, 골절편에 작용하는 근육의 작용방향 등에 의하여 영향을 받을 수 있다 (그림 7-35).

즉 골단절 상황에 따라 완전골절과 불완전골절로, 연조직의 손상유무에 따라 개방성 혹은 단순 폐쇄성(단순)골절, 개방성(복합)골절 혹은 복잡골절로, 골절선의 수에 따라 다발성 골절, 분쇄골절 등으로 구분한다. 그리고 외력의 작용부위에 따라 직접골절과 간접골절로 나누기도 한다.

(1) 골절의 양상에 따른 분류

① 불리골절(unfavorable fracture)

골절선의 방향이 근수축력에 의한 골절편 분리를 야기하는 골절이다. 즉, 하악 견치 사이의 양측성 골절에 대한 상설골근 및 악이복근의 작용은 원심 골절편을 하방으로 당겨 불리골절을 초래한다.

② 유리골절(favorable fracture)

골절선의 방향이 근수축력에 의한 골절편 분리가 없는 골절이다. 수직적으로 유리 골절은 수직면에서 볼

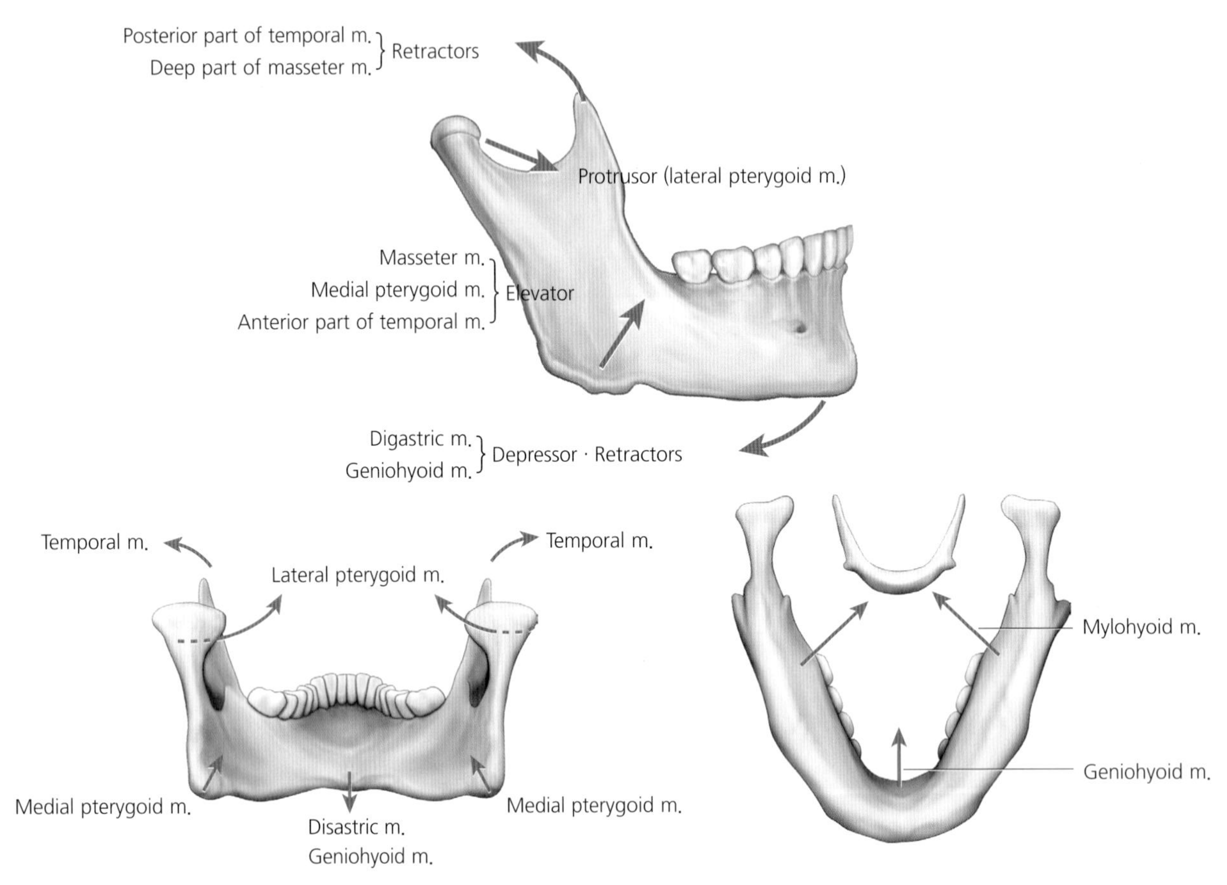

그림 7-35 하악골에 부착된 근육들의 주요 작용 방향들.

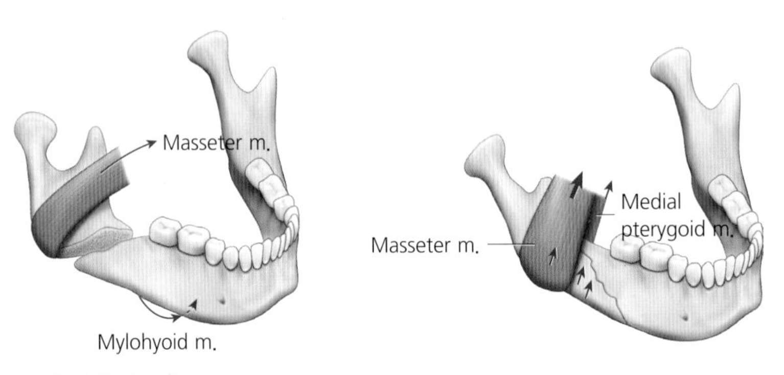

그림 7-36 수직성 불리골절 및 유리골절.

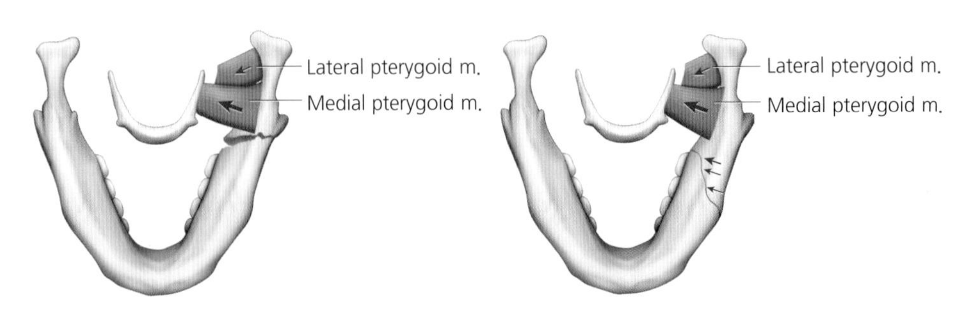

그림 7-37 수평적 불리골절 및 유리골절.

때 교근과 측두근이 근심측 골절편을 당기는 힘과 같은 상방으로 이탈시키려는 힘에 저항하는 골절을 의미한다. 수평적으로 유리골절은 수평면에서 볼 때 내측익돌근의 근심측 골절편을 당기는 힘에 대해 저항하는 골절을 말한다(그림 7-36, 37).

③ **단순골절**(simple fracture)

외부와 개통되지 않는 하나의 골절선을 가진 경우이다. 하악골절의 경우 골막의 찢김이 없는 하악지 골절, 과두골절, 또는 무치악 부위의 골절 등을 의미한다.

④ **복합골절**(compound fracture)

외부창상과 연관된 골절을 말한다. 즉, 치주인대에 의해 외부와 교통되며 치아가 있는 부위 골절은 대부분 복합골절인 경우가 많다. 또한 구강점막이 찢어져 골절부가 구강내로 노출되거나 열상부위가 골절부위와 통하고 있는 경우를 의미한다.

⑤ **불완전굴곡골절**(greenstick fracture)

어린이에게 자주 일어나며 골의 한쪽은 부러지고 다른 쪽은 구부러진 경우를 말한다. 이와 같은 골절도 치유과정 중에 골절단부의 흡수가 일어나기 때문에 치료가 요구될 수 있다.

⑥ **분쇄골절**(comminuted fracture)

골절부위에서 여러 조각의 골절편이 형성되는 경우이다. 이는 외부로 개방되지 않은 단순골절이거나 때로는 복합골절이 될 수 있다.

⑦ **복잡골절**(complex or complicated fracture)

주요혈관, 신경, 관절 등의 주위 인접구조물에 손상을 주는 골절이다. 하악에서는 이공 근심부 골절 시 하치조신경, 정맥, 동맥 등이 손상을 받으며 과두하 골절의 경우 드물게 안면신경의 말단분지나 하치조신경의 말단이 손상 받을 수 있다. 또한, 관절부위가 아닌 타부위 골절에서도 악관절의 내부구조가 심하게 손상될 수 있다.

⑧ **병적골절**(pathologic fracture)

일반적인 외상성 골절(traumatic fracture)에 반하여 병적으로 약해진 골에서 하품과 같은 악골의 정상적인 운동에 의해서도 골절이 초래될 수 있는데 낭종, 종양과 같은 국소적 질환이나 골화석증, 부갑상선기능항진증, 패짓병(Paget disease), 지중해성 빈혈 등과 같은 전신적 질환과 관련이 있다.

(2) 골절 위치에 따른 분류

하악골 골절부의 위치에 따라 다음과 같이 분류할 수 있다(그림 7-38).

① **과두돌기골절**(condylar process fracture)

하악절흔(mandibular notch)에서 하악지의 후방경계를 이은 선의 상방부위 하악 과두부 골절.

② **상행지골절**(ascending ramus fracture)

하악지의 전방 및 후방경계가 수평적으로 연결된 것 혹은 하악절흔에서 하악하연까지 수직으로 연결된 골절.

③ **근돌기골절**(coronoid process fracture)

측두근이 붙는 하악 근돌기 부위 골절.

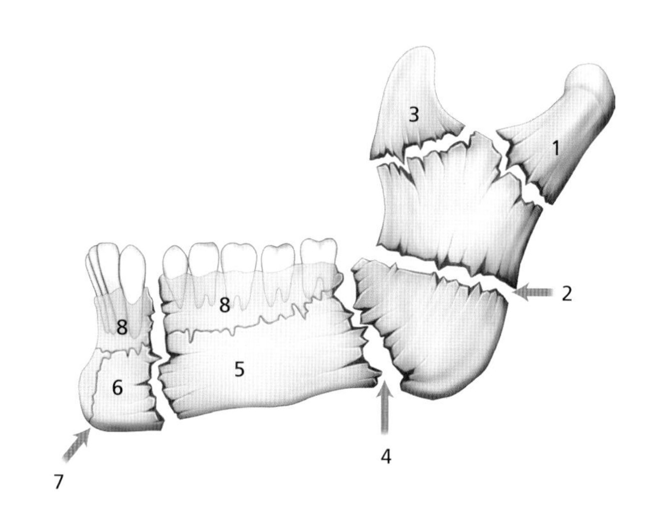

그림 7-38 골절 위치에 따른 분류.

④ **우각부골절**(angle fracture)

제2대구치 후방에서 하악지와 하악체를 연결하는 부분까지 연결된 골절.

⑤ **골체부골절**(body fracture)

견치에서 제2대구치의 원심 사이에서 치조골로부터 하악하연까지 연장된 골절.

⑥ **정중부주위골절**(parasymphysis fracture)

견치에서 하악 정중부 사이 골절.

⑦ **정중부골절**(symphysis fracture)

하악 좌우 중절치 치조골에서 하악하연을 연결하는 골절.

⑧ **치조골골절**(dentoalveolar bone fracture)

치아가 있는 치조골 부위에서 하악하연까지 골절선이 연결되지 않은 골절.

2) 하악골절의 진단

(1) 임상적 검사

① 전신적 손상 및 의과력에 대한 평가

악골 골절에 대한 국소적 검사 이전에 환자의 전반적인 검사가 먼저 이루어져야 한다. 환자가 응급실에 도착하자마자 가장 먼저 관심을 두어야 할 것은 하악 골절로 인한 혀 후방 변위로 인한 기도폐쇄 가능성이 있으므로 기도를 유지하고 환자의 활력징후가 평가된 후 전신적인 손상에 대한 검진을 시행한다. 병력(medical history)상 당뇨, HIV, 항암치료 유무, 면역억제제(immunosuppressant) 사용은 관혈적 정복술 후 감염가능성이 높기 때문에 확인하여야 한다. 알코올이나 약물남용 환자의 경우나 또한 심한 천식, 간질, 정신장애 환자의 경우 MMF가 불가능할 수 있으므로 이를 확인하여야 한다. 이후 안면, 턱 등의 국소적 검사가 행해져야 한다.

표 7-8 하악골절 환자들의 주소

1. **직접 혹은 간접골절:** 기능부위 동통, 압통, 종창.
2. **저작곤란:** 동통이 하악기능을 제한할 수 있으며, 골절부위 부정교합과 이상동요가 있음.
3. **부정교합:** 환자의 교합이 보통 때와는 다른 것을 의미
4. **하치조신경 분포부위의 지각둔화:** 이환된 부위의 하악각 또는 하악체의 이동성 골절을 의미함. 비이동성 골절은 하치조신경 분포부위의 지각둔화를 나타내지 않을 수 있다.

② 사고력 파악 및 임상검사

a. 문진

수상 당시의 상황을 문진으로 정확하게 파악하고 환자의 협조가 이루어지지 않으면, 관계자로부터 정확한 병력을 얻어내야 한다(표 7-8).

b. 시진

안면의 피부, 하악주위 조직에 부종과 혈종, 열창 등 연조직을 관찰하여 골절이 의심되는 부위를 확인한다. 열창의 주요 부위는 턱 하방이고 이때 과두하 혹은 정중부골절과의 연관성이 있다. 술자에 의해 주의 깊게 관찰되어야 한다.

c. 촉진

환자가 똑바로 누운 자세에서 술자가 환자의 뒤에서 시행한다. 손가락 끝을 하악 하연에 놓고, 하악을 정중부로부터 하악각까지 양측으로 부종과 계단형(step)의 형태, 압통 등을 조사한다(그림 7-39). 다음은 환자의 앞에서 검사한다. 술자는 외이도를 통해서 과두의 움직임을 촉진하고, 하악골 자체에 대해서도 검사한다. 개구 시의 심한 편위(deviation)는 편위측의 과두하골절을 나타낼 수 있다. 다섯 번째 손가락을 양측 외이도에 넣고 환자로 하여금 개구, 폐구하도록 한다. 이때 과두하골절의 경우 골절이 있는 부위 과두의 운동제한과 동통을 야기할 수 있다(그림 7-40). 다른 하악운동의 제한은 근육 강직반사의 결과이거나, 관절강내 출혈, 관골궁 골절로 인한 오훼돌기의 운동장애 때문일 수도 있다. 때때로 과두하골절은 외이도 전벽의 상피의 열창을 유

발하여 외이공의 출혈을 유발한다. 이 출혈이 두개저골절(basal skull fracture)을 시사하는 고실막(tympanic membrane) 후방부 파열에서 시작되지 않았는지 파악해내는 것은 매우 중요하다.

d. 구내검사

구강내 의치 같은 보철물 제거 후 좋은 조명하에서 하는 것이 중요하다. 연조직 검사를 먼저하며 설하 반상출혈은 하악골절을 나타내는 경우가 많기 때문에, 출혈부위를 잘 관찰하고 치아파절, 치열의 불규칙, 골절편의 계단 형성 등이 있는지도 확인해야 한다. 환자에게 치아를 같이 가볍게 다물도록 할 때 정상과 다르게 느껴지는지 환자에게 묻고 조기교합접촉(premature occlusal contact) 유무를 검사한다. 외상 환자에서 변화된 교합의 3가지 원인은 골절로 인한 변위, 치아손상, 관절강내 출혈 등이다. 만약 환자가 무치악이고 건전한 의치를 가지고 있다면 입안에 넣은 다음 교합을 검사한다. 그리고 하악의 의심되는 골절부 양측을 각각 잡고 동요도를 알기 위해 부드럽게 조작한다(그림 7-41). 골절은 보이지 않으나 임상적 가능성이 크다면 하악은 양측우각부의 동시압박으로 동통을 야기할 것이다(그림 7-42).

(2) 방사선학적 검사

하악골의 방사선학적 검사에는 파노라마방사선사진(panoramic radiograph), 하악측사위방사선사진(oblique lateral view of mandible), 역Towne 방사선 사진(reverse-towne view), 두개 후전위방사선사

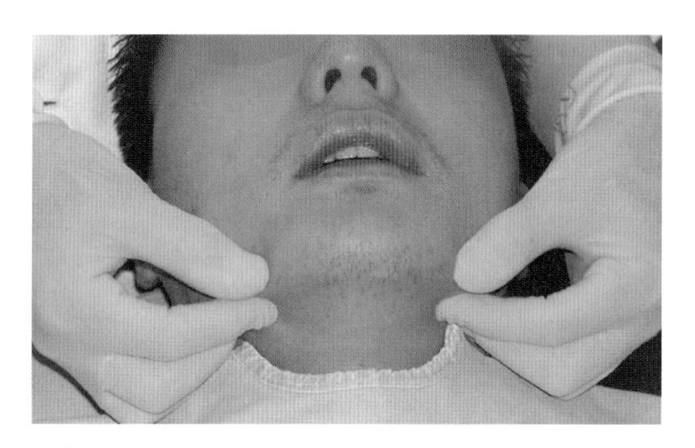

그림 7-39 술자가 환자 뒤에서 하악하연을 따라 골절 의심부위 촉진.

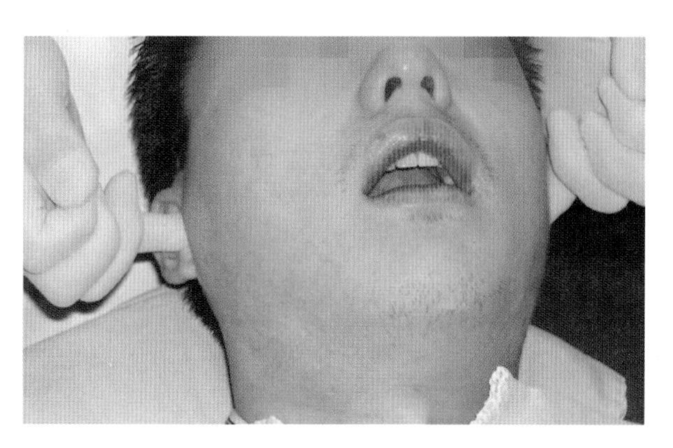

그림 7-40 다섯 번째의 손가락으로 외이도를 통해 과두부 움직임을 촉진.

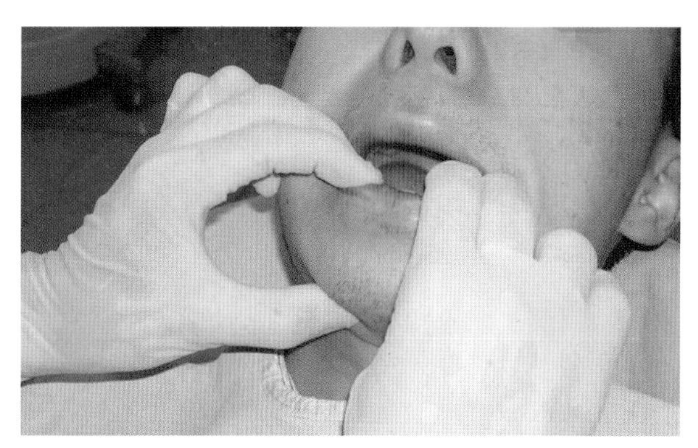

그림 7-41 네 개 치아 정도의 간격을 두고 악궁을 상하로 흔들 때 움직임과 파열음 청취.

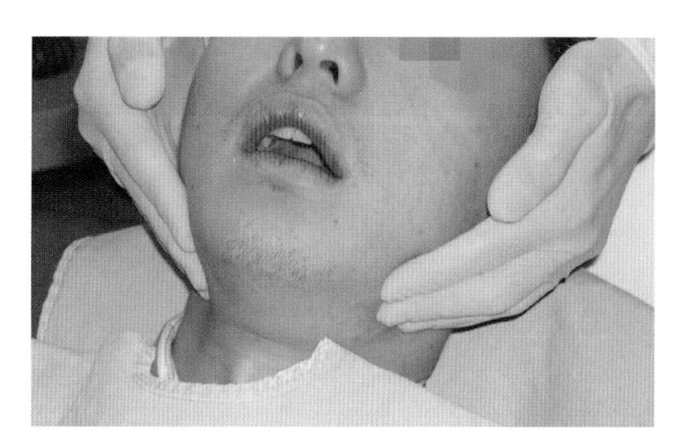

그림 7-42 양측 우각부 동시압박으로 골절이 의심되는 부위에서의 동통 여부 확인.

진(skull posteroanterior view), 하악 교합방사선사진(mandibular occlusal view), 악관절 방사선사진(TMJ view), 치근단방사선사진(periapical radiograph), 컴퓨터단층촬영(CT) 등이 있다. 파노라마방사선사진의 경우 대부분의 하악골절을 잘 관찰할 수 있으나 심하게 외상받은 환자에서 촬영이 불가능할 때도 있고 하악 상행지와 체부의 내측방 전위, 정중부의 전후방전위는 확인하기 어려울 수 있다(그림 7-43). 따라서 파노라마방사선사진 촬영이 불가능할 때 skull series (skull PA, lateral, Town's view)나 mandible series (mandibular PA view, lateral, oblique lateral view)를 촬영하고 정중부 왜곡 등으로 파악하기 힘들 경우 임상검사 및 치근단방사선사진을 함께 확인해야 한다. 역Towne 방사선사진은 과두부 골절의 확인에 유리하며 후전방 두부방사선사진은 우각부, 체부 골절의 내외측 변위를 파악하는 데 이용된다(그림 7-44). 정중부 골절 시 치근단방사선사진으로도 가능하나 하악 교합방사선사진이 유용할 수 있는데 이것은 설측 피질골 골절의 진단, 특히 사선형의 골절의 파악에 도움이 된다.

과두돌기의 관절낭 내 골절은 종종 일반적인 방사선사진(plain film)에서 정확히 가시화되기 힘들다. CT와 같이 다른 평면에서 촬영된 사진을 통하여 골절부의 변위를 정확히 파악할 수 있다(그림 7-45). 최근 CT의 발전으로 하악골에 발생한 복합골절 및 과두부 골절위치를 3D로 구현하여 보다 정확한 진단이 가능하게 되었다(그림 7-46).

3) 하악골절의 치료법

(1) 보존적 처치(conservative therapy)

하악골 골절 처치에 널리 이용하는 방법 중 하나가

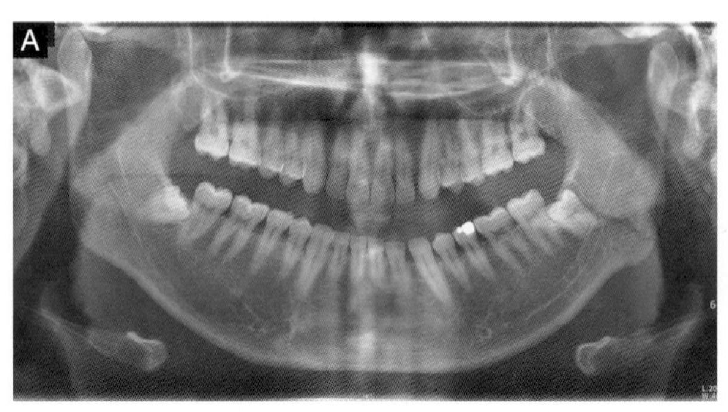

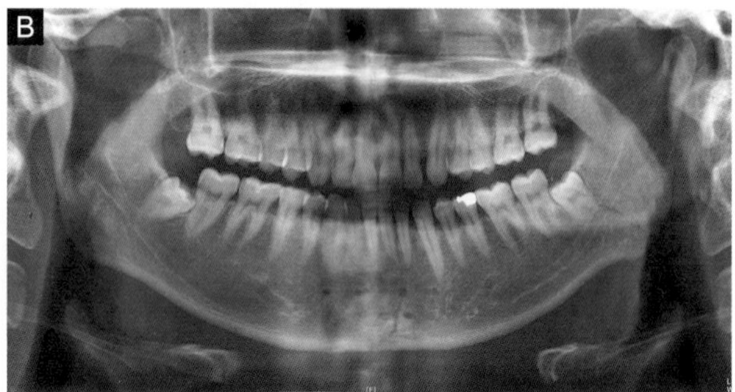

그림 7-43 하악골 좌측 우각부 및 정중부 주위골절 환자의 파노라마사진. A: 술전 파노라마에서 촬영상의 왜곡으로 정중부주위 골절이 잘 관찰되지 않는다. B: 술후 파노라마 상으로 흡수성 재료를 이용한 고정 후 모습.

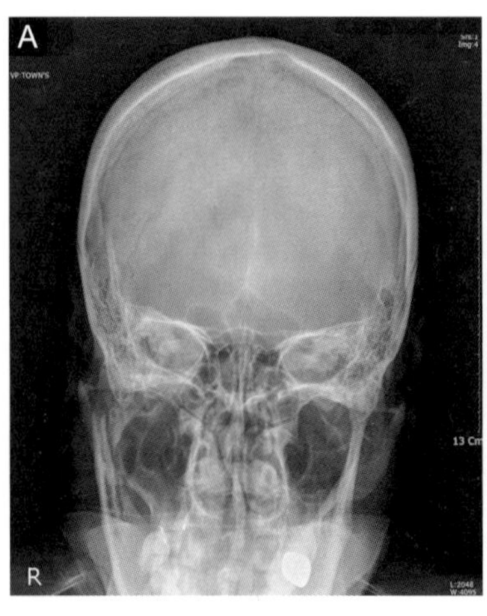

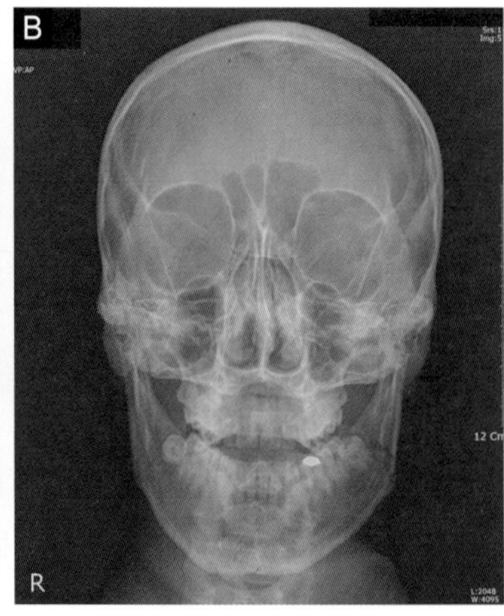

그림 7-44 하악골절에 사용되는 방사선사진.
A: Towne's view (우측 하악과두 골절이 보임)
B: Skull series의 일부로 좌측 우각부 골절이 보임.

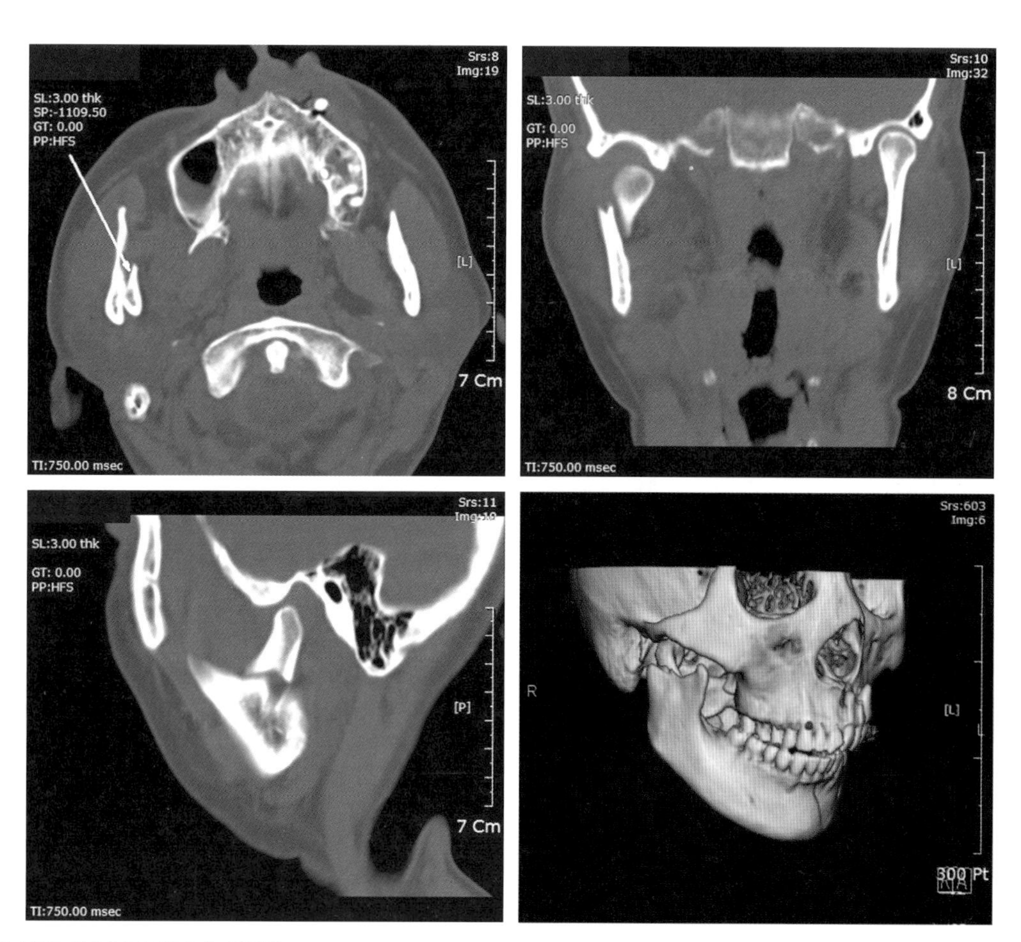

그림 7-45 하악과두 골절 진단에 유용한 **CT**.

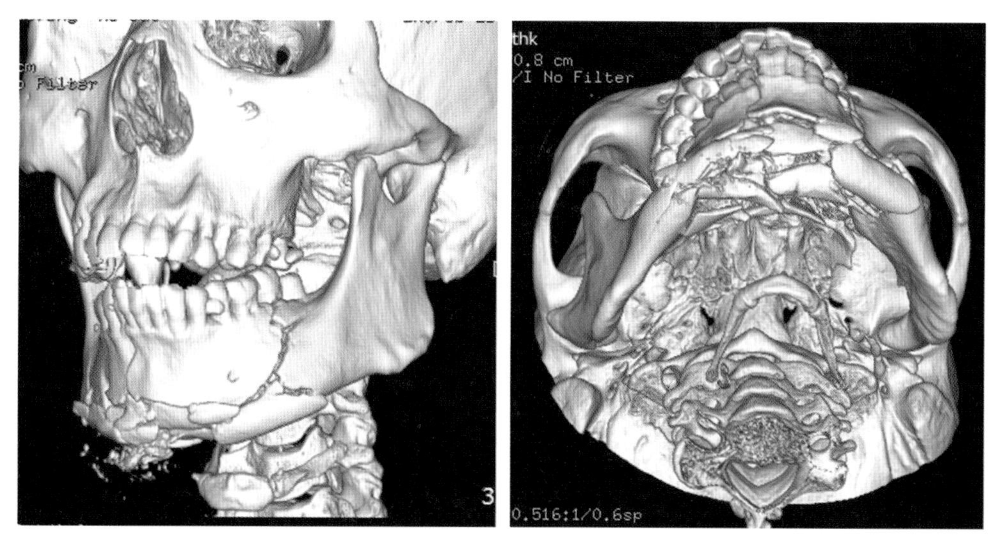

그림 7-46 하악골 정중부 분쇄골절 환자의 3D CT로 골절된 양상 및 골파절편 등을 정확히 파악할 수 있다.

보존적인 비관혈적 정복술이다.

비관혈적 정복술의 적응증은 관혈적 정복술의 적응증 여부에 관계없이 모든 경우에 적용된다.

- 광범위한 분쇄골절

  관혈적 정복술 이용 시 작은 골편으로 혈액공급이 줄어들기 때문에 감염 가능성이 커져 비관혈적 정복술을 시행한다. 총상(gun-shot wound)도 여기 포함될 수 있다.

- 심하게 위축된 무치악의 골절

  대부분의 혈액이 골막에서 공급되기 때문에 제한된 골형성능력(osteogenic potential)을 가지므로 관혈적 정복술이 혈액공급에 장애를 줄 수 있다. 그러나 비관혈적 정복술만으로 골절부가 불안정하고 동요가 있게 되면 연조직 절개를 최소화하여 견고고정(rigid fixation)을 시행하는 것이 바람직하다.

- 발육 중인 치열이 존재하는 소아골절

  직접 골간고정이 치배나 맹출 중인 치아에 손상을 줄 가능성이 있으므로 관혈적 정복술로 처치하는 데 주의해야 한다.

① 악간고정법(intermaxillary fixation, IMF; maxillo-mandibular fixation, MMF)

유치악에서 교합을 회복하기 위해서는 악간고정이 중요하다. 악간고정술은 강선에 의한 치아간결찰법과 선부자(아치바)를 이용한 선부자결찰법이 있다(표 7-9). 치아간결찰법에는 직접 치아간결찰법(그림 7-47), 간접 치아간결찰법(eyelet wiring)(그림 7-48), 연속 치아간결찰법(그림 7-49) 등이 있고, 선부자를 이용한 선부자결찰법에는 일반적인 아치바(그림 7-50, 51), 강선-아크릭 아치바 등을 이용한다. 이러한 강선에 의한 치아결찰법이나 선부자를 이용한 선부자결찰법에서 악간고정은 모두 탄력고무(elastic rubber)나 강선을 이용한다. 그 외 방법으로는 치조골에 악간고정나사(IMF

표 7-9 선부자 사용 시의 원칙

1. 선부자는 치아에 가깝게 접촉하도록 하고 필요하다면 견치에 이중결찰을 사용한다(그림 7-50).
2. 악간고정이 이용되는 후크부위에는 강선매듭이 위치되지 않도록 한다.
3. 치아결손이 있는 부위나 무치악에서는 하악주위 결찰법을 이용하여 선부자를 보강한다.
4. 골절부에서 선부자를 자체 분리시키거나 혹은 선부자를 고정시키기 전에 골절된 악골의 양쪽 골편을 정복해야 한다.

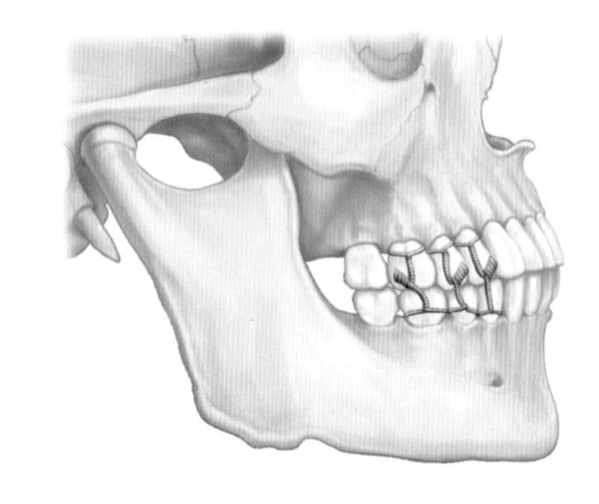

그림 7-47 직접 치아간결찰법(Gilmer법).

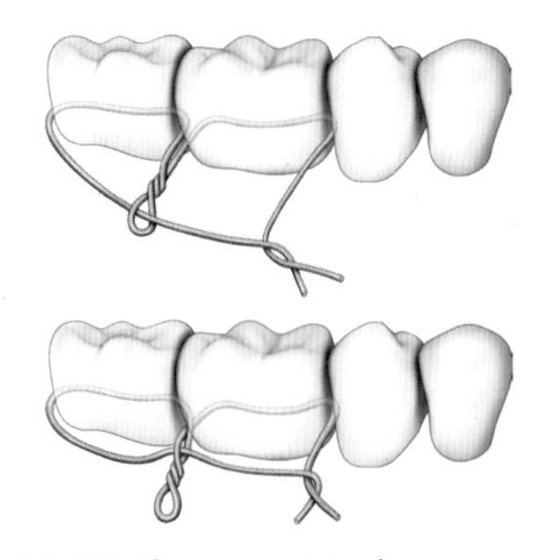
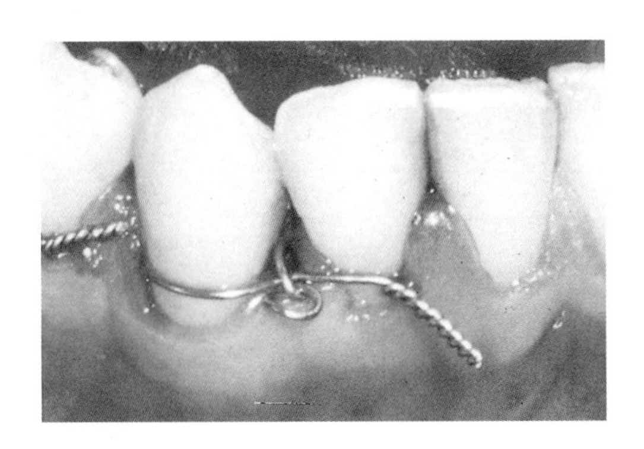

그림 7-48 간접 치아간결찰법(eyelet wiring).

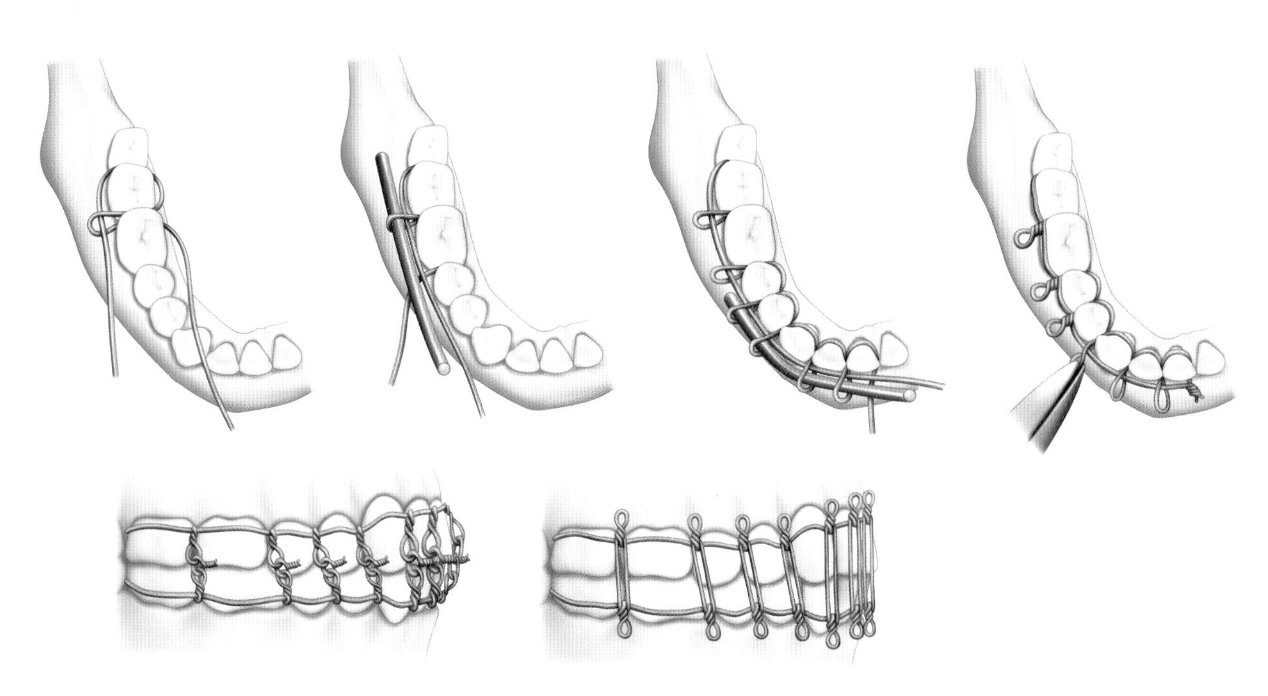

그림 7-49 연속 치아간결찰법(**Stout**법)의 과정.

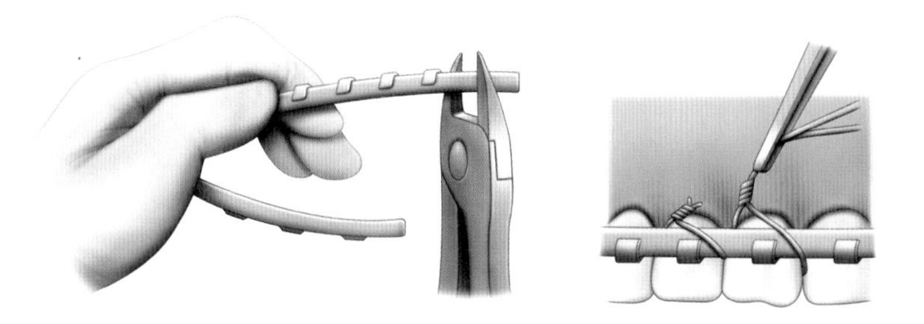

그림 7-50 선부자(**arch bar**)를 치아들에 장착하는 과정.

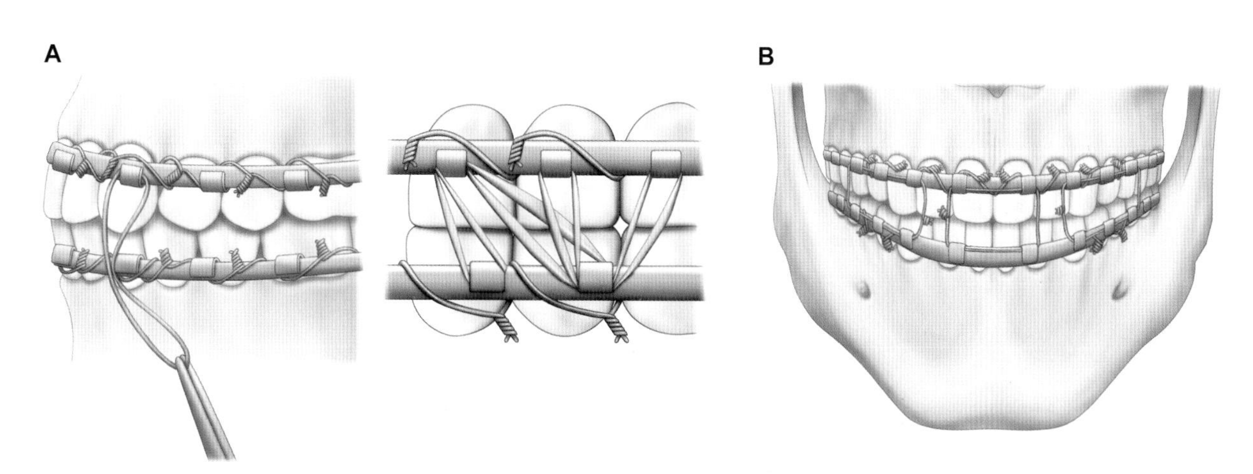

그림 7-51 **Erich arch bar** 부착 후 **elastic**을 이용한 악간고정(**A**)과 **wire**를 이용한 악간고정(**B**).

screw)를 박거나, 악간고정나사와 아치바의 중간형태인 hybrid MMF 시스템을 이용하여 악간고정을 하는 방법도 있다. 무치악에서는 환자 자신의 틀니나 음식물 섭취를 위해 앞쪽에 공간을 만들어준 건닝 스플린트(Gunning splint)를 이용할 수 있으며(그림 7-52), 자신의 틀니나 건닝 스플린트를 하악에 고정하고자 할 때는 2-3개 강선으로 하악을 단순히 감싸는 형태의 하악주위결찰법(circumferential wiring)을 이용한다(그림 7-53).

② **하악 단독고정법**(monomaxillary fixation)

하악을 단독으로 비관혈적 정복술을 시행할 때에는 앞서의 선부자를 이용한 선부자결찰법을 이용하기도 하나, 아크릭스플린트인 설측 스플린트 혹은 부분 스플린트(sectional splint)와 금속 스플린트인 관모 스플린트(cap splint)나 주조금속 스플린트를 이용하기도 한다(그림 7-54).

- 설측 스플린트 제작

설측 스플린트를 제작하기 위해 하악의 인상을 채득하고 모형을 제작한다. 골절부의 변위가 있다면 상악 인상도 필요하다. 하악모형을 골절부에서 자른 후 상악 모형과 정확한 관계로 회복 후 왁스로 고정하고 설면을 1 mm 두께의 왁스로 relief 한다. 여기에 아크릴레진스플린트를 만들고 치아주위를 결찰할 수 있도록 구멍을 뚫는다. 장착 직전에 얇은 연성 라이너를 바른 후 골절부를 정복한 후 스플린트를 위치시킨다.

③ **악외고정법**(external fixation)

악외 골격핀고정은 분쇄골절, 위축된 하악 무치악 골절, 총상부위의 이차적인 골소실이나 병적골절, 골수염 또는 골이식이 행해진 무치악부 골절에 이용된다. 견고 내고정기술이 발달하면서 악외고정법의 사용 추세가 감소하고 있지만, 여전히 특정 임상상황에서 빠르고 간단하게 고정할 수 있는 유용한 방법이다(그림 7-55). 악외 골격핀고정에서 가능하다면 근심과 원심 골절편에 각각 2개씩 핀을 위치시킨다.

④ **골절선상 치아의 치료**

과거 골절선상 치아는 감염, 골수염, 비유합 등의 복잡한 문제로 발거하도록 하였으나 적절한 항생제 투여 및 치아고정술 등을 시행하여 가능한 보존하도록 시도해야 한다. 한편 매복된 하악 제3대구치는 좀 더 깊이 고려해야 한다. 대부분의 저자는 매복된 치아가 구강 내와 직접 교통하지 않는 경우, 치근파절이나 심한 치주 문제가 없는 경우, 지치주위염이 없는 경우, 그리고 골절부 정복에 방해를 주지 않는다면 치아를 제위치에 유지할 것을 권한다. 그러나 골절치료를 받기까지 많은 시간이 지연된 경우나 치아주위에 감염이나 낭성병소 등의 병적소견이 동반되고 있을 때는 발치하는 것이

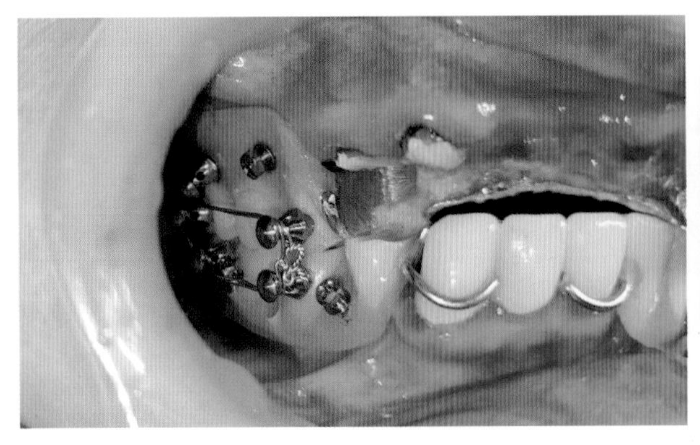
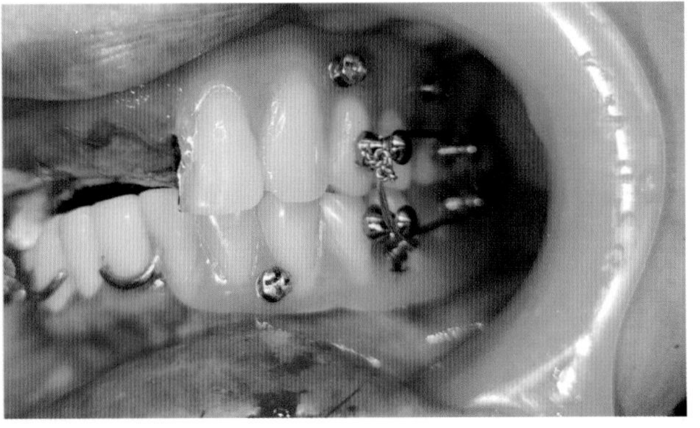

그림 7-52 부분틀니를 사용 중이며 우측 하악과두 골절된 환자에서 기존의 틀니를 Gunning type splint로 만들어서 악골에 screw로 고정하고 틀니에는 악간고정 나사를 심어 상하악간 고정을 시행한 모습.

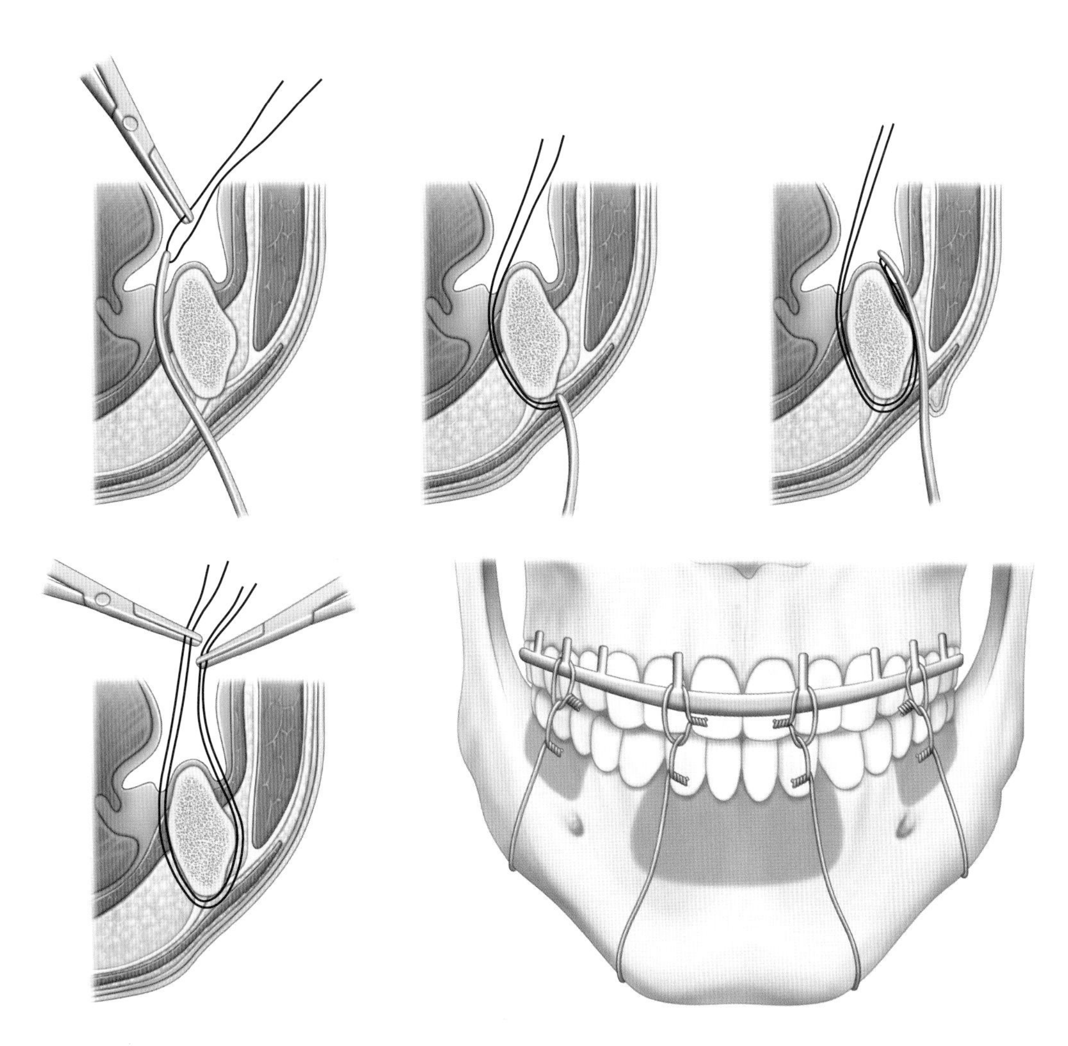

그림 7-53 하악주위결찰법의 과정과 완료된 모습.

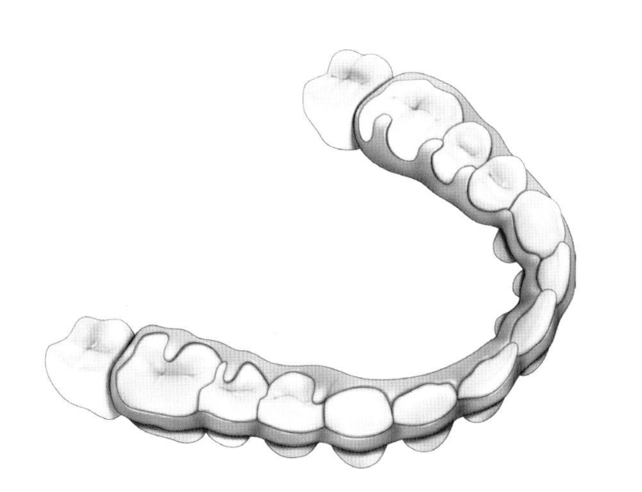

그림 7-54 주조금속 스플린트.

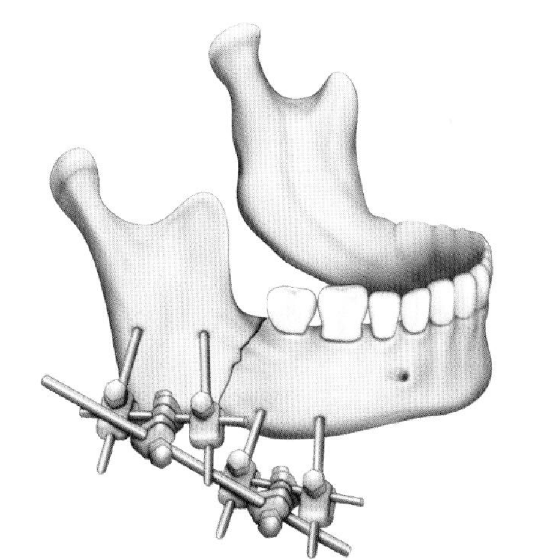

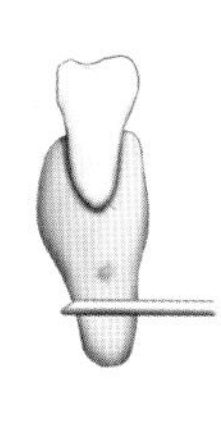

그림 7-55 악외 골격핀 고정방법.

추천된다. 복합골절이 있는 경우 수술 전후 항생제 투여로 적절한 감염조절을 시행한다.

⑤ **악간고정기간**(period of immobilization)

전통적으로 성인의 하악골절에 이용되는 악간고정 기간은 6주였다. 하지만 이 기간 동안 환자는 영양공급 상태 저하 등으로 인한 체중감소, 악관절에 조직학적 변화, 사회생활의 어려움 등을 일으킬 수 있다. 하악골절의 75%는 임상적으로 4주 이내 안정화되는 것으로 알려져 있으며, 골절의 양상에 따라 다양하지만 통상적으로 어린이 하악골절은 2–3주에 유합되고 성인에서 3–4주, 노인에서 6–8주가 되어야 유합된다.

다른 여러 가지 요소도 고려되어야 한다. 특히 알코올 중독자의 골절이나 영양결핍 환자, 정신사회적 장애를 가진 환자, 치료가 지연된 환자, 골절선상의 치아를 발치한 경우 추가적인 악간고정이 필요하다.

(2) **외과적 처치**(surgical therapy)

① **관혈적 정복술의 적응증**

- **비관혈적 정복술을 시행할 수 없을 때**

예를 들어 우각부 골절이 수평, 수직적으로 불리골절(unfavorable fracture)일 때 단순 악간고정만으로는 근원심 골편을 정확하게 제위치시킬 수 없다. 즉, 내익돌근이나 강력한 하악거상근의 영향으로 근심골편은 변위되어 단순 악간고정으로 제위치시킬 수 없어 이로 인하여 치유가 지연되고 하치조신경이 영구적으로 손상받는다. 따라서 구내나 구외접근으로 관혈적 정복과 직접고정을 행한다. 변위가 심한 하악 정중부주위(parasymphysis)의 골절 역시 상설골근과 악이복근의 당김 때문으로 이 부위를 악간고정만으로 치료할 때 골절부위가 내측으로 회전되면서 하악 골절편을 더 벌리는 경향이 있다. 이로 인해 상행지의 내측회전이 초래되어 부정교합을 유발하므로 관혈적 정복술을 시행한다.

- **하악과두골절과 타부위 하악골절의 동반**

과두골절 시 악관절 강직을 예방하기 위해 조기에 운동을 시켜야 한다. 특히 관절낭내에 골절이 있을 경우 강직증으로 이행될 가능성이 크므로 우각부, 정중부, 몸체부 등 타부위의 골절을 먼저 관혈적으로 정복 및 고정한 후 과두골절을 치료하면 기능회복을 앞당길 수 있다.

- **안면골 복합골절**

안면골 복합골절을 만족스럽게 정복시키려면 2개의 안정된 기준점을 필요로 한다. 여기에는 안정된 상안부 지지(supraorbital support)와 안정된 하악이 포함되며 이를 위해 관혈적 정복술이 필요하고 하악고정도 필요하다. 중안면골절이 동반된 양측성 과두하 골절의 경우 안정된 수직부피(vertical dimension)를 확립하기 위하여 관혈적 정복술이 추천된다.

- **내과적인 문제를 가진 환자**

특별한 내과질환이 있을 경우 악간 고정없이 관혈적 정복술을 이용하여 더 효과적으로 치료할 수 있다. 폐기능 감소 환자에게 악간고정을 이용하는 것은 위험하며 위장간질환자에게도 어려움이 따른다. 심한 간질환자나 정신적 문제를 가진 환자에서도 비관혈적 정복술로 악간고정을 시행하는 것보다 악간고정이 불필요한 관혈적 정복술을 시행하는 것이 좋다.

② **강선 골접합**(wire osteosynthesis)

골간결찰(inter–osseous wiring)은 단독 또는 다른 방법들과 병용하여 구내 또는 구외접근으로 장착될 수 있으나 최근 plate & screw system의 발달로 그 적용성이 떨어지고 있다(그림 7–56).

③ **구내접근법**

항생제가 존재하기 전, 하악골절을 관혈적으로 정복하는 것은 높은 감염률과 연관이 있었다. 항생제 도입 후 대부분의 임상의들은 골절부위에 대한 구강외 접근법을 사용하였다. 그러나 이 술식은 시간이 오래 걸리고, 눈으로 보이는 외과적 반흔을 만들며, 인접조직 특

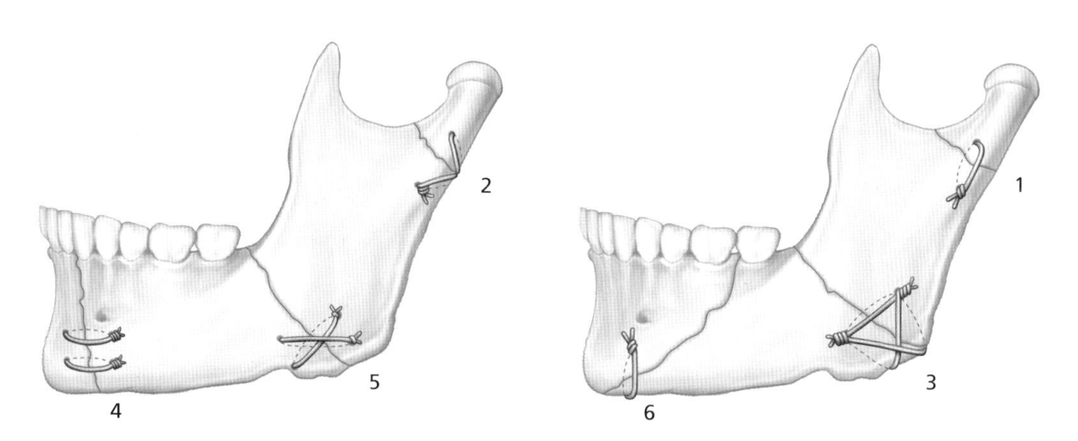

그림 7-56 골간 강선결찰의 다양한 방법들.
1: 단순결찰 2: 8자형 결찰 3: 단순형과 8자형 연합결찰 4: 이중결찰 5: 교차결찰 6: circumferential 결찰

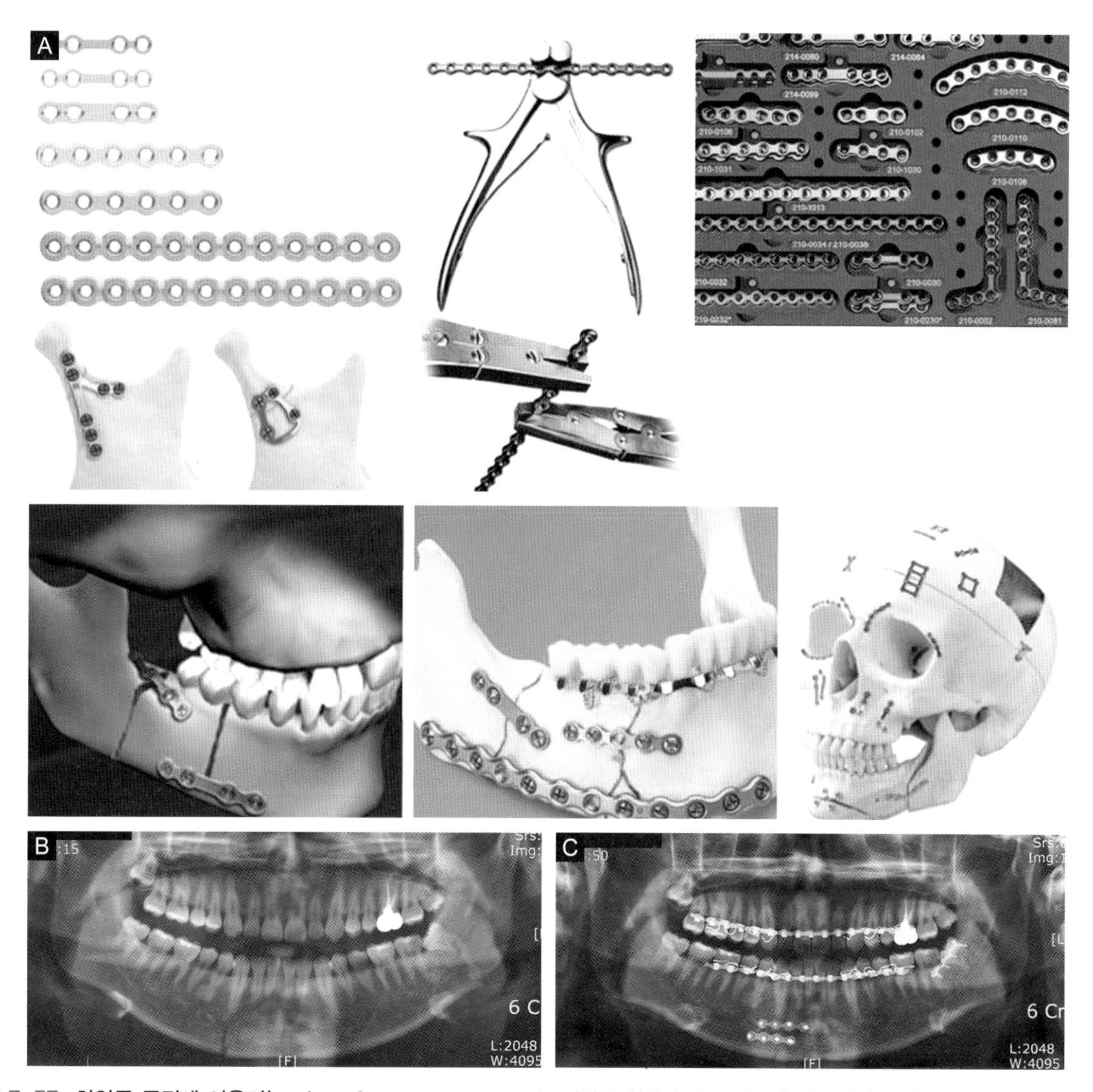

그림 7-57 하악골 골절에 이용되는 plate & screw system. A: 다양한 형태의 plate의 모습 B: 하악골 정중부 및 좌측 우각부 골절 모습 C: miniplate & screw system을 이용한 관혈적 정복술 및 골내고정술 모습.

히 안면신경을 손상시킬 수 있다. 구내 접근법은 더 빠른 시간에 실행되고, 구강외 반흔이 형성되지 않으며 안면신경을 손상시키지 않으며 술후 창상부 관리가 적게 요구되고 국소마취하에서도 이 술식을 실행할 수 있다. 하악골절의 구내접근법은 치아가 지지하고 있는 부위(하악정중부, 하악체, 우각부위)들의 골절치료에 유용하며, 내시경의 발달로 인해 선택적인 과두골절 증례에서도 이용된다.

④ 견고내고정(rigid internal fixation)

하악골절 치료방법으로서 장기간의 악간고정 대신에 악간고정이 거의 필요가 없고, 치유기간 중에 기능을 해도 움직임을 막을 수 있는 관혈적 정복술이 개발되었다. 장기간 악골들을 고정시키는 것의 단점들에는 환자가 공포, 불면, 사회적인 불편, 발음장애, 효과적인 작업시간의 소실, 육체적 불편감, 체중감소, 하악과두의 조직학적 변화, 정상적인 범위로 하악운동을 회복하는 어려움을 불평하는 것들이 포함된다. 이로 인해 일부의 임상의들은 견고내고정(rigid internal fixation)의 사용을 포함해서 다른 대체적인 치료방법을 찾게 되었다. 견고내고정은 안정적으로 골편들을 유지시키는 고정형태로서 골편들 사이에 어떠한 움직임도 일어날 수 없다. 이것의 사용은 일차적 골치유를 유도한다. 반면에 덜 견고한 고정으로는 종종 많은 가골형성을 동반하는 이차적 치유를 초래한다. 악안면 영역에서 견고내고정이라 할 수 있는 조건에 대해서는 많은 논란이 있으나 plate & screws를 사용하는 모든 시스템을 견고내고정이라 한다. 압박을 사용한 견고고정이 하악에 적용될 때 일차적 골치유를 야기시키는 것으로 알려져 있다. 1960년대 말부터 Luhr나 Spiessle 등에 의해 compression plate와 2.7 mm screw가 이용되기 시작했으며, 1973년에 Roland Schmoker에 의해 3차원적으로 구부릴 수 있는 AO/ASIF (association for the study of internal fixation) reconstruction bone plate가 개발되었다. 이러한 system의 장점으로는 일차적 골치유, 조기의 능동적이며 동통이 없는 기능, 악간고정 불필요, 많은 외상을 입은 환자에게서 기관절개 없이 안전한 기도의 확보, 사회복귀 시기의 단축, 입원기간의 감소 등이 있다. 하악골절에 있어 compression plate system의 중요한 단점으로는 구강외 접근법의 사용으로 인하여 안면에 반흔을 남기고, 수술부위에 따라서는 안면신경의 하악지에 손상을 줄 수 있으며, 매우 견고한 plate의 사용으로 'stress shielding' (비록 하악골절에서는 문제가 되지 않지만)을 야기시켜 plate 부위의 골이 약해질 수 있다는 점이다.

Plate fixation technique의 두 번째 group은 mono-cortical miniplate osteosynthesis로 Michelet 등에 의해 시술되었고, Champy 등에 의해 변형되어 널리 사용되게 된 방법이다. 이 술식은 하악이 부하를 받을 때 인장부하가 가해지는 juxta-alveolar area (치조골 근접부위)에 plate를 위치시키는 것이다(그림 7-57).

최근 하악골 골절에 대한 수술방법 및 기구, 재료가 발전되고 있다. 금속 plate & screws의 제거를 위한 이차수술을 피하는 방법으로 생체흡수성 재료가 견고내고정방법으로 이용되고 있다. 이의 적용을 위해서는 적절한 적응증 선택과 system에 대한 이해가 필요하다(그림 7-58).

그림 7-58 흡수성 재료를 이용한 관혈적 정복술 및 골내고정술 모습.

(3) 노인 환자에서의 처치(treatment of geriatric patient)

노인은 치아상실로 인해 치조골이 소실되어 하악이

약화되어 있다. 또한 골절환자에 있어 골의 소실은 접촉할 수 있는 골 단면적의 감소와 골절치유를 위해 필요한 골생성세포의 공급이 감소한다는 것을 의미한다. 노화현상 때문에 무치악의 하악은 대부분의 혈액공급을 하치조혈관이 아닌 골막으로부터 받게 된다.

치아가 부족하므로 무치악 환자에 있어 골절의 많은 비율은 복합골절 형태이다. 골이 약간 변위되었을 때는 의치의 장착과 탄력붕대를 이용한 악간고정으로 치유될 수도 있다.

노인 환자의 골다공증, 당뇨병, 스테로이드 치료 등과 같은 전신병력은 골치유에 직접적인 영향을 줄 수 있다. 60세 이상 연령층의 골절 발생빈도는 약 3.0%로 보고되고 있으며, 부위별 분포는 젊은 층에서와는 달리 하악체 골절이 높은 비율로 나타났다. 무치악골절의 치료, 특히 관혈적 정복술 증례에서 비견고 고정의 적용 시 20%의 유합결여(nonunion) 빈도를 보였다. 만족스런 치유를 얻기 위해서는 더 오랜 기간의 고정이 또한 필요한 것으로 나타났다.

해부학적 위치도 치료에 영향을 미친다. 만약 골절부위가 치아지지 부위의 후방부위라면, 근심골편을 조절하기 위해 부가적인 고정(예: external pin fixation) 또는 관혈적 정복술과 고정이 근심골편을 조절하기 위해 필요할 수 있다. 무치악에서의 근육견인력은 유치악의 하악에서 보다 상당히 약하기 때문에 무치악의 경우 변위되지 않은 골절은 종종 폐쇄성 손상(closed injury)이다. 따라서, 만약 골절편이 전위되지 않았거나 최소로 변위되고 움직이지 않는다면, 보존적인 치료만이 필요할 수 있다.

만약 골절편이 변위되었거나 많이 움직인다면 좀 더 확실한 치료가 필요할 것이다. 양측성 하악체 골절은 상설골근의 견인력이 이 골절을 하방으로 변위시키기 때문에 특별히 언급할 필요가 있다. 이러한 골절들은 주로 연필같이 얇게 위축된 하악(pencil-thin atrophic mandible)에서 일어난다. 견고내고정(rigid internal fixation)을 이용한 관혈적 정복술이나 여러 가지 비관혈적 정복술 등 다양한 치료방법이 제안되었다. 골편에 대한 불충분한 혈액공급의 위험 때문에 그러한 골절편들은 오히려 비관혈적 정복술로 잘 치료될 수 있다.

Biphasic technique에 의한 external pin fixation은 종종 무치악 골절에서 사용된다. 이 술식은 악간고정이 필요 없고 악골의 운동이 빠르며 어떤 환자에 있어서는 보다 향상된 음식섭취를 가능하게 한다. 또한 골절부위의 혈액공급을 위협하지 않으므로 분쇄골절이나 골이식 전에 골소실로 인해 초래된 공간을 유지하면서 연결할 수 있다.

4) 술후 합병증

(1) 유합지연(delayed union)과 유합결여(nonunion)

유합결여는 골이 치유될 수 있는 능력면에서 유합지연과 구별된다. 유합지연은 임시상태로서 적절한 정복과 고정으로 결국 골유합을 이룰 수 있다. 반면에 유합결여는 골절을 치유하기 위해 외과적 치료가 시행되지 않는다면 골이 치유되지 않는 상태가 지속될 수 있다.

유합결여는 치료 후 지속적인 통증, 부정교합, 골절선을 가로질러 동요가 나타날 수 있다. 방사선사진상 치유의 증거가 나타나지 않고 후에 골단부위가 둥글게 되는 것을 볼 수 있다. 유합지연과 유합결여는 골절의 약 3%에서 일어난다.

가장 흔한 이유는 부적절한 정복과 안정화(immobilization)이다. 이는 무치악골절에서 더 흔히 나타난다. 감염은 종종 잠재적인 원인이 되며 골절선부위의 모든 치아는 치근파절과 생활력검사를 조심스럽게 시행하여야 한다. 감소된 혈액공급은 치유의 지연을 야기할 수 있다. 골막이 과도하게 벗겨지면, 특히 분쇄골절과 무치악골절에서 치유지연이 나타날 수 있다. 대사장애와 알코올중독도 치유 지연에 중요한 기여인자가 된다. 이러한 환자들의 경우 신진대사와 비타민결핍, 특히 악간고정에 대한 비협조, 불량한 골질(bone quality), 국소혈류공급의 장애 등 관여인자가 될 수 있는 문제들을 가지고 있다. 이러한 환자들은 가능하면 비관혈적 정복술로 치료되어야 하는데 이는 합병증을 감소시킬 수 있기 때문이다.

유합지연과 유합결여의 치료목표는 문제점의 근원적인 원인을 제거하는 데 있다. 감염이 존재할 때는 부골의 제거, 배농, 항생제 치료로 처치되어야 한다. 강선과 강판 같은 골절고정용 재료는 제거를 고려할 수도 있지만, 우선은 골절부주위의 감염조직에 대한 적절한 배농술과 항생소염요법을 통해서 감염을 억제하면 골절부의 유합이 유도될 수도 있으므로 골간 강선이나 강판을 서둘러서 제거하는 것은 바람직하지 않다. 만약 골단 사이에 넓은 공간이 존재한다면 감염조절 후에 골이식 등이 필요하다.

(2) 감염(그림 7-59)

감염과 골수염은 가장 흔한 합병증이다. 잠재적인 원인 일부는 앞서 언급되었고 이들은 알콜중독이나 항생제를 사용하지 않는 것과 같은 전신적인 요소와 부적절한 정복 및 고정, 골절선상의 파절된 치아, 분쇄골절과 같은 국소적 요소로 나눌 수 있다. 대부분의 감염은 혼합되어 나타나며 α-hemolytic streptococcus와 bacteroides organisms이 가장 흔하게 발견되며 지속적인 감염이 존재하면 항생제감수성검사 등이 필요할 수 있다.

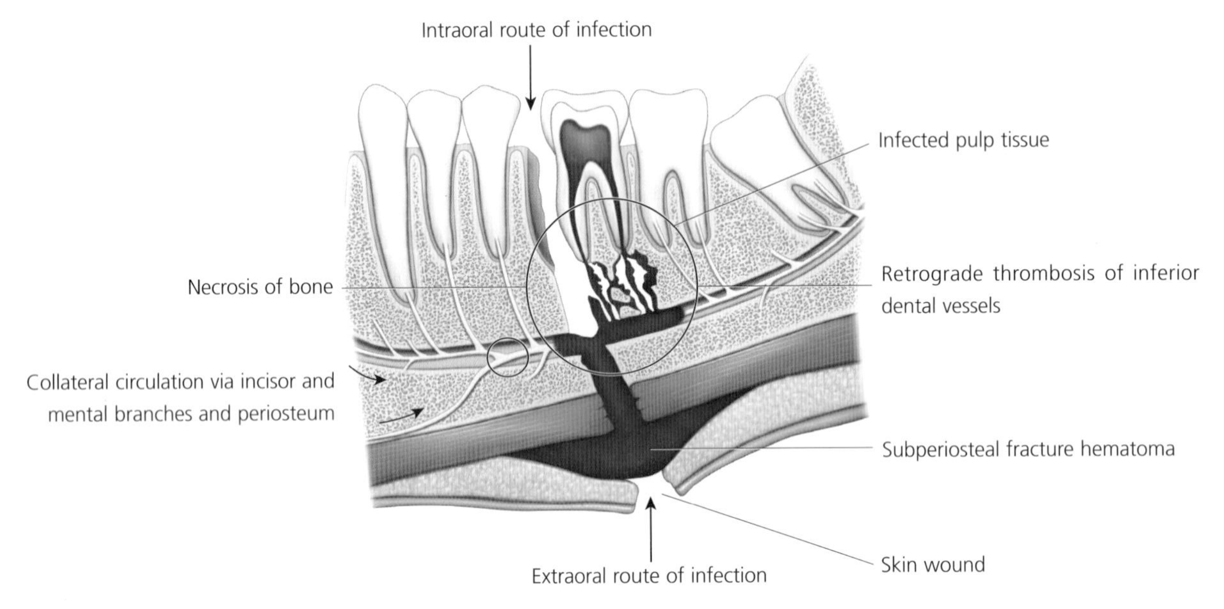

그림 7-59 **하악골절에서 감염의 원인들.**

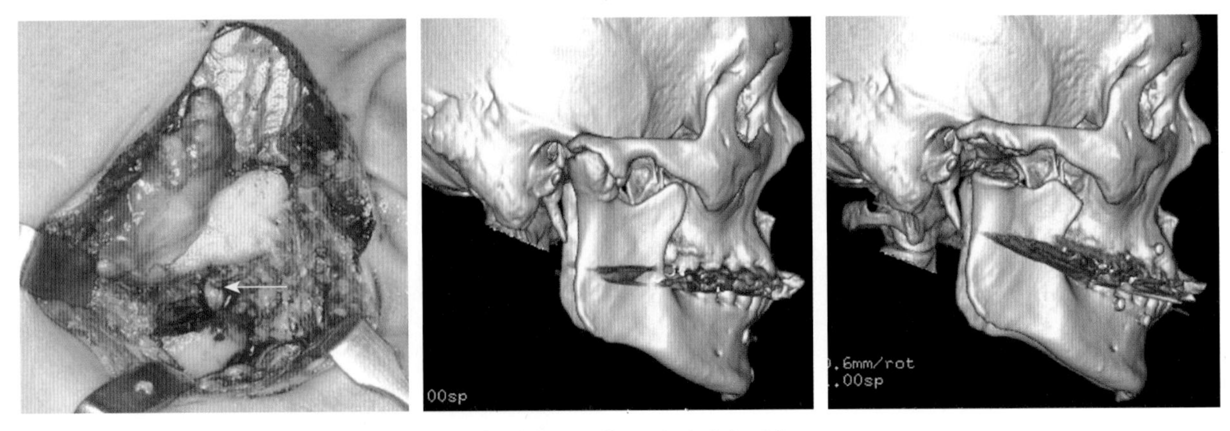

그림 7-60 **TMJ ankylosis 환자에서 관절성형술을 시행하고 있는 모습과 수술 전후 3D CT.**

(3) 부정유합(malunion)과 부정교합(malocclusion)

부정유합은 골절에서 골의 변위가 여전히 존재하는 상태의 골유합으로 정의될 수 있다. 종종 무치악환자의 하악지나 하악과두부의 부정유합은 임상적으로 발견할 수 없는 외모나 기능의 변화를 유발한다. 반면에, 악골의 유치악부위에서 나타난 경우 부정교합이 나타날 수 있다. 악간고정으로 치료된 환자에서의 부정교합은 초기 치유기간 시 더 오랜 기간의 악간고정, 선택적 치아삭제, 치열교정 또는 부정유합골의 재골절시행 후에 정상위치로 정복교정술을 시행하여 수정될 수 있다.

(4) 악관절 강직(TMJ ankylosis)

강직은 하악골절 시 드문 합병증이다. 어린이들에게서 좀 더 흔히 발생되며, 관절낭내 골절과 하악의 immobilization과 연관이 있다. 가장 일반적으로 받아들여지는 원인은 관절내 출혈로서 비정상적인 섬유화와 결국에는 유착을 야기하게 된다. 어린이들에서 치료되지 않은 채 내버려둔다면, 유착은 이환부위의 성장장애와 발육부전을 야기하게 된다. 어린이 환자는 예방이 치료보다 더 쉬우며, 단기간의 악간고정을 어린이에게 적용함으로써 이러한 합병증의 발생을 줄이는데 도움이 될 수 있다. 강직처치 방법은 측두하악관절성형술, 골유착부위의 광범위한 절개, 근돌기절제술 등의 외과적 방법, costochondral rib graft를 이용한 악관절재건술, 조기 그리고 지속적인 하악가동과 운동이 있다(그림 7-60).

(5) 신경손상(nerve injury)

하치조신경에 대한 외상성 손상은 하악체와 우각부에서의 변위된 골절에서 흔하다. 신경의 회복을 입증하는 연구는 거의 없다. Larson과 Nielsen은 연구된 환자 229명 중 8%에서 이 신경기능의 영구적인 장애를 보고했다. 신경기능의 회복은 신경에 대한 초기 외상의 정도, 하악골절의 적절한 정복과 고정에 따라 좌우된다. 드물게 삼차신경 하악지의 다른분지가 손상받을 수 있다. 이러한 신경으로는 교근신경, 이개측두신경(auriculotemporal nerve)(과두골절 시 흔함) 그리고 하악체와 우각부 골절 시의 구강내 열창과 관계있는 협신경과 설신경(buccal and lingual nerve)이 있다. 또한 드물게 하악각골절 시 안면신경의 분지들이 손상 받는다. 신경의 경로를 따라 열창이 존재하는 경우 이러한 신경손상은 더 흔히 나타난다.

3. 하악과두골절

하악과두골절은 전체 하악골절의 15-30%를 차지하며 장기적인 관리가 요구되는 등 다른 부위 골절치료와 다른 치료원리 때문에 과두 손상 시에는 특별한 주의가 필요하며 여기서 별도로 언급하고자 한다.

1) 해부학적 구조

하악과두는 관절와(glenoid fossa) 내에서 관절접합을 이루며 상방에는 상대적으로 얇은 골로 중뇌와 경계를 이루고, 후내측으로는 고막(tympanic membrane)이 있고, 후외측으로는 외이도벽이 존재하며 비록 관절낭(capsule)에 쌓여 있지만, 관절낭의 전내측이 상대적으로 약하여 골절 시 외측 익돌근의 견인방향과 같이 작용하여 과두의 전내방으로의 변위를 야기시키게 된다.

2) 골절 이외의 손상

하악과두의 외상 중 가장 흔히 보고되는 것은 골절이나 다른 손상도 역시 발생하며, 감별진단에서 고려되어야 한다.

(1) 삼출액과 출혈성 관절증 (effusion and hemarthrosis)(그림 7-61)

대부분의 경우 다양한 정도의 불편감과 함께 관절낭의 확장을 야기시키며 관절 내에 생성된 액체의 하방압력으로 인해 하악이 이환측 반대부위로 변위됨에 따라 안면비대칭과 부정교합이 나타난다.

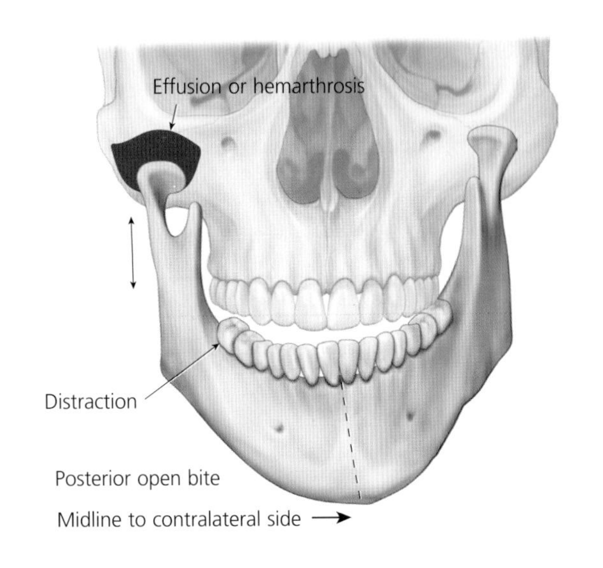

그림 7-61 삼출 및 출혈성 관절증.

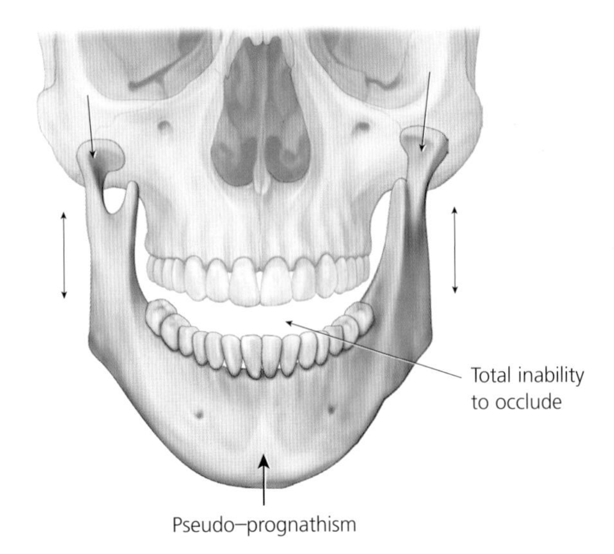

그림 7-62 과두 전방탈구.

삼출의 치료는 기능의 회복, 동통의 완화와 함께 원래의 교합을 회복하려는 데 목적이 있으며, 교합이 안정된 경우 긴밀한 관찰, 비스테로이드계 항염증성진통제(NSAID) 복용, 유동식 섭취를 통해 치료될 수 있다. 그러나 부정교합이 너무 심해서 악골의 도수조작 없이는 환자 스스로 안정된 교합을 얻지 못하는 경우라면 Ivy loop-wiring이나 아치바상에 탄력고무(elastic)를 사용하여 안정된 교합을 얻어야 한다. 삼출물 및 혈액의 제거를 위해 관절강내 주사침흡인(needle aspiration)이나 관절경 또는 두 가지 모두 사용될 수 있다. 치료방법에 상관없이 지나친 악간고정 시 기능장애가 생길 수 있으며 이러한 기능장애는 관절강내 혈액의 기질화(organization), 섬유화(fibrosis) 및 이로 인한 유착 때문으로 생각되고, 흡인이나 관절경을 이용한 세척은 유착을 완화시킬 수 있다. 관절의 기능제한 및 유착의 원인으로 출혈성 관절증보다는 지나친 악간고정으로 인해 관절내 섬유화(fibrosis)가 초래되어 관절의 운동능력이 감소되는 것에 더 많은 원인이 있을 것으로 생각된다.

(2) 관절강내 연조직 손상(intracapsular soft tissue injury)

외상으로 인하여 관절원판과 관련된 인대와 근육의 손상이 야기될 수 있으며 악관절내장증을 초래할 수 있다.

(3) 탈구(dislocation)

탈구는 과두의 이동으로 관절와를 벗어나 관절접합을 이루지 않는 것을 말하며, 과두골절과 동반될 때 골절탈구라 하며 전방, 후방, 측방 그리고 상방으로 일어날 수 있다.

① 과두의 전방탈구(그림 7-62)

전방탈구는 과두가 관절융기보다 전방으로 이동하는 것을 말하며 하품, phenothiazine 사용, 외상에 의해 가장 흔하게 발생된다. 환자는 정상적인 교합상태로 폐구할 수 없으며 대부분 양측성이나, 편측성일 수도 있으며 하악골절과 동반된 경우 하악은 반대편으로 변위된다. 단지 전방전위만 있는 경우 관절강내로 2 cc의 국소마취용 약 주입 후 정복을 시도하며 환자가 불안해할 경우 정맥진정요법과 함께 정복을 시도할 수 있다. 골절과 동반되어 변위된 골절편의 정복이 힘들 경우 근육이완제와 함께 전신마취하에 외과적 접근을 통하여 하방견인을 하면서 정복을 시도할 수 있다. 정복 후 3주간은 입을 크게 벌리지 못하도록 하며 하품할 때 턱 아래에 손을 갖다 대어 턱을 지지하도록 지시하며 수일간 비스테로이드계 항염증성 진통제와 함께 유동식을 섭취해야 한다. 반복적 탈구가 없다면 악간고정은 필요치 않으나 반복적 탈구인 경우 phenothiazine 등을 사용하는지 파악해야 한다.

② 과두의 후방탈구

하악의 후방 쪽으로 힘이 가해졌을 때 과두경부 골절이 발생되지 않을 경우 과두는 후방 탈구되어 종종 외이도 열창 및 골절로 인한 외이도 출혈을 동반하며 교합관계 고정 및 귀 손상의 처치가 필요하다.

③ 과두의 측방탈구

과두의 측방탈구는 항상 골절과 동반되며 과두를 귀의 전방부나 측두와 하방에서 촉진할 수 있어 진단은 비교적 쉽고, 탈구된 과두로 인한 뚜렷한 반대교합이 나타나게 되어 엄지로 치열을 잡고, 나머지 손가락으로 하악체를 잡아 정복시킬 수도 있으며 과두 골절편의 크기가 조작하기에 부적절한 경우 하악 우각부에 타올클립(towel clip) 또는 와이어를 장착하여 정복을 시도할 수 있고 골절의 정복 후에는 견고고정을 실시한다.

④ 과두의 상방탈구

하악과두가 골절 없이 중뇌와로 상방 탈구되는 것으로 충격 당시 입을 벌리고 있을 때 흔히 발생한다. 중안면 골절과 동반되어 얼굴의 수직고경을 감소시키고, 뇌좌상과 두개기저골 골절이 동반되어 안면신경마비와 난청이 나타나며, 심한 개구장애, 관절부위의 동통, 외이도 출혈, 혈고실, 이환부로의 턱의 변위를 야기한다. 지속적인 관찰, 과두부분절제술, 탄성견인, 과두절단술, 정복술 등을 포함한 다양한 치료방법이 있을 수 있으며 신경외과적 진단이 필요할 수 있다.

3) 과두골절

(1) 골절의 분류(그림 7-63)

하악과두 골절에 대해 많은 분류가 있으나 여기서는 린달(Lindahl) 방법에 따라 골절의 위치, 골절편과 하악의 위치관계, 과두와 하악관절와 사이의 관계에 따라 분류하였다.

① 골절의 위치에 따른 분류

a. 과두두부(head) 골절

과두가 좁아지기 시작하는 부위의 상방부위, 관절낭이 과두경부에까지 붙어 있는 관절낭 내측골절(intracapsular fracture).

b. 과두경부(neck) 골절

관절낭의 하방 부착부위로서 방사선학적으로 과두가 좁아지는 부위골절로 관절낭 외측골절(extracapsular fracture)로 외측익돌근의 과두 부착부 하방에 있다.

c. 과두하(subcondyle) 골절

과두경부 하방으로 하악절흔과 하악의 후연에 이르는 부위 골절.

② 골절편과 하악의 관계에 따른 분류

a. 무변위 골절(non-displaced): 골절은 있으나 해부학적으로 위치변화가 전혀 없는 선상골절.

b. 편위골절(deviated): 골절편 한부분이 휘어져 있으나 하악골 본체와 접촉을 유지하고 있는 것.

c. 변위골절(displacement): 골절된 과두가 하악골 본체와 분리되어 측방, 근심측, 전후방으로 이동되었으나 하악 관절와내에 존재하는 것.

③ 과두와 관절와의 관계에 따른 분류

골절된 과두부분이 하악 관절와를 벗어나는 경우이며 전방, 후방, 근심, 측방, 상방으로 탈구될 수 있으나, 가장 흔한 탈구방향은 외측익돌근의 견인방향인 전방 또는 전내방이다.

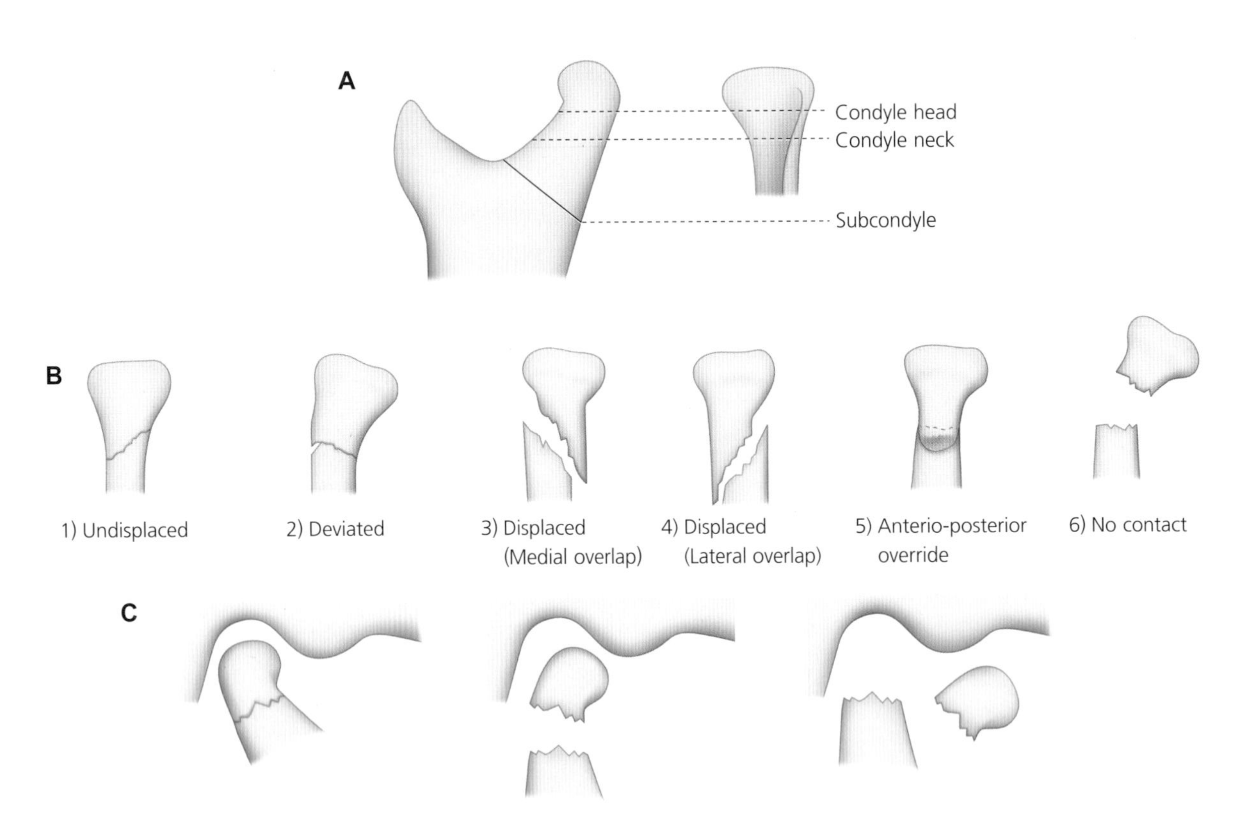

그림 7-63 **하악과두 골절의 분류.** A: 위치에 따른 과두골절의 분류 B: 골절편과 하악의 위치에 따른 분류 C: 과두와 하악관절와 사이의 관계에 따른 분류.

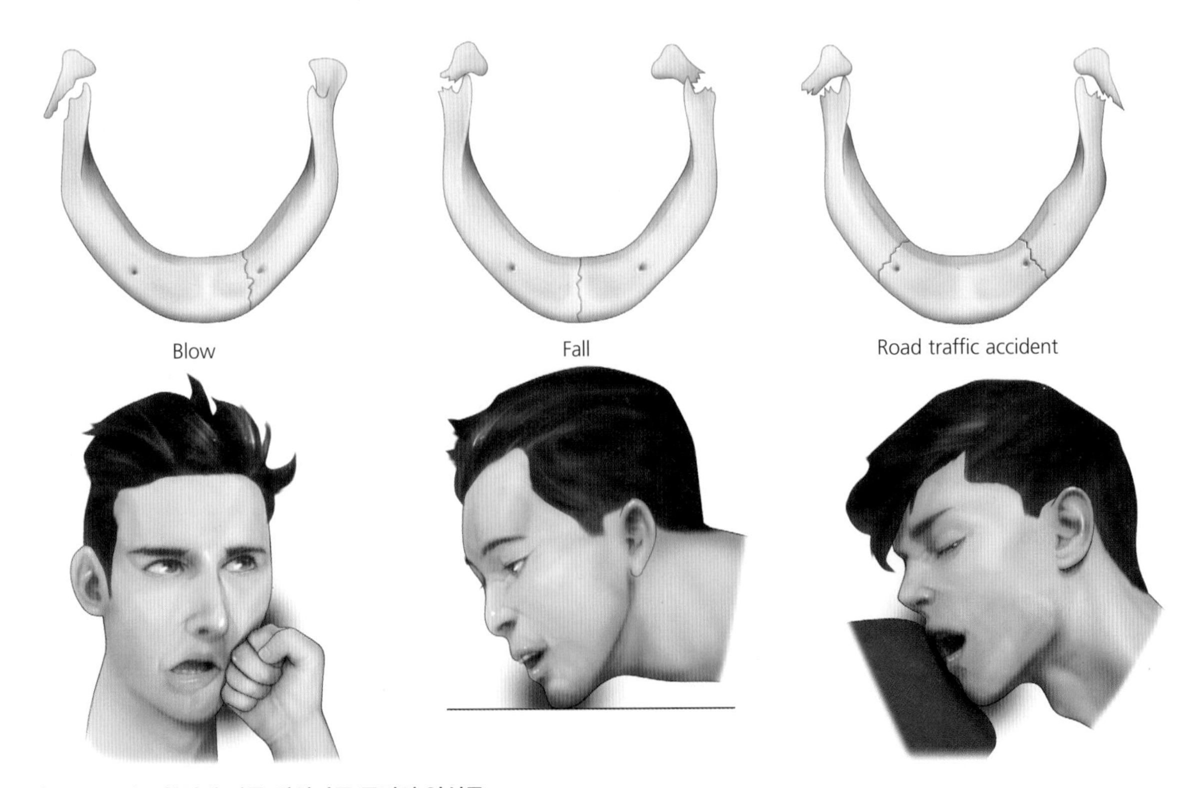

그림 7-64 **사고원인에 따른 하악과두 골절의 양상들.**

(2) 손상의 기전

골절의 종류와 변위 정도에 영향을 주는 요인으로는 외상의 성격, 정도, 방향, 충격받을 때 치아의 교합, 하악위치, 골절선, 근육의 영향, 연조직 등의 해부학적 고려사항 등이 있다.

① 생체역학적인 고려사항(그림 7-64)

Huelke와 Haiger는 다양한 크기와 방향의 힘을 하악에 가하여 야기된 골절에서 75% 이상이 인장하중을 받는 부위였으나 예외로 과두의 분쇄골절은 인장하중이 아닌 압축력에 의한 것이었다. 하악의 정중부 주변 골체부를 따라 힘이 가해질 때 압축하중은 협측을 따라 퍼져도 인장하중은 설측을 따라 발생하게 되며 이런 현상이 골절이 설측에서 시작되어 협측으로 퍼지도록 하고, 반대쪽 과두경부의 측방에 인장력이 발생되어 골절이 일어나게 된다. 더 큰 힘이 정중부 주변 –골체부에 가해지면 인장력이 반대쪽 과두경부에 발생되어 골절을 야기할 뿐 아니라 동측 과두돌기의 측면을 따라 인장과 구부러짐이 발생하여 양측과두에 골절이 일어나게 된다. 만약 정중부에 힘이 가해지게 되면 인장력이 하악정중부 설측뿐 아니라 과두경부와 하악체의 측면을 따라 발생하여 양측성 과두골절 및 정중부 골절이 야기된다.

② 교합 및 하악의 위치

최근의 연구에 의하면 모든 유형의 골절이 교합상태에 관계없이 발생되고 구치의 존재여부가 골절 빈도와는 상관관계가 없으나 매복 제3대구치 같은 특별한 치아는 과두골절의 빈도에 현저하게 영향을 미쳐 매복 제3대구치가 있는 경우 우각부 골절이 증가하고 과두골절 빈도는 감소되는 것으로 알려지고 있다. 또한 충격을 받을 당시의 하악의 개구상태가 골절유형에 영향을 미쳐 개구상태에서는 과두경부 골절이나 과두두부 골절이, 폐구상태에서는 과두하 골절이 호발하는 것으로 관찰되었다.

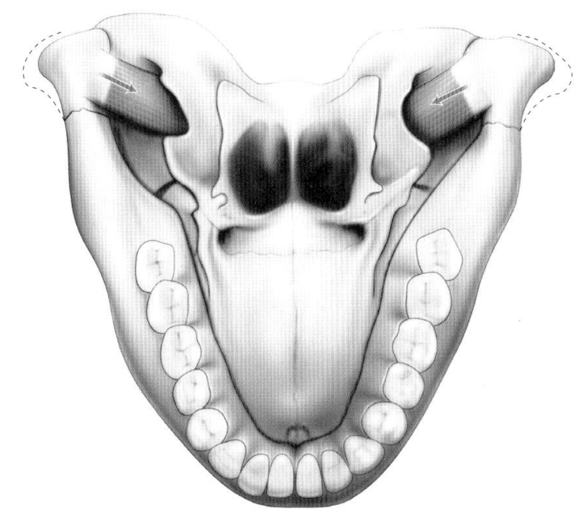

그림 7-65 하악과두 골절 후 과두에 부착된 외측익돌근의 작용방향.

③ 근육견인

과두부위의 골절이 발생하면 골절편은 저작근, 내측익돌근, 측두근에 의해 강하게 견인되며, 가장 흔하게 관찰되는 유형은 외측익돌근 부착부 하방에서 발생된 골절에 대하여 근육의 내, 하, 전방 견인으로 인해 과두가 전방 또는 전내방 변위되는 것이다(그림 7-65).

(3) 진단

과두골절의 진단은 철저한 임상적, 방사선적 평가를 통해 이루어져야 한다.

① 임상검사

하악과두 골절의 임상검사는 시진 및 촉진으로 구성되며, 전형적으로 골절측 하악지의 수직고경 상실로 인해 하악이 동측으로 이동하여 안면비대칭이 나타나고 개구 시 하악은 골절측 과두의 이동이 감소됨에 따라 골절측으로 하악의 편위가 발생한다. 외이도내 출혈과 탈구된 쪽의 귀전방부에 함몰이 나타난다. 촉진 시 염발음 및 압통이 있고 골절 전위된 경우 과두는 촉진되지 않을 수도 있으며, 부종이 심한 경우 촉진은 새끼손가락을 양쪽 외이도에 갖다 대고 환자에게 입을 최대한으로 개폐구하도록 시킨다. 특히 촉진 시 동통으로 인해 과두의 이동을 감지할 수 없을 경우는 과두 골절일 가능성이 높다. 가장 흔한 구강내 소견으로는 부정교합, 치아파절, 개구감소 등이며 후방구치부의 교합간섭과 함께 골절측으로의 교합 편위 및 반대편 개교합이 나타난다. 양측성 골절에서는 전치부 개교합과 양측성 구치부 조기접촉, 하악 후퇴증이 생기게 된다. 일차적으로 통증으로 인하여 자발적인 운동제한이 초래되며 외측익돌근이 골절편을 당기므로 하악골의 변위가 일어난다.

② 방사선검사

과두골절이 의심되면 파노라마, 전후방촬영법(anteroposterior view), 변형된 타운즈사진(modified Towne's view), 측사면촬영법(oblique lateral view) 등이 유용하다. 파노라마의 전형적인 소견으로는 짧아진 과두 –상행지 길이, 방사선불투과성의 골절선 또는 중첩된 방사선투과상, 교합 시 골절측의 조기접촉 등이며 변형된 타운즈사진을 통하여 과두의 내방, 측방 변위 및 불완전굴곡골절(greenstick fracture) 골절처럼 파노라마에서 보기 힘든 것을 볼 수 있다. 과두부의 변위 정도 및 위치를 정확히 확인하기 위해 CT가 가장 유용하다.

(4) 치료법

① 치료의 목적

- 안정된 교합상태
- 개구능력회복
- 하악전방, 측방 운동능력 회복
- 최소한의 변위
- 통증의 완화
- 악관절 내장증의 방지
- 성장장애 방지

치료의 목적에는 유착방지를 위한 조기운동 및 성장에 따른 변화의 장기적인 관찰까지 포함된다. 단지 해부학적인 골유합만을 일차적인 목적으로 보지 않으며 방사선사진상 훌륭하게 정복되었지만 동통이나 운동장애가 있는 것보다는 동통 없이 정상 기능하는 부정유합이나 섬유성 유합이 차라리 나을 수도 있다.

② 비관혈적 정복술

a. 적응증

- 임상적 증상이 발생되지 않는 최소 과두변위
- 불완전굴곡골절과 같은 골편간의 접촉상태가 좋을 때
- 개폐구 시 안정적이고 일정한 정상교합관계가 유지될 때
- 소아의 과두골절
- 관절강내 골절처럼 골편이 너무 작아서 고정이 불가능한 경우

b. 비관혈적 정복술의 방법

적응증이 확인되면 유동식이나 연식(soft diet)을 시행하되 교합안정 및 개폐구의 안정성을 확인한다. 교합불안정이 발생되면 즉시 아치바 등을 이용한 악간고정, 고무줄 등을 이용한 교합유도가 필요하다. 필요에 따라서 스플린트를 이용하여 교합 유도 및 안정이 필요할 수 있다. 고정기간이 너무 길게 되면 기능장애 및 악관절 유착을 유발할 수 있으므로 보통 3–4주간 고정하되 소아에서는 더 짧게 한다.

③ 관혈적 정복술

a. 적응증

- 절대적 적응증
  - i) 이차적 기능제한이 있는 중두개와로의 골절과 관절강내 이물 및 과두두부의 관절강외 편위
  - ii) 비관혈적 정복술로 정상교합 상태를 유도하지 못할 경우
- 상대적 적응증
  - i) 중안면부 분쇄골절에 대한 견고고정(rigid fixation)이 불가능한 경우의 양측성 과두골절
  - ii) 다음의 이유로 악간고정이 불가능할 때
    - 전신적 질환
    - 적절히 조절되지 않고 있는 간질

- 정신적 문제
- 심한 정신박약
- 두부 또는 흉부외상과 동반된 손상(기관절개술 가능 시는 제외)
- 심한 하악골 퇴축으로 스플린트나 의치를 장착하기 어려운 편위 골절

iii) 구치부 소실이나 과거 골절로 인한 부정교합이 이미 존재하여 적절한 교합을 찾기 어려운 양측성 골절

b. 관혈적 정복술의 방법

- **체내고정법:**
  - 구내접근법(intraoral)
  - 구외접근법: 악하접근법(submandibular), 후하악접근법(retromandibular), 전이개접근법(preauricular), 내이개접근법(endaural approach)
  - 내시경(endoscope)을 이용한 접근법
- **체외고정법:** 상행지절단술(ramus osteotomy) 후 변위된 과두와 더불어 체외고정 후 관절부위에 재위치시키는 경우로 술후 골편 흡수가 더 커질 수 있으므로 절대적 적응증을 동반한 심한 변위 시 적용될 수 있다.
- **고정방법:** plate & screw 시스템, Kirschner wire 등

과두골절에 대한 외과적 접근방법을 결정하는 데 있어서 가장 중요한 요소는 골절이 생긴 위치이며 과두 변위여부, 안면신경 등의 해부학적 구조물, 고정방법 등이 고려되어야 한다. 과두경부나 그 상방부위의 골절은 전이개접근법 등으로 접근하는 것이 좋으며 과두 하방부의 골절이나 하악지 상방에 이르는 골절은 후하악접근법이나 악하접근법을 사용하되 각각의 해부학적 중요 구조물 손상에 주의하여야 한다.

최근 내시경을 이용한 접근법은 내시경의 개발, 재료 및 기구발전 등으로 인해 하악과두골절 치료 시 유용하게 쓰이고 있다(그림 7-66).

④ 술후 관리

과두골절의 처치에 사용된 방법에 상관없이 합병증의 빠른 진단과 생리적 치료의 적절한 사용 및 적절한 환자교육은 필수적이다. 보통 고정기간은 2주 정도이며 교합조정 및 탄성고무를 이용한 고정을 할 수 있다. 단단한 악간고정을 3-4일 시행 후 탄성고무를 이용하여 정상교합을 유도한다. 변위골절이 된 성인의 경우 특히 양측성일 때, 탄성고무를 이용한 고정을 더 오랫동안 해야 한다. 악간고정의 제거 후 가능한 한 크게 입을 벌리도록 개구연습을 지도하며 일부 환자들은 처음에 치과의사가 강제적으로 rachet mouth prop이나 설압자 및 손을 사용해서 개구운동을 시킨다. 수술여부에 상관없이 과두골절 치료의 실패와 성공은 주의깊은 술후 관리에 달려 있다고 해도 과언이 아니다.

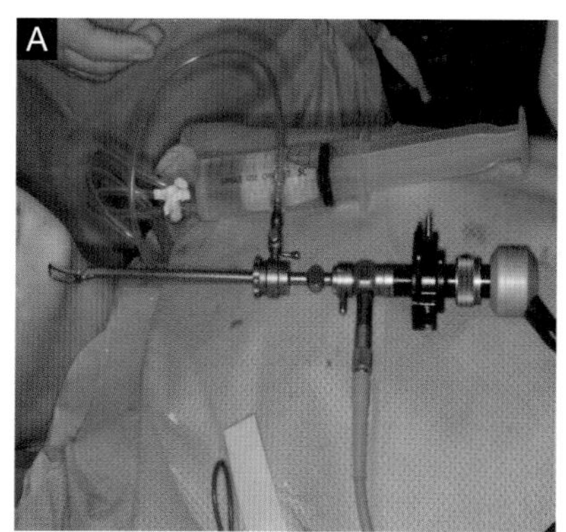

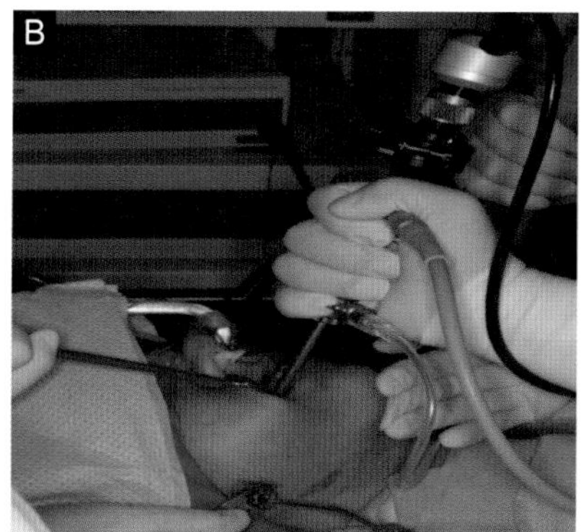

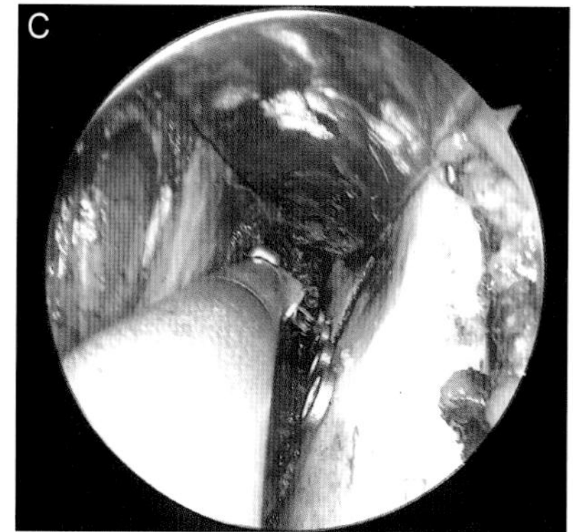

그림 7-66 **내시경(endoscope)을 이용하여 골절된 과두부에 접근하고 있는 모습.** A: 내시경 장비 B: 내시경을 이용하여 골절부위에 접근하는 모습 C: 골절부위에 금속판을 고정하는 모습.

(5) 과두골절의 합병증

① 초기합병증

과두가 골절과정에서 뒤쪽으로 힘을 받았을 때 고실판(tympanic plate)의 골절, 난청이 생길 수 있으며 외이도의 검사가 필요할 수도 있고, 두개기저골 골절이 동반된 경우 골절이 측두골의 추체부(petrous portion)로 퍼져 제7, 8번 뇌신경의 손상을 가져와 듣기가 어렵고, 안면신경의 마비, 그리고 Battle's sign이 나타날 수 있다. 만약 골절편이 측두하와(infratemporal fossa)에 들어갔다면 혈종의 형성, 가성동맥류(false aneurysm), 7번 뇌신경에 손상을 줄 수 있고, 삼차신경 하악지 역시 변위된 과두절편에 의해 손상받을 수 있으며 후에 미각의 발한과 다증(gustatory hyperhidrosis)이 일어날 수 있다.

② 후기합병증

a. 부정교합

부정교합이 생겨서 계속 유지된다면, 다른 원인에 의한 부정교합과 똑같이 치료하며, 교합조정, 교정치료, 악교정 수술에 의해 기능적 교합을 회복시킬 수 있다. 교합을 재형성하기 전에 관절의 재형성과 완전한 치유를 위해 장기간(6–12개월) 경과를 관찰하며 조정을 해야 한다.

b. 성장장애

과두손상에 의한 성장장애는 과두에 대한 직접손상의 결과이거나, 주위조직의 반흔이나 섬유화에

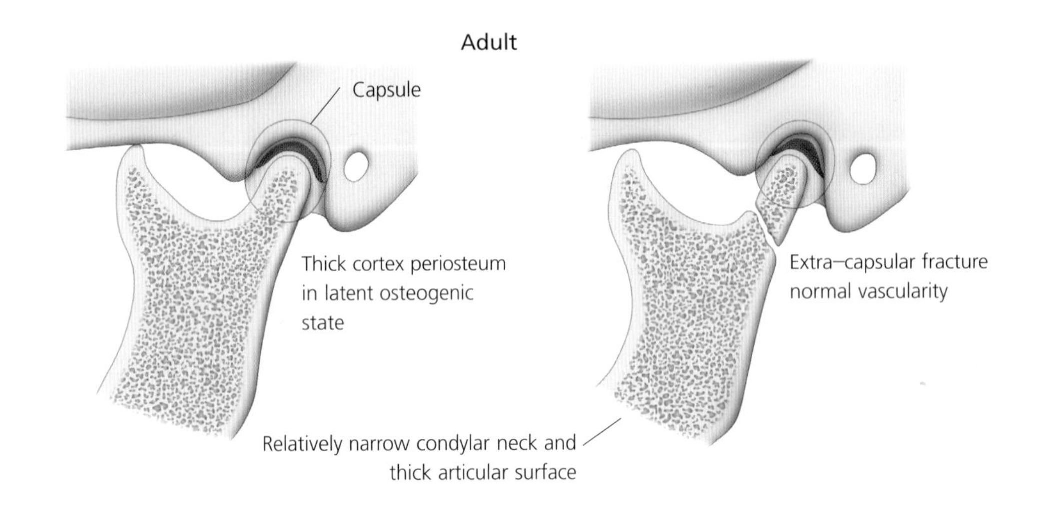

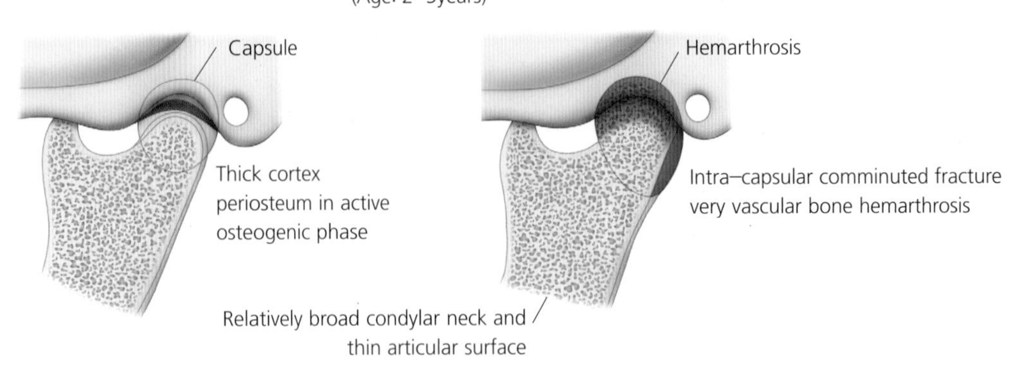

그림 7-67 하악과두의 형태, 혈행분포, 골형성 능력에 대한 성인과 소아의 차이점으로 인해 성인에서는 골절이 소아에서는 혈관절증(hemarthrosis)이 많이 발생한다.

의해 이차적으로 일어날 수 있으며 손상을 받을 당시의 나이에 따라서 성장장애가 다르게 나타날 수 있는데, 소아에서 성장에 대한 더 큰 장애가 예상된다. 그러나 소아에서는 성장기 동안 빠른 성장을 여러 번 겪고 다른 요인의 영향 등으로 종종 완벽하게 과두의 재형성이 일어나고 12살 이하에서는 더 나은 성장이 일어나기도 한다. 최근 과두연골부가 성장중심(growth center)으로 여겨지던 개념은 재형성(remodeling)으로 작용한다는 이론으로 바뀌고 있으며 보상적인 성장이 이루어지기 위해서는 치유가 일어나는 몇 주뿐만 아니라 골의 재형성과 보상적인 성장을 하는 수개월 동안 정상적인 교합을 유지해 주는 것이 중요하고 적절한 환자교육과 수년 동안 장기 관찰이 소아과두골절에서는 필수적이다.

c. 악관절 내장증

관절 동통, 개구 시 변위, 관절잡음 등은 과두골절 환자에서 흔히 발생되며, 성인에서 주로 생긴다. 주로 두 가지 유형이 있는데 첫 번째 유형은 관혈적 정복술 후 관절내 연조직 손상 때문이고, 다른 유형은 반대측 관절이 과도하게 움직여 관절원판의 전방전위를 초래하게 되는 것으로 이를 condylar post-fracture syndrome이라 한다.

d. 악관절 유착증

어른에서 악관절 내장증이 주로 발생하는 반면 악관절 유착은 소아에서 잘 발생하여, 골절의 위치와 종류, 손상받은 당시의 나이, 악간고정기간, 관절원판의 손상 등에 영향을 받고, 관절낭내 골절이 유착을 더 잘 유발하며 손상 후 과두의 골절편과 관절와의 관계 또한 원인이 된다. 골절의 위치 요소 외에도 소아에 있어 과두는 피질골이 얇고 과두 경부가 넓으므로 골절되기보다는 붕괴되기 쉽고, subarticular layer는 혈액공급이 풍부하여 이런 해부학적 차이에 의해 압궤손상(crush injury)이 많다(그림 7-67). 이것은 관절강 내로 혈액공급이 잘된 골형성 물질을 채우게 되어 이것이 유착을 유발한다. 이런 이론은 10세 전에 유착이 잘 일어난다는 사실을 뒷받침해주며 악간고정기간 역시 직접적 원인은 아닐지라도, 유착에 많은 영향을 준다. 관절원판의 위치와 상태도 유착된 부위에서는 관절원판을 찾을 수 없으므로 유착에 영향을 주는 것으로 생각되며, 관절 자체 내에 골유합 및 섬유성 유합에 의한 진성유착(true ankylosis)과 함께 연조직 손상에 의한 섬유화나 반흔형성 등에 의해 가성유착(pseudoankylosis)도 유발될 수 있다.

요약하면 10세 이하, 관절낭내 골절과 골절편이 변위된 경우, 복합 분쇄골절된 경우, 근돌기와 관골골절이 동반되었을 때 유착이 잘 일어나며, 짧은 고정기간, 술후 물리치료와 장기관찰 등이 예방책이라 하겠다.

4. 중안면골 골절

1) 상악골 골절

(1) 원인

상악골 골절은 다른 안면부의 골절과 마찬가지로 교통사고로 인한 골절이 많은 부분을 차지하고 있으며, 20대와 30대 남성 환자에서 높은 빈도로 발생하고 있다. 상악골은 해부학적 특성상 심미적인 면뿐만 아니라 기능적인 면에서도 중요한 역할을 하므로 상악골 골절이 있는 환자는 주의 깊은 진단과 치료가 필요하다.

(2) 상악골의 해부학적 위치

적절한 진단과 치료를 위해서 상악골의 해부학적 위치를 파악하는 것은 술자에게 있어서 필수적이라고 할 수 있다.

상악골은 2개로 이루어져 있으며 서로 중앙부에서 만나 봉합선을 이루고 있다. 주위의 인접골로는 상방의 관골, 중앙부의 비골, 비중격, 구개골, 그리고 하방에는 치아가 식립되어 있다. 상악골은 5면으로 구성된 피라미드 형태이다. 전방부는 상방에서 하방으로 경사를 이루면서 그 중앙부에는 전비극을 이루고 있다. 외측면 부위는 관골과 연결되어 있으며, 측두하와(infratemporal fossa)와 협측전정(buccal vestibule)을 이루고 있다. 내측면 부위는 정중봉합을 이루고 있고, 하방부는 구개면에 치아를 함유하고 있다. 상악골은 상악동을 포함하며, 이 상악동은 34.0×33.0×25.0 mm³의 공간으로서 이것은 상악골을 상대적으로 약화시키는 역할도 하고 있다. 상악골에는 하중을 많이 받으면서도 교합력을 두개골로 전달하는 부위가 있다. 상악골에서 상대적으로 두꺼운 피질골로 구성되어 비교적 강한 하중을 견딜 수 있는 부위로는 관골버팀대(zygomatic buttress), 구개버팀대(palatal buttresss), 외측상악골버팀대(maxillar buttress)들이다.

구개골은 L자 형태이며 상악골 하후방에서 반대쪽 구개골과 만나고 있다. 상악골의 혈류공급은 대, 소구개동맥, 절치동맥, 골막으로부터 공급되며, 상악골에는 하안와관이 있어 하안와동맥, 상악신경이 주행하고 있다. 누비관(nasolacriaml duct)이 하비갑개 하방에서 비강으로 개구하고 있고, 상악동은 중비갑개 하방에서 상악동개구(maxillary ostium)로 비강과 교통하고 있다.

(3) 역사적 고찰

상악골 골절에 대한 기록은 기원전 2500년에 Smith papyrus에 의해 처음 보고되었다. 수많은 사람들이 상악골 골절에 대해 보고하고 있는데, 1822년 Reiche는 그의 저서 'De Maxillae Superioris Fractura'에서 상악골 골절에 대해 자세하게 저술하였고, 1823년 Corl Ferdinanal van Graefe는 상악골 골절의 치료를 위해 두부고정장치를 사용하였다.

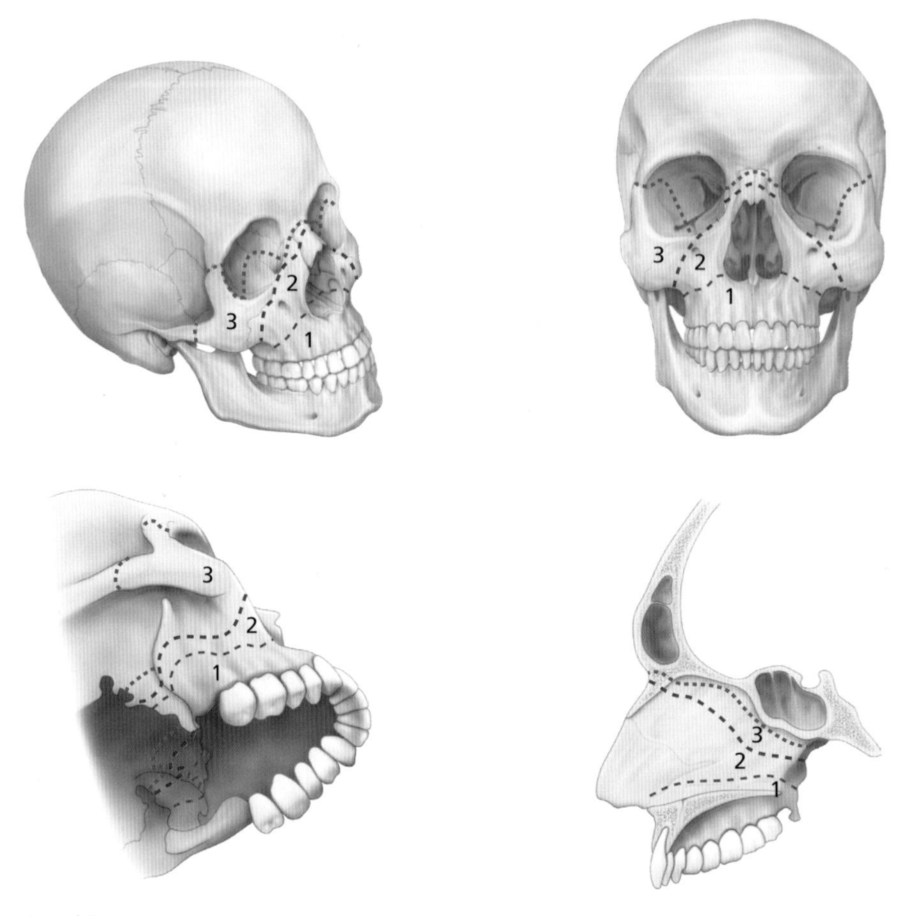

그림 7-68 상악골의 골절들.

1: Le Fort Ⅰ(Horizontal 골절) **2:** Le Fort Ⅱ (pyramidal 골절) **3:** Le Fort Ⅲ(craniofacial disjunction)

이후 구외고정장치, 구내고정장치 등을 이용하는 술식이 발전되어 왔고, 최근에는 관혈적 정복술을 통한 금속판고정술이 주로 시행되고 있다.

1901년 Le Fort는 32구의 사체를 연구하여 상악골에 수직적, 수평적으로 버팀대가 되는 부분이 있는 것을 발견하였고, 상대적으로 골절이 잘 되는 부위를 판별하였는데 이러한 부위는 손상을 안면골에 제한하여 두개골로 전달되는 것을 막을 수 있다. 이것을 3가지로 분류하여 Le Fort 분류라 하였다(그림 7-68).

(4) Le Fort 분류

① Le Fort I

상악골의 하측방 부위, 비중격의 하방 1/3을 지나는 수평적 골절로 상악골과 구개골을 분리시킨다.

② Le Fort II

비골, 상악골, 구개골, 비중격, 익돌판, 치조골을 포함하며, Le Fort I 골절이 수평적 골절인 반면에 Le Fort II 골절은 피라미드 형태이다. 골절선은 비골을 가로 지르면서 비골 -전두골 봉합선, 안와의 내측 1/3, 관골-상악골 봉합선, 익돌판을 지나는 것으로서 양측으로 발생한다.

③ Le Fort III

Le Fort III 골절은 비골, 관골, 상악골, 구개골, 익돌판을 포함한다. 이것은 안면골을 두개골과 분리시키는 골절이다. 골절선은 비골-전두골 봉합선, 상안와 봉합선, 안와의 외측부, 관골-전두부 봉합선을 지난다. 후방으로 접형골까지 이르러 익돌판을 분리시킨다.

④ 복합골절

위에서 언급한 Le Fort I, II, III 골절은 단독으로 발생할 수도 있으나 서로 연관되어 발생할 수도 있는데, 좌우측이 단독으로 Le Fort I, II, III 골절이 발생할 수 있으며, 좌우측이 서로 다르게 발생할 수도 있다.

⑤ 시상/수직골절(sagittal fracture, vertical fracture)

수직방향으로 상악이 골절되었을 때 이를 시상골절 혹은 수직골절이라고 한다.

(5) 진단

① 병력

환자를 처음 대할 때, 검사할 수 있는 것은 손상의 경위에 대한 것이다. 손상의 경위, 부위, 장소뿐만 아니라 환자가 가지고 있는 만성질환 등도 알아보도록 한다.

② 임상검사

의사는 먼저 환자를 전체적으로 검사해야 한다. 얼굴의 좌상, 찰과상, 출혈, 종창 등이 있는지 검사하고 기록해둔다. 눈 주위의 종창이나, 반상출혈 등이 있는지 검사한다. 비출혈이 있는 경우는 뇌척수액과 감별하도록 하는 것이 중요하다. 환자의 활력징후와 의식상태를 알아봄으로써 응급사태에 대처할 수 있고, 손상의 심각성, 합병증 및 후유증도 어느 정도 예상할 수 있다. 환자가 의식이 있는 경우는 개구상태를 알아보도록 하고, 엄지손가락과 검지손가락을 이용하여 치조골부위를 잡고 흔들어 본다. 다음에 비골부위를 촉진하고 비골부위를 전체적으로 관찰하여 종창, 변위 등이 있는지 관찰한다. 다음에 양손가락을 이용하여 안와연, 관골-상악골 봉합선 부위를 촉진한다. 눈금 있는 자를 이용하여 안와각 사이의 거리를 측정하여 양안격리증이 있는지 검사한다. 성인남자에 있어서 평균 양안거리는 28.6-33.0 mm이다.

상악골절의 또 다른 특징은 부정교합이다. 골절된 상악이 후하방으로 변위되어 전치부 개교합을 초래할 수 있으며 구치부 조기접촉(premature contact)이 야기된다.

③ 방사선검사

기본적으로 전산화단층촬영(CT)을 시행하여 진단한다. Waters' view, Skull PA 등과 같은 단순 X-ray 촬영도 상악골 골절을 진단하는 데 도움이 되지만, 복합 골절 또는 분쇄골절이 있는 경우는 단순 X-ray로는 판독이 어려워 CT가 유용하다. 일반적으로 손상을 받은 지 1시간 내지 5일 이내에서 X-ray 촬영을 하는 것이 진단에 도움이 된다.

(6) 치료

① 술전 관리

먼저 관심을 가져야 할 부분은 환자의 기도확보와 출혈조절이다. 환자의 구강내를 깨끗이 하여 기도를 확보하고 출혈되는 부분이 있는지 검사하도록 한다. 연조직 손상이 있는 경우는 일차봉합 및 소독을 해준다. 혈관내 항생제를 투여해 주는데, 페니실린 계통이 먼저 선택되는 약이다. 수액, 영양공급, 전해질 공급을 해준다.

② 수술방법

a. 비관혈적 정복술

상악골 골절에 대한 비관혈적 정복술은 수세기 동안 성공적으로 시행되어 왔다. 이 방법은 스테인레스강, Erich arch bar를 현재의 교합에 맞게 고정한 후 가는 철사로 하악골의 치아와 교합이 일치하도록 하여 상하악골을 고정시키는 것이다. 만약에 상악골이 움직이지 않는다면 Rowe forceps을 이용하도록 한다.

b. 관혈적 정복술

비관혈적 정복술로서 골절편의 정복과 고정을 달성할 수 없어서 안모추형과 교합기능에 장애가 있다면 관혈적 정복술을 고려해야 한다.

c. 견고고정(rigid fixation)

최근에 대부분의 골절은 관혈적 정복술과 금속판 고정술을 사용하고 있다. 상악골에 대한 견고고정은 전정절개(vestibular incision)를 시행하고 난 후 골절선을 인지하고 골절편을 올바른 위치에 정복시킨 후 금속판을 외형에 맞게 위치시키고 나사를 이용하여 고정시킨다(그림 7-69).

- 외과용 부목(surgical splint)의 이용

  골절선이 다발성으로 발생하는 경우는 외과용 부목(surgical splint)이 필요하다. 이러한 부목이 치아의 교합면을 덮도록 위치시키고 고정시켜 주도록 한다. 만약에 무치악 환자라면 이미 사용하고 있는 틀니를 사용할 수도 있고, Gunning type의 부목을 사용할 수도 있다.

d. 구외고정장치의 이용

구외고정장치는 상악골 골절이 하악과두 골절과 동반된 경우로, 관혈적 정복술이 힘든 경우나 수직 고경 상실, 또는 전방 재위치가 필요한 경우 시행될 수있다. 구외고정장치는 지금껏 여러 가지 방법과 장치물들이 사용되어 왔는데, Tennessete head frame이 가장 많이 사용되고 있다. Steinman pin 또는 Kirschner's wire는 상악골을 직접적으로 관통시켜 정복시킬 수 있는 것으로서 구내 부목부위와 연결하여 사용된다.

③ 술후 관리

수술 후에는 수술에 대한 평가와 재건에 대한 평가가 이루어져야 한다. 임상적으로 안모의 대칭성, 교합 안정성, 정복의 적정성에 대해 검사해야 한다. Waters' view, 두부측방사진 등으로 해부학적으로 적절하게 정

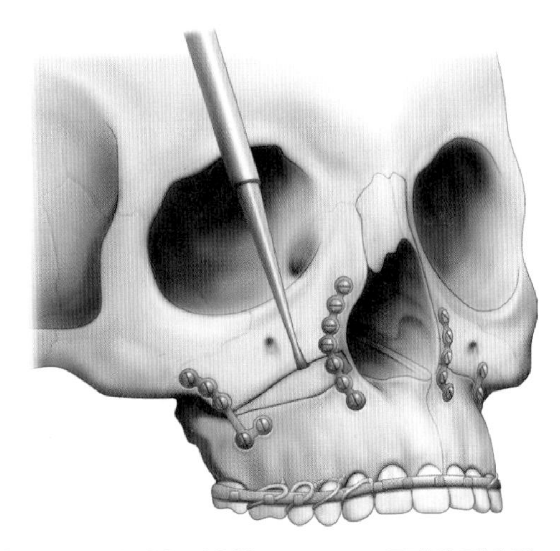

그림 7-69 금속판을 이용한 Le Fort Ⅰ 골절의 정복 및 고정.

복되었는지 검사한다. 그리고 환자의 전반적인 건강상태, 전해질, 영양상태, 호흡도 관리한다.

(7) 특별히 고려해야 할 사항

① 뇌척수액 유출(cerebrospinal fluid leakage)

일반적으로 뇌척수액은 Le Fort II나 Le Fort III 골절에서 귀나 코를 통해 배출될 수 있다. 귀에서는 고막이 찢어지거나 불룩하면 두개기저부 골절로 인한 뇌척수액의 배출을 의심할 수 있다. 코에서는 흔히 피와 섞여 나오는데, 이 경우 유출액을 손수건에 묻혔을 때 'bull's eye' ring이 나타나는 것으로 감별한다. 뇌척수액 유출은 보통 24시간 내지 72시간 이내에 멈추게 되지만, 신경학적으로 환자가 안정하다면 가능한 조기에 골절을 수복해줌으로써 이러한 뇌척수액의 유출을 줄일 수 있다. 만약 72시간 이후에도 계속 배출된다면, 신경외과 의사와 협의해야 하며, 두부의 관혈적 수술이 필요한 경우가 많다. 뇌척수액 유출 시 수막염(meningitis)을 예방하기 위하여 항생제를 예방적으로 투여하기도 하나, 예방적 항생제 투여가 수막염 발생 확률을 줄이지 못하였다는 보고와 항생제 투여 5일 후에 비인두에서 내성균이 검출된다는 보고도 있어 예방적 항생제 투여는 아직까지 논란의 여지가 있다.

② 양안격리증(telecanthus)

양안격리증이 있는 경우는 관혈적 정복술을 이용하여 수복해 주도록 한다. 이 방법은 달걀모양의 고정판을 이용하는데 바늘을 고정판을 관통하여 양쪽의 내측안와인대를 연결하고 상악골의 전두골 돌기, 비골, 비중격, 피부를 관통하여 철사로 연결하고, 철사를 잡아당겨 내측 안와인대근을 정상적인 위치로 고정시킨 다음, 철사의 끝 부위를 꼬아서 고정시키는 것이다. 그리고 철사와 고정판을 1달 후에 제거한다.

③ 노인 환자

노인 환자들은 전신마취에 따른 합병증이 생길 수 있으므로 술전에 병력청취를 정확하게 해주어야 한다. 술자는 골절의 정도와 변위정도를 파악하여 병력과 함께 수술의 필요성에 대해서 검사해 보아야 한다. 노인들은 해부학적으로 혈류공급이 떨어지고, 치조골이 작다. 무치악 환자의 경우 Gunning type의 스플린트를 이용하여 앞에서 기술한 방법과 동일하게 시행해준다.

④ 소아 환자

소아 환자의 골절은 불완전골절이 많다. 고정할 경우는 유치의 형태와 영구치배의 위치를 고려하여야 하며, 수술방법은 성인의 경우와 다를 바 없다.

(8) 합병증

술전이나 술후에 감염에 대한 예방은 확실히 해두도록 한다. 술후에도 계속적인 출혈, 종창 등이 있을 수 있으며 이로 인해 항상 감염의 소지가 있다. 종창이 심할 경우는 술중에 판단하여 배농이 필요할 수도 있다. 사골, 접형골, 전두골 등도 상악골과 마찬가지로 동(sinus)을 가지고 있으므로 급성염증(acute sinusitis)이 발생할 수 있다. 가장 중요한 합병증 중의 하나가 부정유합(malunion), 불완전 유합결여(nonunion)이다. 이것은 적절한 위치로 정복되지 않았거나 혈류공급이 적절하지 못한 경우, 감염, 영양부족 등에 의해 생긴다. 유루증(epiphora)이 생길 수 있는데, 이것은 발견 즉시 수복해 주도록 한다.

2) 상악골-관골 복합체 골절 (Zygomaticomaxillary fracture)

관골은 전두골, 접형골, 측두골, 상악골과 접하며 중안면의 견고성을 유지하고 중안면의 돌출부를 형성하므로 쉽게 손상받는다. 관골궁이나 관골이 손상받으면, 주위골과 분리되는데 이것을 상악골-관골 복합체(zygomaticomaxillary complex, ZMC) 골절이라고 한다.

(1) 해부학적 구조

관골은 전두부, 측두부, 안와부, 버팀대 4개의 돌출

전두골 봉합, 관골-측두골 봉합, 관골-상악골 봉합, 관골-접형골 봉합을 이루고 있다. 또한 관골궁의 골절은 세 군데에서 골절선이 나타날 수 있는데 M자 또는 V자 형태로 골절이 발생한다.

관골을 지배하는 감각신경은 삼차신경의 제2분지로, 안와하신경이 안와저를 지나며 하안와관 내에서 분지한다.

(2) 병력청취

먼저 타격의 양, 방향 등을 알아보는 것이 필요하다. 측방력에 의한 손상은 관골궁의 골절 또는 관골을 상방이나 하방으로 이동시키고 전방부에 발생하는 타격에 의한 손상은 관골의 후방, 하방 이동을 야기한다.

(3) 임상검사(그림 7-70)

관골-상악골 골절은 동통, 눈 주위의 종창, 반상출혈 등이 가장 많이 나타나고, 뺨 주위의 감각이상(numbness)도 발생할 수 있다. 관골돌출부, 안와하연 부위의 압흔은 뺨을 편평하게 만든다. 관골-전두골 봉합선 부위부터 시작하여 안와를 360°로 촉진해 본다. 이때 동통이나 결손부가 느껴진다면 골절이 있다는 것을 의미한다. 관골궁 내로 하악골의 오훼돌기가 끼어 있는지 검사하기 위해 개구운동을 시켜본다. 다음에는 눈 검사를 한다. 시력, 동공반사, 동공운동, 동공의 위치를 검사한다. 안와저나 안와의 내외측 골절이 있는 경우는 안구운동이 제한되거나 안구함몰증이 나타난다. 만일 동공반사가 소실되거나 안검하수증이 있다면 신경이 손상된 증거이다.

(4) 방사선검사

관골-상악골 복합체 골절의 진단에는 병력검사, 임상검사와 더불어 방사선검사가 필요하다.

① Waters' view

관골-상악골 복합체 골절에 중요한 방사선검사의 하나로 머리를 수평선에 대해 27° 각도로 들어 후전방에서 방사선을 조사한다. 이 방법으로 상악동, 안와의 외측벽, 안와하연 부위를 검사할 수 있다.

② Caldwell's view

이 방법은 머리를 카세트에 15° 각도로 기울여 후전방에서 방사선을 조사하는 것이다. 전두동, 사골동, 비와 및 안와 주위를 관찰하는 데 이용된다.

③ Submentovertex view

이 방법은 악하부에서 두부전정으로 직접적으로 방사선을 조사하는 것이다. 이것은 관골궁과 관골돌출부를 평가하는 데 도움이 된다.

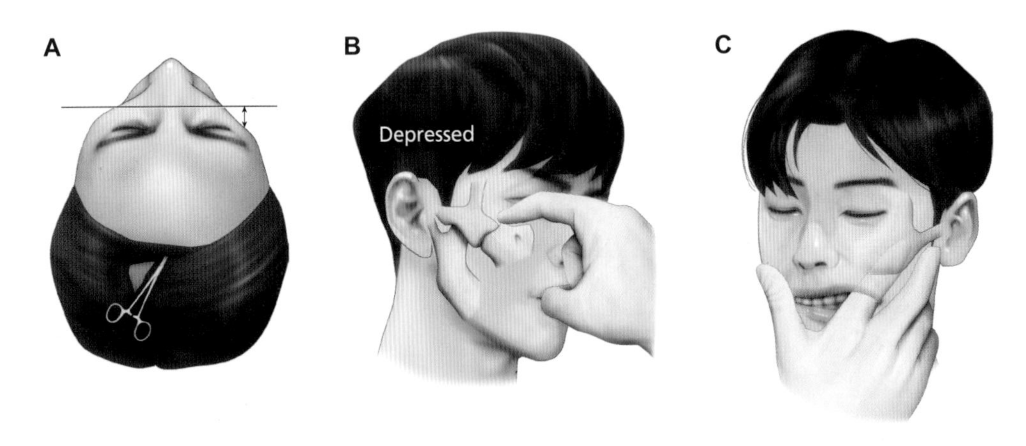

그림 7-70 관골골절의 임상적 검사.
A: 관골부위가 편평해 보인다. B: 관골-상악 봉합부에 계단형태의 변형이 생긴다. C: 구강내로 촉진 시 관골부위의 골절편이 만져진다.

④ **전산화단층촬영(computerized tomography, CT)**(그림 7-71)

CT는 안면부 손상을 받은 환자를 평가하는 데 가장 많은 도움이 된다. CT의 장점은 만족할 만한 해상력으로 주위구조물과 상이 겹치는 것이 적으며, 촬영방법이 표준화되어 있고, 환자의 불편감이 적다는 것이다. 대조도(contrast)나 절단면을 조절하여 작은 골편이나 연조직도 세세하게 평가할 수 있다. 관상절단(coronal section)을 시행하면 안와저를 평가할 수도 있다.

(5) 치료

관골-상악골 골절의 치료는 변위된 양이나 기능적 손상 정도에 따른다. 만일 변위가 적고 기능이 양호하면 단지 관찰만으로 치료가 끝날 수 있다.

① 관골궁골절

변위된 양이 적을 때는 심미적으로 또 기능적으로 거의 영향이 없기 때문에 치료가 필요하지 않을 수 있다. 관골궁의 골절이 7-10일 지나면, 부분적으로 치유가 일어나므로 수술하기 힘들다. 그러므로 이 기간을 넘지 않도록 하는 것이 좋다. 관골궁은 구내접근법과, 구외접근법으로 정복될 수 있다. 구내 접근법은 오훼돌기와 상악골의 외측벽 사이를 따라 기구를 집어넣어서 정복하는 방법이다. 구외접근법은 Gilles가 제안한 측두부 절개를 사용한다. 두피절개 후 각각의 층 사이로 조심스럽게 박리하여 기구를 넣어 관골궁 부위를 한손으로 촉진하면서, 기구를 외측, 앞쪽으로 당기면서 관골궁을 들어올린다. 관골궁골절은 드물게 관혈적 정복술이 필요할 수도 있는데, 주위골의 골절에 대한 수술과 연관될 때 또는 관골궁 부위의 열상이 있을 때 시행할 수 있다.

② 관골골절

골절에 따른 변위가 심하지 않은 경우는 수술이 필요하지 않을 수도 있다.

a. 비관혈적 정복술

관골골절의 정복은 구내접근법과 구외접근법으로 시행할 수 있다. 구내접근법은 상악 제1, 2대구치 부위의 전정부위에 절개를 하여 기구를 관골 외측연을 따라 삽입하여 위쪽, 앞쪽으로 당기면서 정복한다. 구외접근법은 Gilles 방법처럼 관골궁에서와 유사한 방법으로 관골을 정복한다(그림 7-72).

b. 관혈적 정복술

안검 절개선(eyelid incision), 안와하 절개선(infraorbital rim incision), 구내 절개선을 통하여 골절부위에 접근한다. 안검 절개선은 눈썹의 외측 부위에서 상안와연을 따라 시행한다. 안와하연을 노출시키는 절개선으로 안와하 절개선(infraorbital rim incision), 섬모하 절개선(subcilliary incision),

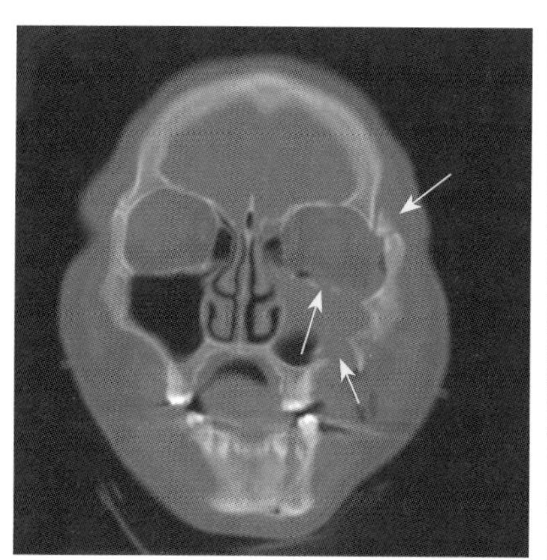
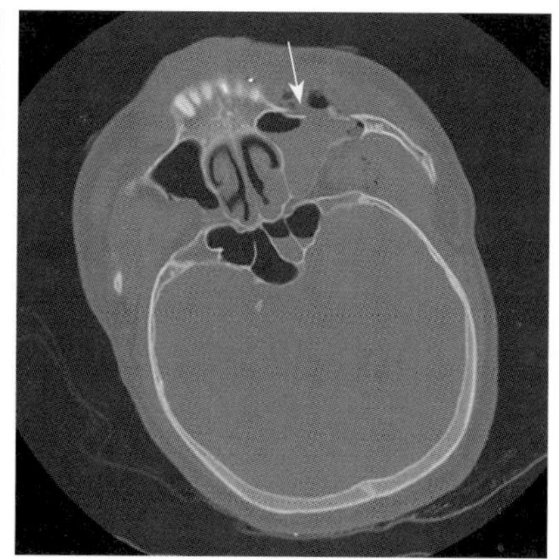
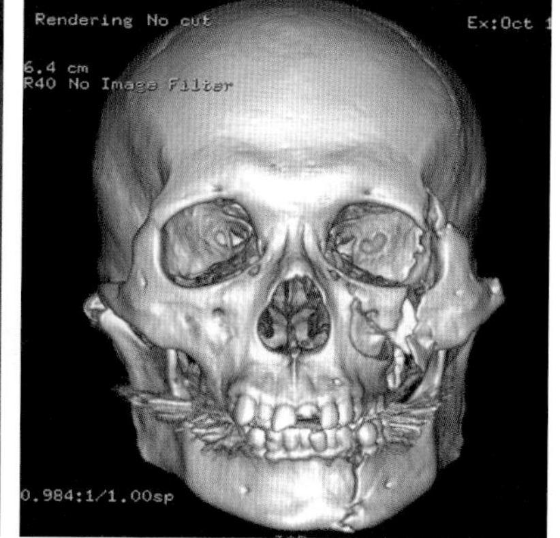

그림 7-71 관골상악골 복합체 골절의 전산화단층촬영소견.

결막 절개선(transconjunctival incision) 등이 있다 (그림 7-73). 이 절개술 후 합병증으로는 안검내반증, 안검외반증이 나타날 수 있다.

c. 고정

골절편들을 고정하기 위해 전두골-관골봉합선 부위, 하안와연의 골절부를 강선을 사용하거나 K-wire로 고정한다. 최근에는 미세금속판과 흡수성 골절판을 이용한 관혈적 정복술이 주로 이용되고 있다. 금속판은 작고 바깥쪽으로 표시가 잘 안나며 쉽게 외형을 맞출 수 있다는 장점이 있다.

③ **술후 관리**

상악동염이 발생할 수 있어 적절한 술후 관리가 필요하다. 페니실린과 세팔로스포린계 항생제를 사용하여 이를 예방한다. 방사선검사로 골절편이 적절히 정복되었는지 확인한다.

(6) 합병증

① **신경학적 손상**

관골 골절에 의한 하안와 신경의 감각이상은 18%에서 56%에 이른다. 그리고 관혈적 정복술에 의한 신경 손상도 20%에서 65%로 다양하게 보고되었다. 이러한 신경손상은 신경 자체에 대한 외상뿐만 아니라 신경이 골편에 끼어 있거나 신경다발의 섬유화에 기인한다. 심한 경우는 완전한 감각소실이 일어날 수도 있다.

② **안구함몰증**(enophthalmos)

관골 골절에 따른 안구함몰증은 쉽게 인지되며 5-25% 비율로 발생한다. 안구함몰증의 치료는 어렵고 예후도 불량하여 치료받은 환자의 80%가 여전히 안구함몰을 나타낸다고 보고되고 있다. 이러한 것을 극복하기 위해서는 관골-상악골 복합체 골절을 조기에 수술로 정복하고 연조직을 회복시키는 것이 좋다.

③ **개구장애**

가장 흔한 원인은 하악골의 오훼돌기가 관골 골절편에 끼는 것이다. 이 경우 관골 골절편을 재위치시켜 주거나, 오훼돌기를 절제해 줌으로써 해결할 수 있다.

3) 비골골절(Nasal bone fracture)

비골골절은 안면골 중 가장 흔하게 발생하는 골절로서 전체의 약 40%를 차지한다. 치료는 대부분 비관혈적 정복술로 이루어지나 심한 경우는 관혈적 정복술이 필요하다. 비골골절이 적절히 치료되지 않으면 추한

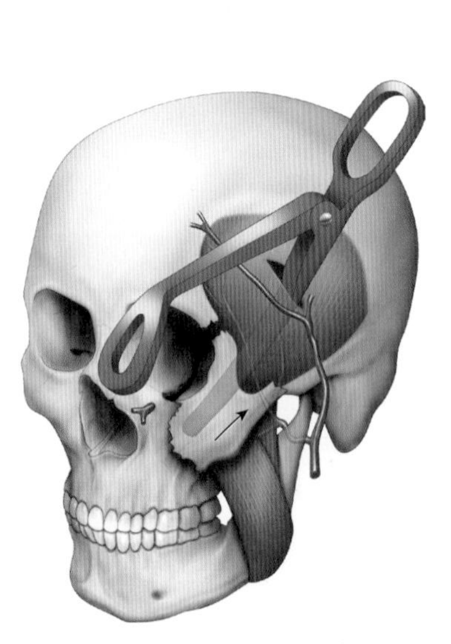

그림 7-72 Rowe기자를 이용하여 관골을 정복하는 모습. 화살표가 외상방으로 힘을 가하는 방향을 가리킨다.

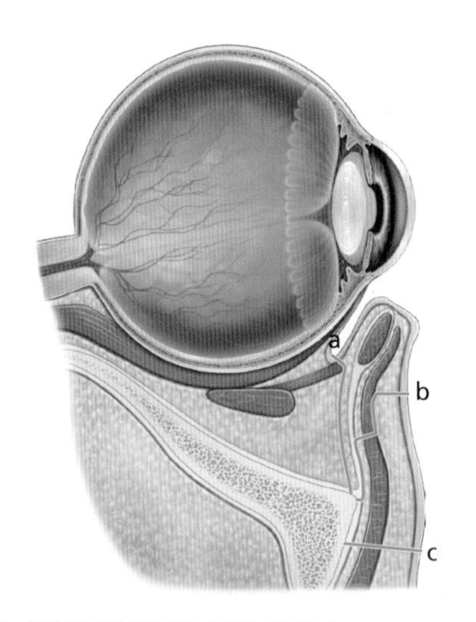

그림 7-73 안와하연 접근을 위한 절개선.
a: Transconjunctival incision b: Lower eyelid incision c: Infraorbital rim incision.

안모가 될 뿐만 아니라 상기도 부위의 합병증을 유발할 수 있으므로 주의 한다.

(1) 해부학적 구조

비부에는 좌우 비골 정중의 사골 수직판, 상악의 전두돌기, 이상구(piriform aperture) 등이 있다. 이상구 혹은 전비공은 상방이 비골 외측 및 하부가 상악골로 둘러싸여 있으며 공의 변연은 뾰족하고 섬유성 조직에 의하여 외측 비연골 및 비익연골이 부착된다. 이상구 속의 큰 공간을 비강이라고 하며 이것은 골성 비중격에 의해 대개 비대칭적으로 나뉘며, 비강 앞부분에는 삼각형의 큰 공간이 있으며 중앙에는 비중격 연골이 있다.

(2) 임상적 검사 및 분류

① 편측성 골절

중등도의 힘에 의해서 한쪽만 골절된 경우이다. 비골과 상악골의 전두돌기가 골절된다. 비중격과 반대쪽 비골은 건전하게 남아있다(그림 7-74).

② 단순 양측성 골절

이 경우 비골, 상악골의 전두돌기, 비중격이 손상받는다. 비중격은 손상에 의해 측방으로 변위된다.

③ 복합 양측성 골절

심한 타격에 의해 비중격이 변위, 파절되고 비골이 함몰되는 것이다.

④ 소아의 비골골절

성인에서와 유사한 형식의 골절이 일어난다. 그러나 비골이 정중부에서 유합이 되지 않은 상태이므로, 마치 책을 편 것 같은(open book type) 모양으로 골절이 일어난다.

(3) 방사선검사

임상적으로 골절이 의심되더라도 봉합선이나 혈류에 의해 방사선상에 골절선이 나타나지 않을 수 있다는 것을 유의한다. lateral nasal view, frontal view, Waters' view, CT가 진단에 유용하다.

(4) 치료

① 치료시기

비골골절은 가능한 한 빠른 시기에 치료해 주는 것이 좋다. 손상받은 지 4-6시간 이내에 시행하는 것이 좋은데, 종창이 심한 경우는 3-4일 기다려 종창이 가라앉은 후 수술한다.

② 수술방법

정확한 진단 후에 수술방법을 선택한다. 심한 손상이 있으면 전신마취하에 시행한다. Walsham 겸자나 Asch 겸자를 이용하여 골절된 비골을 위로 들어 올려주는데, 한손으로 촉진하면서 시행한다(그림 7-75). 정확한 위치로 고정되었는지 확인한 후 외측내익 부위와 비중격부위의 변위를 재위치시킨다. 비경으로 코 안을 확인하면서 호흡에 손상이 가지 않도록 드레싱제품(거즈, merocel 등)을 삽입하여 정복된 골절편이 함몰되지 않도록 해준다. 그리고 바깥쪽에 외상을 방지하기 위하여 보호대를 위치시킨다.

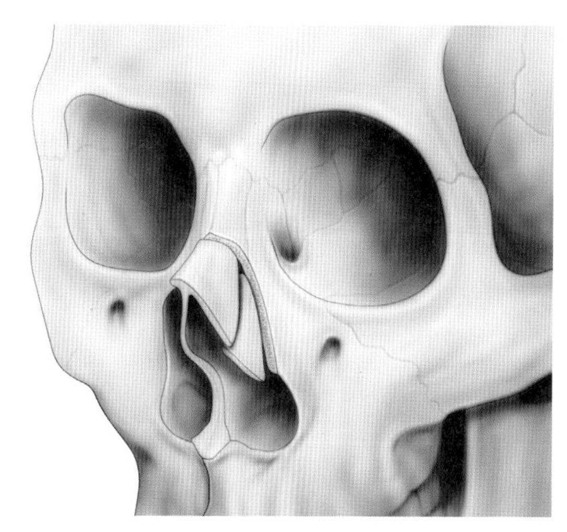

그림 7-74 비골골절. 측방손상 시 좌측비골과 상악전두돌기의 전방부가 골절된다.

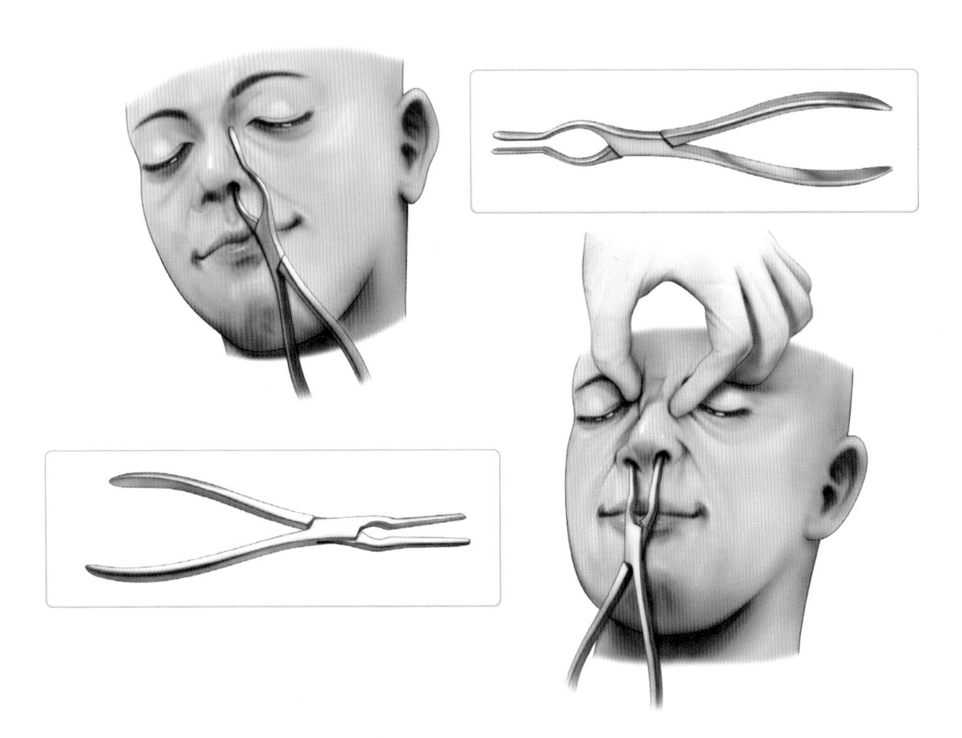

그림 7-75 비골골절의 수술에 이용되는 Walsham 겸자와 Asch 겸자의 적용 모습.

4) 비골-안와-사골 복합골절(Naso-Orbital-Ethmoidal fracture)

중안면 부위의 심한 손상의 치료는 특별한 기술이 필요하다. 과거 중안면부위의 골절은 심각한 합병증을 유발하였는데, 최근에는 미세금속판의 개발로 이러한 문제점들이 많이 극복되었다(그림 7-76).

(1) 해부학적 구조

상악골의 전두돌기 후방은 안와의 내측벽을 형성하고 이 부위에 누골(lacrimal bone)이 위치하여 손상을 쉽게 받는다. 전두골-사골 봉합선 부위에는 미로판, 계관이 위치하고 있고, 두개골과 연결되어 뇌척수액이 유출될 수 있다. 이 부위에는 전사골동(anterior ethmoidal sinus)과 후사골동(posterior ethmoidal sinus)이 있어 각각의 명칭과 같은 신경과 혈관이 관통하고 있다. 후방부에는 접형골이 있어 시신경이 분포한다.

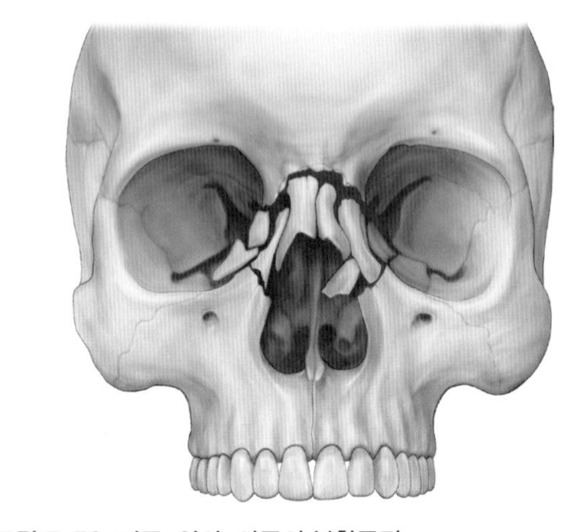

그림 7-76 비골-안와-사골의 복합골절.

(2) 임상검사

① 넓어진 비골, ② 눈주위의 충혈, ③ 뇌척수액 유출, ④ 양안격리증, ⑤ 관련 주위골의 골절 등의 증상이 나타날 수 있으며, 그 밖에도 눈물샘의 손상, 신경학적 손상, 안구손상 등이 일어날 수 있다.

(3) 방사선검사

CT 촬영을 통한 진단이 유용하다(그림 7-77). Waters' view, Skull PA 등 단순방사선사진도 진단에 이용되나, 종창이 심하거나 작은 골편들로 인해 정확한 진단이 어려울 수 있다.

(4) 치료

① 수술시기

가능한 빠른 시기에 수술하는 것이 좋다. 그러나 신경학적으로 또는 생명에 지장을 줄 수 있는 다른 심한 손상이 있는 경우는 연기하는 것이 좋다. 수술연기의 기간 동안에 환자를 조심스럽게 평가하며 또 손상으로 인한 전신적인 상태를 어느 정도 회복시킬 수 있다.

② 수술방법

일반적인 골절 정복원칙은 아래에서 위로, 안쪽에서 바깥쪽이다. 먼저 정복하기 쉬운 큰 골편들을 살펴서 고정시켜 준다. 비골-안와-사골 복합체 골절은 비골-전두골 봉합선 부위부터 먼저 정복해준다. 이때 두부관상절개(coronal incision)를 하면 시야가 확보되어 정복하기 용이하다. 안와하 절개를 추가적으로 시행할 수도 있다. 파절된 골절편들을 정복하고 금속고정판(miniplate, microplate)으로 골편들을 고정시킨 후 내측안검인대(medial canthal ligament)를 확인하고, 손상받았다면 올바른 위치로 고정시켜준다.

5) 안와저 골절(Blow out fracture)

(1) 해부학적 구조

안와부의 골절을 이해하기 위해서는 먼저 눈주위의 해부학적 구조를 잘 알아야 한다.

눈부위는 크게 4 부분으로 나뉘며 눈주위의 골, 연조직, 안구, 눈주위의 부속 연조직으로 나누어진다. 눈주위의 골은 관골, 상악골, 누골, 사골, 전두골, 접형골, 구개골이다. 안와는 피라미드 형태이고 정점에 해당되는 곳에 시신경관이 있다. 상악골이 안와저의 대부분을 형성하고 있는데 이 부분은 얇아 골절이 잘 일어난다.

(2) 임상검사

이 골절은 눈의 하방 혹은 내측벽 골이 상대적으로 약하기 때문에 타격에 의해서 안와저골이 하방으로 변위되거나 내측벽의 골이 하내방으로 전위되는 것이다(그림 7-78). 임상소견으로는 눈주위의 종창, 복시, 유루증(epiphora) 등이 나타나며, 안구운동이 충분히 되지 않을 수도 있다. 또한 신경손상에 의한 감각이상도 나타난다.

(3) 방사선검사

방사선소견으로 안와저 골편과 주위연조직들이 상악동내로 변위된 것이 관찰된다. 일반 방사선사진으로는 정확한 진단이 어려우므로 CT 촬영이 진단에 많이 사용된다.

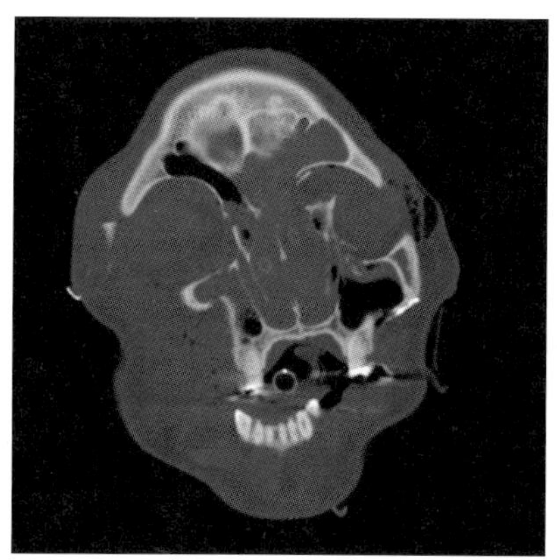
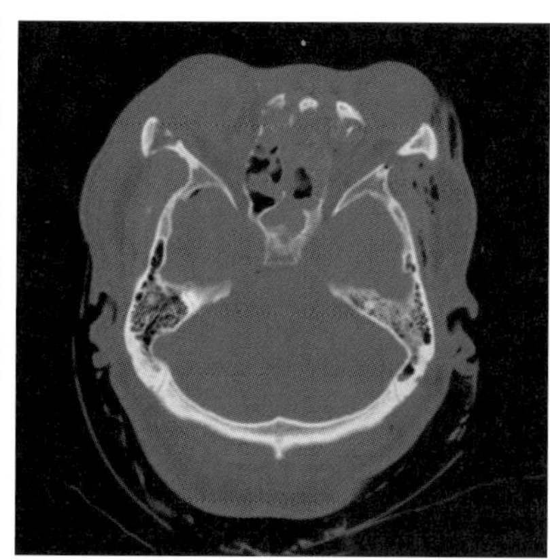
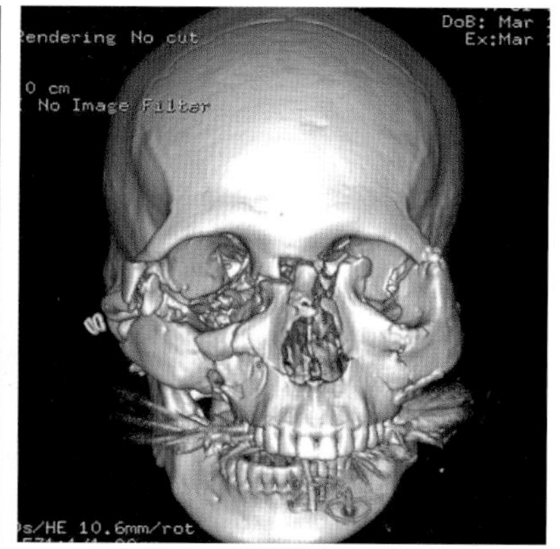

그림 7-77 비골-안와-사골의 복합골절 양상 전산화단층촬영 소견.

(4) 치료

수술시기에 대해서 아직 논란이 있지만 가능한 2주를 넘지 않는 것이 좋다. 안와저 골절의 관혈적 수술의 적응증으로는

① 임상적으로 의미 있는 복시, 즉 제일안위나 30% 주시범위 내에서 복시와 함께 감돈(incarceration)이 있는 경우,
② 3 mm 이상의 안구함몰이 있는 경우,
③ CT상 안와골 크기의 1/2 이상 침범한 골절이 있는 경우가 해당된다.

주로 안와상 절개선(supraorbial incision), 하안검 절개선(subciliary incision)을 사용하여 접근할 수 있다. 이때 눈주위의 연조직, 특히 지방조직이 노출되지 않도록 주의하면서 박리해 나간다. 골절편을 확인하고 정복한 후, 고정은 강선이나 미세금속판을 사용한다. 수술 중 안와저 부위의 골막이 찢어지지 않도록 박리하면서 안구를 위쪽으로 들어서 안와저 부위를 관찰한다. 과도하게 힘을 주면 안구에 손상을 줄 수 있으므로 조심한다. 골절편이 상악동 내부로 변위되어 있으면 기구를 사용하여 골절편들을 재위치시키고, 분쇄골절이나 골절편을 정복하기 어렵다고 판단되면 인공 매식물을 사용한다. Teflon, Silastic, Medpor 등이 사용되는데(그림 7-79) 봉합사나 금속나사로 고정하고 전체적인 눈의 외형이나 안구의 위치를 확인한다.

(5) 합병증

① 안검외반증(ectropion)

안검외반증은 하안검부위가 아래쪽으로 처지는 것이다. 이것은 하안와 절개선을 봉합할 때 긴장을 주거나 반흔으로 인해서 생길 수 있다.

② 안검내반증(entropion)

이것은 하안검 눈썹이 안쪽으로 당겨져서 안구에 불편감을 주는 것이다. 안와중격, 검판의 수술이나 외상에 의해서 손상을 받았을 때 발생하며, 추형이 될 수 있다.

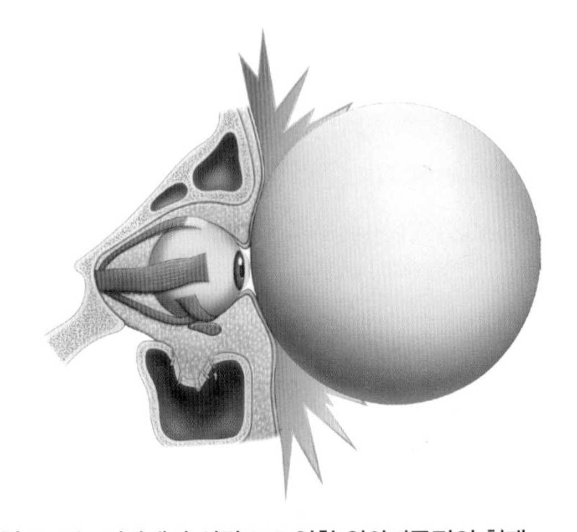

그림 7-78 전방에서 외력으로 인한 안와저골절의 형태.

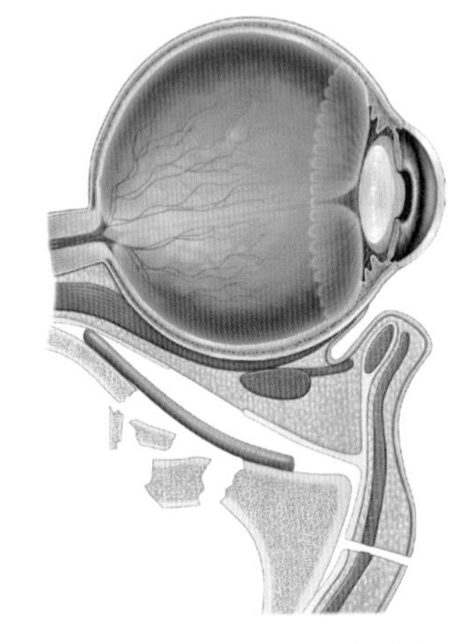

그림 7-79 Silicone sheet로 안와저를 재건한 모습.

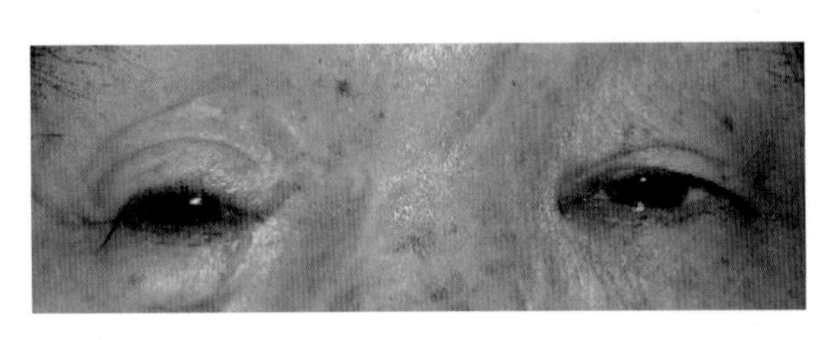

그림 7-80 우측안와저 골절후 치료를 시행치 않아 발생한 안구함몰증(enophthalmos).

③ **안구함몰증**(enophthalmos)

안구함몰증은 눈주위 경조직, 연조직의 손상으로 인해 안구가 후방으로 변위되는 것이다. 안와저 골절 시 상악골이나 관골의 변위로 인해 안구함몰 등이 동반되어 나타난다. 안구함몰이 어느 정도 일어났는지 정확한 판단하기는 어렵지만 일반적으로 3 mm 이상이면 외과적 교정이 필요하다(그림 7-80).

5. 소아골절 시 고려사항

1) 자문(Consultation)

완전한 치료를 위해서 적절하면서도 빠른 수술적 자문이 필수적이다. 안면부 골절과 함께 다발성 전신외상이 있는 환아는 먼저 소아외상 외과의에 의해 평가된 후, 안면부 골절에 대한 처치나 기타 다른 자문과 처치를 할 수 있다.

두개저나 두개관의 골절, 두개내(뇌의) 이상이 있는 경우에는 반드시 신경외과적인 자문을 구해야 하며, 안와골절이나 안구외상이 있는 경우, 또는 안와에 대한 수술이 계획되는 경우에는 안과적인 자문이 필요하다. 치열이 손상되었거나 교합이 변했을 경우 악골 골절과 치과진료의 경험이 많은 구강악안면외과의의 도움이 필요하다.

전신마취하의 수술이나 외과적 치료에 대한 결정이 내려지면 마취과 의사와 수술실 간호팀과의 협조를 통해 수술 시 필요한 도구들을 준비해야 한다.

2) 전신외상이 있는 소아환자

초기 처치는 일차관찰, 최초의 심폐소생술, 이차관찰, 확정적인 치료의 4단계로 나누어지는데, 비록 체계적인 접근이 소아환자의 관리에 유용하지만, 소아환자와 성인환자 사이에는 차이점이 있다는 사실을 명심한다.

3) 소아외상의 처치 시 기억해야 할 사항

① 소아는 체표면적 대 무게의 비율이 훨씬 크므로, 저체온 증상이 더 쉽게 일어난다.

② 소아는 상해를 입거나 놀랐을 때 공기를 삼키기 때문에, 위장관의 확장이 일어난다. 이는 특히 복부내 손상을 입었을 경우 더욱 그렇다.

③ 소아나 유아의 복부 둘레와 복강의 부피는 상대적으로 작으므로, 많은 양의 복부내 출혈은 복부둘레의 변화를 일으킨다.

④ 유아는 코로 숨을 쉬므로, 공기 통로가 상대적으로 가늘다.

⑤ 소아의 흉벽은 매우 유연하므로 겉으로는 증상이 없더라도 큰 흉곽외상이 존재할 수 있다.

⑥ 소아는 심각한 저용량에도 불구하고, 혈관을 수축할 수 있는 능력이 있어 정상이나 혹은 경계에 해당하는 혈압을 유지할 수 있다.

4) 소아의 해부학적 특성

소아의 악안면외상 빈도는 사춘기나 성인에서보다 낮다. 소아가 골절 빈도가 상대적으로 낮은 이유는 환경적, 신체적, 그리고 두개안면의 해부학적 요소 때문이다. 5세 전의 소아는 보호자가 가까이에서 보호하는 환경에 있으며, 자주 넘어지기는 하지만 키가 작고 또한 체구가 작기 때문에 대개는 그 강도가 약하다.

따라서 작은 충격은 푹신푹신한 피부와 유연한 골격 그리고 골 사이의 연골성 성장중심 등에 의해 잘 흡수된다.

5세가 지나면 소아는 활동적이 되며 신체적 접촉이 필요한 운동을 시작하고, 자전거를 타기도 하며 자동차를 타는 빈도도 많아진다. 키와 몸무게, 근육의 발달이 증가하고 더욱 경쟁적이며 활동적이 되므로 자주 넘어져 직접적인 안면부 외상이 증가하게 된다.

출생 후부터 몇 년간은 이마가 두드러지고 두개(골)는 상대적으로 크다. 안와는 뇌와 두개의 성장에 따라 잘 발달한다. 이 기간 동안 치열의 미발육과 마찬가지로 상악동과 사골동의 발육이 부진하다. 결과적으로 유아와 어린 소아에 있어 안면부의 하방성장은 최소한이다. 이러한 요소들은 높은 두개골 대 안면부 비율을 야기하고 전두골, 뇌, 상부안와, 그리고 안구를 외상에 노출시키는 반면 안면골은 상대적으로 보호한다. 출생 후부터 골격 성숙 시까지 두개(cranium)의 크기는 4배 정도로 증가하고 안면골의 크기는 10배 정도로 증가한다. 두개와 안와성장은 5세경에 약 85-90%가 완료된다. 반면 악골은 태어날 때부터 작고, 이러한 상태가 유아기 전체 및 소아기의 대부분 동안 지속된다. 상악골은 나이가 들수록 공기가 차있는 공동에 의해 두개저로부터 분리되고 하악골의 과두돌기는 혈관이 잘 발달되어 있고 그 경부가 두껍고 짧다. 따라서 점점 얇고 약해지는 소아 후반기나 사춘기에 비하여 상대적으로 강한 부위이다.

하악골과 상악골은 소아기에 빨리 자라며 높은 수질골 대 피질골 비율을 갖는다. 이것이 악골에 높은 탄성도를 부여해 휘어지는 불완전굴곡골절(greenstick fracture)이나 비전위 골절이 성인에서보다 많이 일어나게 한다. 소아의 골막은 골을 빨리 생성하므로 조기의 골유합과 치유된 골의 활발한 재형성이 가능하다. 태어난 후 처음 몇 년 동안은 영구치의 발육이 불완전하고 치아 대 골의 비율이 상대적으로 낮다.

그러나 혼합치열기와 영구치열기가 되면 이 비율을 높아져 하악골이 약해지므로 발육하는 치배를 통과하여 쉽게 골절된다. 성인에서 하악골 골절은 주로 선상 골절로 나타나지만 소아에서는 골절이 발육하는 치배 사이로 일어나 골절선이 불규칙하다.

소아 후반기나 사춘기가 되면 상악동을 비롯한 다른 부비동의 발육으로 상악골에 취약한 부위가 생겨 안면골 골절 중 관골골절 및 Le Fort 골절이 잘 일어난다.

5) 소아골절의 치료와 합병증

소아의 하악골절은 전체 하악골절의 약 5%이다. 주로 과두골절이 잘 발생하며, 단독 또는 다른 골절과 병행하여 약 46%의 환아에서 나타난다. 소아의 하악골절은 종종 하악의 아크릴상부자(acrylic splint therapy) 단독 또는 eyelet wire와 악간고정을 같이 사용하여 성공적으로 치료할 수 있다. 악간고정 기간은 2-3주면 충분하다. 관혈적 정복술이 필요할 때는 치배의 손상을 피하기 위해 하악의 하연에 강선고정을 사용하거나 마이크로 금속판(microplate)을 이용하여 고정한다. 골절은 어린이가 더 빨리 치유되고 약간의 부정교합은 환자가 성장함에 따라 보상된다. 반면 어릴수록 강직과 성장장애의 가능성이 크며, 성인만큼 악간고정을 잘 견디지 못한다. 소아에서는 부정유합(malunion), 유합결여(nonunion), 그리고 감염 등의 합병증은 드물다. 그러나 유착과 성장장애가 발생할 수 있는 심각한 합병증이며 관절낭내 골절일 때, 손상이 분쇄양상(crushing nature)일 때 흔히 나타난다. 짧은 악간고정 기간과 긴밀한 술후 관리로 합병증의 빈도와 심각성을 감소시킬 수 있다.

Ⅶ. 골절의 치유

골절의 치유를 이해하려면 정상골의 생리적 특성을 잘 알아야 한다. 골은 정적이 아닌 동적인 평형(dynamic equilibrium) 상태에 있으며 몇 가지 독특한 기능을 하는 구조물이다. 골은 몸 속의 주된 칼슘 저장고이며 몸의 형태를 지지하는 역할을 한다. 또한 주위 근육조직이 부착되고, 중요한 장기를 보호하며, 운동을 할 때에도 중요한 역할을 한다. 인체의 지지와 강도에 중요한 역할을 함에도 불구하고 체중의 1/10 정도만 차지한다. 골조직의 강도는 중간 정도의 강철에 필적할 만큼 매우 강하며, 유연성과 탄성을 함께 가지고 있다. 골은 어느 정도 굽혀지거나 비틀리더라도 그 힘이 탄성한계를 넘지 않는다면 힘이 제거된 후에 원래의 형태로 회복된다. 골은 수직적인 힘은 잘 견디지만, 비트는 힘에는 취약하다. 인체에서 골조직과 간조직만이 손상된 조직을 수복하기 위해 계속적으로 재생되는 능력이 있다.

1. 골절치유의 과정

외상에서 가해지는 힘이 골의 견디는 힘을 능가할 때 골절이 일어난다. 흉터(scar)를 만듦으로써 외상에 반응하는 다른 조직과는 달리 골은 실질적인 재생을 통하여 상처를 치유하는 능력을 가지고 있다. 이 생리학적 특성은 부러진 골이 본래의 강도와 기능을 다시 가질 수 있게 한다. 근육과 골격계는 그 구조와 기능에서 상호유기적 관계가 있다.

일단 골절이 발생되면 그 주위의 조직들(피부, 근육, 점막, 인대, 혈관, 신경, 관절 등)의 손상이 동반되는 경우가 많아 그 치유과정도 복잡하게 진행된다.

골절의 치유과정은 병리조직학적으로 염증기(inflammatory phase), 복원기(reparative phase), 재형성기(remodeling phase) 3단계로 진행되며, 각 단계는 엄격히 구분되는 것이 아니라 중복되어 나타난다.

1) 염증기(골절 후 1–5일)

일단 골절이 일어나면 골편주위에 괴사가 발생하고, 골막과 근육들이 찢어지는 손상을 받으면서 주위의 혈관이 파괴되어 혈종이 형성되고, 골절단에서부터 수 mm 정도의 골은 영양공급을 받지 못하여 주변 골세포의 사멸이 일어난다. 나아가 골절부위는 상대적인 저산소상태가 되며, pH는 산성이 되고 염증반응에 의해 혈관확장과 혈장삼출로 골절부 주위조직에는 부종(edema)이 나타난다.

또한 괴사조직 주위에는 급성 염증성 세포의 증식이 일어나며 특히 대식세포(macrophage)와 비만세포(mast cell)가 출현한다. 사고 후 6–8시간 내로 혈종(hematoma) 내 혈액응고가 일어나고, 혈종 내 혈액의 조직화(organization)가 일어나며 조직화된 혈종 내에는 피브린(fibrin)의 망상구조가 형성된다. 모세혈관들이 24–48시간 내에 혈병에 침투하고, 동시에 섬유모세포(fibroblast)도 그 혈병에 침투한다. 혈관의 분화는 초기에 조직화하는 혈종에서 특징적인 양상이다. 충분한 혈액공급이 매우 중요하며 골수, 피질골, 골막 내의 모세혈관상(capillary bed)은 골절된 부위의 혈액을 공급하기 위하여 동맥으로 이루어진다. 혈관은 꼬불꼬불하며 혈액의 흐름은 느려져 보다 많은 혈액을 병소 골절부에 공급한다. 이 시기에는 혈종 전체에서 모세혈관의 분화가 일어난다.

2) 복원기(가골 형성기, 골절 후 4–40일)

주변 건전한 조직으로부터 섬유아세포가 골절부로 증식되어 들어오고, 육아조직(granulation tissue)이 혈종 내로 자라 들어오며, 골절부에는 기질화(organization)가 시작되고, 기질화된 조직들은 서로 연결되어 굳어져 간다. 조직화된 혈종은 보통 10일 이내에 육아조직으로 대치되며 이 육아조직은 탐식작용을 통하여 괴사조직을 제거한다. 이 작용이 끝나면 육아조직은 소성결체조직으로 발달한다. 충혈 단계의 말기에는 백혈구의 감소와 모세혈관의 부분적 폐쇄가 특징적으로 나타난다. 이때 섬유모세포가 매우 중요한 역할을 하며 섬유모세포가 많은 교원섬유(collagen fiber)를 형성하는데 이를 섬유성 가골이라고 한다.

이 시기는 다시 연성가골(soft callus)과 경성가골(hard callus)의 두 시기로 나눌 수 있다(그림 7-81).

(1) 연성가골기(일차성 가골기 stage of soft callus)

이 시기는 임상적으로 자발적 통증과 부종이 없어지기 시작하며, 결체조직, 연골조직 및 골조직이 증식하기 시작하여 주로 결체–연결조직으로 골편들이 연결되는 시기로서 골질에 의한 유합이 일어나기 전까지의 시기이다. 이 시기의 끝에는 골절편들이 서로 자유롭게 움직이지는 못하며, 대체로 수 주간의 기간이 소요된다. 연성가골은 골절부의 내외에서 모두 형성되는데, 골의 바깥쪽에 형성된 것을 외가골(external callus), 안쪽에 형성된 것은 내가골(internal callus) 그

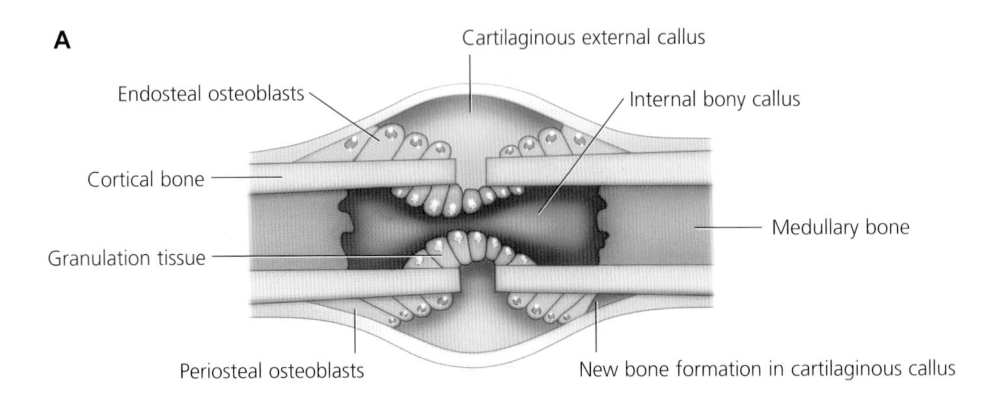

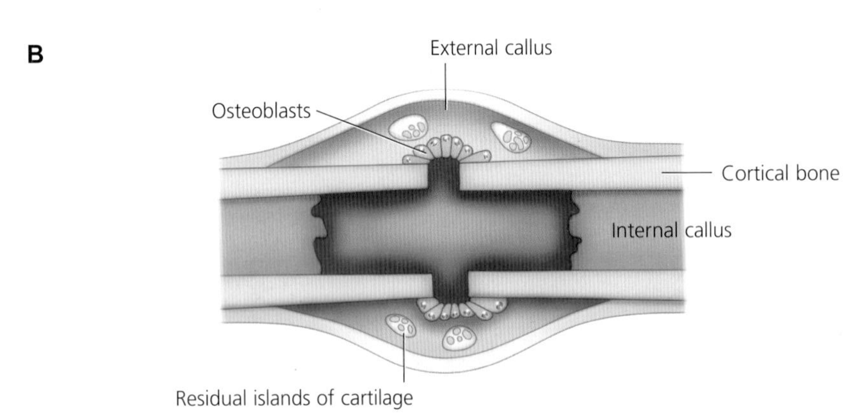

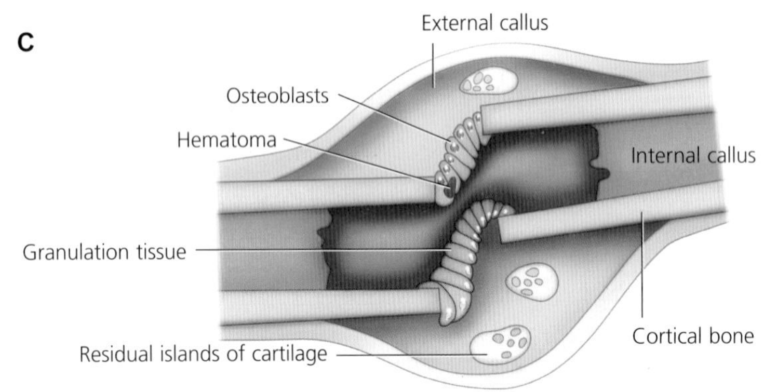

그림 7-81 A: 연성(연골성)가골단계. endosteal osteoblast에 의한 직접적인 골형성으로 골결손부를 내부가골이 중심부에 연결되고 주변부는 연골성 가골형성과 골화가 진행됨 B: 경성(골성)가골단계. 내부가골이 완성되고 연골성가골의 골화는 소량의 잔존연골만 남김 C: 골성가골단계. 과도하게 전위된 골절부에서 가골의 적응을 나타내는 모습으로 부정유합(malunion) 양상임.

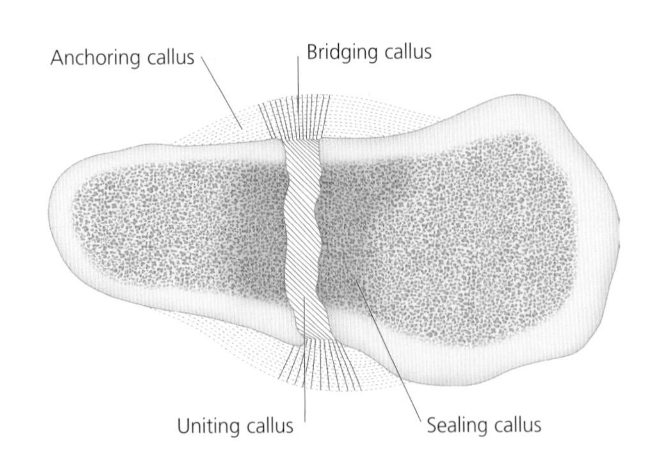

그림 7-82 골절치유 시 형성되는 일차성 가골 (primary callus)의 유형.

리고 골절편 사이에 형성된 것을 일차성 가골(primary callus)이라 부른다.

일차성 가골은 골절 후 10–30일 사이에 형성된다. 구조상으로는 천연의 결이 굵은 삼베로 비유된다. 칼슘이 적기 때문에 일차성 가골은 칼로 잘라지며 방사선 사진에서 관찰되지 않는다. 다시 말하면, 일차성 가골은 이차성 가골을 형성하기 위한 기계적인 버팀목에 불과하다. 일차성 가골은 위치와 기능에 따라 여러 가지 범주로 나눈다(그림 7-82).

① **앵커링 캘러스(anchoring callus):** 골막 가까이의 골의 외측에 생긴다. 이는 골절부위로부터 어느 정도 떨어져 있는 부위까지 나타나며 섬유성 가골의 미성숙 결체조직 세포에서 조골세포가 분화하여 해면골을 형성한다.

② **실링 캘러스(sealing callus):** 골절 단면을 가로질러 골의 내면에서 발생되고 골수강을 채운 다음 골절된 부위로 이행하고 골 내의 분화에 의하여 형성된다.

③ **브리징 캘러스(bridging callus):** 2개의 골절단의 앵커링 캘러스 사이의 골 외면에서 형성된다. 이 부분은 유일한 연골성이다. 골절치유 시 연골이 대치된다기보다는 골막에서 직접 골조직을 형성하므로 정말로 브리징 캘러스가 생기는가에 대한 의문은 점점 증가하고 있으나 하악골의 치유에 있어서 연골세포가 확인되었다.

④ **유나이팅 캘러스(uniting callus):** 두 골절단 사이와 두 개의 골절된 부위에 형성된 다른 일차성 가골들 사이에서 형성된다. 그러나 이것은 다른 형태의 가골이 잘 발달되어야만 비로소 형성된다. 직접적인 골화에 의해 형성되며, 이 시기에는 골단의 광범위한 흡수가 일어난다. 그러므로 골절부위 사이의 결체조직에서 골화가 생기기보다는 흡수되는 부위에서 유나이팅 캘러스가 형성된다고 보는 편이 오히려 나을 것이다.

(2) 경성 가골기(이차성 가골기 stage of hard callus)

이 시기는 임상적으로 골절부위가 육안적으로 움직이지 않으며, 내외 가골이 점차 섬유골 또는 미성숙골로 변하면서 골절편이 골질에 의해 연결되기 시작하여 연결을 완성하는 때까지의 시기를 말한다. 골형성은 만약 내고정물(internal fixation)을 사용하지 않은 경우에는 연골내 골화현상에 의거하고, 만약 골절편이 압박금속판에 의해서 잘 고정된 상태라면 막내골화 현상에 의해서 골을 형성한다. 이 시기는 골절 후 약 3주부터 시작하여 골절편이 새로운 뼈에 의해서 완전히 연결될 때까지 계속되며, 이 기간 중 임상적 유합(clinical union) 시기를 거쳐서 끝에 가서는 방사선적 유합(radiological union)의 상태에 이르게 된다.

이차성 가골은 미성숙골인 일차성 가골을 대치하는 성숙골이다. 석회화가 증가하고 방사선상에서도 관찰된다. 그러나 일정한 형태의 슈도하버시안 시스템(pseudohaversian system)이 형성되지 않아서 다른 골과는 다르며 실제 사용에 견딜 수 있는 층판골(laminated bone)로 구성된다. 그러므로 이차성 가골이 방사선상으로 관찰될 수 있을 때까지는 서서히 형성되어 20–60일이 걸린다. 복원기를 경과하면서 혈관은 골절된 뼈의 내외에서 상당히 증식하나 그 중 골막하 혈액공급이 더 중요한가 골내막 쪽의 혈액공급이 더 중요한가에 대하여는 아직 이견이 많고 아직도 더 연구해야 할 분야로 생각된다.

복원기의 초기에는 연골형성이 현저하며 점성다당류(mucopolysaccharides)가 고농도로 나타나나 말기가 되면서부터는 교원질의 농도가 서서히 증가하면서 칼슘결정이 현저하게 증가하게 된다.

3) 재형성기(Remodelling phase)

이 시기는 골절이 임상적 그리고 방사선학적으로 유합된 때부터 시작하여 골수강(medullary canal)의 재생을 포함한 모든 골의 상태가 정상으로 되돌아갈 때까지이며 대략 수개월에서 수년에 걸치는 상당히 길고 느린 과정이다. 이 과정을 통해서 미성숙골은 성숙골 또는 층판골로 전환되며, 과도하게 생성된 가골은 파골세포에 의해서 서서히 흡수된다. 따라서, 골의 외부에 생겼던 반지모양의 가골은 점차 흡수되고 골수강은 다시 만들어지며, 국소 산소분압은 정상으로 되돌아가게 된다.

골의 재생은 보통 골절부위가 조직학적으로나 해부학적으로도 발견할 수 없을 정도로 몇 개월 혹은 몇 년 동안 계속 진행된다. 이 시기에는 기계적인 요소가 중요하게 작용한다. 만일 골이 기능적인 자극을 받지 않는다면 진짜 성숙된 골은 형성되지 않을지도 모른다.

자극 요소에 의해 하버시안 시스템이 슈도하버시안 시스템이 결여된 이차성 가골에서 나타난다. 조금 많게 형성된 이차성 가골은 골의 잔존부의 크기를 따라 흡수 조절된다. 정확한 위치에서 치유가 일어나지 않았다면 전체의 골은 기계적인 요소에 의해 재형성될 수도 있다.

2. 골절치유에 영향을 주는 요소들

골절치유에 영향을 미치는 요소로는 선천적, 전신적 그리고 국소적인 요소로 나누어 생각할 수 있다.

1) 선천적 요소(Genetic factors)

골절치유에 영향을 주는 유전적 소인들로서는 유전인자의 결함, 골형성에 필요한 특정한 효소의 결함 등이 있다. 골형성부전증(osteogenesis imperfecta)의 경우에는 골기질(bone matrix)을 포함한 결체조직의 합성 혹은 재성형의 장애에 원인이 있는 것으로 추측되며, 따라서 형성된 골은 약하여 가벼운 외력에도 쉽게 골절이 발생한다.

골화석증(osteopetrosis)의 경우에는 원시적인 골연골 조직이 계속적으로 존재하고, 골절의 치유 후에도 골재성형 과정이 불량하여 쉽게 부서지는 경향이 있다.

2) 전신적 요소(Systemic factors)

(1) 연령(age)

골절의 치유는 나이가 어릴수록 빨리 진행하는 것으로 알려져 있으며, 골의 재성형도 잘 일어나서 골절부에 발생한 변형이 성장에 따라 교정되는 수가 많다. 그러나 중노년기에는 골절치유의 기간이 지연되고 골의 재성형도 별로 일어나지 않는다.

(2) 내분비요소(endocrine factors)

현재까지 골절의 치유를 확실하게 촉진시키는 호르몬이나 비타민은 알려진 바가 없다. 그러나 부신피질호르몬이나 인슐린 과다분비, 부갑상선호르몬의 과다분비, 그리고 거세(castration) 등은 골절의 치유를 지연시키며, 성장호르몬, 갑상선호르몬, 칼시토닌(calcitonin) 그리고 성호르몬 등이 골절의 치유를 촉진할 수 있다는 일부의 보고는 있다.

(3) 비타민(vitamins)

① 비타민 C

비타민 C는 proline과 lysine의 수산화과정에 작용한다. 따라서 비타민 C는 교원질의 합성에 필요하며, 만약 비타민 C가 부족하면 골과 연골의 기질형성에 장애가 생긴다. 그러나 최근 비타민 C 결핍증은 발견되고 있지 않다.

② 비타민 D

비타민 D의 결핍 시에는 정상적인 무기질화 과정에 장애가 생기고, 파골세포가 감소하게 되는데, 특히 성장판에서 연골의 석회화(calcification) 장애를 초래한다.

(4) 저산소증(hypoxia)

골절의 치유와 산소 분압의 관계에서 만성적, 전신적 저산소상태일 경우 골절의 치유가 지연됨은 잘 알려져 있다.

3) 국소적 요소들(Local factors)

(1) 국소손상의 정도

골 자체의 손상이 심하거나 또는 골을 둘러싸고 있는 연조직의 손상이 심한 골은 그렇지 않은 것에 비해 골절의 치유가 지연된다. 또한 단순골절보다 복합골절이나 분쇄골절의 경우 치유가 지연된다.

(2) 골결손의 정도

골조직의 결손이 심한 경우나 골절된 부위를 너무 심하게 견인하여 골절면 사이의 거리가 너무 떨어진 경우, 골절치유는 불가능할 수도 있다.

(3) 골절된 골의 형태

골절의 치유기간은 그 골절된 부위가 성장판을 지나가는지, 해면골 또는 피질골인지에 의하여 달라질 수가 있다. 보통 해면골은 피질골의 약 반 정도의 기간이 지나면 치유가 가능하며, 성장판의 손상은 해면골의 약 반 정도의 기간이면 치유가 가능하다.

(4) 골절의 정복과 고정

잘 정복된 골절은 정복되지 않은 골절보다 그 치유기간이 짧다는 것은 잘 알려져 있다. 따라서 정복이 잘 되어 두 골절 사이에 접촉되는 면적이 넓으면 넓을수록 일차성 가골반응이 잘 일어나 골절치유로 진행 가능성이 높아진다.

(5) 감염

골절부위에 감염이 발생하거나, 이미 감염이 되어 있는 골수염에서 골절이 발생하면 골절치유가 지연된다. 감염이 생기면 그 주변의 뼈는 어느 정도 부골화(sequestration)하며, 이 부골과 농의 축적으로 인해서 골절부위로 혈관이 침입해 들어가는 골전도 과정에 장애를 일으키고, 또한 골절부위에 염증세포가 침입하고 섬유조직이 증식하여 골유도 과정에도 장애를 일으켜 결국은 골절치유를 저해하게 되는 원인이 된다. 그러나 골수염의 경우에도 수차례에 걸친 절개 및 배농술이나 지속적인 골세척(continuous irrigation), 해면골 이식술 등을 이용하여 골절의 치유에 적합한 국소환경을 조성한다면 골절의 치유는 가능하다.

(6) 혈종

골절편 주위에 일단 혈종이 형성되면 이는 점차 육아조직으로 변하고, 육아조직은 다시 결체연골조직(fibrocartilaginous tissue)으로 바뀐다. 이러한 일련의 변화로 인해 혈종은 골절의 치유에 영향을 준다. 따라서 골절편의 정확한 정복과 고정은 혈종의 감소에도 중요하다.

(7) 골막

골막은 내, 외층의 두층으로 이루어져 있으며, 많은 혈관과 림프관 및 감각신경들이 분포해 있어, 뼈를 보호하고 골성장을 관장하는 역할을 한다. 골절이 발생한 경우 골치유에 관여하며, 골을 유착시키는 작용을 하기 때문에 골막의 손상 정도는 골절의 치유에 큰 관계가 있다.

(8) 악성종양

골이 악성종양에 의하여 파괴된 후 그 부위에 골절이 발생하면, 골절의 치유가 지연되며 유합이 일어나지 않는 것이 보통이다. 이는 한편에서는 골절을 치유하기 위한 치유 과정이 진행되나, 악성종양에 의한 골흡수가 훨씬 빨리 발생되는 것으로 보여지며, 또한 악성종양에 의해 골전도나 유도능력이 감소한다.

Ⅷ. 미사일 손상[총상포함]

총알이나 포탄 파편같이 날아가는 미사일(탄도 병기)에 의한 손상은 전상환자 중 약 70–90%를 차지하며, 생명의 위협을 가져오고 저작기능의 상실을 초래해 군 전투력의 막대한 손실을 야기한다.

히포크라테스가 “War is the only proper school for a surgeon”이라 했듯이 구강악안면외과의들은 구강악안면 영역의 질환으로 인한 전투력 손실의 방지의 큰 비중을 차지하였다. 물론 인간은 전시에도 생존을 위해 외적환경에 대한 적응력을 가지고 있지만, 전시에는 손상의 정도가 광범위하고 대량전상이 발생할 수 있으며 이학적 검사나 방사선사진검사가 어렵고 전황에 따라 조기후송이 힘들며 전장 공포감 및 심신의 피로가 가중되는 등 상상할 수 없을 만큼 어려운 상황에서 진료를 해야 한다.

특히 안면부 총상은 일반적으로 손상범위가 광범위하고 안면부 연조직 및 경조직의 손상으로 인한 기능적, 심미적 장애가 수반되며, 때로는 두부 및 경부손상과 병합되어 치명적인 후유증을 초래하게 된다. 또한 전쟁 시에는 구강악안면부위의 전상이 많이 발생하는데, 전장에서 구강악안면외과의의 역할은 구강악안면 영역의 손상으로 인한 전투력 손실의 방지가 목표다.

그 중에 총상을 포함한 안면부 손상을 효과적으로 치료하기 위해서는 이와 관련된 총상의 병인론에 대한 기본적 이해가 필요하며 초기 손상범위의 정확한 진단 및 일차적인 치료지침과 후 처치 그리고 이차적인 재건(reconstruction) 등에 대한 충분한 이해가 있어야 한다.

미사일의 종류는 총알, 포탄, 지뢰 등 다양하지만 손상의 기전과 치료는 비슷하기에 여기에서는 총상을 중심으로 기술하고자 한다.

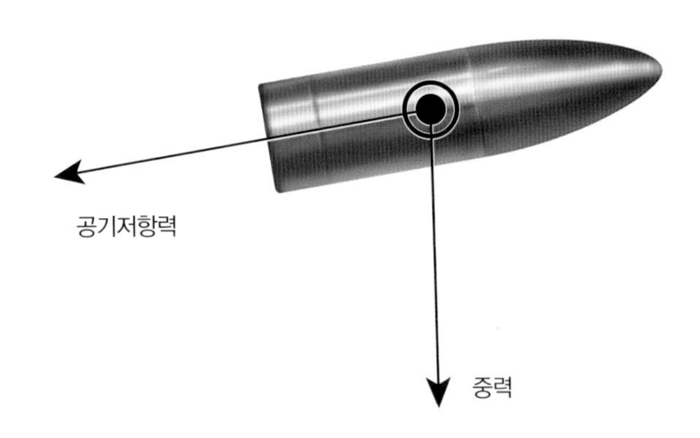

그림 7-83 비상하는 탄알에 작용하는 힘.

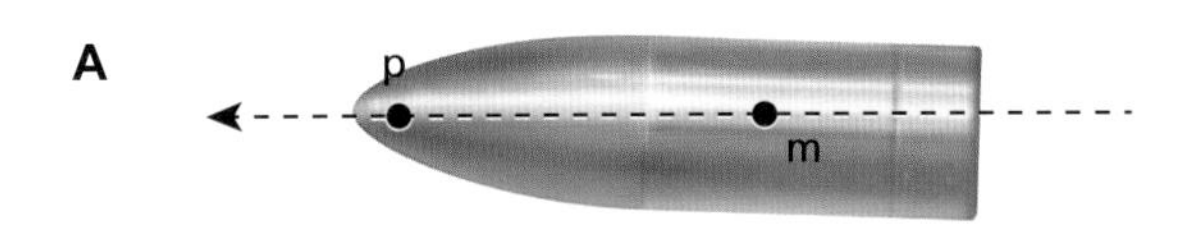

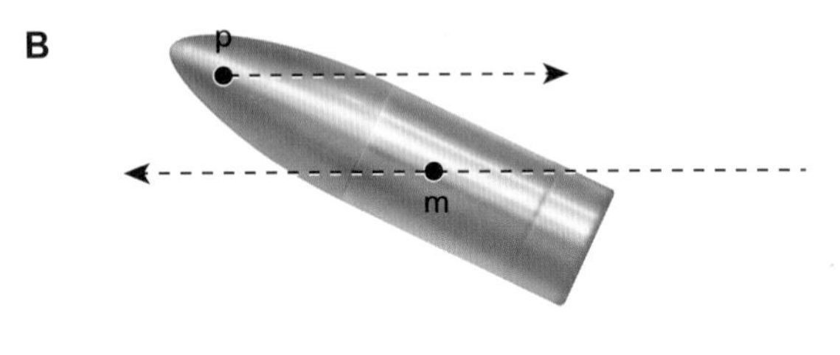

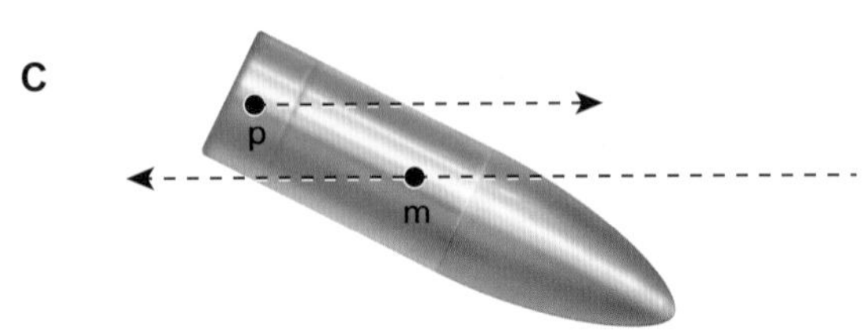

그림 7-84 공기 중에서 화살과 탄알의 non-spinning 비행 현상.
A: 탄알 B: 왜곡현상 C: 전도현상
m: 무게중심 p: 저항중심.

1. 탄도형성 과정과 파괴원리

1) 탄도형성

화약 가스의 작용으로 총강 내 운동을 시작한 탄알은 차츰 가속도가 붙어 총구로부터 약 20 cm 앞에서 최대의 속도에 도달하며, 최대 속도에 도달한 후의 탄알은 관성력에 의해 운동의 속도와 방향을 유지하려

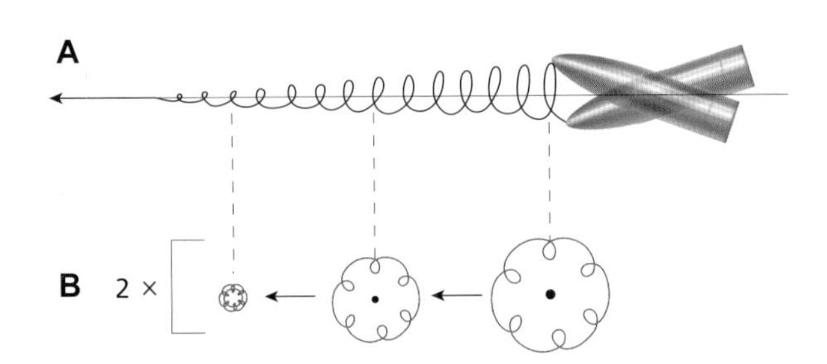

그림 7-85 공기 중에서 탄알의 비행으로 spinning projects.
A는 세차운동, B는 장동운동을 보임.

하나 중력과 공기의 저항에 의해 속도가 떨어지고 운동방향은 변경되어 총열의 연장선 하방으로 곡선을 그리며 발사된다(그림 7-83).

이때 탄알은 화살과는 달리 저항중심이 무게중심보다 전방에 위치하므로 왜곡(yaw) 및 전도(tumbling) 현상을 나타내나, 총신이나 포신 내면의 강선으로 인해 회전운동을 하게 되어 왜곡현상은 감소되며, 세차운동(precession) 및 장동운동(nutation)을 보인 후 안정된 상태로 날아간다(그림 7-84, 85).

그러나 포탄의 파편은 다양한 양상을 보이므로 왜곡 및 전도현상은 나타낼 수 있으나 회전운동은 거의 없어 인체를 관통하는 손상보다 인체내에 매복되는 경향이 많다.

2) 운동에너지

포탄이나 지뢰파편 같은 회전관성이 없는 미사일의 운동에너지(KE)는

$$KE = \frac{m \times v^2}{2g}$$

m: 질량
v: 속도
g: 중력가속도

로 표현된다. 그러나 탄알처럼 총신이나 포신 내 강선에 의해 회전관성이 있는 경우의 운동에너지(KE)는 다음과 같이 표시된다.

$$KE = \frac{I \times W_1^2}{2g}, \ I(\text{회전관성}) = \frac{Mr^2}{2}$$

M: 질량
r: 탄알반경
W_1: 각속도(radians/sec)

위의 공식에서 보듯이 미사일의 운동에너지 형성에는 속도가 가장 중요한 요소이며 질량과 탄알반경도 영향을 주게 된다.

3) 미사일의 파괴원리

미사일의 파괴력을 Bo Rybeck 등은 실험을 통해 밝히면서 인체조직의 저항 정도까지 발표했는데 보통 소총의 속도와 비슷한 1,000 m/sec 속도로 발사했을 때 계산된 에너지는 248±10 joule였으며 조직에서의 에너지 흡수는 피부에서 5%, 근육 층에서 48%의 흡수가 있다. 탄알이 구형이면 왜곡현상이 없어 미사일의 에너지가 사입구에서 가장 크므로, 조직의 파괴도 사입구에서 가장 심하며, 조직내로 관통되면서 에너지가 흡수되고 미사일의 속도도 떨어져 사입구가 사출구보다 더 크게 된다(그림 7-86).

그러나 소총용 탄알은 대부분 뾰족한 탄두와 다소 긴 몸체로 되어 비행 중 왜곡현상을 보이며 회전력에 의한 세차 및 장동운동을 나타내므로, 조직내로 들어간 탄알은 주위조직을 감싸서 바깥으로 이탈시키게 되어 사출구가 사입구보다 크게 된다(그림 7-87). 이때 사

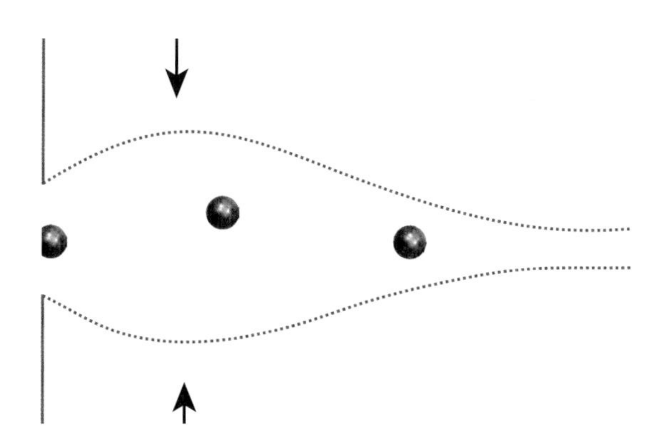
그림 7-86 구형탄알은 사입구가 더 크다. 좌측: 사입구(크다), 우측: 사출구(작다).

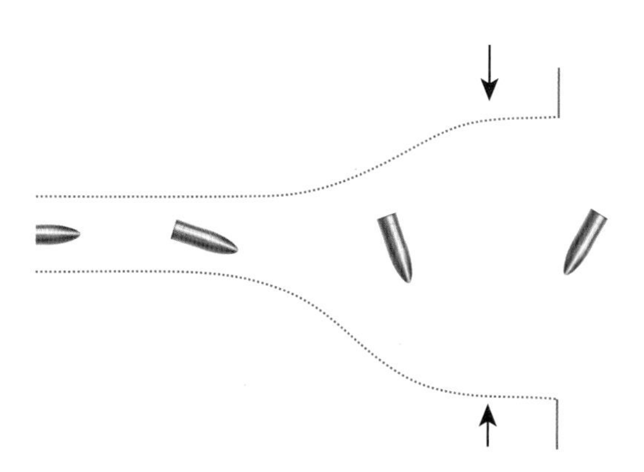
그림 7-87 왜곡, 전도, 장동, 세차운동으로 사출구가 크다. 좌측: 사입구(작다), 우측: 사출구(크다).

입구 주위조직이 negative phase로 인해 tension 상태로 되고 관통로 내부로 찢어진 옷자락, 흙먼지 등이 함입되며, 물 속에 돌멩이를 던질 때 돌멩이가 들어간 자리를 따라 거꾸로 물방울이 솟아오르듯이, 사입구 쪽으로 약간의 제트기류가 발생해 사입구가 좀 더 확대된 손상을 받을 가능성이 있다.

2. 인체내 손상기전

총알 혹은 폭발물 등 비행체가 신체내로 들어갈 때의 작용은 운동에너지, 크기, 조성, 모양, 충격당시의 비행체의 안정도, 손상조직의 밀도와 탄력성 그리고 손상 당시의 자세에 의해 영향을 받는다.

총알이 인체내로 들어온 후의 손상조직의 저항은 조직밀도와 탄력성에 의해 좌우되며, 피부와 결합조직은 탄력섬유가 많아 총알 관통로의 영구적인 통로형성을 방지하지만, 밀도가 균일한 근육조직은 심한 상처를 받아 정상보다 4–5배의 종창, 혈액삼출 등이 초래되며 모세혈관이 파열된다. 골조직과 근막조직은 밀도가 다양하여 미사일의 진행방향을 변경시킬 수 있으며 비중이 높은 피질골이 가장 심한 손상을 받아 분쇄된 골절편은 이차적 미사일로도 작용해 광범위한 연조직 손상을 초래한다.

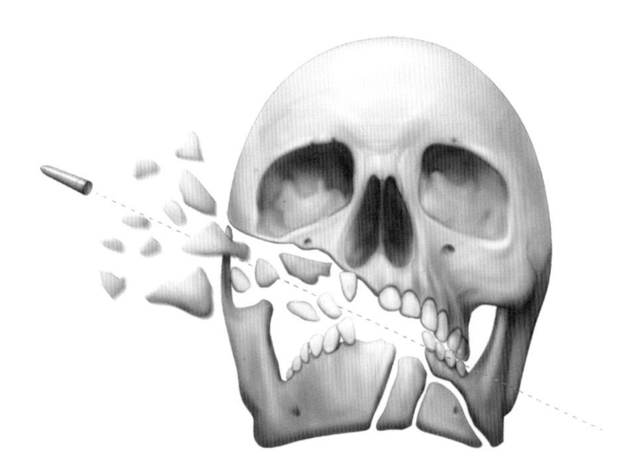

그림 7–88 **총알 손상로와 손상 양상.** 총알의 고속회전운동으로 관 통로에서 먼 곳도 골절되며 연조직 및 골편들의 이탈을 보인다.

고속도 총알의 경우 관통창(penetrating wound), 천공창(perforating wound) 및 손상조직을 바깥으로 이탈시키는 결출창(avulsive wound)을 형성하며, 총알 통로에서 멀리 떨어진 뼈까지 골절을 야기한다(그림 7–88). 그러나 저속도 총알은 접촉된 조직만이 손상을 받고 주위조직에는 손상이 적으며 파편들이 조직내에 박혀있게 된다. 포탄, 지뢰, 수류탄, 크레모아 등에 의한 파편창은 다양한 모양의 수많은 파편이 인체에 손상을 주어 보다 광범위하고 지저분한 창상으로 문신(tattooing)과 감염을 보인다.

또한 총알 자체의 고열로 인해 화상을 입어 조직의 부종을 초래할 수 있으며, 특히 뜨거운 폭발 가스 흡입으로 인해 인두나 후두의 화상이 발생할 경우 부종으로 기도폐쇄가 우려된다. 총알 관통로 주위의 세균감염에 대한 연구는 Thoresby 등이 보고한 바 감염의 주원인은 총알 자체보다도 총알 자체의 손상효과인 일시적 공동(cavitation)형성으로 인해 관통로 주위의 의복이나 흙먼지 등이 공동 내로 들어가서 세균의 증식을 촉진하는 것이 우려된다. 실전에서 세균배양 결과 월남전에서 손상 주위에는 *Staphylococcus*, *Pseudomonas*, *Aerobacter aerogenes*와 그람음성세균 등이 많은 것으로 보고되었으며, 항생제를 선택 시 penicillin, cephalosporin, aminoglycoside 등이 적절하다.

3. 총상의 치료

총상의 치료는 크게 응급 처치기(primary phase), 중간 처치기(intermediate phase), 이차적 재건형성기(late reconstructive phase)로 구분한다.

1) 응급처치기(일차치료기, Primary phase)

구강악안면영역의 총상의 초기에는 기도폐쇄에 의한 질식사, 큰 혈관손상에 따른 과다출혈에 의한 쇼크, 뇌나 척수손상이 동반되어 사망하는 경우가 많으므로 응급 처치기에는 특히 기도확보, 지혈처치 및 쇼크방지에 주력하면서 감염과 동통의 억제, 창상의 생활성 유지를 위한 처치를 해야 한다.

구강, 비강, 인두강을 폐쇄하는 혈병, 치아나 손상 골편 등의 이물질, 하악골 분쇄골절에 의한 혀의 후방전위, 상기도 조직의 외상과 감염에 의한 혀, 구강저, 후두의 종창, 상악골 골절에 의한 구개부 하방전위 등으로 인한 기도폐쇄가 우려되면 우선 환자의 머리를 옆으로 위치시키고 이물질을 흡인 제거하면서 혀를 앞으로 당긴다. 필요하면 기관내삽관, 기관절개술 등을 고려한다.

또한 관통로 주위의 큰 혈관손상, 손상된 근육의 삼출, 압박지혈 시 매복된 예리한 총알 파편에 의한 혈관손상 등으로 대량 실혈되어 저혈량성 쇼크(hypovolemic shock)의 증상(혈압강하, 빈맥, 안면창백, 갈증, 사지냉증, 불안현저, 발한, 호흡곤란 등)이 나타나면, 젖은 의복을 제거하고 따뜻한 담요로 몸을 감싸고 환자를 안정시키며 지혈처치와 동시에 전해질 균형을 고려하여 수혈과 수액공급을 실시한다. 또한 전장 공포감과 정서적 불안 및 손상에 의한 동통 자극으로 신경성 쇼크(neurogenic shock)가 발생할 수도 있는데 이는 저혈량성 쇼크와 감별을 요한다. 악안면 영역에서는 급속한 대량 실혈이 아니면 보상성 혈관수축(compensatory vasoconstriction) 때문에 몇 시간 동안은 증상이 나타나지 않으므로 계속적인 관찰을 요하고 심장수축기 혈압이 95 mmHg 이하이면 임계수준인 혈액의 30% 상실을 의미하므로 신속히 수혈을 한다.

악골 손상의 외과적 치료는 지혈처치, 분리된 골편 및 치아파편 그리고 매복된 총알 파편의 제거, 창상청결 및 연조직 변연절제를 하는 감염 방지과정(anti-infection step)과 골편의 정복고정, 구강점막과 창상을 봉합을 하는 복원 치유과정(reparative steps)으로 구성된다. 지혈처치는 대부분 압박으로 지혈되나 외경동맥의 큰 분지들의 손상으로 계속 출혈되는 경우에는 쇄골상부와 하악각 후방을 압박하거나 노출된 혈관을 결찰해야 한다. 골막 등 연조직이 부착되지 않은 골편들이나 치아 파절편은 감염의 우려가 많으므로 제거하나 연조직에 부착된 골편들은 가능한 보존하는 것이 좋다. 조직 내 매복된 총알 파편 등의 이물질은 접근이 쉽거나 혀나 하악측두관절 내 매복되어 기능에 손상을 주는 경우 제거한다. 특히 포탄파편창인 경우에는 다소 시간이 걸리더라도 가급적 제거하여 문신과 감염을 방지하도록 노력한다. 따라서 창상청결 시에는 비누, 식염수, 솔을 사용해 진피내에 잔재가 남아있지 않도록 한다. 창상연의 연조직은 수상 후 48시간 이내에 치료할 경우 최소한의 절제 후 일차봉합하지만 수상 후 시일이 지체되어 감염된 창상은 괴사조직을 제거하고 배농로를 반드시 설정해야 한다(그림 7-89).

골절된 골편의 운동과 전위는 동통과 출혈을 야기하고 또한 기도폐쇄의 우려도 있으므로, 치아를 이용한 악간고정과 탄력붕대로서 골편을 지지한 후 이학적 검사나 방사선사진검사가 가능한 병원에서 강선 혹은 아치바 등을 이용한 가급적 간단한 정복술을 시행한다.

총상 및 전상은 조기에 일차봉합에 의해 치료하는 것이 바람직하지만 상황에 따라 처치가 지연되어 창상 주위에 농이 형성되고 창상연 주위에 발적, 압통, 부종과 괴사 등의 감염된 창상의 소견을 보이면, 적당한 청결과 변연절제, 계속적인 습윤처치, 항생소염요법, 배

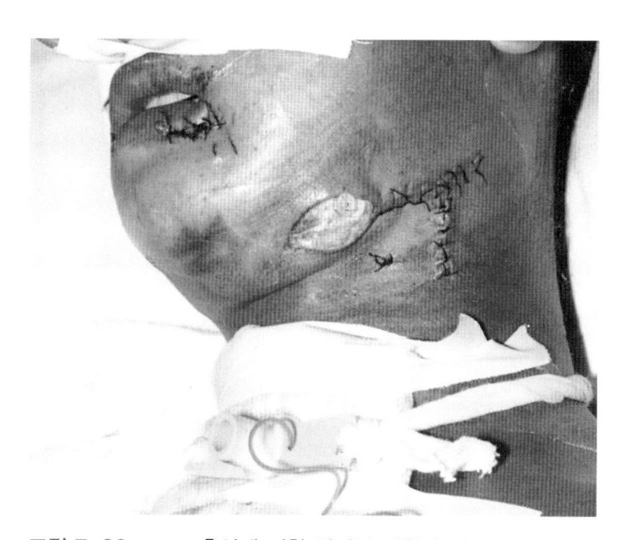

그림 7-89 M16 총상에 의한 악하부 열창과 악골골절부의 응급처치 모습. 조직결손부 주위의 열창부는 봉합했고, 조직결손부위는 배농을 위해 iodoform (Nu) gauze packing을 시행함.

농술 등으로 감염 억제 처치를 하여, 부종과 염증이 감소되고 화농이 그치며 상(bed)으로부터 건강한 육아조직(granulation tissue)이 형성되면 창상연을 절제하고 봉합한다.

2) 중간치료기(Intermediate phase)

중간 치료기에는 창상의 치유를 도우는 술후 처치와 합병증의 발생억제를 위해 노력하는데 특히 감염의 방지에 주력한다. 감염은 다른 외상사고처럼 국소창상의 감염, 폐렴, 뇌막염, 신장염, 혈전성정맥염 등을 초래할 수 있으므로 자세 또는 기계적 처치를 통한 배농과 항생제요법 등을 요한다. 다만 혈관벽 특히 정맥을 침식(erosion)하는 감염이나 기존 혈병의 분해과정에서 기인하는 이차적 출혈이 생기면 압박지혈이나 지혈제를 사용하거나 직접 혈관을 결찰한다. 전쟁 시 중간 치료기는 처음 치료한 외과의사와 후송된 병원의 외과의사가 다르기 쉬운 만큼 처음 치료자의 진료와 기록이 매우 중요하다.

3) 이차적 재건형성기(Late reconstruction phase)

과도한 손상으로 이차적 재건성형술을 필요로 하는 적응증으로는 ① 골조직 및 치아의 결손으로 연조직의 지지가 불가능하거나, ② 연조직 자체가 결손되거나, ③ 결체조직 및 골조직의 방해로 개구장애가 생기거나, ④ 적당한 보철물 제작을 위한 지지조직이 결손된 경우이다. 이차적 재건성형술에서 기본적으로 고려하여야 할 사항은 다음과 같다. 먼저 시기는 손상 후 약 3–6개월 후에 하는 것이 원칙이다. 그 이유는 손상받은 치아나 골조직의 예후결정 및 처치를 완료할 수 있고, 이차감염 및 농양을 처치 완료할 수 있으며, 반흔조직 자체의 성숙과 이차수술을 위한 환자 자신의 적당한 영양상태를 되찾을 수 있고, 수술 후 환자자신의 기능적 심미적 개선에 대한 희망을 줄 수 있다는 것 등이다. 골조직의 결손으로 인한 연조직의 위축을 방지하기 위하여 여러 가지 형태의 고정장치를 설치하거나, 연조직과 골조직의 결손을 해결하기 위하여 연조직 및 골이식술, 그리고 조직의 유착으로 인한 개구장애를 해결하기 위한 개구연습 및 반흔조직내 스테로이드제제의 주사를 고려할 수 있다. 보다 자세한 재건형성술의 내용에 대해서는 악안면재건술 단원의 내용을 참조하기 바란다.

참고문헌

김명래. 치아재식 및 자가 치아이식에 의한 치아 보존. 대한치과의사협회지. 1993;31:577.

김명진, 김민형. 안면부 총상환자 치료에 관한 문헌적 고찰 및 증례보고. 대한구강외과학회지. 1981;7:51-60.

김명회 등. 최신 화약학. 서울: 형설출판사; 1982.

김진, 노홍섭. 서부 경남 지역에서 발생한 악안면부 골절에 관한 임상적 연구. 대한악안면성형재건외과학회지. 1998;20:201-6.

김현수, 이상한, 장현중 등. 안면골 골절에 관한 임상적 연구. 대한악안면성형재건외과학회지. 2001;23:40-7.

남일우. 악안면구강외과학. 서울: 고문사; 1987. p. 153-200.

박형식 등. 최근 6년간 연세의료원에서 경험한 한국인 안면골 골절에 대한 임상적 연구. 대한악안면성형외과학회지. 1989;11:21-31.

백은호, 고승오, 신효근. 안와하부 골절의 임상적 연구. 대한악안면성형재건외과학회지. 2000;22:288-93.

신효근, 임재석, 이희원 역. 도설 구강외과수술학. 군자출판사; 1995. p. 281-336.

안병근 등. 안면골 골절에 대한 통계학적 고찰. 대한구강악안면외과학회지. 1988;14:44-9.

오민석, 김수관, 김학균 등. 안면골 골절의 발생 양상에 관한 7년간의 추적조사연구. 대한악안면성형재건외과학회지. 2007;29:50-4.

유재하, 김판식, 정인원. 악안면부의 미사일 손상에 관한 문헌적 고찰 및 증례보고. 대한악안면성형외과학회지. 1986;8:41-53.

이상철 등. 최근 5년간 안면골 골절환자에 대한 임상적 연구. 대한구강악안면외과학회지. 1991;17:40-5.

이상한, 정용, 김준연. 안면골 골절에 관한 임상적 고찰. 경북 치대 논문집. 1988;5:67-75.

이정구 등. 춘천지역의 안면골 골절에 관한 임상적 연구. 대한악안면성형재건외과학회지. 1990;12:103-13.

이정훈, 김용덕, 신상훈 등. 응급실을 내원한 구강악안면외과 안면골 골절 환자의 변화에 대한 비교 연구. 대한악안면성형재건외과학회지. 2005;27:171-6.

임변, 김기환. 사격술 연구. 신영출판사; 1983. p. 40-110.

장현석, 장명진. 악안면골절의 임상적고찰. 대한악안면성형재건외과학회지. 1996;18:454-62.

한문식 외 35인. 골절학. 일조각; 1988. p. 19-44.

Andreasen JO, Hjorting-Hansen E. Replantation of teeth. Radiographic and clinical study of 100 human teeth replanted after accidental loss. Acta Odontol Scand 1996;24:263.

Andreasen JO, Ravn JJ. Enamel changes to permanent teeth after trauma to their primary predecessors. Scand J Dent Res 1973;81:203.

Andreasen JO. Traumatic injuries of the teeth. 2nd ed. Munksgaard; 1981. p. 19.

Berkowitz R, Juwig S, Johnson R. Dental trauma in children and adolescents. Clin Pediatr 1980;19:166.

Burkit, et al. Oral medicine, 7th ed. J. B. Lippincott Co; 1977. p. 601-6.

Conley JJ. Complications of head & neck surgery. WB Saunders; 1979. p. 353-400.

Digman RO, Natvig P. Surgery of facial fractures. WB Saunders; 1978. p. 11-42, 133-327.

Fonseca RJ, Walker RV. Oral & maxillofacial trauma, vol I. WB Saunders; 1991. p. 13-104, 653-1321.

Gartshore L. A brief account of the life of René Le Fort. Br J Oral Maxillofac Surg 2010;48:173-5.

Hallet GE, Porteous JR. Fractured incisors treated by vital pulpotomy: A report on 100 consecutive cases. Br Dent J 1963;115:279.

Hausamen JE. The scientific development of maxillofacial surgery in the 20th century and an outlook into the future. J Craniomaxillofac Surg 2001;29:2-21.

Hill IR. The mechanism of facial injury. Forensic Science Int 1982;20:109-16.

Jeon EG, Jung DY, Lee JS, et al. Maxillofacial Trauma Trends at a Tertiary Care Hospital: A Retrospective Study. Maxillofac Plast Reconstr Surg 2014;36:253.

Jin KS, Lee H, Sohn JB, et al. Fracture patterns and causes in the craniofacial region: an 8-year review of 2076 patients. Maxillofac Plast Reconstr Surg 2018;40:29.

Jung SW, Nam OH, Fang IQ, et al. Reliability of a Trapezium Miniplate with Endoscope-Assisted Internal Fixation in Mandibular Subcondylar Fractures: A ThreeDimensional Analysis. J Clin Med. 2022;11:207.

Kellman RM, Marentette LJ. Atlas of craniomaxillofacial fixation. Raven Press; 1995. p. 283-312.

Kim J, Choi JH, Chung YK, et al. Panfacial Bone Fracture and Medial to Lateral Approach. Archives of Craniofacial Surgery. 2016;17:181.

Kim Y. Current Concepts in the Treatment of Maxillofacial Soft Tissue Trauma. Kroncke A. Uber die viterhalung der gefahrdeten pulpa nach Fraktur von Frontzahu-Kronen. Deutsch Zahnar-ztebal 1957;11:333.

Kruger GO. Textbook of oral and maxillofacial surgery. 6th ed. C.V. Mosby; 1984. p. 333-435.

Kruger E, Shilli W. Oral and maxillofacial traumatology. vol I. Quintessence; 1986. p. 147-172, 211-392.

Kruger E, Shilli W. Oral and maxillofacial traumatology. vol II. Quintessence; 1986. p. 19-222.

Lee DW, Choi SY, Kim Jw, et al. The impact of COVID-19 on the injury pattern for maxillofacial fracture in Daegu city, South Korea. Maxillofac Plast Reconstr Surg 2021;43:35.

Lentrodt J. Maxillofacial injuries-statistics and causes of accidents in Chicago. Quintessence Publishing Co; 1982. p. 43-7.

Lewis TE. Incidence of fractured anterior teeth to their population. Angle Ortho 1959;29:128.

Lockhart PB, Feldbau EV, Gabel RA. Dental complications during and after tracheal intubation. J Am Dent Assoc 1986;112:480.

McCarthy, et al. Plastic surgery, vol II. WB Saunders Co; 1997. p. 867-1141.

McEwen JD, McHugh WD, Hitchin AD. Fractured maxillary central incisors and incisal relationships. J Dent Res 1967;46:1290.

Mukerji R, Mukerji G, McGurk M. Mandibular fractures: Historical perspective. Br J Oral Maxillofac Surg 2006;44:222-8.

Nasijleti CE, Caffesse RG, Castelli, WA, et al. Effect of fibronection on healing of replanted teeth in monkeys: A histologic and autoradiographic study. Oral Surg Oral Med Oral Pathol 1987;63:291.

Peterson LJ, et al. Contemporary oral and maxillofacial surgery. Mosby; 1988. p. 525-76.

Peterson LJ, et al. Principles of oral and maxillofacial surgery. vol I. J.B. Lippincott Co; 1992. p. 267-640, 557-86.

Schultz RC. Facial injuries. 2nd ed. Year book medical publishers; 1977. p. 41-64.

Williams JL. Rowe and Williams' maxillofacial injuries. 2nd ed. Churchill livingstone; 1994. p. 1-148, 283-664.

Yun S, Na Y. Panfacial bone fracture: cephalic to caudal. Archives of Craniofacial Surgery. 2018;19:1.

보철을 위한 외과수술

생활 여건의 개선과 의학의 발달로 노인층이 증가하고 질병이나 사고에 의한 치아와 치조골 및 악골의 부분적인 결손이 증가함에 따라 기능적이고 심미적인 보철 수요가 증가하였다. 치과보철의 기능적 안정이나 교합균형 및 심미성은 인상채득 및 보철 제작 기술과 그 활용에 따라 보완될 수 있으나, 좋은 보철의 제작을 위해서는 근본적으로는 치조골의 상태, 주변 연조직 및 상하악 관계가 좋아야 한다. 좋은 보철에 요하는 치조골의 상태를 보존하거나 장애가 되는 요인들을 보철 전에 미리 외과적으로 개선함으로써 편안하고 아름다우며, 기능적으로 만족하고 오래 사용할 수 있는 보철물을 제작할 수 있다. 치과 임상에서 치조골성형술과 같은 통상적인 보철전수술(preprosthetic surgery)은 숙련된 치과의사라면 누구나 시행할 수 있으나, 난이도가 높은 전문적 수련을 요하는 골 및 연조직성형술은 구강악안면외과의와 협진함으로써 구강악안면 저작계의 기능적, 심미적 회복을 도모할 수 있다.

본 단원에서는 양호한 보철에 요구되는 치조골의 형태와 상하악 관계를 개선하는 외과적 술식의 적응증과 방법 및 합병증의 예방과 처치에 대하여 학습하고자 한다.

CONTENTS

CHAPTER 08

보철을 위한 외과수술

Surgical Treatment for Prosthesis

학습목적

기능적이고 심미적인 치과보철물의 제작과 유지를 위해서 치조골의 크기와 상태, 악궁의 조화, 상하악의 관계를 이해하고 보철물의 안정에 장애가 되는 요소들을 찾아서 이를 평가하고 외과적으로 개선하는 치료의 원칙과 술기를 학습하여 임상에 적용할 능력을 함양한다.

기본 학습목표

- 보철물 장착에 이상적인 구강상태와 치과보철물 제작의 장애요인을 설명할 수 있다.
- 발치 후 치조골의 생리적 변화과정을 이해하고 설명할 수 있다.
- 치조골성형술의 종류와 술식을 이해하고, 보철 전 외과술에 사용되는 장비와 기구를 식별할 수 있다.
- 보철에 장애가 되는 골융기를 진단하고, 안전하고 효과적인 골제거술을 활용할 수 있다.
- 하악 의치의 안정을 위한 설측구성형술의 적응증을 이해하고 술식을 설명할 수 있다.
- 순소대(labial frenulum)와 설소대(lingual frenulum)의 형태적, 기능적 이상의 진단과 치료를 위한 외과술식을 설명할 수 있으며, 상악결절(maxillary tuberosity)이 의치 안정에 필요한 경우와 축소성형술을 설명할 수 있다.
- 치조골증대 골성형술의 적응증을 이해하고 골이식 및 골절단술을 설명할 수 있다.
- 피부 및 점막이식의 적응증과 술식을 설명할 수 있다.
- 좋은 보철을 위한 상하악 관계를 이해하고, 관계개선을 위한 골절단성형술을 나열할 수 있다.
- 보철을 위한 연조직 및 골조직성형술의 합병증에 대한 적절한 대책을 수립할 수 있다.

심화 학습목표

- 치조융선을 보존하는 술식에 대해 이해하고 술식을 시행할 수 있다.
- 치조골신장술의 방법과 합병증을 이해하고 술식을 시행할 수 있다.
- 치조능의 확대를 위한 구강전정성형술의 적응증을 판단하고 외과적 술식을 시행할 수 있다.
- 치조골의 모양이 보철물 제작에 장애가 되는 경우 외과수술 방법을 나열하고 시행할 수 있다.
- 연조직이 보철물 제작에 장애가 되는 경우 외과수술 방법을 시행할 수 있다.
- 의치가 불안정한 경우 안정성을 높일 수 있는 외과수술 방법을 시행할 수 있다.
- 임플란트 식립 조건을 향상시킬 수 있는 외과수술 방법을 시행할 수 있다.

I. 보철을 위한 외과수술

1. 보철전 외과수술의 적응증

기능적이고 심미적이며 안정감 있는 치과보철 수복을 위해 치조골의 형태와 높이, 연조직의 상태를 평가하고 이를 이상적인 형태로 개선하기 위하여 외과적 치료를 선행하게 된다. 기능적으로 만족스러운 치과보철물의 제작과 장착을 위해서는 다음의 요건을 구비하여야 한다.

① 구강내 혹은 구강외에 감염성 또는 종양성 병소가 없어야 한다.

② 상하악의 전후좌우 그리고 수직적인 관계가 적절하여야 한다.

③ 치조융기(alveolar ridge)는 가능한 크고 넓으며 충분한 높이를 유지한 U자 형태를 가져야 한다.
④ 치조융기나 연조직에 함몰이나 돌출이 없어야 한다.
⑤ 보철물이 있는 부위에는 각화점막이 일정한 두께로 충분히 덮여 있어야 한다.
⑥ 협(순)측과 설(구개)측으로 구강전정의 깊이가 적절해야 한다.
⑦ 보철물 주변에 가동성 연조직이 없어야 한다.

■ 보철 제작의 장애요인들

고정성보철(계속가공의치)에서는 상악전치의 순측경사, 과도한 잇몸노출, 반대교합(crossbite), 과개교합(deep bite), 개방교합(open bite), 구치부 교차교합, 상악구치부의 치조정 정출, 치조골 결손, 치조제 함몰, 치간이개 등이 있을 때 기능적이고 심미성이 있는 보철물의 제작이 어렵다.

가철성보철(국소의치, 총의치, 임시의치)에서는 융기(torus), 치조정출, 과도한 치조골흡수, 날카로운 악설골근(mylohyoid muscle) 부착부위, 턱끝결절(genial tubercle)의 돌출, 과도한 역교합만곡(reverse occlusal plane), 날카롭고 뾰족한 치조융기, 언더컷(undercut)을 가진 상악전치부 치조정(crest of the ridge), 언더컷을 가진 상악결절(maxillary tuberosity), 비대칭적 악궁, 부정교합성 악간관계(Class II, Class III mal-occlusion)가 있을 때 인상채득이 어렵고 의치의 유지와 안정을 얻기 어렵다.

2. 보철전 외과수술에 사용되는 기구와 술전 준비

보철 제작의 장애요인을 제거하고 개선하기 위한 연조직 및 골성형술을 위해서는 구강악안면외과용 기본 장비와 기구들 외에 골절단 및 절삭용 톱과 드릴 등이 필요하다.

보철전 외과수술은 대개 국소마취하에서 이루어질 수 있으나, 정맥진정마취를 병행할 수도 있고, 광범위한 골절단 및 골절제 때에는 전신마취도 고려하게 된다. 환자의 대부분이 연령이 높고 다양한 전신질환을 가지고 있는 경우가 많기 때문에 병력과 전신검사를 충실히 하여 수술 중이나 전후로 발생할 수 있는 예기치 못한 사고나 합병증에 대한 적절한 예방과 대책을 수립하여야 한다.

3. 보철을 위한 치조골성형술(Alveoloplasty)

1) 치조골의 생리적 흡수

치아가 발거되면 생리적 자극을 받지 않는 치조골은 점차 흡수되어 그 크기가 작아지게 되는데 흡수되는 원인은 일차적으로 불사용위축(disuse atrophy), 의치에 의한 압박, 노화 등에 의하여 진행된다. 그러나 흡수가 진행되는 형태는 상하악의 각 부위마다 치밀골의 두께, 근육부착의 유무, 교합력의 방향 등에 따라 다르게 되며 일반적으로 마지막에는 치조정(alveolar crest) 부위가 날카로운 형태로 되고 치조골의 흡수가 계속되

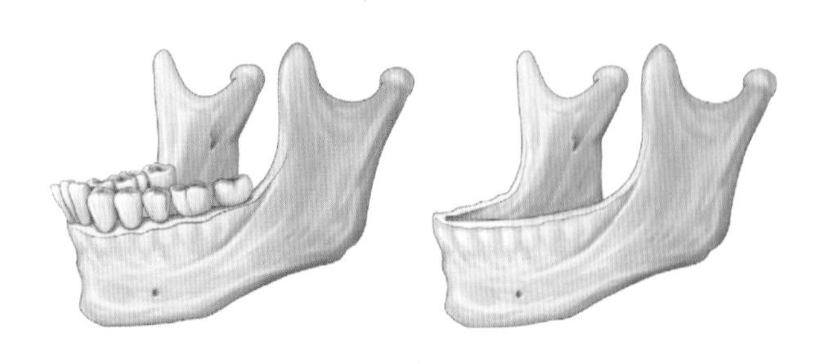
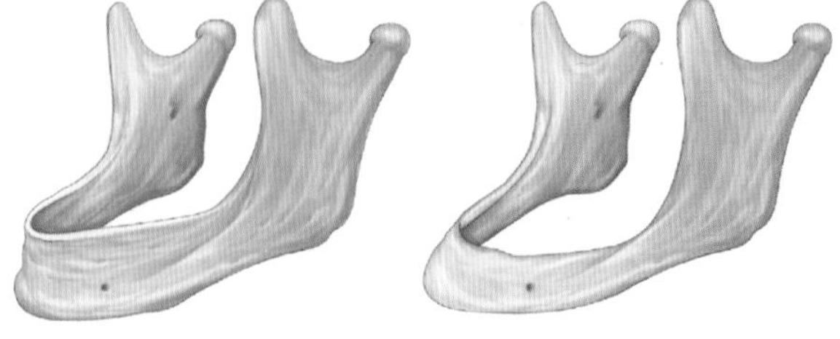

그림 8-1 하악골에서 발치후 치조골의 생리적 흡수와 변화.

면 치조정이 점차적으로 낮아져서 교합고경도 줄어들게 된다. 특히 상악은 구개측보다는 협측 피질골의 흡수가 심하여 악궁이 좁아져서 후방으로 퇴축되어 보이며, 상대적으로 하악은 협측 치밀골이 두꺼워 흡수에 저항하고 교합고경이 감소됨에 따라 하악이 회전(autorotation)하여 상악골의 전방에 위치하게 되는 하악전돌성 부정교합(Class III) 악간관계가 형성된다(그림 8-1).

발치 직후에는 울퉁불퉁한 치조골을 U자 형태로 형성하기 위해 치조골성형술이 시행되는데, 이때 약간의 골흡수가 발생하므로 다음 사항을 유의하여야 한다.

① 치조골은 언더컷이 없도록 하며 날카로운 부위는 U자 형태로 편평하게 하여야 한다.
② 저작압이 균일하게 전달되도록 점막의 두께는 균일하게 유지하도록 한다.
③ 환자의 연령이 낮을수록 골의 흡수가 많으므로 골삭제량이 적어야 한다.
④ 해면골(cancellous bone)이 피질골(cortical bone)보다 흡수가 많다는 사실을 인지하여야 한다.
⑤ 치주염으로 골흡수가 심한 경우는 발치창이 치유된 다음(약 4–8주) 치조골성형술을 시행한다.

2) 발치 후 치조골성형술 및 치조골절제술

의치의 장착을 방해하는 융기(torus)를 제거함으로써 발치와의 치유를 돕고, 편안하고 외형이 좋은 치조상태를 얻을 수 있다. 발치와 주위에 예리한 돌출이나 뾰족한 치조골은 절골겸자(bone rongeur)와 골줄(bone file)로 다듬는다. 가능한 골막의 박리를 최소로 하여야 하며, 지나치면 점막치은경계(mucogingival junction)가 얕아지고 치조골의 흡수가 많다.

1–2개의 치아를 발치한 경우 고정성계속가공의치에 의한 보철을 고려하여 최대한으로 치조골을 보존한다. 그러나 치아의 전방 및 하방돌출이 심한 경우에는 협측(순측) 및 치조중격골(septal bone)을 삭제한다(그림 8-2~4).

보통 상악전치부, 상악대구치부, 하악전치부에서, 중격골을 파절한 다음 협측골을 내측으로 밀어 파절하고 날카로운 부분만을 평탄하게 하면 치조능의 높이를 유지하면서도 의치의 전방돌출을 최소로 할 수 있다. 그러나 치조능이 얇은 경우에는 언더컷 부분에 자가골이나 대체골을 채워 넣을 수도 있다.

3) 골융기제거술

보철물 제작에 장애가 되고 의치의 안정에 방해가 되는 비종양성의 골증식증으로서 구개융기(torus palatinus), 하악골융기(torus mandibularis), 협측 및 구개측 돌출골(buccal, palatal exostosis)이 있다. 반드시 제거할 필요는 없지만 종양과의 감별을 요하는 경우이거나, 보철물에 의한 압박이나 만성적인 자극을 받게 될 수 있으므로 국소의치나 총의치 제작 전에 제거한다.

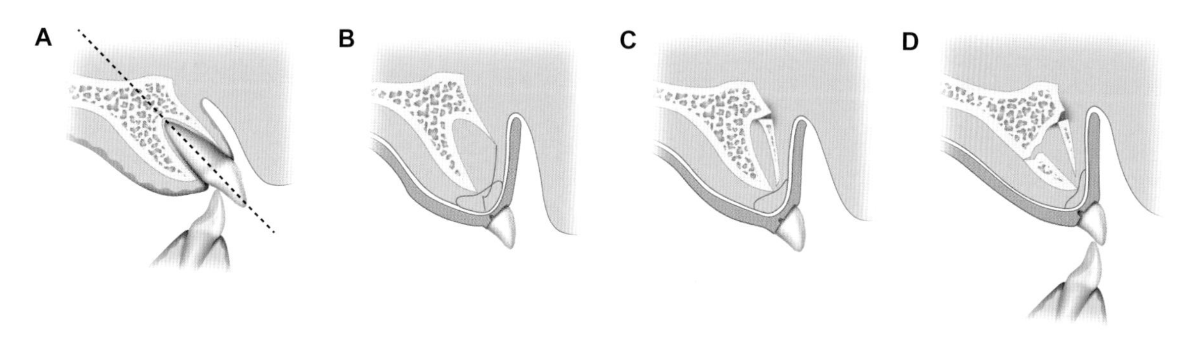

그림 8-2 상악전치부의 발치 후 치조골성형술.
A: 치아의 축경사와 수평피개(overjet) B: 축경사가 심하지 않을 때는 순측치조골삭제 C: 중등도 이상일 때는 Dean 순측치조골파절술 D: 극심한 경우 Obwegeser 양측치조골파절술이 권유된다.

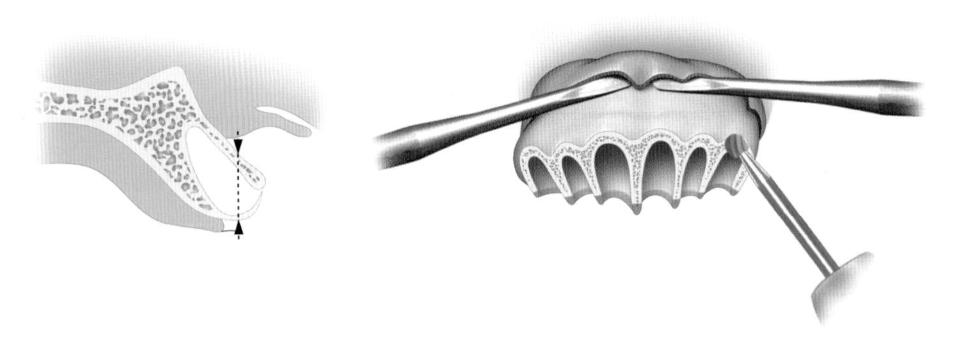

그림 8-3 **협측치조골 삭제에 의한 치조골성형술.** 골겸자, 의치용 버 및 골줄을 사용하여 불규칙한 치조정부를 부드럽게 한다.

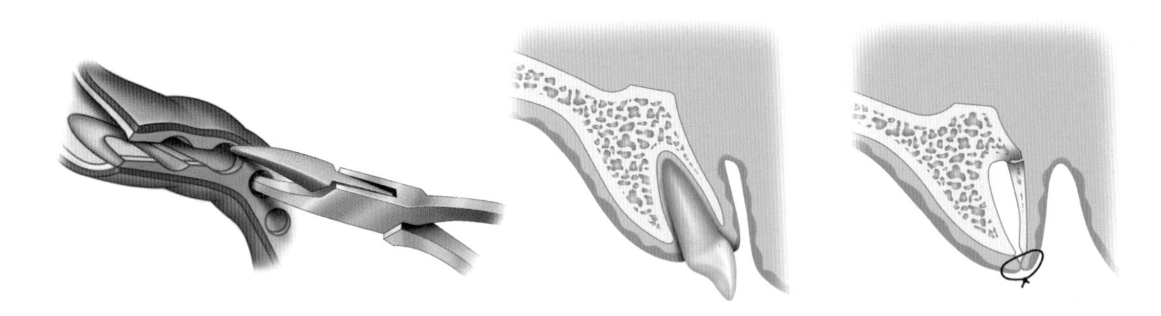

그림 8-4 **순측치조골압접술.** 전치부 순측치조융기에 언더컷이 있을 때, 발치 후 치조간 벽(interseptal bone)을 절골겸자로 절단하면 순측치조골의 파절과 압접이 용이하다.

(1) 하악골융기제거술

하악골융기는 일반적으로 하악소구치부 설측이 비후증식된 것으로 종양과 구별되며, 대개 양측성으로 발현하고 서서히 증대되므로 병리학적으로는 크게 문제가 되지 않는다.

제거 시 절개선은 설측 치경부를 따르고 가급적 하악 정중부는 박리하지 않는다. 노출된 골면에 피셔버(fissure bur)로 고랑(groove)를 만들고, 의치용 버(denture bur, vulcanite bur 등)와 골절단기(osteotome), 뼈끌(bone chisel), 골줄(bone file)로 제거하고 다듬는다. 술후 피판을 재위치하여 봉합하고 내측의 혈종을 방지하기 위하여 미리 제작한 투명한 설측레진 스플린트나 거즈뭉치(gauze roll)로 압박하기도 한다(그림 8-5, 6).

(2) 구개골융기제거술

상악구개골의 중앙부에 증식하는 골융기(torus palatines)의 제거는 구개정중부를 'Y'와 'ㅅ'가 합쳐진 형태로 절개하고 골막을 젖혀 피판을 견인하여 고정한다. 골절삭용버(round bur, fissure bur)로 열구를 형성한 다음 골절단기로 조각을 떼어낸다. 골융기가 제거되었으면 골줄이나 의치용 버로 골면을 평탄하게 하고 전기소작기(bovie) 등으로 지혈한 후, 피판을 봉합한다(그림 8-7, 8). 구개피판이 밑으로 처지는 것과 혈종을 방지하기 위하여 미리 제작해 둔 구개스플린트(palatal splint)를 압접한다. 구개스플린트는 술후 2-3일에 제거하여 청소한 다음 필요시 추가로 5-7일간 더 장착한다.

4) 치조 돌출골제거성형술

상하악구치부 협측이나 치조정에 치조골이 불규칙하게 증식한 돌출골(exostosis)이 있는 경우나, 하악전치부 치조정에 날카로운 부분이 있는 경우 칫솔질을 어렵게 하거나 외상을 입기 쉽고 이에 따른 치주질환

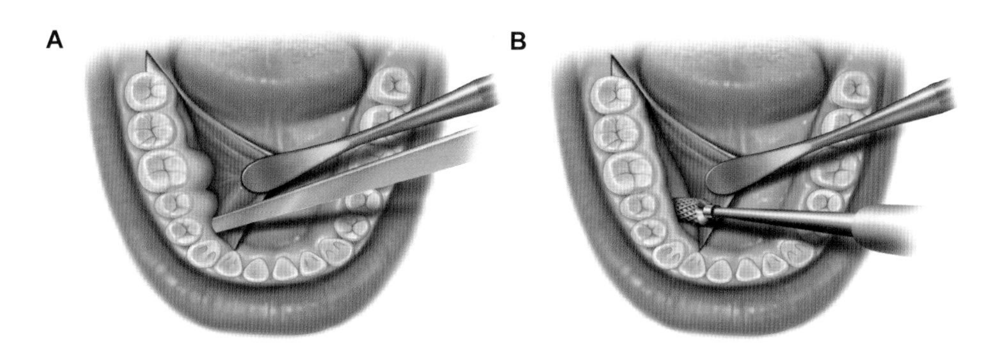

그림 8-5 **하악설측골융기절개술.**
A: 치조정과 설측 치은변연을 따라 절개하여 골막을 젖힌다. B: 외과용 피셔버로 고랑을 형성하고 골절단기로 떼어낸 후 의치용 버 또는 골줄로 다듬는다.

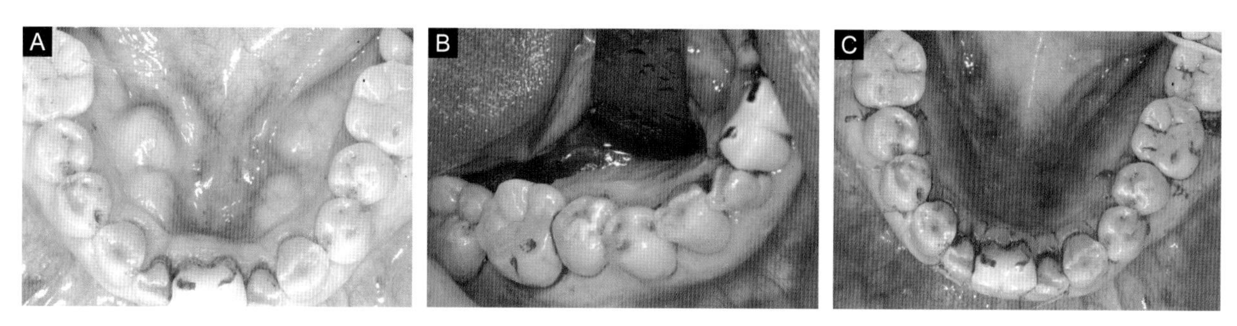

그림 8-6 **하악설측골융기제거술.** A: 하악설측골융기 B: 골융기를 제거한 상태 C: 봉합 후.

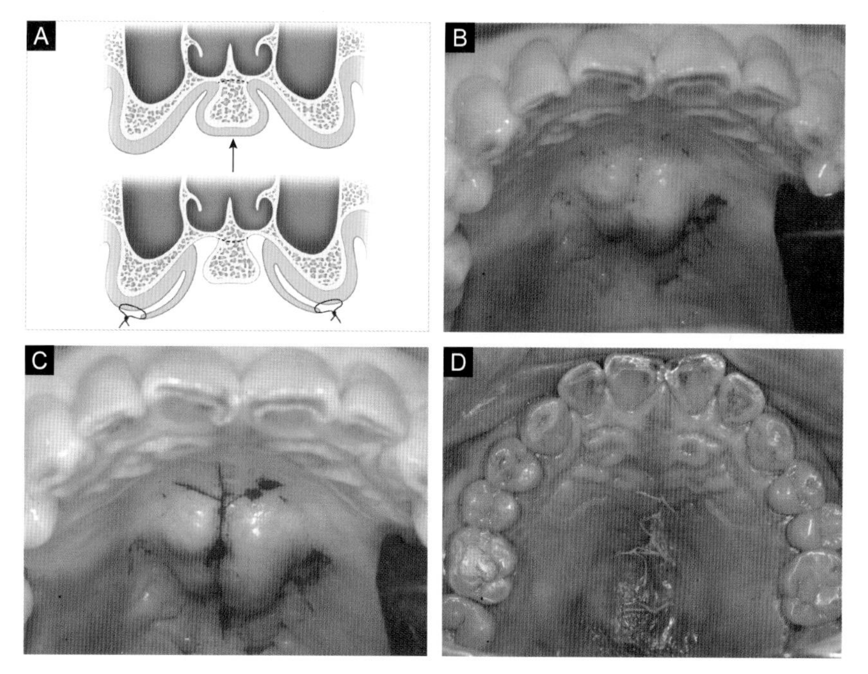

그림 8-7 **구개골융기제거술.**
A: 정중절개 후 구개피판을 젖혀서 고정하는 수직절단 모식도 B: 상악골융기 C: 절개한 모습 D: 봉합 후.

이 발생할 수 있으며, 국소의치의 설계와 인상채득 및 유지를 나쁘게 한다. 치은변연을 따라 절개하고 점막골막피판(mucoperiosteal flap)을 박리한 다음 절골겸자나 골절단기로 떼어내고 골줄로 평활하게 한다. 이때에 돌출골과 치근 사이의 치주낭(periodontal pocket)을 제거하기 위해 치은박리소파술을 동시에 시행할 수도 있다. 술후 골막하의 혈종을 방지하기 위하여 피판을 일부 삭제하거나 당겨서 봉합하고, 치주팩을 이용하여 협측 치조열구를 압박해주기도 한다(그림 8-9, 10).

5) 악설골융선축소술(Mylohyoid ridge reduction)

하악구치가 결손된 후 무치악 치조골이 흡수 퇴축되고 하악대구치 설측의 악설골융선이 상대적으로 치조정에 가까워지면서 날카롭게 돌출된다. 하악의 총의치나 국소의치 제작 시에 의치상의 안정을 위하여 돌출된 악설골융선을 제거하고 의치 변연부를 연장할 수 있도록 인상을 채득하고 의치의 설측 변연이 이곳에 위치하게 한다. 하악 설측의 치조제연장술에 해당하며 Trauner, Obwegeser, Caldwell 술식이 사용되고 있다

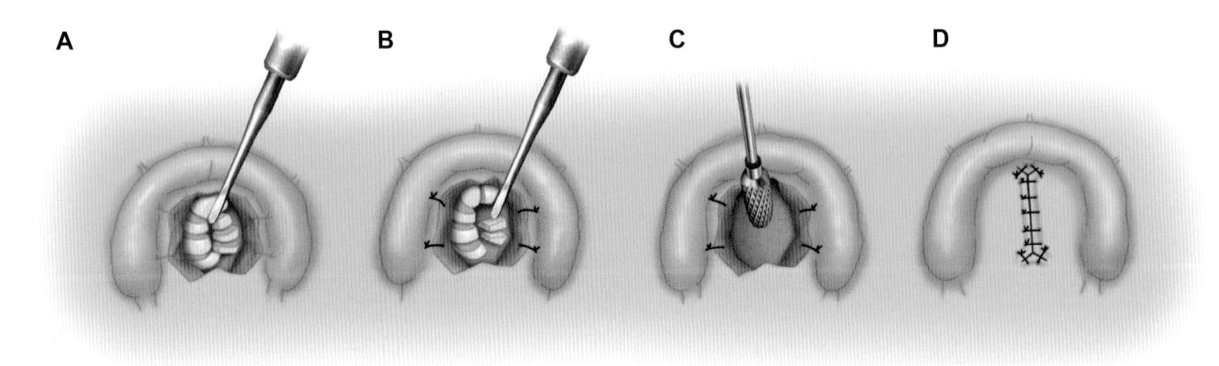

그림 8-8 **구개골융기제거술**. A: 외과용 피셔버로 열구를 형성 B: 골절단기로 조각을 떼어낸다. C: 의치용버로 남은 골면을 평탄하게 다듬는다. D: 봉합 후 미리 제작한 구개스플린트 장착.

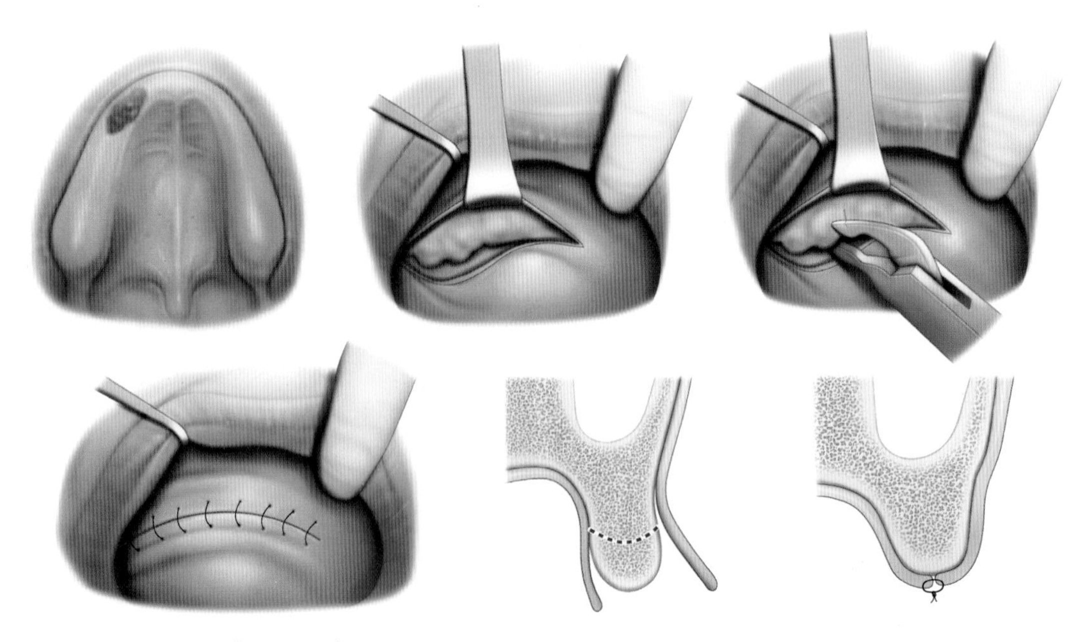

그림 8-9 **상악구치부의 돌출골(exostosis) 삭제**.

(그림 8-29~31, 구강전정성형술 참조).

술식을 보면 반대측에 바이트블록(bite block)을 물리고 혀를 내측으로 제쳐 치조융기의 1 mm 외측에 수평절개하여 상행지 외사선(external oblique ridge)까지 골막을 박리한다. 구치 설측의 골막 내측에 설신경이 지나감으로 골막이 찢어지지 않도록 유의하면서 악설골융선 하방까지 노출한다.

돌출된 악설골융선부에서 악설골근부착을 포함한 골막을 조심스럽게 박리하면 근부착부 골이 칼날처럼 날카롭게 나타난다. 이 부위에 외과용 피셔버로 삭제할 깊이만큼 5 mm 간격으로 함요를 형성한 다음 날카로운 악설골융선은 골절단기를 사용하여 나뭇결을 자르듯이 제거할 수 있으나, 예기치 않은 골절이나 연조직의 손상가능성이 있으므로 조심해서 제거해야 한다. 골삭제 후에는 충분히 세척한 뒤 골피판을 봉합한다(그림 8-11).

구강저의 혈종과 종창을 방지하기 위하여 임시의치의 하연을 연장하여 이장재로 압접하거나 구강 내에 바세린거즈(vaseline gauze)를 위치시키고 구강저를 관통하는 경피봉합(transcutaneous suture)으로 압박한다.

4. 연조직성형술

1) 소대절제술(Frenectomy)

상악중절치 사이의 상순소대(upper labial frenum)는 의치의 안정을 방해하고, 하악설측의 설소대(lingual frenum)는 국소의치의 주연결부(major connector)와 닿아 의치를 탈락시킨다. 또한 하악구치부의 협소대(buccal frenum)는 가동성이 있어 의치의 변연폐쇄를 불량하게 하여 유지를 나쁘게 하며, 결국 의치의 안정을 방해한다.

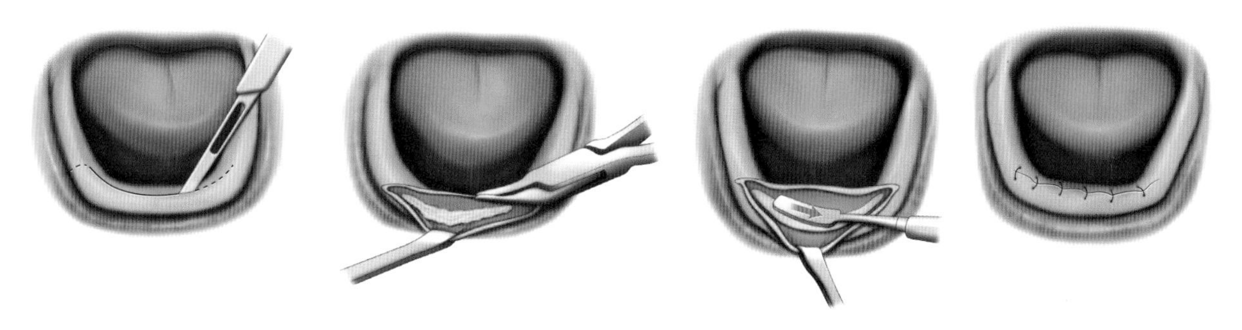

그림 8-10 하악전치부 치조정의 날카로운 부분을 절골겸자와 골줄로 다듬고 완만하게 한다.

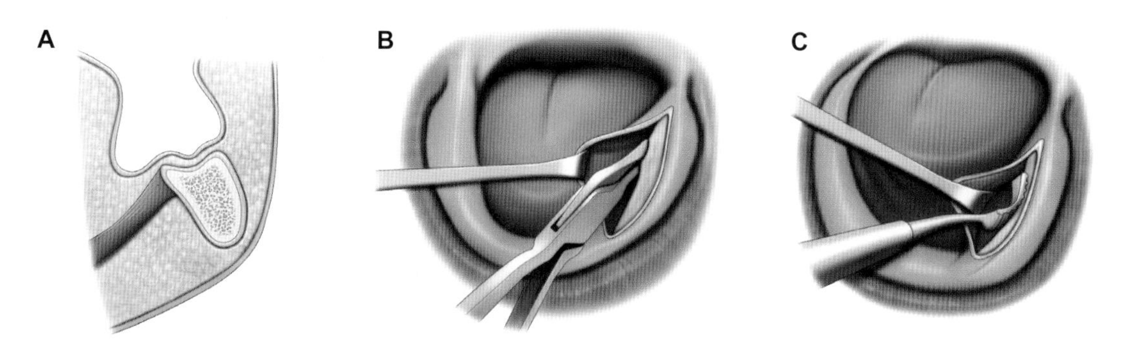

그림 8-11 **악설골융선축소술**. A: 악설골근이 부착된 날카로운 부분 B: 절골겸자(bone rongeur)와 골줄(bone file)로 날카로운 부분 제거 C: 골줄과 의치용버로 평활하게 한다.

(1) **상순소대절제술**(upper labial frenectomy)

순소대가 상악중절치 간에 근접하여 있거나 무치악 상태의 절치유두(incisive papilla)와 연결되었을 때, 순소대를 지혈겸자(hemostat)로 찝고 그 상연과 하연을 수술도(#15 blade)로 절제한다. 다이아몬드상으로 절제된 부분에 근육의 부착이 있으면 횡절단하고 창연의 좌우를 봉합한다(그림 8-12).

그러나 상순소대가 지나치게 짧고 두꺼우면 Z형 상순소대성형술이 적용된다. 상순소대를 Z의 중심축으로 하고 좌측상연과 우측하연에 60° 각도로 절개를 연장하면 2개의 삼각피판이 된다. 내측의 근부착부를 절단하고 피판 하부를 자유롭게 하여 상순을 위로 들어 올리면 삼각피판이 서로 교차 전위(transition)되면서 상순의 내측이 길어진다. 이렇게 신장된 상태에서 각 피판을 흡수성 및 비흡수성 봉합사로 봉합한다(그림 8-13).

다른 방법으로는 레이저나 전기메스로 순소대의 중심부를 절단하여 순소대가 넓어지게 한 후, 술후 재유착을 방지하기 위하여 의치의 변연을 신장하여 장착하게 하기도 한다.

(2) **설소대절제술**(lingual frenectomy)

혀 밑의 섬유성 소대가 혀끝에 가까이 부착된 설유착증(ankyloglossia, tongue tie)은 혀의 전상방운동을 부자연스럽게 하여 발음할 때 혀 짧은 소리를 내게 하고, 하악 가철성의치(총의치, 국소의치) 착용 시 설측 연조직의 가동성 때문에 의치가 안정되지 못하고 만성적인 자극에 의해 궤양이 형성될 수 있다. 설소대절제

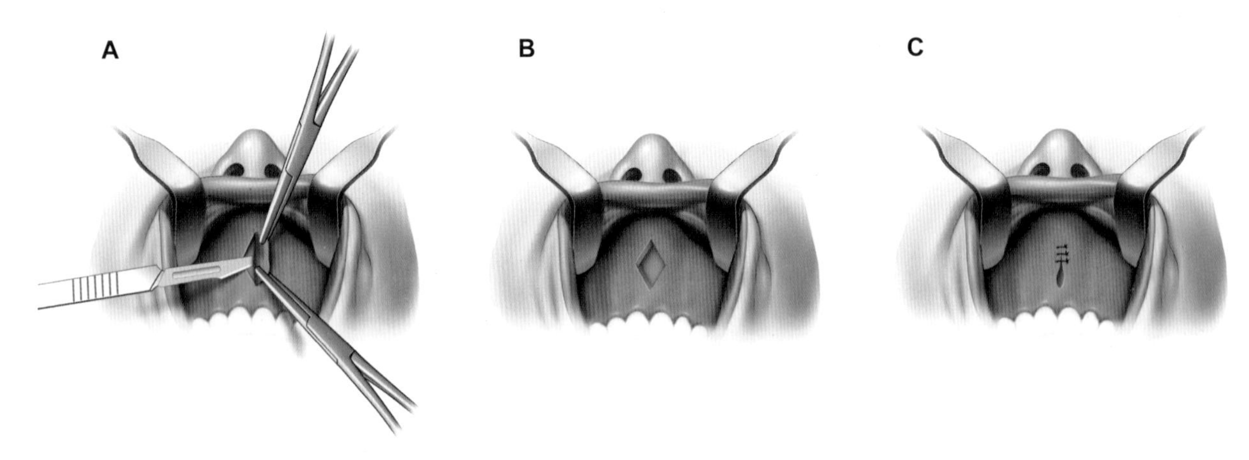

그림 8-12 단순 상순소대절제술. A, B: 다이아몬드형으로 절제한다. C: 치조점막 부분만을 봉합한 다음 미리 제작한 스플린트나 의치를 이장하여 압접한다.

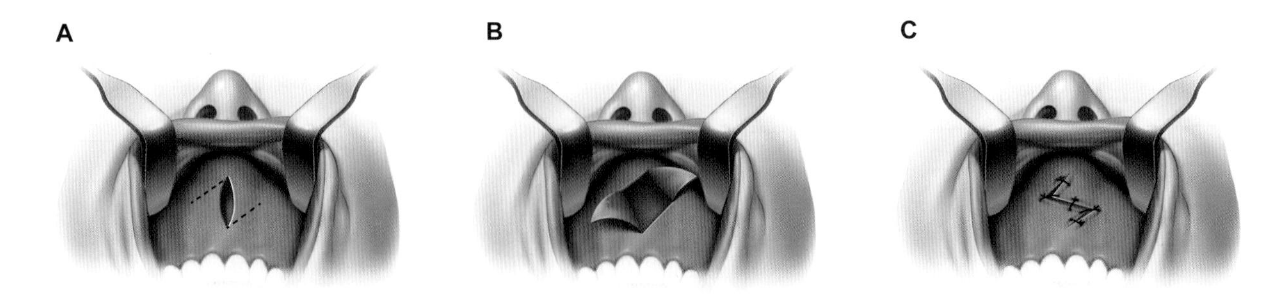

그림 8-13 상순소대절제술. A: 두꺼운 상순소대를 절제한다. B: Z형 절개를 추가한다. C: 2개의 삼각피판을 전위함으로써 상순의 부착을 연장하고 자유롭게 한다.

술은 혀끝과 구강저를 국소마취한 후, 혀끝에 고정봉합(stay suture)을 하고 전상방으로 견인한 상태에서 지혈겸자로 설소대를 잡은 뒤, 수술도(#15 blade)로 섬유성 소대를 절단한다. 지혈겸자로 점막 밑을 박리하여 혀가 길어지면서 절단부가 마름모로 나타나면 양측 변연을 당겨서 흡수성 봉합사와 견사로 봉합한다.

그러나 설소대가 두껍고 혀 밑 근육과 밀착된 경우는 설소대의 상부와 하부를 절개하여 설소대를 절제하고 점막 밑을 분리(undermining)한다. 그 길이가 충분하지 않고 너무 넓은 경우는 Z형 피판을 만들어 전위하여 봉합한다(그림 8-14).

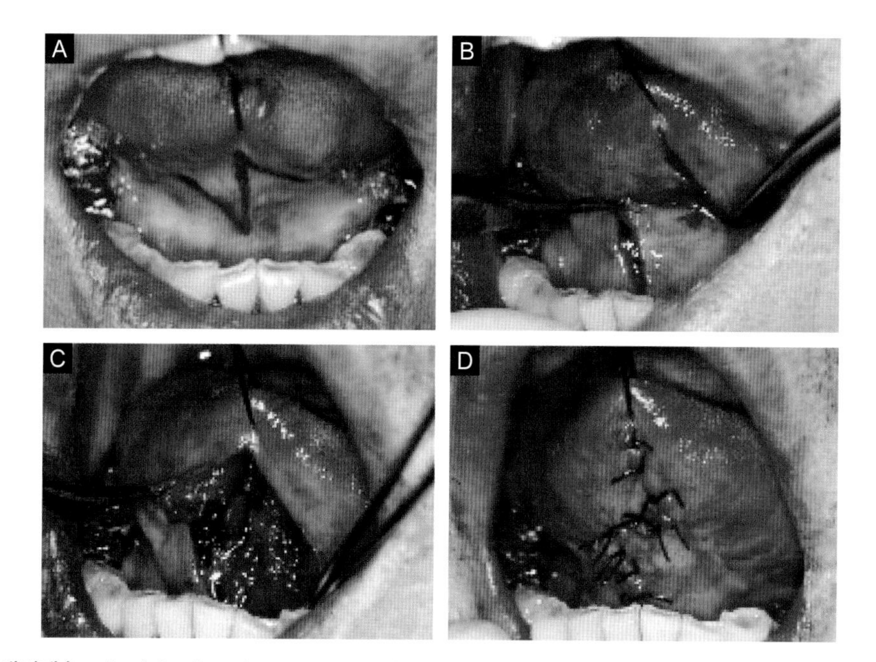

그림 8-14 **설소대절제술.** A: 수술 전 Z-plasty marking 상태 B: 혀끝을 견인하고 수술도를 이용하여 절개한다. C: 조직 박리상태 D: 봉합한 모습.

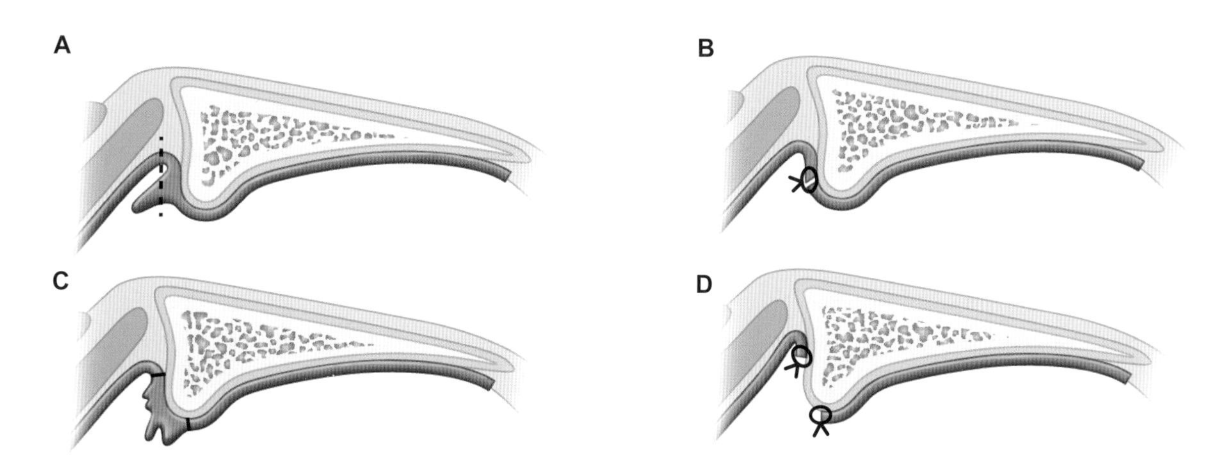

그림 8-15 **상악전치부 치은열성비대의 절제.** A, B: 국소적이고 작은 치은열성비대는 유동성 있는 증식 부분만 절제하고 봉합한다. C, D: 범위가 넓고 길 때는 골막을 남긴 채 연조직증식을 절제하고 변연은 남은 골막에 봉합한다. 연조직의 안정과 구강전정이 얕아지는 것을 막기 위해서 의치상의 변연을 연장하고 술후 즉시 장착시킨다.

2) 치은열성비대제거술(Excision of epulis fissuratum)

잘 맞지 않는 의치상이 움직이면서 점막에 만성 자극을 주거나 대합 자연치에 의한 외상성 교합으로 의치 밑의 점막이나 전정부 점막이 염증성과증식(inflammatory fibrous hyperplasia)을 일으키는 상태를 치은열성비대(epulis fissuratum)라 한다. 상하악 모두 무치악 상태에서도 의치상과 접한 전치부 치조융기에 연조직이 과도하게 증식하여 치은열성비대가 나타나기도 한다. 치은열성비대는 의치의 밀착을 방해하고 저작 시에 심한 통증을 유발하므로 제거되어야 한다. 염증조직이므로 외과적 제거 시 출혈이 많을 수 있어 최근에는 출혈 위험을 줄이기 위해 외과용전기칼(electrosurgical scalpel)이나 외과용레이저로 시술한다(그림 8-15~17). 골막을 남긴 채 치조정의 가동성 연조직을 절제하고 지혈을 확인한다. 술후 점막과 의치의 충분한 접촉 및 수술 부위의 이차치유를 촉진하기 위하여 의치의 변연부를 연장하여 압박한다. 제거량이 큰 경우에는 술후 전정이 다시 얕아질 수 있으므로 예방을 위하여 점막이식을 시행하기도 한다(그림 8-18, 19). 상악에서는 대체로 쐐기 혹은 타원형으로 연속 봉합한다(그림 8-20, 21).

3) 구개부 유두모양과증식 절제술(Excision of palatal papillary hyperplasia)

구개점막과 치조능의 협순측 열구부위에 붉은색 소결절 혹은 유두종의 형태로 나타나며 의치의 안정을 방해한다. 잘 맞지 않는 의치로부터의 만성 자극, 염증성 유두종, 청결치 못한 의치의 상시 장착 등에 의하며 의치 사용을 중단하면 크기와 정도가 현저히 감소한다.

국소마취 하에 외과용전기칼을 이용하여 증식된 부분을 훑어 제거하되, 골막이 노출되지 않도록 한다. 지혈과 동통의 경감을 위해 미리 만든 수술용스텐트(surgical stent)나 이전의 의치에 연성이장재를 넣어 장착시킨다. 술후 1주일에 이차성 상피화를 관찰하고 수술용스텐트를 제거한다. 그러나 처치 중에 다시 출혈이 되거나 통증이 있으면 도포 및 국소마취를 하고 바셀린거즈를 덮은 다음 수술용스텐트나 의치를 다시 장착시키고 1-2일 후 제거하고 의치에 연성이장재(soft liner)를 추가할 수 있다. 영구적 의치는 3-4주 후에 재제작한다.

4) 구강전정 구축반흔제거술(Revision of scar contractures)

(1) V-Y, Y-V Plasty

무치악 치조능이 얕고 반흔조직이 있거나 협설소대가 짧으면 섬유성 띠를 V형으로 절개하고 피판을 만들어 Y형으로 봉합하면 연조직이 길어진다. 반대로 너무 길어서 처지는 경우는 Y형으로 절개하여 V형으로 봉합하면 길이를 단축할 수 있다.

(2) Z-Plasty

외상의 반흔으로 인해 상하악전치부 연조직이 구축되어 입술이나 혀, 볼의 운동이 부자연스러울 때, 반흔을 절제하고 나면 그 면적이 더욱 늘어난다. 이때에 피부나 점막이식을 고려하게 되지만 범위가 크지 않으면 2개의 삼각피판을 만들어 그 위치를 바꾸어줌으로써 길이가 늘어나게 할 수 있다.

5. 연조직-골 동시 성형술(Simultaneous combined surgery of soft tissue and bone)

1) 상악결절축소술(Reduction of maxillary tuberosity)

상악결절의 골 및 섬유성 증식은 상악구치 및 후방에 언더컷을 형성하고 악간공간(intermaxillary space)을 차지하여 의치의 제작이나 장착을 방해하므로 그 크기를 줄여야 한다.

상악결절부의 치은을 타원형 혹은 쐐기형으로 절제하고, 골막을 거상한다. 과증식된 치조골을 골절단기

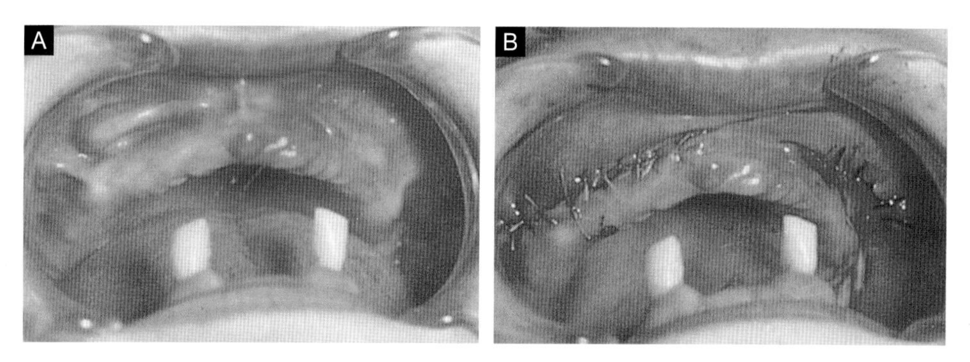

그림 8-16 **치은열성비대제거술.** A: 상악전치부 구강전정의 치은열성비대가 관찰된다. B: 치은열성비대를 단순절제하고 흡수성 봉합사로 연속봉합한다.

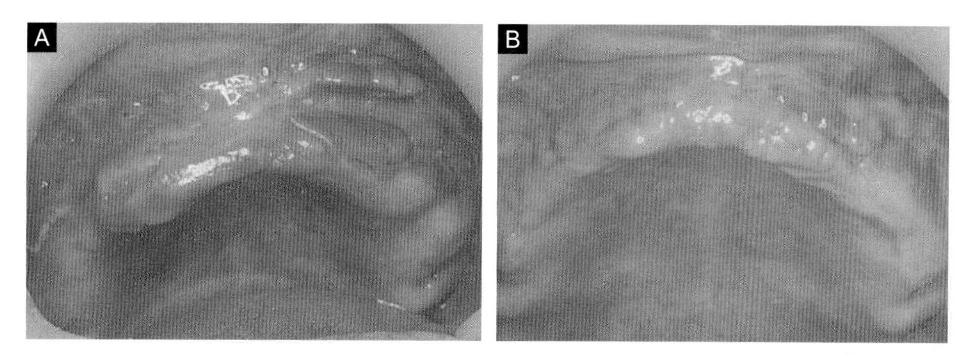

그림 8-17 A: 상악좌측전정부의 치은열성비대와 전치부 치조능의 전체적인 가동성 치은열성비대 B: 좌측의 치은열성비대를 쐐기형으로 절제한 3주 후 구강소견.

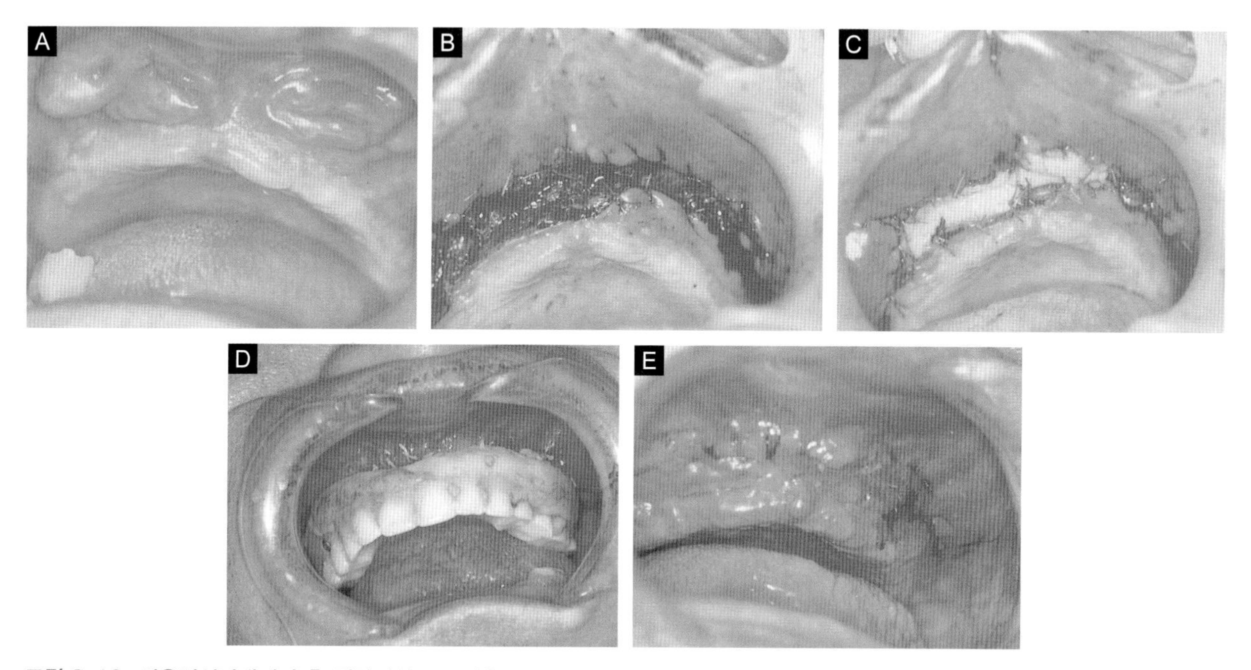

그림 8-18 **치은열성비대제거 후 점막이식.** A: 양측성으로 주름이 잡히고 치조융기가 낮을 때 B: 과증식된 조직을 절제하고 치조점막을 상방 전위한다. C: 절제된 연조직을 얇게 펴서 남아있는 골막면에 압접함으로써 점막이식 효과를 얻는다. D: 술후 의치의 변연을 연장하고 연성이장재(soft liner)를 추가하여 압접한다. E: 2주 후 치유된 구강전정과 상대적으로 높아진 치조융기.

나 절골겸자 및 버로 삭제하고 골면을 골줄로 평탄하게 한다. 봉합의 긴장을 완화할 필요가 있을 경우, 거상된 치은의 골막에 근접한 조직을 부분적으로 추가 절제하고 봉합한다. 각화된 구개측 피판을 협측으로 당겨서 봉합하여 구강전정을 연장할 수 있으며, 이때는 전위된 협부조직을 안정시키기 위하여 임시의치나 갖고 있던 의치의 변연을 연장하여 압박 장착한다.

2) 상악결절증강술(Augmentation of maxillary tuberosity)

상악이 극도로 퇴축하여 상악결절의 형태를 찾기 어렵고 의치의 유지가 나쁠 때 상악결절을 크게 하기 위하여 Obwegeser 등이 소개한 상악결절골절술을 응용할 수 있다. 즉, 구상절흔(hamular notch)부위의 연조직을 박리하여 익돌기(pterygoid plate)를 노출하고 골

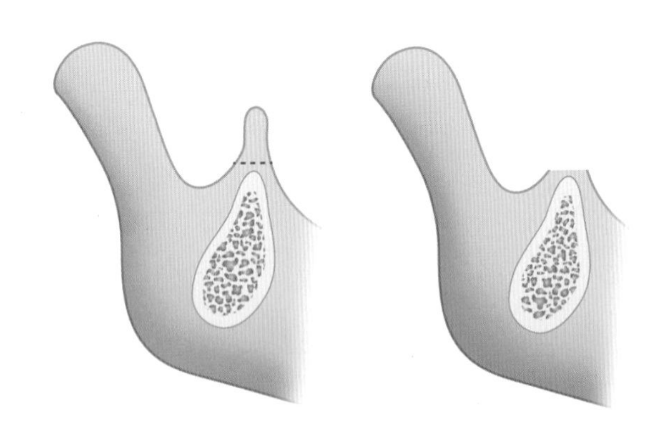

그림 8-19 **하악전치부 치조정의 가동성 연조직 절제.** 골막을 남긴 채 가동조직만을 단순절제하거나 전기외과도로 지혈 절제한다.

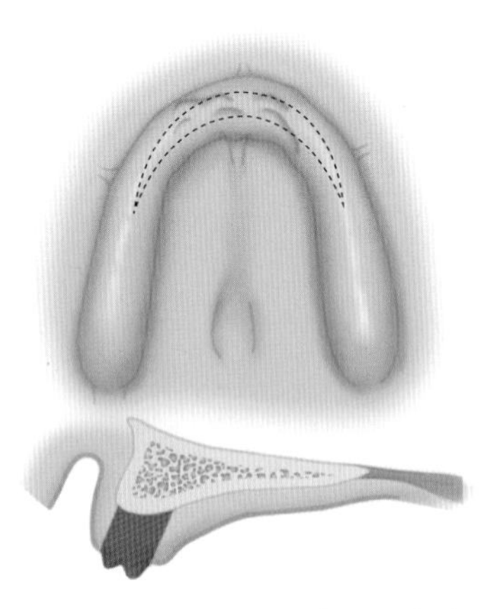

그림 8-20 **상악전치부 치조융기부의 가동성 연조직 절제.** 치조정 부분을 쐐기 혹은 타원형으로 절제하고 연속 봉합한다.

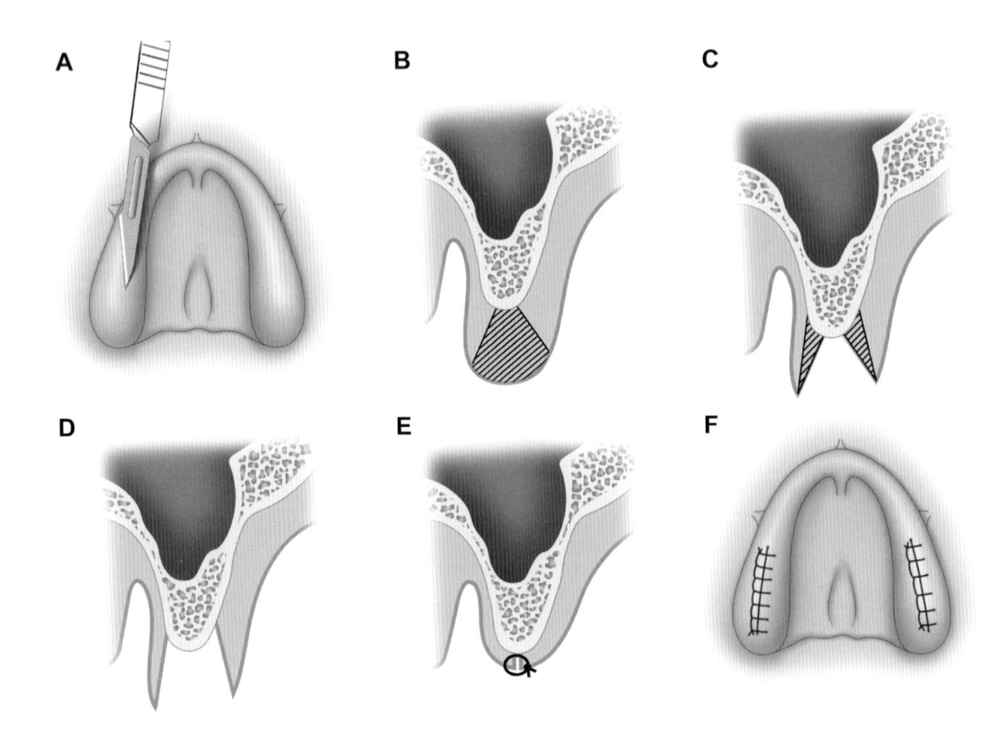

그림 8-21 **상악구치부 치은열성비대의 절제.** A, B: 상악 결절상의 타원형(혹은 쐐기형) 절제 C, D: 봉합의 긴장을 완화하기 위한 골막에 근접한 조직의 부분 절제 E, F: 봉합.

절시켜 구상절흔부와 익돌기와의 사이를 깊게 형성시키는 것이다(그림 8-22).

3) 하악 이신경의 재위치(Surgical repositioning of mental nerve)

무치하악의 치조능선이 극도로 흡수되면 의치의 변연이 이신경(mental nerve)을 압박하게 되어 통증이 있다. 의치의 삭제나 가동성이 있는 연조직만의 이동에 한계가 있을 때 하악 이공(mental foramen)을 노출하여 이공의 위치를 후하방으로 형성하고 하악관에서 이어지는 이신경을 하방으로 이동시킴으로써 협측의 구강전정을 깊게 한다. 그러나 신경(총)의 직접 손상과 신장(stretching)에 의한 신경손상의 가능성이 있으므로 전문적인 수술과 주의가 필요하다.

하악이신경으로 접근하기 위하여 치조정을 지나는 횡절개와 수직절개를 하여 골막을 젖히고 협측골을 노출시킨다. 외과용 버(#2 round bur, #701-702 fissure bur)와 골절단기, 뼈끌로 이공 하방의 협측 피질골을 제거하고 하악관에 접근한다. 신경혈관다발(neurovascular bundle)을 하방으로 전위시키고 상부에는 수술 중에 채취한 골편을 넣은 다음, 흡수성막으로 덮고 봉합한다(그림 8-23).

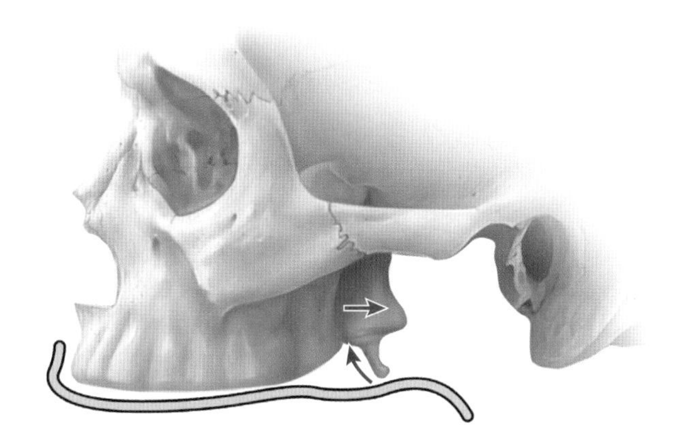
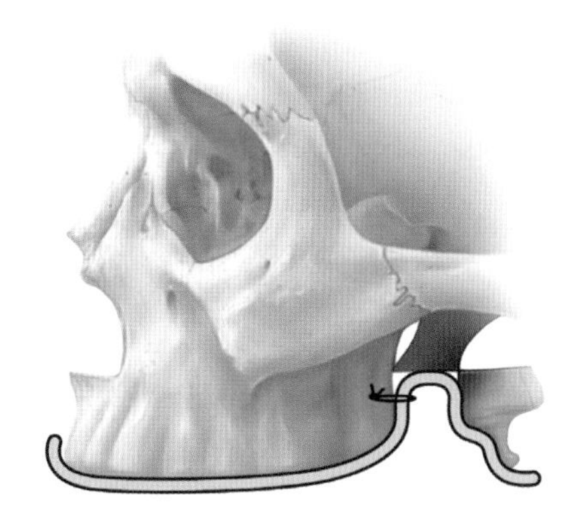

그림 8-22 **상악결절증강술.** 상악치조골 및 상악결절의 흡수가 심할 때, 익돌기(pterygoid plate)와 구상절흔(hamular notch)을 골절시켜 함요를 형성하여, 후결절의 상대적 높이를 증가시킬 수 있다.

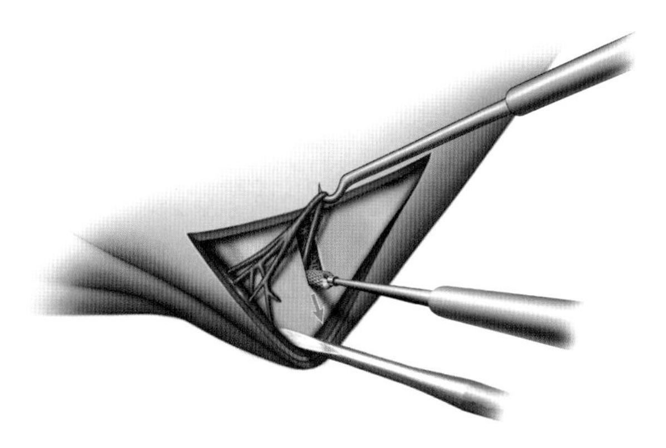

그림 8-23 **이신경의 하방전위.** 하악치조골의 흡수가 심하여 이신경이 의치에 눌릴 때, 치조정의 절개 후 이공에 근접하여 이신경속을 신경견인기(nerve hook)로 당겨올리고 이공하방으로 공간을 만든다. 5 mm 정도의 하방이동을 요하며 흡수성막 등(Gelfoam, Gelatin Sponge나 조직재생유도막)을 상부에 놓아 신경관의 재위치화를 막는다.

6. 치조융기보존(Alveolar ridge preservation, ARP)

치조융기(alveolar ridge)는 정상적으로 1년에 평균 0.1-0.4 mm씩 흡수되며, 하악이 상악에 비하여 4:1 정도로 높다고 알려져 있다. 치아가 없어 저작기능이 없을 때 발생하는 불사용위축, 대사장애로 인한 골흡수, 의치의 압박, 과도한 수직피개(overbite)와 교합부조화, 불량 인공치, 교합력의 비정상적인 분산과 의치상의 변화 등에 따라 치조골의 흡수량이 결정된다.

따라서 치조융기를 유지하기 위해서는 잔존치근의 유지 및 활용, 비흡수성 매식물의 삽입, 골관통 및 골내 임플란트의 활용을 고려할 수 있다.

■ **치근유지(치근매립;** retention or submerging of roots)**: 치근잔류 치조융기의 보존술식**

실활치(nonvital tooth)의 치근을 발치하지 않고 치조골 내 남겨두고 그 위에 피개의치(overdenture)를 만들거나, 잔존치근의 근관 내 지지기둥이나 주조체(post, cast-core)를 넣어 의치의 유지를 얻는 이중관의치(telescopic denture)로 사용할 경우 치조골의 흡수를 막을 수 있다.

1) 점막상 실활치근의 유지(Retention of nonvital roots)

잔존 치아와 치근을 근관치료한 후 치조골 내에 남겨둔 상태로 의치(overdenture, telescopic denture)를 제작한다. 치근이 남아 있으므로 치조골의 흡수가 적고, 부착장치(attachment)를 이용함으로써 의치의 유지와 안정성에 기여한다. 그러나 치아우식증과 치주질환의 가능성이 있으므로 치관/치근의 비율을 고려하고 근관치료하여 점막상 부분을 주조관으로 덮는 것이 바람직하다. 또한 잔존치근의 협측에 언더컷이 생겨 있는 경우에는 자가골 또는 대체골을 넣을 수 있다.

2) 점막하 실활치근의 유지(Submerged nonvital roots)

치관과 치근부를 치조정 밑으로 2 mm 이상이 되도록 절삭한 다음 생활치근의 경우에는 그대로, 치수병변이 있었던 경우에는 근관치료를 시행하고 치조정 부분을 깨끗이 한다. 그 다음 유지할 치근주위의 치조골을 날카롭지 않게 다듬고 상부 치조골막을 단단히 봉합한다. 또한 치근부를 완전히 피개하기 위해서 필요하다면 골막의 하연을 수평으로 이완절개(releasing incision)하여 골막이 유연성을 갖고 여유로운 상태에서 봉합되도록 하여야 한다.

술후 연조직의 열개, 의치하방의 압통, 누공 등이 발생할 수 있다.

7. 치조융기 증대를 위한 구강전정성형술(Vestibuloplasty)

의치의 안정을 위해서는 치조융기가 높고 면적이 넓어야 하지만 치조융기의 확장에는 하악의 이신경, 협근 및 악설골근의 부착, 상악의 전비극(anterior nasal spine, ANS), 관골 시작부 등에 의하여 제한을 받는다. 또한 술후 반흔구축에 의해 다시 좁아지지 않도록 점막층이 가능한 두꺼워야 하며, 노출된 골막면이 상피로 덮여야 하고, 긴장 없이 봉합될 수 있어야 한다.

1) 점막하전정성형술(Submucosal vestibuloplasty)

일반적으로 상악순협측의 구강전정에 가동성이 많고, 점막하에 반흔조직이나 섬유조직의 증식이 없을 때에 가능하다. 정중순소대부를 1-1.5 cm 정도 수직으로 절개하여 전방에서 후방구치까지, 치조정에서 전비극(anterior nasal spine) 사이의 골막과 점막사이를 분리한다. 점막하의 결체조직, 특히 근육의 부착부분을 분리한다. 필요한 경우 견치 또는 소구치부위에 수직절개를 추가할 수 있다. 지혈 후 수직절개부를 봉합하고 수술용스텐트나 사용하던 의치의 변연을 연장하여 소형 금속나사로 의치의 협측상연이나 수술용스텐트를 관통하여 상악에 고정압박한다(그림 8-24). 1-2주일 후 수술용스텐트나 의치를 제거하고 봉합사를 제거한 후 연성이장재로 이장하여 스스로 탈부착할 수 있는 의치로 보완한다. 술후 3주경에 새로운 의치를 제작할 수 있다.

2) 이차성상피화 구강전정성형술(Secondary epithelization vestibuloplasty)

외상성 반흔이나 섬유성증식이 있을 때, 점막을 골막에서 분리하여 필요한 만큼 기저부로 전위시켜 남은 골막에 봉합함으로써 부착치은의 폭을 증가시킨다. Obwegeser에 의하면 노출된 골막은 육아조직으로 차면서 이차성 상피의 증식으로 덮이게 된다(그림 8-25).

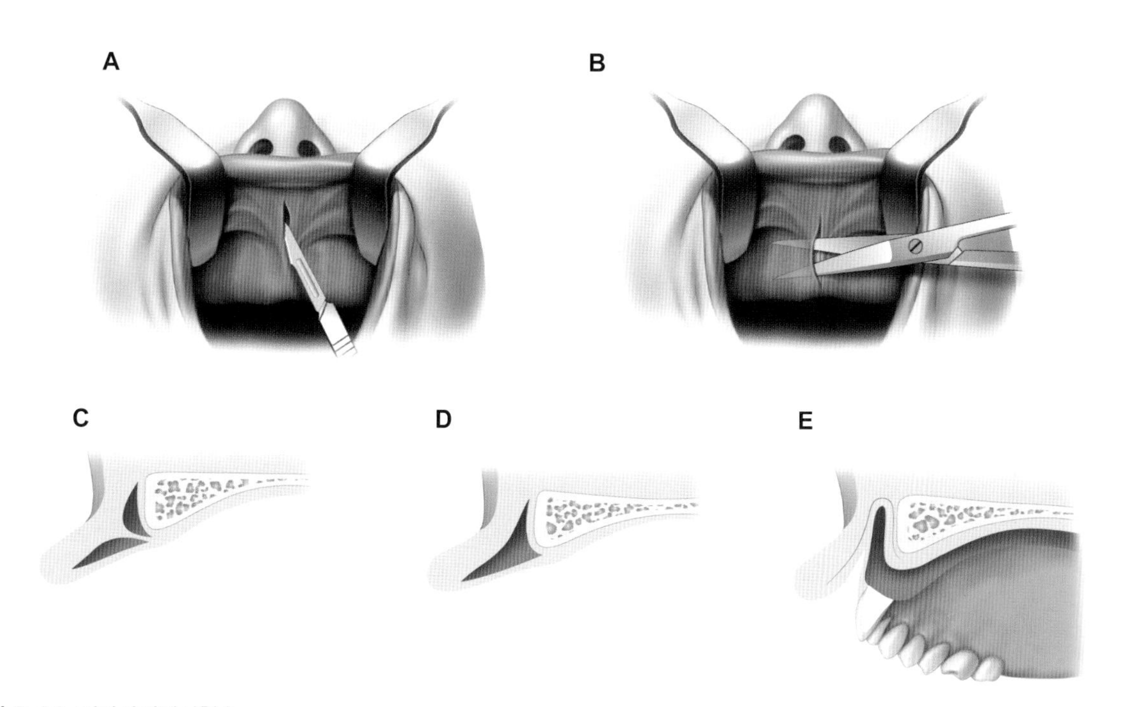

그림 8-24 점막하전정성형술.

A: 상악 치조융기에서 정중 순측을 수직 절개한다. B: 점막과 골막사이를 분리한다. C, D: 근육의 부착부분을 분리하여 밀어 올린다. E: 의치상연을 연장시켜 압접하고, 의치의 안정을 위해 경구개 또는 협측에 소형 금속나사(titanium screw 등)를 박고 1-2주 후 제거한다.

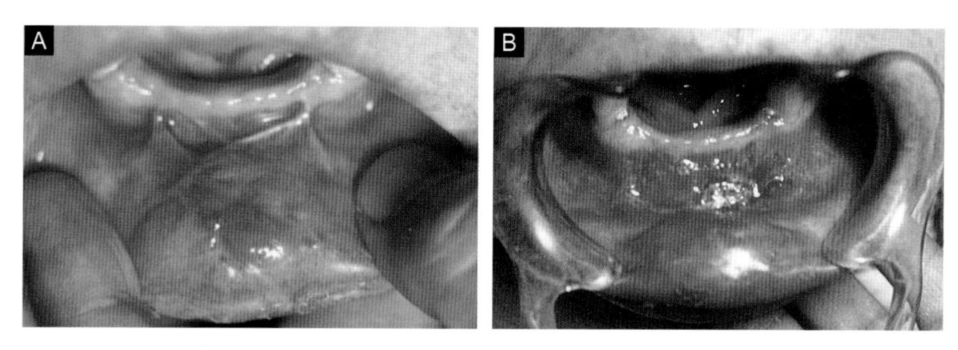

그림 8-25 이차성상피화 구강전정성형술 전과 후.

A: 외상성 반흔으로 하순이 하악 전치부 치조융기에 닿아 있다. 유착된 부분에 골막을 남긴 채 절개 박리하고 순측피판을 하방으로 전위하여 남은 골막에 봉합한다. B: 수술 후 모습으로 의치의 하연을 연장하거나 미리 제작한 수술용스텐트를 고정하였다가 1-2주 후 제거하면서 이차 성상피화를 확인한다.

그러나 상피화가 된 다음에 그 면적이 좁아지면서 다시 구강전정이 얕아지게 되는데 술후 2–3년에 50%, 특히 하악에서는 80% 이상의 회귀율이 보고된 바 있다. 이런 회귀율은 노출된 골막면에 점막이나 피부를 이식하면 20–30%로 줄일 수 있다. 이식편은 피부나 협점막보다는 각화된 구강점막이 좋으며, 이는 주로 상악구개측에서 얻을 수 있다.

3) 점막이식 전정성형술(Vestibuloplasty with mucosal graft)

전정성형술 후 구강전정의 기저부로부터 수축이 일어나 새로 얻은 전정이 얕아지는 것을 방지하기 위하여 점막을 이식한다. 협점막은 피부절편기(dermatome)로 0.3 mm 두께의 점막을 얻을 수 있고, 공여부에 특별한 치료 없이 이차성 상피화를 기대할 수 있으나 수축에 충분히 견디지 못하는 단점이 있다. 많은 임상의들은 치조점막의 역할을 하기 위해서는 각화된 점막이 필요하며, 구개측을 가장 좋은 공여부로 여기고 있다. 구강점막을 골막과 분리하여 기저부로 전위하여 봉합한 후, 노출된 골막에 협점막이나 구개점막을 이식함으로써 반흔구축과 상피화에 의한 수축을 막고, 상대적으로 높아진 치조융기와 확장된 치조능선 면적이 다시 줄어드는 것을 줄일 수 있다.

이차성상피화 구강전정성형술과 같은 방법으로 점막피판을 젖혀 기저부로 밀어올리고 흡수성 봉합사로 연속봉합한다. 노출된 골면에 은박지를 대고 필요한 점막의 크기를 측정하여 #15 수술도로 공여부의 점막피판을 채취하고 골막에서의 출혈은 전기소작한다. 채취된 점막피판은 생리식염수에 적신 후 수여부위에 놓는다. 필요한 점막의 양이 많으나, 공여부를 적절히 확보하지 못할 경우에는 점막을 조직확장기(graft expander)로 구멍을 뚫어 망상으로 만들어 사용한다. 이식편의 변연을 흡수성 봉합사로 봉합한 다음 이식편의 미끄러짐을 방지하기 위하여 이식편의 중앙을 #15 수술도의 끝으로 찔러 혈종을 방지하고 조직접착제를 바르거나 추가봉합을 시행한다. 구개측 점막 공여부에는 바세린거즈를 두 겹으로 덮고 미리 제작한 수술용 스텐트나 의치 변연을 부드러운 첨상제로 연장하여 장착시킨다. 수술용스텐트는 강한 봉합사를 이용하여 환하악고정(circum–mandiblular fixation)한다. 술후 7일에 수술용스텐트를 제거하고 발사한다. 상피층이 불규칙하게 벗겨진 듯이 보이며 육아조직이 나타나지만 2–3주에 새로운 점막으로 덮인다. 의치상을 연성이장재로 이장하고 약 4주 후에 의치를 새로 제작한다(그림 8–26, 27).

4) 피부이식 전정성형술(Vestibuloplasty with skin graft)

점막이 절대적으로 부족할 때는 피부이식편을 이용할 수 있다. 이식피부는 털이 없는 대퇴부를 이용하며 가능한 얇아야 한다. 주로 하악골의 흡수가 심하지 않아 치조융기는 좋으나 치조골 주변의 근부착(협근, 악설골근, 소대 등)이 치조정에 가깝고 유동적일 때, 또한 의치궤양(denture sore mouth)이 다수의 부위에서 나타날 때 치조융기의 가동성 점막을 기저부로 밀어놓고 피부이식판을 덮은 다음 의치상이나 수술용스텐트를 장착시켜 압박한다.

하악에서는 수술 후 종창과 연하곤란, 피하출혈, 감염, 이공 부근의 신경손상 가능성 등이 생길 수 있다. 설측에 범위가 큰 수술을 시행할 때는 종창과 감염의 기회를 줄이기 위하여 수술 중 골막의 손상을 최소화하고 술후 조직간 사강(dead space)이 없도록 압박하고, 부신피질호르몬제(dexamethasone)와 페니실린계 항생제를 적절하게 투여할 수 있다.

피부이식 전정성형술의 경우 대부분 전신마취하에 이루어진다. 대퇴부를 소독하고 바셀린을 바른 다음 피부절편기로 10–15/1000 inches 두께의 피부 분할층을 얻어 생리식염수에 넣어 둔다(그림 8–28). 채취한 피부를 망상확장기로 3배 정도 넓힌 다음 필요한 크기를 남기고, 망상의 피부이식판을 넓혀서 다시 공여부에 위치함으로써 신속한 상피화(2–3주)를 돕기도 한다. 하악 설측전정의 연장을 위해 골막을 남기고 근부착

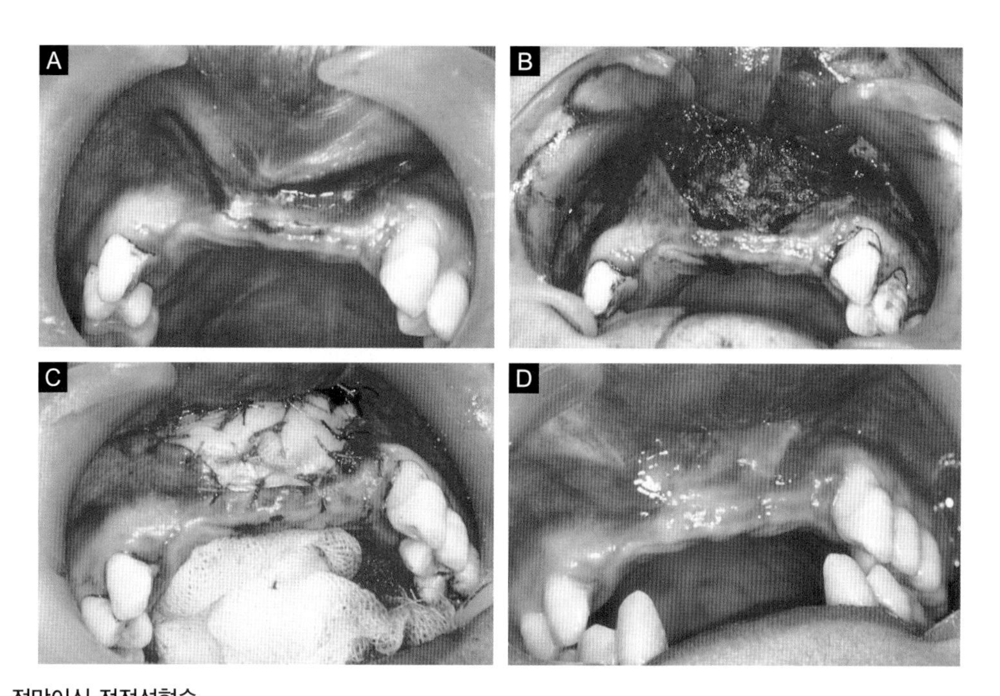

그림 8-26 **점막이식 전정성형술.**

A: 외상성 반흔으로 상순이 치조정에 가까이 넓게 유착되어 있다. B: 골막을 남긴 채 가동성 연조직을 분리하고 피판을 상방으로 전위하여 남아있는 골막에 봉합한다. C: 구개점막을 채취하여 이식한다. D: 3주 후 치유된 상태. 임시 국소의치의 변연이 연장되어야 한다.

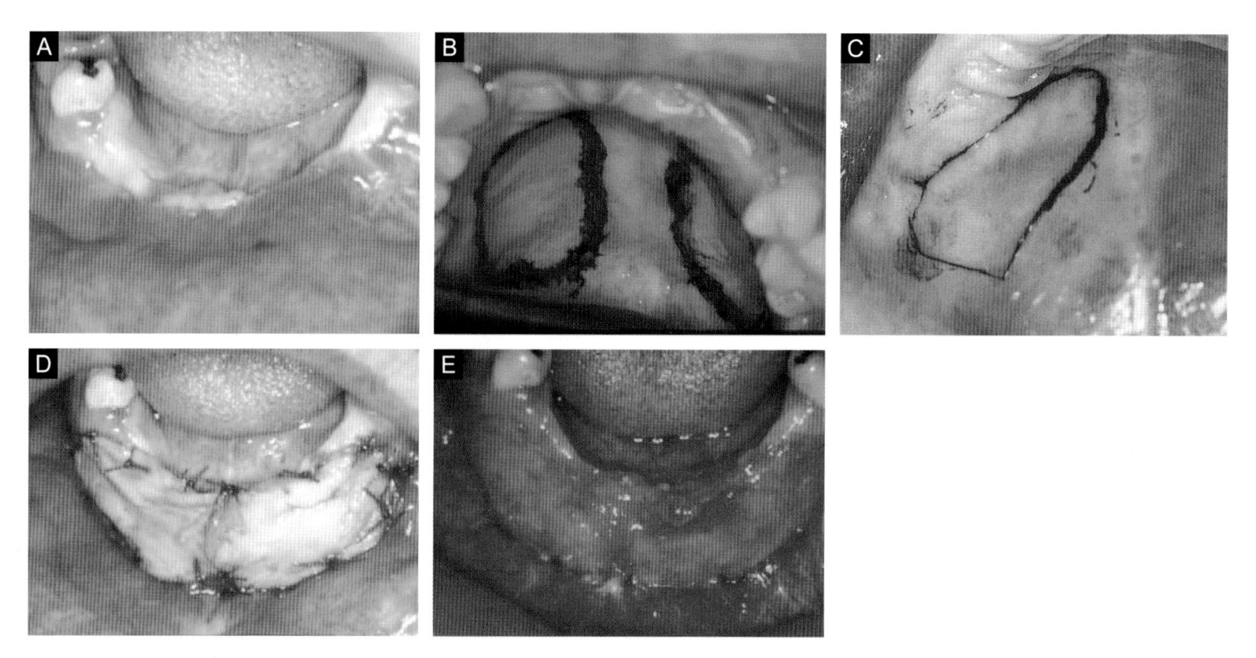

그림 8-27 **하악전치 및 소구치부의 점막이식 전정성형술.**

A: 움직임이 없는 치조융기 B, C: 구개 점막을 채취한다. D: 채취한 구개점막을 이식한다. E: 점막이식 전정성형술 2주 후 상태로 구강전정의 기저부가 확실하게 되었다.

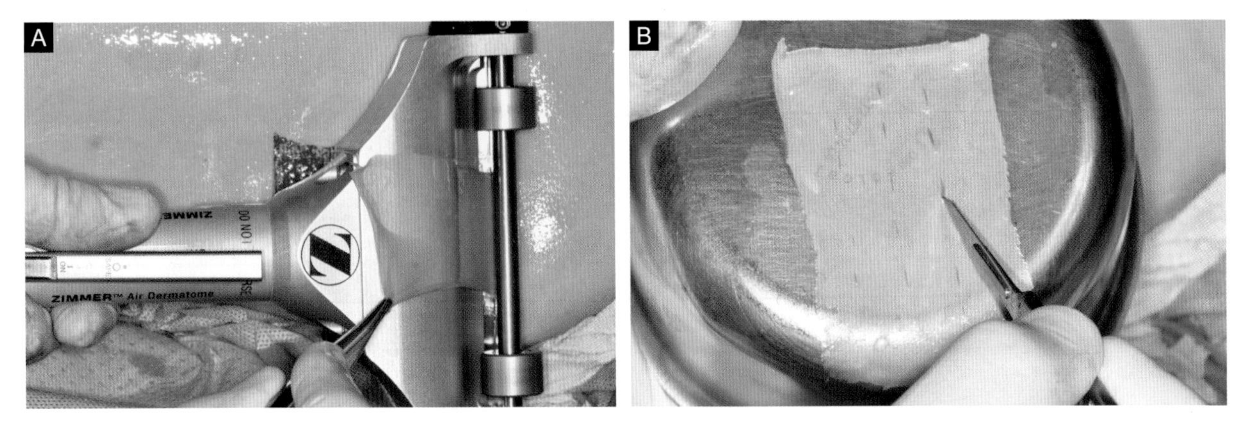

그림 8-28 **피부채취.** A: 대퇴부에서 피부채취 모습 B: 채취한 피부.

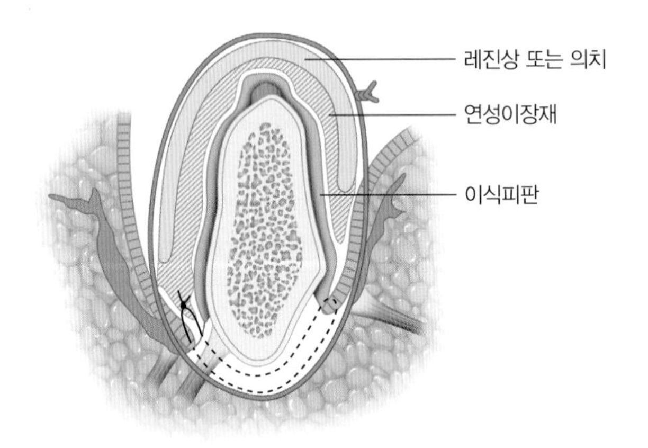

그림 8-29 **피부이식을 통한 하악의 Obwegeser 구강전정성형술.** 치조정 부분만을 남기고 구강전정부 골막상을 박리하여 이식피판을 위치시킨다. 그 위에 연성이장재로 채운 레진상이나 의치를 놓고 강선으로 환하악 고정한다.

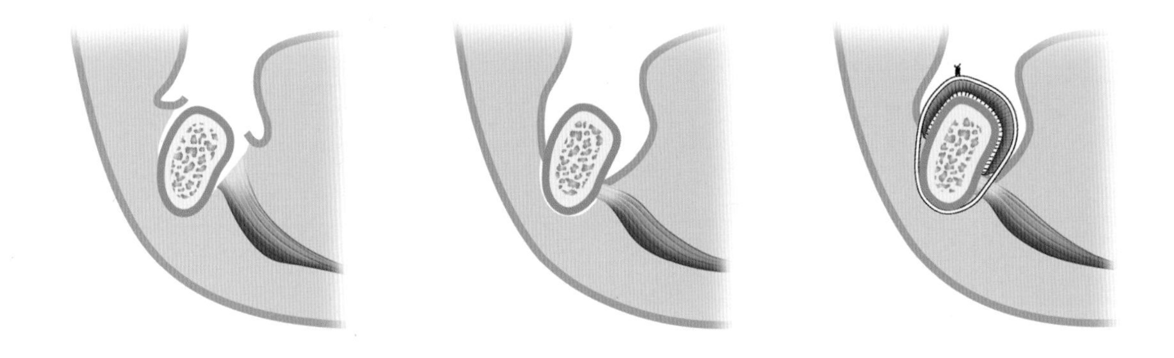

그림 8-30 **하악구치부 협설 구강전정술과 피부이식.** 치조정으로 절개 접근하여 골막을 남긴 채 근육과 연조직을 하방으로 전위시키고 피부이식한 후, 스플린트로 고정하여 협설측 구강전정을 깊게 한다.

을 분리할 때는 골막과 인접한 설신경의 주행에 특별한 주의를 가져야 한다. 또한 악설골근을 완전히 절단하는 경우 이설골근 및 이설근의 손상과 함께 혀 운동의 제한, 연하장애 등이 발생하기 쉬우므로 주의해야 한다. 악설골근부착부 다발을 굵은 흡수성 봉합사(2-0 Vicryl)를 사용하여 하악하연을 지나 협측 구강전정부에 봉합한다. 날카로운 뼈가 있을 때는 골막을 얇게 젖혀 먼저 삭제한 다음 골막을 재위치시킨다. 근 부착이 전위되고 골막을 지혈한 후 피부편을 의치상이나 수술용스텐트의 하방에 펴서 붙이고 굵은 봉합사를 이용하여 환하악봉합(circummandibular suture)으로 고정한다(그림 8-29~31).

피부이식 전정성형술을 시행하면서 동시에 임플란트를 식립하기도 한다. 이 경우 수술용스텐트를 임플란트 픽스처의 상부구조물을 이용하여 추가로 고정한다(그림 8-32). 전정성형술과 동시에 임플란트를 식립하면 임플란트를 이용하여 의치의 유지와 안정을 더 향상시켜 새로 얻은 열구가 얕아지는 것을 줄일 수 있다.

최근에는 피부이식 대신 인공피부(진피)나 조직공학을 이용한 composite skin substitute를 활용하고 있다.

5) 기타 하악전정성형술(Mandibular vestibuloplasty)

설측 악설골근부착(mylohyoid attachment)을 하방으로 전위하면서 협측 골막도 하방으로 밀어서 협측구강전정과 설측구(lingual sulcus)를 깊게 함으로써 하악의 치조융기를 상대적으로 높일 수 있다(그림 8-33). 절개 및 접근과 골성형 여부, 점막 또는 피부이식 여부 등에 따라 Kazanjian, Clark, Trauner, Caldwell씨 등의 술식이 사용되고 있다.

(1) Trauner 설측구성형술(Trauner's mylohyoid plasty)

치조골의 흡수가 심할 때 치조정에 절개선을 주고

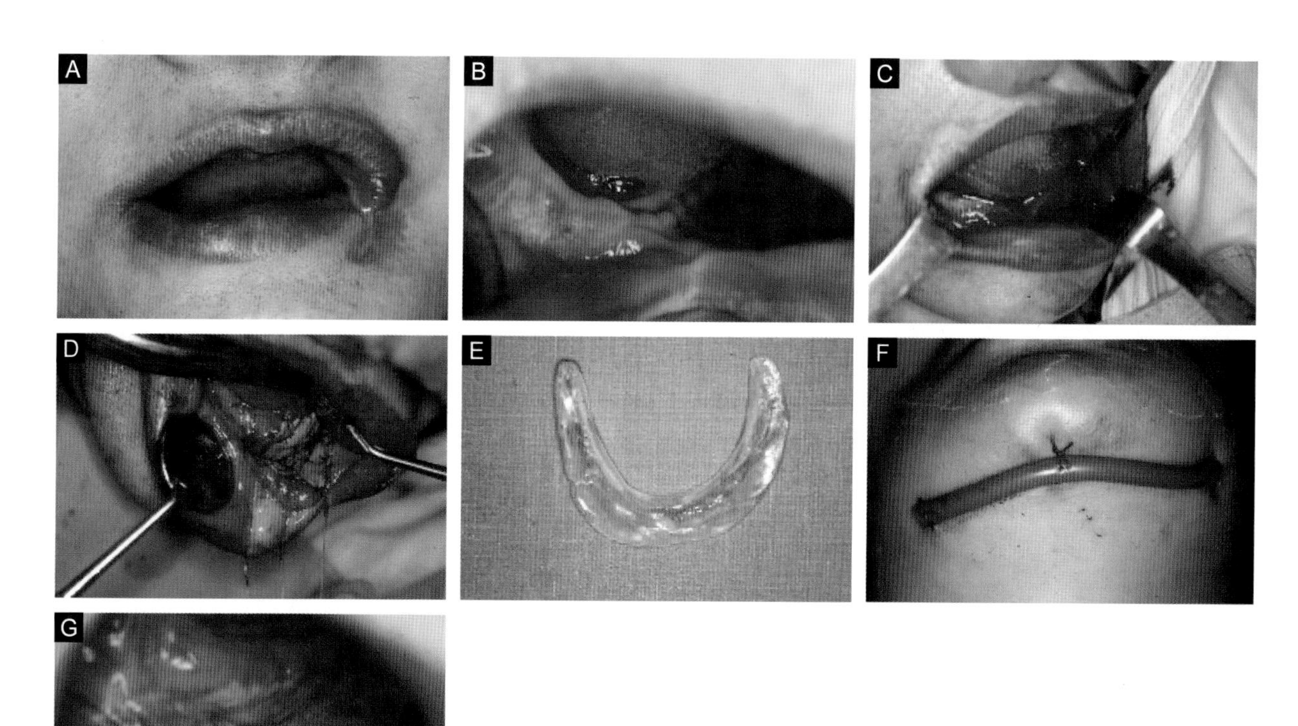

그림 8-31 피부이식을 통한 치조융기확장술 예.
A: 좌측 하악의 ankylosed vestibule B: intraoral view C: 전정성형술 D: 피부이식 E: 피부를 고정시키면서 압박시킬 수 있는 장치 F: 장치를 extraoral에 L-tube를 대고 고정시킨 모습 G: 창상치유 후의 모습.

골막과 악설골근의 부착을 절단 박리한다(그림 8-34). 절단유리된 근육을 흡수성 봉합사를 사용하여 다발로 만든 다음 비흡수성 봉합사로 구강저를 관통하여 구강 외에 고정한다(transcutaneous suspension). 악설골근이 절단된 부위는 이차성 상피화를 기대하거나 점막 혹은 피부이식으로 덮는다.

(2) Caldwell 설측구성형술(Caldwell's sulcoplasty)

치조정의 1-2 mm 협측에 치조융선을 따라 골막까지 절개하고 골막과 근부착을 하나의 피판으로 박리한 다음, 악설골근 부착부의 날카로운 뼈를 골절단기나 의치용 버, 골줄로 평탄하게 다듬는다. 골면이나 골막의 내측으로부터의 지혈을 확인하고 골점막 피판을 원

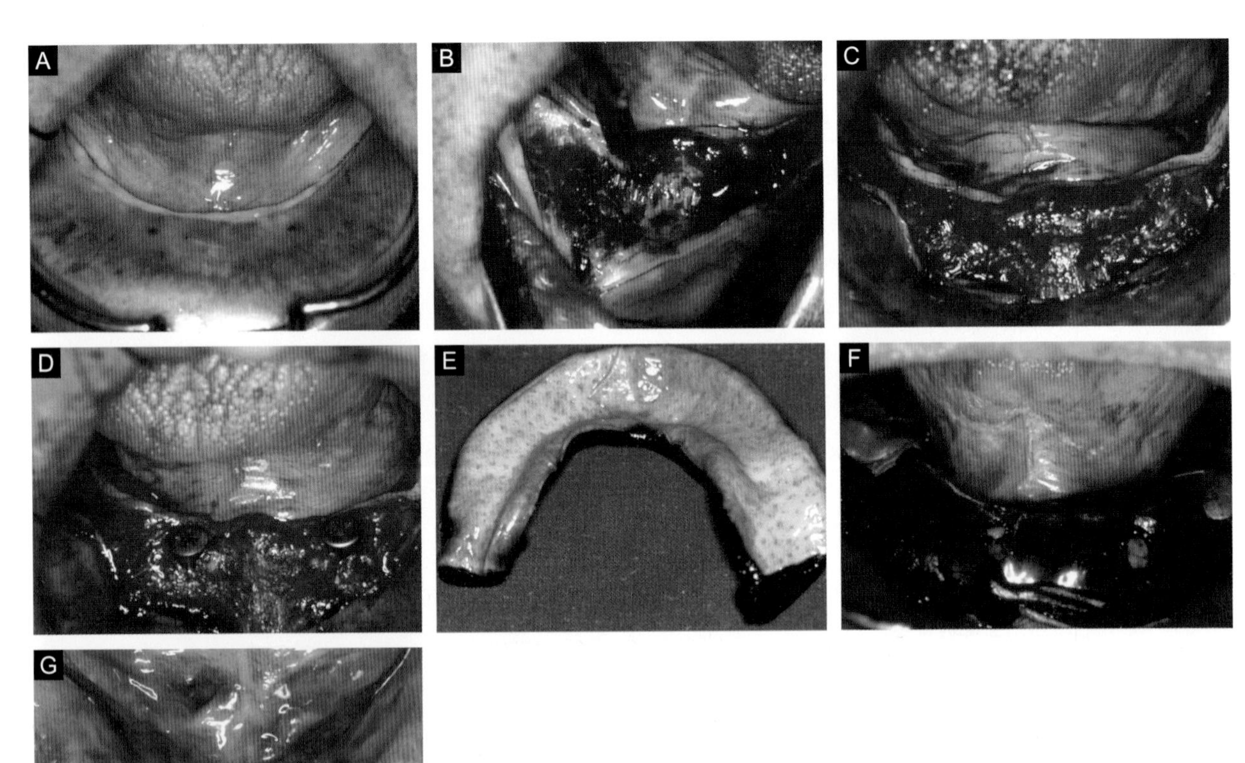

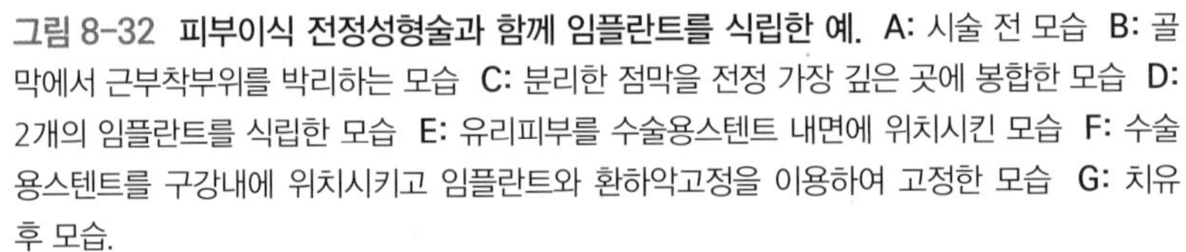

그림 8-32 피부이식 전정성형술과 함께 임플란트를 식립한 예. A: 시술 전 모습 B: 골막에서 근부착부위를 박리하는 모습 C: 분리한 점막을 전정 가장 깊은 곳에 봉합한 모습 D: 2개의 임플란트를 식립한 모습 E: 유리피부를 수술용스텐트 내면에 위치시킨 모습 F: 수술용스텐트를 구강내에 위치시키고 임플란트와 환하악고정을 이용하여 고정한 모습 G: 치유 후 모습.

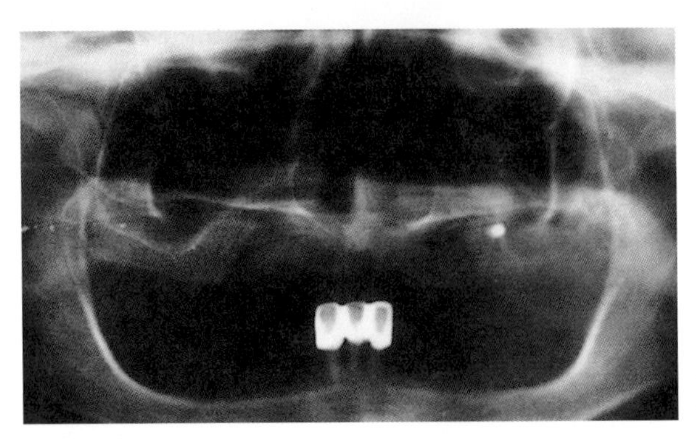

그림 8-33 하악후구치부 치조골의 흡수가 심하고 설측의 악설골근부착부가 날카로울 때 방사선상에서 특별히 백선으로 보인다.

래의 절개선에 봉합한다. 손으로 조직간 사강에 차있는 혈종을 밀어낸다. 설측구를 따라 3–4 mm 굵기의 바셀린거즈롤을 대고 이를 감싸는 구강저–피부관통봉합(transcutaneous stay suture)으로 이설골근과 구강저를 하방으로 당겨준다. 지연성 피하출혈과 조직공간을 줄이고 근육의 재부착을 돕는다(그림 8-35).

(3) **Kazanjian 전정성형술**(Kazanjian's vestibuloplasty)

하순 내측의 전치부 구강점막을 수평으로 절개하여 구강전정의 점막 밑을 분리(undermine)하면서 치조정까지 박리하여 피판을 만든다. 하순내측과 치조골막의 출혈점을 전기소작하고 만들어진 피판을 구강전정 열

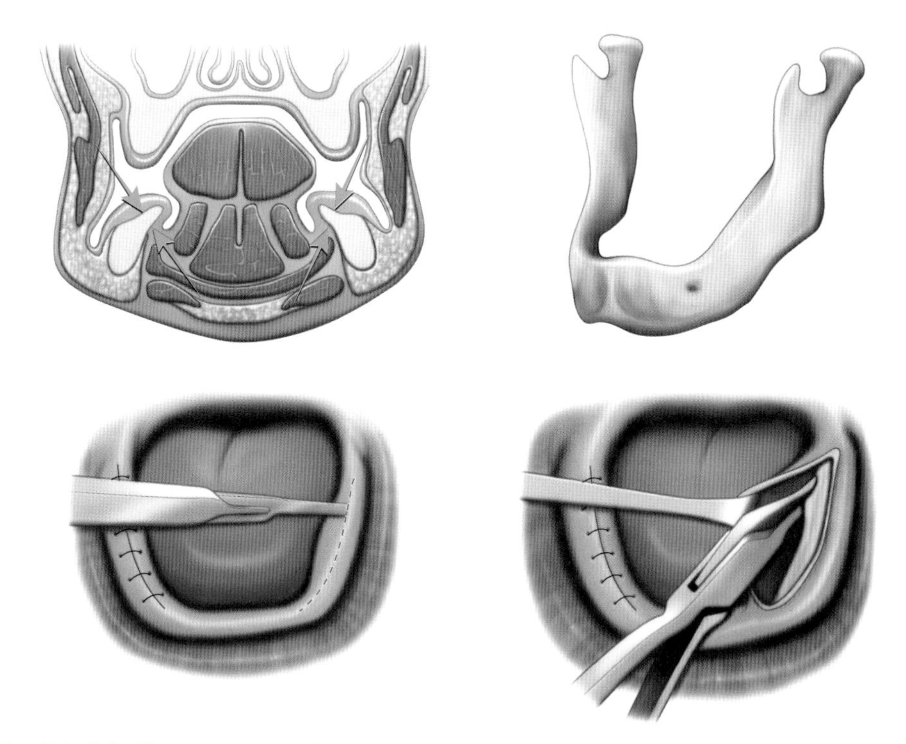

그림 8-34 **하악구치부 날카로운 골부분 삭제, 설측구성형술.** 하악구치부 치조골의 흡수가 심하고 악설골근의 부착부위가 날카롭게 남아 있을 때, 치조정으로 절개 접근하고 예리한 끝부분을 삭제한다.

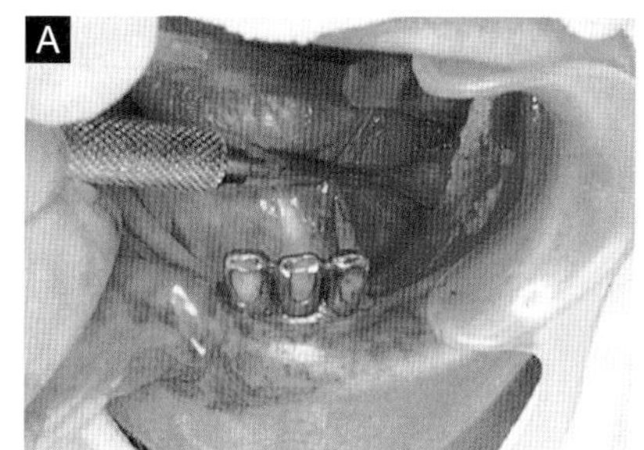

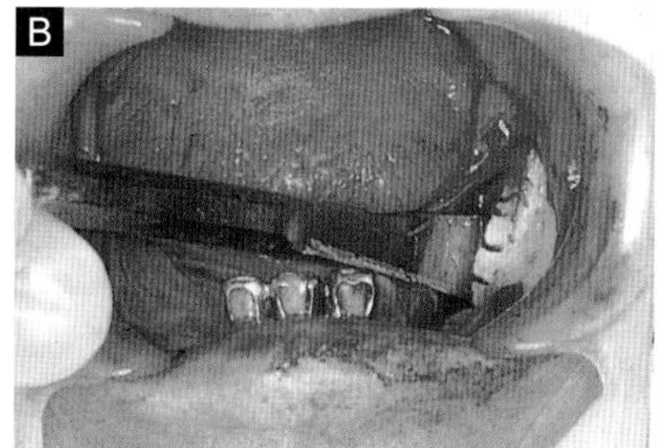

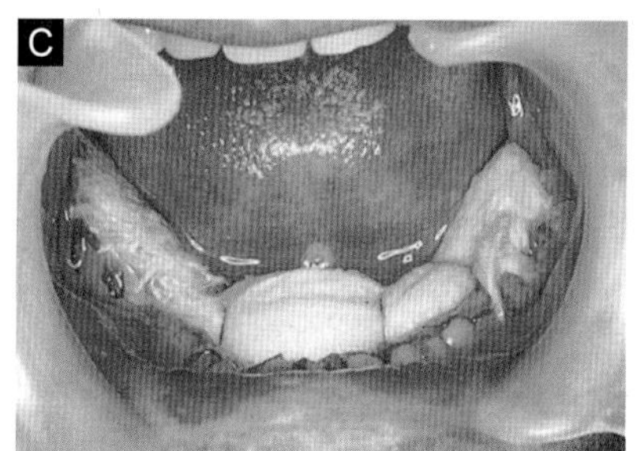

그림 8-35 **Caldwell 설측구성형술.**

A: 하악구치부 설측의 악설골근 부착을 노출하고 있다. B: 노출 분리된 날카로운 골연에 버로 구(groove)를 만들어 절골겸자와 의치용 버로 절삭한다. C: 피판의 봉합후 설측에 바셀린거즈롤을 대고 구강저를 관통하여 악하부 피부에 고정한다.

구까지 내려 골막에 봉합한다. 열구가 얕아지는 것을 방지하기 위하여 열구 깊은 곳에 바셀린거즈롤을 대고 3-0 silk로 감아 구강내에서 턱밑 피부를 관통하여 단추나 거즈에 고정 결찰한다(그림 8-36).

(4) Clark 전정성형술(Clark's vestibuloplasty)

하순 내측의 수축을 줄이기 위하여 절개를 치조정부분에 위치하고 치조점막을 분리하여 피판을 만든 다음, 하순에 붙어 있는 점막피판을 구강전정 열구로 당겨서 역시 피부를 관통하여 턱밑에 연결한다. 노출된 치조골막은 이차성상피화를 기대하거나 생체적합성막을 이용하기도 한다.

(5) 이설근의 하방전위술(reposition of genioglossus muscle)

혈관수축제가 들어 있는 국소마취하에 치조정을 횡절개하고, 혀를 옆으로 당겨서 이설근의 위치를 파악한 다음 이설근의 측방 및 상부를 흡수성 봉합사로 묶고 절단한다. 연하장애와 혀운동에 장애를 주지 않기 위하여 굵은 봉합사로 근육다발을 하방으로 밀어 구강저를 낮추고 밑을 지나는 환상고정으로 협측의 구강전정과 견인 연결한다. 노출된 골막에는 점막이나 피부를 이식할 수 있으며, 의치상이나 수술용스텐트를 위치하고 굵은 봉합사로 하악을 감아 고정한다.

(6) 피판의 교차전위 전정성형술(transpositional flap vestibuloplasty)

치조정을 기저로하는 피판이 거상되어 협측 구강전정으로 깊이 들어가고, 치조정으로 부착되어 있던 피판을 떼어 하순측으로 위치시킴으로써 치조정을 상대적으로 높일 수 있는 술식이다. Kazanjian 등에 의하여 소개되었으며 'lipswitch' 술식으로도 알려져 있다. 하악전치부의 구강전정을 깊게 하며, 치조정에 골이식재를 넣어 치조융선을 높일 때도 유용하다(그림 8-37).

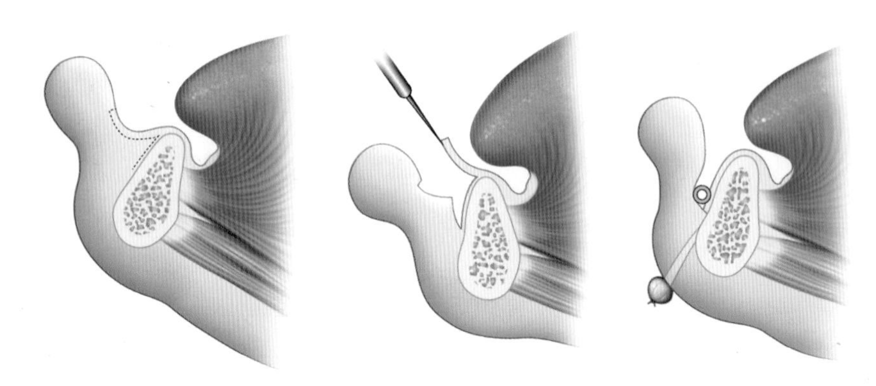

그림 8-36 Kazanjian 구강전정성형술. 하순 내측의 구강점막을 횡절개하고 치조정까지 접근한다. 피판을 구강전정 밑으로 내려서 피부외로 관통 고정한다.

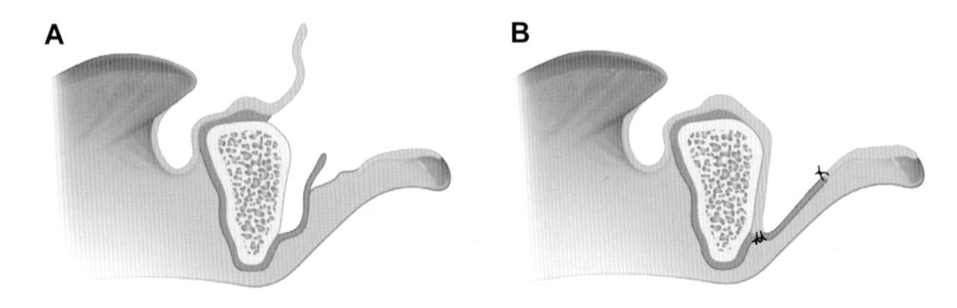

그림 8-37 피판의 교차전위 전정성형술. 'lipswitch'술식으로 알려져 있으며, 하순 내측에서 치조정까지의 피판을 형성한 후 치조융기 협측의 골막을 분리하여 하순측으로 전위시키고, 순측 피판으로 노출된 치조골을 덮는다.

8. 치조융기 골성형술(Alveolar osteoplasty)

구강전정을 깊게 하여 치조융기의 높이를 상대적으로 높임에도 불구하고 의치의 안정에 충분한 높이를 얻지 못하고, 전정부의 반흔 구축에 의해 다시 얕아질 때에는 치조골을 포함한 골절단성형술, 골이식 또는 골 대체물의 이식으로 절대적 높이를 증가시키는 방법이 고려된다.

무치악상태가 오래되어 치조골 흡수가 심하고 평탄한(non-ridge) 상태에 있거나 악골의 외상과 종양 및 그 수술의 결과 치조골이 광범하게 결손된 상태에서는 실질 치조골을 증가시키기 위하여 골이식을 포함한 여러 형태의 부분적인 골성형술이 고려된다.

1) 치조제형성 골성형술(Alveolar bone augmentation osteoplasty)

(1) 하악골체부 수직분할골절단술(visor osteotomy)

Peterson 등이 고안한 방법으로, 설측의 골막을 박리하지 않고 하악골체부를 시상분할(sagittal split)하여 하설측골편을 상방 전위한 뒤 협측골과 고정하고, 협측 치조정과의 사이에 골이식재를 추가로 올려놓는다. 연조직의 완전한 피복을 위해 구강전정술이 필요하지만 흡수가 거의 없는 것이 장점이다. 골편의 고정장치를 제거할 때에 협측 치조부에 구강전정성형술을 추가적으로 시행함으로써 의치상의 안정에 기여할 수 있다(그림 8-38, 39).

(2) 구개천장골절단술(palatal vault osteotomy)

구개골의 치조골 내측을 U형 구개형태로 골절단하고 비중격과 구개골간을 파절 분리한 다음, 구개골 전체를 상방으로 전위함으로써 구개천장(palatal vault)을 깊게 할 수 있다. 상악의 치조융기를 높이는 대신에 경구개 자체를 깊게 함으로써 의치의 안정과 유지에 좋은 효과를 주며, 골흡수나 회귀가 거의 없어서 좋다. 수술은 상악 치조골을 남겨두고 대구개공 외측에서 전방으로 절개하여 구개 골막피판을 박리하고 구개중앙부를 환상으로 절단, 비중격 및 비강점막과 분리한다. 유리된 경구개 중앙부는 비강 내측으로 밀어올려서 미리 준비된 임시의치 등으로 원하는 위치에 고정한다(그림 8-40).

2) 골이식술(Bone graft)

자가 장골편 또는 하악의 후구치부 등에서 얻은 골편을 치조정에 이식하는 술식이 사용되고 있으나 이식골의 생착 시에 골흡수가 많다. 또한 늑골을 하악궁의 형태로 굽혀서 치조능에 위치시키는 술식도 있으나 이식된 골은 1년 후 약 50%가 흡수된다. 이식골의 흡수를 줄이기 위하여 임시의치를 장착하지 않고, 골이식 3-4개월 후에 구강전정성형술을 시행하는 것이 권유되기도 하며 골흡수를 막기 위해서는 자가골:비흡수성 골대체물을 1:1 정도로 혼합하여 함께 이식하기도 한다.

술식

전신마취하에 후구치 치조정상에서 반대측 후구치까지 골막을 절개 분리하여 치조증대에 요하는 골편 또는 분쇄골편을 위치시킨다. 자가 장골편이나 늑골의 채취는 다른 수술팀이 해줄 수도 있고, 한 수술팀이 절취와 이식을 동시에 해야 한다면 구강수술과 골채취술을 분리하여야 한다. 일반적으로 요하는 골량은 골편(block bone)인 경우는 7-8 cm의 길이에 1-1.5 cm 두께의 골편을 요하고 하악치조골에 밀착하여 U형으로 고정한다. 수질 분쇄골편(cancellous marrow grafts)을 사용할 때는 보통 25-30 cc를 채취하고 증가될 치조골의 형태에 맞는 수술용스텐트로 환하악고정(circummandibular wiring)한다. 술후 부신피질호르몬제(dexamethasone)와 항생제를 3-5일간 투여하고, 구강세척을 철저히 한다. 술후 3-4주에 피부 또는 점막이식에 의한 구강전정성형술을 시행하고 골이식 후 약 5-6개월에 의치를 제작한다.

(1) 하악골증대 골이식술(mandibular augmentation with bone graft)

흡수퇴축된 하악골의 치조골 상부에 늑골을 굽혀서 이식하고 강선으로 하악을 감아 고정한다. 이식 후 6개월에 이차적 구강전정술 또는 피부이식술을 시행하여

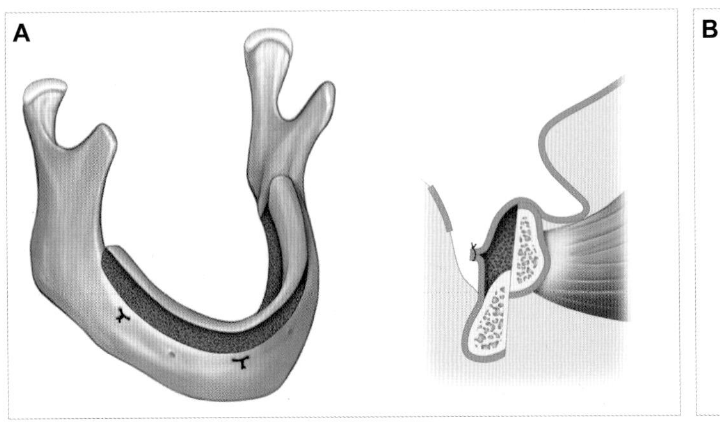

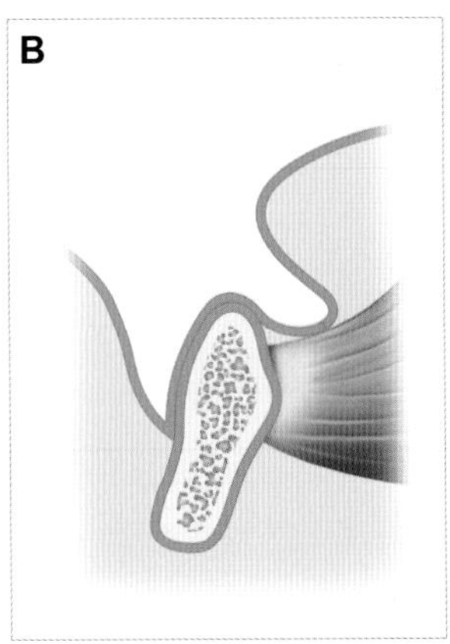

그림 8-38 하악골체부 수직분할골절단술(visor osteotomy). A: 하악의 설측골을 수직으로 분리하여 상방이동한 후 남아있는 협측골에 고정한다. 그 공간에 자가골 또는 대체물을 이식할 수 있다. B: 치유 후 양호한 치조제 형성 상태.

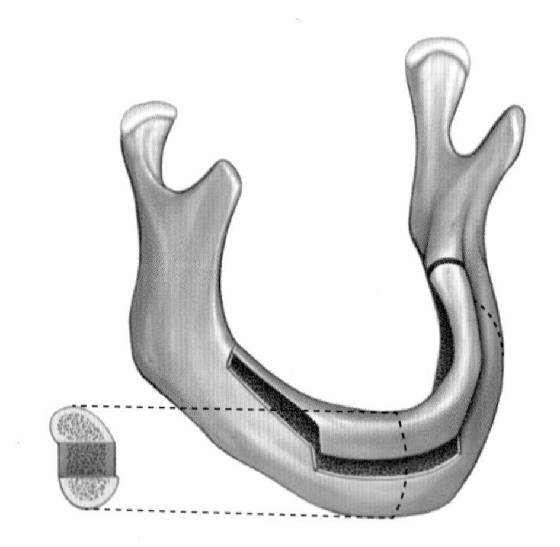

그림 8-39 변형 수직분할골절단술. 하악골체부를 수직분할하고 전치부에 수평분할을 추가하여 그 사이를 골이식한다.

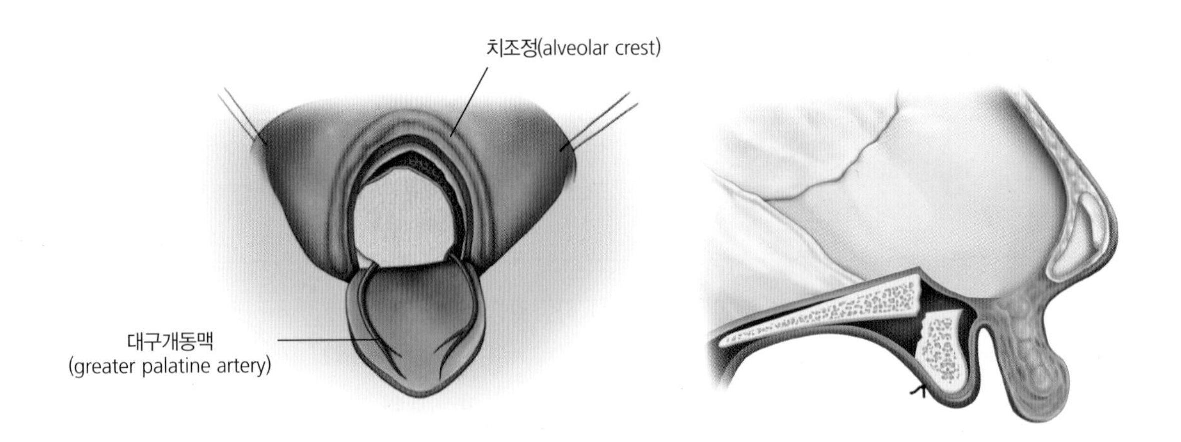

그림 8-40 구개골을 환상으로 절단하고 중앙부를 밀어올려 상악의 치조융기를 상대적으로 높일 수 있다.

구강전정을 깊게 한다. 장골편은 술후 6–8개월에 이식골의 약 70% 가까이가 흡수되므로, 자가골 이외의 골이식재를 단독 혹은 혼합하여 결손부에 사용할 수 있다(그림 8-41~43).

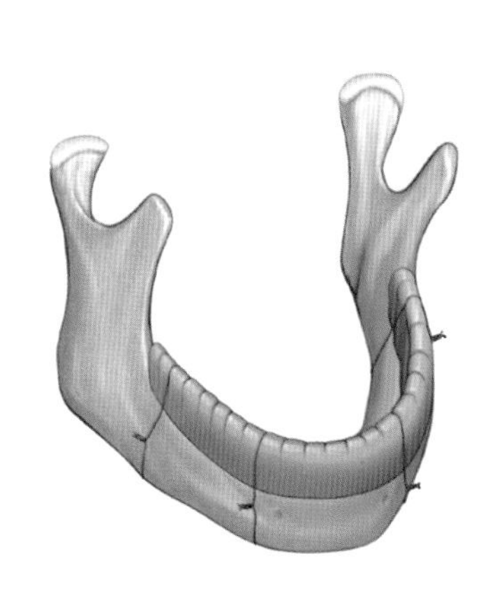

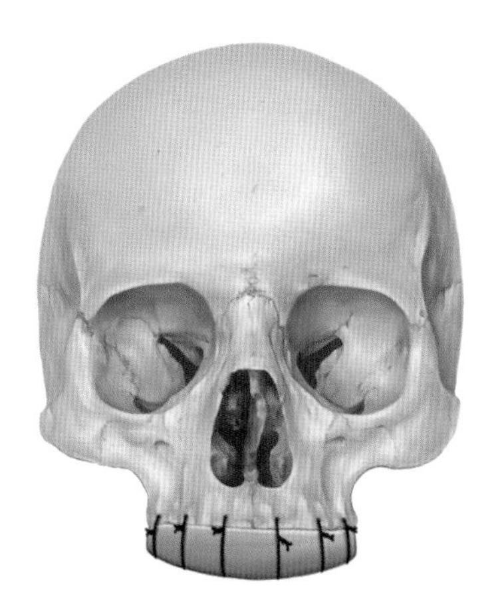

그림 8-41 흡수퇴축된 하악 및 상악의 전악궁에 늑골을 굽혀서 이식 고정한다. 이차적 구강전정성형술을 요한다.

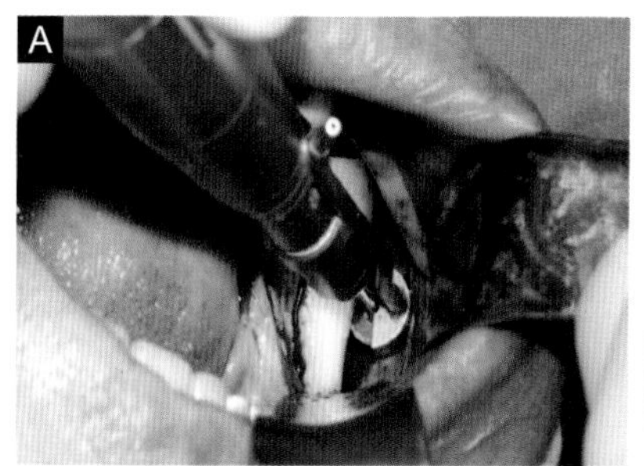

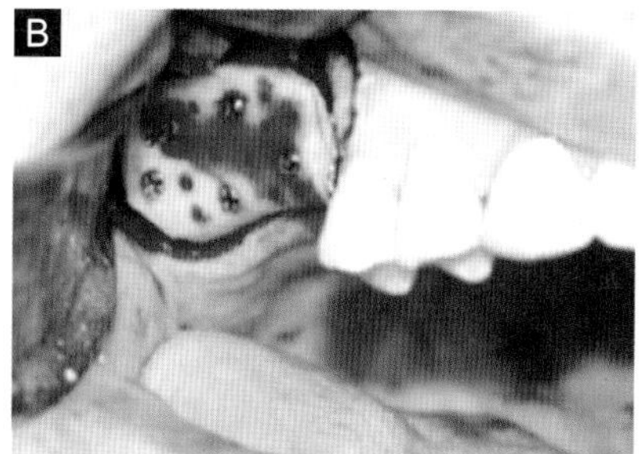

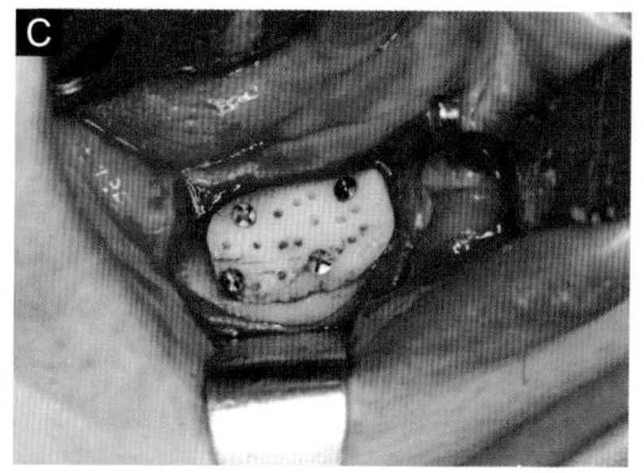

그림 8-42 골결손부 자가골이식.
A: 하악 후구치부위에서 블록골을 채취하는 모습 B, C: 상악구치부와 하악구치부에 채취한 자가골을 이식한 상태. 연조직의 충분한 피개를 고려하여야 하며 구강전정성형술이 추가된다.

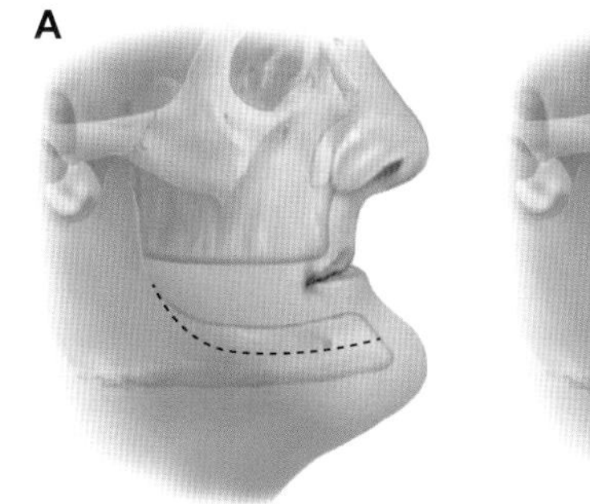

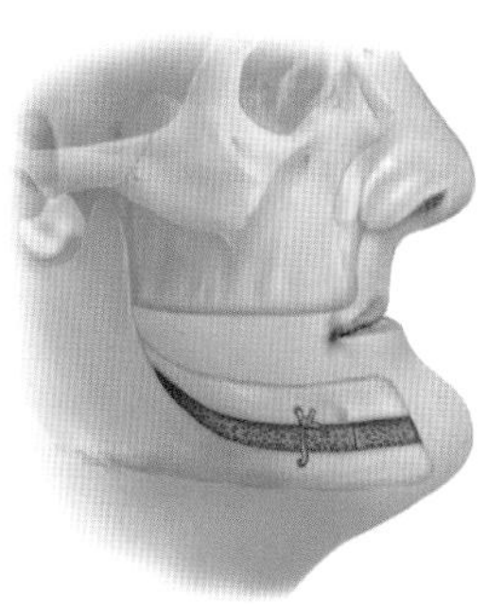

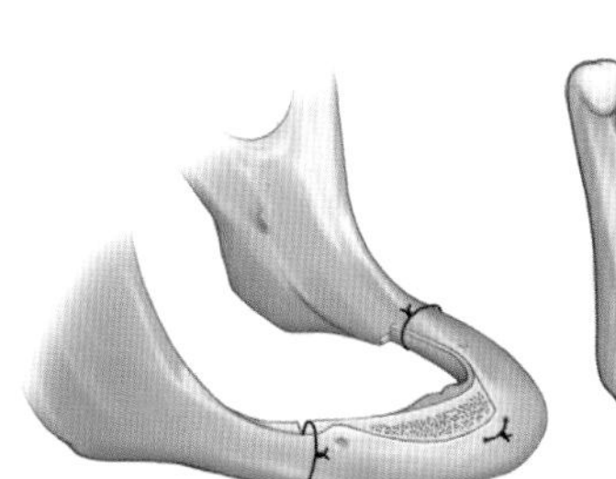

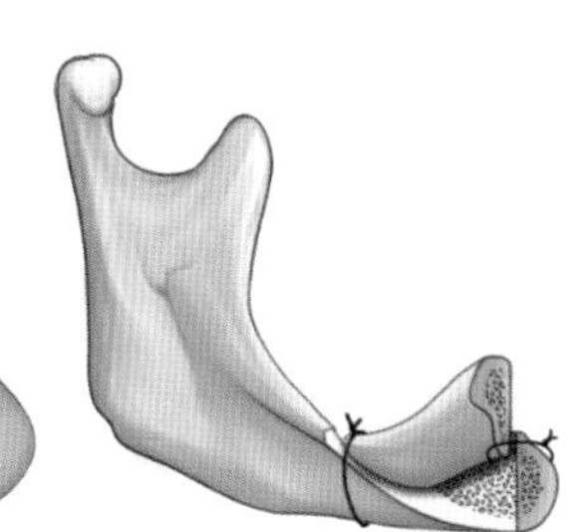

그림 8-43 A: 하악골체부의 수평골절단 및 골간 골이식(sandwich osteoplasty with interpositional bone grafts) B: 하악골체부의 수직분할골절단술(sliding visor osteotomy) 모식도.

(2) 하악에 유경(혈관부착)골피판, 또는 골간삽입 골이식술(pedicle or interpositional grafts)

이식골편에 혈관이 부착되고 혈류가 통할 때는 골생착이 직접 일어나기 때문에 골흡수가 없거나 최소로 할 수 있다. 또한 골편을 분할하되 협설측 중 어느 한 쪽 골막이 붙어 있는 채로 상하부를 분리하고 그 사이에 이식골편을 넣을 때도 골흡수를 줄일 수 있다. 그러나 대부분 입원이 필요하고 술후 3–5개월간 임시의치를 장착하지 못한다(그림 8-43).

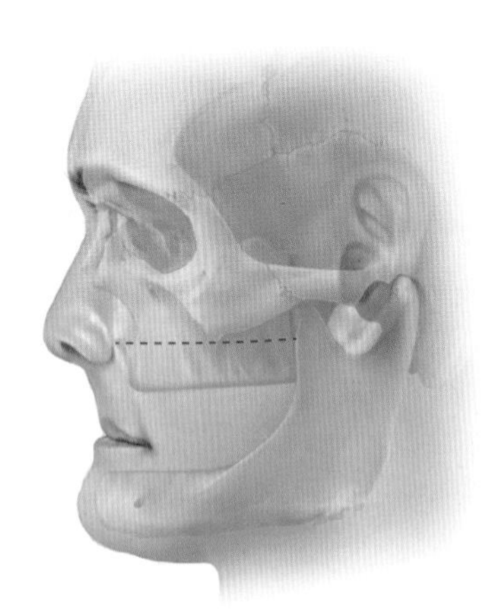

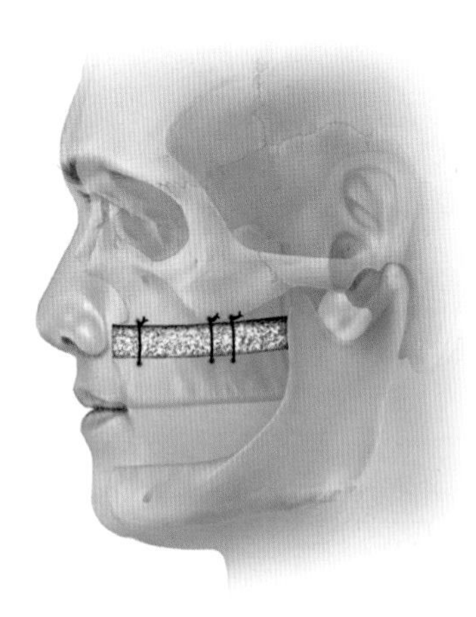

그림 8-44 **상악수평골절단 및 골이식술.** 상악을 Le Fort I형으로 골절단하여 하전방으로 전위하고, 그 사이에 골을 이식하여 상악-치조골의 높이를 증가시킨다. 강선 혹은 골내 금속판(microplate & screw)으로 고정한다.

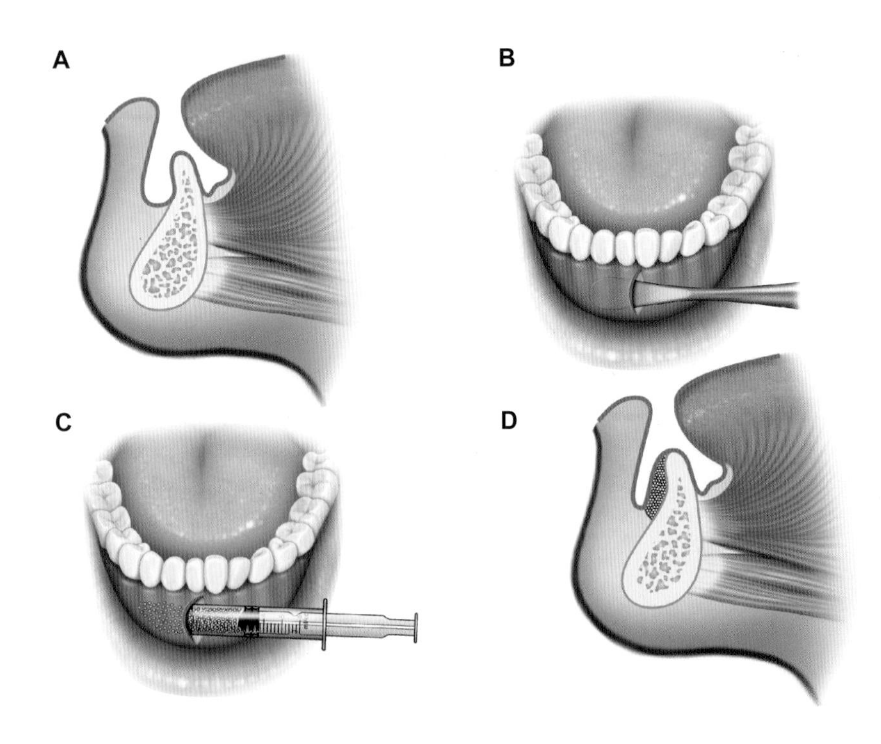

그림 8-45 **하악전치부 치조제의 언더컷 개선.** 하악전치부 치조점막을 수직절개하고 골막하에 통로를 만들어 골이식재를 주입하여 언더컷을 없앤다.

(3) 상악골증대 골이식술(maxillary augmentation with bone graft)

흡수가 심한 상악치조골부에 늑골을 위치하는 onlay형 골이술식은 Terry 등에 의하여 소개되었지만, 술후 골이식의 양이 불규칙하고 이차적으로 구강전정을 깊게 하는 술식이 필요하다. 또한 상악골을 Le Fort I형으로 골절단하고 상악을 5-10 mm 하방으로 떨어뜨린 다음 그 사이를 자가 장골 또는 늑골로 채워서 소형금속판과 나사로 고정하기도 한다(그림 8-44).

3) 골대체물(Bone substitute)의 이식

골이식 시 가장 이상적인 재료로는 신선 자가골임은 분명한 사실이다. 그러나 여러 가지 여건으로 인하여 자가골이 부족하거나, 사용이 어려운 경우에는 골대체물의 이용이 선호되고 있다. 일반적으로 사용되는 골대체물에는 생체 재료와 비생체 재료로 나누어진다. 생체 재료로는 동종골 및 이종골이 있으며, 비생체재료로는 수산화인회석(hydroxyapatite), 세라믹(bioceramic), 합성수지 등 다양한 재료가 개발되어 임상에서 사용되어 왔다. 그러나 비생체재료를 이용한 치조골증강술은 교합압에 잘 견디지 못하고 장기간 사용 시 이식물이 분리되는 문제점과 이식한 부위로 임플란트를 식립할 수 없어 최근에는 임상에서 매우 제한적으로 사용되고 있다. 다음에 나오는 그림에서는 비생체재료를 이용한 치조골증대술(그림 8-45~47)과 생체재료를 이용한 이식술을 보여주고 있다(그림 8-48, 49).

9. 치조골신장술(Alveolar distraction)

절단된 양측 골편 사이 가골(callus)이 형성되는 시기에 골편을 서서히 이동시키면 골편 사이에 골이 신생됨으로써 뼈의 길이와 부피를 증대할 수 있는 골신장술(distraction osteogenesis)은 1905년 Codivilla에 의해 처음 기술되었으며, 1950년대 Ilizarov는 실험적 및 임상적 연구를 바탕으로 골신장술의 방법과 개념을 정립하였다. 구강악안면외과에서는 Snyder 등(1972)이 성견의 하악골을 신장한 이후, McCarthy 등이 소아의 하악골에서 임상적으로 처음 골신장술을 시도하였으며, Block 등이 동물실험으로 치조골증대를 위한 골신장술의 가능성을 제시하고 Chin과 Toth 등이 임상에서 치조골을 신장하고 임플란트를 식립하였다.

골신장의 리듬과 속도(rate), 골막과 골수(bone marrow) 그리고 혈행(vascularity)의 유지와 골편의 고정이 중요하며, 골신장은 일반적으로 휴지기(latency period), 골신장기(distraction period), 골경화기

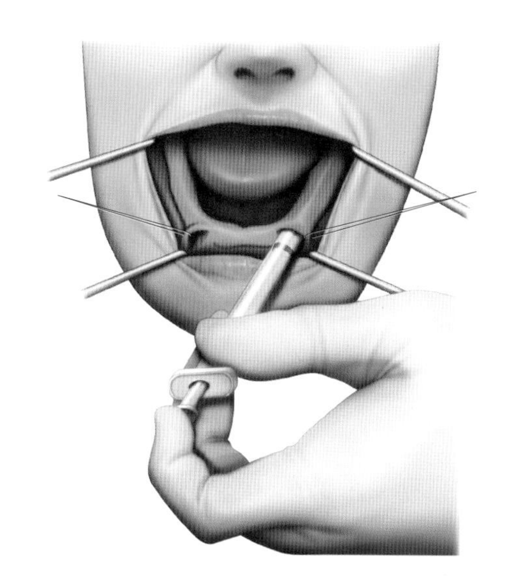

그림 8-46 골이식재 매립 치조융기술. 골이식재를 치조정에 매립하여 치조융기를 높인다.

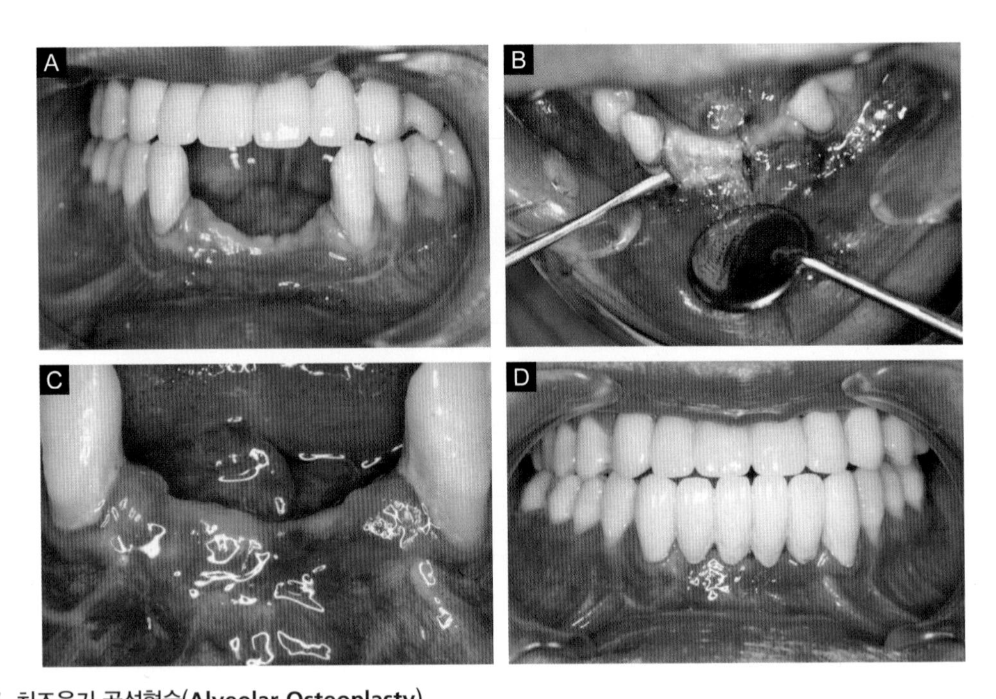

그림 8-47 **치조융기 골성형술(Alveolar Osteoplasty).**
A, B: 치조융기 골결손 시에 치조점막을 수직절개하고 치조정에 국한하여 골막하를 분리한 후 골이식재를 주입한다. C, D: 술 후 높아진 치조융기와 보철 후 모습.

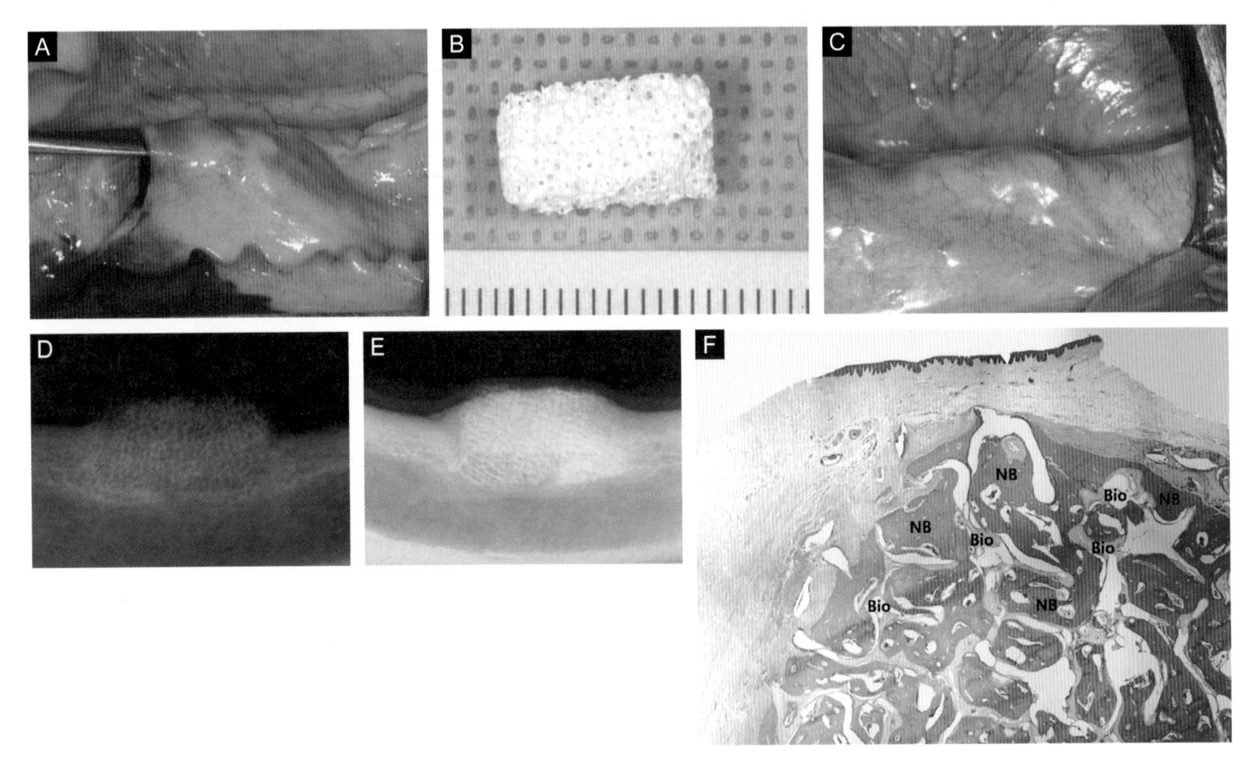

그림 8-48 **이종골 블록을 이용한 치조골성형술.** A: 치조정 골막하에 터널을 형성하는 모습 B: 매립할 이종골 블록 C: 술 후 높아진 치조융기 모습 D: 매립 직후 이종골 블록의 방사선 사진 E: 6개월 후 이종골 블록의 방사선 사진 블록이 방사선 사진에서 단단해진 모습을 보임 F: 블록 내부에 신생골이 형성된 모습.

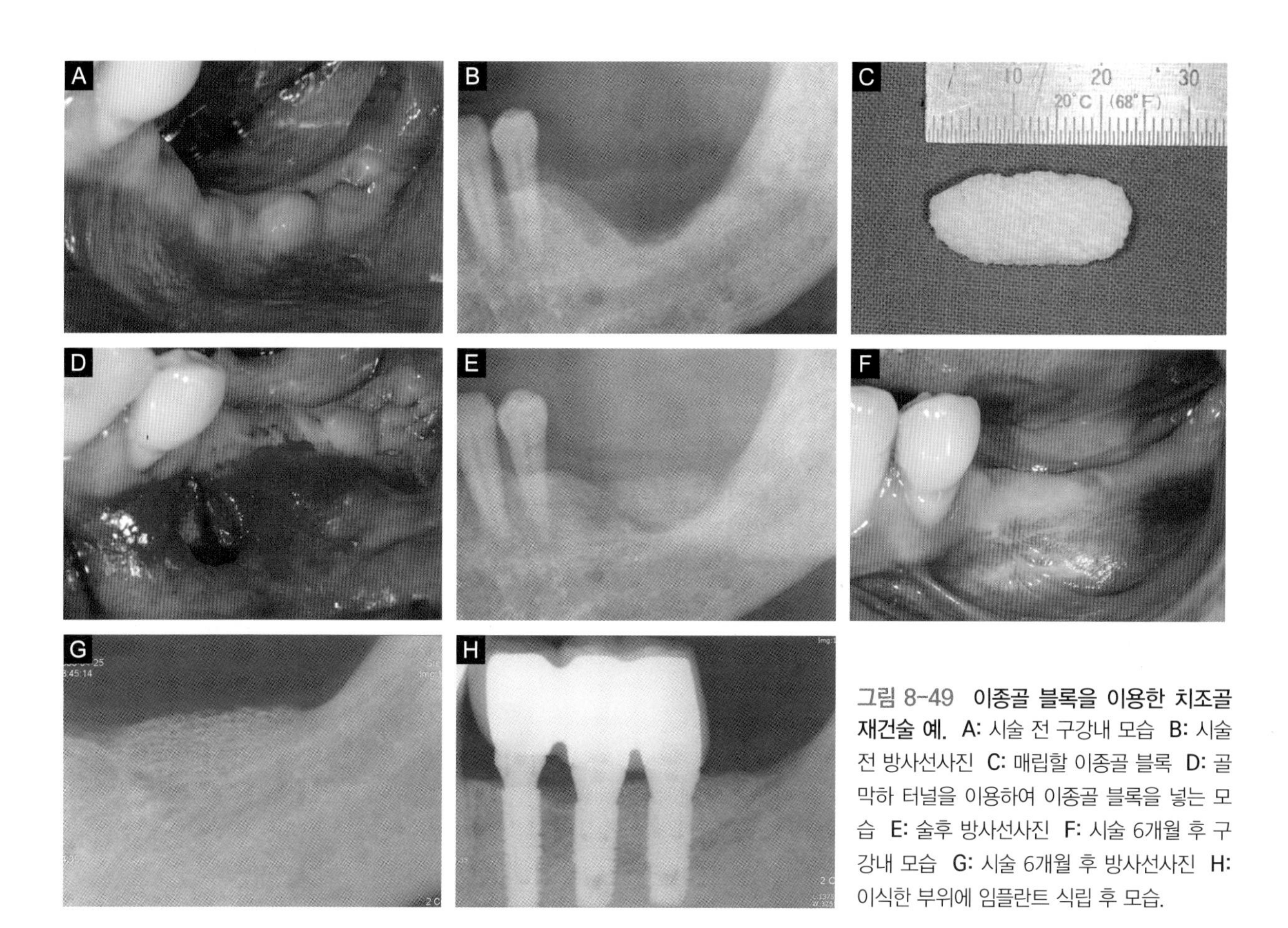

그림 8-49 **이종골 블록을 이용한 치조골 재건술 예.** A: 시술 전 구강내 모습 B: 시술 전 방사선사진 C: 매립할 이종골 블록 D: 골막하 터널을 이용하여 이종골 블록을 넣는 모습 E: 술후 방사선사진 F: 시술 6개월 후 구강내 모습 G: 시술 6개월 후 방사선사진 H: 이식한 부위에 임플란트 식립 후 모습.

(consolidation period) 등 3단계로 진행된다.

골절단 후, 골편 사이에 생긴 혈종은 1주일경에 육아조직으로 대체되며 미분화 결체조직 세포와 섬유아세포가 높은 비율로 포함되어 있다. 이 기간에 신장이 가능한 가골조직이 신생되며 치조골에서는 술후 5–7일의 휴지기를 갖는다. 골신장의 시기는 신장할 골의 종류, 골절단 부위, 연조직의 손상 정도, 환자의 나이 등에 기초하지만, 보통 1회 0.3–0.5 mm씩, 1일 2회씩 골신장 한다. 하루 0.5 mm 미만의 느린 신장은 골편 간의 조기결합을 야기하고 1.5 mm 이상의 빠른 신장은 골편 간에 섬유조직을 갖는 부적절한 골을 형성하여 비유합을 야기할 수 있다(표 8-1, 그림 8-50).

골이 원래 길이의 10% 미만 신장될 때 연조직은 신장에 잘 적응하며 연조직의 수축이 골의 신장량을 제한할 수 있으나, 혈관과 신경 및 근육 모두가 잘 적응하고 근육은 골보다 느린 신장율에서 더 잘 반응한다고 알려져 있다.

원하는 만큼 골을 신장한 다음에는 골경화기로 넘어가게 된다. 이 시기에 신장된 골은 석회화를 거쳐 성숙된 골로 변하게 되며 골편은 골의 형성이 가능하도록 움직임 없이 안정적으로 고정되어야 한다. 통상 하악의 신장이나 확장, 골편의 이동으로 골결손부를 재건하기 위한 과정에서는 보통 6–8주, 상악의 신장에서는 2–3개월까지 골경화 기간을 둔다(그림 8-51, 52).

한편, 치조정의 높이가 칼날처럼 좁아진 경우는 보철물(의치) 유지나 임플란트 지지를 위한 적절한 골 양의 확보를 위해 수평치조골신장술을 계획하기도 한다(그림 8-53). 그러나 수평신장술(horizontal distraction)은 접근의 어려움, 협측 연조직의 잠재적인 손상, screw 안정성 유지에 대한 필요성으로 3–6 mm의 짧은 이동으로 제한되어야 하고, 더 많은 잠복기(latency period)를 필요로 한다.

환자가 임플란트를 이용하여 보철치료할 때, 골신장 부위에서 임플란트 식립에 필요한 적절한 시기에 대해서 Yasuhiro 등은 골경화기 중에도 신장된 부위에서 임플란트 식립이 가능하다고 하였으며 신장 완료 후 3주째가 골경화기 중 임플란트를 식립할 때 가장 적절한

표 8-1 치조골 신장장치의 요구조건

- 생체적합성
- 부피가 작아야 함
- 연조직 손상이 적어야 함
- 불편감이 적어야 함
- Segment의 안정성과 rigid fixation
- 방향조절이 쉬워야 함
- 피부의 절개나 안면신경 손상이 없어야 함

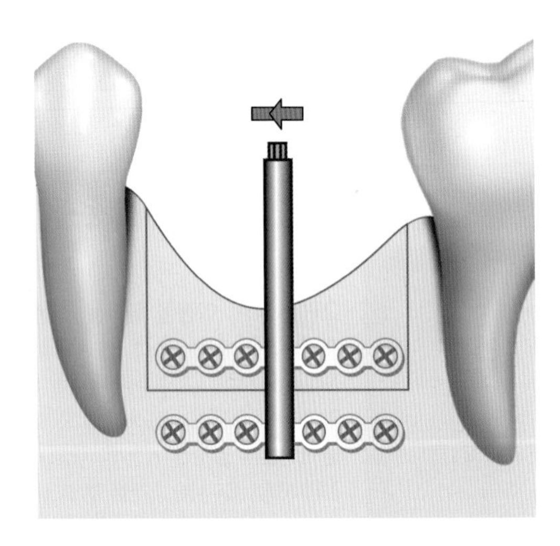
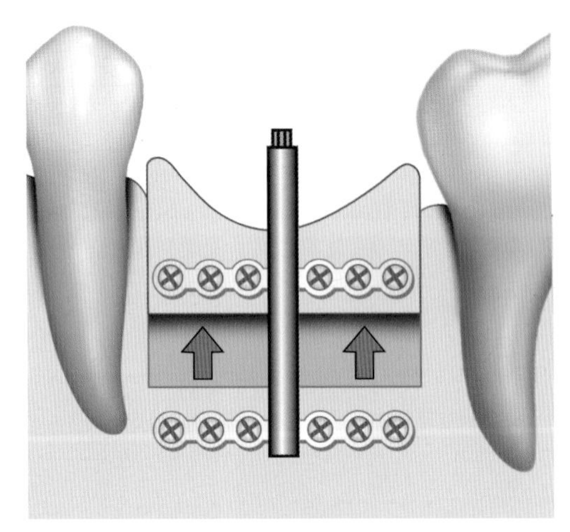

그림 8-50 **치조골신장술의 모식도.**

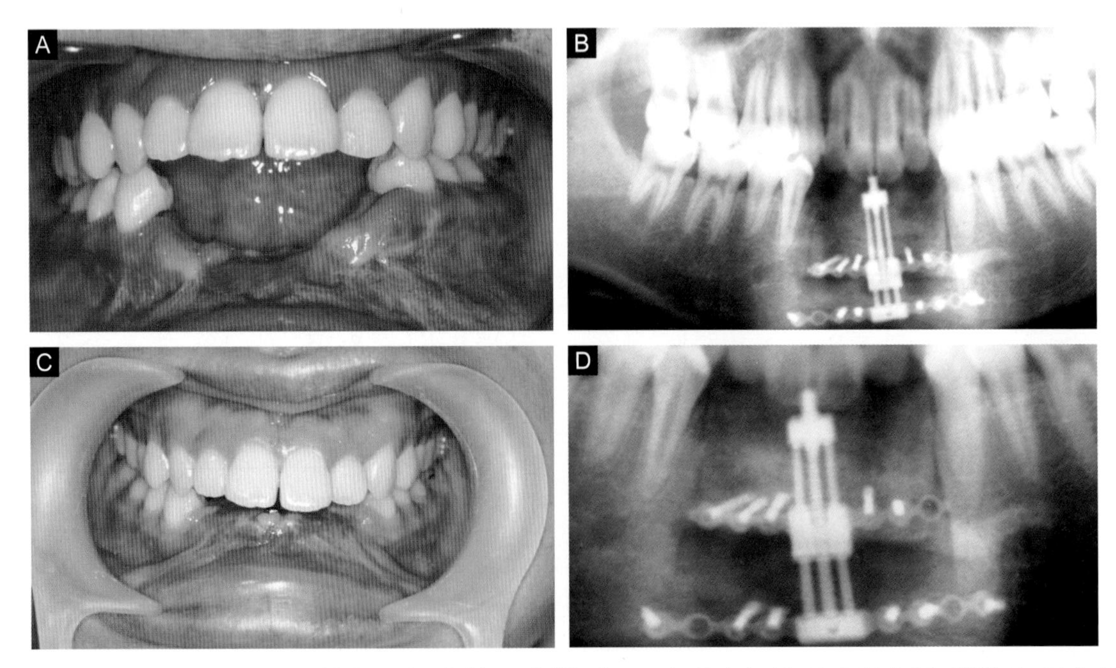

그림 8-51 **하악전치부 골 및 연조직 결손을 수직골신장술로 재건한 예.** A: 치조융기의 결손 B: 골신장기를 장착한 후 5일째 파노라마 소견 C: 골과 연조직이 동시 신장된 상태 D: 골신장 10일 후 골경화 기간의 파노라마사진.

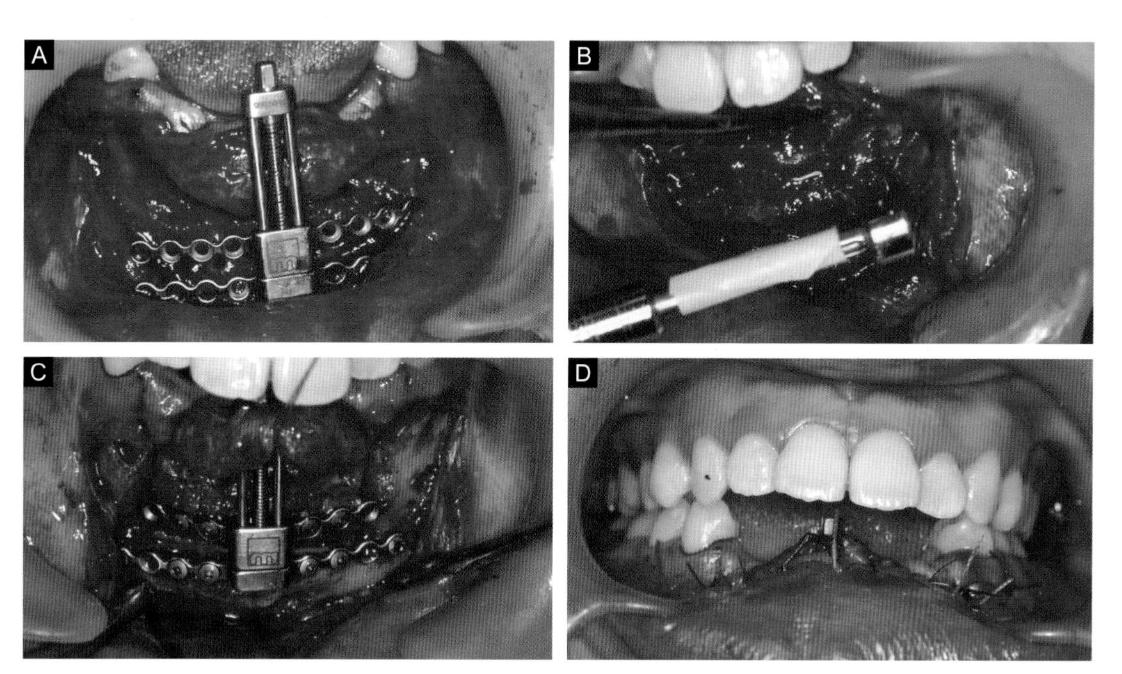

그림 8-52 **하악전치부 골신장술식.** A: 절개접근 후 골신장기를 위치하고 양측에 골나사 1개씩으로 임시 고정함 B: 골신장기를 제거하고 수평 및 수직 골절단함 C: 골신장기를 재위치함 D: 골신장기를 덮고 봉합함.

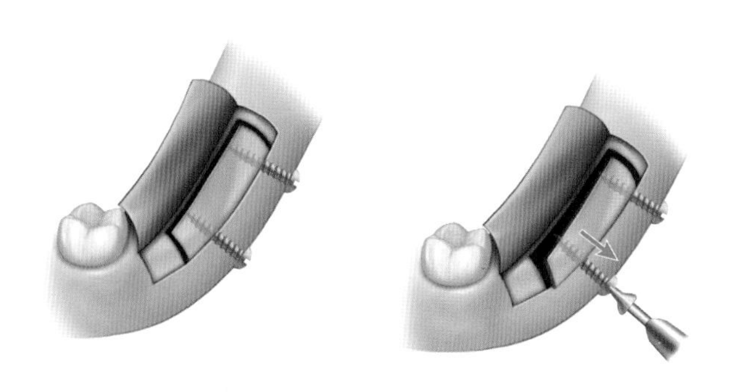

그림 8-53 **수평치조골신장술 모식도.**

시기라고 하였다. 또한 임플란트 식립 후 12주에는 골신장부위가 완전히 새로 형성된 골로 변한다고 하였다.

골신장술은 골조직과 연조직을 동시에 증대할 수 있고, 골이식에 필요한 공여부가 필요 없어 수술부위가 줄어들며 그에 따른 환자의 불편이 적고, 골신장량에 제한이 없으며 임플란트의 식립이 요구될 때는 통상의 골이식술의 경우에 임플란트를 식립할 때까지 보통 6개월의 시간을 요한데 반해 치료기간을 단축할 수 있는 등의 장점을 가지고 있다.

■ **합병증과 대책**

치조골신장술 도중이나 신장기간 동안, 신장술 시행 후 발생되는 합병증의 내용과 치료 및 결과는 표 8-2와 같다.

1) 잘못된 신장방향

(1) 협설측 신장방향의 잘못

치조골 신장장치는 신장시킬 악골의 협(순)면에 평행하게 위치하게 된다. 퇴축이 심한 상하악골의 협(순)면은 너무 설측을 향하므로 치조골 신장장치를 이런 악골의 협(순)면에 평행하게 위치시킬 경우에는 신장방향이 너무 설측으로 신장될 수 있다. 또한, 설측 골막이 transport segment에 부착된 설측 골막에 의한 힘 때문에 신장방향이 부적절하게 진행될 수 있다(그림 8-54). 이러한 문제를 예방하기 위해서는 장치를 장착시 permucosal pin이 반대 악골의 협(순)측 전정부를 향하도록 위치시켜야 한다.

표 8-2 치조골신장술 합병증의 치료 및 결과

	합병증	치료	결과
술중	Transport segment의 골절 설측의 불완전 골절단 Threaded rod의 과도한 길이	적절히 예방해야 함 적절한 기구의 사용 Rod를 절단	골형성의 부재 수술시간의 연장 수정되지 않으면 교합이 장애됨
골신장 동안	신장방향의 부적절	바른각도로 신장기를 제위치 시킴 설측 골점막의 효과를 고려하여 교정 장치를 이용	잘못된 방향으로 골형성됨
	Transport segment에 의한 점막의 천공	버나 절골겸자로 segment의 끝부분을 다듬는다.	Lingual ulcer
	봉합부의 열개	특별한 치료가 필요하지 않음: 이차성 유합에 의해 closure	후유증이 보이지 않음
	신장기의 파절이나 탈락		
신장 후	골형성 결핍	GBR, 부가적 골이식술 골절단기간 동안 티타늄막을 적용	임플란트 주위골에 공간이 있음
기타	이신경의 이상감각		

(2) 근원심측 신장방향의 잘못

신장시킬 부위가 함몰 결손된 경우에 근원심측 신장방향이 잘못된 경우에는 신장 도중에 골편이 근심측이나 원심측 골벽에 부딪혀서 더 이상 신장시키지 못할 수 있다. 협설측 신장방향이 잘못된 경우에는 비교적 쉽게 수정할 수 있으나 근원심측으로 방향이 잘못된 경우에는 다시 재수술을 하여 장치의 방향을 수정하여 재장착해야 한다. 분절골절술 후 신장장치를 장착할 때 신장방향을 미리 예측함으로써 이런 합병증을 예방할 수 있다.

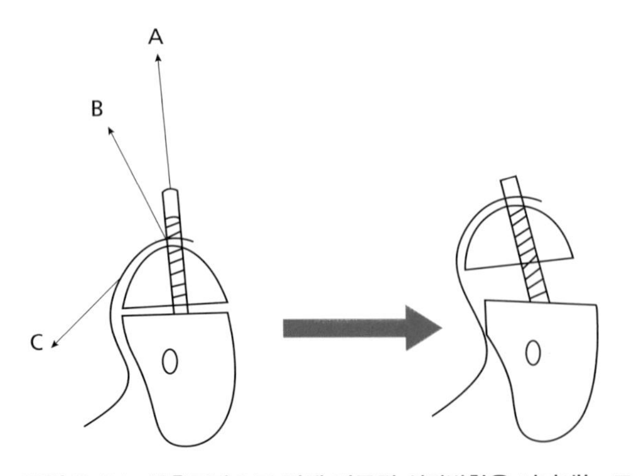

그림 8-54 설측골막으로 인해 잘못된 신장방향을 나타내는 모식도. A: 원하는 신장방향 B: 실제 신장되는 방향 C: 설측골막에 의한 transport segment가 장력을 받는 방향.

2) 저신장(Underdistraction)

특히 전치부에 임플란트 매식을 위한 치조골신장술 시에 저신장이 발생하면 심미적인 보철물을 제작할 수 없으므로 주의해야 한다. 발치와의 치유가 완전한 경우나 knife edge 형태를 가진 치조정을 가진 경우에는 치조골신장술 후 치조정의 흡수가 발생할 수 있기 때문에 이런 경우에는 약간 과신장(overdistraction)하는 것이 더 안전하다. 과신장을 하면 치조골신장술 후 치조정 흡수가 일어나더라도 별 문제가 없으며, 또 과신장된 양이 너무 많을 경우에는 다시 회전판을 역회전하여 신장부위(distraction gap)를 압축함으로써 이 부위의 골 폭경을 증가시키는 장점을 얻을 수 있다.

3) 신장부위의 열개(Dehiscence)

가끔 치조골을 신장시키는 도중이나 신장 완료 후에 치조골 신장장치가 구강내로 노출될 수 있다. 대부분 구강내 청결만 잘 유지하면 별다른 문제가 없이 잘 치유된다.

4) 하악골 골절

하악의 퇴축이 너무 심하여 잔존골의 높이가 9 mm 이하인 경우에 치조골신장술을 시행할 경우에서 하악골 골절이 발생할 수 있으므로 주의해야 한다. 이런 퇴축이 심한 환자에서 치조골신장술을 시행할 경우에는 하악재건금속판(reconstruction plate)를 예방적으로 장착해 준 다음에 신장술을 시행할 수 있다.

5) 감각신경 손상

치조골신장술을 시행할 때 절개나 분절골절단술을 시행할 때 이신경(mental nerve) 또는 하치조신경손상 등이 발생될 수 있으므로 주의해야 한다. 특히, 하악구치부에서 치조골신장을 위한 분절골절술을 시행 시에 하악관에 손상이 가해지지 않도록 주의해야 한다.

6) 장치의 파손

신장장치를 평행하게 위치시키고, 수평골절단 시 밑이 좁고 위가 넓게 절단해야 한다.

7) 기타 합병증

치조골신장술과 연관하여 술부의 감염, 종창, 신장 시 동통 및 불편감 등의 합병증들이 발생할 수 있다.

10. 치조제분리술(Alveolar ridge split)

치조제의 폭이 좁은 경우 치조정에서 치조골을 둘로 쪼개어 폭을 수평으로 증대하는 술식이다. 치조정에서 치조골을 둘로 분리할 때 핸드피스에 연결한 버, 골절단기, 또는 피에조(piezo)를 사용한다. 이때 피에조를 사용하면 원하는 깊이까지 더 정확하고 효과적으로 치조골을 두 부분으로 절단할 수 있다(그림 8-55, 56). 또한 치조제의 확장을 효과적으로 하기 위해 점점 가늘어지는 형태의(tapered) 임플란트를 절단한 치조제 양측 사이에 넣어 치조제의 폭을 신장시키기도 한다. 그러나 이 술식은 골편이 골절되면서 골막으로 완전히 분리되는 경우 골편의 골괴사가 일어날 수 있고 임플란트를 원하는 위치에 식립하지 못하는 단점이 있다. 시술 전에 미리 전산화단층촬영(computed tomography)을 하여 골질과 골폭의 조건을 판단하여 시술의 적응 여부를 판단하는 것이 바람직하다. 만약 전산화단층촬영상에서 골질이 너무 단단하고(D1 골밀도) 폭이 너무 얇으면 치조제를 적절히 분리하기가 어렵다.

II. 보철을 위한 상하악 관계의 개선

치조골의 흡수가 심한 상태에서 안정성 있는 의치 및 심미적인 계속 가공의치의 제작을 위해서는 악궁의 상대적인 크기와 형태 및 보철공간에 대하여도 충분히 고려되어야 하고 종양이나 외상으로 치아뿐 아니라 치조골, 악골의 결손이 수반되었을 때는 기왕의 불량한 보철조건에 대해서도 다시 한 번 검토해 볼 필요가 있다.

부분적인 악교정골성형술(segmental orthognathic surgery)은 환자의 구강진단, 모형분석, X선 판독과 분석을 기초로 증상에 맞는 적절한 술식을 택해야 하므로 악골의 구조적인 이상과 임상증상에 따라 다음과 같이 정리해 본다.

1. 치조골의 정출(Extruded alveolar segment)

결손된 치아를 적기에 수복하지 않고 장기간 방치하면 좌우 인접치아는 근원심으로 기울어지고, 반대악의 치아는 치조골과 함께 정출되어 추후에 충분한 보철공간을 얻지 못하는 수가 있다. 정출된 치아를 발거하고 치조골을 삭제하여 보철수복을 하는 것은 술식이 비교적 간단하므로 임상에서 흔히 사용되고 있으나, 상악

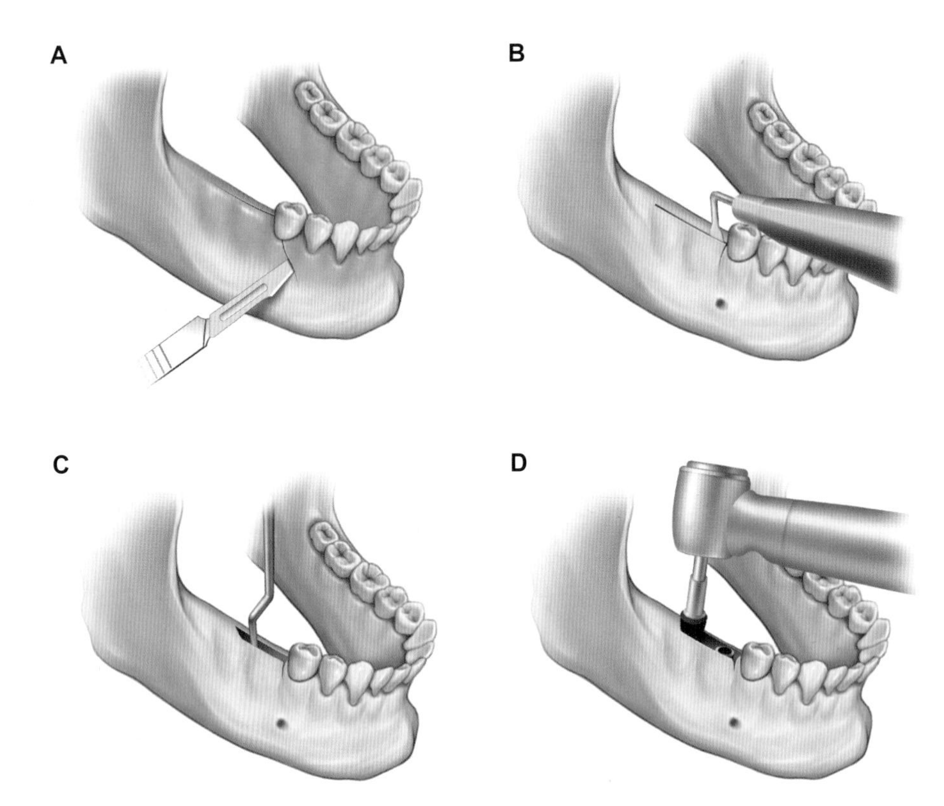

그림 8-55 **치조제분리술.** A: 점막절개 모습 B: 피에조를 이용하여 치조골절단한 모습 C: 골절단기로 치조골을 벌리는 모습 D: 절단분할해 확장된 공간으로 테이퍼 임플란트를 식립하는 모습.

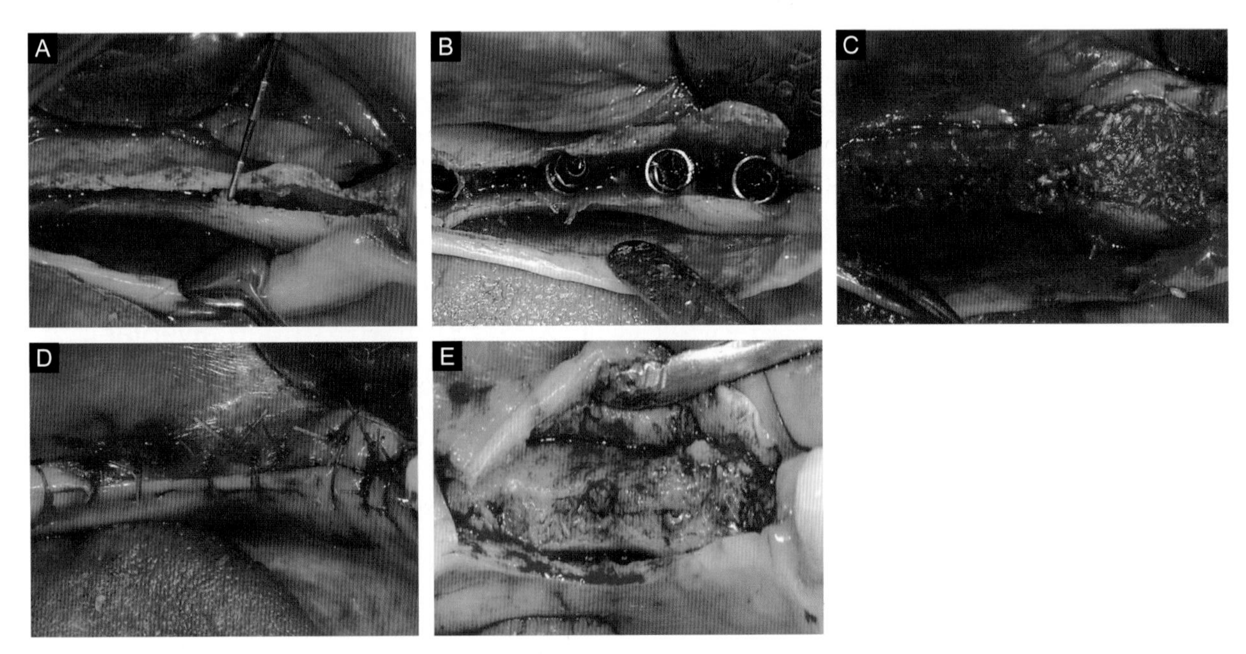

그림 8-56 **치조제분리술 증례.** A: 치조골절단 B: 절단분할해 확장된 치조제 양측 사이에 테이퍼 임플란트를 식립 C: 벌어진 치조제 사이에 골이식재를 넣은 상태 D: 봉합 후 E: 시술 6개월 후 증대된 치조제.

의 경우 정출되어 있던 치조골과 함께 내려와 있던 상악동의 기저부가 치조골 삭제 후 천공되면 구강상악동 누공(oroantral fistula)이 생길 수 있고, 경우에 따라서는 반대편까지 보철을 해야할 수 있다는 단점이 있다.

1) 분절골절단술(Segmental osteotomy)

튀어나온 치조골 부분을 절단해서 상방으로 함입(intrusion)시킴으로써 보철공간을 확보한다. 수술이 정확하여 이동골편의 혈류가 유지된다면 골편의 생착은 염려할 필요가 없으며 발치와 치조골성형술을 시행하는 노력과 기간으로 경제적, 심미적, 기능적인 보철을 할 수 있다.

절단 전위되는 골편의 혈액공급과 안전한 유합을 위해 1회 수술법보다는 구개측에서 골절단을 하고 약 3주 후 협측을 골절단하여 함께 전위시켜 재위치(reposition)를 완성하는 것이 안전하다. 골편의 고정은 술전에 모형상에서 미리 제작해 둔 교합스플린트(occlusal splint)를 사용하면 악간고정을 할 필요가 없으며, 보철수복은 2개월이면 가능하다(그림 8-57~59).

2) 치간절단전위술(Tooth repositioning)

대합치의 보철수복을 어렵게 하는 치아나 전위가 심한 지대치를 외과적으로 재위치하는 술식으로 피질골절단술(corticotomy)에서 발전되었다. 대부분 2단계로 나누어 구개측과 협측으로 치근간 골전단술(interradicular osteotomy)을 시행하며, 국소마취하에 골피판을 젖히고 버(#701 fissure bur)로 치조골을 절단하여 변위시킬 수 있다.

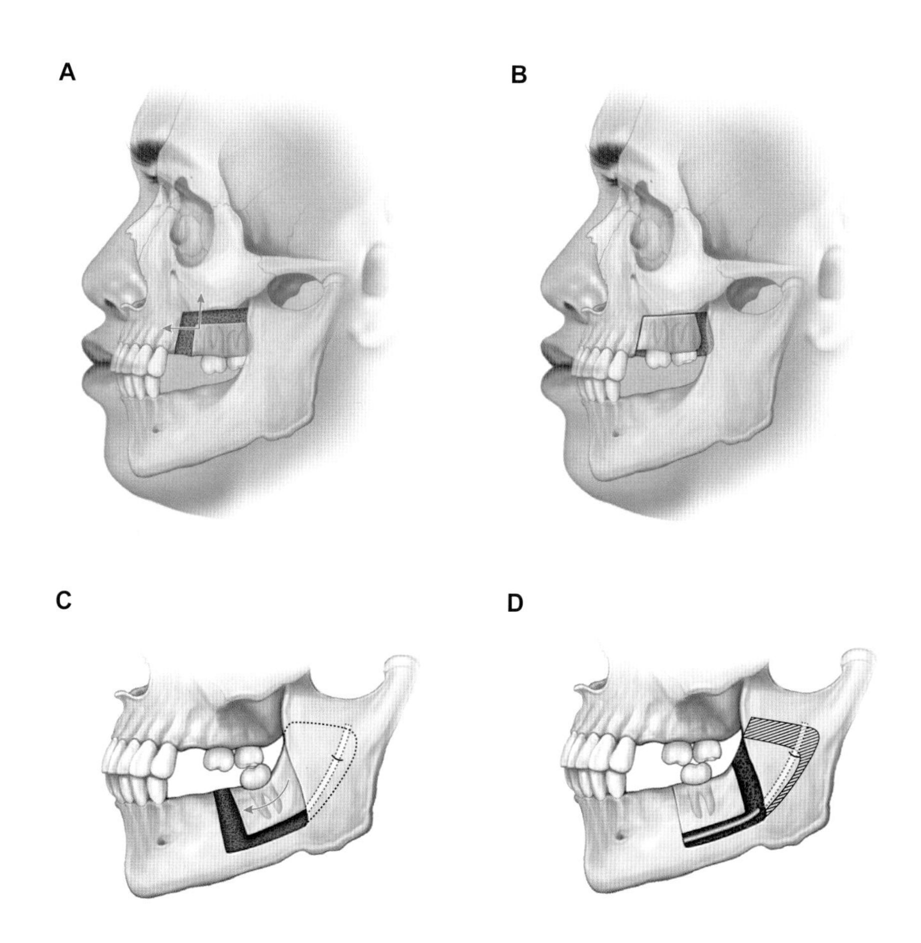

그림 8-57 **분절골절단술.** A, B: 상악후구치 분절골절단 후 전상방 전위 C, D: 하악후구치부의 분절골절단 후 전하방 이동술.

2. 개방교합(Open bite, Apertognathia)

상악전치부가 순측으로 경사되거나 혹은 함입되어 절치절단이 교합되지 않는 상태에서 외상이나 감염, 종양에 의한 전치부의 결손을 회복하고자 할 때 기왕의 개교증을 먼저 교정한다면 보다 더 심미적이고 기능적인 보철수복이 될 것이다. 주로 유년기의 악습관으로 야기되는 개교합은 장기간의 교정치료 후에도 원상으로 회귀하여 불량한 예후를 보이지만 외과적으로는 단시일에 양호한 결과를 얻을 수 있다.

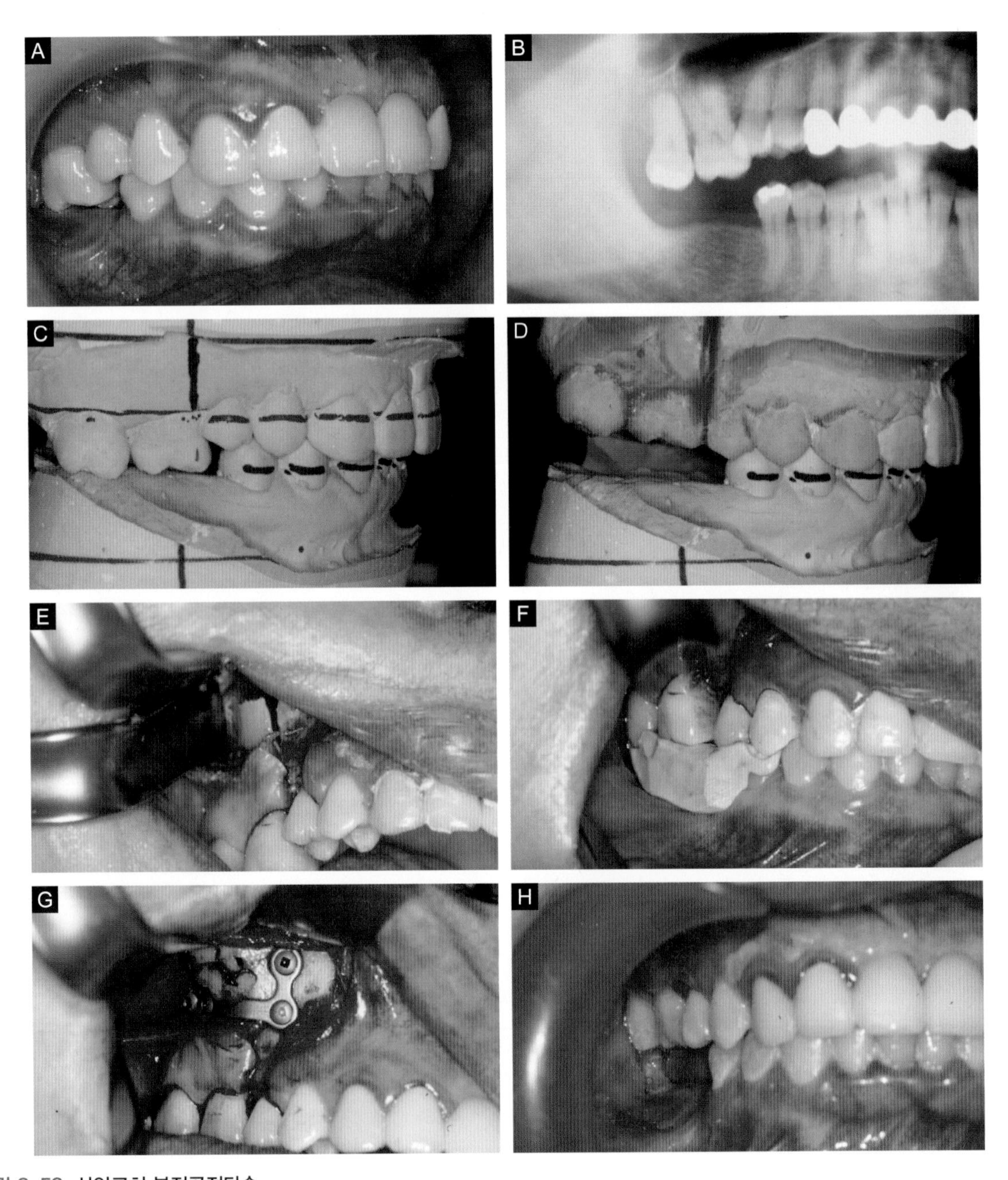

그림 8-58 **상악구치 분절골절단술.**
A: 오랜 기간 하악치아가 없는 상태로 지내서 상악치아가 정출됨 B: 영상소견 C: 치아 석고모델 D: model surgery하여 수술용 Putty 제작 E: segmental maxillary osteotomy F: model에서 만든 putty를 위치시킴 G: segment fixation with mini-plate H: 수술 후 개선된 모습.

수술은 상순과 상악전치부의 관계를 안정상태, 말할 때, 웃을 때에 비교하고 외모, 모형, 두개계측 분석을 평가하여, 상악전치부 양측 제1소구치 근심에서 수직으로 골절단하고 전방골편을 전하방으로 전위시켜 하악전치부와 교합되게 한다. 순측접근의 1회 골절단성형술(Wassmund법)보다는 구개골의 절단 후 약 3–4주에 순측으로 접근하는 2단계 수술(Schuchardt법)이 안전하고 예후가 좋지만, 1회에 구개로 접근하는 술식(Wunderer법)도 있다. 특히 구개접근은 정중부를 분할(sagittal splitting)할 수 있어 양측 골편을 따로 따로 움직여 접합할 수 있는 장점이 있다(그림 8-59).

1) 상악구치 분절골절단술(Posterior maxillary segmental osteotomy)

하악구치가 결손된 후 장기간 보철수복을 하지 않았거나 국소의치를 장기간 사용한 경우에 상악구치가 하방으로 정출하여 하악에 보철수복의 공간이 없을 때, 최후방구치만 교합되고 소구치전방이 개방교합(open bite)일 때, 또한 교합고경과 상순(lip line)이 높아서 상악전치부를 하방으로 전위하면 치은의 노출이 많아 심미적으로 좋지 못할 때에 상악구치부 치조골을 절단분리하여 상방으로 전위시킴으로써 보철공간을 확보하고, 교합고경을 낮추면서 전치부의 교합을 유도할 수

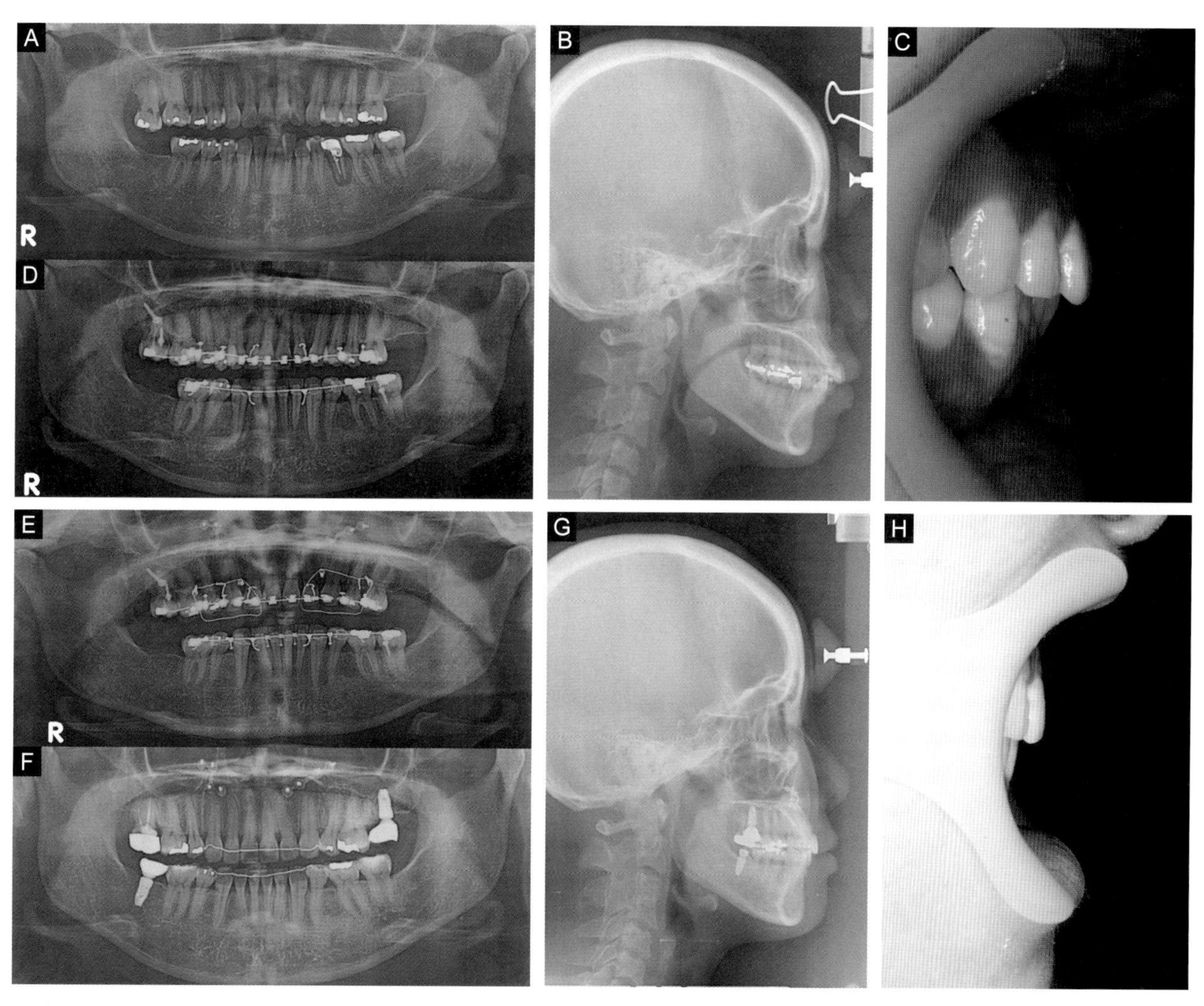

그림 8-59 상악 분절골절단술. A: 초진 시 방사선사진 B, C: 초진 시 상악 전치부가 순측으로 경사되어 있는 상태를 확인할 수 있다. D: 수술 전 교정상태 E: 수술 직후 골편의 고정을 위해 미리 제작해 둔 교합스플린트를 장착한 후 촬영한 방사선사진 F: 상악 분절골절단술 후 보철까지 완료한 상태 G, H: 치료 완료 후 상악 전치부의 순측경사가 개선된 모습을 보인다.

있다(그림 8-58 참고). 구개측으로 전층구개골피판(full palatal flap)을 거상하여 구개에 골절단선을 두고, 약 4주 후 협측으로 골절단을 완성해서 전치부가 교합될 때까지 상악동 방향으로 전위시키는 2단계 수술법이 안전하다. 술후 약 4주간 교합스플린트를 악궁에 고정한다(그림 8-59).

2) 하악전치부 분절골절단술(Anterior mandibular segmental osteotomy)

화상에 의한 반흔구축이나 설종양 등으로 하악전치부가 치조골과 함께 순측으로 심하게 경사되었거나 함입된 경우에 하악 전치부를 골절단하여 설측 혹은 상방으로 전위 고정한다. 또한 하악전치부가 상방으로 전위하여 과잉 피개교합 상태에 있을 때에 하악 전치부 하방을 부분절제하고 하악 전치부 치조골 전체를 하방으로 전위할 수 있다. 대부분 구내로 시행하며 수평골절단된 부분이 움직이지 않도록 교합스플린트나 아치바를 이용하여 치간 결찰하거나 미세금속나사(microplate & screw)로 고정한다(그림 8-59).

3) 하악체 골절단술(Mandibular osteotomy)

개방교합이 하악골의 발육기형, 특히 하악전돌증에 수반된 경우에 골체부의 길이를 동시에 줄이기 위해서 하악체 골절제술(mandibular ostectomy)을 병행하고, 안면고경을 낮추면서 후방 상행지를 높이기 위해 상행지 골절단술(ramus osteotomy)을 응용한다. 절단 혹은 절제 후 골편의 유합을 촉진하기 위해 피질을 박리하는 것이 좋고 하악골 전위가 용이하도록 근돌기절제술(coronoidectomy)도 병행한다. 약 6-8주간 골편의 안정도 중요하지만 비정상적인 혀 및 연하습관을 술 전에 개선시키지 않으면 회귀되는 경향이 있다.

3. 과잉 수평피개, 수직피개(Overjet & Overbite)

과잉 수평피개와 수직피개는 대개 상악의 과성장에 기인한 상악 전돌증과 하악의 성장결여로 인한 하악후퇴(mandibular retrusion)에 의해 초래되며 전돌된 상악전치부는 외상을 받기 쉽고 연령의 증가와 함께 치은이 퇴축되면서 치근의 노출이 심해지고 더 돌출된 감을 주므로 보철수복에 심미적인 결함이 있다.

1) 발치 후 치조골성형술(Extraction & alveoloplasty)

잔존치아의 치주상태가 불량하고 구치부에도 다수 치아가 결손되어 잔존치아를 발거하고 총의치로 수복할 경우, 전방돌출된 상악치조골을 순측 삭제하여 의치를 제작하는 방법이다. 1회에 발치 및 치조골성형술을 시행하고 남는 연조직을 절제하는데, 구개점막피판을 박리할 때 비구개관(nasopalatine canal)으로 나오는 신경과 혈관을 절단하게 되지만 대개 술후 2개월 이내에 구개전방 점막에 재생 유합된다.

2) 상악전치부 분절골절단술(Anterior maxillary segmental osteotomy)

하악은 정상이고 상악이 전돌된 경우에 양측의 상악 제1소구치를 발거하고 상악견치부 치근단 상방에서 비강저로 수평절단하고, 동시에 또는 3주 후에 발치와의 협설측 피질골과 구개골을 절단하여 상악을 후퇴시킨다(Wassmund법).

3) 하악전치부 분절골절단술(Anterior mandibular segmental osteotomy)

상악에 비해 하악이 왜소하여 상악전치가 돌출된 외관을 보이는 경우에 하악전치의 심한 순측경사도 회복하면서 치조골을 전방으로 옮기는 방법이다. 그러나 이러한 하악 왜소증은 분절골절단술보다는 상행지의 근본적인 악교정수술로 악골의 길이를 신장하고 안면

고경을 증가시키는 것이 예후가 양호하다.

4. 정중부 치간이개(Diastema)

상악중절치 간에 정중이개가 있는 상태에서 또 다른 전치가 결손되면 가공의치의 수나 크기의 차이 때문에 보철수복에 곤란을 겪게 된다. 이개된 양측중절치 사이에 두꺼운 순소대(frenum)나 매복과잉치가 있으면 먼저 제거하고 모형상에서 대합치와의 관계를 검토하여 수술방법을 선택한다.

1) 상악전치부 분절골절단술(Anterior maxillary segmental osteotomy)

중절치 사이, 견치상방의 순측점막을 수직으로 절개하고 구개측도 제1대구치 전방에서 반대측까지 변연치은을 따라 절개 및 박리한 후, 양측소구치 및 정중부 협측에서 수직으로 골절단을 하고 골막을 지나는 터널(tunneling)을 형성하는 술식이다. 치근단 2-3 mm 상방에서 수평으로 절단하여 구개 골절단까지 완성, 유리된 양측 골편을 정중부로 전위하여 치간이개를 없앤다.

2) 단일치아 치간골절단술(Anterior maxillary single tooth osteotomy)

중절치 사이의 치간이개(diastema)뿐만 아니라 전치부 치간마다 틈이 있어 이를 막고자 하는 경우나 이런 상태에서 결손된 치아를 회복하고자 할 때 응용할 수 있다. 현재 2단계 술식이 보편적으로 사용되고 있다. 1회에 구개측으로 골막을 박리하여 버(#701 fissure bur)로 피질골에 절단선을 만들고 3주 후에 순측피판(labial flap)을 젖혀서 치근간골을 절단(interradicular bone cut)하고 골절단기로 각골편을 유리시켜 정중이개는 물론 치간간격(interdental space)이나 순설측 경사를 개선시킨다. 술전에 모형상에서 만들어 둔 스플린트를 치간결찰이나 구개골나사로 고정한다. 교정치료가 병행될 수 있는 경우에는 치간피질골분리술(interdental corticotomy)로 변형할 수 있다.

5. 협소한 치열궁(Narrow dental arch)

악궁이 비정상적으로 발육하여 구치부는 반대교합, 전치부는 수평피개(overjet)가 심한 V형 악궁에서 심미적인 보철회복을 강구하고자 할 때, 악골을 분절하여 반대 악에 맞추거나 이상적인 악궁 형태로 재위치시킬 수 있다.

1) Le Fort I형 골절단 및 구개분할(Le Fort I osteotomy with palatal splitting)

상악을 Le Fort I형(수평골절단술)으로 절단하고, 비강하부의 구개골 중앙을 전방에서 후방까지 버(#4 round bur, #701 fissure bur)와 골절단기로 분할하여 넓힌다. 술후 모형수술에서 미리 만든 구개스플린트를 고정하고, 절단된 상악골을 정한 위치로 옮겨서 금속판과 나사로 견고히 고정한다.

2) 구개골확장 및 골이식술(Palatal expansion with bone graft)

양측으로 관골밑의 협측상악골에 대구치 치근단 3-5 mm 상방을 지나는 수평골절단을 시행하고, 외과용톱(reciprocating saw)으로 구개정중부를 전후방 분할한 다음, 골절단기로 분리하여 미리 채취한 이식골(골편, 또는 분쇄골편)을 채워 넣는다.

3) 하악골절단술, 골절제술(Mandibular osteotomy, Ostectomy)

하악구치부의 설측경사가 심하고 전치부의 정출(extrusion)이 있는 좁은 악궁에서 보철을 요할 때, 하악전치부나 구치부를 부분적으로 골절단하여 외측방으로 전위한다. 설측골막을 박리하지 않고 골편의 혈류를 유지하여야 하며, 이동량이 많거나 접근이 나쁠 때는 2단계로 나누는 것이 보통이다.

6. 반대교합 또는 교차교합(Crossbite)

반대교합은 하악치아가 순, 협측으로 돌출되어 상악치아를 피개하는 발육이상으로서, 하악이 비정상적으로 과잉성장한 하악전돌증과 상악골이 열성장된 상대적인 반대교합으로 구분할 수 있다. 즉, 하악이 상악에 비하여 상대적으로 너무 커서 의치의 안정을 얻을 수 없고, 대합치와의 관계를 정상적으로 만들 수 없을 때에 하악골체부의 크기를 줄이거나 하악을 후방으로 전위함으로써 악궁의 대합관계를 개선한다. 동시에 상악의 전방이동도 가능하다(그림 8-60).

1) 상악열성장(Maxillary retrusion & Deficiency)

평소에는 자연치아의 경사와 치주조직의 상태로 무관심하게 지내다가도 전치부의 다수 치아가 치조골과 함께 결손되거나 몇 개 남지 않은 잔존치아를 발거한 후 의치에 의해 보철수복을 하고자 하면 의치의 안정과 유지, 심미성, 기능이 문제가 된다. 가능한 잔존치아를 미리 발거하지 말고 골절단성형술부터 먼저 시행하여 후에 발치와 보철을 하는 것이 좋다.

① 상악수평골절단술(maxillary Le Fort I osteotomy)

② 상악전치부 분절골절단술(anterior maxillary segmental osteotomy)

2) 하악전돌증(Mandibular prognathism)

하악의 과도한 발육이상으로 골체부가 길고 SNB가 SNA보다 크며 일반적으로 하악의 악궁이 상악보다 크다. 하악전치는 대개 설측으로 경사되고 구치부는 Angle Ⅲ급 부정교합(근심교합)을 보인다. 전치부 치아가 다수 결손되거나, 치조골까지 손실된 경우, 무치악 혹은 전치만 남은 상태에서 의치 및 국부의치를 요할 때, 하악이 전돌된 양상과 정도에 따라 구내, 구외술법이 고려된다.

① 하악전치부 부분골절제술(anterior mandibular ostectomy)

② 하악골절단술, 부분골절제술(mandibular osteotomy, ostectomy)

3) 상악후퇴위와 하악전돌증(Maxillary retrusion & Mandibular protrusion)

상악의 발육부전과 하악의 과도한 성장이 복합된 경우로 대개는 상하악의 어느 한 수술법을 택하게 되지

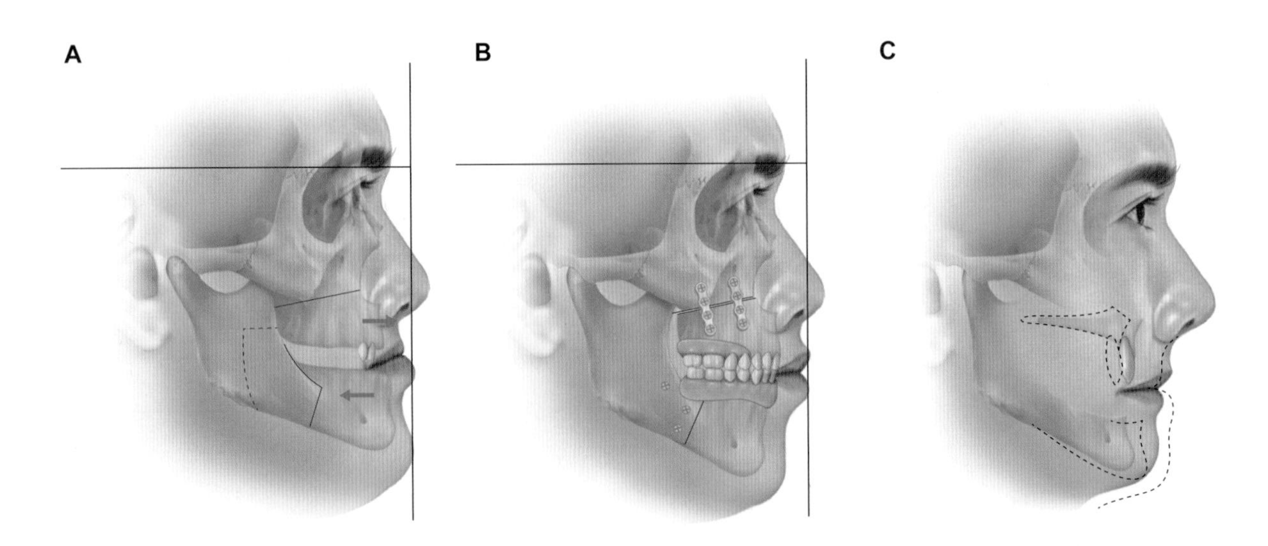

그림 8-60 **반대교합의 가철성 보철수복을 위한 악교정수술.** A: 반대교합을 교정하기 위한 상악의 전방이동과 하악의 후방이동을 요하는 양악골절단전위수술 계획 B: 악골의 이동에 맞는 상악의 국소의치. 하악 총의치를 술전에 미리 제작한다. C: 술전(점선)과 술후(실선)의 외모 및 상하악 관계의 개선을 비교한다.

만 증상이 가중되어 정도가 심한 경우에는 상하악을 동시에 교정하는 경우도 있다. 대개는 상악에서 전방분절 골절단술로 구개측에 위치하는 전치부를 순측으로 전방 거상하고 하악에서도 전방부분 골절단술로 전치부를 설측 전위시켜 교합관계를 개선한다. 심한 경우에는 구치부의 교합까지 고려하여 상악에서는 수평골절단술(Le Fort I horizontal osteotomy)을, 하악에서는 시상분할골절단술(sagittal splitting osteotomy)을 시행하여 상악은 전방으로 하악은 후방으로 전위시킨다.

4) 구치부반대교합(Buccal crossbite)

악골의 발육이상으로 상악구치부가 하악치아의 내측에 위치하는 구치부의 반대교합은 구개열(cleft palate)의 술후성 반흔구축에 기인하는 경우가 많다. 편측성일 때는 작은 쪽 구개골이 위축되어 있으므로 후구치 골절단술(posterior maxillary osteotomy)로 악궁을 넓히지만, 양측성 구개열에서는 양측 구치부가 모두 내측으로 위치하여 반대교합이 되므로 상악골 전체에 수평골절단술(Le Fort I horizontal osteotomy)을 시행하고 골이식을 병행하는 것이 더욱 효과적이다.

Ⅲ. 합병증의 예방과 대책

골 또는 연조직을 절제하거나 위치를 바꿈으로써 시행되는 보철을 위한 외과술식은 술식이 간단하며, 건강한 상태에서 수술을 시행하는 경우가 대부분이므로 정확한 수술계획과 세심한 수술을 통하여 목적한 대로 일차치유가 유도되어 양호한 결과를 얻는 것이 보통이다. 일반적으로 술후에 부수적으로 발생되는 출혈, 부종, 동통, 감각이상, 감염 등의 합병증은 적절하게 조치한다면 극복될 수 있는 것이다.

그러나 전정성형술이나 골이식에 의한 치조제증강술, 근육부착의 전위술 등은 구강주위 근육의 움직임과 피개점막의 부족 등으로 목적한 만큼 성과를 거둘 수 없는 경우가 많다. 특히 구강전정성형술은 회귀(relapse) 성향이 강하여 피부 혹은 점막이식 방법에 의해서도 잘 해결되지 못하는 경우가 많다. 이를 방지하기 위해서는 정확한 진단하에 회귀량을 감안하여 충분한 양만큼 수술을 시행하고 술후 세심하게 유지관찰함으로써 술후 회귀를 줄여야 하며 이와 같은 방법으로도 해결되지 않는 증례에서는 임플란트에 의한 보철수복방법을 적극적으로 고려해 보아야 한다.

1. 골편의 괴사(Necrosis)

예상되는 합병증 중에서 절단골편의 생착이 불완전하여 괴사되는 것이 가장 큰 문제가 되지만, 절단된 골분절이 변위되어도 골막으로 충분히 덮이고 골편의 고정이 확실하면 곧 미세혈관문합(micro-vascularization)이 일어나 치아의 생활도(vitality)와 치주조직에 영향을 미치지 않는다고 규명되어 있다. 그러나 골편의 혈류공급을 고려하여 가능한 넓은 혈관경(vascular pedicle)을 얻도록 절개하고 골절단은 설측과 협측을 2회로 나누어 3-4주 간격으로 시행하는 것이 가장 안전하다. 또한 수평 골절단 시에는 잔여 치근단으로부터 3-5 mm 가량은 떨어져야 하며 일단 치근단이 노출되면 근관치료를 시행하는 것이 좋다.

2. 골편의 부정유합(Malunion)

이식 혹은 전위된 골편의 불완전, 부정유합은 골편의 무리한 전위, 골절선상의 감염, 연조직의 골간유입이나 불완전한 연조직 폐쇄에 의해서도 야기되지만 술후 고정이 견고하지 못할 때에도 흔히 일어난다. 상악의 고정은 골간강선고정(transosseous wiring)과 현수강선고정(suspension wire fixation)을 이용하되, 골편의 수직위치를 잡아주기 위해 모형상에서 미리 만든 스플린트(acrylic splint)를 치열궁이나 구개 중앙에 고정하는 방법이 좋다. 하악에서는 교합 혹은 설측 스플린트를 환하악강선(circummandibular wiring)으로 고정하는 방법이 가장 보편적으로 쓰인다. 따라서 분절골절단술에서는 상하악간의 악간고정이 불필요하며, 고정장치가 제거된 후 회귀되는 것을 최소로 하기 위하여는 전위 골편의 근부착을 박리하여 골편이 견인력을 받지 않도록 해야 한다.

3. 술후 감염

골이식이나 성형술에서 감염이 유발되면 이식골편의 불완전 유합이나 치유의 지연 및 골괴사 등 예기치 않던 결과를 초래하므로 특별히 경계하여야 한다. 수술 전 수회에 걸쳐 구강을 청결히 하고 구강소독제(betadine, chlorohexidine)로 구내소독을 하며 항생제를 술전 투약하는 것이 좋다. 수술 시에는 가능한 점막 피판을 천공하지 않도록 하며 술후에도 구강상태는 청결히 유지해야 한다.

4. 출혈

대개 하악후구치부나 상행지 뒤, 안면 동정맥과 설동맥의 손상, 골막의 천공 등이 문제가 된다. 골면으로부터의 삼출혈은 골막하 혈종이나 조직의 부종을 만들어 골생착을 저해하고 감염을 유도할 수 있다. 술후 1-2일 정도 배출관을 통한 구강내 배출(intraoral drainage)이 혈종예방에 도움이 된다.

5. 신경손상

제7뇌신경(안면신경; facial nerve)이 절단되면 안면마비(facial palsy)가 일어날 수 있으므로 하악골 상행지 후, 하방에 접근할 때 주의해야 한다. 하치조신경과 이신경, 구개신경 등 제5뇌신경(삼차신경; trigeminal nerve)의 손상은 대개 2-3개월 후 지각이 회복되지만, 3개월 후에도 개선되지 않고 통증이 동반되면 전문적인 진단과 미세신경재건술이 필요할 수 있다.

참고문헌

김명래, 김충, 김문호 등. 하악구치부 임프란트보철 공간을 위한 상악구치부의 분절골절단 및 정위. 대한구강악안면외과학회지. 2000;4:75-83.

Baker RD, Terry BC, Connole PW. Long-term results of alveolar ridge augmentation. J Oral Surg 1979;37:486-9.

Bakos LH. Transpositional flap procedures (lipswitch): report of a case. W V Dent J. 1981;55(4):14-15.

Bays RA. The pathophysiology and anatomy of edentulous bone loss. In Fonseca R, Davis W, editors: Reconstructive preprosthetic oral and maxillofacial surgery. WB Saunders; 1985.

Bell WH, Buche WA, Kennedy JW, et al. Surgical correction of the atrophic alveolar ridge: a preliminary report on a new concept of treatment. Oral Surg Oral Med Oral Pathol 1977;43(4):485-98.

Caldwell J. Lingual ridge extension. J Oral Surg 1955;13:287-92.

Chin M, Toth BA. Distraction osteogenesis in maxillofacial surgery using internal devices: Review of five cases. J Oral Maxillofac Surg 1996;54:45-54.

Frost DE, Gregg JM, Terry BC, et al. Mandibular interpositional and onlay bone grafting for treatment of mandibular bony deficiency in the edentulous patient. J Oral Maxillofac Surg 1982;40:353-60.

Garcia AG, Martin MS, Vila PG, et al. Minor complications arising in alveolar distraction osteogenesis. J Oral Maxillofac Surg 2002;60:496-501.

Guernsey LH. Reactive inflammatory papillary hyperplasia of the palate. Oral Surg Oral Med Oral Pathol 1965;20:814-27.

Hall HD, O'Steen AN. Free grafts of palatal mucosa in mandibular vestibuloplasty. J Oral Surg 1970;28:565.

Harle F, Kreusch T. Augmentation of the alveolar ridges with hydroxyapatite in a vicryl tube. Int J Oral maxillofac Surg 1991;20(3):144-48.

Harle F. Visor osteotomy to increase the absolute height of the atrophied mandible: a preliminary report. J Maxillofac Surg 1975;3:257-60.

Hashemi HM, Parhiz A, Ghafari S. Vestibuloplasty: allograft versus mucosal graft. Int J Oral Maxillofac Surg 2012;41(4):527-30.

Hillerup S. Preprosthetic vestibular sulcus extension by the operation of Edlan and Mejchar. A 2-year follow-up study-I. Int J Oral Surg 1979;8:333-9.

Ilizarov GA. The tension-stress effect on the genesis and growth of tissues: Part I. The influence of stability of fixation and soft tissue preservation. Clin Orthop 1989;238:249-81.

Jensen OT. Alveolar distraction osteogenesis. Quintessence; 2002.

Keithley JL, Gamble JW. The lip switch; a modifcation of Kazanjian's labial vestibuloplasty. J Oral Surg 1978;36:701-5.

Kumar JV, Chakravarthi PS, Sridhar M, et al. Anterior Ridge Extension Using Modified Kazanjian Technique in Mandible-A Clinical Study. J Cli Diagn Res 2016;10(2):ZC21-4.

Landais H. 2 special technics improving the results of Trauner mylohyoid plasty. Rev Stomatol Chir Maxillofac 1975;76(1):65-70.

Lee YU, Park CY, Song JW, et al. Implant instillation after mandibular alveolar ridge augmentation using intraoral distraction device, report of 5 cases. J Korean Assoc Maxillofac Plast Reconstr Surg 2002;24:176-83.

Leonard M, Howe GL. Palatal vault osteotomy. Oral Surg Oral Med Oral Pathol 1978;46(3):344-48.

McCarthy JG, Schreiber J, Karp N. Lengthening of the human mandible by gradual distraction. Plast Reconstr Surg 1992;89:1-10.

Peterson LJ, Slade EW. Mandibular ridge augmentation by a modified visor osteotomy: Preliminary report. J Oral Surg 1977;35:999-1004.

Samchukov ML, Cope JB, Cherkashin AM. Craniofacial distraction osteogenesis. Mosby; 2001.

Sikkerimath BC, Dandagi S, Gudi SS, et al. Comparison of vestibular sulcus depth in vestibuloplasty using standard Clark's technique with and without amnion as graft material. Ann Maxillofac Surg 2012;2(1):30-35.

Takahashi T, Funaki K, Shintani H, et al. Use of horizontal alveolar distraction osteogenesis for implant placement in a narrow alveolar ridge: a case report. Int J Oral Maxillofac Implants 2004;19:291-94.

Terry BC, Albright JE, Baker RD. Alveolar ridge augmentation in the edentulous maxilla with use of autogenous ribs. J Oral Surg 1974;32:429-34.

Terry BC. Subperiosteal onlay grafts. In Stoelignga PJW, editor: Proceedings Consensus Conference: Eighth International Conference on Oral Surgery. Quintessence; 1984.

Trauner R. Alveoloplasty with ridge extensions on the lingual side of the lower jaw to solve the problem of a lower dental prosthesis. Oral Surg Oral Med Oral Pathol 1952;5:340-6.

구강악안면 임플란트

최근 많은 연구와 임상경험으로 임플란트는 단일치아 수복에서부터 전체 무치악에 이르기까지 보편화된 치료방법으로 자리매김하게 되었다. 그러나 한편으로는 합병증과 실패 및 의료분쟁의 요소도 증가하고 있기 때문에 임플란트에 대한 기본적인 지식을 충분히 이해함으로써 변화하는 술식을 수용하고 발생 가능한 합병증을 예방하여 임플란트의 실패를 방지하는 등 성공률을 높일 수 있는 능력을 배양해야 할 것이다.

CONTENTS

CHAPTER 09

구강악안면 임플란트

Oral and Maxillofacial Implant

학습목적

보편적인 치과진료의 하나로 자리잡은 임플란트 치료를 성공적으로 수행하기 위한 진단, 치료계획 수립, 치료, 유지, 관리 및 합병증 관리 능력을 배양함에 그 목적이 있다.

기본 학습목표

- 골유착(osseointegration)의 개념과 기본적인 임플란트 재료에 대해 설명할 수 있다.
- 임플란트가 식립될 안면골과 주변조직의 해부학적 구조를 설명할 수 있다.
- 성공적인 임플란트 치료를 위한 진단과 개개인에 적합한 치료계획을 수립할 수 있다.
- 보편 타당성 있는 임플란트 식립술의 과정과 방법에 대해 설명할 수 있다.
- 해부학적인 구조가 열악한 부위에 임플란트를 식립하기 위해 사용할 수 있는 다양한 수술법들의 특성과 장단점을 설명할 수 있다.
- 임플란트 수술 시 사용되는 골이식재료에 대하여 설명할 수 있다.
- 임플란트 관련 연조직 처치법에 대하여 설명할 수 있다.
- 임플란트와 관련된 합병증을 예방하고 대처할 수 있다.
- 임플란트 유지관리에 대해 설명할 수 있다.
- 기능과 심미성을 충족시키는 기본적인 보철치료법을 설명할 수 있다.
- 임플란트와 관련된 최신경향과 미래에 대해 설명할 수 있다.

심화 학습목표

- 디지털 기술을 이용한 진단과 치료계획 수립, 디지털가이드 수술을 성공적으로 시행할 수 있다.
- 해부학적 악조건을 극복할 수 있는 수술 능력을 갖춘다.
- 임플란트 관련 연조직 수술을 성공적으로 시행할 능력을 갖춘다.
- 임플란트 치료와 관련된 합병증을 해결할 수 있다.
- 임플란트 치료 후 장기간 유지관리의 중요성을 이해하고 실천한다.

I. 임플란트 역사와 골유착 개념

1. 역사

치과 임플란트의 역사는 AD 600년에 발굴된 마야인의 하악전치부에서는 조개껍질을 치아 모양으로 다듬어 사용한 유골이 발견된 것으로부터 시작된다.

그 이후로 많은 치과의사들이 무치악의 문제를 해결하기 위해 고민해 왔으며, 이러한 임상가들은 철, 크롬코발트, 유리질 탄소와 같은 다양한 재료를 사용하였다.

그러나 뼈와 연결되는 근대적 의미의 임플란트는 1930년대에 본격적으로 개발되었고, 10년 이상의 기능유지와 조직 유합이 동물실험으로 처음 밝혀지기 시작하였다. 처음에는 Dahl, Gershkoff와 Goldberg 등에 의하여 그 술식이 크게 발전하였으나, Formiggini와

Zeppini 등에 의한 나선상구조의 임플란트, Linkow의 도상형(blade) 및 Vent 구조, Chercheve의 이중나선상 구조와 골함요를 형성하는 버(bur)와 태핑(tapping) 개념의 도입으로 골내 식립형 임플란트의 개념이 이어졌다.

1951년 Branemark에 의해 티타늄으로 나선형의 골유착성 임플란트의 개념이 소개되었다. 그는 정형외과 수술을 연구하다가 티타늄이 비가역적으로 골유착이 된다는 것을 발견하였고, 이는 현대의 치과 임플란트 치료의 근간이 되었다. 그 이후 다양한 연구자들이 장기간의 임상실험 결과 객관적 자료를 가지고 보고함으로써 임플란트의 장기간의 성공률이 인정받게 되었다.

임플란트를 이용한 치료의 범위도 처음 의치 등의 안정성을 보강하는 극히 제한적인 사용에서 벗어나 이제는 하나 치아의 상실은 물론 전체 치아상실과 악안면의 귀, 코, 눈과 같은 중요 장기 손실을 수복하는 방법으로 자리매김하게 되었다.

또한 치료기간에서도 초기의 아주 조심스럽고 세심한 접근에서 이제는 즉시 기능, 즉시 식립 등의 표현이 어색하지 않을 정도로 치료기간 단축을 위한 진전이 상당히 발전하는 등 예견 가능한 장기간의 성공률과 함께 치아상실에 대한 보상이라는 심리적 측면과 노년인구의 증가는 임플란트에 대한 공중의식을 고취시켜, 이제는 임플란트를 이용한 상실치아의 수복이 최후의 치료수단이 아닌 처음부터 적극적으로 활용되어지는 보편적인 치료법이 되었다.

2. 골유착(Osseointegration)

골유착의 개념은 40년 전 Branemark에 의해 처음 소개되었다. 골유착은 살아있는 뼈와 하중을 받는 임플란트 표면의 직접적인 구조적·기능적 연결을 의미한다. 임플란트를 식립한 후 이뤄지는 골유착은 골친화기, 골전도기, 골적응기의 3단계로 분류할 수 있다. 첫 번째 단계로 식립 후 일어나는 과정은 창상으로 인한 골치유반응과 유사하여 임플란트와 골 사이에 혈액이 차고 혈병이 형성되며 혈병의 분해와 함께 fibrin network이 형성된다. 식립 1주 내에 임플란트 표면 내로 골아세포들이 이주하여 골화가 시작되고 임플란트 식립 시 압축된 골의 초기흡수가 일어나며, BMP가 유리되어 이에 반응하는 세포이주가 일어난다. 임플란트 표면에 접근한 골세포들은 유골(osteoid)을 형성하고 이 미성숙 결합조직기질에 교직골(woven bone)이 침

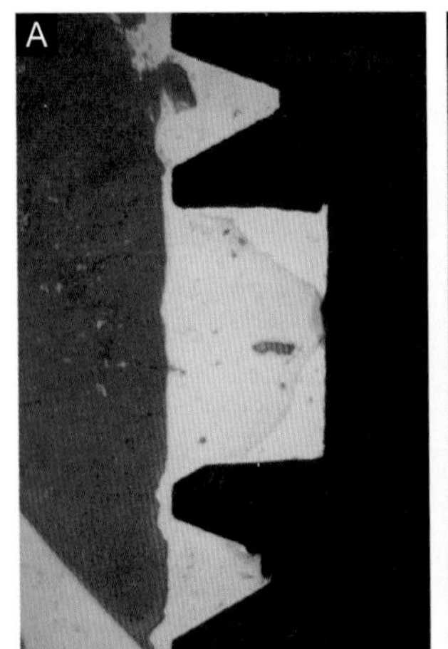

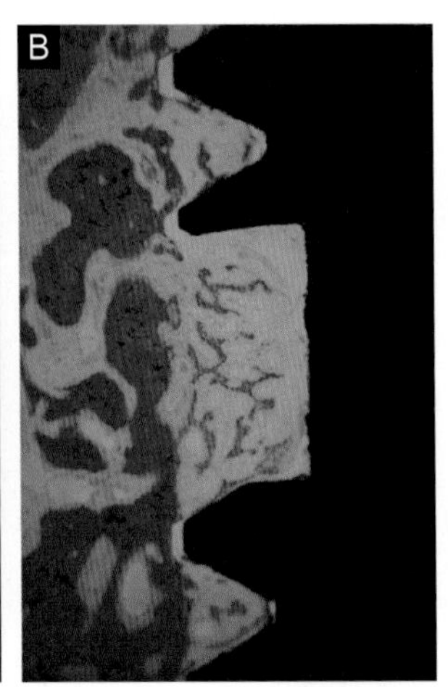

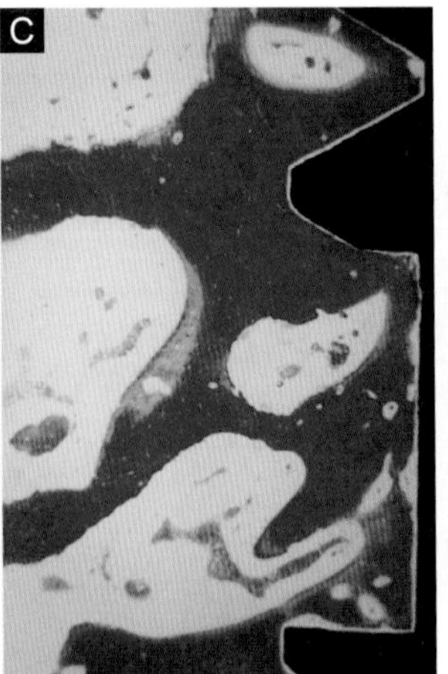

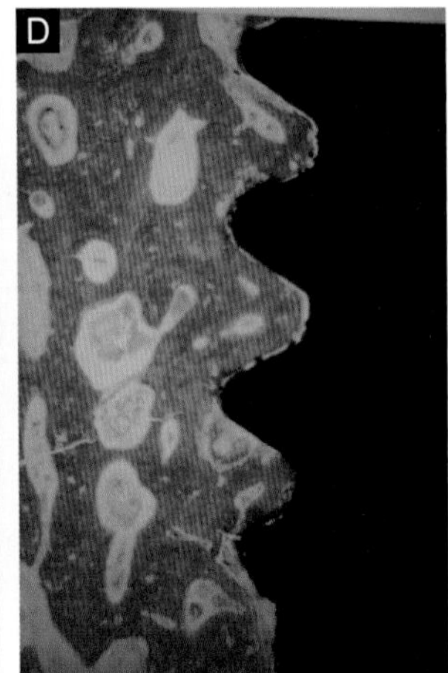

그림 9-1 A: 골내에 식립된 임플란트(동물실험 1주 후. 비탈회표본, HE염색). 검은 부분이 임플란트이며 자주색 하악골 임플란트를 향하여 골 형성이 이미 시작됨 B: 2주 후. 임플란트와 골 사이의 공간이 이미 골로 차기 시작함 C: 6주 후. 이미 성숙된 골들로 대부분의 공간이 채워짐 D: 12주 후. 임플란트의 표면을 따라 골의 재형성이 거의 완료됨.

착되게 되는 약 1달 정도의 기간을 거치게 된다. 두 번째 단계는 교직골(woven bone)이 더 강한 성숙골인 층판골(lamellar bone)로 치환되는 과정으로 2-3개월에 걸쳐 진행되며 임플란트 표면에 더 많은 양의 골이 더해지는 단계이다. 세 번째 단계는 식립 후 3-4개월 이후부터 더 이상의 골 접촉은 증가하거나 감소하지 않고 부하에 반응하여 골개조(bone remodeling)가 전 생애에 걸쳐 일어나는 단계라 할 수 있다(그림 9-1).

II. 임플란트 재료와 표면처리

1. 재료

임플란트의 재료는 cobalt-chromium alloy, gold alloy, carbon, aluminum oxide, shape memory alloy 등의 여러 금속이 사용되어 왔으나 현대에서는 티타늄을 주성분으로 하고 있다. 임플란트 재료로서 입증된 티타늄의 높은 생체적합성은 이것의 표면 산화물의 특성과 관련이 있다. 공기와 접촉하면 티타늄은 치밀한 4 nm의 산화층을 형성하며 이러한 Titanium dioxide (TiO_2)는 화학적으로 매우 안정적이며 부식 저항성을 가진다.

지르코니아는 세라믹 재료로서 임플란트와 지대치의 재료로 사용된다. Zirconia (ZrO_2) 역시 티타늄과 마찬가지로 높은 생체적합성을 가지며 치은을 통과하는 어두운 요소가 없기 때문에 심미적인 장점을 가지며 강도도 강하다. 그러나 파절저항성에 대해서는 아직 논란이 있다. 최근에는 티타늄과 지르코니아의 조합 금속도 사용되고 있으며 Roxolid (Straumann USA, Andover, MA)의 제품으로 출시되었다. 이 합금은 티타늄보다 50% 강하며, 연신률 및 피로강도와 관련하여 더 높은 기계적 특성을 보여준다.

2. 표면처리

임플란트의 표면 특성은 분자 상호작용, 세포반응 그리고 골형성에 중요한 역할을 한다.

1) 1세대 절삭가공 표면(Machined surface)

기계 절삭가공에 의해 형성된 임플란트 표면으로 machined or turned surface 임플란트라고 하며 평균 거칠기(Sa; average roughness over a surface)는 0.53-0.96 ㎛이다. 표면은 균일하고 능선과 골이 있는 회전형태로 제작되었다(예: Branemark Mark Ⅲ, Ⅳ)(그림 9-2).

2) 2세대 거친 표면(Rough surface; 생역학적 세대, Biomechanical generation)

초기 임상에서 machined surface는 좋은 성적을 보였지만 골질이 나쁜 경우, 점차 더 복잡하고 어려운 증례로 그 응용의 폭이 넓어짐에 따라 성공률을 높이고자 하는 연구는 1990년대 들어 적절한 거칠기를 부여하는 것이 우수한 골반응을 유도할 수 있다는 이론을 정립하게 되었고, 이후 거친 표면을 만들기 위한 다양한 방법이 시도되었다. 거친 표면은 더 강하고 신속한 골반응을 유도하여 성공에 더 도움이 된다는 사실이 밝혀졌다.

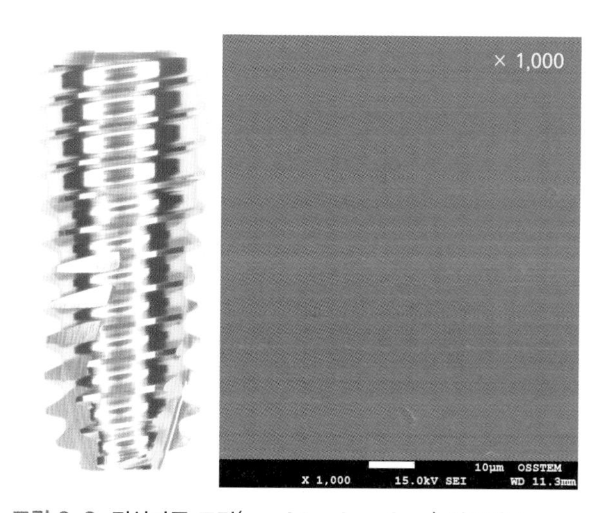

그림 9-2 절삭가공 표면(machined surface) 임플란트.

■ **티타늄 표면처리**(titanium plasma spray coating)

이온과 전자로 분리된 noble gas를 극도로 가열된 arc를 통하여 고속 방출시켜 작은 금속입자를 임플란트 몸체 표면에 강하게 용접해 표면적을 넓히게 된다. 평균 거칠기(Sa)는 1.82–2.5 ㎛로 화학적 적합성은 매우 좋으나 plasma층과 기본 금속 간의 결합이 분리될 수 있다는 단점이 있다(예: IMZ, ITI Bonefit).

■ **수산화인회석 표면처리**(hydroxyapatite coating)

순수한 티타늄 임플란트에 비해 골과 임플란트 간의 계면부위 향상과 골 회복의 촉진 효과를 나타내는 생체활성적인 표면구조를 갖고 있다. 평균 거칠기(Sa)는 1.54–2.49 ㎛이다(예: 3i 임플란트, Steri–Oss, Integral, IMZ HA coating, Imtek)(그림 9–3).

적절한 표면 거칠기를 얻기 위한 노력은 티타늄이나 HA 분말을 피복하는 방법으로 이어져 더 강한 골–임플란트 계면을 형성하게 되었지만 장기간의 추적관찰은 코팅방법에 따라 차이가 많이 나고 고온분사에 따라 기존기질의 변화가 야기될 수 있으며, 코팅물질이 생체 내에서 분해되거나 파절되어 감염원으로 작용하는 등 임플란트의 실패로 이어지는 한계가 드러나면서 이러한 문제를 개선하기 위해 코팅기법을 달리하거나 표면을 변화시킴으로써 거칠기를 형성하는 다양한 방법이 개발되었다.

■ **산부식 또는 분사 표면**(acid etching or blasting)

표면의 코팅이 탈락하여 골유착에 좋지 않은 영향을 미치는 단점을 극복하고 거칠기를 형성하기 위해 임플란트의 표면을 부식시키거나 패이게 만드는 방법으로 acid etching, SLA (sand blasted with large grit and acid etching) 등이 등장하였다. 분사하는 입자들의 크기를 달리하여 표면의 거칠기를 조절할 수 있었으며 입자가 표면에 남아있을 수 있는 단점을 극복하기 위해 흡수가 될 수 있는 HA, calcium pyrophosphate (CPP) 등 골과 친화성이 있으며 흡수가 가능한 재료들을 분사 media로 사용하는 RBM (resorbable blasting media)이 등장하였다. 한편으로는 분사 후 산으로 부식시켜 고른 거칠기를 형성하는 SLA 표면의 개발로 혈액이 잘 스며들고 세포들이 잘 분화할 수 있도록 하여 치료기간을 상당히 단축할 수 있게 되었다(예: ITI, 3i)(그림 9–4, 5).

3) 3세대 생활성화 세대(Bioactive generation)

최근에는 표면 거칠기에 집중되었던 연구 외에 다른 요소들이 골유착에 미치는 영향에 대한 연구가 활발

그림 9–3 수산화인회석 표면처리 임플란트.

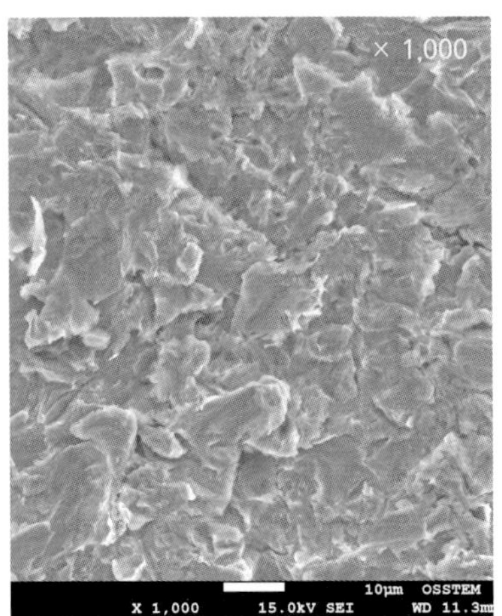

그림 9–4 **RBM** 표면 임플란트.

히 진행되고 있다. 티타늄의 생체 불활성을 만드는 자연산화막의 두께를 증가시키기 위한 양극산화(anodic oxidation) 방식이라든가[TiUnite (Nobelbiocare)], 표면의 화학적 조성을 변화시키기 위해 열처리를 동반한 NaOH 처리법, 불소처리법[Osseospeed (Astra tech)], 활성이온을 함입시키는 양극산화법[TiUnite (Nobelbiocare)] 및 이온주입법 등에 대한 연구도 이뤄지고 있다. 또한 초기 HA 임플란트와 달리 피복의 기술이 현저히 발전하면서 다시 HA 코팅 임플란트가 좋은 결과를 제시하고 있으며[MP-1 (Zimmer Dental)], 친수성(hydrophilicity)을 강화시켜 표면에너지를 증가시킴으로써 초기 혈액과의 반응속도를 증가시킨 임플란트[SLActive (Straumann)]도 있고, 마이크로미터 단위가 아닌 나노 단위의 구조[Nanotite (3i)]는 초기 치유반응을 촉진시키는 등 다양한 물리화학적 연구개발이 이뤄지고 있다.

4) 4세대 생모방화 세대(Biomimetic generation)

그 밖에도 골형성 부착을 증진하는 합성 펩타이드나 BMP-2 등 골형성 단백질을 임플란트 표면에 적용하고자 하는 바이오기술 개발 등 임플란트의 표면에 대한 연구는 아직도 무한한 가능성을 지니고 있어 앞으로의 임플란트 발전을 견인하는 주요한 도구가 될 것이다.

그림 9-5 **SLA 표면 임플란트.**

3. 형태

과거에는 임플란트 치아의 형태를 골내 식립형(endosteal implant), 골막하 매식형(subperiosteal implant), 골 관통형(transmandibular implant)으로 구분하였지만 최근에는 골내 임플란트가 주종을 이루고 있다(그림 9-6).

티타늄으로 된 치근형의 골내 매식 인공치아는 현재 약 400여 종이 개발되어 있으나 기본적으로는 thread를 가진 나사(screw)형과 나사가 없는 원통형으로, 표면처리에 따라 SLA, RBM, Porous surface, Oxidized surface 등으로, 또한 상부 보철물 연결방식에 따라 internal connection, external connection 등으로 분류되며, 이 외에도 최종보철물의 연결방식에 따라 분류하기도 한다.

1) 원통형 임플란트(Cylinder type)

원통형 임플란트는 대부분 압박하거나 두드리는 형태로 식립하므로 나사산을 형성하는 과정이 생략되기 때문에 접근이 어려운 부위에서 쉽게 식립할 수 있고 무른 골의 밀도를 증가시키는 장점이 있지만 임플란트의 표면 거칠성에서 주된 안정을 얻다보니 식립 직후 임플란트 표면의 거대구체 내부나 주변부 기공부위에

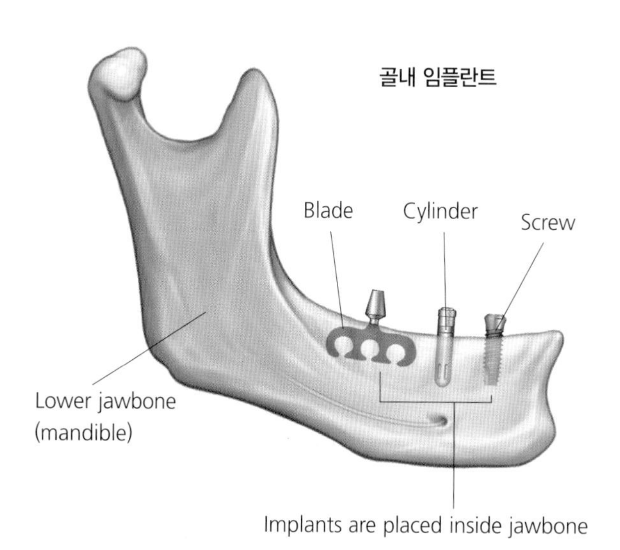

그림 9-6 **임플란트의 형태에 따른 분류.**

골이 존재하지 않아 감소된 초기 안정성을 나타내고 나사형 임플란트에 비해 골접촉 표면적이 적어 보철물을 위한 지지시스템이 불리하다는 단점이 있다.

2) 나사형 임플란트(Screw type)

현재 사용되고 있는 임플란트의 대부분이 이 형태를 가지고 있으며, 나사산이 있어 초기 고정력이 우수하고 원통형 임플란트에 비해 골과 접촉하는 표면적이 넓으며, 교합 하중을 분산하기에도 유리한 디자인이다. 나선 폭(thread pitch), 나선 모양(thread shape), 나선 깊이(thread depth) 등이 위의 특성에 영향을 준다.

Ⅲ. 술전 계획

임플란트 치료의 궁극적인 목적은 기능적, 심미적으로 치아를 대체하는 것이다. 따라서 치료계획은 치아(최종보철)의 바람직한 위치를 설정하는 것으로 시작한다. 이어서 임플란트 고정체(fixture) 기반의 보철물을 지지하는 연조직과 경조직의 평가를 시행한다. 진단을 통해 치아의 크기, 형태, 위치를 설정하고 임시수복물 등을 이용해서 환자에서 기능적 평가를 시행한다. 진단을 위한 영상을 이용해 연조직과 경조직의 질과 양을 평가하게 되는데, 최종치아 위치에 상응하는 조직을 평가하고 증대술 등이 필요할지 결정한다. 임플란트 고정체는 신경이나 혈관과 같은 주요 해부학적 구조물을 침범하지 않는 위치에 식립하여야 하며, 이 위치는 진단에 의거하여 제작된 수술용 판형(surgical template) 등을 이용하여 결정한다. 다음으로 즉시, 조기 혹은 지연 하중 여부를 결정해야 한다.

1. 술전 평가

1) 임플란트 치료의 선택

대부분의 경우 상하악에 존재하는 잔존골에 임플란트를 쉽게 식립할 수 있다. 하악구치부에서 골량이 절대적으로 부족하거나 하악신경의 손상이 예상될 경우, 하치조신경이나 이신경을 재위치시키면서 임플란트를 식립할 수 있고, 상악구치부에서는 상악동점막을 거상하고 골이식을 시행하면서 동시에 임플란트를 식립하거나 일정 치유기간을 거친 후 식립할 수 있다.

임플란트 성공률은 술식의 침습도와 환자의 전신 및 구강상태에 따라 많은 영향을 받기 때문에 환자의 상태를 확인하고 관련된 위험성을 파악해야 한다. 또 술자의 기술과 경험이 중요한 요소로 작용하므로, 치과의사는 자신의 능력과 임플란트를 이용한 치료의 장단점을 잘 숙지해야 하며, 수술의 난이도가 높은 경우 구강악안면외과 전문의에게 의뢰할지를 결정한다.

임플란트 치료의 절대적 적응증은 임플란트 이외의 다른 대체 치료방법이 없는 경우이고, 상대적 적응증은 다른 대체 가능한 치료방법이 있지만 임플란트를 이용해 치아를 대체할 때 환자의 구강기능과 사회적, 심리적 기능의 두드러진 향상이 기대될 경우이다. 또 다른 적응증은 환자가 다른 치료를 받아보았으나 만족하지 못하고 임플란트를 선호하는 경우이다. 일반적인 적응증은 무치악 환자, 가철성 의치를 장착하였으나 심한 불편감을 느끼는 환자, 가철성 의치를 기피하는 환자, 너무 긴 고정성 보철물을 장착하게 되는 경우 등을 들 수 있으나 세분하면 다음과 같다.

적응증(indication)

- 계속가공의치 제작을 위한 인접 자연치아를 삭제하기 싫어하는 경우
- 가철성 의치를 거부하는 경우
- 심한 구토반사로 인해 의치를 장착할 수 없는 경우
- 자연치아 지대치의 개수와 위치가 부적합하여 통상적인 고정성 보철치료가 불가능한 경우
- 나쁜 악습관이 있어 보철물(의치)의 안정에 문제가 있는 경우
- 심한 치조골 흡수로 인해 의치의 유지가 곤란한 경우
- 구강 내외 근육의 부조화로 인해 의치 유지가 힘든 경우

절대적 금기증(absolute contraindication)

- 두경부 영역에 방사선치료를 받은 환자: 5000 rads 이상의 방사선조사
- 정신과적 질환이 있는 환자: 만성 약물이나 알코올중독, 재발성의 심한 우울증, 정신분열증, 편집증, 뇌질환, 치매, 신체변형장애(body dysmorphic disorder)
- 혈액질환: 백혈병, 혈우병, 혈소판감소성자반병(thrombo-cytopenic purpura)

상대적 금기증(relative contraindication)

- 경조직과 연조직 종양, 낭종성 병소가 존재하는 경우
- 발치창에 감염성 병소가 존재하는 경우
- 약물남용 환자
- 알코올중독자
- 흡연 환자
- 잘 조절되지 않는 전신질환 보유환자: 당뇨, 고혈압
- 적은 양의 방사선조사 경력이 있는 환자

2) 술전 검사(Pre-operative screening)

■ 병력청취

환자가 수술 중 혹은 수술 후에 합병증을 유발할 가능성이 있는 질환의 유무를 확인한다. 현재 투여 중인 약물을 파악하고 약물 부작용, 상호작용 등에 대한 평가를 시행한다. 특정 약물 특히 페니실린이나 국소마취제에 의한 알레르기 등이 있을 경우 해당 전문의와 상의하여야 한다. 아스피린, 와파린과 같은 항응고제 복용 여부를 확인하고 수술 전에 약물 복용의 중단 혹은 지속 필요성에 대해 평가한다. 또한 골다공증치료제나 항암제를 투여받고 있는 환자들에 대해 골파괴 혹은 혈관형성을 억제하는 데 사용하는 약물들(대표적으로 bisphosphonate 계열)이 장기간 환자에게 투여되었을 경우, 발치나 임플란트 수술이 약물관련 악골괴사증(medication-related osteonecrosis of jaw, MRONJ)을 유발할 수 있으므로 환자에게 충분히 설명하고 주의를 기울여야 한다.

3) 수술 전 환자 상담

환자가 담당 구강악안면외과 전문의와 임플란트 치료에 대해 가지고 있는 선입견이 임플란트의 성패에 매우 큰 영향을 줄 수 있기 때문에 환자와의 교감 형성 및 신뢰관계 구축이 매우 중요하며, 환자의 심리적 유형에 따른 관계 형성도 매우 중요한 요소이다. House의 분류에 따른 환자의 유형 중에서 ① 이성적인 환자는 임플란트 시술에 무난하지만, ② 꼼꼼한 환자는 치료가 어려우며 치료 전에 모든 가능성에 대한 논리적인 설명이 필요하고, 또한 환자가 모든 과정을 세밀하게 설명해 달라고 요구한다. ③ 신경질적인 환자는 정서적으로 매우 불안하여, 자신의 문제점을 받아들이려 하지 않고 이유 없이 불만을 토로하기 때문에 이런 심리 상태가 개선되지 않으면 치료의 예후가 불량하며, ④ 무관심한 환자도 동기유발이 되지 않아 지시를 무시하고 악의적이지는 않지만 결과적으로는 치료에 비협조적인 경향을 보인다.

4) 머리, 목, 구강 검사

구강악안면 임플란트 치료는 단순히 구강기능만을 회복하는 것이 아니기에 머리 및 목 부분에 대한 전체적인 평가가 중요하다. 귀, 코와 눈을 포함한 얼굴형태, 안면비대칭을 관찰한다. 만약 정중선, 교합평면 또는 자연치가 존재하고 있는 보철물의 미소선이 조화롭

지 못하면, 그 원인을 파악한다. 얼굴의 심미와 관련된 정밀검사를 시행하고 임플란트 수복만으론 환자에게 심미적 완성도에 한계가 있을 수 있음을 설명한다. 환자가 웃을 때 치경부까지 치아가 많이 보이는 경우, 임플란트 치료와 관련하여 심미적으로 만족스럽지 못한 결과가 초래될 수 있어 수술전 평가가 잘 시행되어야 한다. 임플란트 치료 중 혹은 치료 후에 턱관절 관련 문제들이 발생할 수 있기 때문에 관절통증, 관절잡음, 관절운동, 관절의 방사선학적 소견에 대한 평가가 중요하다. 임플란트의 장기적인 좋은 예후를 위해서는 구강내 감염원 제거와 적절한 구강위생이 중요하다. 불량한 구강위생상태는 상대적인 금기증에 속할 수 있다. 잔존치아의 예후가 좋지 않을 경우는 지속적인 구내 감염원이 될 수 있어 심한 골흡수를 초래하기 때문에 예방적 차원에서 조기 발치를 고려한다.

5) 영상 진단검사

영상진단의 목표는 임플란트 수술 관련 해부학적 위치와 필요한 정보를 파악하는 것이다. 수술 전 영상평가는 환자의 최종 포괄적인 치료계획을 수립하는 데 이용된다. 골량과 골질 및 악골의 각도를 평가하고 임플란트를 식립할 위치와 중요한 해부학적 구조물의 관계, 수술 예정 부위에 특정 병소의 존재 여부 등을 평가한다. 수술 중 또는 수술 직후의 영상을 통해 임플란트가 적정 위치와 방향으로 식립되었는지 확인하고, 추가 내원기간 동안 임플란트 수술 후 치유과정과 골유착 단계를 평가한다. 또한 지대주의 위치와 보철물 제작이 정확하게 이루어질 수 있도록 한다.

(1) 구내 표준촬영(periapical, standard radiograph)

치과에서 가장 보편적으로 사용되는 치근단방사선사진 촬영은 고해상도, 적은 방사선량, 사용의 편리성, 다양한 디지털 소프트웨어를 사용하여 영상을 변형시킬 수 있는 등의 많은 장점들이 있다. 그러나 구강방사선사진은 초점과 피사체의 거리(focal spot-object distance)가 동일하지 않기 때문에 영상의 왜곡 및 확대가 잘 발생할 수 있다. 따라서 해부학적 구조물의 위치를 식별할 때 영상의 왜곡을 이해하고 영상 판독에 각별한 주의를 기울여야 한다. 특히 무치악 부위에서 오류가 발생할 가능성이 큰데, 그 이유는 상악 입천장(palatal vault)이 편평하고 하악에서는 근육 부착부위가 치조골 상방에 존재하여 영상수용기를 정확히 위치시킬 수 없기 때문이다. 치근단방사선사진은 기본적으로 2차원 영상이기 때문에 가용골의 폭경에 대한 정확한 정보를 얻을 수 없다.

(2) 측방두개촬영(lateral cephalogram)

상악과 하악의 전후방 및 수직적 관계를 평가하는 데 이용된다. 안면기형(facial deformity)은 때로 임플란트를 이용한 수복과 장기적 안정성을 어렵게 할 수 있는 요인이 된다. 상하악 악간관계가 불량한 경우 이를 사전에 먼저 해결하거나, 환자가 안면기형의 해결을 원하지 않는 경우 임플란트 치료의 한계에 대한 자세한 상담이 필요하다.

(3) 파노라마촬영(panoramic view)

파노라마방사선사진 촬영은 굴곡진 평면의 단층 방사선 촬영기법으로 상악과 하악골 및 상악동을 하나의 영상으로 보여줄 수 있다. 사용이 편리하고 쉬우면서 신속하게 촬영이 가능하기 때문에 악골의 전반적인 해부학적 구조를 평가하기 위해 일반적으로 사용되고 있다. 그러나 다음과 같은 제한점들을 이해해야 한다. 모든 파노라마방사선사진들은 해부학적 위치에 따라 단층 절편의 두께가 달라지면서 수직(10-35%) 및 수평적(50-70%)으로 확대 영상을 보인다. 전치부는 표준악궁궤적(focal trough)으로부터 피사체가 가장 멀리 떨어져 있기 때문에 수평 확대가 가장 크게 나타난다. 방사선이 음의 각도(negative angulation)로 조사되면 방사선으로부터 가까운 구조물은 멀리 떨어져 있는 것들에 비해 영상 내에서 높은 위치로 방사선이 조사된다. 따라서 파노라마방사선으로 조사되는 피사체들 사이의 수직평면의 공간적 관계는 부정확하게 된다. 파노라마방사선은 3차원 구조물을 2차원 영상으로 나타낸다. 따라서 악안면 구조물의 협·설측 체적을 나타낼 수 없기 때문에 골의 폭경과 중요한 구조물들을 정확하게 평가할 수 없다. 파노라마방사선은 골질 및 중요한 해부학적 구조물의 위치와 형태를 정확하게 평가하지 못한다(그림 9-7).

(4) 자기공명영상(MRI)

자기공명영상(magnetic resonance imaging, MRI)은 공간관계가 훌륭한 얇은 조직절편 영상을 만드는 영상화 기술이다. MRI에 의해 생성된 영상은 물이나 지방의 수소 양자들(hydrogen protons)에 의해 발생된 신호의 결과이다. 따라서 피질골은 검게(방사선투과상) 나타나거나 신호가 없는 것으로 표현된다. 해면골은 신호를 발생시킬 것이고, 그것이 지방골수(fatty marrow)를 포함하고 있으므로 하얗게 나타난다. 금속 수복물은 산란(scattering)을 만들지 않으면서 검은색 영상으로 나타난다. 그러므로 전산화단층촬영술(computed tomography, CT) 또는 콘빔전산화단층촬영술(cone beam computed tomography, CBCT)에 비해 치과 수복물, 보철물 및 치과 임플란트들로 인한 인공음영(artifact)을 덜 발생시킨다. CT와 함께 MRI는 정밀한 단층 절단면을 가지면서 왜곡 없이 정량적으로 매우 정확한 촬영법이다. 따라서 하치조신경관과 상악동 같은 중요한 해부학적 구조물을 쉽게 관찰할 수 있다. 일반방사선사진이나 CT로 하악관을 잘 관찰할 수 없는 경우에, MRI는 하악관과 소주골(trabecular bone)을 쉽게 확인할 수 있으며 신경손상 또는 감염이 있는 경우에 연조직의 상태를 잘 평가할 수 있다. CBCT와 관련된 인공음영의 문제점 때문에 임플란트의 술후 평가를 위해 MRI를 촬영할 수 있으며, 특히 신경감각 손상과 관련된 평가 시 활용도가 높다.

(5) 전산화단층촬영술(CT)

정확하고 선명한 상을 얻을 수 있고, 원하는 부위의 단면상을 볼 수가 있으며 주위조직의 겹치는 현상도 없고 정보가 저장되어 있어 추가촬영이 필요 없는 장점이 있다. 또 단층의 영상들을 합성하여 3차원의 입체적인 영상을 얻을 수 있어 임플란트의 진단 및 수술 시 아주 유용하게 사용된다. 그러나 다른 진단영상법에 비해 방사선 노출량이 많으며, 구강내에 금속 수복물이 있는 경우 상의 인공음영이 생기고, 10-15분 정도의 노출 시간이 필요하다 보니 환자의 움직임으로 인한 오류가 발생할 수 있고, 고가의 장비이기 때문에

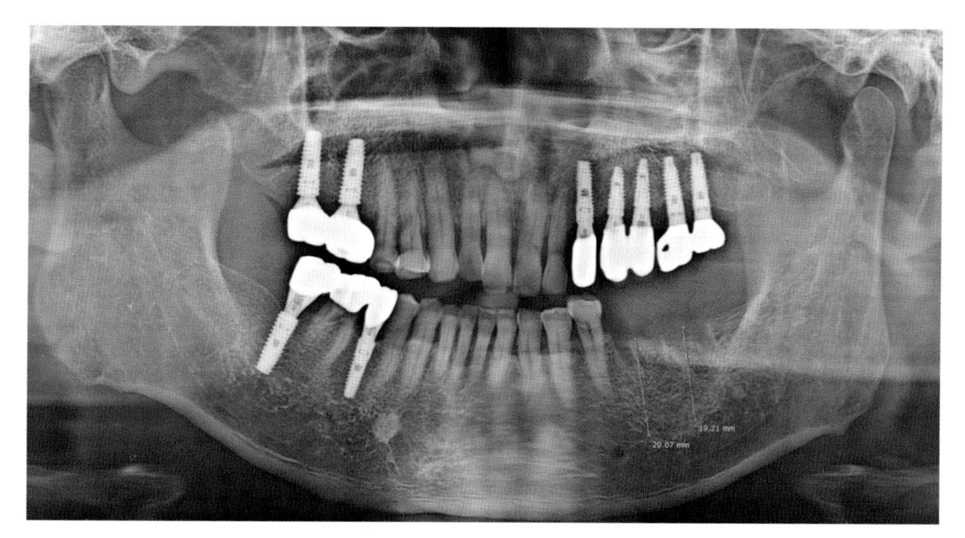

그림 9-7 파노라마방사선사진은 기계와 촬영부위에 따라 확대되는 정도의 차이가 크다. 이 사진 단독으로는 정확한 임플란트 치료를 위한 진단을 수행하기 어렵기에 중요한 해부학적 구조물의 최종평가나 위치 결정을 위해 사용되기에는 부족함이 있다.

모든 병원에서 구비하고 전체 환자에게 촬영하기 어려운 제한이 있다. CBCT가 출현하면서 2차원 방사선사진들과 전통적인 팬빔전산화단층촬영술(fan beam CT)의 많은 단점이 해결되고 구입비용도 저렴해졌다. 저선량 콘빔 기술로 인해 기존 CT의 많은 제한점들이 극복되었다. CBCT는 진료실 내에 설치하여 사용할 수

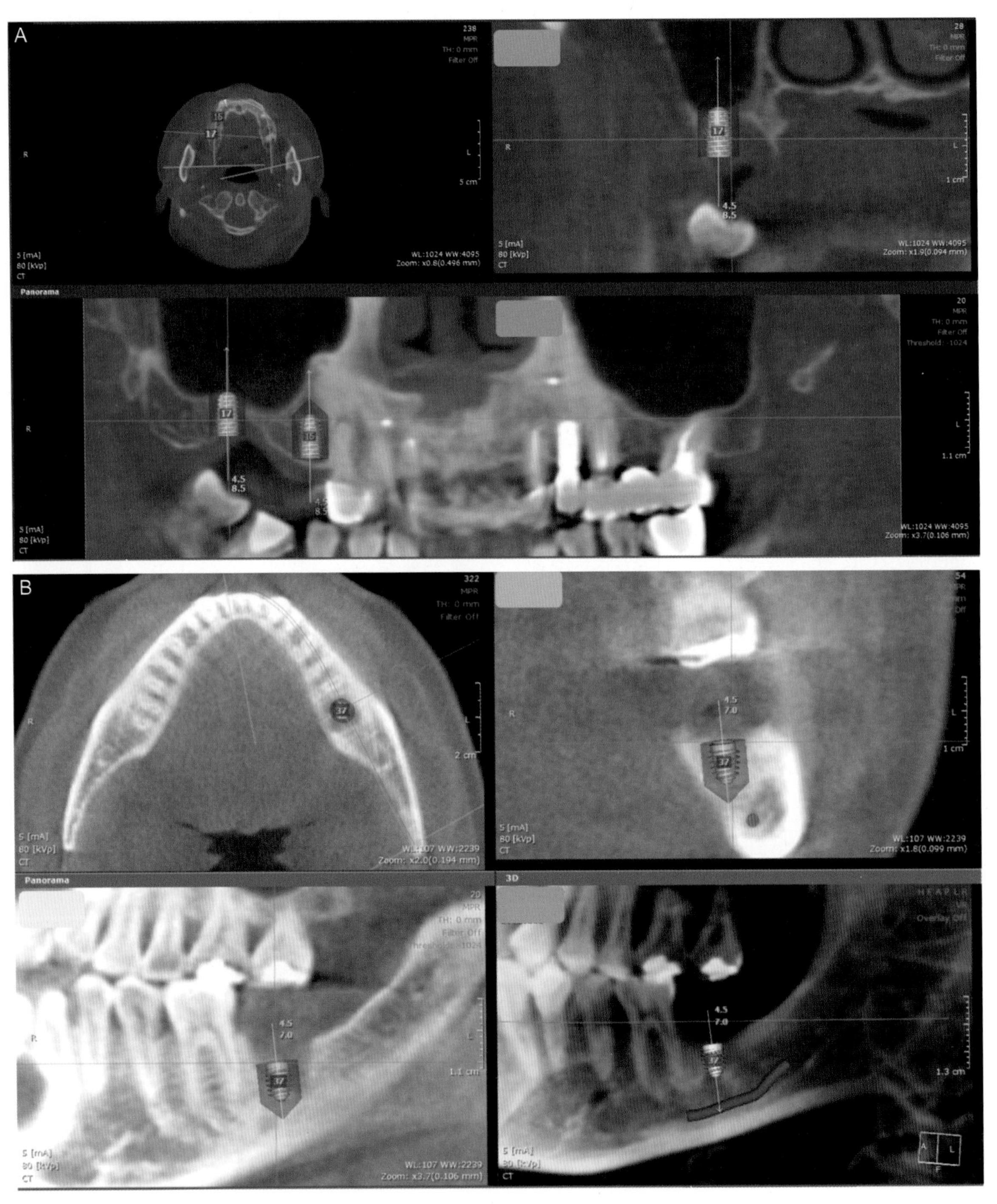

그림 9-8 임플란트를 위한 단층촬영으로 잔존골의 양과 질, 상악동(A)이나 하치조신경(B) 등의 주요 해부학적인 구조와의 관계를 보인다. 컴퓨터 프로그램 상에서 가상으로 임플란트의 폭과 길이를 선택하고 대략의 원하는 위치에 놓아볼 수 있다.

있고, 의사와 환자들이 쉽게 촬영하여 치료계획을 수립하는 데 큰 도움을 준다. 20초 이하의 촬영 속도와 쌍방향 소프트웨어 프로그램을 통합하여 임플란트가 식립될 부위의 평가를 쉽고 정확하게 할 수 있다. 최근에는 CBCT 영상이 임플란트 치료계획 수립을 위한 표준이 되었다. 그러나 많은 임상의들은 아직도 CBCT를 이용하여 평가하고 치료계획을 수립하기 위한 지식 기반이 부족하며, 적절히 활용하지 못하는 경우가 많다. 따라서 임상의들은 두경부 해부학, 해부학적 변이, 부수적인 소견들 및 병리학적 소견들과 함께 CBCT의 근본적인 단점들을 잘 이해해야 한다. 단층촬영영상과 컴퓨터를 이용하여 3차원 영상을 구성하고, 이를 기반으로 진단하여 가상의 수술을 계획하고 임상에 적용할 수 있는 특수한 장치(수술용가이드)를 제작하여 컴퓨터가 안내하는 대로 수술하는 navigation surgery 시스템도 개발되어 응용되고 있다(그림 9-8).

6) 교합관계

환자의 교합 및 악간 관계를 세심히 평가한 후 계획한 상부 보철물을 기반으로 임플란트를 식립수술하는 치료계획이 잘 수립되어야 한다. 다음과 같은 내용들을 세심하게 살펴봐야 할 것이다.

① 전반적인 악간 관계

② 상실된 치아로 인한 대합치의 정출, 인접치아의 이동(그림 9-9)

③ 인접치아에 마모나 교모 등이 있어 향후 임플란트의 기계적 실패의 원인이 될 수 있는 요소

④ 임플란트 보철을 위한 최소 수직 공간

사용하는 임플란트의 종류들에 따라 달라지지만 대개 임플란트 상부에서 대합치까지 7 mm 이상이 필요하므로 대합치와의 악간 공간이 충분한지 잘 평가해야 한다.

⑤ 전치부 교합관계

하악전치가 상악의 구개치은 부위를 자극하거나 상악전치의 설면을 마모시키면서 상악치아들을 전방으로 이동시키는 외상성 전치부 수직피개는 반드시 해결되어야 한다. 교정치료를 고려하거나 하악전치의 치주 상태가 불량할 경우 발치 여부를 결정하는 등 교합고경을 높여주는 것을 치료계획에 포함시켜야 한다

⑥ 하악운동에 따른 교합 관계

임플란트는 수직력에 잘 견디어 내지만, 지속적으로 수평력이 가해질 경우 변연골 소실, 임플란트와 상부 보철물의 연결나사 풀림, 파절, 보철물 파손 및 탈락과 같은 합병증이 빈발하게 된다. 임플란트가 식립되는 위치의 골조직 상태와 예상되는 보철물의 교합을 잘 평가하여 치료계획을 수립해야 한다.

2. 골질 및 골량 평가

발치 후에는 지속적인 치조골의 흡수가 일어난다. 이러한 변화는 초기 1년 동안에 가장 심하게 일어나며, 하악이 상악보다 심하다고 알려져 있다. 상악의 경우 처음 1년 동안에 2–3 mm, 하악의 경우 4–5 mm 정도의 흡수가 일어난다. 골흡수는 해부학적 특징, 생리적 대사, 저작행위 등 많은 원인들이 복합적으로 관여하며, 지속되는 양상을 보이지만 초기 1년에 비해서는 상당히 느린 속도로 진행된다. 개개인의 해부학적 구조는 상이하기 때문에 정확하게 분류하는 것이 어렵긴 하지만 악골의 형태와 골질은 다음과 같이 분류되고 있다.

1) 악골의 형태(그림 9-10)

A: 대부분의 치조골이 남아 있다.

B: 치조골 흡수가 어느 정도 진행되어 있다.

C: 치조골 흡수가 상당히 진행되고 기저골만 남아 있다.

D: 기저골의 흡수가 시작되었다.

E: 기저골의 심한 흡수가 시작되었다.

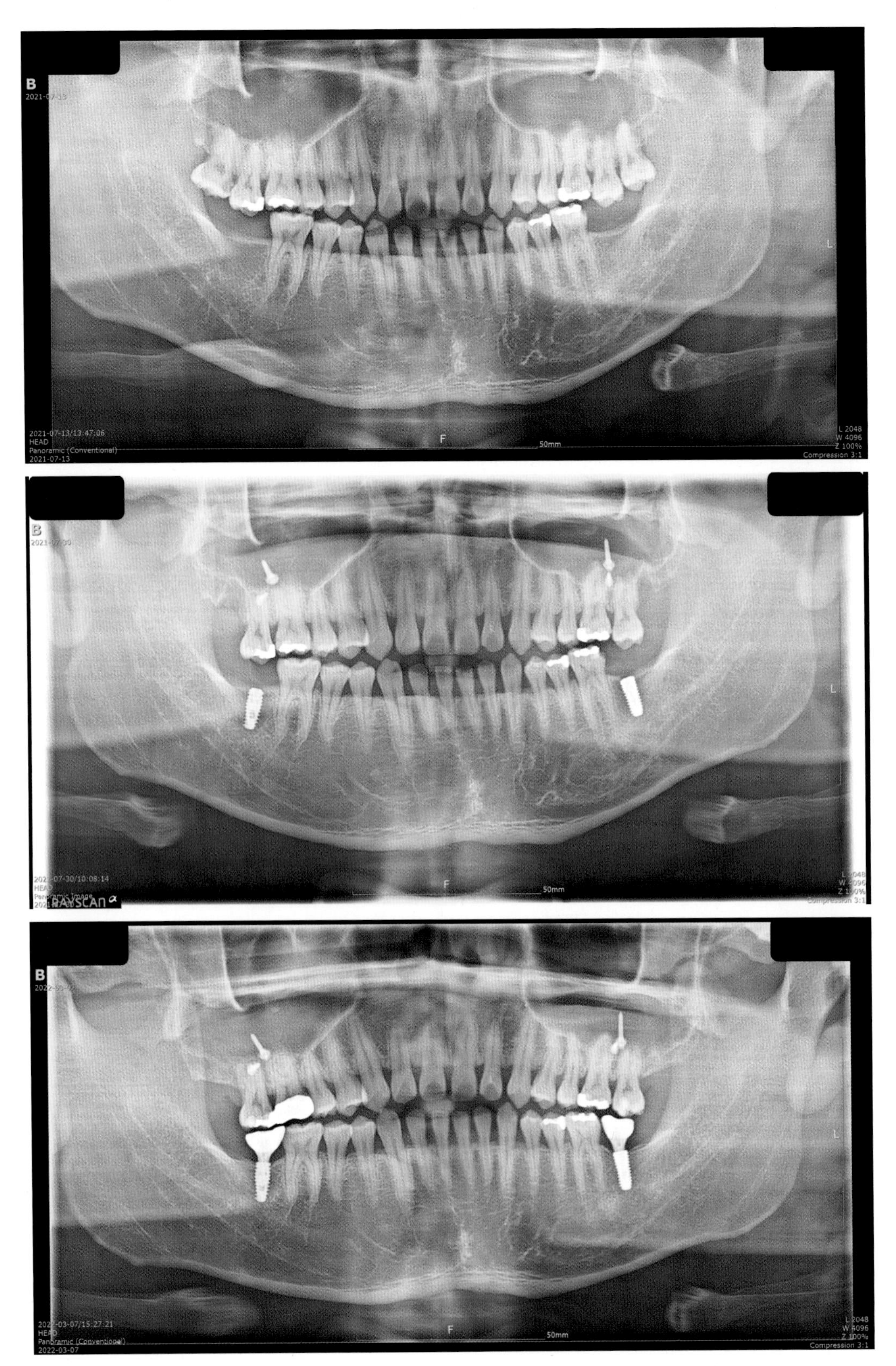

그림 9-9 하악구치의 장기결손으로 상악구치가 하방으로 정출하여, 하악에 임플란트를 잘 식립하여도 악간공간의 부족으로 보철의 어려움을 초래할 수 있어서 교정적 함입을 동반한 치료를 사전에 고려한다.

2) 골질의 분류(그림 9-11)

1형: 두꺼운 피질골과 얇고 치밀한(compact) 해면골
2형: 적당한 두께의 피질골과 치밀한 해면골
3형: 얇은 피질골과 치밀한 해면골
4형: 얇은 피질골과 성긴(loose) 해면골

이상의 분류에 의하면 임플란트 식립에 적합한 악골은 B와 2, B와 3, C와 2, C와 3의 배합이고, 일반적으로 A와 4, D와 1, 2, E와 1, 2의 형태 및 골질 배합은 임플란트의 골유착과 장기간 안정성에 부정적인 영향을 미친다(그림 9-12, 표 9-1).

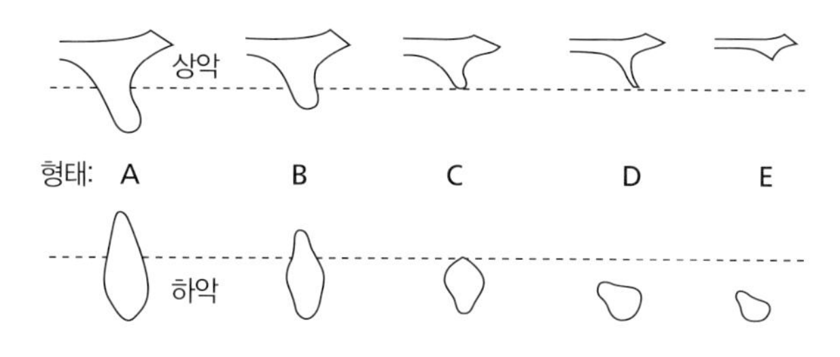

그림 9-10 악골의 형태(Lekholm과 Zarb의 골흡수에 관한 분류, 1985). 점선은 치조골과 악골의 경계를 나타낸다.

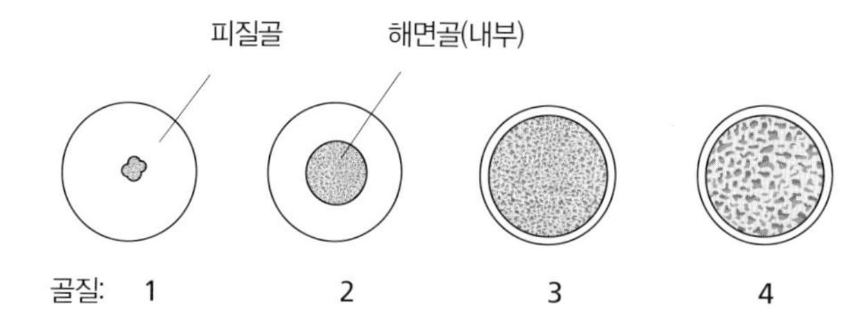

그림 9-11 피질골의 두께와 해면골의 치밀도에 따른 골질 분류(Lekholm과 Zarb의 골흡수에 관한 분류, 1985).

표 9-1 골질에 따른 임플란트 시술의 장점과 단점

D1	장점	임플란트와 골간 접촉면적이 넓음 양호한 일차 안정성 짧은 길이의 임플란트 사용 가능
	단점	혈액공급 감소 드릴링 시 과도한 열 발생 Drill hole 형성이 어려움
D2	장점	양호한 일차 안정성 혈액공급이 양호 Drill hole 형성이 용이함
	단점	특별한 단점 없음
D3	장점	혈액공급이 양호
	단점	Drill hole 형성이 어려움 임플란트와 골간 접촉면적이 감소
D4	장점	별로 없음
	단점	불량한 일차 안정성 Drill hole 형성이 어려움 임플란트와 골간 접촉면적이 감소

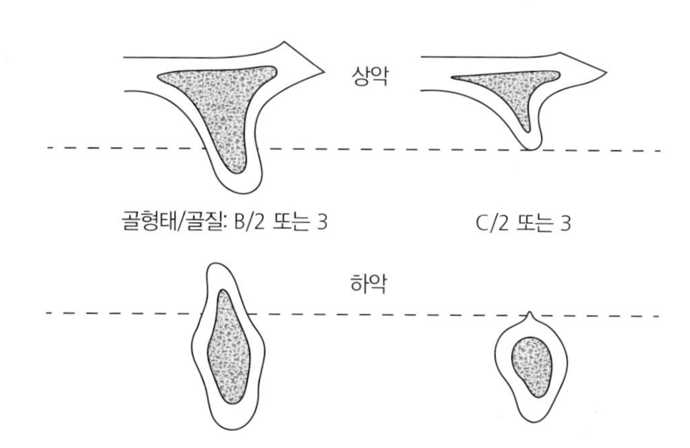

그림 9-12 임플란트 식립에 이상적인 악골의 형태와 골질. 치조골에 약간의 흡수상을 보이면서 매우 발달된 내부의 골소주를 둘러싸고 있는 두꺼운 치밀골(B/2), 치조골에 약간의 흡수상을 보이면서 매우 발달된 내부의 골소주를 둘러싸고 있는 얇은 치밀골(B/3), 기저골에 이르는 치조골의 흡수상을 보이면서 매우 발달된 내부의 골소주를 둘러싸고 있는 두꺼운 치밀골(C/2), 기저골에 이르는 치조골의 흡수상을 보이면서 매우 발달된 내부의 골소주를 둘러싸고 있는 얇은 치조골(C/3).

3. 식립위치

1) 완전 무치악

완전 무치악 환자에서 고려할 수 있는 보철물은 고정성 수복물, 가철성 피개의치, 그리고 하이브리드 형태의 임플란트 고정성 수복물 총 3가지로 분류할 수 있다. 이 형태는 임플란트를 식립하는 숫자와 위치가 달라진다.

(1) 고정성 임플란트 보철(implant supported fixed prosthesis)

여러 개의 임플란트를 식립하여 이를 지대치로 상부에 고정성 보철물을 해주는 것을 말하며, 상악에서는 골질이 하악에 비하여 떨어지므로 전치부에만 식립하는 것보다는 전악에 가능한 한 많은 임플란트를 식립하여 보철물을 제작하는 것이 좋다. 하악의 경우는 6–8개 이상의 임플란트 치근을 식립한다. 한편 하악에서 전치부와 구치부에 전부 임플란트를 식립하여 연결된 한 개의 보철물을 해주는 것이 훨씬 강할 것으로 생각되지만, 저작하는 동안에 하악골이 탄력을 가져서 가해지는 힘에 따라 변형이 될 수 있으므로 보철물이 쉽게 파절될 수도 있다. 따라서 한 개의 긴 보철물보다 전치부와 구치부를 분리하여 보철을 해주는 것이 바람직하다(그림 9-13).

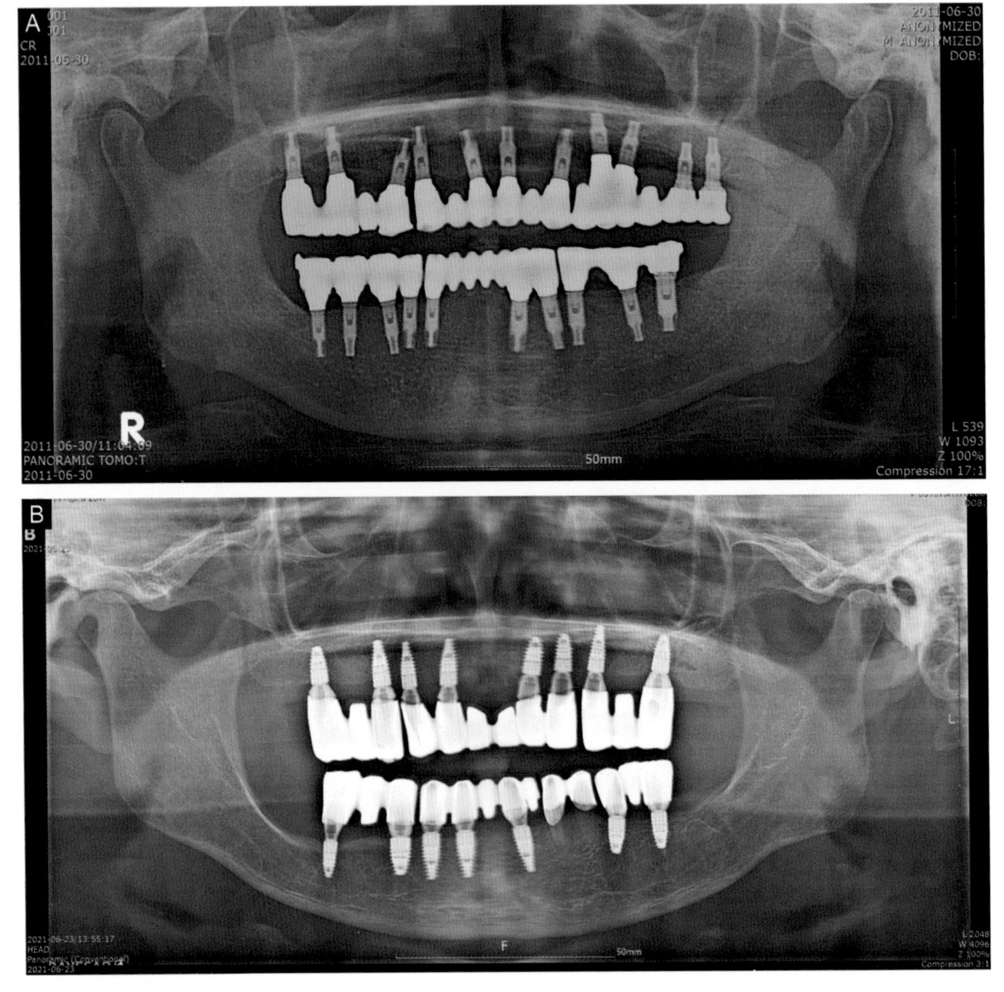

그림 9-13 A: 하악에 10개의 임플란트를 식립하여 3부분으로 나누어진 고정성브리지(fixed bridge) B: 상악에 8개의 임플란트를 식립하여 3부분으로 나누어진 고정성브리지.

(2) **고정성 하이브리드 보철**(fixed hybrid prothesis)

하악구치부에 임플란트 식립이 불가능할 정도로 치조제의 골흡수가 심한 무치악 환자들이 있다. 상황에 따라 하악전방부에 임플란트를 식립하고 임플란트지지의치(implant-supported denture)를 할 수도 있으나 가철성 보철물이 갖는 불편함을 완전 해결할 수는 없다. 이때 양측 이공(mental foramen) 사이에 임플란트를 적절히 식립하고 fixed hybrid prosthesis를 제작해 준다면 가철성 보철물이 갖는 불편함 없이 환자를 만족시킬 수 있을 것이다. 하지만 고정성 하이브리드 보철이 갖는 단점 및 예상되는 합병증을 예방하도록 치료계획을 잘 설계해야 한다(그림 9-14).

(3) **가철성 피개의치**(removable overdenture)

골질이 불량하거나 골량이 충분치 못하거나 또는 경제적인 이유 등으로 고정성 보철물을 할 수 없는 경우에 임플란트에 여러 형태의 연결부나 지대주를 이용하여 의치의 유지를 보강해주는 방법으로서 주로 하악에서 많이 사용된다. 이공과 이공 사이에 임플란트의 길이에 따라 2개에서 4개 정도의 임플란트를 식립한다. 임플란트와 의치와의 연결은 bar-clip, 자석, ball, o-ring 등이 사용된다(그림 9-15).

2) 부분 무치악

결손된 치아의 위치에 임플란트를 식립하여 보철물을 제작하는 것이 가장 이상적이지만 불가능한 경우가 있다. 인접치와는 최소한 2 mm 이상의 간격을 두어야 하고, 임플란트와 임플란트 사이에는 3 mm 이상의 간격이 필요하므로 임플란트(직경 4 mm 기준으로) 중심에서 중심까지 최소한 7 mm의 간격이 필요하기 때문에 임플란트 2개의 경우 15 mm, 3개의 경우 22 mm의 간격이 필요하다. 또한 임플란트 하나가 견딜 수 있는 힘이 단근치와 같다고 생각하면, 구치부에서 적절한 보철물을 제작하기 위해서는 가능한 많은 임플란트를 식립하는 것이 좋다.

① Kennedy Class Ⅰ, Ⅱ

다수 치아상실에 하나의 임플란트로 보철물을 지지하는 대신에, 가능한 한 자연치아의 숫자만큼 임플란트를 식립하여 보철물을 제작하도록 노력하고 임플란트의 숫자가 Ante's law를 만족시키지 못하는 경우에는 자연치와 지대주 등을 이용하여 비고정형, 또는 반고정형으로 연결시킨다(그림 9-16, 17).

② Kennedy Class Ⅲ

결손부의 길이가 너무 길어서 종래의 고정성 보철이 불가능하거나 자연치아의 삭제를 원하지 않는 경우이며, 3-4 unit의 고정성 보철물을 지지하기 위하여 2-3개의 임플란트를 식립해야 한다.

③ Kennedy Class Ⅳ

6전치 결손 시에 하악에서는 양쪽 견치부에 2개의 임플란트로 보철물을 지지할 수 있으나 상악의 경우는 4개 이상을 식립하여야 6 unit의 보철물을 지지할 수 있으며, 특히 상악에서는 심미성을 고려하여 식립하도록 주의하여야 한다.

4. 임플란트외과학에 디지털기술 적용

표면스캔(surface scanning)을 통해 얻어진 디지털 데이터는 캐드캠컴퓨터이용설계(computer aided design-computer aided manufacturing, CAD-CAM)를 이용해 디자인하고 제조하는 데 유용하지만, 충분한 해부학적 정보를 제공하지 못한다. 최상의 결과를 얻기 위해서는 환자로부터 다양한 정보를 얻어야 한다. 인상재 등을 이용해 환자의 치아모델을 얻을 수 있으나 해부학적 상태를 정확히 파악할 수 없다. 따라서 파노라마방사선사진, 두부규격방사선사진, 치근단방사선사진 등을 통해 환자의 해부학적 구조를 2차원상으로 채득한 후 이러한 데이터들을 조합해 진단과 치료계획을 세울 수 있다. CBCT가 치의학영역에 도입

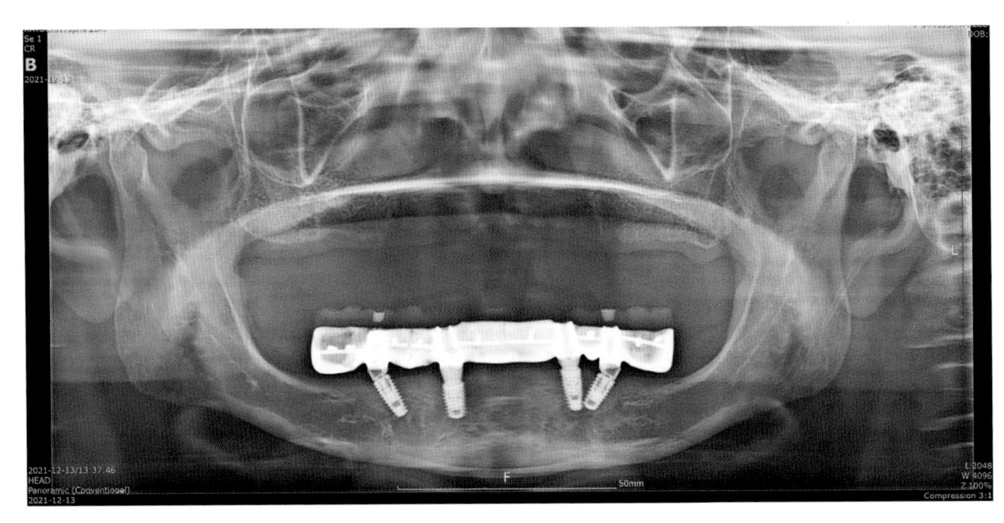

그림 9-14 이공 앞에 4개의 임플란트를 식립하여 제작된 고정성 하이브리드 보철.

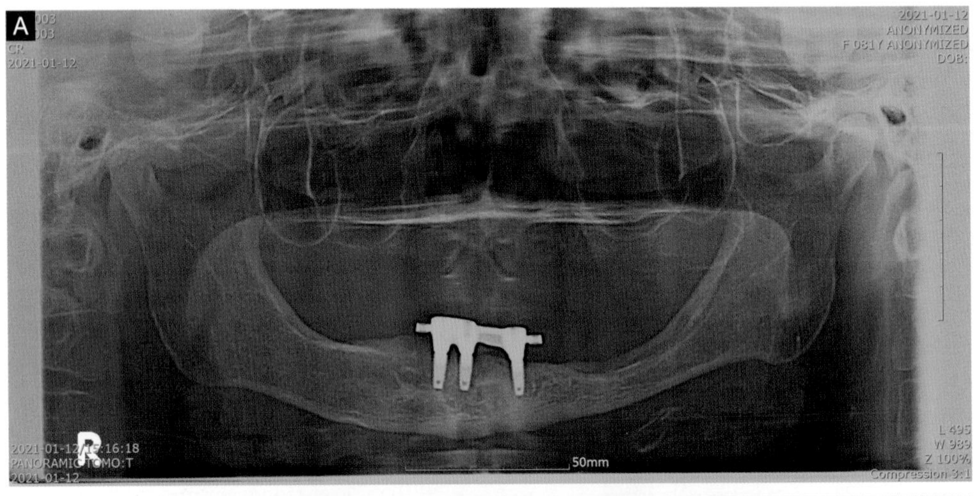

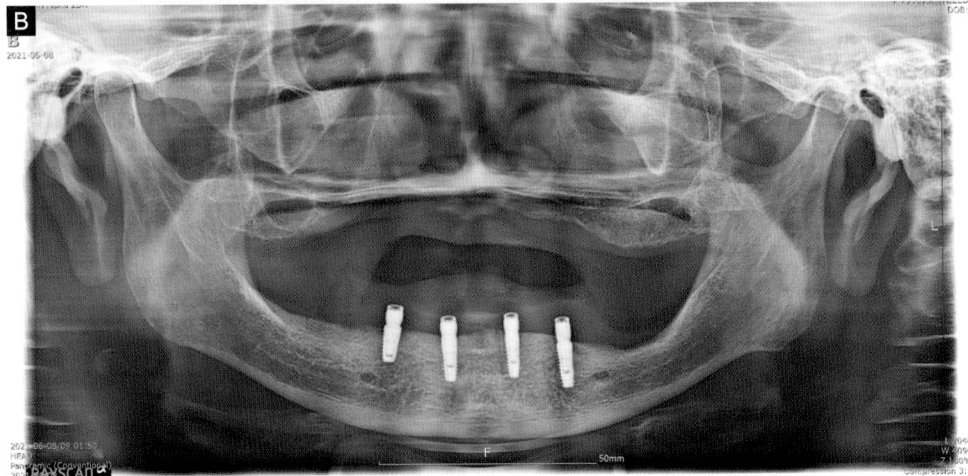

그림 9-15 A: 하악의 bar-clip 피개의치(over-denture) B: locator 피개의치(over-denture).

되어 널리 사용되고 있으며, 특정 영역에서 volume rendering과 단면영상 채득을 통해 3차원적 구조 파악이 용이해졌다. 구강악안면외과의사는 형성된 이미지를 통해 직관적인 판단을 할 수 있으나, CBCT는 볼 수만 있을 뿐, 환자 처치에 필요한 재료들을 만드는 데 사용할 수 없다는 한계를 가진다. CBCT를 이용하여 가상치료와 가상수술을 해볼 수는 있으나 실제 치료나 수술에 활용하기 위해서는 다른 기술이 필요하다.

표면스캔(surface scanning)을 통해 얻어진 표면데이터(surface data)는 CBCT 디지털이미지 데이터와 병합(merge)하여 새로운 하이브리드 3차원 이미지를 만들 수 있다. 이 이미지는 캐드(CAD) 프로그램을 이용하여 가상처치나 수술(virtual treatment or virtual surgery)이 가능하다. 외과의사는 임플란트고정체, 지대주, 보철물, 수술용가이드 등을 디자인하고 CAM이나 3D 프린터를 이용해 필요한 데이터들을 실물로 제작할 수 있다. 이 방식은 왁스업, 왁스업을 복제한 radiographic stent 제작, stent에 방사선불투과성 마커 삽입 후 부가적 CBCT 촬영 등의 기법을 이용하여 임플란트를 식립할 위치를 설정하는 전통적 방식들을 완

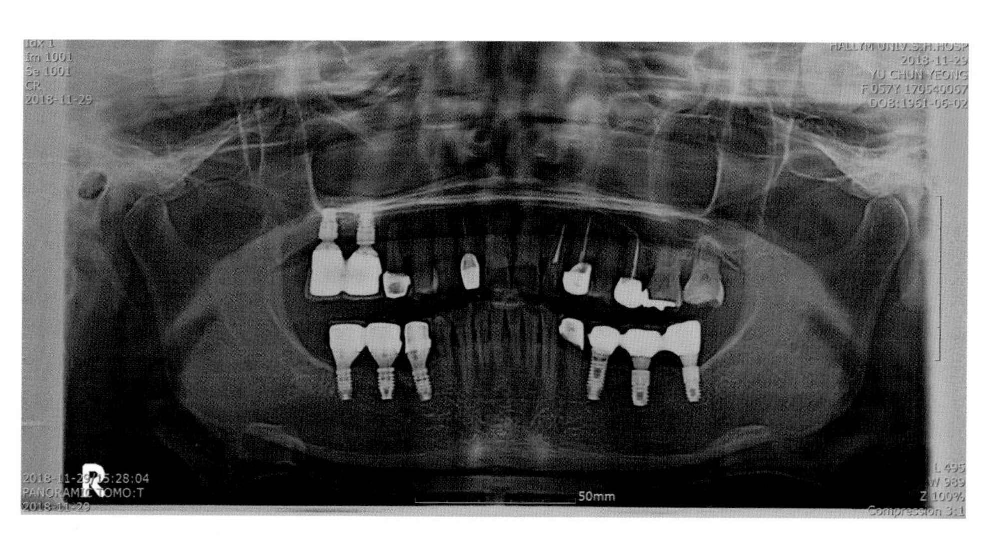

그림 9-16 하악 양측 구치부 상실 시 임플란트 수복(Kennedy Class I).

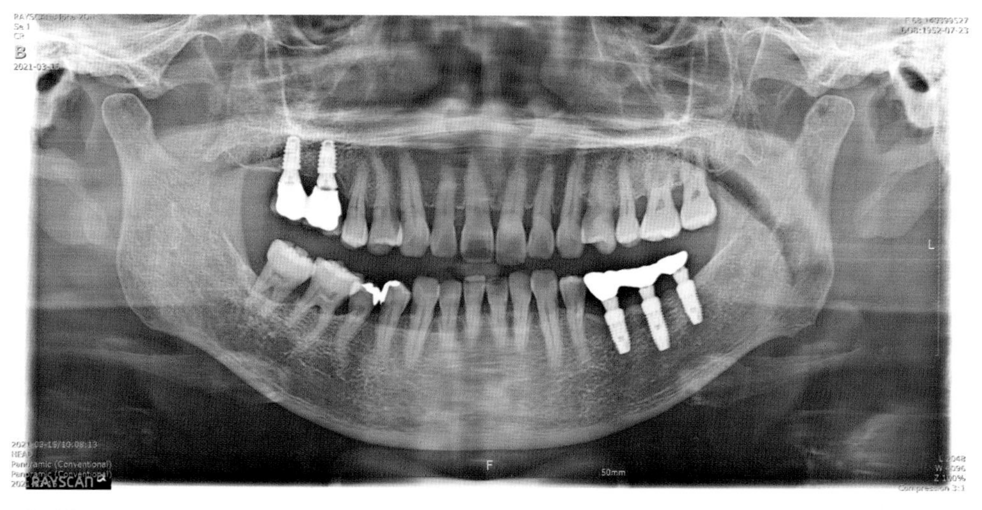

그림 9-17 하악 편측 구치부 상실 시 임플란트 수복(Kennedy Class II).

전히 대체할 수 있게 되었다. 구강악안면외과의사는 디지털 임플란트외과학을 이해하기 위해 두 가지 키워드에 대한 이해가 필요하다. 첫 번째는 병합(merge)이고 두 번째는 standard tessellation language (STL) file에 대한 것이다. 병합은 두 가지 이상의 다른 디지털 데이터를 합친다는 의미로, 예를 들자면 치아표면 데이터와, CBCT 또는 MRI 디지털 데이터를 합치는 과정이다. 더 나아가 안면스캔 데이터가 합쳐지기도 한다. STL은 CAD를 이용해 디자인하거나, CAM, 3D 프린터를 이용해 실물을 제조할 수 있도록 하는 필수적인 파일 포맷이다. 이러한 디지털기술을 이용한 단계를 나누면 다음과 같다.

1) CBCT 또는 CT 영상 얻기

CBCT 이미지를 가상수술 프로그램에서 불러온다. CBCT 회사에서 만든 모든 파일 양식은 다이콤(digital imaging and communications in medicine, DICOM) 파일 형식으로 전송해야 한다. CBCT의 가장 큰 단점

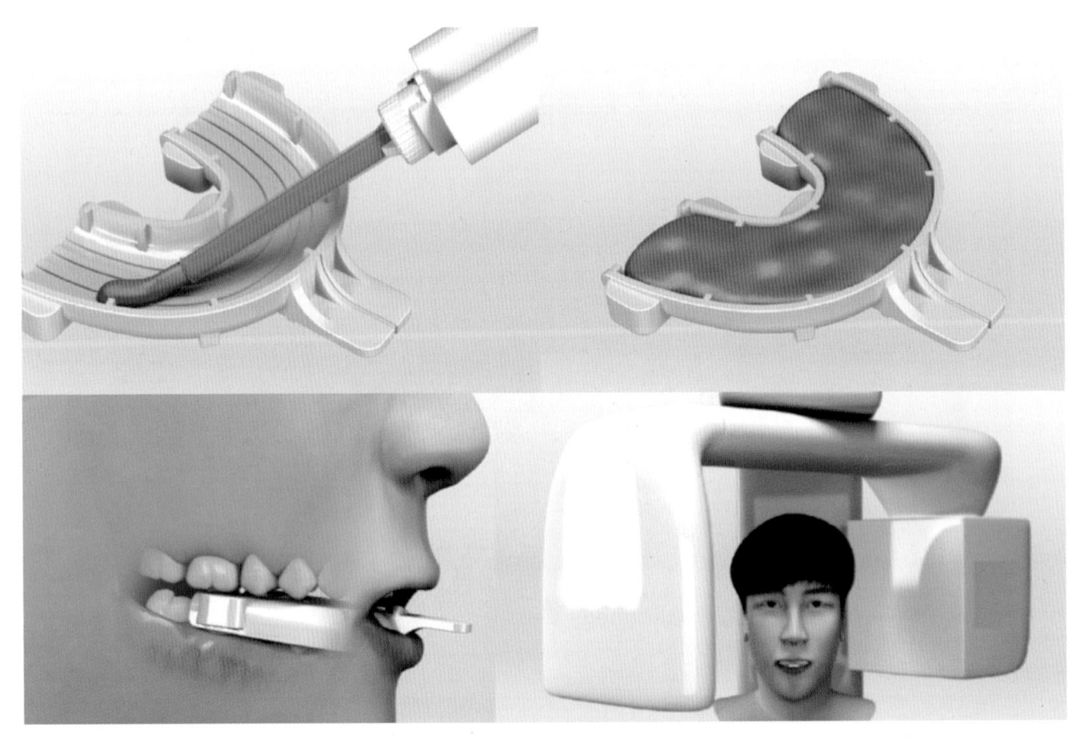

그림 9-18 방사선불투과성 tray에 고무인상재를 넣은 후 굳은 상태로 치아에 물고 CBCT를 촬영한다.

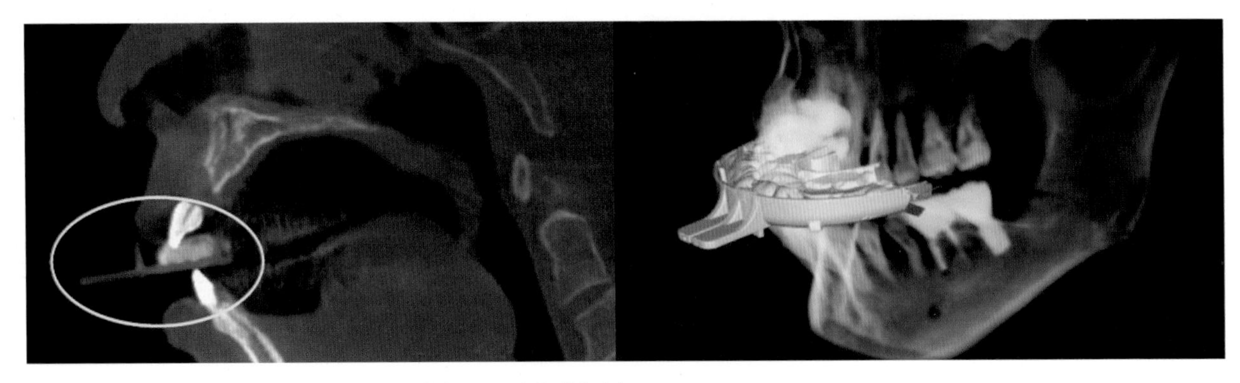

그림 9-19 방사선불투과성의 트레이와 인상재가 CBCT상에 관찰된다.

은 금속 또는 지르코니아 크라운이 존재하는 영역에서 이미지가 산란된다는 것이다. 컴퓨터프로그램 상에서 CBCT와 STL을 병합하는 과정을 거치는데, 심하게 산란된 CBCT를 STL과 병합하는 것은 치아의 윤곽을 식별할 수 없기 때문에 매우 어렵다. 이 산란된 이미지는 오류 발생 가능성을 높이고 부정확한 치료결과로 나타날 수 있다. 이를 방지하기 위해서는 치아나 악골랜드마크의 절대 이미지가 필요하며, CBCT에서 표준화된 이미지를 얻기 위해 특정 트레이를 사용하기도 한다. 방사선불투과성을 띠는 트레이에 고무인상재를 짜서 환자의 구강에 넣고, 트레이를 적용한 상태로 CBCT를 촬영한다(그림 9-18, 19).

2) 디지털 모델 영상 얻기

디지털 모델을 얻는다는 것은 3차원 스캐너로 치열궁을 스캔하여 STL 파일을 얻는 것을 의미한다. 치열궁을 스캔하는 두 가지 임상방법이 있다. ① 모델 스캐너를 사용하여 인상채득을 기반으로 제작된 인상재나 석고상을 스캔한다. ② 구강내 스캐너(intraoral digital scanner)를 사용하여 환자의 치열을 직접 스캔한다. 일반적으로 3D 프린팅된 수술가이드의 적합성 테스트가 필요하다면 실제 석고모델을 사용해야 하기에 석고상을 스캔하는 것을 추천한다. 구강스캐너 기술이 발전하며 점차 석고모델 제작이 필요 없어질 것이다. 상악과 하악 전체 악궁 인상을 취하는 것이 좋다. 왜곡을 최소화할 수 있는 모든 인상재를 사용하여 정확한 인상을 얻는 것이 매우 중요하다. 전체 악궁 인상 후 교합관계를 채득한다.

3) 디지털 진단 왁스업(Wax-up)

환자의 교합상태에 따른 맞춤형 디지털 진단 왁스업을 시행한다. 이 과정은 임플란트의 최적의 위치를 결정하는 역할을 한다. 이 개념을 “하향식 치료 개념(top-down treatment concept)” 또는 “보철 중심 개념(prosthetic-driven concept)”이라고 한다(그림 9-20).

4) STL과 DICOM 파일 병합 및 치료계획 수립

CBCT 파일, 디지털화된 모형 및 왁스업 데이터

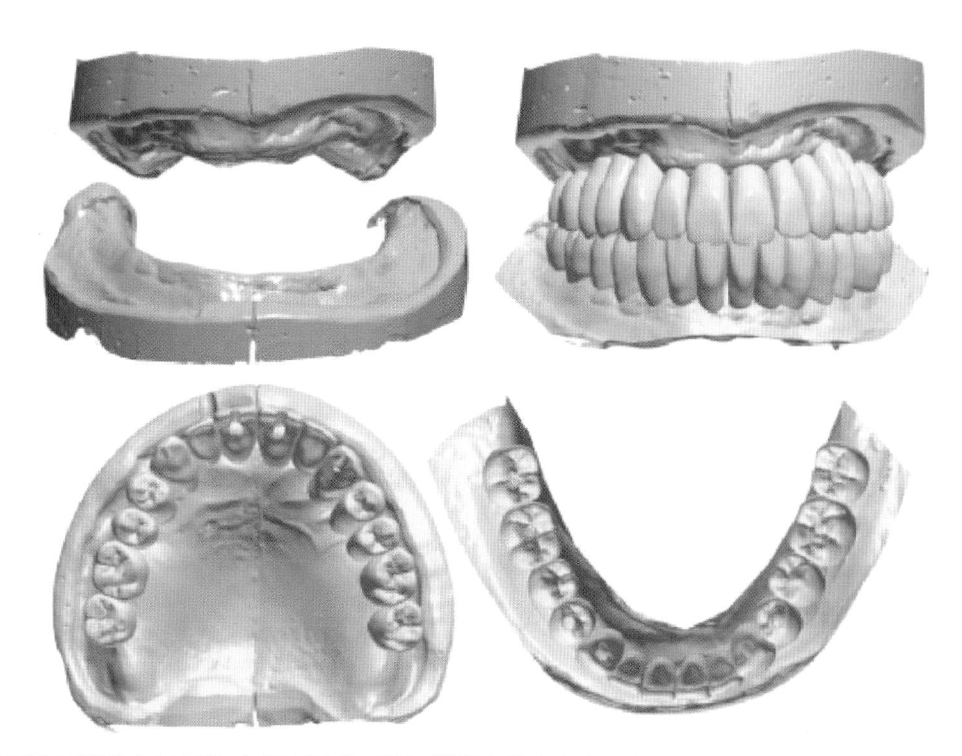

그림 9-20 디지털 3차원이미지 상에서 디지털 진단 왁스업을 시행한다. 환자의 최종교합상태를 예상해본다.

가 컴퓨터소프트웨어에 올려지면 랜드마크를 사용하여 STL과 DICOM의 병합을 시작한다. 병합이 완료되면 새로운 하이브리드 이미지가 생성된다. 그 다음 볼륨 렌더링(volume rendering)을 통한 3차원 영상과 임플란트의 축을 기준으로 한 이차원 단면도를 바탕으로 최적의 임플란트 위치를 결정한다. 완성된 기본진단 파일과 디지털화된 모델 및 왁스업 파일을 구강악안면외과의사가 최종 점검한다(그림 9-21).

5) 구강악안면외과의사에 의한 일차 가상치료계획 및 진단 확인

디지털화된 모델, 왁스업 데이터, 프로젝트 파일을 컴퓨터에 존재하는 CBCT 파일 폴더에 추가한다. 구강악안면외과의사는 일차 가상 치료계획을 검토하고 수정한다. 임플란트의 3차원적 위치, 직경, 길이를 수정한다. 가상 계획을 저장하고 이 파일을 디지털센터 등으로 보낸다. 외과의사는 환자에 대한 자신의 치료계획을 확인해야 할 의무가 있으며, 치료계획 및 결과에 대한 모든 법적 책임은 외과의사가 지게 된다. 데이터 전송과 함께 수술용가이드 및 치료에 필요한 임시 수복물을 주문하기도 한다. 일반적으로 심미적인 부위에서 임플란트의 플랫폼은 협측 정점(buccal zenith, 협측 치은변연의 가장 정점부분)으로부터 깊이 4–5 mm, 구개측으로 2–3 mm 지점에 위치해야 하며, 환자 상태에 따라 임플란트의 각도를 조절한다. 가상계획(virtual plan)에 따라 보철물의 종류를 결정할 수 있고 임플란트 위치를 결정하면 식립할 부위의 골밀도를 평가한다. 이 데이터를 기반으로 제작된 수술용가이드는 외과의사가 임플란트를 정확히 식립할 수 있도록 도와주며, 임플란트 식립직후 맞춤형 임시 또는 최종 CAD-CAM 보철물을 연결할 수 있다(그림 9-22).

6) 수술용가이드 및 임시 수복물 제작

디지털센터(또는 기공소)는 외과의사의 최종 진단 확인을 기반으로 수술용가이드를 설계하고 3D 프린터나 CAM 밀링기계를 이용해 실물로 제작한다. CAD-

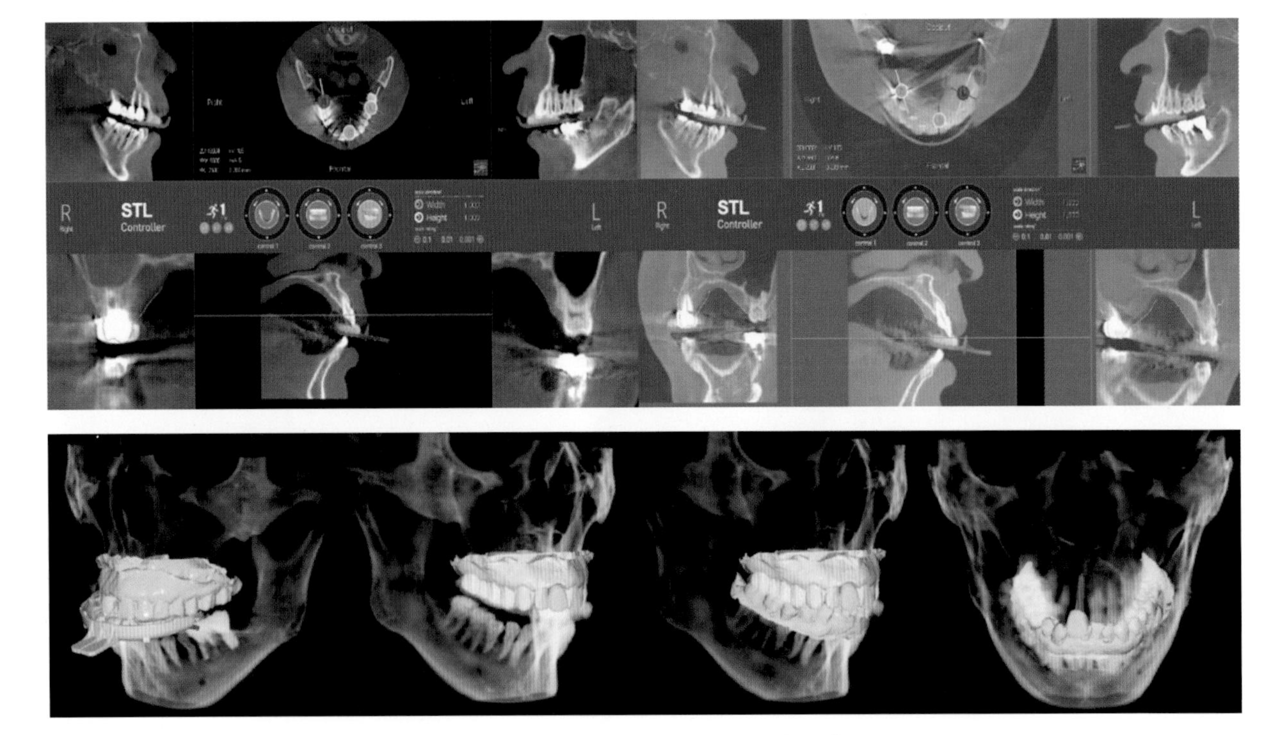

그림 9-21 CBCT 이미지, 디지털화된 치아석고상, 왁스업 데이터 등을 병합하는 과정을 거친다.

CAM을 사용하여 보철물을 제작할 때 가장 중요한 작업은 임플란트 이미지와 표면스캐닝 데이터를 일치시키는 기준이 되는 지대주를 스캐닝하는 것이다. 이것을 불러내는 방법에는 여러 가지가 있으며 대개 스캔 지대주[스캔 어버트먼트(scan abutment), 스캔 바디(scan body), 스캔 플래그(scan flag), 스캔 힐링 어버트먼트(scan healing abutment)]를 사용한다. 구강 스캐너를 사용한다면, 환자의 구강내에 있는 임플란트에 스캔 지대주를 연결하고 직접 스캔한다. 모델 스캐너를 사용할 경우엔 lab–analog와 연결된 스캔 지대주를 스캔한다. 스캔 지대주의 형태는 임플란트 제조회사에 따라 다르지만, 외과의사가 스캔과정을 통해 얻을 수 있는 이미지는 그림 9-23과 같다. 이 이미지를 얻으면 치과용 CAD 프로그램을 통해 임플란트와 관련된 모든 보철물을 설계할 수 있다. 그림 9-24는 프로그램 상 시뮬레이션에서 캡처한 것이다. 스캔 지대주의 이미지

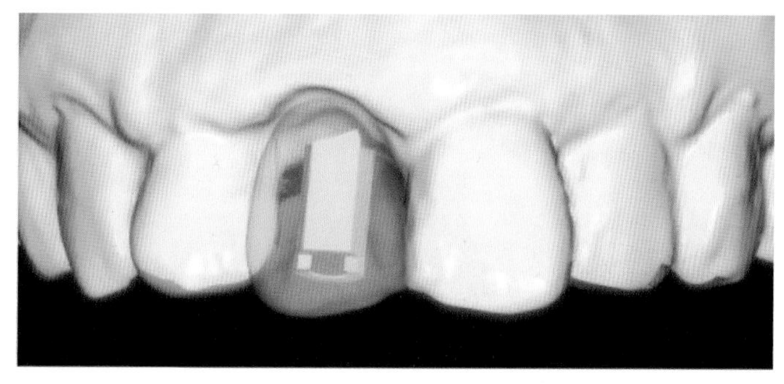

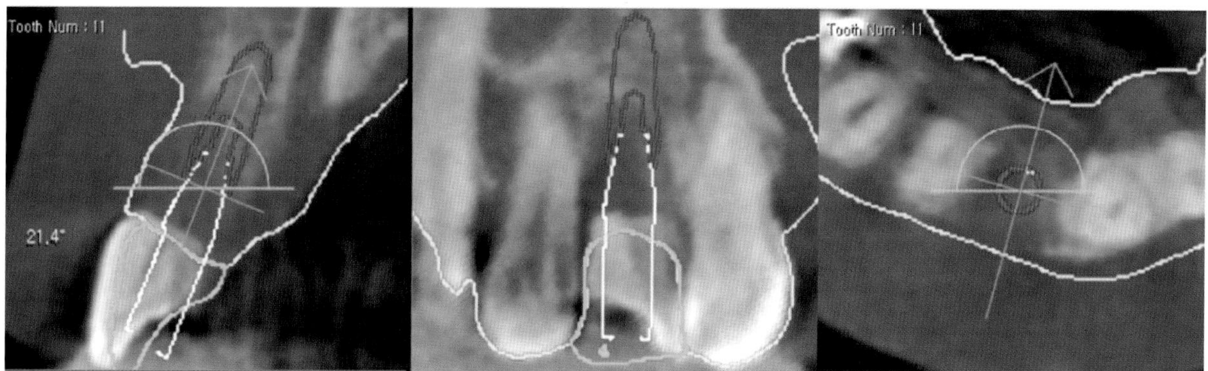

그림 9-22 최종보철물에 상응하는 고정체와 지대주의 위치, 크기, 형태 등을 결정한다.

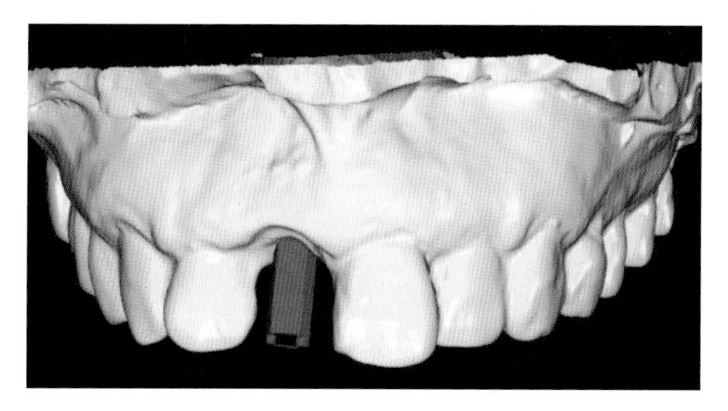

그림 9-23 스캔 지대주가 포함된 보철물용 마스터 캐스트를 스캔한다.

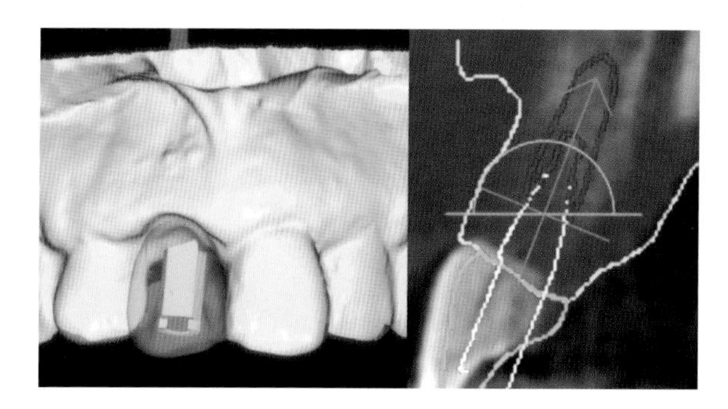

그림 9-24 스캔 지대주의 이미지는 프로그램으로 불러진 가상 임플란트와 결합된다. 결과적으로 스캔 지대주는 디지털 모델에서 이미지로 표시된다.

는 프로그램에서 불러들인 가상 임플란트와 결합된다. 결과적으로 스캔 지대주는 디지털 모델에서 이미지로 표시된다. 이 데이터는 치과용 CAD에서 직접 불러올 수 있다. 불러온 데이터를 기반으로 실제 치료 전에 수술용가이드 및 임시 수복물의 설계가 가능하며 최종 수복물도 동일한 과정을 통해 제작할 수 있다. 하지만, 정밀한 3D 프린팅, CAM을 이용해 만들어진 가이드를 사용하더라도, 수술 시 오류가 발생할 가능성이 있다. 이러한 오차를 보정하는 가장 쉬운 방법은 조정이 용이한 임시수복물을 먼저 사용하고, 추후 최종 수복물로 대체할 것을 추천한다(그림 9-25, 26).

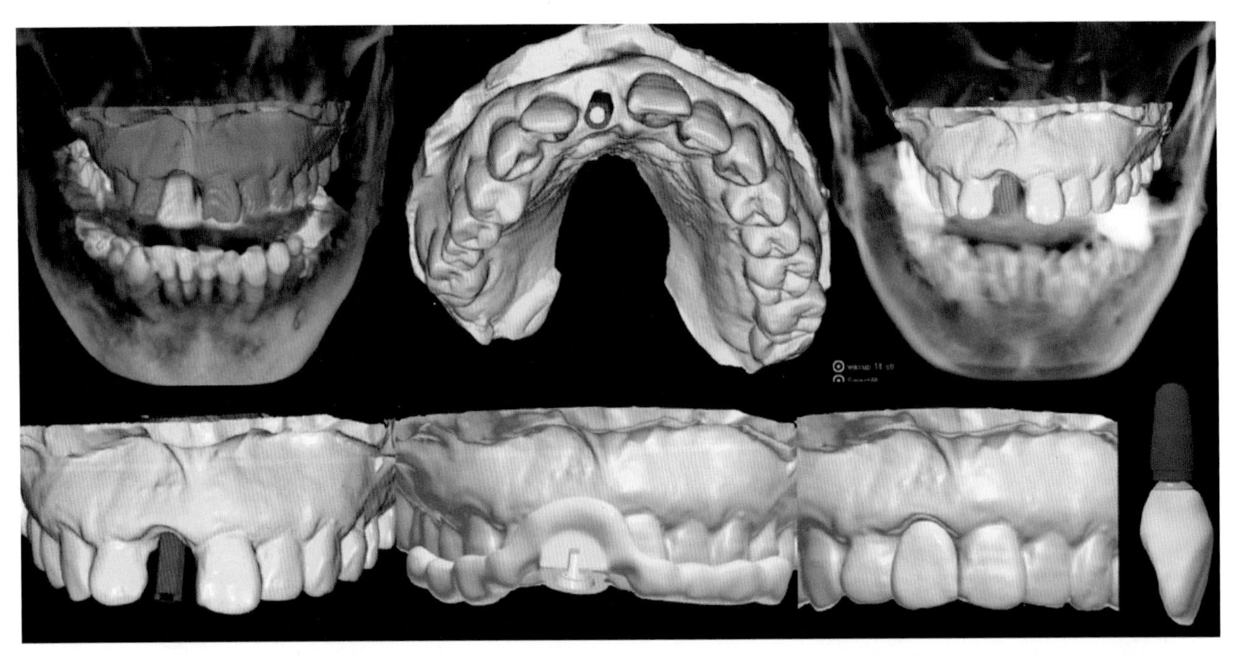

그림 9-25 스캔 지대주는 그에 상응하는 가상 고정체와 결합된다. 이러한 데이터를 기반으로 임시수복물이나 수술용가이드를 설계한다.

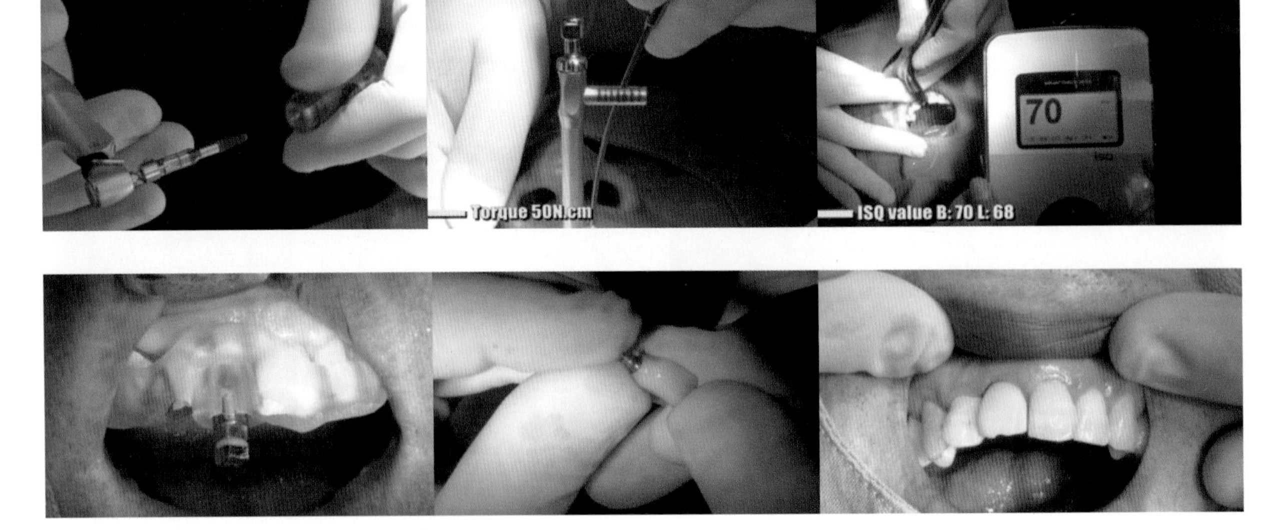

그림 9-26 실물로 제작된 수술용가이드를 이용해 임플란트 고정체를 삽입하고, 임시수복물을 장착한다.

Ⅳ. 임플란트 식립술

1. 식립 시기

임플란트는 치조골과의 골유착에 의하여 기능하므로 충분한 피질골과 양호한 골질을 얻기 위해서는 발치창이 완전히 치유될 때까지 약 6개월 정도 기다린 후 식립한다. 이후 고정체의 골 유착을 위해 3–6개월 기다렸다가 임시 보철물을 장착하여 점진적인 하중을 가한 후 최종보철물을 장착하는 것이 일반적인 술식이다. 그러나 기존의 방식으로는 환자의 치료기간이 길어 이를 단축하는 방향으로 발전이 이루어졌다. 발치 후 적절한 식립 시기를 찾기 위한 노력이 지속되어 왔으며 연구자에 따라 정의가 다양하나 발치 후 식립 시기에 따라 type 1–4 혹은 즉시 식립(immediate placement), 조기 식립(early placement), 늦은 식립(late placement)으로 나눌 수 있다(표 9-2).

치료의 전체적 목적, 구강내 치아의 위치, 골과 연조직의 해부학적 구조, 발치에 따른 치조제의 변화 등 다양한 요소가 식립시기 결정에 관여하며 이에 대한 이해를 바탕으로 적응증의 선택과 시술에 세심한 주의가 필요하다.

■ 임플란트의 즉시 식립

발치 후 즉시 임플란트를 식립하는 것에 관한 연구가 발전됨으로써 1980년대 후반에 시작된 치유기간의 단축과 빠른 기능회복을 위한 노력의 결과들이 보이기 시작하였다. 즉시 식립은 치료기간이 짧아지고 비용적인 측면에서 장점을 가지나 수술과정과 보철과정이 복잡하고 술후 합병증의 발생 가능성이 전통적인 방법보다 많아 술자의 고려사항도 많아진다. 임플란트 즉시 식립의 장단점과 고려사항은 다음과 같다. 환자의 치료 횟수가 줄어들어 치료기간과 전체적 치료비용이 감소된다. 발치와 동시에 이뤄져서 골흡수과정이 적어 골량의 유지가 용이하다. 연조직의 흡수가 적기에 심미적인 치은의 상태를 유지할 수 있다. 가장 큰 장점은 발치와를 기준으로 삼을 수 있어 외과의사가 임플란트 고정체의 위치를 설정하기 용이한 것이다. 하지만 발치와에 임플란트 고정체를 식립하는 것은 더 높은 테크닉을 요하며 불량한 골밀도와 골량으로 임플란트의 초기안정성을 얻기가 어려울 수 있다. 발치와에서 초기안정성을 얻기 위해 치근단으로 2–3 mm 가량의 골삭제가 더 필요할 수 있는데 이런 경우 상악에서 상악동천공이나 전치부에서는 피질골 천공, 하악골에서는 하치조신경 손상이나 구치부에서 설측피질골 천공등이 발생할 수 있으니 주의해야 한다. 발치와 부위에 고정체를 삽입할 경우 광범위한 절개를 통해 연조직 피개를 하지 않는 이상 일차봉합이 어려울 수 있는데 이런 경우 차폐막을 사용할 수 있고, 일차봉합을 과도하게 하다보면 수직절개 및 감장절개가 필요해 피판에 혈액공급에 문제가 발생할 가능성을 염두한다. 발치할 상황의 치아인 경우 급·만성 질환을 동반할 수 있어서 술후 감염 위험성이 높을 수 있으므로 적절한 증례선택이 필요하다.

표 9-2 발치 후 식립 시기의 분류와 기술용어(descriptive terminology)

분류	기술용어	임상적 상태
Type 1	즉시 식립	연조직 치유와 골재생이 없는 발치와
Type 2	연조직 치유 상태의 조기 식립(통상 4–8주 치유기간)	골재생은 없으나 연조직은 치유가 완료된 발치 후 상태
Type 3	일부 골치유 상태의 조기 식립(통상 12–16주 치유기간)	연조직 치유와 확연한 골치유를 보이는 발치 후 상태
Type 4	늦은 식립(6개월 이상의 치유기간)	완전히 치유된 발치와

2. 수술방법

임플란트는 치유지대주(healing abutment)를 연결하여 구강점막을 통과시킨 채로 수술을 마치는 1회법 수술과 임플란트를 식립 후 구강점막하에 완전히 묻어두고 치유가 끝난 후 이차 수술을 통해 점막을 통과시키는 2회법 수술이 있다. 2회법 수술은 치유기간 동안 고정체에 원하지 않는 부하가 가해지지 않는다는 장점이 있으나 추가 수술이 필요하다는 단점이 있다. 2가지 수술법 모두 임플란트 생존율에 큰 차이는 없으나 초기 고정을 얻지 못하거나, 차폐막이 사용된 경우, 임시 보철물에서 강한 힘이 고정체에 가해질 것이 예상되는 경우는 2회법 수술이 선호된다.

1) 절개 및 연조직 박리

절개선은 임플란트의 식립위치와 골이식 등 부가수술을 고려하여 치조정, 설측 또는 구개측, 협측 또는 순측에 둘 수 있으며 통상적으로 치조정 혹은 약간 설측, 구개측으로 치우친 절개를 선택한다. 전층판막을 형성하여 골막거상 후 필요시 불필요한 연조직을 제거하여 골을 노출시킨다.

연조직의 박리 시 하악 치조골의 흡수가 심한 경우는 이공이 치조정까지 올라와 있는 경우가 있으므로 유의하여야 한다(그림 9-27).

■ **판막 거상 없는 임플란트 식립(flapless implant insertion)**

골이식이 필요하지 않거나 각화 치은의 양이 풍부한 경우 잇몸의 절개없이 tissue punch를 사용하여 연조직을 제거한 뒤 골을 노출하지 않은 상태에서 임플란트를 식립하는 술식이다. 판막을 거상하지 않기 때문에 환자가 느끼는 통증과 부종이 감소할 수 있으며 봉합

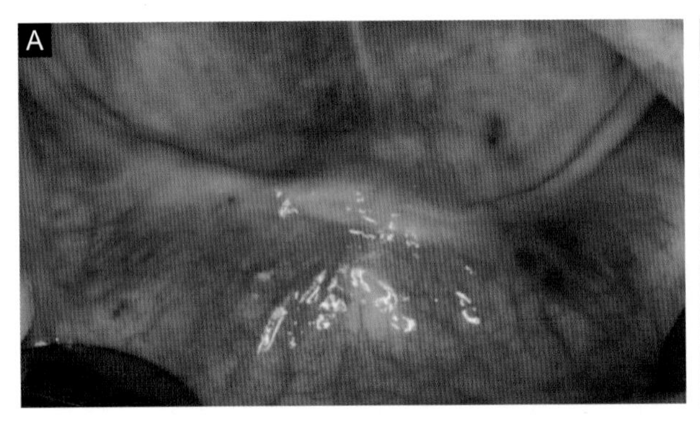

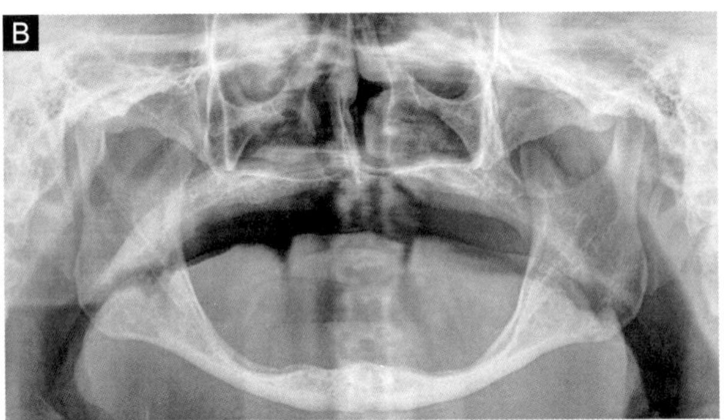

그림 9-27 A: 심하게 흡수된 하악의 구강내 사진 B: 하악골이 심하게 흡수되어 기저골만 남아있고 이공이 거의 치조정에 있다.

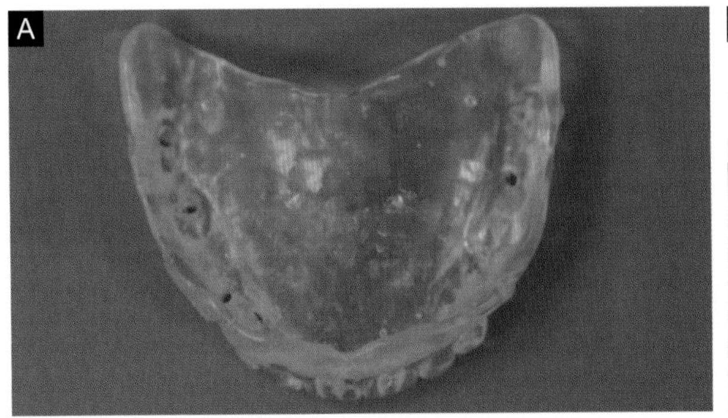

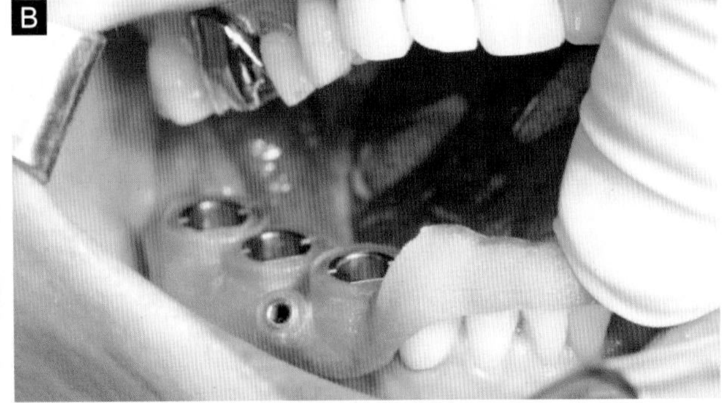

그림 9-28 A: 환자의 의치를 복제하여 레진으로 제작한 수술용스텐트(surgical stent) B: 환자의 구강내 스캔과 CT 자료를 이용해 디자인 후 3D 프린터로 출력한 디지털 수술용가이드를 장착한 모습.

을 생략할 수 있고 보철물 장착 시 임플란트와 연조직 간의 좋은 적합 등의 장점이 있지만, 예측하지 못한 해부학적 구조의 장애에 대해 대처하기 어렵다는 문제가 있다. 최근 컴퓨터 가이드를 이용한 경우 고정체의 위치를 미리 정할 수 있으므로 각화치은이 충분한 경우 판막거상 없는 수술이 많이 이루어지고 있다.

2) 골함요 형성(Drilling)과 고정체 식립

정확한 식립위치 선정을 위하여 수술용스텐트 혹은 가이드를 이용하여 식립하고자 하는 위치를 확인하고 드릴링을 시행한다(그림 9-28). 골조직이 불리한 열에 노출되지 않도록 식염수 주수, 단계적 드릴링을 반드시 지키도록 한다. 제조사에 따라 드릴날의 형상과 적용방법이 다르므로 제조사에서 추천되는 방법을 잘 숙지하여야 한다. 특히 골질에 따른 프로토콜을 잘 이해하고 있어야 하며 술자가 골형성 시 골질을 잘 파악하여야 식립 시 골조직에 과도한 응력과 열발생을 피하고 좋은 초기고정을 얻을 수 있다. 드릴링 후 선택한 직경과 길이의 고정체를 식립한다(그림 9-29).

식립된 고정체의 상방에 덮개나사(cover screw)를 연결할지 치유지대주를 연결할지 결정에 따라 1회법 수술과 2회법 수술로 나뉘게 된다. 초기고정이 얻어지고 광범위한 골이식을 시행하지 않은 경우 1회법 수술이 추천된다. 적절한 길이의 치유지대주를 연결 후 판막을 봉합하여 구강점막 상방으로 2–3 mm 노출시킨다.

초기 고정을 얻지 못하거나 부가적인 시술로 치유지대주를 바로 연결하지 못할 경우는 덮개나사를 연결한다.

3) 봉합

치유기간 동안에 창상이 벌어져 임플란트와 골이식재가 노출되는 것을 방지하고 구강내 세균에 의한 감염을 예방하기 위해 긴장감 없이 봉합해야 하며 필요시 점막절개를 연장하고 골막의 수평절개를 통해 판막의 긴장을 줄일 수 있다(그림 9-30).

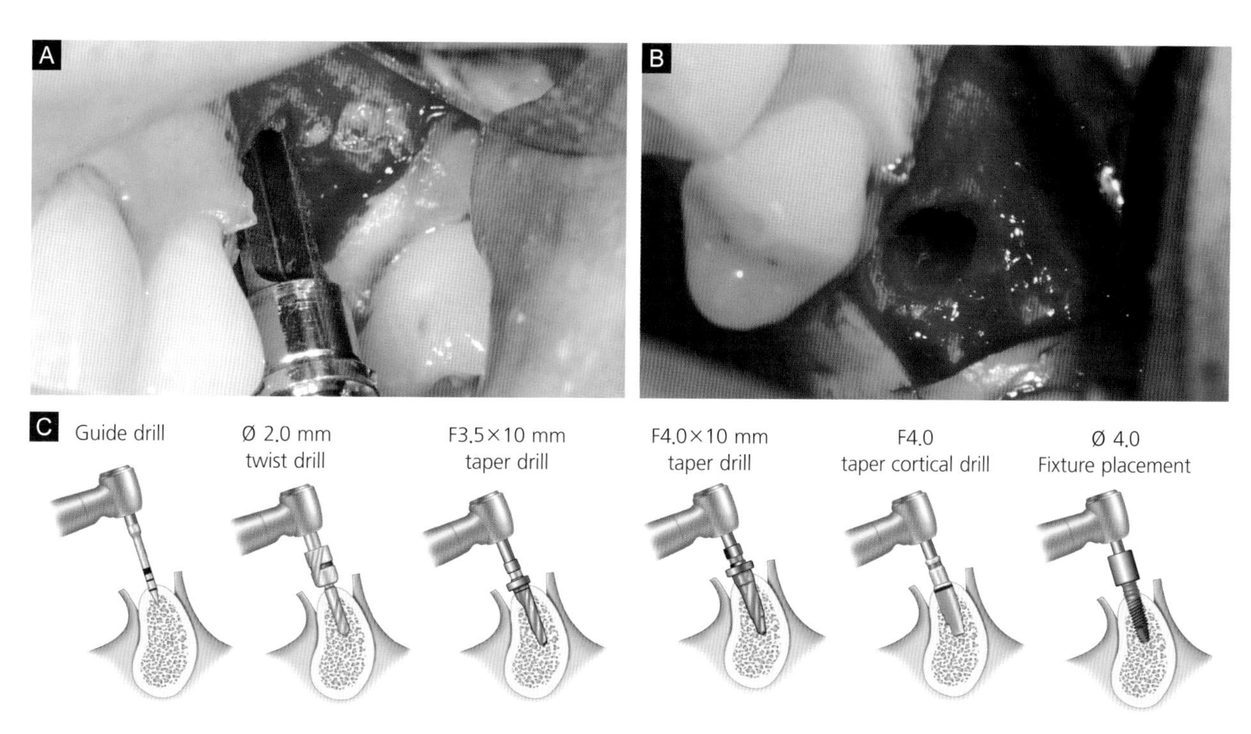

그림 9-29 A: 생리식염수를 세척하면서 drilling bur로 단계적 골함요를 형성한다. B: 상악구치부에 임플란트를 위한 골함요가 형성되어 있다. C: 식립과정 모식도(tapered implant, 직경 4 mm).

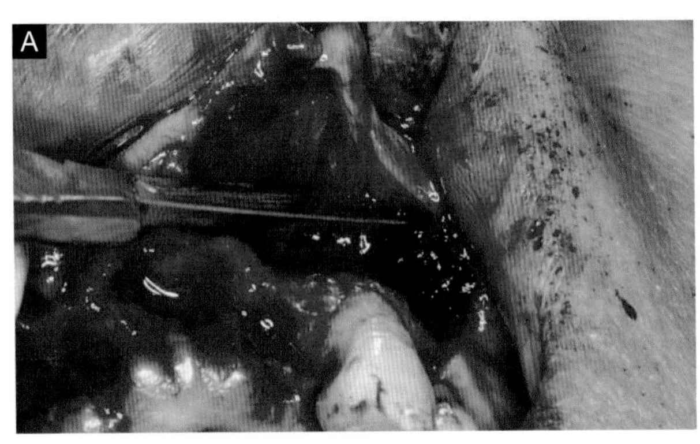
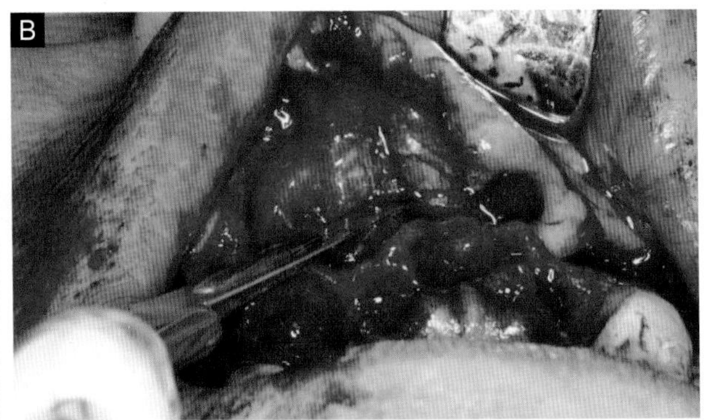

그림 9-30 A: 상악전치부 골이식을 위해 수술도를 이용하여 골막절개를 시행 B: 절개 후 판막이 연장된 모습.

3. 시기별 술후 관리

1) 수술 후 주의사항

① 술후 첫 24시간 동안은 구강세척을 강하게 하지 말 것

② 2일 동안은 환부에 냉찜질할 것

③ 코를 세게 풀지 말 것(특히 상악동 거상술 시행 후)

④ 5일간은 유동식을 섭취하고 약 1-2주일간 금주, 금연할 것

⑤ 식염수나 구강소독제로 구강 내를 세척하고 구강 청결에 주의할 것

⑥ 보철물은 이장(relining)하기 전에는 장착하지 말 것

그 이외에는 일반적인 외과적 수술을 받은 것에 준한다.

2) 술후 관리

상악에서는 안와하연까지, 그리고 하악에서는 이공이나 혀의 하방에서 자주 부종이나 혈종이 보인다. 가능한 매일 세척해 주면서, 연조직의 결손, 창상이개, 봉합상태 등을 점검하고 발견되면 결손과 이개의 적절한 진단 후 가능한 경우에 즉시 재봉합해준다. 일주일 후에 발사하고 약 1-2주일 후에 보철물을 부드러운 재료로 이장(relining)해 주어야 한다. 부드러운 재료라도 처음 4주 동안은 매주 연성이장재(tissue conditioner)를 교환해주고, 임플란트 수술 약 5주 후에 완전한 이장을 해준다. 술후 관리는 임플란트가 오랜 기간 동안 기능을 하는 데 매우 중요하다. 주위조직의 변화와 상부구조물을 잘 관리하여야 하며, 적절한 치료가 행해져야 한다.

3) 임플란트 식립 후부터 이차수술까지 관리

임플란트 식립 직후에는 통증조절, 감염방지, 창상치유를 위한 투약, 영양공급 등이 고려되어야 한다. 임플란트 시술 후의 처방은 수술의 종류 및 경중에 따라 다를 수 있으나 대체로 발치와 유사한 투약을 한다. 술후에 지혈이 되지 않는 경우는 드물지만 간혹 지혈제를 투여할 수도 있다.

4. 임플란트의 노출과 지대부의 연결(이차수술)

일차수술 후 골유착이 완료되어 보철제작을 위한 전단계의 수술로 구강점막하의 고정체를 노출시키고 덮개나사를 제거 후 치유지대주를 연결하여 구강점막을 통과시키기 위한 수술이다. 일차수술 시 골이식이 동반된 경우 협측판막의 치관측 변위를 초래하며 이로 인해 각화치은의 폭경 변화가 동반될 수 있다. 각화치은의 필요성에 대해서는 논란이 있으나 적절한 각화치은의 존재가 임플란트 주변조직을 건강하게 유지하는

데 유리하다는 장점이 있다.

임플란트 주변의 남아있는 각화치은의 양에 따라 편치법, 근단변위 판막술, 유리치은이식술, 유경판막법 등 다양한 이차수술법이 보고되고 있다.

치유지대주를 장착하고 약 2주 후에 보철물 제작을 위한 인상채득을 시행한다(그림 9-31).

5. 해부학적 장애를 극복하기 위한 수술법

임플란트 치료는 상실된 치아를 수복하는 가장 효율적이며 예측 가능한 치료로 인식되고 있다. 이러한 임플란트는 치조골과의 골유착을 통해 악골에 고정되어 기능하기 때문에 충분한 양과 질의 치조골이 존재하여야 한다. 일반적으로 임플란트를 심기 위해서는 최소한 폭 6 mm, 높이 10 mm 이상의 치조골이 있어야 하나 많은 임플란트 치료증례에서 치조골의 높이와 폭은 임플란트를 식립하기에 부족하다. 이에 흡족하지 못할 경우에는 적합한 치조골을 만들기 위하여 다양한 골증강술이 필요하며 일련의 연구에서는 대략 50% 정도의 증례에서 골증강술이 필요했다고 보고했다. 골증강술의 거의 대부분은 골유도재생술과 상악동 골이식술이며, 수평적 수직적 골결손이 심한 경우 블록골이식술도 꽤 많이 시행된다. 이에 대한 충분한 지식과 이해를 통하여 향후 예상치 않게 만날 수 있는 열악한 치조골에 대한 충분한 준비가 되어있어야 한다.

1) 골유도재생술(Guided bone regeneration, GBR)

차폐막을 사용하여 공간을 형성하고 이 공간 내부로 골형성 세포만을 유도하여 골조직 재생을 도모하는 술식이다. 차폐막의 공간 유지와 고정이 결과에 영향을 미치므로 나사 등을 식립하여 텐트기둥처럼 차폐막을 지지하거나 차폐막 자체에 금속을 첨가하거나 차폐막 하방에 골이식재를 적용하는 방법을 사용한다. 이 중 골이식재를 사용하는 방법은 골이식재 자체의 골형성 효과까지 얻을 수 있기 때문에 가장 널리 사용되고 있다. 임플란트 식립 후 골 열개나 천공에 의해 나사산의 일부가 노출되거나 임플란트 상방의 골결손이 심한 경우, 발치 직후 즉시 임플란트 식립 시 발치와와 임플

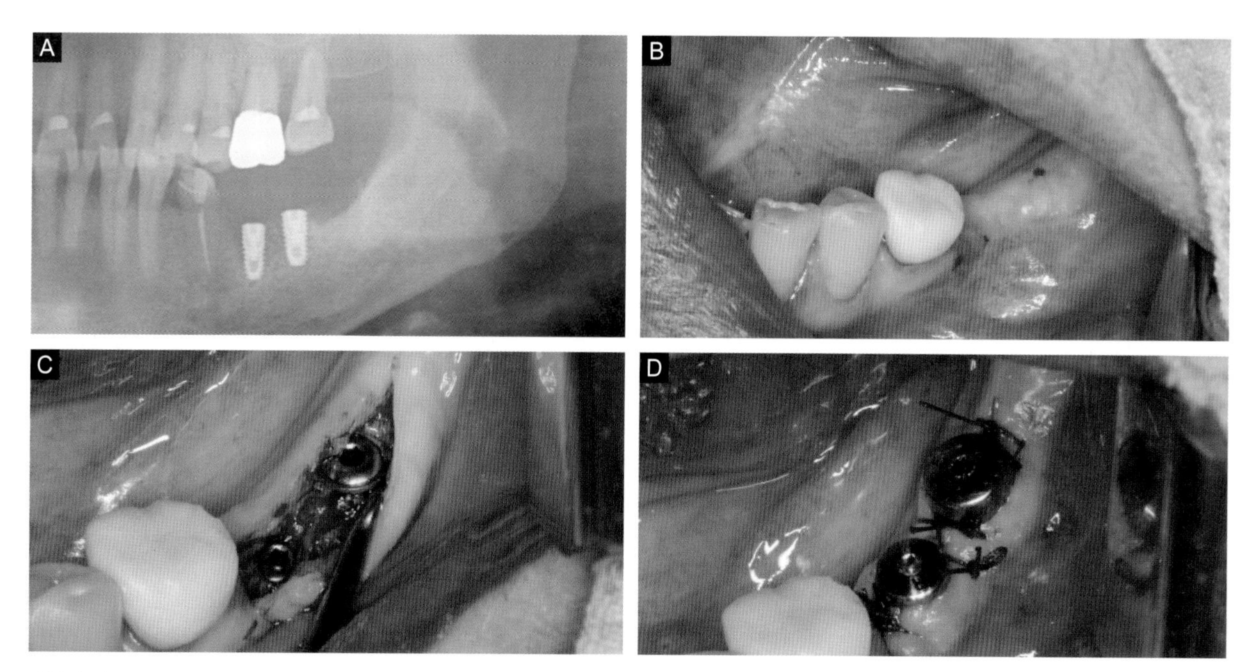

그림 9-31 A: #36, 37 2차 수술 전 파노라마 B: 수술 전 상태 C: 골막 절개 후 덮개나사가 노출된 상태 D: 치유지대주 연결 후 봉합된 상태.

란트 사이의 빈 공간을 메꾸기 위한 경우, 4벽성 임플란트주위 골결손부, 기존의 골 형태를 증가시키는 경우 등에 골이식을 시행하고 차폐막을 사용하여 골유도재생술을 이용하게 된다.

(1) 차폐막

골유도재생술에 있어서 차폐막은 필수적 요소이다.

① 차폐막의 주요 기능

a. 골이식부 내부로 상피세포와 연조직세포의 침투는 막고 골형성세포는 이주하게 함으로써 골형성을 유도한다.

b. 차폐막 하부의 이식재가 흩어지거나 주위공간으로 유출되는 것을 막아주고 혈병을 유지시킨다.

c. 상부의 연조직으로부터 가해지는 압력에 대항하여 골증강부위가 함몰되거나 붕괴되는 것을 막아줌으로써 원하는 양과 형태의 신생골이 형성되도록 해준다.

d. 신생골 형성과 관계된 성장인자와 생체분자의 분비를 유도하고 이를 흡수함으로써 골증강 부위 내에서 이들 물질의 농도를 높인다.

② 차폐막의 요구조건

a. 생체적합성(biocompatibility)

차폐막이 주위조직에 염증반응 등의 비정상적인 반응을 유발하면 골이 정상적으로 재생될 수 없다. 주위조직의 반응이 정상적이고 적절해야 차폐막은 정상적인 골재생을 이룰 수 있다.

b. 세포 차단성(cell occlusiveness)

차폐막은 골재생부 내로 상피세포와 연조직세포가 침투하는 것을 막아줄 수 있어야 한다. 또한 차폐막이 치유과정 중 구강내로 노출되는 경우에는 세균의 침투를 최소화시킬 수 있어야 한다.

c. 주위 조직과의 유착(attachment to the surrounding tissues)

차폐막이 주위조직과 유착되면 치유기간 중 움직임 없이 안정되게 골재생부를 보호해줄 수 있다. 또한 차폐막 변연부가 골과 잘 유착되면 차폐막으로 피개된 골재생부위를 주위 연조직으로부터 확실히 격리시킬 수 있다.

d. 임상적 조작성(clinical manageability)

차폐막은 임상적으로 조작이 편해야 한다.

e. 공간 유지/형성(space making function)

차폐막은 그 하방 공간에서 신생골 형성이 완료될 때까지 붕괴되지 않고 안정적인 공간을 제공할 수 있어야 한다.

③ 차폐막의 분류

차폐막은 신체 내의 흡수 여부에 따라 흡수성 차단막과 비흡수성 차단막으로 분류된다. 각각의 장단점을 비교 판단하여 사용 시 기준으로 하여야 한다.

흡수성 차폐막은 다시 제거할 필요가 없고, 수술 술식이 간단하며, 이로 인해 환자의 불편감이 감소되며, 이차수술 시 유리치은이식술이나 근단변위판막술 등 다양한 술식을 적용할 수 있다는 장점이 있는 반면, 차폐막으로서 기능하는 기간을 조절할 수 없고 차폐막의 흡수과정이 창상치유와 골재생을 방해할 수 있는 가능성이 있으며 차폐막지지물(이식재)을 필요로 한다는 단점이 있다.

비흡수성 차폐막은 공간형성 및 유지능력이 좋고 차폐막기능 기간을 조절할 수 있고 흡수과정이 없으므로 골재생에 악영향을 미칠 수 있는 부산물이 생성되지 않아 골형성 능력이 좋다는 장점이 있는 반면, 제거를 위한 수술이 반드시 필요하고, 치유과정 중 노출이 잘 되어 일단 노출되면 골재생에 막대한 악영향을 끼친다는 단점이 있다.

a. 비흡수성 차폐막

- Polytetrafluoroethylene (PTFE)
  - Expanded PTFE: Gore-Tex
  - Dense PTFE: Cytoplast TXT-200
  - Dual textured expanded PTFE: NeoGen

- Titanium–reinforced PTFE: Gore–Tex–Ti, Cytoplast Ti–250, NeoGen Ti–Reinforced
- Titanium mesh: Frios BoneShields, Ridge-Form Mesh

b. 흡수성 차폐막

- 비교차결합 교원질
  - 1형 교원질: CollaTape, Tutodent
  - 1형, 3형 교원질: BioGide, Botiss Jason
  - 1, 2, 3, 4형 교원질 및 기타 단백질: DynaMatrix
  - 교원질 및 엘라스틴(탄성섬유): Creos xeno–protect
- 교차결합 교원질
  - 교차결합 1형 교원질: BioMend, OSSIX PLUS, OsseoGuard, OsseoGuard Flex, Ez Cure
  - 교차결합 1형 및 3형 교원질: MetrixDerm EXT
- 합성 흡수성 차단막
  - Poly–D, L–lactide–co–glycolide (PLA/PGA): Resolut adapt
  - D, D–L, L–polyactic acid (PLA): Epi–Guide
  - Poly–D, L–lactide and poly–L–lactide blended with acetyl tri–n–butyl citrate: Guidor
  - Polyglycolide, poly–D, L–lactide–co–glycosides, poly–L–lactide; BioMesh–S

(2) 골이식재

골유도재생술을 시행할 때 차폐막 하방에 골이식재를 적용하면 이식재와 차폐막의 상승효과에 의해 더우수한 골재생이 이루어진다. 이때 골이식재를 적용하는 이유는 차폐막 하방에서 차폐막의 붕괴를 막아주기 때문에 공간을 유지시키는 역할을 하며, 골이식재 자체의 골형성, 골유도, 골전도 효과를 통하여 신생골 형성을 유도하여 더 우수한 질의 골을 재생시킬수 있다.

따라서 이식재의 능력에 따라 골형성, 골유도, 골전도 이식재로 나누어서 이해하면 임상적용시 유리하다. 첫째 치유나 재생과정에서 다양한 국소단백질이 분비되어 골형성세포나 미분화줄기세포를 이 부위로 유도하고 골아세포로 분화하도록 지시할 수 있는 골형성(osteogenesis) 능력이 있는 이식재는 자가해면골(autogenous cancellous bone)이 대표적으로 완전히 분화된 골아세포와 미분화세포를 모두 포함하고 있다. 둘째, 골형성 단백질(bone morphogenetic protein, BMP)은 일반적인 상황에서는 골이 형성되지 않는 신체부위에서도 골을 형성할 수 있는 능력이 있는데, 골유도(osteoinduction)란 바로 이 BMP의 능력을 일컫는 말로 골형성 작용을 촉진시키는 역할을 한다. 따라서 골유도성 골이식재는 BMP를 포함하고 있는 이식재를 의미하며 자가골 이식재와 탈회동종골 이식재(demineralized allogenic bone graft)가 있다. 셋째, 골전도(osteoconduction) 이식재는 미분화 줄기세포나 골아세포가 그 내부로 이동하여 증식할 수 있도록 해주는 기질로서 합성이나 천연 중합체, 생활성 유기질, 세라믹 등이 있고 일반적으로 세라믹계 이식재를 가장 많이 이용한다. 세라믹계이식재로는 인산칼슘계 물질인 수산화인회석, 3인산칼슘(tricalcium phosphate, TCP) 등이 있다.

이러한 골이식재는 그 기원에 따라 다음과 같이 분류할 수 있다.

① 자가골 이식재(autograft)

자가골 이식재는 오랫동안 사용되어온 골이식재의 황금기준이다. 자가골 이식재의 가장 큰 장점은, 치유속도가 빠르며 골형성 효과가 좋기 때문에 예지성이 높은 골재생을 얻을 수 있다는 점이다. 그러나 골이식 공여부 합병증 발생 가능성, 예측 불가능한 이식골 흡수, 제한적인 골량, 골채취를 위한 추가적인 수술부의 필요성, 자가골 채취술의 높은 난이도 등 단점이 존재한다. 구강내 공여부로 적은 양의 이식재는 임플란트 식립부 주변이나 bone scraper 등을 이용하여 채취할 수 있다. 많은 양의 이식재가 필요할 때는 주로 하악지와 하악전치가 결손된 경우 하악정중부를 이용하며, 전비극 하방, 관골, 구개골, 상악결절, 골융기 등의 해부학적 구조물을 이용할 수 있다. 구강외 공여부로 장골(iliac bone)과 경골(tibia)을 이용할 수 있는데 매우 많은 양의 골을 채취할 수 있지만 부가적인 마취나 수술시간이 길어지며, 절반 이상의 이식재가 흡수되는 경향이 있기 때문에 일상적인 임플란트 치료에서는 장단점을 비교하여 선택하여야 한다.

② 동종골 이식재(allograft)

동종골 이식재는 항원성과 감염성을 없애 주기 위해 보통 동결건조(freeze-drying)과정을 거친다. 동종골은 일반적으로 사망 12시간 이내의 사체 장골에서 채취하며, 피질골은 해면골에 비해 항원성이 낮고 골유도 단백질을 더 많이 포함하기 때문에 주로 피질골을 사용한다. 채취한 골을 분쇄 세척한 후, 액체 질소 내에서 동결시킨 후 기화하여 골 내부의 수분을 제거해 주는 과정이다. 이렇게 동결 건조시킨 골을 잘게 부수고 염산에 담가 골의 석회화물질을 제거해주면 탈회동결건조동종골(demineralized freeze-dried bone allograft, DFDBA)이 되고, 석회화물질을 제거하지 않으면 비탈회동결건조동종골(freeze-dried bone allograft, FDBA)이 된다. 탈회동결건조동종골은 주로 교원질로 이루어진 기질 단백질만 남게 되어 골유도성과 약간의 골전도성을 가지게 된다. 한편, 비탈회동결건조동종골은 수산화인회석과 기질단백질을 모두 포함하나 기질단백질 내의 BMP가 작동을 못하여 주로 골전도성을 가진다.

③ 이종골 이식재(xenograft)

이종골 이식재는 인간 이외의 다른 생물종에서 얻은 이식재를 의미하며, 많이 사용되는 종으로 소, 말, 돼지, 산호, 해조류 등이 있다. 종간 차이에 의한 항원성을 제거해야 하기 때문에 골내 모든 유기성분을 제거하고 순수한 칼슘 세라믹으로 이식재를 만들어야 한다. 대표적으로 소뼈를 이용한 탈단백우골(deprotenized bovine bone mineral)이 널리 사용되고 있으며, 이러한 탈단백우골은 골증강술 시 골전도 효과를 보인다.

④ 합성골 이식재(alloplast)

합성골 이식재는 생체에서 얻지 않고 순수하게 공업적으로 제조한 이식재를 의미한다. 전통적으로 수산화인회석을 이용하였으나, 현재에는 생활성 유리(bioactive glass), 수산화인회석, 3인산칼슘(tricalcium phosphate), 소석고(calcium sulfate) 등, 칼슘과 여타 원자가 결합한 다양한 물질들이 사용되고 있다. 다양한 생체내 반응을 보이지만 모두 골전도성에 의해 신생골을 형성한다.

이외에도 골재생의 결과를 향상시키기 위하여 여러가지 방법이 응용되었다. 대표적으로 자가치아를 이용한 골이식재 개발이다. 이는 치조골 구성성분과 유사한 상아질을 탈회상아기질(demineralized dentin matrix, DDM)로 처리하여 제조하면 우수한 골재생 이식재로 사용 가능하다. 또한 혈액내 단백질인 피브린이나 각종 성장인자를 이용하기도 한다. 혈소판유래 성장인자(platelet-derived growth factor, PDGF), 인슐린양 성장인자(insulin-like growth factor, IGF-I, IGF-II), 전환성장인자(transforming growth factor, TGF-β), 섬유아세포 성장인자(fibroblast growth factor, a-FGF, b-FGF), 골형성 단백(bone morphogenetic protein, BMP)등 연조직과 경조직의 재생에 관여하고 조절하는 성장인자 및 분화인자와 함께 이용하고 있다. 이들 인자는 골증강술의 필수 요소는 아니지만 재생골의 질과 양을 향상시킬수 있는 보조인자로서 사용된다.

(3) 이식재의 임상적용

이식재를 선택할 때는 골이식부의 골형성 능력, 이식재의 흡수 여부, 골결손의 크기와 임플란트 동시식립 여부 등을 고려한다. 상악동 내부나 발치와 같이 골형성 능력이 좋은 부위에는 골전도성의 동종골, 이종골, 혹은 합성골로도 좋은 결과를 얻을 수 있을 것이나, 2벽성이나 1벽성 골결손 같이 골벽수가 적고 이식재를 유지할 수 있는 능력이 적은 결손부에는 골형성 능력이 좋은 자가골 이식재가 유리하다. 골결손이 커서 골증강술을 먼저 시행하고 임플란트는 단계법으로 식립하는 경우에는 골형성 능력이 좋은 자가골 이식재를 사용하는 것이 좋으며, 임플란트의 일차 안정을 충분히 얻을 수 있는 작은 골결손의 경우에는 자가골이 아닌 골대체재로도 좋은 결과를 얻을 수 있다. 골증강 부위는 치유 과정 중 부피가 축소하는 경향이 있기 때문에 이식재는 필요한 양보다 약간 과도하게 적용하는 것이 좋다.

2) 상악동 골이식술(Sinus bone graft)

상악구치부의 잔존골은 치조골 흡수와 상악동의 함기화로 임플란트를 식립하기 어려운 경우가 있다. 부족한 골량을 극복하기 위해 가장 보존적인 방법으로 6 mm 이상의 잔존골이 있는 경우 짧은 임플란트를 식립하거나, 충분한 골량이 있는 원심이나 근심으로 기울여 심고 관골의 측방부에 식립할 수도 있다. 그러나 상악동저거상술은 해부학적 한계를 극복하여 보다 이상적인 치료를 시행할 수 있게 한다.

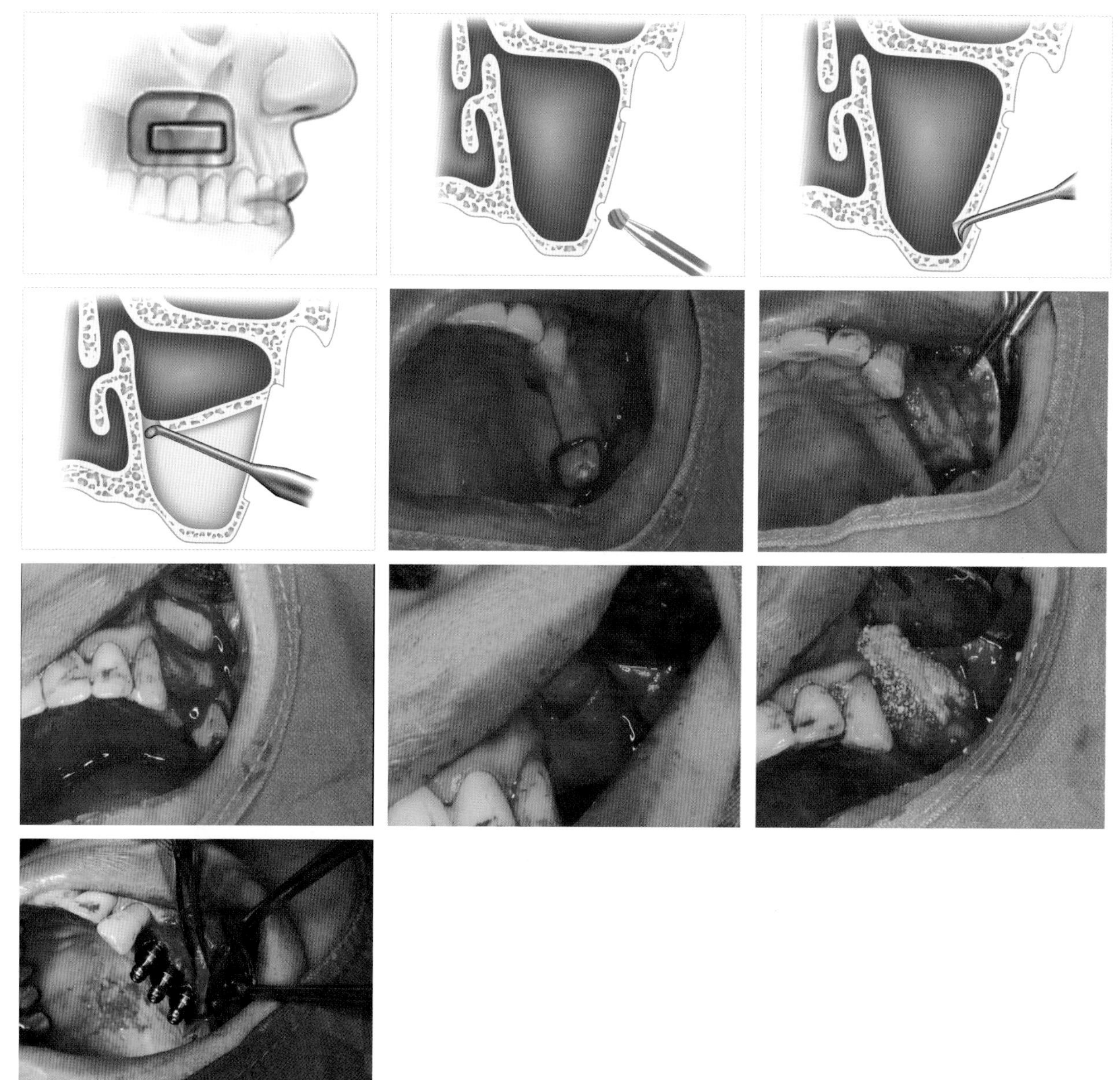

그림 9-32 외측 접근법을 통한 상악동거상술.

(1) 외측 접근법(lalteral approach): 상악동거상술 (sinus lift)

상악골의 협측으로 접근하여 잔존 치조골 상방에 골창(bone window)을 형성하고 상악동저로부터 상악동막(sinus membrane)을 들어올려 공간을 형성하고 골을 이식하는 방법이다. 잔존 치조골 높이가 5 mm 이하이거나 그 이상이더라도 상악동 내부에 병소가 존재할 것으로 의심되는 경우, 수술부위에 상악동 중격이 존재하거나 상악동저의 경사가 심한 경우, 복수의 임플란트를 심는 경우 등에 시행한다. 잔존골이 3-4 mm 이하더라도 초기 고정이 가능하다면 임플란트를 동시에 식립할 수도 있으나, 초기 고정을 얻지 못하는 경우에는 상악동저에 골이식술을 시행하고 약 4-8개월 후에 임플란트를 식립하는 2단계 방법으로 시술한다(그림 9-32).

(2) 치조정접근법(crestal approach, transalveolar approach)

치조정을 통해 골을 삭제하여 상악동저에 접근하는 방법으로, 골절단기(osteotome)를 이용하거나, 버(bur), 리머(reamer), 드릴 등의 회전 절삭기구나 치조정접근법을 위하여 특수하게 고안된 기구를 사용하여 치조정으로부터 상악동저에 도달하여 상악동저를 골절시킨 후, 수압 거상 등의 다양한 방법으로 상악동막을 거상한 후에 골이식재를 충전하면서 그 압축력으로 상악동막을 거상하거나 혹은 골이식재의 충전없이 임플란트를 식립하는 방법이다. 일반적으로 잔존골 높이가 7-8 mm 이상일 때 적응증이 되고, 6-7 mm인 경우 상악동 내부에 병소가 존재하지 않고 임플란트 식립부위에 상악동 중격 등의 장해요소가 없고 단일치를 수복하는 증례에서 선택적으로 시행할 수 있다. 최근에는 상악동막의 천공을 최소화하며 보다 안전하게 치조정접근법을 시행할 수 있도록 특수하게 고안된 여러 기구들이 개발되면서 잔존골 높이가 3-4 mm인 경우에도 치조정접근술을 임상에 사용하는 경우가 있으나, 치조정접근법은 상악동 내를 직접 눈으로 확인할 수 없어서 상악동저의 골절 여부, 상악동내의 병적소견, 상악동막의 천공이나 찢어진 것을 정확하게 진단하기 어려운 blind technique이므로 수술 후 부작용을 최소화 혹은 예방하기 위하여 세심한 주의를 기울여서 선택적으로 시행하여야 한다(그림 9-33).

3) 블록골이식술(Block bone graft)

수평이나 수직 골결손은 잔존골의 외부로 골을 형성해야 하는 골외결손(extrabony defect)이다. 골외 결손에 입자형 이식재를 사용하는 경우 공간 유지가 힘들고 골이식재가 상부 연조직의 압력을 직접적으로 받기 때문에 형태를 유지하기가 어려워지므로 광범위한 수평적, 혹은 수직적 골결손에서는 블록골이식재를 적용할 것을 우선적으로 고려할 수 있다. 그러나 블록골 이식술은 입자형 이식재를 사용하는 경우보다 블록골 이식재의 나사를 이용한 고정이나 조작이 보다 어려우므로 숙련된 수술기술이 요구된다. 이러한 블록골의 채취부위로 하악정중부(그림 9-34)와 하악지(그림 9-35)가 가장 많이 이용되나, 많은 양이 필요한 경우 장골(그림 9-36)을 이용하여 수복하여야 한다.

4) 기타 구강악안면외과의 시술

(1) 하치조신경 재위치술

하악 의치를 장착한 경우 저작 시 이신경이 압박되어 동통을 느낄 정도로 무치악 치조골이 심하게 흡수되어 신경혈관다발이 치조정에 있는 경우나, 치조정과 하악관 사이에 충분하지 못한 치조골이 존재하여 적절한 임플란트를 식립하기 어려운 경우, 잔존 치조골의 높이를 충분하게 높이는 다양한 방법이 매우 어려울 경우 하치조신경 재위치술을 고려할 수 있다. 이는 골구 형성을 통하여 하치조신경을 측방으로 위치시킨 후 임플란트를 식립하고 차단막을 위치시킨 뒤 하치조신경을 재위치시키는 방법이다(그림 9-37). 그러나 지각이상과 같은 합병증이 발생할 수 있고, 진정정맥마취 및 전신마취가 필요하다는 단점이 있으므로 세심한 적응이 필요하다.

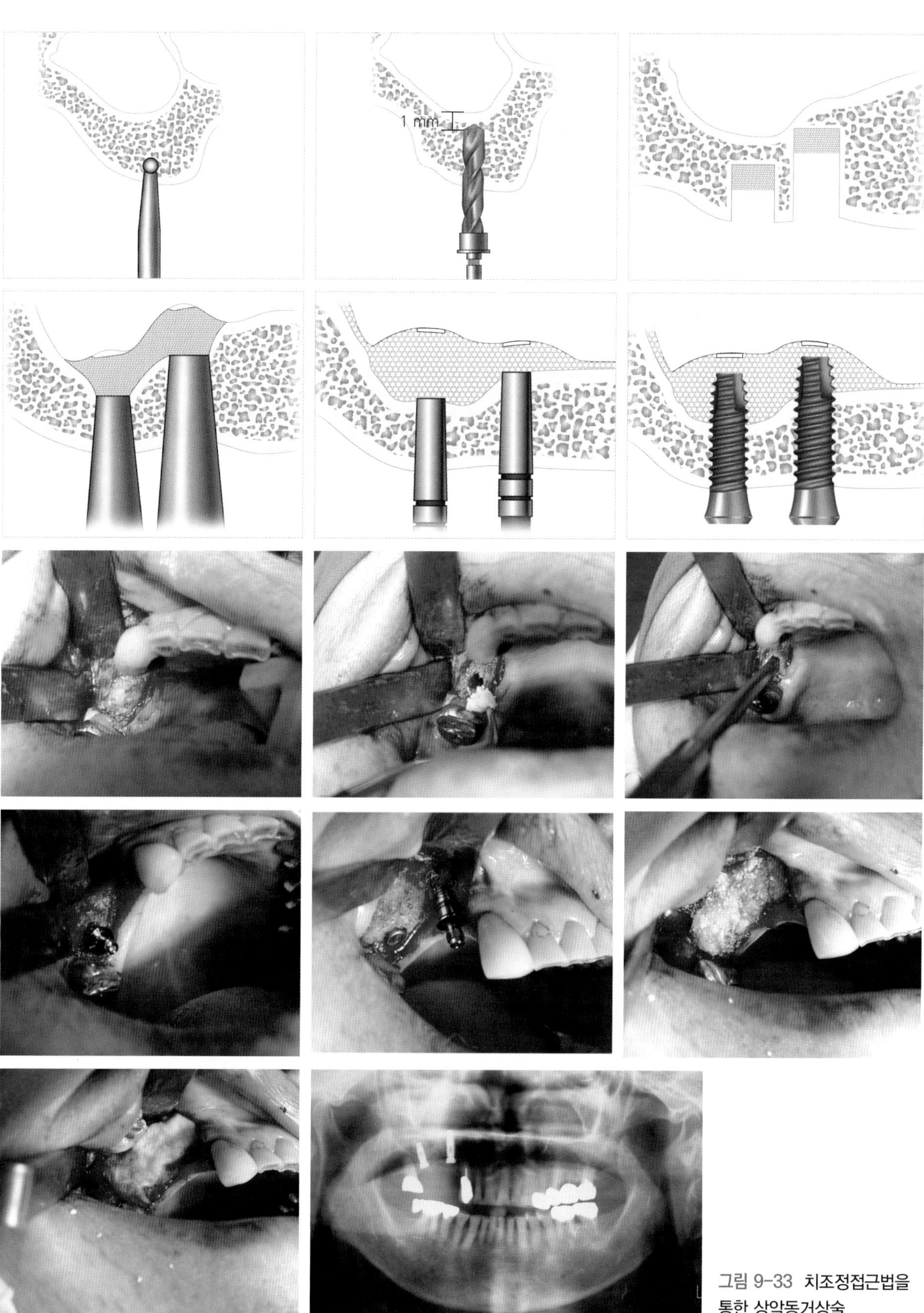

그림 9-33 치조정접근법을 통한 상악동거상술.

(2) 심한 골내 염증 및 구강암으로 인하여 발생한 광범위한 골결손을 수복하는 경우

심한 골내 염증성 질환이나 구강암으로 인하여 발생되는 골결손부를 수복하고 정상적인 저작기능을 회복하기 위하여 장골을 이용한 광범위한 수술이 진행된다. 이러한 경우 광범위한 장골의 피질골을 이용한 블록골이식(그림 9-38) 및 피질골과 해면골을 분쇄혼합하여 이식(그림 9-39)하는 방법이 있다. 이러한 수술은 높은 수준의 전문성을 필요로 하며 해부학적 및 전신적인 상태에 대한 지식이 요구된다.

6. 연조직 이식술 및 증대술

임플란트 외과의사는 다양한 임상 상황에서 임플란트 주변 연조직을 성공적으로 관리하기 위한 다양한 수술

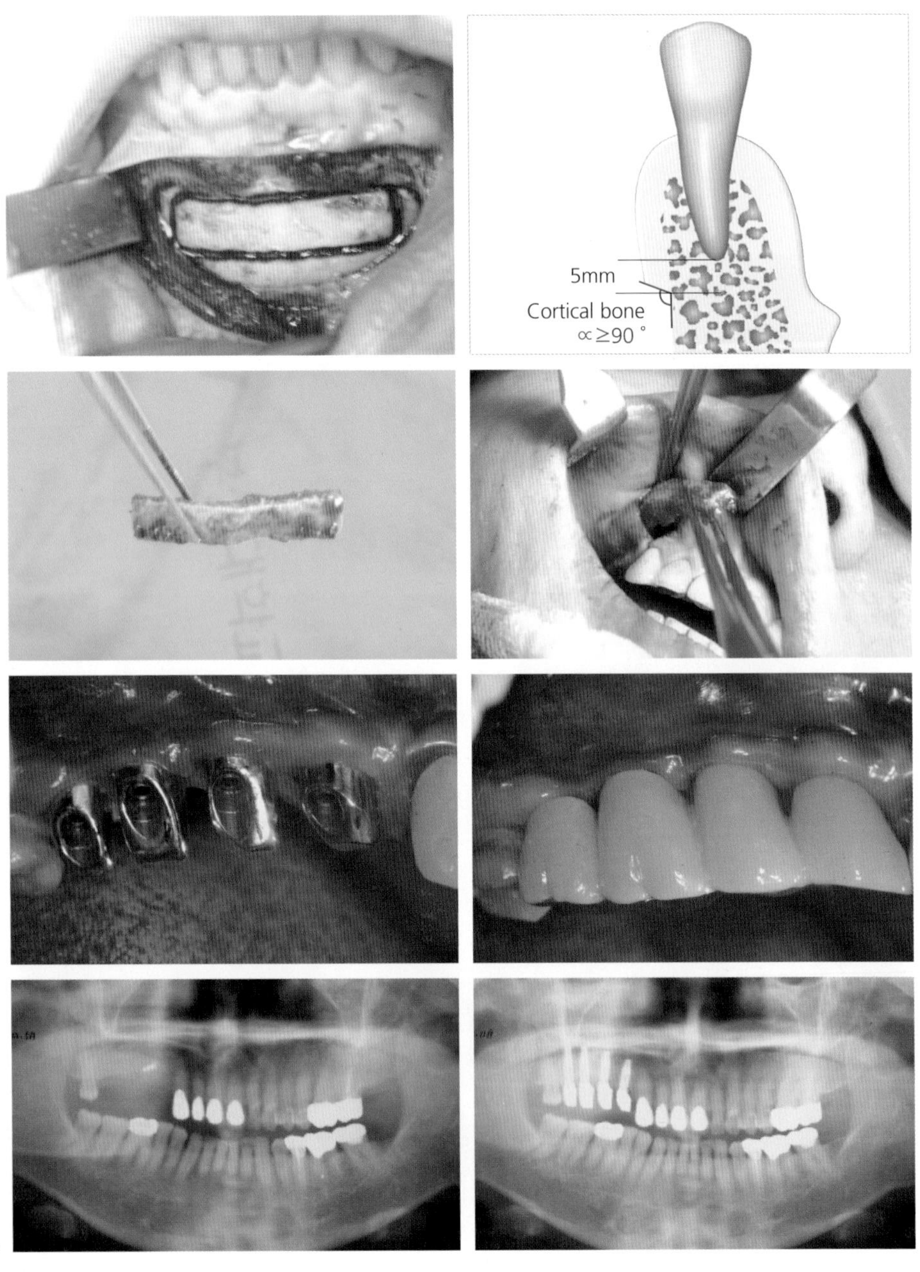

그림 9-34 하악정중부 블록골.

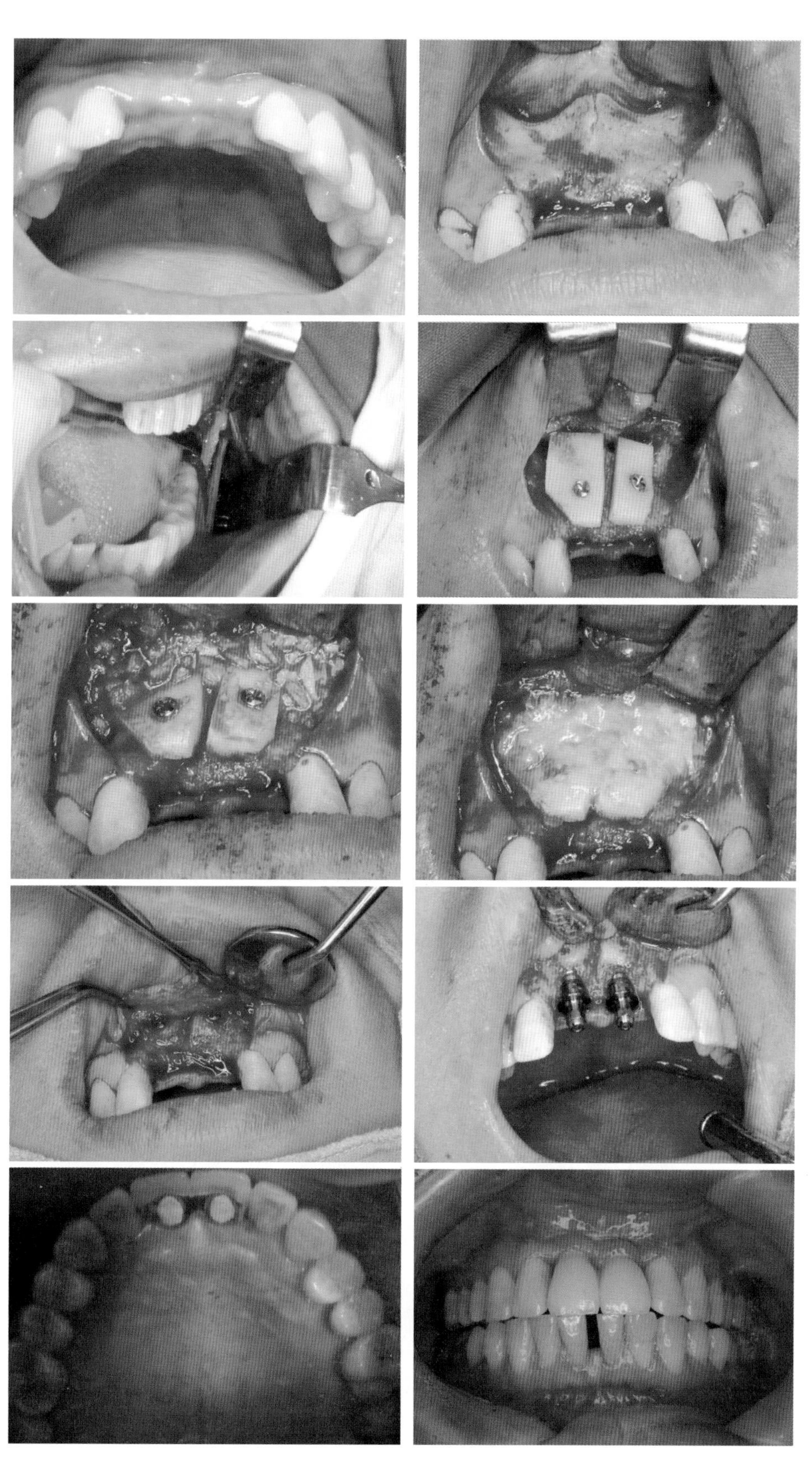

그림 9-35 하악지 블록골.

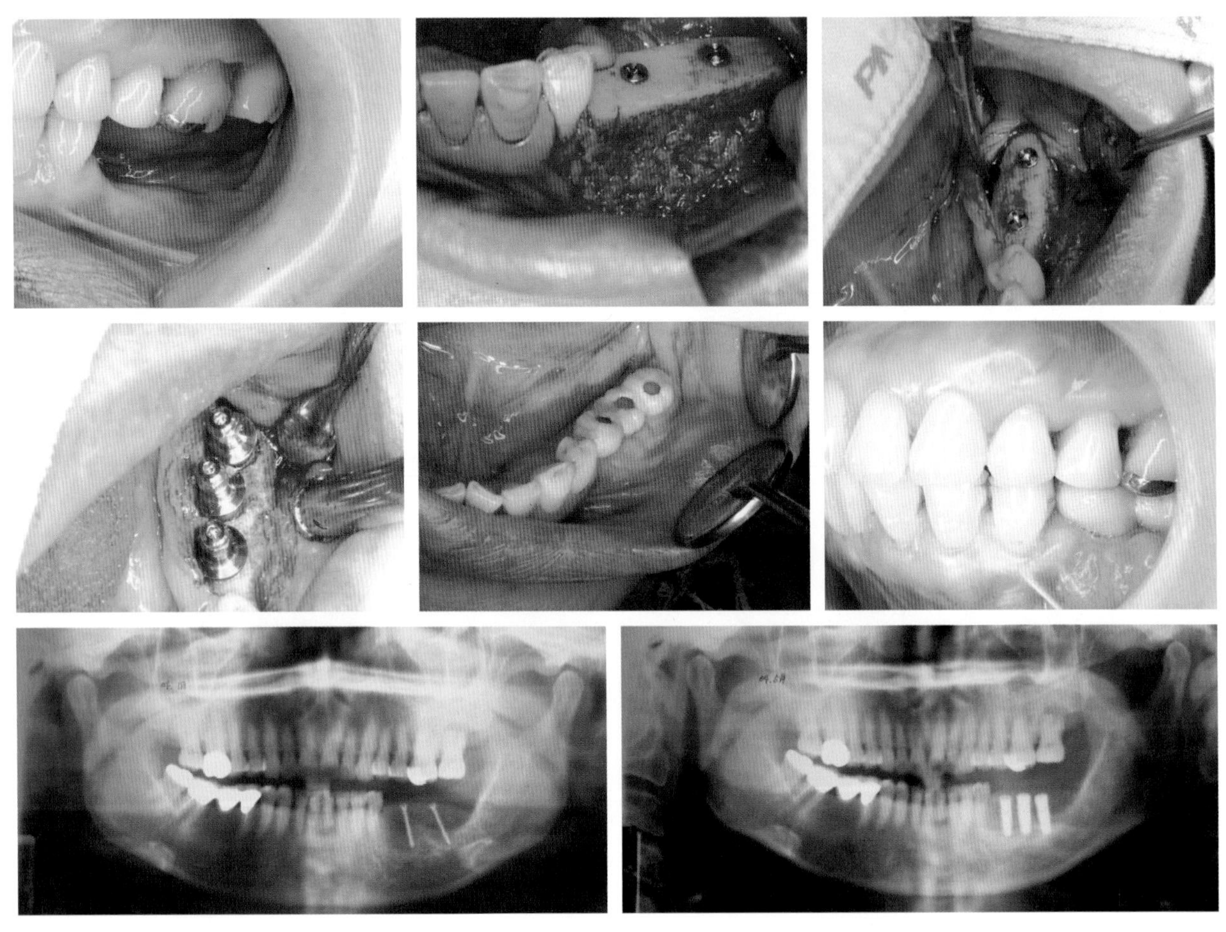

그림 9-36 장골블록골.

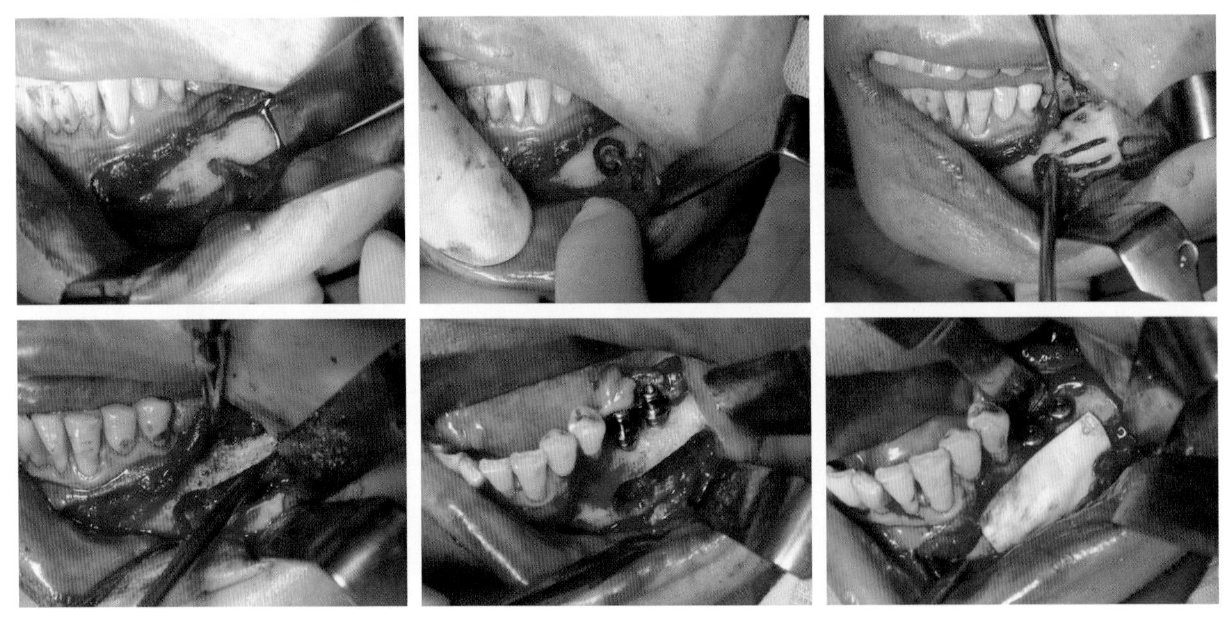

그림 9-37 하지조신경 재위치술.

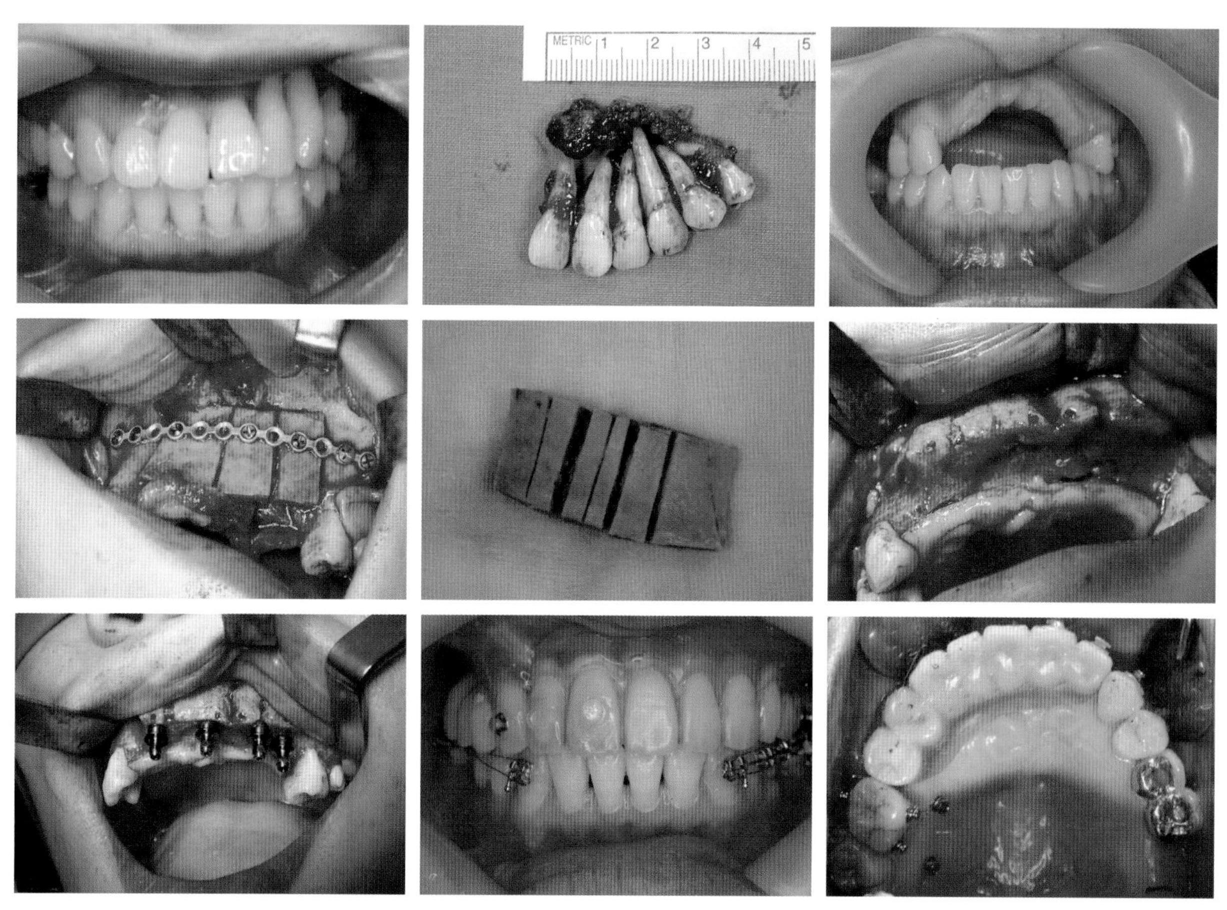

그림 9-38 광범위한 장골의 피질골을 이용한 블록골이식.

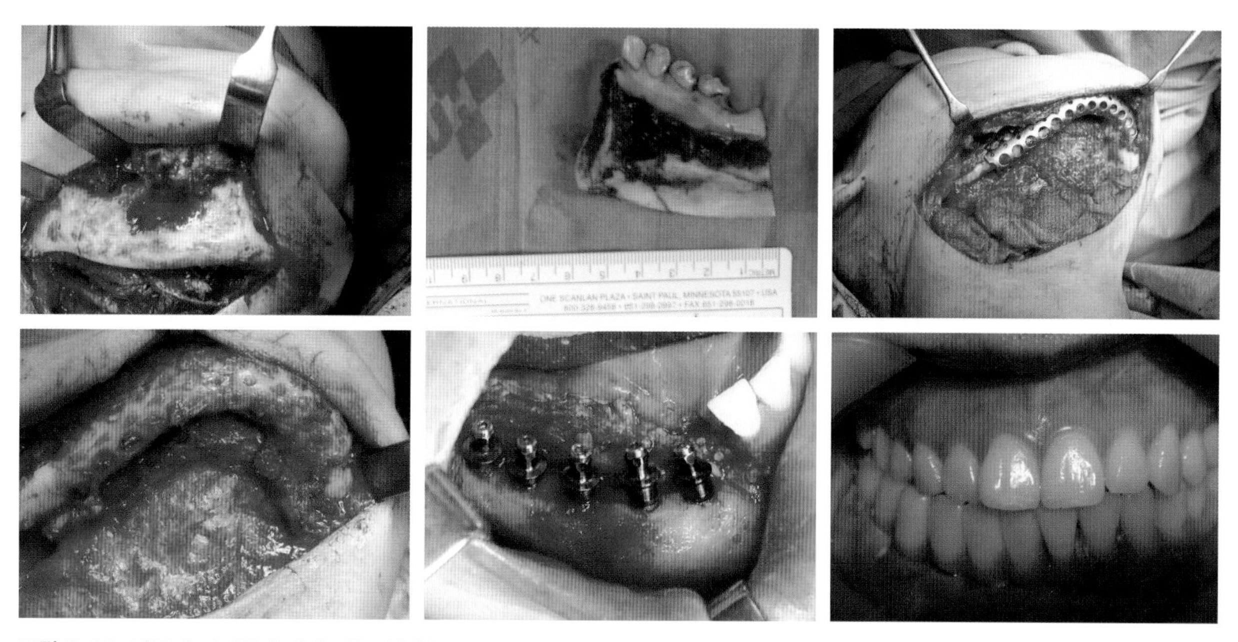

그림 9-39 장골의 피질골과 해면골을 이용한 블록골이식.

기법과 접근 방식에 대해 잘 알고 있어야 한다. 또한, 안정적인 임플란트 주변 환경을 확보하기 위해 연조직의 양이나 질이 부적절할 경우 성공적으로 재건하기 위한 원리와 기술이 숙지되어야 한다. 1990년대 중반이 되어서야 심미성을 향상시키기 위해 임플란트 케이스와 연조직 이식술이 적용되었고, 그 이후로 많은 연구에서 우수한 임상 결과와 장기간 안정성을 포함하여 임플란트 주변의 자가 연조직 이식의 예측 가능성을 확인했다.

1) 임플란트주위 연조직 이식 및 증대술

일반적으로 자연치 또는 임플란트 보철물 주위에 적절한 높이의 각질화된 부착조직(keratinized attached tissue)이 존재해야 저작 및 구강위생으로 인한 기능적 부하를 더 잘 견딜 수 있다. 또한, 전치부와 같이 유리치은변연(free gingival margin) 하방까지 확장되는 심미적 수복물을 가지는 경우 나타날 수 있는 기계적 및 세균적 문제를 견디기 위해서는 일정량의 부착조직이 필요하며, 임플란트의 장기 성공에 도움을 준다. 특히 심미적인 부위에서의 적절한 결합조직의 존재는 다음과 같은 이점을 가진다.

- 건강한 임플란트주위 치은과 함께 자연스러운 출현윤곽(emergence profile)의 제공
- 자연치아의 치근 돌출부와 유사한 순측 프로파일을 생성
- 치간 공극을 채우는 치간유두의 지지와 임플란트의 금속 구성요소의 노출 방지

■ 연조직 이식 및 증대술 고려사항

일반적으로 협측 피판에 남아있는 부착조직, 특히 각화치은의 높이가 3 mm 미만인 경우 연조직이식술을 고려할 수 있다. 또 다른 요인으로는 조직 두께(tissue thickness), 조직 품질(tissue quality), 연조직 염증 및 질환의 존재(inflammation or pathologic condition), 점막치은경계의 위치(position of mucogingival junction), 계획된 임플란트 수복물의 유형(type of implant restoration), 부위의 미적 중요성(aesthetic importance of the site) 등이 있다.

■ 연조직 이식 및 증대술의 시기

연조직 증대는 수술 전, 임플란트 수술과 동시에, 임플란트 수술 이후에 모두 시행할 수 있으나 가장 이상적인 시기는 수술 전이다. 특히 보철 완료의 경우 임플란트 금속 노출 등 심미적인 문제나 부착조직의 부족으로 인한 기능적 문제의 처치로도 시행할 수 있다.

① 임플란트 수술 전
② 임플란트 수술과 동시
③ 임플란트 보철 완료 후

■ 연조직 이식 및 증대술의 종류

① 자가 유리치은이식(autogenous free gingival graft)(그림 9-40)
② 자가 상피하 결합조직 이식(autogenous sub-epithelial connective tissue graft)(그림 9-41)
③ 혈관화 삽입성 골막-결합조직 판막술(vascularized interpositional periosteal connective tissue flap, VIP-CT flap)(그림 9-42)
④ 동종 연조직 이식(allogenic soft tissue grafts from human cadavers)
⑤ 이종 연조직 이식(xenogenic soft tissue grafts from animals)
⑥ 무세포성 콜라겐/진피 매트릭스(acellular collagen/dermal matrix)

부착 조직의 폭이 심미적 영역에서 3 mm 미만인 경우 임플란트 식립 전 연조직이식술이 고려된다. 대부분의 경우 상피화 구개점막 이식(epithelialized palatal mucosal graft)이 사용되며, 연조직 질의 빠른 개선을 도모할 수 있다. 만약, 소량의 능선 결손(ridge defect)의 경우에는 임플란트 식립과 동시에 이식술이 가능하나, 다량의 결손에서는 식립 전 상피하 결합조직 이식술(subepithelial connective tissue graft) 등을 이용해 결손을 개선해야 한다. 또한 다량의 결손 시 혈관화 삽입성 골막-결합조직 판막술(VIP-CT flap)을 통해 임

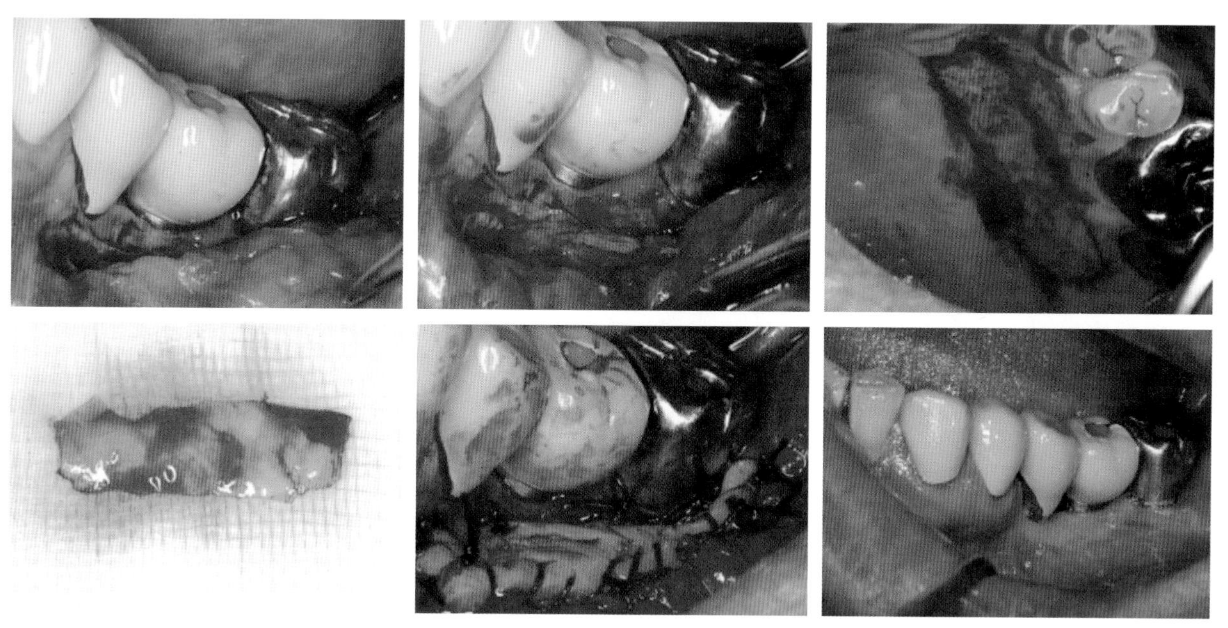

그림 9-40 자가 유리치은이식.

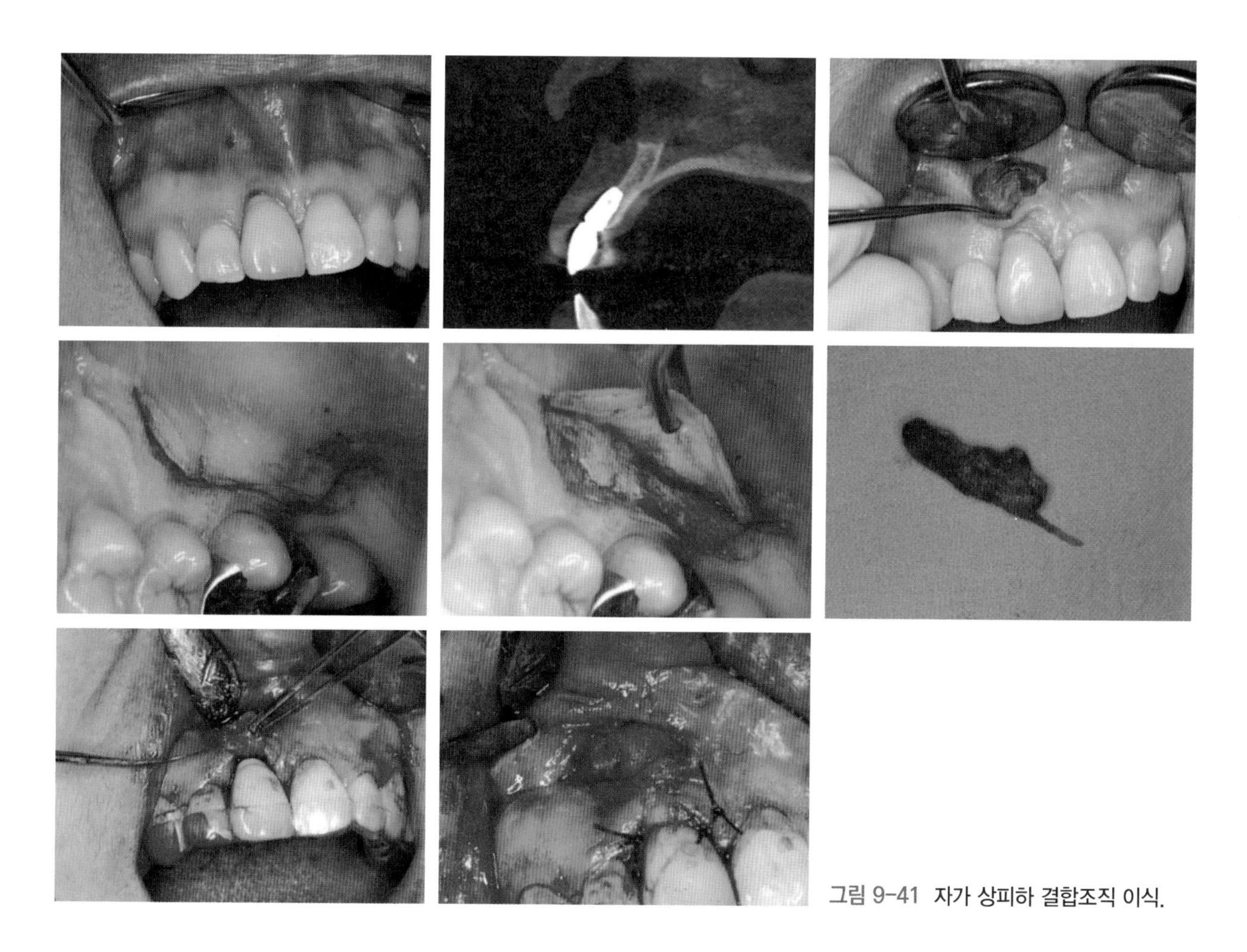

그림 9-41 자가 상피하 결합조직 이식.

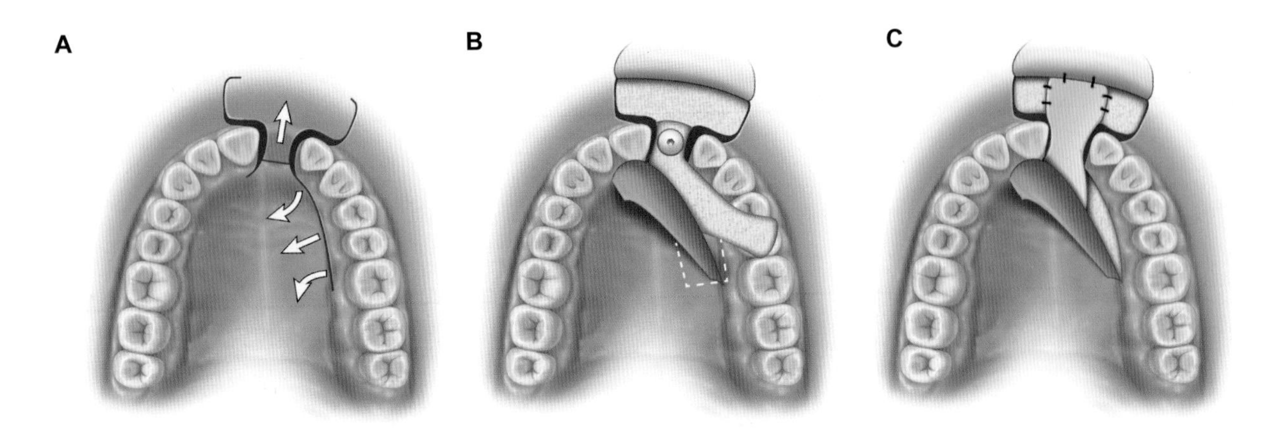

그림 9-42 혈관화 삽입성 골막-결합조직 판막술(vascularized interpositional periosteal connective tissue flap, VIP-CT flap)

플란트 식립과 동시에 예측 가능한 재건을 기대할 수 있다.

V. 임플란트를 이용한 보철수복

1. 임플란트 보철의 교합

임플란트는 자연치아와 비교하여 생역학적으로 불리한 점이 많다. 자연치아는 치근막이 존재하여 가해지는 교합압에 대해 충격을 완화하고 치조골에 골고루 힘을 전달한다. 임플란트는 골경계면에 이러한 완충장치가 없어 저작 시 상대적으로 짧은 시간에 더 큰 힘이 가해지며 힘이 주로 치조정에 집중된다. 또한 고유수용기가 없어 과부하에 대한 민감도가 낮다. 따라서 과부하로 인해 나사 풀림, 나사파절, 지대주 혹은 보철물의 파절, 골소실 등의 부작용이 발생할 수 있다. 또한 자연치아가 25-100 μm의 수직적 동요가 있는 데 반해 임플란트는 수직적 동요가 거의 없기 때문에 이들의 차이를 보상하기 위해 임플란트 교합을 약 30 μm 낮게 형성해야 한다고 제안하였다. 그 외에도 임플란트에 과부하가 가해지지 않도록 여러 교합 원칙이 제안되었다. Misch와 Weinberg 등은 임플란트 보호 교합, 중심위에서 양측성 교합, 잘분산된 교합력, 넓은 중심와, 낮은 교두경사, 좁은 교합면 등을 제안하였다. 그러나 이러한 교합원칙은 임플란트 표면처리의 발전과 임상경험의 축적으로 지속적으로 변화하고 있다.

2. 점진적 하중부하(Progressive loading)

임플란트와 골조직의 계면은 매우 다양하다. 이상적인 골조직은 층판골이다. 임플란트가 식립된 후 골조직이 완전히 성숙하는 데에는 조직학적으로 약 1년 정도가 소요되며, 16주 경과 후에 약 70% 정도의 석회화가 이루어지고 성숙된 골이 아직 남아있게 된다. 임플란트와 골조직 계면에 가장 먼저 생긴 신생골은 석회화가 불충분하여 기능 시 하중을 견디기 어렵다. 그래서 완전히 석회화가 일어나기 전에 생리적 한계를 초과하는 큰 하중이 가해지면 골흡수를 일으킬 수 있다.

또한 골조직은 생리적 한계 내에서 가해지는 부하가 증가하면 그 밀도가 증가한다. 기능하에서 치밀골의 두께와 함께 mineral components의 농도가 증가된다는 보고도 있으며, 임플란트를 식립한 후에도 기능 후 6개월 내지 2년 후의 관찰에서 골의 밀도가 증가한다는 보고도 있다. 골밀도의 증가는 일차적으로 기능적 하중의 영향을 받으며, 다른 측면에서 볼 때 임플란트가 악골의 밀도를 증가시킬 수 있는 중요한 치료방법일 수 있다. 점진적 하중부하는 골질에 따라 생리적 힘에 대한 반응이 다르다는 개념과, 점진적인 하중부하에 의하여 골의 밀도가 증가되는 반응을 유도하는 자극이 유리하다는 점에 착안한 치료방법이다. 환자의 골밀도에 따라 초기 치유기간 및 내원 간격이 달라지나 골밀도가 낮을수록 점진적 하중부하가 중요하다. 최종 인상채득 후 임시보철물을 사용하며 내원 시마다 가해지는 교합력이 서서히 증가되도록 한 후 최종보철물을 장착하게 된다.

3. 부하시기에 따른 분류

개개의 임플란트는 치주나 교합상태, 식립부위, 식립방법과 시기, 초기 고정 등 여러 요소를 고려하여 다양한 방법으로 부하를 적용하게 된다. 임플란트지지 보철수복물에 부하를 주는 방법은 즉시부하(immediate loading), 조기부하(early loading), 전통부하(conventional loading)로 나눌 수 있다. 즉시부하는 수술 후 1주 이내에 보철물을 연결하여 부하를 가하는 것이고 조기부하는 식립 1주 이후–8주 이내에, 전통부하는 식립 8주 이후에 부하를 가하는 술식이다.

전통적인 방법에 의한 임플란트 치료는 술자와 환자로 하여금 보철물 완성까지 긴 치료기간과 중간 단계의 보철물의 사용에 따른 불편감 등에 대한 불만을 가지게 하였다. 이러한 문제점들로 인하여 골유착 증진을 위한 임플란트 표면 및 형태에 대한 연구 발전과 발치 후 즉시 식립, 즉시 부하 등의 임상적용으로 1980년대 후반에 시작된 치유기간의 단축과 빠른 기능회복을 위한 노력의 결과들이 나타났다.

■ **임플란트의 즉시하중**

즉시하중을 위한 성공적인 골유착과 초기안정성에 있어 중요한 요소는 ① 외과적 요인, ② 환자 요인, ③ 임플란트 요인, ④ 보철적 요인 등 크게 4가지로 분류될 수 있다. 외과적 요인은 ⓐ 임플란트의 초기 안정성과 ⓑ 술기법으로 구분되며, 환자 요인은 ⓐ 피질골과 해면골의 양과 질, ⓑ 치유 정도에 의하고, 임플란트 요인은 굵기와 길이 등에, 보철적 요인은 교합력의 양상 및 형태 등에 의해 좌우된다.

외과적 요인 중 초기 안정성은 즉시기능 부하에 있어 가장 중요한 요소이다. 동요가 없는 상태의 초기의 기능적인 부하는 임플란트와 골유착을 위한 필수적인 조건으로 알려져왔다. 100 ㎛ 이상의 미세동요는 임플란트와 골간의 직접적인 골유착을 방해한다고 하였으며, 이는 결과적으로 임플란트와 골간의 섬유성 유착을 초래하여 실패에 이르게 된다고 하였다. 그러나 한편으로는 28 ㎛ 이하의 동요는 골유착에 전혀 영향을 주지 않으며, 오히려 상대적으로 규모가 큰 150 ㎛ 이상의 미세동요가 연조직의 개입을 일으킨다고 보고된 바 있다. 외과적 요인 중 제일 중요한 요인으로는 열발생을 최소화하는 것으로 수술 중 원하지 않는 열 발생으로 인한 섬유성 결합을 피하기 위하여는 1분간 47도 이상의 열 발생을 피해야 하며, 식립부위 골형성 양과 정도, 드릴의 선예도(sharpness), 골 제거의 깊이 정도, 피질골의 두께 등이 열발생에 영향을 줄 수 있다. 술중 초기 안정성을 얻을 수 있도록 골이 충분한 경우, 25–40 Ncm의 삽입토크, 70 이상의 임플란트안정성지수(implant stability quotient, ISQ) 값을 얻은 경우 등에 한해서 즉시 하중을 시행하는 것이 좋다.

환자 요인 중 제일 중요한 요소는 식립부위의 골질과 골량으로 하악의 이공 사이 부위가 조기 또는 즉시하중에 가장 유리하고, 상악구치부는 가장 불량한 골질로 제일 불리한 부위이다. 골다공증 같은 대사성 질환자나 당뇨 같은 소모성 질환자에서도 즉시하중은 피해야 하며, 이런 환자의 경우 오히려 기존의 2단계 임플란트–보철치료 개념, 혹은 더 연장된 치유기간 후에 기능부하를 시행해야 한다. 이런 원칙은 흡연자나 구강암으로 인해 방사선치료를 받은 환자에게도 동일하게 적용된다.

즉시기능 부하 시 보철적 관점에서는 ① 조절된 교합력, ② 조절되지 않은 수평력이나 측방력의 제거, ③ 임시보철물로 좌우를 연결하는 cross-arch splinting, ④ 치유기간 중에는 불필요한 임플란트의 동요를 피함이 요구되고 있다.

4. 치아수복 및 기타 이용

1) 단일치아 회복

단일치아의 회복은 가장 흔하게 발생하는 치아상실에 대한 치료로써 대부분 3 unit 고정성 보철물이나 단일치아 임플란트가 주로 사용되어 왔다. 고정성 보철물의 경우 주변치아를 삭제해야 하기 때문에 건전한 주변치아를 가진 경우 추천하지 않는다. 단일치아 임플란트는 짧은 기간에 치료를 마쳐야 하는 경우, 골량이 부족하며 골이식의 예후가 불확실한 경우, 부적절한 치아 간 공간, 인접치의 심한 임상적 동요도, 수술에 대한 공포가 있는 경우를 제외하고는 악궁의 모든 곳에서 가장 적절한 치료법이다.

가장 흔한 보철적 합병증은 나사의 풀림으로 2개 이상의 임플란트를 연결한 보철물보다 흔하게 나타난다. external, internal hex 등의 회전방지 기능이 있는 임플란트를 사용하여 abutment screw로 가는 힘을 감소시키고 정확한 위치에 적절한 직경의 고정체를 사용하여 보철물의 캔틸레버를 줄여주는 것이 중요하다.

2) 부분 무치악

부분 무치악은 통상적으로 Kennedy 분류를 사용한다. Class I 환자의 경우 오랜 기간 동안 RPD를 사용하였을 가능성이 크며 전치부에 동요도가 있는 경우가 흔하다. 구치부 수복 시 전치부와 독립된 보철물을 제작해야 하며 필요하다면 전치부에 추가 발치 및 임플란트 식립을 해야 하는 경우도 발생할 수 있다. Class II 환자의 경우에는 가철성 보철물을 사용하지 않는 경우가 많으며 대합된 자연치아의 정출이 일어나 근관치료 혹은 법랑질성형술 등이 필요할 수 있다. Class III 환자는 단일치 수복에 준하며 임플란트를 이용한 수복을 추천한다. Class IV 환자의 경우 구치부에 비해 더 많은 가공치를 사용하여 수복할 수 있으며 심미적인 요소가 중요하다.

부분 무치악은 통상 고정성 보철물로 수복하며 Misch는 핵심 임플란트의 위치 선정을 위한 가이드라인으로 고정성 캔틸레버가 없을 것, 보철물에서 3개의 인접한 가공치가 없을 것, 견치 법칙, 제1대구치 법칙을 제안하였다.

부분 무치악부 회복을 위한 임플란트와 자연치아의 연결은 많은 논란이 있어왔다. 임플란트는 치아의 생리적 이동량에 비해 동요도가 거의 없기 때문에 임플란트와 치아를 연결할 경우 캔틸레버를 형성해 임플란트에 유해하게 작용할 것이다. 이상적으로는 임플란트와 자연치아를 연결하지 않고 독립적으로 보철을 하는 것이 좋으나 연결을 피할 수 없다면 rigid connection을 사용하는 것이 치아 함입을 막고 장기 안정성에 좋은 결과를 보인다고 보고되었다.

3) 완전 무치악 환자

■ **임플란트 유지 전악보철(fully bone anchored prosthesis)**

여러 개의 임플란트를 악골 내에 식립한 후 이를 지대치로 하여 상부에 고정성 보철물을 해주는 것을 말하며, 상하악에 모두 가능하다(그림 9-43). 하악의 경우에는 과거 하악전치부 양쪽의 이공 사이에 6개 정도의 임플란트를 식립하여 extension bridge를 해주던 것이 이제는 가능한 다수의 임플란트를 전치, 구치부에 관계없이 많이 식립하여 전치부와 구치부를 따로 3개 부분으로 분리된 가공의치로 해주어서 하악의 기능운동 시 하악이 휘는 현상에 의해 보철물이 파절되는 것을 예방하는 것이 보편화되었다.

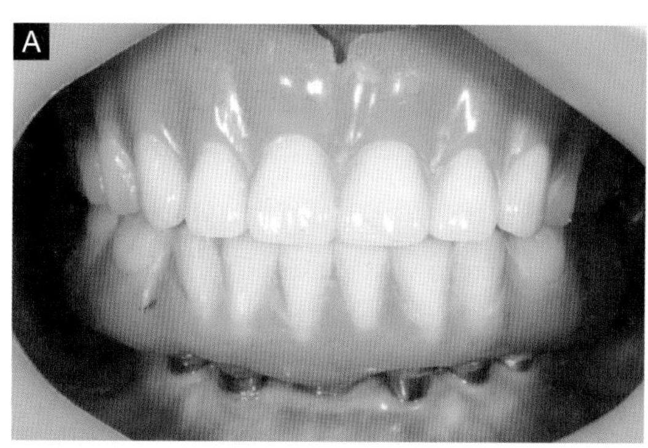

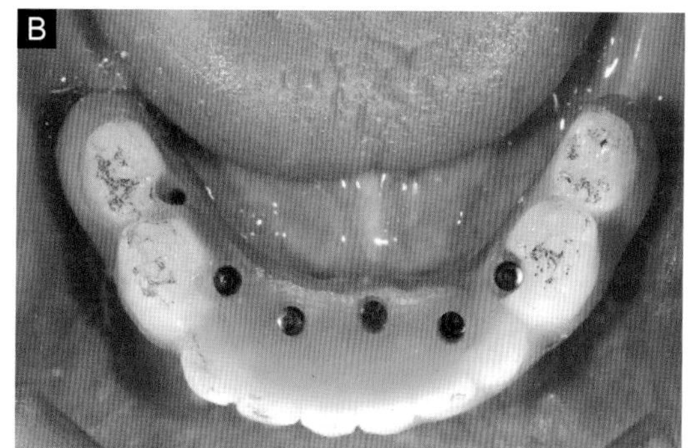

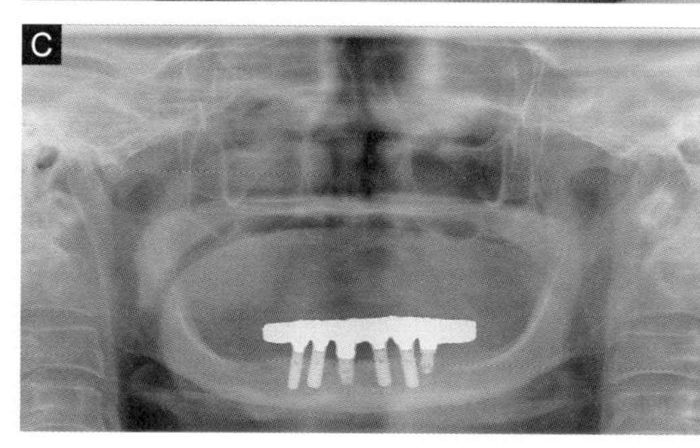

그림 9-43 하악에 임플란트 6개를 식립한 후 고정성 하이브리드 보철(fixed hybrid prosthesis)이 장착되어 있다.

■ **가철성 전악보철**(overdentrue)

잔존치아 위에 형성되는 총의치 또는 가철성 부분의치를 말한다. 그러나 잔존치아 대신에 임플란트를 이용한 overdenture도 가능하게 되어 고정성 보철물에 비하여 가철성이라는 단점을 가지고 있으나 임상적, 경제적인 면에서 장점이 있다.

임플란트를 이용한 overdenture는 임플란트와 연결하는 연결장치가 필요하며, stud ball, magnetic, bar & clip attachment 등으로 구분할 수 있다. Attachment의 선택은 환자의 유지와 안정성에 대한 요구, 치조골의 흡수 정도, 악간 거리 및 악궁의 형태, 그리고 보철물의 장착 및 철거할 수 있는 환자의 능력에 따라 선별되며, 하악의 경우는 2-4개 정도의 임플란트를 사용하고, 상악의 경우는 하악보다 많은 4개 이상의 임플란트가 요구되며 임플란트끼리 연결하는 splinting type이 바람직하다.

5. 두개안면 보철(Craniofacial prosthesis)

임플란트의 이용은 악안면과 두개부의 보철치료에서도 다음과 같이 이용된다.

① 악골 절제 후의 재건된 상태에 임플란트를 이용한 고정 또는 가철성 보철물.
② 상악절제 후에 임플란트를 이용한 보철.
③ 미세수술적 골이식을 이용하여 즉시재건과 즉시임플란트로 환자에게 최단 시일 내에 기능과 심미적 만족감을 회복시켜줌.
④ 두개안면결손, 귀, 눈, 중안면, 코 등의 보철을 임플란트로 유지함.
⑤ 구개열의 경우도 임플란트를 이용하여 overdenture 또는 고정성 보철물을 해줌.

6. 교정을 위한 임플란트(Orthodontic anchorage)

1945년 Gainsforth와 Hingley가 하악 상행지에

screw를 박아 임플란트를 이용한 것이 첫 번째의 보고였다. 그후 1980년대에 이르러 다수의 동물실험에서 실제 필요한 교정력을 장기간에 걸쳐 가하여 얻은 결과에 이어, 1990년대 초에는 실제 임상에서의 성공 사례들이 늘어나고 있다. 현재는 임플란트의 강한 anchorage로 강선을 이용하여 힘을 전달할 수 있어 전방 및 후방이동, 치열평준, 수평적 이동 등 다양한 부정교합의 교정에 이용하게 되었다. 그러나 골조직이 많은 부위에만 임플란트의 식립이 가능하기 때문에 치아의 이동이 그 위치로만 제한되고 무치악 부위의 공간을 없애려 할 때 장애가 되는 등의 제한이 있다.

Ⅵ. 임플란트 식립의 합병증과 대책

임플란트 식립 수술 도중과 수술 후 다양한 합병증들이 발생할 수 있으며 수술을 담당한 치과의사가 직접 해결해야 한다. 그러나 해결하기 어려운 상황에 직면할 경우엔 상급의료기관으로 이송하여 적절한 처치를 받아야 한다. 임플란트 수술이 끝나고 상부 보철치료가 진행되며 이후 보철 및 유지관리와 관련된 다양한 합병증들이 발생한다. 임플란트 치료를 수행한 치과의사들은 보철 관련 합병증들의 발생원인과 대책을 숙지하고 적절한 대처 능력을 갖춰야 한다.

1. 수술 중의 합병증

1) 출혈

혈관의 직접적인 손상, 골삭제에 의한 골수강에서의 출혈, 진행성 치주염, 골수염 및 화농성육아종(pyogenic granuloma) 등이 존재하는 경우에는 인접한 골과 연조직 혈관들이 충혈(hyperemia)되기 때문에 치과 수술 후 출혈 가능성이 커진다. 전신질환이 동반되거나 환자의 전신상태가 약화된 경우에는 임플란트 수술 후 창상감염의 위험성이 높고, 혈관의 수축력 및 혈액응고 지연 반응 등으로 인하여 출혈의 위험성이 커진다. 혈소판감소증(thrombocytopenia), 골수기능부전(bone marrow dysfunction), 항암제나 특정 항생제를 장기간 복용하고 있는 환자, 항고혈압 약물을 계속 복용 중인 환자, 항혈전제 장기복용 환자, 혈우병(hemophilia), 크리스마스질환과 같이 혈액응고기능장애를 유발하는 질환들, 간장질환(liver disease), 재생불량성 빈혈(aplastic anemia), 백혈병(leukemia) 등의 전신질환을 보유한 환자들에서 출혈이 심한 경향을 보인다.

임플란트 수술 중에 시야확보를 위하여 견인기로 연조직을 당기면서 압박하기 때문에 수술 후에 지연성 출혈의 가능성이 높다. 따라서 봉합 전에 항상 연조직이 압박이나 견인되지 않는 상태에서 출혈의 유무를 확인하는 습관을 들이는 것이 좋다. 하악전치부 설골근 부착을 박리한 경우와 하악구치부 설측의 이설골융기부 피질골을 천공하는 경우 설하동맥의 손상을 야기할 수 있다.

출혈이 발생할 경우를 대비하여 ① 압박(pressure), ② 전기소작술(electrocoagulation), ③ 혈관수축제가 함유된 국소마취제 주사, ④ 혈관 결찰술 등과 같은 기본적 처치를 숙지해야 하며, 국소지혈을 위한 재료 및 장비를 구비해둬야 한다. 국소지혈제로 많이 사용되는 재료들로 Gelfoam®, Surgicel®, 골왁스(bone wax), Chitosan, Osten®, ActCel®, Gelitacel®, Floseal®, Zeolite® 등이 있다.

2) 상악동점막 천공 및 열상(그림 9-44)

상악동점막거상술 시행 중 가장 많이 발생하는 합병증은 상악동 점막의 천공이며, 천공 빈도는 문헌에 따라 14-56%까지 매우 다양하게 보고되고 있다. 상악동 점막의 천공은 주로 절삭기구나 점막거상 기구를 부적절하게 사용할 때 혹은 점막 자체가 매우 얇거나 상악동 격벽(sinus septa)이 존재하는 경우에 발생할 수 있

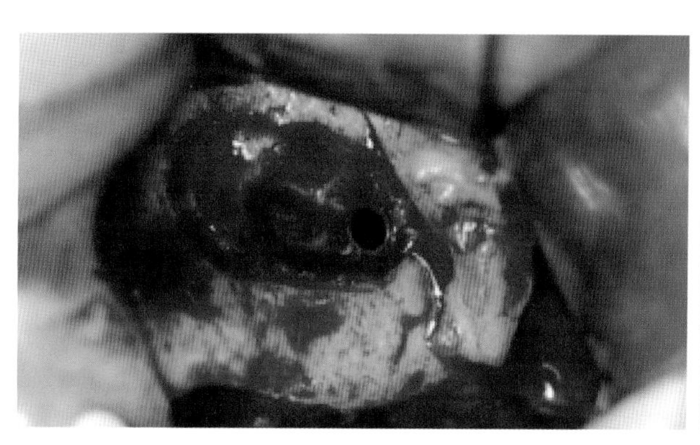
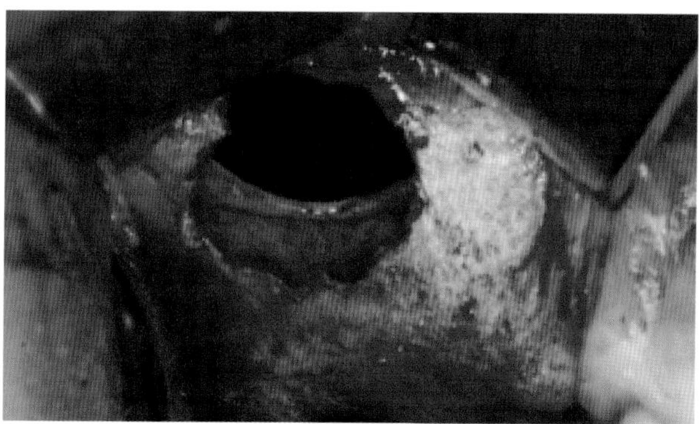

그림 9-44 상악동점막거상술 시 상악동점막이 천공된 모습. 천공부의 크기에 따라 적절한 방법으로 폐쇄한다. 그러나 천공부의 크기가 거대할 경우엔 2-3개월 후의 재수술도 고려할 필요가 있다.

다. 또한 상악동벽의 두께가 지나치게 얇거나 두꺼운 경우에도 골창을 형성하는 도중에 상악동점막이 천공되거나 찢어질 가능성이 매우 크다. 상악동 내에 감염이 없는 상태에서 상악동점막이 천공되면 시술 후 코나 목 뒤쪽으로 출혈이 있을 수 있으나 별다른 문제없이 치유될 수 있다. 그러나 상악동 내에 감염이 있으면 상악동염이 더욱 악화되면서 만성상악동염으로 진행되거나 구강상악동 누공이 발생할 수 있다.

측방 접근법을 통해 수술을 진행하던 도중에 발생한 상악동 점막의 천공은 크기에 따라 처치가 달라질 수 있다. 천공의 크기가 경미한 경우엔 점막을 거상하면서 중첩되는 과정을 통해 자연적으로 폐쇄되기 때문에 특별한 처치가 필요없다. 한편 5 mm 이하의 천공이 발생한 경우 콜라겐쉬트(collagen sheet), 국소지혈제 oxidized cellulose, 조직접착제 등으로 폐쇄하기도 한다. 5-10 mm 정도의 천공 발생 시 콜라겐 차폐막으로 폐쇄하며, 10 mm 이상의 천공에서는 수술을 중단하고 약 2-3개월 후 재수술을 고려하는 것이 좋다. 한편 거대천공이 발생하더라도 자가블록골, 콜라겐차폐막, 유경협지방대(pedicled buccal fat pad) 등을 이용하여 성공적으로 폐쇄할 수 있다는 논문들도 많이 발표되었다. 상악동점막 천공이 발생한 상태에서 골이식술을 시행하면 천공부를 통해 입자형 골이식재가 소실되고 상악동의 자연공(natural ostium)을 폐쇄하면서 상악동염이나 술후 감염 혹은 낭종 같은 합병증을 유발할 가능성이 커진다. 치조정접근법을 통한 상악동점막거상술 도중에 상악동막의 천공이 확인되면 골이식술을 시행하지 않고, 짧은 임플란트를 식립한다. 상악동 내부로 2-3 mm 임플란트가 돌출되는 것은 큰 문제를 유발하지 않는다. 오히려 골이식재나 다른 생체재료를 충전할 경우 상악동내로 전위되면서 이물로 작용하고 상악동염을 유발할 수 있다. 측방 접근법을 이용하여 상악동막의 천공을 확실히 확인하고 적절한 처치를 하는 것이 술후 합병증을 예방할 수 있다.

상악동 거상술을 시행할 때 수술하는 치과의사가 최대한 조심하여 상악동점막 천공 같은 합병증을 예방하는 것이 가장 중요하다. 그러나 불가피하게 상악동점막 천공이 발생하면 천공부를 폐쇄하고 항생제를 처방한 후 상악동염과 같은 술후 합병증이 발생하지 않도록 노력해야 한다. 술후 상악동염의 증상이 있으면 항생제, 항히스타민제, 충혈제거제(decongestant)를 처방하고, 파노라마 이외에 water's view, CT 등의 적절한 방사선 촬영을 이용하여 상악동의 현 상태에 대한 정확한 진단이 필수적이며, 진단에 따라 절개배농술이나 이식재의 제거가 필요할 수도 있다.

3) 신경손상(그림 9-45)

임플란트 식립, 상악동골이식, 골유도재생술, 치조골증대술, 자가골채취술 등과 같은 수술을 시행할 때 하치조신경, 설신경, 이신경, 절치신경, 안와하신경이

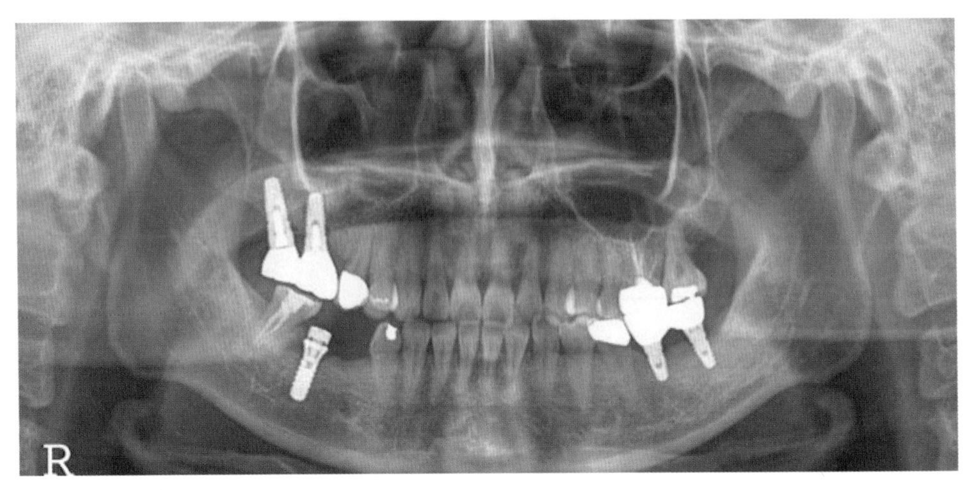

그림 9-45 하악 우측 대구치 부위에 식립된 임플란트가 하악관을 침범한 소견이 관찰되며, 우측 하순과 턱의 감각마비 증상이 존재하였다.

손상되는 경우가 종종 발생한다. 특히 상악구치부 치조골증대술과 상악동골이식술을 시행한 후 봉합을 위해 협점막골막피판의 내측에서 undermining을 시행할 때 안와하신경의 상순 가지들이 절단되면서 술후 상순의 감각둔화 및 통증을 유발할 수 있다. 치조골의 수직흡수가 심한 경우엔 주신경과 거리가 가까워지면서 수술 중 손상될 위험성이 더욱 커진다. 임플란트 식립 시 혹은 하악골 정중부에서 골이식을 위한 골편을 채취할 때 하악 절치관을 침범할 수 있으며, 하악전치부의 감각이상이나 신경병성 통증을 유발하게 된다. 따라서 술전 평가에서 신경의 해부학적 위치를 정확히 파악하여 손상되지 않도록 주의해야 한다.

일단 환자가 감각이상을 호소하면 임상증상들을 자세히 의무기록지에 기록하고 가능한 검사들을 시행한다. 신경손상 평가를 위해 사용하는 검사들은 정적촉각검사, 동적촉각검사, 이점식별능검사(two-point discrimination test), 통각유해감각 구별법(pin pressure nociceptive discrimination test), 온도감각 검사(thermal test), 방사선검사, 체열검사, 전기생리학적 검사, 미각검사 등이 있다. 모든 검사를 다 시행할 수 없기 때문에 진료실에서 가능한 검사를 주기적으로 시행하면서 환자상태를 평가해야 하며 그에 상응하는 조치를 취해야 한다. 신경손상으로 인해 발생하는 증상들은 주관적이며 환자들의 개인 성향에 따라 매우 다양하게 표현된다. 또한 객관적 소견들과 환자가 호소하는 주관적 증상이 일치하지 않는 경우가 많다. 환자가 호소하는 주관적 증상을 정확히 파악할 수 있는 방법은 없다. 그러나 임상의들은 최대한 객관적인 검사를 통해 신경손상의 정도와 치료법, 예후 등을 평가하기 위해 노력해야 한다.

신경초가 부분적으로 손상되는 경우 자연적 치유율이 높기 때문에 약물과 보존적 물리치료를 시행하면서 지각의 정도를 주기적으로 관찰한다. 그러나 술후 약 1–2개월가량 되었을 때 통증이 동반되기 시작하면 신경종으로 변성되어 자연치유가 드물기 때문에 전문적인 진찰과 평가가 필요하다. 신경절단이 분명한 경우, 3–4개월 이상 감각저하와 불쾌감각, 신경병성통증이 지속되는 경우엔 신경감압술, 미세신경재건술과 같은 외과적 치료가 필요할 수 있다.

4) 기구의 삼킴 또는 흡인

작은 기구와 재료를 환자의 구강 내에서 조작하는 치과치료의 특성상 치료 도중에 기구 또는 재료들이 위장관 삼킴이나 기도로 흡인되는 사고가 발생할 수 있다. 술자나 보조자의 부주의, 흡인기의 부적절한 사용, 구호흡, 환자의 협조불량 등 다양한 원인으로 인해 이물이 목 안으로 넘어갈 수 있다. 응급상황이 발생하지 않도록 예방하는 것이 가장 중요하다. 즉 이물흡인이 발생할 수 있는 위험요소를 가진 환자를 사전에 스크리닝하고 적절한 흡인기의 사용 및 치과치료 시 세심한 주의를 기울여야 한다.

임플란트 수술 중에 버나 드릴, 드라이버, 덮개나사 등이 기도나 식도로 넘어갈 수가 있다. 작은 기구나 재료가 기도로 들어가는 경우는 호흡곤란이 있고 청색증이 나타나지만 즉시 호흡을 못 하는 것은 아니다. 반사적 배출이 없고 청색증이 나타나면 응급 기도확보술을 시도하며, 통상적으로는 먼저 기구나 재료들이 기도로 들어갔는지 식도로 넘어갔는지를 확인하기 위해 방사선검사를 시행한다(그림 9-46). 만약 기도로 흡인되었다면 산소를 공급하면서 기관지경(bronchoscope)을 다루는 전문의사에 의뢰하여 제거한다. 만약 제거되지 않으면 흉부외과에서 개흉술로 제거해야 한다. 또한 식도로 유입된 경우는 위장관을 통해 배출시켜야 하며 대변의 양을 증가시켜야 배출이 용이하므로 섬유질이

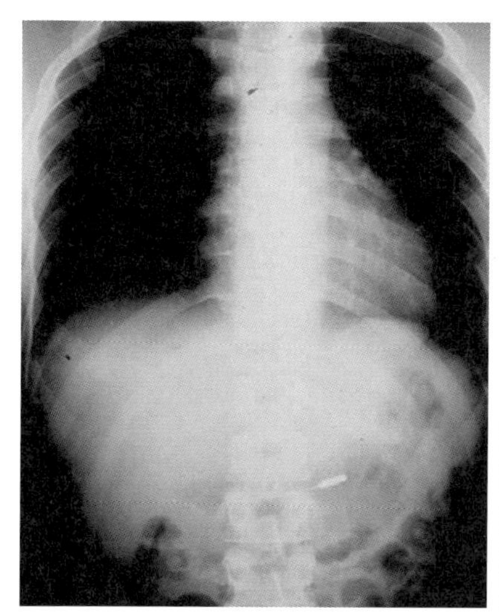
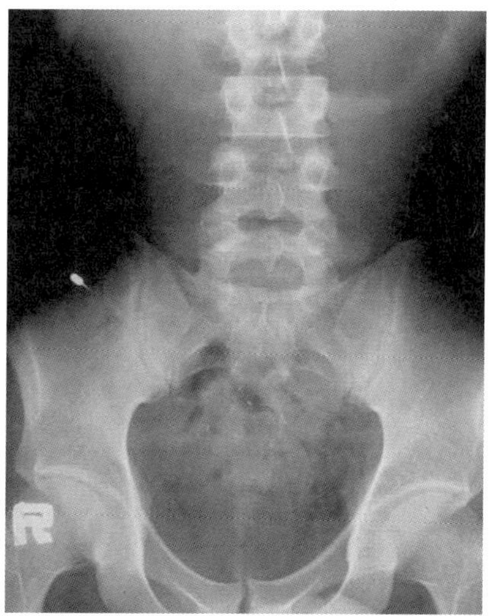

그림 9-46 임플란트 수술 중 넘어간 기구들의 존재를 확인하기 위한 흉부방사선사진(chest PA)과 복부사진(flat and upright abdomen view).

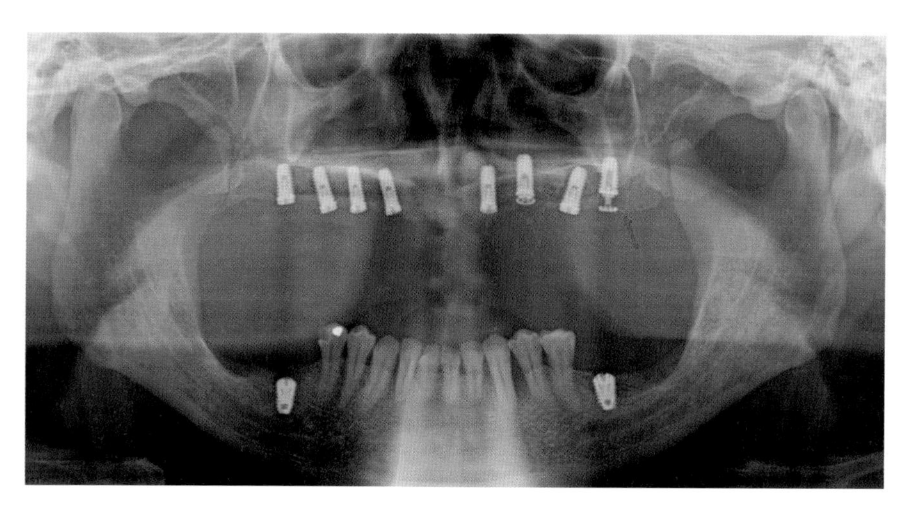

그림 9-47 상악 좌측 구치부에 식립된 임플란트의 덮개나사가 덜 잠긴 것을 볼 수 있다. 덮개나사 주변에 감염이 발생하거나 임시의치에 의한 자극으로 초기 실패 가능성이 증가한다.

많이 든 음식물(고구마, 감자, 야채, 과일 등) 섭취를 권장하고, 위장관의 운동을 촉진시키는 방법을 내과의사와 상의함이 바람직하다. 만일 시일이 지나도 위장관을 거쳐서 대변으로 배출되지 않으면 외과적인 개복술로 제거해야 한다.

5) 나사가 덜 잠기거나 풀어진 경우

임플란트를 식립하고 덮개나사 혹은 치유지대주를 연결할 때 방향이 틀어지거나 임플란트가 깊게 식립되면서 주변 골조직의 방해를 받을 때 나사가 덜 잠길 수 있다. 한편 정상적으로 연결되었더라도 치유기간 중에 임플란트주위에 감염이 발생하거나 임시의치에 의한 자극으로 나사가 풀리면서 이물질과 연조직이 개입되면서 염증이 지속될 수 있다. 나사가 풀렸을 경우에는 임플란트의 내부와 주위의 연조직을 완전히 제거한 후 충분히 소독과 세척을 시행한 후 나사를 다시 확실하게 조여준다. 만약 임플란트가 깊게 식립되어 나사가 덜 잠기는 경우엔 bone profiler와 같은 기구를 사용하여 주변골을 정리하고 나사를 다시 연결해야 한다(그림 9-47).

2. 술후 초기 합병증

1) 부종성 종창(Edematous swelling)

절개 및 피판박리 범위가 크고 골이식과 같은 침습적인 부가수술이 시행될 경우 부종성 종창이 심한 경향을 보인다. 수술 시야 확보를 위해 조직을 많이 견인하면서 손상을 초래하고 골막 또는 피하출혈이 발생하면서 술후 부종이 심해진다. 부종은 간질 공간(interstitial space)에 혈장이 과도하게 축적되는 현상을 의미한다. 술후 부종은 창상치유 과정 중에 자연스럽게 발생하는 과정이긴 하지만 과도할 경우 창상치유를 지연시키고 환자에게 심한 불편감(음식섭취 및 구강위생 관리의 어려움)을 초래할 수 있다. 출혈 등이 동반되면서 심한 부종이 발생하면 통증이 심하고 감염 위험성이 증가하며 호흡곤란을 유발할 수도 있다. 한편 수술과 무관한 국소마취제, 약물 등에 의한 알레르기 반응으로서 국소적인 부종이 발생할 수도 있기 때문에 잘 감별할 필요가 있다. 술후 부종을 최소화하기 위해 압박붕대를 적용하고 2일간 냉찜질을 시행한다. 비스테로이드성 소염진통제와 스테로이드를 단기간 투여하면 부종성 종창을 최소화할 수 있다.

2) 피하출혈(Ecchymosis)

임플란트 식립 수술 후 피하출혈에 의한 안면부의 변색은 연분홍색에서 검붉은 색까지 다양하게 나타난다. 수술 중 혈관손상, 출혈성 성향을 가진 환자에서 빈발하며 피부가 약한 여자에서 호발하는 것으로 알려져 있다. 수술부위 주변에서 발생하지만 악하부, 구각부(mouth corner), 뺨, 눈 주위, 목, 가슴으로 퍼질 수 있다. 피부의 변색은 피하조직으로 유출된 혈액의 헤모글로빈의 점진적인 파괴로 인해 나타난다. 치료의 목적은 림프관을 통해 파괴된 헤모글로빈의 배출을 증가시킴으로써 변색을 빨리 해소하는 데 있다. 점차 연보라색, 녹황색을 띠다가 정상으로 완전 회복된다(그림 9-48) 온찜질 또는 전기열 치료, 피부마사지를 시행하고 시간이 경과하면 완전히 소멸된다는 점을 확실하게 설명하여 환자를 안심시키는 것이 중요하다.

3) 혈종(Hematoma)

혈관이 손상되어 혈액이 주위조직으로 흘러나오면서 심한 피부변색을 보이고 촉진 시 파동감이 존재하는 심한 종창소견과 개구장애를 보인다(그림 9-49). 구강저, 악하부 또는 이하부(submental area)에 혈종이 발생하면 기도폐쇄를 유발할 수 있고 눈 주위에 혈종이 발생하면 안구와 관련 신경계에 압박성 손상을 유발할 수 있다. 술중 출혈이 많이 발생한 경우에는 혈종 예방 목적으로 드레인을 삽입한 상태로 봉합하고 2-3일 후 제거하기도 한다.

혈종은 창상이 벌어지게 하거나 이차감염을 초래하기 쉽다. 혈종의 크기가 작고 정체 상태에 있으면 절개

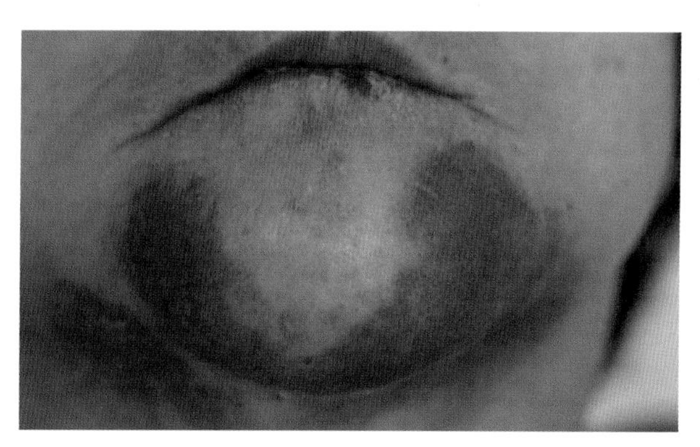

그림 9-48 **하악 임플란트 수술 5일 후 안모 사진.**
턱에 발생한 피하출혈로 인해 피부가 변색된 것을 볼 수 있다.

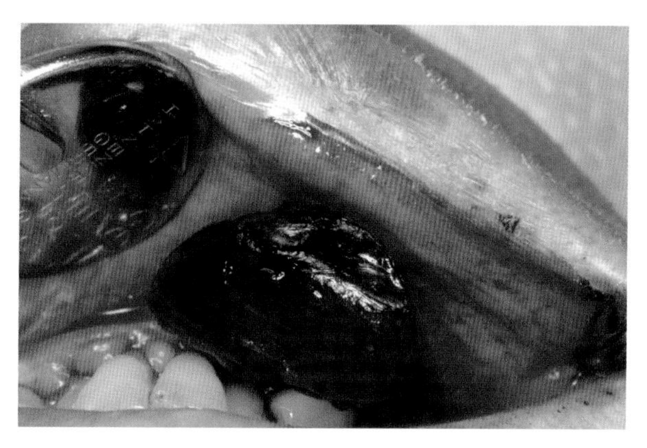

그림 9-49 **상악 좌측 협측 전정부에 발생한 혈종.**

및 흡인술을 시행한다. 작은 혈종은 시간이 경과하면서 서서히 흡수되어 소멸된다. 동맥손상 또는 큰 혈관의 손상으로 혈종의 진행속도가 빠른 경우에는 압박지혈을 시행한다. 초기의 진행성 혈종에는 냉습포를 적용하여 혈관을 수축시킴으로써 혈종의 진행을 막아야 한다. 이차감염 방지를 위해 항생제를 투여하고 혈종의 진행상태가 안정기에 도달하면 온찜질을 시행한다.

4) 수술 후 출혈(Postoperative hemorrhage)

수술 중 또는 수술직후 발생하는 출혈을 원발성 또는 일차출혈(primary hemorrhage)이라고 칭한다. 수술 후 24시간 이내에 발생하는 출혈을 재발성(recurrent) 혹은 중간출혈(intermediate hemorrhage), 수술 24시간 이후에 발생하는 출혈을 이차출혈(secondary hemo-rrhage)이라고 칭한다. 이차출혈을 방지하기 위해서는 출혈성 소인이 있는 질환을 사전에 감지하고 필요한 검사를 통해 이상질환이 발견되면 모든 외과적 수술을 연기하고 관련 전문의에게 의뢰해야 한다.

수술 도중 혈관손상을 최소화하고 엄격한 지혈처치를 시행하는 것이 중요하다. 직경이 큰 동정맥 출혈은 직접 혈관을 찾아 분리한 후 비흡수성 봉합사로 혈관을 완전히 결찰한다. 만약 수술 도중에 지혈 처치가 도저히 불가능한 경우에는 3일 동안 국소지혈제와 희석된 혈관수축제로 적신 거즈로 압박한 후 다시 지혈 수술을 시행하는 것이 추천되기도 한다. 지속적으로 출혈이 발생될 경우에는 응급수술을 통한 주혈관 결찰술이 필요하다. 악하부 절개를 통해 외경동맥(external caroid artery)의 결찰이 필요한 경우가 있다. 또는 외경동맥 색전술을 시행한다. 설하동맥이 손상되었거나 이설골근, 악설골근 부착부에서 출혈이 계속되면 설측 구강저 종창이 심해지고 혀가 뒤로 밀려들어 가면서 기도를 압박할 위험성이 있다. 초기에는 설측에 거즈 뭉치나 의치를 대고 내측에서 압박한다. 출혈이 지속되면서 구강저의 종창이 심하고 호흡곤란이 발생하면 수혈하면서 항생제를 투여한다. 전산화단층촬영술을 시행하여 종창의 범위와 손상혈관을 파악한 후 혈관결찰술을 신속히 시행해야 한다.

5) 감염(Infection)

술후 감염이 발생하는 원인들은 인접부위에 감염성 병소가 존재하는 경우, 부적절한 무균처치, 수술 후 창상이 벌어진 경우, 봉합부의 혈종 및 봉합사를 통한 감염, 드릴의 고속회전에 의한 골괴사, 이식 생체재료에 의한 이물반응, 환자의 면역기능이 저하된 경우 등이다(그림 9-50). 부종성 종창, 혈종 등과 감별해야 하며 조기에 진단하여 적극적으로 치료하면 잘 치유될 수 있다. 감염이 확진되면 즉시 절개배농술을 시행하고 항생제 치료를 시행한다. 절개배농술 후 농이 배출되면 생리식염수로 충분히 감염부위를 세척하고 배농관을 삽입한다. 가급적 농배양 및 항생제감수성 검사를 시행하여 적절한 항생제를 처방하는 것이 중요하다. 절개 등의 외과적 술식을 시행한 당일은 아무런 찜질도 시행하지 말고 다음날부터 온찜질을 시행하면 혈액순환을 촉진하면서 배농이 잘 이루어진다. 농이 배출되지 않을 때까지 매일 드레싱을 하면서 경과를 관찰한다. 충분한 수분과 영양공급이 중요하다. 상악동점막거상술과 골이식술, 상악구치부 발치를 시행한 후 상악동염이 발생하는 경우가 많다. 특히 비중격 편위, 알레르기성 비염, ostiomeatal patency 폐쇄와 같은 이비인후과적인 문제 혹은 바이러스성 상기도감염이 있을 경우 많이 발생한다. 따라서 상악동 관련 수술을 할 경우에는 사전에 반드시 CT를 촬영하여 상악동과 비강 및 주변조직의 상태를 평가하는 것이 중요하다(그림 9-51).

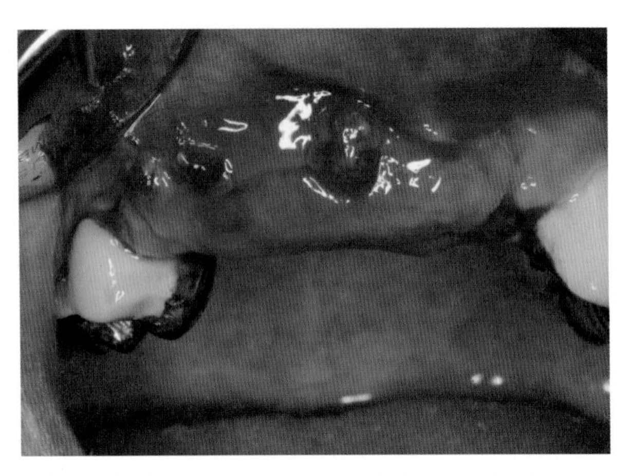

그림 9-50 임플란트 식립 1개월 후 감염이 발생한 모습. 순측에 누공이 존재하고 있으며 탐침 시 Gore-tex 차폐막이 노출된 상태였다.

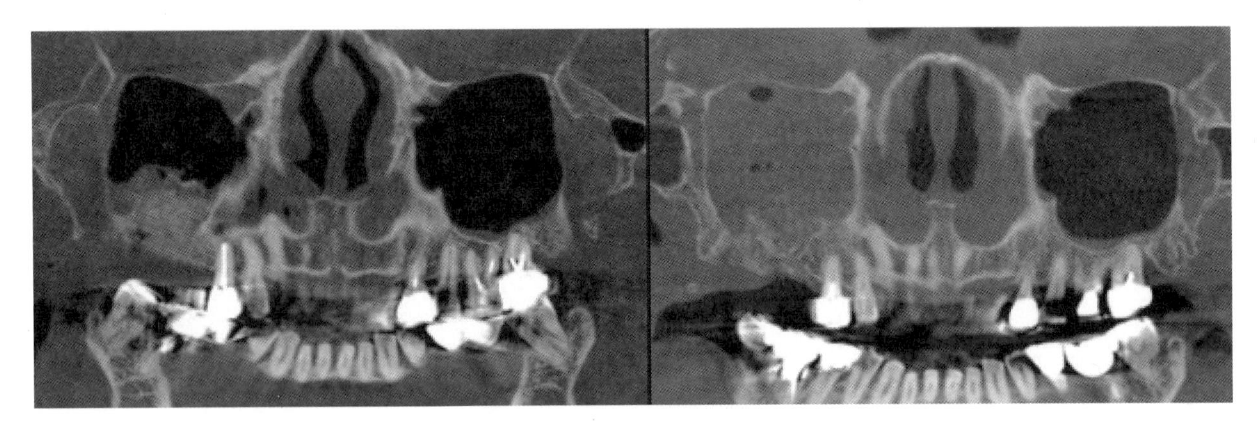

그림 9-51 상악동점막거상술과 골이식 후 상악동염이 발생한 증례. 좌측은 상악동골이식 직후 촬영한 CBCT 사진이며 우측은 수술 1주 후 촬영한 사진으로서 우측 상악동 전체가 방사선불투과상을 띠고 있으며 상악동골이식재가 흩어진 소견을 보이고 있다.

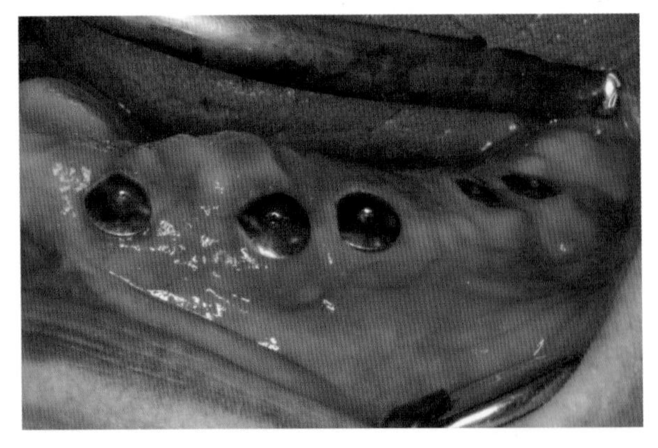

그림 9-52 식립된 임플란트가 의치의 자극에 의하여 조기 노출되었다.

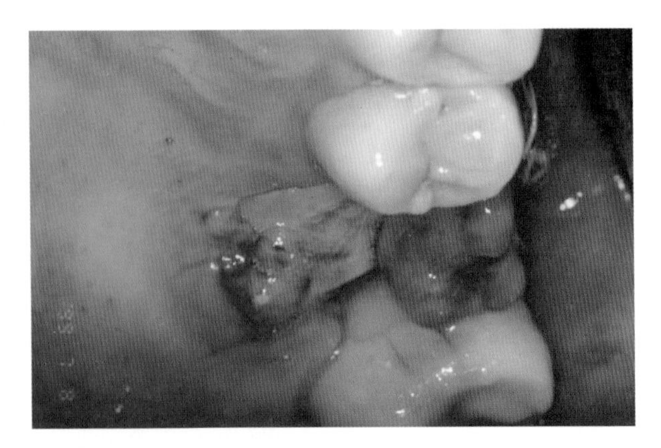

그림 9-53 골유도재생술을 동반한 임플란트 식립 1주 후 창상이 벌어진 모습. 비흡수성 차폐막이 노출된 것을 볼 수 있다.

6) 창상열개(Wound dehiscence)

봉합부에 긴장이 있거나 창상변연부가 깨끗하지 못할 때, 임플란트의 상부가 골면보다 높게 위치된 상태로 식립되었을 때, 술후 종창, 혈종 등에 의한 압박, 임시의치, 음식 저작, 혀 움직임에 의한 창상 자극, 환자의 부주의, 술후 감염, 이전에 여러 번 수술을 받았던 부위, 각화치은이 부족하거나 소대가 치조능 상방에 부착되어 있는 경우, 절개선의 부적절한 설계, 부적절한 골이식재 및 차폐막의 사용, 흡연, 음주 등 여러 가지 소인들로 인해 창상이 벌어지게 된다. 골이식이 시행된 경우 창상이 벌어지면 차폐막과 하방의 골이식재가 노출되며 이차적인 감염 또는 골이식 실패로 이어질 수 있다(그림 9-52, 53). 창상이 벌어졌다고 해서 식립된 임플란트 및 골이식술이 반드시 실패하는 것은 아니지만 예상했던 골이식술의 결과를 달성하지 못하고 덮개나사가 노출되면서 주변 골흡수가 많아질 수 있다. 술후 창상이 약간 벌어졌을 경우에는 하루 3회 구강 소독제로 가글링하고 감염예방을 위한 항생제를 투여하면 수일 내지 수주 내에 이차치유가 이루어지는 경우가 많다. 그러나 계속 창상이 벌어져 있으면 창상 변연부를 다듬어 주고 충분히 undermining한 후 재봉합을 시도할 수 있지만 다시 벌어지는 경우가 대부분이다. 벌어진 창상을 완전히 폐쇄하기 위해서 국소피판술이 이용될 수 있다.

7) 임플란트(고정체)의 미세한 동요

이차수술(second phase surgery)로 임플란트를 노출시키고 Osstell, Periotest와 같은 장비를 사용하거나 타진 시 들리는 소리로 이차안정도를 평가한다. 만약 골유착 정도가 미흡하다고 판단되거나 회전성 유동성(rotational movement)을 보이는 경우, 지대주를 연결할 때 과민반응을 보이지만 육안적으로 유동성이 없는 경우에는 2–3개월 정도 하중을 가하지 않은 상태로 두면 다시 골유착을 얻을 수도 있다. 그러나 동요도가 육안으로 인지되면, 이미 임플란트주위에 섬유조직이 개입된 것이기 때문에 추가적인 골유착을 기대하기 어렵다(그림 9-54).

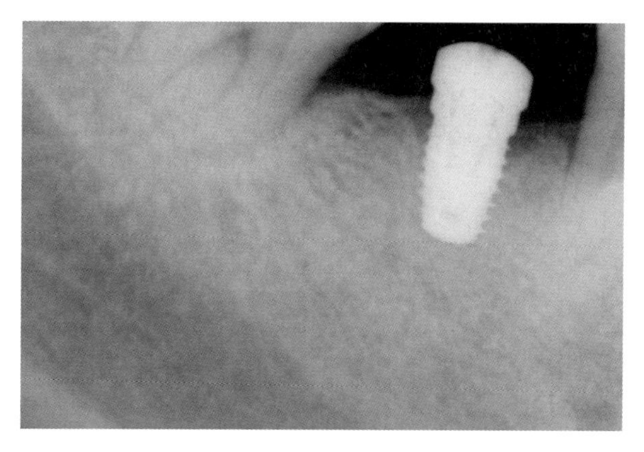

그림 9-54 하악 우측 구치부에 임플란트를 식립하고 이차수술 시 동요도를 보여 치근단방사선 촬영을 하였다. 임플란트 고정체 주위에 선상의 방사선투과상이 관찰된다.

8) 지각이상 및 신경병성통증

신경손상은 신경병성장애(neuropathic disorder)의 하나로 볼 수 있다. 특히 화끈거리거나 쏘는 듯한 통증이 존재할 경우에는 외상성 신경종(traumatic neuroma)과 같은 병변으로 진행될 수 있으며 예후가 좋지 않다. 외상과 연관되어 발생하는 경우가 많기 때문에 painful traumatic trigeminal neuropathy (PTTN) 혹은 painful posttraumatic trigeminal neuropathy (PPTTN)라고 명명하는 경우가 많으며 전통적인 삼차신경통과 많이 다르다.

따라서 신경손상 후 감각이 잘 회복되지 않고 통증이 지속되는 경우엔 외과적 처치와 같은 적극적인 치료 여부를 조기에 결정하는 것이 중요하다. 신경절단, 직접적인 신경압박과 같은 자연 회복을 기대하기 어려운 신경손상은 외과적 수술이 조기에 시행되어야 한다. 외과적 수술의 임상성적은 술자의 술기와 수술을 시행하는 시기에 따라 민감한 반응을 보인다. 경험이 많은 외과의사들이 손상 6개월 이내에 수술할 경우 80–90%의 회복을 달성할 수 있다.

3. 술후 지연성 합병증

1) 임플란트주위 염증성 질환(Inflammatory disease of peri-implant tissue)

임플란트 주변골의 소실 없이 연조직에만 염증이 국한되어 부종, 출혈, 치은발적 같은 임상증상이 나타나는 경우를 임플란트주위점막염(peri-implant mucositis)이라고 칭한다. 질환이 더욱 악화되면 분화구형태의 골소실을 동반되고 치주낭이 깊어지면서 출혈과 화농이 발생하는데 이를 임플란트주위염(peri-implantitis)이라 칭한다. 임플란트주위 염증성질환은 대부분 세균에 의해 발생하지만 임플란트에 가해지는

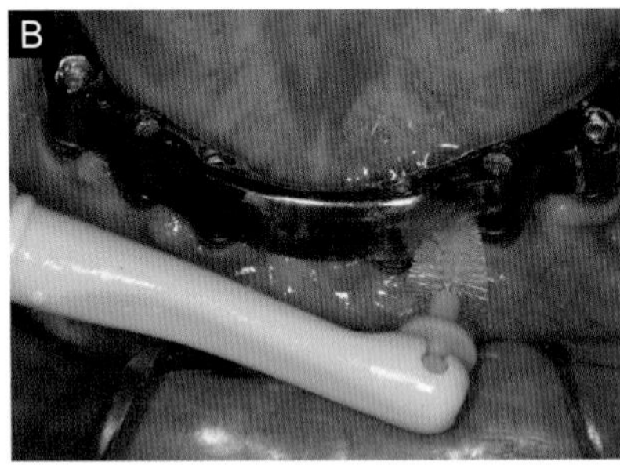
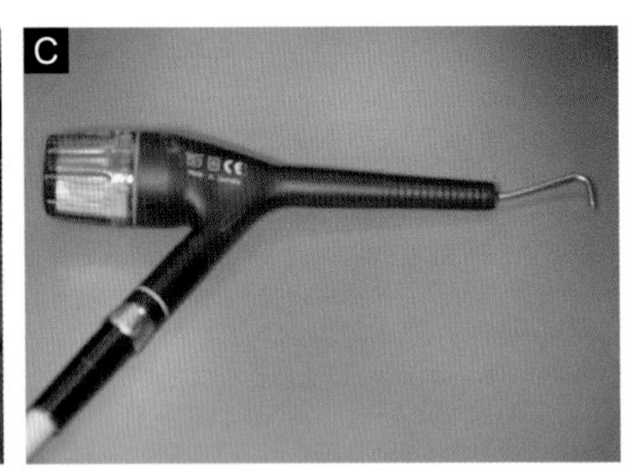

그림 9-55 A: 임플란트 상부 구조물 주변에 치태가 다량 침착된 것을 볼 수 있다. B, C: 치간칫솔, water-jet 등과 같은 구강위생 보조기구들을 이용하여 구강내의 청결상태를 잘 유지하는 것이 중요하다.

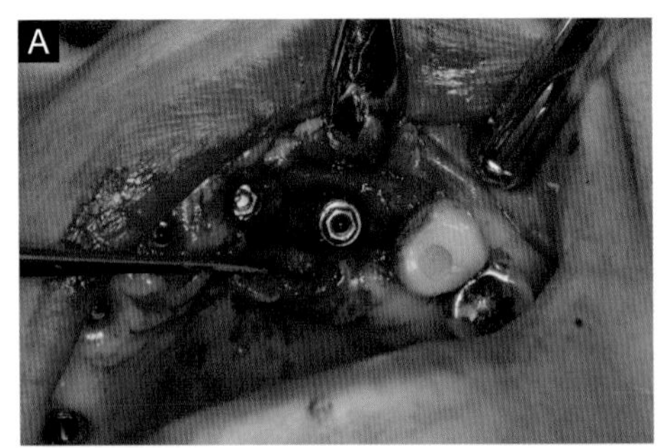
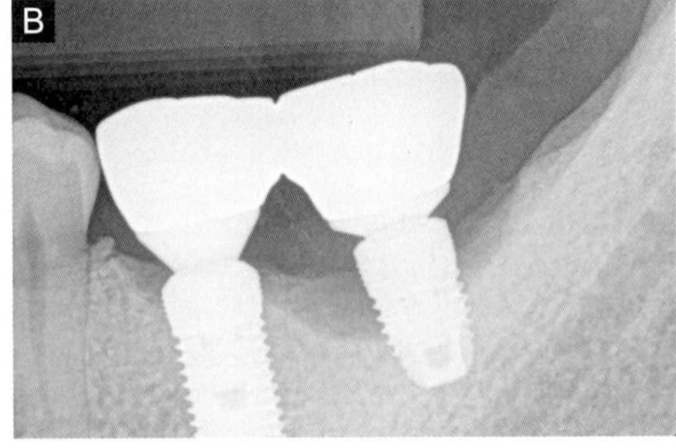

그림 9-56 A: 피판을 거상하여 임플란트 주변의 염증성 조직들을 제거한다. 오염된 표면을 세척하고 citric acid, tetracycline, 레이저 등을 사용하여 탈독소처리를 시행한 후 골결손의 양상에 따라 삭제형 혹은 재생형 지료를 시행한다. B: 임플란트주위에 방사선투과상이 현저히 증가하고 심한 골흡수가 지속되면 임플란트는 제거되어야 한다.

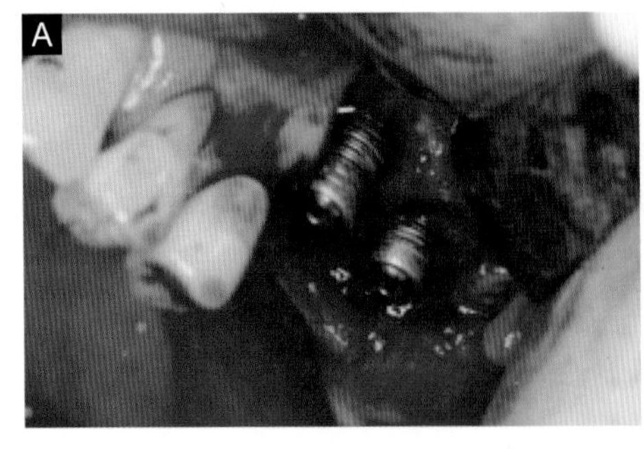
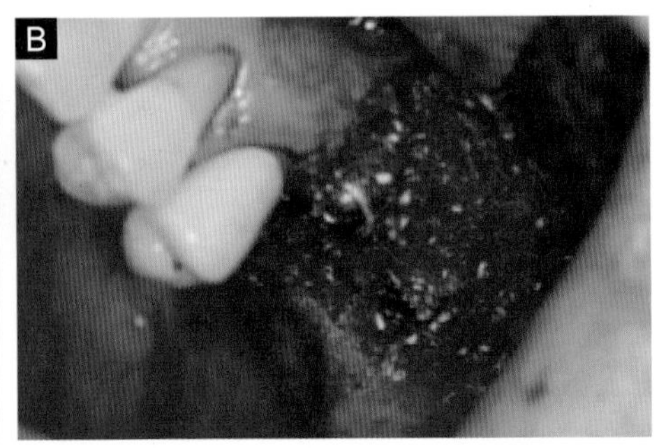

그림 9-57 **임플란트주위염에 대한 재생형 수술을 시행하는 모습.** 임플란트 표면을 깨끗이 세척한 후 tetracycline 용액과 같은 것으로 탈독소처리하고 골이식재를 이식한다. 필요한 경우 흡수성 차폐막을 덮고 창상을 봉합한다.

과부하(overload)에 의해서도 일어날 수 있다. 그러나 일차적 원인이 세균이든 과부하이던 간에 일단 골흡수가 일어나면 치주낭이 깊어지면서 산소분압이 감소되고 혐기성균의 내독소에 의해 골흡수가 지속된다. 임플란트주위 염증성 질환의 유병률은 자연치의 치은염 및 치주염과 비슷하며 이를 탐지하기 위해서 탐침 시 출혈, 화농의 유무, 치주낭 깊이 측정, 방사선사진상의 골소실, 임플란트 동요도 등을 포함하는 체계적인 검사가 필요하다. 임플란트주위질환을 유발할 수 있는 위험요소들은 치주질환, 과부하, 임플란트보철물 접착 시 사용된 잔존 시멘트, 인접치 치근단병변, 각화점막이 부족한 경우, 잘못 식립된 임플란트, 임플란트 주변의 초기 골소실, 흡연, 음주 등이다.

임플란트주위염의 치료는 주로 자연치 치주염의 치료를 기반으로 하고 있다. 나사형태의 임플란트들은 구강에 노출될 경우 바이오필름(biofilm)의 형성에 매우 용이한 환경을 제공하게 되며 임플란트 표면에 침착된 바이오필름의 제거가 치료 성공의 관건이 되고 있다. 비외과적인 치료는 소파술과 오염된 임플란트 표면의 세척, 항생제, 소독제 및 레이저와 같은 방법을 이용한다. 비외과적 치료는 중등도 및 심한 임플란트 주위염의 치료 시 효과가 좋지 않지만 외과적 치료가 시행되기 전에 임플란트주위 연조직의 상태를 개선시키고 자가 구강위생관리가 잘 이루어지도록 하기 위해 우선적으로 시행되어야 하는 것은 분명하다(그림 9-55). 임플란트 주변 골 소실이 심하면 비외과적인 치료에 잘 반응을 보이지 않기 때문에 임플란트 표면의 오염을 제거하는 부가적인 술식과 함께 절제 혹은 재생술과 같은 외과적 술식을 고려하는 것이 좋다(그림 9-56, 57). 특정 치료가 현저히 우수하다는 학술적 근거는 아직 없으며 임플란트주위염은 대부분 치료 후 1년 이내에 재발되는 양상을 보인다.

2) 임플란트 골유착 실패(Implant osseo-integration failure)

임플란트 골유착 실패는 식립 직후부터 초기 치유

그림 9-58 심한 동요와 불쾌감 때문에 제거된 임플란트로 표면에 많은 염증산물이 부착되어 있다.

기간 혹은 초기 하중 기간 중(보철 기능 1년 이내)에 대부분 발생한다. 임플란트 초기 고정이 불량한 경우, 드릴링 과정 중에 발생하는 과열, 외과적 외상이 심할 경우 임플란트와 주변 골 사이에 섬유성 반흔조직이 형성되면서 골유착이 실패하게 된다. 또한 골유착이 이루어졌더라도 임플란트주위염과 같은 생물학적 요인과 과도한 교합력, 이갈이와 같은 구강악습관 등의 역학적 요인들이 관여할 경우 골유착이 파괴될 수 있다. 많은 학자들은 골유착이 파괴되고 있는 임플란트의 상태에 따라 Ailing (실패 징후를 보이는), Failing (실패해 가고 있는), Survived (생존하고 있는), Failed (실패한) 임플란트로 분류하였다. Ailing, Failing 임플란트는 원인을 찾아서 제거해 주고 유지관리를 철저히 한다면 실패를 최소화할 수 있지만 Failed implant, 즉 골파괴가 임플란트 길이의 2/3 이상 진행되었거나 유동성과 통증이 존재하면 신속히 제거해야 한다(그림 9-58).

3) 임플란트 고정체 파절(Fracture of implant fixture)

임플란트 고정체 파절의 원인들은 다양하며 여러 가지 원인들이 복합적으로 관여한다. 대체로 많은 문헌들에서 지적하는 원인들은 임플란트 디자인이나 제품 자체의 결함, 상부구조물과의 부정확한 결합, 과부하,

이갈이와 같은 구강악습관, 상부구조물의 설계가 잘못된 경우, 부적절한 위치에 임플란트가 식립된 경우, 얇은 폭경의 임플란트, 임플란트 주변의 골소실로 인해 굽힘응력(bending stress)이 증가된 경우 등이 있다. 갑자기 주변골의 파괴가 나타났다면 임플란트 고정체의 파절을 의심해볼 수 있다(그림 9-59). 이 경우 트레핀버(trephine bur) 혹은 수술용 버로 주변골을 삭제하면서 제거한다. 제거 후 골결손 범위가 크면 골이식재를 충전하고 충분한 치유기간을 부여한 후 임플란트를 다시 식립한다. 그러나 골결손이 크지 않다면 굵은 직경의 임플란트를 즉시 식립할 수도 있다. 한편 파절되어 하부에 남아 있는 일부분이 골유착이 잘 된 경우는 제거하는 것이 용이하지 않고, 상대적으로 골소실도 많을 수 있기 때문에 어떤 병적인 요소가 없는 경우는 그대로 남겨둘 수도 있다.

4) 기타 임플란트 보철 합병증

(1) 음식물 침착, 끼임(food impaction)

임플란트 보철물이 장착된 후 '음식물 끼임'이 가장 불편하다고 호소하는 경우가 많다. 다양한 원인들이 복합적으로 관여하지만 임플란트 식립위치가 불량한 경우와 임플란트 보철물의 접촉면이 부적절한 경우에 많이 발생한다. 한편 시간이 경과하면서 임플란트에 인접한 자연치의 이동으로 인해 접촉면이 느슨해지면서 음식물이 끼는 경우가 많다. 한편 근심 접촉 소실은 피할 수 없는 문제이다. 보철물의 형태를 조정하거나 다시 제작하면 대부분 문제가 해결될 수 있으며 시간이 경과하면서 환자들이 잘 적응하는 경향을 보인다.

(2) 나사 풀림 및 파절(screw loosening and fracture)

임플란트의 나사풀림 또는 나사파절 현상은 가장 빈번하게 발생하는 보철적 합병증이다. 나사풀림이 발생하게 되면, 지대주와 보철물이 흔들리고 이로 인해 주변 연조직과 임플란트 구조물에 나쁜 영향을 미친다. 국소염증이 발생하거나 농루(sinus tract)가 생길 수도 있으며 응력이 집중될 경우, 나사파절, 지대주 파절, 임플란트 파절 또는 임플란트 골유착 파괴가 발생할 수 있다. 나사풀림과 파절의 원인들은 임플란트의 잘못된 식립, 보철물의 부정확한 적합, 캔틸레버 발생,

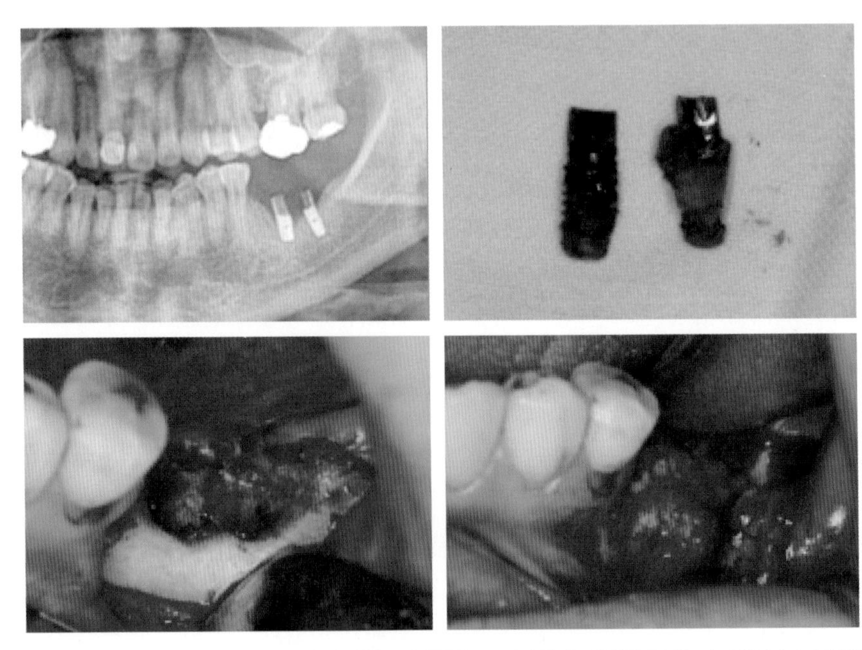

그림 9-59 35세 여자 환자에서 하악 좌측 구치부에 식립했던 임플란트 고정체가 파절된 증례. 수술용 버, 트레핀버 등을 사용하여 제거한 후 결손부에 골이식을 시행하였다.

부적절한 교합으로 인한 과부하, 환자의 구강악습관으로 인한 과부하, 눈에 보이지 않는 임플란트 상부의 균열(crack) 등이 있다. 또한 오래 사용된 나사는 미세한 마모가 발생하고, 재료 자체의 피로도가 누적되면서 초기의 조임력을 상실하게 된다. 즉 생역학적인 응력이 집중되고 반복되면 보철물의 유지력이 감소되고 나사의 피로도가 증가하면서 나사풀림 및 파절이 발생하게 된다. 나사풀림을 막기 위해서는 적절한 선부하(preload)를 가해 강한 조임력을 유지시켜야 하며, 동시에 나사를 풀리게 하는 외력을 파악하고 이를 줄여야 한다. 정기적인 유지관리를 시행하면서 보철물과 나사의 상태를 잘 평가하는 것이 중요하다. 나사풀림이 빈번하게 발생할 경우 이에 대한 원인을 찾아 해결하여야 한다(그림 9-60).

(3) 보철물 파절(prosthesis fracture)

임플란트에 가해지는 강한 응력은 생역학적 합병증을 급격히 증가시킨다. 보철물의 교합이 부적절하거나 이갈이, 이악물기와 같은 구강악습관을 가진 환자, 딱딱하고 질긴 음식을 좋아하는 환자들에서 상부 보철물, 특히 도재부분이 파절되는 경우가 많다(그림 9-61).

(4) 상부 보철물 탈락

임플란트보철물은 만성적인 부하 또는 전단력이 보철물에 가해질 때 접착력이 약해지기 쉽다. 임플란트 지대주는 대부분 티타늄 합금으로 만들어져 있으며 자연치와 비교했을 때 보철물과의 시멘트 접착이 약하다. 임플란트 지대주는 자연치보다 직경이 대체로 작고, 닿는 면적도 작다. 닿는 면적이 적을수록 유지력이

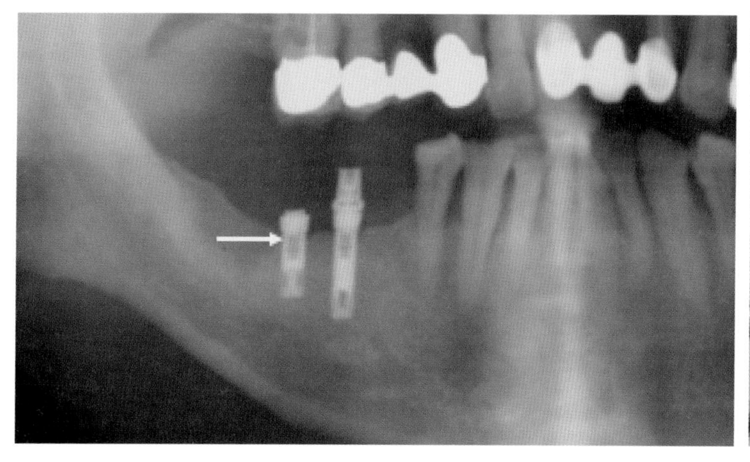
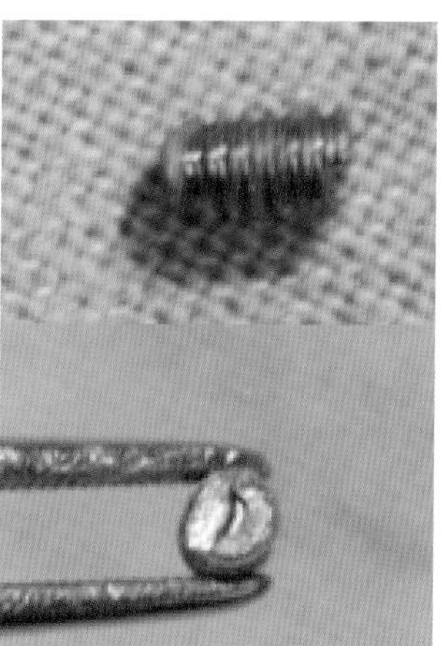

그림 9-60 하악 우측 최후방 임플란트보철물의 고정용 나사가 파절되어 제거하였다.

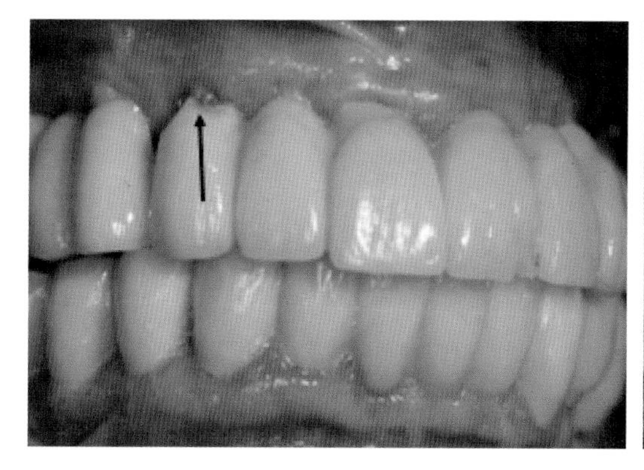
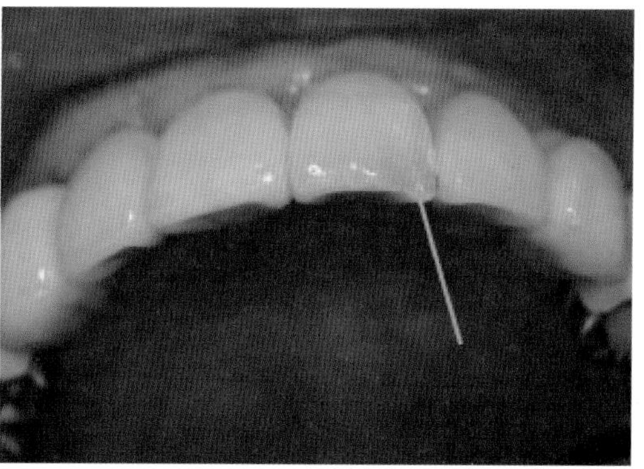

그림 9-61 **임플란트 고정성 보철물 장착 7년 후 구강사진.** 보철물의 도재가 파절(화살표)된 것을 볼 수 있다.

떨어지는 결과를 낳는다.

4. 기타 빈발하는 합병증

1) 임플란트 인접치 침범

임플란드는 치조골, 인접치 및 대합치의 상태, 주변의 해부학적 구조물에 따라 식립위치가 결정된다. 또한 치조골의 상태에 따라 식립각도에 제한이 있는 경우가 많기 때문에 여러 가지 요소들을 고려하여 임플란트 식립위치 및 각도를 잘 결정해야 한다. 그러나 전치나 소구치부위 같이 상실부위의 폭이 좁거나 주위 치아의 치근이 비적상적으로 굽어있는 경우에 임플란트를 식립하면서 주변치아들을 침범할 위험이 항상 존재한다. 따라서 수술 전에 방사선사진 등을 이용한 3차원적 평가를 잘 시행하고 스텐트를 제작하여 식립해야 한다. 디지털가이드 스텐트를 사용하면 정확한 위치에 잘 식립하면서 인접치 손상을 피할 수 있다.

그러나 교정치료 시 사용하는 미니임플란트가 자연치의 치근과 접촉된 증례들을 관찰한 결과 잘 유지되는 경우가 많았다. 반면 자연치 치근을 직접 침범하면 치주조직과 치수 손상이 발생할 가능성이 크기 때문에 환자에게 잘 설명한 후 경과를 관찰하면서 문제가 발생하면 적절한 처치를 시행할 수 있는 대비를 해둬야 한다.

임플란트가 인접한 자연치를 직접 침범하거나 매우 근접해서 식립되었을 때 성급하게 침범된 치아들에 대한 근관치료 혹은 발치, 식립한 임플란트 제거 등을 고려할 필요는 없다. 환자에게 상태를 설명하고 정기적인 관찰을 통해 적절한 치료가 이루어진다면 치아나 임플란트의 예후에 심각한 악영향을 미치는 경우는 많지 않다(그림 9-62). 가급적 수술용 스텐트, 컴퓨터기반 가이드수술 등을 시도하는 것이 좋지만 진료비용 등 여러 가지 상황들을 고려할 때 보편적으로 적용하기는 어

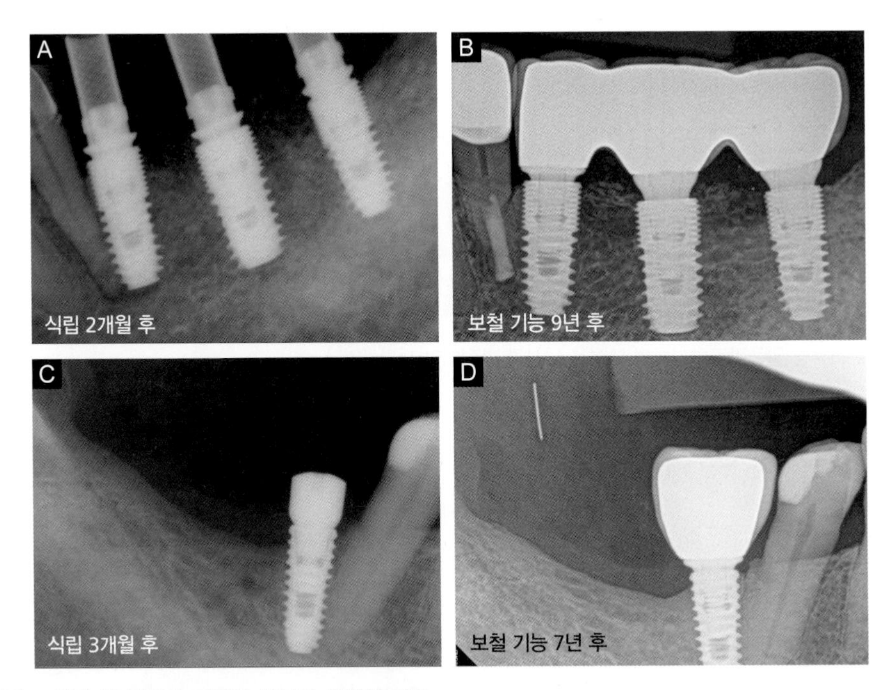

그림 9-62 임플란트 식립 시 인접한 자연치 치근을 침범한 경우.
A, B: 42세 여자 환자에서 하악 좌측 제2소구치 부위에 식립한 임플란트가 인접한 제1소구치 치근과 접촉되어 있는 것을 볼 수 있다. 경과관찰 기간 중에 제1소구치에 대한 근관치료가 시행되었으며 자연치와 임플란트 모두 정상적인 기능을 유지하고 있다. **C, D:** 59세 여자 환자에서 하악 우측 제1대구치 부위에 식립한 임플란트가 인접한 제2소구치 치근과 접촉되어 있는 것을 볼 수 있다. 특별한 증상이 없어서 경과를 관찰하고 있으며 상부 보철물 장착 7년 후에도 임플란트와 자연치 모두 정상적인 상태를 유지하고 있다.

렵다. 가이드수술을 한다 하더라도 인접치들의 해부학적 변위 등으로 인해 안전한 사용에 한계가 있을 수도 있다. 술자가 수술에 집중하면서 인접치들의 손상을 피하도록 각별히 주의하는 자세가 가장 중요하다.

2) 하악골 골절(Mandible fracture)

악골퇴축이 심한 부위에서 임플란트를 식립하거나 골편을 채취할 경우 악골골절이 발생할 가능성이 있다(그림 9-63). 나이가 많은 환자들은 골 탄성(elasticity)이 감소하며 치조골이 퇴축되고 치유기간이 지연될 수 있어 골절 발생률이 더 높다. 하악골의 퇴축이 심한 무치악 환자에게는 짧고 직경이 얇은 임플란트 2개를 조심스럽게 식립한 후 피개의치(overdenture)를 장착하는 치료법을 고려해보는 것이 좋다. 퇴축이 심한 하악골에 임플란트를 식립할 경우 드릴링의 깊이 조절, 악골에 과도한 힘이 가해지지 않도록 주의해야 하며 수술후에도 악골에 충격이 가해지지 않도록 입을 크게 벌리지 말고 딱딱하고 질긴 음식을 피해야 한다. 수술 후 치유기간 중에 과도한 저작력이나 외상이 가해질 경우 지연골절(late fracture)이 발생할 수 있으므로 약 2-3개월 동안은 음식물 저작 및 안면외상에 주의해야 한다.

3) 잘못 식립된 임플란트의 처치

보철수복에 이용할 수 없을 정도로 부적절한 위치에 임플란트가 식립되는 경우가 종종 발생한다. 진단 및 치료계획을 통해 설정된 위치에 임플란트를 적절하게 식립하지 못하게 되는 원인들은 다음과 같다.

(1) 환자 요인

골질 불량, 골량 부족, 식립부위의 병소 존재, 환자의 개구량 제한 또한 환자의 구토반사로 인한 수술부위 접근 제한

(2) 술자 요인

임상경험 부족, 수술용 스텐트 미제작, 수술 집중력 감소

3) 기계적 요인

임플란트 드릴의 마모 및 불량

방향이나 위치가 잘못 식립된 것을 수술 도중에 인지하면 즉시 방향을 수정하거나 인접부위에 다시 식립할 수도 있으나, 수술 중에 이러한 잘못을 인식하지 못하였다가 골유착이 성공하여 이차수술 후 또는 보철물의 제작과정에서 통상의 보철방법으로 해결하기에 어려울 정도의 큰 오류를 발견하면 몹시 난감한 상황이 될 것

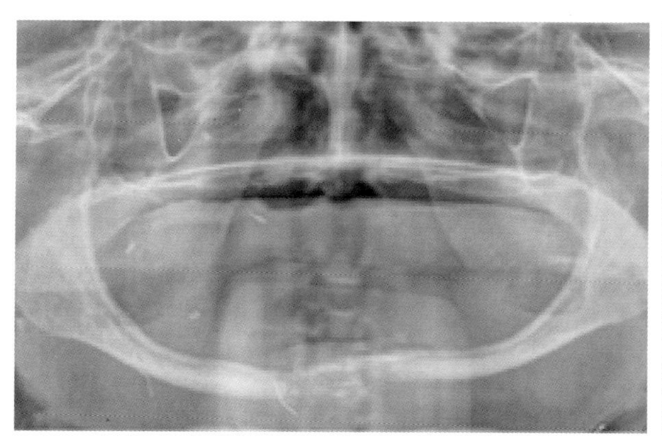
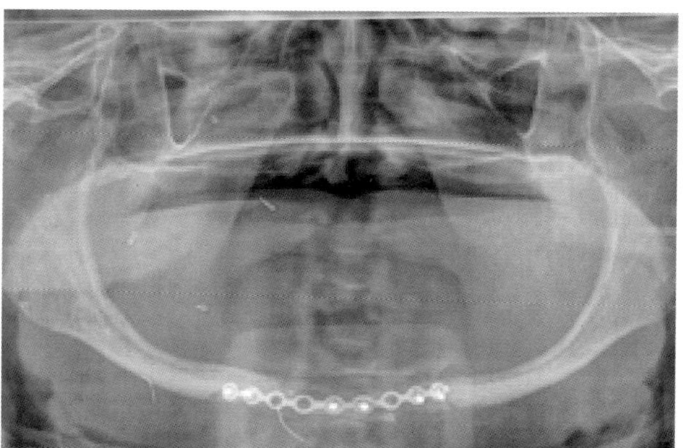

그림 9-63 하악골 퇴축이 매우 심한 67세 여자 환자에서 하악에 4개 임플란트를 식립한 후 하악골 골절이 발생한 증례. 골수염이 동반되면서 임플란트는 모두 제거되었고 전신마취하에서 관혈적 정복 고정술이 시행되었다.

이다. 통상 30도 이내의 기울기는 angled abutment 또는 이중관(telescopic crown) 등을 이용하여 해결할 수 있지만 보철물의 형태 이상, 저작 시 불편감, 음식물 침착, 뺨이나 혀를 씹는 등의 많은 문제들이 발생할 수 있다. 보철치료를 수행하는 것이 불가능할 정도로 잘못 식립된 임플란트들에 대해서는 제거 후 임플란트를 다

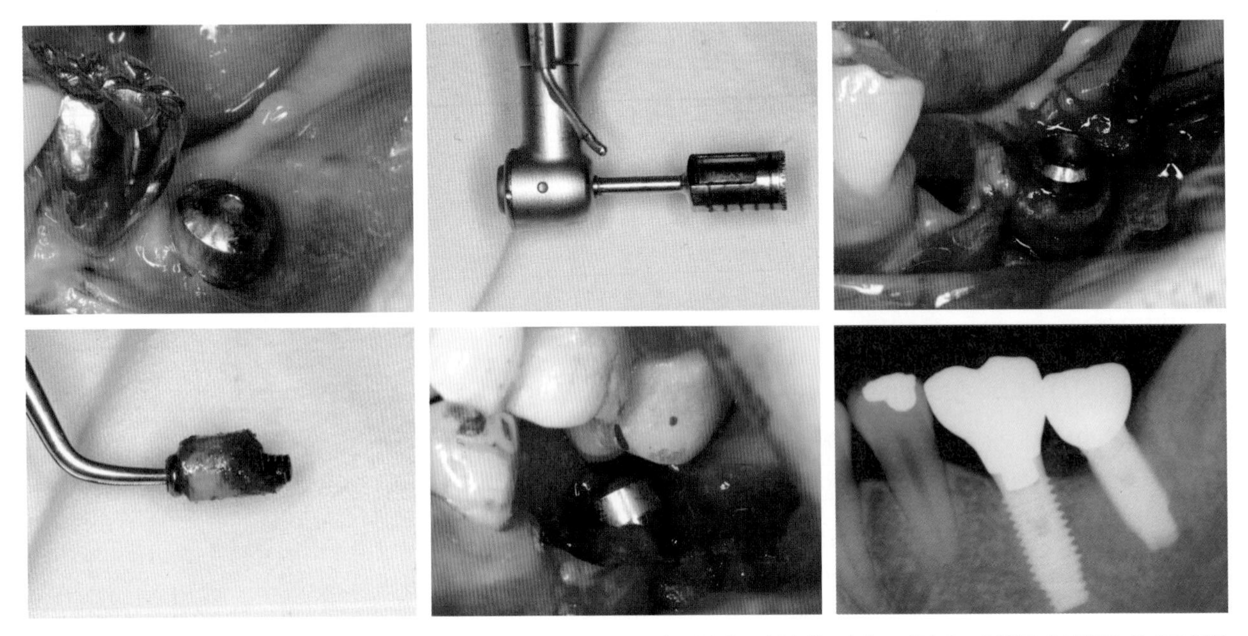

그림 9-64 #37 임플란트가 너무 협측으로 치우친 상태로 식립된 증례로서 보철치료가 불가능하여 트레핀버로 주변골이 부착된 상태로 임플란트를 제거한 후 방향을 수정하여 다시 식립한 후 성공적인 보철치료를 완료할 수 있었다.

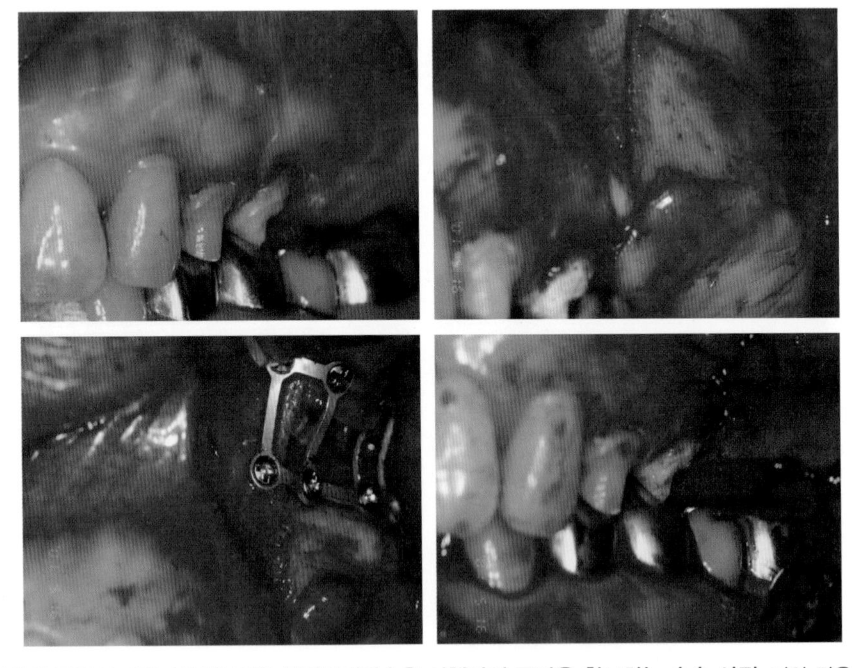

그림 9-65 대합치와의 공간이 매우 부족한 경우 분절골절단술을 시행하여 공간을 확보하는 수술 사진. 이와 같은 술식을 통해 잘못 식립된 임플란트의 위치를 수정할 수 있다.

시 식립하는 방법, 트레핀버로 임플란트와 주변 골조직을 함께 제거한 후 방향을 수정하여 다시 위치시키는 방법, 그리고 분절골절단술을 시행하며 위치를 수정하는 방법 등을 고려할 수 있다(그림 9-64, 65).

Ⅶ. 관리법과 성공 및 실패

1. 임플란트의 유지 및 관리

임플란트는 완전 무치악 환자 및 부분 무치악 환자 모두에서 높은 장기성공률을 보인다. 이는 임플란트 치료가 예측 가능한 방식이며 따라서 의사와 환자에게 탁월한 선택이라는 개념을 뒷받침한다. 대부분의 임플란트 실패는 초기 치유 단계 또는 보철물 장착 후 첫 1년 동안 발생한다. 임플란트의 성공적인 유지, 관리를 위한 가장 중요한 요건은 적절한 교합조정과 임플란트와 주위 연조직 간의 접합을 유지하는 것이라 할 수 있다. 치주조직과 임플란트 접합의 결여로 인해 실패하는 임플란트주위에서는 두드러진 치은염증과 깊은 치주낭 형성 및 계속적인 골소실 등을 볼 수 있다. 이를 예방하기 위해서는 적절한 방법을 이용한 임플란트와 임플란트주위 조직의 주기적인 위생관리가 필수적이다.

1) 임플란트주위질환(Peri-implant disease)

임플란트주위 조직의 만성염증과 감염은 지지하는 치조골의 손실을 유발하며, 점막에 국한된 경우 임플란트주위점막염(peri-implant mucositis), 골소실까지 진행된 경우 임플란트주위염(peri-implantitis)이라 한다(그림 9-66). 이러한 주변조직의 염증은 *Prevotella intermedia*, *Porphyromonas gingivalis*, *Aggregatibacter actinomycetemcomitans*, *Tannerella forsythia* (*formerly Bacteroides forsythus*), *Treponema denticola*, *Prevotella nigrescens*, *Fusobacterium nucleatum*를 포함한 치주 병원균에 의한 감염이다. 이들은 기본적으로 치은염 및 치주질환과 유사하지만, 자연치와 임플란트의 차이로 인한 생물학적 차이가 존재한다(그림 9-67). 기본적으로 임플란트주위 조직이 더 감염에 취약한데, 이는 연조직 부착의 차이로부터 기인한다. 또한 숙주면역 반응 및 감수성, 숙주 변형인자 및 국소 환경과도 관련이 있으며, 임플란트 표면 유형, 교합 부하 방식, 흡연 및 만성치주염 병력과 같은 기여 요인도 관련이 있다고 알려져 있다.

2) 임플란트주위질환의 예방

■ 환자의 자가관리

치태조절 및 치간칫솔 사용, 클로르헥시딘 가글, water pick의 사용과 같은 효과적인 구강위생 프로그램은 임플란트주위질환을 최소화하는 데 가장 중요하다. 구강위생 불량과 임플란트주위 골소실 사이의 직접적인 상관관계는 10년 추적연구에서 보고되었으며, 다른 연구에서는 구강위생 불량이 높은 플라그 스코어와 상관 관계가 있는 것으로 나타났다.

■ 치과의사의 professional care

임플란트 위치 설정 시 생역학적으로 안정적이며 구강위생에 용이한 디자인의 보철물 설계를 고려하는 것이 중요하다. 또한, 보철물을 장착할 때 잔존 시멘트가 존재하지 않도록 주의해야 하며 이갈이 및 이악물기 등 이상기능에 대한 고려가 필요하다.

3) 임플란트주위질환의 치료

임플란트주위질환은 보통 국소적으로 나타나며 해당부위의 국소적 치료가 주를 이룬다. 임플란트주위염의 치료 목적은 임플란트주위 염증의 소실과 더불어 임플란트주위 골결손 부위의 재생까지 포함된다. 그러나 이러한 치료는 임플란트 표면을 소독해야 하고 연조직 및 경조직 모두 처치해야 하기 때문에 쉽지 않다. 여기에는 비외과적 및 외과적 치료가 포함될 수 있다(표 9-3).

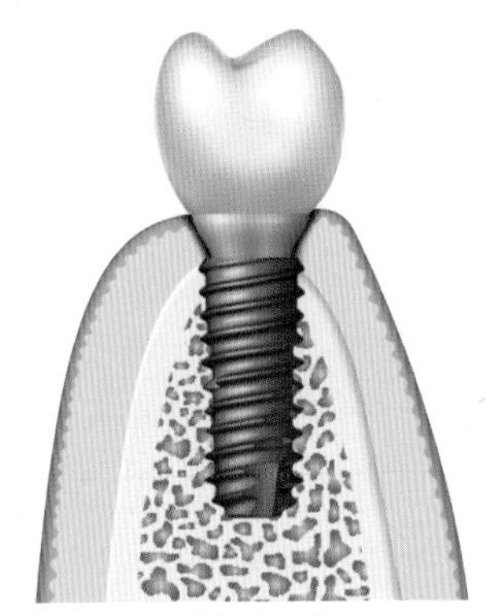

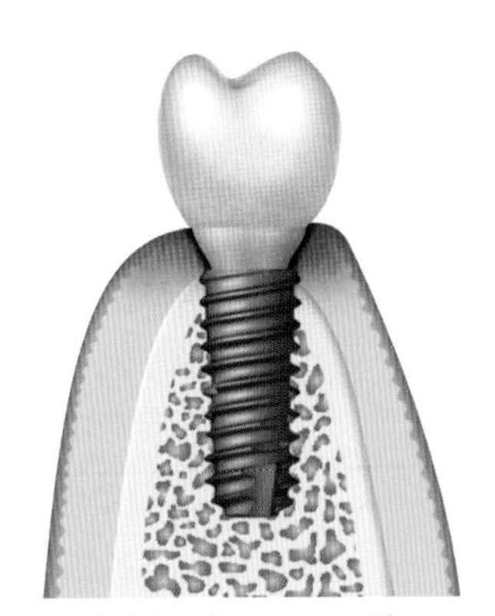

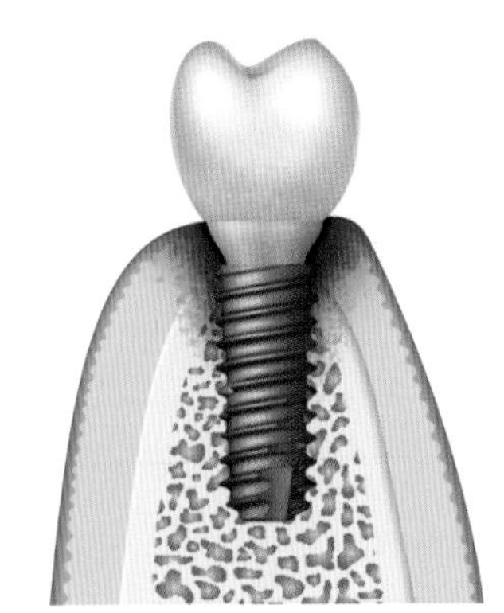

그림 9-66 임플란트주위의 생물학적 상태.

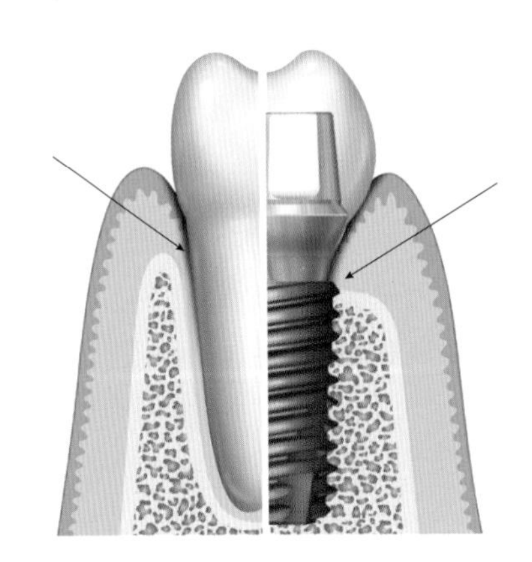

그림 9-67 임플란트와 자연치의 연조직 부착의 비교.

■ **비외과적 치료**

임플란트주위점막염의 경우 비수술적 치료가 좋은 반응을 보이나, 임플란트주위염에서는 노출된 임플란트 표면에서 세균 바이오필름의 제거가 힘들기 때문에 임플란트주위점막염에 비해 예후가 좋지 않다. 비외과적인 치료는 임플란트 표면의 염증조직 제거와 표면의 소독(detoxification)이 주된 방법으로 다음과 같은 술식들이 사용된다.

① 저연마성 아미노산 글리신 파우더(low-abrasive amino acid glycine powder)
② 초음파장비(ultrasonic devices): 금속이 아닌 플라스틱 팁
③ 레이저(lasers)
④ 국소적용 항생요법(locally applied antibiotics): 테트라사이클린, 미노사이클린
⑤ 전신 항생요법(systemic antibiotics): 아목시실린, 메트로니다졸, 미노사이클린 등

■ **외과적 치료**

외과적 치료는 점막피판을 거상한 후 티타늄 브러시 및 글리신 폴리싱 핸드피스를 이용한 임플란트주위 조직 소파술 및 임플란트 표면소독이 주된 방법이다. 이러한 기계적인 처치 후에 독시사이클린/테트라사이클린 또는 구연산과 같은 화합물을 사용하는 화학적인 오염제거 과정도 진행된다. Heitz-Mayeld은 외과적 치료 결과에 대한 12개월 전향적 연구를 보고했

표 9-3 임플란트주위점막염과 임플란트주위염의 치료

임플란트주위점막염 (Peri-Implant mucositis)	임플란트주위염 (Peri-Implantitis)	역행성 임플란트주위염 (Retrograde peri-implantitis) 유지 및 예방
환자 자가관리	**비외과적**	**환자 자가치료 예방요법**
치태 조절 • 칫솔(수동 또는 자동) • 치약 • 항균 세정제 • 치실/구강 세척기 • 겔(gel)의 국소적 도포 • 전신 항생제 • *Lactobacillus* reuteri 유산균 정	**물리적 기기** • 비금속기기 • 러버컵 • 공기연마재 • 금속기기 • 버 **보조적 치료** • 미생물학적 검사 • 국소적 항균제 • 전신 항균제 **티타늄 표면 소독** • 소독제 • 화학 처리 • 공기연마 • 레이저 **치은점막 괴사조직제거술** **보철물 조정**	**보조 치주요법/유지** • 기계적 비외과적 요법 – 치은점막 괴사조직제거술 – 보철물 변화
전문가	**외과적**	
기계적 치태 조절 • 수동기구 • 자동기구 **화학적 치태 조절** • 항생제 국소 전달 • 클로르헥시딘(항균제) • 인산 • 오존, 산소, 식염수 용액 **치은점막 괴사조직제거술** **보철 대체**	• 개방형 피판 괴사조직제거술 • 표면 오염물질 제거 • 재생술식 접근 • 생물학적 접근 • 조직유도재생술 • 골유도재생술 • 전신 항생제	

으며, 1년차에 환자의 92%가 crestal bone height를 안정적으로 유지했으며 모두 탐침 깊이가 현저히 감소했고, 탐침에서 47%가 출혈이 완전히 소실 되었음을 보고하였다. 필요한 경우 재생적 술식인 골유도 재생술(GBR) 및 조직유도재생술(GTR)을 시행할 수 있다. 또한 각화치은의 부족이 판단되는 경우 유리치은이식술과 같은 연조직이식술을 시행하기도 한다.

① 임플란트주위 점막피판 소파술(Curettage)
② 주위조직재생술(Regenerative procedures): GBR, GTR
③ 근단변위판막술(Apcially repositioned surgical technique)
④ 혈소판농축성장인자(Platelet concentrate growth factors)

2. 임플란트의 성공과 실패

골유착(osseointegration)이란 광학현미경하에서 임플란트의 표면과 생활골 사이의 직접적인 결합이라고 정의되었으나(Branemark), 그러한 정의도 점점 세분화되어 1987년 Albrektsson과 Jacobsson는 생물역학적으로는 주위골보다 더 강한 계면의 부착을 형성하고 구조적으로는 건강한 생활골과 하중을 전달하는 임플란트의 표면 사이에 형성되는 직접적이고 구조적, 기능적인 연결이라고 정의하였다.

또한 Albrektsson 등은 1986년 임플란트 성공의 기준을 제안하였으며, 1989년에 Smith와 Zarb 등에 의해 수정되었다. 이 평가 기준은 아직도 적용되고 있다.

- 임플란트는 구강내의 지속적인 저작압에도 동요도가 없어야 한다.
- 방사선영상에서 임플란트주위염의 증거가 없어야 한다.
- 임플란트 식립 후 1년 내 수직골 상실은 0.2 mm 이하가 되어야 한다.
- 지속적이거나 비가역적인 통증, 감염, 감각이상, 하악관의 침습 등의 증상이나 징후가 없어야 한다.
- 최소 5년내 85%, 10년내 80%의 성공률을 가져야 성공했다고 할 수 있다.

임상적으로 임플란트의 성공과 실패를 판단하는 방법은 방사선학적 소견, 타진음, 동요도 측정으로 골유착을 가늠할 수 있다. 임상적으로는 동요도가 없는 임플란트 일지라도 조직학적으로는 일부만 골과 직접 접촉하고 나머지는 섬유조직으로 싸여 있는 경우가 있으므로 임플란트의 동요도가 결정적인 증거가 될 수는 없고, 실패하더라도 임플란트의 경우 대부분 심한 통증이나 불편 없이 자연탈락할 때까지 환자가 모르고 사용하는 경우도 있기 때문에 주기적인 관찰로 미리 예방하는 것이 바람직하다.

Ⅷ. 최근 경향

1. 임플란트 수술의 정확성을 높이기 위한 기술

임플란트 고정체의 정확한 식립술은 임플란트의 심미 및 기능과 장기생존에 큰 영향을 미친다. 정확도를 높이기 위한 다양한 기술들이 보고되고 있다. 네비게이션 임플란트 수술은 크게 static guided implant surgery와 dynamic guided implant surgery로 구분되어야 하는데, 정확한 의미의 네비게이션 수술은 후자를 일컫는다.

1) Static guided implant surgery(그림 9-68)

석고모형에서 전통적 방식으로 제작한 임플란트 수술가이드는 여러 한계와 문제점을 가지고 있었으나,

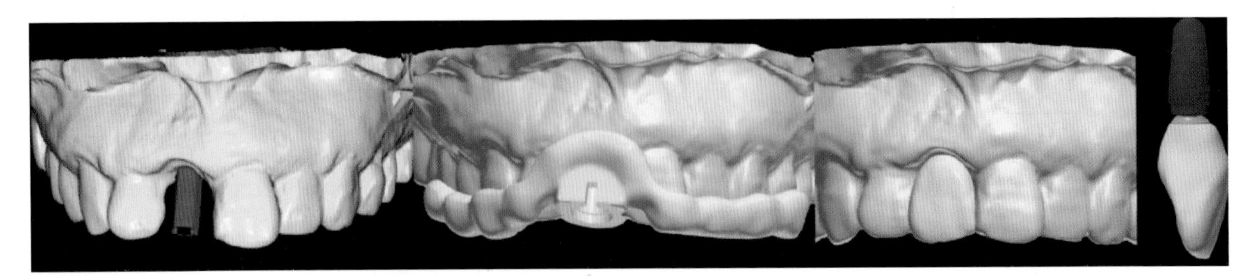

그림 9-68 Static guide는 고정체에 상응하는 위치로 골삭제가 이뤄지도록 드릴을 가이드해준다. 드릴의 shank 부위가 가이드에 잘 위치되도록 수술이 이뤄져야, 가상수술대로 실제 수술이 이뤄질 수 있다.

디지털 치의학기술의 발전으로 전산화단층촬영 이미지와 치아스캔 이미지의 병합을 통해 제작된 수술가이드(3D 프린터나 밀링머신으로 제작)를 이용하여 쉽고 정확한 수술이 이뤄지고 있다. 수술가이드의 sleeve를 통해 원형의 몸통을 갖는 전용 드릴의 barrel과 stopper에 의해 임플란트 식립용 드릴의 수직적, 수평적 위치가 결정된다. 최종보철물의 형태와 위치를 참고하여 top-down 방식으로 수술계획을 세울 수 있게 되고 이것이 수술가이드에 반영된다. 또한 가상수술과 동일한 위치로 임플란트 고정체 식립이 가능해져서 미리 임시 혹은 최종보철물을 제작할 수 있다. 따라서 전체적인 치료기간이 단축되고 환자의 만족도가 현저히 증가하게 되었다. 이러한 방식은 미리 제작한 가이드의 정확도가 수술결과에 큰 영향을 주기 때문에, 환자정보를 얻는 단계부터 가이드 제작단계까지 여러 단계에서 오차를 줄이도록 노력해야 한다. 또한 수술 중 가이드의 위치설정이나 안정성을 유지하는 것은 구강악안면외과의사의 경험에 따라 영향을 받을 수 있고, 최후방 구치부에 적용 시 개구제한이 있는 경우에 접근이 어렵고, 가이드의 부피로 인해 골내 열발생이 증가될 수 있음을 고려해야 한다.

2) Dynamic guided implant surgery 및 Robotic implant surgery(그림 9-69, 70)

프로그램을 통해 가상수술이 이뤄진 임플란트 고정체의 위치를 3차원적으로 실시간으로 보면서, 환자에서 핸드피스를 조절하여 골삭제를 시행하는 방식이다. 실제 가이드가 있는 것이 아니기 때문에 가상수술

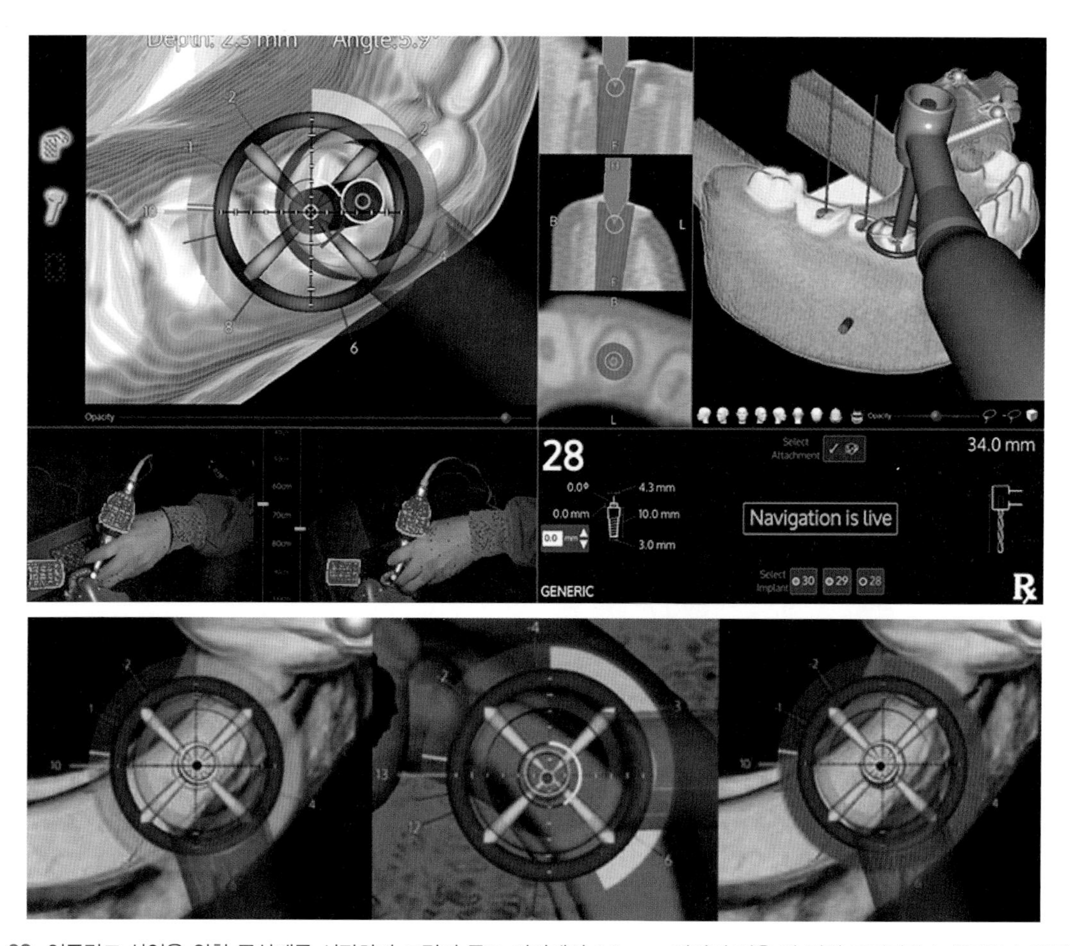

그림 9-69 임플란트 삽입을 위한 골삭제를 시작하며 드릴이 목표 깊이에서 0.5 mm 떨어져 있을 때 깊이 표시기가 녹색에서 노란색으로 바뀐다. 노란색이 빨간색으로 바뀌면 계획된 위치에 다다른 것을 알려준다(X-Nav Technologies, United States).

에서 식립한 고정체의 위치를 보면서 골삭제를 시행한다. 광학기술을 이용하여 환자의 구강과 핸드피스의 위치가 실시간으로 추적되도록 하는 원리가 이용된다. 수술 도중 환자의 상태에 따라 고정체의 식립 위치가 일부 조정될 수 있는 장점이 있으나 장비가 고가이며 외과의사의 경험이 많이 요구된다. 로봇을 이용한 임플란트 수술은 기본적으로 Dynamic guided implant surgery와 동일한 기술이나, 핸드피스를 로봇을 이용해 조절하는 자동방식 체계이다. 대표적으로 미국 Neocis사의 Yomi 로봇이 FDA 승인을 받아 출시되었으며 3개의 축으로 구동되는 로봇암을 이용해 가상수술에서 식립한 고정체와 동일하게, 진동 유도인 haptic guide 기술로 골삭제가 이루어진다. 이와 유사한 방식의 국내 임플란트 로봇도 개발되고 있다.

3) 증강현실을 이용한 수술법

추후 증강현실기법을 이용한 수술법이 치과용 임플란트 수술에도 이용될 것으로 생각된다(그림 9-71).

현재 이용되고 있는 위의 여러 기술들은 각각 장단점을 가지고 있으나, 과거의 방식에 비해 정확도나 완성도가 계속 향상되고 있다. 현재 가장 보편적으로 사용되는 static guide 방식 외 모든 기술들에서 가장 중요한 것은 환자의 정확한 정보 채득이다. 정확한 3차원 단층촬영이나 치아스캔 이미지의 획득, 그리고 이러한 데이터들을 병합하는 과정에서 오차를 줄이는 것이 매우 중요하다.

2. 임플란트 환자 맞춤형 기술

1) 환자 맞춤형 골막하임플란트(Customized subperiosteal implant)

골막하임플란트는 1960−1970년대에 유행하다가 사라진 기술이다. 맞춤형으로 제작한 임플란트를 골막하에 삽입하고, 나사를 이용하여 악골에 고정한 후 골점막으로 덮어주었다. 일반적으로 코발트 크롬이나 티타늄 합금으로 만들어졌고, 상부에 일반적인 보철물을 제작하여 삽입하였다. 당시의 기술적 한계는 환자의 골점막을 거상한 후, 인상재를 이용해 직접 골의 인상채득을 통해 치조골의 정보를 얻어, 얻어진 정보를 기반으로 만들어진 석고모델에서 왁스로 디자인하고, 주조방식을 통해 골막하임플란트를 제작하였다. 해부학적 구

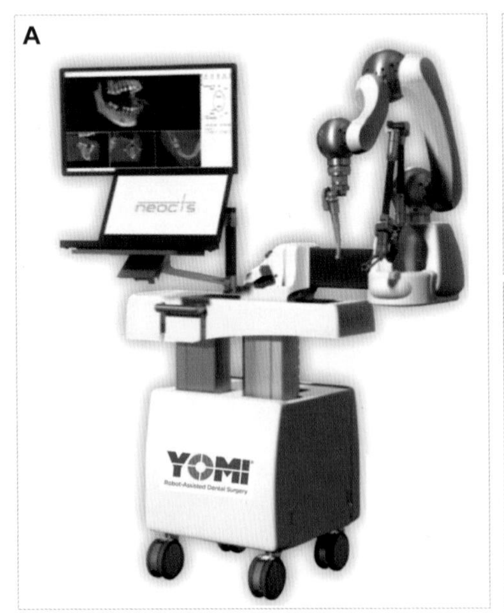

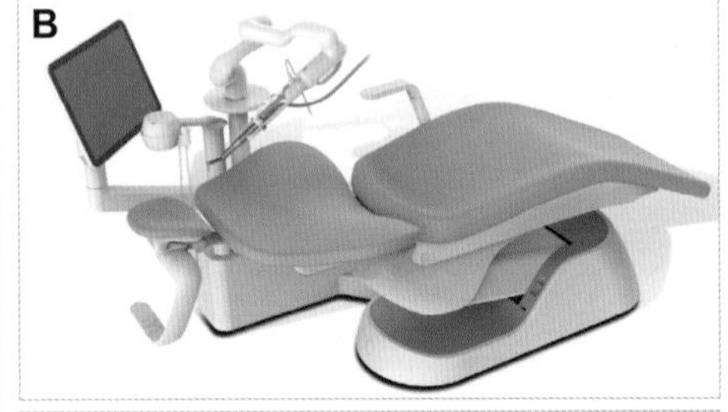

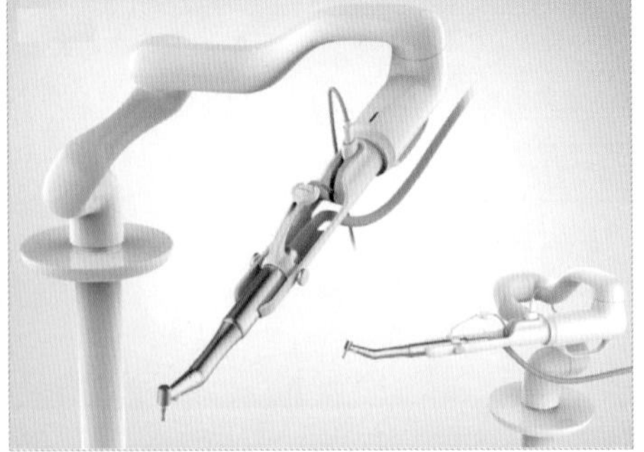

그림 9-70 A: 2020년 미국 FDA승인된 임플란트수술 로봇 Yomi B: 국내 D사의 로봇수술기 모식도.

조를 얻기 위한 일차수술이 필요하고, 출혈이 된 상태에서 인상재를 이용한 정보 채득 시 정확한 자료를 얻는 것이 어려울 수밖에 없었으며, 이렇게 만들어진 임플란트는 정확도가 좋지 않고, 많은 합병증과 감염 등을 야기하였다. 일반적인 치근형 임플란트가 좋은 임상결과를 보이고 있으나, 악골의 퇴축이 매우 심한 고령환자나, 악골결손이 심한 환자들에서 침습적인 골이식술을 동반한 치근형 임플란트 식립술은 합병증이 심할 수밖에 없으며 임플란트의 장기 생존률도 현저히 낮은 경향을 보인다. 최근 디지털치의학기술이 발달하면서 환자의 정확한 3차원적 해부학적 구조물 채득이 쉽고 간단해졌으며, 3D 메탈프린팅 기술의 발달로 정확한 골막하임플란트 제작이 가능해지고 있다. 따라서 과거의 부정확하고 합병증이 심한 골막하임플란트를 더욱 정확하고 안정적으로 제작하여 임상에 활용할 수 있을 것으로 생각된다. 한 번의 수술로 골막하임플란트를 식립한 후 즉시 하중을 가할 수 있기 때문에, 악골퇴축이나 골결손이 심한 환자들에서도 임플란트를 이용한 보철물을 제작하여 저작력을 극대화할 수 있는 길이 열리게 되었다. 특히 하악관까지의 잔존골이 매우 부족하거나 상악동 함기화 등으로 상악 잔존골이 거의 없는 환자들에서도 좋은 치료법이 될 수 있다. 악골의 퇴축이 심한 고령화 환자나, 외상이나 종양 등으로 골결손이 심한 안면기형장애 환자에서도 그 효과를 극대화할 수 있을 것이다(그림 9-72, 73).

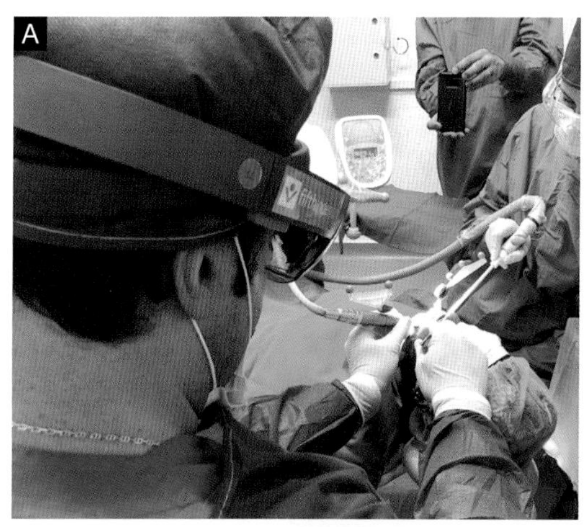

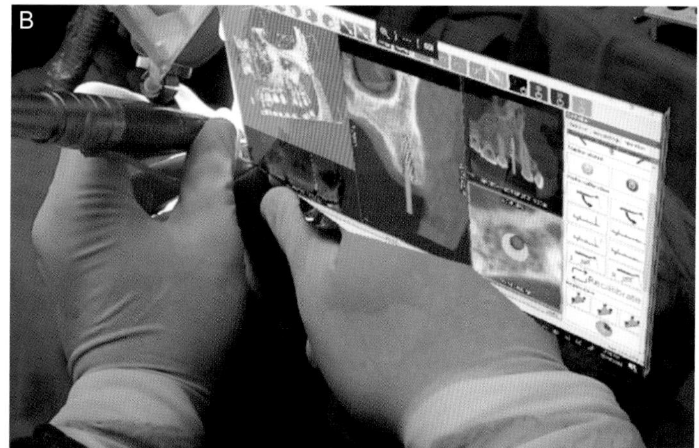

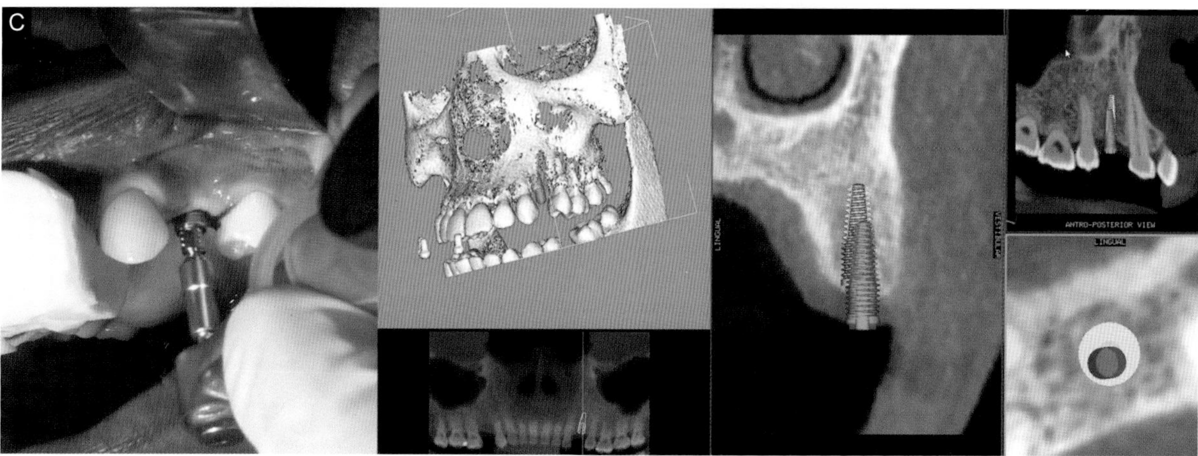

그림 9-71 A: 수술 시 증강현실 고글을 장착한 구강악안면외과의사 B: 의사의 안경에 보이는 상 C: 실제 수술 장면과 네비게이션 모니터에 보이는 가상 임플란트 위치(HoloDentist, Italy).

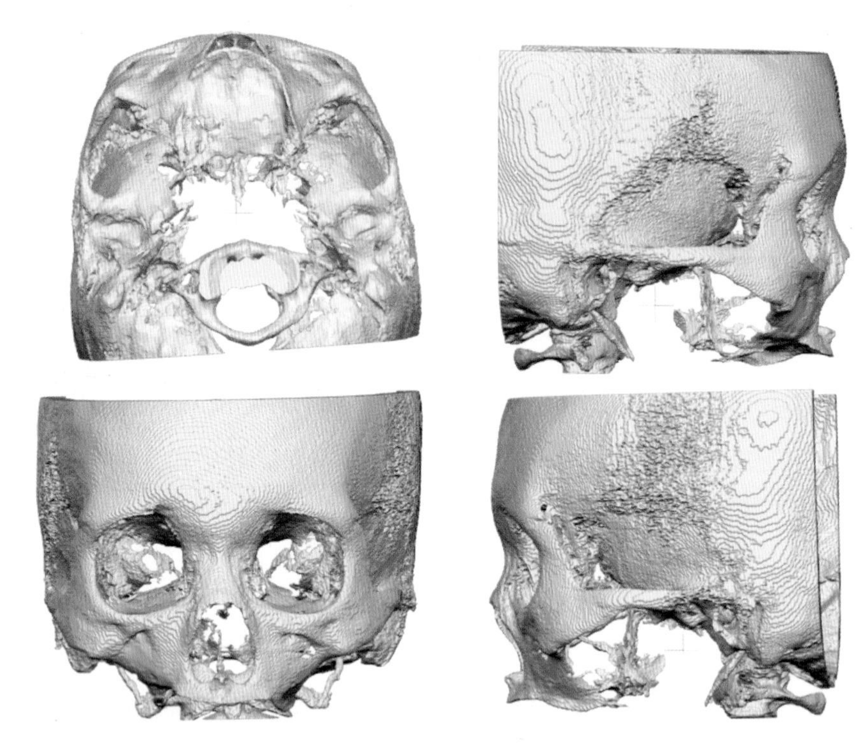

그림 9-72 상악 무치악상태의 잔존골 흡수가 심한 노령환자.

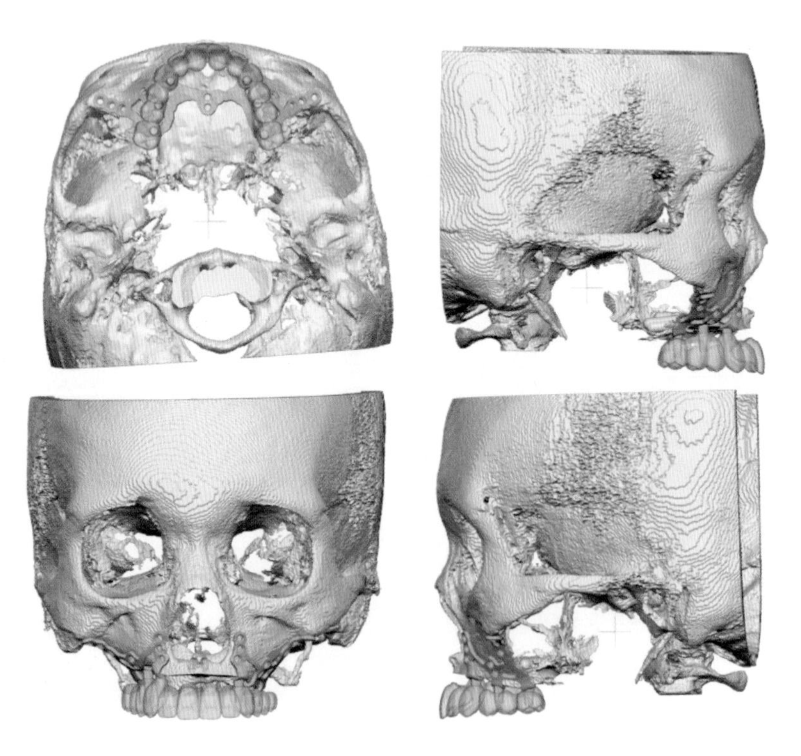

그림 9-73 디자인된 환자맞춤형 골막하임플란트와 상응하는 임시수복물.

2) 맞춤형 골이식(그림 9-74~76)

임플란트외과학에서 중요한 부분을 차지하는 것 중에 하나는 임플란트 고정체를 식립할 위치에 필요한 양의 골이식을 시행하는 것이다. 전통적인 방식은 자가골을 채취하거나, 이종골, 동종골, 합성골 등을 이용하여 골이식술을 시행하는데, 구강악안면외과의사의 감각에 의존할 수밖에 없었다. 디지털기술의 발전으로 맞춤형 골이식재 제작이 가능해졌다. 3D 맞춤형 골이식 설계 및 제작의 기본 개념은 임플란트수술용가이드 제작과 동일하다. 전산화단층촬영술로 얻은 골결손부위 방사선영상을 STL파일로 변환한 후, CAD 프로그램으로 구강악안면외과의사가 원하는 맞춤형 3D Bone Block 형상을 설계한다. 그리고 설계한 형상을 3D 프린터로 출력하거나 밀링머신으로 깎아서 만드는 것이다. 아직까지 최종맞춤형 Bone Block에 대한 성공적인 임상결과가 부족한 실정이지만, 3D 맞춤형 골이식기법에 활용될 생체재료에 대해 임상연구가 지속적으로 이루어진다면 조만간 골이식의 패러다임이 바뀔 것으로 예상한다.

3) 교정치료를 위한 맞춤형 임플란트(그림 9-77~79)

최근 환자의 교정치료를 빨리하기 위해 치아견인을 위한 고정을 강화하려는 목적으로 임플란트의 사용이 늘어나고 있다. 기존의 임플란트와 이런 교정치료 목적

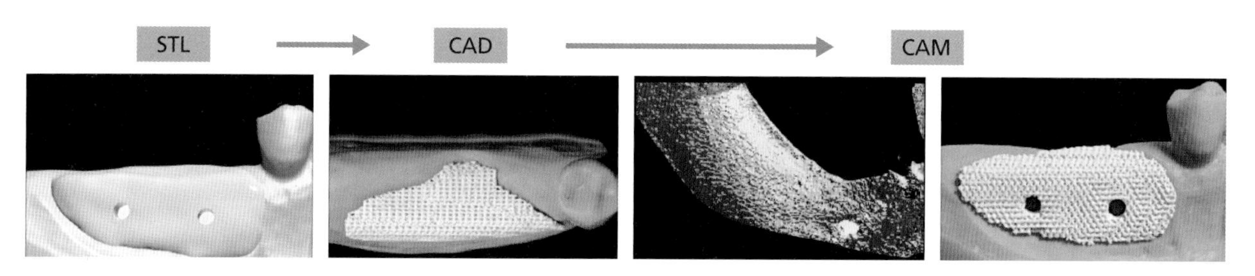

그림 9-74 골결손부위를 수복하도록 맞춤형으로 디자인한 후 실물 제작하는 블록골.

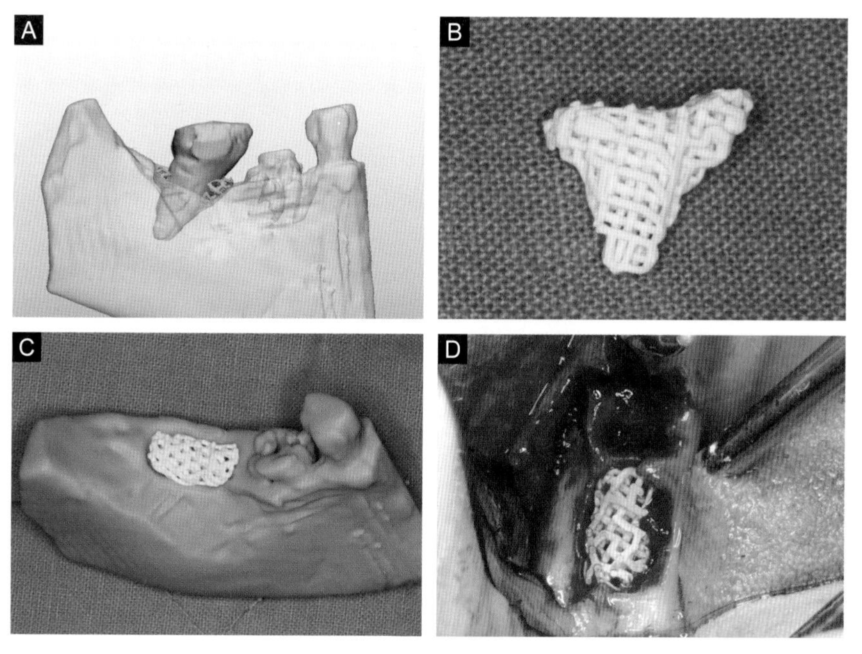

그림 9-75 A: 발치할 부위에 맞게 디자인된 맞춤골 B: 3D 프린팅기술로 실물제작된 맞춤골 C: 환자 악골 모형(Dummy)에 삽입된 모습 D: 환자에서 #47 발치 후 맞춤골 삽입.

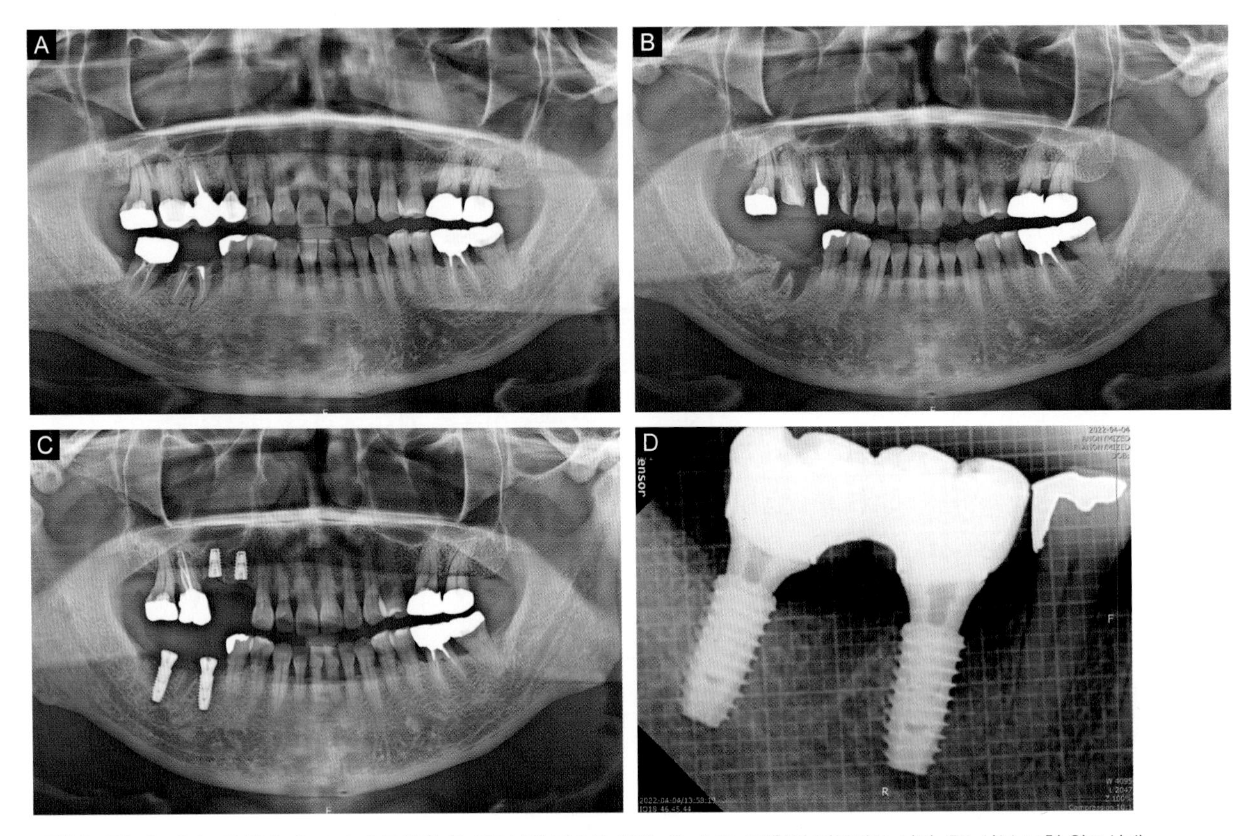

그림 9-76 A: 수술 전 상태 B: #46, #47 발치 후 #47 부위 맞춤골 삽입 C: 술후 4개월에 임플란트 식립 D: 상부 보철 완료상태.

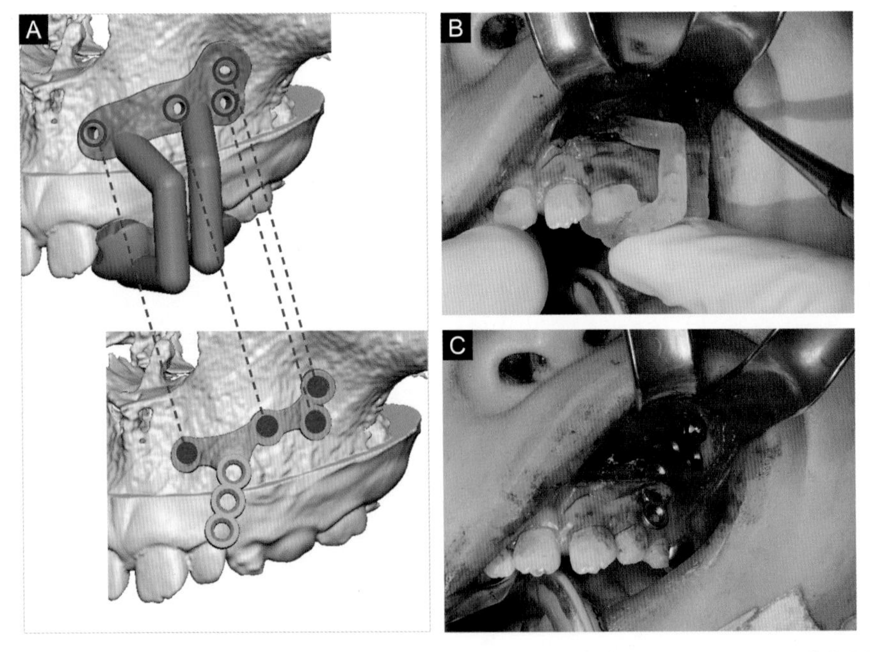

그림 9-77 A: 예측된 드릴 구멍개념(predictive hole placement concept)으로 이 수술가이드에 따라 스크류 홀을 형성한다. 가이드의 각 구멍은 맞춤형 미니플레이트의 고정을 위한 구멍과 일치한다. B: 수술 중 수술부위에 적용된 가이드 C: 수술 중 나사로 고정된 맞춤형 미니플레이트.

의 임플란트는 개념상 상당한 차이를 보인다. 일반적인 골유착을 통해 치아의 기능을 하도록 하는 보철을 위한 임플란트는 영구적인 반면, 교정치료를 위한 임플란트는 골유착이 이뤄지기 전에 사용이 되고 빨리 제거하기도 한다. 일반적인 스크류 형태의 임플란트가 널리 이용이 되고 있고, 골고정판이 이용되는 경우도 있다. 이런 교정용 임플란트의 역할은 교정력을 가했을 때 인접 중요구조물의 손상이 없고, 동요도 없이 안정감을 가져야 하며, 환자의 불편감을 줄이도록 크기를 최소화하고, 교정장치가 쉽게 연결될 수 있도록 하는 것이다. 상악치아를 포함한 전체 악골을 앞으로 당기는 악정형 고정장치로도 이용할 수 있는데, 최근 CAD-CAM기술을 이용해 facemask 교정기의 고정원으로 사용되기도 한다. 골표면에 접합이 뛰어나 교정력을 받았을 때 안정성이 높고 임플란트 삽입 수술 시, 위험한 해부학적 구조물을 피할 수 있으며, 치근 또는 치배 손상을 줄여주는 것으로 추후 다양한 형태의 교정치료를 위한 맞춤형 임플란트 제작이 늘어날 것으로 사료된다.

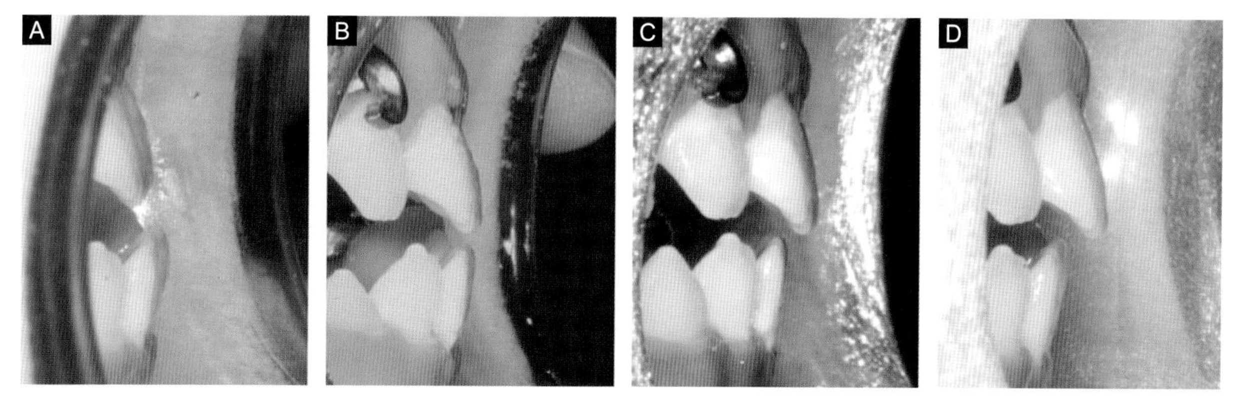

그림 9-78 맞춤형 skeletal anchorage를 이용한 상악 견인치료 후 중심 교합에서 overbite와 overjet의 변화. A: 교정용 미니플레이트 고정 수술 직후 B: 수술 후 3개월 C: 수술 후 8개월 D: 수술 후 1년.

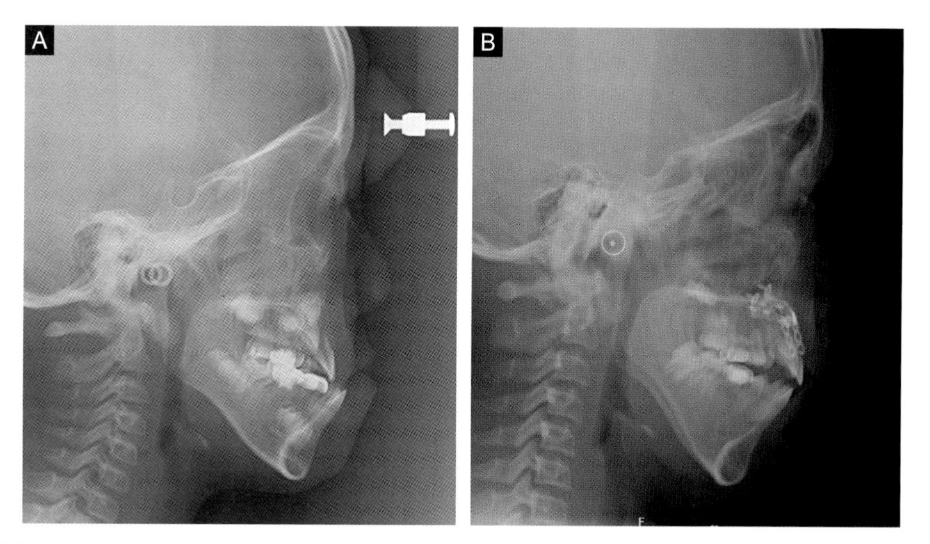

그림 9-79 맞춤형 skeletal anchorage를 이용한 악정형 치료 후 두부계측 방사선사진의 변화. A: 첫 내원 B: 악정형치료 후 8개월.

참고문헌

김영균, 윤필영, 최용훈 등. Complication Q&A in dentistry. 서울: 대한나래출판사; 2015.

김영균. 치과치료 후 발생하는 골치 아픈 증례들. Tough Cases Vol. 1. 신경손상. 서울: 군자출판사; 2021.

Albrektsson T, Brånemark P, Jacobsson M, et al. Present clinical applications of osseointegrated percutaneous implants. Plastic and reconstructive surgery 1987;79(5):721–731.

Alsaadi G, Quirynen M, Komárek A, et al. Impact of local and systemic factors on the incidence of late oral implant loss. Clin Oral Implants Res 2008;19(7):670–6.

Appleton RS, Nummikoski PV, Pigno MA, et al. A radiographic assessment of progressive loading on bone around single osseointegrated implants in the posterior maxilla. Clin Oral Implants Res 2005;16(2):161–7.

Bilder L, Hazan–Molina H, Aizenbud D. Medical emergencies in a dental office: inhalation and ingestion of orthodontic objects. J Am Dent Assoc 2011;142(1):45–52.

Branemark PI. Tissue–integrated prostheses. Quintessence; 1985. p. 99–115.

Chen ST, Buser D. Clinical and esthetic outcomes of implants placed in postextraction sites. Int J Oral Maxillofac Implants 2009;24:186–217.

Claffey N, Clarke E, Polyzois I, et al. Surgical treatment of peri–implantitis. J Clin Periodontol 2008;35:316–332.

Esposito M, Grusovin MG, Chew YS, et al. Interventions for replacing missing teeth: 1–versus 2–stage implant placement. Cochrane Database Syst Rev 2009;(3):CD006698.

Esposito M, Grusovin MG, Worthington HV. Treatment of peri–implantitis: what interventions are effective? A Cochrane systematic review. Eur J Oral Implantol 2012;5:S21–41.

Fabbroni G, Aabed S, Mizen K, et al. Transalveolar screws and the incidence of dental damage: a prospective study. Int J Oral Maxillofac Surg 2004;33(5):442–6.

Gallucci GO, Hamilton A, Zhou W, et al. Implant placement and loading protocols in partially edentulous patients: A systematic review. Clin Oral Implants Res 2018;29:106–134.

Gamer S, Tuch R, Garcia LT. M.M. House mental classification revisited: Intersection of particular patient types and particular dentist's needs. J Prosthet Dent 2003;89(3):297–302.

Gellrich NC, Zimmerer RM, Spalthoff S, et al. A customised digitally engineered solution for fixed dental rehabilitation in severe bone deficiency: A new innovative line extension in implant dentistry. J CranioMaxillofac Surg 2017;45(10):1632–1638.

Grisar K, Sinha D, Schoenaers J, et al. Retrospective Analysis of Dental Implants Placed Between 2012 and 2014: Indications, Risk Factors, and Early Survival. Int J Oral Maxillofac Implants 2017;32(3):649–654.

Hegedus F, Diecidue RJ. Trigeminal nerve injuries after mandibular implant placement––practical knowledge for clinicians. Int J Oral Maxillofac Implants 2006;21(1):111–6.

Heitz–Mayfield LJ, Heitz F, Lang NP. Implant Disease Risk Assessment IDRA–a tool for preventing peri–implant disease. Clin Oral Implants Res 2020;31(4):397–403.

Heitz–Mayfield LJA, Salvi GE, Mombelli A, et al. Anti–infective surgical therapy of peri–implantitis. A 12–month prospective clinical study. Clin Oral Implants Res 2012;23(2):205–210.

Hultin M, Fischer J, Gustafsson A, et al. Factors affecting late fixture loss and marginal bone loss around teeth and dental implants. Clin Implant Dent Relat Res 2000;2(4):203–8.

Kalpidis CD, Setayesh RM. Hemorrhaging associated with endosseous implant placement in the anterior mandible: a review of the literature. J Periodontol 2004;75(5):631–45.

Kim KS, Han JS, Lim YJ. Settling of abutments into implants and changes in removal torque in five different implant–abutment connections. Part 1: Cyclic loading. Int J Oral Maxillofac Implants 2014;29(5):1079–84.

Kim YK, Yun PY. Risk factors for wound dehiscence after guided bone regeneration in dental implant surgery. Maxillofac Plast Reconstr Surg 2014;36(3):116–23.

Kircos LT. Magnetic resonance imaging of the mandible utilizing a double scout techniques for Preprosthetic imaging. J Magnetic Res Med 1993.

Lekholm U, Zarb GA, Albrektsson T. Patient selection and preparation. Tissue integrated prostheses: osseointegration in clinical dentistry. Chicago: Quintessence; 1985. p. 199–209.

Lin GH, Chan HL, Wang HL. The significance of keratinized mucosa on implant health: a systematic review. J Periodontol 2013;84(12):1755–67.

Lindquist LW, Carlsson GE, Jemt T. Association between marginal bone loss around osseointegrated mandibular implants and smoking habits: a 10–year follow–up study. J Dent Res 1997;76(10):1667–74.

Nisapakultorn K, Suphanantachat S, Silkosessak O, et al. Factors affecting soft tissue level around anterior maxillary single–tooth implants. Clin Oral Implants Res 2010;21(6):662–70.

Norowski PA Jr, Bumgardner JD. Biomaterial and antibiotic strategies for peri–implantitis: A review. Journal of Biomedical Materials Research Part B: Applied Biomaterials: An Official Journal of The Society for Biomaterials, The Japanese Society for Biomaterials, and The Australian Society for Biomaterials and the

Korean Society for Biomaterials 2009;88(2):530–543.

Pampel M, Wolf R, Dietrich S. A Prosthodontic Technique to Improve the Simplicity and the Efficacy of Angled Abutments for Divergent Implant Situations: A Technical Note. Int J Oral Maxillofac Implants 2006;21(2):320–4.

Panchal N, Mahmood L, Retana A, et al. Dynamic navigation for dental implant surgery. Oral Maxillofac Surg Clin 2019;31(4):539–547.

Pellegrino G, Mangano C, Mangano R, et al. Augmented reality for dental implantology: a pilot clinical report of two cases. BMC Oral Health 2019;19(1):158.

Petersilka GJ, Steinmann D, Häberlein I, et al. Subgingival plaque removal in buccal and lingual sites using a novel low abrasive air-polishing powder. J Clin Periodontol 2003;30(4):328–33.

Pikos MA. Maxillary sinus membrane repair: update on technique for large and complete perforations. Implant Dent 2008;17(1):24–31.

Pjetursson BE, Rast C, Brägger U, et al. Maxillary sinus floor elevation using the (transalveolar) osteotome technique with or without grafting material. Part I: Implant survival and patients' perception. Clin Oral Implants Res 2009;20(7):667–76.

Ramanauskaite A, Becker K, Schwarz F. Clinical characteristics of peri-implant mucositis and peri-implantitis. Clin Oral Implants Res 2018;29(6):551–556.

Ryu JI, Cho SW, Oh SH, et al. A Novel Approach Using Customized Miniplates as Skeletal Anchorage Devices in Growing Class III Patients: A Case Report. Appl Sci 2020;10:4067.

Sakka S, Idrees M, Alissa R, et al. Ailing and failing oral implants: initial therapy and surgical management. J Investig Clin Dent 2013;4(4):207–10.

Shalabi MM, Gortemaker A, Van't Hof MA, et al. Implant surface roughness and bone healing: a systematic review. J Dent Res 2006;85(6):496–500.

Tepper G, Hofschneider UB, Gahleitner A, et al. Computed tomographic diagnosis and localization of bone canals in the mandibular interforaminal region for prevention of bleeding complications during implant surgery. Int J Oral Maxillofac Implants 2001;16(1):68–72.

Ting M, Tadepalli N, Kondaveeti R, et al. Intra-Oral Applications of Platelet Concentrates: A Comprehensive Overview of Systematic Reviews. J Interdiscipl Med Dent Sci 2018;6(2):2.

van der Reijden W, Vissink A, Raghoebar G, et al. Microbiota around root-formed endosseous implants. A review of the literature. Int J Oral Maxillofac Implants 2002;17:829–838.

Weinberg LA. Reduction of implant loading with therapeutic biomechanics. Implant Dent 1998;7(4):277–85.

Wen X, Liu R, Li G, et al. History of periodontitis as a risk factor for long-term survival of dental implants: a meta-analysis. Int J Oral Maxillofac Implants 2014;29:1271–1280.

Wennerberg A, Albrektsson T. Effects of titanium surface topography on bone integration: a systematic review. Clin Oral Implants Res 2009;20:172–184.

Worthington P. Injury to the inferior alveolar nerve during implant placement: a formula for protection of the patient and clinician. Int J Maxillofac Implants 2004; 2004;19(5):731–4.

Yu HC, Kim YK. Fractures of implant fixtures: a retrospective clinical study. Maxillofac Plast Reconstr Surg 2020;42(1):13.

Zijderveld SA, van den Bergh JP, Schulten EA, et al. Anatomical and surgical findings and complications in 100 consecutive maxillary sinus floor elevation procedures. J Oral Maxillofac Surg 2008;66(7):1426–38.

CHAPTER 10 구강악안면 양성병소

치과의사의 진료영역인 구강악안면영역은 치아와 악골, 치은, 구개, 혀 그리고 타액선 등 여러 기관이 어우러져서 음식을 먹고, 말을 하고, 호흡을 하고, 감정 표현을 하는 등 인간답게 살아가는 데 가장 기본적인 역할을 한다. 본 장에서는 구강악안면에 발생하는 양성병소인 낭, 양성종양 그리고 비종양성의 악골병소에 대하여 설명하고자 하며, 타액선과 관련된 질병에 대하여는 별도의 단원에서 다루고 있으므로 여기서는 제외하였다. 정확한 진단과 이에 바탕한 적절한 치료를 위해서는 질병에 대한 임상적, 영상학적 및 조직병리학적 지식을 기본으로 하여 외과적 술기를 구사하는 것이 필수적이다.

본 장에서는 각 질환의 임상적, 영상학적, 조직병리학적 등을 간략히 기술하였으므로 좀 더 명확한 이해를 위해서는 관련된 전문서적을 참고하기를 권하며 충실한 임상실습을 통하여 정확한 치료술식을 습득하여야 할 것이다.

CONTENTS

CHAPTER 10

구강악안면 양성병소
Oral and Maxillofacial Benign Lesions

학습목적

구강악안면영역에 발생하는 낭, 양성종양 및 비종양성 악골병소의 임상소견, 영상학적 소견 및 조직병리학적 소견을 바탕으로 정확한 진단과 치료법 및 예후를 숙지함으로써 조기진단 능력을 향상시키고 환자에게 적절한 치료방향을 제시할 수 있는 능력을 배양한다.

기본 학습목표

- 구강악안면에 발생할 수 있는 낭, 양성종양 및 비종양성 악골병소의 임상적 특징, 영상학적 소견을 이해하며 치성과 비치성을 구분할 수 있다.
- 구강악안면에 발생할 수 있는 낭, 양성종양 및 비종양성 악골병소의 치료법을 결정하는 요소를 이해하고 설명할 수 있다.
- 구강악안면에 발생할 수 있는 낭, 양성종양 및 비종양성 악골병소의 치료 후 발생가능한 합병증을 이해하고 설명할 수 있다.
- 직접 치료하기 힘든 병소인 경우 전문가에게 의뢰할 수 있다.

심화 학습목표

- 구강악안면에 발생할 수 있는 낭과 양성종양 및 비종양성 악골병소를 조직생검하고 조직검사 결과를 설명할 수 있다.
- 구강악안면에 발생할 수 있는 낭과 양성종양 및 비종양성 악골병소의 치료계획을 세워 치료하고 술후 예후를 설명할 수 있다.
- 구강악안면에 발생할 수 있는 낭과 양성종양 및 비종양성 악골병소의 치료 후 합병증 발생 시 적절히 대처할 수 있다.

I. 구강악안면 양성병소의 진단

구강악안면영역에 발생하는 양성병소는 병소의 위치나 기원 등에 따라 여러 가지 분류법이 사용되고 있으나 본 장에서는 국제보건기구(World Health Organization, WHO)의 분류법(2017)을 토대로 낭 및 양성종양과 비종양성 악골병소를 분류하여 설명하였으며 각 병소의 영상학적, 조직병리학적 특성 등은 간략히 기술하였으므로 좀 더 명확한 이해를 위해 관련된 전문서적을 참고하기를 권한다(표 10-1).

종양은 비정상 조직의 증식으로 입술, 뺨, 구강저, 구개, 혀 및 악골 등 구강악안면영역 어디에나 발생할 수 있으며 상피조직, 간엽조직 등에서 유래될 수 있다. 종양은 양성종양과 악성종양으로 구분할 수 있는데 양성종양은 천천히 자라면서 주변부로 확장하고, 인접 구조물을 밀어내면서 증식하며, 피낭이 형성되는 경우가 많고 전이되지 않는 특징이 있다. 또한 이 장에서는 종양으로 분류되지 않는 비종양성 악골병소들에 대해서도 언급한다. 드물게 구강질환이 전신증상을 나타내는 경우도 있지만 전신질환이 이차적으로 구강내에 발현할 수도 있다. 특히 혈액질환, 대사장애질환, 영양장

표 10-1 구강악안면 양성병소의 분류(2017년 국제보건기구 분류법을 토대로 함)

낭

염증성 치성낭(odontogenic cysts of inflammatory origin)

① 치근낭(radicular cyst)

② 염증성측낭(inflammatory collateral cysts)

발육성 낭(developmental cysts)

① 치성낭(odontogenic cyst)

- 함치성낭(dentigerous cyst)
- 치성각화낭(odontogenic keratocyst)
- 측방치주낭, 포도상치성낭(lateral periodontal cyst and botryoid odontogenic cyst)
- 치은낭(gingival cyst)
- 선양치성낭(glandular odontogenic cyst; sialo-odontogenic cyst)
- 석회화치성낭(calcifying odontogenic cyst; gorlin cyst)
- 정각화치성낭(orthokeratinized odontogenic cyst)

② 비치성낭(nonodontogenic cyst)

- 비구개관낭(nasopalatine duct cyst)
- 새열낭(branchial cleft cyst)
- 갑상설관낭(thyroglossal duct cyst)
- 유피낭, 기형모양낭(dermoid and teratoid cysts)
- 상악동위낭(antral pseudocyst)
- 술후상악낭(postoperative maxillary cyst)

그외 골낭(other bony cavity)

① 단순골낭(simple bone cyst)

② 스태픈골낭(Stafne's bone cyst)

양성종양 및 비종양성 악골병소

치성종양(odontogenic tumor)

① 상피성(epithelial)

- 법랑모세포종(ameloblastoma)
- 편평상피성치성종양(squamous odontogenic tumor)
- 석회화상피성치성종양(calcifying epithelial odontogenic tumor; Pindborg tumor)
- 선양치성종양(adenomatoid odontogenic tumor)

② 혼합성 치성종양(mixed odontogenic tumor)

- 법랑모섬유종(ameloblastic fibroma)
- 원시치성종양(primordial odontogenic tumor)
- 치아종(odontoma)
- 상아질형성유령세포종(dentinogenic ghost cell tumor)

③ 간엽조직성 치성종양(mesenchymal odontogenic tumor)

- 치성섬유종(odontogenic fibroma)
- 치성점액종(odontogenic myxoma; myxofibroma)
- 백악모세포종(cementoblastoma; true cementoma)
- 백악-골섬유종(cemento-ossifying fibroma)

양성종양 및 비종양성 악골병소

골과 연골의 양성종양(benign maxillofacial bone and cartilage tumors)

① 연골종(chondroma)

② 골종(osteoma)

③ 유아기흑색신경외배엽성종양(melanotic neuroectodermal tumor of infancy)

④ 연골모세포종(chondroblastoma)

⑤ 연골점액유사섬유종(chondromyxoid fibroma)

⑥ 유골골종(osteoid osteoma)

⑦ 골모세포종(osteoblastoma)

⑧ 결합조직형성섬유종(desmoplastic fibroma)

양성 섬유-골성/골연골성 병소

① 중심성골화섬유종(central ossifying fibroma)

② 가족성거대백악종(familial gigantiform cementoma)

③ 섬유형성이상(fibrous dysplasia)

④ 백악-골형성이상(cemento-osseous dysplasia)

⑤ 골연골종(osteochondroma)

거대세포병소(giant cell lesions)

① 중심성거대세포육아종(central giant cell granuloma)

② 주변성거대세포육아종(peripheral giant cell granuloma)

③ 체루비즘(cherubism)

④ 동맥류성골낭(aneurysmal bone cyst)

외골증(exostosis), 골융기(torus)

랑게르한스세포조직구증(langerhans cell histiocytosis)

연조직 병소(soft tissue lesions)

① 유두종(papilloma; human papilloma virus related lesion)

- 편평유두종(squamous cell papilloma)
- 뾰족콘딜로마(condyloma acuminatum)
- 보통사마귀(verruca vulgaris)
- 다발성상피과형성(multifocal epithelial hyperplasias)

② 결합조직 병소(connective tissue lesions)

- 섬유종(fibroma), 섬유성과증식(hyperplasia of fibrous tissue)
- 지방종(lipoma)
- 과립세포종(granular cell tumor)
- 횡문근종(rhabdomyoma)
- 림프관종(lymphangioma)
- 혈관종(hemangioma)
- 신경초종(neurilemmoma, schwannoma, neurinoma)
- 신경섬유종(neurofibroma)

애질환, 내분비질환, 유전질환 등에서는 구강내에 특징적인 병소가 나타나기도 하므로 이에 대한 감별진단이 무엇보다 중요하다. 치과의사는 환자에 대한 병력청취, 임상검사, 영상학적 검사, 이화학적 검사 및 조직병리학적 검사 등을 통하여 병소를 정확히 진단하고 올바른 치료계획을 수립하여 적절한 치료를 할 수 있어야 한다.

1. 병력청취

1) 전신상태 평가

환자의 전신상태를 평가하는 것은 모든 치과치료에 앞서 중요한 절차이다. 환자가 호소하는 구강악안면영역의 증상과 병소가 환자의 전신질환과 연관되어 나타날 수 있기 때문이다. 특히 외과적 치료를 위해서는 필수적으로 먼저 전신상태가 평가되어야 하는데, 그 이유는 심장질환, 고혈압, 응고장애, 당뇨, 폐질환, 신장질환 등 환자의 전신질환 유무에 따라 외과적 치료가 영향을 받을 수 있기 때문이다.

2) 병소에 대한 병력청취

(1) 병소의 지속기간

병소의 지속기간은 병소의 성질을 알 수 있는 중요한 요소이다. 예를 들어 어떤 병소가 수년 이상 지속되었다면 선천성병소이거나 양성병소일 가능성이 높지만 빠르게 변화하는 병소는 종종 반응성, 감염성 또는 악성상태를 나타낸다. 병소의 기간은 진단을 위해 중요하지만 병력의 다른 요소들과 함께 고려되어야만 하는데, 이는 환자가 병소의 존재를 인지하기 전에 더 오랜 기간 동안 존재했을 수 있기 때문이다.

(2) 병소의 크기 변화

병소의 크기가 변하는 속도와 양을 아는 것은 병소의 성질을 파악하는 데 가장 중요한 요소가 된다. 예를 들어 빠르게 증식하는 병소는 공격적인 병소일 것이고 천천히 자라거나 수개월간 크기의 변화가 없다면 양성병소일 가능성이 높다.

(3) 병소의 특성이나 외형의 변화

병소의 물리적 특성 변화를 주목하는 것이 종종 진단에 도움이 될 수 있다. 예를 들어, 궤양이 소포나 수포로부터 시작되었다면 국소적/전신적 수포성 또는 바이러스성 질환을 암시한다.

(4) 병소와 관련된 증상

병소와 관련된 통증, 감각이상이나 저하, 부종, 맛이나 냄새의 변화, 연하장애, 인접 림프절부위의 압통유무는 감별진단에 중요하다. 통증과 압통은 종종 염증이나 감염의 징후이다. 통증이 있는 경우 통증의 양상이나 통증의 증가/감소요인 등을 아는 것은 진단에 많은 도움을 줄 수 있다.

갑작스런 연하곤란의 발생은 구강저나 인두주변조직의 변화를 암시한다. 종창은 염증, 감염, 낭 또는 종양 형성을 포함한 다양한 구강병소의 결과로 나타날 수 있다. 림프절 촉진 시 통증은 보통 염증이나 감염을 암시하지만, 악성종양의 징후일 수도 있다.

(5) 전신적 증상의 유무

발열, 구역(nausea), 피로감 등의 전신증상 등이 동반되면 전신적인 바이러스성 감염 등 전신질환에 대해 고려하여야 한다. 예를 들어 홍역, 유행성이하선염, 단핵구증, 헤르페스 및 후천면역결핍증후군 등의 바이러스 감염증은 전신질환과 동시에 구강증상을 일으킬 수 있다. 자가면역질환 또한 구강병소와 함께 나타날 수 있다. 천포창, 편평태선, 다형 홍반, 성병 등은 구강궤양병변을 동반한다.

(6) 병소가 시작된 원인요소

외상, 치아상태(우식, 치주질환, 치아파절 등)나 최근의 치료, 환자의 습관, 딱딱한 음식이나 뜨거운 음식 섭취, 독소나 항원에 대한 노출, 외국 방문, 약물복용

여부 등이 병소와 관련되어 나타날 수도 있다.

2. 임상검사

병소의 성질을 알기 위하여 면밀한 검사가 필요하며 병소와 그 주변부위 및 인접 림프절까지 검사하여야 한다. 자세한 검사소견을 환자의 의무기록에 기록하고 가능하면 그림이나 사진으로 병소의 크기와 위치, 형태 등을 기록하도록 한다. 병소에 대한 임상검사로 시진, 촉진, 타진, 청진 등의 방법이 이용되며 청진은 자주 이용되지는 않으나 맥관성 질환의 경우에는 청진이 필수적이다. 다음은 병소의 임상검사 시 평가되어야 할 사항들이다.

1) 병소의 위치

병소는 구강내의 상피층뿐 아니라 피하조직 및 점막하 결합조직, 근육, 인대, 신경, 뼈, 혈관 및 타액선 등 어느 곳에서도 발생할 수 있다. 치과의사는 가능한 한 병변의 해부학적 위치를 바탕으로 어떤 조직이 병변에 포함되어있는지 확인해야 한다.

예를 들어, 혀 뒤쪽의 병소는 상피, 결합조직, 림프관, 혈관, 침샘, 신경 또는 근육에서 기원한 병소를 고려해야 한다. 마찬가지로 아랫입술의 안쪽 점막에 발생한 병소는 결합조직 및 소타액선에서 기원한 병소를 감별진단에 포함해야 한다. 치아나 수복물의 날카로운 모서리, 잘 맞지 않는 의치, 뺨을 깨물거나 사고로 인한 외상 등은 항상 구강내 병소의 원인이 될 수 있다. 치수, 치근단, 치주조직의 병적 또는 염증성 상태도 치성낭을 포함한 많은 구강내 병소를 유발한다. 함치성낭은 매복되거나 전위된 견치 및 소구치와 하악 제3대구치를 포함하는 경우가 많다. 치성각화낭(각화낭)은 하악 제3대구치 부위에 호발하며 상행지로 확대되기도 한다. 구상상악낭은 주로 상악 측절치와 견치 사이의 치근을 이개시킨다는 점에서 치근단낭과 구별된다.

2) 병소의 전반적 특징

병소에 궤양이 있는지, 종창의 양상은 어떤지, 색깔의 변화는 있는지, 소포나 수포가 동반되어 있는지 등 병소의 전반적인 특징에 대하여 검사하고 의학적 용어로 표현한다. 궤양은 외상성, 전염성 또는 종양성 병소와 함께 나타날 수 있으며, 종물이나 종창은 일반적으로 종양, 반응성 증식, 낭 또는 림프절비대를 나타낸다. 소포나 수포의 형성은 바이러스 상태, 면역질환 또는 유전성 점막피부질환을 암시할 수 있다.

3) 병소의 크기

병소의 크기는 병소의 성장 또는 확대속도를 알기 위해 병소 지속시간의 추정치와 함께 평가할 때 진단적 의미를 가질 수 있다. 앞서 언급한 바와 같이 환자가 병소를 인지한 시간이 정확하지 않을 수 있기 때문에 감별진단에 따라 우선순위를 부여해야 한다. 소독할 수 있는 금속, 플라스틱 눈금자 또는 CT 등 방사선 사진상의 계측도구를 이용하여 병변의 직경을 측정하고 기록한다.

4) 병소의 수

병소가 단일 병소인지 다발성 병소인지가 진단에 중요한 요소가 될 수 있다. 예를 들어, 혀와 입술에 다수의 궤양성 병소가 나타났다면 감염성질환일 가능성이 높다.

5) 병소의 표면

병소의 표면이 매끈한지 불규칙한지, 엽상의 구조인지 등을 평가한다. 궤양이 존재한다면 궤양 기저부와 변연의 특징을 기록해야 한다. 궤양의 변연은 편평하거나 둥글거나 융기되거나 혹은 외반될 수 있다. 궤양의 기저는 매끄럽거나 과립화(granulated)되거나 섬유소막(fibrin membrane), 허물(slough), 출혈성 딱지로 덮여있을 수 있으며, 일부 악성종양의 특징인 곰팡이 모양을 보일 수 있다.

6) 병소의 색깔

병소의 표면 색깔은 병변의 기원이나 특성을 나타낼 수 있다. 갈색 또는 검은색 반점은 종종 상피내 멜라닌 색소가 침착된 결과이며 파란색 또는 회색 반점은 상피 하방의 결합조직 내에 침착된 외인성(아말감, 이물질) 또는 내인성(멜라닌) 색소물질과의 관련성이 높다. 만약 병소가 푸르스름한 색깔을 띠지만 눌렀을때 하얗게 변한다면 혈관성 병소일 가능성이 높다. 검푸른 빛깔의 병소가 압력에 의해 하얗게 되지 않는다면 점액을 함유한 병소일 것이다. 구강점막 직하방에 발생한 낭의 경우도 진한 푸른색을 나타낸다.

7) 병소의 경계

종물(mass)이 존재한다면 주위조직에 고정되어 있는지 분리되어 움직이는지 판단해야 한다. 경계가 피막화되어 있는 점막하 또는 피하병소는 깊은 연조직 내에서 쉽게 움직이고 이것은 다양한 양성종양과 낭에서 발견되는 특징이다. 병소의 고정여부는 인접 조직으로의 침윤 정도를 알 수 있는 기준이 되기 때문에, 경계를 확인함으로써 종물이 인접한 뼈에 고정되어 있는지, 뼈에서 발생하여 인접한 연조직으로 확장되었는지, 또는 연조직에만 침투했는지 등을 짐작할 수 있다.

8) 촉진 시의 감촉

종물이 부드러운 느낌이라면 지방종 등을 의심할 수 있고, 단단하다면 섬유종이나 신생물을 의심할 수 있으며, 딱딱하면 외골증, 골종 등을 의심할 수 있다.

9) 파동성(fluctuation)의 존재

한 손가락으로 병소를 압박했을 때 파동이 느껴진다면 병소의 벽이 단단하지 않고 내부가 액체로 채워져 있다는 것을 짐작할 수 있다. 악골내 낭의 경우도 크기가 커져 골흡수가 진행되어, 낭벽이 구강점막의 직하방에 놓이면 파동을 느낄 수 있다.

10) 맥박의 유무

병소를 촉진할 때 맥박이 느껴지면 큰 혈관성 병소일 가능성이 있으며, 이 경우 청진을 해보면 혈류의 잡음이나 이상음이 들릴 수 있다. 이러한 병소는 생검 정도의 시술 시에도 생명을 위협할 정도의 대량출혈 위험이 있으므로 병소에 대한 침습적 시술을 피하고 전문의에게 의뢰해야 한다.

11) 림프절 검사

구강악안면의 병소를 검사할 때는 림프절의 촉진을 철저히 시행하도록 한다. 림프절은 주병소의 생검 후에도 염증반응으로 커질 수 있으므로 생검 전에 미리 검사하여 감별하도록 한다.

12) 국소증상

① **통증, 압통:** 대개 염증, 특히 급성 염증과 관련이 있다. 양성 또는 악성종양도 압통을 동반할 수 있지만, 보통 표면 점막궤양과 관련이 있으며 강도가 경미하거나 중간 정도이다. 압통은 또한 외상성 신경종과 같은 병소의 특징적인 임상증상일 수 있다.

② **악골의 팽창:** 악골내 낭의 경우 크기가 커지면서 악골의 팽창이 나타날 수 있는데 주로 하악의 순측 또는 협측으로 팽창하므로, 설측으로 팽창하면 다른 병변을 의심하는 것이 좋다. 치성각화낭은 외측으로 팽창하기보다는 전후방으로 성장하는 경향이 있다. 또한 낭이 팽창하여 구강내로 누공(fistula)이 형성되면 낭의 내용물이 유출되고, 이차적으로 감염되면 불쾌한 맛을 호소한다.

③ **농양:** 때로 이차적인 감염에 의해 연조직 내에 농양을 형성한다. 이러한 과정은 주로 치근단낭과 함치성낭에서 볼 수 있으며 염증의 기본증상인 종창, 압통, 발적 등이 나타난다.

④ **감각이상:** 병소가 신경관을 침범하거나 비정상 위치로 전위시켰을 때 해당 영역의 감각이상을 초래할 수 있다.

⑤ **치아의 생활력:** 일부 낭에서는 해당 치아의 생활력

이 상실되는 경우가 있다. 특히 전치의 경우 치아 생활력이 상실되어 치아가 변색되는 경우도 있다.

3. 영상학적 검사

병소의 해부학적 위치에 따라 적절한 영상을 촬영하여 평가하도록 한다. 일반 방사선필름, 타액선조영술, 초음파, 전산화단층촬영술(CT), 콘빔전산화단층촬영술(CBCT), 자기공명영상(MRI), 방사성핵종 영상(radionuclide imaging) 및 PET/CT가 포함될 수 있다. 정상적인 해부학적 구조를 숙지하고 있어야 병적인 소견을 구분해내고 감별진단할 수 있다.

4. 이화학적 검사

앞에서 설명한 대로 전신질환의 증상이 구강내에 나타나는 경우도 많다. 치조백선이 소실되고 다수의 방사선투과성 병소가 나타난다면 부갑상선기능항진증을 의심해 볼 수 있는데, 혈액내 칼슘, 인(phosphorus), 알칼리성인산분해효소(alkaline phosphatase)의 혈중농도 검사로 이러한 대사성질환을 구분할 수 있다. 악골 외에 다른 골조직에도 병소를 나타내는 다발성골수종에서는 혈청의 단백질 분석이 필요하다. 대부분의 구강내 병소는 조직병리학적 검사 결과로 진단되므로 이화학적 소견이 덜 중요하게 여겨질 수도 있으나, 조직검사에서 거대세포육아종이 나온 경우에는 이화학적 검사가 수반되어야 부갑상선기능항진증 여부를 확인할 수 있다.

5. 조직병리학적 검사

임상적, 영상학적, 기타 검사소견 등을 종합하여 임상적 진단(clinical diagnosis)을 내리게 된다. 그러나 이러한 임상진단은 어디까지나 추정진단이며 치료 또는 수술을 시행하기 전에 반드시 조직검사를 통한 최종진단(final diagnosis)을 얻어야만 한다. 종양으로 의심되는 병소가 발견되면 이에 대한 조직병리학적 진단이 매우 중요하며, 이를 통해 병소의 성질을 정확히 파악하는 것은 수술의 범위나 치료방향 설정에 필수적이다. 조직검사 전에 가능하면 임상사진을 촬영하여 보관할 것이 권장되며, 이는 임상진단과 조직병리학적 진단이 확연히 다른 경우에 수술범위나 방법을 결정하기 위해 처음 상태를 참고하고, 타병원으로 의뢰 시 처음 상태에 대한 정확한 정보를 제공하기 위함이다.

1) 세포진단 검사(Cytology)

표면에 국한된 병소에 관련된 정보를 수집하는 데 사용될 수 있는 간단하고 비침습적인 검사방법이다. 상피세포를 채취하기 위해 상품화된 브러시를 사용하기도 한다.

구강내 병소진단에서 보조적으로 사용될 수는 있으나 검사의 신뢰도가 떨어지기 때문에 생검법을 대신할 수는 없다. 세포진단검사는 개개 세포의 검사는 가능하지만 정확한 진단을 위하여 중요한 요소인 조직학적 구조를 볼 수 없기 때문이다.

2) 흡인생검(Aspiration biopsy)

세침흡인생검(fine needle aspiration biopsy, FNAB)은 피하 또는 더 깊이 위치한 병소를 평가하는 데 유용한 방법으로 침샘이나 목의 종물의 성질을 파악하는 데 가장 널리 사용된다. 또한 낭이 의심되는 경우, 국소마취 하에 굵은 주사침을 병소부에 자입하여 병소의 내용물을 흡인 · 채취하여 확인할 수 있으므로, 세포의 구조를 보기 위한 조직을 얻지는 못할지라도 넓은 의미에서 생검이라 할 수 있다. 만약 흡인 시 액체가 흡인되지 않는다면 고형의 병소일 것이 예상되며 혈액이 흡인된다면 혈관기형이나 동맥류성골낭, 중심성해면혈관종 등일 가능성이 있다. 각화낭에서는 농처럼 보이는 노란색의 농축된 각질(keratin)이 관찰되나, 이것은 불쾌한 냄새가 없으므로 낭의 이차감염의 기왕력이 없다면 각화낭을 진단하는 데 도움이 된다. 감염된 낭은 정상적인 낭의 내용물과 농이 함께 들어 있다. 낭의 감염이 만성적으로 장시간 진행되었을 때 낭 내부는 잘 흡인되지 않은 진한 반고체의 농과 콜레스테롤 결정으로 채워져 있는 경우가 많다.

3) 절개생검법(Incisional biopsy)

절개생검이란 조직병리학적 진단을 위해 병소의 일부만을 채취하는 방법이다. 병소의 크기가 크거나(직경 1–2 cm 이상), 병소내 위치에 따라 다른 특성을 보이는 경우 또는 악성종양이 의심되어 치료를 계획하기 전 최종 조직병리학적 진단이 필요한 경우에 사용된다. 다양한 특성을 가진 큰 병소에서는 병소내 각기 다른 영역에서 둘 이상의 표본을 채취해야 한다. 일반적으로 절개생검은 조직표본에 병소뿐 아니라 정상으로 보이는 조직까지 포함하며 쐐기모양으로 절제한다(그림 10-1). 좁고 깊은 표본을 채취하여 병소 기저부의 세포

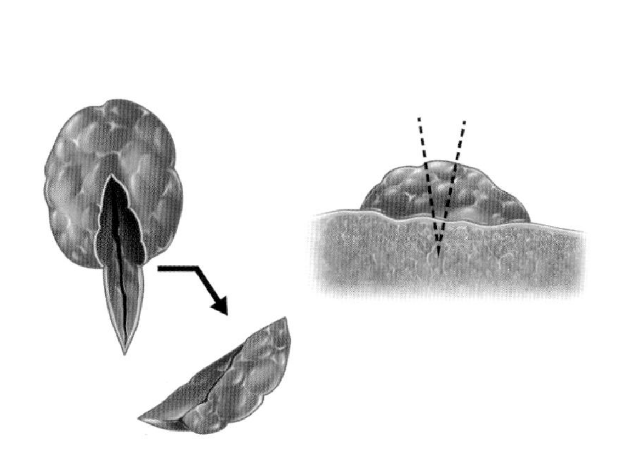
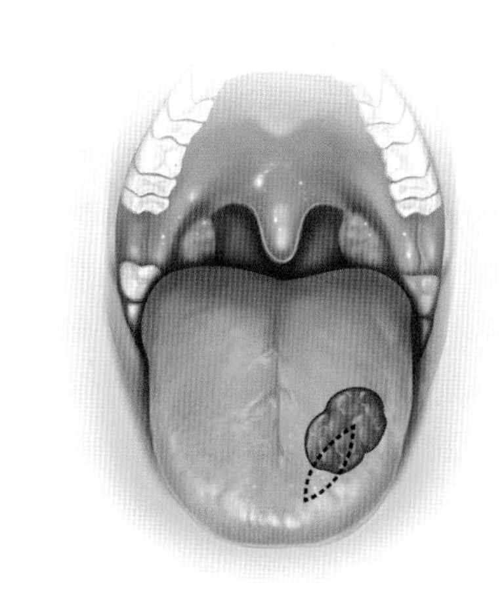

그림 10-1 절개생검법. 절개는 병소가 점막하층으로 확산되었는지를 알기 위하여 근육층을 향하여 깊게 시행하고 정상조직을 일부 포함하여야 하며, 괴사조직은 피해야 한다.

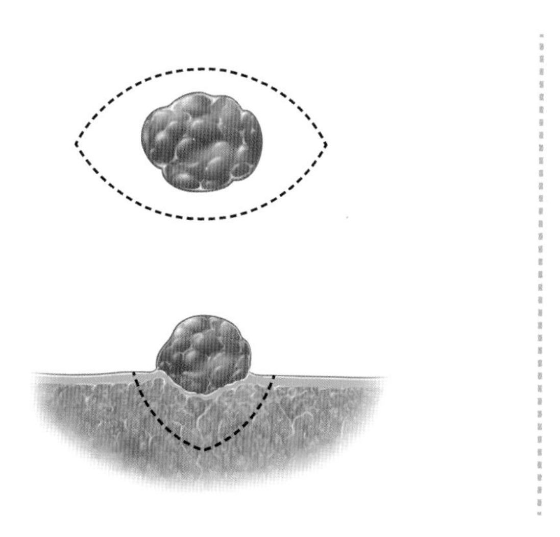
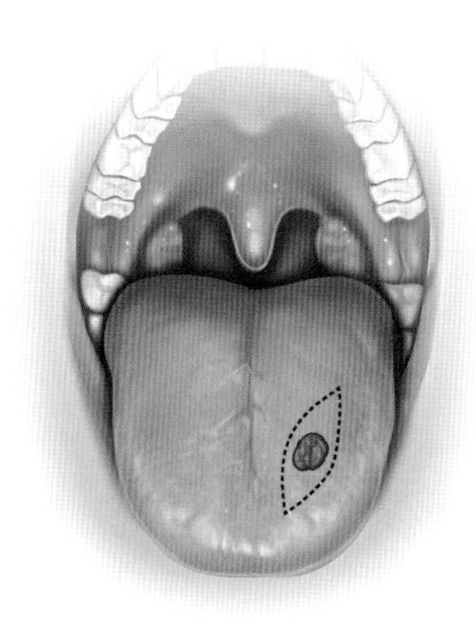

그림 10-2 연조직 병소의 절제생검법. 병소주변 정상조직의 2–3 mm 둘레를 포함하도록 병소 전체를 제거한다.

특징이 포함되도록 하며 괴사조직은 피하고 충분한 양을 채취한다. 병소의 기원이나 병소 자체와 관련이 있는 것으로 보이지 않는 한 신경, 주요도관, 혈관 등 인접 해부학적 구조를 손상시키지 않도록 주의해야 한다.

4) 절제생검법(Excisional biopsy)

절제생검은 병소주변 정상조직의 2–3 mm 둘레를 포함하여 병소 전체를 제거하는 것이다(그림 10-2). 임상적으로 양성으로 추정되며, 크기가 직경 1–2 cm 미만의 작은 병소가 적응증이며 절제에 포함되는 정상조직의 주변폭은 추정 진단에 따라 달라질 수 있다. 완전한 절제술은 종종 병소의 진단과 치료법을 겸하는 것이다. 악성병소가 의심되는 경우에는 생검을 시술할 임상의가 최종치료에 관여하지 않는다면 절제생검을 시행해서는 안 되며, 이때는 최종진단을 위해 절개생검법을 시행해야 한다.

5) 연조직 생검방법

(1) 마취

가능하면 전달마취를 시행한다. 전달마취가 불가능하면 침윤마취를 시행하되 마취액은 병소에서 최소한 1 cm 정도 떨어진 곳에 주입하여 마취액에 의한 조직의 변형을 방지하도록 한다.

(2) 조직의 고정

연조직의 생검은 입술, 협점막, 혀 등의 움직임이 많은 부위에서 시행하는 경우가 많으므로 조직을 적절히 고정하여야 정확하게 원하는 부위를 채취할 수 있다. 입술의 경우는 보조자가 손으로 잡아줄 수 있으며 혀 등의 경우는 견인봉합을 시행하거나 병소 가까운 곳을 봉합하여 당기면서 병소와 함께 절제해낼 수 있다.

(3) 절개

수술칼을 이용하여 절개하는 것이 좋다. 전기수술기구는 절개된 인접 조직의 손상이 심하여 조직표본에 변형이 있을 수 있으므로 주의 깊게 사용한다. 타원형으로 V자형을 이루도록 절개하면 봉합이 용이하다.

(4) 조직의 취급

채취된 조직표본은 병리조직 검사를 하기에 적절하여야 한다. 기구 등을 거칠게 다루어 조직표본이 손상되면 정확한 진단을 할 수 없게 되므로 주의를 요하며, 견인 봉합을 이용하면 조직손상을 줄여줄 수 있다.

(5) 변연부의 표시

병리의사가 조직의 위치를 파악할 수 있도록 채취된 조직표본 변연부에 봉합사로 표시하여, 잔존 병소가 존재하는 경우 차후 치료 시 참고할 수 있게 한다.

(6) 채취된 표본의 처치

표본의 채취 즉시 혈액을 제거하고 표본의 약 20배 이상의 부피의 10% 포르말린 또는 4% 포름알데하이드 용액이 함유된 뚜껑이 있는 유리 또는 플라스틱 용기에 담아야 한다.

(7) 봉합

절제 부위에 타원형의 절제를 시행하였다면 대부분 지혈 후 쉽게 일차봉합을 시행할 수 있다. 상처가 깊은 경우 층별봉합이 필요할 수 있고 상처가 큰 경우에는 변연부위의 표면조직을 박리하여 긴장없이 일차봉합을 시행한다.

II. 구강악안면 양성병소

1. 낭(Cyst)

구강악안면외과 영역에서 흔히 볼 수 있는 병적상태로 낭을 꼽을 수 있다. 그러나 낭을 자신 있게 처리하고 낭과 인접한 치아 및 치조골 등의 처치를 제대로 해내기란 그리 쉬운 일이 아니다. 낭에 포함된 치아를 발거할지, 낭이 종양화하지는 않을지, 낭의 크기가 너무 커서 어떻게 접근할지를 모를 때가 종종 있을 것이다. 낭이란 연조직 혹은 경조직 내에 상피성 내막이 덮힌 결합조직으로 둘러싸인 공간으로 그 내부에 액체 또는 반유동성 물질을 함유하는 병적조직을 말한다. 낭내의 함유물은 주위조직보다 높은 삼투압을 가지며 이로 인한 외부조직액의 유입은 낭이 커지게 하고 이는 주위골조직 및 연조직의 파괴를 일으킨다.

구강악안면영역의 낭은 크게 발육성 낭과 염증성 낭으로 구분할 수 있으며 발육성 낭은 다시 치성과 비치성으로 나눌 수 있다. 치성낭은 70% 이상을 차지하며 법랑질상피나 치배와 관련하여 악골내에 발생하는 것이 대부분이다. 비치성낭은 태생기에 구강상피의 골유합선 내로의 함입이나 발생과정에서 잔존하게 된 상피의 증식으로 발생한다. 구강악안면영역의 낭은 대부분이 치성 기원으로 신체의 다른 부위에 비하여 발생빈도가 매우 높고 낭으로 인해 주위조직이 파괴될 경우 악골의 흡수와 팽창, 병적골절 및 안모의 변형 등이 유발될 수 있으며 이로 인한 기능적, 심미적 결손이 우려되므로 낭의 조기진단과 치료는 매우 중요하다. 낭의 치료는 부위 혹은 낭의 종류에 따라 달라야 하며 이를 위하여 낭의 원인, 정확한 진단 및 각각의 낭의 특성을 이해하는 것이 매우 중요하다.

1) 염증성 치성낭(Odontogenic cyst of inflammatory origin)

(1) 치근낭(radicular cyst)(그림 10-3A, B)

치근단(apical)낭, 측방(lateral)낭, 잔류(residual)낭의 형태로 발생하는 악골에서 발생하는 가장 흔한 낭이다. 치주인대내 말라세쯔상피잔사(Malassez epithelial cell rest)에서 유래하고 염증의 후유증으로 발생하며 대개 치수괴사 후에 나타난다. 치근낭은 치근단 또는 치근의 측면으로 치수염증이 파급되어 육아종을 형성하였다가 이 육아종내의 상피잔사가 염증에 의해 자극되어 증식하여 상피로 덮인 낭강이 형성된다. 치근낭은 어떤 치아에도 나타날 수 있으나 유치에 나타나는 경우는 드물며 상악전치부에 가장 많이 나타난다. 넓은 연령층에서 나타나지만 30-40대에 가장 많이 나타나고 남자에서 호발한다.

영상학적으로 근단성 육아종과 치근낭을 구분하는 것이 항상 가능하지는 않지만 낭이 좀 더 크고 변연부

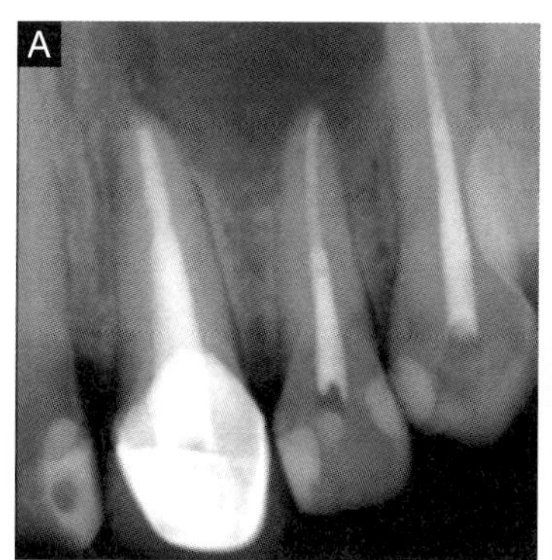

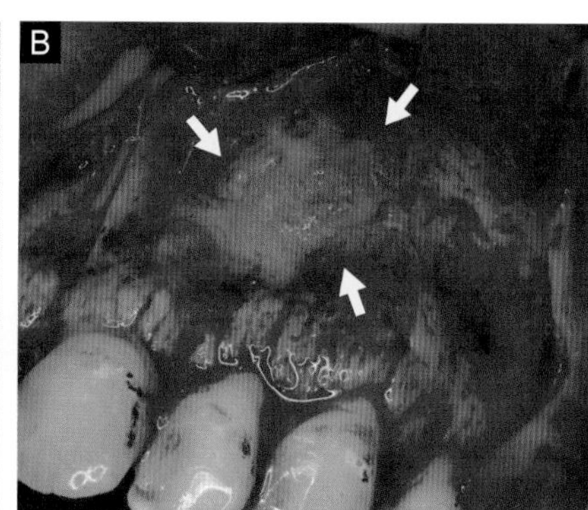

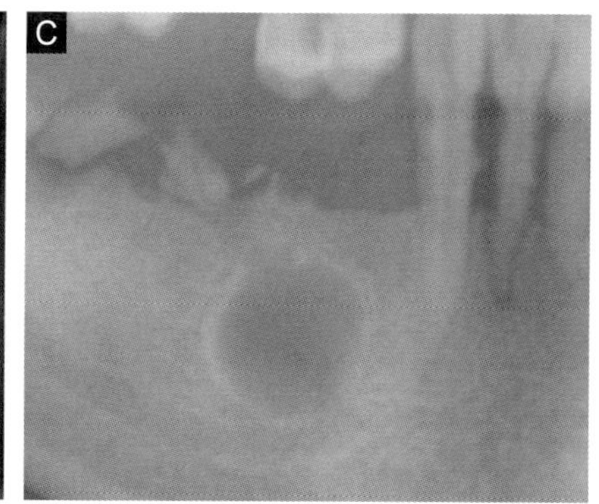

그림 10-3 A, B: 상악 좌측 중절치에서 견치 사이에 발생한 치근낭의 방사선사진과 수술 중 피판형성 후 임상사진. 골 하방으로 낭이 푸른색으로 비친다(화살표). C: 하악 우측 무치악 치조골에 발생한 잔류낭의 방사선사진.

가 명확한 경향이 있다. 조직학적으로 대부분의 치근낭은 비각화성 중층편평상피로 덮혀 있으며 상피층의 형태는 염증의 정도와 관련이 있다. 즉 염증이 있을 때는 낭상피의 상피돌기(rete process)가 증식하고 염증이 없을 때는 상피층이 상피돌기 없이 얇아지는 경향이 있다. 가끔 하악의 치근낭에서도 낭상피 내에 점액세포나 섬모세포를 함유한다. 일부 증례에서는 유리질(hyaline)이 특징적으로 나타나기도 하며 석회화될 수도 있다. 섬유성 낭벽에는 콜레스테롤 결정이 심하게 침착되어 있고 이와 관련한 이물거대세포(foreign body giant cell)반응을 보이는 경우가 많다. 일반적으로 치근낭의 상피층과 바깥쪽 결합조직층 사이에는 염증세포가 심하게 침윤되어 있다. 잔류낭은 관련된 치아가 발치된 후에 악골내에 치근낭이 남아있는 것이다 (그림 10-3C).

(2) **염증성측낭**(inflammatory collateral cyst)

치주낭내의 염증과정으로 인하여 치근 측면의 치경부 가까이에 발생한 낭으로 치주인대 표층의 치성상피로부터 발생하며 이환된 치아는 생활력이 있다. 크게 2가지 유형으로 나뉘는데 치관주위염의 병력이 있는 맹출된 하악 제3대구치의 원심협측에 나타나는 낭을 paradental cyst라고 하며, 종전에 감염성 하악 협부낭으로 불리던 주로 6–8세경의 하악 제1대구치 협측에 나타나는 낭을 mandibular buccal bifurcation cyst라고 부른다. 염증성측낭의 조직소견은 치근낭과 같다.

2) **발육성 낭**(Developmental cysts)

(1) **치성낭**(odontogenic cyst)

① **함치성낭**(dentigerous or follicular cyst)

미맹출치의 치경부에 부착되어 치관을 포함하고 있는 낭으로 치관과 위축된 법랑상피 사이에 액체가 축

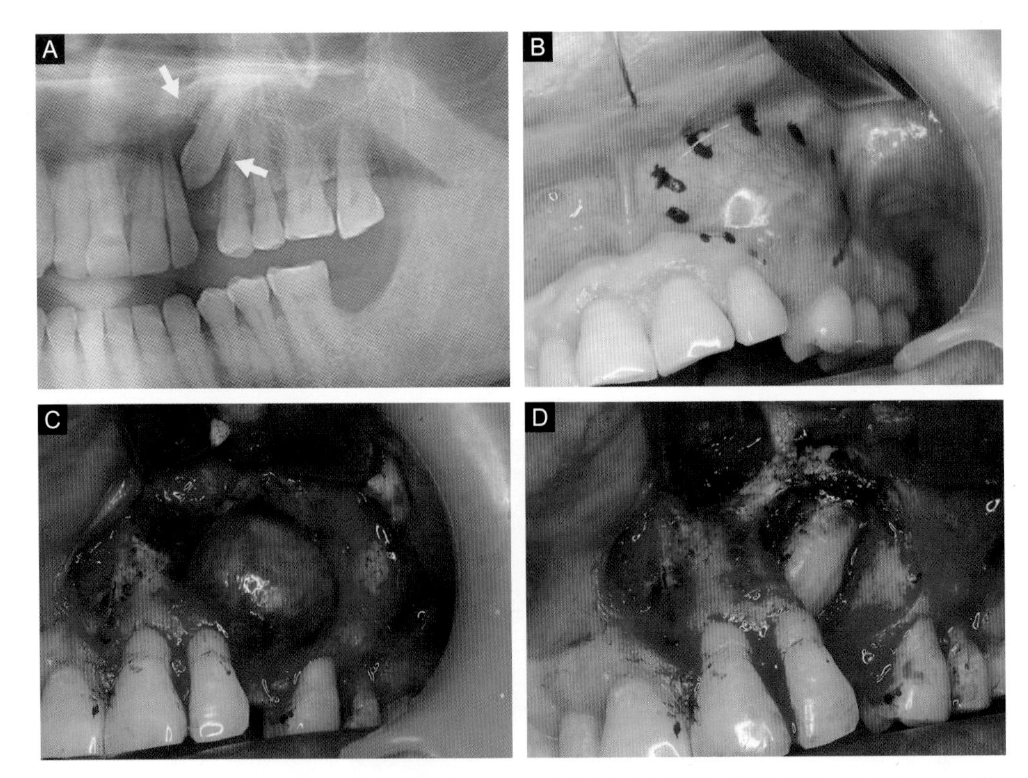

그림 10-4 매복된 상악 좌측 견치주위에 발생한 함치성낭. A: 파노라마방사선사진에서 매복된 상악 좌측 견치주위의 경계가 분명한 방사선투과성 병소 B: 낭에 의해 팽창된 점막 하방으로 푸르스름하게 낭이 비친다. C: 수술 중 주위골에서 박리된 낭 D: 낭 적출 후 매복된 견치가 관찰된다.

적되어 발생된다. 함치성낭은 하악 제3대구치, 상악 견치와 제3대구치, 또는 하악 제2소구치와 관련되어 나타나는 경우가 가장 많다. 어떤 연령층에서도 나타날 수 있으나 20-40대에 가장 많이 나타나며 남자에서 더 많이 나타난다.

영상학적으로 함치성낭은 미맹출치의 치관과 관련된 경계가 분명한 방사선투과성 병소로 보인다(그림 10-4). 낭과 치아의 관련에 따라 치관중심부형, 측방형, 주변부형으로 구분할 수 있다. 조직학적으로 낭벽은 위축된 법랑상피(reduced enamel epithelium)와 유사한 2-3층의 상피세포로 덮힌 얇은 결체조직 층으로 구성되어 있으며 만약 염증이 동반되면 상피층은 두꺼워지고 상피세포는 편평해지게 된다. 이장상피는 다양한 정도의 점액생성세포와 때로는 섬모세포를 포함하기도 한다. 어떤 증례에서는 상피층이 각화되기도 하지만 일반적으로 각화는 일부에서만 나타난다.

함치성낭의 변종(variant)인 맹출낭(eruption cyst)은 맹출 중인 치아의 치관주위를 둘러싸며 비각화성 중층편평상피로 덮여있다. 맹출낭은 골조직 밖의 연조직에 발생된 함치성낭의 형태이며 임상적으로 치아가 맹출될 부위에 푸르스름한 종창이 나타난다. 교합외상의 결과 상피주위에 만성염증세포가 침윤되어 있고 상피층은 증식되어 두꺼워진다. 치료는 대개 필요없으나 맹출될 치아를 노출시키기 위하여 치아를 덮고 있는 연조직을 제거할 수도 있다.

② **치성각화낭**(odontogenic keratocyst, OKC; 이하 각화낭으로 표기)

치성각화낭은 2005년 국제보건기구에 의해 각화낭성치성종양(keratocystic odontogenic tumor, KCOT)으로 분류되었으나, 2017년 다시 치성각화낭으로 분류되었다. 재발률이 높고 공격적인 성향과 기저세포모반증후군(basal cell nevus syndrome)과의 관련성, PTCH tumor suppressor gene의 돌연변이 등을 반영하여 치성종양으로 분류하였으나, PTCH gene 돌연변이는 비종양 병소에서도 발견되는 것과 조대술이 가능한 점 등을 고려하여 다시 낭으로 분류하였다. 부전각화된(parakeratinized) 중층편평상피로 이장되어 있고, 조직학적으로 정각화된(orthokeratinized) 경우는 이 분류에 포함되지 않는다. 치판(dental lamina)이나 치판의 잔사 또는 구강상피 기저층에서 파생되어 발생되는 것으로 추정되며, 종양을 형성하는 원인은 알 수 없으나 염증은 아닌 것으로 알려져 있다. 이 병소의 발생연령층은 다양하지만 20-30대에 가장 많이 나타나며, 여성보다 남성에서 더 많이 발생한다. 상악보다 하악에서 더 많이 나타나며 그 중 하악골 우각부에서 상행지 또는 골체부로 확대되어 나타난다. 영상학적으로 각화낭은 경계가 명확하고 평탄하거나 가리비 가장자리 같은 물결무늬(scalloped) 모양을 보이는 단방성 혹은 다방성의 방사선투과성 병소로 나타나며, 종종 미맹출 치아와 연관이 있다. 조직학적으로 6-10층 정도의 세포 두께를 가지는 비교적 일정한 두께의 부전각화 편평상피, 원주 또는 입방형 기저세포의 책상배열, 내강의 주름진 부전각화층, 상피돌기의 소실 등의 특징을 가지고 있다. 다수의 각화낭에서는 결체조직내에 기저세포로부터 상피의 증식에 의한 발아(budding)가 포함되어 있거나 분리된 딸낭(daughter cyst)이 있는 경우도 있어 다른 낭보다 재발하는 경향이 높다. 만약 염증이 수반되면 종양벽은 두꺼워지며 상피층에 상피돌기가 나타나며 각화는 없어지기도 한다. 인접한 미맹출치를 둘러쌀 수도 있으며 때때로 치아가 병소내로 맹출되면 각화층이 있는 함치성낭으로 오진될 수도 있다. 대부분은 독립된 병소로 나타나지만 기저세포모반증후군의 경우에는 다발성으로 나타나는 경우가 많다. 각화낭의 치료법으로는 냉동수술(cryosurgery) 혹은 Carnoy's solution 도포, 변연골절제술을 동반하거나 혹은 동반하지 않은 조대술, 적출술 및 광범위한 절제술 등이 추천된다. 단순적출술보다는 냉동수술 혹은 Carnoy's solution 도포, 변연골절제술을 동반하는 경우에 재발률이 현저히 떨어진다고 알려져 있다. 어느 경우든지 다른 낭에 비하여 재발이 잘되므로 술후 주기적인 관찰이 반드시 필요하다. 그리고 기저세포모반

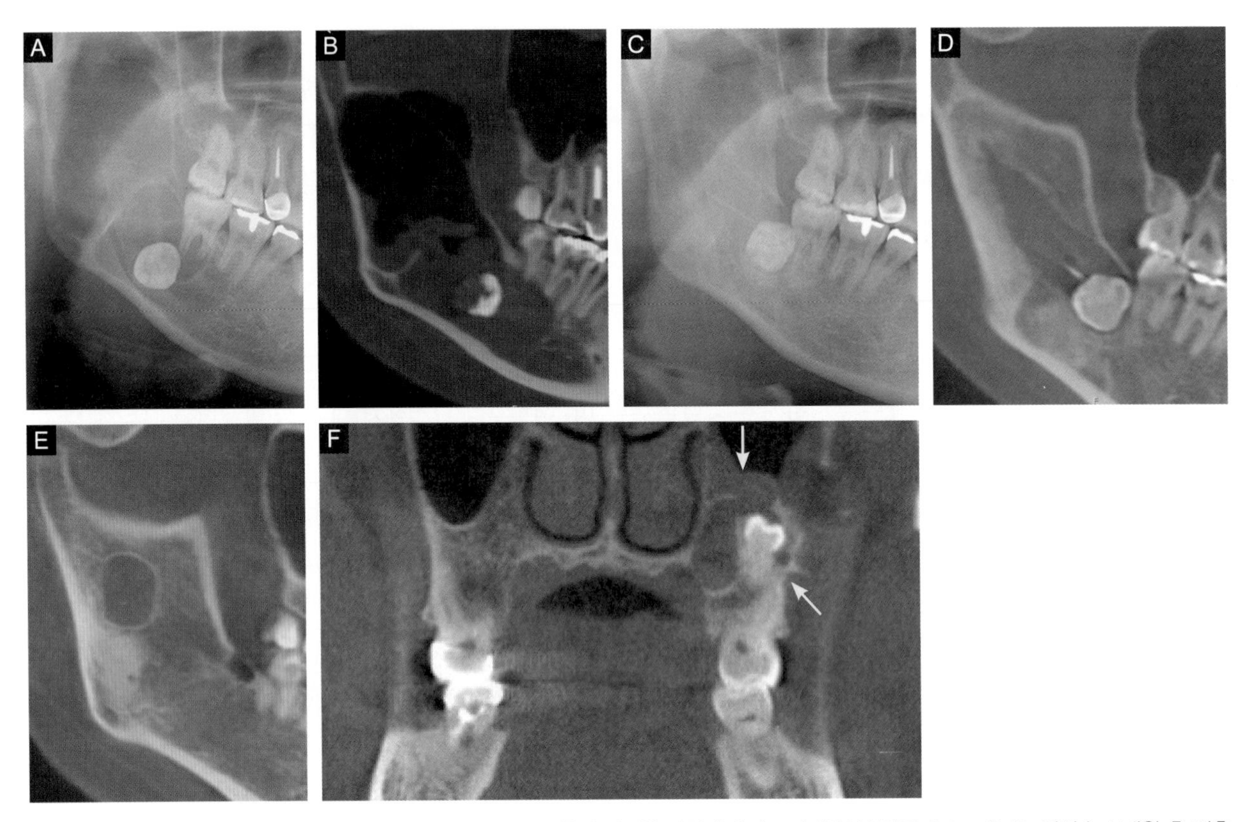

그림 10-5 A, B: 미맹출 하악 제3대구치를 포함하여 하악 우측에 발생한 각화낭의 파노라마방사선사진과 CT C, D: 감압술 14개월 후 적출 전 촬영한 파노라마방사선사진과 CT E: 우측 상행지에 재발한 각화낭 F: 상악 좌측에 발생한 각화낭의 딸낭(화살표).

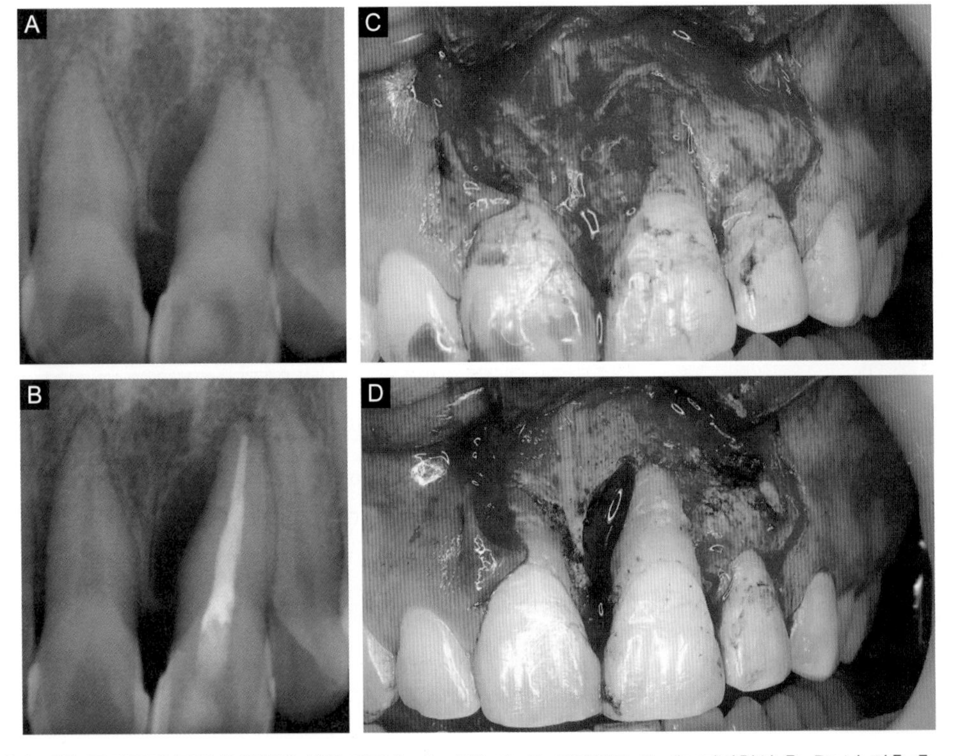

그림 10-6 상악 좌측 중절치의 근심에 발생한 측방치주낭. A: 초진 시 B: 근관치료 후 C: 피판형성 후 D: 낭 적출 후.

증후군의 경우에는 새로운 각화낭이 악골에 발생할 가능성이 높으며 피부병소에 대해서도 면밀한 추적관찰이 필요하다(그림 10-5).

③ 측방치주낭, 포도상치성낭(lateral periodontal cyst and botryoid odontogenic cyst)(그림 10-6)

생활치의 측면 또는 치근 사이에서 발생되며 치성상피잔사로부터 발생되지만 염증자극이 원인은 아니다. 측방 치주낭은 치성각화낭, 성인의 치은낭, 치근 측면의 염증성 기원의 낭과 감별해야 한다. 가장 흔히 발생되는 부위는 하악소구치 부위이며 그 다음이 상악전치부이고, 발생 연령층은 다양하다. 영상학적으로 경계가 분명한 원형 또는 타원형의 방사선투과성 병소로 나타나며 때때로 경계부위가 경화(sclerotic)되어 있는 양상이다. 측방치주낭은 치성상피로부터 발생되지만 정확한 기원에 대해서는 논란이 있으며 위축법랑상피, 치판의 잔사, 말라세쯔세포잔사 등과 관련이 있다. 낭은 1–5층의 비각화 편평 또는 입방세포로 얇게 덮여있다. 소위 포도상치성낭(botryoid odontogenic cyst)은 아마도 측방치주낭이 다발성으로 나타난 것일 것이다.

④ 치은낭(gingival cyst)(그림 10-7)

치은낭은 치은이나 치조점막내에 치성상피잔사에서 발생되는 낭으로 성인과 유아 모두에서 나타난다. 성인의 치은낭(gingival cyst of adults)은 경계가 분명하고 대개 직경 1 cm 이하이며 순측의 부착치은 또는 치간유두에 나타난다. 하악의 견치, 소구치 부위에서 가장 흔히 나타나며 방사선사진상의 변화는 없거나 골표면의 침식을 나타내는 미약한 원형의 음영이 나타난다. 기원에 대해서는 논란이 있으나 치판의 잔사 또는 인접치아의 접합상피(junctional epithelium) 등이 관련되었다는 주장이 있다. 낭의 이장상피는 1–2층의 편평 또는 입방세포로 구성되어 극히 얇거나, 상피돌기(rete ridge)가 없는 중층편평세포로 구성되어 두꺼울 수도 있다. 치은낭은 절제나 적출로 치료될 수 있다. 유아의 치은낭(gingival cyst of infants; Epstein's pearls)은 출생 시에 볼 수 있으며 생후 3개월이 지나서 나타나는 경우는 드물다. 치아가 나올 치조점막부위에 흰색 또는 노란색의 결절로 나타나며 조직학적으로 편평한 기저세포에 얇은 중층편평세포가 덮여있고 낭 내에는 각질(keratin)이 차있다.

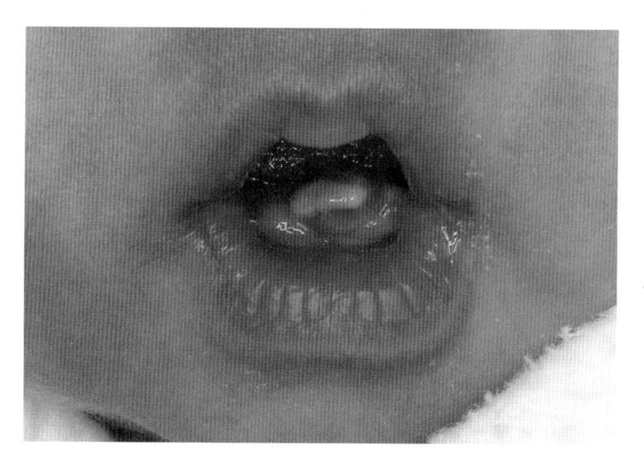

그림 10-7 유아의 하악 전치부에 발생한 치은낭.

⑤ 선양치성낭(glandular odontogenic cyst; sialo-odontogenic cyst)

치아가 맹출하는 부위의 악골에 발생하는 낭으로 입방세포 또는 원주세포로 구성된 두꺼운 상피층 내에 낭과 유사한 공간이 있는 것이 특징이다. 이러한 종류의 낭은 최근에 몇 증례가 보고된 것으로 아직 일반적으로 받아들여질 만한 병명도 없어 위의 두 가지 병명이 사용되고 있다. 이 병소는 상하악 모두에 나타날 수 있고 천천히 성장하지만 상당히 크게 자랄 수 있으며 클수록 재발이 잘되는 경향이 있다. 대개 섬유층에 염증세포의 침윤은 없으며 이장상피는 얇은 층의 편평상피로 이루어져 있고, 이 중 일부 표층은 호산성의 입방세포 또는 원주세포로 이루어져 있다. 상피층 내에 틈새 또는 낭 모양의 공간(미세낭)이 있으며 종종 낭과 미세낭 내부에 점액이 관찰된다. 상피층과 섬유층 간 불규칙한 유두상돌기를 형성하고 섬유층에 염증세포는 침윤되어 있지 않다. 치성낭 중 점액세포 또는 섬모세포의 변성을 보이는 부분이 있더라도 상기의 소견이 보이지 않으면 선양치성낭으로 진단할 수 없다(그림 10-8).

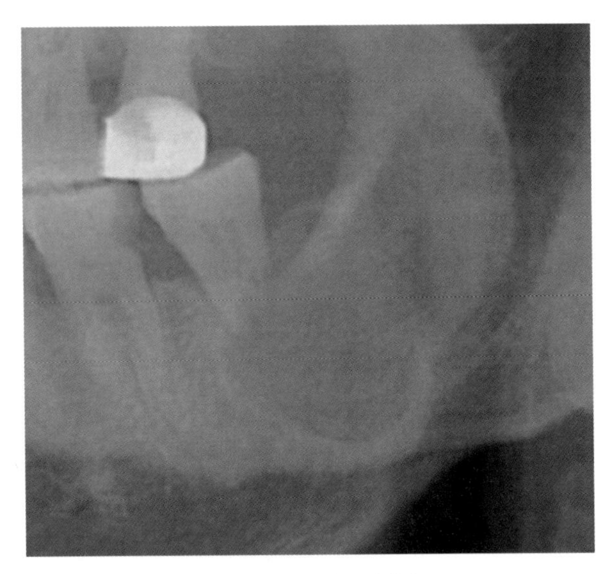

그림 10-8 하악 좌측에 발생한 선양치성낭.

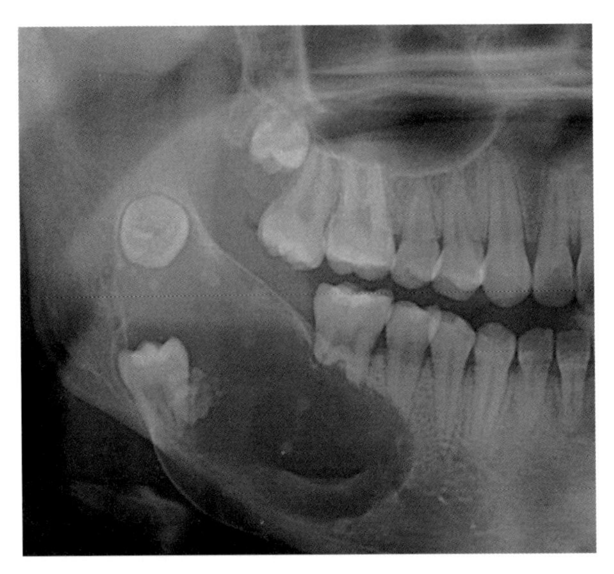

그림 10-9 하악 우측에 발생한 석회화치성낭.

⑥ **석회화치성낭**(calcifying odontogenic cyst; gorlin cyst)(그림 10-9)

이장상피의 기저층은 원주세포로 이루어지고, 상피의 위쪽은 성상세망(stellate reticulum)과 유사하게 많은 세포가 두텁게 배열되어 있다. 난원형(ovoid)의 산성 과립세포인 '유령세포(ghost cell)'가 관찰되며, 이것은 이물반응에 의해 이장상피가 파괴되면서 육아조직을 형성한 것으로 석회화되기도 한다. 방사선사진에서 낭내에 불투과성으로 나타나는 석회침착과 치근흡수를 볼 수 있으며 병소의 일부는 법랑모세포종과 유사한 소견을 나타내므로 감별 시 주의하여야 한다. 치성경조직 형성의 정도는 증례에 따라 다양하다.

⑦ **정각화치성낭**(orthokeratinized odontogenic cyst)

1981년 처음 명명된 정각화치성낭은 이장상피가 조직학적으로 정각화된(orthokeratinezed) 상태로, 이전에는 치성각화낭의 변이로 간주되었지만, 임상병리학적으로 부전각화된(parakeratinized) 치성각화낭과는 차이가 있어, 최근에는 국제보건기구에서 따로 분류하고 있다. 치성각화낭과 달리 기저세포모반증후군과 관련이 없고 조직학적으로 정각화된 이장상피가 특징적이며, 기저세포의 책상배열(palisade arrangement)이나 딸낭 등은 나타나지 않는다. 주로 젊은 나이에 나타나고 하악 후방부에 호발한다. 대개 단방성이지만 경우에 따라 다방성도 존재하며, 다른 치성낭들과 영상학적, 임상적으로 뚜렷한 차이는 없다. 적출술로 치료되며 재발률은 낮다.

(2) 비치성낭

① **비구개관낭, 절치관낭**(nasopalatine duct cyst, incisive canal cyst)

비구개관내에 잔존하는 상피잔사로부터 발생하는 낭으로 대개 40–60세에 많이 발생하며 남성에서 약 3배 정도 더 호발한다. 영상학적으로 낭은 상악골 중앙에 경계가 뚜렷한 방사선투과성 병소로 나타나며 원형, 타원형, 또는 하트형으로 보인다. 그러나 절치관의 크기가 큰 경우에도 낭과 유사한 소견을 보일 수 있으므로 감별을 요하며, 낭액의 흡인여부가 감별에 도움이 된다. 조직학적으로 낭은 중층편평상피세포 또는 위중층섬모원주상피세포로 덮여있으며 낭벽의 결체조직에는 신경, 혈관, 점액선과 지방조직이 나타날 수 있다. 비구개관의 표층에 있는 같은 상피잔사에서부터 발생된 병소가 골외에 있을 때는 구개유두낭(palatine papilla cyst)이라 한다(그림 10-10).

② **새열낭**(branchial cleft cyst, benign lymphoepithelial cyst)(그림 10-11)

새열낭은 경부림프절 내로 함입되어 포함된 태생기 새열의 상피잔사로부터 유래된다. 상피의 기원은 분명하지 않으나 태생기 타액선 기원일 것으로 생각된다. 낭은 천천히 자라며 대부분 유년기와 초기 성년기에 발견된다. 이 낭은 증상 없이 경계가 분명한 가동성이 있는 덩어리로 목의 상부 측면에 흉쇄유돌근의 전연을 따라 나타나며 드물게 하악 우각부, 악하부, 전이개부 또는 이하선부에 나타날 수도 있다. 낭은 중층편평상

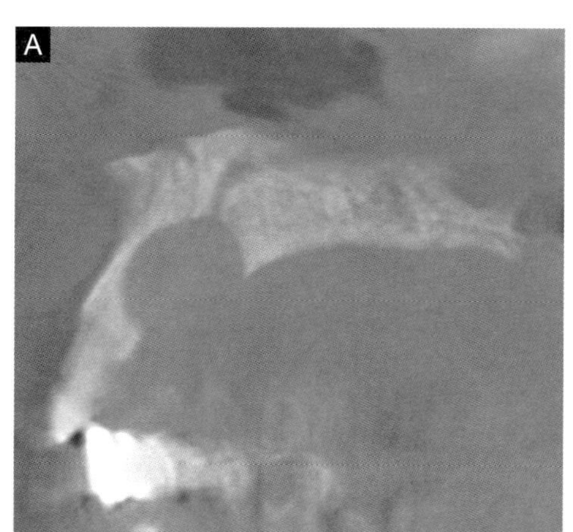

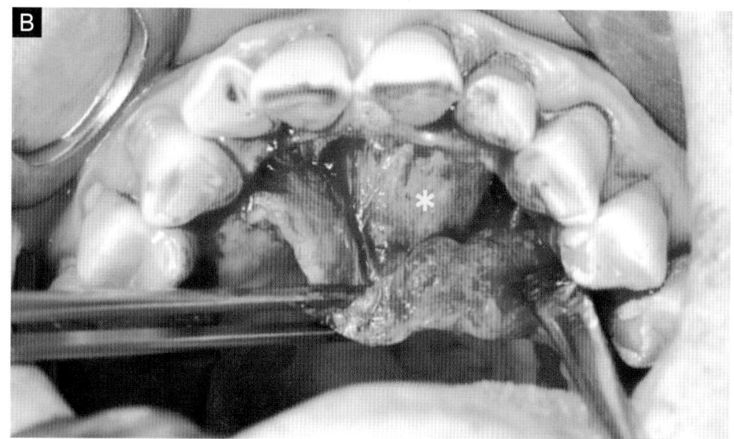

그림 10-10 **비구개관낭.** A: CT의 시상단면 B: 구개측 접근을 이용하여 낭(*)을 적출하고 있다.

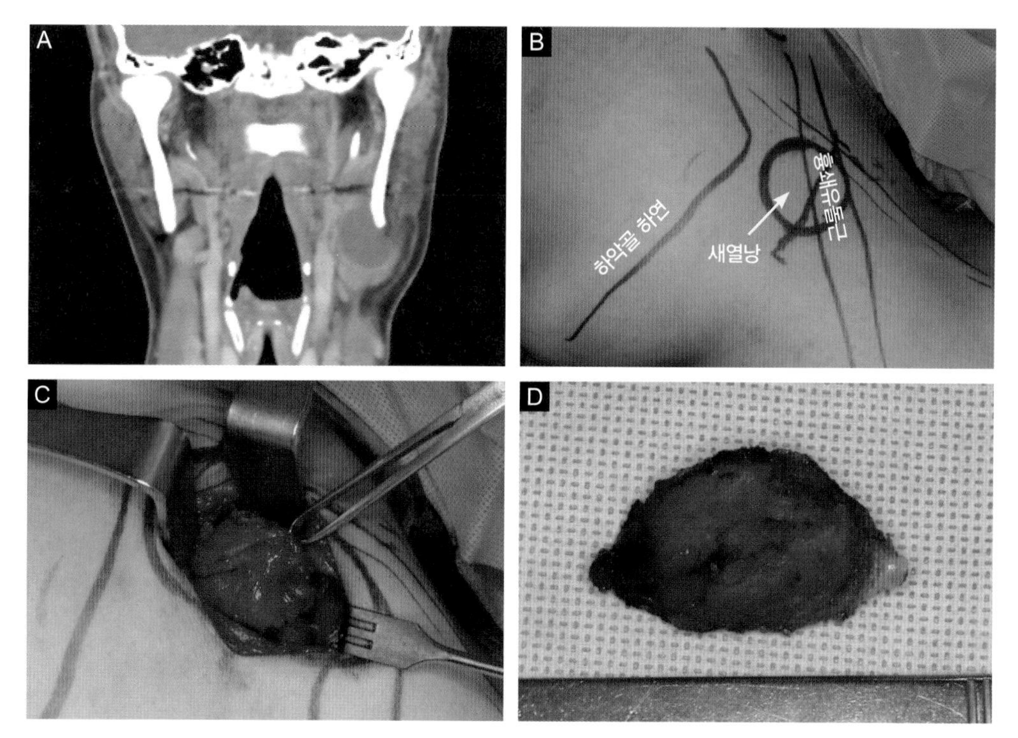

그림 10-11 **좌측 경부에 발생한 새열낭.** A: CT 관상면 B: 수술 시 표시된 해부학적 기준점 C: 낭이 박리되는 모습 D: 적출된 낭.

피세포 또는 위중층원주상피세포로 덮혀 있으며 낭벽은 특이한 림프선 형상을 보이는 유림프조직으로 구성되어 있고 낭강내에는 맑은 액체 또는 교질액 혹은 점액이 함유되어 있다. 새열낭의 치료는 외과적으로 절제하는 것이며, 흡인만 하면 상피조직이 남아 재발될 수 있다. Branchiogenic carcinoma로의 악성변환이 이와 같은 낭에서 발생할 수 있음이 드물게 보고되었다. 양성의 간엽성 종양과 감별되어야 하며 특히 감염성 림프선염, 경동맥체 종양이 주요 감별대상이다.

③ 갑상설관낭(thyroglossal duct cysts)

이 낭은 태생기 갑상설관의 잔류물로부터 생길 수 있고 일반적으로 목 중앙부 설골 근처에 있는 갑상선 상방에서 나타나며 맹공(foramen cecum linguae) 아래 혀의 기저에서 발생할 수도 있다. 압박하거나 흡인하면 노란색 액체가 나오고 낭이 커지면 인접 구조물을 변위시킬 수도 있으며 연하장애나 발음장애를 일으킬 수도 있다. 낭의 병리학적 소견은 원주형 호흡기상피 혹은 중층편평상피로 이장되어 있으며, 갑상선 조직이 있을 수도, 없을 수도 있다. 설측으로 위치해 있는 이 낭은 lingual thyroid nodule, 간엽성 종양, 후방 위치해 있는 median rhomboid glossitis와 비슷한 특징이 있어 감별이 필요하다. 갑상설관낭은 수술로 제거해야 한다(그림 10-12).

④ 유피낭, 기형모양낭(dermoid and teratoid cysts)

유피낭은 낭성 기형종의 일종이다. 이것은 주로 태생기 배아상피(germinal epithelium)에서 유래되지만 때로는 다른 배아세포층(germinal layer)의 기관이 포함되어 있을 수 있다.

두경부의 유피낭은 주로 구강저, 악하부 또는 설하부에 나타나며 반구형 덩어리로 구강저의 전방 중앙부에 위치한다. 또 악설골근 상방에 위치하면 구강내에서 전방으로 돌출되어 혀가 상방으로 밀려서 음식섭취와 말하기가 어려워진다. 악설골근 하방에 위치하면 턱밑으로 돌출된다.

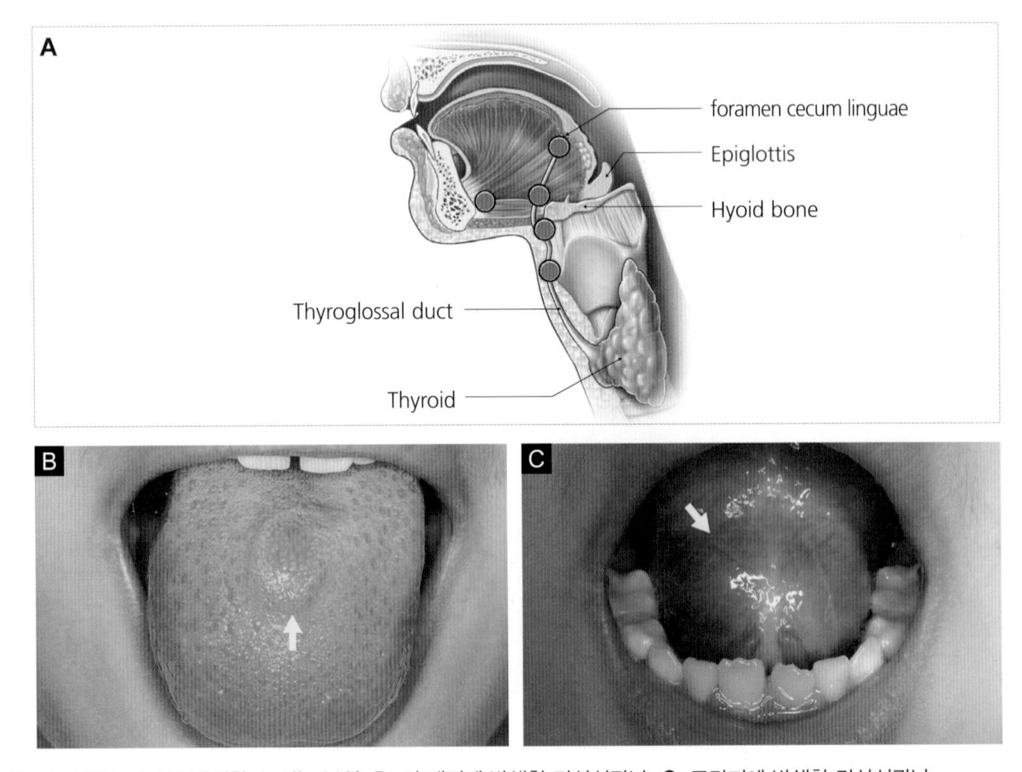

그림 10-12 A: 갑상설관낭이 발생할 수 있는 부위 B: 혀 배면에 발생한 갑상설관낭 C: 구강저에 발생한 갑상설관낭.

유피낭은 반고형 각질(keratin)과 피지(sebum)로 가득 차 있어 촉진 시 고무와 유사하다. 낭의 이장상피는 중층편평각화상피이다. 내강은 호산성의 무정형 치즈 양의 물질로 차 있다. 호흡기 상피가 때로 존재하며 섬유성 벽 안에는 한선, 모낭, 피지선과 같은 피부부속기구가 있다. 소타액선 역시 존재할 수 있다. 만약 다른 간엽성 조직이나 신경조직이 존재한다면 기형모양낭(teratoid cyst)이라 불려진다. 구강저의 부종성 질환 대부분과 감별진단한다. 중앙에 위치하고, 촉진 시 고무와 같은 촉감을 보이며, 혀를 거상시키는 것이 유피낭의 특징이다. 낭이 반고형 물질로 가득 차 있으므로 흡인에 의해 얻어지는 것은 없다. 치료는 적출술에 의한 외과적 치료가 우선이다. 병소가 악설골근 상부에 존재하면 구강내 접근으로 제거하며, 악설골근 하방에 존재하는 경우는 구강내 접근으로도 대부분 제거할 수 있지만 구강외 접근도 고려한다(그림 10-13).

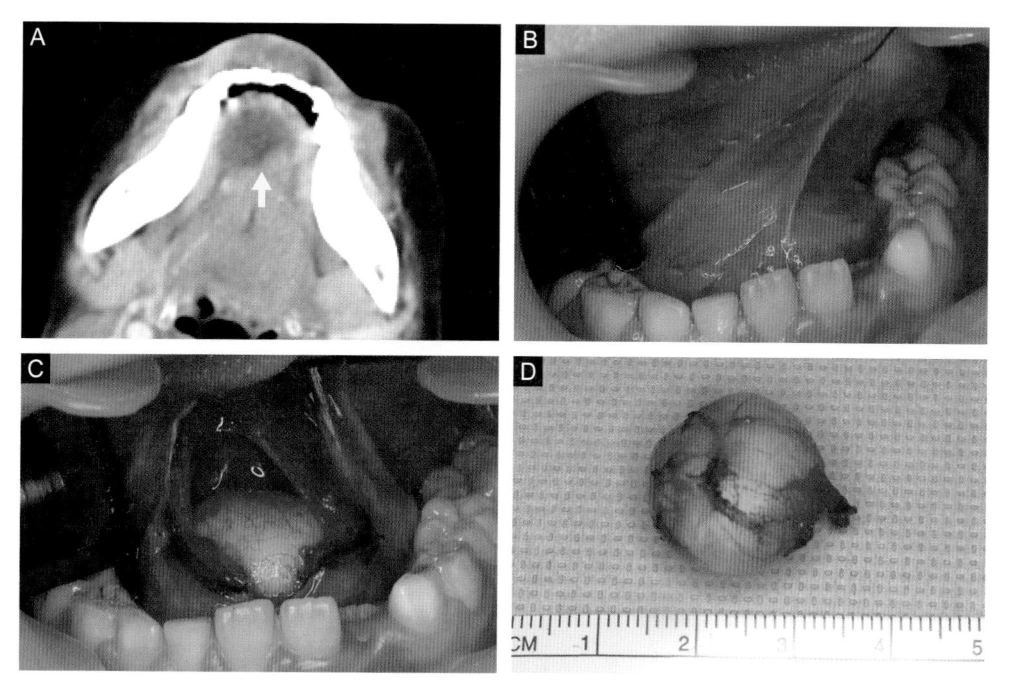

그림 10-13 우측 구강저에 발생한 유피낭. A: CT 횡단면에서 비교적 경계가 분명하고 균일한 방사선투과성 병소가 관찰된다. B: 혀를 전상방으로 견인하여 구강저를 노출시켰다. C: 절개 및 박리 후 유피낭이 노출되었다. D: 적출된 낭.

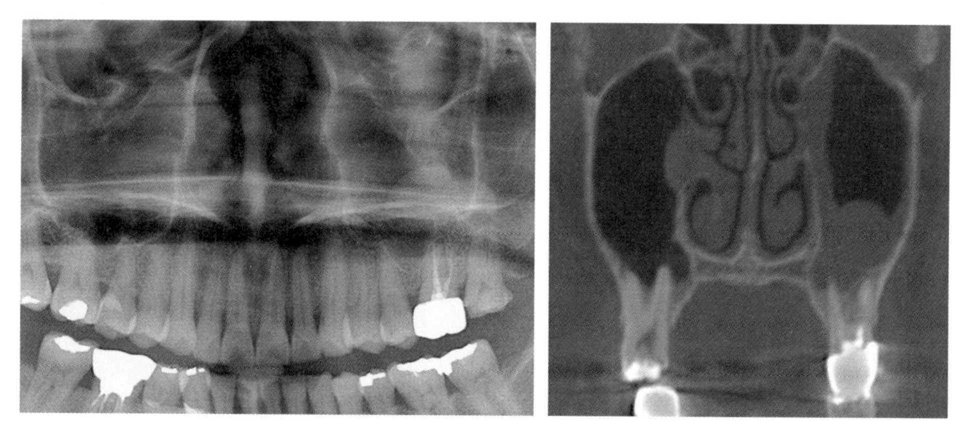

그림 10-14 상악 좌측의 상악동위낭.

⑤ **상악동위낭**(antral pseudocyst)

흔히 방사선사진상에서 상악동저의 둥근 형태(dome-shaped)의 병소로 발견되며, 보통 거상된 상악동저의 점막 하방에 염증성 삼출물이 축적되어 있다. 이 위낭은 증상을 동반하지 않는 것이 일반적이며, 치료를 필요로 하지 않는다(그림 10-14).

⑥ **술후상악낭**(postoperative maxillary cyst)

상악동내 근치적(radical) 수술 후 발생할 수 있는 지연된 합병증(delayed complication)으로서 방사선학적으로 단방성 또는 다방성의 경계가 분명한 방사선투과성의 낭 형태를 보인다. 상악 협측과 구강전정부의 부종과 통증을 보이며, 조대술 및 적출술 치료를 할 수 있다.

3) 그 외 골낭(Other bony cavity)

(1) 단순골낭(simple bone cyst)

외상성골낭(traumatic bone cyst), 출혈성골낭(hemorrhagic bone cyst), 원인불명 골공동(idiopathic bone cavity)으로도 불린다. 상피가 없고 얇은 결체조직으로 이장되며 내부가 비어있는 원인불명의 골내낭이다. 20대에 주로 나타나며 25세 이상에서 나타나는 경우는 드물고 하악골 정중부와 골체부에 가장 많이 나타난다. 영상학적으로 경계가 분명한 단방성 방사선투과성병소로 나타나며 변연은 소구치와 대구치 치근사이를 따라 부채꼴 모양을 이룬다. 조직학적으로 이장상피는 없고 얇고 느슨한 섬유성 조직으로 덮혀 있으며 다핵거대세포와 혈철소(hemosiderin) 과립이 나타날 수 있다(그림 10-15).

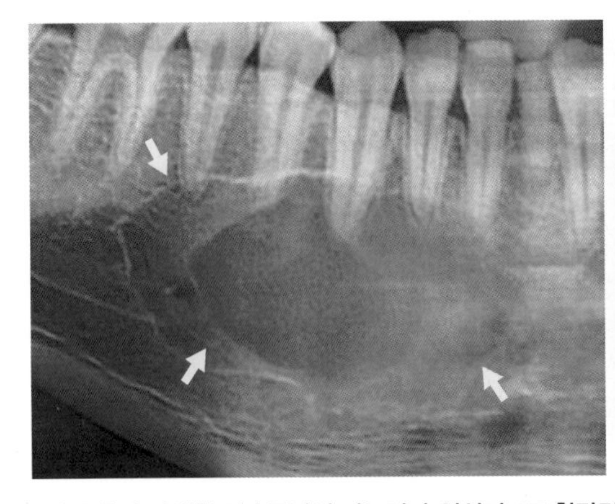

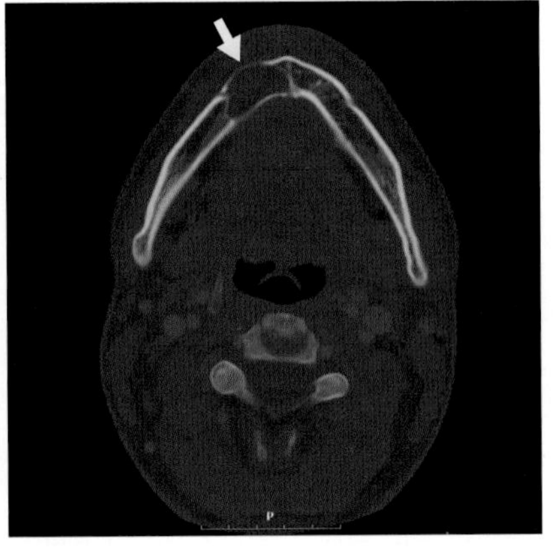

그림 10-15 하악 우측에 발생한 단순골낭의 파노라마 영상과 CT 횡단면 영상.

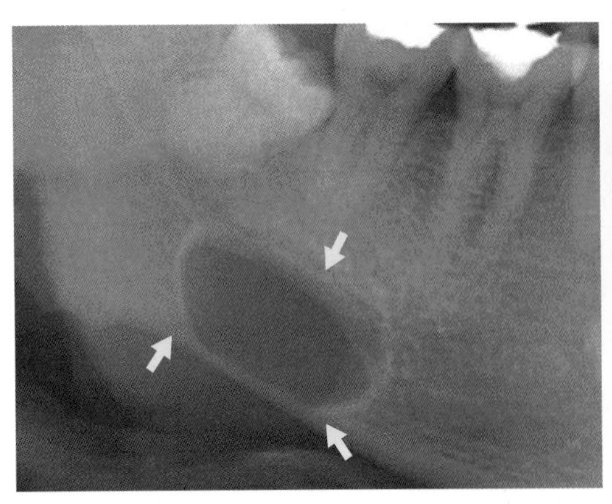

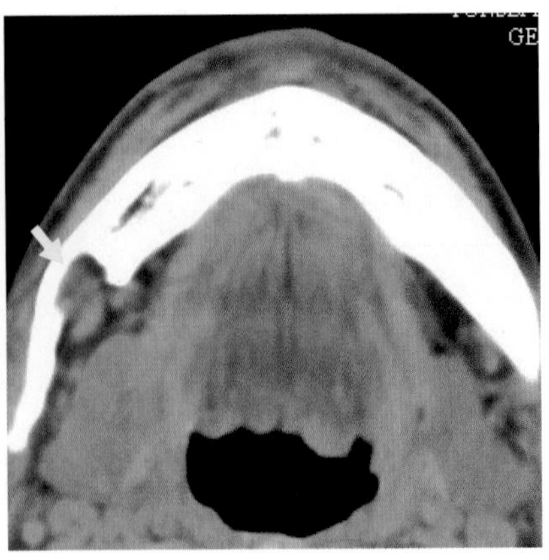

그림 10-16 우측 하악관 하방의 스태픈골낭.

(2) 스태픈골낭(Stafne's bone cyst)

무증상의 하악골 설측 피질골의 국소적 함요부로 주로 하악골 후방, 하악관 하방에서 호발하며 경계가 명확한 원형의 방사선투과상으로 관찰된다. 발육성이며, 악하선을 포함하거나 일부에서는 근육, 섬유성 결합조직, 혈관, 지방 등을 포함하기도 한다. 성인에 호발하고, 특별한 처치는 필요 없다(그림 10-16).

- 앞에서 밝힌 바와 같이 치성낭이든 발육성 낭이든 악골에 발생하는 많은 낭은 섬모상피로 덮혀 있기도 한다. 상악에서 낭으로 의심되는 병소의 표본이 주로 섬모상피로 덮혀 있는 경우에는 그 표본이 상악동의 점막이거나 술후상악낭의 이장상피일 가능성을 고려해 보아야 한다.

2. 양성종양 및 비종양성 악골병소

구강악안면영역의 종양은 치성종양과 비치성종양으로 구분할 수 있으며 치성종양은 악골내로 함입된 치성상피가 치아형성이 완료된 후에 잔존하여 발생된다. 치성종양은 대개 치아 주위나 악골 발생기의 봉합선내에 나타나며 신체의 다른 부위에서는 대단히 드물게 나타나는 특징이 있다. 또한 악골내에는 종양으로 분류되지 않는 골내 병소들이 있으며 이에 대해서도 본장에서 언급하였다.

1) 양성 치성종양(Benign odontogenic tumors)

(1) 상피성 치성종양

① 법랑모세포종(ameloblastoma)

섬유성 간질내에 대개 follicular 또는 plexiform 형태로 증식하는 치성상피를 포함한, 양성이지만 국소적으로 침윤성을 가지는 다형성의 종양이다. 대부분의 법랑모세포종은 치성상피의 잔사에서 유래되어 골조직내에서 증식하지만 증대되어 피질골을 천공하면 이차적으로 구강상피와 유착될 수 있다. 법랑모세포종은 40-50대에 주로 발견되지만 unicystic형은 대개 20-30대에 발견된다. 80% 이상은 하악에 발생하며 그중 70%는 구치부와 상행지부에, 20%는 소구치 부위에, 10%는 전치 부위에 발생한다. 대개는 다른 양성종양과 마찬가지로 천천히 성장하지만 드물게 악성화하는 경우도 있다. 종양이 증식하는 동안 환자의 주관적 증상은 별로 없으나 악골의 팽창과 치아동요 및 치아의 압박감 등을 느낄 수 있다. 영상학적으로는 다방성 또는 단방성의 골 파괴상을 나타내며 매복치가 종양과 관련되어 나타날 수 있다. 단방성의 경우에는 일반적인 치성낭과 감별이 필요하며 법랑모세포종의 경우에는 이환된 치아의 치근이 흡수되는 경향이 있다(그림 10-17).

조직학적으로 follicular형과 plexiform형의 두 가지 형태가 가장 많으나 단일 종양에 두 가지 형태가 함께 나타나는 경우도 드물지 않고 그 외에 acanthomatous, granular cell형의 세포형태가 변화된 형태도 있다. Follicular형에서 종양상피는 어느 정도 각각의 섬 모양을 나타내며 내부는 polyhedral cell 또는 stellate reticulum과 유사한 무과립세포(agranular cell)로 느슨하게 연결되어 있고 주위는 internal dental epithelium 또는 preameloblast와 유사한 장방형 또는 원주상피로 둘러싸여 있다. 일반적으로 상피섬내에 낭을 형성한다.

plexiform형에서 종양상피는 얇은 끈 모양의 상피세포로 구성된 그물형태로 배열되며 stellate reticulum과 유사한 세포를 포함하고 있으나 follicular형보다는 양이 적다. 낭을 형성하지만, 낭이 형성되는 것은 상피내의 낭성변화(cystic change) 때문이 아니고 대개는 간질의 변성(degeneration) 때문이다. Acanthomatous라는 용어는 종양세포의 섬(island) 내에 광범위한 편평상피화생(squamous metaplasia)이 있거나 각질(keratin) 형성이 있을 때 사용한다.

법랑모세포종은 가끔 상피세포의 일부가 과립세포로 변환될 수 있으며 이것이 상피층 전체에 광범위하게 나타난 경우를 granular cell형이라 한다. 세포는 크고 입방형(cuboidal), 원추형(columnar) 또는 둥근모양이며, 많은 세포질이 호산성 과립으로 채워져 있다. 또한 대부분의 법랑모세포종은 골조직내의 상피잔사에서 유래되지만 드물게는 골 외면에 위치한 치판(dental lamina)의 잔사 또는 표면 상피에서 직접 발생할 수도 있으며 이러한 경우를 변연성법랑모세포종(peripheral ameloblastoma)이라 한다.

법랑모세포종의 치료방법은 소파술, 적출술, 전기나 화학약품에 의한 소작법, 냉동수술 등 다양하게 소개되어 왔으며 치료방법의 선택에는 많은 논란이 있다. 그러나 법랑모세포종은 각각의 병소에 따라 천천히 증식하여 임상증상을 나타나기까지 수년 이상이 걸리는 경우도 있고 빠르게 증식하여 악성화하는 경우도 있으므로 치료계획을 세우기 전에 조직검사가 필수적이다. 조직검사는 국소마취 하에 시행할 수 있으며 점막 및 골막을 절개한 후 피질골을 조심스럽게 제거하고 종양조직에 손상이 가해지지 않도록 수술칼로 깨끗하게 절단해서 표본을 채취한다. 수술범위는 조직학적 소견, 인접조직에의 침범여부 등을 고려하여 결정한다. 법랑모세포종은 양성종양 중 비교적 재발률이 높기 때문에 법랑모세포종의 치료로 근치적 골절제술이 선호되었으나, 수술 후 환자의 기능적 회복을 고려하여 최근에는 보존적 치료도 많이 시행된다. 종양에 대한 수술적 접근이 양호하고 수술 후에도 주기적이고 면밀한 추적관찰이 가능한 경우에는 보존적 수술법을 고려하는 것도 좋은 선택이 될 수 있다.

종양이 악골내에 한정되어 있을 때는 적출술과 소파술을 병행하며, 종양이 악골에 광범위하게 이환된 경우나 종양이 악골내에 국한되어 있지 않고 주위 연조직에 침윤되어 있는 경우에는 종양의 범위를 고려하여

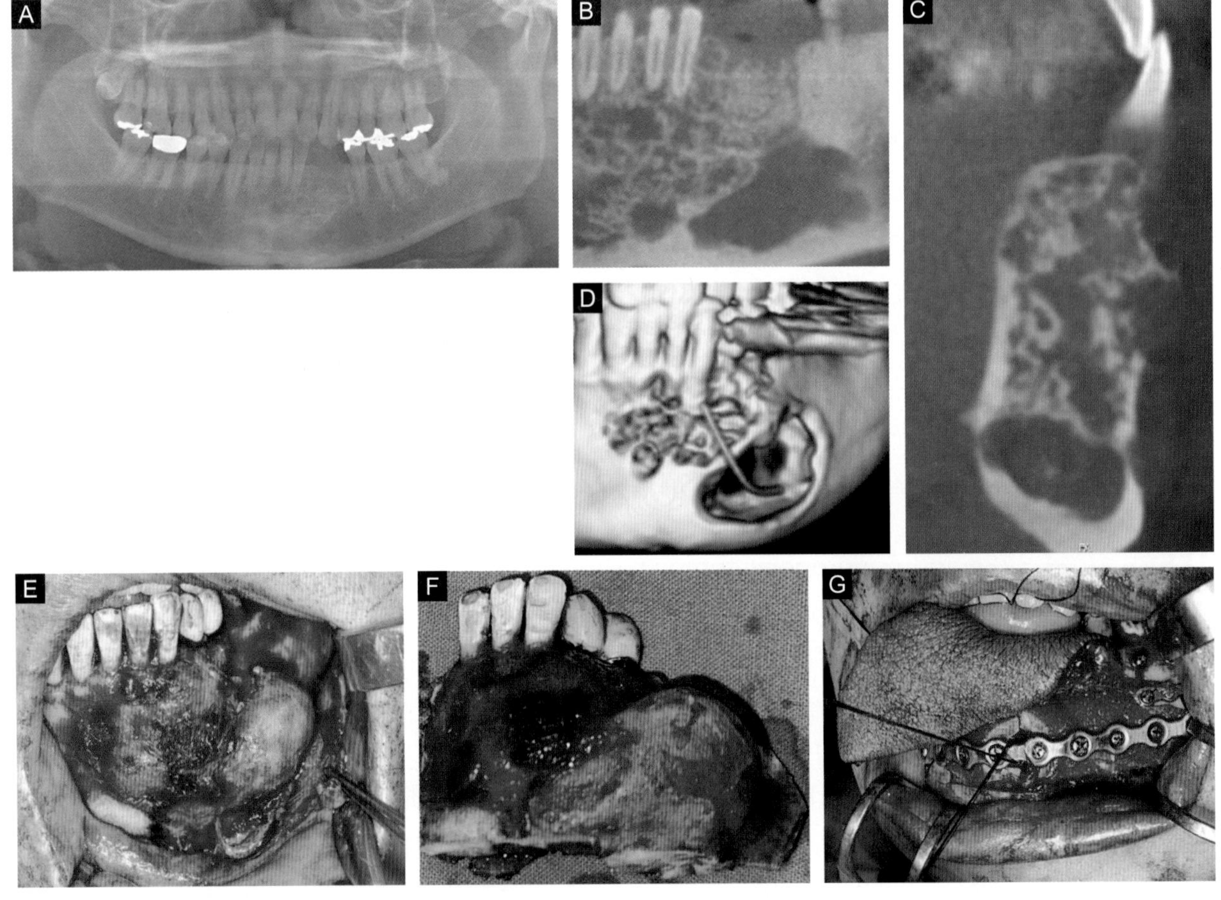

그림 10-17 하악의 좌측에 발생한 다방성 법랑모세포종의 파노라마영상(A), CT의 시상단면(B)과 관상단면(C) 및 3차원영상(D). 구강내 접근으로 종양을 노출시키고(E), 적출한 후(F), 유리혈관화비골을 이용해 재건함(G).

변연절제술이나 악골의 근치적 골절제술을 고려하여야 한다. 즉 종양의 성장속도, 연조직에의 침범 여부, 종양의 크기 및 경과기간, 환자의 연령과 전신건강상태, 술자의 기술 및 종양에 대한 접근도 등을 고려하여 안모변형 및 기능적 결손을 최소로 하면서 만족할 만한 예후를 얻도록 하여야 한다.

② **편평상피성치성종양**(squamous odontogenic tumor)(그림 10-18)

섬유성의 간질내에 고분화된 편평상피의 섬으로 이루어진, 국소적으로 침윤성을 보이는 양성종양이다. 때때로 상피섬의 중심부에서 낭성 변화 혹은 석회화를 볼 수 있다. 이 종양은 치판(dental lamina)의 잔사 또는 말라세쯔세포잔사에서 유래하는 것으로 생각되며 20-70대에서 발생하나 30대에 가장 호발하며 남녀간의 성차는 없다. 상악과 하악에 같은 정도로 나타나며 다발성으로 나타나는 경우도 있으나 대부분은 단방성의 방사선투과상을 나타낸다. 공격적인 임상양상을 나타내는 경우도 있으나 적출술이 원칙이며 약간의 재발경향이 있다.

③ **석회화상피성치성종양**(calcifying epithelial odontogenic tumor; Pindborg tumor)

석회화상피성치성종양은 20-60대에 걸쳐 비슷한 빈도로 나타나며 2/3는 하악에, 1/3은 상악에 나타난다. 구치부가 소구치부보다 약 3배 정도의 빈도로 나타나고 다른 부위는 비슷한 분포로 나타나며, 골외에 발생하는 병소는 전치부에 호발하는 것으로 보인다. 이 종양의 대부분은 골내에 발생되며 절반 정도는 미맹출치 또는 매복치와 관련하여 나타나고 서서히 증식하는 무통성의 종물로 나타난다. 영상학적으로 미맹출치의 치관에 근접하여 다양한 크기의 방사선불투과성 물질을 포함한 불규칙한 방사선투과성 병소가 전형적으로 나타나며 건강한 골조직과의 경계는 분명할 수도 있고 불분명할 수도 있다. 이 종양은 법랑모세포종과 유사한 양상을 가지며 천천히 증식하지만 국소적인 침윤성이 있어 재발의 경향이 있으므로 법랑모세포종과 같은 치료기준으로 수술한다(그림 10-19).

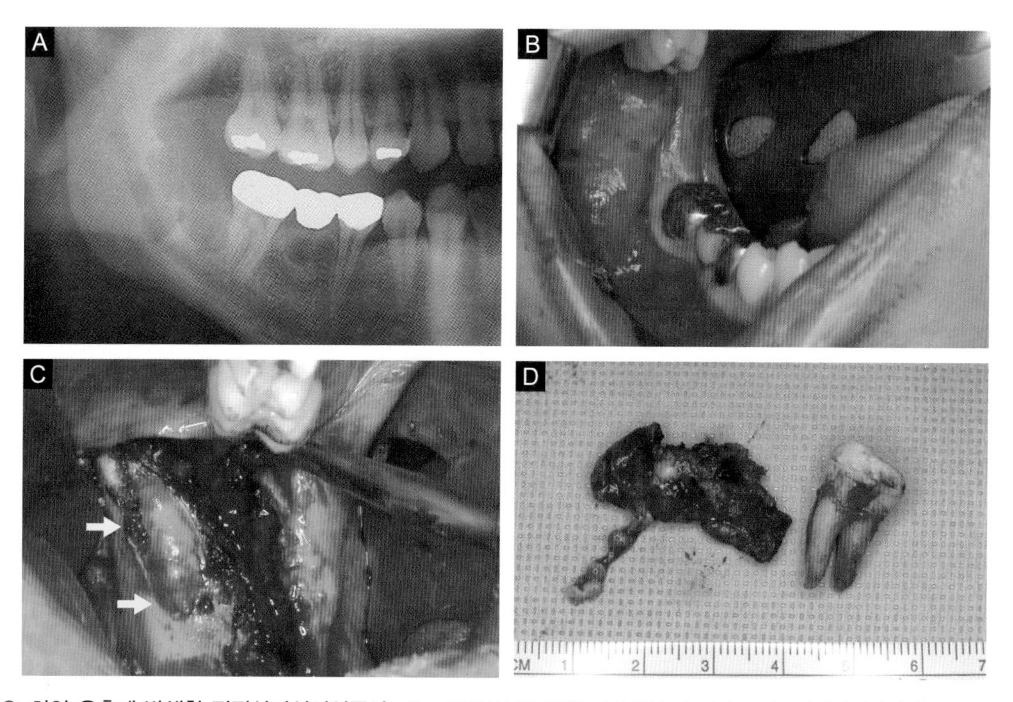

그림 10-18 **하악 우측에 발생한 편평상피성치성종양.** A: 다방성의 방사선투과성 병소가 보이는 파노라마방사선사진 B: 구강내 임상사진 C: 절개 및 골막박리 후 노출된 종양 D: 적출된 종양.

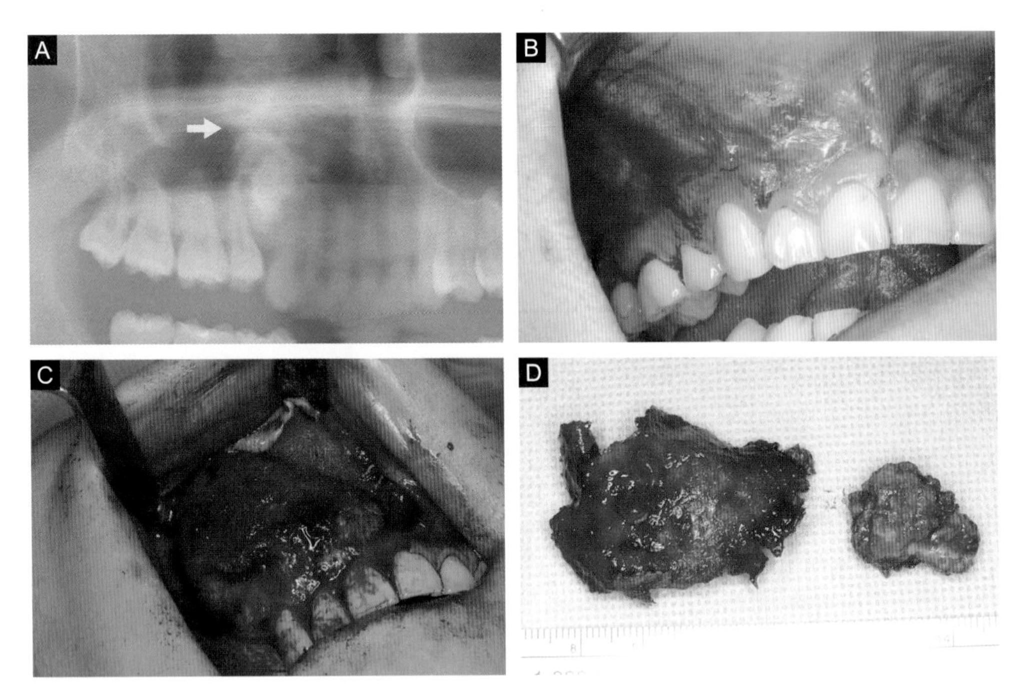

그림 10-19 상악 우측 견치와 소구치 사이에 발생한 석회화상피성치성종양. A: 방사선불투과성 병소를 보이는 파노라마방사선사진 B: 골 팽창을 보이는 구강내 임상사진 C: 점막골막피판 박리 후 노출된 종양 D: 적출된 종양.

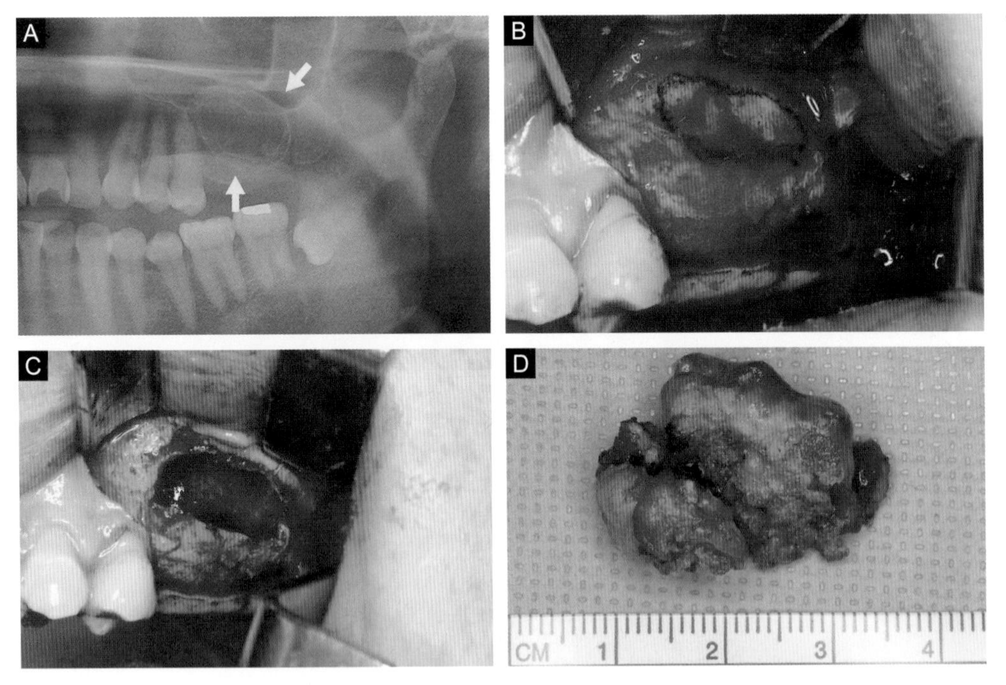

그림 10-20 상악 좌측에 발생한 선양치성종양. A: 파노라마방사선영상 B: 점막골막피판 박리 후 골창을 형성할 부위에 연필로 표시하였음 C: 골창을 통해 종양을 적출한 후의 임상사진 D: 적출된 종양.

④ **선양치성종양**(adenomatoid odontogenic tumor: adenoameloblastoma)

도관과 유사한 구조를 가지는 치성상피와 결체조직 내에 다양한 조직을 가지는 종양으로 일부는 낭으로 보일 수 있으며 큰 낭벽의 일부에서는 고형의 병소를 보인다. 10대의 여자에서 호발하며 천천히 성장하여 무통성의 종창을 나타낸다. 상악골에서 하악골의 2배 정도 나타나며 상악전치부 특히 견치부위에서 호발한다. 종양은 대개 매복치와 연관되어 나타나며 방사선 검사소견이나 수술 시의 소견은 낭과 유사하지만 경우에 따라 종양 내에 석회화물질이 나타난다. 조직학적으로 종양은 고형일 수 있으나 어느 정도 광범위한 낭을 형성할 수 있다. 상피는 방추형세포의 덩어리로 보일 수 있으며 원주세포의 배열이 도관과 유사한 양상을 나타내지만 그런 구조가 미약할 수도 있다. 결체조직은 다양한 정도의 호산성의 유리체(hyaline material)와 함입된 상피구조를 볼 수 있다. 석회화가 광범위하게 진행된 경우도 있으며 피낭화가 잘 되어 있어 외과적 적출은 쉽게 할 수 있다(그림 10-20).

(2) 혼합성 치성종양

① **법랑모섬유종**(ameloblastic fibroma)(그림 10-21)

이 종양은 법랑모세포종에 비해 젊은 층에 나타나며 21세 이상에서 나타나는 경우는 드물다. 대개 하악소구치, 대구치 부위에 경계가 분명한 낭성의 방사선투과상을 나타내어 영상학적으로 법랑모세포종과 감별이 불가능할 수 있다. 이 병소는 인접조직에 침윤하지 않으므로 보존적인 적출술을 시행하며, 재발되는 경우는 드물다.

② **원시치성종양**(primordial odontogenic tumor)

2014년 처음 보고되었으며, 2017년 국제보건기구 분류 4판에서 처음으로 기술되었다. 치아형성 초기에 발생되었을 가능성이 있어서 이와 같이 명명되었다. 2–19세에 발생하며, 남성에 호발한다. 주로 하악에서 맹출되지 않은 치아의 치관과 연관되어 발생한다. 잘 경계지어진 다방성의 방사선투과성 병소로 보이며, 다양한 정도로 골을 팽창시키고, 치근흡수와 치아변위를 유발한다. 법랑모섬유종과 치성점액종과 감별되어야 한다. 보

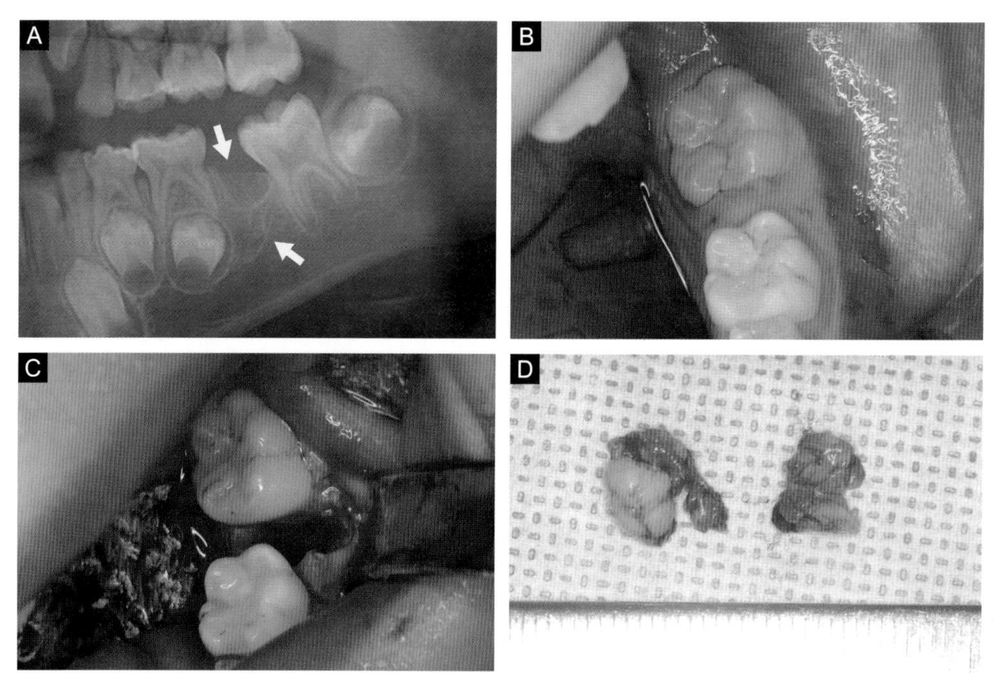

그림 10-21 하악 좌측 제1대구치 부위에 발생한 법랑모섬유종. A: 파노라마방사선사진 B: 구강내 사진 C: 종양 적출 후 사진 D: 적출된 종양.

존적 적출술을 시행하며 재발되는 경우가 거의 없으나, 상피가 풍부한 변이(epithelium-rich variant) 종양의 경우는 재발 성향을 보였다는 보고도 있다.

③ **치아종**(odontoma)

치아종은 성숙된 법랑질, 상아질, 치수로 구성되며, 잘 배열된 치아조직과 비정상적인 치아조직 중 어느 것이 더 많은가에 따라 복합치아종과 복잡치아종으로 구분되며, 법랑모섬유치아종(ameloblastic fibro-odontoma)을 포함한다(그림 10-22).

복합치아종(compound odontoma)은 정상적인 치아와 형태적으로 유사하지는 않으나 법랑질, 상아질, 백악질 및 치수가 복잡치아종보다 잘 배열되어 있어 여러 개의 치아와 유사한 구조로 보인다. 외과적 적출술로 치료하며 수술 후 재발은 되지 않으나, 작은 치아모양의 구조물을 남기지 않도록 유의한다.

복잡치아종(complex odontoma)은 주로 소구치와 구치부에 나타나며 활발하게 자라는 시기는 치열이 발육하는 시기로 대개 10-20대에 발견하게 된다. 작은 병소는 성인에서 우연히 발견될 수도 있다. 영상학적으로 병소는 경계가 분명한 투과성 병소로 시작하여 점차 방사선불투과성 물질이 소결절형으로 침착하게 된다. 복잡치아종은 치아조직이 비정상적으로 혼재되어 나타나며 경우에 따라 치아와 유사한 구조를 가지는 경우도 있다. 발육 중인 복잡치아종은 법랑모섬유종이나 섬유치아종과 감별되기 어려울 수 있다. 치아종의 성장은 저절로 멈추지만, 연조직이 많은 성장기에 불완전하게 제거되면 재발할 수 있다. 성숙이 끝난 복잡치아종의 적출술을 시행할 때는 외과용 버로 절단하여 적출하여야 하며 외과적 발치술과 유사한 방법으로 시행한다.

법랑모섬유치아종으로 분류되었던 다양한 방사선불투과성 물질을 포함한 경계가 분명한 방사선투과성 병소는 2017년부터 치아종의 분류 내로 편입되었다. 0-20세에 주로 발생하고 무통성으로 서서히 커진다. 치료 시 종양조직이 남지 않도록 유의해서 적출한다.

④ **상아질형성유령세포종**(dentinogenic ghost cell tumor)

유령세포 병소의 드문 종류이다. 유령세포가 포함된 법랑모세포종과 감별해야 한다. 유령세포의 비율이 1-2% 이상이고 상아질형성이 있으면 상아질형성 유령세포종으로 진단한다. 재발률이 높고 국소적으로 침윤하는 성질이 있어 악골절제술(resection)을 하는 것이 추천된다.

(3) 간엽조직성 치성종양

① **치성섬유종**(odontogenic fibroma)(그림 10-23)

이 종양은 비교적 드물며, 치아나 치배의 결합조직 성분에서 기원한다고 생각되지만 치근막 등에서 유래

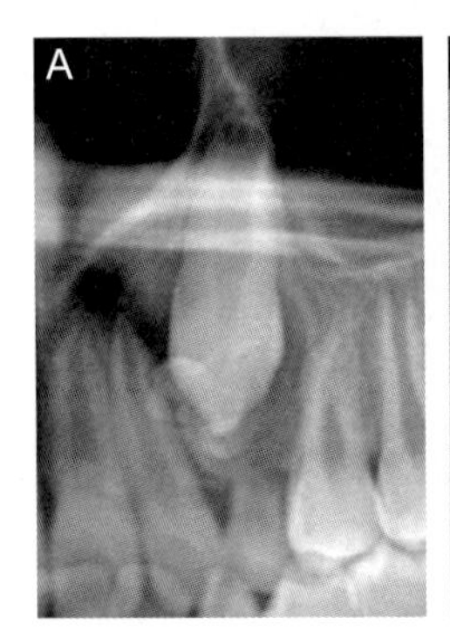

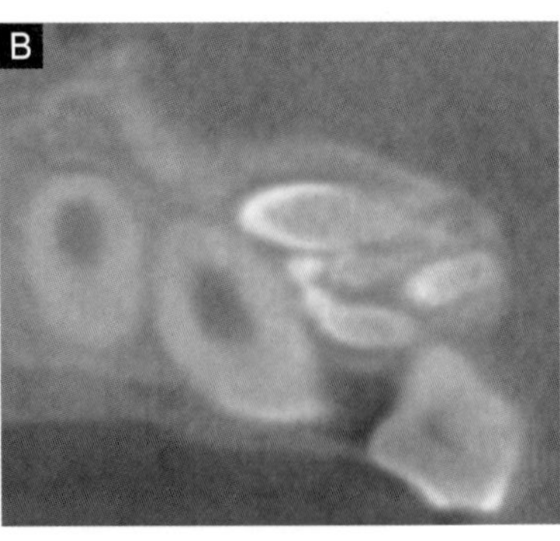

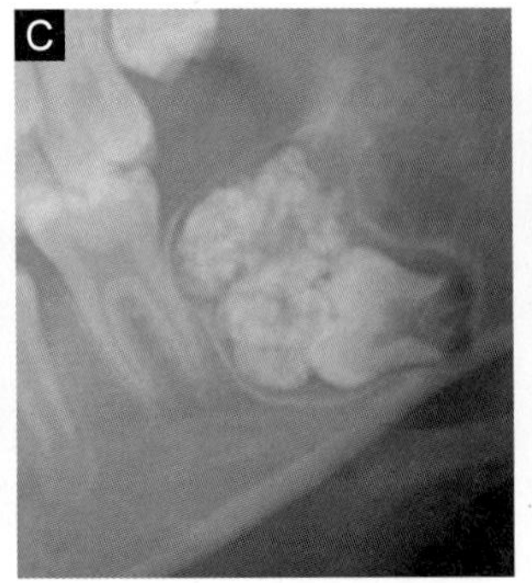

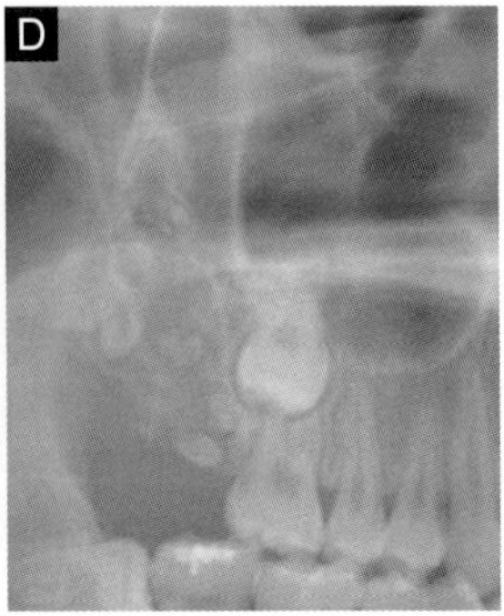

그림 10-22 A, B: 상악 좌측 견치 치관주위에 발생한 복합치아종 C: 하악 좌측 제2대구치의 치관주위에 발생한 복잡치아종 D: 상악 우측 제2대구치 부위에 발생한 법랑모섬유치아종.

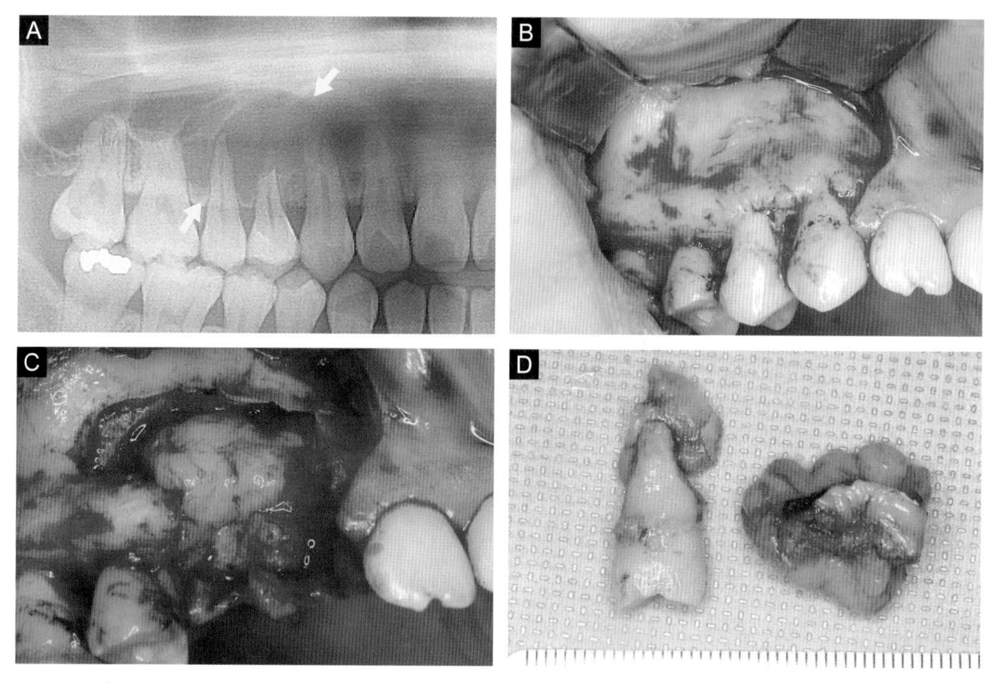

그림 10-23 상악 우측 소구치부에 발생한 치성섬유종. A: 파노라마방사선사진 B: 점막골막피판 박리 후 구강내 사진 C: 종양이 노출된 사진 D: 적출된 종양.

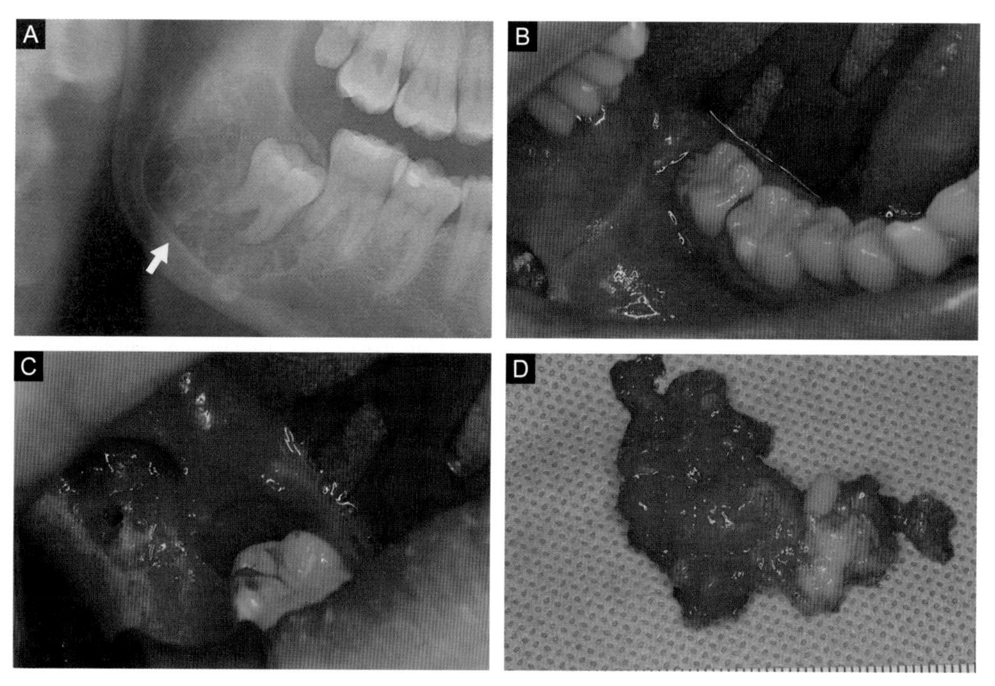

그림 10-24 하악 우측 제3대구치 주위에 발생한 치성점액종. A: 파노라마방사선사진 B: 구강내 사진 C: 종양 적출 후 사진 D: 적출된 종양.

될 수도 있다. 어린이나 청소년에 호발하며 하악에 주로 발생하고 악골의 팽창 외의 증상은 없다. 영상학적으로는 법랑모세포종과 유사한 다방성의 방사선투과상을 나타내며 석회화 물질이 관찰될 수도 있다. 조직학적으로 경화성 치성암종(sclerosing odontogenic carcinoma)와 유사하므로 감별해야 한다. 재발되는 경우도 있으나, 일반적으로 보존적 적출술을 시행한다.

② 치성점액종(odontogenic myxoma; myxofibroma)

풍부한 점액성 간질내에 원형 또는 각형의 세포로 구성된 국소적으로 침윤성을 가지는 종양이다. 악골의 점액종은 피낭화가 덜 된 종양이며 종종 골조직에서부터 연조직으로 분명한 경계가 없이 퍼져나가서 완전히 절제되기 어렵고 재발이 잘 일어난다. 종양은 상당히 빠르게 성장하며 이것은 점액성 기질의 축적 때문으로 생각된다. 영상학적으로 점액종은 다수의 여러 가지 크기의 방사선투과성 병소로 나타나며 직선 또는 곡선의 골 중격(bony septa)에 의해 분리되어 비눗방울 모양(soap-bubble appearance)을 나타낸다. 이러한 소견은 법랑모세포종과 구분이 안될 때도 있으며 경계가 불분명한 경우도 있다. 조직학적으로 글리코사미노글리칸(glycosaminoglycan)의 과잉생성으로 인해 점액성(myxoid)이고 세포성분이 적다. 광범위한 경우에는 악골절제술이 요구될 수도 있으며 경계가 불분명하여 재발이 잘 되므로 절제 후 주위조직의 소작술을 시행하는 것이 좋다. 기저세포모반증후군과 연관성이 발견된 증례도 있다(그림 10-24).

③ 백악모세포종(cementoblastoma; true cementoma)

백악질과 유사한 경조직을 형성하는 종양이다. 거의 대부분 소구치 또는 구치부에 발생하며 하악에서 주로 발생한다. 남성에서 호발하며 대개 20-30대에 발생한다. 영상학적으로 균일한 폭의 방사선투과성 병소가 방사선불투과성 병소를 둘러싸고 있다. 방사선불투과성 병소는 치근과 융합되어 있으며, 관련된 치근은 흡수되어 짧다. 조직학적으로는 골모세포종과 유사하다. 종양은 외과적으로 적출하며 관련된 치아는 발치한다(그림 10-25).

④ 백악-골섬유종(cemento-ossifying fibroma), **골화섬유종**(ossifying fibroma)

골 또는 백악질과 유사한 다양한 정도의 석회화 물질을 포함하는 섬유조직으로 구성된 경계가 분명한 종양이다. 이 병소는 섬유형성이상과 구분이 어려우나, 경계가 분명하고 드물게 피낭화가 되어 있는 양성종양의 특징을 가지는 것으로 구분할 수 있다. 영상학적으로 다양한 정도의 방사선불투과성 물질을 포함한 경계가 뚜렷한 병소로 나타난다. 경계가 뚜렷한 특성은 수술 시에도 볼 수 있으며 조직학적으로 이 경계를 확인하는 것이 섬유형성이상과 감별점이 될 수 있다. 섬유형성이상에서는 형성이상된 골조직이 주위의 골조직과 직접 융합이 되지만 백악-골섬유종의 경조직은 주위의 골조직과 융합하지 않는다. 보존적으로 적출하며, 재발은 드물다(그림 10-26).

2) 악안면 골과 연골의 양성종양

① 연골종(chondroma)

병인론과 임상양상이 거의 알려지지 않고 구강내에는 매우 드물게 발생한다. 3가지의 연골종이 발생할 수 있다. ① 골수강내에서 발생하면 enchondroma라고 명명한다. ② 골막하 피질골 표면에서 발생하면 juxtacortical 혹은 periosteal chondroma라고 명명하며 턱관절이나 하악골에 발생한다. ③ 골격외 혹은 연조직 연골종은 혀의 측면과 배면에 주로 생기며, 연구개, 볼, 편도, 의치 하방, 저작간극에 발생했다는 보고가 있다. 간혹 완전 구개열과 관련하여 출생 시 경구개에서 발견될 수 있다.

천천히 자라는 무증상의 잘 경계지어진 결절이나 구상의 종창으로 나타난다. 영상학적으로, 골 표면의 잘 경계지어진 돔 형태의 방사선불투과성 병소로 나타나며, 다양한 정도의 방사선불투과성을 보일 수 있다. 진

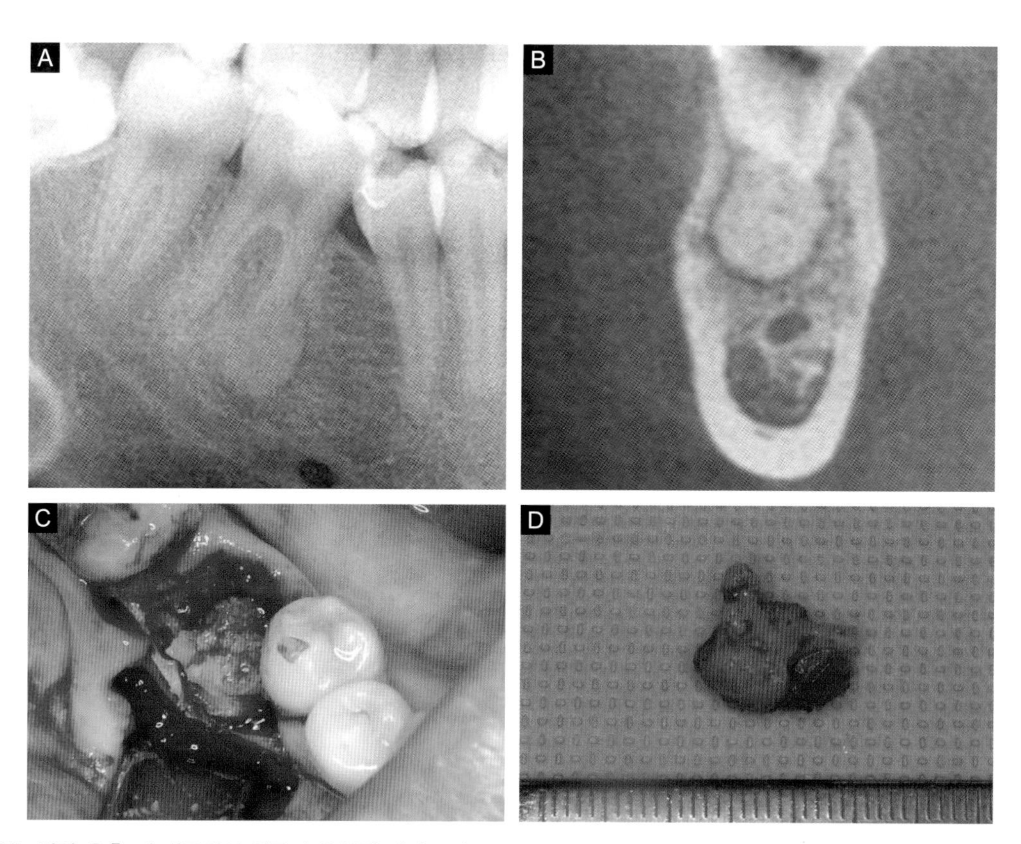

그림 10-25 하악 우측 제1대구치의 치근과 융합된 백악모세포종. A: 파노라마 영상 B: CT cross-sectional 단면 C: 발치 후 종양이 노출된 사진 D: 제거된 종양.

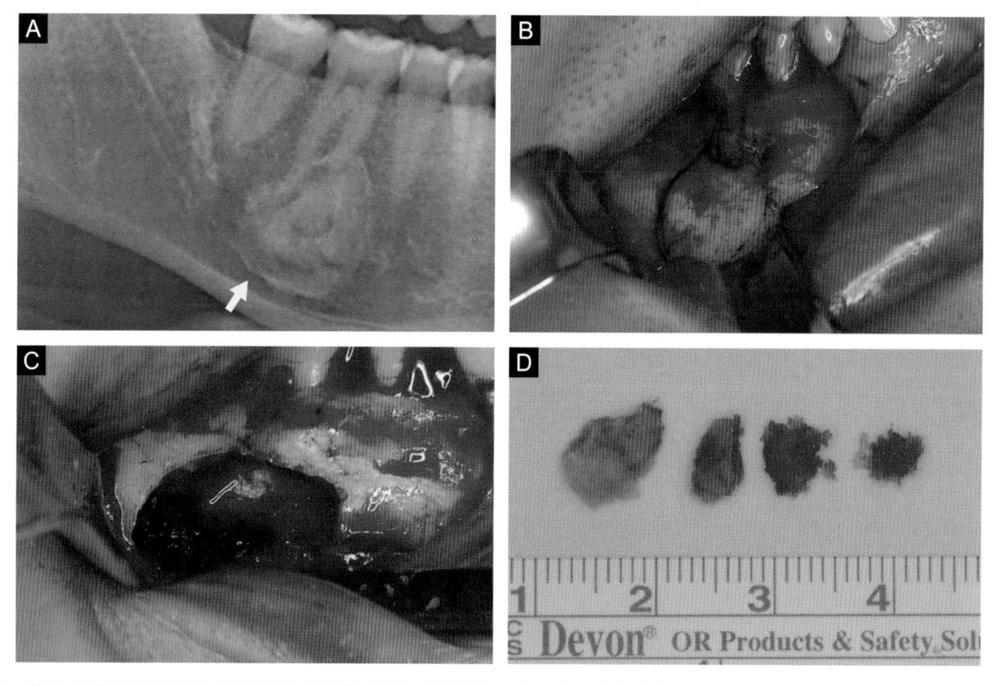

그림 10-26 하악 우측 제1대구치 치근단에 발생한 백악-골섬유종. A: 파노라마방사선영상 B: 점막골막피판 박리 후 골창을 형성할 부위에 연필로 표시하였음 C: 골창을 통해 종양을 적출한 후의 임상사진 D: 적출된 종양.

단이 어렵기 때문에, 조직검사 결과로 확진할 수 있다. 10–15%의 환자에서 절제 후 재발할 수 있다(그림 10-27).

② **골종**(osteoma)

치밀골 및 해면골이 증식되는 양성종양으로 잘 경계된 방사선불투과성의 종물로 나타나나 때로는 미만성으로 나타나서 만성경화성골수염과 감별해야 할 경우도 있다(그림 10-28). 무통성으로 임상증상 없이 서서히 증식하게 되며 커지면 악골의 종창으로 안모변형을 유발하기도 한다.

③ **유아기흑색신경외배엽성종양**(melanotic neuro-ectodermal tumor of infancy)

생후 1년 이하인 유아의 상악 전치부에 주로 발생한다. 영상학적으로 치조골의 파괴와 유치 치배의 전위가 관찰되며 경계가 불명확한 방사선투과성 병소로 나타난다. 조직학적으로 상피유사세포와 림프구유사세포로 구성되어 있고, 상피유사세포는 멜라닌을 함유하고 있으며, 이것은 태생기 신경능에서 유래하는 것으

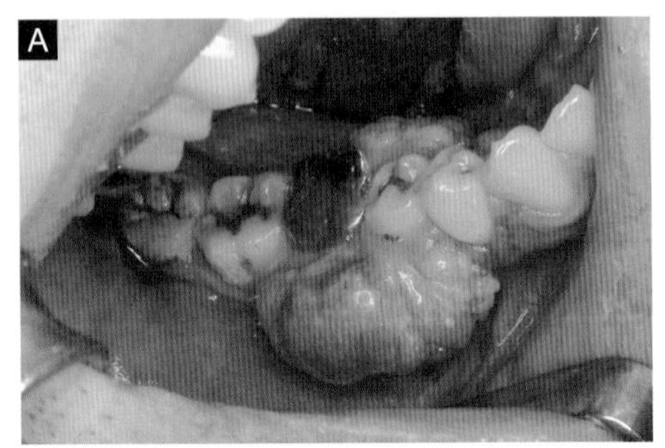
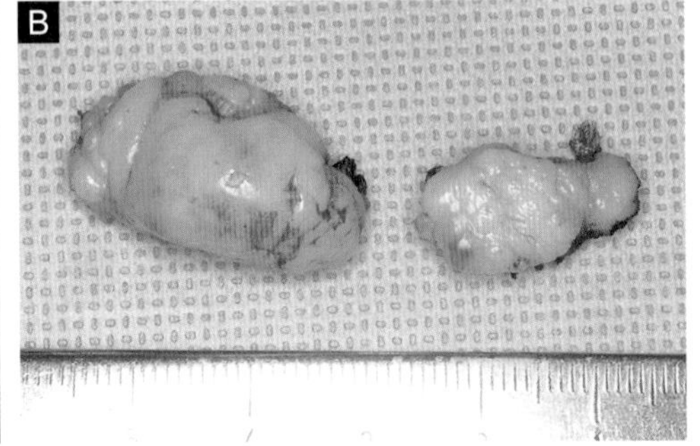

그림 10-27 하악 우측 구치부의 피질골 표면에 발생한 연골종.

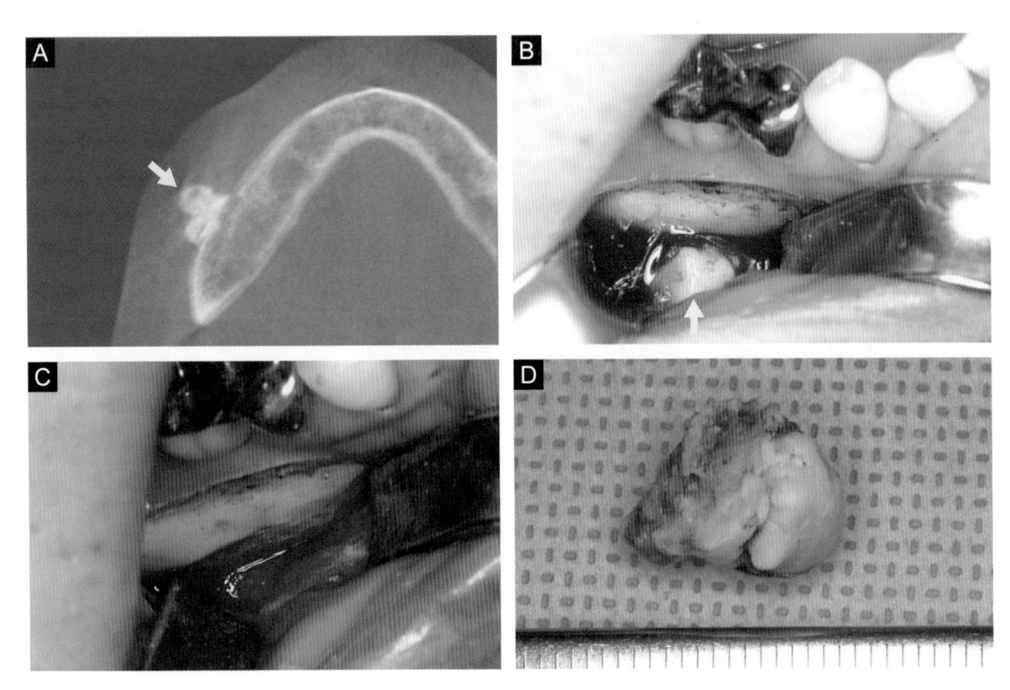

그림 10-28 하악 우측 협면의 골종. A: CT 횡단면 영상 B: 점막골막 박리 후 노출된 골종 C: 종양이 제거된 부위 D: 제거된 종양.

로 알려져 있다. 병소는 빠르게 증식하며 드물게 악성화한 경우도 보고되었다. 재발은 비교적 드물지만 병소의 경계가 불명확하므로 인접치아를 포함하여 절제하여야 한다.

④ 연골모세포종(chondroblastoma)

미성숙 장골의 골단에서 발생하는 드문 골종양으로 원발성 골종양의 1% 미만을 차지한다. 두개안면골, 특히 하악과두에서는 연골모세포종이 발생하는 경우가 드물다. 골단연골의 완전한 골화 이전에 발생하거나, 관절의 유리연골에서 기원하는 종양으로 추정된다. 평균 47.8세의 환자에서 턱관절에 주로 발생하며 부종, 국소 통증, 관절음, 개구제한 등의 증상을 보이므로 일반적인 턱관절질환으로 생각될 수 있지만, 연골모세포종에서는 안면부종과 청력장애가 두드러진다. 영상학적으로 잘 경계지어진 경화성 변연의 골용해성 병소로 보인다. 전산화단층촬영영상에서 뼈를 파괴하는 불규칙한 소엽형 팽창성 종괴로 보이며, 석회화는 분명하지 않다. 절제술, 소파술, 방사선조사 혹은 복합적 치료가 이용되어 왔으나, 보존적 소파술 후 재발률이 높으므로 중요한 신경혈관구조를 보존한 완전절제가 가장 효과적이다. 과두절제술을 한 후에 재건을 하지 않으면 반대쪽에 외측 개방교합을 유발할 수 있으므로 과두재건술을 고려한다.

⑤ 연골점액유사섬유종(chondromyxoid fibroma)

골격의 어디에나 생기며, 전체 병소의 2%만이 악골과 두개골에 발생한다. 어느 연령에나 발생할 수 있지만, 젊은 성인과 10대에 흔히 발생한다. 천천히 커지고, 통증, 부종, 움직임의 제한을 보이지만 무증상인 경우도 있다. 통증은 이환된 골을 움직일 때 느낀다. 영상학적으로 경화성 경계가 잘 지어진 방사선투과성의 병소로 보인다. 초점이 불명확한 가장자리, 가리비 모양의 경계, 반구형의 "깨물린 것 같은" 피질골 침식 등 다양한 양상으로 나타난다. 병변내 석회화 기질이 방사선영상에서 보이는 경우는 드물지만 조직학적으로는 흔히 발견된다. 연골모세포와 섬유모세포의 두 가지 세포 유형이 관찰된다. 보존적 적출술, 소파술, 절제에 이르기까지 다양하게 치료가 이루어지며, 소파술 후 재발률은 약 25%이다.

⑥ 유골골종(osteoid osteoma)

유골(osteoid)이라고 하는, 석회화되지 않은 뼈를 생성하는 골종양이다. 주로 청소년과 젊은 성인의 척추, 대퇴골, 경골 등에 발생하고, 남성에서 더 흔하다. 병소 중심에 핵(nidus)이라고 하는, 원형이나 타원형의 작은 석회화된 영역이 있고, 이것이 방사선투과성 영역으로 둘러싸여 있다. 약 80%의 환자에서 밤에 심화되는 국소적 통증을 보이며, 통증은 비스테로이드성 소염제(NSAID), 특히 살리실산염을 복용하면 완화될 수 있다. 영상학적으로 골화섬유종, 특발성 골경화증, 백악모세포종, 복합치아종, 골모세포종을 감별진단한다. 조직학적으로 S-100 단백질이 보인다. 절제술로 치료하며 일반적으로 재발하지 않는다. 악성변환이 매우 드물지만 공격성을 갖는 골모세포종으로 변형된 사례가 보고된 바 있다.

⑦ 골모세포종(osteoblastoma)

드문 골종양으로 악골에도 드물게 발생한다. 주로 하악 구치부에 발생하며 남성에서 2배가량 더 호발한다. 평균 발생연령은 24세로, 비교적 젊은 성인에게 발생한다. 방사선영상에서 혼합성 밀도를 가진 병소가 경화성 경계로 둘러싸여 있다. 유골골종와 유사하지만 골모세포종은 주위 골을 팽창시키거나 침식하고, 경화성 골형성은 적게 나타낸다. 조직학적으로 유골골종과 유사하지만 S-100 단백질이 나타나지 않는다. 조직학적 진단 전에 골모세포종으로 진단하기는 어려우며, 섬유형성이상, 골화섬유종, 국소골형성이상, 골질환, 치성낭 등으로 가진되었다가 수술 후 조직학적으로 골모세포종으로 진단되는 경우가 많다. 골모세포종 중 공격적인 유형은 골육종과 유사하며, 이러한 경우 치료를 지연해서는 안 된다. 수술 후 재발률은 10-21%로 유골골종보다 높다고 알려져 있으며, 유골골종이 재발하면서 골모세포종으로 진단되는 경우도 보고된 바 있다.

⑧ 결합조직형성섬유종(desmoplastic fibroma)

공격적으로 증식하는 골내 섬유종증으로, 하악지와 하악각에 주로 발생한다. 모든 연령대에 발생할 수 있고 대부분 30세 이전에 발생한다. 성별 선호도는 불분명하다. 악안면 영역에서는 일반적으로는 통증이 없고 천천히 성장하는 단단한 종물로 나타난다. 증상은 비특이적이며, 쉬고 있을 때나 움직일 때 뼈에 무게가 실리면 광범위한 중등도의 통증이 병소에 발생할 수 있다. 영상학적으로 단방성과 다방성으로 다양하게 보이며 골용해성 병소가 대부분이지만 혼합성이거나 약간 경화된 병소로 보이는 경우도 있다. 골내 경계는 명확하지 않으며 피막은 관찰되지 않는다. 88%에서 피질골의 파괴를 보인다. 육안으로는 단단하고 고무 같은 흰색이며 캡슐화되지 않은 섬유성 증식으로 보인다. 조직학적으로는 교원질이 풍부한 기질에 방추형 섬유모세포와 근섬유모세포로 구성되어 있으며, 세포다형성, 핵 과염색성, 유사분열 등의 형성이상은 거의 보이지 않는다. 저등급 섬유육종, 섬유성 조직구종, 섬유형성이상, 저등급 골육종, 동맥류성골낭과 감별진단한다. 국소적으로 공격적이며 적출술이나 소파술로 치료한 경우 약 40–47%가 재발하므로 추적관찰이 필요하다. 골외로 확장된 부분이 있으면 연조직 변연을 포함하여 완전히 절제한다. 대부분의 종양세포는 중간엽 표지자인 비멘틴(vimentin)을 발현하고 anti–desmin 및 anti–S–100 단백질은 발현하지 않는다.

3) 양성 섬유–골성/골연골성 병소

① 중심성골화섬유종(central ossifying fibroma)

섬유성골종이라고도 하며 대개 20–30대에 여성에서 호발한다. 하악에서 호발하며 치조골 부위에서 발생하는데 천천히 커지면서 치아를 전위시키고 피질골을 팽창시킨다. 영상학적으로 주위골과 명확한 경계를 보여 섬유형성이상과 구분된다. 초기에는 방사선투과상으로 보이고, 병소가 성숙되면 석회화 정도가 증가되어 방사선불투과성 부위가 관찰되어 병소의 발육상태에 따라 다양한 양상으로 나타난다. 조직학적으로 정상적인 해면골은 섬유성 조직으로 대치되어 있으며 종물내에는 신생골의 불균일한 석회화를 보인다. 치주인대의 전구세포에서 발생하며, 골조직과 백악질, 섬유조직을 다양한 비율로 포함한다. 외과적 적출술로 치료하며 재발은 거의 되지 않지만, 불완전하게 절제되면 재발할 수 있다.

유년성골화섬유종(juvenile ossifying fibroma)는 골화섬유종의 드문 변종으로 juvenile psammomatoid ossifying fibroma와 juvenile trabecular ossifying fibroma의 두 아형으로 나뉜다. 주로 12세 이하에서 발생하고, 남아에서 호발한다. 상악의 부비동의 벽을 이루는 골에서 주로 발생한다. 급속히 커지며 골파괴와 안면 비대칭을 유발하고, 부비동이나 안구를 침범하면 코 막힘, 안구돌출과 시각변화를 유발할 수 있으며, 우연히 발견되는 경우도 있다. 섬유육종과 감별이 요구된다. 병소의 작은 부분으로 조직생검하는 경우 골화섬유종, 섬유형성이상, 골형성이상과 조직학적으로 유사해 보일 수 있다. 부갑상선항진증–악골종양 증후군(hyperparathyroidism–jaw tumor syndrome, HJT syndrome)은 암을 포함한 여러 종양의 발생과 연관되어 있기 때문에 HJT 증후군과 연관된 섬유–골성 병소를 진단하는 것이 중요하다. 인접골조직을 포함하여 광범위하게 절제한다. 절제 후에도 재발할 수 있지만, 원격 전이하지는 않는다.

② 가족성거대백악종(familial gigantiform cementoma)

과거에는 개화성 백악–골형성이상과 동의어로 사용되었으나 현재에는 가족성거대백악종이라 한다. 상염색체 우성 유전질환으로, 어린이의 악골에서 다발성 팽창성 병소로 나타나고, 빠르게 성장하여 뚜렷한 얼굴 변형을 초래한다. 악골 외의 다른 골에는 발생하지 않는다. 임상 및 영상학적, 조직학적 소견은 개화성 백

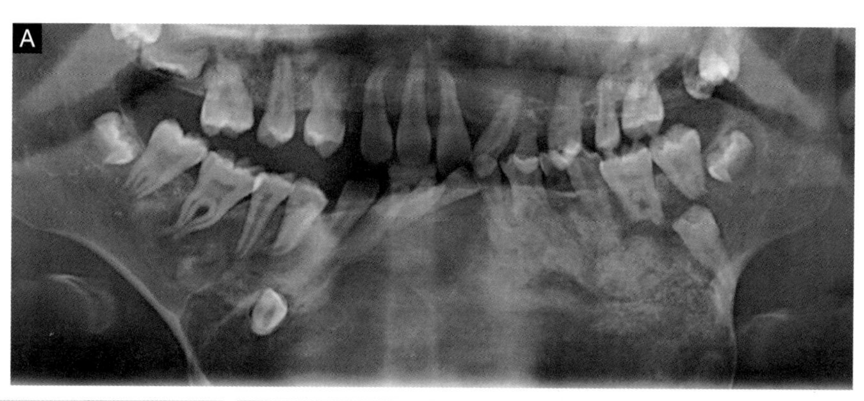

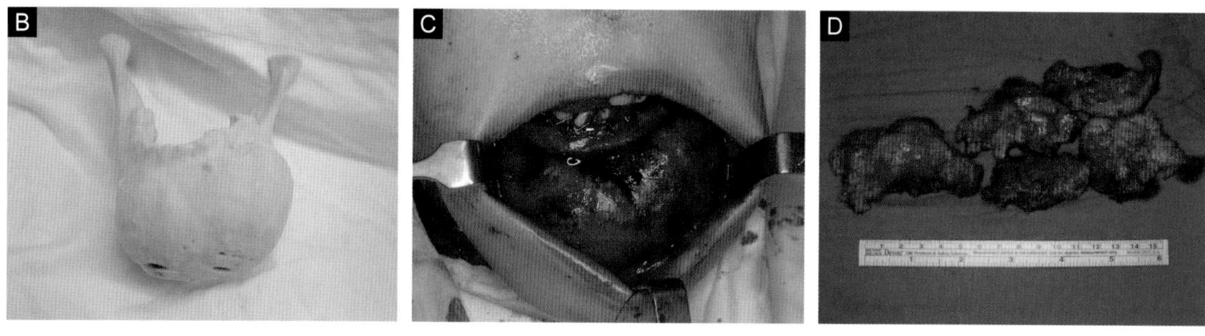

그림 10-29 하악 정중부에 발생한 가족성거대백악종. A: 파노라마방사선영상 B: 3차원모형으로 재구성한 종양과 하악골 C: 점막박리 후 노출된 종양 D: 제거된 종양.

악-골형성이상과 매우 유사하다. 조직학적으로 백악질과 골조직의 증식이 관찰된다(그림 10-29).

③ **섬유형성이상**(fibrous dysplasia)

성별의 차이는 없으며 어린이나 젊은 성인에서 호발한다. 악골에서의 발생은 드문 편이나 편측의 무통성 종창을 나타내며 치아를 변위시킨다. 심각한 섬유형성이상은 이환된 골의 둔한 통증, 골의 변형과 부종, 장골의 골절을 유발할 수 있으며 심각한 골의 변형은 드물게 시각이나 청각의 상실을 유발할 수도 있다. 사춘기 호르몬의 변화에 반응하여 제한적으로 성장한다. 한 개의 골에 발생되는 단골성(monostotic type)과 여러 골에 다발성으로 발생하는 다골성(polyostotic type)으로 분류된다. 섬유형성이상과 함께 cafe-au-lait 반점과 여성에서 성조숙증과 같은 내분비장애를 보이는 경우 맥쿤-올브라이트증후군(McCune-Albright syndrome)이라고 한다. 단골성은 사춘기와 젊은 성인에서 주로 발생하지만 다골성 병소는 주로 10세 이전에 발생한다. 진단을 위해 전산화단층촬영술과 골스캔검사를 할 수 있으며, 병소는 영상학적으로 불분명한 경계를 가진, 미만성의 간유리 형태로 보인다. 골조직이 증식성의 섬유성결체조직으로 대치되는데, 신생조직은 미성숙한 골조직을 형성하기도 한다. 원인이 명확하지는 않으나 골형성 중간엽세포의 유전적 돌연변이 혹은 발치와 같은 외상이나 감염이 원인으로 제시된 바 있다. 섬유형성이상의 치료목표는 통증을 감소시키고 이환된 골을 재생하거나 안정화하는 것이다. 병소를 절제하고 이식골로 재건할 수 있으며, 병소가 광범위한 경우 안모 변형을 야기한 부분만 보존적으로 절제하여 윤곽형성술(facial contouring)을 할 수 있으나 이 경우 25%는 다시 병소가 성장한다. 과거 섬유형성이상 치료를 위해 방사선조사를 받은 환자에서 육종이 유발될 수 있으며, 골다공증치료제로 사용되는 비스포스포네이트가 세포의 활성을 감소시켜 골소실을 예방하게 한다는 보고가 있다(그림 10-30).

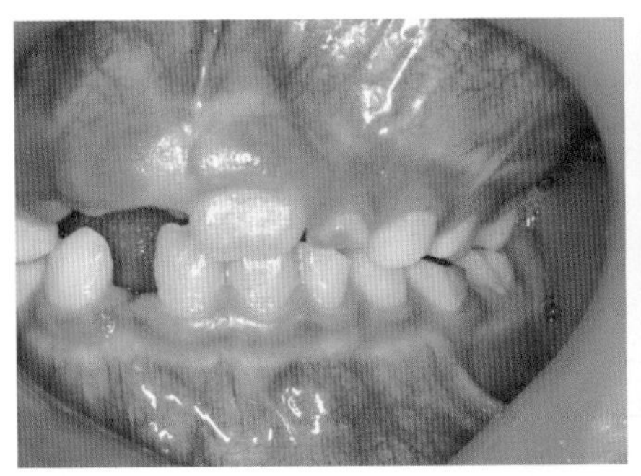

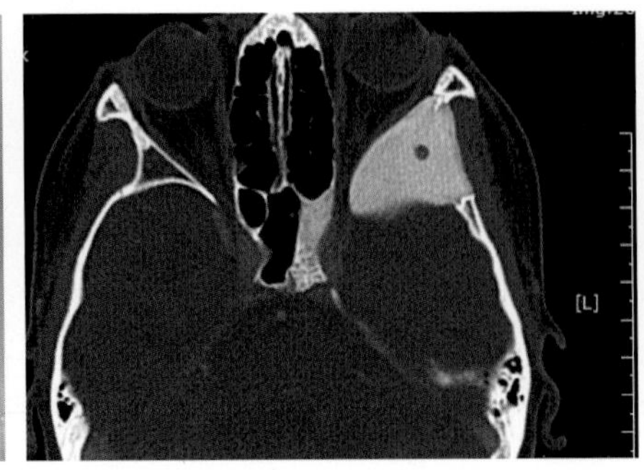

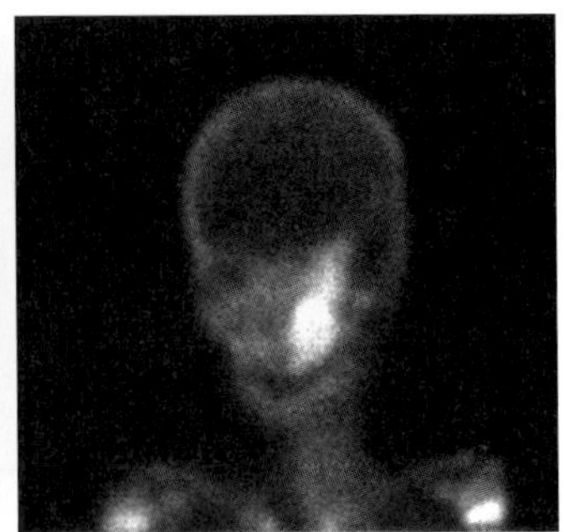

그림 10-30 상악과 관골 좌측에 발생한 섬유형성이상으로, 골스캔상 hotspot으로 보인다.

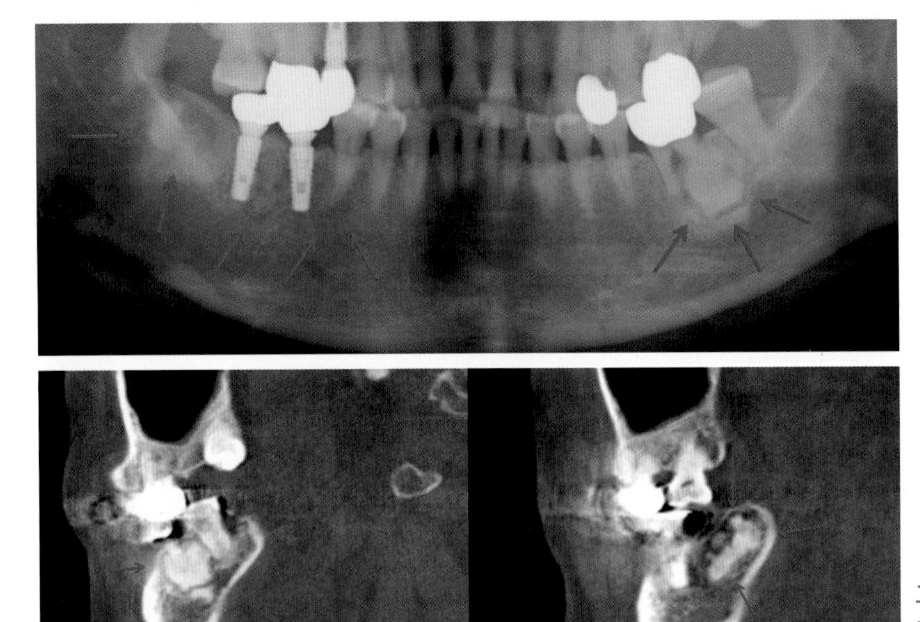

그림 10-31 하악 양측에 발생한 개화성 백악-골형성이상(화살표)의 파노라마영상과 CT 시상단면.

④ **백악-골형성이상**(cemento-osseous dysplasia)

40대의 여성에서 주로 발견되며, 이것이 호르몬의 영향 때문인지는 확실치 않다. 주로 하악골의 하치조신경관 상방에서 치근단과 밀접한 연관성을 갖고 발생한다. 크기와 위치에 따라 치근단(periapical), 국소(focal), 개화성(florid)과 같은 아형으로 분류된다. 하악 전치부의 치근단에 발생하면 치근단 백악-골형성이상으로 진단하고, 하악 구치부의 치근단에 발생하면 국소 백악-골형성이상으로, 악골의 1/4(quadrant) 이상의 범위로 발생하면 개화성 백악-골형성이상으로 진단한다. 일반적으로 뚜렷한 징후나 증상을 보이지 않지만 개화성 백악-골형성이상의 경우 통증을 호소하기도 한다. 영상학적으로 치근단에 방사선투과성 윤륜으로 둘러싸인 투과성과 불투과성이 혼합된 경화성 병소로 나타난다. 병소는 성숙하면서 점점 경화되고 융합되어 이환된 생활치의 치근단을 포함한 완전히 방사선불투과성인 병소로 보인다. 조직학적으로 백악질과 유사한 무정형의 구형 석회화 물질이 세포-섬유성 결합조직 기질로 둘러싸여 있다. 백악-골형성이상은 악골의 치아를 지지하는 부위에서 치주인대와 인접하여 발생하며, 섬유모세포성 성분과 골이나 백악질 같은 구조를 포함하므로 치주인대에서 발생한 것으로 생각된다. 병소의 발생이 이갈이 및 이악물기 등 과도한 물리적 힘을 가하는 이상기능과 관련이 있을 가능성이 제시된 바 있다. 무증상 병소는 치료 없이 경과관찰만 할 수 있지만, 통증과 같은 국소적 합병증이 있는 경우 외과적 치료를 고려한다. 개화성 백악-골형성이상이 있으면 골수염의 발생 가능성이 증가하므로 이차 감염된 경우 항생제를 처방하고 부골적출술이 필요할 수 있다(그림 10-31).

⑤ 골연골종(osteochondroma)

남성에 2배가량 더 많이 발생하며, 어느 연령에도 발생하지만 평균 30세 정도에 발생한다. 하악과두(88%)와 근돌기(9%)에 주로 발생한다. 드물게 상염색체 우성 질환인 유전성 다발골연골종(hereditary multiple osteochondroma, HMO) 증후군의 일부로 발생할 수 있다. 무증상이지만 근돌기에 발생하면 개구장애와 안모변형을 유발할 수 있다. 따라서 개구제한이 있는 환자에서 턱관절장애나 저작근막의 과도한 발육과 감별해야 한다. 진단과 정확한 병소위치의 파악을 위해 콘빔전산화단층촬영술을 한다. 영상학적으로 무경형(sessile)/유경형(pedunculated)의 성숙골이 원골의 장축에 수직방향으로 성장하여 연속적으로 형성되어 있으며, 얇은 연골로 덮여있다. 조직학적으로 연골과 섬유 조직으로 덮인 해면골을 보인다. 골연골종의 병인론에 대해 과두 부위에서는 골단부에서 골간단부로 이동한 미분화층의 세포에서 유래되었다고 하는 가설과, 그 외의 부위에서는 건 부착부에 가해지는 건에 의한 지속적인 긴장이 배아세포가 연골로 발생하는 잠재력을 자극할 수 있다는 가설이 있으며, 골막의 다능성 세포가 연골모세포 또는 조골세포로 분화하여 골연골종을 발생시킨다는 가설이 가장 널리 받아들여지고 있다. 치료는 필요치 않으나 두개안면골에서는 기능적, 미용적 목적으로 절제하고, 근돌기에 발생한 경우 근돌기절제술을 한다. 종양이 크고 관골궁에 근접한 경우 구강내 접근으로 절제하기 어려우면 시야확보를 위해 구강외 접근을 고려한다. 단독 골연골종의 육종성 변화는 1-2%로 드물지만, 종양의 보존적 절제 후 악성변환이 보고된 증례가 있으므로 완전한 절제가 필요하다. 유전성 다발골연골종 환자의 5-25%에서 육종성 변화가 일어난다.

4) 거대세포 병소(Giant cell lesions)

① 중심성거대세포육아종(central giant cell granuloma)(그림 10-32)

20세 이하의 여자에게서 빈발하며 하악 소구치부와 제1대구치부에서 자주 나타난다. 주관적 증상은 별로 없으나 병소주위 치아의 변위 혹은 흡수, 악골의 종창을 보일 수 있다. 영상학적으로 단방성 또는 비누거품 모양의 방사선투과성 병소를 나타내어 법랑모세포종, 치성점액종, 동맥류성골낭 등과 감별이 요구된다. 조

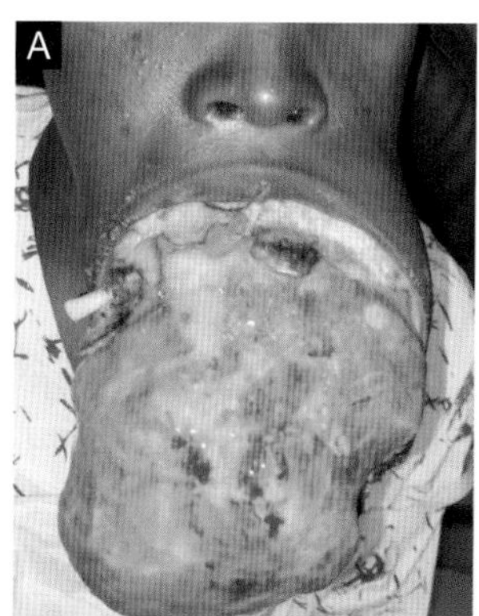

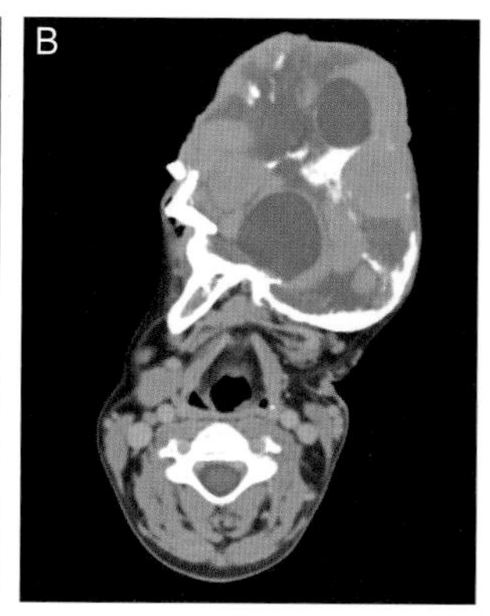

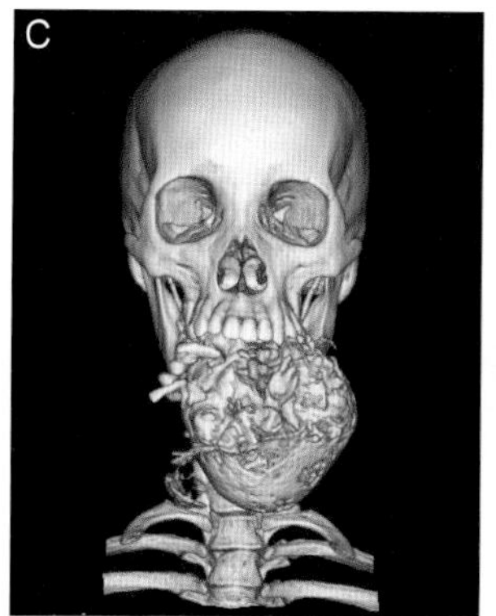

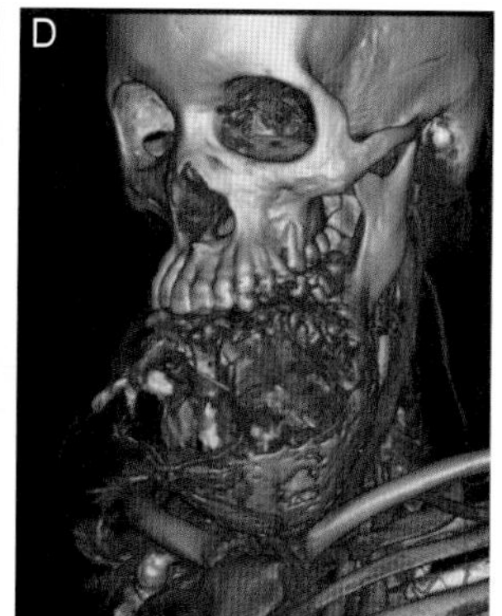

그림 10-32 하악에 발생한 중심성거대세포육아종. A: 임상사진 B: CT 횡단면 영상 C, D: CT 3차원 재구성 영상.

직학적으로는 주변성거대세포육아종과 동일한 소견을 보이므로 병소의 위치에 따라 감별한다. 동맥류성골낭(aneurysmal bone cyst)과는 혈괴의 존재 여부로 감별할 수 있으며 부갑상선기능항진증에서 나타나는 소위 갈색종양(brown tumor)과는 혈중 칼슘, 인, 알칼리성 인산분해효소(alkaline phosphatase) 검사를 통해 감별할 수 있다. 병소는 적출술 또는 소파술로 치료하며 재발할 수는 있으나 방사선치료는 금기이다. 국소마취하 병소내 코르티코스테로이드 주사(triamcinolon 10 mg/ml)를 주 1회, 2 cm 간격마다 2 ml를 6주간 주사 후 5개월 후에 병소가 회복되었다는 보고가 있으며, 칼시토닌을 nasal spray 혹은 피하주사하거나 알파인터페론(α-interferon)을 주사하기도 한다.

② 주변성거대세포육아종(peripheral giant cell granuloma)

항상 치은이나 치조돌기에서 발생하며 결절모양이나 유경형 혹은 무경형으로 보일 수 있다. 화농성육아종과 유사하게 보이지만 치조골을 침식하거나 치주막을 포함하기도 하여, 치주인대나 점막하 골막에서 유래된 것으로 생각된다. 만성감염, 의치에 의한 자극 등 손상에 대한 조직의 이상반응에 의해 발생한다고 생각된다. 골막까지 외과적 절제하여 치료하고, 주변치아는 일단 발치하지 않고 관찰하는 것이 좋다.

③ 체루비즘(cherubism)

악골에 발생하는 드문 상염색체 우성 유전질환으로 3-4세의 어린이에서 발생한다. 악골의 점진적이고 무통성인 양측성 종창으로 나타나는데, 하악에서 호발하고 대칭적으로 나타난다. 영상학적으로 악골의 팽창과 파괴, 피질골의 두께 감소가 관찰된다. 다수의 미맹출, 변위된 치아가 관찰되나 일반적으로 다른 부위의 골조직은 정상이다. 이 질환은 사춘기 이후에는 저절로 빠르게 완화되므로 수술이 필요하지 않으나, 드물게는 심미적인 이유로 수술적 교정이 필요한 경우도 있다.

④ 동맥류성골낭(aneurysmal bone cyst)

장골과 척추에 주로 발생하며 30세 이전에, 여성에서 호발한다. 1.8%만이 악골에 발생하며 하악에 호발한다. 드물고 임상적으로 다양한 양상을 보여, 천천히 성장하고 통증이 없는 경우부터 빨리 성장하고 통증이 있는 경우도 있는데, 이 경우 암으로 오인되기도 한다. 상피벽이 없기 때문에 2004년까지는 가성낭으로 간주되었다. 영상학적으로 방사선투과성 병소로 보이고 다방성으로 나타날 수 있으며, 피질골을 팽창시킨다. 다양한 양상을 보여 단순골낭, 중심성거대세포육아종, 법랑모세포종, 치성각화낭, 골화섬유종 등과 감별진단이 필요하다. 조직학적 최종진단을 위해 surgical exploration이 필요할 수 있다. 조직학적으로 해면동내에 적혈구가 차 있으며, 결체조직내 다핵거대세포가 혈액이 고인 공간을 둘러싸고 있다. 조직병리학적 특징에 따라 혈관형(vascular), 고형(solid), 혼합형의 3가지 유형으로 나뉜다. 혈관형은 기질은 성기고, 해면동은 수많은 혈액으로 채워져 있다. 혈관형은 일반적으로 골파괴가 광범위하고, 수술 중 출혈이 심하다. 고형은 높은 밀도의 섬유성 기질, 적은 수의 혈관을 보이고 수술 중 심각한 출혈이 없다. 혼합형은 두 유형의 중간에 있다. 동맥류성골낭은 외과적 소파술로 치료되지만 21-50%는 재발할 수 있다. 혈관형에서는 활발한 출혈이 있을 수 있으므로, 다방성의 급속히 파괴된 골내 병소에 대해서는 혈관형성을 확인하기 위해 디지털감산혈관조영술(DSA) 또는 자기공명혈관조영술(MRA)을 시행한다. 혈관형 동맥류성골낭과 중심성혈관종에서는 위험한 출혈을 예방하기 위해 혈액 준비 및 수술전 색전술을 고려해야 한다. 또한 재발을 예방하기 위해 인접혈관의 결찰을 포함한 악골절제술, 냉동수술(cryosurgery), 경화요법을 고려한다. 단순 소파술이나 적출술로는 병소에 공급되는 혈액을 차단하거나 혈관의 변위를 교정할 수 없다. 재발된 동맥류성골낭에 대해 하악반절제술(hemimandibulectomy) 또는 완전 상악절제술, 혹은 냉동수술을 동반한 소파술로 치료하여 이후의 재발을 막을 수 있다.

5) 외골증(Exostosis), 골융기(Torus)

외골증은 악골의 표면에서 발생하는 무증상의 골이 융기된 병소이다. 골융기(torus)는 일종의 외골증으로 구개와 하악골 설측에서 발생한 것을 말한다. 구개융기(palatal torus)는 구개골의 정중부에서 단엽성 혹은 다엽성으로 나타날 수 있다. 하악융기(mandibular torus)는 견치에서 소구치의 설측에 편측성이나 양측성으로 나타난다. 외골증은 협측 치조돌기에 결절성 종물로 주로 나타난다. 병소는 고립성이거나 다발성이거나 종종 융합되어 있으면서 선반모양을 형성할 수도 있다. 조직학적으로 경화된 치밀하고 성숙한 피질골로 이루어져 있다. 외골증이 보철물의 제작과 장착에 방해가 될 때는 절제한다. 골이 융기되면 치은 점막이 얇아져서 자극 시 점막이 찢어지기 쉽고, 골이 노출되면 치유가 잘 되지 않으므로 예방적으로 제거할 수 있다. 외골증을 제거한 후 늘어나 있던 연조직을 평평해진 골에 부착시키기 위해 스플린트를 이용할 수 있다. 또한 외골증 부위는 골이식이 필요한 경우에 공여부로 이용할 수 있다(그림 10-33).

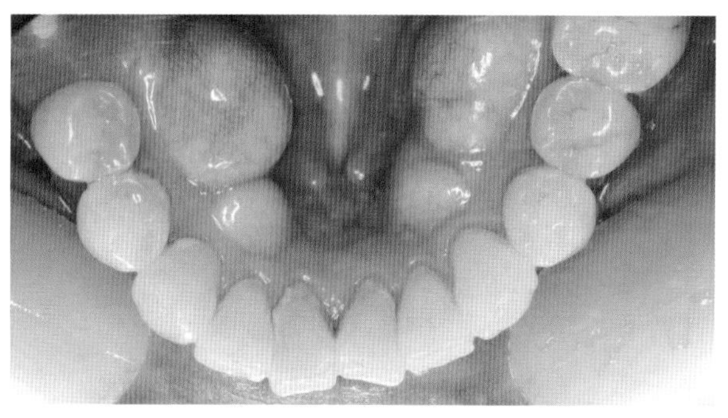

그림 10-33 양쪽 하악융기.

6) 랑게르한스세포조직구증(Langerhans cell histiocytosis)(그림 10-34)

원인과 발생기전이 명확하지 않다. 병리학적 소견이 서로 같은 병소들이 과거에는 서로 독립된 질환으로 구분되었다. 과거에는 histiocytosis x라고도 명명되었다. 3가지 그룹으로 나누는데 ① 만성 국소형(eosinophilic granuloma), ② 만성 산재형(Hand-Schuler-Christian disease), ③ 급성 산재형(Letterer-

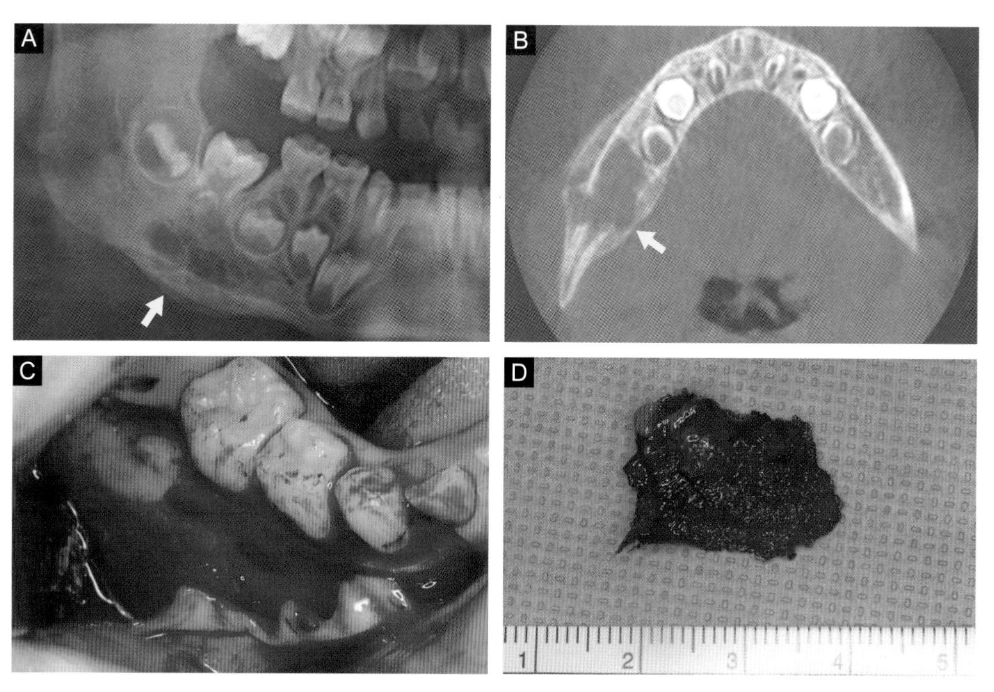

그림 10-34 하악 우측 구치부에 발생한 랑게르한스세포조직구증. A, B: 파노라마방사선과 CT 횡단면 영상에서 하악골의 골파괴성 병소와 골막반응이 관찰된다. C: 골막박리 후 임상소견 D: 적출된 병소.

Siwe disease)이 포함된다. 랑게르한스세포조직구증은 조직학적으로 CD1a−양성 랑게르한스세포(미성숙 가지돌기세포; immature dendritic cells)의 단클론성 증식을 보이며, 망상내피계(reticuloendothelial system), 골수, 비장, 림프절 간의 망상세포와 조직구, 결합조직의 대식세포 등을 공통적으로 침범한다.

① 만성 국소형은 10대나 젊은 성인에서 나타나고 남성에서 다소 호발하는 국소적이며 양성인 병소이다. 임상적으로 무증상의 단방성 또는 다방성의 골파괴 병소로 나타나며 드물게 국소적인 부종과 동통을 나타낸다. 이들 병소의 치료는 병소의 소파 또는 절제이며 방사선치료가 도움이 되는 경우도 있다. 전신적인 형태를 치료하기 위해 스테로이드 요법과 항암요법이 이용된다.

② 만성 산재형은 3−6세 사이에 주로 나타나고 다소 양호한 예후를 보이며 남아에서 2배 정도 호발한다. 임상적으로 주로 두개골에 나타나는 골파괴 병소와 안구돌출증, 요붕증이 3대 특징적 소견이며, 구강 내 병변으로는 궤양과 부종, 치은비대와 괴사 등이 나타나고 악골에 이환되면 치아동요와 심한 치주염 등이 나타난다.

③ 급성 산재형은 주로 생후 1년 내에 발생하는 급성 확산형으로 예후가 불량하다. 임상적으로 발열, 오한, 간비대, 비장증대, 림프선부종, 골파괴성 병소, 빈혈, 전신적인 피부발적, 수포, 궤양 등이 나타나며 구강 내에는 궤양, 치주염, 치아동요 등이 나타난다.

7) 연조직 병소(Soft tissue lesions)

(1) 유두종(papilloma)

편평상피에서 유래된 양성종양으로 구강내에서 많이 나타난다. 남녀 어느 연령층에서나 발생할 수 있으며 혀, 입술, 협점막, 치은 및 구개부에 발생한다. 점막 표면에 부착된 작은 양배추꽃 모양으로 나타나며 대개 단독으로 나타나나 다발성으로 나타나는 경우도 있다. 종양의 기저부를 포함해서 절제하면 재발되지 않으며 악성으로 이행되는 경우는 없다(그림 10−35).

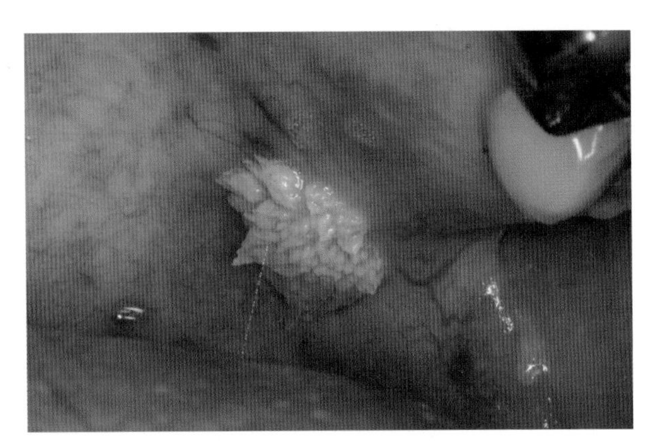

그림 10−35 상악 좌측 경구개부의 유두종.

① 편평유두종(squamous cell papilloma)

구강에서 가장 흔한 양성 상피성 종양으로 30−50세에 호발한다. 주로 연구개, 구개수, 경구개, 설소대, 혀에 발생하며, 무증상의 외향형 유경형 병소이다. 점막의 정상 색조에 가까우나 각화정도에 따라 흰색이나 붉은색으로 보일 수 있다. 일반적으로 5 mm보다 작은 손가락 모양의 돌기나 꽃양배추(cauliflower) 모양으로 보인다. 병소의 50%에서 사람유두종바이러스(HPV)−6, 11이 확인되며, 드물게 HPV−1이 확인된다. 독력(virulence)과 감염율은 낮고 특발성으로 퇴행하기도 하지만 재발되는 증례도 보고된다.

② 뾰족콘딜로마(condyloma acuminatum)

상대적으로 어린이와 젊은 성인에 호발한다. 구강에 발생하는 경우는 드물지만 구순가장자리(vermilion border), 혀, 구순점막 등 접촉하거나 외상에 노출되는 부위에 주로 발생한다. 일반적으로 무경형으로 정상 점막색을 보이는 무증상의 유두형 돌기로 나타난다. 병소가 겹치면 다발성 병소로 커질 수 있다. 성매개질환으로 자가접종(autoinoculation)이나 모성 전달(maternal transmission)에 의해 전파된다. 사람유두종바이러스(HPV)−2, 6, 11, 53, 54와 관련되어 발생하며, 드물게 HPV−16, 18, 31이 확인된다. Cidofovir를 병소내, 혹은 국소도포하여 치료하며, 레이저로 절제하면 사람유두종바이러스가 분무를 통해 전파될 가능성이 있다.

③ **보통사마귀**(verruca vulgaris)

피부에 발생한 경우는 사마귀(wart)라고 부른다. 상대적으로 어린이, 젊은 성인에 호발한다. 접촉과 자가접종(autoinoculation)에 의해 다양한 신체부위로 전파될 수 있다. 구강에 발생하는 경우는 드물지만 연구개, 설소대, 구순 점막에 발생한다. 5 mm보다 작은 무통성의 유두형 돌기로 나타난다. 일반적으로 흰색으로 분명한 경계를 가진다. 사람유두종바이러스(HPV)-1, 2, 4 ,6, 27, 40, 57, 63과 연관성이 있다고 알려져 있다. 특발성으로 퇴행하기도 하나 절제 후 재발도 보고된다. bleomycin과 5-fluorouracil을 병소내 주입하는 치료법이 피부병소에는 적용될 수 있으나, 구강병소에 대해서는 추천되지 않는다.

④ **다발성상피과형성**(multifocal epithelial hyperplasias)

다발성의 유두상 혹은 기저부가 넓은 상피증식으로 Heck disease라고 하며, 치은, 협점막, 구강내 순측 점막에 호발한다. 넓은 기저부의 병소로, 분홍색이나 하얀 색을 띤다. 어린이들에서 호발하지만 성인에서도 발생하며, 어린이에서 발생한 병소는 대부분 저절로 소실된다. 조직학적으로 점막상피의 과증식이 있는 국소부위에 뚜렷한 극세포증과 부전각화층이 보인다 사람유두종바이러스(HPV)-1, 13, 32와 연관성이 있다고 알려져 있다. 오래 잔존하는 병소는 절제한다. 베타 인터페론(β-interferon) 국소도포를 하기도 한다.

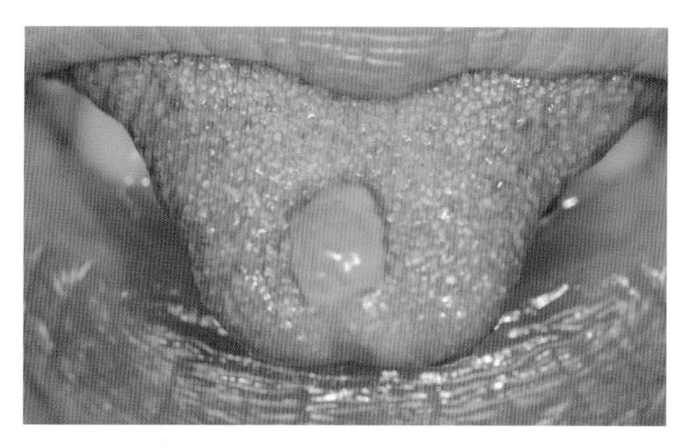

그림 10-36 혀에 발생한 섬유종.

(2) **결합조직 병소**(connective tissue lesions)

① **섬유종**(fibroma), **섬유성과증식**(hyperplasia of fibrous tissue)

구강내에서 가장 빈발하는 양성 연조직종양으로 무경형 또는 유경형으로 보인다. 30-50대에 호발하며 치은, 협점막, 입술 및 구개부에 표면에 돌출되어 있어 자극을 받으면 궤양과 염증을 수반하기도 한다. 염증성 자극에 의해 시작된 병소가 원인이 제거된 후에도 소실되지 않는 염증성 증식(inflammatory hyperplasia)과 구별해야 하지만, 두 병소는 조직학적으로는 차이가 없다. 많은 학자들은 섬유종으로 진단된 병소의 대부분이 실제로는 염증에 의한 국소적 증식이며 진정한 의미의 섬유종은 훨씬 드물다고 생각하고 있다. 섬유종은 외과적으로 절제하면 재발되지 않는다(그림 10-36).

② **지방종**(lipoma)

흔한 종양이지만 구강내에서는 드물게 발생한다. 주로 협부에 발생하며 말랑말랑하고 잘 경계지어진 종물

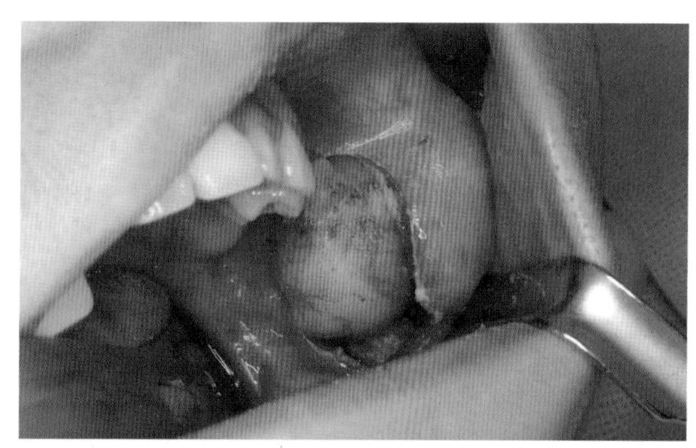

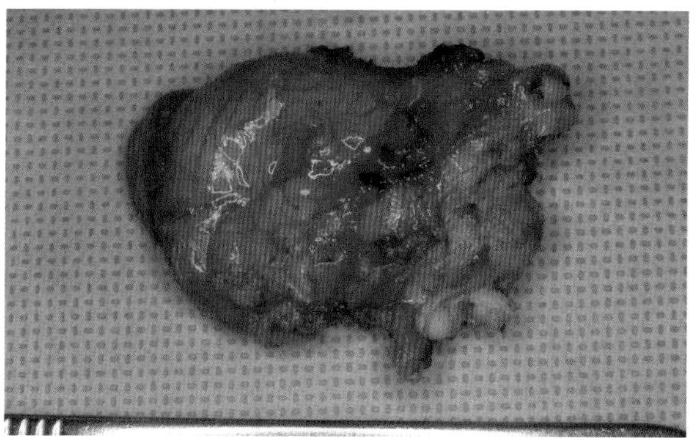

그림 10-37 좌측 협점막에 발생한 지방종.

로 보인다. 조직학적으로 성숙한 지방세포로 구성되고 이들 지방세포들이 분엽상으로 배열되어 있다. 매우 천천히 증식하며 절제된 후 거의 재발하지 않는다(그림 10-37).

③ **과립세포종**(granular cell tumor)

두경부 종양 중 1% 미만의 발생율을 보이는 드문 종양이다. 아프리카계 인종에서 더 자주 발생한다. 모든 연령에서 발생하나 40세-60세 호발하며, 남성에서 2배 호발한다. 구강내에서는 설배면, 설측면, 구강점막, 경구개에서 발생하고, 무통성 종물로 천천히 성장한다. 크기가 1-2 cm보다 작으며, 이글증후군(eagle syndrome)과 함께 발생하면 설인두신경을 자극하여 연하시, 고개 신전 시, 혀를 내밀 때 통증을 호소할 수 있다. 슈반세포(schwann cell)에서 발생하는 것으로 생각되며, neural associated antibodies (S-100)에 양성이다. 절제술 후 예후는 좋으나 불완전하게 절제할 경우 재발할 수 있으며, 재발/지속되는 경우는 10% 미만으로 드물다.

④ **횡문근종**(rhabdomyoma)

골격근 분화가 있는 드문 양성 중간엽 종양으로 머리와 목 부위에 호발한다. 임상적으로나 형태적으로 다른 4가지 유형(성인형, 태아형, 생식기형)과 횡문근종성 중간엽 과오종으로 나뉜다. 성인 횡문근종은 주로 노인(정중연령 약 60세)에서 남성에서 3배 호발한다. 혀에 호발하며, 중년 여성에서 구강내에 다발성의 성인 횡문근종이 발생할 수 있다. 인두주위공간(parapharyngeal space)에 발생하면 연하곤란을 유발할 수 있다. 국소 재발률이 42%까지 높기 때문에 완전한 절제가 권장된다.

⑤ **림프관종**(lymphangioma)

대부분의 병소가 태어날 때부터 존재하고 10세 이하에서 호발하며 남녀 비율은 유사하다. 구강내의 림프관종은 혀에 가장 호발하고 협점막, 구개, 치은 및 입술부위에도 나타난다. 얕은 병소들은 약간 붉은 색소를 띠는 유두상의 병소로 나타난다(그림 10-38). 혀에 이환된 경우에는 급성 상기도 감염증 후 급격히 증대되어 거대설을 나타내며 심한 경우에는 개방교합을 나타내기도 한다. 조직학적으로 내피세포에 의해 경계지어진, 림프액을 함유한 확장된 림프관으로 구성되며 혈액이 차 있는 경우도 있다. 외과적 절제로 치료하는데 주위와 경계가 불분명하여 치료 후에 재발하는 경

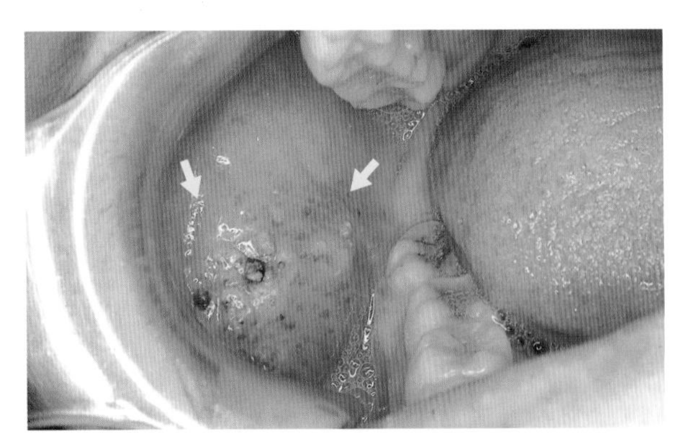

그림 10-38 우측 하악 협점막에 발생한 림프관종.

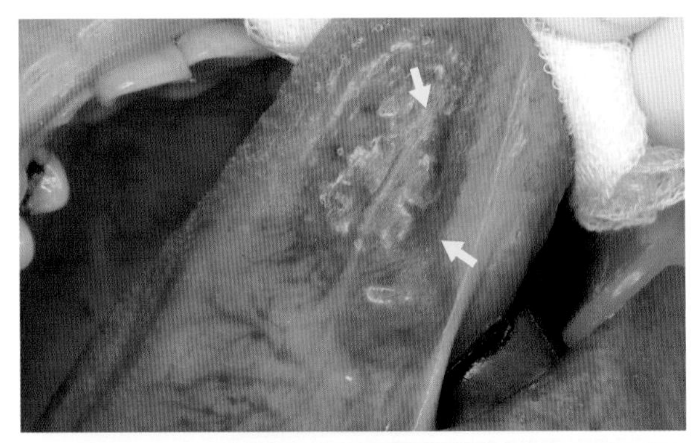

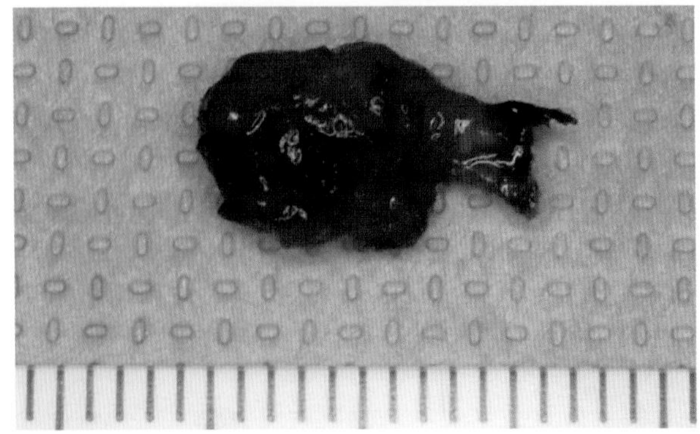

그림 10-39 우측 혀 복면에 발생한 혈관종.

향이 많으며 이러한 재발률은 연령이 증가할수록 커진다. 성장 중인 어린이에서 발생한 림프관종은 대개 사춘기 때까지 쇠퇴되므로, 18세 정도까지는 수술하지 않고 기다릴 수 있다.

⑥ **혈관종**(hemangioma)(그림 10-39)

혈관증식에 의해 유발된 종양으로 선천성으로 발생할 수도 있으며 이 경우 종양이라기보다 발육장애나 과오종(hamartoma)으로 생각된다. 이 종양들은 인접조직으로 침윤되지 않으며 대부분이 모세혈관종(capillary hemangioma)과 해면혈관종(cavernous hemangioma)이다. 출생 시 또는 어린 연령층에 주로 나타나며 여자에서 2배 정도 호발하고 두경부에 호발한다. 구강점막에 암적색의 편평하거나 약간 융기된 병소로 나타나며 호발부위는 입술, 혀, 협점막, 구개부 등이다. 악골내에 발생하는 중심성혈관종(central hemangioma)은 골파괴상을 보이며 치근단병소로 오인하여 이환된 치아를 발치하면 대량 실혈의 우려가 있으므로 특히 주의하여야 한다. 선천성 혈관종은 저절로 사라지는 경우도 많으며 없어지지 않거나 성인이 된 후에 나타나는 경우에는 병소내 스테로이드 주사, 외과적 절제술, 냉동수술, 경화제의 주입 등으로 치료하며, 병소가 커서 외과적 절제 시 많은 출혈이 예상되는 경우에는 혈관색전술 시행 후 절제하기도 한다. 절제 후 예후는 대개 양호하며 악성화하는 경우는 없다.

⑦ **신경초종**(neurilemmoma, schwannoma, neurinoma)

슈반세포에서 유래된 신경외배엽성 종양으로 비교적 천천히 증식하며 어느 연령층에서나 발생 가능하다. 신경조직에서 유래하지만 통증은 없다. 두경부에 호발하며 구강내 연조직에 발생하는 경우에는 혀, 구개, 구강저, 협점막, 치은, 구순, 구강전정의 순으로 발생하며 상악동, 타액선, 후인두, 비인두 등에서도 발생한다. 악골에 발생하는 경우는 하악신경에 주로 발생하며 연조직 병소는 다양한 크기의 다발성의 경계가 명확한 결절로 나타난다. 외과적 절제로 치료하며 방사선치료는 효과가 없다. 피낭화가 잘 되어 있어 완벽한 제거가 용이하며, 재발이 없으나 때때로 불완전하게 제거하면 재발 가능성이 있다(그림 10-40).

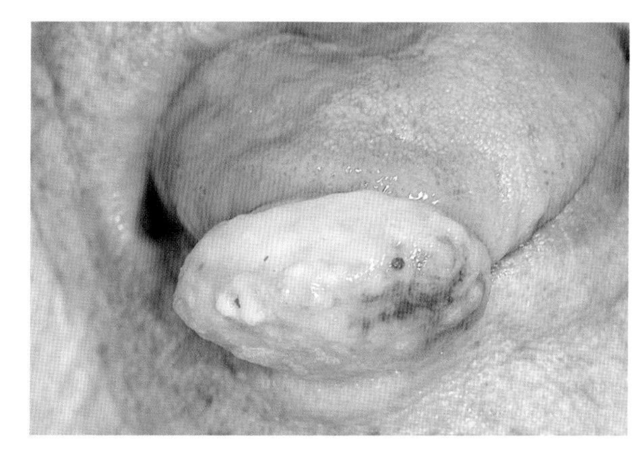

그림 10-40 혀에 발생한 신경초종.

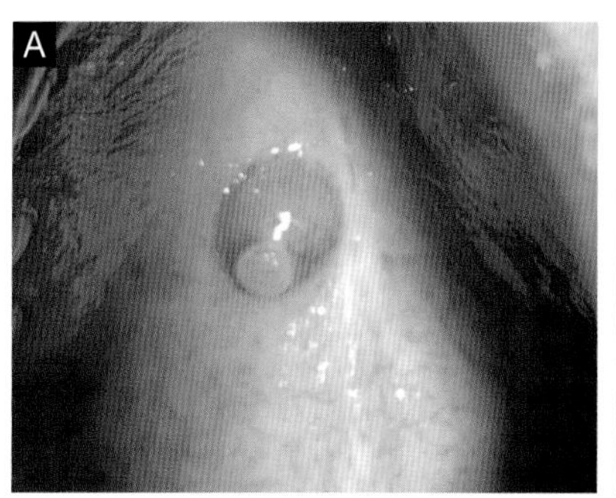

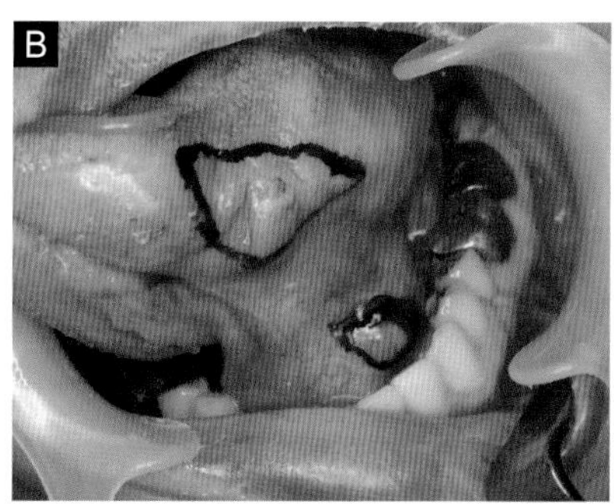

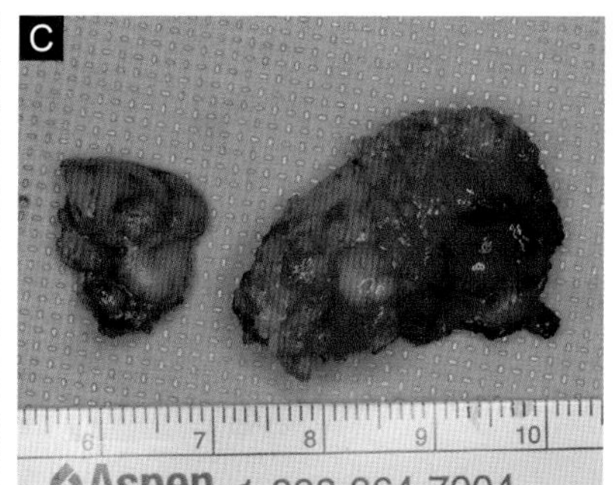

그림 10-41 **신경섬유종.** A: 경구개에 발생한 종양 B: 좌측 혀와 구강저에 발생한 종양의 절제 전 임상소견 C: 절제된 종양.

⑧ 신경섬유종(neurofibroma)

양성의 말초신경초종으로, 신경주위 섬유모세포에서 기원한다. 10대에서 20대에 발생하며 남녀에서 유사하게 발생한다. 대부분(90%) 단독으로 발생하나 신경섬유종증의 일부로 발생하기도 한다. 구강내에서는 혀에 호발하며, 협점막, 입술의 순서로 발생한다. 종양은 무통성으로 천천히 자라고, 정상 피부색을 띠며 고무와 같은 질감을 가지는 잘 경계지어진 구진이나 결절로 보인다(그림 10-41).

신경섬유종증(neurofibromatosis, von Recklinghausen's disease)의 약 10-20%에서는 유전적 양상이 있는 것으로 보고되고 있으며 개개의 병소는 몸통, 안면, 사지 등의 피부에 많은 작은 결절로 나타나는 것과 깊고 광범위하게 나타나는 두 가지 형태가 있으며 대부분의 환자에서 cafe-au-lait spot이라 부르는 멜라닌 피부착색이 나타난다. 신경섬유종의 약 15%는 악성으로 전환되는 소견을 보이나 다발성으로 나타나는 병소는 좀처럼 악성으로 전환되는 경우가 없다. 병소를 외과적으로 절제해내기도 하지만 너무 많아서 완전한 제거는 어렵다.

Ⅲ. 구강악안면 양성병소의 외과적 처치

구강악안면영역에서 발생하는 양성병소는 적절한 치료를 통해 대부분 완치가 가능하며 재발률도 낮은 편이지만, 몇몇 병소에서는 완전한 절제가 불가능하며 제거 후에도 높은 재발률을 보인다. 임상 및 영상학적 소견 등을 통해 병소의 특징을 파악하고 해부학적 위치 및 인접 구조물과의 관계 등을 고려하여 적절한 외과적 치료계획을 수립함으로써 합병증을 최소화하고 양호한 예후를 가질 수 있다.

1. 구강악안면 양성병소 외과적 처치의 기본원칙

1) 치료법의 결정 요소

구강악안면영역에서 발생하는 낭, 양성종양 및 기타 악골병소를 위한 적절한 치료법을 선택하기 위해서는 정확한 진단을 통해 병소의 특성, 해부학적 특징과 함께 환자의 나이, 건강상태, 술후 합병증 및 예후 등을 고려하는 것이 필요하다.

(1) 병소의 특성

임상 및 방사선사진 소견 또는 조직생검 결과를 통하여 병소를 진단함으로써 병소의 원인, 공격성, 예후 등 병소의 성질을 파악하여 치료 방법과 수술시기 등 치료의 방향을 결정하여야 한다. 치성 기원의 염증성 낭인 치근낭의 경우 수술 전에 해당 치아의 근관치료를 완료하여야 하고, 낭적출술 시 필요하면 치근단절제술을 함께 시행하도록 한다. 악골내 병소가 공격성이 높은 질환으로 판단되어 악골절제술과 같은 침습적인 수술 가능성이 있는 경우, 정확한 진단을 위하여 악골내 병소의 절개생검(incisional biopsy)을 시행하고 이를 통해 치료방법을 최종 결정하도록 한다. 동맥류성골낭(aneurysmal bone cyst)의 경우 낭의 특성상 수술 중에 과다출혈이 예상되어 악골절제술을 시행해야 하는 경우도 있다.

(2) 임상적 요소

병소의 경과기간을 통하여 양성적인 특징을 평가할 수도 있으며, 공격성이 낮은 병소라도 통증, 감각이상 또는 안모변형 등의 불편감이 있는 경우에는 치료 시기를 서둘러야 할 수 있다. 감염된 병소에서는 수술 전에 감염에 대한 치료를 먼저 시행한 후 수술을 진행하도록 한다. 환자의 나이, 해부학적 성숙도, 전신건강상태, 환자의 협조도 등도 치료방법과 치료시기를 결정하는 데 영향을 미친다. 예를 들어 치아종(odontoma)이나 함치성낭(dentigerous cyst)에 의한 영구치의 지연 맹출이 예상되는 경우 나이가 어리더라도 치아의 맹출을 방해하는 병소를 빨리 제거해주는 것이 좋으며, 성장기의 아이에서 악골에 커다란 법랑모세포종(ameloblastoma)이 존재하는 경우 악골의 연속성 보존 및 발육을 위해 보존적으로 병소를 적출하고 경과관찰을 할 수도 있다.

(3) 병소의 크기 및 위치

병소의 크기와 위치에 따라 수술법과 이를 위한 접근이 달라질 수 있다. 예를 들어 법랑모세포종과 같은 공격적인 병소가 하악골체부에 발생하였다면, 가능한 하악골하연을 남겨서 악골의 연속성이 유지되도록 하는 변연절제술을 고려하는 것이 좋으나, 병소의 크기가 커서 악골 전체에 이환되어 있다면 악골의 부분절제술을 시행하여야만 한다. 공격적이지 않은 양성병소라 할지라도 익돌상악열(pterygomaxillary fissure)과 같이 접근이 어려운 부위에 발생하였다면 외과적으로 문제가 될 수 있으며, 반면 공격적인 병소라도 하악전치부와 같이 접근이 용이한 부분에 발생하였다면 예후가 좋을 수 있다. 또한 병소가 혈관, 신경, 상악동 등 인접한 주요 해부학적 구조물을 침범하는지, 외과적 접근이 용이한지, 병소의 완전한 제거가 가능한지의 여부에 따라 마취방법이나 외과적 접근법이 달라질 수 있다. 악골내 병소가 치아의 근단부와 만나고 있는 경우, 치아의 생활력 및 예후 평가에 따라 수술 전에 근관치료를 시행하거나 수술 시 병소와 함께 치아를 제거하는 것을 계획할 수 있으며, 병소내 치아가 포함되어 있는 경우 환자의 나이, 치아의 위치, 병소의 종류 등에 따라서 치아의 발거 여부를 결정할 수 있다.

(4) 예후

병소의 해부학적 위치나 인접 구조물과의 관계에 따른 완전절제 가능 여부 또는 재발률, 악성 전환 가능성 등 예상되는 질병의 예후를 고려하여 수술법과 수술범위를 결정하여야 한다. 일반적으로 악골내 낭의 경우 단순히 병소만 적출해내는 경우가 대부분이나, 법랑모세포종과 같이 공격성이 높은 종양의 경우, 양성종양이지만 병소의 주변부를 포함하여 근치적 절제를 해야하는 경우가 있다.

(5) 술후 장애

병소의 외과적 절제술의 목적은 질병 자체의 제거뿐 아니라 기능을 잘 유지시켜 삶의 질 저하를 방지해주는 것이다. 따라서 수술을 준비하는 과정에서 수술 후 발생 가능한 합병증 및 장애를 예측하고 이를 최소화할 수 있는 수술방법이나 재건방법을 선택하고 계획을 세워야 한다. 병소 제거의 효과가 동일하다면 합병증이 적고 향후 재건하기에 용이한 수술법을 선택하는 것이 좋다.

2) 기구 및 재료

수술 시 No. 12 또는 15 blade, periosteal elevator, curette 등 기본적인 수술기구와 함께 경조직을 포함한 병소의 경우 전동식 절삭기구가 필요하며, 그 외에 전기소작기(electrocautery)를 사용하면 출혈량을 줄이고 수술을 보다 용이하게 할 수 있다. 병소가 제거된 결손부위에는 필요에 따라 흡수성 콜라겐 스폰지와 같은 지혈제 또는 골이식재를 넣을 수 있으므로, 미리 예상하여 필요한 기구나 재료를 준비하도록 한다.

2. 병소 종류에 따른 치료법

1) 악골낭의 치료

(1) 치료술식

① **낭적출술**(cyst enucleation, cystectomy; Partsch II법)

일반적으로 낭의 크기가 크지 않고 수술 시 인접한 해부학적 구조물을 손상시킬 가능성이 적은 경우, 또는 개창술이나 감압술의 적용이 어렵거나 효과가 적을 것으로 판단되는 경우에 시행한다. 통상적인 마취를 시행하며 가급적 절개선은 낭벽 위에 두지 않도록 한다. 골막과 구강점막상피를 함께 거상하고 골막과 낭상피가 붙어 있는 경우에는 조심스럽게 분리한다. 낭으로 인한 피질골의 천공이 없는 경우 접근성 및 골삭제량을 고려하여 골창(bone window)의 위치를 정하고 전동식 절삭기구를 이용하여 골창을 형성한 뒤 병소를 노출시킨다. 낭벽을 골과 조심스럽게 분리하여 가급적 한 덩어리로 적출하도록 하며, 원인 치아가 있는 경우 발치나 치근단절제술과 같은 부가적인 처치를 시행한다. 병소가 제거된 부위를 확인한 후 지혈 및 봉합을 시행한다. 술 후 압박드레싱을 시행하고 감염방지를 위하여 항생요법 및 구강위생교육을 시행한다(그림 10-42).

② **개창술**(marsupialization, cystostomy; Partsch I법)**과 감압술**(decompression)

개창술은 병소를 직접적으로 관통하는 절개를 가하여 낭의 섬유성 벽과 인접한 구강점막을 봉합함으로써 낭의 내강과 구강을 연결해주는 술식으로, 부강형성법 또는 조대술이라고도 한다. 감압은 사실상 개창술을 포함하는 개념으로, 낭 안팎을 관통하는 통로를 열린 채로 유지해줌으로써 낭내 압력을 줄여줄 수 있는 방법을 통칭한다. 낭은 내강의 삼투압과 성장인자(growth factors) 및 프로스타글란딘의 방출에 기인하여 뼈를 흡수하면서 점진적으로 크기가 커지는데, 감압술을 시행하면 낭이 커지는 것을 방지하고 주변에서 뼈가 자라서 들어오게 되어 결국 낭의 크기를 줄여줄

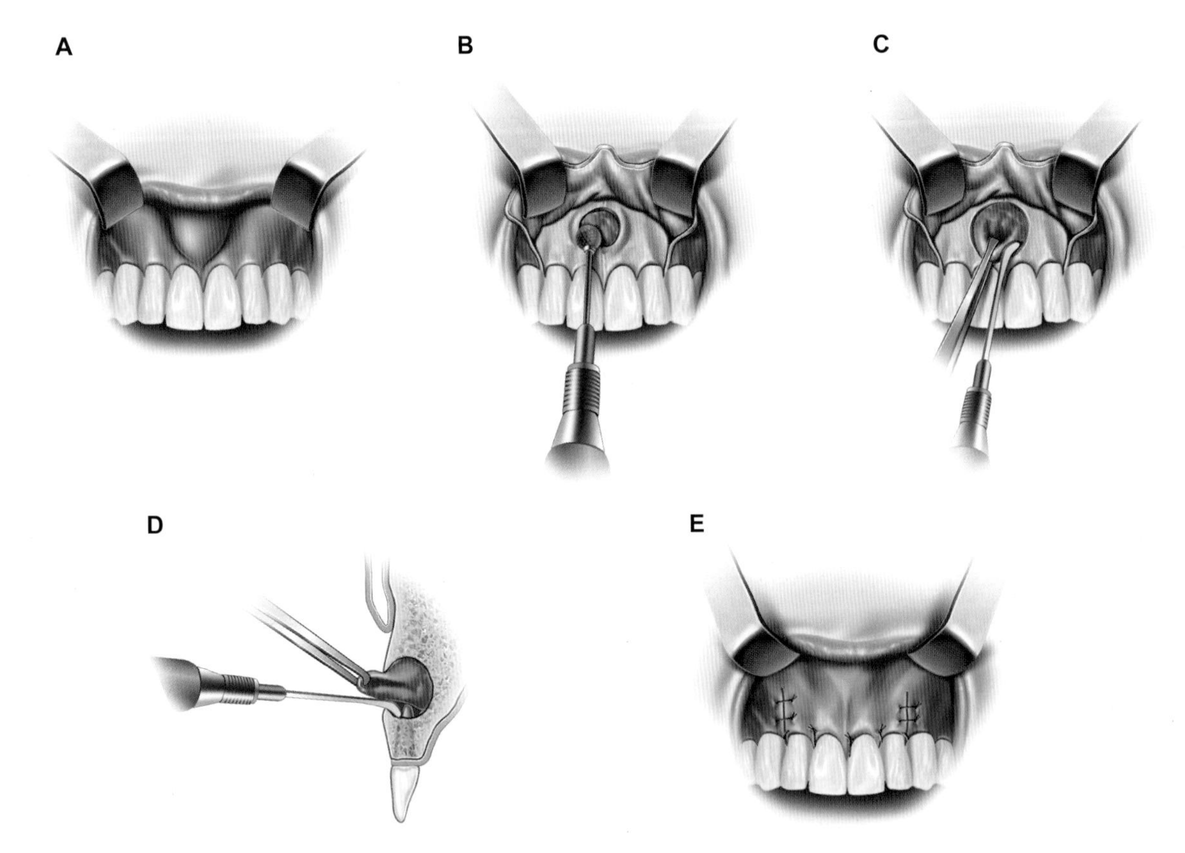

그림 10-42 낭적출술.
A: 병소의 위치를 확인하고 절개선을 디자인한다. B: 절개 후 골막점막피판을 거상하여 병소부위의 골을 노출시키고, 버를 이용하여 골창을 형성하고 낭벽을 노출시킨다. C: 골강의 내측면을 따라 큐렛을 움직이면서 골면으로부터 낭벽을 박리한다. D: 치근단이 튀어나와 있는 경우 구개측이나 설측에 병소를 남기지 않도록 주의하도록 한다. E: 병소 제거 후 필요시 치근단절제술, 지혈, 충전재 주입 등을 시행한 후 치조점막을 원위치시켜 봉합한다.

수 있다. 이러한 보존적인 치료방법들은 낭의 크기가 크거나, 인접 구조물의 손상이 우려되는 경우, 그리고 일차적인 적출이 용이하지 않은 경우에 주로 시행되며, 단독으로 시행되는 경우도 있으나 주로 적출술 이전에 시행하는 전처치로 시행되는 경우가 많다. 이 술식들은 높은 재발률을 보일 수 있는 치성각화낭이나 악성으로 이행될 수 있는 가능성이 있는 병소에서 단독으로 사용되는 것은 피하는 것이 좋다고 알려져 왔으나, 몇몇 문헌에서는 양호한 경과가 보고되기도 하였다. 개창술을 시행하는 경우에는 날카로운 골융기 등을 제거하고 입구를 크게 형성하는 것이 중요하며, 감압술을 계획하였을 때에는 고무관 등을 이용한 감압장치를 미리 제작하고 멸균하여 사용하도록 한다(그림 10-43, 44).

③ 감압술 후 적출

일반적으로 감압술은 단독으로 사용하기보다는 감압술 후 수개월 간의 주기적인 경과관찰을 통해 병소의 크기 변화를 관찰하여 현저히 병소의 크기가 줄었거나 더이상 변화가 없는 경우에 이차적으로 낭적출술, 소파술 등을 시행하는 경우가 많다(그림 10-45). 감압술을 하면 치수의 생활력 유지, 하치조신경의 보존, 상악동 보존, 악골골절 예방 등의 여러 장점이 있지만, 장기간 구강내 장치를 착용해야 하는 불편감이 있으므로 반드시 환자의 협조가 필요하다. 환자의 협조가 어

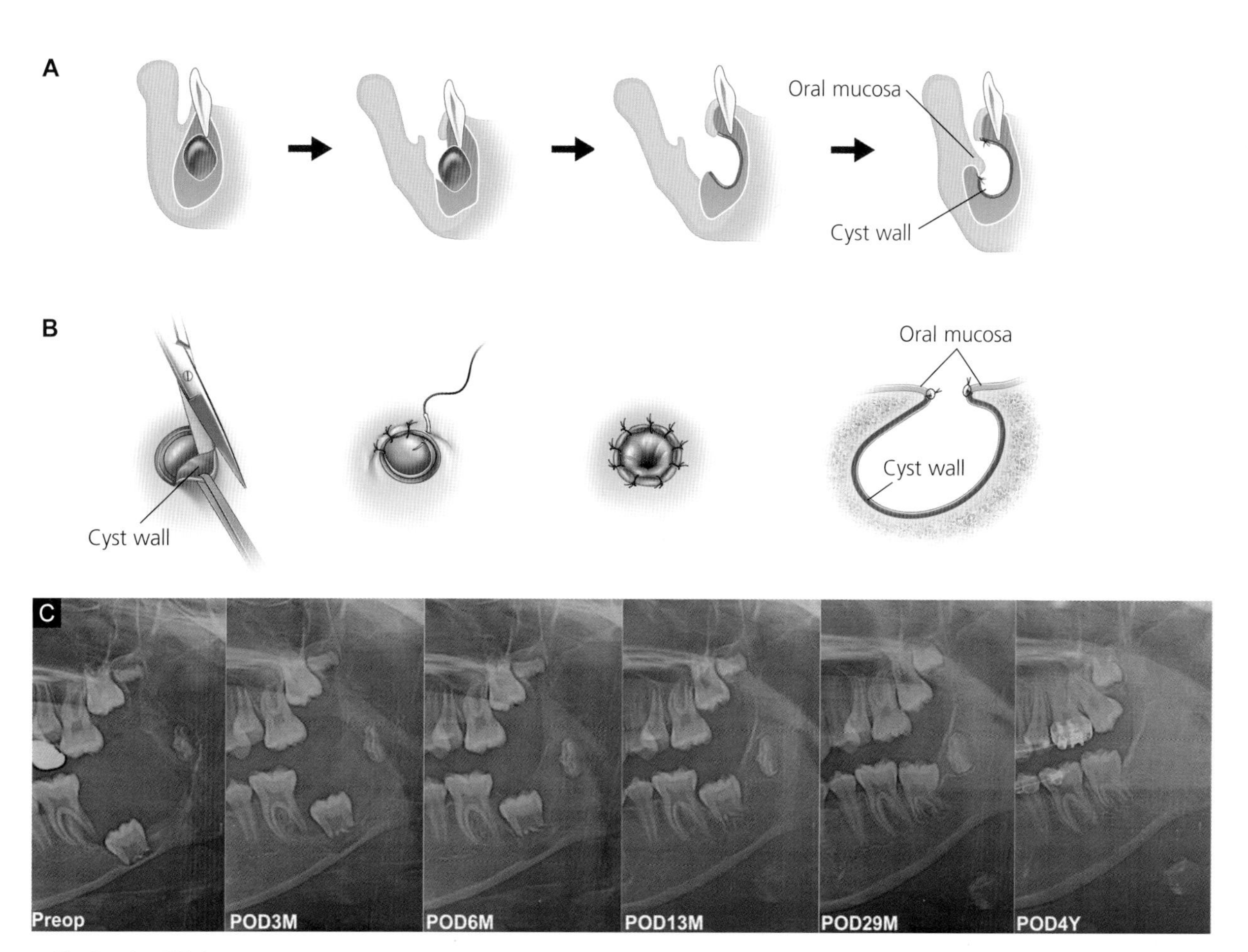

그림 10-43 개창술.

A: 개창술을 이용한 하악 전치부 악골내에 발생한 낭의 치료 모식도 B: 개창술은 낭벽을 관통하는 절개를 가하여 노출되어 있는 낭벽을 제거한 후 구강점막과 낭벽을 봉합해 줌으로써 구강과 낭의 내강을 연결해주는 개념이다. C: 11세 여아의 하악 좌측에 발생한 단방성 법랑모세포종을 개창술만으로 치료하고 매복 제2대구치의 맹출을 유도한 사례이다. 술후 4년째 경과관찰에서도 재발소견이 관찰되지 않았다.

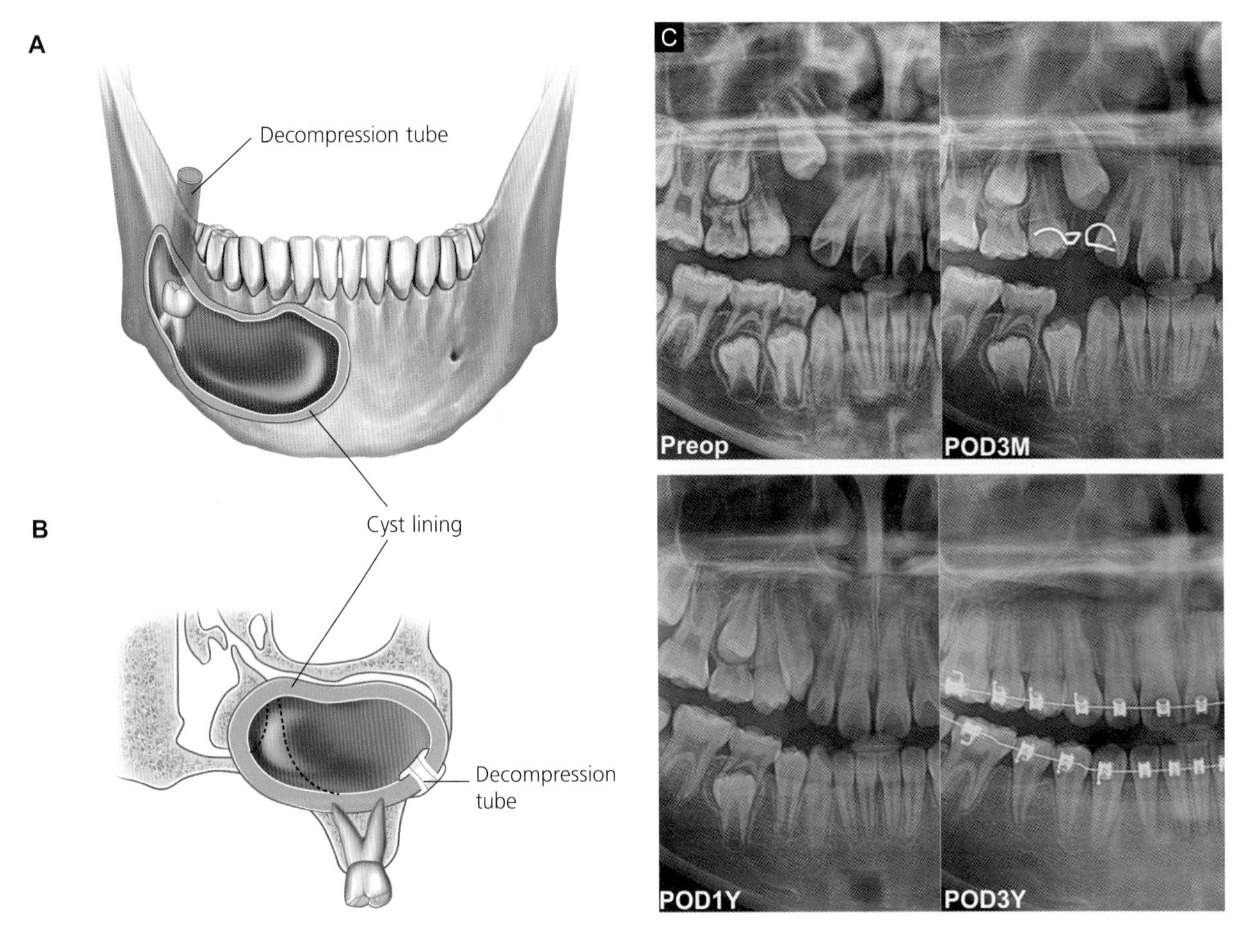

그림 10-44 감압술.

A: 고무튜브를 이용하여 하악체에 발생한 커다란 낭에 감압술을 시행한 모식도 B: 상악에 발생한 낭을 관통하여 낭의 내강이 구강으로 개통되도록 감압튜브를 위치시킨 모식도 C: 9세 여아의 상악 우측 견치부에 발생한 치성각화낭을 감압술만으로 치료하고 매복견치의 맹출을 유도한 사례이다. 술후 3년째 경과관찰에서도 재발소견이 관찰되지 않았다.

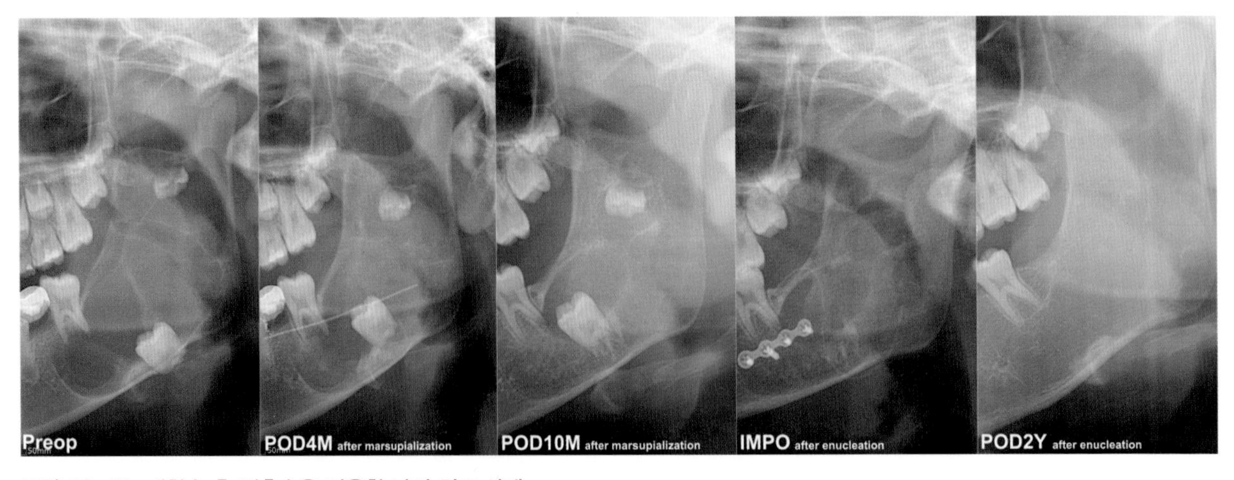

그림 10-45 개창술 후 적출술을 이용한 낭의 치료 사례.

10세 남아의 좌측 하악체 및 하악상행지에 발생한 커다란 낭성 병소에 개창술을 시행하여 병소의 크기를 줄인 후, 시상분할하악지골절단술(sagittal split ramus osteotomy)을 시행하여 낭의 적출술을 시행한 사례로, 최종적으로 정각화치성낭으로 진단되었다. 술후 2년째 양호한 치유 양상 관찰되고 있다.

려운 경우에는 낭의 일차적 치료로서 적출술을 선택한다.

④ **치근단절제술**(apicoectomy)

치근낭에 이환된 치아의 근관치료 후 낭의 적출과 함께 치근단절제술을 시행하여 치아를 보존할 수 있다. 치근단절제술 후 재발의 방지와 치아의 보존을 위하여 잔존 치근부는 골내에 위치하도록 해야 하며 설측 치근부의 낭벽을 완전히 제거해야 한다.

⑤ **결손부 수복**

일반적으로 병소의 제거 후 형성된 골 내 결손부위는 시간이 지남에 따라 스스로 골조직으로 재생이 되어 치유된다. 하지만 크기가 큰 골결손부의 경우 치유에 상당한 시일이 소요되며 완전한 골조직으로의 치유가 어려울 수도 있어, 골재생을 돕기 위해 필요에 따라 다양한 물질이나 재료를 충전해줄 수 있다.

악골에 발생한 커다란 결손부를 수복하여 일차폐쇄를 도모하는 것은 오래 전부터 여러 학자들에 의해 시도되어 왔으며 paris 석고, 젤라틴 해면, 섬유소제제, 콜라겐 제제, 각종 연고, 골격근, 혈병, 지방, 그리고 다양한 골이식재 등이 사용되어 왔다. 결손부의 충전시 발생한 혈병충전압으로 인해 골강벽에서 이차출혈이 발생하고 이것이 골성치유를 촉진시킴으로써 Partsch법에 비하여 치료기간이 현저히 단축된다고 알려져 있다. 이 치료법은 발치창과 같은 골결손부의 치유에서 혈병이 큰 역할을 한다는 개념에 기초를 둔다.

악골낭을 제거하고 결손부에 골이식을 시행할 때 가장 안정적인 예후를 보이는 것은 신선자가골이식이며, 특히 자가해면골세편이식(autogenous cancellous bone chip grafting)이 가장 우수하다. 자가해면골세편이식의 가장 큰 장점은 블록골이식(block bone graft)에 비하여 골형성능이 현저히 높으며 감염에 대한 저항력이 높다는 것이다. 이식된 골수세포는 생착되어 골모세포(osteoblast)로 분화되고 골을 형성하게 된다. 따라서 골결손부의 골성치유가 신속히 진행되고, 빠른 치유로 인해 병적골절의 위험이 낮아짐으로써 악골의 변형이 줄어들며 술후 감염의 위험성을 낮출 수 있다. 그러나 이식골의 채취를 위해 악골 이외의 부위에서 부가적인 수술을 시행해야 한다는 큰 단점이 있다. 따라서 최근에는 동결건조동종골이식(allogenic freeze-dried bone grafting) 또는 탈회동결건조동종골이식(allogenic demineralized freeze-dried bone grafting)을 많이 이용한다. 이는 골형성능은 없으나 이식부위의 간엽계조직(mesenchymal tissue)에서 골형성세포의 분화를 촉진하는 골유도능이 있어 신생골이 이식골 내로 성장하여 치환되도록 한다. 골유도능은 탈회동결건조동종골이 동결건조동종골보다 우수하다. 그러나 일반적으로 동종골이식 후의 골치유는 자가골이식보다 상당히 늦다.

이와 같이 병소의 제거 후 결손부를 수복하는 경우, 골강이 완전히 폐쇄되므로 술후 안면부종이 상당히 심하게 나타나기 쉽다. 감염의 예방을 위해 술후 수일간은 항생제를 전신적으로 투여하도록 하며 구강위생관리에 주의를 기울이도록 한다.

(2) **술후 처치와 경과**

경과관찰 시 골결손부의 수복을 확인하기 위해 임상검사를 하고 방사선사진을 촬영한다. 악골낭은 낭벽의 소실 또는 적출에 의해 없어지지만, 병소가 사라지고 남아있는 골결손부는 치유에 상당한 시일이 요구된다. 골의 재생은 결손의 크기 및 악골내 위치와 관련되며 낭의 종류와는 관계가 없다. 통상적으로 골의 재생이 양호한 부위는 하악골체와 하악지이며, 상하악 전치부는 골재생이 상대적으로 느리다고 알려져 있다. 이는 골내의 혈류공급과 관련있는 것으로 생각된다. 그 외에 낭의 치료술식 또한 술후 골재생에 영향을 미치는 인자가 될 수 있다. 같은 크기의 낭에서 개창술을 시행한 경우 골결손의 수복은 상당히 장기화되지만, 적출술 시에는 빠르게 진행된다. 낭이 현저하게 큰 경우에는 감압술 및 낭강의 세척을 통해 낭을 축소시키고 적출술을 시행하면 빠르게 결손부를 수복할 수 있다. 개창술을 시행한 경우 잔존하는 낭벽은 약 1주일 정도 경과하면서 편평상피로 변하여 마침내 치조점막과 비슷한 조직으로 변화한다. 그러나 낭으로 인한 골결손부의 수복은 상당한 시일이 소요된다.

2) 양성종양의 치료

(1) 악골의 종양

많은 악골종양은 서로 비슷한 양상을 가지고 있어 치료법도 유사하다. 악골종양의 외과적 절제에는 크게 적출술, 절제술 그리고 복합절제술의 3가지 방법이 사용된다. 이중 임상적으로 공격적인 양상을 보이지 않는 양성종양은 적출술(enucleation)과 소파술(curettage) 같은 보존적인 술식을 병행하여 치료할 수 있다. 반면 양성종양 중에서 다소 공격적인 종류에서는 종물의 위치나 크기에 따라 악골의 부분절제술(partial segmental resection), 또는 악골 하연의 연속성을 유지하는 변연절제술(marginal resection)이 필요할 수 있다. 복합절제술(composite resection)은 인접 연조직이나 림프절을 포함하여 절제하는 술식으로 악성종양의 치료에 이용되는 방법이다.

① **적출술 및 소파술**(enucleation and/or curettage)

공격성이 낮은 대부분의 악골종양은 적출술과 소파술을 이용하여 치료할 수 있다. 치아종, 법랑모섬유종, 법랑모섬유치아종, 백악모세포종 등이 이러한 종양에 포함된다. 종양의 적출술은 일반적으로 낭적출술과 큰 차이는 없으나 치아종 등과 같이 병소에 큰 석회화 물질이 있는 경우에는 버를 이용하여 종물을 절단하고 제거하기도 한다. 종양의 적출 후 병소주위에 남아있을 수 있는 종양세포를 제거할 목적으로 큐렛이나 버를 이용하여 병소주위의 뼈를 1–2 mm 정도 제거해주는 소파술을 시행함으로써 병소의 재발위험을 줄일 수 있다.

② **악골절제술**(resection)

병소의 임상양상 또는 병리조직학적 소견이 공격적이거나 적출술 및 소파술과 같은 보존적인 방법으로 완전한 절제가 어려운 경우에는 주변의 골조직을 포함하여 종양을 절제해내어야 한다(그림 10-46). 법랑모세포종, 치성점액종, 석회화상피성치성종양, 편평상피성치성종양 등이 이러한 종양에 포함된다.

양성종양을 위한 악골절제술의 일반적인 원칙은 방사선에서 보이는 병소의 경계주변으로 건전한 골을 포함하여 절제하는 것이다. 만약 병소의 경계가 하악골의 하연과 거리가 있어 악골절제 후에도 하악골 하연을 최소 1 cm 이상 보존할 수 있다면 변연절제술(marginal resection)을 시행하여 악골의 연속성을 유지시켜줄 수 있다(그림 10-46A, C). 반면 병소의 크기나 위치상

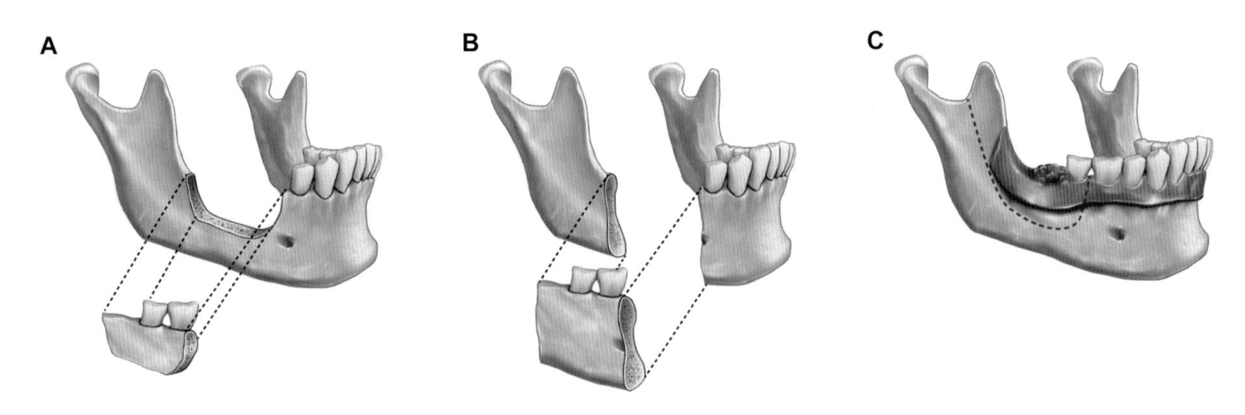

그림 10-46 하악골 절제술의 형태.
A: 하악골의 연속성을 유지하는 변연절제술의 골절단법 B: 하악골의 연속성이 상실된 부분절제술의 골절단법 C: 변연절제술을 이용한 복합조직절제술의 모식도.

경계부위가 하악골 하연에 가깝거나 피질골을 침범하였다면 하악골 전층을 절제해야 하며, 병소의 크기에 따라 부분 또는 드물게 전체 절제(partial segmental resection or total resection)를 시행하여야 한다(그림 10-46B). 부분절제술 후 하악골의 연속성 상실은 잔존 골편의 위치를 유지하면서 기능과 심미성의 회복을 고려해야 하므로 변연절제술에 비해 재건을 어렵게 만든다.

변연절제술 또는 부분절제술을 시행할 때는 종양이 피질골을 뚫고 주변 연조직을 침범하였는지를 확인하여야 하며, 만약 연조직 천공이 있다면 종양의 완전한 절제를 위하여 골막상방으로 박리하여 병소에 이환된 연조직을 함께 절제해야 한다. 연조직 절제량이 많아서 재건을 위해 이식된 골을 덮을 연조직이 부족한 경우에는 결손부의 즉시재건이 어렵고 복잡해질 수 있다. 병소주위의 연조직 절제가 충분한지 의심스러울 때는 절제변연 주위의 조직표본을 채취하여 즉각적인 동결절편생검(frozen biopsy)를 통해 확인해보도록 한다.

(2) 구강내 연조직 종양

구강점막의 표층에 생긴 연조직 병소는 대부분 양성이고 크기가 작아 절제생검을 통하여 간단히 제거할 수 있다. 이러한 병소에는 섬유종, 화농성육아종, 유두종, 변연성거대세포육아종, 우췌성종양, 점액종 등이 있으며, 이러한 병소들의 대부분은 구강점막 또는 점막 하방에 조직학적으로 정상인 조직이 과잉증식된 것이다. 절제생검 시에는 쐐기모양의 타원형 절제를 시행하여 봉합을 쉽게 하고 흉터발생을 줄여준다(그림 10-2). 화농성육아종과 같이 원인이 치아와 관련 있는 경우에는 치은소파술 및 치근활택술 등을 통해 원인 치아의 치태, 치석 등 염증유발물질을 제거하여 재발이 되지 않도록 한다.

3) 기타 양성 악골병소의 치료

병소의 특징, 임상적인 증상 등에 따라서 위에서 언급한 치료법 이외에 다양한 치료법이 고려될 수 있다. 섬유골성병소(fibro-osseous lesions)에 속하는 섬유형성이상(fibrous dysplasia)의 경우 병소의 외과적 절제를 통해 치료하지만, 초기 발견이 어렵고 완전한 절제가 어려운 경우가 많기 때문에 안모변형을 야기한 부분만 보존적으로 절제하는 방법을 주로 사용한다. 가성낭(pseudocyst)의 하나인 동맥류성골낭(aneurysmal bone cyst)의 경우 병소의 생물학적 특징에 따라서 적출술, 소파술, 냉동수술(cryosurgery)을 동반한 소파술, 절제술 등의 치료법을 선택할 수 있다. 또다른 가성낭인 외상성골낭(traumatic bone cyst)의 치료는 진단을 위한 surgical exploration만으로도 충분하며, 일반적으로 surgical exploration 이후 새로운 골형성에 의해 결손부가 빠르게 채워진다. 조직구증식증(Langerhans cell histiocytosis)의 경우 병소의 소파 또는 절제 후 필요시 방사선치료를 할 수 있으며, 전신적인 형태에서는 스테로이드요법과 항암요법이 이용되기도 한다.

3. 구강악안면 양성병소와 관련된 합병증

1) 안모변형

구강악안면부에 발생한 병소의 특징과 크기 및 위치에 따라 안모의 변형을 야기할 수 있다. 육안으로 관찰이 되지 않는 악골내 병소의 경우 증상이 없으면 발견하기 어려워 안모가 변형된 때는 이미 병소가 많이 진행되어 크기가 크고 인접 구조물로 침범한 경우가 많다. 병소의 제거 후에도 조직의 결손이 크다면 부위에 따라 안모변형이 나타날 수 있으며, 이러한 경우 술전에 미리 결손부에 대한 적절한 재건술을 고려하여 준비하도록 한다. 크기가 큰 낭성병소에서는 감압술을 시행하여 병소를 축소시키고 주변 골조직의 재생을 도모하여 안모변형을 최소화하는 경우도 있다.

2) 기능상실

양성병소라 할지라도 병소의 크기나 위치에 따라서 개구장애, 저작장애, 연하장애 등의 기능적인 문제를 야기할 수 있다. 마찬가지로 병소의 제거 후에도 조직의 결손이나 주변조직의 손상에 따른 기능 장애가 나타날 수 있으므로, 술후 장애가 최소화되도록 수술 계획과 집행에 만전을 기해야 한다. 술후 장애가 불가피한 경우에는 물리치료를 통하여 기능의 회복에 도움을 줄 수 있다.

3) 통증

일반적으로 치수의 괴사로 발생하는 치근단낭과 같은 염증 기원의 낭 이외에 구강내 양성병소가 통증을 유발하는 경우는 드물지만, 감염된 낭이나 치아와 인접한 다양한 악골병소에서 통증이 발생할 수 있다. 병소가 감염된 경우 수술 전에 항생제를 포함한 약물치료를 통해 증상을 완화시킬 수 있으며, 평소 보존적으로 경과관찰을 시행하던 악골병소에서는 통증이 발생하는 경우 수술의 적응증이 될 수 있다.

4) 감각마비

하악골내 병소의 하방팽창으로 하악관이 침범되어 하치조신경에 압력이 가해져 아랫입술과 턱끝 피부의 편측성 감각마비가 나타날 수 있다. 또한 낭이 감염되었을 때 하치조신경에 염증이 이환되어 감각이상이 발생하기도 한다. 신경관을 침범한 악골내 병소의 적출 시 기구로 인한 외상으로 감각이상이 초래될 수 있으며, 손상받은 정도에 따라 수일에서 수개월에 걸쳐 감각이 회복된다. 드물게 상악병소의 적출술 시 상순신경(labial nerve)의 손상으로 상순의 감각변화가 발생하기도 한다. 감각마비의 경과는 일정하지 않지만 환자에게 회복될 확률이 높으니 감각마비 자체에 너무 스트레스 받지 않도록 격려하고 필요한 처치와 경과관찰을 하도록 한다.

5) 누공 및 열개 형성

악골내 낭의 화농에 의해 구강 및 안면부, 경부 피부에 누공이 형성될 수 있다. 일반적으로 낭치료 후 누공의 개구부는 자연히 없어지지만 그대로 남아 움푹 들어간 구멍을 남길 수도 있어 이에 대한 성형수술이 필요할 수 있다. 또한 술후에 구강상악누공이나 구강 내 절개부위의 열개가 발생할 수 있으며, 크기가 크지 않은 경우 일반적으로 시간이 지나면서 자연스럽게 막히기도 하지만, 오랫동안 폐쇄되지 않는 경우 다양한 외과적 방법을 통하여 막아줄 수 있다. 이러한 합병증을 예방하려면 병소의 제거를 위한 접근 시 절개선을 가급적 골 상방에 형성해야 하며, 봉합 시 긴장이 없도록 하는 것이 중요하다. 술후 구강위생 관리와 함께 코풀기, 흡연 등 치유에 방해되는 행동은 피하도록 환자에게 주의를 준다.

6) 술후 감염

구강악안면영역에 발생한 병소의 제거 후 결손부위가 치유되는 과정에서 쉽게 감염될 수 있다. 이는 입안에 위치한 상처는 드레싱으로 보호될 수 없어 음식물 등의 감염원에 끊임없이 노출되기 때문이며, 결손부위가 큰 경우 치유기간이 오래 걸리는 만큼 감염도 빈번히 발생할 수 있다. 감염의 증상이 발견된 경우 수술부위의 세척 및 항생제 복용을 하도록 하며, 필요시 배농로를 확보하여 유지시켜 준다. 감염증상이 재발하는 경우 국소마취 하에 수술부위의 육아조직 및 감염원을 소파하여 제거하고 재치유를 유도하는 것이 필요할 수 있다.

7) 기타 발생가능한 합병증

그 밖에 악골내 병소와 관련하여 하악골 골절이나 상악동 폐쇄와 같은 합병증이 발생할 수있다. 골내에 낭이 존재하는 경우 약한 외상이나 정상적인 저작운동에 의해서 골절이 유발될 수 있으며, 낭이 감염되어 골괴사가 일어나는 경우에도 골절이 발생할 수 있다. 이런 경우 통증, 부종과 함께 부정교합, 악골의 기능장애 등 골절의 임상소견이 관찰된다. 치료는 낭의 크기, 감염 유무, 그리고 낭의 특성에 따라 달라질 수 있으며, 또한 골절부에 치아가 있을 때 치료방법이 달라질 수 있다. 낭이 작을 경우 적출술 시행 후 골절부의 안정적인 고정이 가능하지만, 낭이 매우 커서 골이 많이 상실되거나 팽창되어 얇아져 있는 경우 일반적인 고정으로 만족스러운 결과를 얻지 못할 수 있다. 그리고 골절부에 함치성낭과 같이 미맹출치아나 상피막이 존재하는 경우 이를 완전히 제거하고 고정해야 하지만, 가성낭의 경우에는 특별한 고려사항 없이 골절부를 고정하면 된다.

상악동은 비어있는 공간이기 때문에 낭이나 종양이 상악동저 가까이에서 발생되었을 경우 쉽게 상악동내로 팽창할 수 있으며, 이로 인하여 상악동저는 점차 얇아지고 병소의 피막은 상악동의 점막성 골막과 접촉하게 된다. 병소에 감염이 일어나지 않는 한 증상이 없는 상태로 상악동 전체가 침범될 때까지 계속하여 병소가 커지게 되며, 때로는 상악동벽의 팽창이나 침식까지도 나타난다. 낭의 경우 감압술을 통해 상악동의 정상적인 외형을 회복시키고 주변의 침식된 뼈도 재형성시킬 수 있다.

4. 구강악안면 양성병소의 예후

1) 예후의 결정요소

구강악안면에 발생한 양성병소는 치료 전에 적절한 평가 및 진단을 통해 올바른 치료가 이루어진 경우 대부분 양호한 예후를 가진다. 하지만 병소의 종류와 특징에 따라서 재발이 잘 되거나 아주 드물게 악성화되는 경우가 존재하며, 병소로의 접근성이나 해부학적 제약으로 인해 완전히 제거되기 어려운 경우, 그리고 불가피하게 보존적으로 치료받아야 하는 성장기 환자에서는 보다 빈번하게 병소가 재발될 수 있다. 하지만 이러한 경우에도 정기적인 경과관찰을 하면서 필요한 경우 즉각적이고 적절한 처치가 이루어진다면 대부분 큰 합병증 없이 일상적인 삶을 영위할 수 있다. 임상적, 영상학적 검사를 통해 발견된 병소의 크기가 큰 경우에는 올바른 치료를 위하여 반드시 생검을 통해 진단을 한 뒤에 외과적 처치를 시행하는 것이 좋다.

2) 구강악안면 양성병소의 예후

치근낭의 경우 매우 드물게 법랑모세포종이나 악성상피종양으로 전환되는 경우가 보고된 적은 있으나 일반적으로 대부분 좋은 예후를 보인다. 함치성낭의 경우 간혹 낭의 일부분에서 법랑모세포종이나 편평세포암, 또는 점액상피암으로의 전환이 일어난다는 보고가 있으므로 적출 후에는 반드시 낭 전체의 생검을 통하여 종양화 여부를 확인하도록 한다. 치성각화낭의 경우 딸낭(daughter cyst)을 갖는 특성이 있어 매우 높은 재발률을 보이며 따라서 외과적 적출 후에도 정기적인 추적관찰이 요구된다. 그리고 치성각화낭이 기저세포모반증후군(basal cell nevus syndrome)과 연관되어 있는 경우 더욱 불량한 예후를 보이는 것으로 알려져 있으며, 드물게 편평세포암으로 이행된 사례가 보고된 적이 있다.

법랑모세포종은 양성이지만 조직형태에 따라서 국소적으로 침윤성이 있어 재발이 잘 되거나 드물게 악성화하는 경우가 있다. 따라서 외과적 처치 이전에 생검을 통하여 병소의 특성을 파악하고 종양의 성장속도, 주변조직 침범 여부, 크기, 경과기간, 환자의 연령, 전신건강상태, 접근성 등을 고려하여 치료를 하여야 하며, 수술 후에도 주기적이고 면밀한 추적관찰이 필요하다. 치아종의 경우 병소의 성장은 저절로 멈추지만, 작은 치아모양의 구조물을 남기는 등 불완전하게 제거했을 경우 재발이 되거나 남아있는 조직에서 함치성낭이 발생할 수 있다.

섬유형성이상과 같은 악골병소는 완전한 제거가 어려운 경우가 대부분으로, 병소가 안모기형이나 기능적인 문제를 유발하는 경우 이를 경감시키기 위한 보존적 절제를 시행하지만 술후에 다시 자라는(regrowth) 경우가 빈번하다. 구강악안면의 연조직 양성병소는 병소의 기저부를 포함하여 완전하게 제거할 경우 재발이나 악성화는 거의 없으나 병소의 경계가 불분명한 림프관종에서는 재발하는 경향이 많고, 크기가 크고 조직의 경계를 가로질러 완전한 제거가 어려운 신경섬유종의 경우 약 15%에서 악성으로 전환된다고 알려져 있다.

참고문헌

김진 외 30인. 임상구강병리토론집: 이론과 실제응용. 서울: 지성출판사; 1995. p. 36-80.

이상철, 김여갑. 구강악안면 종양학. 서울: 지성출판사; 1993. p. 15-183.

Ambrosio JA, et al. Jaw and skull changes in neurofibromatosis. Oral Surg Oral Med Oral Pathol 1988;66(3):391-6.

Archer WH. Oral and maxillofacial surgery. 5th ed. WB Saunders; 1975. p. 518-924.

Arnold WJ, Laissue JA, Friedmann I, et al. Disease of the head and neck. Thieme; 1987. p. 628-37.

Berretta LM, Melo G, Mello FW, et al. Effectiveness of marsupialisation and decompression on the reduction of cystic jaw lesions: a systematic review. Br J Oral Maxillofac Surg 2021;59(10):E17-E42.

Budnick SD. Compound and complex odontomas. J Oral Surg Oral Med Oral Pathol 1976;42(4):501-6.

Castro-Núñez J. Decompression of Odontogenic Cystic Lesions: Past, Present, and Future. J Oral Maxillofac Surg 2016;74(1):104.e1-9.

Cherrick HM, Eversole LR. Benign neural sheath neoplasm of the oral cavity. J Oral Surg 1971;32(6):900-9.

El-Nagger AK, Chan JKC, Grandis JR, et al. WHO Classification of Head and Neck Tumors. Lyon: IARC Press; 2017.

Fonseca M, Turvey. Oral And Maxillofacial Surgery. Vol 2. 2nd ed. Saunders; 2009.

Gardner DG. Central odontogenic fibroma: current concepts. J Oral Pathol Med 1996;25(10):556-61.

Gibilisco JA. Stafne's oral radiographic diagnosis. 5th ed. WB Saunders; 1985. p. 159-229.

Harris M, Toller P. The pathogenesis of dental cysts. Br Med Bull 1975;31(2):159-63.

Kramer IRH, Pindborg JJ, Shear M. Histological typing of odontogenic tumors. 2nd ed. Springer-Verlag; 1992. p. 10-42.

Kruger GO. Textbook of oral and maxillofacial surgery. 6th ed. C.V. Mosby; 1984. p. 244-70.

Liposky RB. Decortication and bone replacement technique for the treatment of a large mandibular cyst. J Oral Surg 1980;38(1):42-5.

Müller H, Slootweg PJ. The ameloblastoma: The controversial approach to therapy. J Maxillofac Surg 1985;13(2):79-84.

Nakamura N, Higuchi Y, Tashiro H, et al. Marsupialization of cystic ameloblastoma : A clinical and histopathologic study of the growth characteristics before and after marsupialization. J Oral Maxillofac Surg 1995;53(7):748-54.

Neville D, Allen, Bouquot. Oral & Maxillofacial Pathology. 3rd ed. Saunders; 2009.

Pederson GW. Oral surgery. WB Saunder; 1988. p. 147-90.

Peterson LJ, Ellis III E, Hupp JR, et al. Contemporary oral and maxillofacial surgery. 2nd ed. C.V. Mosby; 1993. p. 497-524.

Philipsen HP, Reichart PA, Praetorius F. Mixed odontogenic tumours and odontomas, considerations on an interrelationship: review of the literature and presentation of 134 new cases of odontomas. Oral Oncol 1997;33(2):86-99.

Philipsen HP, Reichart PA, Zhang KH, et al. Adenomatoid odontogenic tumor: biologic profile based on 499 cases. J Oral Pathol Med 1991;20(4):149-58.

Philipsen HP, Reichart PA. Squamous odontogenic tumour(SOT): a benign neoplasm of the periodontium. a review of 36 reported cases. J Clin Periodontol 1996;23(10):922-6.

Reichart PA, Philipsen HP, Sonner S. Ameloblastoma: biological profile of 3,677 cases. Eur J Cancer B Oral Oncol 1995;31B(2):86-99.

Sapp JP, Eversole LR, Wysocki GP. Contemporary oral and maxillofacial pathology. Mosby; 1997. p. 105.

Ueno S, Mushimoto K, Shirasu R. Prognostic evaluation of ameloblastoma based in histologic and radiographic typing. J Oral Maxillofac Surg 1989;47(1):11-5.

Waal Isaac van der, Willem Anton Maurits van der. Oral pathology. Quintessence; 1988. p. 131-204.

Waite DE. Textbook of practical oral and maxillofacial surgery. 3rd ed. Lea&Febiger; 1987. p. 177-219.

Williams TP. Management of ameloblastoma: a changing perspective. J Oral Maxillofac Surg 1993;51(10):1064-70.

Yeoman CM. Management of hemangioma involving facial, mandibular and pharyngeal structures. Br J Oral Maxillofac Surg 1987;25(3):195-203.

구강악안면 악성병소

구강암은 입술, 구강에 발생하는 악성종양을 통칭하는 용어이다. 제10차 국제질병분류(ICD-10) 기준으로 입술(C00), 혀(C01-C02), 치은(C03), 구강저(C04), 구개(C05), 기타 특정되지 않은 구강부위(C06), 주침샘(C07-C08)에 발생한 모든 악성종양을 구강암이라 하며, 광의적 의미의 구강암은 혀의 후방과 구인두에 발생한 암을 포함한다.

구강암은 발생과 진행 그리고 치료와 예후에 있어 다양성을 보이는데, 이는 발생부위의 기능적 특성에 따른 차이 때문이다. 구강암의 치료는 수술이 첫 번째 선택이기 때문에 외과적 절제로 인한 안모와 구강의 해부학적 구조의 변형이 필연적이다. 안모의 심미성과 저작, 발음 및 연하의 기능을 담당하는 구강악안면부위는 개인의 정서발달과 인격형성 및 사회적 적응에 중요한 부위이며, 심리가 표출되는 의사전달 부위이기도 하다. 이와 같은 구강악안면부위의 악성종양은 치료가 복잡하고 쉽지 않기 때문에 구강악안면외과의사는 부단한 학문적 노력을 기울여야 하며, 환자가 치료 후에 정상적 사회에 복귀하는 것을 돕기 위한 안목도 갖추어야 한다.

CONTENTS

CHAPTER 11

구강악안면 악성병소
Oral and Maxillofacial Malignant Lesions

학습목적

구강암의 발생원인과 진단에 대한 지식을 학습하여 일차 진단을 가능하도록 하며 구강암의 분류와 병기, 치료 및 예후 판정 등 포괄적 지식을 갖추게 한다. 치과의사로서 구강암의 조기발견과 올바른 치료방향을 제시할 수 있는 능력을 배양하여 구강암 환자의 삶의 질 향상에 기여한다.

기본 학습목표

- 구강암의 역학과 발생원인을 설명할 수 있다.
- 전암병소 및 악성종양에 대한 병리학적 이해와 감별진단을 이해한다.
- 구강암의 진단을 위한 다양한 검사법을 설명할 수 있다.
- 구강암의 병기를 판정할 지식을 설명할 수 있다.
- 구강암의 외과적 치료를 위한 기본원칙을 설명할 수 있다.
- 구강암 수술의 합병증에 대하여 이해하고 설명할 수 있다.
- 항암방사선 및 항암화약치료에 대한 개괄적인 내용을 설명할 수 있다.
- 구강암의 예방과 치료를 위하여 구강악안면외과 전문의에게 협의진료를 의뢰할 수 있다.
- 항암방사선 및 항암화학치료 전후 구강 합병증을 진단하고 예방과 관련된 치과치료를 할 수 있다

심화 학습목표

- 구강암을 감별하고 조직생검 후 치료계획을 세울 수 있다.
- 구강암의 병기를 판정하기 위한 다양한 검사를 적절히 시행할 수 있다.
- 구강암의 종류 및 병기를 판정하고 치료법의 차이를 이해하고 치료할 수 있다.
- 구강암 수술의 합병증을 파악하고 적절히 대처할 수 있다.
- 방사선 골괴사증을 포함한 방사선치료의 합병증을 예방 및 치료할 수 있다.
- 항암방사선 및 항암화학치료의 필요성과 합병증을 이해하고 관련 과에 의뢰할 수 있다.
- 구강암 환자의 치료 후 정기적 검사를 시행할 수 있다.
- 재발암 및 전이암의 병기를 판정하고 치료할 수 있다.

Ⅰ. 구강암의 발생요인과 전암병소

1. 역사적 고찰

구강암의 발생 빈도와 사망률은 지역, 인종, 성별, 나이 및 생활환경에 따른 차이가 많다. 현재까지 알려진 가장 오래된 구강암 흔적은 인류 고고학자인 Leakey가 동부 아프리카 지역에서 발견한 “Kanam mandible”에서 인지되었다. 이 화석의 연대는 50만 년 전의 빙하기 중기 이전으로 추정되며, 하악골 가운데 부위가 협설측으로 불규칙하게 팽윤되어 있어 골육종에 의한 변형으로 추정되고 있다. Krogman이 ‘이란’의 하사르 지방에서 발견한 BC 3500년경의 성인 두개골의 상악골, 구개골 및 관골의 좌측 안면골 광범위 파괴 양상은 치아질환에 의한 이차적 결과이거나 비인두암에 의한 결과일 것으로 추정되고 있다. 영국 캠브릿지 Duckworth Laboratory에 소장되어 있는 BC 2600년경 고대 이집트왕조의 성인 두개골을 Wells가 방사선검사와 투시방법으로 확인한 결과, 상악치조골 또는 상

표 11-1 구강암의 역사적 고찰

시기	내용
BC 3000–1600년	이집트의 Edwin Smith 파피루스 및 Ebers 파피루스는 암에 대한 가장 오래된 현존하는 문서로, 암을 국소도포제로 치료한 기록이 있음.
BC 1000년	고대 인도 산스크리트 의학사전인 Sushruta Samhita에 구순암, 구개암, 설암 등 여러 종류의 두경부암이 기록되어 있으며, 씹는 담배가 구강암의 원인 중 하나로 지목되어 있음.
BC 4–5세기	Hippocrates가 처음으로 "cancer/carcinoma"라는 단어를 사용함.
1–2세기	그리스 의사 Galenus가 처음으로 "oncos"라는 단어를 사용하였으며, 지혈과 소작을 포함한 암의 수술적 처치에 대해 논함. 로마의 Celsus는 그의 의학사전 De Medicina에서 암의 성장을 묘사함.
5–14세기	그리스 비잔틴과 후기 아랍의 의학 교과서들이 두경부암 및 구강암에 대하여 자세한 설명을 제시함. 비잔틴인들은 구강암을 약물 및 화학성분으로 치료하는 방법을 제시함.
15–17세기	서양에 담배가 처음으로 소개되며 구강암의 증가에 중요한 원인 중 하나로 작용함. P. Marchetti가 처음으로 설암에 대하여 설절제술을 시행함.
17–19세기	암이 감염성질환으로 생각되어짐. 구강암은 흔히 매독의 증상 중 하나인 궤양과 혼동되었으며, 이로 인하여 매독의 궤양에 chancre라는 이름이 붙여짐.
19세기	1846년 전신마취가 소개되어 구강암 수술에 발전이 이루어짐. 현미경의 시대가 도래함에 따라 진단을 목적으로 하는 조직검사가 시작됨.
1885–1906년	Henry T Butlin이 그의 책에서 원발병소와 그 주변의 림프절을 같이 절제하는 "en bloc" 개념의 근치적 청소술을 소개하였으며, G.W. Crile이 이를 발전시킴.
1938–1958년	Hayes Martin이 경부림프절 전이가 있는 1,450명의 구강암 환자를 대상으로 근치적 경부청소술을 시행함.
1968년	Osvaldo Suarez가 부신경을 보존하는 기능적 또는 변형 경부곽청술을 제시함.
1990년	Shah 등이 술전에 임상적, 방사선학적으로 경부림프절 전이가 관찰되지 않는 1,801명의 환자에서 수술 후 검체의 level IV와 V에서 전이가 각각 9%, 2% 확인되는 것을 보였으며, 이와 같은 환자들에서는 근치적 경부청소술이 필수적이지 않음을 주장함.
2002년	미국두경부협회가 경부림프절을 위한 6-level 분류법을 표준화함.
21세기	다학제적 방사선치료, 약물치료 및 재건술의 발전과 파수꾼 림프절(sentinel lymph node) 조직검사와 같은 초선택적 경부청소술을 통한 치료가 구강암 환자와 두경부암 환자에서 이루어지고 있음.

악동저에서 발생한 다발성골수종으로 인한 좌측상악치조골, 구개, 외익상판 등에 파괴상이 보인다고 보고하였다. 암에 대한 최초의 의학기록은 BC 1600년 이전의 것으로 추정되는 이집트 고문서인 Edwin Smith papyrus의 유방 종물에 대한 언급이며, BC 1500년 이전의 것으로 추정되는 Ebers papyrus에는 'eating ulcer of the gums'와 'illness of the tongue'이라는 묘사가 있다. BC 400년경 Hippocrates는 그의 Prophetic에서 날카로운 치아로 인한 혀 가장자리의 만성궤양을 서술하면서 설암에 대해 언급하였고, AD 30년경 Celsus는 암의 호발부위로 얼굴, 코, 입술, 귀 등을 지적하였다. 이와 같이 구강암은 해부학적으로 쉽게 접근하여 육안으로 관찰 가능한 부위에 발생하기 때문에 인류의 역사와 함께해 온 질병이라고 볼 수 있다(표 11-1).

지금까지 암 치료와 관련하여 많은 연구와 발전이 이어져 왔다. 19세기 중엽 치과의사 William Morton과 Crawford Long에 의해 최초의 전신마취가 소개된 후, 1846년 John Collins Warren이 처음으로 에테르 전신마취 하에 부분설절제술과 악하선적출술을 시술한 이래 전신마취의 괄목할 만한 발전이 이루어졌다. 1867년 Joseph Lister의 살균법 원리 발표, 항균제의 계속적인 개발, 수술기법과 수술기기의 발전으로 외과적 처치의 발전이 이루어졌으며, 제2차 세계대전 중 발견된 독가스의 영향을 기초로 1946년 Goodman 등이 림프종과 호지킨병(Hodgkin's disease) 치료에서 nitrogen mustard 효과를 발표한 이래 대사길항제, 알킬화제, 항암항생제, 항유사분열제, 호르몬 및 기타제제 등의 항암화학요법제의 개발이 이루어졌다. 또한 Bacillus Calmette-Guérin (BCG)와 인터페론(interferon) 등의 능동면역요법이나 단일항체 및 lymphokines-activated killer cells를 이용한 수동면역요법 등의 개발이 있다. 1896년 함부르크의 Voigt가 인두암 환자에 방사선조사를 시행하여 통증완화에 성공한 이래, 방사선치료의 발전이 지속되어 왔다. 최근에는 광역학요법(photodynamic therapy), 입자광선요법(particle beam radiation therapy), 골수이식(bone marrow transplantation), 그리고 유전자치료법, 유전자가위, 중성자치료법, 양성자치료법, 나노약물전달법 등이 연구되고 있다.

2. 구강암의 역학 및 생존율

세계보건기구(WHO) 산하의 The Global Cancer Observatory에서 발간한 2020 Lip, oral cavity fact sheet에 의하면 구강암(C00-C06)은 전 세계적으로 16번째로 많이 발생하는 암종으로 한 해 37만 명 이상의 새로운 환자가 발생하고 17만 명 이상이 사망한다. 지역적으로 씹는 담배의 영향으로 인도, 파키스탄, 대만 등 동남아시아 지역에서 많이 발생한다. 2012년 대한구강악안면외과학회 구강암연구소의 조사보고에 의하면, 2008년 진단된 전체 암환자 178,816명 중 2,848명의 환자가 구강악안면영역의 악성암으로 진단되었고, 이는 전체 암환자의 1.6%이며, 2007년보다 9.1% 증가하였다. 남녀 성별은 남성 2,082명, 여성 766명으로 약 2.72배 정도 남성에게서 호발하는 경향을 보였다. 호발부위로는 혀, 입술을 제외한 구강내 악성종양이 가장 많았고, 그 다음으로 혀, 비인두, 침샘 순으로 나타났다. 발생 연령에서는 91%가 40세 이상이었으며, 남녀 모두 60대에서 가장 높았다. 80세 이상에서 암 발생률이 감소하는 경향이 보이는데 이는 해당 연령층에 대한 암 진단률이 낮기 때문에 암 발생률이 실제보다 낮게 산출된 것으로 추정된다. 반면 2014년 국립암센터의 보고에 의하면 1999년부터 2010년까지의 구강암 누적발생 10,282명 중 부위별로는 혀(C01-C02) 5,163명, 기타부위(C06.8-C06.9) 1,254명, 치은(C03) 1,039명, 구강저(C04) 979명, 협점막(C06.0-C06.1) 796명, 구개(C05) 730명, 후구치삼각(C06.2) 321명의 순서로 나타났고, 연령별로는 40세 미만 929명, 40세 이상 64세 이하 4,951명, 65세 이상 4,402명으로 나타났다.

World Cancer Research Fund International에 의하면 구강 및 인두암(C00-C13)의 연령표준화발생률(age-standardized incidence rate, ASR)이 높게 나타나는 10개 국가는 파푸아뉴기니(25.7명/10만 명), 방글라데시(21.0명/10만 명), 루마니아(17.2명/10만 명), 헝가리(17.2명/10만 명), 쿠바(16.8명/10만 명), 슬로바키아(16.2명/10만 명), 인도(16.0명/10만 명), 스리랑카(15.3명/10만 명), 파키스탄(15.1명/10만 명), 몰도바(14.8명/10만 명)로 남아시아와 동유럽에서 발생률이 높음을 알 수 있다(전 세계 8.0명/10만 명). Globocan에서 확인할 수 있는 구강암(C00-C06) 전 세계 ASR은 4.1명/10만 명이며, 그중 65.8%가 아시아이고 유럽 17.3%, 북미 7.3%, 남미 4.7%, 아프리카 3.8%이다. 구강암에 의한 사망의 비율은 아시아 74%, 유럽 13.8%, 아프리카 4.6%, 남미 4.2%, 북미 2.8%이다. 주침샘암(C07-C08)의 ASR은 0.57명/10만 명, 편도와 인두부위 등의 암(C09-C13)의 ASR은 3.51명/10만 명이다. 인구 100,000명당 구강암의 사망률은 전 세계 1.9명인데, 멜라네시아 6.5명(ASR 16.7명), 남-중앙아시아 5.1명(ASR 9.0명), 중부 & 동유럽(CEE.) 2.4명(ASR 5.1명), 서유럽 1.1명(ASR 4.6명), 북부 미국 0.66명(ASR 4.2명), 동부 아시아 0.75명(ASR 1.9명) 등으로 지역별로 발생률과 사망률에 차이가 있다

(그림 11-1).

2021년 발표된 2019년 암등록 통계(보건복지부, 중앙암등록본부, 국립암센터)에 의하면 2019년에 구강암(C00-C06)은 남성 1,116명, 여성 603명(조발생률 4.4명/10만 명, 2.4명/10만 명), 주침샘암(C07-C08)은 남성 332명, 여성 282명(조발생률 1.3명/10만 명, 1.1명/10만 명), 편도와 인두부위 등의 암(C09-C14)은 남성 1,415명, 여성 221명(조발생률 5.5명/10만 명, 0.9명/10만 명)이 발생하여 입술, 구강 및 인두의 암(C00-C14)의 전체 발생자 수는 3,969명(조발생률 7.7명/10만 명)이다. Hong 등이 보고한 한국 암 통계에 의하면 2018년 구강 및 인두의 암(C00-C14) 사망자는 남성 841명, 여성 296명이다. 2018년 전체 사망자 298,777명 중 0.38%를 차지한다. 또한 모든 암에 의한 연령표준화사망률은 73.3명/10만 명, 구강 및 인두의 암에 의한 연령표준화사망률은 1.1명/10만 명이다.

2019년 암등록 통계에 의한 구강 및 인두의 암 5년 상대생존율은 1993-1995년 42.2%, 1996-2000년 47.4%, 2001-2005년 54.5%, 2006-2010년 61.1%, 2011-2015년 65.4%, 2015-2019년 68.8%로 증가하고 있으나, 전체 암 생존율(2015-2019년) 70.7%에는 다소 미치지 못하고 있다. 성별 생존율(2015-2019년)은 남성에서 65.9%, 여성에서 76.2%로 여성의 생존율이 높았다.

3. 발생요인

WHO에 의하면 담배, 알코올, 빈랑열매(betel nut)가 구강암의 주요한 요인이며, 북아메리카와 유럽의 젊은 연령층에서는 인유두종바이러스(human papilloma virus)가 구강암 증가에 기여하고 있다. 장기간의 흡연 및 음주로 인해 구강암 이환율이 높아진다는 많은 보고들이 있으며, 불량한 보철물의 주위연조직에 대한 만성적 자극도 원인이 될 수 있으며, 구강의 백색병소나 적색병소와 같은 전암병소로부터 구강암이 발생할 수 있음이 알려져 있다.

1) 흡연 및 빈랑나무열매

흡연자는 구강암이 발생할 확률이 2-3배 높은 것으로 알려져 있고, 특히 흡연의 양과 비례하여 암발생 위험도가 증가하는데, 1일 3개피 흡연 시 1.48배, 3-5개피 흡연 시 2.23배, 5-10개피 흡연 시 2.18배 구강암 발생 위험이 증가한다고 보고되었다. 또한 흡연을 일

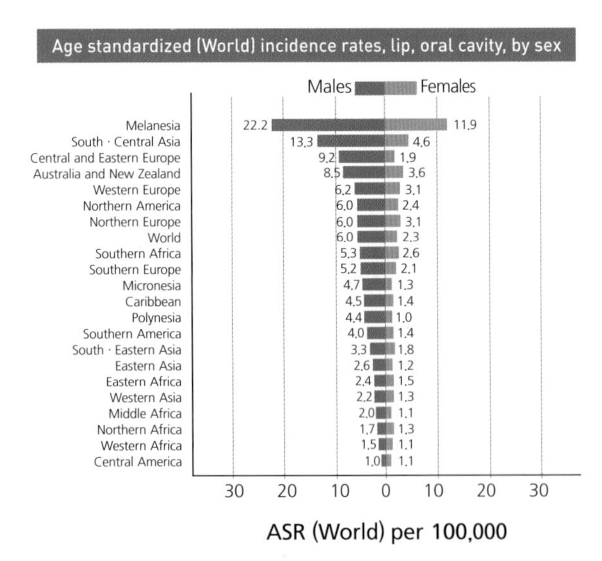

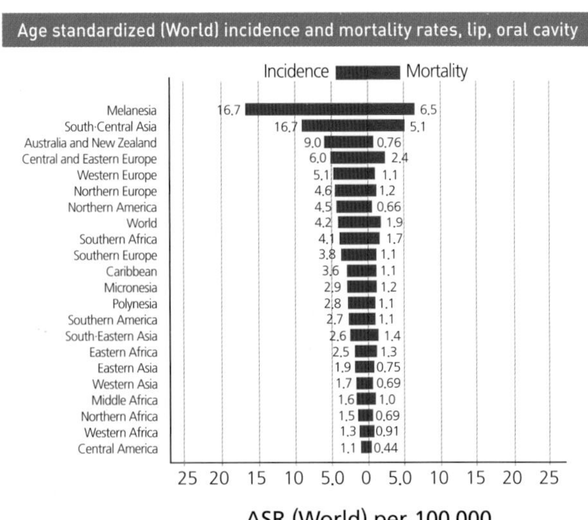

그림 11-1 구강암의 연령표준화 발생률과 사망률(2020).

찍 시작할수록 구강암 발생 위험도가 증가하며 금연이 구강암 예방에 효과가 있는 것으로 보고되고 있다. 한편 간접흡연이 폐암처럼 구강암 발생 위험도를 높이는지에 대해서 현재까지 명확한 근거는 없다.

전 세계 인구의 10−20%에서 씹는 담배나 빈랑열매(그림 11-2)를 씹는 습관을 가지고 있으며, 인도 및 대만을 포함한 동남아시아 지역에서 특히 사용자 비율이 높다. 인도에서 빤이라고 불리는 빈랑열매는 중독성이 있으며 각성효과가 있는데, 습관적 사용에 의해 협점막 치조점막, 구순부위의 구강암 발생률이 50%까지 높아지는 것으로 알려져 있다. 씹는 담배나 빈랑열매 사용 때문에 구강 점막에 점막하 섬유증이 호발하며, 악성전환율은 20%에 이르는 것으로 알려져 있다. WHO 국제암연구소(International Agency for Research on Cancer, IARC)는 2004년 빈랑열매를 1군 발암물질로 분류하였으며, 2017년 중국은 빈랑열매 성분인 아레콜린을 발암물질로 규정하였다.

2) 음주

음주는 위암, 식도암을 포함한 구강암의 위험인자로 알려져 있고 흡연병력 없이 음주만 하면서 발생한 구강암 환자에서도 흡연자에서와 유사한 유전적 변이가 관찰된다는 보고가 있다. 또한 네덜란드에서 120,000명의 코호트를 17년간 추적관찰 연구에서 하루 30 g의 알코올을 섭취하는 경우 구강암 발생 위험도가 6.39배 증가한다고 보고하였으나, 현재까지 구강암 위험인자로 흡연을 제외한 음주의 독립적인 역할은 명확하지 않아 추가적인 연구가 필요하다. 흡연과 음주 단독으로는 구강암 발생 위험이 각각 5, 9배 증가하지만 흡연과 음주를 같이 하는 경우 구강암 발생이 35배 상승한다고 보고되었다. 또한 동남아시아 환자들에 대한 메타분석 결과 흡연, 음주, 씹는 담배는 각각 구강암 발생 위험도를 3.6, 2.2, 7.9배 증가시키고 3가지를 동시에 하는 경우 40.1배의 구강암 발생 위험도가 증가한다고 보고하여 흡연과 음주를 같이 하는 것이 구강암 발생의 상당한 위험인자로 생각된다.

그림 11-2 빈랑열매.

3) 인유두종바이러스

자궁경부암의 발병원인으로 알려져 있는 인유두종 바이러스는 편도를 포함한 구인두암에서도 중요한 발암원인으로 보고되고 있고, 인유두종 바이러스 양성인 구인두암이 항암치료나 방사선치료 반응성이 높고 생존율이 높다는 연구결과가 발표되었다. 그러나 구강암에서 인유두종 바이러스의 역할은 현재까지 명확한 근거가 부족한 실정이다. 최근 독일에서 275명의 구강암 환자 중 5%에서만 인유두종 바이러스 발현이 관찰되었으며, 인유두종 바이러스 발현 여부와 생존율과는 연관성이 없었다고 하였다. 또한 자궁경부나 편도 등의 부위처럼 바이러스의 기저세포로 칩입이 용이해서 감염력 높일 수 있는 부위에서 인유두종 바이러스가 악성전환을 유발하며 구강암에서는 그 역할이 미미하다고 보고하였다. 미국에서는 122명의 구강암 환자에서 7%의 인유두종 바이러스의 발현을 보고했는데, 앞서 언급한 독일의 연구처럼 구강암의 예후와는 연관성이 없었으며 부위별로는 혀 구강저 등에 비하여 치은암에서 가장 높은 33%의 인유두종 바이러스 양성을 보여 구강암의 부위에 따라 인유두종 바이러스의 발암과정이 차이가 있다고 보고하였다. 그러나 이와 같은 보고 연구대상자 숫자가 작아 구강암에서의 인유두종 바이러스 역할을 명확하게 평가하려면 대규모의 추가 연구가 필요할 것으로 사료된다.

4) 불량보철물 및 치주염

구강내 불량 의치 등 보철물에 의한 만성자극도 구강암의 원인으로 보고되고 있으나 충분한 근거는 없다. 만성자극이나 염증이 암을 유발할 수 있다는 일반적인 근거를 고려할 때 구강내 다양한 만성자극 유발요인을 줄여주는 것이 필요하다고 생각된다. 또한 최근 우리나라 구강암 환자 146명과 정상인 424명을 대상으로 시행한 연구에서 치주염환자가 구강암 이환율이 3.7배 높다고 보고된 바 있다.

4. 전암병소와 감별진단

1) 전암병소

구강은 시진과 촉진이 쉬운 부위이며, 구강암은 초기에도 타질환과 비교적 용이하게 식별할 수 있다. 또한 확진을 위한 생검 등의 과정이 단순하며, 암발생 위험이 높은 연령군은 문진과 통상적인 구강검진만으로 확인할 수 있어 조기발견에 유리하다. 구강의 전암병소를 인지함으로써 암으로의 진행을 방지할 수 있기 때문에 이는 매우 중요하다. 첫째, 전신적 발암요인으로 철분결핍성 빈혈, 알콜중독, 간경화증, 매독, 인유두종바이러스 감염 같은 전신장애가 구강점막의 암성변화를 일으키는 요인이 될 수 있다. 중년 이상의 여성에서 빈발하는 철분결핍성 빈혈인 연하곤란성 플러머-빈슨증후군(Plummer-Vinson syndrome)의 경우 대략 10% 이상이 상기도 암으로 발전한다. 간경화증 환자에서는 임상적으로 높은 빈도로 설암이 나타나고 매독의 경우도 3기에는 매독성 설염을 나타내 폐쇄성 동맥내막염을 일으켜 유두의 위축과 각화증을 야기시켜 암성변화를 촉진한다. 최근 인유두종바이러스 감염이 암성변화를 야기하는 요인으로 대두되고 있는데 구강 전암병소 중 인유두종바이러스 DNA 유병률이 대략 20% 이상인 것으로 알려져 있다. 둘째, 구강의 백반증(leukoplakia)(그림 11-3A), 홍반증(erythroplakia)(그림 11-3B), 점막하섬유증(submucous fibrosis)(그림 11-3C), 진상피접합부모반(junctional nevus) 같은 병변은 전암병소라는 사실을 알아야 한다. 그리고 고도의 세포이형성증(high-grade dysplasia)(그림 11-3D)이 관찰되는 점막질환 역시 암 전환 가능성이 높으므로 절제 후 지속적인 관찰을 해야 한다. 종양세포가 기저막을 파괴하지는 않았으나 상피층 내에서 과각화증, 이각화증(dyskeratosis), 다형성(pleomorphism), 핵분열상 증가 등 악성소견을 지닌 상피내암(carcinoma-in-situ)은 전암병소 중 가장 진전된 상태로 분류에 따라 악성종양으로 분류할 수 있다. 셋째, 반복 외상, 일사성 구순염, 음주, 흡연, 씹는 담배 및 빈랑열매 섭취 등과 같은 환경요인이나 습관은 구강점막의 암성 변화를 야기하는 국소요인이 될 수 있다. 50세 이상의 심한 담배 흡연자의 혀나 협점막, 후구치부에 백색반점으로 흔히 나타나는 백반증은 5-15%가 암으로 발전하며 특히 설암의 95% 이상에서 함께 나타난다. 흔히 입술주위나 잇몸 또는 볼에 보이는 까만 점이 초반에는 증상이 없다가 갑자기 커지며 색조가 진해지고 궤양을 나타내며 가벼운 접촉 시에도 피가 잘 나기 시작하면 이는 악성흑색종으로 진행되는 과정이므로 유심히 관찰해야 하며 의심스러울 경우 조직검사를 시행하여야 한다.

2) 구강암의 조기발견과 감별진단

구강암을 조기에 발견할 경우 치료방법을 단순하게 할 수 있어 환자의 신체적 경제적 부담을 덜어줄 수 있다. 또한 치료에 따른 심미적, 기능적 결손을 최소화할 수 있고, 조기 사회복귀를 도울 수 있으며 결과적으로 사망률을 낮출 수 있으므로 매우 중요하다. 구강암의 조기발견을 위해서는 전암병소를 잘 알아야 하고, 구강암의 역학적 지식을 갖춰야 한다. 또한 병력문진을 세심하고 철저하게 해야 하며, 다른 질환과의 감별진단 능력을 지니고 정기적으로 검진을 해야 한다. 구순암을 조기발견할 경우 생존율은 100%이나 골까지 침범된 경우에는 50%에 지나지 않는다. 또한 경부림프절 전이가 이루어지기 전에 발견할 경우 70% 이상의 5

년생존율을 보이지만, 전이 후에는 40% 내외의 생존율을 보인다. 원발암의 크기와 부위에 따라 경부림프절 전이율에 차이가 있는데 전이율이 높은 부위는 예후가 불량하다.

급성염증과의 감별진단은 크게 어렵지 않으나 만성염증 특히 만성 상악동염과 상악동암, 만성 타액선염과 타액선암, 만성 경부림프절염과 경부림프절 전이는 감별이 어려우므로 발병기간, 본태, 성장속도 등의 병력과 병소의 위치, 경도, 크기, 증상 등의 검진 및 방사선사진, 혈액검사 및 병리검사 등을 통하여 정확한 감별이 요구된다. 구강점막의 궤양은 시진, 촉진, 증상 등의 차이가 있는데, 암성궤양인 경우 궤양주위가 비교적 딱딱하고 융기된 경계부를 가지며 초기에는 무통성일 수 있다. 암이 진행되면 구강내에서 독특한 암성

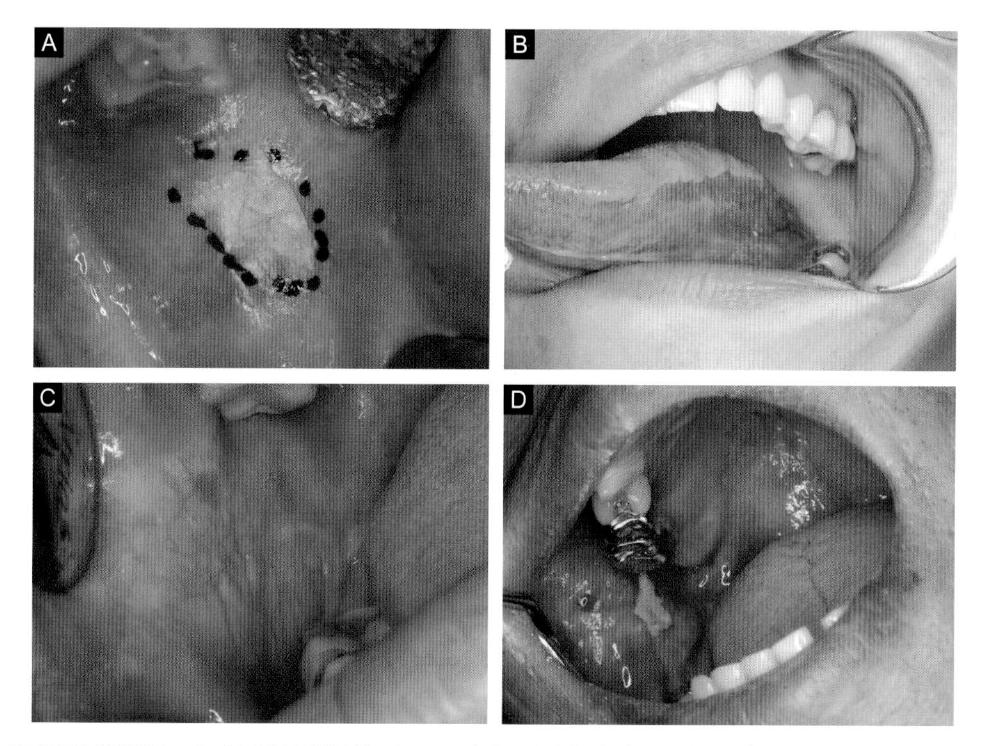

그림 11-3 구강암의 전암병소. A: 협점막의 백반증(leukoplakia) B: 혀의 홍반증(erythroplakia) C: 점막하 섬유증(submucos fibrosis) D: 고도 세포이형성증(high-grade dysplasia).

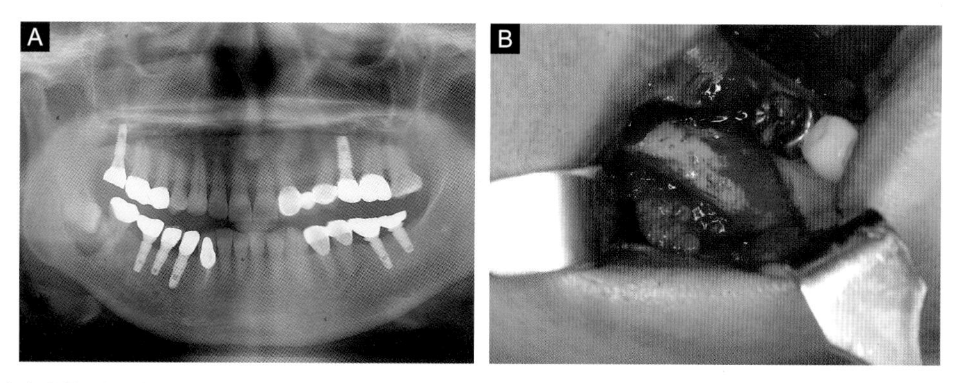

그림 11-4 하악 우측 매복사랑니에 발생한 primary intraosseous squamous cell carcinoma (PIOSCC). A: 파노라마방사선사진 B: 수술 시 낭종의 소견이 아닌 종괴가 관찰됨.

냄새가 나며 이는 진행된 암에서 심해진다.

하악 매복치에 발생하는 낭종과 하악골내에 발생하는 primary intraosseous squamous cell carcinoma (PIOSCC)는 방사선만으로는 정확히 감별이 되지 않으므로 수술 중 낭종소견이 아닌 경우 수술 중 동결검사를 통한 확인이 추천된다(그림 11-4). 통증을 동반한 악골골수염 소견을 보이나 치성 원인이 명확하지 않은 경우에는 술전 조직검사를 통한 감별이 필요하다.

5. 구강암 정복을 위한 연구

구강암 정복을 위해서는 조기발견이나 감별진단뿐만 아니라 예방도 중요하다. 구강암의 예방은 위에 언급된 습관과 환경의 교정과 적절한 영양섭취를 필요로 하지만, 역학조사도 중요하다. 매년 발표되는 국내 암등록 통계의 경우 발생이나 유병률의 경우 입술(C00), 혀(C01–C02), 구강(C03–C06), 주침샘(C07–C08), 편도(C09), 입인두(C10), 비인두(C11), 하인두(C12–13), 기타(C14) 등의 정보를 제공하고, 생존율의 경우 구강 및 인두의 암(C00–C14)을 중심으로 제공하고 있으나, 사망 통계의 경우 다른 부위의 암에 비하여 그 발생빈도가 낮아 정확한 사망률이 발표되고 있지 않다. 또한 구강암에 대한 조직학적 분류와 치료방법 등이 암등록 통계에 포함되어 있지 않아 구강암의 발생빈도나 치료예후에 관한 정확한 통계가 국내에는 없는 실정이라고 볼 수 있다. 현재까지는 국내에는 특수집단이나 특정지역을 대상으로 한 역학조사와 연구결과만이 활용되고 있어 이를 보완할 전국적인 총괄기구의 활성화가 시급하다.

수술을 위한 기구와 장비의 발달 그리고 수술기법의 발전으로 구강암의 외과적 처치도 눈부신 향상을 보였다. 구강암의 제거 후 결손부의 수복을 위한 여러 재건방법이 개발되고 있으며 광범위 절제 후에는 미세수술법에 근거한 유리피판술과 복합이식술이 표준 재건방법으로 활용되고 있다. 진행된 구강암의 경우 외과적 절제술에 방사선조사요법, 항암화학요법이 병용되고 있다. 3가지 치료법 이외의 새로운 연구도 활발하여 최근의 구강암 치료를 위한 연구는 다음과 같다.

첫째, 분자생물학의 발전으로 암의 유발원인 중 하나인 유전자이상을 교정하려는 유전자요법(gene–therapy)에 대한 상당한 연구가 진행되고 있다. 유전자요법은 유전자재조합(gene recombination) 방법을 이용하여 암의 발생에 관여하는 유전정보의 이상을 교정하는 직접적인 치료전략과 수동면역요법과 능동면역요법을 이용하여 환자의 면역기능을 강화하여 암세포를 파괴하려는 간접적인 치료전략으로 구분될 수 있다.

둘째, 2012년 프랑스 출신인 독일 막스플랑크연구소의 에마누엘 샤르팡티에(Emmanuelle Charpentier)와 미국 캘리포니아대 버클리의 제니퍼 다우드나(Jennifer A. Doudna)가 유전자의 절단기능을 가지는 Cas9 단백질에 기반해 DNA 편집을 수월하게 만드는 크리스퍼 유전자가위(CRISPR–Cas9) 기술을 개발한 이래 유전자 편집 면역세포를 이용한 면역항암제 개발이 활발히 진행되고 있다.

셋째, 방사선치료법의 일종인 양성자치료법은 1980년 중반 미국 캘리포니아 로마린다 대학병원에서 양성자치료시설을 건립한 이후 전 세계적으로 확산되고 있다. 양성자치료법은 브래그 피크(Bragg peak)라는 입자방사선의 특성을 이용한 치료법이다. 브래그 피크는 몸의 정상조직은 투과하고 암조직에 도달하는 순간 막대한 에너지를 쏟아 붓고 급격히 사라지는 현상으로, 기존 방사선치료법과 달리 암세포 주변의 정상 조직에 방사선손상을 최소화할 수 있고, 암세포에만 최고 선량을 조사할 수 있어 방사선치료에 의한 부작용을 크게 줄일 수 있다. 수소 입자를 가속화해 암을 정밀 타격하는 양성자치료는 수소원자핵의 소립자인 양성자를 빛의 60%에 달하는 속도로 가속화해 암조직을 파괴한다.

넷째, 중입자치료법은 양성자치료법과 마찬가지로 브래그 피크를 이용한 치료법이지만 양성자치료법에 사용되는 수소원자보다 12배 무거운 탄소이온과 같은 중입자를 가속시켜 암세포에 조사하는 치료법으로 양성자치료법에 비해 적은 방사선량으로도 치료효과를 낼 수 있다는 장점이 있다. 중입자치료는 암 파괴력이 양성자보다 3배 뛰어난 것으로 알려져 있어서 치료기간도 짧고 난치암에도 효과가 높다. 중입자치료법은 세포파괴력이 우수한 만큼 치료계획 수립단계에서 높은 정밀도와 정확도가 요구되는데, 특히 호흡으로 움직임이 큰 폐나 간에서 더 정밀할 필요가 있다.

다섯째, 나노입자를 이용한 약물전달체계(drug delivery system) 연구도 활발히 이뤄지고 있다. 나노입자기반의 약물은 기존의 약물에 비해 높은 안정성과 생체적합성을 가지고, 크기가 매우 작기 때문에 우리 체내의 다양한 장벽을 통과할 수 있다. 또한 크기에 비하여 상대적인 부피의 비율이 크기 때문에 많은 양의 약물을 실어 전달할 수 있는 장점을 가지고 있으며, 항암제의 치료효과를 제한하는 주된 원인인 약물저항성도 극복 가능하다. 최근 나노입자를 이용한 면역항암요법(immunotherapy) 연구도 활발히 시작되고 있다.

II. 구강암의 분류와 진단

1. 구강암의 분류

널리 사용되는 구강암 분류법은 3가지이다. 첫째는 병리조직학적 진단에 따른 분류로 구강암의 대다수를 차지하는 상피세포 기원의 암종(carcinoma)과 타액선암(salivary cancer), 결체조직 기원의 육종(sarcoma), 혈액질환 관련 종양 그리고 전신에서 발생하는 암의 구강내 전이(oral metastasis)로 분류한다. 암종과 육종은 여러 다른 특성을 보이는데, 통상 육종이 암종보다 호발연령이 젊고, 전이 계통은 암종이 림프관인 것에 비해 혈행성인 경우가 많으며, 성장속도도 통상 암종보다 빠른 양상을 보인다. 또한 육종의 혈관벽이 암종보다 얇은 경향이 있으며, 종물표면에 궤양의 형성이 드문 특성을 갖는다.

둘째는 발생 위치에 따른 분류로 구순에서, 혀, 구강저, 협점막, 후구치삼각, 상하악 치은, 구개 및 상악동암을 포함한다. 모든 위치에서 타액선 암을 포함한 암종, 육종, 그리고 전이종양이 발생할 수 있으며 발생 위치에 따라 수술접근법과 재건 방법이 다양하다.

셋째는 원발 종양의 크기나 해부학적 범위(primary tumor, T), 국소 림프절 전이(regional lymph nodes, N), 그리고 원격전이(distant metastasis, M) 유무에 따른 TNM 분류인데, 모든 암을 분류하는 체계이다. 구강암에서 N은 경부림프절 전이 여부에 따른다. 구강암에 대한 TNM 분류는 이번 장의 III절 2. 분류와 병기에서 다룬다. 2017년 발표된 WHO에 의한 국제적 종양의 조직학적 분류 4차 개정판에서는 두경부종양의 한 부분으로 세분화가 되었으며 비강과 부비동 종양, 구강 및 구강혀(mobile tongue)의 종양, 혀의 기저부(base of tongue), 편도 및 아데노이드를 포함한 구인두부 종양, 타액선 종양, 치성 골종양 등으로 분류를 하였다.

2. 암종

암종은 상피세포 기원의 악성종양으로 조직학적으로 대부분은 편평세포암종이 차지하며 드물게 사마귀모양 암종이 발생한다. 타액선암종도 구강 악성암종에 포함되나 관련 내용은 타액선 파트에서 기술한다. 암종은 점막상피에서 기원하는 것이 대부분이나 일차적으로 골내에서 발생하는 PIOSCC도 포함된다. 악성 치성종양 중 상피기원이 암종에 포함되는데 법랑모세포암종, 투명세포 치성암종이 해당한다.

1) 편평세포암종(Squamous cell carcinoma)

편평세포암종은 구강점막 상피에서 유래되어 결체조직으로 침투하는 암종으로 구강영역 악성종양의 대부분을 차지한다. 2007년 미국의 보고에 의하면 전체 구강암 중 편평세포암종의 비율은 94%에 이른다. 1996년 대한구강악안면외과학회 구강암연구소의 보고에 의하면 편평세포암종은 전체 구강암의 약 65%를 차지하여 타액선암이 다른 국가에 비하여 높고 편평세포암의 비율은 다소 낮은 편이다. 2015년 대한구강악안면병리학회지에 의하면 우리나라에서는 1993년부터 2012년까지 편평세포암종 환자에서는 45-69세 환자가 가장 높은 비율(63.2%)을 차지하고, 70세 이상, 20-44세, 0-19세 순서의 비율로 나타났다. 성별 분포는 남성이 약 70%, 여성이 약 30%로 나타났다. 임상적으로 원발암의 발생부위에 따라 병소의 상태나 예후가 다르다. 편평세포암종은 위치에 따라 구순암, 협점막암, 치은암, 구개암, 구강저암, 설암 그리고 상악동암으로 나눌 수 있다(그림 11-5). 편평세포암의 호발부위는 대한구강악안면병리학회지의 보고에 의하면 1993년에는 혀가 가장 호발부위였으나, 2001년 이후에는 하악, 혀, 상악, 구강저, 구순의 순서로 나타났다. 백인은 구순암이 구강암의 20-30%를 점하지만 한국인에서는 드물며 인도 및 동남아에서는 협점막암이나 설암이 많다. 편평세포암종은 조직학적 분화도에 따라 고분화형(well differentiated)과 중분화(moderately differentiated) 그리고 저분화형(poorly differentiated)으로 나누는데, 저분화형은 성장과 전이가 빠른 경우가 많다.

진행된 구강암 환자의 예후는 불량하며, 평균 5년생존율은 지역에 따라 40%에서 60% 정도로 보고되고 있다. 우리나라의 경우에는 2011년에 의하면, 약 72%로 보고되어 구강암 진단 후 약 30%의 환자가 5년 이내에 사망하는 것으로 볼 수 있다. 2019년 발표된 국내 자료에 의하면 전체 생존율은 64.2%이며 질병 특정 생존율은 71.6%였다.

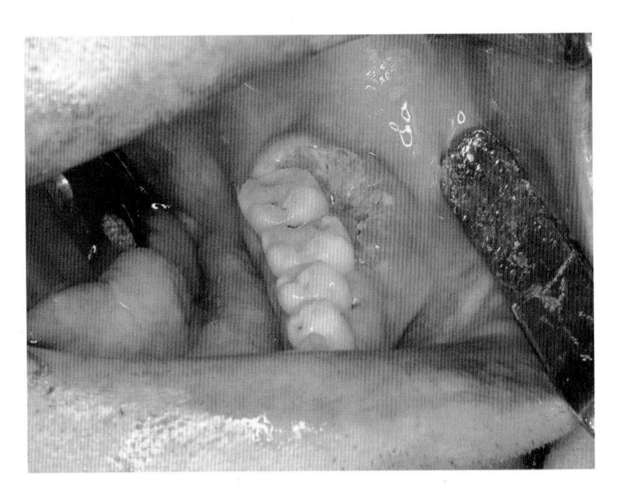

그림 11-5 치은에 발생한 편평세포암종.

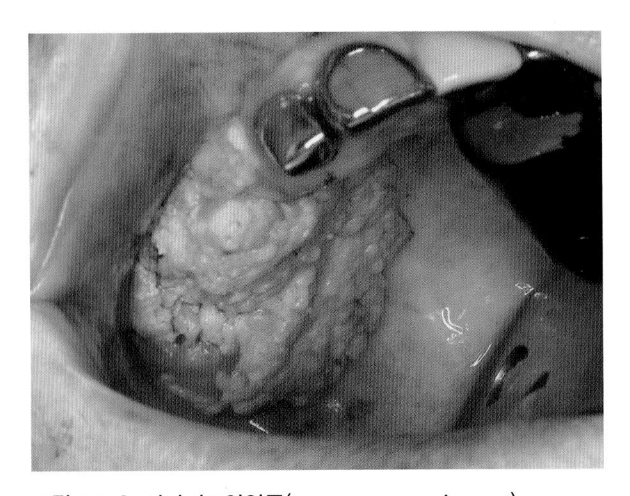

그림 11-6 사마귀모양암종(verrucous carcinoma).

2) 사마귀모양암종(Verrucous carcinoma)

편평세포암종의 일종이지만, 그 양상이 편평세포암종보다는 성장이 늦고 유두상 증식을 한다. 조직학적으로는 분화가 잘 되어 있으며, 결합조직 내로의 침윤성은 보이지 않아 일반적인 편평세포암종보다는 악성도가 낮다. 종종 유두종으로 오진하는 경우가 많으며 60–70세에 호발하고, 구강내에서는 협점막이나 치은에서 잘 발생된다(그림 11-6). 외과적 절제가 우선되며 편평세포암종보다는 양호한 예후를 보인다.

3) 흑색종(Melanoma)

흑색종은 멜라닌 색소 생성세포(melanocyte)에서 유래된 악성도가 높은 종양이며 피부에 발생한 경우 자외선이 원인일 것으로 추정된다. 흑색종은 양성질환이 없기 때문에 악성흑색종이라 기술할 필요가 없다. 구강점막에 발생한 흑색종은 극히 드물게 발생하며 발생빈도는 100만 명당 약 1.5명 정도이다. 피부의 악성종양 중 기저세포암종, 편평세포암종 다음으로 빈발한다. 전체 흑색종에서 구강점막 흑색종은 0.2–8%를 차지하며 모든 구강암의 1–2%를 차지한다. 주로 65세 이하 환자의 구개점막과 전방부 상악치은에 주로 발생하지만 구강점막의 모든 부위에서 관찰할 수 있다(그림 11-7). 병소는 진한 흑색이고 종물의 성장에 따라 궤양을 형성하기도 한다. 구강의 흑색종은 림프절 전이가 흔하여 혈행을 타고 전신전이가 잘 되어 예후가 나쁘다. 흑색종 예후의 결정요소는 성별, 나이, 발생부위 등이며 2000–2007년에 유럽에서 발생한 구강점막 흑색종의 1, 3, 5년 생존율은 63%, 30% 그리고 20% 정도이다. 점막에 발생한 흑색종의 병기분류법은 통일된 것이 없으며 1970년 Ballantyne가 제시한 1기(일차병소만 있는 경우), 2기(일차병소와 경부전이가 있는 경우) 그리고 3기(원격전이가 있는 경우)로 단순 구분하였으며 2003년 Thompson 등이 1기(단독 일차병소), 2기(2개 이상 일차병소), 3기(경부전이가 있는 경우) 그리고 4기(원격전이가 있는 경우)로 구별하였다. 2009년 UICC 7판에 의하면 흑색종의 위중함을 고려하여 1,

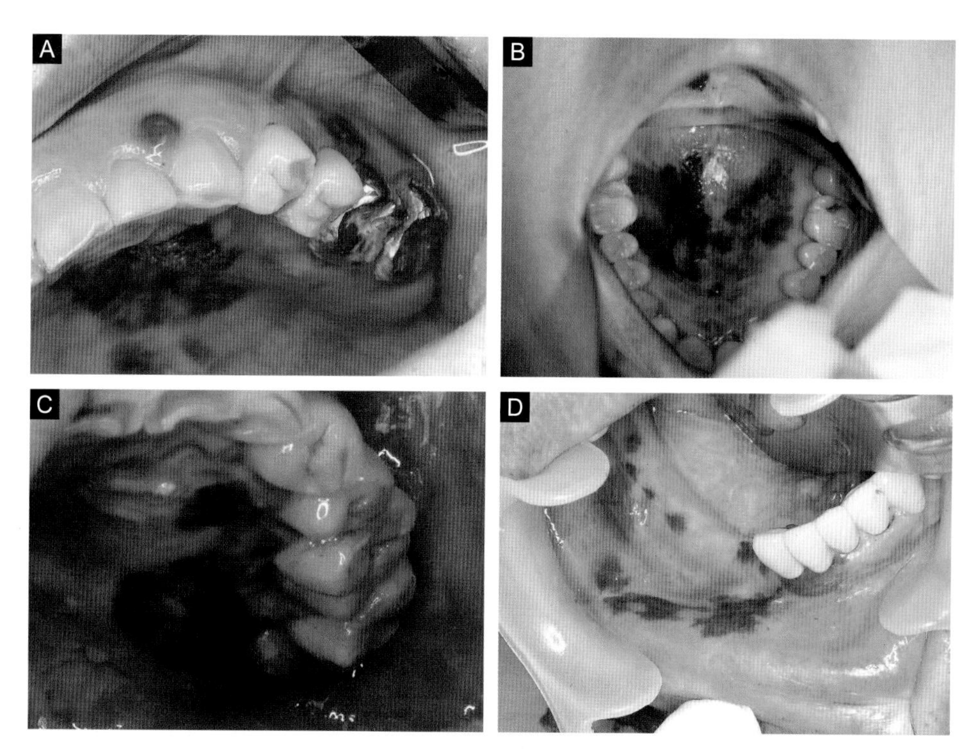

그림 11-7 구강점막의 흑색종(melanoma). A: 상악 좌측 치조점막의 흑색종 B: 구개점막의 흑색종 C: 상악 구치부 구개점막의 흑색종 D: 하악 우측 순협점막과 치조점막의 흑색종.

2기는 없애고 3기와 4기만으로 구성하였다. 흑색종의 치료는 일반적으로는 외과적인 절제가 일차적으로 선택되나 재발과 원격전이가 흔하여 부가적인 항암치료와 면역치료가 동반된다.

4) 기저세포암종(Basal cell carcinoma)

기저세포암종은 주로 입술, 얼굴, 두피, 귀 뒤 등 외부에 노출된 피부에 발생되며 40세 이후 남성에서 호발하고 병소는 융기된 구진이나 궤양을 형성하며 궤양의 경우 발생과 치유가 반복된다(그림 11-8). 얼굴의 중간부위 피부에 잘 나타나며 특히 하순, 하안검, 하안와부 등 태양에 많이 노출되는 부위에 호발되어 자외선이 발암요인으로 추정된다. 종양은 전이가 드물고 조직학적으로 종양세포들이 색상 또는 군집을 이루며 주변세포들은 울타리 모양으로 상피의 기저세포층에서와 같은 모양으로 배열되는 악성도가 낮은 종양이다. 피부에서 침윤된 것이 아닌 이상 구강점막에서는 발생하지 않는다. 주로 백인들에게 호발하며 동양인에게는 적게 발생한다. 국소적 절제술이 우선 치료방법으로 선택된다. Gorlin syndrome (nevoid basal cell carcinoma syndrome) 환자의 피부에서 자주 발생한다.

5) 법랑모세포암종(Ameloblastic carcinoma)

법랑모세포암종은 법랑모세포종의 악성형으로 조직학적으로 악성 종양의 특징을 가지며 전이의 유무와는 관계없다. 세포학적 특징으로 nuclear pleomorphism, 쉽게 관찰되는 세포분열, 부분적인 괴사와 nuclear hyperchromasia가 특징이다. 주로 하악 구치부에 발생하며 워낙 드물게 발생하여 문헌보고가 적다. 대부분은 신생으로 발생하지만 드물게 법랑모세포종에서 이차적으로 발생하기도 한다. 조직학적 특징으로 "reverse nuclear polarization"이 관찰된다. 신경조직 주위로 침

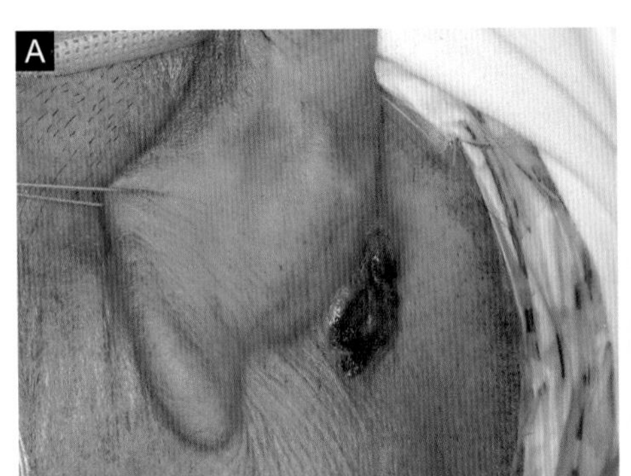

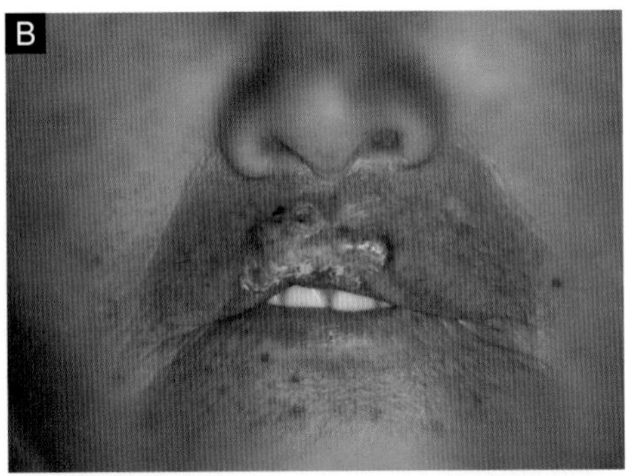

그림 11-8 기저세포암종(basal cell carcinoma). A: 귀 뒤에 발생한 기저세포암종 B: 상순에 발생한 기저세포암종.

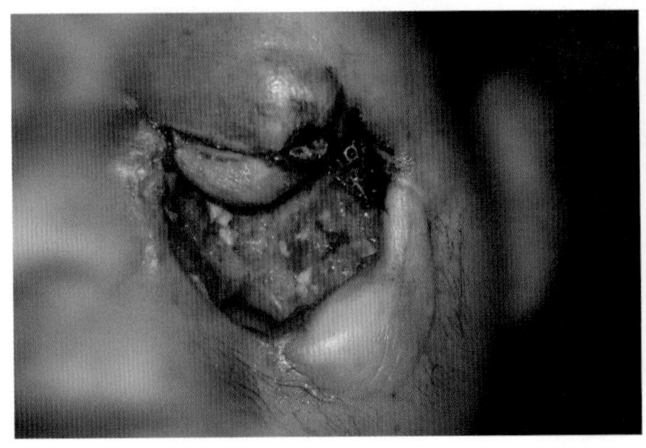

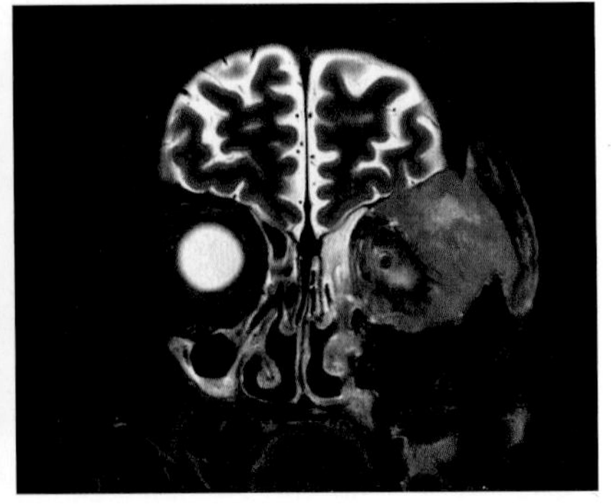

그림 11-9 재발 법랑모세포암종(recurred ameloblastic carcinoma).

범을 하는 것이 진단의 특징이 된다. 외과적 절제가 필수적이나 재발이 많고 상악에 발생한 경우 두개저 및 안구로의 침범이 흔하게 발생된다(그림 11-9).

6) 악성 법랑모세포종(Metastasizing ameloblastoma, Malignant ameloblastoma)

악성 법랑모세포종은 조직학적으로는 양성의 법랑모세포종으로 관찰되지만 신체의 타부위로 전이를 하는 종양을 의미한다. 전이는 법랑모세포종을 치료하고 난 뒤에 늦게 발생하는 경우가 많다. 법랑모세포종의 약 2%에서 전이가 발견된다. 가장 흔하게 전이되는 곳은 폐이며 림프절, 척추, 심낭, 두개골, 신장 및 피부에서도 발견된다(그림 11-10). 법랑모세포종의 병리학적 분류에 따른 연관성은 없으며 전이된 종양은 외과적 절제가 우선한다. 경부에 한 개의 림프절 전이가 있는 경우 경부청소술보다는 국소적인 전이림프절의 제거가 추천된다.

7) 투명세포 치성암종(Clear cell odontogenic carcinoma)

투명세포 치성암종은 극히 드물게 발생하며 현재 문헌상에 74증례가 보고되어 있다(그림 11-11). 이 암종은 국소적 파괴양상을 보이고 골수, 신경, 림프관 및 국소 림프절 전이가 관찰되며 폐와 골조직에 전이가 관찰된다. WHO는 2005년 이 질환을 치성암종으로 분류하였다. 호발 연령은 60대이며 여성에게 많이 발생하며 하악이 더 많은 것으로 보고되고 있다. 조직학적 소견으로는 주위를 침투하는 양상을 보이며 방사선학적으로는 경계가 명확하지 않은 방사선투과성 병소를 보인다. 3가지 다른 특징적인 조직형태학 소견을 보이는데, 첫째로 투명세포의 가장자리가 진하게 염색된 다각형의 세포와 cytoplasmic eosinophilia가 동반되는 경우이다. 둘째로 다른 패턴으로 투명세포로만 이루어진

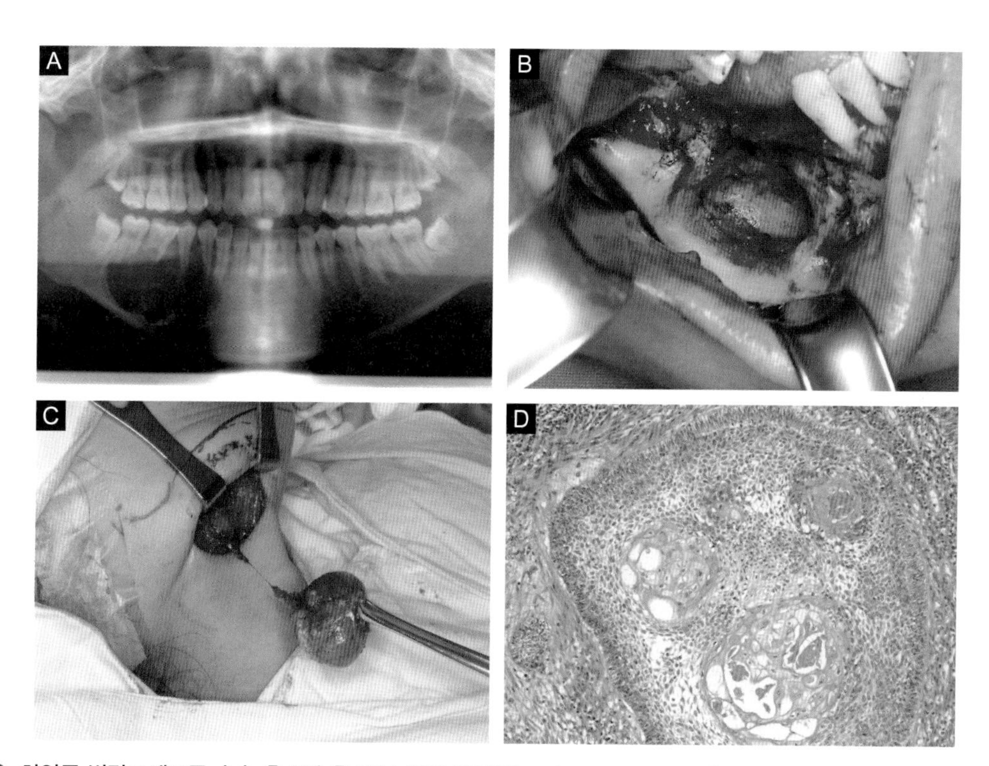

그림 11-10 하악골 법랑모세포종 수술 후 3년 후 경부 전이 발생함(neck metastasis of malignant ameloblastoma). A: 하악골 우측에 발생한 법랑모세포종의 파노라마방사선사진 B: 하악골 법랑모세포종에 대한 사진 C: 경부 전이 병소에 대한 술중 사진 D: 경부 전이 병소의 조직병리 소견.

단일 형태로 관찰되기도 하며 세 번째 형태는 가장 드문 형태로 법랑모세포종 형태로 투명세포가 줄지어 있는 형태로 핵이 vague reverse polarization 형태를 보인다. 공통적인 형태로는 상피세포의 집합이나 모임이 heavily hyalinized 또는 fibrocellular stroma 내에 있다는 것이다. 염색조직학적 특징으로 cytokeratins (AE1/AE3, CK19), p63, epithelial membrane antigen (EMA)에 양성을 보이며 CK-7, S-100 protein, smooth muscle actin, calponin, human melanoma antigen (HMB45), glial fibrillary acidic protein, and vimentin에는 음성을 보인다.

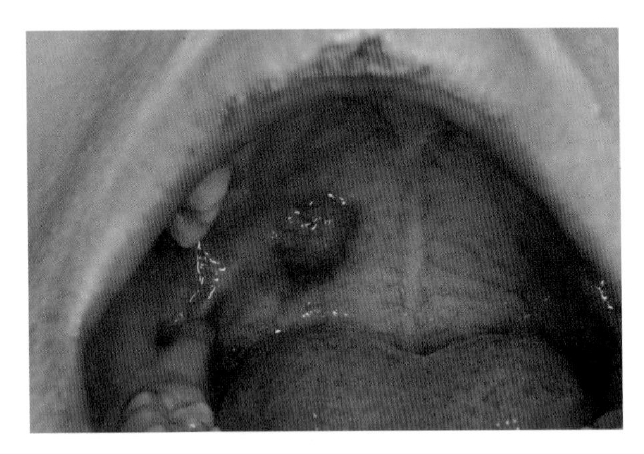

그림 11-11 구개에 발생한 투명세포 치성암종.

8) 유령세포 치성암종(Ghost cell odontogenic carcinoma)

유령세포 치성암종은 아주 드문 상피성 치성 악성종양으로 WHO에서 calcifying cystic odontogenic tumor (CCOT)와 dentinogenic ghost cell tumor (DGCT)의 특징을 가지는 치성암종으로 정의하였다(그림 11-12). 1985년에 가장 처음 보고되었으며 WHO 2005

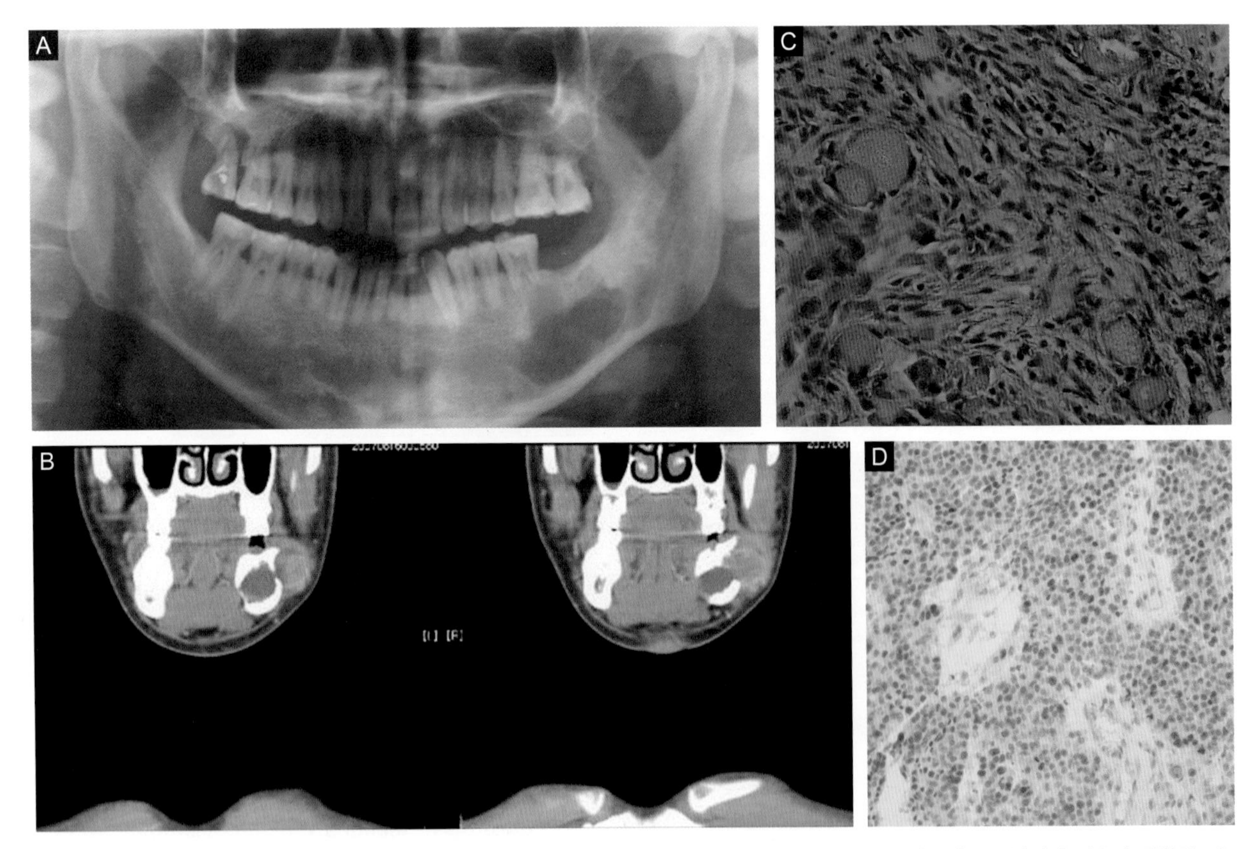

그림 11-12 유령세포 치성암종. A: 하악골 좌측 체부에 방사선투과성 병소가 관찰됨 B: CT상 연조직으로 연장된 병소가 관찰됨 C: H&E 염색 400배 소견으로 케라틴이 풍부하며, 호산성 세포질을 지니고 있으며 핵이 없는 유령세포가 관찰됨 D: Ki-67 염색 400배 소견.

classification에 따르면 이후 14증례가 더 보고되었다고 하였다. 남성에서 호발하며 40–50대 동양인에게 발생하는 것으로 알려져 있다. 다른 암종과 비슷한 증상을 보이며(loose teeth, pain swelling, paraesthesia) 방사선학적으로 경계가 명확하지 않은 투과성과 불투과성 혼합으로 관찰된다. 조직병리학적으로 유령세포의 특징인 둥글고 세포분열이 활발한 악성세포를 관찰할 수 있다. 유령세포는 다양한 수가 존재하기 때문에 종양 전체 샘플을 검사해야 하는 경우도 있다. 면역염색상 proliferative markers (Ki–67), syndecan–1, matrix metalloproteinase (MMP–9) expression이 주로 관찰된다. MMP–9 staining과 Ki–67 index가 20% 이상 되는 경우 악성으로 판단한다. 외과적 절제가 필수적이며 전이는 드물게 발생하며 예후는 좋은 편이다.

9) 경화성 치성암종(Sclerosing odontogenic carcinoma)

경화성 치성암종은 2005 WHO classification of odontogenic carcinomas에 처음으로 등록되었다. 임상적 특징은 악골을 팽창시키면서 방사선투과성이 관찰되며, 종양세포가 infiltrating "single file" thin cords와 strands of polyhedral epithelial cells로 구성된 점이다. 세포조직학적 특징이 단조롭지만 종양은 국소적 침범을 잘하고 근육과 신경으로 침투한다. 수술적 치료와 방사선치료가 우선하며 전이 경향은 없다. 면역화학검사상 cytokeratin markers (CK5/6, CK19)에 양성을 보이며 CK에 약한 염색을 보이고, E–cadherin과 nuclear p63 염색이 세포막에서 관찰된다. 문헌에 현재 7증례만 보고되어 있어서 극히 드문 암종이며 6증례에서 신경으로 침범이 관찰되었다.

3. 육종

결체조직에서 기원하는 악성종양인 육종은 연조직에 발생하는 경우와 경조직에 발생하는 경우로 나누어 볼 수 있다. 연조직에 발생하는 육종은 주로 섬유성 기원인 섬유육종(fibrosarcoma), 악성 섬유성 조직구증(malignant fibrous histiocytoma)이고, 근육에서 발생하는 육종은 횡문근육종(rhabdomyosarcoma), 평활근육종(leiomyosarcoma)이 있다. 경조직에서 많이 관찰되는 육종은 골육종이나 연골육종이 있다. 혈관에서 발생하는 육종은 혈관육종(angiosarcoma), 악성 혈관주위세포종(malignant hemangiopericytoma)이 있으며 신경세포 유래는 신경성육종(neurogenic sarcoma)이 있다. 지방세포 유래 육종인 지방육종(liposarcoma)이 있으며 정확한 조직의 원인이 밝혀지지 않은 육종으로는 활액육종(synovial sarcoma), 유잉육종(Ewing sarcoma), 치조연조직육종(alveolar soft part sarcoma)이 있으며 다양한 세포들이 관찰되는 다형성육종(pleomorphic sarcoma)도 관찰된다. 80% 정도가 연조직에 발생하는 육종이며 골조직이나 연골조직에서 발생하는 육종은 구강에 발생하는 육종의 20% 정도를 차지한다. 육종의 발생원인은 알려져 있지 않으나 방사선치료 후에 발생하는 일부 질환이 있으므로 방사선치료 시 유의하여야 한다.

육종의 세포가 방추세포로 이루어진 육종(spindle cell sarcoma)은 3가지 형태의 아형(subtype)을 포함하며 다형성미분화육종(pleomorphic undifferentiated sarcoma), 섬유육종(fibrosarcoma)과 평활근육종(leiomyosarcoma)으로 나눌 수 있다. 방추세포를 가진 육종은 극히 드물게 발생하며 주로 악골내에서 발생한다. 주로 40대 이상에서 발생하며 일차 골암(primary bone malignancy)의 약 2–5%를 차지한다. 조직학적으로 방추세포가 관찰되며 세 가지 아형 중에서 감별이 쉽지 않아서 면역염색이 필수적이다.

육종의 전이는 주로 혈관을 통해서 이루어지며 림프선으로 전이되는 경우가 극히 드물기 때문에 TNM 분류가 사용되지는 않는다. 원발부위 종양의 크기가 병기를 판단하는 데 중요한 지표가 되는데 육종의 병기도 연조직 육종과 골육종 등에서 서로 다르게 논의된다. 1977년 최초의 American Joint Commission on

Cancer (AJCC) 연조직 육종의 병기를 분류에는 육종의 크기를 5 cm (2 inches) 이상, 이하로 구별하였으나 이는 사지에 발생하는 육종의 분류이며 구강내 발생하는 육종은 대부분 5 cm 이하이기 때문에 적용하기 어렵다. 그러므로 아직 구강내 발생한 육종의 통일된 분류법은 없는 상태이다. 조직학적 분화도에 따라서 분류되는 Grade (G)가 있는데 분화도는 1에서 3점을 줄 수 있다. 육종세포가 정상세포와 유사하게 보이는 경우는 1점이고 미분화된 것으로 보이는 경우는 3점이다. 세포분열 정도도 많이 관찰되는 경우 3점, 거의 관찰되지 않으면 1점을 준다. 종양의 중심부 괴사도 그 정도에 따라서 0에서 2점을 주게 된다. 이 세 가지 항목의 점수를 합하여 전체 점수가 2–3점이면 G1, 4–5점이면 G2, 전체 점수가 6점 이상이면 G3가 된다.

1) 골육종(Osteosarcoma)

골에서 발생되는 다소 드문 원발성 종양으로 크게 골형성형(osteoblastic type)과 골용해형(osteolytic type)의 두 가지로 나누며, 후자가 비교적 분화가 더 안 된 상태이다. 주로 젊은 사람(10–25세)에서 많이 발생하고 또 여성보다 남성에게 많은 발생률을 보이고 있다. 구강의 골육종은 비교적 드물면서도 공격적인 악성종양이며, 일반적인 골종양의 40–60%를 차지하지만 10% 정도만 두경부영역, 특히 상하악골에 발생한다(그림 11-13). 구강에서는 하악골에 빈발하고, 악골에서 발생될 경우에는 환부의 종창과 안모의 변형을 야기시키고 동통과 지각둔화, 비강폐색증 등 여러 가지 증상을 일으킨다. 골육종의 분류는 Musculoskeletal Tumor Society (MSTS) Staging System과 AJCC system 2가지가 사용되고 있으나 악골에 발생한 골육종에 대한 독립된 분류는 없다. MSTS system은 Enneking system이라고도 하며, 종양의 grade (G)와 크기(extent of the original tumor (T)) 그리고 전이(M) 정도에 따라 분류하며 골육종의 G는 현미경을 통한 관찰소견에 근거하여 분류하는 것으로 low grade (G1)와 high grade (G2)로 나뉘어진다. 원발부의 범위는 intracompartmental (T1)과 extracompartmental (T2)로 나뉘어지는데, T1은 골육종이 골내에 국한되어 존재하는 경우이고 T2는 골육종이 골막을 침범하여 뼈의 인접 구조물까지 퍼져있는 경우를 의미한다. 림프절 전이나 다른 장기로 전이 유무에 따라서 M0나 M1으로 분류된다. 이를 종합하여 병기를 1기에서 3기까지로 나누고 1기는 low–grade, localized tumors, 2기는 high–grade, localized tumors 그리고 3기는 metastatic tumors (regardless of grade)이다. AJCC system의 병기분류에 의하면 TNMG의 분류에 의하여 육종의 병기를 분류하게 된다. 이는 악골의 분류는 아니며 사지에 발생한 분류법으로 골육종의 T분류에서 T0는 원발부위 병소가 없는 경우이고 T1은 종양의 장경이 8 cm 이하인 경우이며 T2는 종양의 장경이 8 cm 이상인 경우이고 T3는 종양이 뼈의 경계를 넘어서서 인접구조물을 침범한 경우를 의미한다. 림프절의 전이가 존재하는 경우는 N1이고 그렇지 않은 경우는 N0이다. 그리고 비슷하게 다른 장기로 전이가 없는 경우는 M0이고 전이가 있는 경우는 M1인데 M1a는 전이가 단지 폐로만 된 경우이고 M1b는 폐 이외의 다른 장기까지 전이된 경우를 의미한다. Grade는 G1, 2는 low grade이고 G3, G4는 high grade 육종이다. 따라서 Stage IA는 T1, N0, M0, G1–G2이고 Stage IB는 T2–T3, N0, M0, G1–G2이다. Stage IIA는 T1, N0, M0, G3–G4이고 Stage IIB는 T2, N0, M0, G3–G4이다. Stage III는 T3, N0, M0, G3–G4이고 Stage IVA는 Any T, N0, M1a, any G이며 Stage IVB는 Any T, N1, any M, any G이다.

섬유이형성증(fibrous dysplasia)이나 Paget's disease 또는 거대세포육아종(giant cell granuloma) 같은 병소 치료를 위해 치료방사선으로 조사하였을 때 종종 골육종으로 이행되는 경우가 있다. 방사선사진소견은 골형성형 또는 골용해형에 따라서 소견이 다르며, 일반적으로 두 개의 병소가 병발되는 경우가 많아 조기에는 골용해와 골형성, 즉 방사선투과상과 방사선불투과상이 혼합되어 나타나는 경우가 많다. 골형성형에서는 신생골이 다량 형성되기 때문에 골질들이 방사상(radiating pattern)으로 증식되어서 소위 'sun-ray appearance, sun-burst appearance'를 보이는 것이 특징이고 골용해형인 경우는 다른 종양과 감별이 곤란하다. 양측성으로 치근막 간격이 넓어지는 것이 특징이고, 치근막 간격이 넓어지는 경우는 경피증(scleroderma) 또는 선단경피증(acrosclerosis) 이외에는 없기 때문에 중요한 진단의 표적이 될 수 있다.

최근 치료에 대한 복합적인 접근방식이 발전하고 있지만 종양 자체의 희소성 때문에 근거중심의 치료 방법이 확립되어 있는 것은 아니며, 가장 근본적인 치료는 적절한 절제연을 전제로 한 외과적 절제술이다. 전이는 폐에 가장 많으며 골전이도 흔히 관찰된다. 양성 절제연의 상황에서 추가적인 항암요법이 환자의 생존

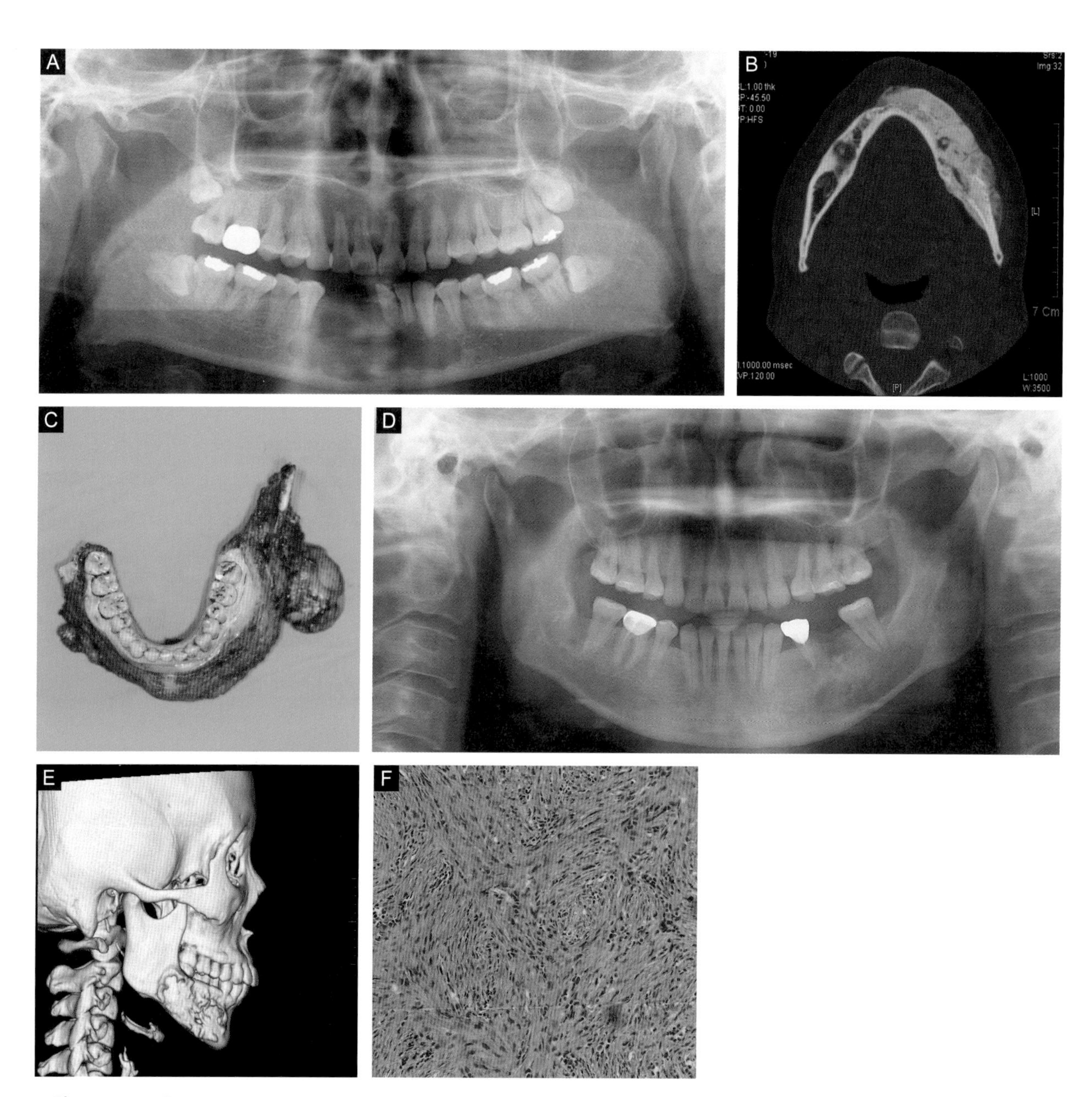

그림 11-13 골육종. A: 하악전치부에 발생한 골육종 B: 골육종의 CT상 소견 C: 하악골분절골절단술에 의해 절제된 골육종 D, E: 하악골 체부에 발생한 골육종 F: 골육종의 조직소견.

율을 개선할 것이라는 것에 대해서도 회의적이기 때문에, 결국 초기수술에서 적절한 변연절제를 통한 종물의 제거가 예후를 결정하는 가장 중요한 인자이다. 이와 같이 완벽한 절제가 예후의 가장 중요한 인자라고 하더라도, 구강 및 두경부 주변의 혈관 및 신경의 해부학적 복잡성과 중요 구조물(경동맥, 뇌조직 등)과의 인접성으로 인해 완전절제를 하는 것이 제한적일 수 있다. 따라서, 증례에 따라 관련된 전문 과와 다학제적 접근이 필요하다. 골육종은 경부 전이가 나타나는 경우가 드물기 때문에 일반적으로 경부청소술은 필요하지 않지만, 종양이 경부연조직까지 확장되어 있는 경우 시행하는 것이 좋다.

2) 연골육종(Chondrosarcoma)

조직학적으로 초자연골(hyaline cartilage)로 이루어져 있고 연골종양세포는 형태와 세포 크기가 다양하고 핵인이 뚜렷하며 때에 따라서는 화골이 일어나는 경우도 있다. 악골에 발생되는 양성연골종보다 발생률이 높고 원발성인 경우는 초기부터 연골육종으로 발생되는 경우이며, 속발성 연골육종은 연골종이 연골육종으로 이행된 경우이다. 하악보다 상악에서 약간 발생률이 높고 특히 상악동에서 잘 발생되며 하악의 경우는 하악과두부에서 또는 하악관절강 내에서 발생되는 경우가 많다. 속발성인 경우는 10대에서도 발생하며 원발성인 경우는 30–60대에서 호발한다. 자각 증상 없이 구강점막의 종창을 보이는 경우가 많다. 그리고 악골 내에서 발생될 경우에는 치아가 흡수되거나 탈락될 수 있고 하악과두부에 발생하는 경우 안모의 비대칭을 초래한다(그림 11-14). 방사선사진으로는 연골종과 감별이 어렵고 골조직이 파괴되지만 종양 내에 석회화가 되기 때문에 방사선불투과성 소견을 나타내기도 한다.

연골육종의 다른 한 형태인 간엽성 연골육종(mesenchymal chondrosarcoma)은 작은 원형 또는 타원형의 미분화된 세포로 이루어져 있고, 부분적으로 분화가 잘 된 연골을 형성하거나 또는 골형성을 하는 경우도 관찰된다. 그리고 혈관강주위에 종양세포가 밀집되어 있는 혈관주위종(hemangiopericytoma)의 소견을 보이기도 하고, 악성림프종과 같은 소견도 보인다. 치료는 외과적 절제술이 우선적으로 선택되며 방사선치료는 거의 효과가 없다.

3) 섬유육종(Fibrosarcoma)

연조직에 발생하는 육종으로 젊은 층에서 비교적 호발한다. 피부 또는 심부 피하조직에서 건초(tendon sheath)와 같은 부위에서 종종 발생되며 협부나 상악동, 인후, 구개, 구순, 상하악의 골막 등에서도 발생된다. 임상적으로 병소가 종창되고 악골주위에서 발생되었을 때는 환부의 골조직이 완전히 파괴되고 경계는 명확치 않게 된다. 골에서 발생한 섬유육종은 섬유성 골육종과 감별이 어렵다. 종양에 따라 분화가 잘 된 경우도 있고 분화가 나쁜 경우도 있으나 세포의 형태는 일반적으로 방추상이다. 치료는 완전한 적출이 적절하며 방사선치료는 효과가 없다. 국소적 급진성 섬유성 병소(local aggressive fibrous lesion)는 섬유조직 기원의 조직구(histiocyte)가 종양화된 악성 결체직성 종양으로 분류되며 대표적으로는 섬유조직구종(fibrous histiocytoma)과 악성섬유조직구종(malignant fibrous histiocytoma)이 있다. 섬유조직구종은 많은 예에서 그 세포질 내에 지방을 함유한 포말세포(foam cell)의 증식을 보인다. 또 조직구가 교원질생성 섬유양세포(collagenproducing fibroblast–like cell)의 형태

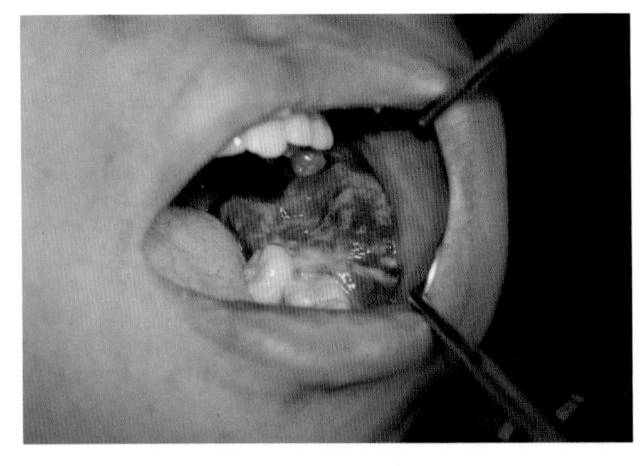

그림 11-14 연골육종의 구내 소견.

를 보인다. 세포 성분에 따라 histiocytoma, xanthoma, fibroxanthoma, xanthogranuloma, dermatofibroma, villonodular synovitis, giant cell tumor of tendon, sclerosing hemangioma 등 여러 가지 명칭이 쓰였지만 요즘에는 fibrous histiocytoma라 부르는 경향이 있다. 악성섬유조직구종은 신체의 연조직에 빈발하는 육종의 하나로 이것은 섬유형(fibromatous type), storiform pleomorphic type, 염증형(inflammatory type) 및 점액형(myxoid type) 등의 아형으로 나눌 수 있다. 구강에 발생되는 예는 적으나 상악이나 하악골에서 종종 발생된다. 안면 협부 피부에서 발생되는 융기성 피부섬유육종(dermatofibrosarcoma protuberance)도 악성섬유조직구종의 하나이다. 섬유아세포가 주종이나 조직구들도 다수 출현하며 아형(subtype)에 따라 각각 다른 소견을 보인다.

4) 활막육종(Synovial sarcoma)

활막육종은 젊은이의 사지말단에서 잘 발생하는 육종이다. 가장 호발하는 부위는 손가락 부위이나 드물게 두경부 영역에서도 관찰된다. 종창이 주된 임상증상이고 자발통이나 촉진 시 통증은 병기에 따라서 존재할 수도 있고 관찰되지 않을 수도 있다. 대개 경도의 운동제한이 관찰되기 때문에 악관절에 이환되는 경우 악관절 내장증으로 오인되기 쉽다. 환자가 병원에 내원하기까지 증상의 지속기간은 평균 10개월 정도이고 남녀 호발비율은 1.2:1 정도로 보고되어 있다. 종양은 비교적 느리게 자라며 인접 정상 구조물과 사이에 위막으로 경계되기 때문에 양성종양으로 오인되기도 쉽다. 병리학적으로는 classic biphasic type, monophasic fibrous type, 그리고 monophasic epithelial type으로 분류된다. 방사선학적 검사가 진단에 많은 도움을 주는데 대부분의 활막육종은 방사선상에서 원형의 종창으로 관찰되고 종물 근처에 보통 관절이 존재한다. 하방의 뼈는 대개 이환되지 않으나 15%에서 20%의 증례에서는 하부 골로 침윤이 관찰된다고 보고되었다. 치료는 외과적 절제술과 부가적인 방사선치료가 주로 추천된다. 활막육종의 5년생존율은 36%에서 64%이고 종물 내에 석화화가 심하게 진행된 경우에는 82%의 5년생존율이 보고된 바 있다.

5) 평활근육종(Leiomyosarcoma)

평활근육종은 평활근에서 유래된 악성종양으로 구강 내에서 협부, 구강저 등에서 호발하며 성별의 차이는 없다. 임상적으로 동통 외에는 별증상이 없다. 조직학적으로 핵이 좀 더 진하게 염색되고 다형인 것 외에는 평활근종과 유사하며 구강내의 병소는 극히 드물다.

6) 횡문근육종(Rhabdomyosarcoma)

횡문근육종은 횡문근에서 유래된 악성종양으로 구강에서는 드물게 발생한다. 조직학적으로 4개의 아형(subtype)으로 분류되며 임상적으로도 아형에 따라 특징이 있다. 4가지 조직학적 아형은 ① 다형성(pleomorphic), ② 포상성(alveolar), ③ 태아성(embryonal), ④ 포도상(botryoid)으로 분류되며 두경부에서는 태아성 횡문근육종이 가장 많다. 다형성 횡문근육종(pleomorphic rhabdomyosarcoma)은 성인에서 많고 구강내에서는 적다. 구강악안면영역에서는 상하악, 이하선, 구순 등에서 발생되며 세포질은 호산성이며 근섬유나 횡문을 볼 수 있다(그림 11-15). 포상성 횡문근육종(alveolar rhabdomyosarcoma)은 10–20세 전후에 많이 발생하고 사지에서 호발한다. 조직학적으로 작고 단조로우며 원형 또는 난원형의 진하게 염색되는 핵을 갖고 있는 이들 세포들이 포상성 조직간격(alveolar space)에 존재한다. 태아성 횡문근육종(embryonal rhadomyosarcoma)은 두경부에서 어떤 형태보다도 호발하며 안면근 부근에서 호발한다. 6세 전후 아동에서 호발하며 성별의 차이는 없다. 조직학적으로 점액종성 기질에 호산성(eosinophilic) 방추형세포가 미만성으로 증식하거나 과립상의 호산성 세포질을 갖는 큰 방추형 또는 원형의 세포로 구성된다. 때로는 세포질이 거의 없는, 진하게 핵이 염색되는 원형 또는 방추형 세포들이 섞여 있기도 하다. 치료는 근치적 절제 후 방사선치료가 추천된다.

7) 악성 신경초종(Malignant Schwannoma)

악성 신경초종은 신경초 세포(nerve sheath cell)에서 기원된 구강영역의 악성종양으로서 매우 드물게 발생하며, 양성신경섬유종이나 렉클링하우젠병(von Recklinghausen's disease), 신경섬유종에서 기원하거나 고립된 신경섬유종에서 직접 기원되기도 한다. 병리조직학적으로는 악성섬유종과 거의 유사하다. 연조직 종양은 입술, 치은, 구개, 협점막에 생기고 중심성은 악골에 발생한다. 방사선사진상 확산된 방사선투과성과 하악에서 발생 시 하악관의 팽창이 관찰되기도 한다. 그 외 후신경아세포종(olfactory neuroblastoma)은 후신경(olfactory nerve)에서 유래된다고 생각되는 후각기관에서 기원되는 드문 질환이다. 비강이나 비인두에서 발생하지만 종종 상악동을 침범하여 상악치조부의 동통을 수반한 종창을 가져온다.

8) 유잉육종(Ewing's sarcoma)

유잉육종은 골내골수내피, 망상내상피계에서 발생하는 악성종양으로 20세 이전에 많이 발생하며, 초기에는 골의 동통, 발열 및 종창을 수반하여 종종 골수염으로 오진하는 경우도 있다(그림 11-16). 혈중 백혈구 수가 증가하고 악골에 이환 시 안면부 신경통이나 구순의 감각이상을 초래하기도 한다. 이 종양세포는 방사선에 반응하기 때문에 외과적 절제, 항암치료, 방사선치료가 병용되고 있다.

9) 법랑모섬유육종(Ameloblastic fibrosarcoma)

법랑모섬유육종은 드문 육종으로 양성 상피세포가 hypercellular malignant mesenchymal stroma와 혼합되어 존재한다. 법랑모섬유육종은 ameloblastic fibroma의 악성형태로 하악골에 주로 발생한다. 임상적으로 통증을 유발하는 종괴로 나타나며 악골에 발생한 경우 악골을 파괴하며 팽창하는 양상을 보인다. 종양을 제거해 보면 낭종형태 혹은 종괴형태 둘 다 관찰된다. 조직학적으로는 sarcomatous mesenchyme과 benign ameloblastic epithelial component가 혼재되어 있다. 육종부분의 면역염색은 Bcl-2, p53 단백질에 양성을 보이고 Ki-67의 높은 활성도를 보인다.

10) 지방육종(Liposarcoma)

지방육종은 지방조직에서 유래하는 악성종양으로 몸의 어느 부위에서도 발생이 가능하며 주로 복부, 대퇴부 및 무릎에 발생하며 구강에는 매우 드물게 발생한다(그림 11-17). 구강 내 발생한 지방육종의 경우 부종이 있으나 감염은 없으며 조직이 비교적 단단하다. 조직학적으로 지방아세포가 관찰되며 다른 육종에 비하여 성장이

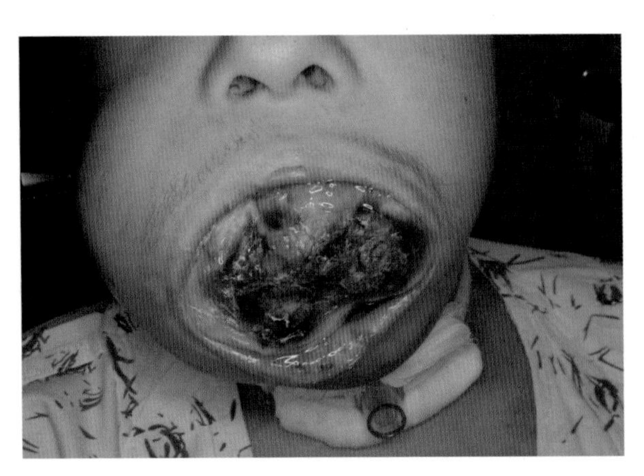

그림 11-15 횡문근육종(rhabdomyosarcoma).

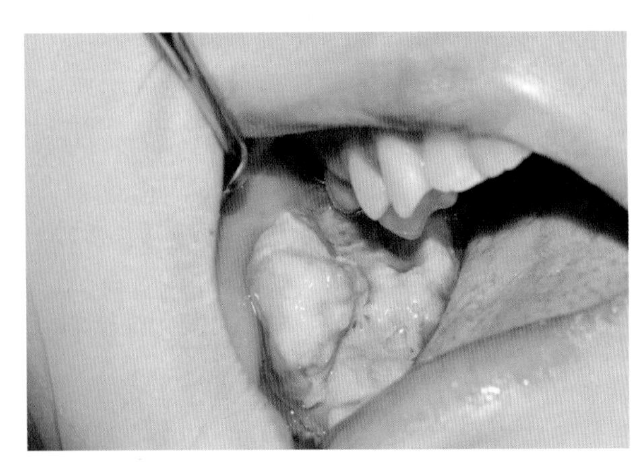

그림 11-16 유잉육종(Ewing's sarcoma).

느리고 혈행성 전이도 적다. 수술적 제거가 치료방법이며 방사선치료에는 거의 반응하지 않는다.

11) 혈관육종(Angiosarcoma) 및 카포시육종(Kaposi sarcoma)

혈관육종은 미분화 간엽성 혈관세포와 림프선세포의 증식으로 이루어지며 모세혈관이 많고 출혈경향이 있으며 구강내에 일차적으로 발생하기보다는 전이성 병소로 발견되는 경우가 많다(그림 11-18). 혈관육종은 심장, 간에서 주로 발생하며 발생부위에 종종 통증을 일으킨다. 카포시 육종은 1872년 헝가리 피부과의사인 카포시에 의해 처음 보고되었으며 1980년대 후천성면역결핍증(AIDS)의 확산과 장기이식 및 면역억제제 치료 이후에 발생빈도가 늘었다. 구강내 발생하는 AIDS 연관 육종은 진행이 빠른 편이며 인간헤르페스 바이러스 8 (HHV-8)이 검출되어 카포시육종 연관 바이러스로 불린다.

12) 미분화 다형성육종(Undifferentiated pleomorphic sarcoma)

미분화 다형성육종은 방추세포 육종의 한 종류로서 과거에는 악성섬유조직구종으로 분류되었다. 연조직이나 악골에 발생하는 종양의 유형으로 연조직에 발생하는 육종 중에는 가장 빈도가 높은 종양이나 구강내에는 극히 드물게 발생한다(그림 11-19). 종양은 성장속도가 빠르고 타부위 장기에 전이가 흔하므로 조기에 치료를 요한다. 최근 새로운 분류법에 의해서 미분화 다형성육종으로 변경되었다. 국소재발 및 전이율이 높고 항암화학요법 및 방사선요법에 잘 반응하지 않아서 광범위한 절제가 유일한 치료법이다.

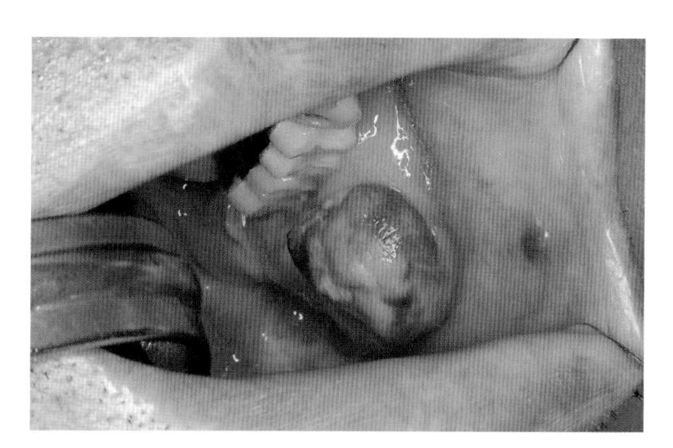

그림 11-17 지방육종(liposarcoma).

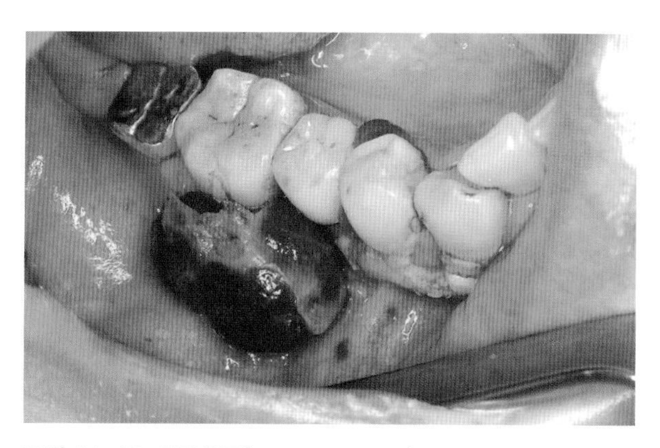

그림 11-18 혈관육종(angiosarcoma).

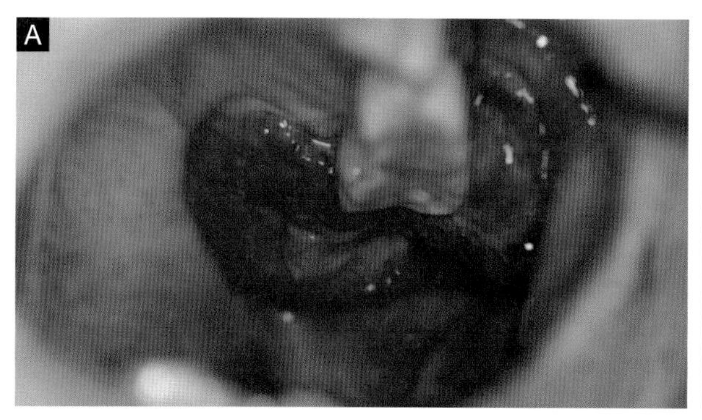

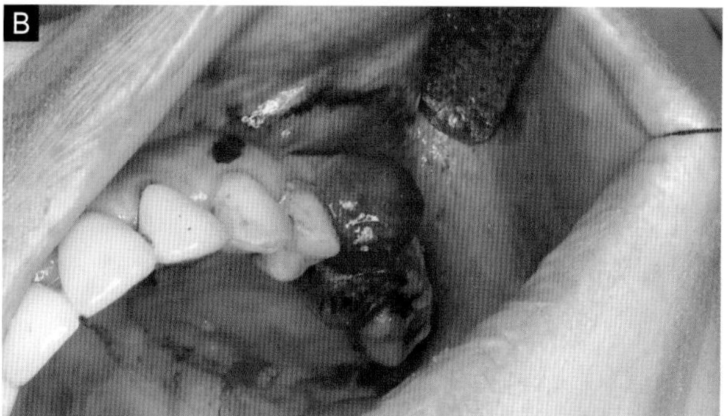

그림 11-19 A: 좌측 상악 결절부위에 발생한 미분화 다형성육종 B: 상악 좌측 소구치 부위에 발생한 미분화 다형성육종.

4. 혈액질환 관련 암

1) 다발골수종(Multiple myeloma)

골수세포에서 유래되는 악성골종양으로 형질세포(plasma cell)의 모양과 닮은 세포들의 증식이 있다. 동통과 환부의 종창을 유발하고 광범위한 골파괴로 병리학적 골절을 야기하기도 하며 빈혈, 과칼슘혈증, 신기능부전, 아밀로이드(amyloid) 침착, 뇨에서 Bence-Jones 단백질의 검출 등의 특징을 보이기도 한다. 40-70대 사이에서 빈발하고 남성에서 호발하며 악골에 있어서는 상하악 모두 발생되지만 하악에서 더 빈발하는 경향을 보인다(그림 11-20). 방사선사진상에서 원형의 경계가 명료한 방사선 투과성으로 'punched out appearance' 형태의 병소가 다발성으로 보인다. 조직학적으로 분화가 잘 된 형질세포로 이루어져 있으나 핵분열상이나 다핵 거대세포도 종종 보인다.

2) 악성림프종(Malignant lymphoma)

림프조직으로부터 발생되는 악성종양을 일괄하여 악성림프종이라 한다. 구강내에는 점막병소로 관찰되기도 하고 골내병소로도 확인된다. 병리학적으로는 악성림프종은 크게 호지킨림프종(Hodgkin lymphoma)과 비호지킨림프종(non-Hodgkin lymphoma, NHL)으로 분류한다. 비호지킨림프종은 림프절, 림프조직 및 림프절 밖의 조직에도 이환된다. 증상은 열이 나고 밤에 땀을 흘리고 체중이 감소한다. 구강내 증상으로 종창이 있고 급속히 성장하여 궤양을 형성한다(그림 11-21). 나이가 많은 환자의 경구개의 림프증식성 병소는 대부분 비호지킨림프종이다. 감별진단으로 양성 림프상피성 병소, 림프성 과증식이 있다. 면역학이 발달됨에 따라 림프구의 표지자가 밝혀지면서 림프종의 진단, 분류도 크게 변화되었다. 종래 세망세포(reticulocyte) 또는 조직구(histiocyte)에서 유래되었다고 생각되었던 림프종이 대부분 림프구에서 유래된다는 것이 확실해지고 림프구의 기능과 분화에 근본을 둔 새로운 분류가 제시되었다. 특히 최근 단클론항체의 개발, 유전공학의 발전으로 세포의 유래와 기능, 분화 성숙단계를 정확히 식별할 수 있게 되었다. 크게는 T세포, B세포계와 양자의 표지자(marker)를 갖고 있지 않은 무표지세포(null cell)계로 분류되지만 아주 상세한 분류(subclassification)도 가능하게 되었고 현재 기능적 분류와 형태학적 분류를 접근시키려는 시도가 행해지고 있다. 치료는 주로 방사선치료와 항암화학요법으로 한다. Burkitt's lymphoma란 B세포 기원의 비호지킨림프종의 일종으로 1958년부터 1959년 사이에 Burkitt이 중앙아프리카의 어린이 악골에서 많이 발생되는 특유한 조직상을 보이는 악성림프종을 발표한 것에서 유래하였으며, 아프리카 전역의 소아에 있어서 약 절반

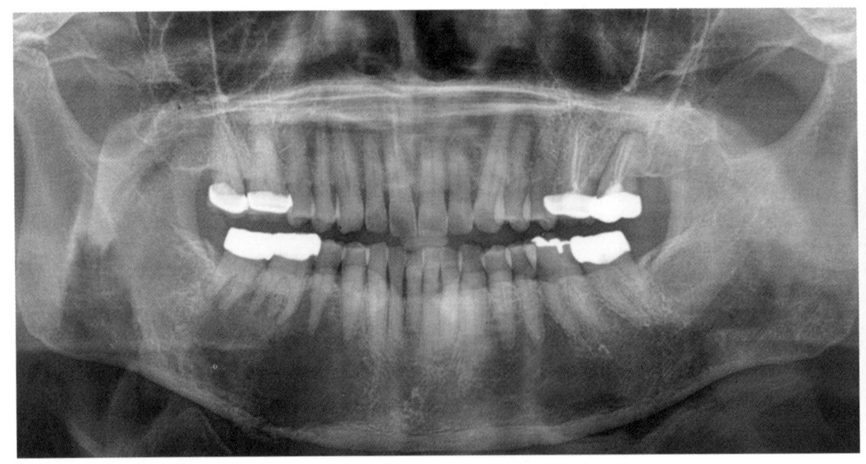

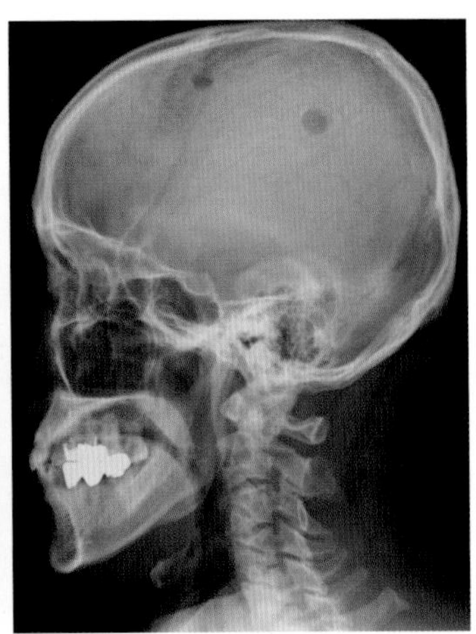

그림 11-20 다발골수종. 하악우측의 골파괴 부위가 관찰됨.

의 악성종양이 이 형태의 악성림프종이었다. 그러나 요즈음에 와서는 이것이 아프리카 지역뿐 아니라 한국, 미국 등 기타 지역에 있어서도 똑같은 형태의 조직상을 가진 종양이 발생되는 것이 알려져 있다. 1964년 Epstein 등에 의해 바이러스(Epstein–Barr virus)를 통하여 발생된다는 가설이 제시되었다. 임상적으로는 보통 2세에서 14세 사이의 어린아이들에서 많고 림프결절외 조직에서 처음 발생하여 악골에서 양측성으로 급격히 증식하면서 악골이 파괴되고 치아가 흔들리며 이것이 악골 전체 또는 상악골이나 사골동(ethmoidal sinus)까지도 확산된다. 또 내장의 병소도 동시에 수반한다. 조직학적으로 종양세포 사이에 세포 파편을 탐식하고 있는 대식세포가 분포되어 있는 것을 볼 수 있다. 이러한 상을 깜깜한 밤하늘에 별을 보는 것과 같다고 해서 'starry sky effect'라고도 한다. 급격히 증식하기 때문에 세포독성 약제(cytotoxic drug)로 치료한다.

호지킨림프종은 종양세포가 Reed–Sternberg (R–S) 세포라는 다핵(보통 2개의 핵) 거대세포와 단핵의 호지킨세포가 출현하는 것이 특징이며 그 주위로 림프구를 주로 하여 형질세포, 호산구, 호중구의 침윤괴사, 그리고 섬유화가 주된 병변인 일종의 육아종성 염증이 나타난다. R–S cell은 조직구에서 유래된 것으로 생각된다. 주로 경부림프절과 림프양조직(lymphoid organ)에 이환되며 호발연령은 젊은 층과 50대에 빈발(bimodal age incidence peak)한다. 가장 흔한 증상은 경부림프절 비대로, 림프절은 서서히 커지며, 단단하고 통증이 없으며, 특징적으로 한 곳의 림프절에서 국소적으로 시작되어 림프가 순환되는 방향으로 주위림프절로 진행되는 양상을 보인다. 종창된 림프절은 처음에는 연하나 점차 섬유화가 진행되면서 경화되어 딱딱해지고 고무와 같은 성질을 보인다. 전신증상으로 세포성 면역기능이 저하되고 체중감소, 기침, 식욕부진, 피부의 소양감 등도 나타날 수 있다. 비장과 간이 커지며 호산구증가증(eosinophilia)을 보인다. 구강에는 대개 이차적으로 나타난다. 현재 Rye 분류가 광범위하게 사용되고 있으며 예후와 밀접한 관련이 있다. Rye 분류 중 ① 림프구 우위형(lymphocyte predominance)은 호지킨세포는 적고 림프구와 조직구가 다수 보이며, ② 결절 경화형(nodular sclerosis)은 두터운 교원섬유 속들이 림프절을 여러 개로 갈라놓고 주위조직과의 사이에 간격이 보이며, lacuna cell이 출현하는 것이 특징이다. 그 외 ③ 혼합세포형(mixed cellularity), ④ 림프구 감소

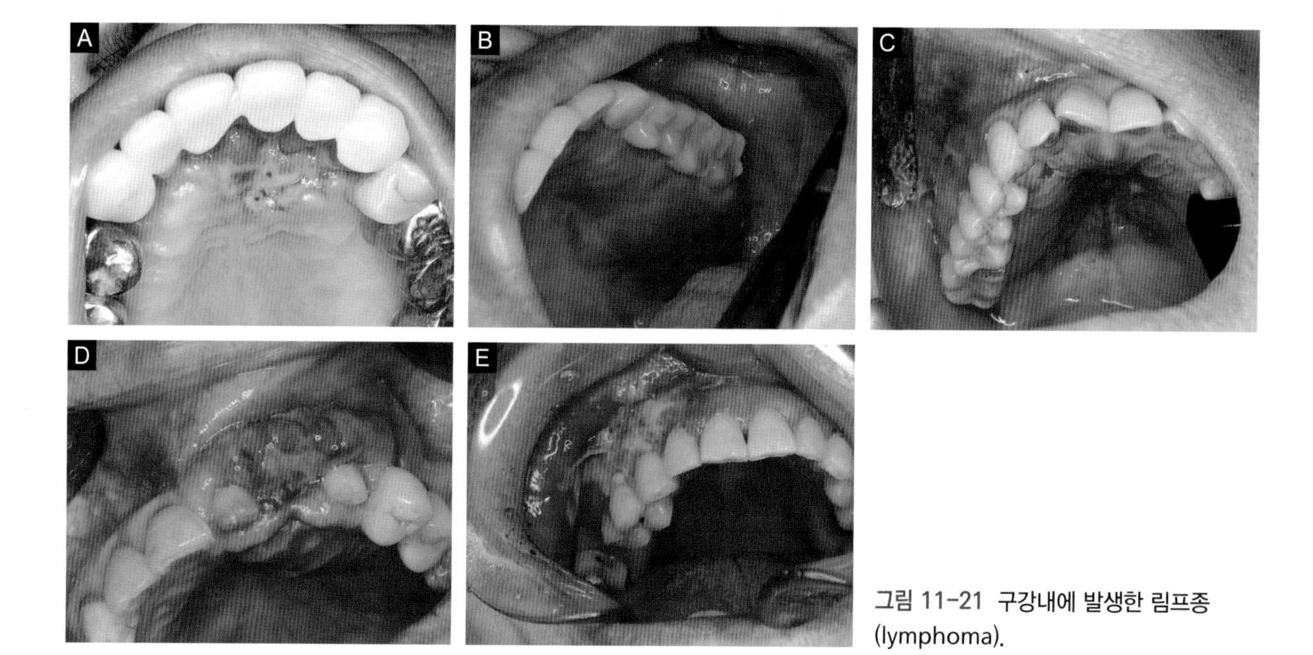

그림 11-21 구강내에 발생한 림프종(lymphoma).

형(lymphocyte depletion)이 있다. 림프구 감소형은 미만성으로 섬세한 섬유화가 진행되며 세포성분이 적은 경우와 림프구가 적고 R-S세포가 많은 두 가지 경우가 있다. 림프구 우위형과 결절 경화형의 예후가 비교적 좋다.

5. 구강의 전이종양

신체 다른 부위에서 발생한 암이 구강으로 전이되는 경우는 1% 미만으로 주로 폐암, 유방암, 전립선암, 간암, 신장암 및 갑상선암에서 구강악안면영역으로 전이가 잘되는 것으로 알려져 있다(그림 11-22). 특히 신장암과 전립선암의 전이는 악골이나 부비동에 호발하며, 최근 들어서는 폐암의 전이가 점차 증가되고 갑상선암의 전이는 점차 감소하는 경향을 보인다. 구강내에 전이암이 발견되는 경우는 대부분 원발부 암이 진행된 경우가 많다. 병소가 원발성 종양인지 전이종양인지의 판별은 임상적 또는 조직학적 소견으로 가능하지만 병력을 통하여 기존의 암치료 병력을 확인해야 하며 정밀한 전신적 검사가 필요하다.

전이병소를 형성하는 부위는 악골과 연조직으로 크게 나눌 수 있으며 주로 악골에 발생하는 경우가 많다. 이는 전이종양의 대부분이 혈행성으로 종양세포가 먼저 골수에 자리잡기 때문이다. 하지만 혀와 치은조직과 같이 혈류공급이 왕성한 부위는 일차적으로 전이부위가 되기도 한다. 임상적으로 악골의 전이병소는 증상이 없으나 가끔 불쾌감이나 불안감을 느끼게 하고 경우에 따라서는 치아의 동요와 하악신경을 압박하여 구순이나 협부의 무감각(numbness)을 야기시키거나 진행된 경우 악골의 병적골절을 유발한다. 상악보다 하악에서 많이 발생되고 악궁내에서는 하악골 구치부 또는 과두부위에서 호발한다. 방사선사진상에서는 일반적으로 미만성의 투과상을 보이나(그림 11-23) 경우에 따라서는 반응성 골형성을 보이는 경우도 있다. 구강 연조직의 전이병소는 치은이 가장 많고 간혹 혀, 구개 등에서도 관찰된다. 특히 구강내 전이종양은 구강내 원발암으로 발생하는 편평세포암종과 다른 임상적 양태를 보이며, 특히 단순한 치주질환이나 염증성 육아종 등의 병변과 유사하여 정확한 감별이 필요하다.

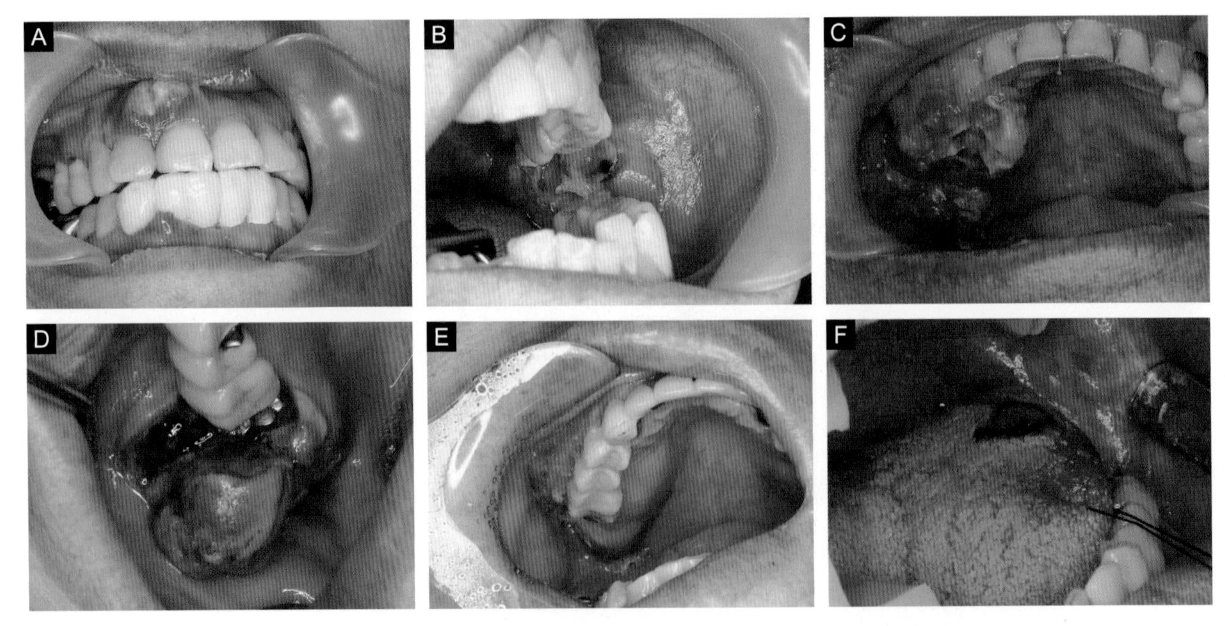

그림 11-22 A: 전이성 유방암 B: 전이성 간암 C: 전이성 대장암 D: 전이성 신장암 E: 전이성 폐암 F: 전이성 췌장암.

구강내 전이는 말기 암환자에서 나타나기 때문에 예후는 좋지 않으며 치료는 증상완화를 위한 방사선치료, 항암화학요법이 시행되지만 구강내 종양이 음식섭취에 장애를 주거나 지속적인 출혈을 야기하는 경우 외과적 절제를 한다.

Ⅲ. 구강암 치료를 위한 진단방법 및 병기평가

1. 구강암의 평가방법

1) 병력청취 및 신체검진

환자의 초기평가는 철저한 병력조사와 신체검진으로 시작한다. 초기 암종의 경우 증상을 동반하지 않은 경우가 대부분이지만, 통증의 기간과 정도, 흡연과 음주 여부 및 정도, 약물복용 여부, 그 밖에 의과적 또는 치과적 치료를 받은 적이 있는지 등을 포함하여 기본적인 병력조사를 한다. 환자의 연령은 병기와 치료 후 예후에 영향을 미치는데, 일반적으로 고령의 환자에서 병의 진행상태가 심한 경우가 많다. 남녀 성별에 있어서는 남성에서 호발하며, 면역학적 기전에 있어서는 세포개재성 면역에 의해서 보다 많은 영향을 받는다.

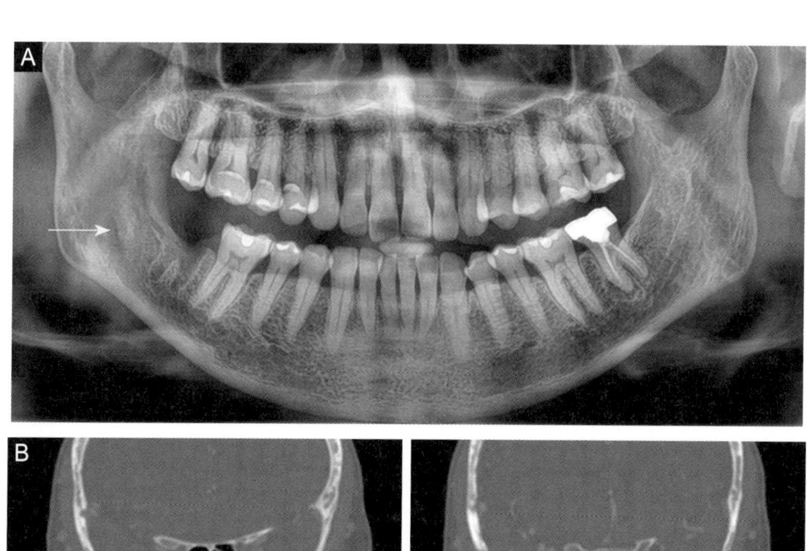

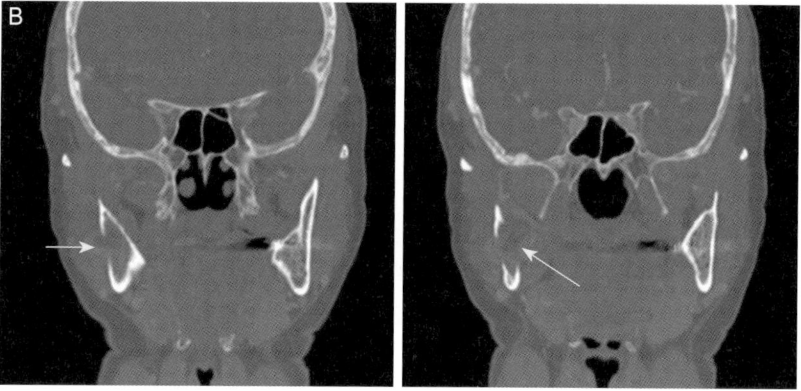

그림 11-23 우측 하악지에 미만성 골파괴를 보이는 전이성 선암종. A: 파노라마방사선사진 B: CT.

심혈관계질환이나 만성호흡기질환, 알코올 섭취나 흡연 여부 등을 포함한 전반적인 환자의 전신상태에 대한 평가가 필요하다. 구강암은 수술적 치료가 우선하므로 환자가 장시간의 전신마취를 견딜 수 있는지에 대한 검사가 필요하다. 고령의 환자인 경우 심장초음파, 폐기능검사가 필수적이며 그 외 전신질환에 따른 개별적인 검사가 필요할 수 있다.

환자의 사회심리적 요소 평가는 구강암 평가에 있어서 매우 어렵지만 중요한 과정으로, 정신과적 면담도 고려할 수 있다. 환자의 영양상태 또한 구강암치료를 받음에 있어 매우 중요하다. 또한 구강암 수술 후에는 연하장애 등으로 인한 음식물 섭취 문제가 나타날 수 있는데, 방사선치료를 받은 후에는 구강건조증 또는 타액분비 감소로 음식물 섭취 장애현상이 더욱 심해질 수 있으므로 연하장애에 대한 재활의학과 협진을 고려한다.

2) 임상적 평가

(1) 원발병소 평가

구강내 원발부를 평가할 때는 백반증, 홍반증 등과 같은 전암병소가 있는지 관찰하며 주위 정상조직과의 경계를 파악하는 것이 중요하다. 점막표면의 변화도 중요한데, 외향성 또는 외장성(exophytic form)은 표층에서 외부로 종물의 성장을 보이며 궤양형은 구강암의 가장 흔한 형태로 빠르게 침윤하는 경향이 있다. 침윤형은 혀에 흔히 발생하는데 병소 중앙부는 궤양성 조직파괴를 보이며 그 인접부에 약간 단단하게 상승된 구조를 보인다. 그 밖에 사마귀형은 주로 불량 보철물을 가진 고령의 환자에서 흔하며 주변 경계부가 약간 안으로 들어간 형태를 지닌다. 외장성 또는 사마귀형의 병소에 비하여 침윤형 또는 궤양성 병소의 예후가 불량하다. 구강의 암종은 독특한 전이형태를 보이는데 편평세포암종은 손상받지 않은 점막 하방으로 넓게 퍼지거나, 근육으로 쉽게 침범하며, 치은에 발생한 경우에는 하방의 악골 내로도 초기에 침범한다. 신경을 따라 침범을 하기도 하는데 이때는 원거리에서도 종양세포가 발견된다. 골막 하방이나 연골을 통한 침범은 이원적 과정을 거치는데, 우선 간접적으로 국소적인 골파괴세포를 자극하여 골파괴를 일으킨 뒤, 다음으로 종양세포들이 직접 골을 침범한다.

(2) 림프절 평가

원발부의 평가와 함께, 경부림프절로의 전이에 대한 평가가 매우 중요하다. 1704년 Valsalva는 종양은 국소질환으로 시작하여 국소림프절을 통해 전신으로 퍼진다고 했으며, 1860년 Virchow 등은 국소림프절이 효과적인 방어망 역할을 한다고 주장하여, 치료 시 근치적 절제술의 이론적 근거를 마련한 바 있다. 구강종양의 전이는 인접 림프절을 통하여 일어나게 되는데 일단 림프절 전이가 존재하면 60% 이상에서 원격전이가 일어난다는 보고도 있다. 림프절 전이는 대개 원발병소의 처치 후 2년 내에 발생하기 쉽고, 초기에는 여과 역할 및 보호막 역할을 하나 부가적인 전이의 시작점이 될 수도 있으며 위치, 크기, 수, 기능, 조직학적 분화도 등이 중요한 고려요소가 된다. 림프절외 전이는 주위조직에 고정된 크기가 큰 림프절에서 많고 주로 초기단계의 림프절 주위조직에 종양색전(tumor emboli)이 조기억류(primary arrest)되어 생긴다. 일단 경부림프절로의 종양세포 전이가 발생되면 예후가 급격히 떨어져 완치율이 매우 저조하다. 경부림프절로의 종양세포 전이유무를 평가하기 위한 가장 기본방법으로 경부림프절 촉진법이 이용된다. 이 방법은 환자를 앉혀서 손가락으로 목부위 전체를 가볍게 만지면서 좌우를 비교하는 것으로 목을 어느 한쪽으로 기울이게 하여 흉쇄유돌근을 이완시키고 그 부위의 림프절을 촉진한다(그림 11-24A~C). 만약 림프절이 만져지면 크기, 모양, 경도, 통증여부, 유동성 등을 확인한다. 특히 악하부 또는 이하부 림프절의 증대가 의심될 때에는 양손촉진이 필요한데, 입 안의 바닥을 아래로 누르며 다른 한손으로는 밖에서 위로 밀면서 양손으로 촉진한다(그림 11-24D). 그러나 이러한 촉진방법은 영상진단방법에 비하여 그 정확도가 떨어진다는 사실을 알고 정확한 수기를 익히는 것이 필요하다.

(3) **원격전이 평가**

원격전이의 호발부위는 폐(45%), 골격계(25%)의 순서로 알려져 있으며, 원격전이의 50%는 초기치료 후 9개월 내에 나타나며, 90%에서는 2년 내에 나타난다는 보고도 있다. 원격전이가 발생된 환자의 경우 그 예후는 극히 불량하여 완치가 거의 불가능하며 편평세포암종의 경우 1년 내에 대부분 사망한다.

3) 구강암의 병리조직검사

(1) **조직검사**(incisional or excisional biopsy)

구강암을 확진하기 위한 필수검사이다. 조직검사 시에는 정상조직 일부를 포함해서 암의 대표부위를 절제하는 것이 추천되며 포르말린액에 고정 후 통상적으로 헤마톡실린-에오신 염색방법(H&E staining)이 기본적으로 이용되며, 진단목적에 따라 다양한 면역화학 및 특수염색 방법이 추가된다. Toluidine blue 염색법은 구강암 진단에서 높은 정확도를 보인다는 보고도 있으며 종양이나 치유조직과 같은 빠르게 성장하는 조직에 많은 sulfated mucopolysaccharide에 염색약(metachromic dye)이 결합함을 이용한다.

(2) **동결절편**(frozen section) **검사**

수술 시 조직검사를 의뢰하여 수십분 내에 곧바로 조직학적 진단 및 종양경계부를 평가할 수 있다. 동결절편검사는 종양이 양성인지 악성인지의 여부, 절제한 경계부에 암세포의 존재 확인, 절제조직의 확인, 조직검사가 대표적인 부위인지 확인을 위해서 시행한다. 다만, 석회화된 조직이나 골조직은 동결절편 검사가 되지 않으며 조직을 채취할 때 전기소작기를 사용하면 판별이 어려울 수 있으니 수술도를 이용하여 경계부위나 대표부위에서 시편을 채취하여야 한다.

(3) **미세침흡인생검술**(fine needle aspiration biopsy, FNAB)

타액선질환 및 경부림프절 조직검사, 특히 의심이 되는 림프절의 암세포 전이여부를 미리 점검하는 데

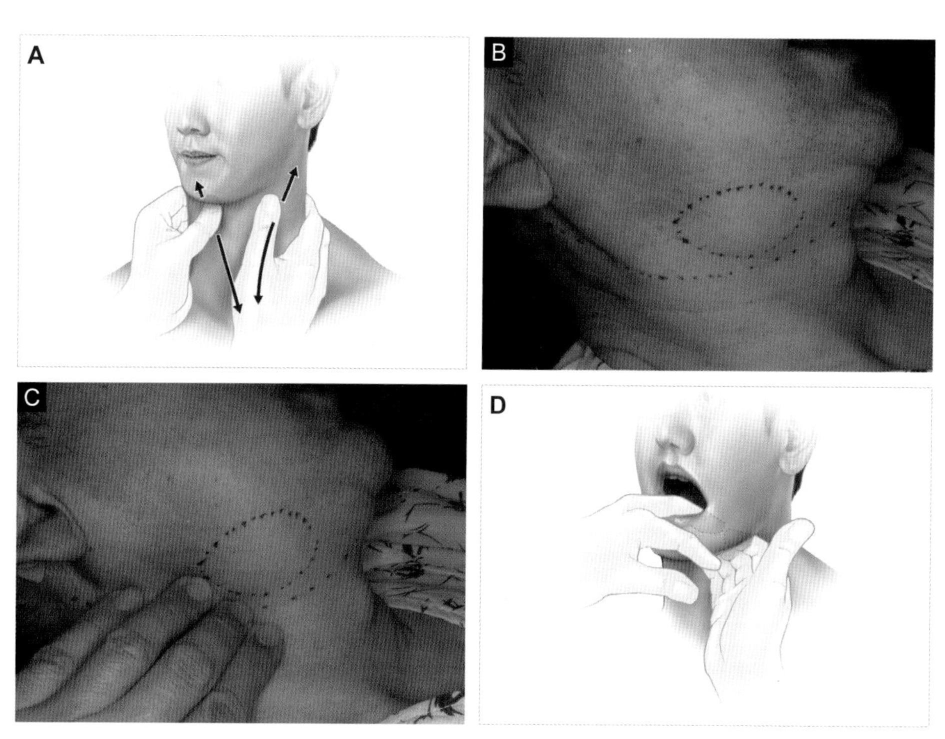

그림 11-24 경부림프절 촉진의 예. A-C: 상경부림프절의 촉진방법 D: 악하부의 양지 촉진방법.

유용하다. 빠르고 간편한 장점이 있고 혼합종양 및 Warthin 종양에서는 90–100%의 정확도를 보인다. 10–20 ml 주사기 및 22G 바늘을 이용한다. 심부에 위치한 종양이나, 경부림프절의 경우 초음파를 이용하여 위치를 확인하면서 흡인검사를 할 수 있다.

4) 구강암의 영상검사

구강암의 정확한 진단과 전이유무의 판단을 위해서 다양한 영상검사법이 사용된다. 가장 기본적인 치과용 파노라마사진은 악골의 전체적인 형태와 골내전이 그리고 종양의 치아포함 정도를 가장 잘 알 수 있다(그림 11-25A). 수술 후 방사선치료가 계획되어 있는 경우 미리 치과치료를 해야 하므로 가장 기본적인 방사선검사이다. 흉부 방사선사진은 일반적인 폐질환이나, 폐로의 전이여부를 감별하기 위해 이용되며 폐로의 전이가 의심될 경우에는 흉부 CT를 촬영한다. 구강악안면부위 및 경부 CT 검사는 상하악골의 작은 골파괴 양상과 특히 부비동 암종을 평가하는 데 유용하다(그림 11-25B). 조영제를 정맥으로 주입하여 연조직 경계와 조영제 주입양상으로 평가하게 된다. 특히 경부림프절의 평가에서 조영제를 통하여 내부구조와 주위로의 침윤양상을 파악하는 데 유용하다. 골파괴가 심하지 않은 경우 골수침윤을 진단할 수 없으며, 종양조직과 비종양 연조직의 구분에는 명확하지 못하며 또한 보철물 등에 의한 금속 인공음영(artifact)이 진단에 방해가 되는 경우가 많다. 보철물은 촬영 전에 제거하는 것이 바람직하다. 자기공명영상(MRI)은 CT와 달리 방사선을 이용하지 않고 조영제로 사용하는 Gd (Gadolinium)도 보다 안전하다. 연조직이나 골수에서의 병소를 평가함에 있어 CT에 비해 우월하다(그림 11-25C). 단점으로는 경조직이 상대적으로 명확하지 못하여 암의 피질골의 침범을 확인하기 어렵고 오랜 시간 촬영과 소음으로 환자의 협조도가 떨어질 수 있다. 구강 내외의 금속이 있으면 자기장에 영향을 미쳐 영상의 해상도가 떨어진다는 점은 CT와 같다.

핵의학 검사 중 뼈스캔은 Technetium–99m phosphate complex를 사용하여 혈관에 주사하고 뼈에 섭취되어 방출되는 감마선을 촬영하여 뼈의 변화를 확인한다(그림 11-25D). 통상 방사선의약품 주사 직후에 촬영하고 뼈조직에 흡수되도록 3–5시간 지난 뒤 다시 촬영하여 두 개의 영상을 비교한다. 정상적인 핵의학검사에서는 양측성으로 대칭성을 보이고, 균일하고 매끈한 방사선 활동도의 차이를 보여서 특히 관절부위, 연골, 후두와 같은 부위에서는 증가된 활동도를 보이게 된다. 골조직의 침윤에 대한 평가나 원격 골조직 전이를 평가할 수 있는 장점이 있다.

PET (Positron Emission Tomography) 검사는 일반적으로 전신의 전이유무의 판별에 사용되는 암검사법이다. 종양의 대사와 관련있는 양전자를 방출하는 방사성동위원소를 이용하는 것으로, 암종의 경우 포도당의 대사가 증가한다는 점을 이용하여 방사성동위원소로서 fluorine–18–labeled 2–fluoro–2–deoxy–D–glucose (FDG)를 주로 사용한다. CT와 MRI에 비해 높은 민감도(sensitivity)를 가지고 있으나, 특이성(specificity)은 낮다. 생리적으로 흡수가 되는 갑상선, 림프조직, 타액선, 근육 등에 의해 혼동될 경우도 있다. 염증이 있는 경우 동위 원소의 흡수가 일어나 위양성(false–positive)의 결과를 나타낼 수 있다. 또한 당뇨 환자에서 체내 혈당이 높을 경우 왜곡된 검사결과가 초래될 수 있다. 고가의 비용이 든다는 것 또한 단점이라고 할 수 있다. PET와 함께 한 번에 CT를 촬영하여 해부학적으로 정확한 위치를 알 수 있는 PET–CT가 주로 사용된다(그림 11-25E). 재발 여부의 확인, 림프절의 전이와 원격전이를 평가하는 데 유용하게 사용되나 방사선조사량이 매우 많다는 것을 염두에 두어야 한다.

초음파검사는 부가적인 진단방법으로 유용한데, 고형의 질환인지 낭종성 질환인지 구분할 수 있다. 고형상의 영상은 비화농성 림프절이며, 혼합상의 영상은 화농성림프절을 보인다. 특히 수술 후 반흔조직 내의 림프절의 재발여부를 평가하는 데 유용하다. 수술 전에 림프절 전이가 명확하지 않는 경우 초음파를 이용한 미세침흡인생검술이 유용하다. 장비가 CT나 MRI에 비해 훨씬 저가이며 쉽게 사용이 가능하나 판독을 위해서는 전문적인 지식이 필요하다.

혈관조영술은 구강악안면영역에서 혈관의 주행상태를 평가하기 위하여 시행하는 검사로 과거 경부청소술을 했거나 방사선치료를 받은 부위에 다시 수술이 필요하거나 미세혈관문합술을 위한 혈관의 분포를 수술 전에 미리 검사해야 할 때 사용된다. 총경동맥조영술을 주로 하며 서혜부 카테터삽입술(transfemoral catheterization angiography, TFCA)이나 그 밖에 피하동맥 카테터를 이용하여 조영제를 넣은 뒤 CT를 촬영한다.

5) 기타 검사

구강암이 혀의 기저부에 발생하였거나 구인두에 암이 의심되는 경우 간접후두경(indirect laryngoscope)을 이용하여 후두, 설기저부, 하인두 등을 검사할 수 있으며 최근에는 비디오가 부착된 직접후두경(direct laryngoscope)을 이용하여 명확하게 병소의 위치를 찾을 수 있다. 구강암 환자의 경우 소화기계의 암이 동시에 관찰되는 경우가 많기 때문에 수술 전에 위내시경을 통하여 식도와 위에 암이 존재하는 것을 확인하는 것이 추천된다.

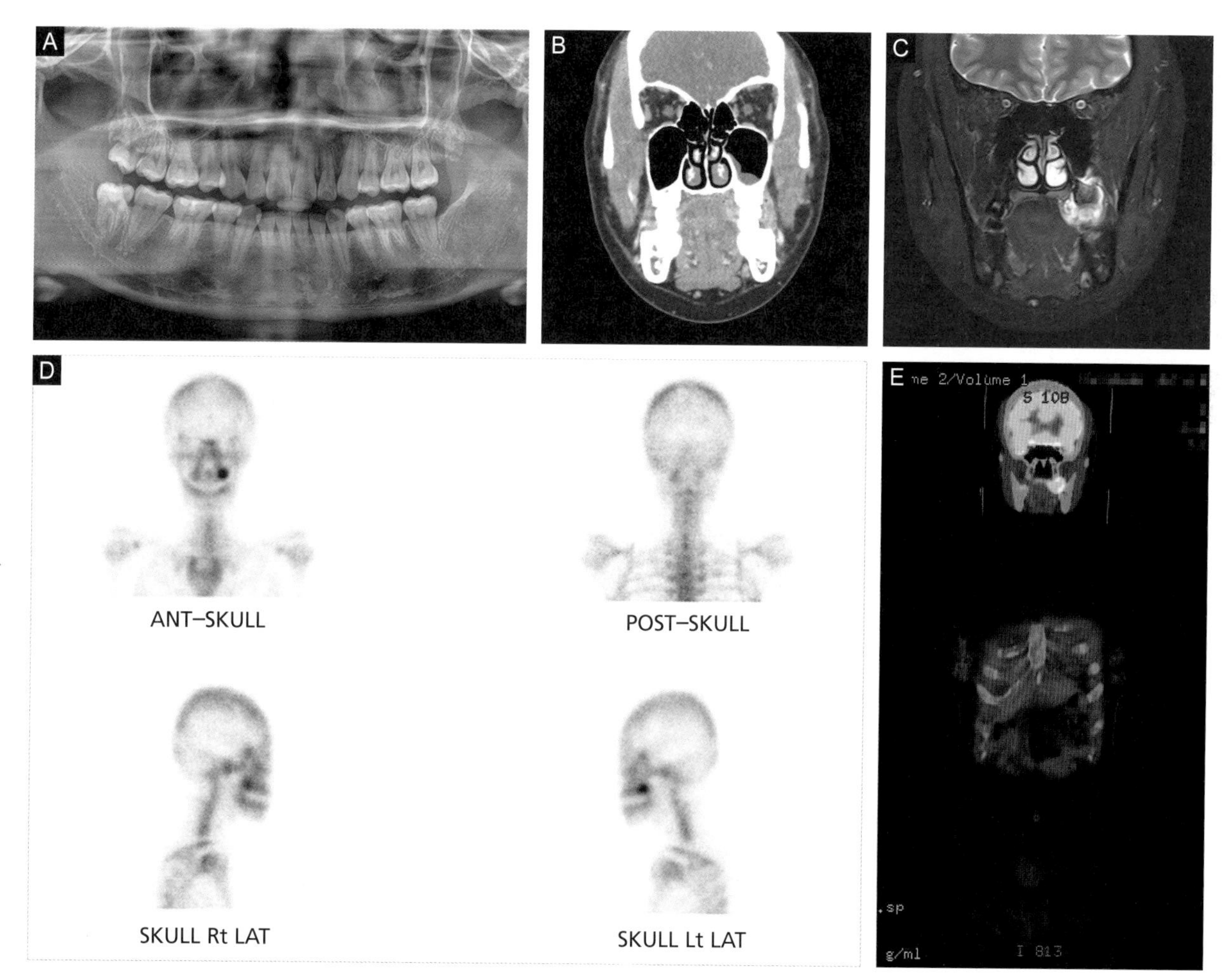

그림 11-25 구강 악성종양 환자에 대한 영상검사.
좌측 상악 구치부 골육종. **A:** 파노라마 **B:** 조영증강 CT **C:** 조영증강 MRI(T2) **D:** 뼈스캔(bone scan) **E:** PET/CT.

2. 분류와 병기(Classification and staging)

암의 분류와 병기는 주로 TNM 분류방법이 사용된다. 암의 병기를 구분하는 것은 1943년 프랑스의 Pierre Denoix가 처음 고안하였으며, 1950년 유럽을 중심으로 한 UICC (International Union for Cancer Control)에서 종양학명과 통계에 대한 위원회를 마련한 뒤 1953년 UICC와 International Congress of Radiology 간의 일치된 입장표명이 있었다. 그 뒤 1958년 위원회에서 임상적인 병기분류에 대한 원판을 발표한 뒤, 1987년 UICC TNM booklet의 제4편이 발행되었다. AJCC (American Joint Committee on Cancer)는 1959년에 처음 소집되었으며 구강암에 대한 TNM 분류는 UICC와는 다소 다른 분류방법을 써오다가 1970년대 독일, 오스트리아, 스위스의 구강악안면외과를 주축으로 한 구강암에 대한 후향적, 전향적 연구결과에 많은 영향을 받아 UICC와 새로운 TNM 분류를 공동으로 설정하여, 1987년의 UICC 분류와 같이 1988년 「Manual For Staging of Cancer」 제3판이 발행하여 계속해서 보완, 수정해 나가고 있다. 2010년에는 제7판이 발행되었으며, 2017년 제8판이 발행되어 개정되었다.

종양 병기에 대한 일반적인 원칙은 임상가가 치료계획을 세우는 데 도움이 되어야 하며 예후에 대한 적응증을 가져야 하고, 치료결과를 평가하는 데 도움이 되어야 한다. 그리고 다른 치료기관 사이의 정보교환이 가능하여야 하며 인간에 생길 수 있는 종양에 대해 계속적인 연구를 할 수 있도록 병기가 결정되어야 한다. 이를 위해 치료와 무관하게 모든 병소에 적용될 수 있어야 하며 조직병리학적 검사나 수술에 의해 유용한 정보가 후에 추가될 수 있어야 한다.

1) TNM 분류의 기본원칙

TNM의 분류는 원발종양의 크기 및 인접조직 침범 정도(T: tumor size), 림프절 전이 정도(N: neck node metastasis) 및 원격 전이의 존재 유무(M: metastasis)에 따라서 시행한다. TNM 분류는 임상적으로 시행된 경우는 cTNM or TNM으로 표기하며(c: clinical), 병리학적으로 확인된 경우 pTNM로 표기하고(p: pathologic) 치료 후 재발종양이거나 추가검사가 필요한 경우 rTNM으로 표기하고(r: retreatment or recurrent), 사후 부검 시 종양이 발견된 경우 aTNM로 표기한다(a: autopsy). 2017년에 개정된 TNM Clinical Classification, AJCC 8th edition에 의하며 종양의 크기에 depth of invasion의 개념이 추가되었으며 경부림프절 전이에 ENE (extranodal extension) 개념이 추가되었다.

2) TNM 임상분류(TNM clinical classification, AJCC 8th edition, 2017)

표 11-2 원발종양(T)

TX	평가될 수 없는 원발병소
Tis	상피내암종
T1	직경 2 cm 이하, DOI (depth of invasion) 5 mm 이하
T2	직경 2 cm 이하, DOI 5 mm 초과 10 mm 이하 또는 직경 2 cm에서 4 cm, DOI 10 mm 이하의 암종
T3	직경 4 cm 초과 또는 DOI 10 mm 초과인 모든 암종
T4	중도, 또는 고도로 진행된 국소병소
T4a	중도로 진행된 국소병소 입술: 피질골로 암종이 침범 또는 하치조신경, 구강저, 안면부 피부(턱, 코 등)를 포함하는 경우 구강: 인접한 구조로만 종양이 침범(상악과 하악의 피질골, 상악동 또는 안면부 피부를 포함)하는 경우 참고: Gingival primary에 의한 뼈나 치조와 표층의 미란은 암종을 T4로 분류하는 데 충분치 않다.
T4b	고도로 진행된 국소병소 암종이 저작간극, 익돌판, 두개저를 침범하거나 내경동맥을 감싸는 경우

* DOI: Depth of invasion

표 11-3 인접 림프절(cN, pN)

임상적(clinical) N (cN)	
N 분류	기준
NX	평가될 수 없는 인접 림프절
N0	인접 림프절 전이가 없는 경우
N1	동측, 단발성으로 직경이 가장 큰 부위가 3 cm 이하이며 ENE(–)인 경우
N2	동측, 단발성으로 3 cm보다 크고 6 cm 이하이며 ENE(–)인 경우 또는 동측, 다발성으로 직경 6 cm 이하이며 ENE(–)인 경우 또는 양측성 또는 반대측으로 직경 6 cm 이하이며 전이에 ENE(–)인 경우
N2a	동측, 단발성으로 3 cm보다 크고 6 cm 이하이며 ENE(–)인 경우
N2b	동측, 다발성으로 직경 6 cm 이하이며 ENE(–)인 경우
N2c	양측성 또는 반대측으로 직경 6 cm 이하이며 ENE(–)인 경우
N3	직경 6 cm 이상이며 ENE(–)인 경우 또는 림프절 전이를 보이면서 명확하게 ENE(+)인 경우
N3a	직경 6 cm 이상이며 ENE(–)인 경우
N3b	림프절 전이를 보이면서 명확하게 ENE(+)인 경우
병리학적(pathological) N (pN)	
N 분류	기준
NX	평가될 수 없는 인접 림프절
N0	인접 림프절 전이가 없는 경우
N1	동측, 단발성으로 직경이 가장 큰 부위가 3 cm 이하이며 ENE(–)인 경우
N2	동측, 단발성으로 3 cm 이하이며 ENE(+)인 경우 동측, 단발성으로 3 cm보다 크고 6 cm 이하이며 ENE(–)인 경우 또는 동측, 다발성으로 직경 6 cm 이하이며 ENE(–)인 경우 또는 양측성 또는 반대측으로 직경 6 cm 이하이며 ENE(–)인 경우
N2a	동측, 단발성으로 3 cm 이하이며 ENE(+)인 경우 동측, 단발성으로 3 cm보다 크고 6 cm 이하이며 ENE(–)인 경우
N2b	동측, 다발성으로 직경 6 cm 이하이며 ENE(–)인 경우
N2c	양측성 또는 반대측으로 직경 6 cm 이하이며 ENE(–)인 경우
N3	단발성으로 직경 6 cm보다 크며 ENE(–)인 경우 또는 동측, 단발성으로 3 cm보다 크고 ENE(+)인 경우 또는 다발성 림프절 전이가 있으며 하나라도 ENE(+)인 경우(크기, 동측, 반대측, 양측 무관) 또는 반대측, 단발성 3 cm 이하이며 ENE(+)인 경우
N3a	단발성으로 직경 6 cm보다 크며 ENE(–)인 경우
N3b	동측, 단발성으로 3 cm보다 크고 ENE(+)인 경우 또는 다발성 림프절 전이가 있으며 하나라도 ENE(+)인 경우(크기, 동측, 반대측, 양측 무관) 또는 반대측, 단발성 3 cm 이하이며 ENE(+)인 경우

* ENE: extranodal extension

표 11-4 원격전이(M)

M0	원격전이가 없는 경우
M1	원격전이된 경우

표 11-5 TMJ stage

T (tumor)	N (node)	M (metastasis)	Stage (병기)
Tis	N0	M0	0
T1	N0	M0	I
T3	N0	M0	II
T1, T2, T3	N1	M0	III
T4a	N0, N1	M0	ⅣA
T1, T2, T3, T4a	N2	M0	ⅣA
Any T	N3	M0	ⅣB
T4b	Any N	M0	ⅣB
Any T	Any N	M1	ⅣC

표 11-6 조직병리학적 병기(G: grade of differentiation)

GX	평가될 수 없는 경우
G1	고도의 분화도를 보이는 경우(well differentiated)
G2	중도의 분화도를 보이는 경우(moderately differentiated)
G3 and G4	정상조직과 전혀 다르게 보이며 저도의 분화도를 보이는 경우(poorly differentiated)

■ **부가적인 요소**(optional descriptors)

표 11-7 림프관 침범(lymphatic invasion, L)

LX	평가될 수 없는 림프관 침범
L0	림프관 침범이 없는 경우
L1	림프관 침범이 있는 경우

표 11-8 정맥 침범(venous invasion, V)

VX	평가될 수 없는 정맥 침범
V0	정맥 침범이 없는 경우
V1	정맥 침범이 현미경적으로 확인되는 경우(microscopic venous invasion)
V2	정맥 침범이 육안적으로 확인되는 경우(macroscopic venous invasion)

표 11-9 잔류암종 분류(residual tumor classification)

RX	평가될 수 없는 잔류암종
R0	잔류암종이 없는 경우
R1	잔류암종이 현미경적으로 확인되는 경우(microscopic residual tumor)
R2	잔류암종이 육안적으로 확인되는 경우(macroscopic residual tumor)

3) 부위에 따른 분류

(1) 구순 및 구강

표 11-10 원발병소(T)(그림 11-26)

TX	평가될 수 없는 원발병소
T0	흔적이 없는 원발병소
Tis	상피내암종
T1	직경 2 cm 미만의 암종
T2	직경 2 cm에서 4 cm 사이의 암종
T3	직경 4 cm 이상의 암종
T4a	(구강) 인접조직을 침범한 경우이면서 절제가 가능한 경우(예를 들면 피질골을 통과하여 혀의 심부조직을 침범하거나, 상악동, 피부를 침범한 경우)
T4b	저작간극, 익상판, 두개저, 내측경동맥 등을 침범하여 절제가 불가능한 경우

혀의 경우는 설골설근(hypoglossus), 경돌설근(styloglossus), 이설근(genioglossus) 또는 구개설근(palatoglossus) 등 외인성 근육에 종양이 침범하였을 경우에 T4로 분류되며 상하종주설근(superior, inferior longitudinal muscle), 횡설근(lingual transversus) 또는 수직설근(vertical muscle) 등 내인성 근육에만 침범이 국한된 경우는 T4의 분류에 넣지 않는다.

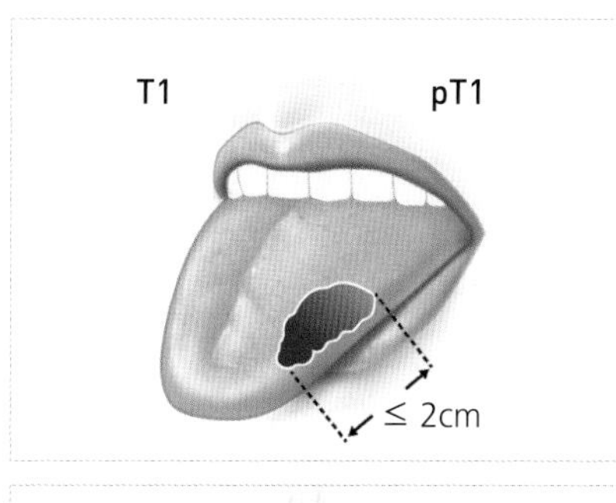

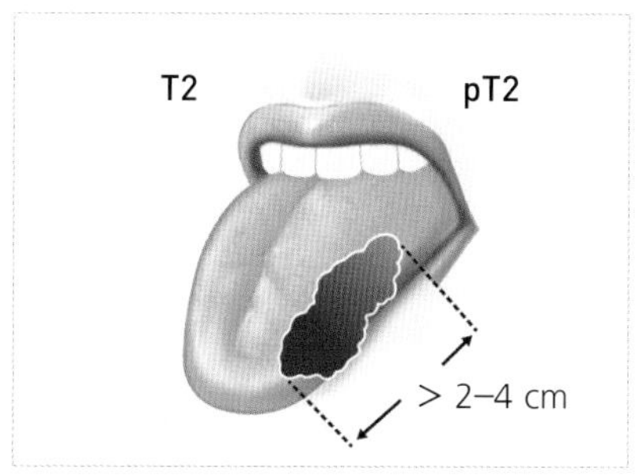

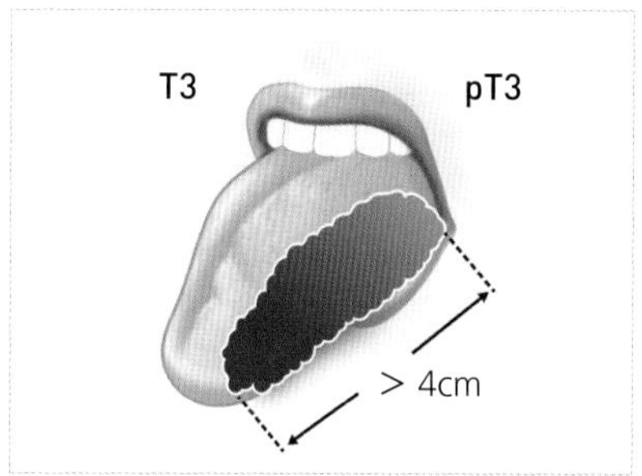

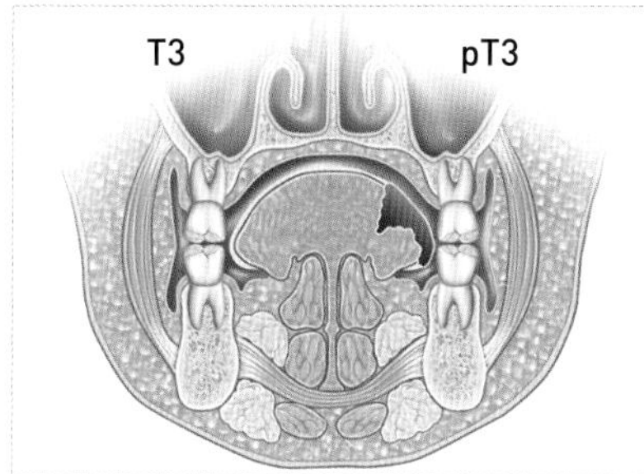

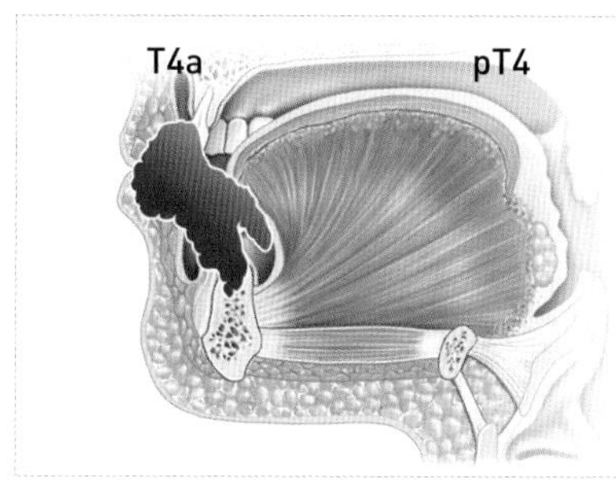

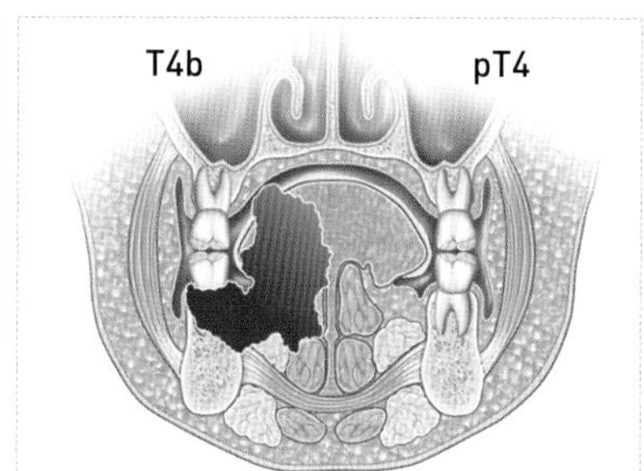

그림 11-26 원발병소 크기에 따른 T 분류.

표 11-11 인접 림프절(N)

NX	평가될 수 없는 원발병소
N0	인접 림프절 전이가 없는 경우
N1	동측, 단발성으로 직경 3 cm 미만의 전이를 보일 때
N2a	동측, 단발성으로 직경 3 cm에서 6 cm 사이의 전이를 보일 때
N2b	동측, 다발성으로 직경 6 cm 미만의 전이를 보일 때
N2c	양측성 또는 반대측으로 직경 6 cm 미만의 전이를 보일 때
N3	직경 6 cm 이상의 전이를 보일 때

표 11-12 원격전이(M)

MX	원격전이의 정도를 평가할 수 없는 경우
M0	원격전이가 없는 경우
M1	원격전이된 경우

표 11-13 병기 구분

병기 0		Tis N0 M0
병기 I		T1 N0 M0
병기 II		T2 N0 M0
병기 III		T3 N0 M0 T1 N1 M0 T2 N1 M0 T3 N1 M0
병기 IV	A	T4a N0 M0 T4a N1 M0 T1 N2 M0 T2 N2 M0 T3 N2 M0 T4a N2 M0
	B	T4b Any T M0 Any T N3 M0
	C	Any T Any N M1

구강암 영역에서는 일반적으로 위와 같은 분류를 따르게 되는데, 그 밖에 추가할 특이사항으로는 다음과 같다.

(2) 구인두

표 11-14 원발병소(T)

T4a	종양이 인두 및 혀의 심부근육, 내측익상판, 하악골 등을 침범하였지만 절제가 가능한 경우
T4b	종양이 외익돌근, 익상판, 구인두의 측면, 혹은 구개저를 침범하였거나 내경동맥을 둘러싸고 있어 절제가 불가능한 경우. 저작간극, 익상판, 두개저, 내측경동맥 등을 침범하여 절제가 불가능한 경우

표 11-15 원발종양(T)

T1	골파괴 없이 상악동 점막에만 국한된 경우
T2	경구개와 중비도(middle nasal meatus)를 포함하지만, 상악동 후벽이나 날개판(pterygoid plate)을 포함하지 않으며, 골파괴를 보이는 경우
T3	협부피하조직, 상악동후벽, 안와내측면, 날개오목(pterygoid fossa), 사골동전면을 침범한 경우
T4a	안구 전방부, 협측의 피부, 날개판, 측두하와(infra-temporal fossa), 벌집체판(cribriform plate), 접형동(sphenoidal sinus) 혹은 전두동(frontal sinus)을 침범한 경우
T4b	안첨부, 경막(dura), 뇌(brain), 중두개저, 삼차신경의 상악지 이외의 뇌신경, 비인두, 경사대(clivus)를 침범한 경우

(3) 상악동

부비동 암종 중에 가장 흔한데, 가상평면인 왠그렌선(Ohngren line; 하악우각부와 내측안각을 연결하는 평면)을 기준으로 전하부분인 하부구조와 상후부분인 상부구조로 나눌 수 있다(그림 11-27). 원발종양의 침범 범위에 따라 표 11-15와 같이 분류할 수 있으며 경부림프절의 전이와 원격전이 분류는 구강암과 같다.

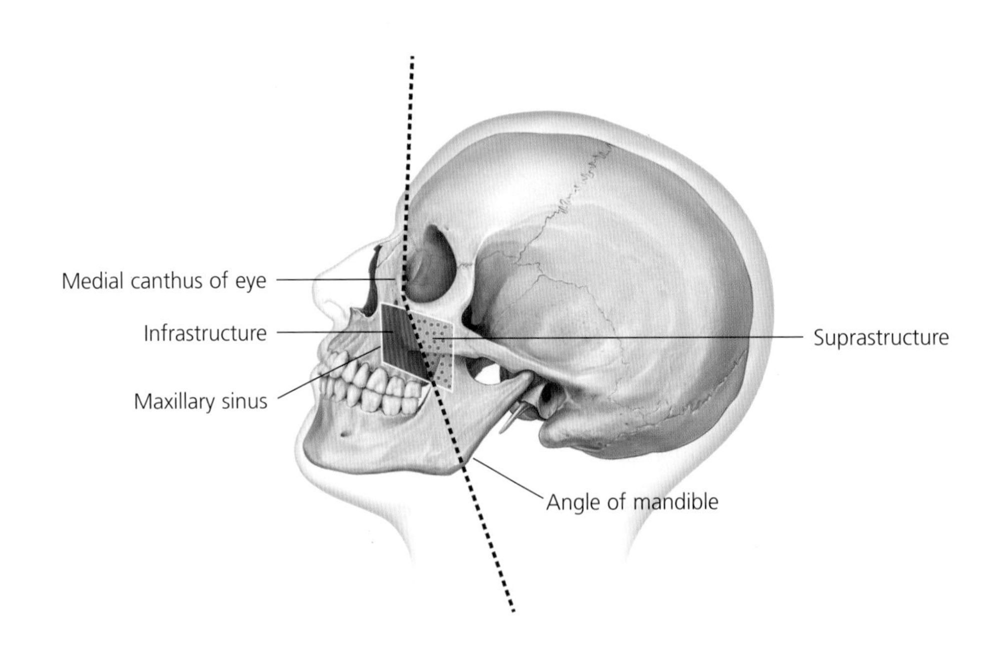

그림 11-27 Öhngren's line.

Ⅳ. 구강암의 치료

1. 구강암의 치료계획

구강암의 가장 흔한 병리소견은 편평세포암종이며 나머지는 소타액선에서 발생하는 암종과 육종이다. 편평세포암종은 체내에서는 모든 방향으로 커지며 자라나는 도중에 만나는 조직과 층에 따라 행동(behavioral pattern)이 바뀌게 된다. 악성종양이 퍼지는 방법은 국소침습(local infiltration), 림프침투(lymphatic permeation), 신경주위침습(perineural invasion)(그림 11-28) 및 림프 혹은 멀리 떨어진 곳으로의 색전전이(embolic metastasis)(그림 11-29)에 의하여 이루어진다. 특히 편평세포암종은 국소침습, 신경주위침습, 림프전이(lymphatic metastasis)가 주된 방법이므로 치료계획 결정 시 이러한 특성을 고려해야 된다.

구강암의 치료에는 크게 3가지가 있다. 수술로 종물을 절제해내는 외과적 요법, 방사선조사로 종물을 서서히 괴사시키는 방사선요법, 그리고 항암제를 투여하는 항암화학요법이 있다. 이 3가지 중 한 가지만을 이용하는 것을 단독요법이라 하고 2가지 이상의 방법을 혼용하는 경우를 복합요법이라 한다. 3가지 방법의 치료방법 결정에는 고려해야 할 사항이 있다.

1) 병기(Stage)

병기는 종양의 크기, 국소림프절 전이, 그리고 원격전이에 의해 결정되며 1기에서 4기로 구분한다. 즉 병기 1, 2기를 초기 구강암(early oral cancer)이라 하고, 병기 3, 4기를 진전된 구강암(advanced oral cancer)이라 한다. 이 병기에 따라 치료방법은 달라진다. 일례로 국소나 원격전이가 없는 2 cm 미만의 1기 병소는 국소절제나 방사선치료만으로도 쉽게 완치시킬 수 있다. 반면에 4기와 같은 진전된 구강암은 처음부터 수술을 하기보다는 항암화학요법이나 방사선치료로 병소 크기를 줄인 후 수술을 시도할 수 있을 것이다. 더욱이 원격전이가 있는 M1의 상태인 경우에는 국소치료만 한다는 것이 의미가 없을 것이다. 일반적으로 초기 구강암에서는 수술 혹은 방사선요법이 이용되고 진행된 구강암에서는 복합요법이 이용된다. 병기에 따른 구강암 환자의 예후는 지역과 기관, 보고시기에 따라 다양하게 보고되고 있으나 치료 후 5년생존율을 살펴보면 통상적으로 1기의 경우 약 70–80% 이상, 2기의 경우 약 50–70%, 3기의 경우 약 30–50% 그리고 4기의 경우 약 20–30% 이하의 성적을 보이고 있으나 이러한 결과는 국가마다 병원마다 다르며 최근 초기 암의 경우 생존율이 많이 향상되었다.

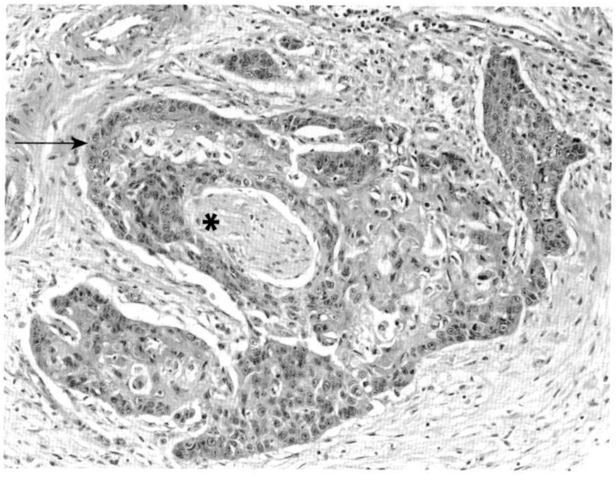

그림 11-28 신경주위침습(perineural invasion).
화살표: 침범한 암조직, *: 신경

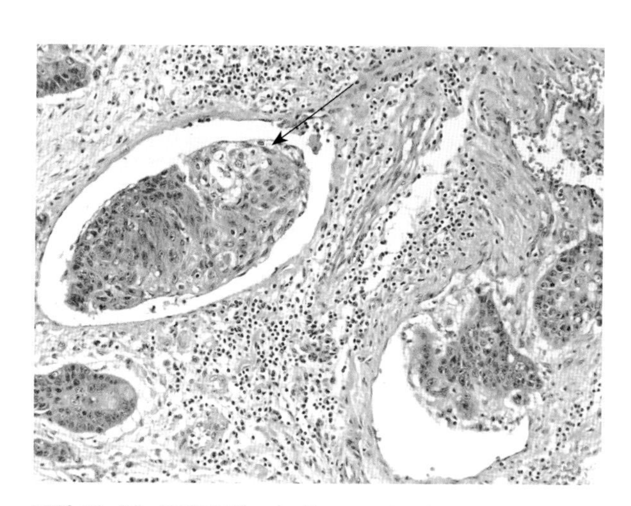

그림 11-29 색전전이(embolic metastasis, vascular permeation). 화살표: 혈관내 암세포

2) 병소부위(Location of lesion)

구강암은 대부분 구강 안에 발생되지만 병소가 자라면서, 혹은 치료하면서 자연히 안면과 연관을 갖게 된다. 따라서 구강암 치료방법의 선택은 치료 후 안면의 형태 결손에 따른 심미적 문제, 발음, 저작 및 연하기능 등을 고려해야 한다. 이런 문제를 모두 고려하여 부위에 따른 적절한 치료방법을 선택해야 한다. 또한 치료 성적에서도 구강저, 혀, 후구치암종은 불량한 예후를 나타내는 부위암이다. 위치적으로 상악에 비하여 하악에 발생하는 경우가 예후가 나쁘며 구강 전방부보다 후방부에 위치하는 경우가 더욱 예후가 떨어진다.

3) 병리조직 소견(Pathologic findings)

암은 세포질환이다. 따라서 구강암의 세포학적 성상을 파악하여 적합한 치료를 해야 한다. 구강암은 편평세포암종이 대부분을 차지한다. 나머지는 타액선암, 육종, 흑색종 등이다. 일반적으로 악성도가 높을수록 외과적 절제가 요구된다. 육종이나 흑색종처럼 악성도가 아주 높은 구강암은 근치를 위해서는 외과적 절제가 필수적이다.

4) 환자의 전신건강상태

구강암의 처치에 있어서 환자의 나이에 따른 전신조건을 정확히 평가하는 것은 필수적이다. 심혈관질환, 간질환 등은 전신마취나 수술 등에 영향을 미친다. 또 신장질환은 cisplatin 등의 항암제 투여에 제약을 준다. 따라서 구강암치료 이전에 병력청취, 신체검사, 그리고 각종 이화학검사를 통하여 환자의 전신상태를 정확히 평가한 후 구강암 치료계획을 마련해야 한다. 이러한 질환 유무 이외에도 환자의 운동능력 상태를 나타내는 운동능력이행 상태지수(performance status scale)에도 부합되는 치료방법을 선택해야 할 것이다.

2. 구강암의 수술요법

암조직을 외과적으로 절제해내는 방법은 구강암 치료에 가장 우선 이용되는 방법이다. 구강암을 수술할 때 구강 내는 물론 인접 구조물에 대한 충분한 해부학적 이해와 고려가 필요하다. 예를 들어 상악치은암은 구강내로부터 시작하여 상악동으로 쉽게 침범하며 안와, 비강 그리고 사골동까지 침범하기도 한다. 혀에 발생한 설암도 진행이 되면서 구강저로 쉽게 침범하고 후구치 삼각부에 발생한 암종은 쉽게 연구개, 협점막 그리고 구강저와 편도를 포함하게 된다. 따라서 단순히 해부학적인 위치를 구별하는 것은 큰 의미가 없을 수 있다. 또한 구강암은 경부림프절로 전이가 되기 때문에 경부림프절 절제술이 필요한 경우가 많고 잠재전이(occult metastasis)도 자주 관찰된다. 따라서 다양한 병태생리적 특성을 가진 구강암의 수술범위와 수술방법은 매우 다양하며 수술로 인한 결손의 재건술이 반드시 동반되어야 한다.

초기 구강암일 경우 수술적 치료만으로 완치율이 높지만 암이 진행되면 원발병소 수술도 복잡할 뿐만 아니라 경부의 림프절 전이가 있는 경우 경부림프절청소술을 동시에 해야 한다. 외과적 절제 수술법 및 재건술의 발달로 완전절제 후 인접조직을 이전시키거나, 미세혈관수술 등으로 수술 후 야기될 수 있는 형태이상이나, 기능결함 등을 최소화하고 있다. 또 수술 후 야기된 결손부는 악안면보철(maxillofacial prosthesis) 등의 방법으로 심미적 문제를 해결하기도 한다. 임상적 검사 및 영상의학검사 후 경부림프절 전이의 증거가 없지만 실제로는 경부림프절 전이가 있는 경우를 잠재전이라 하는데 이러한 잠재전이의 가능성이 있는 경우에는 경부청소술을 고려해야 한다. 구강암수술 시 절제하는 수단으로 종래의 수술도와 함께 전기소작술(electrocautery)이 흔히 이용되는 방법이고 레이저수술이 이용되기도 한다.

1) 구강암 수술의 기본 접근방법

구강암의 치료는 근치적인 절제가 가능하다면 수술이 우선적으로 선택된다. 1, 2기 초기 구강암은 단독 수술적 치료 혹은 방사선 단독치료를 통하여 높은 성공률을 보인다. 하지만 Carvalho 등의 연구에서 T1, T2 구강암 환자의 수술, 방사선 또는 복합치료 결과, 가장 재발률이 낮은 것은 수술적 치료방법이라고 하였다. 구강암의 수술적 치료는 수술 직후의 환자 이환율 및 마취 부작용 등이 있어서 방사선치료보다는 더 침습적인 방법이지만 수술 후 합병증 없이 회복이 되면 정상적인 생활로 복귀가 쉽다. 방사선치료 후에는 구강건조증, 방사선치아 우식증 발생확률이 높으며 재건에 사용된 피판의 괴사, 발치 후 치유가 되지 않는 방사선골괴사의 발생률이 높아진다. 통상 방사선치료 후의 합병증을 피하기 위해서 수술적 치료가 추천되지만 현재까지 2개 치료법을 무작위 연구한 것은 없다. 진행된 암의 치료에 있어서 수술이 가능한 경우에는 수술적 절제를 통하여 최대한 안전 절제연을 확보한 뒤에 수술 후 방사선 단독 혹은 항암화학요법 병행치료가 가장 일반적인 치료법이다.

구강암 수술 후 초래된 결손부를 일차적으로 봉합하기 어려운 경우 술후 기능의 향상을 위하여 재건술이 행해진다. 유리조직이식은 이식조직의 움직임이 좋고 혈행이 양호하기 때문에 구강암 수술 후 재건에 많이 사용되고 있다. 재건조직의 선택은 조직결손 양이나 형태에 따라 결정된다.

악골을 포함하여 경조직의 결손을 동시에 포함하는 경우 경조직의 재건을 골조직으로 할지 아니면 금속재건판을 사용하는지에 따라 피판을 선택할 수 있다. 하악골의 재건에 가장 많이 사용되는 피판은 유리비골피판과 자가장골피판이며 비골피판은 연조직과 경조직을 동시에 재건할 수 있는 장점이 있다. 자가장골피판은 뼈의 양을 충분히 얻을 수 있어 임플란트 식립이 계획된 경우 유용하게 사용될 수 있다.

수술적 치료를 시행할 때, 기능손상을 최소화하는 동시에 적절한 종양의 절제연을 확보하는 것이 중요한데, 안전한 수술 절제연과 관련된 용어 및 정의는 연구마다 차이가 있다. 임상적으로 의미를 갖는 절제연은 조직병리학적으로 측정된 거리이며, 구순에 발생한 암의 경우는 5 mm의 안전 절제연이 추천되며, 그 이외 부위의 구강암은 10 mm의 안전 절제연 확보를 추천한다. 병리소견상 5 mm 이내의 절제연은 국소재발률이 유의하게 높음이 보고되어 있다. 크게 3차원적인 절제 위치에 따라서 점막 절제연과 심부 절제연으로 나누고, 각 위치에서 종양과 절제연의 거리에 따라, 5 mm 이내에 현미경적 암이나 상피이형성이 없는 경우를 안전 절제연으로, 절제경계에서 5 mm 이내에 현미경적 암이나 상피이형성이 있지만 절제경계부에는 발견되지 않는 경우를 근접 절제연(close resection margin)으로 분류한다. 조직병리학적으로 5 mm 이내에 암조직은 없지만, 절제경계부에 상피이형성이 있는 경우는 이형성증으로 분류하며, 절제경계부에 상피내암 또는 침윤암이 있는 경우나 종양의 경계와 절제연의 거리가 1 mm 미만인 것은 양성 절제연(positive resection margin)으로 간주한다. 구강의 편평세포암종에서 양성 절제연은 암종의 국소적 재발을 야기한다는 근거가 존재한다. 한 연구에서 5 mm 이하의 근접 절제연, 전암성 변화, 상피내암이나 침습암의 존재를 양성 절제연으로 분류하였을 때, 안전 절제연보다 국소재발이 증가하고 5년생존율이 낮아지는 것을 보고하였다. 5 mm 이내의 안전 절제연은 5 mm를 넘는 충분한 절제보다 5배의 재발률이 있다는 보고도 있다. 일반적으로 조직학적으로 결정된 1–3 mm의 안전거리를 갖는 절제는 좁은 절제연으로 여겨지며 최소 5 mm가 안전한 절제연으로 여겨진다. 일반적으로 양성점막 절제경계보다 양성 심부 절제연 또는 다발성 양성 절제경계가 국소재발률을 증가시킨다. 특히 설암과 구강저암에서는 심부 절제연이 5 mm 이상이 되도록 하는 것이 가장 중요하다고 보고되었다.

절제경계연의 평가를 위해 수술 중 동결절편검사를 시행하는데 이 검사법의 유용성과 신뢰도는 많은 연구에서 우수한 것으로 나타나 구강암에서의 진단 정확도가 높게는 97–99%까지 보고되고 있다. 하지만 일부 연구에서 동결절편검사의 한계점도 보고되고 있는데, 대표적인 것이 검체채취 오류와 병리판독 오류이다. 검체채취 오류는 동결절편검사를 위한 검체처리 과정에서 정확한 절제경계역 부위를 포함하여 절편 제작이 되지 않았거나 심부에 가려져서 판독되지 못하는 경우이다. 병리판독 오류는 동결과정이나 이전 수술방사선치료 등으로 조직변성이 발생하는 경우에 발생한다. 하지만 수술 중 동결절편검사는 안전한 절제연을 검사하는 데 유용하다. 처음 동결절편검사에서 양성 절제연으로 판정되어 추가절제를 통해 안전 절제연을 확보한 환자군이, 최초 동결절편검사에서 이미 안전 절제연을 확보한 환자군에 비해 국소재발률이 높고 생존율이 낮음이 보고된 바 있다. 절제경계에 상피이형성증, 특히 중등도의 이형성이 있는 경우 국소재발이 유의하게 증가한다는 보고도 있다. 따라서 최초 동결절편검사에서 안전 절제연을 확보하는 것이 중요하며 안전 절제연이 아닌 경우 반드시 추가 절제를 통해 안전 절제연을 확보하여야 한다.

(1) 경구절제(peroral excision)(그림 11-30)

자연상태의 입을 통해 구강내 종물을 절제해내는 방법으로 구강내 종물의 크기가 작거나 구강의 전방부에 위치할 때 사용할 수 있는 방법으로 가장 합병증이 적다.

(2) 협부피판(cheek flap)(그림 11-30)

상악에서는 Weber–Fergusson–Diffenbach 절개선으로 절개한 후 피판을 형성하여 상악골절제술 등을 시행하고, 하악에서는 입술의 입술 분할(lip split)의 연장과 하악하연 절개(Risdon's incision) 후 피판을 제쳐 하악골절제, 협부종물 절제 등을 시행한다.

(3) 면갑피판(visor flap)

하악하연 절개를 양측으로 가하여 시야 및 접근성을 확보한다. 정중부이개를 하는 하악협부피판에 비해 시야는 좋지 않을 수 있으나 피판의 혈행 및 심미성은 우월하다.

(4) 하악골절단(mandibulotomy)(그림 11-30)

하악골 정중부 등의 절개로 시야확보 후 설기저부, 구강저암 및 편도암 등을 수술한다.

(5) Pull-through

하악의 설측 구강저 절개를 통하여 혀를 하악 하연으로 위치시켜 혀의 암을 제거할 수 있는 방법으로 혀와 혀 기저부 수술에 유리하다.

(6) Robotic surgery(그림 11-30)

다빈치로봇을 이용하여 최소절개 후 경부청소술이 시행될 수 있으며 심미적으로 우수한 결과를 보인다.

2) 구강암 부위별 수술방법

(1) 구순암

구순암의 발생 원인으로 담배, 파이프 담배와 구순 접촉부의 손상, 니코틴, 타르 등의 자극, 매독, 자외선 등이 거론되고 있다. 하순에서 호발하며, 구순의 피부점막경계(vermilion border)에서 주로 발생되고 구순염, 경결감, 궤양 또는 종창을 형성하며 신경주위의 전이가 있는 경우 감각이상을 초래할 수도 있다. 주로 노인에서 많이 발생하는데 백인에서는 구순암이 흔하나 한국인에서는 발생빈도가 낮다. 조직학적으로 분화도는 좋으며 경부림프절 전이 빈도는 다른 부위 구강암에 비하여 낮은 편이다. 위치가 중앙에 가까울 경우는 편측뿐 아니라 반대측의 림프절의 전이도 가능하다. 종종 봉와직염과 같은 염증성 병소와 감별을 필요로 할 경우도 있다. 구순암은 주로 하순(lower lip)에 발생되는데, 치료성적은 90% 이상의 완치로 구강암 중에서 제일 좋다. 수술술식은 주로 심미성을 고려하여 병소의 크기와 위치에 따라 달리한다. 2 cm 미만의 작은 크기의 병소일 때에는 인접 정상조직을 포함하여 V자, W자, 혹은 방패(shield)모양으로 절제하나(그림 11-

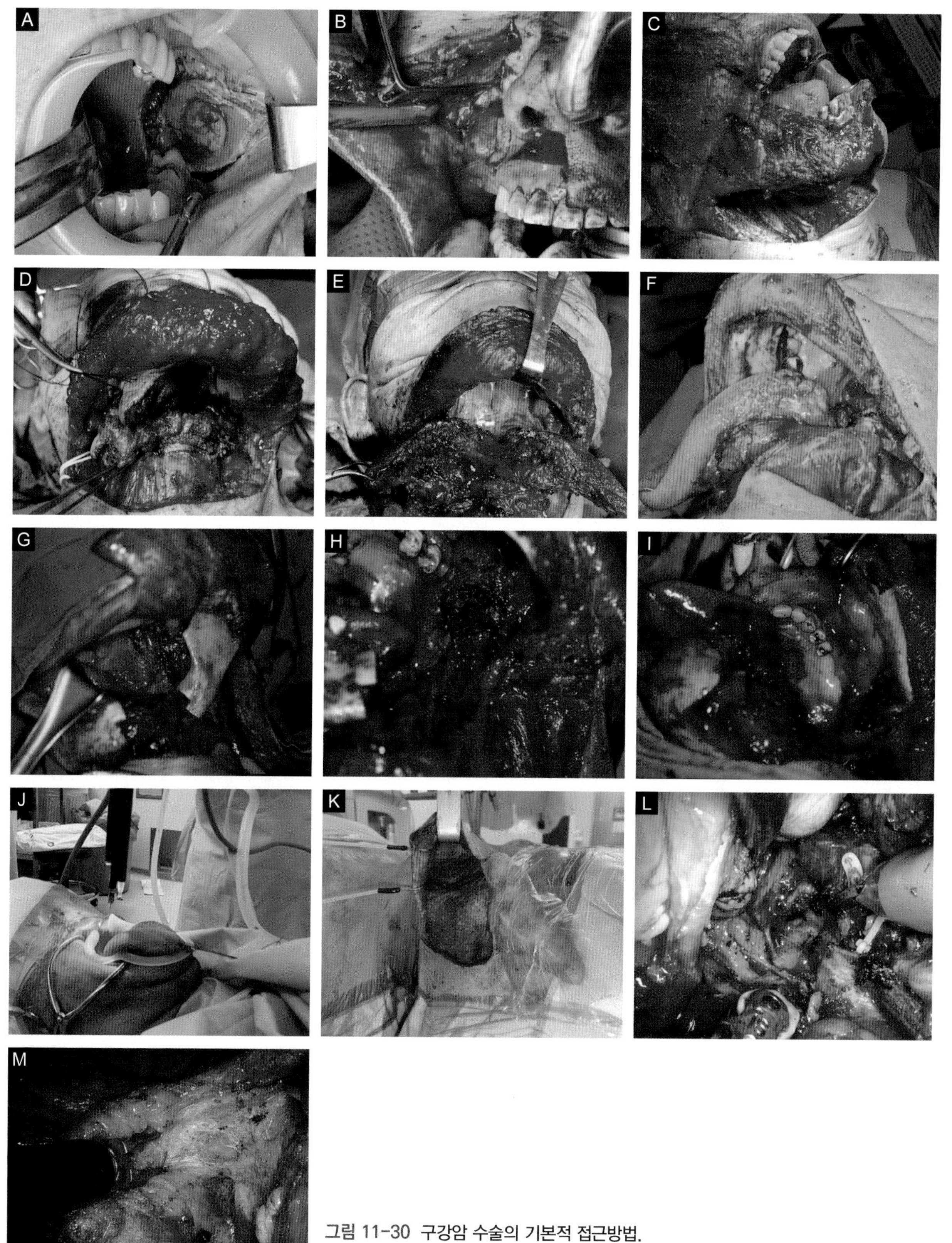

그림 11-30 구강암 수술의 기본적 접근방법.
A: 경구접근법 B: 협부피판(상악) C: 협부피판(하악) D–F: mandibular lingual release G–I: 협부피판과 하악골절단 J: 로봇을 이용한 경구접근 K–M: 로봇을 이용한 경부청소술.

31C, D) 이보다 클 때에는 병소위치에 따라 여러 가지 방법의 피판(flap)을 이용하여 재건술까지 함께 시행하는 것이 좋다(그림 11-31E, F).

입술에 발생한 구강암의 절제 시에는 만져지는 하방의 암조직을 포함하여 전층 절제를 하는 것이 원칙이다. 일반적으로 구강내에 비하여 절제 시 안전 절제연은 0.5 cm로 한다. 동결표본검사에서 3 mm의 안전 절제연이 적당하다고 발표하였다. 1 cm 이상의 안전 절제연을 확보하면서 구순에 발생한 암을 절제하는 경우 술후 심미적 결과를 얻기 힘들다. 그러므로 입술은 절제 전에 반드시 재건을 미리 계획하여야 한다. 구순암에서 임상적으로 N0인 경우 경부에서 잠재전이는 10% 미만으로 발표되므로 cN0의 경우에는 예방적 경부청소술을 시행하지 않는다.

(2) 설암

우리나라에서는 구강암 중 가장 많이 발생하는 편이나 예후는 구강저암과 함께 가장 불량하다. 주로 예리한 치아 절단면이나 불량하게 제작된 보철물에 의해 장기간 접촉함으로써 국소적 외상성 자극이 만성적으로 혀에 가해질 때 발생될 수 있으며 백반증, 궤양, 경결감 등의 증상이 나타난다(그림 11-32). 전체 설암의 약 70–80%가 혀의 측연에 발생하며 12–15% 정도는 혀의 배면, 5–7%가 혀의 복면에서 나머지 2–3%에서

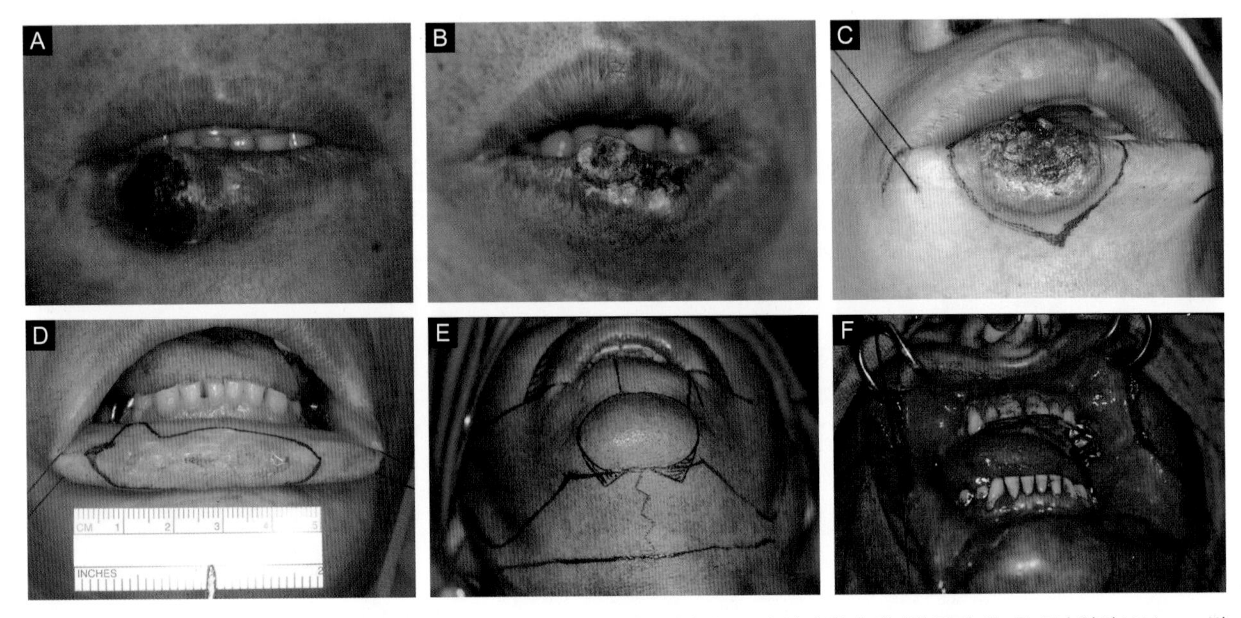

그림 11-31 구순암. A, B: 하순에 발생한 구순암 C: 구순암의 쐐기형 절제 D: 구순암의 확장 쐐기형 절제 E, F: 구순암의 Webster 변법 절제.

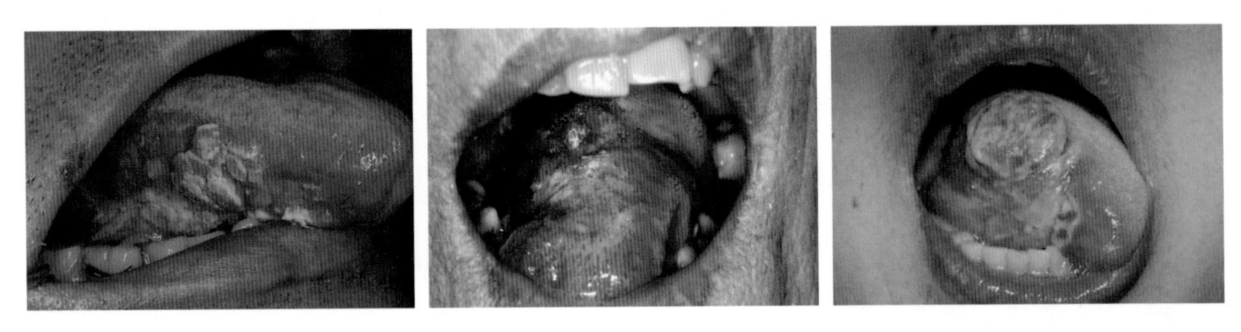

그림 11-32 설암.

혀끝 부분에 발생하는 것으로 알려져 있다. 특히 혀 측연에 존재하는 만성적 위축성 편평태선의 약 1-2%에서 암으로 진행하는 것으로 보고되고 있다. 혀에 발생된 종양은 양측성 경부림프절로 전이될 가능성이 비교적 높다. 혀의 발생부위에 따른 경부림프절 전이 위험도는 차이가 없으나 설암이 구강저로 침윤한 경우는 림프절 전이 위험도가 높아진다. 특히 종양 두께가 2 mm 이상인 경우 림프절 전이 가능성이 45.6%로 높아지는 것으로 알려져 최근에는 종양의 크기뿐만 아니라 종양의 두께가 예후에 더 중요한 요소로 고려되고 있다. 설암은 해부학적으로 혀 후방 1/3 부위를 경계로 앞부분은 구강설(oral tongue or mobile tongue), 뒷부분은 기저설(base of tongue)로 나눈다. 구강설보다 기저설 부위에 발생한 경우 예후가 불량하며, 예후의 결정요소는 경부림프절 전이 유무로 특히 전이 림프절 개수가 많고 피막외 침습이 존재하는 경우 예후가 불량하다.

외장성(exophytic)의 T1, 그리고 간혹 T2는 보통 구강으로 접근하여 절제할 수 있다. T2 이상의 설암은 잠재전이의 가능성 때문에 선택적 경부청소술을 동시에 시행하는 경우가 많다. T3 이상의 큰 병소는 입술 분할(lip split)과 하악골절단(mandibulotomy)을 통한 접근법이 필요할 수 있고, 치은에 인접하거나 하악골을 침범한 경우에는 하악골절제술을 함께 시행한다. 이렇게 구강내의 종양조직, 침범된 하악골과 더불어 경부림프절까지 한 덩어리로 제거하는 구강암 수술을 복합수술 혹은 코만도 수술(combined mandibulectomy with neck dissection operation, COMMANDO)이라고 한다. 과거에는 구강내의 원발종양과 경부림프절에 전이가 있는 경우, 림프배액의 경로상에 있는 하악골에 침습이 없더라도 함께 절제해야 한다는 개념으로 코만도 수술을 시행했다. 그러나 림프가 하악골을 관통하여 배액되지는 않으므로 근래에는 턱뼈에 명백한 침습이 있거나 근접한 경우에 하악의 분절 또는 일부를 원발종양과 경부림프절과 함께 절제하는 수술을 일컫는 말이다. 하악골의 절제가 필요 없고, 구강내 병변과 경부림프절을 한 덩어리로 절제해야 할 경우, pull through operation을 통해 가능하며, 하악골을 보존할 수 있다.

설암은 1 cm 이상의 충분한 안전 절제연을 두고 절제해야 하며, 절제결손부를 일차적인 봉합이 어렵거나 술후 기능향상이 필요하다고 판단될 때 재건술을 시행한다. 유리조직이식은 이식조직의 자유도가 높고 혈행이 양호하기 때문에 연조직 재건에 많이 사용되고 있다. 재건조직의 선택은 결손의 양이나 형태에 따라 결정된다. 설반측절제나 그 이하의 절제인 경우 비교적 얇은 피판인 전완요피판(radial forearm flap)이 가장 많이 사용되며, 결손부의 부피가 큰 경우는 전외측대퇴피판(anterolateral thigh flap) 등도 사용된다. 혀의 전절제(total glossectomy)에서는 연하기능의 회복을 위해 부피가 있는 복직근피판, 대흉근피판, 광배근피판, 복합 전외측대퇴피판 등의 근피판이 사용되는 경우가 많다. 그러나 혀의 전절제 후에는 재건술을 하더라도 기능장애의 정도가 크고, 특히 양측의 설골상근군(supra hyoid muscles)이나 설하신경을 절제한 경우와 고령자에서는 심한 연하장애가 남게 될 수 있다.

(3) 구강저암

다른 부위에 비하여 백반증에서 암으로 진행하는 경우가 흔하다. 술, 담배, 불량한 구강위생 상태, 치아에 의한 자극 등에 의하여 야기되며, 경결성 궤양, 사마귀모양 종창, 환자의 발음이상 등을 보이며 구강저의 정중부에 무통성의 궤양을 형성하기도 한다. 병변의 진행에 따라 혀나 하악골을 침범하기도 한다. 정중부 포함 전방 구강저부에 호발하며 양측성으로 경부림프절로 전이가 잘 일어난다. 구강저 편평세포암종은 하악과 가깝고 침윤 시 방어막이 없어 치료가 어렵고 예후도 좋지 않다(그림 11-33).

구강저암의 수술은 설암과 비슷하다. 표층 병소는 절제 후 일차적으로 폐쇄시키거나 이차치유시킬 수 있다. 절제범위가 와튼관(Wharton's duct)과 가깝거나 포함한다면 도관을 이동시킨다. 보다 깊은 병소는 하부근육층을 포함해서 절제한다. 병소에 인접한 하악골과 국소림프절에 대한 처치는 설암과 유사하며 절제 후 재건술도 그렇다. 수술 시 구강내 접근법이 먼저 고려하나, 구강내 접근법으로 적절한 수술 절제연을 얻을 수 없는 경우는 다른 접근법을 사용해야 한다. 구강저암에서는 경부림프 절제조직과 원발병소가 한덩어리로 함께 제거하는 것이 추천된다. 구강내 접근법으로 한 덩어리(en bloc)로 제거하기 어려울 때 면갑피판이나 pull-through approach나 mandibular lingual release로 수술할 수 있다. 구강저암 또한 1 cm 이상의 안전 절제연을 두어야 하며, 혀나 하악골을 침범한 경우 혀절제술과 하악골 절제술을 포함한다. 구강저암의 하악골 침범이 확실한 경우 하악절제술이 필요하며, 하악 변연절제나 분절절제를 할 수 있다. 암종이 작고 외향성 병소인 경우 하악골 변연절제술을, 하악골을 직접적으로 침범한 경우에 분절절제를 고려하게 된다. 하악 변연절제는 병소가 하악에 근접한 경우 안전 절제연 확보를 시행할 수 있는데, 병소가 하악의 골막을 침범했거나 치조돌기 또는 피질골을 미세하게 침범했을 때에도 선택할 수 있다.

구강저암은 림프절 전이가 자주 일어나 치료실패가 주로 경부에서 발생한다. 잠재전이는 30%보다 높게 나타나는데, level I, II, III 부위에서 7−64%, level IV, V 부위에서 0−2%로 나타난다. 양측성 전이와 반대측 전이도 각각 3.4%, 2.2%로 나타난다. 구강저암에서 예방적 경부청소술을 시행했을 때 술후 재발과 생존에 있어서 보다 좋은 결과를 보인다고 보고되었다. 술전 검사에서 림프절 전이가 없음에도 병소 크기가 크거나 잠재전이가 의심이 되는 경우 선택적 경부청소술(selective neck dissection, SND)이 추천된다. 이때 구강저 측면 병소는 동측의 경부청소술이, 정중부 병소는 양측 경부청소술이 추천된다. 술전 검사에서 림프절 전이가 있는 경우 그리고 림프절에 외막

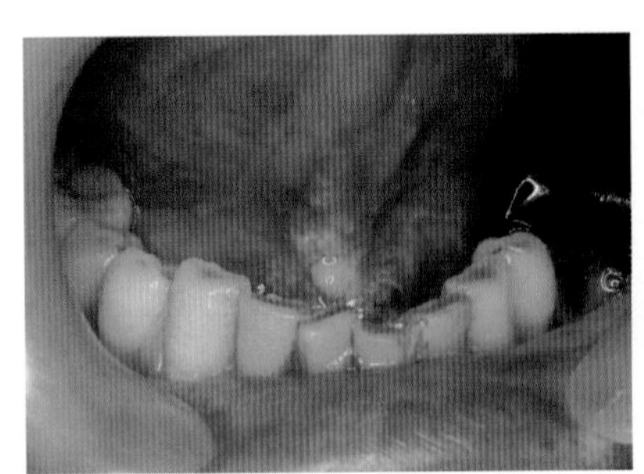
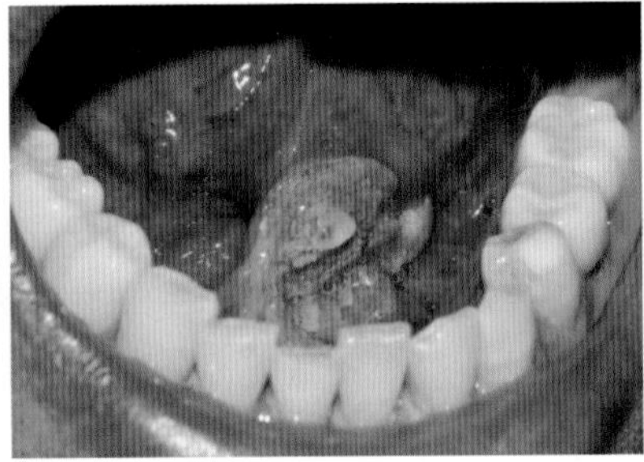
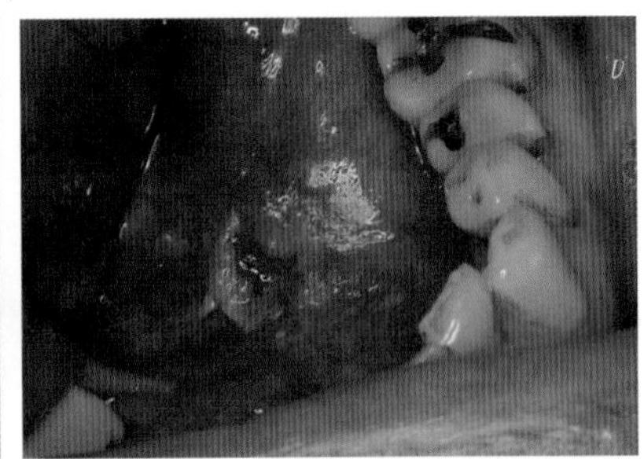

그림 11-33 구강저암.

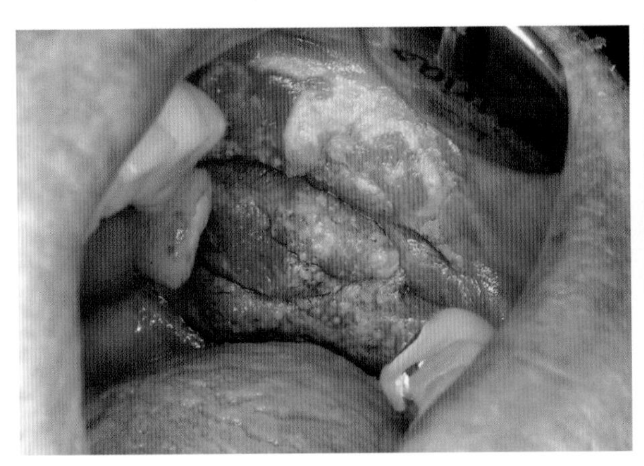
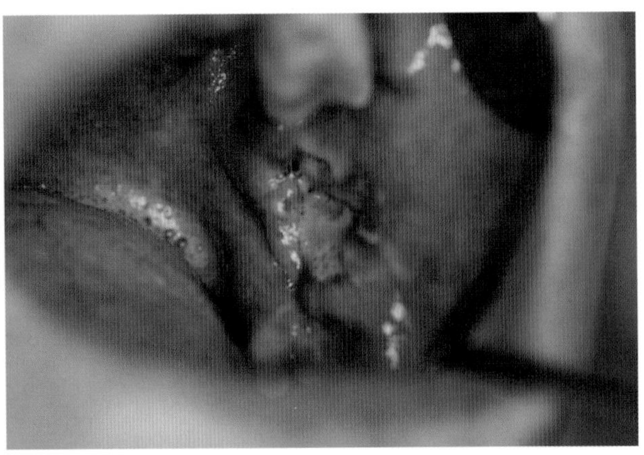

그림 11-34 협점막암.

을 침범한 경우는 변형 근치적 경부청소술(modified radical neck dissection, MRND)을 시행한다.

(4) 협점막암(buccal mucosal cancer)

씹는 담배를 피우는 사람에서 호발하고, 상악이나 하악 소구치의 예리한 협측 교두의 만성 자극에 따른 염증반응으로 발생되기도 한다. 남성에서 약 2–3배 호발하고 원인은 다른 부위의 구강암과 별 차이가 없다(그림 11-34). 협점막의 백반증에서 흔히 발생되는데, 외향성 또는 침윤성 증식을 하며 악하림프절로의 전이가 많다. 협점막암은 진행에 따라 심부 협근, 저작근을 침범하여 개구장애가 발생한다. 경부림프절 전이는 악하부 또는 이하선 부위로 전이된다.

협점막 편평세포암종은 더 급속하게 성장하고 침투와 전이를 잘하여 재발률이 높은 것으로 보고되고 있어서 비록 초기암이라도 치료에 주의를 요한다. 따라서 N0의 초기 병기라도 경우에 따라 예방적 경부청소술을 시행하고 부가적인 치료를 고려해야 한다. T1 또는 T2, N0의 국소적 협점막암은 구강내 접근으로 절제술을 시행하는 것이 적절하다고 알려져 있다. 구강내 접근은 협측의 피부절개 접근보다 심미적으로 우수하다. 수술 시 충분한 안전 절제연을 두어야 하므로 점막과 점막하부에 국한된 초기병소는 협근까지, 협근을 침범한 경우 협부공간까지 포함하여 절제하는 것이 좋다. 피하조직에서 양성의 변연이 보고된 경우 피부까지 포함한 광범위절제술을 시행한다. 초기 협점막암의 제거 후 인접 협점막의 전진이나 회전을 이용한 폐쇄술을 하거나 부분층 피부이식, 유경 협지방대피판, 인공피부이식 또는 유리 전완요피판을 이용한 재건술을 할 수 있다. 부분층 피부이식의 경우 수술이 간단하나, 이식층 하방의 혈류공급이 충분하지 않을 경우 이식편의 손실을 초래할 위험이 있다. 유경 협지방대 피판 또한 수술이 간단하지만, 술후 수축으로 인해 원래의 개구량 회복 가능성을 예측하기 어렵다. 유리 전완요피판은 수축은 적지만 미세문합을 위한 숙련된 기술을 요하며 술후에 이식된 피판이 아래로 처질 수 있고, 재발병소를 가릴 수 있다는 단점을 가지고 있다. 이외에도 측두근 근막피판을 유경형태로 구강내로 전위시켜 재건하는 방법이 있다. 병소가 진행되어 하부 근육조직 침범 시에는 완전 절제를 해야 하고, 악골로의 침윤이 있으면 악골부분절제를 시행해야 한다. 피부까지 침범하여 관통결손이 발생한 경우 유경 대흉근 피판이나 전외 대퇴근 유리피판 등 다양한 피판을 이용해 재건할 수 있다.

(5) 치은암과 치조골암

치은암은 양상이 염증성 병소와 유사해 치주질환으로 오진하기 쉬우며 이로 인하여 치료가 지연되는 경우가 많다. 상악보다 하악에서 빈발하고 치은에 궤양을 형성하기도 하며 외양성의 사마귀모양 증식을 보이는 경우도 있다(그림 11-35A). 림프절로의 전이는 상악보다 하악에 발생한 경우 빈번하게 나타나며 악하 또는 상부경정맥 림프절에 주로 전이된다. 치은암은 종종 발치와 연관되어 발견되는데, 발치 전에 종양이 별다른 증상 없이 진행되어 만성치주염으로 오인하게 되고, 암종의 진행으로 치조골이 파괴되어 동요도를 보이는 치아를 발치하게 되는 경우라고 볼 수 있다. 이런 경우 발치 후 발치와가 정상적인 치유를 보이지 않고 침윤성 또는 외향성 병소가 진행된다. 치아가 심하게 흔들리면서 궤양성 병변, 증식성 병변이 있는 경우, 심한 치조골흡수가 방사선사진에 보이는 경우 중에는 치은암을 의심할 수 있다. 그러므로 발치 전 환자에게 자세한 설명이 필요하고, 발치 후에 얻어진 조직은 반드시 조직생검으로 확인하는 것이 좋다. 치은암의 경우 전치부나 소구치부에 발생하는 경우가 구치부에 발생하는 경우에 비해 예후가 좋으며 골파괴가 치조골을 넘어 기저골(basal bone)에 이르면 이미 많이 진전된 상태로 예후가 불량하다. 치조골암은 골조직 기원의 육종을 제외하고는 대부분 치은, 혹은 인접 점막으로부터 침범당한 데에 기인한다. 상악 치은암(그림 11-36)은 상방으로 상악동이나 비강 등의 빈 공동부로 침범할 수 있고, 후방으로 익상돌기, 익구개와, 측방으로는 협점막으로 진행할 수 있다. 상악골 절제 시에는 구내상악골절제(intraoral maxillectomy)를 할 수도 있지만, 후방까지 접근이 어려운 경우에는 Weber-Fergusson-Diffenbach 절개(그림 11-30B 참고)를 이용해 시야를 확보하고 접근한다. 치조능에 국한된 작은 종양인 경우에는 침범된 치조부와 상악의 일부만 제거하는 치조능절제술로 충분하지만 진전된 경우 경구개를 포함한 상악의 아래 구조물을 제거한다. 많은 경우에 상악부분절제(partial maxillectomy)나 상악아전절제술(subtotal maxillectomy)을 하게 된다(그림 11-37). 상악동 내로 많이 진행된 경우에는 상악동암에 준하여 상악전적출술이나 확대 상악전적출술(extended total maxillectomy)을 한다. 절제에 따라서 상악동이나 비강이 개통되는 경우가 많다. 이러한 누공이 발생한 경우에는 식이섭취나 발음을 위해서 누공을 폐쇄해야 하며 유리피판 혹은 보철물을 적절히 이용한다. 진행된 암에서는 방사선요법이나 전신 혹은 천측두동맥에서 선택적 주사 등의 화학요법을 병행하는 복합적 치료가 사용되는 경우가 많다.

하악 치조골암은 설암, 구강저암, 후구치암, 협부암이 하악골을 침습한 경우와 같이 수술한다. 치은암이 하악골에 단순히 근접하여 있거나 일부 치조골에만 경미한 침범이 있는 경우에는 악골의 변연절제를 통하여 하악골의 연속성을 유지하는 것이 수술 후 기능적 심

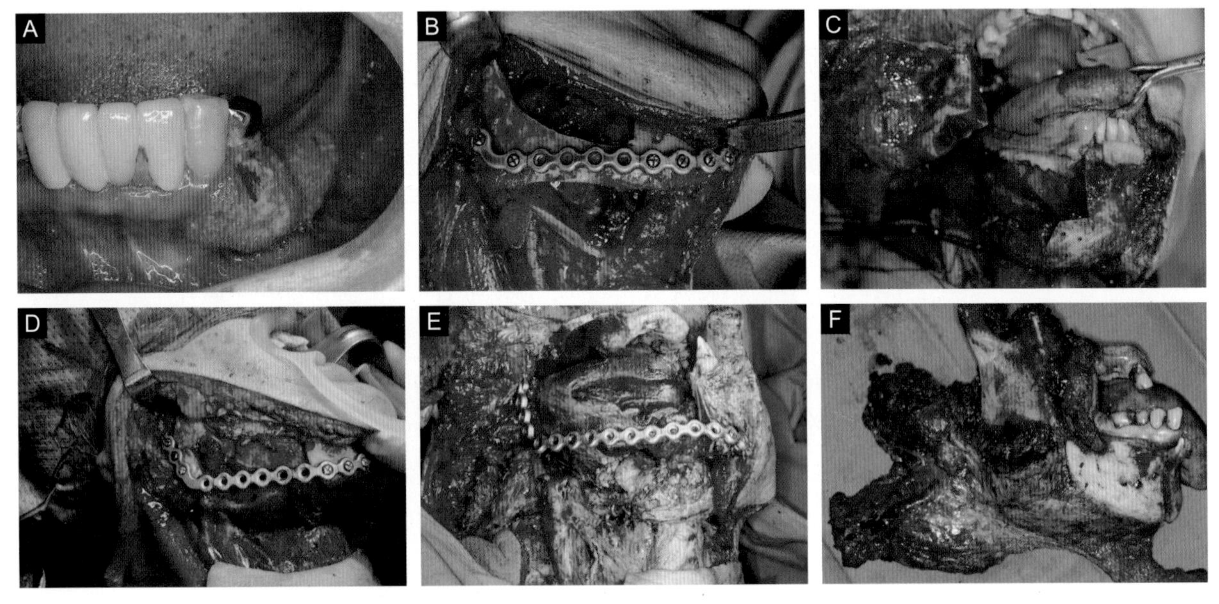

그림 11-35 A: 하악 치은암 B: 하악골에 대한 변연절제술 후 사진 C, D: 하악골에 대한 분절절제술과 고정 후 사진 E: 상악골과 혀의 일부를 포함한 반하악절제술 후 재건용 플레이트를 이용한 재건 F: 절제된 조직.

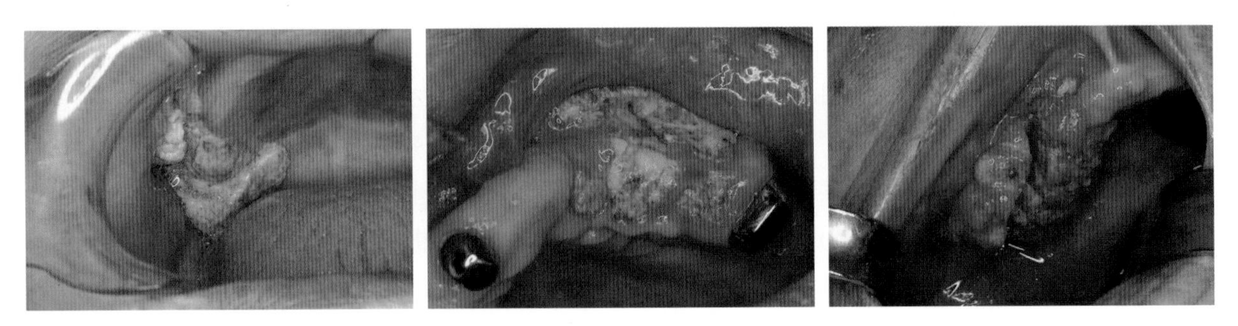

그림 11-36 상악치은암.

Vertical classification

I

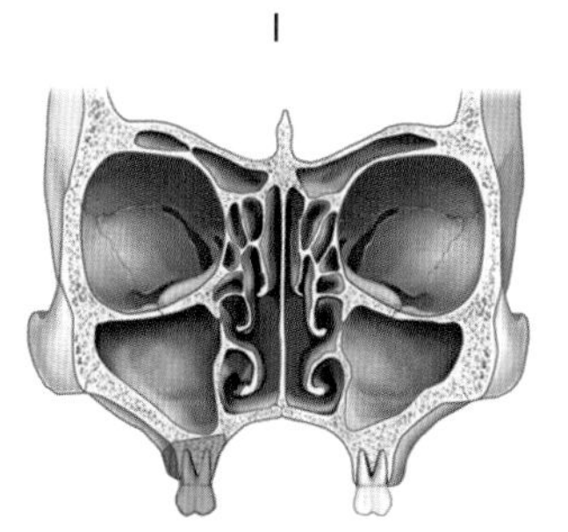

Lesions confined to alveolus

II

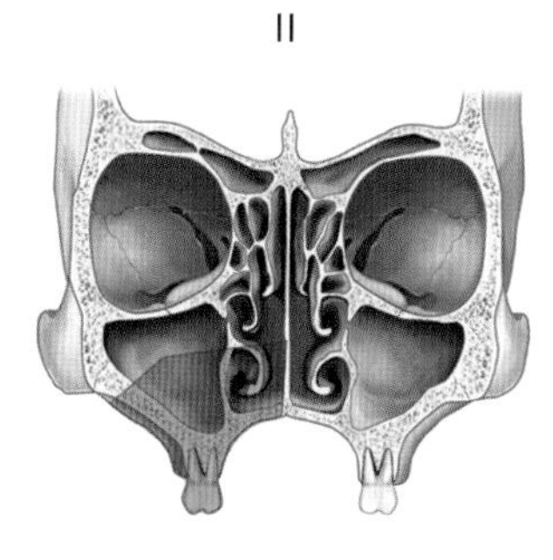

Extending into maxillary sinus

III

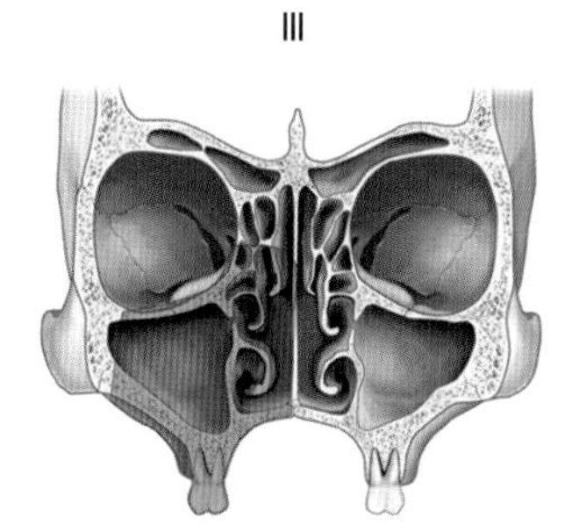

Involving the orbital adnexae
with orbital retention

IV

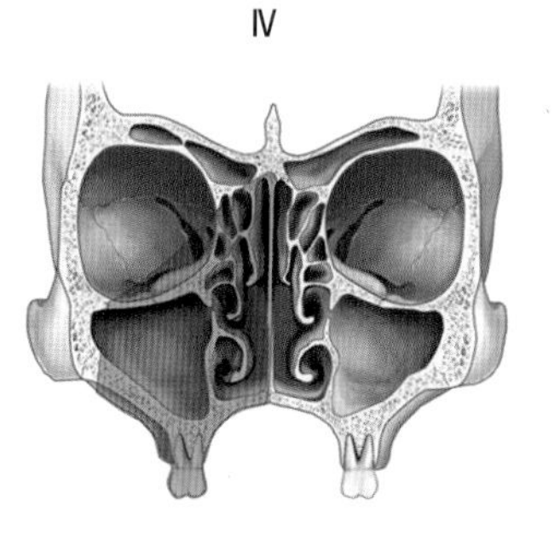

Involving the orbital adnexae
with orbital enucleation or exenteration

V

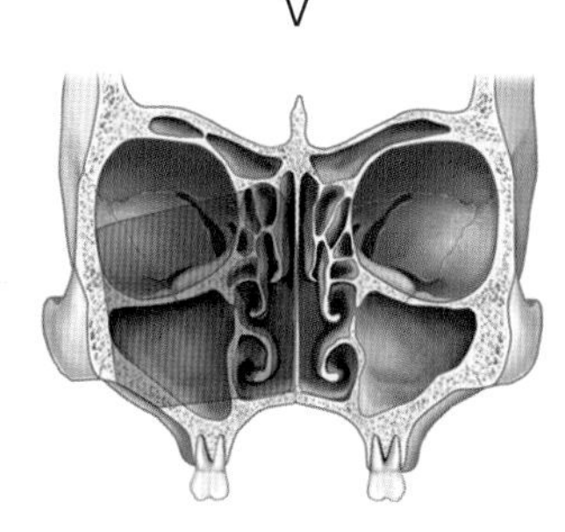

Orbitomaxillary defect

VI

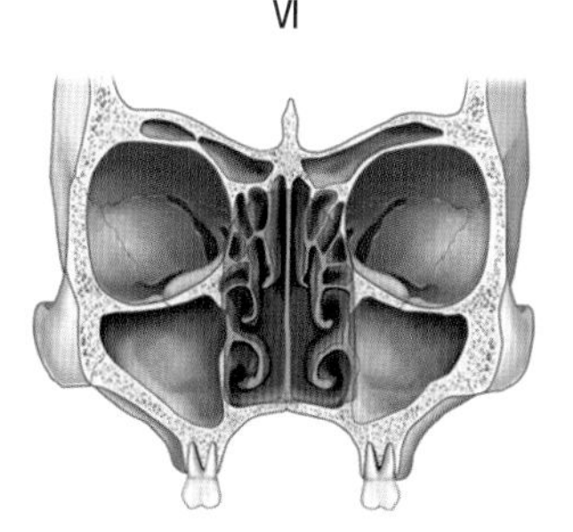

Nasomaxillary defect

Horizontal classification

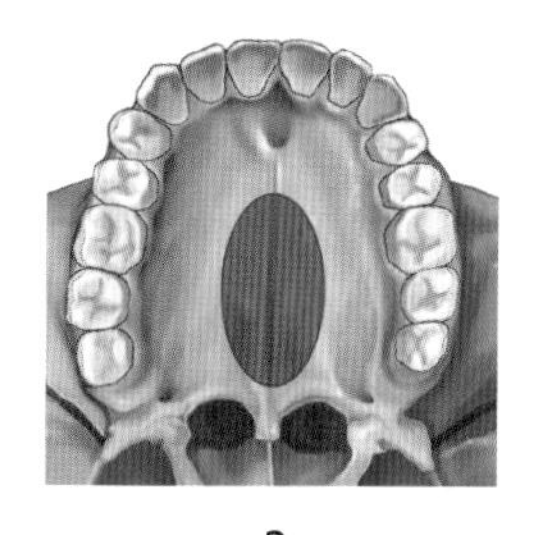

a
Palatal defect only, not
involving the dental alveolus

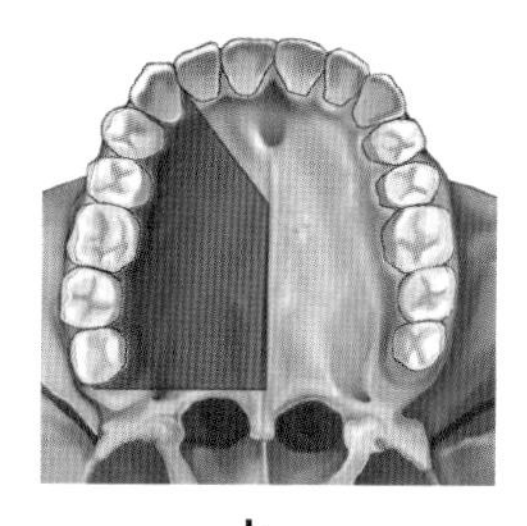

b
Less than or equal to
1/2 unilateral

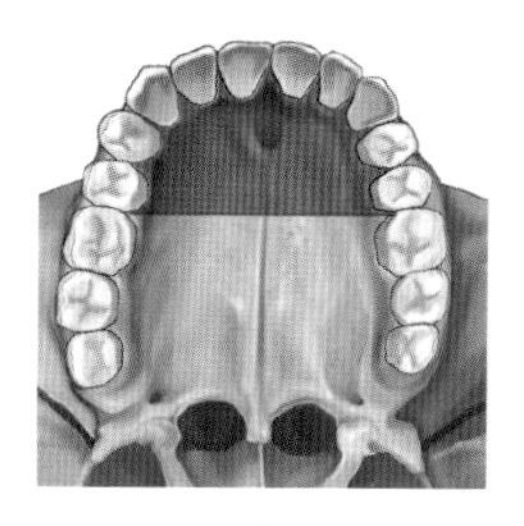

c
Less than or equal to 1/2
bilateral or transverse
anterior

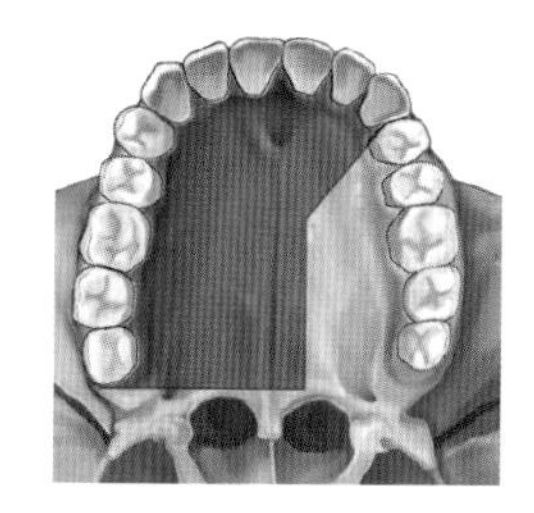

d
Greater than 1/2
maxillectomy

그림 11-37 Brown에 의한 상악절제술 분류.

미적으로 우수한 결과를 가져온다(그림 11-35B). 골절이 하악 변연절제술 후 합병증으로 나타날 수 있으므로 예방을 위해 잔존 하악골이 적어도 1–2 cm 이상 유지되도록 하고, 절제면이 곡선이 되도록 한다. 변연절제술 후 충분한 두께의 하악을 남길 수 없을 때 금속 플레이트를 이용하여 보강함으로써 골절 위험성을 줄일 수 있다. 하악 분절절제(그림 11-35C, D)는 암종이 하악골 주변의 광범위한 연부조직을 침범하였을 때, 암종이 육안적으로 해면골을 침범하였을 때, 암종이 하악관 또는 하치조신경을 침범하였을 때, 하악에 대한 방사선조사 병력이 있는 무치악 환자, 무치악 환자에서 하악이 너무 얇아 변연절제술이 불가능한 경우, 하악기원 종양 또는 전이암에서 시행한다. 무치악에서의 하악관 침습은 부분적 유치악에 비해 4배 높게 나타나므로 하악 분절절제가 추천된다. 하악절제 시에는 안전 절제연을 병변 주위로 1 cm 확보해야 한다. 암종이 동측 하치조관 전체를 침범했을 경우에는 동측 반하악절제를 시행하는 것이 추천된다(그림 11-35E, F).

하악 분절절제 시 외관 파괴는 물론 기능장애가 현격하여, 하악골의 연속성을 유지시키기 위한 술식이 필요하다. 미세수술의 발달로 골–근–피부 복합이식(osteomyocutaneous composite graft)도 시행되기도 하는데 주로 장골(iliac bone)과 서혜부(inguinal) 근피판, 또는 다리의 비골(fibula)을 이용한다. 동종 또는 이종골이식도 단독 또는 자가조직 복합과 함께 널리 이용된다.

(6) 구개암(carcinoma of the palate)

구개부의 암종은 대부분 소타액선 암종으로 편평세포암종은 상대적으로 빈도수가 낮다. 편평세포암종은 경구개에 비하여 연구개에 3배 정도 많이 발생한다. 구개 편평세포암종은 경계가 불명확하고 궤양을 형성하며 주로 편측성으로 발생된다(그림 11-38). 경구개에 발생된 경우 골을 파괴하여 종양이 상악동이나 비강내로 확산된다. 경부림프절 전이는 경구개에서는 드물고 연구개에서 빈번하게 일어난다. 점막에 국한된 표층병소(superficial lesion)는 점막부위만을 절제하나, 치조골 침범 시에는 치조골절제(alveolectomy)를 시행한다. 또 구개중심부의 골 침범 시에는 부분상악골절제(partial maxillectomy)를 시행한다. 상악골 치은 암종에서와 같이 구개암이 상악동까지 침범된 경우 부위에 따라 내측상악골절제(medial maxillectomy), 후상악골절제(posterior maxillectomy), 전상악골절제(anterior maxillectomy) 등의 상악골 부분절제(partial maxillectomy)를 시행한다. 침범된 정도에 따라서는 상악골전절제(total maxillectomy)나, 안와와 안구를 포함한 상악골절제(maxillectomy with orbital excenteration)도 시행된다(그림 11-37).

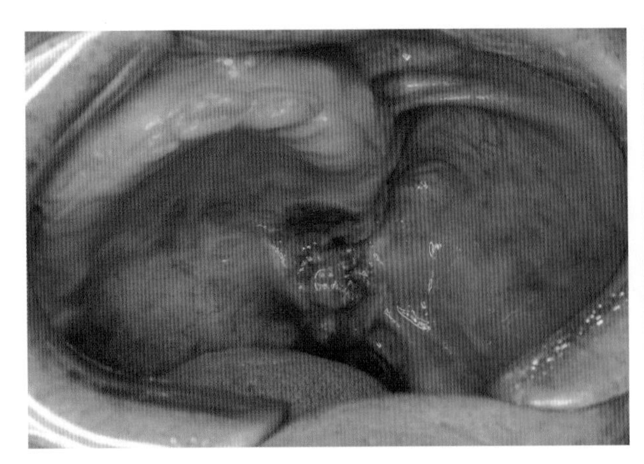
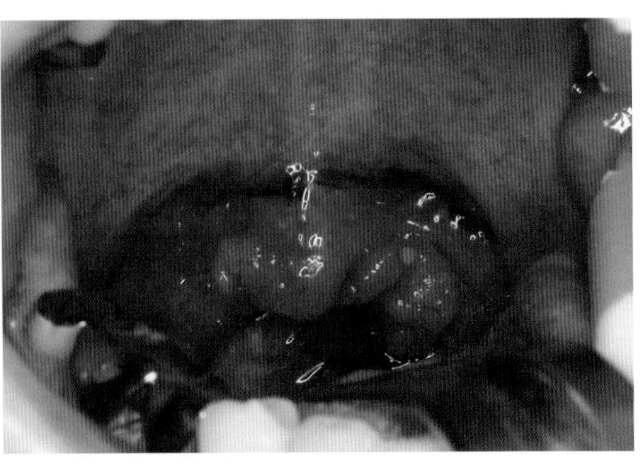

그림 11-38 경구개 및 연구개 편평세포암종.

목의 림프절이 촉진되면 경부청소술을 시행한다. 상악의 치은암에서처럼 종양조직과 경부림프절을 한 덩어리로 절제할 수 없다. 따라서 방사선치료나 항암화학요법을 추가한다. 종물 절제후에는 부분층 피부 이식이나 점막이식을 하여 술후 개구장애를 최소화 한다. 결손부 치유가 완료되면 구개폐색장치(palatal obturator)나 상악폐색장치(maxillary obturator)를 장착하여 저작 및 발음기능을 회복시켜준다. 안와적출이나 기타 안면의 부동성 부분(immobile part)의 술후 결손부는 외과적 재건술보다는 악안면 보철물(maxillofacial prosthesis) 장착이 심미적으로 우월하다.

(7) 후구치 삼각암

후구치 삼각부위는 상방으로 상악결절, 하방으로 최후방 대구치 후방을 연결한 하악골 상행지의 삼각형 점막부위이며, 전방으로는 치은점막, 후방으로는 편도부위, 내측으로는 구강저와 후방혀, 측방으로는 하악골, 협점막 등으로 침윤하는 소견을 보인다(그림 11-39). 경부림프절 전이율은 치은암과 유사하고 악골침범이 빈번히 일어난다. 하악골 침범의 초기단계에서는 하악골 상행지 전방부위를 변연절제한다. 하치조신경을 침범한 경우는 모든 하치조신경을 포함한 하악골 분절골절제술(segmental mandibulectmy)을 시행한다. 또한 후상방의 익돌구개와로 파급될 경우 후상악 골절제(posterior maxillectomy)가 필요하다. 이 밖에도 편도(tonsil), 협점막 연조직이 포함되는 경우가 많아 수술이 까다롭다. 술후 결손부는 그 정도에 따라 인접한 잔여 연조직을 근접시켜 일차봉합하거나 여러 가지 근피판(myocutaneus flap), 또는 유리미세혈관피판(free vascularized flap)으로 회복한다. 후구치 삼각암은 치료 후 타부위에 이차암이 발생하는 경우도 약 30% 정도 되기 때문에 상대적으로 5년생존율이 다른 구강암에 비해 낮은 편이다.

(8) 상악동암(carcinoma of the maxillary sinus)

대부분은 편평세포암이고, 일부 소타액선암, 육종 등 다양한 암종이 발생한다. 병변이 지속되면 치조골 흡수, 치아동요 및 은협이행부의 종창을 보이며 측벽 쪽으로 성장하면 편측 안모의 변형을 가져오고, 내

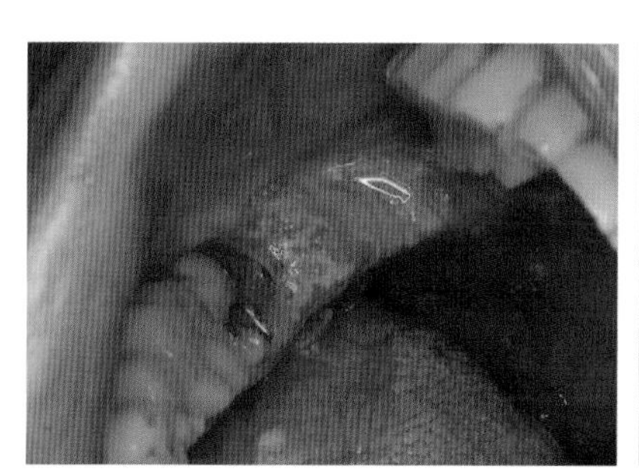
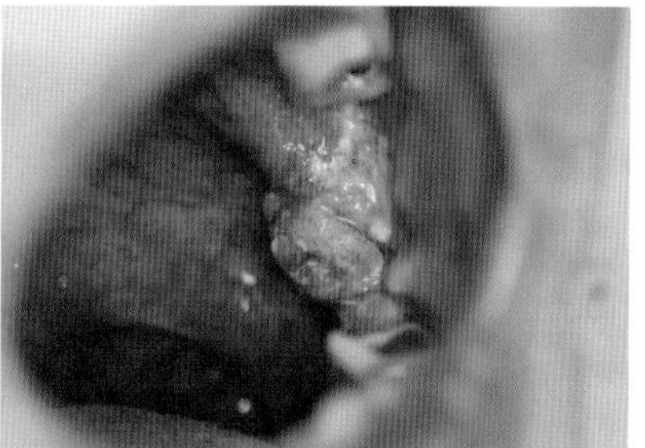
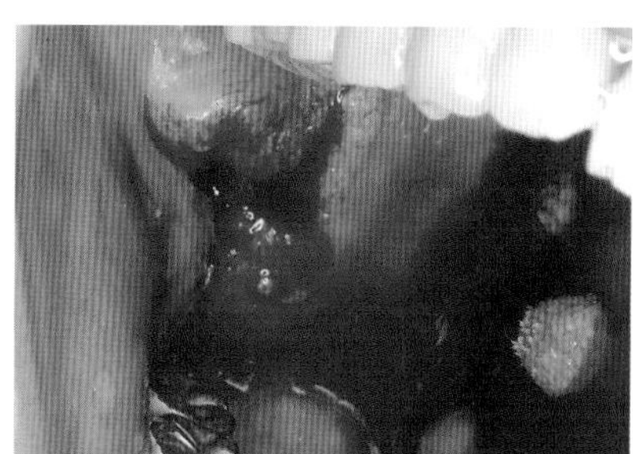

그림 11-39 후구치 삼각암.

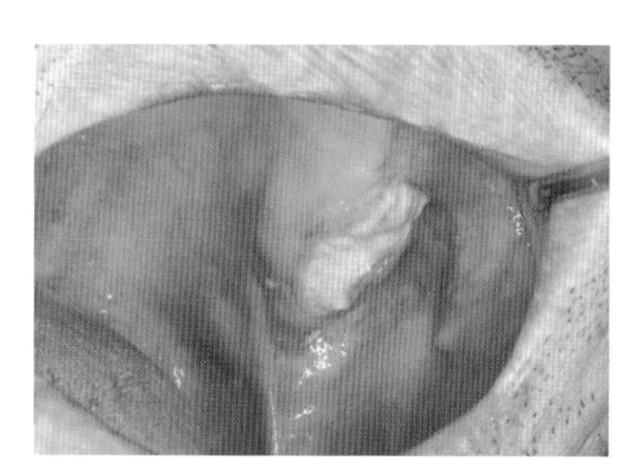
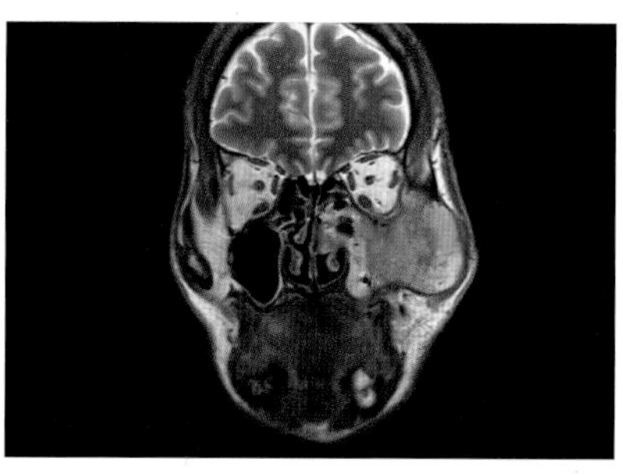

그림 11-40 상악동암.

측벽 쪽으로 성장할 때는 비강이 막히게 된다(그림 11-40). 상악동 아랫부분을 압박할 때는 종물이 치조측으로 증식되어서 치조골을 파괴시키며 상악동의 천정을 파괴시킬 때에는 안구가 위로 밀리게 되어 복시(diplopia)를 초래할 수 있다. 상악동암이 진행된 경우 선행항암요법 후 수술할 수 있다.

3) 경부청소술(Neck dissection)

경부청소술은 목에 있는 림프절을 제거하기 위한 수술이다. 구강암을 포함한 두경부의 암은 경부림프절에 전이하는 경우가 많아 구강암 치료에 있어서 경부청소술은 표준적인 술식이라고 할 수 있다.

(1) 역사

Warren (1847)이 처음으로 증례를 보고했으며, Kocher (1880)는 설암 환자 치료 시 경부림프절 전이에 대한 개념을 가지고 설암병소와 악하삼각 림프절군을 한 묶음으로 제거하는 술식을 보고하였다. 그 후 Crile(1906)은 대부분의 구강암은 혈행보다는 림프관을 따라서 원격전이된다는 개념을 주장하면서 고전적 개념의 경부청소술의 기초를 마련하였다. Crile의 방법은 부신경, 내경정맥, 흉쇄유돌근뿐 아니라, 이복근(digastric muscle), 경돌설골근(stylohyoid muscle) 등을 모두 제거하는 술식이었다. Blair(1933)와 Martin 등(1941)은 Crile의 수술방법을 보완하기 위하여 목의 해부와 기술적 방법에 대하여 자세히 기술했다. Martin은 동측의 모든 림프절을 제거하지 않으면 안 된다고 생각하였고, 이를 위해 부신경, 내경정맥, 흉쇄유돌근을 제거해야 한다고 여겼다. 이런 술식들에 대해 기능적인 측면에서 문제가 제기되었고, 1953년 Pientrantoni는 부신경을 보존하는 것을 추천했다. 1960년대 초에 Suarez가 변형근치적경부청소술(modified radical neck dissection)을 기술하였고, Bocca와 Pignataro 등(1967)은 흉쇄유돌근, 내경정맥, 부신경을 보존하면서도 완전한 경부림프절 절제가 가능함을 보고했다(기능적 경부청소술; functional neck dissection). Lindberg (1972)는 두경부암의 경부림프절 전이 분포에 대한 임상연구를 통하여 구강암의 전이 시 현재의 level II와 III에 주로 발생한다고 하였고 Shah J.P. (1987), Medina와 Bayers (1989) 등은 견갑설골근 상부 경부청소술(supraomohyoid neck dissection, SOHND)의 이론적 배경 및 술식에 대하여 기술하여 선택적 경부청소술(SND)의 오늘날의 터전을 마련하였다.

(2) 경부청소술의 해부학 및 개요

구강암 수술 시 경부림프절에 대한 고려는 매우 중요하며 경부청소술 시에는 가능한 경우 원발병소와 경부림프절이 연결되어 있는 경우는 한 덩어리로 절제하는 것(en block resection)이 추천된다. 구강 및 악안면영역의 림프는 하악골 하방에 존재하는 이하림프절(submental lymph node), 악하림프절로 들어가 여기서부터 다시 내경정맥을 따라 림프절군 즉, 심경림프절(deep cervical LN) 경정맥악이복근림프절(jugulodigastric LN), 경정맥견갑설골근 림프절(juguloomohyoid LN)로 들어가며 이는 다시 흉관에 합류하여 쇄골하정맥으로 유입한다.

수술 전 임상검사와 영상검사 그리고 절제 후 조직병리검사 과정에서 경부림프절을 위치별로 분류하여 평가한다. 이와 같은 경부림프절의 분류는 1938년 Rouviere 등이 해부학적 구조물 기준분류를 보고한 이래 1972년 Lindberg가 원발 종양의 위치에 따른 경부림프절 전이의 분포를 한쪽 경부에 9개 부위로 나누어 보고하였으며 1981년 Shah 등은 Lindberg의 분류를 변형하여 경부림프절을 7개의 부위로 분류하는 것을 제안하였다.

현재는 1997년 American Joint of Committee on Cancer (AJCC)가 제안한 분류법과 1998년 American Academy of Otolaryngology−Head and Neck Surgery (AAO−HNS)에서 제안한 분류법이 가장 보편적으로 사용되고 있다(그림 11-41). 1999년에는 Peter와 Som 등이 surgical landmark 등을 기준으로 사용한 기존의 분류법과 다르게 영상소견에 기초한 분류법을 제안하

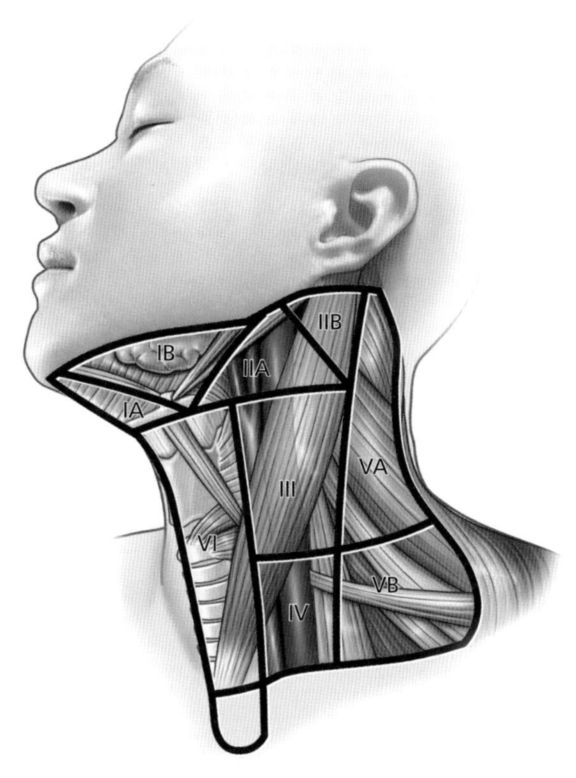

그림 11-41 경부림프절의 분류(6 levels).

였고 현재까지 사용되고 있다(표 11-16).

구강암 수술 시 경부청소술은 목적과 시술방법 그리고 부위에 따라 적합한 경부청소술을 선택하여 시행한다. 이러한 경부청소술의 목적에 따라서 치료적 경부청소술(therapeutic neck dissection)은 암의 경부전이가 확실할 때 치료목적으로 시행한다. 예방적 경부청소술(elective neck dissection)은 전이의 확증은 없지만 임상증상 및 경과에서 보다 안전을 기할 때 시행하는 경부청소술을 말하며 preventive neck dissection이라고도 한다. 부위에 따라서는 편측성 경부청소술과 양측성 경부청소술로 나눌 수 있으며 양측으로 시행하는 경우는 원발병소 부위가 정중선을 넘어 침투하여 반대측까지 림프절 전이가 의심되는 경우, 혀 혹은 구강저암에서 시행한다.

(3) 경부청소술의 분류

경부청소술 목적에 따라 분류하면 치료적 경부청소술과 예방적 경부청소술로 나눌 수 있다. 치료적 경부청소술은 암의 경부전이가 확실할 때 시행하는 것이다. 예방적 경부청소술은 전이의 확증은 없지만 술후 경과에서 보다 안전을 기할 때 시행하는 것이다. 부위에 따라서는 편측성 경부청소술과 양측성 경부청소술로 나눌 수 있는데, 양측성 경부청소술은 원발병소가 정중선을 넘어 침투하여 반대측까지 림프절 전이가 의심되는 설암이나 구강저암에서 시행한다. 수술범위에 따른 분류는 AAO-HNS가 2001년에 제안된 분류가 널리 사용되고 있다.

① 근치적 경부청소술(radical neck dissection, RND)

흉쇄유돌근, 내경정맥, 부신경을 포함하여 level I에서 V까지 목의 모든 림프절을 절제하는 것으로 위

표 11-16 6가지 levels과 6가지 sublevels에 기초한 림프절 영역

림프절 영역	내용
이하부(sublevel IA)	이복근 전복과 설골의 삼각경계 내부의 림프절들이다. 이 림프절들은 구강저, 혀 전방부, 하악 전치부치조제, 하순 등에 발생한 암들의 전이위험이 높은 부위이다.
악하부 (sublevel IB)	하악체와 이복근 전복, 경상설골근의 삼각경계 내부 림프절들이다. 악하선 전후와 혈관 전후의 림프절들을 포함한다. 이 삼각부위 림프절들을 제거 시 검체에 악하선이 포함된다. 이 림프절들은 구강, 비강 전방부, 중안모의 연조직 구조물들, 악하선 등에 발생한 암들의 전이위험이 높은 부위이다.
상위 경정맥부 (sublevel IIA, IIB 포함)	내경정맥의 상부 3분의 1 주변부위와 인접한 부신경 주변부위이며, 상방으로는 두개저부위, 하방으로는 설골의 하부 경계부위까지에 위치한 림프절들이다. 전방(내측) 경계부위는 경상설골근이며(방사선사진상으로는 악하선의 후방표면으로 정의되는 수직면), 후방(외측)경계부위는 흉쇄유돌근 후연이다. Sublevel IIA 림프절들은 부신경으로 정의되는 수직면 전방(내측)부에 위치한다. Sublevel IIB 림프절들은 부신경으로 정의되는 수직면 후방(외측)부에 위치한다. 상위 경부림프절들은 구강, 비강, 비인두, 구인두, 하인두, 후두, 이하선 등에서 나타난 암들의 전이 위험이 높은 부위이다.
중간 경정맥부 (level III)	내경정맥의 중간 3분의 1 주변부위이며, 상방으로는 설골의 하부 경계부위에서, 하방으로는 윤상연골 하연까지에 위치한 림프절들이다. 전방(내측) 경계부위는 흉설골근의 외연이며, 후방(외측)경계부위는 흉쇄유돌근 후연이다. 이 림프절들은 구강, 비인두, 구인두, 하인두, 후두 등에서 나타난 암들의 전이위험이 높은 부위이다.
하위 경정맥부 (level IV)	내경정맥의 하부 3분의 1 주변 부위이며, 상방으로는 윤상연골 하부 경계부위에서, 하방으로는 쇄골아래까지에 위치한 림프절들이다. 전방(내측)경계부위는 흉설골근의 외연이며 후방(외측)경계부위는 흉쇄유돌근의 후연이다. 이 림프절들은 하인두, 갑상선, 경부식도, 후두 등에서 나타난 암들의 전이위험이 높은 부위이다.
후방 삼각 부위 (sublevel VA, VB포함)	이 그룹은 주로 부신경의 하부 2분의 1과 경횡동맥을 따라 위치한 림프절들로 구성된다. 쇄골상부 림프절들 또한 후삼각 그룹에 속한다. 상방경계는 흉쇄유돌근과 승모근이 겹쳐지는 꼭짓점 부위이며, 하방경계는 쇄골이고, 전방(내측) 경계는 흉쇄유돌근의 후연, 후방(외측)경계는 승모근의 전연이다. Sublevel VA는 전윤상연골궁(anterior cricoid arch)의 하연의 수평면으로 sublevel VB와 분리된다. 따라서 sublevel VA는 부신경 림프절들을 포함하며 반면에 sublevel VB는 횡경혈관들 주변에 위치한 림프절들과 분류VI에 위치한 Virchow node를 제외한 쇄골상부에 위치한 림프절들을 포함한다. 후방 삼각부위 림프절들은 비인두, 구인두, 후방 두피와 경부의 피부구조물들 등에서 나타난 암들의 전이 위험이 높은 부위이다.
전방구획 부위 (level VI)	이 구획의 림프절들은 기관전방, 기관주변부, 윤상연골전방(델피안), 갑상선주변 림프절들을 포함하며, 반회후두신경을 따라 위치한 림프절들을 포함한다. 상방경계는 설골이며 하방경계는 흉골상절흔이며 외측경계는 내경동맥이다. 이 림프절들은 갑상선, 성문과 성문하 후두, 이상동의 첨부, 경부식도 등에서 나타난 암들의 전이 위험이 높은 부위이다.

로는 하악의 하연에서부터 아래로는 쇄골에 이르기까지, 내측으로는 반대측 이복근의 전복, 설골, 흉골설골근의 외연에서 외측으로는 승모근의 전연까지 포함된다. 1960년대 후반까지 널리 시행되었으나, 흉쇄유돌근, 내경정맥, 부신경 절제로 인한 후유증이 많았다(그림 11-42).

② 변형 근치적 경부청소술(modified RND)

부신경, 내경정맥, 흉쇄유돌근의 3가지 중 일부 또는 전부를 보존하면서 level I에서 V까지의 목의 모든 림프절을 제거하는 시술방법이다. 변형 근치적 경부청소술은 보존한 구조물에 따라서 제1형, 제2형, 제3형으로 나누는 데 통상 제1형은 부신경을 보존한 경우를 말하며, 제3형은 부신경, 내경정맥, 흉쇄유돌근을 모두 보존한 경우이며 제2형은 분류법을 제안한 사

람에 따라서 정의에 차이가 있다. 대표적으로 Medina는 제2형을 부신경과 내경정맥을 보존한 경우로 분류하였다. 이러한 정의의 차이로 인하여 혼란을 방지하기 위해 최근에는 변형적 경부청소술 뒤에 보존된 구조물을 표기하는 방식이 제안되어 사용되고 있다. 예를 들어 Medina의 변형적 경부청소술 제2형은 변형 근치적 경부청소술–부신경과 내경정맥 보존으로 표기한다. 경부청소술 시 많이 이용하며 기능을 고려한 시술 방법이기 때문에 기능적 경부청소술(functional neck dissection, FND)이라는 명칭으로 사용되기도 한다(그림 11-43). 여러 연구들에 의해 미용적, 기능적으로 우수하며 경부의 종양 조절도 근치적 경부청소술과 비슷한 결과를 보인다고 알려졌다.

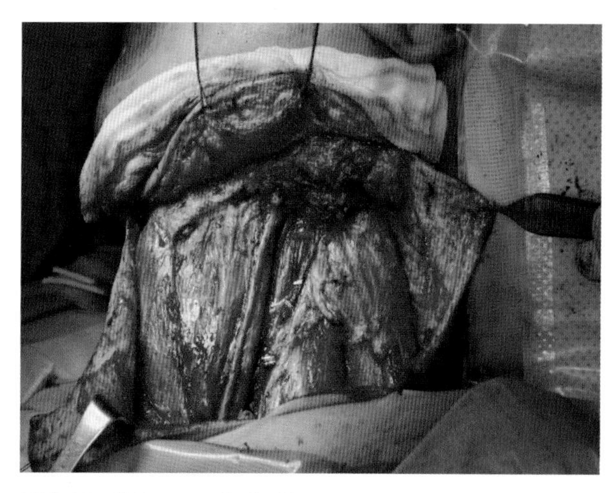

그림 11-42A RND 후에 남는 구조물.

③ 선택적 경부청소술(selective neck dissection)

근치적 경부청소술에서 제거되는 level I, II, III, IV, V 중 일부의 림프절군만을 선택적으로 제거하는 시술방법을 말하며 통상적으로 임상적 병기가 N0인 환자에서 잠재전이의 가능성이 높은 경우 사용된다. 임상적으로는 견갑설골상부 경부청소술, 외측 경부청소술(lateral neck dissection), 후외측 경부청소술(posterolateral neck dissection), 전방역 경부청소술

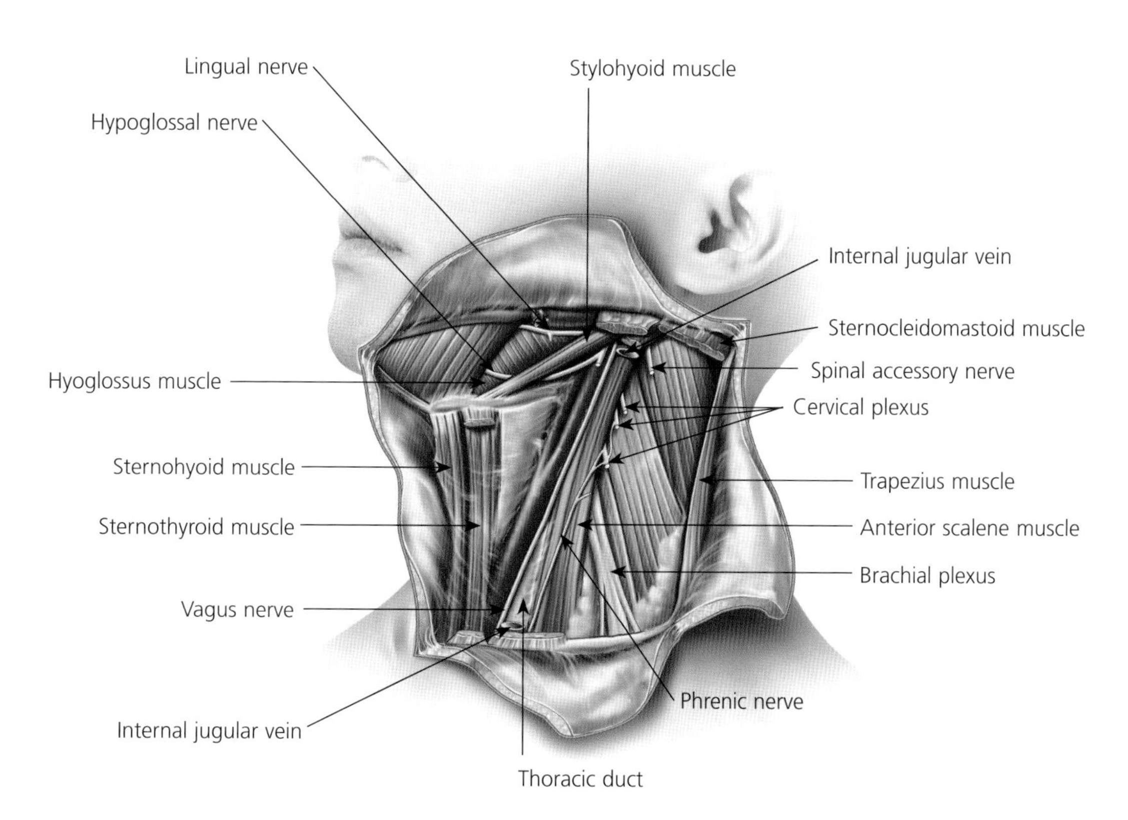

그림 11-42B RND 후에 남는 구조물.

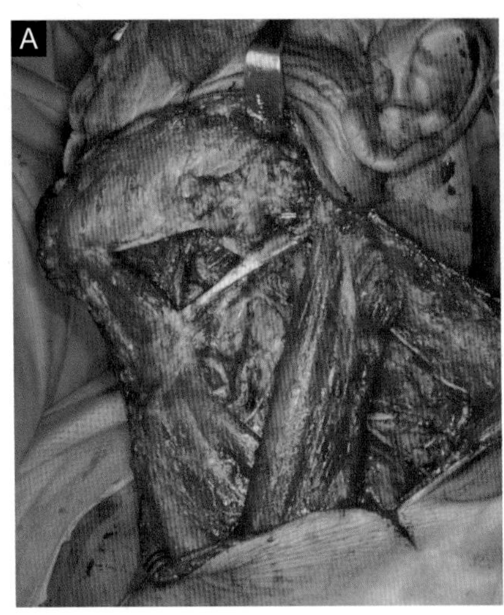

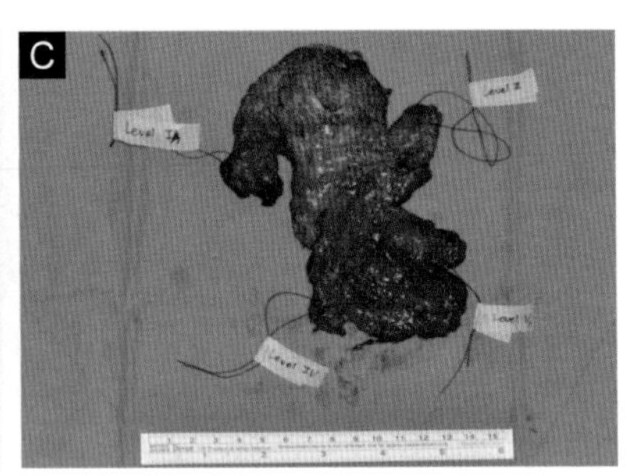

그림 11-43 A, B: MRND 후의 사진 **C:** MRND 후의 제거된 종물.

(anterior compartment neck dissection) 등의 용어가 사용되어 왔으며 이러한 용어는 AAO-HNS 분류법에서는 제거된 구역 또는 세부구역 림프절을 괄호 안에 표시하는 것으로 변경하였고 보편적으로 사용되고 있다. 예를 들어 견갑설골상부 경부청소술은 선택적 경부청소술(I-III)로 표시한다. 구강암은 level I, II, III에 전이되는 빈도가 높고 level V는 1% 정도 이환된다. 많은 연구에 의해 임상적 N0 환자에서 적절한 선택적 경부청소술은 변형 근치적 경부청소술과 같은 수준의 국소조절 결과를 보인다고 보고되었다. 따라서 예방적 경부청소술은 보통 level I, II, III을 대상으로 하는 것이 추천되며, 선택적 경부청소술(I, II, III)이 널리 시행되고 있다.

④ 확장된 근치적 경부청소술(extended radical neck dissection)

근치적 경부청소술로 제거되는 범위에 포함되지 않는 림프절 혹은 비림프절 구조가 추가적으로 제거되는 경우에 확장된 근치적 경부청소술이라 한다. 인후두림프절, 전후두림프절 등이 흔히 포함되고 비림프절 구조로는 설하신경, 미주신경, 내경동맥, 외경동맥 등이 절제에 포함될 수 있다.

(4) 경부청소술의 술식

예방적으로 널리 시행되는 선택적 경부청소술(I, II, III)을 중심으로 살펴보고자 한다. 경부청소술에 있어 피판거상 후 검체 박리부위의 순서는 정해진 원칙이 없으며 술자에 선호에 따라 이루어진다.

① 술전 고려사항

시야 확보를 위해 환자의 어깨 아래를 받쳐 목을 신장시킨다. 중심정맥관은 수술 반대편 경정맥이나 쇄골하정맥에 위치할 수 있도록 마취과에 부탁한다. 양측 모두 경부청소술을 시행한 경우 수술 후 목 부종에 의한 기도폐쇄의 가능성이 있으므로 기관절개술을 고려할 수 있다.

② 피부절개선

경부청소술을 위한 절개선은 다음을 만족시킬 수 있도록 한다. 첫째, 적절한 수술시야를 확보하여 절제하고자 하는 림프절군을 완전히 절제할 수 있어야 한다. 둘째, 창상치유 시 합병증이 최소화되도록 한다. 피판에 적절한 혈액공급이 이루어질 수 있어야 하며 경동맥 상방에 절개선의 삼각분지점이 생기지 않도록 한다. 특히 술전 50Gy 이상의 경부방사선치료를 받은 환자에서는 혈행 감소로 창상치유능력이 저하되어 있기

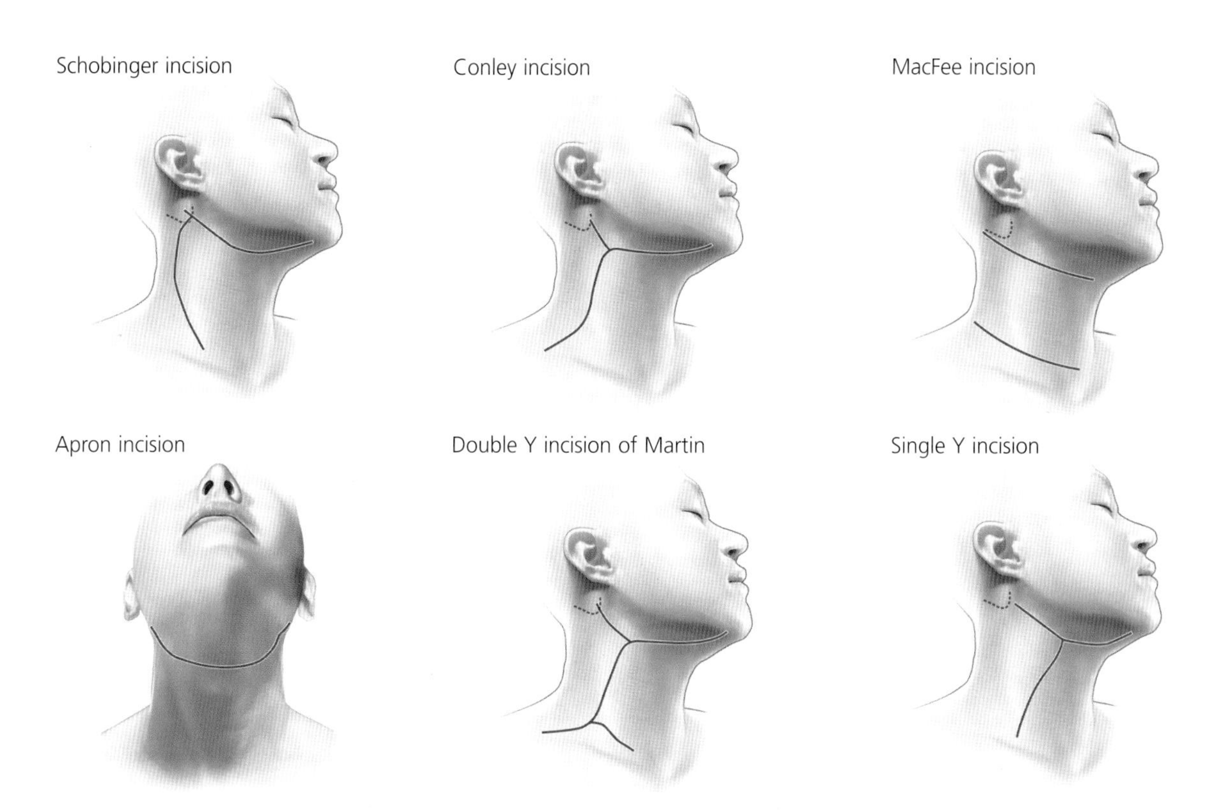

그림 11-44 경부청소술을 위한 다양한 절개선(Some popular skin incisions for functional and selective neck dissection).

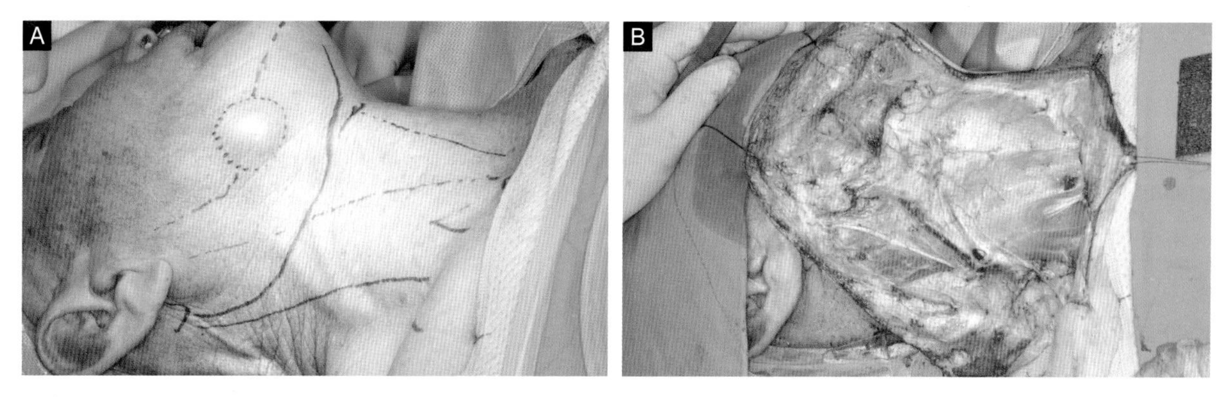

그림 11-45 A: 경부청소술을 위한 절개선 B: 광경근하 피판거상(Subplatysmal skin flap elevation).

때문에 피판의 괴사 가능성을 고려한다. 셋째, 되도록이면 심미성을 고려하여 가능한 자연 주름선을 이용하며 곡선의 절개선을 설정한다. T자 또는 Y자 형태의 절개선은 피하는 것이 수술 후 심미성에 유리하다.

절개선의 종류는 다양하며(그림 11-44) Schobinger 절개(Modified Frazier Incision, 1957)는 가장 유용하고 널리 쓰이는 절개방법으로 삼각분지점이 만나는 부위가 내경동맥보다 후방에 위치한다. Conley 절개는 Schobinger 절개와 유사하나, 후상방 절개선은 전방으로, 수직 절개선의 아랫부분은 쇄골의 외측 1/3을 향하도록 연장한 것이다. MacFee 절개(1960)는 심미적으로나 내경동맥의 보호 측면에서 유용하나 시야 확보가 어려울 수 있다. Apron 절개는 전체 혹은 부분 후두절제술(total or partial laryngectomy) 시 유용한 절

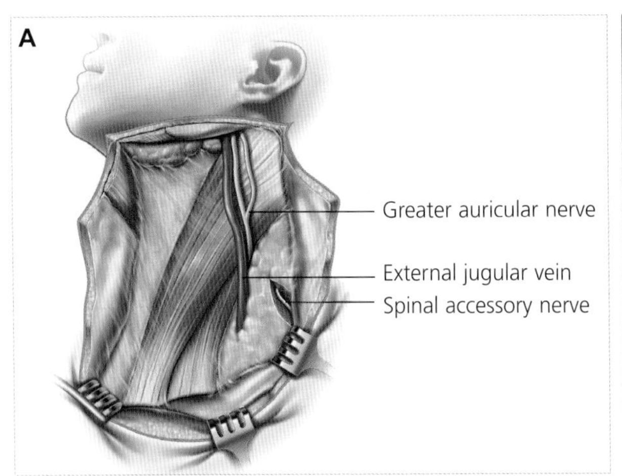

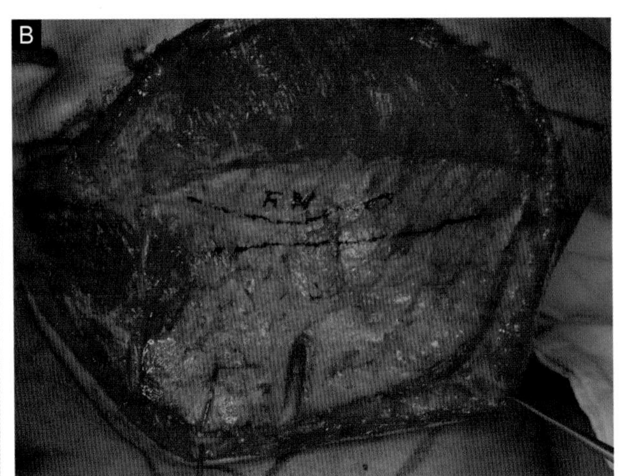

그림 11-46 광견근 피판거상 후 흉쇄유돌근을 교차하는 대이개신경과 외경정맥. A: 모식도 B: 술중 사진.

개방법이다. Double Y 절개(Martin, 1951)는 수술시야를 확실하게 확보할 수 있는 장점이 있으나, 두 개의 삼각분지점이 내경동맥 상방에 위치하게 된다. Single Y 절개는 삼각분지점이 적다는 점에서 double Y 절개에 비해 유리하지만, 쇄골상와(supraclavicular fossa)의 접근이 어렵다.

③ 절개와 광경근하 피판거상

절개선을 따라 수술도 혹은 전기소작기를 이용하여 절개한다(그림 11-45A). 광경근 하방을 따라 피판을 거상하며, 심경부근막의 천층이 피판에 포함되지 않도록 한다(그림 11-45B). 아래턱의 정중부와 목의 상후방부위에는 광경근이 지나가지 않는 것에 주의하여 일정한 두께의 피판을 형성한다. 박리과정에서 외경정맥과 전경정맥(external and anterior jugular vein)을 만나면 일단 박리를 다 하도록 한다(그림 11-46). 대이개신경이 손상되면 귀의 감각이 떨어지므로 되도록이면 보존한다. 안면신경의 하악지는 심경부근막의 천층을 가로지르므로 하악골의 하연 1.5–2 cm 하방에서 심경부근막의 천층을 절개한다. 근막하평면으로 박리를 진행하여 안면신경의 하악지가 심경부근막의 천층과 함께 광경근하피판에 포함될 수 있게 한다.

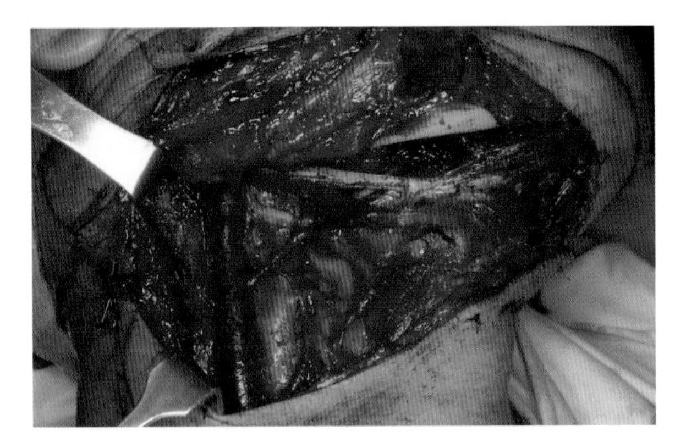

그림 11-47 이하삼각부의 박리(dissection of submental triangle).

④ Level I

양측 악이복근의 전복 사이의 지방섬유유조직을 제거하여 악이복근이 노출되도록 한다(그림 11-47). 검체를 후방으로 견인하며 박리를 진행하여 악설골근을 노출시킨다. 악하선과 주변의 조직을 하방으로 견인하고 안면동맥과 정맥을 결찰하고 절단한다. 악설골근을 전방으로 견인하면 설신경과 악하선도관이 평행하게 주행하고 그 사이를 악하선 신경절이 연결하고 있는 것을 볼 수 있다. 원발병소와 혀신경이 관계가 없다면 악하선 신경절에서 절단하여 설신경과 분리시키고 악하선 도관을 결찰한 후 박리해낸다. 악하선을 후방으로 견인하여 안면동맥의 근심부위를 결찰하고 절단한다

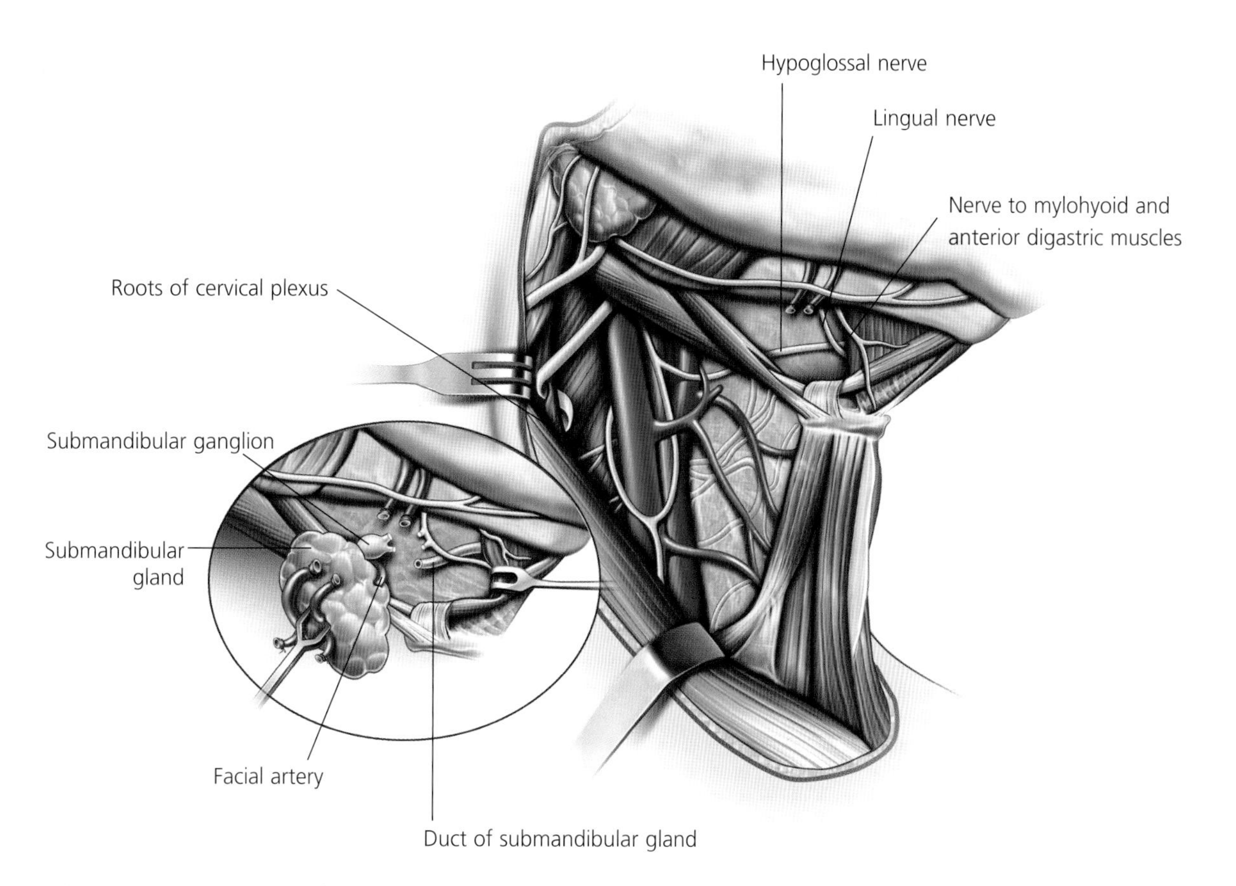

그림 11-48 악하삼각부의 박리(dissection of submandibular trianle).

(그림 11-48). 유양돌기 첨단과 하악각을 잇는 가상선을 기준으로 이하선 꼬리를 절제한다. 약 80%의 환자에서 이 가상선 아래로 절제해도 안면신경이 안전한 것으로 알려져 있다. 이하선 꼬리를 하방 견인하여 악이복근 후복을 노출시킨다.

⑤ Level II, III

흉쇄유돌근의 근막을 후연에 최대한 가까이 붙여 근육을 따라 절개한다. 외경정맥은 최대한 후연에서 잘라 검체에 포함시킨다. 검체를 전박으로 견인하면서 흉쇄유돌근과 분리한다(그림 11-49A). 흉쇄유돌근 전연까지 박리를 진행한 후, 흉쇄유돌근을 외측으로 당기면서, 흉쇄유돌근 내면을 박리한다(그림 11-49B). 흉쇄유돌근 내측 박리는 내경정맥 후방 2 cm 정도까지 시행한다. 흉쇄유돌근의 위쪽 부분에는 부신경이 있기 때문에 주의하도록 한다(그림 11-49C). 흉쇄유돌근 위쪽 부분의 내측 지방섬유조직을 박리하며 흉쇄유돌근 전방에서 악이복근 후복을 만나게 되고, 이것을 상방으로 젖히면 내경정맥을 확인할 수 있다(그림 11-50). 부신경을 확인하고 주변 연조직으로부터 박리한다. 부신경은 주로 내경정맥 외측을 지나지만, 종종 내측을 지나거나 관통한다(그림 11-51). 부신경 상방으로 견갑거근(levator scapulae muscle)과 두판상근(splenius capitis muscle)을 심부경계로 삼아 박리하고, 검체를 부신경 하방으로 통과시켜 끌어내린다(그림 11-52). 경신경총 외측평면으로 전방으로 박리를 진행하면 내경정맥의 후연을 만나게 된다. 내경정맥의 분지를 절단하면서 견갑설골근과 level I 하방 사이의 근막을 내경정맥으로부터 박리한다. 전방으로 박리를 진행하면서 상갑상선 동맥과 정맥을 만나면 절단하되, 유리피판 재건을 계획한 경우 공여혈관으로 사용될 수 있다는 것에 유념한다. 설하신경(hypoglossal nerve)은 carotid

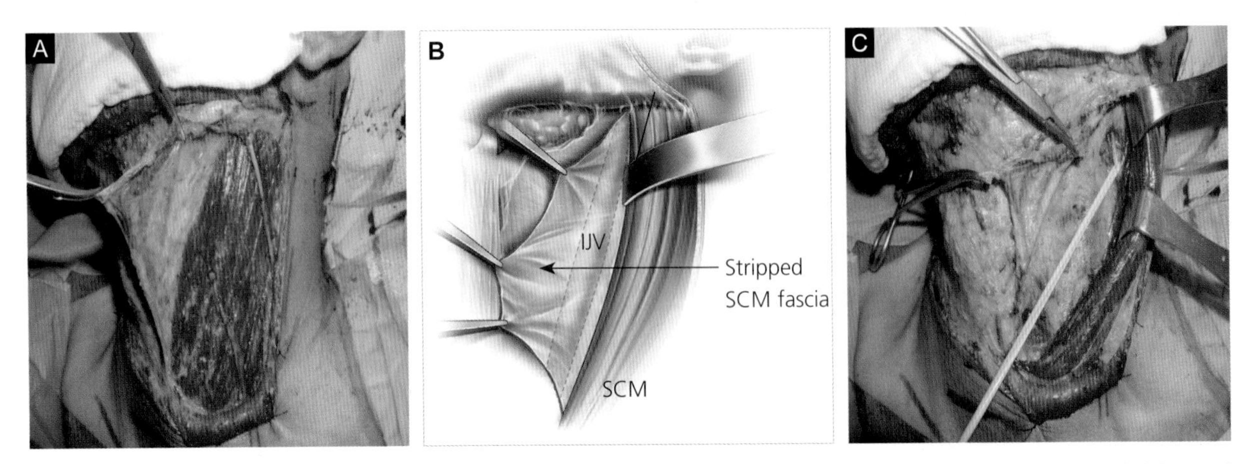

그림 11-49 A: 흉쇄유돌근 근막의 전방 박리 B: 근막 전방 박리 후 측박 견인된 흉쇄유돌근 C: 흉쇄유돌근의 내측면 부위 박리가 종료된 모습으로 노란 고무줄로 부신경을 견인하고 있음.

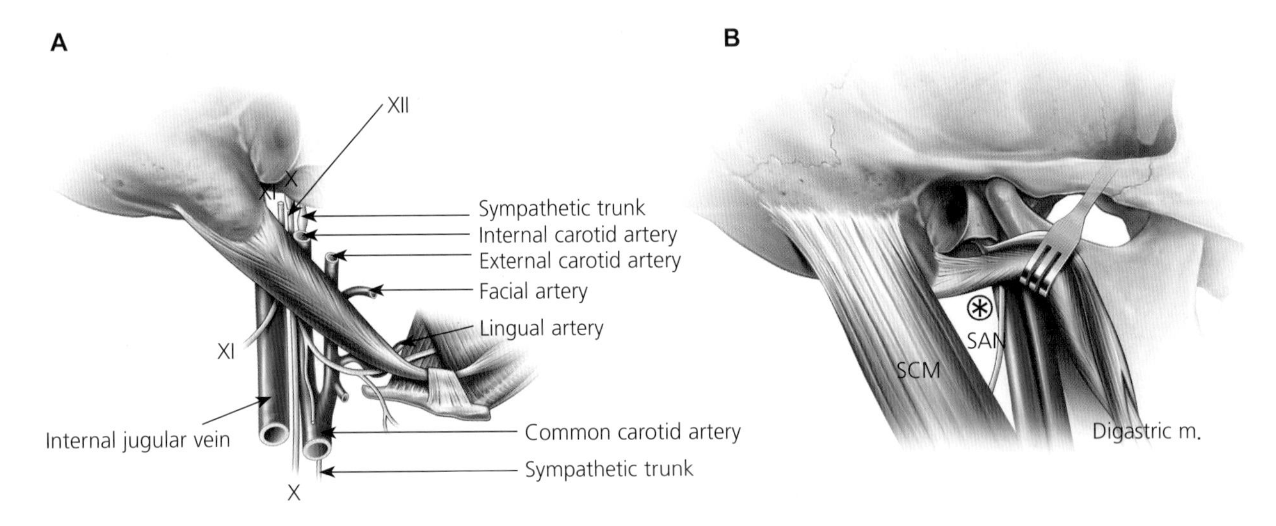

그림 11-50 A: 악이복근 후복 주변 해부학 구조 B: 우측 내경정맥과 흉쇄유돌근 사이의 부신경을 찾기 위한 해부학적 기준점들.

*, transverse process of the atlas; SCM, sternocleidomastoid muscle; SAN, spinal accessory nerve.

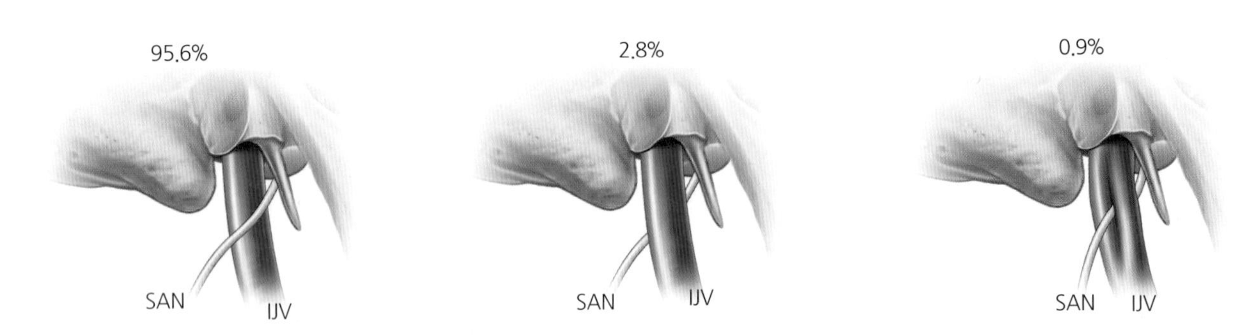

그림 11-51 부신경과 내경정맥 사이의 해부학적 관계.

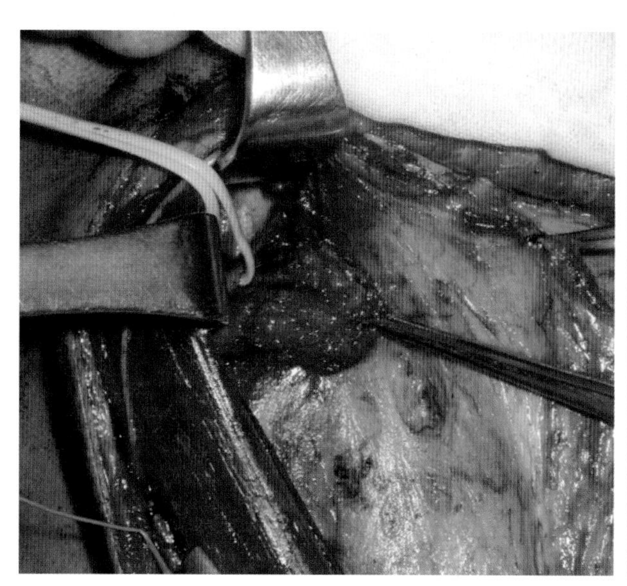

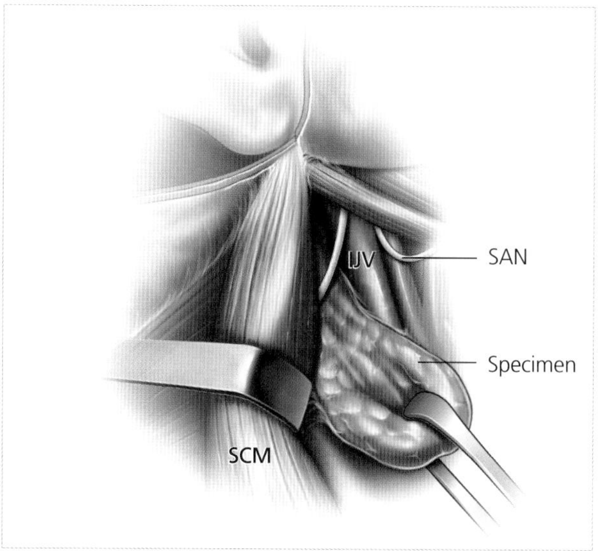

그림 11-52 우측 목의 부신경 조작 장면(The spinal accessory maneuver on the right side of the neck).
SAN, spinal accessory nerve; IJV, internal jugular vein; SCM, sternocleidomastoid muscle.

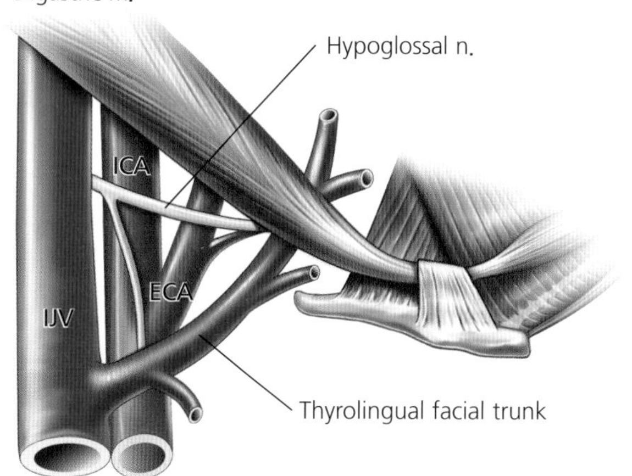

그림 11-53 Farabeuf 삼각부(Farabeuf's triangle). 내경정맥의 내측벽과 외경동맥의 갑상설안면분지의 외측면, 설하신경으로 이루어진 삼각부(the medial wall of the internal jugular vein the lateral wall of the thyrolinguofacial trunk the hypoglossal nerve).

bulb의 2 cm 상방으로 지나가는 것을 확인할 수 있다(그림 11-53). 검체를 악이복근과 설하신경으로부터 분리하여 전방으로 견인하며 설골하근 후방까지 박리하여 분리한다.

⑥ 경부하부와 후방삼각

근치적 경부청소술이나 변형 근치적 경부청소술에 포함되는 부위로 근치적 경부청소술을 기준으로 살펴보고자 한다.

a. Level Ⅳ

쇄골 2-3 cm 상방에서 흉쇄유돌근을 절단한다. 흉쇄유돌근을 잡고 위로 박리해 나가면, 견갑설골근이 내경정맥을 지나가는 것을 관찰할 수 있다. 견갑설골근을 중간건에서 절단하여 하복은 쇄골 하방으로 당긴다. 내경정맥을 3 cm 정도 하내방에 있는 미주신경을 손상시키지 않도록 하며 둔

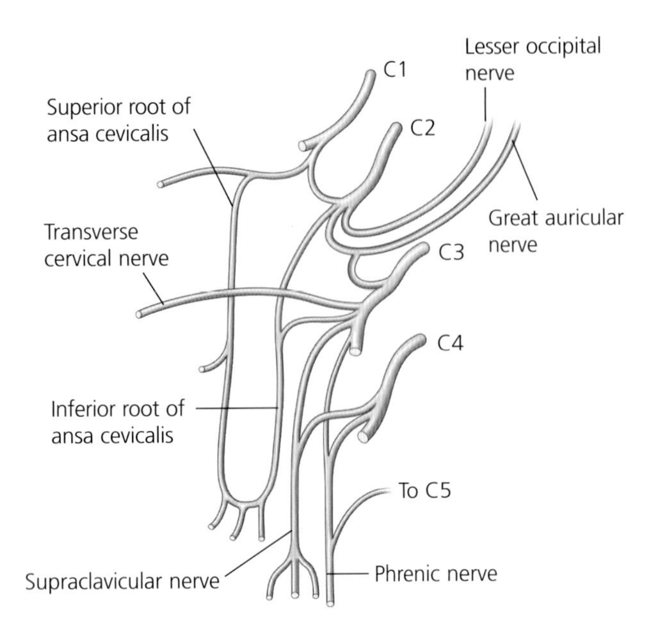

그림 11-54 경신경총.

박리한 후 결찰하고 절단한다. 좌측의 목에서는 흉관을 만나게 되는데, 찢어질 가능성이 높으므로 세심한 주의를 기울인다. 흉관을 찢은 경우에는 유미(chyle)가 새어나오지 않게 결찰한다. 쇄골위신경(supraclavicular nerve)을 절단하며 하후방의 경계는 승모근(trapezius muscle)의 전연으로 설정하고, 지방층(fat pad)에 포함된 림프절을 둔박리하면서 경횡혈관들은 결찰하고 횡격막신경, 상완신경총을 보존하면서 목의 중심 쪽에서 경동맥초를 만나면 주의 깊게 박리한다. 횡격막신경은 전사각근 위에 놓이는데 상완신경총과 내경정맥 사이의 지방에 가려져 있다. 경횡동맥이 횡격신경의 상부를 지나가게 된다. 목에서 쇄골 상부로 넘어가는 표층경신경총의 쇄골상분지를 잘라야 한다.

b. Level V

승모근 전연에서부터 하방과 상방을 동시에 박리하여 목의 중심부 쪽으로 향한다. 부신경을 만나면 절제한다. 후방 삼각부위 박리를 전방으로 진행하면 견갑올림근 상방의 척추전근막을 만나게 되는데, 종양세포가 침범이 되지 않았다고 판단되면 보존할 수 있다. 전방으로 계속 박리하여 경신경총이 관찰되면 횡격막신경과 운동신경가지들이 손상되지 않게 확인하면서 주의 깊게 절단한다. 종물(specimen)을 상부로 박리해가면서 횡격막신경과 연결된 경신경총 가지가 검체로 들어가는 것을 관찰할 수 있는데 이를 절단한다(그림 11-54). 종종 횡격막신경보다 굵은 경우가 있어 술자를 혼란스럽게 하기도 한다.

⑦ **창상봉합**

다량의 생리식염수로 창상부위를 깨끗이 씻어내고 미세한 출혈까지도 지혈한 후에 음압 유출관을 위치시킨 후 피하와 피부 봉합을 한다.

(5) 경부청소술의 합병증

경부청소술의 합병증을 예방하기 위하여 수술 전에 당뇨와 고혈압 등의 전신적인 질환이 있는지를 주의 깊게 조사하고 미리 조절할 수 있는 것은 가능하면 먼저 조절한다. 기왕력에서 장기간 흡연 및 알코올 중독 여부도 반드시 검사되어야 한다. 구강암 환자들은 대부분 구강내로 상당 기간동안 음식물 섭취에 어려움이 있었던 환자들이므로 임상적으로 음식물 섭취가 곤란했던 기간 등을 고려하여 이화학적 검사에서 혈장 알부민, 빈혈 등의 영양상태를 검사한다. 임상적으로 현재 연하곤란 상태나 최근의 체중감소 등도 검사해야 한다. 국소피판이나 미세혈관문합술로 재건할 계획이 있는 경우에는 동맥경화증 여부도 신중히 고려한다.

① **수술 중의 합병증: 수술 후 24시간 내에 발생한 합병증 포함**

a. 출혈

수술 중에 혈관 결찰, 단극성 혹은 양극성 전기소작을 이용한 세심한 지혈이 필수적이다. 내경정맥 박리 중 우발적인 출혈에 주의하여야 한다. 경동맥은 비교적 혈관벽이 두꺼워서 분지에서 혈관이 찢어지지 않으면 출혈 위험성이 낮다. 하지만 전이된 림프절이 경동맥을 침범하여 박리가 필요한 경우에는 출혈에 주의해야 한다. 두개저 직하방 부위에서 내경정맥이 찢어져서 심한 출혈이 있는 경우에는 경정맥공을 지혈재료나 주위의 근육피판으로 막는다. 쇄골하정맥 출혈이 조절되지 않는 경우 시야를 위해 쇄골을 절단할 수 있다. 내경동맥이 찢어져서 대량의 출혈이 있는 경우에는 혈관봉합술이 필요하다.

b. 기도폐쇄 및 쇼크

기도폐쇄 및 쇼크에 관해서는 수술 중에도 항상 마취과의사의 협조가 필요하지만, 술자의 주의깊은 관심도 필요하다. 기관삽관 튜브의 접힘, 기관내 분비물, 혈액 응고체 등에 점액마개(mucous plug) 형성에 의한 산소공급의 감소 및 기도폐쇄도 염두에 둔다. 또한 수술 중에 단시간에 다량의 출혈이 되었으나 적절한 용량 대체(volume replacement)가 되지 못했을 경우에 쇼크가 발생할 수 있으므로 다양한 수액공급로 확보 및 기계적 감시가 필요하다.

c. 경동맥동 반사(carotid sinus reflex)

경동맥동은 총경동맥의 끝부분과 내경동맥의 시작 부분의 팽대된 부위로 이곳을 지나는 혈액의 양을 감지하여 혈압을 조절하는 기능을 한다. 수술 중에 이 부위를 압박하면 서맥(bradycardia), 저혈압 및 심실세동(ventricular fibrillation) 현상이 나타날 수 있다. 경동맥동 부위를 수술할 때 리도카인을 적신 거즈로 경동맥동을 덮어주어 이런 현상을 예방할 수 있으며, 마취의사에게 경동맥동 부위를 수술 중임을 미리 알려줄 필요가 있다.

d. 기타

기흉(pneumothorax), 색전증(air embolism), 말초 운동신경 손상에 의한 증상(횡격막신경, 완신경총, 부신경, 안면신경의 하악 가지, 미주신경, 혀신경, 설하신경 등의 희생 및 손상), 말초 감각신경 손상에 의한 증상(경신경총, 목교감신경계의 희생 및 손상), 피하기종(subcutaneous emphysema) 및 경추손상 등이 있을 수 있다.

② 수술 후의 합병증

a. 출혈

수술 후 24시간이 지나고도 음압 유출관을 통하여 흡입되는 양이 과도하게 많거나, 갑작스런 목 부위의 부종과 호흡곤란 증상 및 음압 유출관을 통하여 흡입되는 양이 점차적으로 줄어가다가 갑자기 증가되는 경우에는 수술 후 출혈을 의심한다. 수술 후 출혈이라고 판단되면 즉각적인 재수술이 필요하다.

b. 음압 유출관으로 공기유입 현상

창상봉합 과정에서 음압 유출관을 삽입한 후 공기가 유입되는지를 먼저 자세히 살펴야 한다. 수술 후에 공기가 유입되는 것은 기관절개술한 부위와 개통된 경우, 환자가 갑작스럽게 자세를 바꿔 음압 유출관이 원래의 위치에서 벗어난 경우 등이다. 공기가 유입되는 경우에 창상감염의 원인이 될 수 있으므로 즉각적인 처치가 필요하다.

c. 창상감염과 피부누공

창상감염 예방을 위해 술후 적절한 항생제 투여 및 창상드레싱이 필요하다. 피부누공은 창상감염에 의해 발생할 수 있지만 피판 혈액공급 문제가 원인이 되는 경우도 있다. 후삼각부위에서는 광경근이 없기 때문에 광경근하피판 거상 중 피부천공이 일어날 수 있다.

d. 유미누공(chylous fistula)

유미누공은 주로 좌측 목수술 시 하부 내경정맥 박리 중 흉관을 손상시켜 발생한다. 발생빈도는 1–2.5%이며 좌측이 우측에 비해 3배 이상 호발한다. 발생 시에는 신체 전해질불균형과 유미흉증(chylothorax)을 유발하여 심각한 상태를 유발하기도 한다. 예방을 위해 하부 내경정맥을 박리할 때 주위구조를 주의 깊게 살피며 해야 하고, 수술 중에 손상을 발견하였으면 철저하게 결찰한다. 유미는 triglyceride를 포함하고 있어 맑은 우유처럼 보인다. 수술 중 흉관 손상이 의심될 경우 환자를 Trendelenburg 자세로 바꾸고, 마취과에 흉곽내압

그림 11-55 유미 누공 발생 시 관찰할 수 있는 유미액이 포함된 삼출액.

증가를 요청하면 유미누출을 좀 더 잘 확인할 수 있다. 손상된 흉관이 확인되지 않아 결찰하기 어려운 경우 8자 봉합을 이용하는 것도 도움이 된다.

임상적으로는 수술 후에 정상적인 음식물 섭취를 시작하면 음압 유출관을 통하여 우유빛의 액이 흡입되는 것으로 진단한다(그림 11-55). 이런 경우 초기에는 머리를 높게 하고 해부학적인 흉관의 위치에 압박 드레싱을 한다. 또한 금식을 시키고 흉부 방사선사진을 촬영하여 유미흉증 여부를 확인한다. 이 정도의 치료방법으로 조절이 되면 정맥을 통한 영양공급이나 저지방식이를 하면서 점차적으로 회복시킨다. 유미누출이 심할 경우 저나트륨 혈증, 저염소혈증, 혈량저하증, 저단백질혈증이 일어날 수 있다. 치료 후에도 호전되지 않거나 하루에 600 mL 이상이 흡입되어 나오면 빨리 수술적 방법으로 유미가 누출되는 곳을 찾아서 결찰하는 것이 좋다. 수술 직전 50% 지방식을 섭취시키고 환자를 Trendelenburg 자세로 위치시키고, 마취과에 흉곽 내압 증가를 요청하고 20–30초간 유지하면 누출부위 발견이 쉬워진다.

e. 횡격막신경(phrenic nerve) 손상

척추전근막 부위를 너무 깊게 박리하거나 경신경총을 너무 가깝게 절단한 경우에 발생할 수 있다. 이러한 손상을 줄이기 위해서는 경신경총을 1 cm 정도 외측에서 절단하는 것이 필요하다. 편측 횡격막신경의 마비는 수술 후 흉부방사선사진상 횡격막이 상승하는 것으로 확인이 가능하다. 편측 횡격막 신경 마비는 큰 문제가 없는 경우도 있지만 술후 무기폐나 폐렴을 일으킬 위험성도 있다.

f. 호너증후군(Horner's syndrome)

경부 교감신경 줄기에 손상을 준 경우에 발생하며 총경동맥의 후면 박리 중 부주의에 의한 경우가 많다. 경동맥의 심부에 위치하고 있기 때문에 손상받는 경우가 많지는 않다. 임상증상으로는 축동증(miosis), 안검하수증(ptosis), 무한증(anhidrosis) 및 안구함몰증(enophthalmos) 등이 있다. 증상은 일시적일 수도 있으며, 지속될 수도 있다. 환자가 거울을 보면서 발견하게 되는 경우가 많고, 환자는 주로 심미적인 문제를 호소한다.

g. 부신경의 손상

부신경이 손상될 경우 승모근의 위축이 일어나고 어깨의 쇠약, 동통, 견관절 거상이 잘되지 않는 견갑증후군이 나타날 수 있다. 하지만 척수 부신경을 보존하는 것으로 어깨 움직임에 문제가 전혀 생기지 않는다고 보장할 수 없다. 경신경총도 승모근에 들어가기 때문에 이를 가능한 보존하는 것이 어깨 기능 문제를 어느 정도 줄여줄 수 있다. 수술 후 견관절 및 팔의 운동기능의 회복을 위해서는 조기에 재활치료를 하는 것이 도움이 된다.

h. 미주신경의 손상

손상의 위치에 따라 증상이 다르게 나타나는데, 상후두신경과 반회신경으로 분지가 되는데 상후두신경은 상갑상동맥과 같이 주행하며, 내지와 외지로 다시 나누어진다. 반회신경은 좌우의 주행경로가 약간 차이가 있으며 손상 시 성대마비를 초래한다. 경동맥초 박리와 내경정맥의 결찰 시 손상을 받을 수 있어 주의가 필요하다.

양쪽 미주신경이 완전히 손상되면 후두근육의 마비로 질식사하게 된다. 식도와 위의 마비로 인해 통증과 구토가 일어날 수 있으며, 구토물이 호흡기계로 넘어가는 일이 흔히 일어난다. 한쪽의 미주신경이 손상된 경우에는 연구개와 인두, 후두에 마비가 일어나 쉰 목소리, 호흡곤란, 연하곤란 등이 일어난다. 또한 손상부위의 감각이 소실되어 구개반사, 기침반사, 경동맥동반사 등의 반사가 없어진다. 심장으로 가는 부교감성분 일반내장원심성분과 심장에서 들어오는 일반내장구심성분의 손상으로 심계항진, 빈맥, 부정맥 등이 나타난다.

i. 설하신경의 손상

설하신경 손상은 혀의 운동신경이며 두개저의 설하공에서 나와 경동맥분지 상방에서 내경 및 외경동맥 외측을 지나 혀로 들어간다. 신경손상은 주로 지혈을 하다가 발생하는 경우가 많고 손상이 발생하면 혀의 운동장애가 생기며, 연하장애가 발생할 수 있다.

j. 상완신경총의 손상

상완신경총은 심부근막보다 더욱 심부에 위치하고 전사각근와 중사각근사이에 있으며 뚜렷하여 확인이 쉽고 손상받는 경우는 많지 않다. 손상 시 신경이식을 권유하고 있으나 기능의 회복에 대해서는 논란이 많다.

k. 대이개신경의 손상

대이개신경을 자르게 되면 수술 후에 귓바퀴와 귀 뒤의 감각저하를 호소한다. 기능적인 문제를 야기하는 합병증은 아니고, 대부분의 감각저하는 수개월 후에 해결되기도 하지만, 간혹 잘려진 신경의 말단부위에서 잘못된 신경재생이나 신경종형성 등에 의해 수술 후 통증이 유발되기도 한다. 이런 이유로 보존하는 것이 좋으며, 수술에 방해가 되지 않는다면 일단 피판을 들어올릴 때는 보존하도록 하고 나중에 필요하면 절제하는 것이 좋다.

3. 구강암의 방사선치료

1) 방사선치료의 분류

일반적으로 활발한 성장기의 종양세포는 성숙한 정상세포보다 방사선에 더 민감하게 손상을 받는다. 즉 조직학적으로 미분화세포일수록 방사선에 더 민감하며 정상적인 성숙세포일수록 방사선조사에 반응이 덜하다. 종양세포에 방사선이 조사되면 활발하게 성장하는 종양세포는 즉각적으로 또는 지연적으로 사멸하거나, 아니면 다시 증식되는 것이 억제된다. 이러한 방사선의 생물학적 효과는 생물체의 종류, 연령, 피조사 조직의 종류, 세포증식, 분화의 정도, 분열주기의 시기, 생물의 생활상태 등의 생물학적 인자와, 방사선의 성질, 선량, 선량 분포, 선량 비율, 시간적 배량, 조사 용적 등의 물리학적 인자, 그리고 조직의 산소압과 온도, 그리고 증감제, 방호제 등의 조사환경 인자에도 상당히 영향을 받는다. 암세포의 감수성은 그것이 유래한 정상조직의 방사선감수성에 의존한다. 구강암은 구강점막에서 원발하는 것이 대부분인데, 병리조직학적으로는 편평세포암종이 대부분을 차지하고 있고 그밖에 타액선에서 유래한 선계암종이 있으며, 육종, 악성림프종 등이 있다. 정상조직중에는 림프조직, 점막, 피부 및 타액선이 고감수성을 보이며 암조직에서는 악성림프종, 편평세포암종 및 선계 암종이 고감수성 조직이다. 저감수성 정상조직은 결합조직이나 골 및 근육조직이며 암조직중 섬유육종이나 근육육종 및 골육종은 저감수성을 보인다.

방사선치료의 유효성은 치료가능비(therapeutic ratio)로 판단한다. 종양조직을 치료하기위해 필요한 방사선량에 대한 정상조직의 방사선 내용선량의 비를 치료가능비라 한다.

$$\text{치료가능비} = \frac{\text{(정상조직의 내용선량)}}{\text{(종양조직을 치료하기 위해 필요한 방사선량)}}$$

이 치료가능비의 수치가 클수록 종양의 방사선치료

는 수월하지만, 1보다 약간 크거나, 1에 근사한 수치를 가질 경우는 방사선에 의한 종양치료는 어렵게 된다. 방사선치료는 크게 외부 방사선치료와 근접방사선치료로 나눌 수 있다. 외부 방사선치료(external beam radiotherapy)는 방사선원을 병소에서 멀리 떨어져 조사하는 방법으로 원격조사치료(teletherapy)라고도 한다. 외부방사선치료방법은 병소에 따라서, 방사선치료 기종에 따라서, 분할요법의 방법에 따라서 방사선량 및 기간을 달리한다. 외부 방사선치료는 다시 총 조사량의 분할방법과 방사선조사 영역을 형성하는 방법에 따라 나눌 수 있다. 근접 방사선치료 또는 체내조사(interstitial brachytherapy)는 Ra226, Ir192, Cs137 등의 방사성물질을 바늘이나 철사형태로 암조직 속에 삽입하여 암을 치료하는 방법으로써, 자궁암 등에 많이 이용하는데 구강암종에서는 이리듐 침을 이용하여 설암, 구강저암, 경부암의 치료에 이용한다(그림 11-56).

방사선치료의 분류는 조사량 분할과 조사영역 형성에 따라 아래와 같이 분류할 수 있다.

(1) 조사량 분할에 따른 분류

① 전통적 분할조사(conventional fractionation)

일일 1.8–2.0 Gy 조사량을 주당 5일간 조사하며 평균 주당 10 Gy 선량을 조사한다. 병기에 따라 총 선량이 정해지나 대개 병기 3, 4기에서 치료목적으로 총 60–70 Gy를 조사한다.

② 변형된 분할조사(modified fractionation)

a. 저분할(hypofractionation) 조사법은 분할 선량이 통상적 수준인 1.8–2.0 Gy를 초과하도록 변용된 분할 조사방식으로 초기 성문주위 암에 한정되어 적용되어 왔으며, 이러한 저분할 방사선조사 방식은 우수한 국소재발 억제율을 나타낸다고 보고되었다.

b. 과분할(hyperfractionation) 조사법은 총조사선량을 더 많은 분할 횟수로 나누어 조사하도록 변용된 방법으로 조사량은 통상의 1.8–2.0 Gy보다 낮다. 과분할 방사선치료요법은 전통적인 분할조사 방식보다 두경부 암환자의 사망률을 유의성 있게

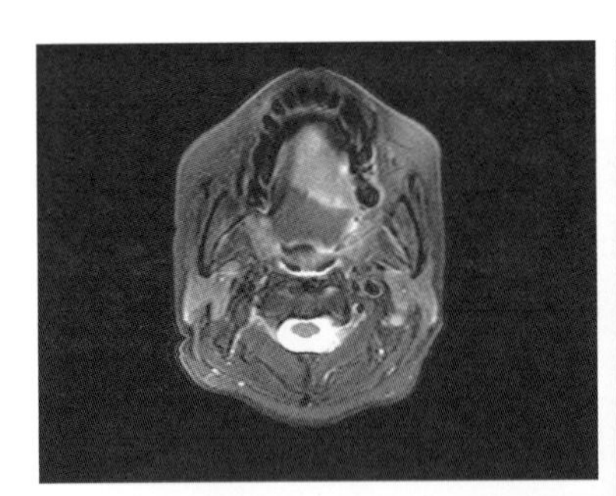
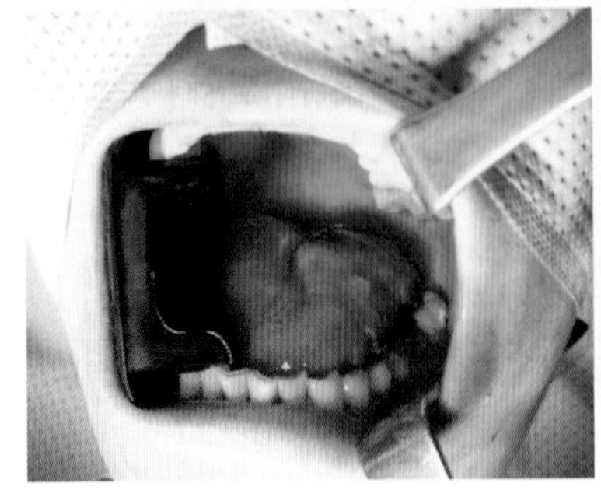
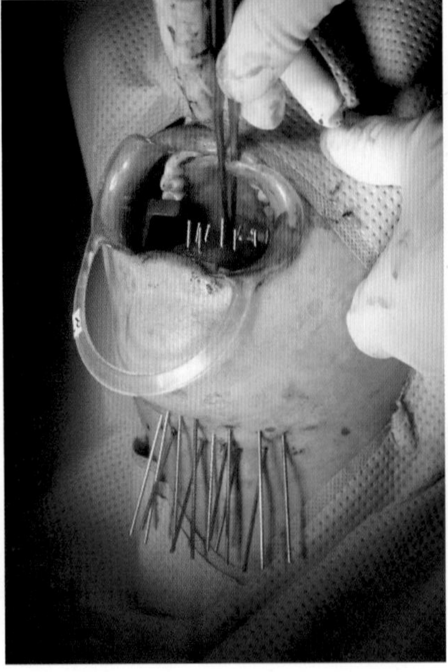
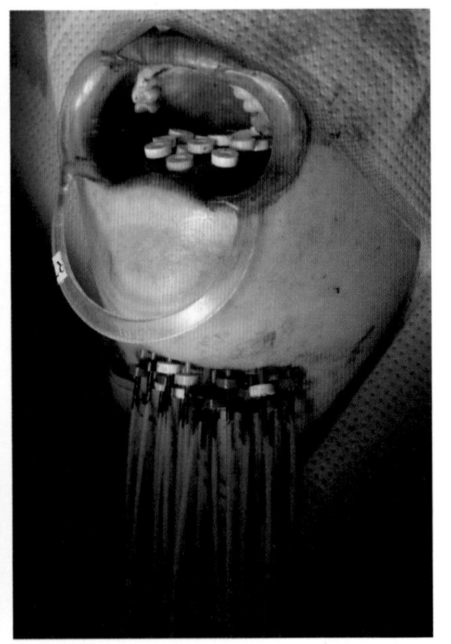

그림 11-56 근접 방사선치료.

감소시켰고, 국소적 암 재발률 또한 유의성 있게 감소시켰다는 보고들이 있다. 다만, 전체생존율에서는 큰 차이가 없고, 독성은 3, 4등급을 나타내었으나, 24개월 내에서는 독성 증가가 관찰되지 않았다고 보고되었다.

c. 가속 분할(accelerated fractionation) 조사법에서는 선량조사가 주당 10 Gy를 초과하며, 총 치료시간은 감소된다. 중등도 및 고도로 가속화된 분할 방사선치료 시 전통적 분할치료법과 비교 시 암의 국소재발 억제율이 유의성 있게 증진되었으나, 2년생존율에서는 큰 차이가 없었다. 가속 분할조사를 동반하여 6주에 걸쳐 72 Gy를 조사한 결과, 통상의 방사선요법에 비해 국소재발억제율은 9% 증진되었으나, 생존율에는 차이가 없었다. 급성독성은 증가되었으나, 지연독성은 증가되지 않았다.

(2) 조사영역 형성에 따른 분류

① **2차원 방사선치료법**(two dimensional radiotherapy, 2D-RT)

대개 표준화된 입사 각도의 방사선조사 영역에서 전달되는 방사선량 분포를 종양의 중심부 단면에서 2차원적으로 계산하여 평가하며, 종양주변 정상조직의 방사선조사와 손상을 피하기 어렵다.

② **3차원 입체조형 방사선치료법**(three dimensional conformal radiotherapy, 3D-CRT)

대상 표적의 모양과 크기에 적합하도록 여러 개의 고정된 방사선조사 영역의 각도와 모양을 적절히 선택하는 방식으로, 각각의 방사선조사 영역을 통해 동일한 세기의 방사선이 전달된다.

③ **세기조절 방사선치료법**(intensity modulated radiotherapy, IMRT)

3D-CRT의 특수한 형채로 각 방사선조사영역을 세부영역으로 나누고, 세부영역을 통해 전달되는 방사선의 세기를 다양하게 조절한다. 표적의 모양에 맞게 균일하면서도 정밀한 방사선조사를 하면서 동시에 정상조직의 방사선 손상위험을 줄일 수 있다. 2011년 이후 전체 방사선치료기법 중 그 비중이 급격히 증가하고 있으며, 구강암에서도 표준치료로써 가장 많이 활용되고 있다(그림 11-57).

2) 구강암의 방사선치료

구강암의 치료에 수술 다음으로 유용한 것이 방사선치료이다. 구강암이 T1-T2의 초기인 경우 수술 또는 방사선요법 단독치료 방법의 경우 우수한 국소 치료효과와 생존율을 보인다. 비교적 크기가 큰 T2 병소 또는 낮은 병기의 T3 병소의 경우 수술에 더하여 방사선요법을 시행하게 되는데 중등도의 국소 치료효과를 보인다. 좀더 진행된 T3 병소나 T4 병소의 경우 수술이나 방사선요법 단독으로 치료할 경우 국소 효과가 불량하므로, 수술에 더하여 방사선요법을 시행하며 화학요법을 더할 수 있다. 구강암의 방사선치료는 방사선치료 단독으로 치료하기 위함 목적의 근치적 치료(definitive radiotherapy), 방사선조사 후 수술을 염두에 둔 술전 방사선치료(preoperative radiotherapy, neoadjuvant radiotherapy), 수술 후 국소적 재발억제를 위해 시행하는 술후 또는 보조적 방사선치료(postoperative radiotherapy, adjuvant radiotherapy), 항암화학요법과 같이하는 동시항암화학방사선치료(concomitant chemoradiation therapy, CCRT), 치료보다는 증상완화 목적의 완화방사선치료(palliative radiotherapy)로 나눌 수 있다.

술전 방사선치료의 적응증은 원발병소의 방사선반응을 판단하기 위한 방사선치료의 시도, 고정 경부림프절 혹은 절제가능성이 불명확한 전이 림프절이 있는 경우 그리고 재건회복술이 술후 방사선치료를 6-12주 이상 지연시킬 경우이다. 장점으로는 외과적 절제선 밖의 잠재성 병소나 림프절에 대한 처치 가능하고, 수술 시의 암세포 파종 효과를 방지할 수 있으며 초진 시 수술 불가능한 병소를 수술이 가능하게 종물 크기를 줄일 수 있는 점이 있다. 단점으로는 술전 방사선치료로 인하여 수술 후 창상치유지연, 수술의 지연이 있을 수 있으며 환자가 방사선치료만으로 완치된 것으로 잘못 알고(false optimism) 수술을 시행하지 않게 되는 경우가 발생할 수 있다

술후 방사선치료는 수술 후 국소재발의 위험도가 높은 환자에서는 보조적 방사선치료가 사용된다. 보조적 방사선치료는 국소조절과 생존율을 증가시키는 것으로 보고된다. 구강암 근치수술 후 림프절 피막외 침범 소견이 관찰되는 경우, 양성의 절제연 혹은 안전역이 1 mm 미만의 경우에는 술후 방사선치료에 의해 국소적 제어율, 전체 3년생존율이 향상되고, 경부재발률이 감소되었다고 보고되었다. 적응증은 경부청소술의 조직검사 결과 다수의 림프절에 침습된 경우, 안전절제연이 불충분한 경우, 양성 절제연인 경우, 연조직에 발생한 암이 연골이나 골을 침범한 경우, 신경, 혈관, 림프관을 침습한 경우, 그리고 조직병리상 악성도가 높을 경우이다.

구강암의 수술 후 조직검사가 확정이 되면 빠른 시일내에 방사선종양학과 진료를 받을 수 있도록 하는 것이 좋다. 술후 방사선치료 전 수술부위 치유 정도(수술부위 누공발생 여부, 봉합유지 여부)를 파악하여 누공이 있거나 봉합상태가 불량한 경우 매주 상태를 확인한다. 방사선치료는 수술일로부터 8주 이내에 시작될 수 있게 일정을 조정하는 것이 추천된다. 구강암의 진단과 수술 후에 체중감소가 10% 이상인 경우, 경장식을 처방하여 체중을 늘릴 수 있도록 하며, 식욕 감소가 있다고 판단될 경우 식욕촉진제를 처방한다.

방사선치료 처방 선량은 구강암 병소가 완전히 절제된 경우 50–60 Gy의 선량을 처방하고, 병소가 절제되었으나, 현미경적으로 잔존병소가 있는 경우(R1) 61–66 Gy 선량을 처방한다. 만약 수술 후 종양이 다시 관찰되면 재수술을 고려하고 불가능할 경우 66–70 Gy 선량 방사선치료와 동시에 항암화학요법을 시행한다.

방사선치료 범위는 일차적으로 종양이 발생한 원발병소 전체와 수술 후 환부를 포함한다. 경부림프절의 경우 구강은 두경부에서 중심에 위치하기 때문에 설암이나 구강저암인 경우 양측 경부림프절을 방사선치료 범위에 포함하는 경우가 많다. 단, 협점막, 후구치삼각부위, 잇몸의 경우는 동측 경부림프절을 치료하

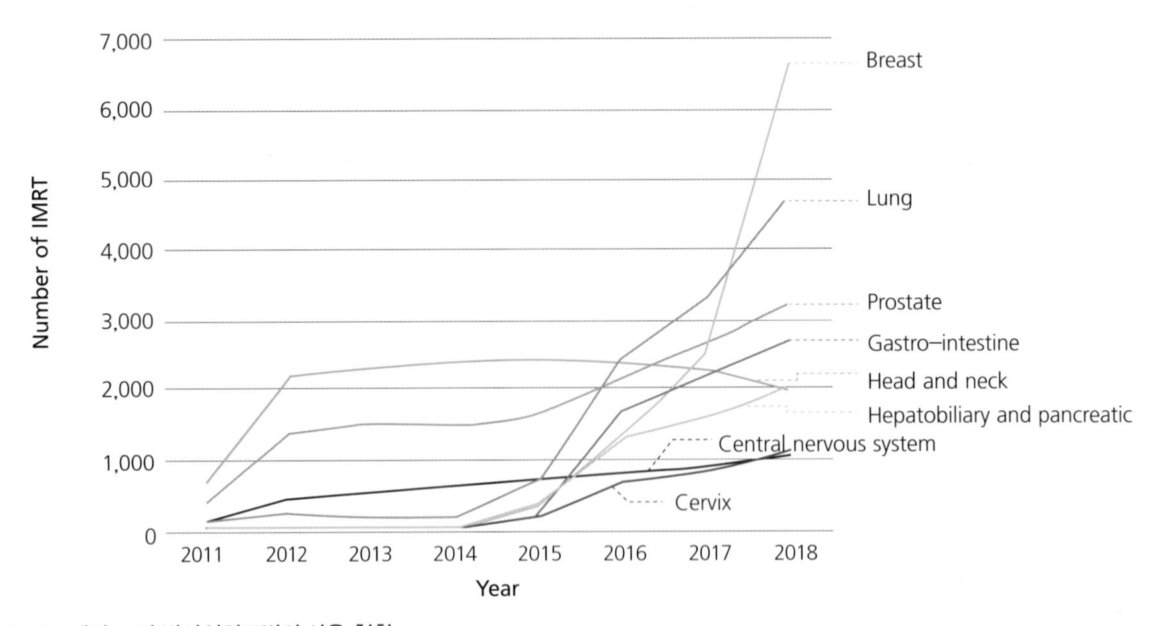

그림 11-57 세기 조절 방사선치료법의 사용 현황.

출처: Seung Jae Huh, Won Park, Do Ho Choi. Recent trends in intensity–modulated radiation therapy use in Korea. Radiat Oncol J 2019;37(4):249–253.

며 경부의 I–V 구역을 모두 포함한다. 일차로 45 Gy (1.8 Gy X 25회) 치료 후 환부와 림프절 전이가 있었던 구역에 대해서 추가적인 방사선치료를 시행한다. 만약 R1 (microscopic residual tumor)이거나 R2 (macroscopic residual tumor)인 경우에는 잔존 종양이 의심되는 부위에 이차 추가 방사선치료 한다.

3) 구강암 방사선치료 환자의 치과처치

방사선은 암조직뿐 아니라 조사야(field of irradiation) 내의 인접 정상조직에도 영향을 미친다. 구강의 정상조직에 대한 방사선효과는 표 11-17과 같다. 따라서 구강암뿐만 아니라 두경부 방사선요법을 받을 환자에서는 조사 전에 완벽한 구강검사 및 평가 후 방사선조사 후 야기될 수 있는 방사선 후유증을 최소화하기 위해 방사선조사 전에 미리 치과처치를 받아야 한다.

(1) 방사선조사 전 치과처치

구강암 수술 후 방사선조사를 받을 환자는 구강을 청결히 해주고 잇솔질 교육 등 구강위생에 대한 교육을 실시한다. 또 방사선조사 후 야기될 수 있는 방사선골괴사를 예방하기 위해 구강점막에 외상을 받지 않도록 주의를 환기시킨다. 또 방사선조사 후에는 구강 내 소수술 후 방사선골괴사가 야기될 수 있으므로, 조사 전에 충분한 치유시간을 갖고 발치, 염증성질환의 외과적 처치, 골융기의 제거, 치조골성형술 등을 시행해야 한다. 보통의 발치 경우 약 2주 간의 회복 시간을 부여하며, 발치와 치유가 지연될 경우 일주일 간격으로 관찰하되, 방사선치료가 수술일로부터 8주 이내에 시작될 수 있게 한다. 이러한 구강의 소수술 후에는 최대한 일차봉합을 함으로써 골조직이 노출되지 않도록 한다. 방사선조사 전의 발치에 대한 적응증으로는 보존이 불가능한 치아, 방사선 조사 후 예후가 좋지 않을 것으로 판단되는 치아, 그리고 후유증을 일으킬 수 있는 치아이며 발치의 금기증으로는 난발치로 예상되어 골의 노출이 예상되고 치유가 더딜것으로 예상되는 경우, 방사선치료 시작 전에 발치창 치유가 불완전할 것

표 11-17 구강의 정상조직에 대한 방사선효과

점막
상피위축(Epithelial atrophy)
혈관변화(Vascular change)
a. 내벽비후(Internal wall thickening)
b. 내강협착(Stenosis of lumen)
c. 폐색(Obliteration)
d. 혈류량감소(Decreased blood flow)
근육
섬유증식증(Fibrosis)
혈관변화(Vascular change)
골조직
골세포감소(Decrease in numbers of osteocytes)
조골세포감소(Decrease in numbers of osteoblasts)
혈관변화–혈류량감소(Decrease in blood flow and changes of intrabony vessels)
타액선
선포위축(Atrophy of acini)
혈관변화(Vascular atrophy)
섬유증식증(Fibrosis)

같을 경우, 수술전 방사선치료 시 발치창이 종양에 인접하여 종양성장을 촉진할 우려가 있을 때 등이다. 종양 내에 치아가 있는 경우는 대부분 수술중에 종양제거와 동시에 발치를 시행하는 것이 원칙이나 치아의 동요도가 심하여 흡인의 위험성이 있는 경우는 발치를 시행한다. 종양 내에 위치한 치아를 발치할 때는 출혈이 예상되므로 지혈에 각별히 주의하여야 한다. 근관치료는 방사선조사 지연을 초래하지 않도록 고려해야 하며 예후에 관해서도 일반적인 치과치료의 경우보다 엄격하게 판단하여 시행하는 것이 필요하다. 치아과민증이나 방사선성 우식치를 예방하기 위하여 방사선조사가 개시되기 전부터 불소도포를 시행하고 이를 위하여 환자 개개인에 맞춘 불소도포장치를 제작한다. 그리고 충전치료를 해야할 경우에는 MRI나 CT 등 촬영시 발생할 수 있는 metal artifact를 고려하여 금속성 충전보다는 레진과 같은 충전재를 선택한다. 그 이외에

조사효율성과 일관성 증대 등을 위한 구강내 장치를 제작하기도 한다(그림 11-58).

(2) 방사선치료 중의 치과처치

방사선조사가 계속되는 동안의 치과처치는 구강청결을 유지시킴은 물론 이미 제작된 불소도포장치에 의한 불소도포의 관리 및 방사선차폐장치 등을 관리한다. 불소도포는 하루에 5분간 칫솔질 후에 겔(gel) 상태의 불소를 불소도포 장치에 담아 시행하는데 만약 방사선조사량이 증가하면서 치아과민증이 나타나면 하루에 15분간 3회 실시하도록 증강 변경한다. 방사선치료 중의 일반 치과치료는 비외상성 시술을 통한 보존적 요법으로 한다.

(3) 방사선치료 후의 치과처치

방사선치료 후 조사범위 내의 치과치료는 비외상성 시술을 통한 보존적 처치이어야 한다. 조사범위 내의 발치나 외과적 치주처치는 외상과 감염을 초래하여 방사선골괴사를 야기할 위험이 따른다. 따라서 정상인에서라면 발치할 경우라도 보존적 처치를 통하여 발치를 지연시키도록 한다. 동요도가 충분히 생긴 뒤 발치를 시행하면 골조직의 노출이 감소하여 후유증을 크게 예방할 수 있다.

4) 구강암 방사선치료 후 구강후유증

구강암 방사선조사 후 구강 내에 나타나는 후유증은 급성으로 점막염, 피부발진, 미각소실, 구강건조증 등이 있으며 지연 후유증으로 구강점막의 섬유화, 연조직 괴사, 개구장애, 방사선골괴사, 방사선치아 우식증 등이 있다.

(1) 점막염(mucositis)

구강점막의 파괴는 방사선치료 1주 후(약 1000 cGy 조사 후)부터 나타나기 시작해서 조사완료 2-3주 후에 자연치유 된다. 병소는 궤양과 출혈을 보이고 환자는 동통, 연하곤란, 미각상실을 호소한다. 만약 주타액선이 조사야에 들게 되면 구강건조증도 나타나서 동통은 더욱 심해지고 환자는 음식 섭취가 곤란하게 된다(그림 11-59). 처치로써 구강청정제를 사용하여 병소를 청결히 해주고 도포국소마취제로 동통을 경감시키며 도포 스테로이드제 혹은 연고 등을 적용하기도 한다. 또한 비타민 투여와 고단백 액화음식을 권한다. 급성상태에서 의치는 장착하지 않도록 한다.

(2) 구강건조증(xerostomia)(그림 11-60)

이하선과 악하선 등 주타액선이 방사선조사 범위내에 들게 되면 방사선치료 3주경(약 2000 cGy 조사 후)부터 구강건조증이 나타나서 만성상태로 진행된다. 타액분비의 감소는 구강위생 불량상태를 초래하여 방사선 치아우식증의 원인이 되기도 한다. 구강건조증 환자에서는 무가당 레몬액 혹은 소르비톨이 첨가된 껌 등으로 타액분비를 자극한다. 만일 타액선의 위축이 심할 때에는 가수글리세린 완충액과 같은 인공타액을 사용한다. 극심한 구강건조증의 경우 의치 점막면에 소량의 바세린을 도포하기도 한다. 침분비 촉진을 위해 필로카르핀을 복용하게 되면 침샘의 기능이 남아있는 경우 도움이 되지만, 환자의 기저질환(예: 천식 등)을 고려하여 처방해야 한다. 필로카르핀은 부가적으로 땀의 분비도 촉진하므로 환자에게 미리 알린다.

(3) 방사선 치아우식증(radiation caries)(그림 11-61)

방사선조사로 인한 타액 분비 감소와 방사선의 치질에 대한 탈회작용으로 유발되는 방사선 우식증의 경우에는 우선 보존처치를 한다. 진행된 방사선성 우식치는 근관치료를 시행하나 주로 치경부 치아우식이 많아서 발치를 요하는 경우가 많다. 이 경우 함부로 발치할 경우 방사선 골괴사증을 야기할 위험이 뒤따른다. 방사선 골괴사증을 방지하기 위해서는 최소한의 외과적 외상을 주어야 하며 콜라겐플러그를 이용하여 봉합함으로써 최소한의 치조골 노출을 최소화한다.

방사선 치아우식증을 방지하기 위하여 방사선조사 개시부터 불소도포장치를 사용하여 하루에 5분간 씩

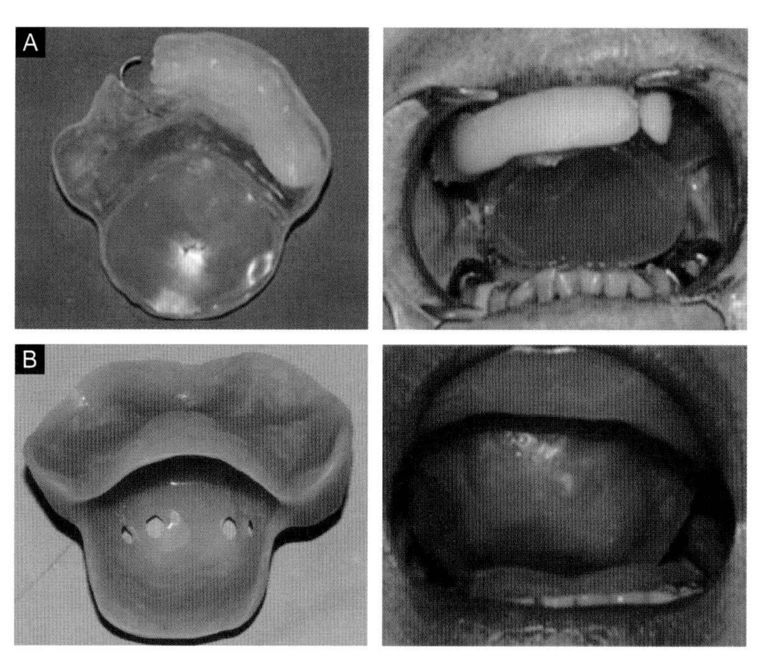

그림 11-58 A: 볼러스함입형 장치 B: 설압형 장치.
출처: Nam KY. J Dent Rehabil Appl Sci. 2020.

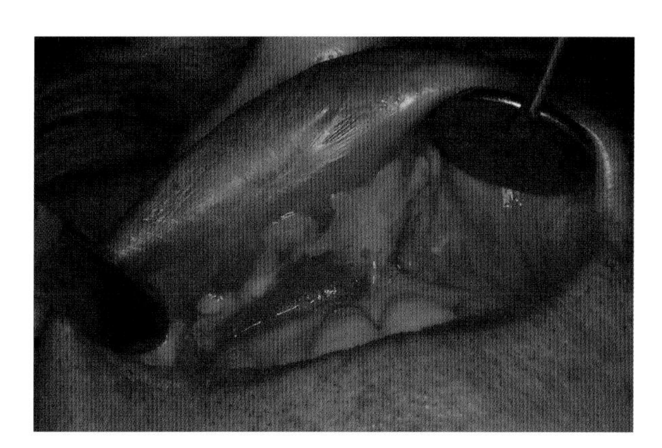

그림 11-59 방사선유발 구강점막염.

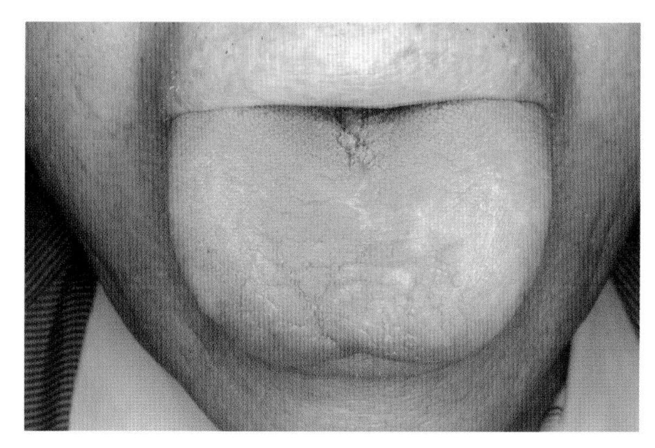

그림 11-60 구강건조증을 가진 환자의 혀의 배면.

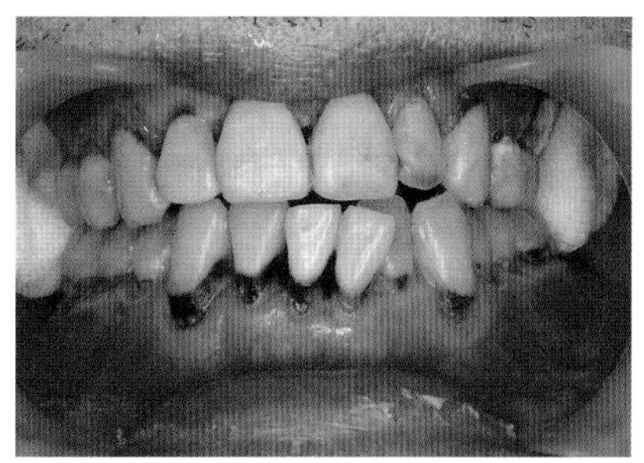

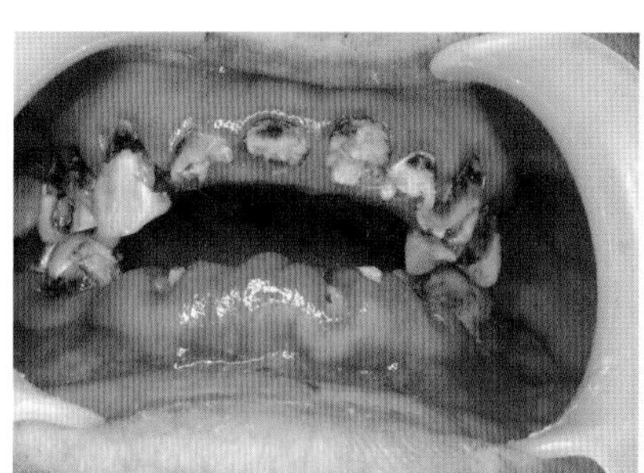

그림 11-61 방사선 치아우식증.

불소를 도포하는 것이 추천된다. 만약 치아과민증이나 초기 방사선우식치가 발생했다면 하루에 15분씩 3회 실시함으로써 과민증의 해소 및 우식진행을 지연시킬 수 있다. 방사선 치아우식증은 치경부의 다발성 치아우식이 관찰되며 치아의 무기질이 빠져나가 쉽게 부러진다.

(4) 개구장애(trismus)(그림 11-62)

방사선조사 후의 개구장애는 주로 저작근육의 혈관변화를 동반한 섬유화에 기인한다. 이는 수술과 방사선요법의 복합요법 시에 더 심각하다. 따라서 방사선조사 시에는 저작근이나 안면근에 대한 방사선차폐를 최대한 해주어야 하며, 환자 자신의 개구운동을 통하여 개구장애가 생기지 않도록 교육시켜야 한다. 일단 개구장애가 나타나면 설압자, 개구기 등을 이용한 강화된 운동계획을 통하여 저작근육의 과도한 섬유화를 방지한다. 이때 저작근육의 신장운동은 좌우 양측에 같은 힘으로 최대편안 개구점을 지나서 동통이 나타나는 어느 선까지 신장시킨다. 이런 운동을 한번에 20회 이상 하루에도 수차례 반복하도록 한다.

개구장애가 오랜시간 동안 지속된경우는 물리치료를 통한 개구가 불가능하며 이때는 외과적 처치를 요한다. 수술 전 검사 시 턱관절의 물리적인 장애가 없고 유착이 없는 경우 오훼돌기 제거술을 통하여 개구를 시킬 수 있으며 이때는 개구기를 입에 물려서 재발을 방지하여야 한다.

(5) 방사선골괴사(osteoradionecrosis)(그림 11-63)

방사선골괴사의 병리기전은 다양한 가설로 설명이 되며 가장 널리 알려진 병리기전은 3저현상(three-H phenomenon)으로 우선 방사선조사를 받은 구강내의 조직들은 어떤 형태의 방사선이 조사되었든지 궁극적으로 조직내 세포의 밀도가 감소되고(저세포증; hypocellular), 혈관의 밀도가 감소되며(저혈관증;

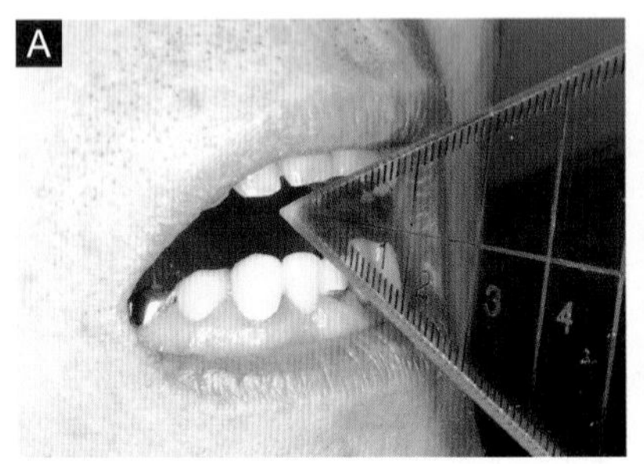

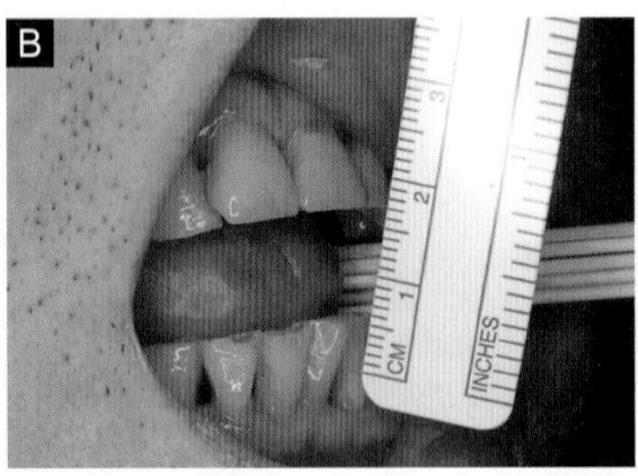

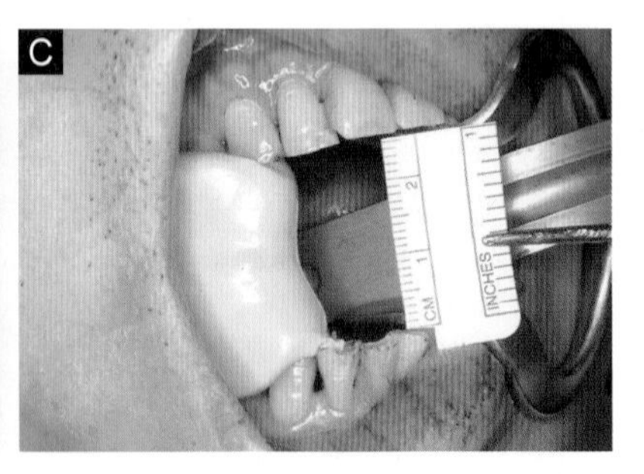

그림 11-62 개구장애. A: 수술 전 개구상태 B: 수술을 위한 전신마취 후 개구상태 C: 양측 오훼돌기절제술 후 개구상태.

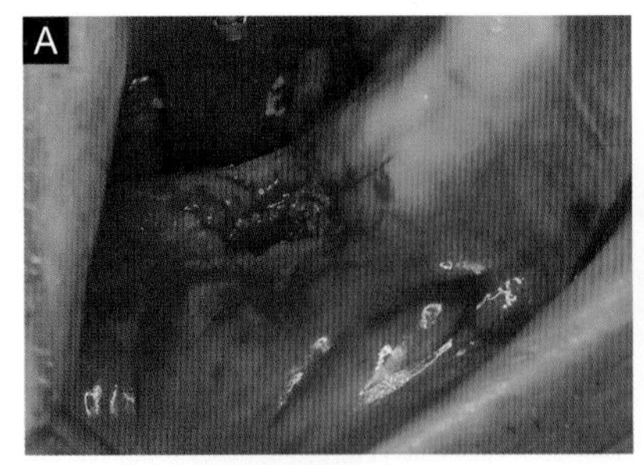

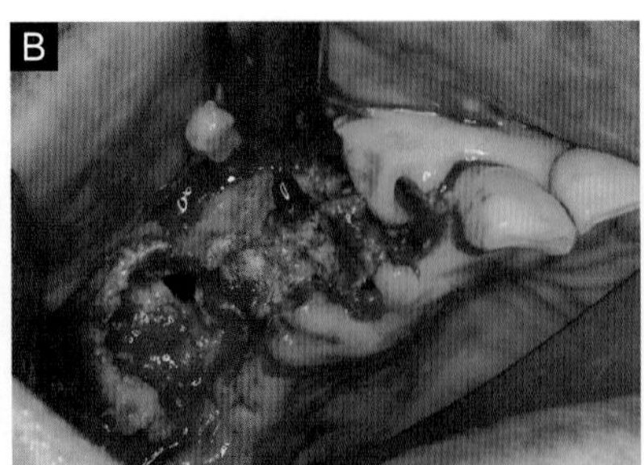

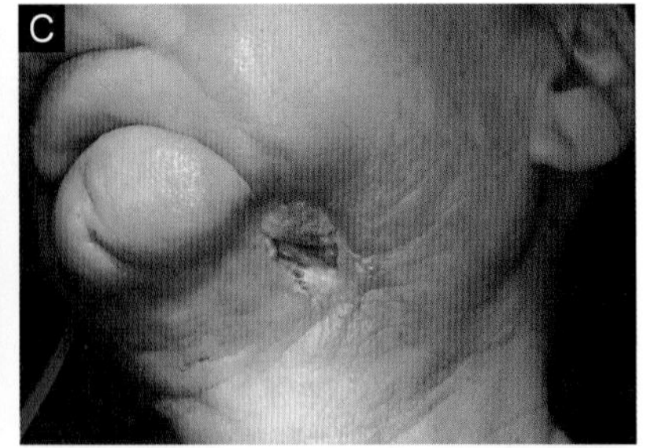

그림 11-63 방사선골괴사. A: 하악골에 발생한 방사선골괴사 B: 상악골에 발생한 방사선골괴사 C: 피부누공과 하악의 병적골절을 동방한 Stage 3 방사선골괴사.

hypovascular), 산소의 농도가 감소되는(저산소증; hypoxic)과정을 통해 악골의 이상이 발생하며 흔히 발치나 임플란트와 같은 외과적 처치 후에 방사선골괴사가 발생하게 된다.

3저 현상 후 세포반응의 결과로 혈관이 빈약하게 분포된 섬유성조직들이 축적되고, 혈관세포들이 변성되어 혈관내 혈전증이나 혈관내 혈액저류증을 초래하여 궁극적으로 방사선에 의해 섬유화된 조직(radiation fibrosis)을 형성한다. 방사선조사를 받게 되면 골조직에서는 조골세포 및 파골세포의 감소, 분포혈관의 탄력상실 및 구경감소 및 정상 골대사의 부전 등이 나타난다. 따라서 감염의 위험성이 증가하고 치유과정이 제한을 받거나 지연된다. 방사선골괴사는 상악에서보다 하악에서 빈발하고 두경부 방사선요법 후 10–30%의 빈도로 발생한다. 임상증상은 만성적 동통성 감염, 악골의 노출, 노출된 악골의 병적골절, 피부누공 및 개구제한이 나타나며 악골괴사 후에 안면의 변형을 초래하는 것이 특징이다.

악골의 방사선골괴사에 관하여 Marx는 방사선성골괴사는 '방사선 조사된 골의 감염증'이라기보다는 일종의 '창상치유 반응의 장애현상'이라는 가설 하에 방사선조사를 받은 조직의 저산소증–저혈관증–저세포증이 초래된 뒤 세포의 증식량 및 교원질의 합성량보다 세포의 사망률 및 용해되는 교원질의 양이 증가하게 되어 조직이 파괴되고 만성적으로 치유되지 않는 연조직, 경조직 창상이 심화된다고 설명하였다. 많은 방사선골괴사 증례들의 경우 골의 화농성 감염이 동반되지만, 이것은 결코 원발성 골수염이 아니라 이차적인 감염에 의한 것이므로 악골의 방사선골괴사를 원발성의 감염증으로만 여기고 잘못 치료한다면, 계속된 괴사의 진행으로 인한 조직의 심한 손상이나 악골의 병리학적 골절 등이 야기될 수 있다. 따라서 악골의 방사선골괴사는 방사선조사 후 자연적으로 발생되거나 혹은 외상과 관련되어서도 발생할 수 있다. Marx와 Johnson은 방사선골괴사 환자의 약 61% 정도가 발치 등과 같은 외상과 관련되었으며, 경험적으로 보아 수술이나 외상과 관계없이 자연적으로 악골에 방사선골괴사를 야기할 수 있는 방사선조사량의 역치는 60 Gy라고 보고하였다.

방사선골괴사의 치료는 장기간을 요하며, 각 단계에 따라 다양하게 시행되어야 한다. 초기의 연조직괴사나 골조직노출이 있을 때에는 부위를 청결히 하고 가글을 시행하며, 항생제 감수성검사 후에 전신적으로 항생제를 투여할 수 있다. 이러한 보존적 처치는 수개월을 요하기도 한다. 현재의 치료법은 보존적인 치료 후 반응이 없는 환자에게서는 외과적 처치를 하는 것이 표준치료법이다. 보존치료 단계는 환자들에게 흡연과 술을 금지시키고, 구강청정제를 사용하고 항생제, 진통제를 처방하는 보존적인 치료이다. 만일 노출된 골면이나 동통이 첫 단계 치료 시작 후 수개월이 지나도 계속 호전되지 않거나, 구강–피부 누공이나 악골의 병리학적 골절이 생긴다면, 환자의 악골을 절제해 내는 수술적 치료를 하여야 한다.

고압산소요법은 악골에 발생된 방사선골괴사를 치료하기 위한 효과적인 보조요법이다. 그런데 만일 외과적 치료를 하지 않고 고압산소요법만 시행한다면, 진행된 악골의 방사선골괴사는 결코 완전히 치료될 수 없기 때문에 질병은 다시 재발되고 증상의 심각성은 지속된다. Marx는 비록 고압산소요법이 방사선골괴사를 근치시키지는 못하지만 방사선골괴사로 인한 조직상태의 악화를 어느 정도 중지시킬 수 있다는 점에 착안하여 외과적 수술과 고압산소의 병용요법을 추천하였다. 하지만 일부 연구에서는 고압산소치료가 방사선골괴사를 호전시키지 못한다고 하였으며, 최근 미세수술법이 발달함에 따라 수여부 혈관이 확보되면 장골이나 비골을 이용한 유리혈관화 골이식술을 시행하는 것이 추천된다.

4. 구강암의 항암화학요법

구강암에 대한 약물치료방법은 신체 타부위의 암치료에서와 같이 중요한 역할을 할 뿐만 아니라 면역요법과 함께 향후 암정복에 크게 기여할 것으로 기대되는 분야이다. 1960년 이전의 구강암치료는 수술과 방사선치료를 위주로 시행되었고, 화학요법은 말기암에 증상완화요법으로 사용되었다. 그러나 1960년대에 이르러 Bleomycin의 전신투여에 의한 구강 편평세포암종의 화학요법과 5-FU의 투여에 의한 상악암의 화학요법이 시행되면서 화학요법도 적극적으로 구강암의 한 가지 치료방법으로 자리를 잡았다. 하지만 항암화학요법은 혈액암을 제외한 점막암이나 타액선암의 근치적 치료는 될 수 없으므로, 항암치료 후에 원발부위가 다 치유된 것으로 보이더라도 재발방지를 위해 수술을 병행해야 한다.

1) 항암화학요법의 기본개념 및 효과

암세포는 정상세포와는 달리 일정량의 크기가 되더라도 증식이 멈추지 않는다. 세포분열을 반복해서 증식하는 경우 4단계의 세포주기가 있다. 즉 세포분열기(M기), DNA합성의 휴지기(G1기), 합성기(S기), 분열전의 휴지기(G2기)의 세포주기를 반복하면서 증식한다. 즉 세포가 M기에서 세포분열을 완료하면 G1기로 들어간다. G1기에서는 RNA와 단백질 합성은 이루어지지만 DNA의 합성은 안 된다. 다음 S기에 들어가면 DNA 합성에 의해 염색체가 복제된다. 이 주기를 한 번 도는 시간이 세대시간(generation time, GT)이다. 세포주기 중에는 또 한번의 휴지기(G0)도 알려져 있다. 일반적으로 세포의 GT가 다른 것은 G1기의 경과시간과 대단히 관계가 깊다. 일반적으로 암증식 초기의 암세포는 수적으로 증식하지만, 암이 커짐에 따라 그 체적이 배가 되는 데 필요한 시간(doubling time)도 연장된다. 이런 연장은 세포밀도와 영양공급의 결여와 연관되어 있다. 일반적으로 항암화학요법에 대한 반응의 결과는 암종에 따라 다른데 고형암보다 혈액암에서 효과가 높고, 육종보다는 암종에서 효과가 높은 경우가 많다. 치료가능한 종양(tumors curable)으로는 백혈병, 림프종, 신경아세포종이 있으며 반응있는 종양(tumors responsive)은 구강암, 두경부암, 방광암, 유방암, 전립선암 등이 있다. 이에 반해 반응이 별로 없는 종양(tumors poorly responsive)으로는 골육종, 연골육종 등이 있으며 과거 흑색종, 신장암 및 대장암은 반응이 없는 종양이었으나 최근 새로이 개발된 약제를 이용하여 효과를 나타내는 경우도 있다.

구강암은 항암화학요법에 반응이 있는 군으로 분류되며 환자 및 종양상태에 따른 화학요법의 효과는 환자의 현재 상태에 따라서 다양하다. 항암치료는 수술이나 방사선치료를 받지 않은 환자에서 우수하며 전신적으로 쇠약한 환자일수록 보행가능하고 활동적인 환자에 비해 화학요법의 효과는 떨어진다. 낮은 영양상태에서는 화학요법을 견딜 수가 없을 뿐만 아니라 구내염과 감염 등의 합병증을 병발하기 쉽기 때문에 항암치료 하는 도중에는 영양섭취에 특별히 신경써야 한다. 고령자에게는 심혈관계의 질환이나 폐, 신장, 간질환 등의 기본적인 질환을 갖고 있는 사람이 많다. 그러므로 이와 같은 환자에게 강력한 화학요법은 곤란하며 환자의 신체 나이에 적합한 항암제를 사용하여야 한다. 세포성 면역상태가 저하되어 있는 환자는 화학요법에 대한 감수성이 떨어지므로 환자의 혈액검사를 통하여 현재 호중구의 수치를 수시로 파악하여야 한다. 항암 약제의 종류와 투여방법과도 관계있지만, 종양의 발생부위에 따라서도 효과가 다르다. 일반적으로 구강점막암은 상악동 점막암보다 감수성이 높고, 원발성 구강점막암은 림프절 전이암보다 감수성이 높은것으로 보고된다. 그리고 종양이 커지면 종양으로의 혈액공급이 불량해지므로 약제 도달이 제한되고, 또 종양이 커지면 G0, G1기 세포도 증가하기 때문에 화학 요법에 대한 감수성이 저하된다. 임상 병리조직학적으로 악성도가 높은 암은 저악성도 암에 비해서 감수성이 낮기 때문에 항암치료 시 주의하여야 한다.

2) 구강암의 항암화학요법의 종류

항암화학요법은 투여약제에 따라 cisplatin, methotrexate, bleomycin, 5-FU 등을 단독적으로 투여하는 단일약제투여(single agent therapy), 여러 개의 항암제를 적절히 조합하여 투여하는 복합화학요법(combination chemotherapy) 그리고 암세포의 특정 단백질이나 특정 유전자 변화를 표적으로 하는 항암제를 이용한 표적치료로 나눌수 있다. 구강암 환자에서는 여러 개의 항암제를 적절히 조합하여 투여하는 복합화학요법 방법을 주로 사용한다. 이 방법의 장점은 약물내성세포(drug resistant cell)의 출현을 피할 수 있고, 부가적 혹은 상승적 효과를 기대할 수 있고, 어떤 약물들의 조합은 재발성 혹은 전이종양에도 유효하며, 급격하게 성장하는 악성종양의 치료에 고도로 효과적일 수 있다. 단지 단일 약제투여 때보다 높은 독성을 나타낸다는 것이 단점이다. 주로 사용되는 방법은 TPF 요법: docetaxel + cisplatin + 5-FU, PF 요법: cisplatin + 5-FU, SP 요법: cisplatin + S-1 그리고 TP 요법: docetaxel + cisplatin이 있다. 구강암에서 표적치료(targeted therapy)는 상피성장인자수용체(epidermal growth factor recepter, EGFR)의 길항제인 cetuximab이 가장 많이 연구되었다. 국소적으로 진행된 구강암에서 방사선치료와 함께 사용된 경우, 재발 또는 전이된 구강암에서 화학요법과 같이 사용된 경우에 생존율이 향상되었다. 단독제제로써 13%의 반응을 보여 낮다고 할 수 있고, 생존율의 향상도 제한적이다. Cisplatin과 방사선치료를 병용한 치료방법과 cetuximab과 방사선치료를 병용한 치료방법을 비교한 메타분석에서 cisplatin을 이용한 기존의 방법이 2년생존율, 2년 국소재발율 등에서 더 나은 것으로 보고되었다. Cisplatin 투약이 부적합한 환자에서 대체제로써 사용하거나, 완화적 화학요법에 사용될 수 있다.

현재 진행된 구강암에 대한 항암화학요법은 수술 또는 방사선치료 전에 먼저 약물치료를 시행하는 유도화학요법 또는 선행화학요법(induction chemotherapy, neoadjuvant chemotherapy)이 있고, 방사선치료와 동시에 또는 연속해서 시행하는 동시항암화학방사선치료(concomitant chemoradiation therapy, CCRT), 수술 등 국소요법후에 시행하는 부가적 화학요법(adjuvant chemotherapy), 그리고 근치적 치료가 어려운 말기암에 대한 완화적 화학요법(palliative chemotherapy) 등이 있다. 국소화학요법(regional chemotherapy)은 항암제의 세포독성의 전신파급을 줄이면서 국소적 침투를 효과적으로 하기 위해 항암제를 병소부위의 동맥내 주입(intraarterial administration)하는 방법으로 간암의 경우 많이 이용되나 최근 구강암을 포함한 진행된 두경부암에서도 시행되기도 한다.

(1) 유도화학요법 또는 선행화학요법

근치적 국소치료를 시행하기 전에 시행하는 항암화학치료로 이론적으로는 잠재적인 미세전이 병소들을 미리 치료하고 수술의 범위를 줄여 중요한 장기를 보존할 가능성을 높여줄 수 있는 치료이다. 구강암에서 선행화학요법은 국소적으로 진행된 암종에서 시행될 수 있으며, 절제 가능한 구강암에서 선행함화학요법은 생존율은 향상시키지 못했으나, 종양의 병기를 낮추어 국소조절과 생존율을 저하시키지 않으면서 하악골 보존수술의 가능성을 향상시켰고, 방사선치료의 필요성을 감소시킬 수 있다고 보고되어 있다. 절제가 불가능한 경우 표준치료는 항암방사선동시치료이며 유도항암화학치료 후 항암방사선동시치료 시행의 이득에 대해서는 아직 논란의 여지가 있으므로, 다학제진료를 통하여 임상적 이득이 예측되는 선별적인 환자에서 시행하는 것이 적합하다. 단점으로 항암화학치료 독성으로 인하여 환자의 순응도가 저하되어 근치 목적의 치료를 시행하지 못하는 경우가 발생할 우려가 있기 때문에 항암화학치료 도중 환자를 주기적으로 추적관찰하여 수술상태가 되는지를 확인하여야 한다.

유도 항암치료에서 가장 많이 사용되는 방법은 TPF regimen으로 Docetaxel 75mg/m^2 IV over 1 hour on D1 + Cisplatin 75 mg/m^2 IV over 1 hour on D1+ 5-FU 750 mg/m^2 IV over 6 hours on D1-5, every

3 weeks이다. PF regimen은 2가지 약제만 사용하는 것으로 Cisplatin 75 mg/m^2 IV over 1 hour on D1 + 5-FU 1000 mg/m^2 IV continuous infusion on D1-4 or D2-5, every 3 weeks로 주사한다. SP regimen은 Cisplatin 75 mg/m^2 IV over 1 hour on D1 + S-1 40 mg/m^2 PO bid on D1-14, every 3 weeks로 신체체표면 면적에 따라서 S-1의 양을 조절한다. S-1은 경구복용약이다. TP regimen은 Docetaxel 75 mg/m^2 D1 IV over 1 hour on D1 + cisplatin 75 mg/m^2 IV over 1 hour on D1, every 3 weeks으로 주사된다.

(2) 동시항암화학방사선치료

근치적 동시항암화학방사선치료는 절제할 수 없거나 수술을 견뎌내기 어려운 환자에 고려해 볼 수 있으며, 환자의 전신조건이 치료를 견딜 수 있는 것으로 평가된다면 시행할 수 있다. 술후 동시항암화학방사선치료는 근치적 수술을 시행하고 조직검사 결과 유해요소(절제연 양성, 림프절 피막외 침범 등)가 확인된다면 근치적 수술 후 동시항암방사선치료 시행을 고려한다. 또한 III, IV 병기인 경우, 경부 IV, V 구역의 림프절 전이가 확인된 경우, 그리고 혈관 또는 신경침범이 확인된 경우에 시행할 수 있다. 동시항암화학방사선치료의 표준 치료약제는 cisplatin인데, 전신조건이 불량하거나, 신기능이상 환자(크레아티닌 제거율 60 ml/min 미만), 독성 평가기준 2등급 이상의 청력손실 또는 신경독성이 동반된 경우에는 대체 항암제로 carboplatin, cetuximab을 고려할 수 있다. 방사선치료 도중 주로 사용되는 약제는 Cisplatin 100 mg/m^2 over 1 hour on D1, every 3 weeks 혹은 Cisplatin 40 mg/m^2 over 1 hour on D1, weekly을 사용할 수 있다. 시스플라틴 투약이 부적합한 환자(Cisplatin-ineligible)는 Carboplatin AUC 1.5 over 1 hour on D1, weekly during radiotherapy 혹은 Cetuximab 400 mg/m^2 loading on week 1, followed by 250 mg/m^2 weekly during radiotherapy을 시행한다.

(3) 부가적 화학요법

진행된 두경부암 환자를 대상으로 한 수술 후 부가적 화학요법의 효과에 대한 대규모 비교시험에서 비투여군과 비교하여 유의하게 원격전이의 감소를 확인할 수 있지만, 생존율의 개선은 확인할 수 없었다. 사용되는 약제는 유도항암화학 치료제와 동일하며 재발이 관찰되는 경우에는 추가적인 약제의 투여가 가능하다.

(4) 완화적 화학요법

완화적 화학요법이 증상의 조절이나, 삶의 질 또는 생존율에 있어서 최적의 보조적 치료와 비교했을 때 더 낫다는 것을 보여주는 무작위 배정 임상연구의 근거는 없다. 완화적 화학요법을 달리했을 때 얻어지는 증상적인 이점이나 삶의 질 등에 대한 무작위 샘플을 이용한 비교연구 또한 없다. 완화적 화학요법에 대한 반응률은 제제의 조합으로 더욱 보강될 수 있으나, 복합요법이 단일제제를 이용한 치료보다 생존율이 높다는 것에 대한 근거는 없다. 완화적 항암화학 치료는 유도항암화학치료의 약제를 모두 사용할 수 있으며 효과가 없는 경우 추가적인 약제의 사용이 가능하다. 우선 면역관문억제제(immune checkpoint inhibitor)인 Pembrolizumab/FP or FC regimen을 가장 먼저 고려해 볼 수 있으며 Pembrolizumab 200 mg fix dose IV over 30 min on D1 + 5-FU 1000 mg/m^2 IV continuous infusion on D1-4 or D2-5 + Cisplatin 100 mg/m^2 or Carboplatin AUC 5 IV over 1 hour on D1, every 3 weeks 방법 혹은 Pembrolizumab monotherapy를 고려해 볼 수 있으며 Pembrolizumab 200 mg fix dose IV over 30 min on D1, every 3 weeks을 주사한다. Nivolumab monotherapy는 2차로 고려해 볼 수 있으며 Nivolumab 3 mg/kg IV over 30 min, every 2 weeks 또는 Alternative fix dose로 Nivolumab 240 mg IV over 30 min, every 2 weeks or 480 mg IV over 30 min every 4 weeks를 고려할 수 있다. 상피세포성장인자 수용체(epidermal growth facter receptor, EGFR) 억제제도 시도되고 있으며

Cetuximab 400 mg/m^2 loading on week 1, followed by 250 mg/m^2 weekly + 5-FU 1000 mg/m^2 IV continuous infusion on D1-4 or D2-5 + Cisplatin 100 mg/m^2 or Carboplatin AUC 5 IV over 1 hour on D1, every 3 weeks 혹은 Cetuximab 400 mg/m^2 loading on week 1, followed by 250 mg/m^2 weekly 을 주사한다. 이외 세포독성항암제로 Docetaxel 75 mg/m^2 D1 IV over 1 hour on D1, every 3 weeks, Docetaxel spilt dose로 Docetaxel 35 mg/m^2 D1 IV over 1 hour on D1, D8, every 3 weeks, Vinorelbine 25 mg/m^2 D1 IV over 1 hour on D1, D8, every 3 weeks 혹은 DIP regimen, consider pegylated G-CSF support 방법으로 Docetaxel 70 mg/m^2 IV over 1 hour on D1 + Cisplatin 60 mg/m^2 IV over 1 hour on D1 + Ifosfamide 1000 mg/m^2 IV over 2 hours on D1-3 with Mesna 1000 mg/m^2 on D1-3, every 3 weeks를 고려해 볼 수 있으며 전통적으로 사용되어온 Methotrexate 40 mg/m^2 D1 IVS on D1, weekly도 사용할 수 있다.

3) 항암화학요법의 구강후유증(표 11-18)

항암화학요법은 수술이나 방사선요법처럼 국소요법이 아닌 전신요법이기 때문에 일단 투여된 약물은 암세포뿐만 아니라 전신의 정상세포에도 영향을 미치므로 투여하는 약물의 용량, 용법, 시기 등에 세심한 주의가 필요하다. 그렇지만 전이가 나타난 구강암의 처치에는 화학요법이 꼭 필요하다. 외과적 수술과 방사선요법과는 달리 화학요법의 후유증은 전신적으로 나타난다. 그 중에서도 구강점막조직은 세포분열이 왕성하고, 또 구강내에는 많은 세균이 상주하기 때문에 화학요법 후 약 50%가 구강후유증을 나타낸다. 이러한 화학요법의 구강후유증은 아래 표와 같이 분류된다. 구강암뿐만 아니라 신체 타 부위의 암종에 대한 항암화학 요법을 받을 계획이 있거나, 받고 있는 환자, 또는 과거에 받았던 환자에 대한 일반적인 치과치료 시에는 골수기능저하로 인한 백혈구 감소 및 이에 따른 감염 우려와 혈소판 감소로 인한 출혈성향 등, 환자에 대한 특별한 주의를 기울여야 한다.

표 11-18 항암화학요법의 구강후유증

직접적 효과
점막염(mucositis)
구강건조증(xerostomia)
치수장애(neurotoxity of pulpal tissue)
간접적 효과
국소감염(local infection)
a. 세균성 감염(bacterial infection)
- 치성감염(odontogenic infection)
- 연조직 감염(soft tissue infection)
- 괴사성 궤양성 치은염(necrotizing ulcerative gingivitis)
- 타액선 감염(salivary gland infection)
b. 진균성 감염(fungal infection)
c. 바이러스 감염(viral infection)
- 단순성 포진(herpes simplex)
- 대상성 포진(herpes zoster)
치은 및 점막하 출혈(gingival and submucosal hemorrhage)

5. 구강암 수술 치료 후 평가 및 추적관찰

구강암 수술 치료 후 평가 및 추적관찰의 주된 목적은 초기재발 여부를 확인하여 생존율을 증진시키는 데 있다. 구강암은 높은 재발률을 보이는데, 대략 2년 내에 85%의 재발률을 보이며, 단지 5%만이 2년 후에 재발한다는 보고가 있다. 평가방법으로는 철저한 임상적 검사가 필수이며 경부초음파검사, MRI 또는 CT와 같은 종합적이고 전문적인 검사도 필요하다. 재발이 의심되는 경우 조직검사가 시행될 수 있으며 흉부방사선 검사도 정기적으로 시행해야 한다. 현재 대한구강악안면외과학회에서는 치료 후 내원 관찰을 첫 해에 1개월, 2년째부터는 2-3개월, 3년째는 3개월, 4년째부터는 3-6개월 그리고 4년 후부터는 6개월 간격으로 평가기간을 잡고 있으며 종합적인 영상진단 평가는 2년까지는 3개월마다 시행하고 그 후 6개월마다 시행할 것을 추천하고 있다. 폐전이를 감별하기 위해 매년 시행하는 흉부 CT는 과거 흡연력이 있어 이차암의 가능성이 높을 경우는 시행하는 것이 도움이 되며 흡연력이 없는 경우 chest PA 사진을 촬영하여 관찰한다. 재발하거나 잔존암을 치료하기 전 PET/CT를 촬영하며 병변의 범위와 이차암, 전이암의 범위를 확인하기에 유용하다.

6. 맺는 말

구강암을 예방하려면 항상 구강을 청결히 하고 또 무엇보다도 담배와 술을 삼가야 한다. 흡연과 음주를 많이 하는 사람은 하지 않는 사람보다 구강암에 걸릴 위험성이 매우 높다. 이외에도 모든 구강병은 초기에 치료받고, 입 안에 불량한 보철물 등으로 해서 만성적 자극을 받는 일이 없도록 하는 것도 중요하다. 구강암의 치료방법은 외과적 절제가 우선한다. 경부림프선 전이가 있거나 절제면이 암조직과 가까운 경우 그리고 침범두께가 깊은 경우 수술 후 방사선치료, 화학요법을 조합한 복합적 치료가 시행된다. 오늘날 구강암처치의 발전은 수술, 방사선치료, 항암화학요법 모두에서 눈부시게 발전하고 있다. 구강암 수술분야에서는 마취분야에서의 발전, 술전 술후 환자의 전신치료 분야에서의 발전, 새로운 수술기법의 계속적인 개발, 술후 결손부에 대한 재건술의 발전, 그리고 악안면보철의 활용에서 눈부신 성과를 이룩하고 있다. 특히 재건술에서는 인접조직의 이전 이식 외에도 미세수술의 발달로 멀리 떨어진 공여부에서의 유리 골근피부복합이식이 표준치료법이 되었다. 방사선치료 분야에서는 새로운 치료기기의 등장, IMRT의 일반화, 분할조사법의 개선, 저산소세포감작제 및 방사선보호제의 투여, 고압산소요법과의 병용 등으로 치료효과를 증대시키기 위한 노력이 시도되고 있다. 그리고 치과 예방치료와 구강내 점막염 치료를 통하여 방사선치료 후의 구강후유증을 예방 혹은 최소화하고 있다. 항암화학요법에서는 독성이 약하면서 강력한 항암제의 출현에 부응하여 구강암에 보다 유용한 항암제의 조합을 모색하고 있고, 유도화학요법을 통하여 수술이나 방사선치료 등과의 적절한 배합으로 구강암을 복합적으로 처치함으로써 보다 효과적인 결과를 모색하고 있다. 구강암의 치료는 외과적 절제가 우선이기 때문에 구강악안면외과를 중심으로 악안면보철의, 구강병리전문의, 마취전문의, 종양내과의, 방사선치료전문의, 재활의학과 전문의 그리고 정신건강의학과 전문의뿐만 아니라 언어치료사, 간호사, 영양사, 그리고 사회사업가 등 여러 분야의 전문가들이 총체적으로 협동하여야 하는 영역이다.

참고문헌

구강암연구소. 구강암의 방사선치료 및 항암화학요법. 구강암 진료지침서. doi. [Epub ahead of print]. 2판. 서울: 대한구강악안면외과학회; 2016.

Ascierto PA, Accorona R, Botti G, et al. Mucosal melanoma of the head and neck. Crit Rev Oncol Hematol 2017;112:136–52.

Berthiller J, Straif K, Agudo A, et al. Low frequency of cigarette smoking and the risk of head and neck cancer in the INHANCE consortium pooled analysis. Int J Epidemiol 2016;45(3):835–45.

Brown JS, Shaw RJ. Reconstruction of the maxilla and midface: introducing a new classification. Lancet Oncol. 2010;11(10):1001–8.

Brown NA, Elenitoba–Johnson KS. Update from the 4th Edition of the World Health Organization Classification of Head and Neck Tumours: Hematolymphoid Tumours. Head Neck Pathol 2017;11(1):96–109.

Choi SW, Moon EK, Park JY, et al. Trends in the incidence of and survival rates for oral cavity cancer in the Korean population. Oral Dis 2014;20(8):773–9.

Ferlay J, Shin HR, Bray F, et al. Estimates of worldwide burden of cancer in 2008: GLOBOCAN 2008. Int J Cancer 2010;127(12):2893–917.

International Agency for Research on Cancer, Globocan 2020. Lip, oral cavity fact sheet.

Gupta PC, Warnakulasuriya S. Global epidemiology of areca nut usage. Addict Biol 2002;7(1):77–83.

Hanisch M, Baumhoer D, Elges S, et al. Sclerosing odontogenic carcinoma: current diagnostic and management considerations concerning a most unusual neoplasm. Int J Oral Maxillofac Surg 2017;46(12):1641–9.

Hernandez BY, Lynch CF, Chan OTM, et al. Human papillomavirus DNA detection, p16(INK4a), and oral cavity cancer in a U.S. population. Oral Oncol 2019;91:92–6.

Hong JH, Lee K, Kim J, et al. Prognosis of hepatocellular carcinoma metastasizing to the oral cavity. Maxillofac Plast Reconstr Surg 2021;43(1):9.

Inchingolo F, Santacroce L, Ballini A, et al. Oral Cancer: A Historical Review. Int J Environ Res Public Health 2020;17(9):3168.

Kim Y, Choi SW, Lee JH, et al. A single cervical lymph node metastasis of malignant ameloblastoma. J Craniomaxillofac Surg 2014;42(8):2035–40.

Kirita T. Oral cancer: current status of molecular biology and treatment strategy. Int J Clin Oncol 2014;19(3):421–2.

Licitra L, Grandi C, Guzzo M, et al. Primary chemotherapy in resectable oral cavity squamous cell cancer: a randomized controlled trial. J Clin Oncol 2003;21(2):327–33.

Overgaard J, Hansen HS, Specht L, et al. Five compared with six fractions per week of conventional radiotherapy of squamous–cell carcinoma of head and neck: DAHANCA 6 and 7 randomised controlled trial. Lancet 2003;362(9388):933–40.

Petrelli F, Coinu A, Riboldi V, et al. Concomitant platinum–based chemotherapy or cetuximab with radiotherapy for locally advanced head and neck cancer: a systematic review and meta–analysis of published studies. Oral Oncol 2014;50(11):1041–8.

Pignon JP, Bourhis J, Domenge C, et al. Chemotherapy added to locoregional treatment for head and neck squamouscell carcinoma: three meta–analyses of updated individual data. MACH–NC Collaborative Group. Meta–Analysis of Chemotherapy on Head and Neck Cancer. Lancet 2000;355(9208):949–55.

Reuschenbach M, Kansy K, Garbe K, et al. Lack of evidence of human papillomavirusinduced squamous cell carcinomas of the oral cavity in southern Germany. Oral Oncol 2013;49(9):937–42.

Seethala RR, Stenman G. Update from the 4th Edition of the World Health Organization Classification of Head and Neck Tumours: Tumors of the Salivary Gland. Head Neck Pathol 2017;11(1):55–67.

Huh SJ, Park W, Choi DH. Recent trends in intensity–modulated radiation therapy use in Korea. Radiat Oncol J 2019;37(4):249–253.

Shellenberger TD, Sturgis EM. Sarcomas of the head and neck region. Curr Oncol Rep 2009;11(2):135–42.

Shin YJ, Choung HW, Lee JH, et al. Association of Periodontitis with Oral Cancer: A Case–Control Study. J Dent Res 2019;98(5):526–33.

Sim YC, Hwang JH, Ahn KM. Overall and disease–specific survival outcomes following primary surgery for oral squamous cell carcinoma: analysis of consecutive 67 patients. J Korean Assoc Oral Maxillofac Surg 2019;45(2):83–90.

Stelow EB, Bishop JA. Update from the 4th Edition of the World Health Organization Classification of Head and Neck Tumours: Tumors of the Nasal Cavity, Paranasal Sinuses and Skull Base. Head Neck Pathol 2017;11(1):3–15.

Stuschke M, Thames HD. Hyperfractionated radiotherapy of human tumors: overview of the randomized clinical trials. Int J Radiat Oncol Biol Phys 1997;37(2):259–67.

Vermorken JB, Trigo J, Hitt R, et al. Open–label, uncontrolled, multicenter phase II study to evaluate the efficacy and toxicity of cetuximab as a single agent in patients with recurrent and/or metastatic squamous cell carcinoma of the head and neck who failed to respond to platinum-based therapy. J Clin Oncol 2007;25(16):2171-7.

Westra WH, Lewis JS, Jr. Update from the 4th Edition of the World Health Organization Classification of Head and Neck Tumours: Oropharynx. Head Neck Pathol 2017;11:41-7.

Williams MD. Update from the 4th Edition of the World Health Organization Classification of Head and Neck Tumours: Mucosal Melanomas. Head Neck Pathol 2017;11(1):110-7.

Winquist E, Oliver T, Gilbert R. Postoperative chemoradiotherapy for advanced squamous cell carcinoma of the head and neck: a systematic review with meta-analysis. Head Neck 2007;29(1):38-46.

Wright JM, Vered M. Update from the 4th Edition of the World Health Organization Classification of Head and Neck Tumours: Odontogenic and Maxillofacial Bone Tumors. Head Neck Pathol 2017;11(1):68-77.

Taylor CB, Boone JL, Schmalbach CE, et al. Intraoperative relationship of the spinal accessory nerve to the internal jugular vein: variation from cadaver studies. Am J Otolaryngol 2013 Sep-Oct;34(5):527-9. doi: 10.1016/j.amjoto.2013.05.008. Epub 2013 Jun 28.

구강악안면재건

최근 교통사고와 구강암 환자의 증가로 악안면부위 결손이 증가하는 추세이며, 재건을 요하는 경우가 많아지고 있다. 악안면 영역의 재건은 크게 연조직 재건과 경조직 재건으로 나눌 수 있는데, 재건의 궁극적인 목적은 기능적 · 심미적 회복으로 사회에 복귀하는 데 있다. 이때 악안면 기능을 회복해 주는 재건술이 필요하며 이를 위해서는 저작과 발음기능이 가능하도록 하여야 한다. 이를 위해서는 여러 가지 재건술식의 장단점을 고려하여 최종적으로는 보철물이나 임플란트 장착이 가능한 기능적인 재건술을 선택하거나 개발하여 시술해 줄 필요가 있다. 즉 저작기능의 회복이 가능한 재건술을 이용하여 동시에 심미적으로 해줄 수 있는 재건술을 시행하도록 하는데 이때 가능하면 환자 신체에 이식에 의한 이차적 결손이 최소화될 수 있는 점도 고려하여 선택하도록 해야 한다. 이를 위해서는 최근에 개발되는 이식재에 대해서도 관심을 가져야 할 것이다.

CONTENTS

CHAPTER 12

구강악안면재건

Oral and Maxillofacial Reconstruction

학습목적

구강악안면 재건술의 개요, 발전과정 및 조직이식의 용어정의, 목적, 생리 및 면역학적 개념 등 구강악안면영역의 재건에 기초가 되는 지식을 이해하고 향상된 최신 재건술을 이용하여 환자로 하여금 기능적, 심미적 회복을 꾀하여 사회에 적응하도록 도움을 주는 데 있다.

기본 학습목표

- 악안면 재건의 궁극적 목적을 설명할 수 있다.
- 악안면 재건의 원칙을 설명할 수 있다.
- 연조직 이식재의 종류를 설명할 수 있다.
- 연조직 이식재 선택 시 고려해야 할 사항에 대하여 설명할 수 있다.
- 자가피부이식의 두께에 따른 구분 및 장단점을 설명할 수 있다.
- 자가피부이식의 공여부 및 생착기전을 설명할 수 있다.
- 골이식재의 종류를 분류할 수 있다.
- 경조직 및 연조직 재건법의 개요를 설명할 수 있다.
- 악안면 연조직 재건에 사용되는 피판의 종류를 설명할 수 있다.

심화 학습목표

- 자가피부이식에서 이식편의 채취술기를 알아야 하며, 이식편의 고정방법 그리고 공여부 드레싱방법을 설명할 수 있다.
- 자가골이식에서 치과 구강안면영역에서 많이 쓰이는 공여부의 종류와 특성 그리고 채취술기를 설명할 수 있다.
- 구강영역에 적용하기 쉬운 국소피판의 종류와 각각에 대한 적응증과 수술방법을 설명할 수 있다.
- 유리피판술의 역사적 배경, 구강 및 악안면 영역에 주로 사용되는 피판의 종류와 이에 대한 공여부 해부와 거상 방법에 대해 설명할 수 있다.
- 유리피판술의 임상적용과 미세혈관문합술의 개요를 설명할 수 있다.
- 악안면보철을 이용한 재건술을 설명할 수 있다.

I. 재건학의 개요

1. 재건의 목적

종양 절제, 외상, 방사선골괴사 그리고 기타 다양한 원인에 의해 피부나 점막 등의 연조직을 포함한 안면골결손이 초래될 수 있다. 이러한 악안면결손 재건의 궁극적인 목적은 뼈, 치아 및 연조직 결손을 동시에 또는 이차적으로 회복하여, ① 안면의 형태를 가능한 조직결손 이전의 형태로 수복하며, ② 부정교합이 발생하는 것을 최소화하고 저작기능을 회복시키며, ③ 발음의 기능과 감각 및 근육의 운동능력을 복구시키는 것이다. 더불어, 공여부와 수혜부의 이환율(morbidity)을 최소화하고, 가능하면 골결손을 일차적으로 그리고 최소의 수술 횟수로 재건치료를 할 수 있는 것을 목표로 한다.

2. 재건의 원칙

구강악안면 재건은 연조직과 경조직 재건으로 나눌 수 있는데, 골조직은 인체의 다른 부위에서 공여된 미세혈관문합술을 이용한 유리골판 이외에도 유리골이나 혈행함유 유리골 등으로 대체될 수 있기 때문에 연조직 재건보다는 경조직 재건이 다소 용이하다고 볼 수 있다. 이식되는 뼈는 원하는 모양으로 형태를 부여할 수 있으며, 이식 후 결과도 상당히 양호하다. 연조직 재건은 조직의 특수한 성상으로 인해 덜 만족스러운 결과를 가져올 수 있는데, 작은 부위의 구강연조직 결손 재건에서 가장 많이 사용되는 방법은 피부이식이다. 구강점막은 구강 내를 덮을 뿐만 아니라 분비와 감각 기능을 가지고 있다. 이러한 특수조직을 피부로 대체하게 되면 감각과 분비기능이 없어지게 되고, 또한 연조직 재건은 부위마다 다른 특성과 적절한 색조 그리고 표면성질을 부여해야 하는 어려움이 따른다. 악안면영역의 근육결손이 있는 경우에도 부피의 회복은 가능하지만, 결손 이전 근육의 기능적인 완전한 회복은 불가능하다. 비록 재건기술이 많이 발달하여 부분적으로 기능적인 근육운동의 회복이 가능하기는 하지만, 정상적인 구강기능과 얼굴표현 회복은 극히 어렵다. 결국 연조직의 재건은 같은 종류의 조직과 성질을 가진 공여부가 없기 때문에 유사한 조직으로 해부학적으로 교정하는 데 초점을 맞출 수밖에 없다. 구강 외의 결손부위에는 두경부의 외형에 맞추고, 구강내에서도 구강내의 다른 해부학적인 구조와 비슷한 관계를 유지하도록 재건하여야 한다. 구강의 형태도 중요하며 너무 큰 부피의 피판(flap)은 구강의 해부학적 구조를 변형시키고 기능에 많은 장애를 가져온다. 재건의 이차적인 목적은 충분한 혈행을 가진 조직으로 대체하여 상처부위가 일차적으로 치유가 되도록 하는 것인데, 이러한 연조직과 경조직의 일차적인 치유는 보기 싫은 반흔과 누공형성 그리고 패혈증이나 창상감염을 예방하기 위하여 필수적이다. 합병증이 없는 일차적인 상처치유는 수술 후 조기에 후속치료를 가능하게 한다. 수술 후 재활치료나 항암요법 또는 방사선치료 등이 계획되어 있으면 혈행이 좋은 조직으로 즉시 재건하는 방법을 선택하도록 한다. 이러한 원칙은 골과 연조직 모두에 해당된다. 혈행함유 골조직은 술후 방사선치료와 항암치료를 받을 계획인 환자에게는 통상적인 비혈류화 뼈이식보다 우수하다.

3. 구강악안면 재건 시 고려사항

1) 기능

(1) 혀

혀의 일부분 또는 주위 점막조직을 제거하더라도 재건 시에 혀 운동에 제한을 주지 않도록 신경을 써야 한다. 혀 완전절제(total glossectomy) 시에는 혀 전체의 부피를 대체하는 재건술을 시행해야 한다. 만약 전체를 회복하는 재건술이 시행되지 않거나 실패하게 되면 구강저에서 후두로 직접 통로가 생기게 되어 폐로 음식물의 흡인(aspiration)이나 연하장애를 초래한다.

(2) 하악골

하악골의 전악궁(anterior arch)은 하순을 지지하고 입술을 이용한 밀폐를 도와주며, 또한 외설근이 부착되는 결절이 위치한다. 절제후의 안모 변형은 매우 심하며, 이를 Andy Gump 기형이라 한다. 하악골 전악궁을 절제할 때는 반드시 재건을 병행하여야 하며, 금속판(metal plate)을 이용한 재건은 비틀림 응력(torsional stress)과 근기능 등으로 인해 나사풀림이나 금속판 노출 등 실패 가능성이 높으므로 가급적이면 다른 방법을 택하도록 한다. Commando 수술법과 같이 하악골 상행지와 후수평지를 절제할 때는 뼈를 포함하는 재건술이 반드시 필요하지는 않지만, 기능적인 재건을 하지 않았을 경우에는 하악골 기능장애와 개구장애가 초래된다.

(3) 구개

경구개 점막결손은 큰 문제를 야기하지 않는다.

국소전위피판을 이용하거나 이차상피화(secondary intention wound healing)로 육아조직을 형성시켜 자연 치유를 유도한다. 경구개 골결손은 비강과 구강을 분리시키기 위해 가능하면 연조직으로 재건하는 것이 좋다. 만약 그렇지 않으면 음식물의 역류와 비음이 초래된다. 치과보철물(악안면보철)을 이용하여 많은 경우에 좋은 결과를 얻고 있으나, 종종 두개골부위의 유경피판인 auriculo-mastoid flap 혹은 측두근 또는 측두 조직판 그리고 견갑골이나 전완 등의 유리피판으로 재건하기도 한다.

(4) 입술

구강내 병소가 입술에 근접한 경우, 수술계획 시에 입술의 밀폐기능이 보존되도록 노력해야 한다. 또한 감각과 근기능 그리고 입술의 심미적 모양을 고려해야 한다.

2) 외관(Cosmetics)

경조직 재건과 같이 연조직을 포함하는 재건 시에는 다음과 같은 요소를 고려한다.

① 대칭적인 안모
② 얼굴의 피부나 구강점막과 유사한 두께와 성질을 갖는 공여부 선택
③ 안모와 조화되는 피부의 색깔 및 질감 수복
④ 모근을 포함하는 피부가 필요한지 여부
⑤ 구강점막 재건 시에는 미각이나 감각 그리고 타액분비처럼 특수기능이 필요한지 여부

3) 시기(즉시 또는 이차적 재건)

절제와 재건을 분리하여 시행하는 것보다 동시에 시행하면 수술에 따른 이환율도 낮아진다. 이러한 이유로 즉시 재건이 추천된다. 기술적인 면에서도 재건은 결손부를 만들 때 시행하는 것이 결손부의 정확한 크기와 부피를 측정할 수 있기 때문에 쉽다. 특히 골조직은 절제된 조직을 사용하여 매우 정확한 모양으로 재건할 수 있다. 지연재건, 즉 이차적 재건 시에는 조직의 수축과 반흔으로 인하여 정상적인 기능적이고 해부학적 구조로 만드는 것이 불가능할 때가 많다. 즉시 재건은 한 번의 수술과정을 거치며 조기에 술후 재활을 시작할 수 있다. 또한 최근의 재건방법은 추가적인 치료에 장애가 되지 않으며 특히 수술 후 즉시 방사선치료를 시행할 수 있는 기회를 증가시킨다.

4) 비용 및 기타 고려사항

기타 종합적으로 고려되어야 할 요소는 다음과 같다.

① 완전 재건을 필요로 하는 시기와 비용
② 환자의 나이와 전신적 상태 등 치료를 위한 환자의 예후
③ 결손부의 크기와 위치
④ 공여부에서 제공되는 조직의 크기와 양 등

II. 조직이식론

1. 조직이식의 정의와 분류

1) 정의

한 개체 혹은 여러 개체에서 조직의 일부분을 다른 곳으로 옮겨주는 것을 말한다.

2) 분류

(1) 자가이식(autograft)

개체의 일부를 같은 개체의 다른 부위에 이식하는 방법으로 가장 흔히 사용되며, 특별한 문제가 없으면 대개 완전히 생착된다.

(2) 동종 동계이식(isograft)

항원 구성이 동일한 개체 간에 이식하는 방법으로 일란성 쌍생아 경우의 이식을 말한다. 보통 자가이식

의 형태로 취급하기도 한다.

(3) **동종 이계이식**(allograft)

항원구성이 같지 않으며 유전적으로 다른 동종 개체 간에서 행하는 이식법으로 이식 시 거부반응이 생길 수 있어서, 최근 거부반응을 억제하기 위한 면역억제제의 사용 등 이식면역학의 발전으로 장기이식이 활발히 시행되고 있다.

(4) **이종이식**(xenograft)

이종 간에 이루어지는 이식법으로 생착을 기대하기 어려우나 일시적인 치료목적을 위하여 이용될 수 있다.

2. 조직이식의 생리

■ 피판 혈액공급의 생리

대부분 국소피판의 경우 혈액공급은 random-pattern이다. 이것은 진피와 진피하 혈관총 내에서 임의적으로 상호연결(anastomoses)되는 양상을 말한다. 국소피판의 생존은 궁극적으로 적절한 조직관류와 피부로의 혈류공급에 영향을 줄 수 있는 다양한 인자에 달려 있다. 1-2 ml/min/100 g (조직) 정도의 피부 혈액관류가 피판을 유지시킬지라도 신체 전반에 걸쳐서 관류는 2-100 ml/min/100 g (조직)까지 다양하다. 이는 순환계가 신체 내 모든 세포에 혈액을 전달하도록 되어 있기 때문이며 말초혈관까지 공급되기까지 관류의 현저한 변화가 있다. 동맥 저항성과 정맥혈용량은 중추신경계에 의한 자율신경계의 조절과 동정맥 단락의 조절 하에 달려 있다. 동정맥 단락은 교감신경계에 영향을 받는데 이는 외과적으로 혹은 약동학적으로 방해를 받을 경우 교감신경 활성이 감소되어 단락이 열리게 되고 이는 피판 원심부의 생활력을 약화시킬 수 있다.

■ 조직이식 시 거부반응

조직을 이식할 경우 종이 다를수록 거부반응이 빨리 일어난다. 이러한 거부반응은 이식조직을 이물질로 여기기 때문에 일어나는데 이는 수혜자와 다른 항원이 이식조직에 있기 때문이며 이러한 항원을 조직적합항원(histocompatibility antigen)이라 한다. 이 조직적합항원은 세포막 표면에 존재하며 lipid-protein-glycoprotein-carbohydrate complex로 구성되어 있으며 신체부위의 조직에 따라 차이와 강도가 다르고 개인 차이도 있다. 가장 강력한 이식항원은 염색체부위에 있는 주요조직적합복합체로 사람은 chromosome 6번에서 발견된다. 조직적합성 검사는 공여자와 수혜자 사이의 항원의 차이를 검사하는데 백혈구검사와 mixed lymphocyte culture (MLC) test가 있다. 백혈구검사는 다산부 여자나 여러 번 수혈 경험이 있는 환자로부터 분리한 표준화된 항혈청을 이용하여 림프구 세포막에 붙어있는 HLA-A, HLA-B, HLA-D 항원을 검출할 수 있다. 림프구, 항혈청, 보체(complement)를 섞은 후 배양시키면 항혈청과 반응하여 림프구가 죽으면서 vital dye에 양성반응 검사로 나온다. 이 검사는 가족 등 친족 간 검사에 유용하다. MLC test는 공여자와 수혜자 사이의 HLAD/DR locus에 의해 결정되는 조직적합성 정도를 찾는데 이용되며 동종이식 성공을 예측하는 데 중요한 검사법으로 며칠이 걸린다.

1) 거부반응(Transplant rejection)

거부반응은 이식조직의 항원이 숙주에 노출되면서 시작된다. 정맥으로 투여 시 가장 빠르게 나타나나 약하게 작용하고, 진피내에 투여 시 가장 뚜렷한 반응을 나타낸다.

2) 과정

(1) **감작**(sensitization)

이식조직의 항원이 숙주의 림프계 세포(lymphoid) 또는 기관(organ)에 접하는 것을 말한다.

(2) 인식(recognition)

항원과 림프구(lymphocyte)의 수용부위와의 결합으로 항체생성을 유발하는 세포반응의 기초를 말한다.

(3) 면역매개체(mediators)

감작된 림프구(sensitized lymphocyte)가 유리하는 면역인자들로 이주억제인자(migration inhibitory factor)와 이주유도인자(chemotactic factor), 세포분열인자(mitogenic factor), 혈관투과인자(vascular permeability factor), 이동인자(transfer factor) 등이 있다.

3) 거부반응의 변형

(1) 면역특권부위(immune privileged area)

안구 전방, 뇌조직

(2) 면역증강 및 약화(immune boost and weakening)

이미 면역되어 높은 역가의 혈청항체를 갖고 있는 동물에게 같은 공여자로부터 동종이식을 재시도하면 면역거부반응이 약화된다.

(3) 면역내성(immune tolerance)

태생 시나 생후 초기에 특정항원에 노출 시 나중에 항원에 다시 노출되었을 때 반응이 나타나지 않는다.

(4) 면역억제(immune suppression)

방사선조사나 화학물질은 이식항원의 반응을 약화시킨다. 그 화학약물로는 adrenal steroid (prednisolone), 항림프구 혈청(anti-lymphocyte serum, ALS), 항대사물질[antimetabolites; azathioprine (imuran), methotrexate], 알킬화제[alkylating agent; cyclophosphamide, nitrogen mustard], 항생제[antibiotics; actinomycin], B-효소[enzymes; L-asparaginase] 등이 있다.

3. 자가이식

1) 피부이식

- 진피이식: 피부의 표피와 피하지방을 제거한 진피만을 유리이식하는 것으로 안면부 연조직 함몰 교정에 이용될 수 있다.

2) 골이식

- 비혈류화 골이식(non-vascularized conventional bone graft)

(1) 경골

적은 양의 골채취는 큰 장애가 없으나 채취량이 많으면 통증, 변형을 유발하고 골절되기 쉽다. 그러나 공여부 합병증이 적어, 환자는 수술 다음 날부터 보행이 가능하기에 소량의 해면골 채취가 필요한 경우 유용하게 사용할 수 있다.

(2) 장골

만곡되어 하악골 재건에 유리하고 많은 양을 채취할 수 있다. 대합조개(clamshell), 트랩도어(trapdoor), 피질망상골(corticocancellous) 채취법 등이 있다. 그러나 많은 양의 골채취 시 환자는 상당기간 보행에 불편을 호소할 수 있다.

(3) 늑골

혈관이 볼크만관(Volkman's canal)이나 절단부만을 통하여 관통되므로 생존율이 낮았으나 늑골을 분할(split)함으로써 해결되었다.

(4) 두개골

외층(outer table)이나 전층 모두 사용할 수 있으며, 공여부에 통증이나 반흔을 남기지 않으며 흡수가 적다. 두정골(parietal bone) 부위가 비교적 두껍고 시상정맥동(sagittal sinus)도 다칠 염려가 없어 많이 이용되고 있다.

(5) 하악골

하악지(ramal bone), 이부(chin)나 근돌기(coronoid process) 등이 이용된다.

3) 연골이식

성장기 환자에서의 과두재건에 많이 사용되며, 높은 생존율과 쉽게 조작할 수 있는 이점이 있다.

(1) 자가이식

비중격연골, 이개연골, 늑연골 등이 주요 공여부이며, 연골세포가 손상되지 않도록 하여야 흡수율이 낮아지나 이에 대한 확실한 기전은 밝혀지지 않고 있다.

(2) 동종이식

흡수율이 20%로 자가이식에 비하여 다소 높으나 항원성이 없어 사용할 수 있으며 이식조직이 석회화되면서 흡수가 중지된다고 할 수 있다.

4) 지방이식

유리지방이식은 흔한 감염과 이식지방의 1/2-1/3 정도의 높은 흡수율 때문에 최근에는 많이 사용되지 않으나 다만 진피와 피하 지방을 함께 옮기는 진피-지방(dermal-fat) 이식은 진피로부터 많은 혈액을 공급받아 80-85%의 생착률을 보이므로 더욱 효과적인 방법으로 안면부의 연조직 결손에 이용될 수 있다.

5) 근육이식

이식근육은 근섬유전장을 포함하여야 하며, 수혜부의 정상 신경분포(innervated) 근육에 접촉이 되도록 하여, 수혜부 근육의 축삭돌기가 빠른 속도로 이식근 속으로 자라 들어가게 하여야 한다. 장수장근(palmaris longus muscle)이나, 신지단근(extensor digitorum brevis muscle), 정조근(gracilis muscle)을 이용하여 안면신경마비의 입주위나 안검을 재건시키고 구개범인두부전증(palatine pharyngeal insufficiency) 환자에서 후인두벽 속에 근육을 이식시켜 발음을 개선시키는 데 사용되기도 한다.

6) 신경이식

(1) 자가이식

공여신경의 축삭은 궁극적으로 퇴화하나, 수혜부 축삭의 재생 시 신경초로 역할을 하는데 공여부의 기능 손실을 최소로 하려면 순수한 감각신경만을 사용하여야 하는 단점이 있다. 그러므로 최근 이를 대치할 다른 자가 조직, 즉 정맥 등을 신경결손부위에 사용하려는 시도가 이루어지고 있다.

(2) 동종이식

임상적으로나 실험적으로 아직 성공적이지는 못하지만 cyclosporine, hydrocortisone, azathioprine 등의 면역억제제를 사용한 여러 실험에서 거부반응의 시기를 연장하는 것은 어느 정도 가능성이 보고되어 있다.

7) 모발이식

모근이 손상되지 않도록 모발채취 시 방향에 주의해야 한다.

8) 복합 조직이식

복합조직피판이란 피부이식, 골이식 등과 같이 단일 조직을 유리이식하는 것과 달리 두 가지 이상의 조직, 즉 피부와 근육, 피부와 골 등을 조합해서 한 덩어리로 이식하는 것을 말하며 안모 및 구강내의 복합적 결손을 재건하는 데 매우 유리하다. 1887년 König가 처음 보고한 후 1946년 Brown이 일반화시켰다.

(1) 복합조직의 종류

① 피부와 연골
② 점막과 연골
③ 피부와 피하지방
④ 눈과 피부
⑤ 손톱과 피부
⑥ 골, 근육

⑦ 골, 근육, 신경
⑧ 골, 근육, 피부
⑨ 골, 근육, 신경, 피부
⑩ 골, 근육, 근막, 연골, 피부

(2) 복합 조직이식의 장단점

장점
a. 1회 수술로 완성 b. 기능적 재건임

단점
a. 이식편의 크기가 제한됨 b. 이식부와 채취부의 모양과 기능에 차이가 있음을 감안하여 이식해야 함

4. 임상에서 많이 쓰이는 비자가 이식재

1) 이식재의 종류

시대의 변천과 더불어 인공이식재를 이용한 많은 외과적 술식이 보고되어 왔으며, 특히 생체조직의 재건과 관련된 인공이식재는 임상적 유용성이 인정되고 있다. 그러나 재료의 물리적, 화학적 특성에 따라 조직반응이 달라지므로 생체적합성(biocompatibility)이 우수한 재료를 필요로 하는데, 생체재료(biomaterial)는 생체에 적용되었을 때 생물학적으로 잘 받아들여질 수 있는 재료이다. 이것은 인공적인 이물성형재료와 살아있는 생체로부터 얻어진 생물학적인 재료로 분류되는데 후자는 협의의 생체재료로 일컬어지기도 한다. 'Graft'란 이식, 이식재, 이식편 등으로 해석되는데, 살아있는 조직으로부터 신선하게 채취되어 옮겨진 세포들에 의해서 시술의 성공여부가 결정되는 진정한 생활조직(viable tissue)을 옮기는 것을 뜻한다. 'Implant'란 매식, 매식재, 매식물 등으로 해석되는데, 불활성의 재료(non-viable tissues or non-vital material)들을 뜻하며, 동물에서 얻어진 유기적 혹은 무기적인 재료(동종 혹은 이종의 동결건조골, 탈회골 등)와 금속을 포함한 여러 가지 이물성형재료들이 이 범주에 모두 포함된다.

(1) 이물성형재료(alloplastic material)

'조직을 수복하거나 재건하기 위해 사용될 수 있으며 열이나 압력으로 가공이 가능한 인공적인 합성재료'라고 정의할 수 있으며, '이물성형재료' 혹은 '부원형물질'이라고 표현할 수 있다. 이러한 이물성형재료들이 아직까지는 마음 놓고 사용하기에 완벽하지 못한 단계라는 것은 의심할 필요도 없다. 그러나 이런 재료들이 결국 인체의 모든 결손부를 대체할 수 있는 시기는 언젠가 도래할 것으로 예상되며, 실제로 여러 외과 분야에서 성공적으로 임상시술된 증례들도 적지 않게 보고되고 있다. 구강악안면영역은 그 환경적 취약성으로 인하여 매우 시술하기 힘든 부위지만, 무균적 시술과 술식의 발전 및 항생제 등의 개발에 힘입어 예후의 안정성은 나날이 증진되고 있다. 구강악안면영역에서 쓰이는 재료들로서는 금속, 중합체(polymers), 도재(ceramics), 탄소재료(carbons), 합성재료(composites) 등으로 나누어 볼 수 있으며, 최근 생물공학적으로 재결합시킨 재조합단백질(recombinant proteins; rh-BMP, 혹은 기타 성장요소 등)들이 주목받고 있다.

① **금속**(metals)

a. **스테인리스강**(stainless steel): 17-20%의 크롬(chromium)과 10-14%의 니켈(nickel) 등으로 구성된다. 가장 큰 장점은 경제적이고, 조작이 용이하며, 일반 철에 비해 녹슬지 않는 것이다. 저온 처리된 스테인레스강은 부식(corrosion)으로 인한 파절에 특히 저항성이 있는 것으로 알려져 있다. 고정용 부목 및 강선 혹은 금속판 및 나사 등이 제작되어 임상적으로 쓰이고 있다.

b. **코발트-크롬 합금**(cobalt-chromium alloys; vitalium): 마모에 저항성이 있는 합금으로, 주조하여 사용하는 외과용 바이탈륨(Co-28Cr-

6Mo−C)과 세공용의 바이탈륨(Co−20Cr−15W−10Ni−C) 등으로 나뉘며 생체 및 시험관 실험에서 부식에 대해 매우 우수한 저항성을 나타내는 금속이다. 의치나 매식물의 일부로 제작되고 있는데, 생체조직 내에 삽입된 경우 세포에 끼치는 독성 정도에 대한 논란이 있다.

c. **탄탈륨(tantalum)**: 매우 치밀하고 용융점이 높은 금속으로서, 탄성률은 비교적 높지만 인장 시의 항복강도(yield strength)와 항장력(tensile strength)은 비교적 낮은 금속이다. 클립, 금속판, 금속망이나 금속박판(foil)의 형태로 구강 및 악안면 영역의 수술 시에 적용된다.

d. **순수 티타늄(pure titanium) 및 합금**: 이것은 시술 중 변형이 가능한 형태로도 사용되며 스테인리스강(stainless steel)보다 훨씬 낮은 밀도를 갖고 있다. 티타늄의 표면은 공기 중에서 산화막을 형성한다. 동물실험과 실제 임상시술 시 부식에 대한 저항성 및 조직에 대한 적합성이 뛰어난 것으로 나타났으며, 6%의 알루미늄(aluminum)과 4%의 바나듐(vanadium)을 포함하고 있는 티타늄 합금이 순수 티타늄에 비하여 강도가 약간 높은 것으로 보고되었다. 최근에는 마모되는 성질을 개선하기 위해 티타늄 합금의 표면에 질화(nitride) 처리를 하는 방법이 시도되고 있다. 악안면외상 골절편의 정복술이나 골재건술, 기타 악교정수술 시 골편의 고정을 위한 소형금속판, 메쉬(mesh)와 나사의 형태로 제작되어 사용되며, 특히 최근에는 수복을 위한 고정장치로서 사용되는 매식물의 재료로도 이용되고 있다.

② **중합체(polymers)**

a. **실리콘(silicones)**: 실리콘 러버(silicone rubber)는 외형을 만들기 쉽고, 고압증기멸균이 가능하며, 화학반응이나 주위 환경에 대한 저항이 아주 강하지만, 물리적 강도가 낮은 단점이 있으며 특히 찢어지기가 쉽다. 의료용으로 개발된 것은 크게 두 가지로서, 고온에서 경화되어 상품화된 것(heat cured)과 상온에서 경화된 것[Room Temperature Vulcanizing (RTV) System]이 있으며, 부드러운 것으로부터 딱딱한 것까지 연성을 다양하게 할 수 있다. 안면부 연조직이나 코의 연골이나 치조골의 증강술 및 약간의 스트레스 혹은 전혀 스트레스를 받지 않는 결손부의 재건에 많이 사용된다. 악관절재건술 중 관절원판의 대체물로도 많이 사용되었으나, 악관절부위의 교합력을 견디기에는 문제점이 있는 것으로 여겨지고 있다.

b. **아크릴 수지(methyl methacrylate; acrylic resin)**: 분말상태의 아크릴 수지 폴리머(polymer)와 액체상태의 모노머(monomer)를 무게비로 약 2:1이 되게 혼합함으로써 중합반응을 일으키게 하여 사용한다. 구강내 스플린트나 인공치아, 의치를 제작하는 데 사용된다. 치근의 인공대치물로 매식되기도 했지만 그 성공률이 매우 낮았다. 치조골이나 하악골의 부분결손 시 혹은 악관절 관절두성형술 후의 골대치물로 사용되기도 하며, 특히 신경외과나 정형외과 영역에서 골대치물로 많이 사용되고 있다. 단점으로는 중합반응 시 발생되는 열과 일부 남아있는 모노머의 독성에 의해 인접된 골면이 괴사될 수 있고, 이물반응에 의해 섬유막으로 둘러싸이게 되어 골과의 부정유합이나 가관절을 형성하거나, 오랜 기간 동안 매식된 경우 외부로 노출되기도 한다. 하등동물의 피하조직에 매식된 경우 육종(sarcoma)이 야기되었다는 보고가 있으나 인체에서 육종이 야기되었다는 증례보고는 전혀 없다. 따라서 본 재료를 이용한 재건술은 가급적 짧은 기간 동안 임시적으로 행하는 경우로 제한하는 것이 추천된다.

c. **폴리에틸렌(polyethylene)**: 가장 간단한 형태의 중합체이며 중합반응 시 압력에 따라 다른 밀도를 지니고 있다. 다른 중합물질에 비해 약하고

잘 휘어지는 경향이 있다. 저밀도의 폴리에틸렌은 가장 잘 휘어지고 약하며, 고밀도의 폴리에틸렌은 금속에 대한 마모도가 낮으며, 조직적합성이 좋고, 화학적으로 안정되어 있다. 따라서 이것을 변형시킨 재료가 고관절의 대치수술에 이용되고 있으며, 다공성의 고밀도 폴리에틸렌은 골과 직접 결합된다는 실험보고와 함께 두개부 매식재 혹은 안면부(협부 혹은 턱 등)의 증강술에 사용되어 만족할 만한 결과를 얻었다는 보고가 있다.

d. 폴리테트라플루오르에틸렌(PTFE, Teflon, Fluon): 화학적으로 매우 안정되고 조직에 대한 적합성이 좋은 중합체이다. 그러나 통상 이 재료는 사출에 의해 모형(molding)을 만들기가 어렵고, 마모도가 높은 등 물리적 성질이 약한 단점이 있다. 다공성 필터로 조작된 형태(expanded PTFE; Gore-Tex)는 작은 골결손부의 골재생에 효과적으로 이용될 수 있다.

e. 생체내 흡수성 중합체(biodegradable polymers): 폴리글락틱산(polyglactic acid; Vicryl)은 가수분해가 되면서 그 형태가 오래 유지되는 재료이다. 실험적으로 고정판을 만들어 같은 재료의 나사를 이용하여 개의 골절편을 8-12주일 동안 고정한 결과 잘 치유되었으며, 약 40주 후에 재료는 완전히 분해되었다. 또한 실험적으로 폴리글락틱산과 폴리글리콜릭산(polyglycolic acid; Dexon)을 혼합한 봉합사를 만들어 본 결과, 흡수 기간은 100일부터 220일까지 다양하게 나타난 바 있다. 이 재료들로 그물망을 만들어 인공골 대치재료들을 채운 후 소시지 모양으로 치조골의 증강술에 이용되기도 하였다.

③ **도재**(ceramics)

a. 다공성 도재(porous ceramics): 재료 자체가 골생성 기전(osteogenesis)을 자극하진 않지만, 칼슘 포스페이트의 흡수와 연관되어 일어나는 골의 재생에 잘 적응된다. 하악골의 골절이나 치조골의 증강술 및 안면골의 결손 시 치환술이나 증강술에 사용된다. 재료의 흡수는 일어나지 않는다.

b. 바이오글라스 도재(bioglass ceramic): 골과 재료 사이에 직접적인 화학결합이 일어난다. 이 재료는 시험관 내 실험에서 칼슘과 이온을 유리시킴으로써, 골과의 간극(interface)에 배열되어 있는 교원질로 이루어진 기질에 골의 무기성분인 수산화인회석(hydroxyapatite)이 침착되게 된다. 이때 규소(silicone)가 간극부위에 침착되는데, 이것도 골과의 안정된 결합에 있어 빠뜨릴 수 없는 요소로 추정되고 있다. 그런데 바이오글라스나 바이오글라스 도재는 물리적으로 강도가 약한 단점이 있으므로 실제 임상에서 직접 사용되기에는 아직 문제가 있다. 그러나 표면 결합력이 좋으므로 알루미나와 같은 강도가 높은 물질에 표면 처리하는 방법이 개발되었다.

c. 흡수성 도재(absorbable bioceramic): 트리칼슘 포스페이트(tricalcium phosphate)와 다공성의 칼슘 알루미네이트(calcium aluminate)를 골내 매식한 경우 조직내에서 잘 적응되며, 적절히 흡수되고, 골에 의해 대치된다. 이 재료들은 골과 인접한 부위에서 칼슘과 인 이온이 유리됨으로써 능동적으로 골의 재생과정에 참여하는 것으로 여겨진다. 최근 치조골의 고경이 낮아진 무치악 구치부에 인공치아 매식재를 삽입하기 위하여 상악동 점막을 들어 올린 후 생긴 공간에 자가골이나 탈회시킨 동종이인자형골(demineralized allogenic bone powder, DBP)과 함께 섞어서 상악동점막 하부에 형성된 결손부를 채운 경우 양호한 예후들이 보고되었다.

④ **탄소**(carbon)

탄소재료는 흑연과 유사한 약한 crystalline을 함유하고, 결정 간 교차결합을 하여 적당한 강도를 갖고 있으며, 경조직과 연조직 모두에 대한 조직적합성이 좋다. Biocarbon은 부식과 화학반응에도 저항력이 있고, vitreous (glassy) carbon과 저온 isotropic carbon의 2가지 종류가 있는데, 이들은 모두 피로도에 저항력이 약하고, glassy carbon의 외표면과 파절면은 유리의 그것과 유사한데, 최근 치근형 골내 매식체로서 연구되고 있다.

⑤ 합성재료(composites)

a. 프로플라스트(Proplast®): 프로플라스트는 PTFE와 glassy carbon fiber를 혼합한 합성재료로서, 70–90% 정도가 세공(fine pore)으로 이루어져 있고, 세공의 크기는 40–80 ㎛ 정도이다. 검정색 재료로 열에 대해 안정되고 멸균이 가능하며, 수술실에서 원하는 형태로 조작할 수 있다. 골내 blade–vent형 매식체 혹은 악관절 보철물의 관절면에 표면처리되어 사용되거나, 부피를 적당히 하여 안면부의 재형성에 사용되어 왔다. 패혈증이나 창상이 열개(dehiscence)되어 노출된 부작용이 보고된 바 있지만 안면부 증강술을 위해 작은 크기로 사용된 경우의 예후는 비교적 만족스럽다. 이 경우 얇은 피부 아래에 사용된 경우 변색이 되는 단점이 있어 PTFE와 산화 알루미늄을 복합하여 백색의 Proplast II가 개발되었다.

b. 보강된 아크릴 수지(reinforced acrylic resin): 유리섬유가 보강된 아크릴 수지를 이용하여 골절편 고정용 골판이 개발된 바 있다. 이 재료는 골과 비슷한 탄성을 갖고 있고, 비교적 높은 강도를 갖는다. 동물실험상 조직적합성이 좋고, 골치유기전에 도움이 되었으나 사람에 적용하기에는 아직 결점이 있다.

c. 치과용 합성수지(dental composite resin): organic polymer matrix에 도재를 합성시킨 재료가 개발되어 심미적인 치과 수복용 재료로서 사용되어 왔다. 강선을 이용하여 치아주위에 에리히 치열궁 부목(Erich arch bar)을 고정시키는 대신에 본 재료를 이용하여 직접 치아에 브라켓을 고정한 후 악간고정을 시행하기도 한다. 기존의 악간고정방법에 비해 고정력이 약하긴 하지만, 악교정수술 시 훌륭한 고정방법으로 사용될 수 있다.

⑥ 유전자 재조합 폴리펩티드 재료

최근 유전공학, 생화학 및 생물공학의 발전과 더불어 rh–BMP, 또는 성장인자(growth factor) 등 인공적으로 합성된 폴리펩티드들이 주목받고 있다. Urist를 중심으로 한 선학들이 1965년 이후 일련의 골형성단백질의 골유도 능력을 보고한 이래 이 재료를 생화학적으로 분리, 합성하고자 하는 노력이 계속되어 왔다. 1988년 Wozney는 인간의 골형성단백질(recombinant human bone morphogenetic protein, rh–BMP)의 인공합성에 최초로 성공하여 이 물질을 양산할 수 있는 길을 터놓았다. 이제까지 7가지 이상의 골형성단백질 계보가 알려져 있으며, 광의로 보아 이것은 전환 성장인자(transforming growth factor, TGF)의 superfamily에 해당한다. rh–BMP 2, 3, 7등이 현재 주목받고 있는데, 일부는 하등 척추동물에서 가루나 막 형태의 흡수성 교원질(collagen)과 섞어서 매식한 결과 실험상으로는 신생골 형성능력이 입증되었으며, 현재 임상시험은 끝나고 상업화되어 환자들에게 사용되고 있다. 환자의 상악동거상술 후 매식된 rh–BMP2의 경우 한 달 이내 골형성이 관찰되었으며, 치근형 인공치아 매식재가 성공적으로 시술되었다. 그러나 사용해야 할 농도나 양, 혹은 부작용에 대한 검증이 완전히 끝나지 않아 식약청이나 미국 FDA에서는 환자에게 제한된 범위 내에서 사용을 허락하고 있다. 그 밖에도 여러 가지의 성장인자들이 창상의 치유기전에 관여한다는 사실이 알려진 후 분리 혹은 합성된 이 물질들을 이용하여 치유되지 않는 소모성 환자의 만성 연조직 창상치유 속도를 촉진시키거나, 골이식 후 더욱 확실한 예후를 얻고 신생골의 강화속도를 촉진시키고자 하는 노력이 계속되어 왔다. Knighton 등은 환자 자신의 혈액에서 추출된 몇 가지 성장요소들이 함유된 섬유소응괴(fibrin clot)를 이용하여 당뇨 환자의 만성욕창을 치유시킨 바 있고, Marx 등은 혈장에서 유리된 성장인자(platelet derived growth factor) 및 몇 가지 성장인자들이 함유된 혈소판풍부혈장(platelet rich plasma, PRP)으로 섬유소응괴(fibrin clot)를 형성하여 생활 골세포가 풍부한 망상골 이식재에 첨가함으로써 골이식 후 형성된 신생골들이 빨리 경화되는 것을 관찰하였다. 각 성장요소들의 작용은 아직 확실히 규명되지는 않았고, 상호반응이 복잡하다. 많은 학자들은 각 요소들이 창상치유에 미치는 역할이나 상호반응이 규명되어, 향후 조직공학적으로 합성된 각 성장인자들이 임상에 이용될 수 있을 것으로 보고 있다.

(2) 생체조직으로부터 얻어진 재료

① **연조직 이식재:** 연조직 이식재는 면역학적 기원에 따라 자가 이식재(autogenous graft), 동종 이식재(allogenic graft), 그리고 이종 이식재(xenogenic graft)로 분류된다. 동종 이식재료는 인체피부나 양막(amniotic membrane)이, 그리고 이종 이식재로는 돼지 피부(pig skin) 등이 이용되고 있다.

a. 동종 이식재(allogenic graft)

- 신선한 전층 혹은 분할층의 피부(fresh isogenic skin): 이것은 자가이식의 경우와 마찬가지 술식으로 자기 몸이 아닌 일란성 쌍둥이나 유전적으로 가까운 공여자로부터 제공된 피부를 이용하여 심한 화상 등의 경우 광범위하게 요구되는 피부결손부에 사용될 수 있다. 치유기전은 일반적으로 잘 알려진 신장이나 골수, 심장이식 시의 이식면역학 이론에 근거한다. 그러나 공여자의 피부에 손상을 야기하고, 공여자의 자격에 한계가 있어 실제 임상에 적용되는 경우는 드물며 특히 구강악안면 영역에서 보고된 예는 거의 없다.
- 동결건조피부(freeze-dried skin): 사체의 기증이 법적으로 보장된 일부 국가에서는, 기증된 사체가 신선한 상태에서 조직을 채취하여 적절히 동결건조시키는 동종이식의 처리법이 조직은행 술식으로 표준화되어 있다. 대개 분할층으로 채취되어 저장되며, 자가 분할층 피부이식의 경우와 그 적응증이 유사하다. 구강악안면영역에서 보철 전 수술 등의 여러 가지 재건수술에 많이 사용된다.
- 양막(amniotic membrane): 사체의 피부를 채취하는 것보다 인체의 양막을 얻는 것이 용이하다. 다량 공급이 가능하고, 피부와 구조적으로 유사하며, 거부반응이 비교적 적고, 멸균법이 더욱 용이해져서 이에 대한 연구와 임상증례 보고가 증가하고 있다. 특히 최근에는 사용을 더욱 용이하게 하기 위해 채취된 양막을 동결건조 처리한 후 멸균하여 사용하고 있다. 적응증으로는 외상으로 인한 피부의 결손, 심한 화상 환자의 생물학적 처치 재료로 사용되며, 구강내 점막이 결손된 경우 폐쇄창으로 전환시키기 위해 사용되기도 한다.
- 대퇴근막(fascia lata): 동결건조시킨 동종 대퇴근막은 기관절개술 후 생긴 반흔대를 제거한 후 재발을 방지하기 위해 차단막으로 사용되거나, 치조골의 골결손부에 동결건조 탈회골 이식 후 섬유성 연조직의 유입을 막기 위한 일시적인 차단막으로 사용될 수 있다.
- 뇌경막(dura): 동결건조시킨 동종 뇌막은 대퇴근막보다 두께가 일정한 편이며 더 치밀하다. 적응증은 동종 대퇴근막과 비슷하며, 차단막으로 사용 시 더 좋은 예후를 기대할 수 있으나, Kreuzfeldt Jacob disease를 전염시킬 수 있어 엄격한 품질 관리 및 완벽한 멸균처리가 필요하다.

b. 이종 이식재(xenogenic graft)

- 계란 난막(egg membrane): 이 재료는 계란껍질의 안쪽에 피개되어 있는 막으로서 단백질 수분, 전해질 등의 누출을 막는 등 생물학적 치료재료로서 손색이 없으며, 세포배양에도 많이 이용되고 있다. 그 채취 및 보존이 극히 어렵고 채취량이 적은 단점이 있어, 실제 임상에서는 별로 이용되지 않으나 실험적 연구는 계속되고 있다.

- 돼지 피부(pig skin): 분할층으로 채취되어 동결 건조 처리된 돼지 피부도 생물학적 처치를 위해 임상에서 많이 사용되고 있으며, 특히 심한 화상 환자들에 대한 탁월한 치료결과들이 보고되고 있다. 이 재료는 법적, 종교적으로 동종 이식재료를 사용하기 어려운 경우에 많이 쓰이고 있다.

② **경조직 이식재:** 구강악안면 결손부의 재건을 위해 사용되는 이식재도 연조직의 경우와 마찬가지로 자가골, 동종골, 이종골 이식재로 분류될 수 있는데 여기에서는 동종골 및 이종골 이식재를 살펴보도록 한다.

a. **동종골 이식재(allogenic bone graft):** 같은 종의 타 개체에서 채취한 골을 이용하는 것으로 신선 동종골 이식술은 면역반응이 심하여 골수이식만이 임상에서 시도되고 있고, 동종 이인자형 골은 여러 가지로 처리되어 멸균저장된 피질골 등이 임상에서 이용될 수 있다. 냉동시킨 동종골을 이식한 경우 기증자의 후천성면역결핍증, 간염 등 여러 가지의 전염성 질환들이 환자에게 이환될 수 있으므로 엄격한 멸균상태 및 품질관리가 절대적으로 필요하다.

- 신선한 동종골(fresh bone): 면역학적 거부반응이 심하므로 이식된 동종골편은 괴사되어 골형성에 직접 관여하지 못한다. 거부현상으로는 세포성 면역반응이 주로 나타난다.
- 냉동골(frozen bone): 면역거부반응을 약화시키는 저장방법으로 냉동생물학적 기술인 냉동법을 이용하기도 한다. 이 방법은 동결건조골이나 탈회골에 비해 비교적 골의 강도가 유지되므로 힘을 받는 광범위한 골결손부의 재건에 사용된다. 또한 탈단백질화 시키거나 끓인 골에 비해 더욱 혈류재생이 잘 되고, 흡수 및 재형성이 유리하다. 연골을 함께 이식하는 냉동저장술은 매우 유용하다.
- 냉동 감마선조사 냉동골(frozen irradiated bone): 냉동된 동종골에 1.5–2.5 mega rad (15–25 kGy) 정도의 gamma 선을 조사하여 사용한다. 이 방법을 이용하여 보다 확실한 멸균효과를 얻을 수 있으며, 면역반응을 감소시킬 수 있다.
- 동결건조골(freeze–dried bone): 사후 12시간에서 24시간이 경과하지 않은 사체 공여자의 시신에서 채취한 피질골 및 해면골을 탈지(defatting)시킨 후 저온 냉동 보관을 하였다가 동결건조 처리하여 사용한다. 동시에 다량의 이식재를 생산할 수 있는 장점이 있으나, 사체로부터 뼈를 채취하기 위한 무균수술실과 많은 장비, 인원이 필요하기 때문에 유지 비용이 많이 든다. 채취 시 완벽한 무균적 처리가 안 됐다고 여겨지는 경우에는 에틸렌옥사이드(ethylene oxide) 가스멸균법이나 15–25 kGy (1.5–2.5 Mrad)의 감마선을 조사하는 방사선멸균법과 같은 이차멸균을 시행한다. 이 재료는 체내에 삽입되어 흡수가 되기 때문에 잔존약물의 독성이 우려되는 에틸렌옥사이드 가스멸균법보다 방사선멸균법이 더 확실하고 안전하게 여겨지고 있으나, 설치하기에 복잡하고 비용이 많이 드는 단점이 있다.
- 탈회골(demineralized allogenic bone): 이인자형 동결건조골은 부분적 탈회 혹은 완전 탈회 처리하여 사용되고 있다. 탈회 처리의 장점은 다른 처리법으로 활성화되지 않는 골형성단백질(bone morphogenetic protein) 성분을 활성화시킴으로써 간엽성의 전구체 기질(pre–mesenchymal progenitor cell substrate)의 골유도(osteoinduction) 현상을 야기하는 데 있다. 이것은 Urist 및 여러 학자들에 의해 계속 연구되고 있으며, 다양한 종류의 골형성단백질들이 분리되어 추출되었으며, 최근에는 다량으로 합성된 골형성단백질들의 임상적 이용방법에 대한 연구가 진행되고 있다. 악안면 영역에서는 치과용 임플란트의 매식 시 임플란트주위 치조골의 결손부위나 상악 치조골의 상악동 내확장 술식(sinus

lifting procedure) 등에 사용되어 좋은 임상결과들을 보이고 있다. 호제(paste), 가루 혹은 입자, 블럭, 휘어질 수 있는 판상 형태 등이 있어 다양하게 사용할 수 있다. 이 재료 역시 에틸렌옥사이드 가스 소독법보다는 방사선멸균법이 확실하고 안전하다. 동결건조, 탈회, 혹은 에틸렌옥사이드 가스소독법이나 방사선조사 시 단백질 변성으로 인한 골형성단백질의 골유도 능력의 감소가 예상될 수 있고 엄격한 품질관리가 필요하다.

- 이인자형 연골(allogenic cartilage): 무균적으로 채취된 이인자형 연골을 동결건조 처리하고 멸균시켜서 사용한다. 이것은 다른 매식골 재료에 비해 비교적 혈관 재생속도 및 골치환 속도가 느리다. 그러나 수술 후 외형을 더욱 장기간 유지할 수 있다는 장점이 될 수도 있으므로 안면골의 외형 결손부위를 수복하는 데 이용된다. 시술 시 연골이 골막하로 위치되어 하부 골조직과 잘 접착되게 하여야 하며, 상부의 연조직에 조그만 열개가 생겨도 감염되거나 이물반응으로 인하여 거부되어 상실될 수 있다. 최근에는 동물실험에서 악관절 관절원판의 치환술에 이용되어 좋은 결과가 보고된 바 있다. 또한 사람에서 동종연골이식 결과 석회화되어 임플란트까지 한 경우도 보고되고 있다.

b. 이종골 이식재(xenograft): 동물 특히 소나 송아지의 뼈를 이용하여 만드는 데 다음과 같은 재료들이 실제 임상에서 시도되고 있다. 특히 면역반응이 임상에서 문제가 되므로 이종골의 사용을 위한 처리방법은 주로 항원성을 없애는 것이 가장 중요하다. 유기질 혹은 무기질로서 처리되어 사용되는데 이들 재료들을 골대치재료로 골이식한 후의 치유 시 골유도현상이 존재할 것으로 주장이 되기도 하지만 주로 골 전도에 의한 것으로 믿어진다.

- 자비골(boiled bone): 소의 뼈를 끓여 뼈 속의 단백질 및 교원질을 응고 내지는 변성시켜 고온멸균 처리를 시행한 것이다.
- 무기골(Pyrost®, Bio−oss®): 소의 뼈(bovine bone)를 채취하여 에틸렌다이아민(ethylenediamine) 등으로 화학적 처리하여 단백질 등의 유기질을 추출시킨 후, 멸균시킨 무기질이다. 숙주골과의 접촉이 완벽하고, 주위조직으로부터 혈액공급이 원활해야 예후가 좋다.
- Bioplant: 송아지 뼈(calf bone)를 무균적으로 채취하여 동결건조시키고, 진공상태에서 병에 넣어 실온에 보관할 수 있게 하였다.
- Kiel bone: 소나 송아지의 뼈를 채취하여 20% H_2O_2로 처리하고, 탈지 건조시킨 후, 에틸렌옥사이드 가스로 멸균하여 포장된 것을 사용한다.
- Os prum: 소뼈의 결체조직 성분을 용해시키고, 탈지시킨 후 단백질을 제거한 것이다.

5. 이식 시기

1) 재건술을 시행하는 시기

재건술은 일차적 재건, 즉시 재건과 이차적 재건으로 구분할 수 있으며 다음과 같은 요소에 의해 결정되나 가능한 한 빨리 시행하는 것이 좋다.

(1) 종양의 종류와 상태

종양의 종류, 위치 크기에 따라

① 양성종양: 종물 절제후 즉시 재건술 시행 가능

② 악성종양: 재발이 강력하게 의심되는 경우 즉시 재건을 보류한다. 그러나 예후가 절망적이더라도 해부학적인 부위에 따라 재건이 꼭 필요한 경우가 있다. 이때는 방사선요법 등으로 일시적이나마 재발을 지연시켜 환자 사망 시까지 삶의 질을 향상시킬 수 있다.

(2) 결손부의 상태

① 재건술에 필요한 국소조직에 염증이 있고,

② 많은 양의 방사선조사를 받아서 수혜부의 상태가

적절치 않거나

③ 절제해 낸 부위가 너무 광범위하여 감염의 우려가 큰 경우 지연재건이나 여러 단계의 시술을 고려한다.

④ 특히 연조직과 경조직의 복합결손인 경우 성공률이 낮아지므로 수술방법의 선택에 특히 신중하여야 한다.

⑤ 손상부위와 조직판의 크기 및 포함된 조직의 종류는 재건술의 성공여부를 결정짓는 중요한 요소이다.

(3) 환자의 상태

두경부 악성종양 환자의 대부분은 50–60대이므로, 여러 수술 전에 심장, 폐, 간장, 신장, 순환계 등에 대한 검사를 충분히 시행해야 하며, 만일 문제가 있는 경우 절제술과 재건술을 나누어서 시행하는 것을 고려해 볼 수 있다.

■ 정신건강 상태도 고려해야 할 경우

과민한 환자인 경우, 즉시 재건에 의한 안면 결손부 수복 시 환자가 불만족하는 경우가 많아 이런 환자의 경우 즉시 재건하는 것보다 이차재건을 시행하면 환자 스스로의 만족도를 훨씬 높일 수 있다. 구강이나 구인두부에 생긴 작은 종양은 절제 후에 결손부 없이 일차적 봉합이 가능하다. 그러나 결손부가 커지면 언어나 연하 문제를 최소화하기 위해서 의례적으로 재건술을 시행한다. 가능하다면 수술 후 결손부는 일차적 수술로 재건을 끝내는 것이 좋다. 그러나 다음과 같은 경우에는 재건술을 연기해야 한다는 주장이 있다.

① 종양의 완전한 제거가 의심스럽거나, 정확한 진단을 위해서 조직학적 검사가 필요한 경우

② 보철적 재건술이 적절한 치료법이라고 생각될 경우

(4) 경조직 재건의 시기

일차재건 시에는 전통적인 통상의 유리골 이식(nonvascularized free bone graft), 금속망(mesh tray), 혹은 유경 골피부피판(pedicled osteomyocutaneous flap) 등을 이용하게 되는데, 그 성공률이 40–70% 정도에 이른다. 이차재건 시에는 같은 치료방법을 이용하였을 때, 약 80–90% 정도의 성공률이 보고되어 있다. 최근 하악골 결손 시 혈관화 유리골이 포함된 복합조직판(vascularized bone composite free flaps)들을 이용한 일차재건술식의 장점들이 보고되고 있는데, 높은 일차 치유율과 이차재건술 시 발생할 수 있는 연조직 수축에 따른 외형상의 불이익을 피할 수 있어 보다 우수한 심미적, 기능상의 결과를 얻을 수 있다.

Ⅲ. 악안면 연조직 재건술

연조직 재건영역은 자가피부나 인공조직(engineered tissue) 또는 동종이식재를 이용한 이식(graft)이나 국소(local), 원위(distant) 그리고 미세혈관문합술을 이용한 유리조직판(free flap)을 포함한다.

1. 연조직 재건 분류

1) 직접봉합(Primary closure)

결손부위를 일차적으로 직접 봉합한다.

2) 유리이식(Free graft)

① 피부(분층 혹은 전층) 이식
② 점막이식

3) 국소피판(Local flap)

① 임의형(random flap)
② 유축형(axial flap)

4) 원격피판(Distant flap)

구성요소에 따라
① 근막피판(fascial flap)
② 근피부피판(myocutaneous flap)
③ 골근(육) 복합피판(osteomyocutaneous flap)

5) 미세혈관문합에 의한 유리피판(Free flap with microvascular anastmosis)

① 근막피판(fasciocutaneous flap)
② 천공지피판(perforator flap)
③ 근피부피판(myocutaneous flap)
④ 장기피판(visceral flap)

2. 이식재 선택 시 고려할 점

① 피부나 점막이식은 보통 단순히 반흔조직의 형성과 창상의 수축을 최소화하는 목적으로 쓰인다.
② 국소 복합피판은 적은양의 연조직 수복이 요구되는 특정한 해부학적 위치에 제한되어 사용된다.
③ 원격 유경피판(distant direct pedicled flap), 원격관상 유경피판(distant tubed pedicled flap) 혹은 근피부피판(myocutaneous flap) 각각은 다량의 연조직을 수복할 수 있다.
④ 미세혈관문합을 이용한 유리이식술은 근육피판이 먼저 사용되었거나 해부학적 접근이 안 되는 부위에서 다량의 조직이 필요할 때 사용한다.

3. 직접봉합(Primary closure)

직접봉합 또는 일차봉합은 결손부의 가장자리를 간단히 접근시키는 법이다. 이것은 수술 시에 직접봉합으로 가능하며 또한 어느 정도 시일이 경과하여 상처의 수축을 기다린 다음에도 가능하다. 해부학적 구조물의 운동과 기능의 이상을 주지 않는 범위에서 작은 병소를 절제한 후 일차 봉합이 가능하다. 그렇지 않은 경우에는 수술 시에 일차봉합을 할지 그 여부를 결정해야 하고, 필요한 경우에는 재건술을 준비해야 한다.

4. 유리이식

1) 피부이식

전층이든 부분층이든 피부이식은 혈행재개와 생착을 위해서 상태가 좋은 수혜부가 필수적이다. 피부의 두께가 얇을수록 수축이 크므로 안모에 영향을 미치는 부위에는 제한적으로 사용된다. 전층피부이식은 만족할 만한 외관을 보이므로 얼굴 표면에 사용되며 구강내에서는 통상적으로 사용되지는 않는다. 암종의 수

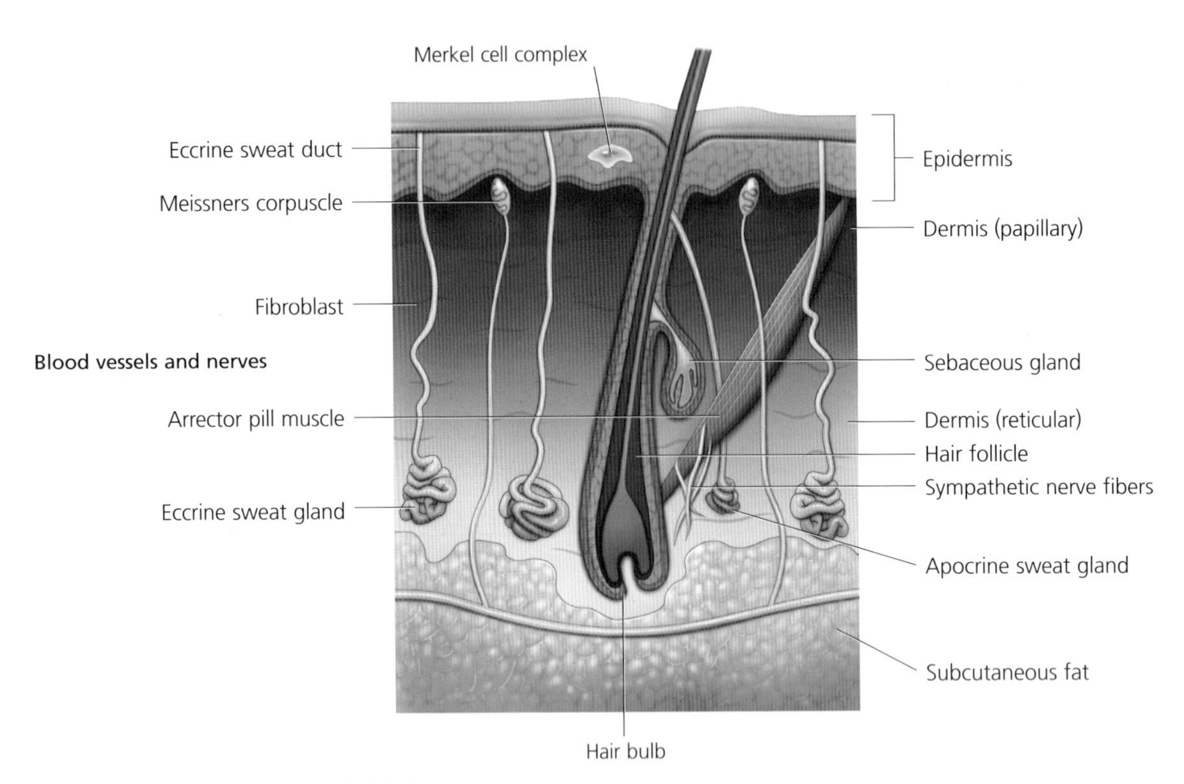

그림 12-1 피부의 해부학적 구조(절단면).

술에서 피부이식의 문제점은 그들이 재혈행을 결손부에서 얻어야 되는 것과 그들이 결손부위의 혈행에 기여하는 것이 없다는 점이다. 부분적 또는 불완전한 생착으로 인해서 일차치유가 늦어지기도 하며, 비효과적인 치료의 결과를 가져올 수도 있다. 부분층 표피이식은 보호이식 또는 tie-over 드레싱 하방에 사용하여 구강저나 협부점막의 재건에 이용한다. 그러나 술전 혹은 술후 방사선치료를 받을 경우 생착이 문제가 되기도 한다(그림 12-1).

(1) 부분층의 피부 또는 점막이식

가장 일반적으로 사용하고, 약 0.3-0.5 mm의 두께로 채취하며 다음과 같은 경우 사용한다.

① 보철을 위한 전정성형술

② 종양의 근치술 시, 하악이나 상악골의 다양한 부위의 절제술 후

③ 화상이나 외상의 경우 2차적인 창상을 폐쇄창으로 전환할 경우

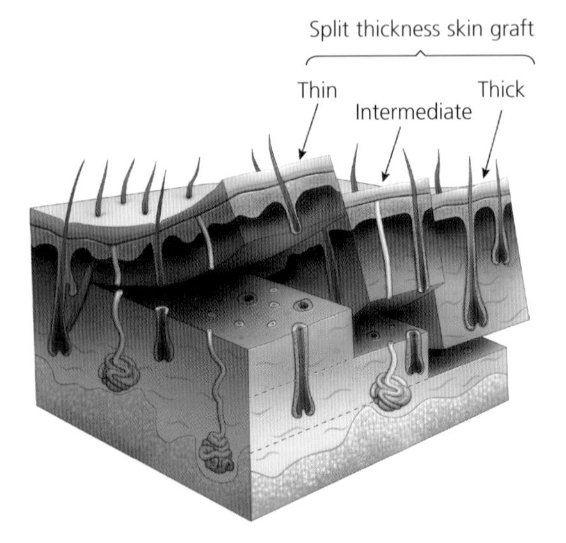

그림 12-2 두께에 따른 부분층 피부이식의 모식도.

얇은 부분층 피부이식(thin split thickness skin graft (thin STSG): 8/1,000 inch = 0.2 mm), 중간 부분층 피부이식(intermediate STSG: 10-15/1,000 inch = 0.25-0.4 mm) 또는 두꺼운 부분층 피부이식(thick

STSG: 15–25/1,000 inch= 0.4–0.6 mm) 등 필요에 따라 두께를 조절할 수 있으며(그림 12-2), 어린이의 경우 어른보다 얇은 8–10/1,000 inch (어른 10–12/1,000 inch)가 보편적이다. 공여부위는 하복부, 대퇴부, 상완의 굴근면 등이 이용된다. 단점으로는 안면부 이식 시 색조의 부조화, 얇을수록 수축이 심하며, 외양 회복 시 두께 결여의 문제가 있다. 장점으로는 피부이식편을 쉽게 얻을 수 있고 생착이 잘 된다.

(2) 전층의 피부 혹은 점막이식

광범위한 안면 결손부의 성형재건에 사용하며, 구강이나 비강을 덮는데도 사용한다. 부분층 피부이식에 비해 생착률은 떨어지지만, 피부의 전층을 이식하여 피부부속기의 손상이 적으며, 수술 후 창상의 수축이나 색소침착이 적고 외부 힘에 대한 저항성도 강해서, 안면부 이외에 사지, 손바닥, 발바닥에도 잘 쓰인다. 이식편의 두께는 표피와 진피를 포함한 두께이며, 공여부위는 이마, 전두부, 후이부, 쇄골 상부, 전주와(antecubital fossa), 서혜부 등이 사용된다.

(3) 공여부의 술전 준비

공여부의 술전관리는 대개 공여부를 깨끗이 하는 정도로 한다. 면도에 의한 피부의 미세한 상처도 세균의 전이 및 증식을 야기할 수 있으므로 외과시술 바로 전이나 수술 도중에도 공여부를 면도하지 않는다.

(4) 채취

작은 크기의 피부이식은 상완부에서 얻을 수 있다. 어린 환자에서는 상완부의 안쪽면을 사용할 수 있고, 나이가 든 사람이나 얇은 피부의 환자에서는 바깥쪽에서 채취가 가능하다. 큰 크기의 부분층피부 이식체는 대퇴부에서 가장 많이 채취된다.

(5) 공여부 드레싱

파라핀 함유 거즈를 사용하거나 일반 거즈, 코튼울(cotton wool)과 붕대를 사용하여 드레싱하며, 뚜렷하게 감염되지 않으면 통상적으로 14일간 유지한다.

(6) 이식편의 고정

수혜상에 이식편이 잘 고정 · 부착되는 것이 절대 중요한데, 이식편 하방에 혈종이나 혈장이 고이거나 움직이는 것을 방지하기 위해 다음 세 가지 방법 중 하나를 이용한다.

① Bolus 드레싱: 이식편을 제 위치에 놓고 그 경계부를 단속봉합법으로 봉합하되 봉합사를 길게 남겨둔다. 이식편 위에 vaseline이나 furazone gauze를 덮고 그 위에 glycerin 또는 paraffin이 함유된 솜을 덮은 후 봉합사로 단단히 압력을 가해 묶음으로써 이식편을 고정하는 tie-over dressing 법을 이용한다(그림 12-3).

② Stent mould: 이 방법은 상악골절제 후 빈 공간

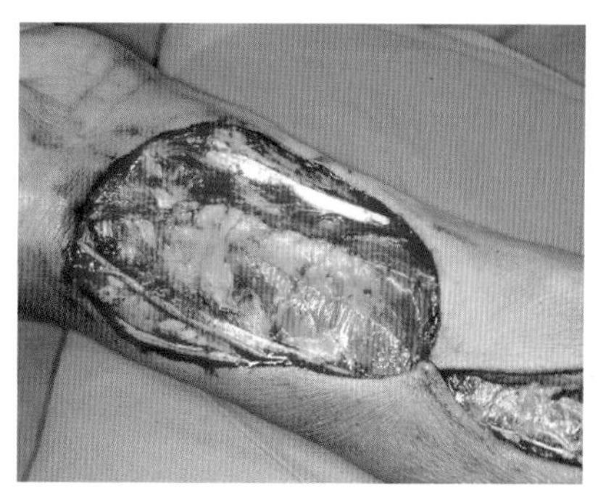
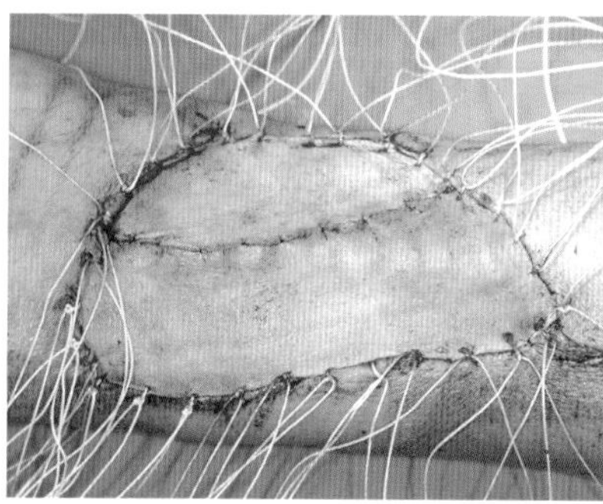

그림 12-3 피부이식편을 고정하는 tie-over dressing 방법. Tie-over 모식도와 전완피판 공여부 결손부에 부분층 피부이식 후 스펀지를 대고 tie-over 하는 모습.

에 부분층 피부이식을 할 때 사용한다. 수술 후 결손부에 정확히 맞도록 임시폐쇄장치(temporary obturator)를 만들어 준다. 피부이식은 상피층이 아래의 구강 쪽으로 오게 하고 여기에 마스티솔이나 벤졸용액으로 소독한 stent mould가 오도록 위치시킨다. 폐쇄장치(혹은 치과용 플레이트)는 뼈 고정용나사 또는 치간철사법이나 관골주위철사법(circumzygomatic wiring)으로 고정한다.

③ 이식편 누비기(quilted graft): 설부분절제술(partial glossectomy)이나 구강저의 작은 부위를 절제했을 경우 결손부를 이장하기 위해서 이식편을 누비는 방법을 사용한다. 이 방법은 이식편을 제 위치에 놓고 그 경계부는 단속봉합하고 가운데 표면은 누비는 방법으로 고정하는 것이다. 이식편 아래에 혈액이나 장액이 고이는 것을 방지하고 이식편을 위치시키기 전에 칼집을 내거나, 제 위치에 놓고 봉합한 후 그 표면 위를 15번 메스를 사용하여 1 cm 간격으로 구멍을 내어 준다.

(7) 술후 처치

안정을 유지한 후 7일째에 tie-over dressing을 제거한다. 부분층 피부이식편은 이차 수축이 방지되도록 6-12개월간 스폰지 압박 안정장치를 장착하는 것이 추천되며, 과도한 색소침착을 방지하기 위해 6개월 이상 약 2년간 자외선차단크림 등으로 차광하는 게 좋다.

2) 점막이식

의치의 유지력을 증진시키기 위한 전정성형술, 또는 외상이나 구강내 절제술 후에 구강점막의 일부가 상실된 경우 협측이나 구개측의 점막을 전층이나 부분층으로 채취하여 사용하기도 한다. 수술 시 채취 및 그 생착이 용이한 장점은 있으나 채취량이 한정되어 있다는 점이 단점이다.

5. 피판의 분류(그림 12-4~6)

혈류 종류, 이동 기전, 구성 조직에 따라 분류한다.

1) 혈류 종류에 따른 분류

(1) 임의형 피판(random pattern flap)

영양공급을 위한 주요동맥이 존재하지 않고, 근육과 피부 사이에 존재하는 진피-진피하층(dermal-subdermal plexus) 혹은 근피부 동맥(myocutaneous artery)에 의하여 혈액공급을 받는다.

① random cutaneous flap

② myocutaneous flap

(2) 유축형 피판(axial pattern flap)

조직판을 가로지르는 주 동맥에 의해서 혈액공급을 받는다. 두경부에서 이용하는 대부분의 조직판이 이에 속한다. 중격피부동맥(septocutaneous artery)이나 근피부 천공지에 의한 혈류공급이 가장 많다.

① 근막피판(fascial flap)

② 동맥혈관경피판(arterial flap)

2) 이동기전에 따른 분류

(1) 국소피판(local flap)

① 전진피판(advancement flap)

② 회전피판(rotation flap)

③ 전이피판(transposition flap)

④ 삽입피판(interpolation flap)

a. 피판경(pedicle)

b. 피하(subcutaneous)

c. 역치(inturned)

(2) 원위피판(distant flap)

① 직접피판(direct flap): tube형 이전

② 유리피판(free flap)

3) 구성조직에 의한 분류

① 근막피판(fascial flap)
② 피부피판(cutaneous flap)
③ 근막피부피판(fasciocutaneous flap)
④ 근육피부피판(myocutaneous flap)
⑤ 골근육피부피판(osteomyocutaneous flap)
⑥ 골피부피판(osteocutaneous flap)
⑦ 감각피판(sensory flap)

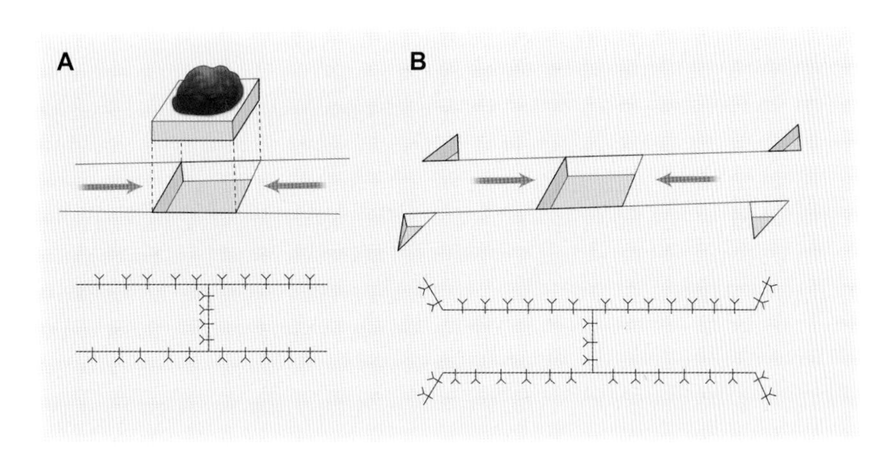

그림 12-4 A: 전진피판(advancement flap) B: 전진피판 시의 기저부 절제방법.

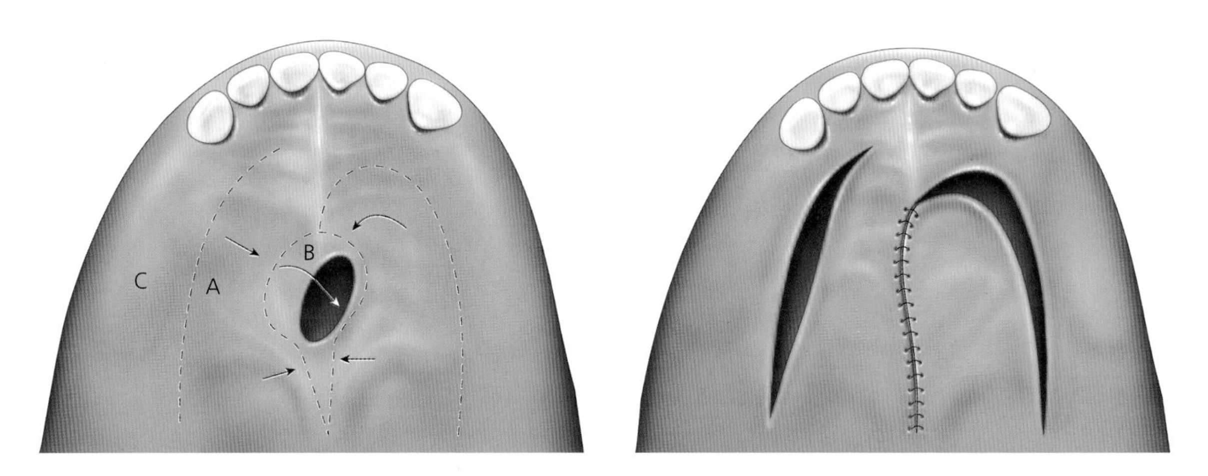

그림 12-5 **구개열 누공 폐쇄 시 국소피판 이용.** A: 역치(inturned flap)피판 B: 회전피판 C: 전진피판.

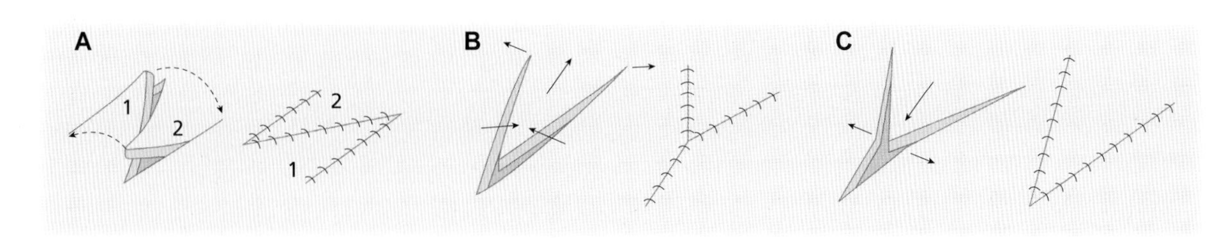

그림 12-6 **국소피판의 일종.**
A: 반흔성형술에 많이 쓰이는 Z성형술 B: 국소피판을 늘리는 데 사용하는 V-Y성형술 C: 국소피판을 짧게 하는 데 사용하는 Y-V성형술.

4) 기타 분류

① 반도형 피판(peninsula flap)
② 도서형 피판(island flap)
③ 유리피판(free flap)
④ V−Y 전진피판(V−Y advancement flap)
⑤ 쌍봉피판(bilobed flap)
⑥ 전이피판(Limberg flap)

6. 피판형성의 기본원칙

1) 가급적 간단한 술식을 선택

조직판은 다음에 따라 결정된다.

① 결손부위와 크기
② 원하는 기능
③ 공여부의 선택 가능성과 위험성

2) 피판의 선택후 신중하게 연구하여 작도

① 수혜부의 피부 결손부를 정하고 판형(pattern)을 이용하여 이전 시 형태가 맞는지 여부를 확인
② 공여부에서 채취한 피판이 조직의 수축으로 인하여 작아지는 것을 충분히 고려

3) 피판 작도 시 혈관의 관류압을 고려

① 피판의 장축을 따라 동맥 등 큰혈관을 포함시킨 피판(axial pattern flap)이 임의형 피판보다 50% 정도 성공률이 더 높고, 단경피판보다는 쌍경피판이, 노인보다는 젊은 사람이, 당뇨병이나 동맥경화증이 없는 사람에게서 예후가 좋다.
② 피판의 생존여부가 의심되면, 피판이전 7−10일 전에 미리 피판을 형성하여 이후 지연하여 옮기는 지연피판술을 시행한다.
③ 쌍경피판의 한쪽 경을 분리할 때에는 2−3일에 걸쳐서 분리하는 것이 좋다.
④ 하지, 반흔조직이 있는 부위, 방사선조사를 받은 부위 등은 혈액순환이 불량하므로 작도에 유의한다.
⑤ 심한 피부긴장, 외부 압력, 혈종형성, 비틀림, 염증 등은 피판괴사를 야기하므로 발생 즉시 제거해 주어야 한다.
⑥ 대부분의 신체부위로부터의 혈액공급은 임의 피판과 같이 진피−아진피층(dermal−subdermal plexus)에 의해 공급된다.

지연피판술(delay technique for local flap)이란?

피판에 원하는 방향으로 공급되는 혈행을 증가시키기 위하여 시행하는 술식으로, 먼저 두 개의 평행선을 절개하고 하부를 박리(undermining)한다. 7일 후부터는 세 번째 변에 해당되는 부위를 2−3일 간격으로 여러 번에 나누어 자를 수 있다. 이 술식은 국소마취 하에서도 시행 가능하다.

7. 유경피판술

1) 정의

유경피판술이란 피부 혹은 점막이나, 피하조직을 혈액공급을 유지시킨 상태로 한 부위에서 다른 부위로 이동시키는 수술을 말하며 피판의 본래의 의미는 조직에서 혀모양으로 나온 부위를 말하며, 경이란 그 기저부를 말하며 국소피판에 사용된 경우 이를 국소 유경피판이라고도 한다.

피부와 피하지방으로 구성, 공여부로부터 최소한 하나 이상의 혈액공급을 해주는 경(pedicle)을 가지고 있는 피판이다.

2) 유경피판의 종류

(1) 국소 유경피판(local pedicled flap)

결손부에 인접한 피부를 사용한 경우로 색깔, 질감, 두께 등이 잘 어울린다. 혈액공급 및 신경분포의 변화가 거의 없고, 한선(땀샘)과 피지선의 기능도 단기간 내에 회복된다.

(2) 근심피판(nearby flap)

근피부피판(myocutaneous flap)이 속하며, 피부결손부에 직접 접해 있는 부위로 국소 유경피판을 사용하는 것보다는 결과가 나쁘지만 원격피판(distant flap)보다는 결과가 좋아 악안면 영역에 많이 이용된다.

근피부피판

1906년 Tansini가 최초로 수술한 것으로서 광범위한 두경부 결손의 치료에 혁신적이며 방사선조사를 받은 부위나 염증이 있는 부위에서도 효과적이다. 근육을 통한 혈관을 이용한 일종의 유경피판으로, 옮길 수 있는 조직의 양이 많아 광범위한 종양의 절제 후에도 이러한 피판을 이용한 즉시 재건술이 시행될 수 있다.

(3) 원격피판

일단 원하는 양의 피부가 사용된 후에 다시 절제되어 공여부로 되돌려지는 경에 의하여 이동되는 피판이다. 혈액공급을 피판경을 통하여 받기 때문에 3주 정도의 기간이 필요하다. 이식된 피부는 그 공여부의 특징을 그대로 간직하고 있으므로 수혜부와 잘 맞지 않고 감각기능, 발한, 피지분비 등의 기능이 약하다. 유경피판에 있어서 가장 중요한 것은 혈액공급의 유지이다. 가장 이상적인 피판은 도서형(island flap)인데 이는 주로 혈관만을 포함하고 있기 때문이다.

(4) 도서형 피판

도서형 피판(island flap)은 그 피판경이 혈관으로 구성되어 있으며 약간의 피하조직이 경에 포함되어 있다. 이 피판의 특징은 혈관의 형태에 따라 피판의 크기와 형태가 결정되며, 피판경에 진피나 상피조직이 포함되지 않는다는 점이다. 이 피판은 1893년 Dunham이 처음 혈관경이 있는 피판을 보고한 이래 1898년 두 단계로 행해지던 수술을 한 단계로 변형시켰으며, 1917년 Esser에 의한 artery flap, 1948년 Bunnell과 1956년 Littler에 의한 수지에서의 신경혈관피판(neurovascular flap)이 보고되었다.

8. 악안면 재건 시의 국소피판

1) 국소피판

국소피판은 같은 혈액공급을 받는 인접한 새로운 장소로 피부나 점막의 일부를 이동시키는 것을 말한다. 이때 피판은 유축이거나 임의형, 혹은 혼합된 경우일 수 있다. 임의형 피판에서 혈액공급은 상피하혈관총에 그 근거를 두지만, 때로 이것이 정확히 영양을 공급하고 있는 동맥이 아닐 수도 있다. 결과적으로 임의형 피판의 계획에는 엄격한 제한이 필요하다.

(1) 임의형 피부피판(그림 12-7)

악안면 피부결손 시 국소피판은 피부색과 표면성질 수복면에서 가장 양호한 결과를 낳는다. 조직 확장기는 표피 국소피판의 역할을 더욱 증대시켰지만 이것은 건전한 조직의 절개를 필요로 하며 즉시 재건에는 적합하지 않다. 하지만 조직확장기는 심미적 결과를 최종적으로 증가시키며 일차수술에서 초래된 조화되지 않는 조직을 추가로 제거할 수 있게 한다. 구강내 국소 점막피판으로 작은 크기의 결손부를 재건할 수 있다. 협측 피판은 구순이나 후삼각부위의 작은 조직결손부에 사용되며, 설피판은 구순이나 구개의 결손부에 사용된다. 일반적으로 사용되는 임의형 피판은 길이가 기저부 폭의 2배 이상 되어서는 안 된다. 방사선치료를

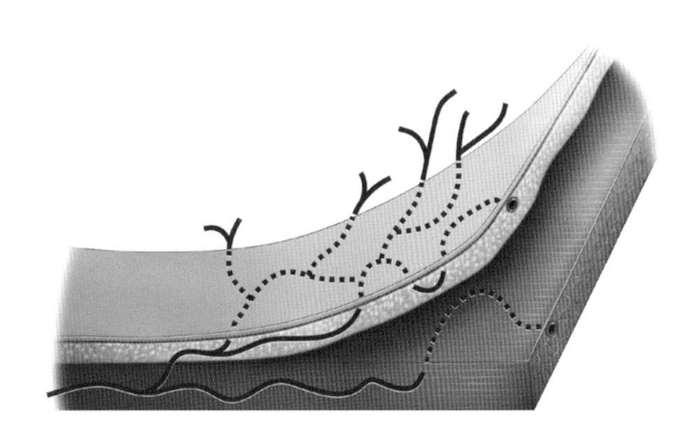

그림 12-7 유축형 피판은 혈류를 공급하는 주혈관이 있으나 원위부에서는 임의형 피판의 양상을 가지기도 한다.

받은 후에는 그 부위의 치유능이나 조직의 혈행이 현저하게 감소되기 때문에 구강내의 작은 부위의 결손부를 재건하기 위해서 혀를 주로 사용한다. 구강내의 암종의 처치에서는 수술부위의 변형이나 점막의 이형성 가능성이 있을 경우에는 사용하지 않는 것이 좋다. 또한 채취할 수 있는 조직량이 부족하여 임상적용에 제한을 받을 때가 많다.

(2) **배측 설피판**(dorsal tongue flap)(그림 12-8)

배측 설피판은 국소임의형피판의 대표적인 예라 할 수 있다. 혀의 혈행은 복측의 2개의 설동맥에 의해서 이루어지는데, 먼저 후방으로 향하는 배측 가지가 분지되어 혀의 동측 기저부에 혈류를 공급하며, 주동맥은 복측의 근육부를 통하여 혀끝으로 향하면서 여러 개의 수직 배측혈관을 분지하여 혀 배측(tongue dorsum)에 혈류를 공급한다. 이 피판은 혀의 배측을 이용한 것으로 일명 설배피판이라고도 하는데 전방이나 후방 혹은 측면을 기저부로 하여 거상할 수 있다. 후자의 경우 기저부로 혀의 측면을 사용한다. 전방기저형의 설피판은 동측 구개궁이나 인접부의 결손부위

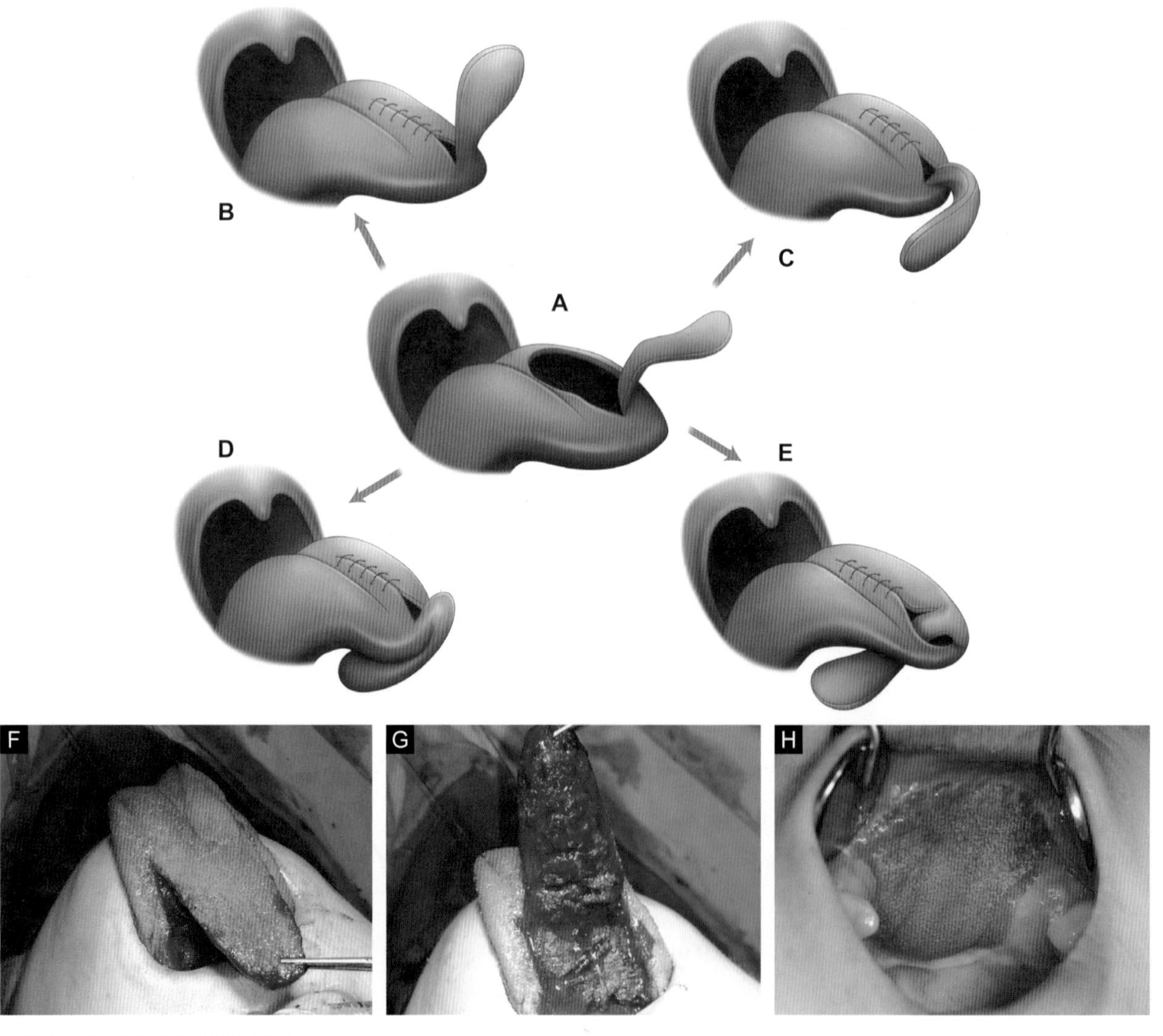

그림 12-8 전방기저 설배면 피판.
A: 구개에의 적용 B: 볼 전방에 적용 C: 입술에의 적용 D: 구강저 전방부에의 적용 E: 구강저의 전측방에의 적용 F–H: 설피판 거상과 입천장 결손부 재건 모습.

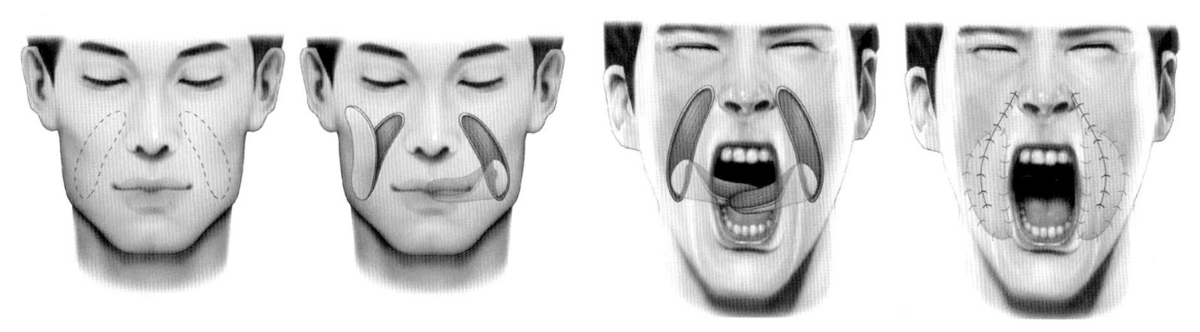

그림 12-9 Nasolabial island flap. 양쪽 inferiorly based nasolabial flap을 transbuccal incision에 의해서 구강 내로 이동시킨 후 구강저를 재건하는 술식.

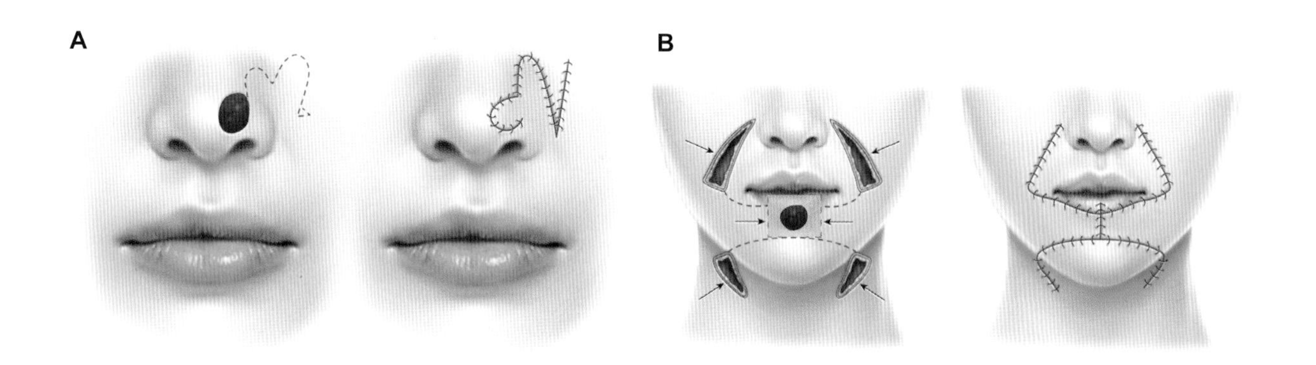

그림 12-10 **A:** Bilobed rotation flap으로 코의 결손부를 재건하는 모습 **B:** 하순에 사각형 모양의 큰 결손부가 있을 경우 재건하는 Fries의 방법.

를 재건할 때 사용한다. 점막을 5-7 mm 두께의 기저 근육을 포함하여 거상시키고 공여부는 일차봉합 또는 지연 치유시킨다. 대개는 후방기저 형태로 혀의 배측면을 20-40% 거상하는 것을 많이 사용한다. 전방기저형(distally based) 피판은 이동반경은 좋으나 피판활성(flap viability) 면에서 후방기저보다는 믿을 만하지는 못한데 넓은 치조열이나 입술의 홍순재건에 적합하다.

(3) 비순피판(nasolabial flap)(그림 12-9,10)

구강내 재건을 위해 가장 적합한 국소 유축피판은 안면동맥이나 그 분지에 기저부를 둔 비순피판이다. 상방 또는 하방에 기저부를 두고 상하악의 협측 전정이나 구내 전방부를 이장하는 데 사용 가능하다. 피판 거상이 쉽고 빠르며, 피판생착이 믿을 만하다. 이 피판은 구강저의 전방에 위치하는 결손부를 재건하는 데 적합하며 비순부위에 과잉의 피부가 있는 경우가 가장 좋은 적응이 되는데, 특히 수염이 없는 여자에게서 유리하다. 하방기저부의 피판은 내안각 근처까지부에서는 임의형 피판의 양상을 가지기도 한다.

연장할 수 있고 일차봉합이 가능한 정도까지 연장이 가능하다. 안면근육 바로 상방에서 거상하여 하방의 협부 점막 하방에 만든 창을 통하여 이동하며, 피판의 근위부는 탈상피화를 하여 일회로 이동시킨다. 다른 방법으로는 2-3주 후에 이차수술을 통하여 피판의 기저부를 이동하는 방법을 택하기도 한다. 정확한 피판 이동을 위하여 치아를 제거하기도 한다. 공여부의 심미성도 뛰어나지만 남자의 경우 수염이 구강내에 자라는 것이 단점이다. 피판의 괴사는 드물고 구강내 전방부 결손의 크기가 큰 경우 양측성 비순피판을 이용할 수 있다.

(4) 구개점막피판(palatal mucosal flap)

구개점막은 대구개혈관에 기초한 유축피판이나 국소적 결손부 재건을 위한 무축피판으로 디자인될 수도 있다.

(5) 조직확장기를 이용한 피판(그림 12-11)

국소피판 거상영역의 여유가 적은 경우 그 거상영역의 피부를 미리 조직확장기를 써서 신전시켜 놓는 방법으로 피하에 낭을 형성하고, 확장기를 삽입, 확장기 내부로 혈관의 재구축을 방지하기 위하여 5–7일 간격으로 생리식염수를 주입해서 확장시킨다. 피부의 신전기간은 통상 3–8주이며, 때로는 12주까지도 시행한다. 두경부 안면부 등에 유용하게 쓰일 수 있으며, 광범위한 피판의 형성 없이도 외관과 기능면에서 우수한 결과를 얻을 수 있다.

9. 악안면 재건 시의 유경원위 조직판 (Pedicled distant flap)

1) 근막 혹은 피부조직판

근막(fascia)에 연결된 조직이식을 할 경우 이를 근막피판이라고 한다. 다양한 근막피판이 있을 수 있는데 두개부위의 근막 즉, 두정 측두근막(parietotemporal fascia)은 그 자체만으로도 근막피판으로 이용될 수 있으며, 이 근막에 다양한 조직을 연결시켜 동시에 복합조직의 이식이 가능할 수 있다.

두개안면부에서는 이개유양피판(auriculomastoid flap), 전두피판, 흉삼각피판(deltopectoral flap), 대흉근피판, 광배근피판, 승모근피판(trapezius flap), 흉쇄유돌근피판(stenocleidomastoid flap)이 선택적으로 사용된다. 광범위한 크기의 두꺼운 양의 조직이 필요한 경우 대흉근 피판이나 광배근피판이 많이 사용된다.

(1) 전두피판(forehead flap)(그림 12-12)

전두부의 피부는 천측두동맥을 기초로 하여 안전하

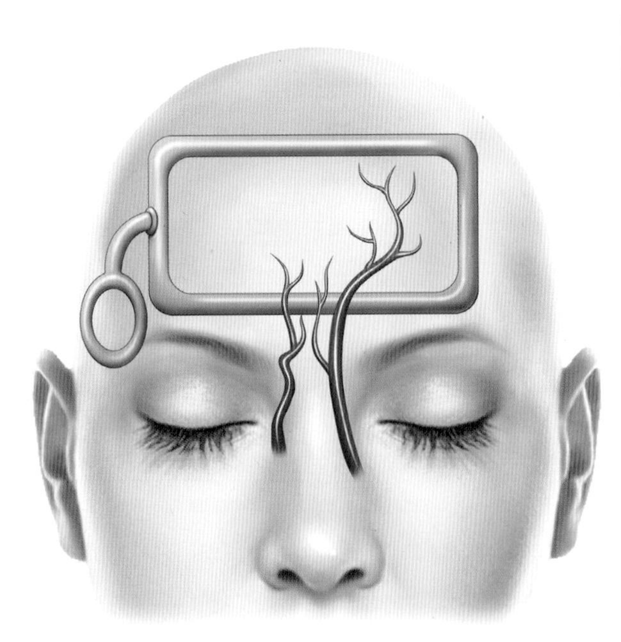

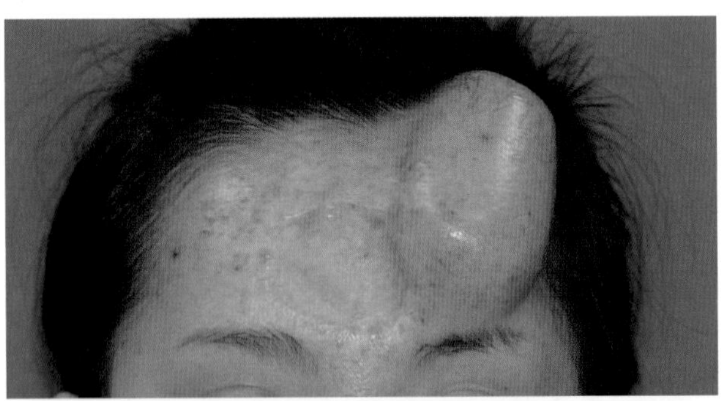

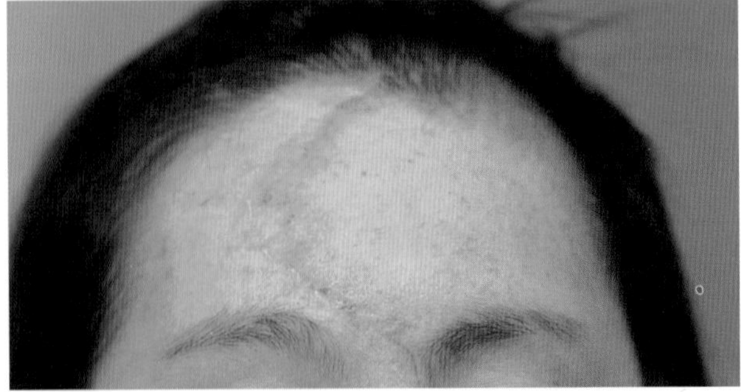

그림 12-11 전두부에 조직확장기를 삽입하여 두부 결손반흔을 제거한 모습.

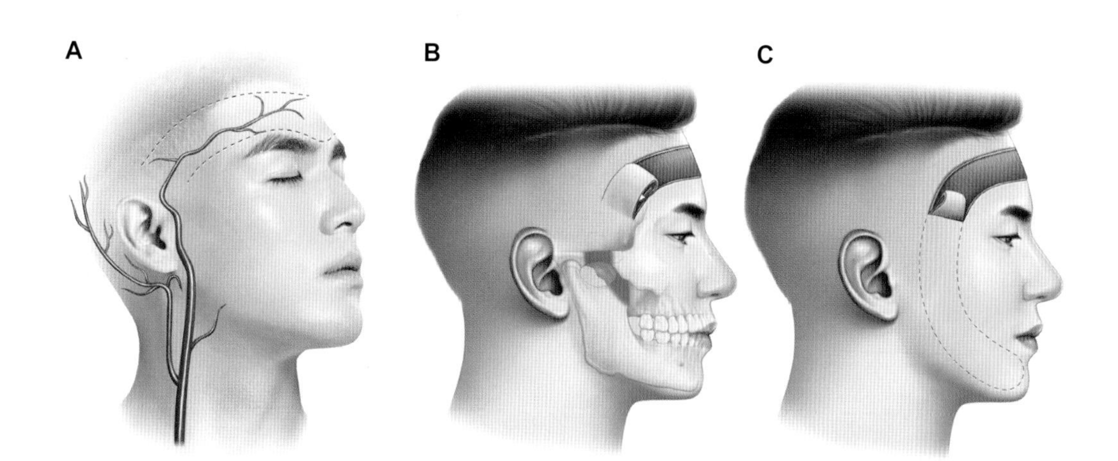

그림 12-12 수평형 전두피판을 설계한 모식도.
수평형 전두피판으로 구강내 재건술 시 협골궁 하방으로 통과해 들어가는 방법. A: 표재성 측두동맥(superficial temporal a.) B: 후방 이개동맥(postauricular a.) C: 협골궁과 하악골의 관상돌기를 절제한 모습.

게 거상할 수 있다. 피판거상을 쉽고 빨리 할 수 있다는 장점이 있다. 피판 공여부에 반흔이 남으므로 심미적 측면 때문에 우선적으로 선택될 수 있는 피판은 아니나 다른 피판이 실패하거나 빠른 구내 재건술이 필요할 때는 선택될 수 있다. 피판거상 시 전두부의 전체 피부를 사용한다면 대칭적인 피부결손을 보이기 때문에 공여부의 심미성을 다소 향상시킬 수 있다. 일반적으로 전두근 상방으로 거상하는데, 이럴 경우에는 공여부 심미성을 좀 더 향상시킬 수 있다. 피판은 눈썹 바로 상방과 머리카락선 사이의 피부를 최대로 채취할 수 있다. 만약 전두근 상방으로 거상시키지 못할 경우에는 두개근막을 잘 보존하여야 한다. 두개근막이 손상된 부위에는 분층피부이식이 불가능하여 두개골이 노출되게 된다. 피판경은 관골궁의 외측이나 내측과 협부점막을 통해 구강내로 이동된다. 약 3주 후에 피판경의 분리와 재위치를 시행하는 이차수술을 한다.

(2) 흉삼각피판(deltopectoral flap)(그림 12-13)

이 피판은 internal mammary artery의 첫 4개의 늑간 관통지를 기초로 하며, 얇고 넓은 신축성이 있는 피부를 제공한다. 흉삼각피판은 혈행이 믿을 만하며, 신속하고 쉽게 피판을 거상할 수 있다. 주로 3-4번째

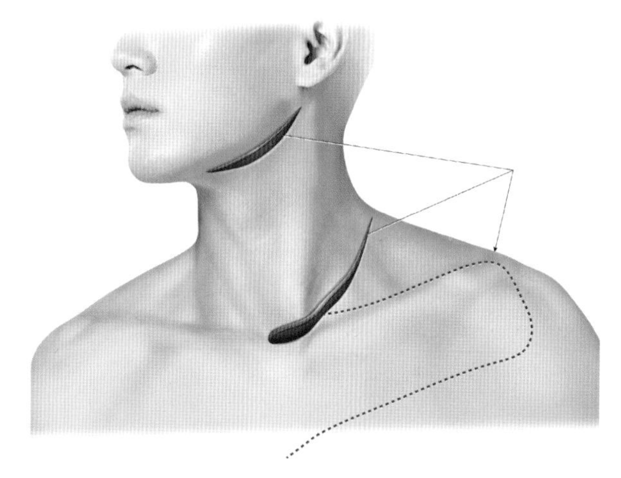

그림 12-13 흉삼각피판을 위한 절개선.

의 늑골 사이에서 거상되며, 일반적으로 경부의 피부나 이하선부위의 안면피부를 재건하는 데 사용된다. 피부는 충분한 두께를 가지고 있으며 질감 역시 두경부와 잘 어울린다. 이 피판은 원래 점막결손을 수복하기 위해 고안되었으나, 하안부와 목에서 피부를 재건하는 데 유용하게 사용된다. 어깨의 측방부를 덮는 피판의 원위부는 임의형(random pattern)의 피판으로 이 부위는 지연처치를 가하는 것이 좋다. 지연처치를 위해서는 피판 측방부를 일부 거상하고 흉견봉동맥

(thoracoacromial artery)의 전방 분지를 분리한 후 이 부분을 다시 봉합하고 피판을 약 10–14일 후에 거상한다. 구강 또는 구인두부 재건을 위해 사용 시에는 피판을 수혜부로 넣기 위한 계획된 누공이 필요한데, 이것은 2–3주 후에 이차수술 시 피판경을 분리하면서 누공을 폐쇄한다. 그림 12-13에 피판의 영역을 표시하였듯이 피판거상 시 대흉근 상방의 근막 심부까지 절개를 가해 피판을 측방에서 내측으로 거상하는데, 혈행을 손상시키지 않기 위해 정중선에서 약 6 cm까지만 거상한다. 공여부의 측방부에는 피판회전 후 분층피부이식을 해 준다. 목 전방부의 피부재건을 위해서는 피판을 거상하고 회전시켜 1차로 수술을 마칠 수 있으나, 대개의 타 부위 재건에서는 14–21일 후에 이차수술을 시행한다.

2) 근육과 근육피부 피판

신체 대부분의 피부는 근육 천공혈관(perforators, perforating vessels)에 의해 혈액공급을 받으며 이 혈관은 바로 아래의 근육에서 독특한 축형태의 혈액공급을 받는다. 이런 관찰을 통해서 근육을 포함한 근육피판과 perforator flap이 발달하게 되었다. 근피판은 두경부영역의 재건에 흔히 사용되고 있으며 이에는 다음과 같은 것들이 있다(표 12-1).

표 12-1 Myocutaneous flaps

Donor	Artery
Pectoralis major	Thoracoacromial
Trapezius	Transverse cervical
Latissimus dorsi (LD)	Thoracodorsal
Upper rectus abdominis	Deep superior epigastric
Lower rectus abdominis	Deep inferior epigastric
Gracilis	Medial circumflex femoral
Rectus femoris	Lateral circumflex femoral
Tensor fascia lata	Lateral circumflex femoral
Medial gastrocnemius	Medial sural

(1) 대흉근피판(pectoralis major myocutaneous flap, PMMC flap)(그림 12-14, 15)

대흉근피판은 두경부 재건에 있어 매우 중요한 근피판이다. 대흉근은 쇄골 전면의 내측 1/2, 흉골의 전면, 제1–6번까지의 늑연골 그리고 외사건막(oblique aponeurosis)의 상부에서 기시하여 상완골(humerus)의 결절간구(intertubercular groove)의 외측순연(lateral lip)에 부착한다. Thoracoacromial artery의 흉근 분지로부터 혈액을 공급받으며, 정맥혈 배액은 주위의 동반 정맥(vena comitantes)으로부터 이루어진다. 피판의 혈관축은 오훼돌기(coracoid process)에서 검상돌기(xiphisternum)를 이은 선상에 있다. 채취되는 피부와 근육의 양은 요구에 따라서 다양하게 디자인할 수 있다. 일반적으로 skin island는 대흉근의 원위부, 젖꼭지 내하방에 디자인한다. 대흉근에서 혈류를 일부 공급받는 4 또는 5번째 늑골을 포함하는 복합근피판도 계획할 수 있다. 마찬가지로 대흉근이 기시하는 흉골의 일부를 근피판에 포함시킬 수도 있다. 이러한 골편에 대한 혈류화 정도는 예측하기 어렵지만 그들은 혈관이 풍부한 근육을 포함하고 있어서 대부분 이식에 성공한다. 대흉근피판의 근육은 경부의 주요한 구조와 경동맥 등의 혈관을 보호해주는 데 유용하게 사용되며, 특히 수혜상에 많은 혈류를 공급해 주게 되어 방사선치료를 받은 곳은 더욱 이점이 많다. 피판은 구강점막이나 인후부 재건 또는 협측과 경부의 피부재건에 사용될 수 있다. 피판의 완전괴사나 상처의 벌어짐 등은 드문데, 단점은 지나친 피부와 중력방향으로 처지는 것이다. 이 근피판은 안면의 하부와 경부의 재건에 특히 유용하며 관골 이상의 부위에서는 신뢰성이 떨어진다.

대흉근피판의 주된 문제점은 비만한 환자, 특히 유방조직을 가지고 있는 여성 환자에게 있어서 이 피판은 너무 두껍다는 점이다. 이런 문제점은 이차적인 시술을 통하여 이동된 대흉근을 원위치시킴으로써 해결할 수 있다. 만일 이런 문제 때문에 이 피판을 사용하기 어려워지면 광배근피판으로 대신함이 좋을 것이다.

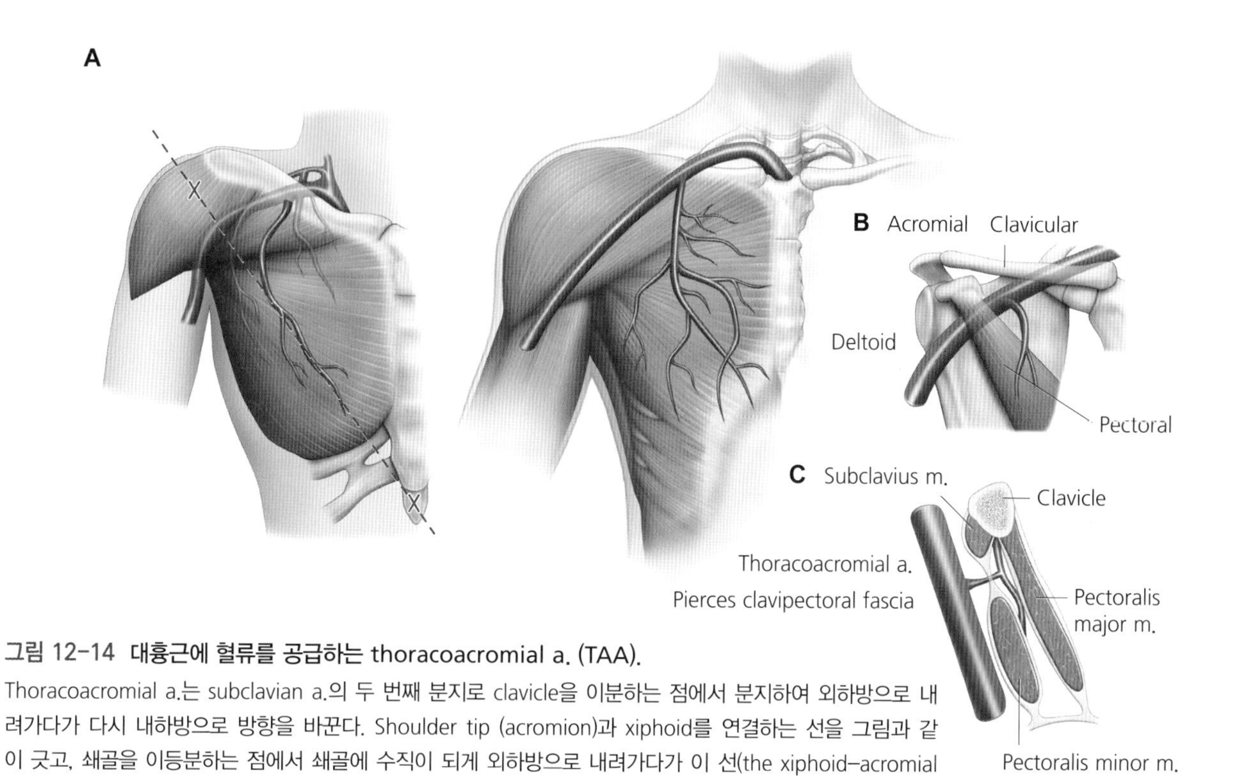

그림 12-14 대흉근에 혈류를 공급하는 thoracoacromial a. (TAA).

Thoracoacromial a.는 subclavian a.의 두 번째 분지로 clavicle을 이분하는 점에서 분지하여 외하방으로 내려가다가 다시 내하방으로 방향을 바꾼다. Shoulder tip (acromion)과 xiphoid를 연결하는 선을 그림과 같이 긋고, 쇄골을 이등분하는 점에서 쇄골에 수직이 되게 외하방으로 내려가다가 이 선(the xiphoid–acromial line)과 만나면 내하방으로 이 선을 따라가면 TAA의 주행방향과 일치되는데 이렇게 하여 TAA의 주행방향을 찾는다**(A)**. 대흉근은 thoracoacromial a. 네 개의 가지 중에 pectoral branch의 혈류공급을 받는다**(B)**. 이 가지가 가장 굵고 소흉근(pectoralis minor m.)의 위쪽 가장자리에서 clavipectoral fascia로 들어간다**(C)**.

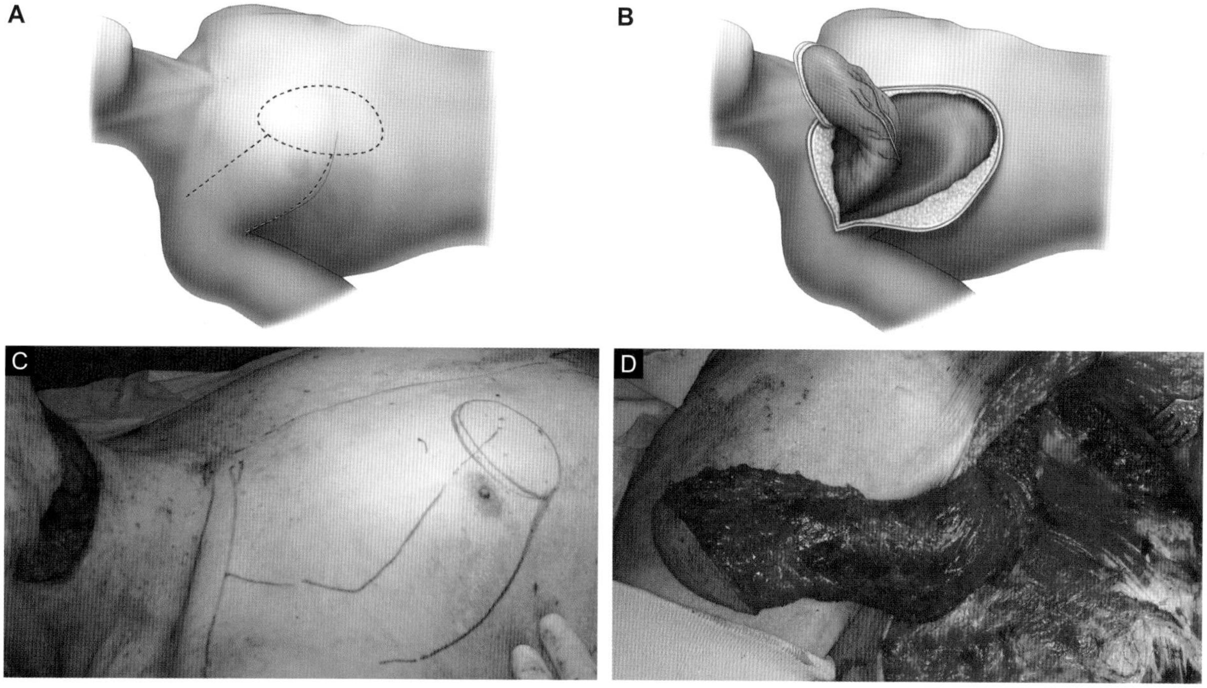

그림 12-15 Thoracoacromial artery의 주행방향을 고려하면서, 안면 결손부에 충분히 도달할 수 있는 pedicle의 길이를 결정한 후에 혈관 주행선 상에 skin paddle (island)의 위치를 결정하여 미리 측정한 모양과 크기에 맞추어서 디자인을 하고**(A, C)** 대흉근피판을 거상한다.

(2) 유경 광배근피판(pedicled latissimus dorsi myocutaneous flap, pedicled LD flap)(그림 12-16)

광배근피판은 크고 조직이 풍부하므로 두피, 협부(특히 천공된 결손부), 혀, 귀, 목, 하지, 상지 등에 발생한 조직결손부의 재건에 유용하게 이용된다. 광배근피판은 주혈관인 흉배동맥(thoracodorsal a.)과 견갑하동맥(subscapular a.)의 해부학적 위치가 일정하고 혈관의 길이가 길며 직경이 비교적 굵으므로 쉽고 안전하게 형성할 수 있다. 또한 겨드랑이에서 장골능(iliac crest)까지 긴 조직판을 만들 수 있고 일차봉합을 하고자 한다면 폭을 10 cm 정도로 하는 것이 좋으나 더 큰 조직판이 필요하면 더 넓게 만들 수도 있다. 피판은 필요에 따라 어떤 방향으로든지 형성이 가능하고 근피판은 두께가 두꺼워서 협부 관통결손부(perforating defect)처럼 두꺼운 결손부 재건에 적절하다. 또한 흉배신경(thoracodorsaln.)을 같이 옮겨서 운동기능을 회복할 필요가 있는 부위에 사용이 가능하다.

광배근 조직판은 필요에 따라 근육피판만 채취하는 경우가 있고 근육피부피판으로 채취하는 경우도 있다.

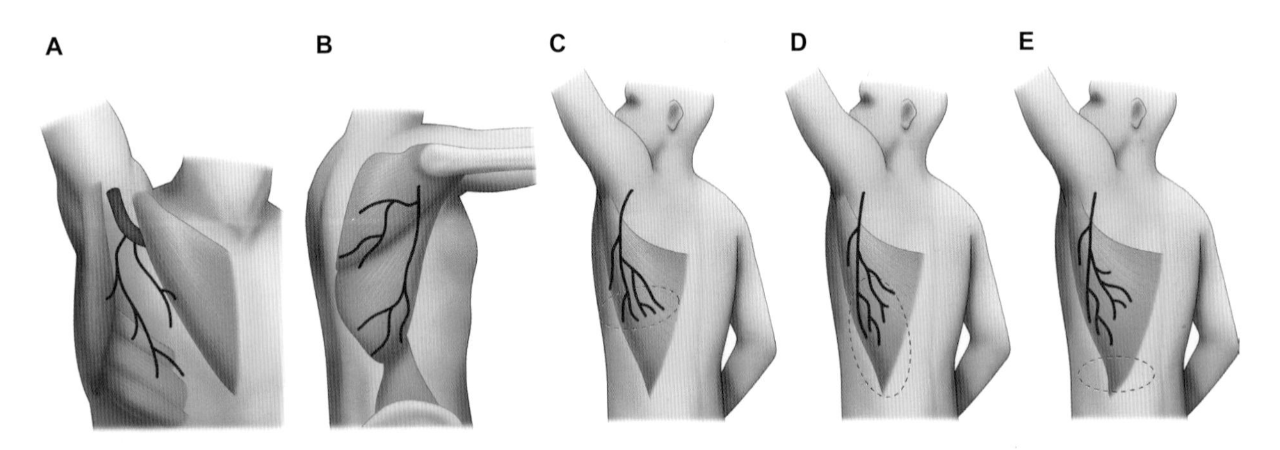

그림 12-16 A: 흉배동맥의 후벽 방향 B: 광배근과 흉배동맥의 분포 C: Proximal-transverse D: Distal-oblique E: Poor blood supply.

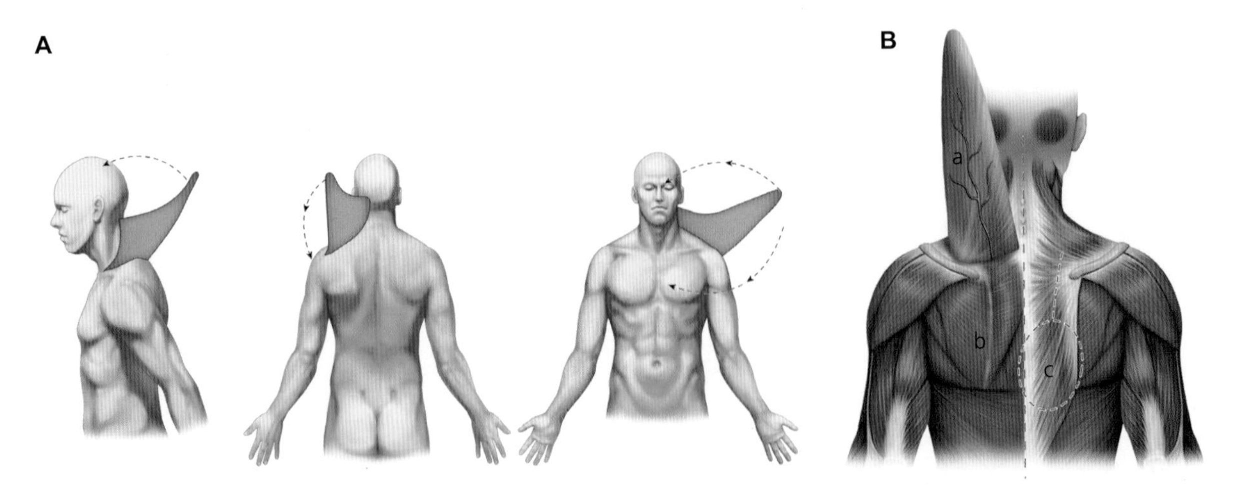

그림 12-17 A: 승모근피판의 도달 경로 B: Vertical trapezius flap (a: muscular br. of the transverse cervical a. b: dorsal scapular a. or deep br. of deep surface of trapezius. c: 도상 피판을 위한 설계).

피부가 필요해서 채취할 경우에는 혈관의 주행방향과 필요한 조직의 양을 잘 고려해서 디자인해야 한다. 피판의 방향은 근육의 주행방향에 따라서 비스듬히 설계하는 경우가 대부분이지만 필요에 따라 옆으로 설계하기도 한다. 피판의 크기는 가능하면 공여부를 일차 봉합이 가능한 한도 내에서 채취하는 것이 바람직하다. 최근에는 내시경을 통해 최소절개를 시행한 후 조직판을 거상하는 방법이 보고되기도 한다.

(3) **승모근피판**(trapezius musculocutaneous flap)(그림 12-17)

승모근은 후두골 결절부, 후두골의 상부항선(nuchal line), 7번째 경추의 극상 돌기부와 흉추에 부착되고 견갑골과 쇄골의 측방 1/3에 부착된다. 주 혈액공급원인 횡경동맥(transverse cervical artery)은 약 75%에서는 갑상경동맥(thyrocervical trunk)에서 기시하고 나머지 25%에서는 쇄골하동맥(subclavian artery)에서 기시하는데, 후자의 경우 근피판의 회전 이전 반경에 많은 제약을 받는다. 횡경동맥은 견갑극(scapular spine) 부위에 혈류를 공급하는 상행지와 승모근의 흉곽부 전체를 공급하는 하행지로 나뉜다. 이와 같은 혈관분지로 인해 피판을 측방어깨근피판과 수직흉부근피판으로 두 개의 별도의 근피판을 동시에 디자인하여 거상할 수도 있다. 목 근처의 상방에 위치한 승모근은 후두동맥(occipital artery)에 의해서도 혈액을 공급받기 때문에 횡경동맥이 경부곽청술 등의 술식으로 인해 절단되더라도 근피판을 형성할 수 있다. 측방근피판은 상경부나 하안면부 피부 또는 구강내 결손의 재건에 이용된다. 견갑골의 견갑극을 근피판에 포함시킨 복합골근피판으로 하악골을 재건하는 데 적용할 수도 있다. 수직근피판은 상경부 피부재건에 사용된다. 승모근피판의 단점은 피판거상 시 출혈이 많으며, 목이 짧고 지방이 많은 경우에는 횡경동맥경을 찾기가 쉽지 않으며, 또한 횡경동맥의 기시부에 해부학적 변이가 많다는 것이며, 이를 근피판 형성 시 고려하여야 한다. 부신경이나 쇄골 측방부 근육기시부에 손상을 받으면 관절부위의 술후 동통과 어깨의 뻣뻣함(stiffness) 등 기능이상이 나타난다.

(4) **측두근피판**(temporalis muscle flap)(그림 12-18)

측두근은 상측두선 아래의 측두와에서 기시하여 오훼돌기와 인접한 하악지에서 종지한다. 측두근은 상악동맥에서 분지된 2개의 심측두동맥에 의해 혈액공급을 받는데, 이 혈관들은 근육 아래 오훼돌기의 종지부 바로 위를 통과하여, 바로 이 부위에서 근육내로 들어간다. 조직판은 이개부위로 10 cm의 수직절개를 시행한 다음 측두근막을 절개하여 측두근을 노출시킨 후 거상한다. 근육의 기시부를 둥글게 절개하고 골막기자를 사용하여 측두골에서 박리한다. 보통 구강내로 피판을 이동시키기 위해서 관골궁을 분리할 필요가 있다. 측두근은 음식을 씹을 때마다 수축하므로, 수혜부로 이전하기 전에 지배신경을 차단한다.

구강 상부나 구인두부, 즉 경구개나 연구개의 재건에 가장 적합한 반면, 주된 단점은 공여부가 함몰된다는 점이다.

(5) **흉쇄유돌근 피부피판**(sternocleidomastoid myocutaneous flap, SCM flap)(그림 12-19)

흉쇄유돌근은 2개의 흉골병두가 쇄골의 내측 1/3에서 기시하여 유양돌기나 후두골의 상항선에서 종지한다. 이 근육은 부위에 따라서 혈액을 공급하는 혈관이 다르기 때문에 상부 혹은 하부의 혈관경을 이용할 수 있어서 피판을 위쪽이나 아래쪽으로 이동시킬 수 있다. 근육의 상부 1/3은 후두동맥의 분지에 의해 혈액을 공급받으나, 하부의 1/3은 갑상경체의 분지에서 혈액공급을 받는다. 중간 1/3 부위는 상갑상동맥에 의한다. 이 근육은 상당히 신뢰성 있는 근피판을 형성하나 근피판으로 사용할 때 몇 가지 제한이 있다. 여기서 만들어지는 피판은 크기가 작고, 피판을 들어올린 후에 일정기간 동안 정맥성 울혈이 생길 수 있다. 동측에 경부곽청술을 시행한 경우에는 피판의 혈행이 상당히 손

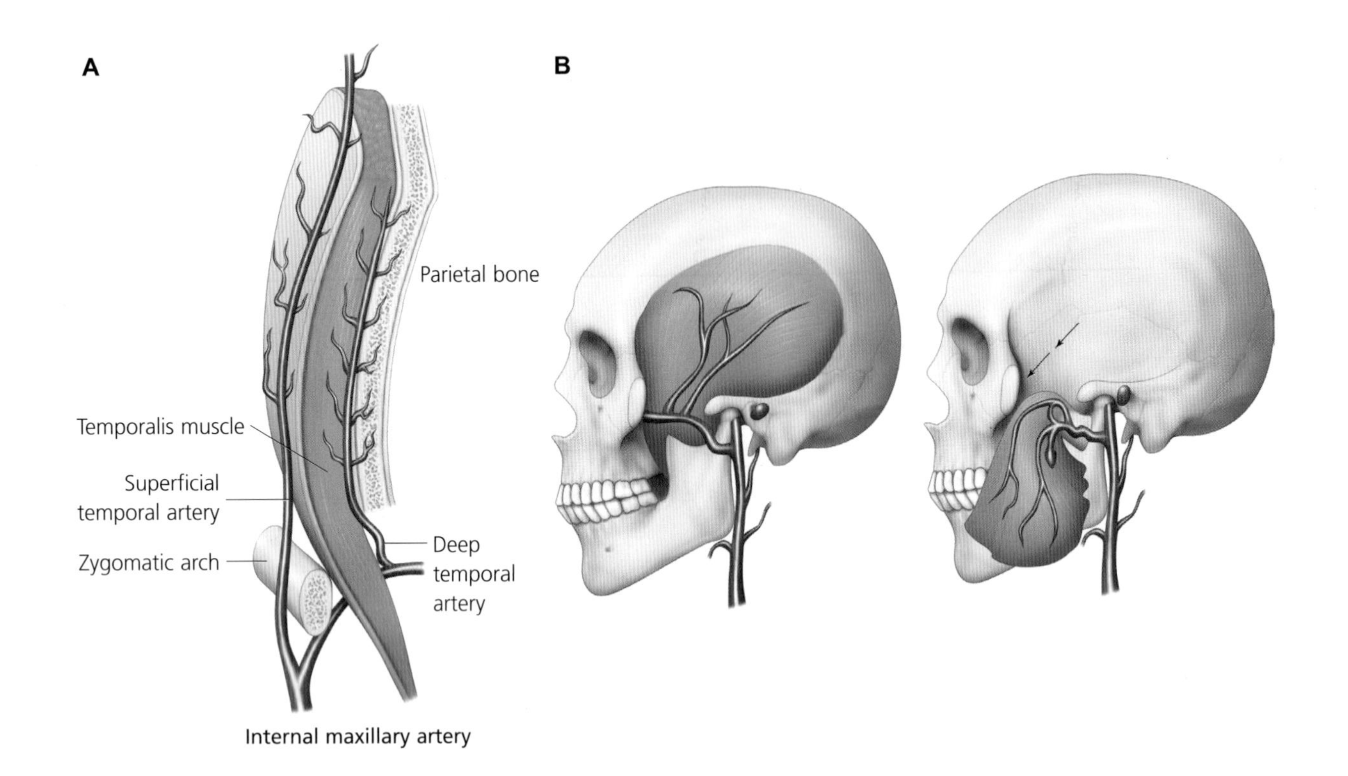

그림 12-18 A: 측두부 복합 조직판을 형성했을 때의 해부학적 모식도 B: 측두근 피판으로 구강내를 재건하는 모습. 이동하는 통로를 확보하기 위해 관골궁을 절제하기도 한다.

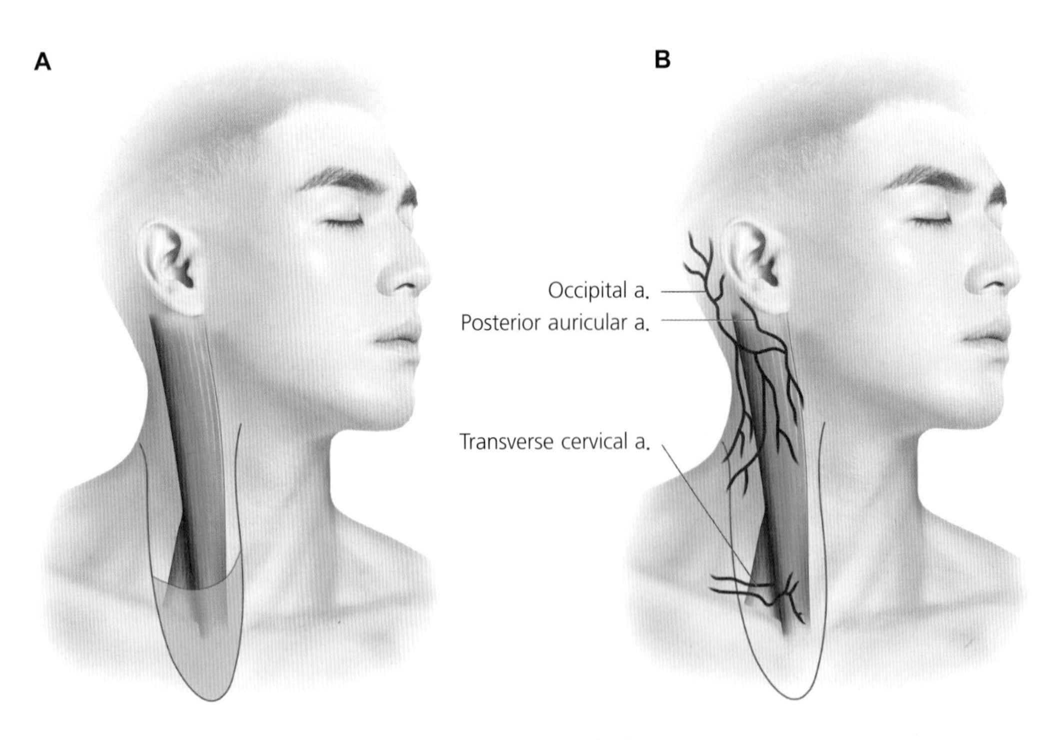

그림 12-19 A: 상부기저형의 흉쇄유돌근 피부피판 B: 흉쇄유돌근 부위의 혈액공급.

상되며, 목의 림프절 전이가 있는 경우나 술후 경부에 방사선치료를 행하는 것을 될 수 있으면 피해야 되는 단점이 있다.

10. 유리혈류화 피판(Free vascularized flap)

1) 미세혈관문합에 의한 유리피판

구강내 연조직 결손의 재건 시 기능적, 심미적으로 보다 나은 결과를 얻기 위하여 때로는 두경부에서 떨어진 신체부위로부터 유리피판을 사용하여야 한다. 이때에는 유리피판의 혈관경(vascular pedicle)에 포함된 동맥과 정맥을 목에 있는 동맥, 정맥들과 연결하여 줌으로써 피판을 생존시킬 수 있는데 이러한 술식을 유리혈류화피판재건술(free vascularized flap reconstruction)이라 한다. 유리피판에 혈행을 제공하여 줄 수 있는 영양혈관으로 흔히 사용되는 목에 있는 동맥은 상갑상동맥(superior thyroid artery), 안면동맥(facial artery)이며 정맥은 주로 안면정맥(facial v.), 내경정맥의 가지(branch of internal jugular vein), 외경정맥(external jugular vein) 등이다. 연조직을 재건할 수 있는 유리피판의 종류는 매우 다양하며 결손부위의 크기, 결손부의 부피 및 결손조직의 종류, 환자의 나이, 심미적 요구, 피판의 색조, 모근의 존재, 점액 분비의 필요성 등에 따라 적절히 선택되어야 한다(표 12-2).

(1) 유리 전완요피판(free radial forearm flap)

전완요피판은 구강내 연조직 결손을 재건하는 데 있어 가장 널리 사용되며 안전하고 믿을 수 있는 피판이다. 전완요피판은 피부근막피판(fasciocutaneous flap)이고 혀, 협점막, 구개나 구강저 등 구강내 모든 연조직을 재건하는 데 사용된다. 전완요피판의 장점은 피부가 얇고 피부부속기인 털이 거의 없으며 피판이 유연하며 거상이 용이하고 긴 혈관경을 가지고 있다는 것이다. 그리고 다양한 모양의 조직판 디자인이 가능하고 혈관의 변이가 거의 없이 일정하고 피부로 연결되는 천공혈관(septocutaneous perforator vessel)이 많아 피부에 충분한 혈관공급이 가능하다. 측부 피부신경(lateral cutaneous nerve)을 피판에 같이 포함시켜서 감각피판(sensate flap)을 만들 수 있으며 건(palmaris longus tendon)을 피판에 포함시켜 입술의 재건에도 사

표 12-2 Preferred reconstruction options for specific anatomical defects

Defect site	Preferred	Alternative
Cutaneous	Local flap	Free radial forearm or anterolateral thigh free flap
Upper aerodigestive tract		
Tongue (Partial)	Radial forearm free flap	Anterolateral thigh free flap
Tongue (Total)	Anterolateral thigh free flap	Radial forearm free flap Rectus abdominis free flap
Pharyngoesophageal (Partial or Circumferential)	Tubed radial forearm free flap Anterolateral thigh free flap Jejunal free flap	Pectoralis major myocutaneous flap
Mandible	Fibular free flap	Scapular tip free flap or iliac crest flap
Midface	Anterolateral thigh free flap Rectus abdominis free flap Fibula osteocutaneous free flap	Obturator Radial forearm flap Anterolateral thigh free flap

용할 수 있다. 동맥경화가 있는 환자도 요골동맥은 거의 영향을 받지 않는 것으로 알려져 있다.

전완요피판의 단점으로 전완공여부의 반흔이 눈에 잘 띄어 비심미적인 것이 가장 주요한 단점이다. 그리고 전완공여부는 주로 대퇴부의 피부나 인공피부를 이식하게 되는데 이때 2차적 수술부위가 생기는 단점이 있다. 이외에도 상완이나 손목의 부종, 요골신경과 측부 피부신경의 손상으로 인한 엄지, 검지 감각저하 또는 지각이상이 올 수 있으며, 팔, 손목, 팔꿈치의 경직감이 있지만 이러한 증상은 수술 후 시간이 지나면 증상이 점차 좋아진다.

전완요피판은 요골동맥(radial artery)을 주동맥혈관으로 하며 요골동맥과 함께 주행하는 2개의 교통정맥(venae comitantes)으로 정맥혈이 배액된다. 혈관경은 상완요골근막(brachioradialis fascia)과 요측수근굴근막(flexor carpi radialis fascia) 사이에 위치하며 다른 피판에 비하여 비교적 혈관경의 박리가 쉽다. 요골측 피부정맥(cephalic vein)이 근처에 있기 때문에 같이 채취하여 3개의 정맥을 동시에 연결하여 충분한 정맥배출이 될 수 있도록 디자인하기도 한다. 요골, 척골동맥(ulnar artery)은 전완과 손에 혈액을 공급하고 있으며, 2개의 혈관은 손바닥에서 서로 연결되어 혈액을 공급한다(그림 12-20).

하지만 아주 드물게 이 두 혈관이 연결되어 있지 않은 경우가 있으며 이때는 둘 중 하나의 동맥을 피판에 포함시켜 채취하면 손바닥으로 혈액공급이 제한되어 수지나 손바닥의 괴사가 생길 수 있다. 그러므로 혈관의 연결상태를 수술 전에 확인하여야 하는데 손바닥에서 두 혈관의 문합 적합성 여부의 확인은 앨런 테스트(Allen's test)를 시행함으로써 가능하다. 방법은 피판

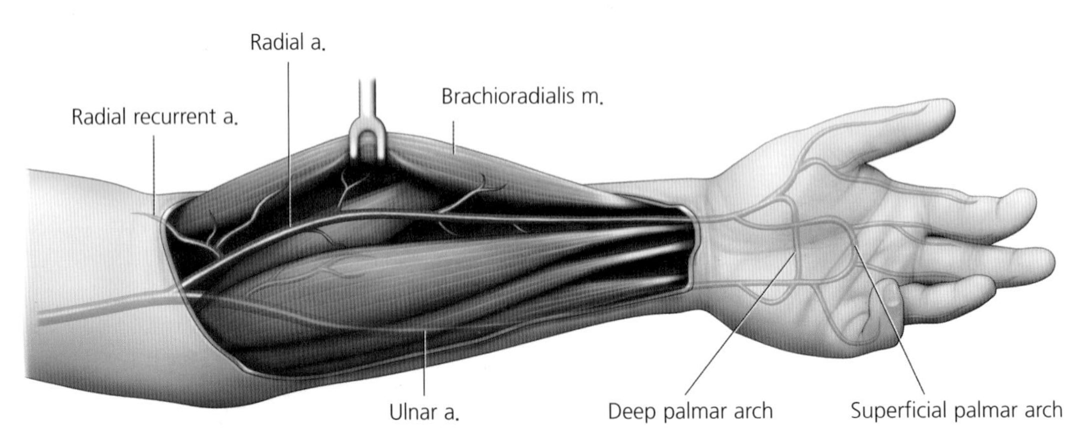

그림 12-20 **전완의 동맥.**

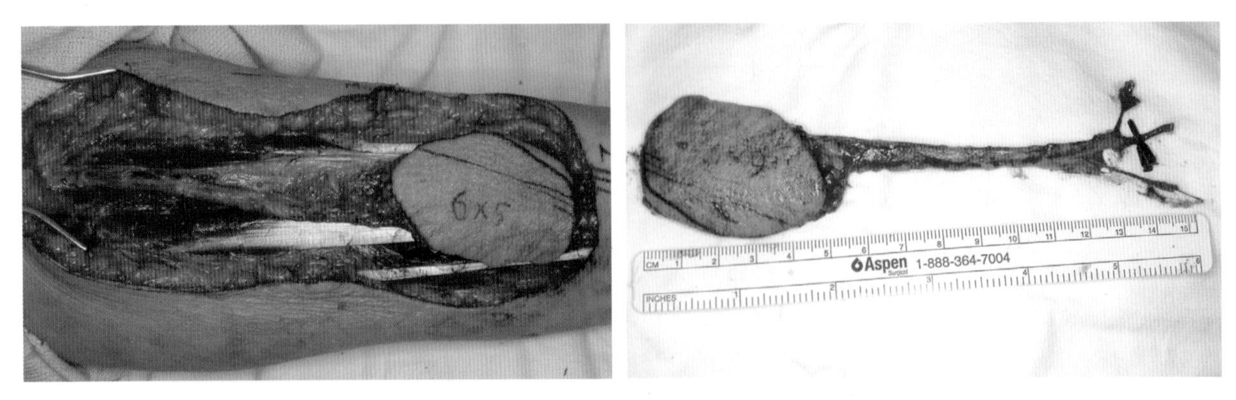

그림 12-21 **전완요피판 거상 후 사진.**

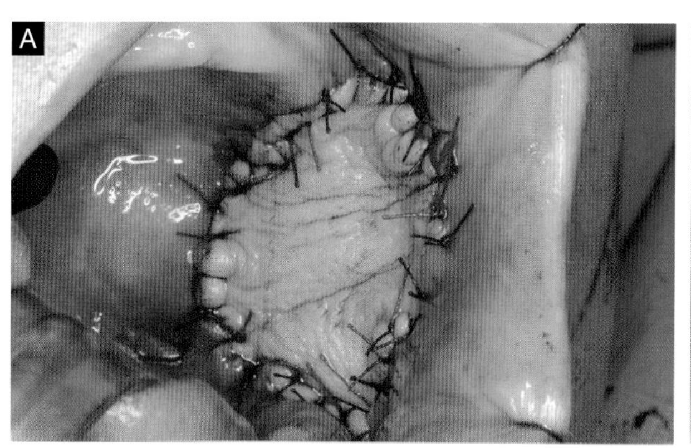
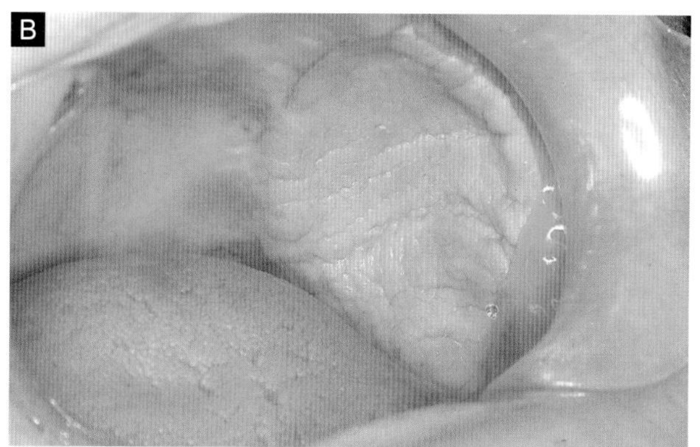

그림 12-22 A: 협점막의 구강암을 제거하고 전완요피판으로 재건 후 사진 B: 수술 후 3개월 경과한 사진.

을 형성하고자 하는 쪽의 손을 폈다 닫는 운동을 5-6회 반복시키다가 요골 및 척골 동맥을 양쪽 엄지손가락으로 눌러 손에 허혈을 초래한 후 척골동맥을 누른 손가락을 떼면서 5-7초 안에 손가락에 모세혈관의 색조가 돌아오는가를 관찰하는 방법이다. 손바닥에 혈액이 돌아와서 다시 정상적으로 붉은 색이 되면 요골동맥을 포함한 전완 요골피판을 안전하게 사용할 수 있다. 그림 12-21은 전완요피판을 거상한 사진이며 혈관근심부의 동맥과 정맥을 최소 2 cm 분리하여 혈관문합 시 클램프의 적용이 쉽게 한다. 그림 12-22는 전완요피판을 이용하여 협점막을 재건한 사진이다.

(2) 유리 광배근피판(free latissimus dorsi myocutaneous flap)

유리 광배근피판은 흉배동맥과 정맥을 혈관경으로 하여 이 혈관을 수혜부의 혈관과 문합하여 혈류를 재개시키게 된다(그림 12-23). 광배근피판은 유경조직판과 유리조직판 모두 가능하므로 신체 어느 부위의 재건에도 이용할 수 있으며, 대개의 경우 공여부는 일차봉합이 가능하고 수술부위의 흔적도 그렇게 뚜렷하게 남지도 않으며 윗옷에 가리게 된다. 광배근피판은 필요한 경우 전거근 쪽으로 분지되는 혈관을 이용하면 전거근피판과 늑골을 동시에 채취하여 이용할 수도 있고, 견갑하동맥에서 분지되는 혈관들을 모두 이용하면 견갑피판, 부견갑피판, 견갑골, 그리고 전거근피판, 늑골을 광배근피판과 동시에 채취하여 광범위한 복합 조직결손부 재건에 이용할 수 있다(그림 12-24).

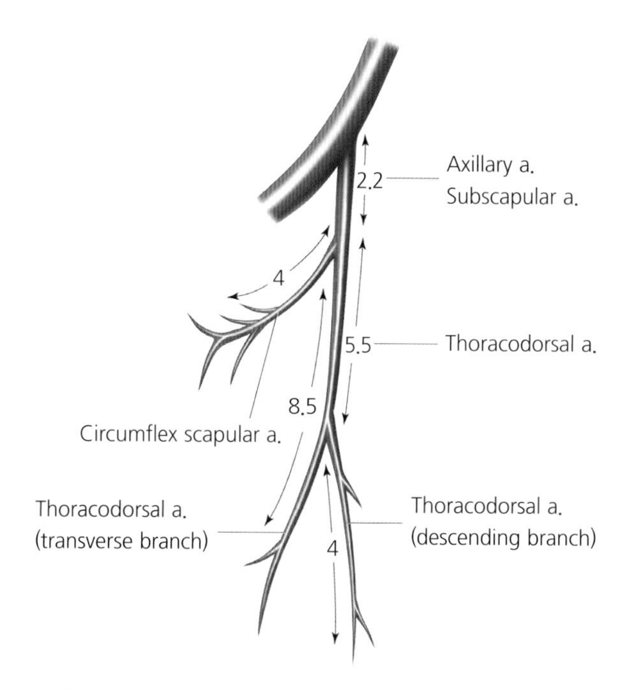

그림 12-23 광배근피판에 관련된 혈관.

(3) 유리 복직근피판(free rectus abdominus muscle flap)

복직근피판은 하심상복혈관경(deep inferior epigastric vascular pedicle)을 기초로 하는데, 거상이 용이하고 긴 혈관경을 가지고 있으며 피판 생존도가 아주 믿을 만하여 피부와 근육을 각각 및 따로 거상할 수 있으며, 구강안면부 재건에 꼭 필요한 조직판이다.

복직근피판의 장점은 근육과 피부를 같이 혹은 따로 사용하여 광범위한 결손부를 재건할 수 있으며 충분한 부피를 가지는 피판을 재건할 수 있다는 것이다. 그리고 두경부 종양 제거 시 환자의 체위변화 없이 2개의 팀이 동시에 시행할 수 있으며, 피부영역에 혈류가 아주 풍부하여 피판 디자인을 다양하게 할 수 있다. 또한 혈관경의 직경이 경부에 있는 혈관과 비슷하여 미세혈관봉합이 용이하며, 복직근의 길이를 짧게 또는 길게 채취할 수 있다는 이점이 있다. 근피판은 거상 후 공여부를 일차적으로 봉합할 수 있으나, 비만 환자에서는 거상된 복직근피판의 부피가 워낙 커서 그 적용을 신중히 할 필요가 있다.

복직근 피판의 적응증으로는 상악골과 중안모의 결손부, 상악동을 포함하는 광범위한 상악, 관골, 안구결손부, 혀의 대부분 혹은 전체가 절제되었을 때, 두개저의 종양제거로 인해 뇌경막이나 뇌실질이 노출되었을 경우, 측두하와(infratemporal fossa)의 암종제거 후 사강 제거를 위해 사용된다.

복직근피판이 포함해야 할 피부의 중요한 부위는 소위 혈관의 umbilicus hub라 부르는 곳으로 복직근에서 복부의 피부까지 혈액공급을 하는 배꼽에 인접한 부위이다. 필요한 피부영역을 궁선 위에 그리고 배꼽에 인접한 부위의 근육 위에 표시한다(그림 12-25). 피판주위의 피부를 절개하고, 근육을 같은 층에서 나누고 상심상복혈관경의 원심단을 자르면서 복근막을 위에서 절개한다. 다음에 내외측에서 수직방향으로 근막을 절개하여 복근이 쉽게 움직이도록 한다. 근육은 앞으로 분리할 건획에 의해서 후방근막에 고정된 상태이다. 하심상복혈관경은 근육의 후방에 놓여있어 이 부위에서 쉽게 볼 수 있다. 이 혈관은 하방으로 대퇴혈관 쪽에서 분리된다. 근육은 혈관경이 외측면으로 나누어지는 지점에서 분리된다. 그 다음에 피판경을 가능하면 안전하게 근육에서 분리시킨다(그림 12-26).

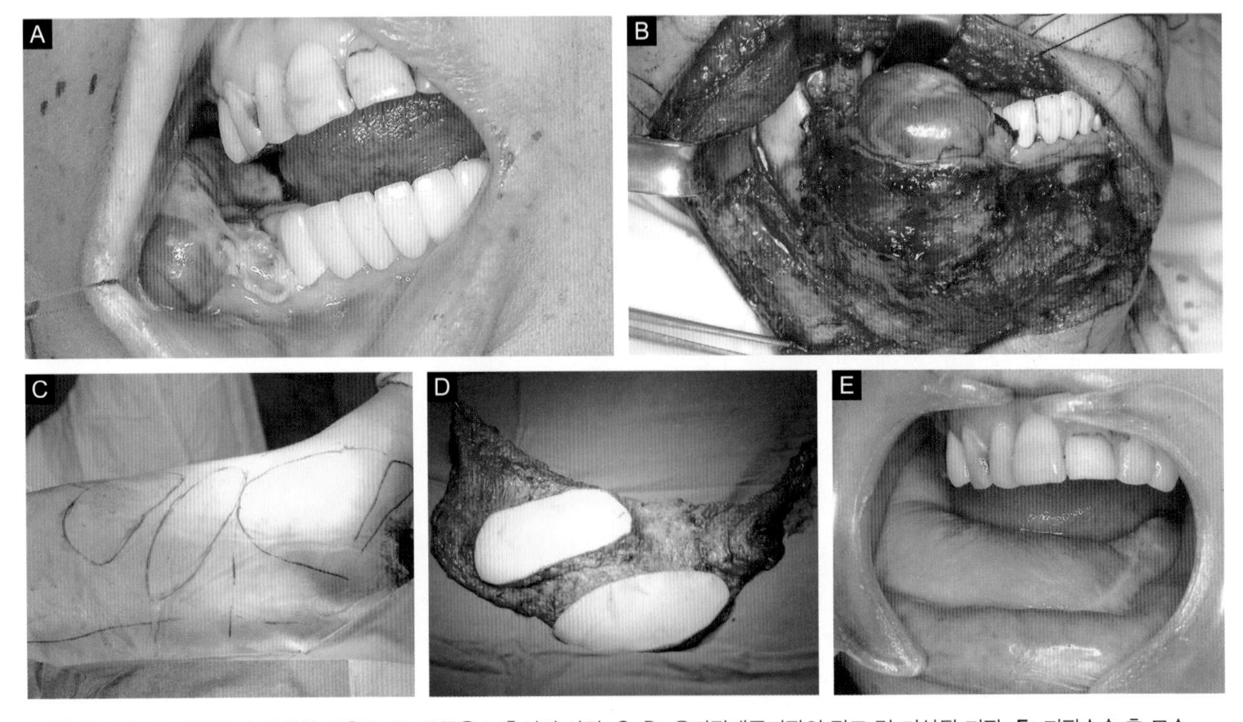

그림 12-24 A: 하악골에 발생한 골육종 B: 종물을 노출시킨 사진 C, D: 유리광배근피판의 작도 및 거상된 피판 E: 피판수술 후 모습.

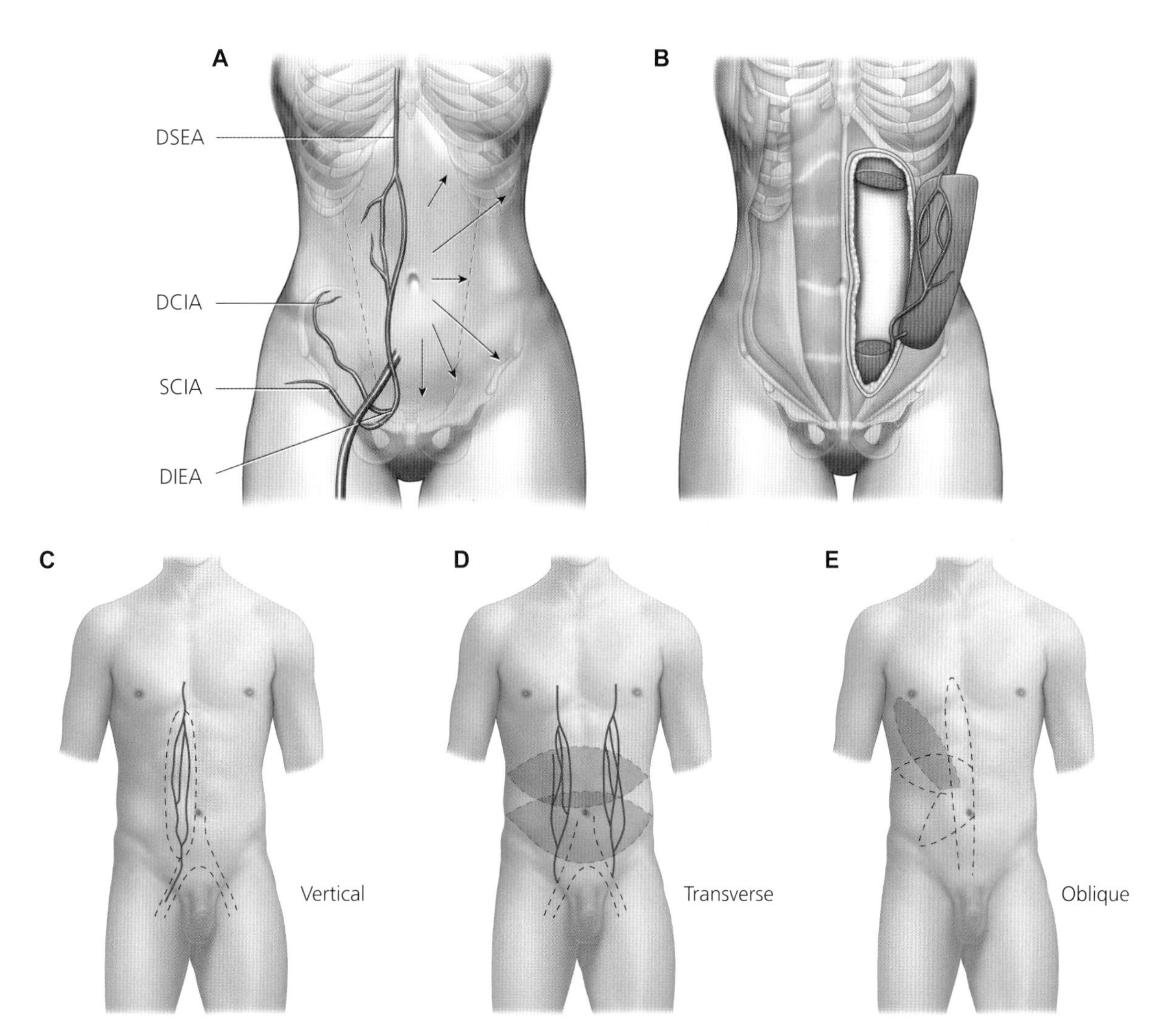

그림 12-25 복직근의 혈관, 근막과 천공지(perforating branch)에 의해 혈류가 공급되는 피부피판의 유형.

A: Deep inferior epigastric artery와 deep superior epigastric artery의 주행 B: Anterior 및 posterior rectus sheath C: 수직 복직근피판. 피부피판은 단일 복직 근위에 직접 위치하고 모든 천공들이 이 피판에 분포한다. D: 수평 복직근피판. 상복부나 하복부가 이식된다. 이것도 역시 단일 복직근 위에서 한다. 두 피판 모두 umbilicus 주위의 천공지들이 이 피판에 포함된다. E: Extended deep inferior flap. 피부피판은 경사진 방향으로 그 끝은 견갑골의 첨부 골향궁에 설계된다. 이 피판은 중심 복직근피판보다 더 얇은 피하층을 가지며 매우 긴 경(pedicle)을 가진다.

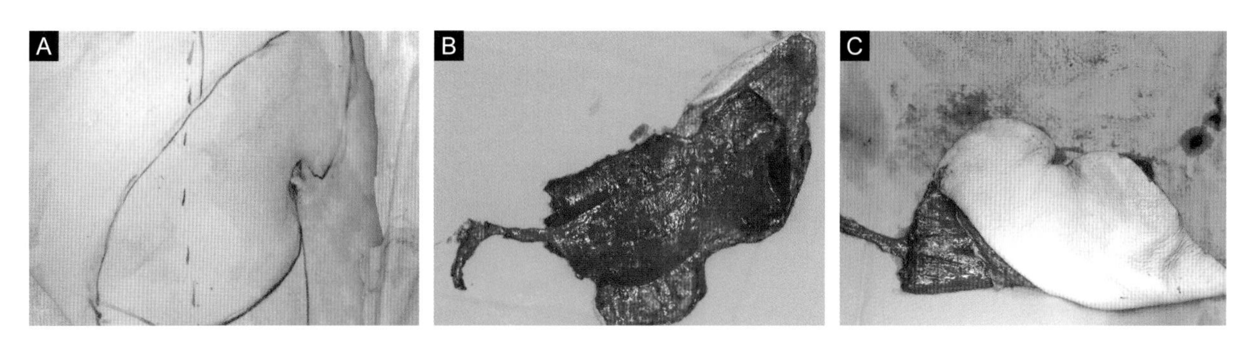

그림 12-26 복직근피판의 작도 및 거상.

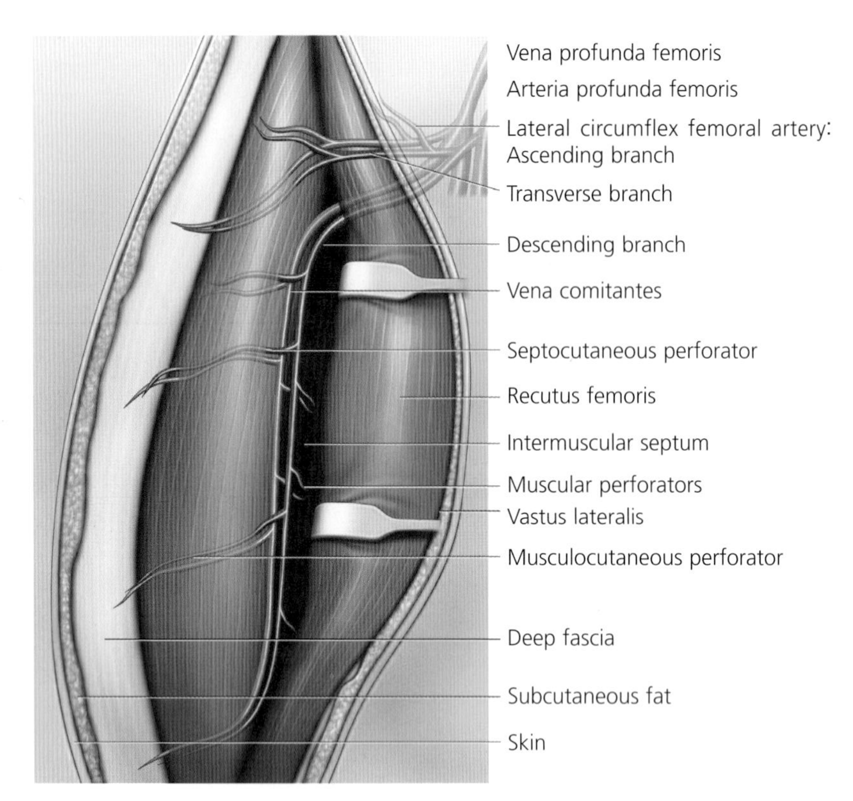

그림 12-27 Lateral circumflex femoral artery perforator.

(4) **전방외측대퇴피판**(anterolateral thigh flap)

전방외측대퇴피판은 외측대퇴회선동맥(lateral circumflex femoral artery)의 천공지 혈관에서 혈류공급을 받는 천공지피판(perforator flap)이다(그림 12-27). 천공지피판은 피부나 피하조직의 피판이 천공지혈관에 의해 혈류공급을 받는 피판이다. 천공지혈관은 조직 사이의 공간으로 혈관이 주행하는 것이 아니라 신체의 다른 조직, 주로 근육을 통과하는 혈관으로 그 직경이 작고 주행이 다양하며 박리가 어려운 단점이 있다. 전방외측대퇴피판은 넓은 피판을 채취할 수 있고 광배근피판이나 복직근피판에 비하여 두께가 얇으며, 필요에 따라 두께를 조절할 수 있다. 일차봉합이 가능하고 공여부의 반흔이 옷에 가려져서 심미적으로 전완요피판보다 우수하다. 최근 논문에서는 외측대퇴피판 채취 시 천공지혈관이 없는 경우가 1% 미만으로 비교적 안전하게 피판을 채취할 수 있다고 보고되었다(그림 12-28).

(5) **측완피판**(lateral arm flap)

측완피판은 전완피판 사용의 적응증과 같으며 구강내 연조직의 재건에 주로 사용된다. 장점은 반흔이 비교적 눈에 띄지 않은 것과 전완보다 충분한 부피를 가진 피판을 형성하여 완전혀절제 후에도 재건을 할 수 있다는 점이다. 주요 영양혈관은 profunda brachii artery의 가지인 posterior radial collateral artery이며 혈관경의 길이는 평균 9.6 cm 정도 된다(그림 12-29). 측완피판의 단점으로는 혈관지름이 적고 가늘어서 박리가 힘들고 피판을 거상하는 데 시간이 더 많이 걸리며 문합이 어렵다는 것이다. 피판의 거상 시 posterior cutaneous nerve of the forearm (PCNF)을 손상하게 되면 전완부의 피부감각이 떨어지게 되므로 손상하지 않도록 주의하여야 하나 피판의 거상 시 보존하지 못하는 경우도 있다(그림 12-30).

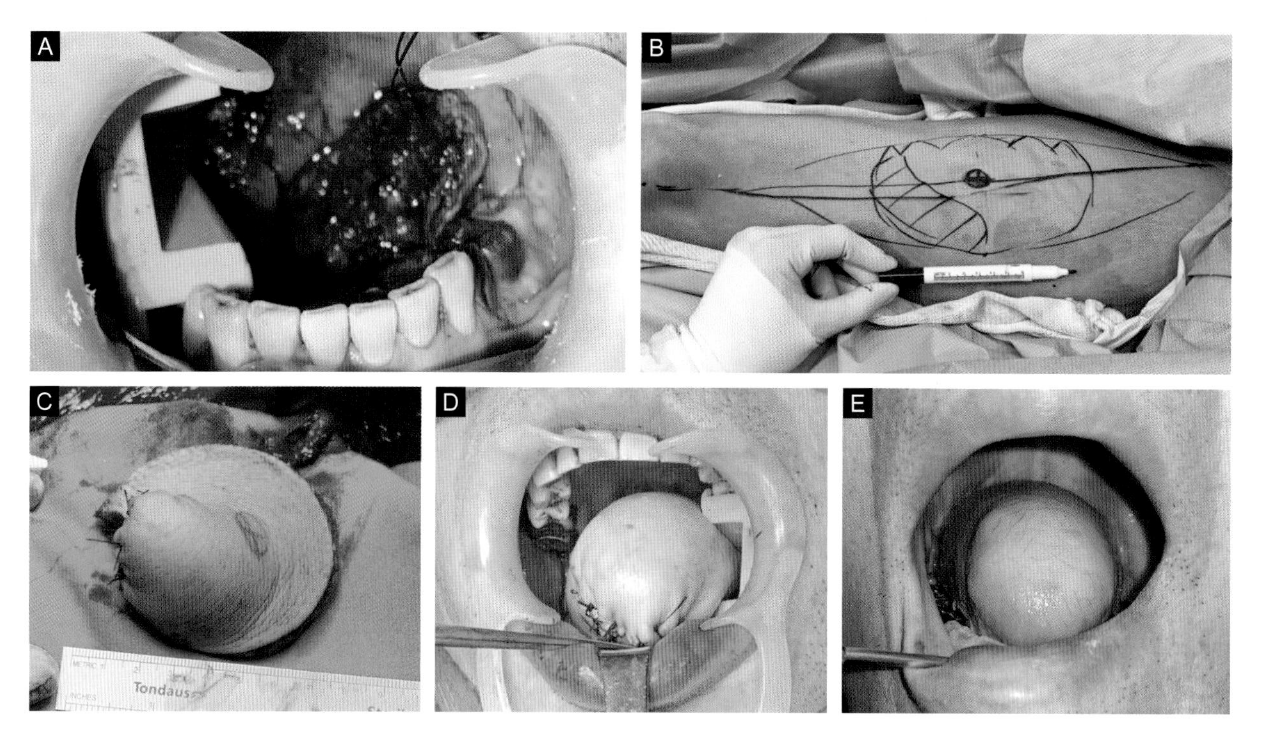

그림 12-28 전외측대퇴피판을 이용한 혀의 재건. A: 혀의 편평세포 암종으로 혀의 3/4가량을 절제한 후의 결손부 B: 초음파도플러장치를 이용하여 전외측대퇴피판의 천공지 위치를 표시하고 피판을 디자인함 C: 혈관경의 박리를 마치고, 결찰하기 전 계획한 형태로 형성함 D: 수술 직후 E: 수술 한 달 후.

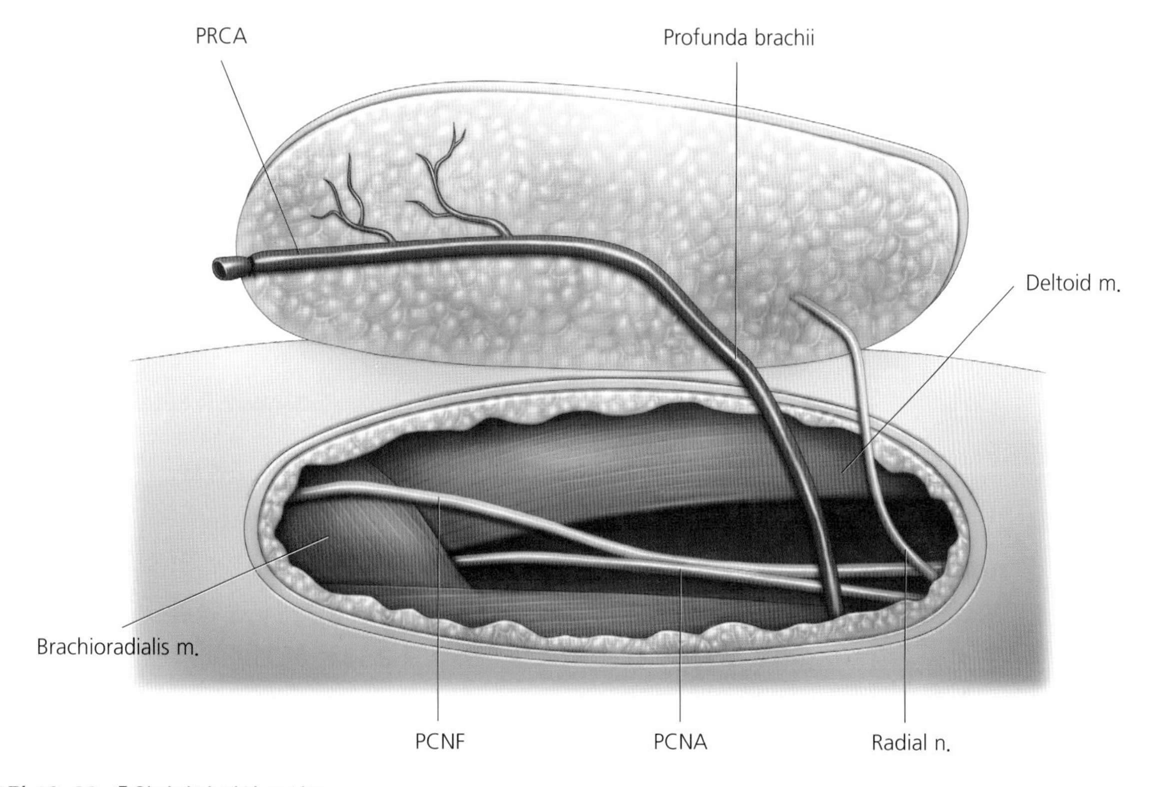

그림 12-29 측완피판의 거상 모식도.

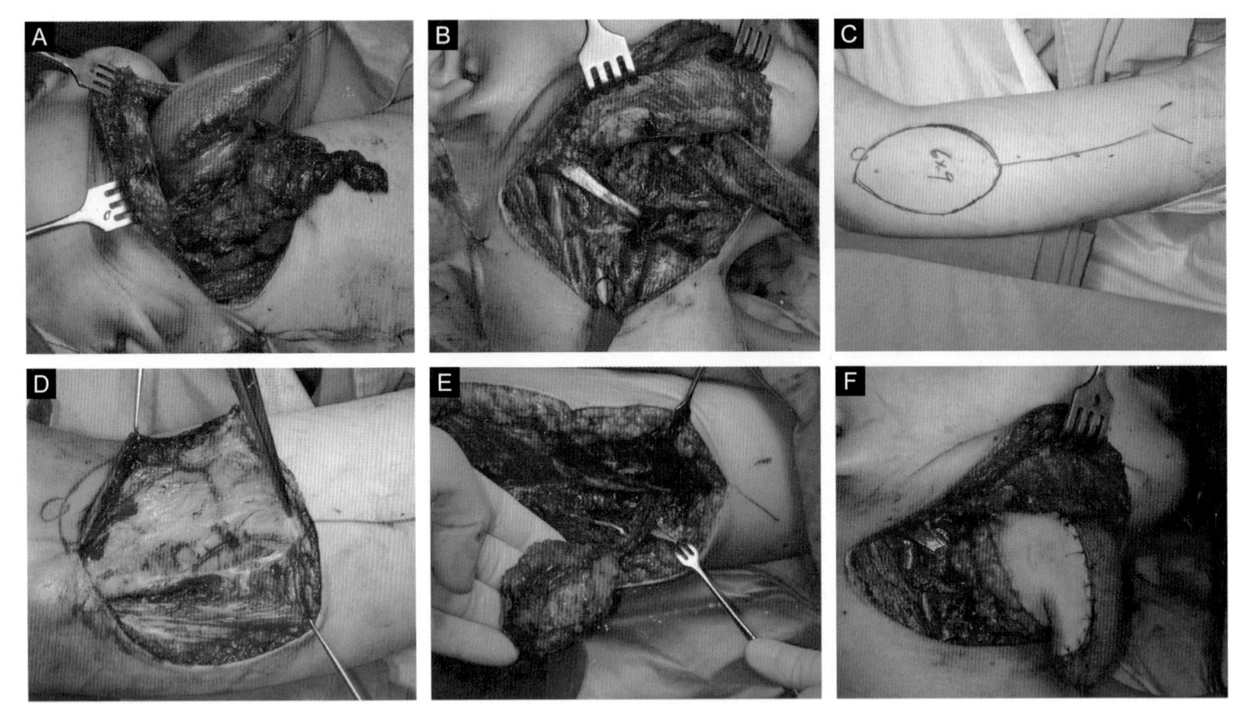

그림 12-30 설암으로 혀의 2/3를 glossectomy한 후 lateral arm flap으로 재건하는 수술 모습.

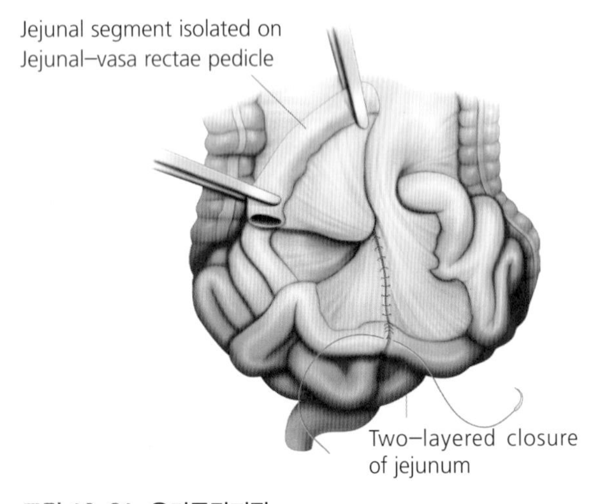

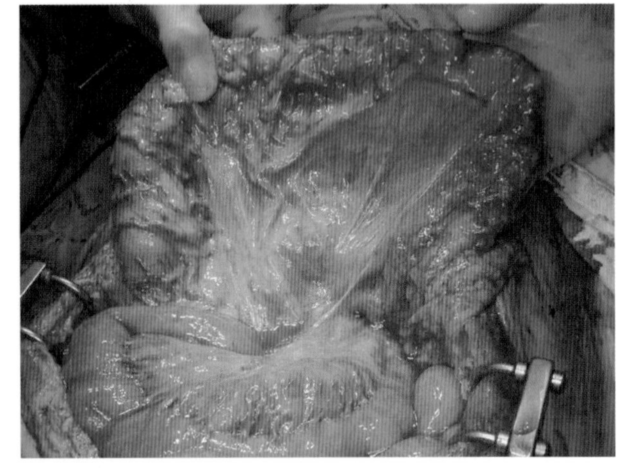

그림 12-31 유리공장피판.

(6) 서혜부피판(groin flap)

서혜부피판은 최초로 시도된 유리피부피판으로 구강내 점막결손부를 이장하거나 구강외부에 피부재건이 필요한 경우에 적합하다. 천부회선장골동맥과 동반되는 정맥에 의해 혈류가 공급된다. 대퇴동맥의 한 분지인 천부회선장골 동맥은 서혜인대 바로 아래에서 상전장골능 방향으로 주행하며 봉공근(sartorius muscle)의 근막을 통과하므로 봉공근을 촉지하는 것이 피판의 거상에 아주 중요하다. 이 피판의 혈관경은 짧아서 약 2–5 cm의 길이이며 혈관의 직경도 비교적 작다. 그러나 공여부는 직접봉합이 가능하며 합병증도 적다.

(7) 유리공장피판(jejunal flap)

공장의 일부를 구강이나 구인두 재건을 위한 피판으로 사용할 수 있다. 적절한 길이의 공장을 상장간막동맥을 포함한 장간막과 함께 채취할 수 있다. 이것은 적당한 크기의 충분한 길이의 혈관경(vascular pedicle)을 제공하나, 정맥이 다소 약한 단점이 있다(그림 12-31). 채취된 공장은 장간막의 반대편을 절개해서 펼친 다음 구강내 결손부에 적합시켜서 봉합하고 혈관문합을 시행한다. 공장을 구강내로 이식한 경우는 결손부가 구강점막과 유사한 점막으로 재건되고, 공장에서 분비되는 점액이 방사선치료 후에 발생하는 구강건조증의 완화에 도움을 줄 수도 있다. 그러나 공장피판의 채취를 위해 추가로 개복수술이 필요하고, 수액의 구획간 이동이 발생하며, 장폐쇄 등의 합병증이 발생할 수 있다. 또한, 조직의 가동성 때문에 공장피판으로 재건한 부위에 인공치아 또는 의치의 시술이 어려울 수 있으므로 공장을 펼치지 않고 관형태로 인두 및 식도의 재건에 이용된다.

11. 술후 관리

피판의 생존은 혈관경(vascular pedicle)을 통한 혈액순환에 의존한다. 혈관경은 복합조직이건 근육이건 반드시 인장력이나 압력으로부터 보호되어야 하며, 혈관이 꼬이거나 너무 길어도 안 된다. 피판은 술후에 혈류가 충분히 공급되는지 주기적으로 검사되어야 한다. 유경근피판이나 유리피판 수술 후 항응고제(heparin)를 사용하기도 하지만 술후 출혈경향이 있기 때문에 신중하게 사용하여야 한다. 구강내의 창상은 자주 생리식염수나 베타딘 양치용액으로 세척한다. 피판과 수용체 사이의 봉합부위가 벌어지지 않도록 봉합사의 제거는 충분한 시간을 기다린 뒤 시행한다.

12. 합병증

피판형성의 기본원칙을 잘 지키면 그에 따른 조직판의 생존율을 높일 수 있으나 피판의 실패를 완전히 예방할 수는 없다.

합병증으로 가장 심각한 것은 피판의 괴사이다. 피판괴사의 가장 중요한 원인은 미세혈관 봉합부위에 문제가 발생한 경우이며 봉합의 기술적 문제로 혈관의 내경이 좁아지거나 미세한 출혈이 생기는 문제, 혈전이 발생한 경우 정맥의 배출이 잘 되지 않아 울혈이 생긴 경우가 피판괴사의 원인이 될 수 있다. 혈관 문합부위에 지속적인 출혈로 인한 혈종과 감염이 발생하게 되면 조직판의 혈류공급에 영향을 줄 수 있을 뿐 아니라 부종으로 인한 환자의 호흡곤란으로 응급상황을 가져오게도 하므로 이를 방지하기 위하여 수술 중 미세혈관 문합을 원칙에 따라 정확하게 시행하고 수술 후 출혈의 여부 판단과 생활력의 관찰을 자주 하여야 한다.

혈종은 조직판을 압박하여 조직판과 손상부위의 괴사, 붕괴, 이차적 감염 등을 일으킬 수 있다. 창상봉합 전에 지혈이 필수적이며 수술 후의 혈종을 감소시키기 위해서 음압 배농관이나 실라스틱관(silastic drain)을 거치하여 혈종을 줄여야 한다. 일단 혈종이 발생되면 출혈의 원인이 되는 부위를 찾아서 지혈하여야 하며, 적절히 배출시키고 감염의 예방을 위해서 항생제를 투여한다. 혈관에 혈전이 발생하거나, 경색된 경우 혈액의 공급이 되지 않아서 피판의 생존에 영향을 주게 된다. 이 경우 다시 수술부위를 열어서 혈관문합을 다시 하여야 하며 이미 피판의 전혈관에 모두 혈전이 생긴 경우에는 제거하고 다른 피판으로 다시 재건해야 한다.

사강(dead space)은 흡인장치를 이용하여 없애거나 조직이 부족하여 피부와 하방의 조직 사이에 빈 공간이 발생한 경우는 피판에 근육이나 피하지방을 포함시키거나 주위에 있는 근육을 전위(transposition)하여 사강을 없애야 한다.

환자의 체위변화 특히 목을 좌우로 심하게 돌리게 되면 조직판 혈관에 가해지는 장력, 긴장(tightness),

견인(stretching) 등이 발생되어 피판으로의 혈류공급이 감소되어 혈전이 생기고 이로 인해 피판이 괴사될 수 있으므로 수술 후 환자의 자세는 미세혈관 문합부위의 장력을 반드시 고려해서 고개를 심하게 좌우로 흔들지 못하게 한다.

13. 조직판의 활성을 확인하는 방법

수술 중에는 혈관을 문합하고 나면 피판 말단부나 근육에서 출혈이 되는 것으로 피판의 혈액공급을 확인할 수 있다. 수술 후에는 혈관 문합부위는 목의 피부에 가려져서 시진이 불가능하며 목의 부종으로 촉진도 쉽지 않다. 이때는 다음의 방법으로 피판의 활성을 확인하는데, 첫째는 육안으로 관찰하여 피판의 색깔이 정상적이고 창백하지 않으면 혈액의 공급이 잘 되는 것이며, 만졌을 때 따뜻하거나 피판이 부드러우면서 압력을 가했을 경우 피판이 일시적으로 하얗게 변하다가 압력을 제거했을 때 1–6초 내에 정상 색조로 회복이 되면 조직판의 생존을 확신할 수 있다. 종창이 심하면 압력이 높아지고 정상 색조보다 붉게 보이게 되는데 이 경우는 정맥으로 혈액의 배출이 잘 되지 않는 경우이며, 혈관경이 눌려져서 동맥혈액의 공급이 원활하지 않으면 피판이 창백하게 보일 수 있다. 이때 핀셋과 같은 기구로 압력을 가했을 때 희어졌다가 느리게 회복되거나 색조의 변화가 없는 경우 압력이 조직판에 가해지고 있는 상태이므로 이의 원인을 바로 제거해 주어야 한다.

둘째는 기구 및 장비를 이용하여 활성을 확인하는 것으로 초음파도플러가 가장 많이 사용되며, 레이저도플러, photoplethysmography, transcutaneous oxygen monitor를 사용하여 생존을 확인할 수 있다(그림 12-32). 산소포화도 모니터에서는 기준점으로 조직 내 산소분압이 즉 PO_2가 20–25 mmHg 이상이면 생존 가능한 상태이고 20 mmHg 이하이면 동맥혈에 문제가 있음을 의미한다.

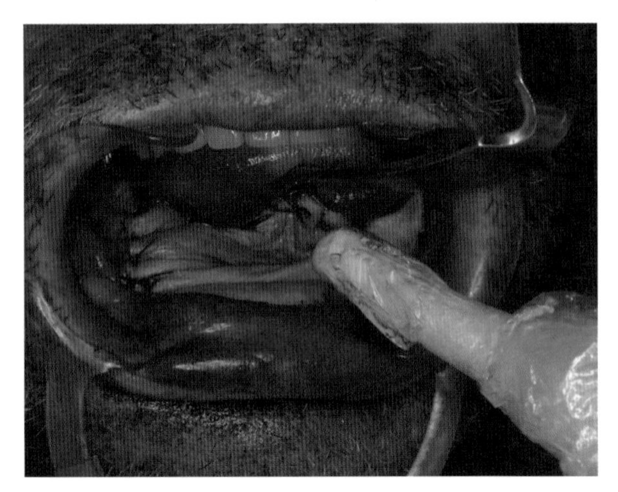

그림 12-32 초음파도플러장치를 이용하여 피판에 혈류공급을 측정하는 모습.

Ⅳ. 경조직 재건술

경조직 재건은 상하악골을 포함한 안면골과 인공치아 식립을 위한 치조골의 재건을 포함한다. 많은 악골 재건방법 중 수혜부가 연조직으로 충분히 덮여 있고 구강 연조직이 건전하며 누공과 감염이 없고 혈행이 좋을 경우에 비혈류화 유리 자가골이식(free non-vascularized autogenous bone graft)을 이용한 골결손 재건은 오랜 경험에 의해 안전하다고 입증된 방법이다. 그러나 수혜부의 혈행상태가 좋지 않으면 혈관화 골이식(vascularized bone graft)이 필요하며, 자가골의 채취가 어려운 경우 다양한 이식재와 고정장치 및 수술 술식들이 안면골 재건에 적용될 수 있다(표 12-3).

1. 이식골의 치유과정 및 골이식의 원칙

1) 골이식의 치유과정

이식된 뼈의 치유과정은 기본적으로 골형성(osteogenesis), 골유도(osteoinduction), 골전도(osteoconduction)의 3가지의 형태로 설명된다. 골형성은 살아있는 조골세포(osteoblast)나 전조골세포들이 직접 뼈를 형성하는 것이다. 예를 들어 자가망상골, 골수, 골막들에 존재하는 골형성세포들은 직접 신생골을 형성할 수 있으며, 혈관과 골조직을 성공적으로 복합이식한 경우 골형성 및 골개조 과정을 거치게 된다. 골유도는 미분화간엽세포, 전조골세포나 줄기세포를 뼈를 생성할 수 있는 세포로 유도하여 뼈를 형성하게 하는 과정으로 골유도성 골형성단백(bone morphogenetic protein) 혹은 비교원질성 단백질 등과 같은 특수 단백질에 의해 이루어진다. 골유도성 이식재료는 비골격조직, 예를 들면 피하조직이나 근육내에 이식되어도 신생골을 형성한다. 현재 인간의 골형성단백은 적어도 15가지의 유사한 종류가 분리되었으며, 그중 일부는 전환성장요소-베타(transforming growth factor-beta)의 대가계(superfamily)에 속한다(표 12-4). 골전도는 결손부를 채운 이식재료가 기질로 작용하며 숙주골로부터 신생골이 형성되어 이식재료를 자가골로 대체해 가는 것이다. 이때 골격(scaffold)으로 작용하는 이식된 골전도성 재료는 흡수성이거나 비흡수성이며, 생체조직에서 유래된 물질 또는 이물형성재료로 만들어진다. 골유도 이식재료와 달리 골전도 재료는 비골격 조직에 이식되면 신생골을 형성할 능력은 없다.

표 12-3 경조직 재건

경조직 재건
이식골의 치유과정 및 골이식의 원칙
a. 골이식의 치유과정
b. 골이식의 원칙
비혈류화 자가골이식
a. 유리 골이식
- 구강내 골이식
- 자가장골이식
- 늑골이식
- 두개골이식
- 경골이식
b. 망상골과 타이타늄 메쉬를 이용한 재건
혈류화 자가골이식
a. 유경혈관화골이식
- 두정두개골 근막판
- 쇄골피판
- 늑골피판
- 견갑골피판
b. 유리혈관화 골이식
- 비골유리피판
- 장골유리피판
- 견갑골유리피판
- 늑골전거근유리피판
- 족배-제1중족 동맥피판
- 유리전완요골피판
동종골이식
이종골이식
합성골이식
재건용 금속판과 유리피판을 이용한 재건

표 12-4 Human bone morphogenetic protein, chromosome 및 known functions

BMP	Human chromosome	Function in human
BMP-1	8p21.3	Metalloprotease that cleaves COOH-propeptides of procollagens I, II, and III Induces cartilage formation/cleaves BMP antagonist chordin
BMP-2	20p12	Skeletal repair and regeneration Heart formation
BMP-3 (Osteogenin)	4q21.21	Negative regulator of bone morphogenesis
BMP-3b (GDF10)	10q11.22	Cell differentiation regulation Skeletal morphogenesis
BMP-4 (BMP-2b)	14q22-q23	Skeletal repair and regeneration Kidney formation
BMP-5	6p12.1	Limb development/bone and cartilage morphogenesis Connecting soft tissues
BMP-6 (Vgr1, DVR-6)	6p24-p23	Cartilage hypertrophy Bone morphogenesis Nervous system development
BMP-7 (OP-1)	20q13	Skeletal repair and regeneration Kidney and eye formation Nervous system development
BMP-8a (OP-2)	1p34.3	Bone morphogenesis Spermatogenesis
BMP-8b	1p35-p32	Spermatogenesis
BMP-9 (GDF-2)	10q11.22	Bone morphogenesis Development of cholinergic neurons Glucose metabolism Anti-angiogenesis
BMP-10	2p13.3	Heart morphogenesis
BMP-11 (GDF-11)	12q13.2	Pattering mesodermal and neural tissues, dentin formation
BMP-12 (GDF-7/CDMP-3)	2p24.1	Ligament and tendon development Sensory neuron development
BMP-13 (GDF-6/CDMP-2)	8q22.1	Normal formation of bones and joins Skeletal morphogenesis Chindrogenesis
BMP-14 (GDF-5/CDMP-1)	20q11.2	Skeletal repair and regeneration
BMP-15 (GDF-9b)	Xp11.2	Oocyte and follicular development

이식골의 치유과정은 뼈의 종류에 따라 다르나 크게는 자가골과 비자가골의 치유로 나눌 수 있다. 자가골 이식은 악골의 재건에 있어서 가장 안정적인 방법이며 현재까지도 표준치료이다. 골을 이식한 후 신생골 형성은 골형성, 골전도, 골유도 현상에 의해 이루어진다. 자가골의 경우 세 가지 특징을 모두 가지고 있으며, 특히 살아 있는 골형성세포들이 공여부에서 수용부로 옮겨짐으로써 활발한 이식골화과정(transplanted osteogenesis)을 거치게 된다. 자가골이식은 혈행함유 여부에 따라 비혈류화 골이식과 혈류화 골이식으로 나뉘며, 유리골이식은 비혈류화 골이식이며 유경골피판과 미세혈관문합술을 이용한 유리혈관화 골이식이 혈류화 골이식에 해당된다.

혈류화 골이식은 비혈류화 골이식과 달리 기존의 뼈 세포들이 거의 그대로 크기를 유지하며 치유되지만 혈관문합을 해야 하기 때문에 기술적으로 어려우며 수술시간이 오래 걸린다

비혈류화 골이식인 유리골이식의 경우, 자가골의 치유와 잔존골과의 결합은 공여부의 위치에 상관없이 같은 과정을 거친다. 하지만 이러한 치유과정과 최종적으로 형성된 골의 부피는 공여부에 따라 다르며, 다양한 인자의 영향을 받는다. 가장 중요한 3가지 인자는 이식골에 세포성 골수의 양, 수혜부에 혈관상태, 이식골의 안정 여부이다.

유리골이식 중 망상골 및 세포성 골수이식(cancellous cellular marrow graft)은 고밀도의 골형성세포들을 이식할 수 있고, 입자들 사이를 통한 재혈관화가 촉진된다. 그러나 입자들이 불안정하게 움직일 수 있기 때문에 입자들의 형태를 유지할 받침이 필요하다. 이식된 골전구세포들은 처음 3-4일간 수용부 내에서 생존한다. 이때 영양공급은 주위를 둘러싸고 있는 혈관조직에 의한 영양확산에 의해서 이루어진다. 이식 후 3일 이내에 이식골 내의 저산소증(3-10 mmHg 산소압)에 대한 반응으로서 주위조직으로부터 모세혈관들이 자라 들어간다. 이식골과 그 주위 혈관조직(정상 산소압 50-55 mmHg) 사이의 산소농도의 차이, 이식골 내부에 존재하는 산증(pH 4.0-6.0), 그리고 과량의 젖산은 대식 세포들에게 신호를 보내 대식세포에서 유래된 혈관형성인자(macrophage-derived angiogenesis factor, MDAF)를 분비하게 한다. 혈관들은 3-14일 사이에 이식체 안으로 침투하여 완전한 재혈관화를 이룬다. 일단 이식골에 혈관이 통하면 혈류로 인하여 산소 농도 경사 및 산증과 젖산이 제거되어 대식세포는 혈관형성인자의 분비를 멈추게 되고, 결국 과도한 혈관형성이 방지됨으로써 평온하고 안정된 상태를 유지하게 된다. 골내 조골세포들은 살아남아 망상골 소주(小柱)의 표면에 새로운 무층골(woven bone)을 형성한다. 골소주 내의 골세포들은 살아남지 못하고 무기질은 파골세포에 의해 점진적으로 생리학적인 흡수과정을 거친다. 골소주가 흡수됨에 따라 골의 비교원질성 무기질로부터 골형성 단백질이 유리된다. 이들 단백질은 이식골 내에 함유되었던 원시세포, 수용부 국소조직내의 원시세포, 그리고 순환되고 있는 원시세포들을 기능적인 골형성 세포들로 분화시킨다. 골형성 세포에 의한 새로운 골조직은 기능적 부하에 맞게 세포 성분은 줄어들고 미네랄 성분은 늘어나며 층판구조(lamellar architecture)를 형성한다. 이러한 골개조는 이식 후 약 6주부터 시작하여 일생을 거쳐 진행되나 6개월까지 90%가 완성된다.

피질골과 수질골의 덩어리(골괴)를 혈류 공급원이 없이 이식하는 방법은 가장 오래 사용되어 온 전통적인 방법으로 골형성세포 성분보다는 광물성의 무기질을 더 많이 함유하고 있다. 생활세포가 더 많이 포함된 망상골에 비해 신생골 형성량이 적고, 혈관경과 함께 이식된 혈류화 골이식과는 달리 원래 뼈세포들을 제대로 유지하지 못하며 치유 속도가 느리다. 골괴의 형태로 이식한 경우는 망상골 입자들을 이식한 경우에 비해 약간 다른 치유과정을 거친다. 피질골 내에 들어있는 골세포(osteocyte)는 무기질(mineral matrix) 내에 있기 때문에 시간이 지나면서 서서히 죽게되며 새로운 골의 형성은 남아있는 골형성세포와 줄기세포의 골형성과 BMP, IGF-1, IGF-2와 같은 성장인자에 의한

골유도 그리고 이식골 자체가 골전도 역할을 같이 해서 발생한다. 덩어리로 되어 있기 때문에 표면 쪽의 골내 조골세포들은 일부 살아남아 신생 교직골을 형성하지만 그 양이 비교적 적다. 또한 덩어리로 되어 있어 입자로 된 이식골에 비해 재혈관화 속도가 느리다. 전반적인 치유과정은 망상골 입자의 경우와 마찬가지로 진행되지만, 수혜부의 숙주조직들의 역할이 중요하다. 이식골 자체보다는 주로 수혜부의 숙주골이나 수혜부의 일부 골막에서부터 유래되는 골형성세포에 의해 신생 교직골이 형성되는데, 이식된 골은 이들 신생골이 침착될 수 있는 골조로 작용한다. 이것은 골전도 반응으로서 이식골은 숙주골과 접촉된 주변에서부터 점진적으로 서서히 신생골로 대치가 되며 이러한 과정을 creeping substitution, 혹은 creeping formation이라 한다.

2) 골이식의 원칙

무엇보다 자가골의 이식이 동종골이나 기타 이종골, 합성골보다는 우선 고려되어야 하며 자가골이식은 현재까지 알려져 있는 가장 표준치료(gold standard)이다. 다음 원칙으로는 골이식 시 항상 무균시술을 하여야 하며, 수혜부에 골생성을 유도할 수 있는 능력을 가진 골세포나 골형성세포가 충분하여야 하며, 수복될 부위와 골이식재의 형태와 모양이 일치해야 하며, 골이식재는 수혜부에서 움직임 없이 나사나 플레이트로 단단히 고정되어야 하며, 이식재와 수혜부 사이는 사강이 없고 밀접하게 접촉되어야 한다. 이식된 골은 구강에 노출되면 실패하기 때문에 봉합이 아주 중요하며 장력이나 노출 없이 이식재 상부를 봉합하기에 충분한 양의 연조직이 있어야 하며, 혈종형성을 감소시키기 위해 섬세한 지혈이 필수적이다.

2. 비혈류화 자가골이식

1) 유리 골이식

(1) 구강내 골이식

구강내 경조직 재건에 구강내의 골을 이식하는 것은 여러 가지 장점이 있다. 첫째로 구강내 골은 태생학적으로 같은 골이기 때문에 기타 사지에서 이식하는 골보다 흡수가 덜 되고 생착에도 유리하다. 이것은 명확하게 밝혀지지는 않았지만 경험이 많은 외과의사들의 공통적인 생각이며 많은 후향적 임상논문에서 입증되었다. 구강내 골이식부위는 다양하나 임플란트를 위한 치조골의 재건에 주로 사용되며 큰 결손부에는 사용하기 어렵다. 대표적으로 하악지와 하악 정중부가 골이식에 많이 이용된다.

① **하악지 골이식**(ramal bone graft)(그림 12-33)

하악지는 치조골의 재건에 가장 유용하게 사용되며 최대 두께 약 4 mm, 전후방 길이 약 3 cm, 폭 약 1 cm 정도의 피질골을 채취할 수 있으며 막성골(membranous bone)이기 때문에 흡수가 적다. 하악지 골이식 후 발생할 수 있는 합병증은 하치조신경의 손상, 인접치아 치근의 손상, 감염 및 일시적인 개구제한이며 절개선을 잘못 디자인하여 설측으로 절개를 했거나 설측 피판을 과도하게 젖힌 경우 설신경 손상도 발생할 수 있다. 1997년 Misch CM의 연구에 의하면 하악지의 골채취 후 8.3%에서 신경손상이 발생하였으며 하악정중부에서 채취한 경우는 이보다 2배 높은 16%에서 신경손상이 발생하였다.

② **하악정중부 골이식**(symphyseal bone graft)(그림 12-34)

하악정중부는 접근이 쉽고 두 가지의 절개방법이 사용될 수 있다. 첫째는 전치부의 순측 치은연을 따라 절개하는 방법이고, 둘째는 부착치은을 피해 점막치은 경계선과 순측 전정의 사이에 절개를 하는 방법이다.

점막치은 경계로부터 순측으로 약 1.5 cm 떨어진 곳에 4 cm 정도 길이로 하순의 만곡도에 평행한 절개를 가한다. 이때 수술도는 점막을 지나 이근(mentalis m.) 근육까지 도달되게 하며, 양측 이공에서 나와 입술의 감각을 지배하는 이신경(mental n.)이 손상되지 않도록 유의한다. 이근에서부터 하악골 하연이 노출되도록 골막피판을 젖힌다. 채취할 골편을 골 표면에 그린다. 가로의 길이는 하악골 정중선으로부터 양측으로 1–1.5 cm가 되도록 하되 양측 이공으로부터 최소한 5 mm 이상 내측으로 떨어지게 한다. 골편의 윗변은 전치부 치근단으로부터 최소한 5 mm 아래쪽으로 떨어져야 치근의 손상을 피할 수 있다. 골편의 아래 변은 하악골 하연 위쪽에 위치시킴으로써 가급적 악골의 하연을 보존시킨다. 골편의 양측 변은 윗변과 아래 변을 세로로 연결함으로써 이루어진다. 골편을 그린 후 외과용 701 피셔버나 라운드버 혹은 외과용 뼈톱(saw)을 이용하여 외측 피질골을 지나 수질골까지 절단한다. 네 변을 모두 절단한 후 1/4 inch의 구부러진 절골도(osteotome)를 이용하여 골편을 분리해낸다. 떼어낸 골편은 차가운 생리식염수 안에 보관한다. 공여부 골강 안에 남아있는 망상골은 추가로 더 채취할 수 있다. 설측 피질골은 남겨놓고 지혈을 한 후, 골막과 이근(mentalis) 근육 그리고 점막을 층별 봉합한다.

(2) **자가장골이식**(iliac bone graft)

자가장골은 많은 양의 자가골이식이 필요한 경우 가장 많이 사용되는 골조직이며 채취하는 방법에 따라 전방 및 후방 장골채취로 나눌 수 있으며 사용하는 방법에 따라 골괴이식, 망상골이식, 분쇄골이식으로 나눌 수 있다.

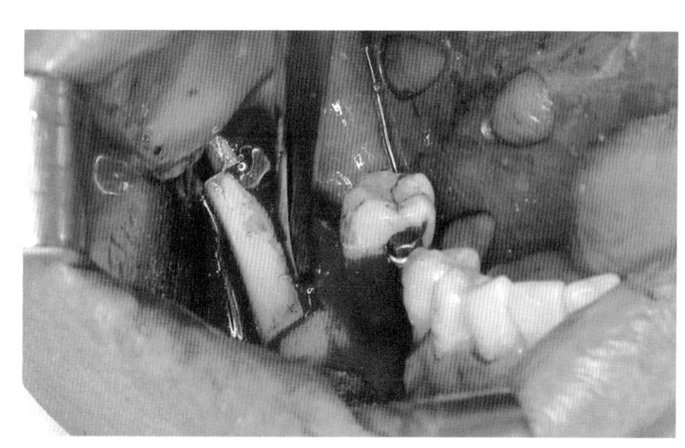
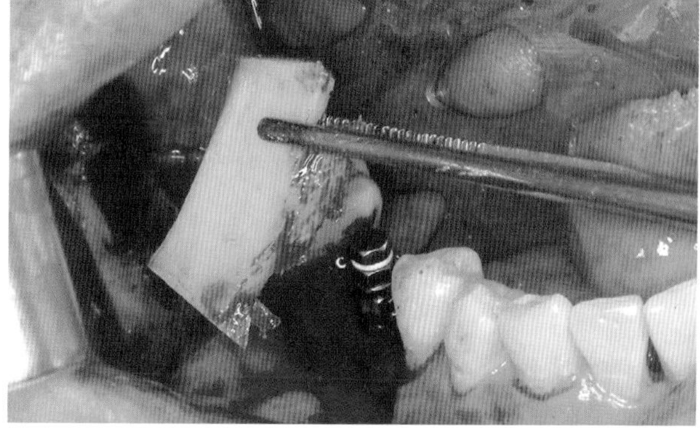

그림 12-33 하악지 골이식을 위해서 골절단 후 뼈끌(chisel)을 이용해서 분리하는 과정.

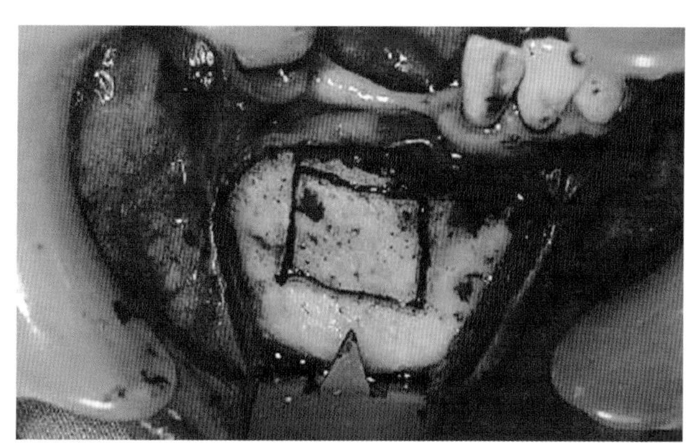
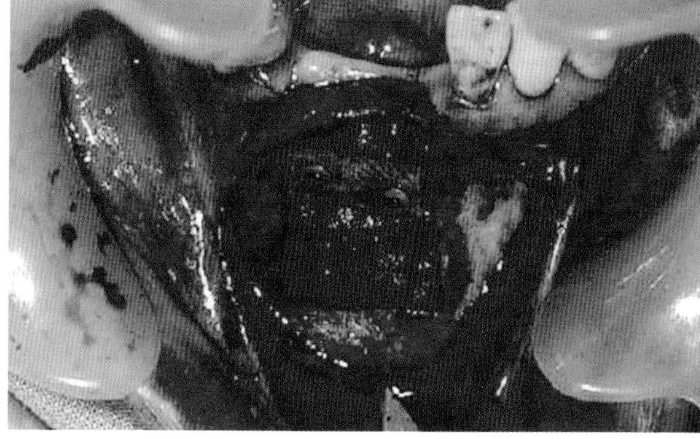

그림 12-34 하악 정중부로부터의 골채취.

① 전방 장골 채취

전방 장골능에서는 약 30–40 cc의 뼈를 얻을 수 있다. 중요한 해부학적 골 구조물로서 전상 장골돌기(anterior superior iliac spine, ASIS), 장골결절(tubercle of ilium), 그리고 이 두 구조물을 연결하는 전방 장골능(anterior iliac crest)이 있다. 전상 장골돌기로부터 후방, 상방, 외측으로 장골능이 주행하며, 약 5 cm 되는 곳에 장골결절이 위치한다. 장골 채취 시 3가지의 신경을 조심하여야 하는데 전방 장골능주위의 중요한 신경구조물로서 척수(L2, L3)로부터 분지된 측방 대퇴피부신경(lateral femoral cutaneous nerve)이 있고, 약 97%의 경우 전상 장골돌기의 아래쪽으로 주행하므로 수술 시 문제가 안되지만, 만일 전상 장골돌기 상방에 존재하여 이 신경이 절단되는 경우 다리 외측의 감각이 없어진다. 그 밖에 전방 장골돌기 바로 위에 위치하는 늑골하신경의 측방 피부분지(lateral cutaneous branch of subcostal nerve; T12)와 장골결절부위에 위치하는 장골하복신경(iliohypogastric n.)의 측방 피부분지(lateral cutaneous branch; L1)의 손상을 예방해야 한다. 이 부위의 혈액은 심부 회선장골동맥(deep circumflex iliac artery)으로부터 공급되고 있으며 혈류화 장골이식 시 주혈관경으로 사용된다.

절개선은 전상 장골돌기의 1 cm 후방 부위로부터 장골 결절의 2 cm 후방까지 위치시키며, 장골능의 외측으로 1 cm가량 떨어지도록 한다. 이 절개선은 허리벨트 선을 피할 수 있고, 특히 늑골하신경(subcostal nerve)와 측방 대퇴피부신경(lateral femoral cutaneous nerve)의 손상을 막을 수 있다. 절개 시 깊이는 피하조직까지 한정시키고, 하방 근육은 지나지 말아야 한다. 장골을 노출시키기 위하여 내측피판이나 외측피판을 이용할 수 있는데, 내측 접근법이 대퇴근막장근(tensor fascia latae)의 손상을 피함으로써 수술 후 환자의 보행불편(gait disturbance)을 최소화할 수 있어서 선호된다. 노출된 장골능부위로부터 피질골과 망상골을 한꺼번에 덩어리로 떼어낼 수 있다. 필요한 골량에 따라서 다양한 채취방법이 있으며 적은 양의 망상골 만을 얻기 위해서는 clamshell, trapdoor, Tschopp법과 Tessier 접근법이 사용된다. Clam shell 방법은 장골능의 정중선을 따라 골절단을 시행하고, 쐐기를 박듯이 피질골편을 내측과 외측으로 벌어지게 "green–stick"골절시킨 뒤 벌어진 골편 사이로 망상골을 얻는 방법이다. 좀 더 많은 망상골이 필요한 경우는 Trap door법이 사용되는데 전방 장골의 내측으로 골창(bony window)을 형성하여 젖힌 후 망상골을 긁어낸다. Tschopp법은 내측 혹은 외측의 연조직이 장골능 연에 붙어 있는 채로 장골능에 평행하게 수평 골 절단을 시행한 후, 뚜껑을 젖히듯 골편을 젖히고 나서, 안쪽의 망상골을 긁어내고 나서 골편을 원위치시키는 방법이며 Tessier법은 장골능의 내측과 외측으로 사선 골절단술을 시행하여 양측의 골편을 젖히고 망상골을 채취한 후 다시 골편을 원위치시키는 방법이다.

많은 양의 피질골과 망상골이 필요한 경우에 가장 많이 사용되는 방법은 장골의 내측으로 접근하여 망상골과 피질골을 동시에 채취하는 방법이다. 최근에는 최소한의 절개와 trephine을 이용하여 골을 채취하는 방법이 개발되었으며 이 방법은 특별히 고안된 골천공기구를 이용해서 장골에서 채취한다. 이 기구는 투관침(trocar), 천공기(trephine), 그리고 골제거기(plunger)로 이루어져 있다. 먼저 전방 장골능, 전상장골돌기 그리고 장골결절을 촉지하는데 장골결절은 보통 전상장골돌기로부터 상방, 측방, 후방으로 5 cm 정도 떨어진 곳에 위치한다. 이 두 가지 해부학적 위치 사이로부터 뼈를 채취할 수 있는데 주로 결절 쪽에서 채취한다. 천공기의 사용법은 국소마취 후 전상 장골돌기로부터 결절 쪽으로 2/3되는 곳에 1 inch 정도 피하조직까지 절개 후 골막 절개로 최소한의 피판을 거상하고 준비된 골천공기의 투관침과 투관침 관을 장골능에 위치시킨 후 골망치(mallet)로 두드려 고정시킨다. 골천공기를 투관침 관의 내측으로 위치시키고 골을 채취한 후 다시 빼낸다. 골제거기로 골천공기 안의 골을 빼낸다. 이때 골천공기의 끝쪽 날은 투관침 관에 의해 2 cm까지만 뼈 속으로 들어가게 된다. 골천공기를 이용하면 골편을 10–20개까지 채취할 수 있으므로, 대개 5–10 cc 정도의 골을 얻을 수 있다. 골을 채취한 후 층별봉합을 하고 압박드레싱을 한다(그림 12-35).

② 후방 장골 채취

후방 장골은 인체에서 세포가 풍부한 망상골을 가장 많이 제공해 줄 수 있는 부위이다. 많은 양의 뼈가 필요한 경우 사용할 수 있으나, 단점으로는 골채취를 위해 수술 도중 환자체위를 바꿔야 하는 번거로움이 있다.

뼈를 채취할 부위는 천골 쪽의 장골 후상방에 위치한 삼각형의 결절로서 대둔근(gluteus maximus)이 부착되어 있다. 근처의 감각신경으로는 상 둔부신경(superior clunial n.; L1, L2, L3)의 가지들이 후방 장골능의 상방에 부착된 요배근막(lumbodorsal fascia)을 뚫고 나가서 후방 둔부 중앙의 피부를 지배하며, 천골의 측방으로부터 나온 중간 둔부신경(middle clunial n.) 등이 근심측 둔부의 피부를 지배한다. 골을 채취할 부위는 대부분 두 감각신경의 사이에 위치하여 정확하게 접근해야 신경손상을 최소화할 수 있다. 하지를 지배하는 운동신경인 좌골신경은 후방 장골능 하방 6–8 cm에 위치하는 좌골절흔을 지나고, 후방 장골은 심부

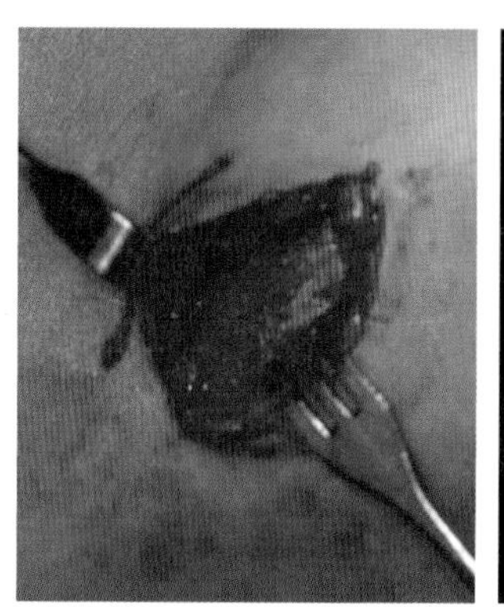
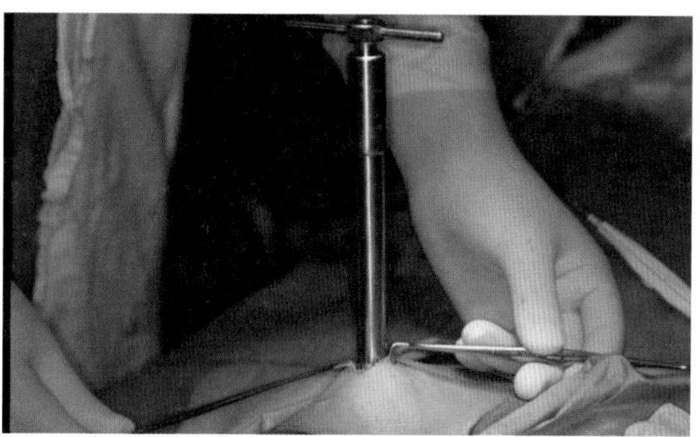

그림 12-35 전방장골에서 골천공기를 이용한 골채취.

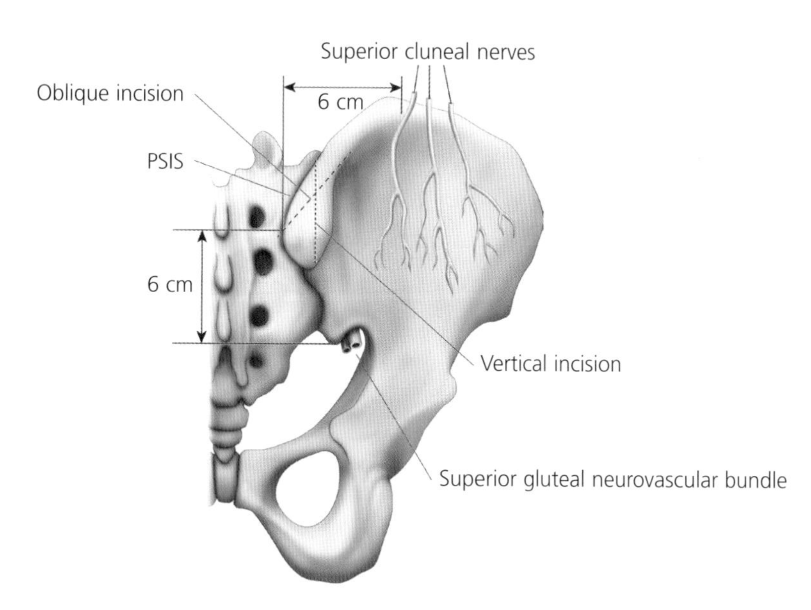

그림 12-36 후방 장골 골채취부위의 해부학적 모식도.

회선 장골동맥(DCIA)의 가지인 하둔근동맥(subgluteal artery)로부터 혈액공급을 받는다(그림 12-36).

환자는 양측 겨드랑이와 하지의 맨 위쪽에 둥근 받침대를 대고 수술대 위에 복와위(prone position)를 취하게 한다. 이때 수술대는 210° 정도로 구부러지게 하며 구부러진 수술대의 가운데 부분에 둔부를 위치시켜 위쪽으로 튀어나오게 한다. 만일 받침대를 복부에 위치시키면 대정맥(vena cava)이 압박을 받을 수 있다. 둥글게 구부러진 절개선을 후방 장골능의 직상방에 형성하되 절개선의 중앙부가 삼각형 결절부위를 지나게 한다. 절개선의 하방경계는 양측 둔부의 중앙선으로부터 최소 3 cm 이상 떨어지게 하여 신경을 보호하며, 전체 길이는 약 10 cm가 되게 한다. 이 절개선을 통하여 골채취부로 직접 접근이 용이하며, 절단시킬 근육의 양을 최소로 할 수 있다. 절개 후 후방 장골능의 외측 연을 향하여 곧바로 접근하는데 상당량의 지방이 포함된 피하조직 및 하얀 색의 두꺼운 요배근막을 지나게 된다. 대둔근이 부착된 골막을 젖히고 골면을 충분히 노출시킨 후 5×5 cm 크기의 피질-수질골 판을 떼어낸다. 이것을 골 입자로 만들면 약 20-25 cc에 해당된다. 떼어낸 골창부위로부터 소파기구(bone gouge 나 bone curette) 등을 이용하여 망상골을 긁어낸 후, 날카로운 부분을 부드럽게 다듬고서 전기소작기나 골왁스로 골면의 출혈점을 지혈시킨다. 골결손부에는 계속적인 지혈효과를 위해 7 mm 넓이의 납작한 흡입성 배농관을 삽입한 후 지혈제를 채우고, 층별로 잘 봉합을 한다. 창상에는 압박드레싱을 시행한다. 후방 장골능에서 골을 채취하는 경우는 최소 50 cc 이상의 골을 이식하는 증례에 적응이 된다. 골편이 눌리지 않는 상태에서 보통 60-140 cc까지의 양을 얻을 수 있는데 전방 장골능에서 채취할 수 있는 골채취량의 2-2.5배에 해당된다.

(3) 늑골이식

과거 악골재건을 위해 늑골이 많이 사용되었으나, 장기간의 골흡수로 인하여 그 예후가 불량하여, 최근에는 늑골만 이식하는 경우는 적고 주로 악관절 재건 시 연골을 포함하는 늑골이식이 사용된다. 14세 이하의 어린이의 경우 늑연골은 성장점으로 작용되어 연골내 골화현상이 일어나서 악골성장을 기대할 수 있다. 어른의 경우는 대개 회전성 가관절을 형성하며, 측두와 내에 잘 적응이 될 수 있다. 네 번째부터 일곱 번째까지의 늑골이 사용될 수 있으며, 일반적으로 여섯 번째의 늑골이 가장 선호된다. 유방 아래쪽의 접힌 주름에 절개를 하며 대흉근과 복직근 사이로 접근하여 여섯 번째 늑골에 도달한다. 좌측보다 우측이 선호되는데, 이는 심장의 동통과 술후 동통을 혼동하지 않기 위해서이다. 환자의 자세는 앙와위나 측와위를 취하게 한다. 늑골 골막의 절개는 늑연골 경계부위에 시행하며 늑골을 뒤쪽으로 노출시키다보면 전거근이 일부 존재한다. 채취 가능한 늑골의 길이는 12-18 cm이며, 광배근의 측방경계 이상 채취하지 않는다(그림 12-37).

골막을 견인하는 작업이 늑골 채취 시 가장 유의할 과정으로, 천공 시 기흉(pneumothorax)을 야기할 수 있다. 충분한 양이 노출되면 연골 연결부위부터 먼저 절단한다. 연골측 길이가 길어지면 이식 후 환자의 악골기능 시 연골과 골이 서로 분리될 수가 있다. 전방골이 다 절단된 후 후방 골절단을 흉막을 보호하며 시행한다. 날카로운 골 절단면은 부드럽게 다듬는다. 창상은 층별봉합을 시행한다. 어린이의 경우 대개 1년 이

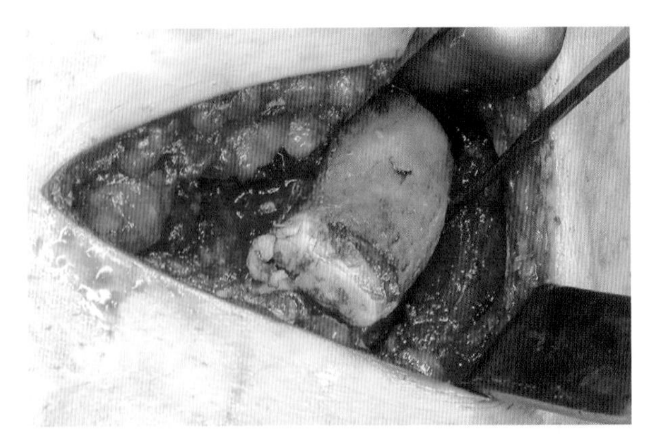

그림 12-37 늑골 채취. 연골을 포함하여 채취하여 하악과두 재건에 사용한다.

내에 늑골이 재생되며, 어른의 경우 1-3년 후 원래 모양과 비슷한 신생골이 형성된다. 술후 배농관이나 압박드레싱은 사용되지 않는다. 압박드레싱을 하는 경우 오히려 무기폐(atelectasis)를 야기할 수 있다.

(4) 두개골이식

두개골이식은 1980년대 이후 보편화되었다. 치조골 파열이나 악골의 작은 골결손부에 이식될 수 있으며, 안와의 재건이나 안면골의 증강을 위해서 사용되기에 적합하다. 일반적으로 피질-수질 골과 유리이식재는 후기 골개조 시기에 골흡수 현상을 보이는데, 두개골 이식재의 경우는 예외이다. 다른 골의 두 배 정도의 볼크만관과 골원중심관(Harversian canal)이 존재하는 두개골의 혈관계와 이식재의 얇은 두께로 초기에 혈관화가 이루어지므로 골형성세포, 심지어는 골세포조차도 살아남게 되어 이식재의 크기 변화가 거의 없다. 두개골이식은 편측이나 양측의 관상절개를 통해 두정골(parietal bone)로부터 채취한다. 두피절개선은 이개(pinna of the ear)의 후방으로 연장시킴으로써 두정골의 두꺼운 부분으로의 접근이 용이하고 심미적으로 좋은 결과를 얻을 수 있다. 절개는 피부, 피하조직, 모상건막(galea aponeurotica)층을 지나 두개골면까지 시행하는데, 심한 출혈을 막기 위해 Raney clip이나 지혈겸자를 사용한다. 전기소작을 이용한 지혈 시 모근을 손상시키면 탈모증을 야기하게 되므로 전기 소작은 하지 않는다.

두개골이 노출된 후 전층이나 부분층의 두개골이 채취될 수 있는데 구강악안면외과 분야에서는 부분층 두개골의 채취가 추천된다. 채취하고자 원하는 모양을 골면에 작도한 후 외측 피질골을 버(bur)로 관통한다. 관통 피질골 구멍들을 연결한 후 구부러진 절골도를 이용해 내측 피질골과 분리하여 채취한다. 물론 두개 정중부의 절단을 피해야 하는데, 그 이유는 이 내측 피질골의 바로 안쪽에 시상동(sagittal sinus)이 위치하며, 정중부의 두정골간 봉합의 분리가 거의 불가능하기 때문이다. 골채취 후 층별봉합을 하여 창상을 폐쇄하고 압박드레싱을 시행한다(그림 12-38).

(5) 경골이식

경골을 이용한 두경부의 골이식은 1992년 Cantone 등에 의해 시도되었으며 비교적 채취가 쉬우며 전신마취를 하지 않아도 골을 채취할 수 있다는 장점이 있다. 합병증 발생률도 1.3-3.8% 정도로 장골이식의 8.6-9.2%보다 훨씬 낮다.

채취 시 환자를 앙와위(supine)로 눕히고 채취할 경골과 같은 쪽의 둔부 아래에 둥근 받침대를 위치시킨 후, 무릎을 위로 구부린다. 같은 쪽의 다리를 요오드(iodine) 용액으로 닦고 멸균된 원통형의 탄력 밴드(stockinette)를 감아 격리시킨다. 경골의 근심 외측에 둥글게 튀어나온 경골결절(Gerdy's tubercle)을 잘 촉지한다. 이 부근의 혈관 해부학적 구조물로서 슬개골(patella) 건의 하, 내측으로 상하 슬상(genicular) 동맥

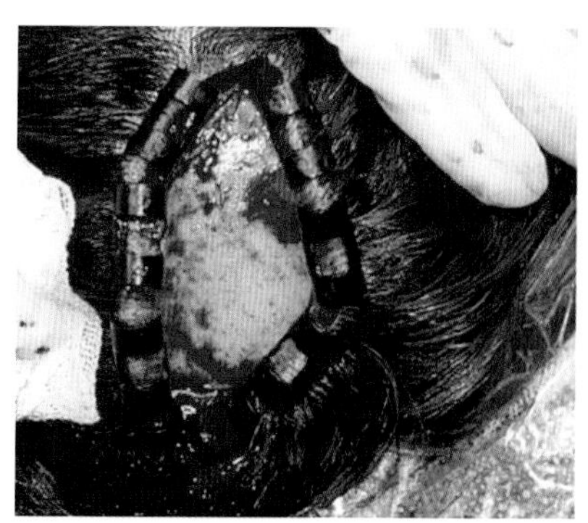

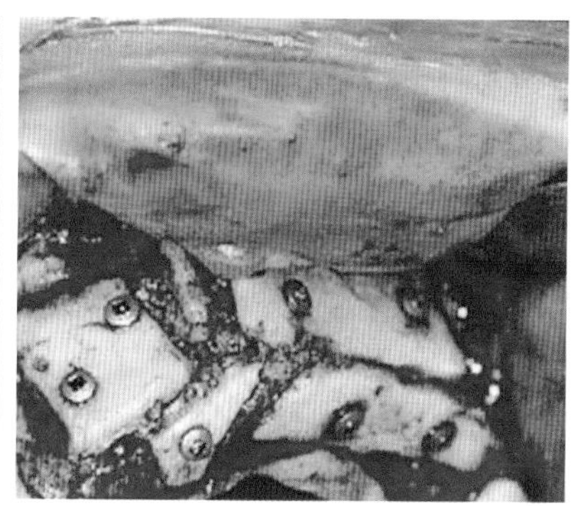

그림 12-38 두개골이식.

들의 가지들이 지나고, 외측으로 하슬상동맥(inferior genicular artery), 비골동맥(peroneal artery), 전방경골 회귀동맥(anterior tibial recurrent artery), 전방 경골동맥(anterior tibial artery)들이 지난다. 경골의 외측으로 전경골근(tibial anterior muscle)이 전방 경골분지(anterior tibial vessel)들과 겹치며 수직으로 주행하여 부착된다. 경골 근심부에는 대비골신경(common peroneal nerve)에서 분지가 된 심부 비골신경(deep peroneal nerve)이 주행한다.

외측면 접근법에서는 2 cm 정도의 절개선을 Gerdy의 결절 직상방에 형성한다. 하부 조직을 박리하면서 대퇴근막(fascia lata)의 경골 쪽 근막을 지난 후 골막을 U자 모양으로 절개한다. 노출된 골면에 절개선을 따라 구멍들을 뚫어 연결시키고, 위쪽 변을 연결한 후 들어올리는 문(trap door) 형태의 골-골막피판을 형성한다. 내측면 접근법도 가능하며 두 가지 방법의 큰 차이는 없다(그림 12-39).

골채취는 골창을 들어올린 후 망상골을 골소파기로 긁어낸다. 이때 중앙선이 바깥쪽에 위치한 망상골에 한정하여 골절 등의 합병증을 피하도록 한다. 골창은 다시 원위치시키거나, 필요하다면 떼어내서 망상골과 함께 이식할 수 있다. 골결손부에는 따로 다른 재료를 채우거나, 배농관을 위치시킬 필요가 없다. 최대 40 cc 정도까지 채취할 수 있으며, 15 cc 이하의 적은 양이 필요한 경우 천자(stab) 절개 후 천공기(trephine)나 골소파기(curette)를 이용해 채취한다. 봉합 후 같은 날 혹은 다음날 아침부터 보행연습을 시작한다. 합병증으로는 통증, 보행불편, 창상열개, 골수염, 창상감염, 혈종, 장액종, 감각이상, 골절 혹은 무릎관절강의 침범 등이 생길 수 있지만 골절의 경우는 아직 보고된 바가 없다.

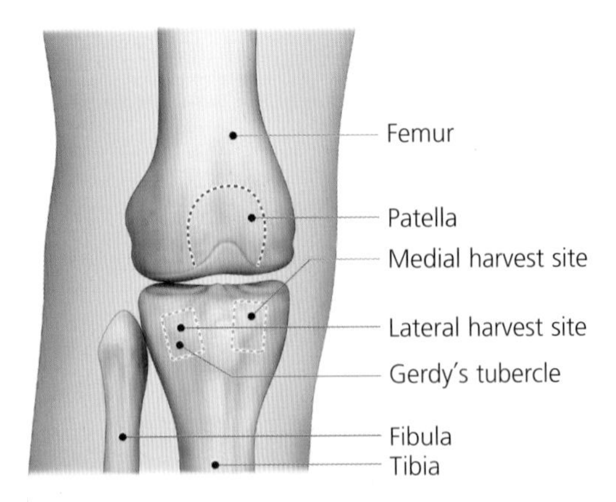

그림 12-39 경골이식부위 및 해부학적 구조.

2) 망상골과 티타늄 메쉬를 이용한 재건(그림 12-40)

전 단원에서 자가 조혈골수의 골재생 잠재력에 대해 언급한 바 있는데, 장골능으로부터 채취한 망상골을 포함한 골수가 여러 형태의 골결손부 재건에 사용되고 있다. 자가조혈골수 및 골수를 함유하는 자가 망상골이 골재생을 능동적으로 유도할 수 있는 골 이식재인데, 과거에는 골재건부에 이식재를 유지시킬 수 있는 만족할 만한 방법이 마땅치 않고, 이식된 입자 사이에 파고들어 결국 섬유성 유합이 되도록 하는 섬유성 조직의 내입을 막는 방법이 마땅치 않아 널리 사용되지 못하였다. 그 후 이러한 입자골수 이식재들이 구강악안면외과를 비롯한 여러 분야의 치료에 응용되리라는 관점으로 일련의 술식들이 개발되었다. 이렇게 개발되어온 술식 중 하나가 장골능으로부터 채취한 자가골 및 골수를 티타늄 금속으로 만들어진 망상 임플란트 내에 위치시켜, 섬유성 조직의 내입을 가급적 줄이고 신생골을 금속 트레이 형태에 따라 재생시키는 것이다. 이때 금속망은 하악골이나 상악골의 불연속성 결손부를 이어주고 이식재를 내재시키며 숙주골편들을 고정시키는 역할을 한다. 또한 미공의 셀룰로즈 필터를 구유모양(trough)의 금속 임플란트 내에 위치시켜 보다 효율적으로 이식부 내로 섬유성 조직이 진입하는 것을 차단하는 방법도 도입되었다. 이러한 유형의 자가골 이식재의 사용은 하악골의 광범위한 결손부의 재생에 있어서 골괴 형태인 고형 단편 자가이식재를 능가하는 여러 가지 장점을 가지고 있다. 이와 같은 자가 입자골수망상골(particulated marrow cancellous bone, PMCB)은 총상 및 여러 유형의 외상성 결손수복에 성공적으로 사용되어 왔으며, 망상골과 티타늄 메쉬를 이용한 재건은 다음과 같은 장점을 가지고 있다. 첫째, 골수 및 망상골의 입자이식재는 원하는 바의 외과적 결과를 얻기 위해 넓은 부위의 장골이나 늑골을 채취하는 것에 비해, 장골능의 내측면이나 외측면의 작은 노출만으로도 쉽게 채취할 수 있다. 둘째, 결손부의 완전치유속도가 골괴 자가이식술의 경우보다 더욱 신속하다. 세 번째는 신속한 골재생과 티타늄 메쉬 자체에 의한 숙주골편들 간의 견고한 지지로 인해 악간고정의 필요성이 훨씬 경감된다. 티타늄 메쉬 때문에 골형성 과정을 방사선으로 확인이 어려우며 수술기술의 정도에 따라 결과에 차이가 많이 난다는 점, 그리고 외부에 노출되거나 감염이 되는 경우가 많고 일정 시간이 경과하면 제거해야 하는 번거로움 등이 단점으로 지적되지만 최근에는 3차원 악골모델에서 미리 제작된 티타늄 메쉬와 레이저를 이용하여 처리해서 수술시간도 줄이고 합병증도 줄이는 술식이 개발되었다.

3) 자가치아를 이용한 골이식(Autogenous tooth bone graft)

1993년부터 자가치아를 이용한 골이식재료 개발을 위한 연구가 시작되어 2015년 신의료기술로 등재되었다. 가장 이상적인 방법으로 평가받는 자가골이식의 단점 중 하나는 신체 다른 부위의 공여부가 필요하다는 것인데, 수복이 불가능하거나 매복된 지치처럼 발치가 필요한 자가치아를 이용하면 이러한 단점을 극복할 수 있어 보다 더 이상적인 재료로 생각된다. 또한, 치아의 성분 중 상아질은 65%가 무기질로, 35%가 유기질로 구성되어 있고 백악질은 45–50%가 무기질로, 50–55%가 유기질로 구성되어 있는데, 특히 상아질의 이러한 성분구성은 치조골과 매우 유사하다. 상아질과 백악질에 함유된 유기질 성분중에는 type I 콜라겐과 골형성단백질(bone morphogenetic protein, BMPs) 같은 성장인자들도 있는 것으로 알려져 있어 이러한 성장인자들을 통한 골형성유도(osteoinduction), 골전도(osteoconduction) 및 골형성(osteogenesis)이 가능하다는 점과, 치조골과의 조직학적 유사함으로 인해 현재 가장 이상적인 골이식재료로 평가되고 있다.

발치가 결정이 되면 자가치아를 이용한 치료를 환자에게 설명하고, 발치를 진행한 후 75% 에틸알콜 저장용기에 넣어 냉장보관을 한다. 사용목적에 맞게 원하는 입자크기(0.5–1 또는 1–2 mm)를 기입한 용지와 함께 한국치아은행(AutoBT; Korea Tooth Bank Co., Seoul, Korea)으로 보내면 해부학적인 치관부를 제거한 후, 주문사항에 맞는 크기로 분쇄, 오염물질과 잔유연조직 제거, 탈수 및 탈지 과정을 거친 후 동결건조된다. 에틸렌옥사이드(EO gas)로 소독된 후 다시 주문한 병원으로 이송되면 임플란트를 위한 골이식 또는 골결손부 재건에 사용된다.

앞서 탈회골(demineralized allogenic bone) 부분에서 언급한 바와 같이 자가치아를 이용한 골이식재 역시 활성화되지 않는 골형성단백질 성분을 활성화시켜 간엽성의 전구체기질(premesenchymal progenitor cell substrate)의 골유도(osteoinduction) 현상을 야기하는

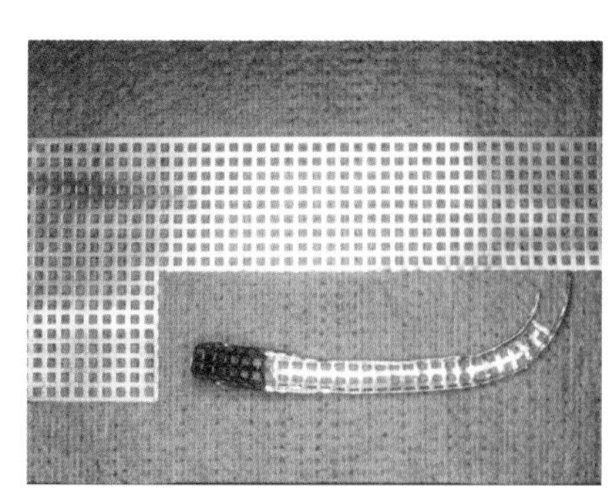
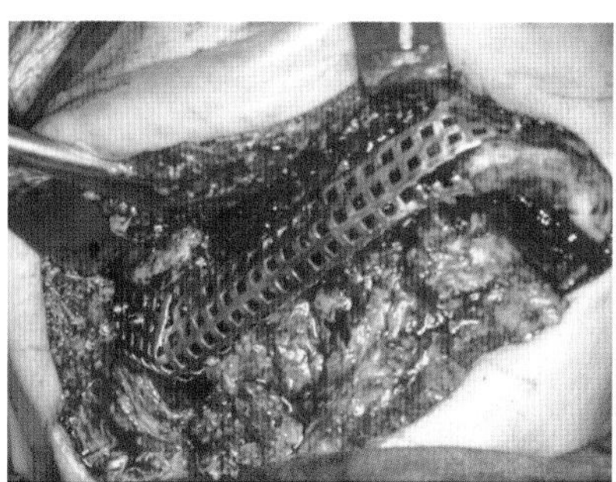
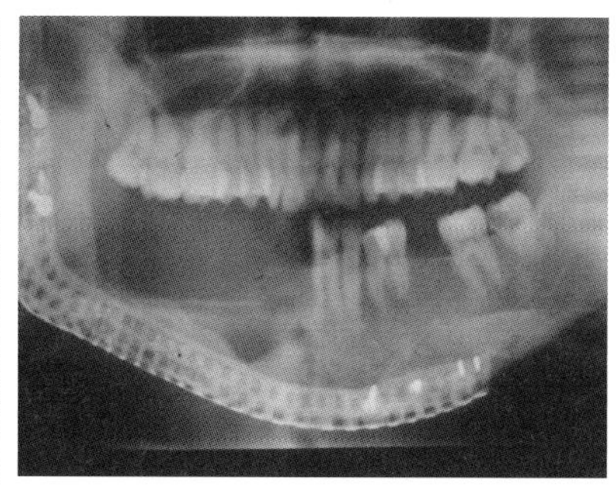

그림 12-40 자가입자골수망상골(particulated marrow cancellous bone, PMCB)과 티타늄 메쉬 트레이를 이용한 하악골 재건.

탈회처리를 함으로써 치과용 임플란트 매식 시 임플란트주위 치조골의 결손부위나 상악동 내확장 술식(sinus lifting procedure) 등에 사용되어 좋은 임상결과들을 보이고 있다(그림 12-41).

3. 혈류화 자가골이식

1) 유경혈류화 골이식

통상적인 비혈류화 자가골이식은 임상에서 가장 많이 사용되고 있는 방법 중 하나이다. 하지만 이 술식을 적용하기 위해서는 수혜상의 조건이 아주 좋아야 하며, 그리고 피부나 점막을 동시에 이식할 수 없는 큰 제약이 있다. 혈관화유리판의 기본 개념은, 조직은 그의 생활력을 유지시키는 혈액공급로가 반드시 있게 마련인데, 이 영양혈관을 부착시킨 채 조직을 채취하여 유경상태로 이전시키거나 또는 공여부에서 혈관을 분리한 뒤 수혜상의 혈관에 서로 문합하는 유리피판을 사용하게 되면 혈류의 재교통과 동시에 이전된 조직판이 바로 생존하게 된다는 것이다.

혈관화 골이식의 장점으로는 수혜부의 혈행상태에 영향을 받지 않고 이전할 수 있다는 것, 이식 시의 뼈 크기와 모양을 대체로 유지한다는 것, 충분한 양의 뼈를 이식할 수 있는 것과 근육 또는 피부를 포함한 복합조직으로 이식이 가능하다는 것이다. 그리고 이식된 골조직이 수혜부와 긴밀히 접촉되면 가골(callus) 형성 없이 바로 일차적 유합(primary union)이 가능하다.

유경피판 골이식은 유리혈관화 골이식에 비하여 미세혈관문합의 필요성이 없다는 것과 유리피판 재건에 비하여 수술시간이 짧고 조직박리가 상대적으로 쉬우며 미세혈관 수술이 필요한 유리피판에 비하여 혈관문합이 필요 없어서 수혜부의 혈관존재 여부에 무관하다는 장점이 있다. 단점으로는 피판경이 피부하방으로 위치하기 때문에 혈관경을 포함하는 피판경에 의해 비심미적인 조직융기나 수축으로 인하여 당기는 불편이 있는 것과 때로 영양혈류 공급수준이 불충분할 수 있

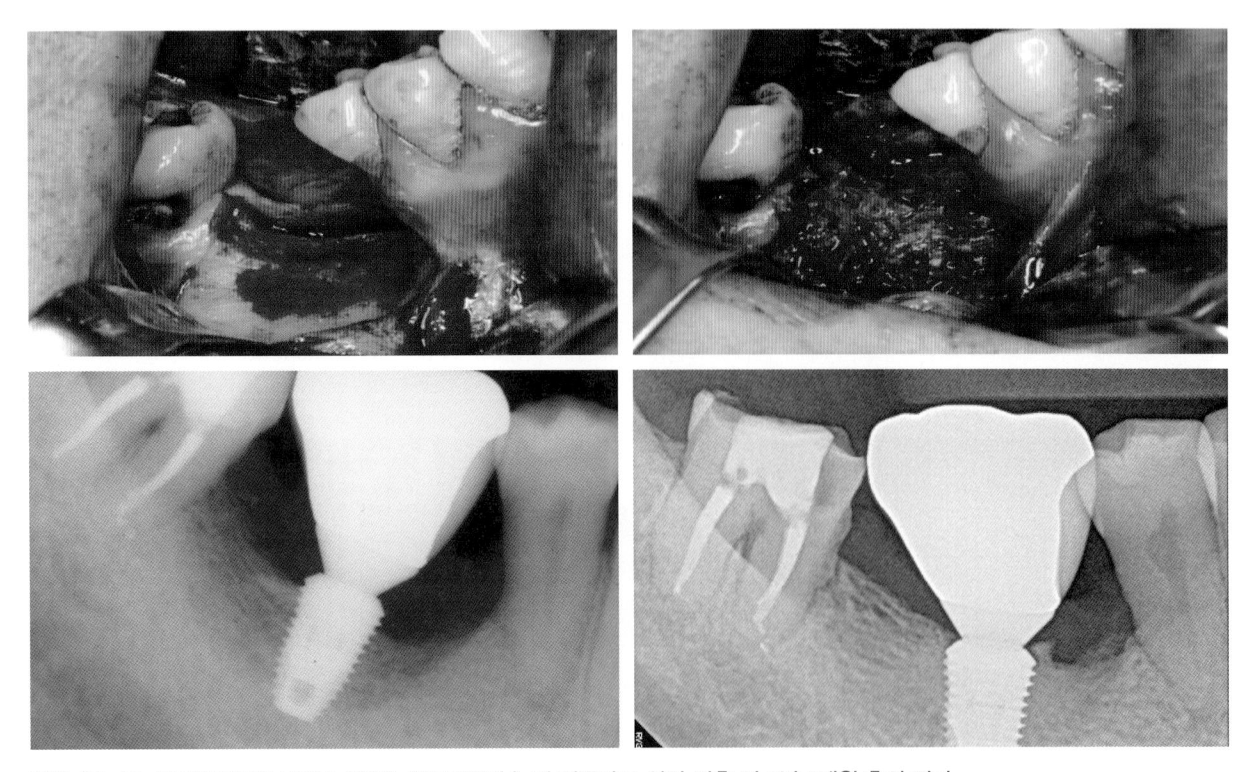

그림 12-41 자가치아골이식재를 사용한 치조골증대술 및 임플란트 식립 직후 및 6년 5개월 후의 결과.

으며, 피판의 이전 시 수혜부가 피판의 회전반경 내에 있어야 하는 단점이 있다.

그러므로 피판의 선택 시 이식골의 형태학적 특성, 이식골의 혈관분포 특성, 공여부의 불편 정도, 수혜부가 필요로 하는 재건요소 및 복합조직의 필요성 여부, 수술자의 수술수기의 수준 정도가 모두 고려되어야 한다.

악안면 재건에서 가장 대표적인 유경골피판은 두개골을 포함하는 피판으로서 측두근을 포함하지 않는 두정두개골 근막판(parietal osteofascial flap)과 측두근을 포함하는 측두근두개골피판(temporalis osteomuscular flap)으로 분류할 수 있다.

두정두개골 근막판은 악안면 수술부위와 근접해 있기에 수술의 접근성이 편리하고 공여부의 직접 봉합이 가능하고, 공여부의 반흔이 머리에 가려져 있어 심미적이며, 공여부의 이환율이 적다는 장점이 있다. 재건 시 필요한 골의 모양과 크기를 다양하게 채취할 수 있으며 막성골이어서 비교적 흡수가 적어 악안면의 골이식에 유리하다. 그리고 얇은 근막판에 두개골만을 연결시켜서 이식할 경우 근육이 포함되지 않아서 두꺼운 조직판경의 단점을 해소할 수 있고, 복합조직으로 혈행함유 피부, 근막, 골조직판으로의 작도가 각각 가능하여 결손부위의 입체적 재건이 가능하다. 두정두개골 근막판에 귀뒤근막피판(auriculomastoid fasciocutaneous flap)을 복합시켜 두개골-귀 뒤 유돌피부 복합조직판(auriculomastoid bipedicled osteofasciocutaneous flap)을 형성하면 골결손 및 연조직 결손을 동시에 재건할 수 있다. 그리고 혈관경의 두께가 얇고 길어서, 비교적 길이가 긴 피판의 형성이 가능하며 관골궁과 근돌기의 절제 없이도 결손부로 쉽게 회전할 수 있다는 장점이 있다. 단점으로 혈관경이 중간에 꺾여 혈류공급이 적을 수 있으며 조직의 박리가 어렵고, 두개골의 두께가 임플란트를 식립하기에 충분히 두껍지 않아서 추가적인 골이식이 필요하며 두 팀이 수술을 동시에 할 수 없다. 적응증으로는 종양 제거 및 기타의 외상에 의한 상하악골의 결손재건과 편측성 왜소악의 경조직과 연조직의 동시재건 등이다.

2) 유리혈류화 골이식

Taylor 등에 의해 유리비골판이 재건에 사용된 이래 유리 혈관화골판 채취를 위한 공여부가 많이 개발되었다. 장골능, 비골, 제2중족골(metatarsal bone), 견갑골(scapula), 요골(radius) 등이 악안면부의 재건에 사용되며 각각의 공여부는 장단점을 가지고 있다. 유리혈류화 골이식은 구강암의 절제, 골종양, 외상, 선천성기형에 의한 골결손을 수복하기 위해 사용되고 있다. 사용할 공여부를 결정할 때 결손부의 위치, 필요한 골수복량, 완전한 재건을 위해 필요한 연조직의 양을 살펴보아야 한다. 구강악안면 재건 시 흔히 재건되는 골결손부는 하악이나 상악골 결손이다. 유리혈관화 골이식 중 비골과 견갑골은 피부피판을 같이 포함하여 채취하여 재건할 수 있으며 장골에도 피부피판을 포함하는 경우가 있다.

(1) 유리비골피판

유리혈류화 비골이식(free vascularized fibular graft)은 현재 하악골의 재건에 가장 많이 사용되는 혈류화 유리골이식이다. 역사적으로는 Taylor (1975) 등이 후방접근법으로 비골피판을 채취하여 하지의 개방골절의 재건에 비골피판의 최초 성공적인 이식을 발표한 이후에 Gilbert (1979) 등이 비골피판 채취를 위한 보다 간단한 측방접근법을 소개하였으며, Chen과 Yan (1983)이 피부피판을 포함한 비골이식을 최초로 발표하여 골조직과 피부조직을 동시에 가진 피판을 형성할 수 있게 되었다. Hidalgo (1989) 등은 유리비골피판을 하악골의 재건에 처음 사용하였으며 이후에 상하악골의 재건에 가장 표준치료가 되었다. 비골은 광범위한 하악골 결손도 재건할 수 있는 충분한 길이의 골(약 22-26 cm)을 제공하며 피부피판을 포함하는 피부골피판을 채취하여 연조직과 동시에 재건할 수 있다. 유리비골피판은 비골동맥(peroneal a.)에 의해 동맥혈류를 공급받고 비골동맥과 같이 주행하는 2개의 교통정맥(venae comitantes)으로 정맥배출이 된다.

비골피판은 충분한 길이의 견고한 치밀골을 제공하

고, 3차원적 모양이나 골구조가 삼각형의 형태로 임플란트 식립이 가능하고 공여부는 두경부에서 멀리 떨어져 있어 공여부와 수혜부를 두 팀이 동시에 수술할 수 있는 장점이 있다. 또한 조직공여로 인한 심미적 장애가 적고 원위부의 비골단을 7 cm 정도만 보존한다면 보행 등 기능적 이환율이 매우 낮으며, 수혜부 외형에 맞추어 골절단을 시행하더라도 분절된 비골편에 충분한 혈액이 공급된다.

단점으로는 피부를 포함하는 복합조직 이식 시, 피부판으로의 혈관분포에 변이가 많아 피판 생존율이 다소 떨어지며 또 혈관경의 길이가 비교적 짧다. 하악골의 모양을 만들기 위해서는 여러 번의 골절단이 필요하고 비골의 높이가 15 mm 정도로 하악골의 기저부와 치조골부위를 같이 재건하기 어려우며, 임플란트를 심기에 충분한 높이의 골을 제공하지 못한다는 단점도 지적되고 있다. 이를 극복하기 위해서 기저부는 혈류화 비골판으로 그리고 치조골 결손부는 남은 비혈류화 비골편을 덧붙여서 동시에 재건(double-barrel fibular flap)하여 보철물이나 치아 임플란트 시술을 좀 더 용이하게 할 수도 있다.

비골피판은 하악골의 형태에 맞게 하기 위해서 골절단 후 견고한 고정을 해야 하며 혈관화된 비골을 고정하는 방법으로는 소형금속판을 사용하거나 타이타늄 재건판을 이용하기도 한다(그림 12-42).

소형 금속판은 단일피질골 나사고정으로 피질골의 손상이 적고, 골막과 근육이 최대한 보존되므로 혈관화된 골에 유해성이 작다. 골이식 3–4개월 후에 필요하면 고정판을 제거할 수 있으며 골내 임플란트를 식립할 수 있다. 타이타늄 재건판은 두께에 따라서 2가지 종류가 있으며 비골의 고정에는 얇은 재건판이 유용하게 사용된다.

컴퓨터 시뮬레이션을 이용한 가상모의 수술계획(virtual surgical planning)으로 수술 전에 3차원적 수술계획을 세우고, 수술 중 입체조형물과 골절단가이드를 이용함으로써 보다 정확하게 재건할 수 있고, 수술시간도 단축할 수 있다(그림 12-43).

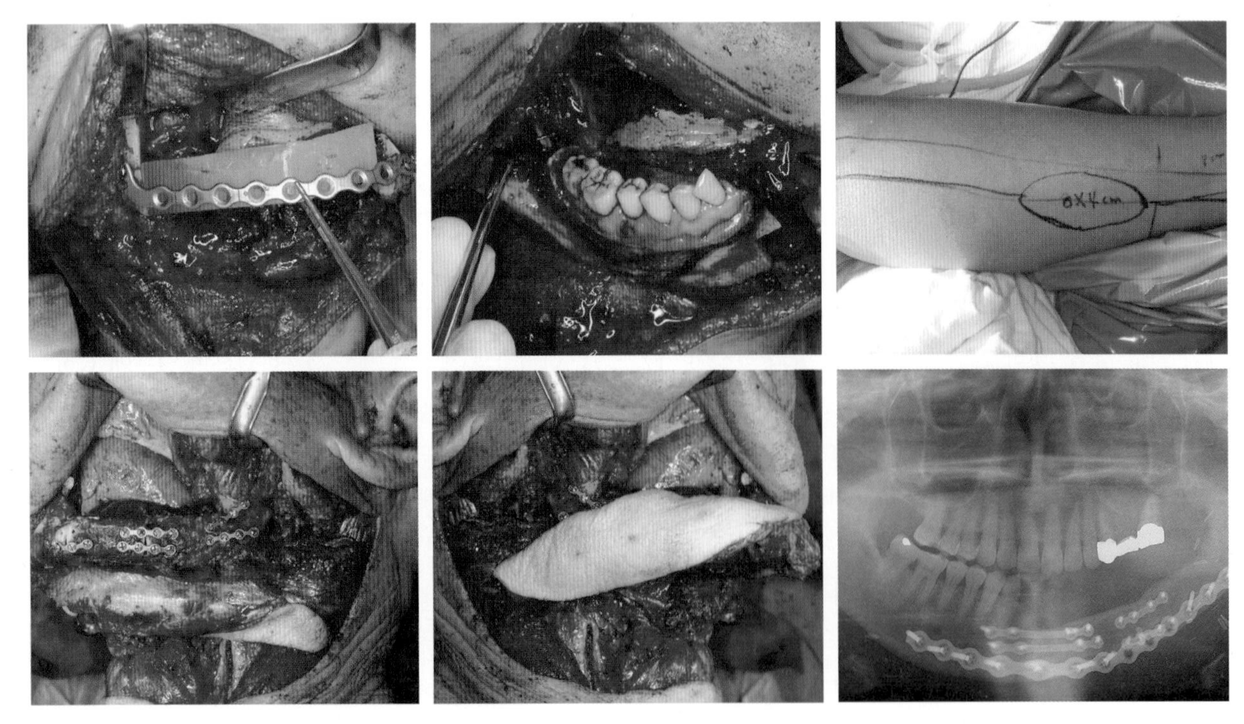

그림 12-42 하악골의 부분 절제 후 비골피판을 이용한 하악골 재건.

(2) 유리장골판

재혈류화 장골능이식술(revascularized iliac crest graft)은 다량의 해면골을 제공하며 편측 하악골의 형태로 쉽게 형성할 수 있다. 심장골회선동맥(deep circumflex iliac artery, DCIA)을 혈관축으로 하므로 DCIA flap이라고 흔히 말한다. 하악골을 재건할 경우에는 장골능의 전부나 또는 ilium blade를 전부 사용할 수 있다. 혈관경은 굵어 미세문합이 용이하지만 혈관경의 길이가 4–7 cm 정도로 비교적 짧다. 혈관주행이 장골의 내면이므로 필요에 따라서는 장골을 분리시켜 내면(inner table)만 쓸 수도 있다(그림 12-44).

(3) 유리견갑골판

견갑골판은 처음에는 사지재건을 위해 이용되었지만 두경부의 재건에도 아주 적절한 조직판으로서 상하악 및 안면부의 복합결손에 다양한 형태의 피판으로

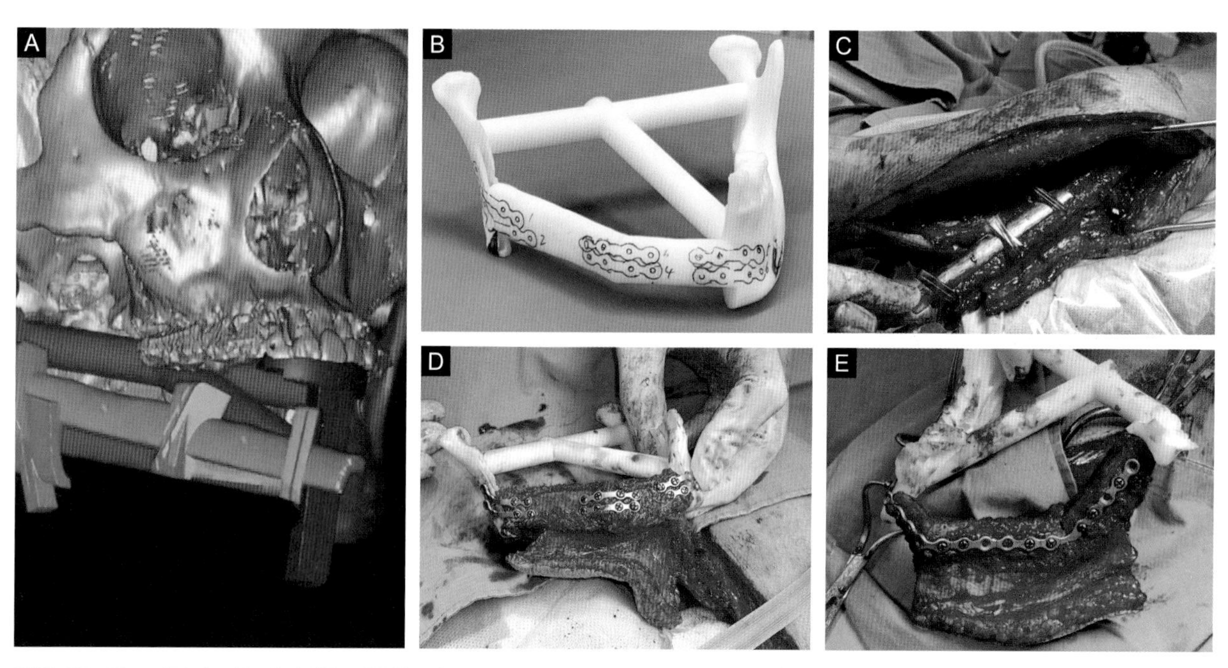

그림 12-43 컴퓨터 시뮬레이션을 이용한 수술. **A:** 가상모의 수술계획 **B, C:** 3D 프린팅을 이용한 입체조형물(stereolithographic model) 모형과 절단 가이드(cutting guide) **D, E:** 채취한 비골피판을 계획한 대로 절단하여 적용.

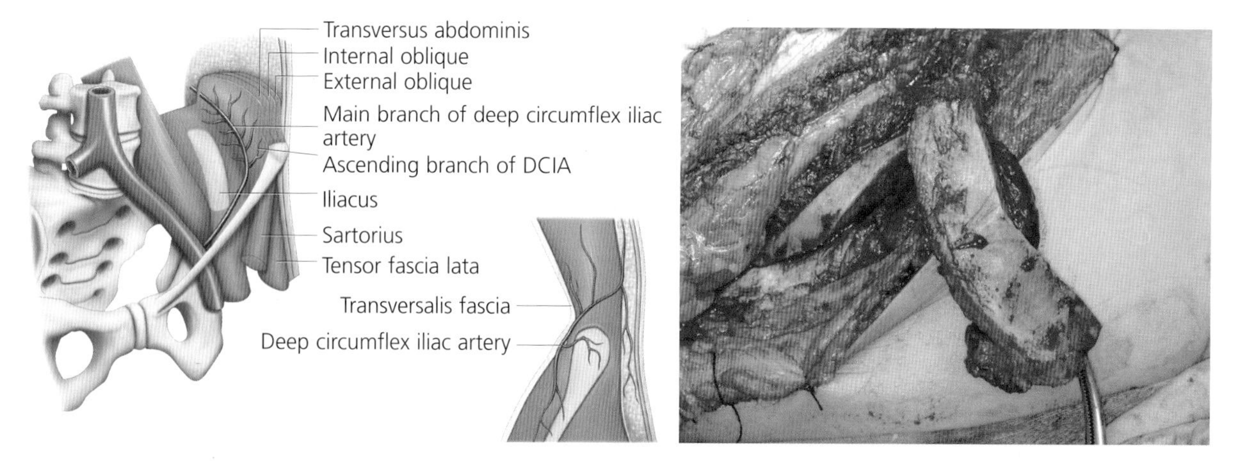

그림 12-44 심회선장골동맥(deep circumflex iliac artery)에 기초한 혈류화 장골능의 모식도 및 채취 모습.

이용되고 있다. 견갑하동맥의 한 분지인 견갑회선동맥에 의해 혈액을 공급받으며 견갑골극이나 견갑골 측연을 12 cm까지 채취할 수 있다(그림 12-45). 유리 조직판 거상이 비교적 쉽고 공여부는 인접피부를 이용하여 직접 폐쇄가 가능하며 공여로 인한 기능적 장애가 거의 남지 않지만 뼈의 양이 적고 얇다. 견갑골판은 중심부의 얇은 판부위는 안와저 및 경구개의 재건에 이용되고 있으며, 견갑골 외연은 비골이나 장골능처럼 그 크기와 형태가 인공치아를 식립할 수 있으므로 재건 후 보철물 제작이 용이하여 치조골 재건에 적절하다(그림 12-46).

(4) 늑골전거근유리판

늑골-전거근유리피판(rib-serratus anterior flap)은 늑골에 연골을 포함시킬 수 있어서 하악과두를 포함한 하악골의 재건에 유용하게 사용될 수 있다. 흉배(thoracodorsal) 혈관을 주 영양혈관으로 하며 한 개의 동맥과 한 개의 정맥을 연결한다. 전거근의 상부의 4-5개판은 측흉동맥(lateral thoracic a.)에 의하여 혈류공급을 받으며 하부는 흉배동맥의 큰 가지에서 혈류를 공급받는다. 단점으로는 피부, 근육, 늑골을 포함하여 피판을 형성하였을 경우 폐나 흉막 등의 하부조직에 대한 보호작용이 부족하다는 것과 기흉이 생겨 흉

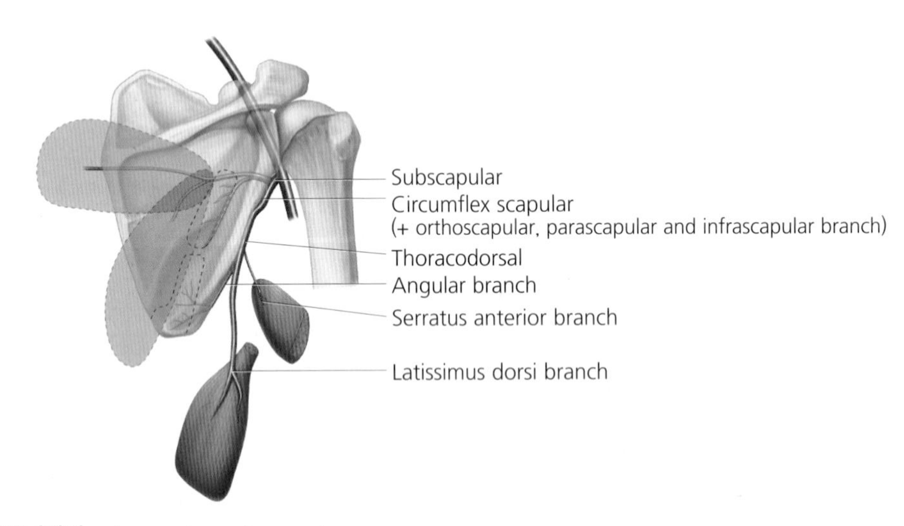

그림 12-45 유리견갑골피판의 subscapular artery system.

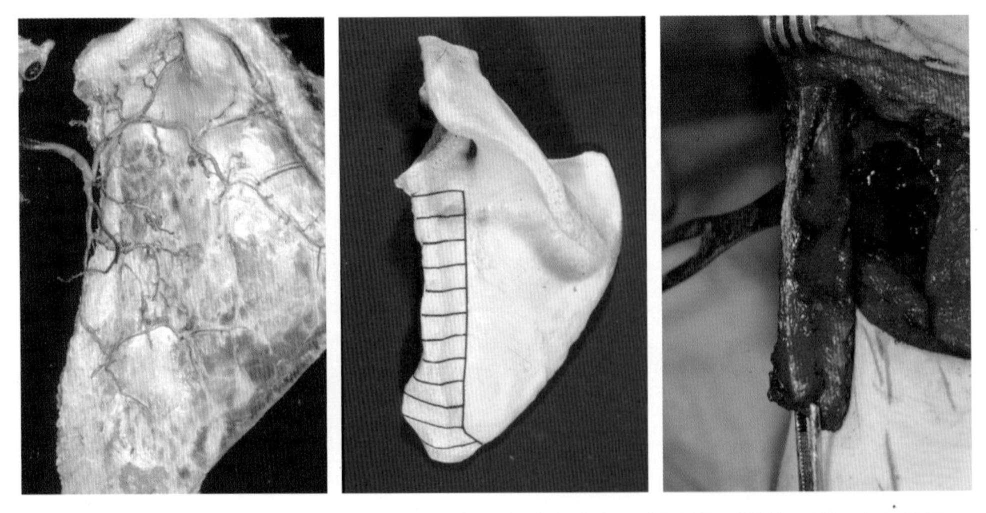

그림 12-46 유리견갑골피판의 혈관해부 및 하악골 재건에 적용하기 위해 견갑골 외측연을 채취하고 있는 수술 사진.

관을 삽입해야 하는 경우가 발생할 수 있다는 것이다. 늑골뿐만 아니라 견갑골의 하측연의 일부 역시 피판에 포함될 수 있다(그림 12-47).

(5) 유리전완요골피판

전완요피판은 요골의 일부를 피판에 같이 포함시켜 악골의 재건에 적용할 수 있으며, 요골신경의 분지를 이용하거나 건을 포함시킬 수 있는 등 다양한 이식체로서 구강악안면외과 분야에서 이용할 수 있는 복합조직판 중 하나이다(그림 12-48). 단점으로 요골 채취 시 잔존골의 골절 가능성이 높고 채취할 수 있는 골조직이 충분하지 않아 최근에는 사용빈도가 줄어들었다. 임상적으로는 골근막피판 형태로 요골을 포함하는 유리복합이식피판을 거상할 수 있는데, 원회내근(round pronator muscle)과 상완요골근(brachioradialis muscle)이 부착된 부위 사이의 요골이 채취 가능하다. 통상적으로 피부피판은 최대 20 cm 길이까지 그리고 골편은 최대 9 cm까지 채취할 수 있는 것으로 되어 있으나, 전완요골판에서 얻을 수 있는 피부의 최대 크기가 25×12 cm이고, 골편은 요골 원심부에서부터 원회내근이 부착되어 있는 곳까지 최대 10–12 cm의 길이의 골을 채취할 수 있다고 보고되었다. 요골을 길게 채취할 필요가 있을 경우는 원회내근의 정지부가 골과 함께 거상될 수 있으며 이때 완요골근을 그의 정지부 근처에서 분리하고 골편을 채취한 후에 다시 부착시킬 수도 있다.

4. 동종골이식

동종골의 이식은 자가골의 이식이 어렵거나 비교적 결손부위가 적은 경우 그리고 하악의 연속성이 끊어지

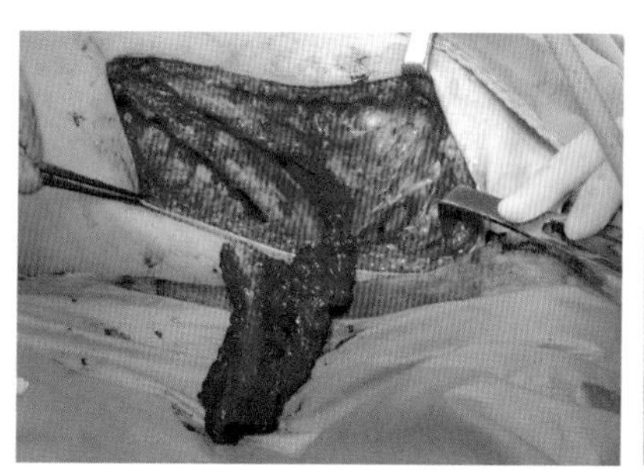
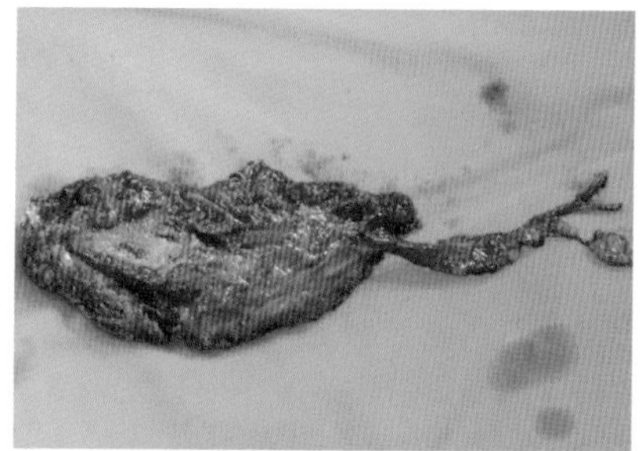
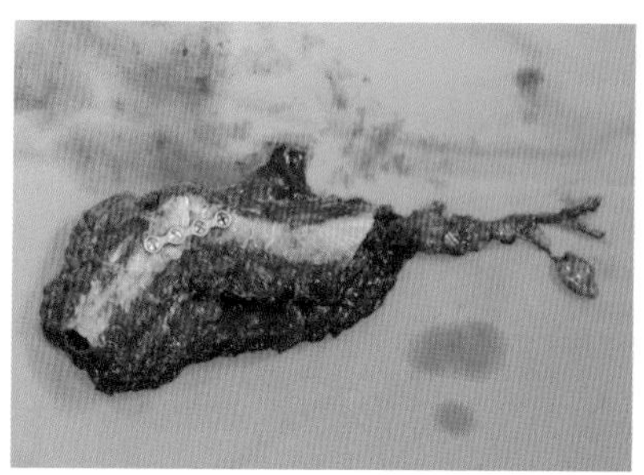

그림 12-47 늑골전거근피판 채취 후의 사진.

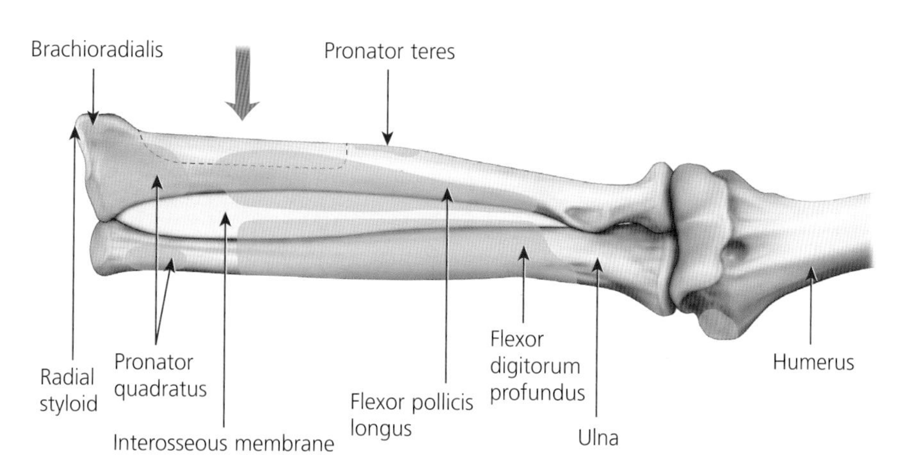

그림 12-48 유리전완요골피판에 요골의 일부를 포함시켜 혈류화 골을 제공할 수 있다(화살표).

지 않은 협측 및 설측의 골결손부에 사용될 수 있다. 동종골은 공여자의 전염성 질병을 수혜자에게 옮길 수 있으므로 이러한 질환에 이환되지 않은 공여자에서 채취되고 엄격하게 멸균처리 보관된 것을 사용하여야 한다. 동종골은 크게 신선동결(fresh frozen), 탈회동결건조(demineralized freeze dried), 비탈회동결건조(non-demineralized freeze dried)처리과정을 거친 골로 나눌 수 있다. 탈회처리된 골은 골형성단백을 함유하고 있는 골기질이 노출되어 골형성 유도면에서는 비탈회골보다는 우수하지만 저작력 등 외력에 약한 단점이 있다.

5. 이종골이식

이종골의 이식은 자가골의 채취가 어렵거나 임플란트 식립 시 조직유도재생술을 이용한 골재생에서 부가적으로 사용된다. 이종골의 이식은 비교적 안전하나 이종간의 감염 위험성이 항상 존재한다. 동물에서 인간으로 되는 감염을 인수감염증(xenozoonosis; zoonosis)이라 하며 이 중 대표적인 것이 광우병을 가진 소에서 인간에게 전달되는 질환인 변형 크로이츠펠트-제이콥 병(Variant Creutzfeldt- Jakob Disease)이다. 가장 흔히 사용되는 뼈는 송아지뼈, 돼지뼈 및 말뼈가 사용되며 분쇄골 혹은 골괴 형태로 판매되어 사용된다.

6. 합성골이식

합성골이식은 이종골이식과 거의 같은 적응증을 가지며 가장 많이 사용되는 재료는 수산화인회석(hydroxyapatitie)과 beta tricalcium phosphate이다. 주로 임플란트 치료나 상악동거상술의 이식재료로 사용되며 골전도 역할만 하기 때문에 이식 후에는 충분한 기간을 기다린 뒤 임플란트에 최종부하를 해야 한다.

7. 재건용 금속판과 유리피판을 이용한 재건

하악골이 제거되어 연속성이 상실된 환자는 저작근이나 구강주위 근육의 당김과 반흔에 의해서 하악의 변위가 오며, 개구장애 특히 전방 및 측방운동의 장애, 그리고 교합장애와 고유수용(proprioception) 작용의 장애 등 생리학적 변화가 오게 된다. 전방부의 이부를 포함하는 하악골 절제 후 재건을 하지 않으면 "Andy Gump" 기형이 발생하게 되고 환자는 심미적 · 기능적 장애를 가지게 된다. 따라서 하악골의 절제 후에는 즉시 재건법이 주로 추천된다.

위에서 기술한 것과 같이 유리골이식이나 혈관화 골이식을 절제 즉시 할 수 있지만 악골의 악성종양수술을 하였으나 재발 가능성이 높거나 광범위한 절제가 되어서 연조직과 경조직의 동시재건이 어렵거나, 하악골에 발생한 육종과 같이 종양의 경계부위를 정확하게 알기 힘든 경우, 재발이 잘되는 악성 및 양성종양 환자, 창상이 심하게 오염된 안면골 외상 환자, 3급 방사선골괴사나 보존적 치료가 불가능한 악골골수염 환자 등의 악골결손 시 임시적으로 금속재건판과 유리피판으로 재건할 수 있다(그림 12-49). 금속재건판은 나이가 많거나 교합력이 약한 환자의 경우 오랜 기간 사용할 수 있지만 대부분은 재발의 징후가 없거나 연조직 창상의 치유가 끝나거나 급성감염이 없어지고 나면 임플란트나 틀니를 위한 혈행함유 골재건을 필요로 한다. 이 방법은 일시적으로 심미적인 안면의 추형을 막아주고 임시로 저작, 발음 등의 기능을 유지시킬 수 있는 재건방법이다. 과거에는 금속판으로 크롬-코발트계 금속이 많이 사용되었으나, 요즈음은 조직친화성이 우수한 티타늄계의 금속으로 만들어진 두꺼운 재건용 금속판들이 악골재건에 사용된다. 금속판의 고정 나사는 양측으로 최소 3개 이상씩 하여 추후 교합력을 견디고 나사의 풀림을 방지하여야 하며 금속판은 유리피판이나 유경피판으로 완전히 감싸서 피부가 얇아져서 노출되거나, 구강내로 노출되는 것을 막아야 한다.

하악의 재건에 사용된 금속판은 오랜 기간 유지될 수 있지만, 그것들을 반드시 제거해야 할 경우들도 있다. 성장 중인 어린이에서 악골의 크기가 점점 커져서 금속판이 악골의 성장을 방해하여 좌우측의 대칭성을 잃는 경우와 금속판 상부의 피부나 점막 조직이 너무 얇아져서 노출되었거나 노출이 될 위험이 높은 경우, 감염이 발생하여 지속적인 누공이 생긴 경우에는 금속판을 제거해야 한다. 또한 금속판이 점막의 직하방 치조골 상에 위치하여 의치의 장착을 방해하거나, 인공치아를 삽입할 수 없거나, 전정성형술을 시행할 수 없는 경우에도 제거한다.

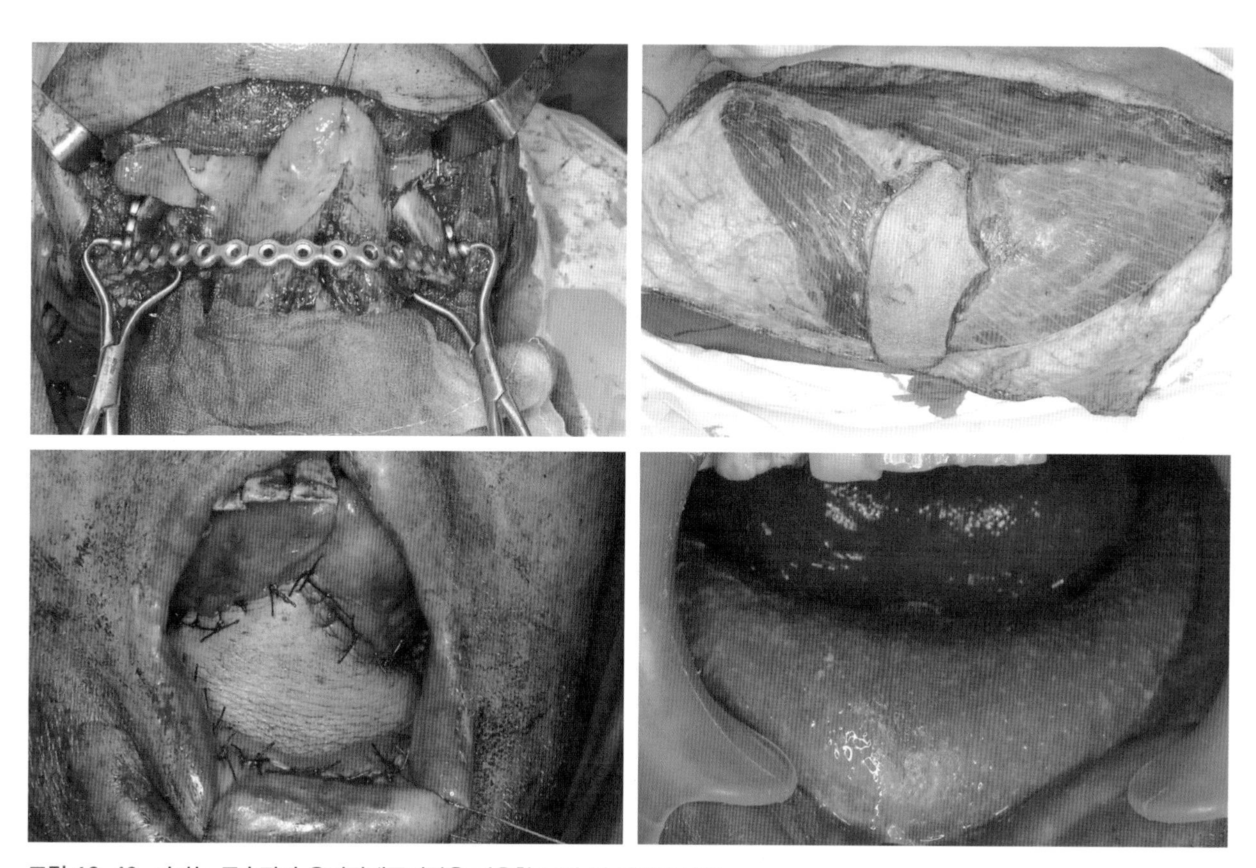

그림 12-49 티타늄 금속판과 유리광배근피판을 이용한 구강 및 하악골 재건.

참고문헌

Bragdon B, Moseychuk O, Saldanha S, et al. Bone Morphogenetic Proteins: A critical review. Cell Signal 2011;23(4):609–620.

Celik N, Wei FC, Lin CH, et al. Technique and strategy in anterolateral thigh perforator flap surgery, based on an analysis of 15 complete and partial failures in 439 cases. Plast Reconstr Surg 2002;109(7):2211–6, discussion 2217–8.

Chau J, Harris J, Nesbitt P, et al. Radial forearm donor site: comparison of the functional and cosmetic outcomes of different reconstructive methods. J Otolaryngol Head Neck Surg 2009;38(2):294–301.

Chen PK, Noordhoff MS, Chen YR, et al. Augmentation of the free border of the lip in cleft lip patients using temporoparietal fascia. Plast Reconstr Surg 1995;95(5):781–8, discussion 789.

Choung PH, Nam IW, Kim KS. Vascularized cranial bone grafts for mandibular and maxillary reconstruction: The parietal osteofascial flap. J Craniomaxillofac Surg 1991;19(6):235–42.

David SK, Cheney ML. An anatomic study of the temporoparietal fascial flap. Arch Otolaryngol Head Neck Surg 1995;121(10):1153–6.

de Vicente JC, de Villalain L, Torre A, et al. Microvascular free tissue transfer for tongue reconstruction after hemiglossectomy: a functional assessment of radial forearm versus anterolateral thigh flap. J Oral Maxillofac Surg 2008;66(11):2270–5.

Ettl T, Driemel O, Dresp BV, et al. Feasibility of alloplastic mandibular reconstruction in patients following removal of oral squamous cell carcinoma. J Craniomaxillofac Surg 2010;38(5):350–4.

Jun SH, Ahn JS, Lee JI, et al. A prospective study on the effectiveness of newly developed autogenous tooth bone graft material for sinus bone graft procedure. J Adv Prosthodont 2014;6(6):528–38.

Khan SN, Cammisa Jr FP, Sandhu HS, et al. The Biology of Bone Grafting. J Am Acad Orthop Surg 2005;13(1):77–86.

Kim DY, Alfadil LO, Ahn KM, et al. Reconstruction of Thin and Pliable Oral Mucosa After Wide Excision of Oral Cancer Using a Trimmed Anterolateral Thigh Free Flap as an Adipofascial Flap. J Craniofac Surg 2018;29(4):e394–e396.

Kim YK, Kim SG, Byeon JH, et al. Development of a novel bone grafting material using autogenous teeth. Oral Surg Oral Med Oral Pathol Oral Radiol Endod 2010;109(4):496–503.

Kim YK, Lee JH, Um IW, et al. Tooth-derived bone graft material. J Korean Assoc Oral Maxillofac Surg 2013;39(3):103–111.

Kim YK, Yun PY, Um IW, et al. Alveolar ridge preservation of an extraction socket using autogenous tooth bone graft material for implant site development: prospective case series. J Adv Prosthodont 2014;6(6):521–527.

Kivanç O, Yavuz M, Uslular S, et al. The reversed-flow temporoparietal fascial flap. Plast Reconstr Surg 1997;99(6):1727–9.

Lee JT, Cheng LF, Chen PR, et al. Bipaddled radial forearm flap for the reconstruction of bilateral buccal defects in oral submucous fibrosis. Int J Oral Maxillofac Surg 2007;36(7):615–9.

Lee JW, Jang YC, Oh SJ. Esthetic and functional reconstruction for burn deformities of the lower lip and chin with free radial forearm flap. Ann Plast Surg 2006;56(4):384–6.

Martola M, Lindqvist C, Hänninen H, et al. Fracture of titanium plates used for mandibular reconstruction following ablative tumor surgery. J Biomed Mater Res B Appl Biomater 2007;80(2):345–52.

Matsuba HM, Hakki AR, Romm S, et al. Variations on the temporoparietal fascial flap. Laryngoscope 1990;100(11):1236–40.

Maurer P, Eckert AW, Kriwalsky MS, et al. Scope and limitations of methods of mandibular reconstruction: a long-term follow-up. Br J Oral Maxillofac Surg 2010;48(2):100–4.

Nam W, Makhoul N, Ward B, et al. Virtual surgical planning and stereolithography-guided osteotomy for 3 dimensional mandibular reconstruction with free fibula osseous flaps: a case report. J Korean Assoc Maxillofac Plast Reconstr Surg 2012;34(5):337–342.

Rose EH, Norris MS. The versatile temporoparietal fascial flap: adaptability to a variety of composite defects. Plast Reconstr Surg 1990;85(2):224–32.

Stevenson S. Biology of bone grafts. Orthop Clin North Am 1999;30(4):543–52.

Sultan MR, Wider TM, Hugo NE. Frey's syndrome: prevention with temporoparietal fascial flap interposition. Ann Plast Surg 1995;34(3):292–6.

Teichgraeber JF. Temporoparietal fascial flap in orbital reconstruction. Laryngoscope 1993;103(8):931–5.

Ueda K, Tajima S, Akamatsu J, et al. A flap to monitor a temporoparietal fascial flap: Case report. Scand J Plast Reconstr Surg Hand Surg 1996;30(3):235–7.

CHAPTER 13

타액선질환

구강은 음식물을 섭취하여 소화하는 첫 관문으로서 타액은 정상적인 구강기능을 유지하는 데 중요한 역할을 한다. 대부분의 타액은 이하선, 악하선, 설하선 같은 주타액선에서 도관을 통해 분비되지만, 구강점막하의 소타액선들에서도 소량의 타액을 분비한다. 이들 타액선과 도관부는 모두 병변을 일으킬 수 있으며 그 빈도는 전신상태 및 국소적 구강질환과 연관된 염증, 도관 폐쇄성 질환들이 많고, 때로는 종양성 병변도 유발되고 있다. 특히 타액선종양은 두경부 종양들 중에서도 병리조직학적 양상이 매우 다양하며 대부분 분비선 기원(origin)이지만 가끔은 간질세포, 혈관조직 및 림프조직에서도 유발된다.

이 단원에서는 타액선의 다양한 질환들을 이해하기 위해 먼저 해부조직학적 특성과 타액선의 생리적 기능을 살펴보고, 타액선질환의 분류 및 이에 따른 감별진단과 치료법 등을 알아본다.

타액선질환도 다른 장기의 질환들처럼 염증성 병변과 종양성 병변으로 크게 대별되며 분비와 관련된 분비장애, 타액선의 저류성 낭종 및 타석증(sialolithiasis) 등은 타액선에 독특하게 나타나는 질환이다. 특히 타액선에 발생하는 악성종양은 구강 및 두경부를 진단하고 치료하는 치과의사가 가장 먼저 발견할 수 있으며 조기발견이야 말로 치료의 예후와 환자의 삶의 질을 좌우하는 가장 중요한 요소가 되므로 악성종양을 의심할 수 있는 증상이 있을 때는 이를 간과하지 않고 즉시 전문가에게 의뢰하는 것도 일반 치과의사의 의무라 할 것이다.

CONTENTS

CHAPTER 13

타액선질환

Disease of Salivary Gland

학습목적

타액선의 구조와 기능을 파악하고 타액선에 발생하는 질환에 대한 원인, 증상, 진단 및 치료법과 예후를 숙지하여 올바른 치료방향을 제시할 수 있는 능력을 배양한다.

기본 학습목표

- 타액선의 해부학적 구조와 특성을 설명할 수 있다.
- 타액의 분비와 기능 및 생리적 특성을 설명할 수 있다.
- 타액선질환의 분류에 대해 설명할 수 있다.
- 타액의 분비장애의 종류, 진단 및 치료에 대해 설명할 수 있다.
- 타액선염의 종류, 진단 및 치료에 대해 설명할 수 있다.
- 타액선종양의 분류에 대해 설명할 수 있다.

심화 학습목표

- 타액선질환의 다양한 진단법과 활용법을 설명할 수 있다.
- 타액선종양의 발생빈도에 대해 설명할 수 있다.
- 타액선 양성종양 종류와 특징에 대해 설명할 수 있다.
- 타액선 악성종양 종류와 특징에 대해 설명할 수 있다.
- 타액선종양의 종류에 따른 치료법과 예후를 설명할 수 있다.

I. 타액선의 외과적 해부 및 생리

1. 외과적 해부

타액선은 좌우 세 쌍의 대타액선, 즉 이하선(parotid gland), 악하선(submandibular gland), 설하선(sublingual gland)과 구강점막에 널리 분포되어 있는 소타액선으로 나눌 수 있다. 타액의 분비는 부교감신경, 교감신경의 이중지배를 받는다.

1) 이하선

타액선 중 가장 크며 전방으로는 교근(masseter muscle)의 상부를 덮고 협측 지방조직에 이르며, 상방으로는 관골궁(zygomatic arch)하연, 하방으로는 하악하연, 후방으로는 유양돌기(mastoid process)의 전면으로부터 흉쇄유돌근(sternocleidomastoid muscle)의 전연을 따라 하악후와(retromandibular fossa)에서 하악 상행지 후연을 감싸고 내측으로는 인두주위공간(parapharyngeal space)까지 도달하는 깔때기 모양을 하고 있다(그림 13-1). 이하선과 교근은 이하선-교근근막(parotido-masseteric fascia)에 의하여 싸여있으며 이 근막으로부터 섬세한 결체조직의 격막이 이하선 내로 들어가기 때문에 이하선은 악하선과 달리 무딘박리(blunt dissection)로 적출해 낼 수 없다. 또한 이하선은 하방의 교근과도 비교적 강하게 유착되어 있으나 흉쇄유돌근, 경돌설골근(stylohyoid muscle), 이복근의 후복(posterior belly of digastric muscle) 등의 전연과 쉽게 박리가 된다. 이하선은 주위조직과 강하게 부착되어 있으므로 팽창하기가 어려우며 유행성이하선염과 같이 종창이 있을 경우에는 둘러싸고 있는 근막에 큰 압력이 가해져 심한 통증을 일으키게 된다. 타액관은 실질내의 가지가 합류되어 이하선의 전연에서 나오며 교근 상방을 지나서 굴곡을 이루면서 협근(buccinator muscle)으로 들어가서 제2대구치 맞은편 점막의 융기조직(caruncle)에서 개구한다(그림 13-2). 이하선관(Stensen's duct)은 이주(tragus)와 상순 중간점을 연결한 선 중간 1/3에 위치하며 안면신경의 협측분지

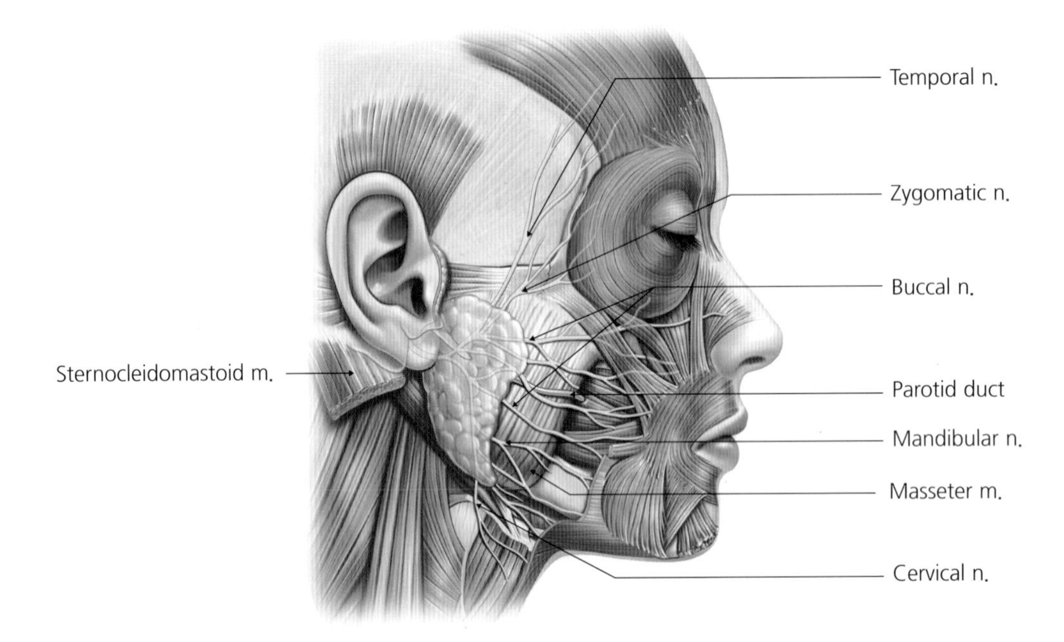

그림 13-1 이하선 표층엽(superficial lobe)의 해부학적 구조. 안면신경의 분지가 내재되어 있으며, 이하선은 크기와 모양이 다양한 편이다.

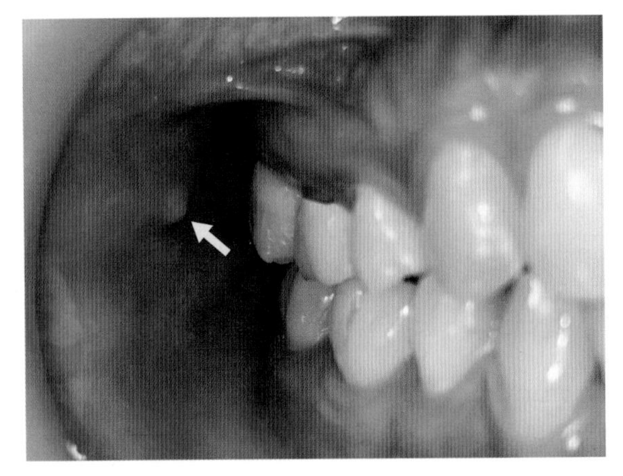
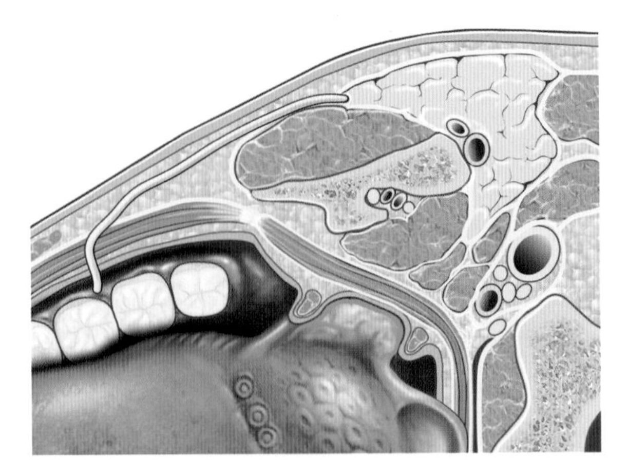

그림 13-2 이하선도관(Stensen's duct)의 개구부. 교근 전방부에서 급격히 꺾여서 구강내로 개구부를 보이고 있다.

(buccal branch)와 평행하게 주행한다. 또한 제7뇌신경인 안면신경이 경유돌공(stylomastoid foramen)으로부터 나와 이하선 내로 들어가서 표층엽(superficial lobe) 내를 통하여 안면의 근육에 분포하고 있다. 안면신경은 이하선을 표층엽과 심엽(deep lobe)으로 나누며, 이 두엽은 안면신경의 분지부 전방에서 협부(isthmus)에 의해 연결되나 이 두엽을 분리하는 결체조직은 없다. 목신경얼기(cervical plexus)에서 나온 대이개신경(greater auricular nerve)은 이하선의 꼬리 부분에서 이하선으로 들어가 이주(tragus)와 귓불(earlobe) 주위의 피부에 분포하며, 이개연골(auricular cartilage) 전상방으로 분포하는 이개측두신경(auriculotemporal nerve)은 부교감신경섬유(parasympathetic fiber)를 포함하고 있어 타액분비와 관련이 있다.

2) 악하선

악하선은 이복근의 전복과 후복(anterior & posterioir belly of digastric muscle)이 이루는 삼각형의 상방에 위치하며 악설골근(mylohyoid muscle)을 향한 말굽 모양을 이루고 있다. 악하선관(Wharton's duct)의 주행은 악하선의 주요 부분이 악설골근 하방에 있기 때문에 처음에 후방으로 진행되다가 말굽형으로 악설골근을 돌아서 상방으로 올라와 설하부에서는 설하선의 내측을 따라 전방으로 진행하여 설소대(lingual frenum) 외측의 설하융기(sublingual papilla)에 개구된다(그림 13-3). 악하선관은 하방의 설신경(lingual nerve)과 제3대구치 높이에서 교차하여 제2대구치 전방에서는 설신경 상방에 위치한다. 악하삼각(submandibular triangle)에서 설신경은 하악골의 내측을 따라 완만하게 올라가며 악설골근 후연에서 상방으로 올라간다.

악하삼각부에서 안면동맥은 악하선에 덮혀있으며, 악하선 후내방에서 올라와서 교근의 전연부에서 안면으로 올라가며 안면정맥은 악하선 상방을 지나간다.

악하선은 이하선과는 달리 주위조직과는 비교적 분리하기가 쉬운 근막으로 덮여 있다.

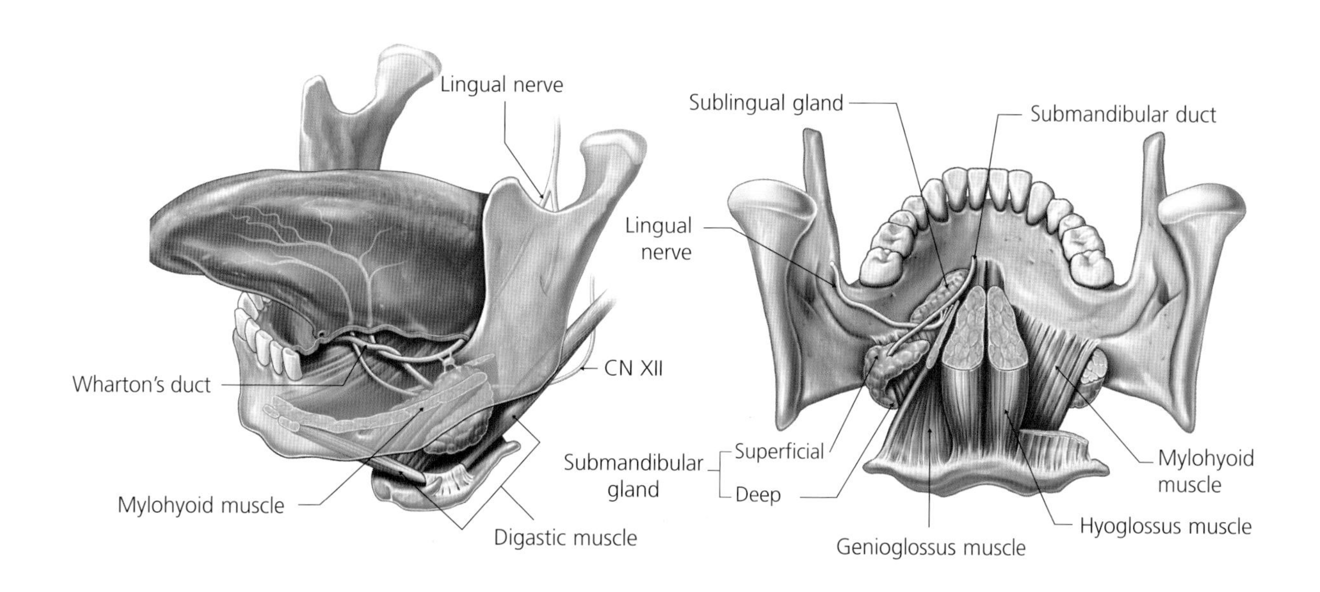

그림 13-3 악하선과 분비관. 설하선도 구강저 점막하에 위치하고 있으며 악하선관(Wharton's duct)과 설신경(lingual nerve)이 제2대구치 부위에서 교차하고 있다.

3) 설하선

설하선은 악설골근 상방에서 악하선 분비관과 평행하게 구강저 점막하에 놓여 있다. 구강내에서 보면 구강저에 양측으로 설하추벽(plica sublingualis)으로 불리는 융선 아래 위치하며 설하선 타액은 설하추벽에 약 8–20개가 개구하는 리비누스관(duct of Rivinus)과 악하선관에 개구하는 몇 개의 바르톨린관(Bartholin's duct)을 통해 배출된다(그림 13-4).

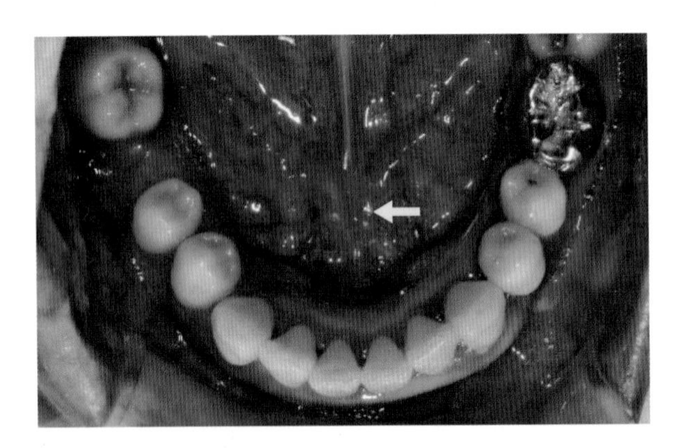

그림 13-4 악하선관(Wharton's duct)의 개구부. 후방으로 설하추벽(plica sublingualis)이 보인다.

4) 소타액선

소타액선은 점막 바로 아래 비교적 표면에 가까운 곳에 위치하며, 입술, 협점막, 구개, 혀 등에 약 400–500개가 산재되어 있다. 구강내로는 짧고 곧은 분비관을 가지고 있는 비교적 간단한 분비체계의 점액선 소포의 집락이다. 구강점막에 근접해 있기 때문에 쉽게 외상에 노출될 수 있다.

5) 타액선의 조직학적 구조

타액선은 여러 개의 소엽(lobule)들과 이를 분리하고 있는 결체조직의 중격으로 되어 있으며, 타액선 전체는 결체조직으로 구성된 피막(capsule)을 가지고 있다. 타액은 소엽의 내부에 있는 선포에서 분비되고 나뭇가지처럼 분포되어 있는 분비관을 통해 구강내로 분비된다. 타액선의 분비관 중 가장 작은 관은 개재관(intercalated duct)이며, 가장 큰 것은 배출관(excretory duct)이고 이들을 연결하는 중간 크기의 분비관은 줄무늬관(striated duct)이다. 개재관(intercalated duct)은 엽의 실질 속에 내재하며, 그 끝에는 선포가 존재하고 점액선포와 장액선포로 구성된다. 세포의 구성에

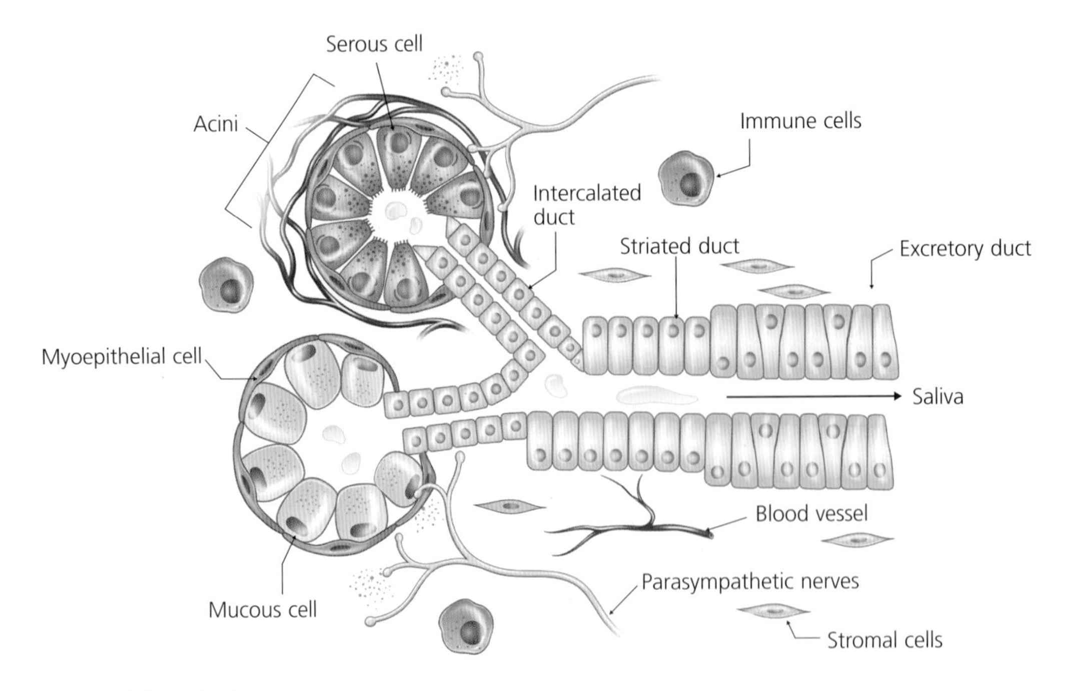

그림 13-5 타액선의 조직학적 구조.

따라 타액선은 점액선(mucous glands), 장액선(serous glands) 및 혼합선(mixed glands)으로 나누기도 한다. 이하선의 경우 주로 장액선이, 악하선은 장액선과 점액선이 혼합되어 있으며, 설하선은 주로 점액선으로 구성된다. 장액선보다 점액선에 의하여 분비된 타액이 더 끈적끈적하다. 줄무늬관(striated duct)은 엽간에 주로 존재하며 타액의 물질 교류가 잘 이루어지게 하고 있으며, 배출관(excretory duct)을 통하여 구강내로 타액이 분비된다(그림 13-5).

사람에서는 태아 2주 말-3주 초경부터 이하선의 흔적이 나타나며, 악하선, 설하선 순으로 발생되고, 임신 4개월경에는 결체조직 속으로 성장하며 타액선이 원통 모양으로 되며 이때는 미분화된 선세포가 나타난다. 출생 후 6주까지 성장을 하나 완전한 세포분화가 일어나지 않고 있으며, 구강내의 여러 가지 기능적인 자극에 의하여 타액선의 성장이 더욱 촉진된다.

6) 해부학적 취약성

타액선에 대한 연구에서는 해부학적인 취약성이 몇 가지 있는데 이를 요약하면 다음과 같다.

① 소타액선과 설하선은 짧은 직선의 도관계(ductal system)를 가지므로 염증은 거의 생기지 않으나, 도관이 부분폐색될 때 점액낭종(mucocele)이 생길 수 있고 완전히 막히면 타액선의 위축(atrophy)이 발생된다.
② 악하선의 도관계는 위치상 구강내 세균침입(retrograde invasion)의 우려가 크다.
③ 악하선과 이하선의 도관들은 개구부에서 보다 선(gland) 쪽으로 주행될수록 직경이 약간 커져서 이곳에 구강내 세균이 포함된 타액의 농축과 상피세포의 저류로 감염되거나 도관폐색의 가능성이 있다.
④ 악하선관은 악설골근의 후방에서, 이하선관은 교근 전연에서 주행이 급작스럽게 우회하는 부위가 있어 도관폐색의 우려가 있다.
⑤ 악하선과 이하선은 타액의 처리양상(mode of disposal)에 따라서 타액성분과 기능의 변화를 초래한다. 예를 들어 타액의 유출이 감소되면 타액선의 기능과 타액성분이 바뀌게 된다.

2. 타액의 생리

타액은 하루에 약 1-1.5 L 정도 분비되고 있으며 시간당은 약 20-40 ml 분비되고 개인차가 많은 편이다. 주로 부교감신경이 분비에 작용한다. 이하선에서의 부교감신경은 제9뇌신경인 설인신경(glossopharyngeal nerve)으로부터 분지된 고실신경(tymphanic nerve)이 이신경절(otic ganglion)로 들어가 신경절이후섬유(postganglionic fiber)인 이개측두신경(auriculotemporal nerve)과 함께 주행하며 분비에 관여한다(그림 13-6).

악하선과 설하선은 안면신경과 함께 주행하는 중간신경(intermediate nerve)으로부터 나온 고삭신경(chorda tympani nerve)이 악하신경절(submandibular ganglion)을 형성하고 신경절이후섬유를 내어 설신경과 함께 주행하며 악하선 및 설하선의 타액분비에 관여한다(그림 13-7).

선세포에서 분비된 타액의 수소이온 농도는 처음에는 pH 6.8 정도가 되며, 분비관을 통해 최종 구강내로 분비된 타액은 pH 7.2 정도 된다. 이렇게 분비된 타액의 기능은 다음과 같다.

① 음식물의 소화에 관여한다. 타액 내에는 아밀라아제(amylase)가 있어 분자량이 큰 음식물의 당질, 단백질, 지방질을 분해하여 소화가 잘 되게 하여 준다. 이 효소는 장액선에 많으므로 주로 이하선에서 분비된다.
② 구강내의 음식물과 섞여 윤활작용을 하며 또한 구강내 점막을 보호하기도 한다.
③ 구강내로 타액이 분비되어 기계적으로 세척해 내는 역할을 한다.

④ 타액내의 중탄산이온(bicarbonate ion)으로 하여금 완충작용을 하게 하여 구강내 환경을 적당히 유지하며, 이로 인하여 구강내의 다른 세균의 침범을 막아주기도 한다.

⑤ 타액내의 무기성분으로 인하여 치아의 성분, 즉 무기질(mineral), 칼슘(Ca), 인(P)을 그대로 유지시켜준다.

⑥ 리소자임(lysozyme) 및 락토페린(lactoferrin) 같은 효소는 항균역할을 한다.

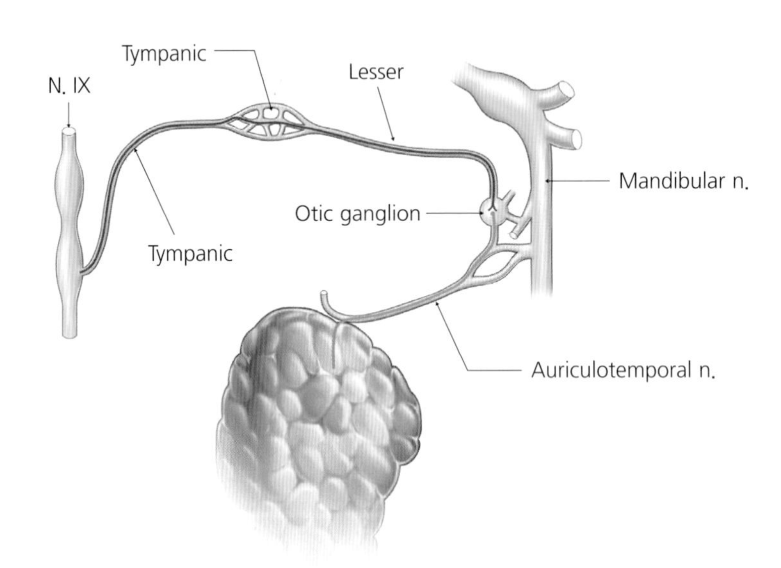

그림 13-6 이하선에서의 부교감 신경지배.
— 적색선: 설인신경의 신경절이전섬유(preganglionic fiber), — 청색선: 신경절이후섬유(postganglionic fiber).

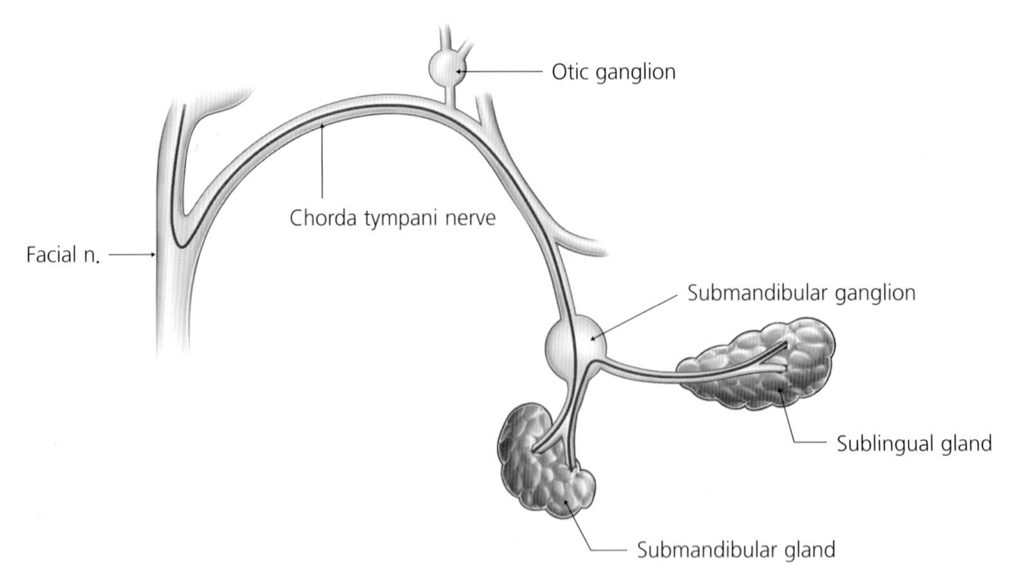

그림 13-7 악하선과 설하선에서의 신경지배. 악하신경절(submandibular ganglion) 전후로 신경절이전섬유 및 신경절이후섬유를 볼 수 있다.

II. 타액선질환의 감별진단

타액선질환들은 그 병인과 임상양상이 매우 다양하여 정확한 치료에 어려움이 따른다. 따라서 각 질환별로 치료법이 설정되어 있다고 하여도 여러 질환들을 우선 감별진단을 하는 것이 중요하다. 타액선질환의 감별진단에는 병력청취, 신체검사, 방사선사진을 포함한 영상진단검사, 이화학적 검사, 병리조직검사 등이 필요하다.

1. 병력청취

타액선질환의 적절한 평가는 주의 깊고 완전한 병력청취로부터 시작한다. 여기에 필요한 사항으로는 환자의 나이, 병소의 기간, 발병의 양상, 병소 크기 증가 속도 및 동반된 전실질환 특히 대사성질환의 유무, 항고혈압제, 향정신성 약물의 사용 등이다. 예를 들어 신생아 또는 소아에서 이하선의 종양은 혈관종 또는 임파관종일 가능성이 높으며 학령기 아동에서는 바이러스성 감염이 많고, 타액선증은 주로 중년에서 나타나고 악성종양은 노년층에서 나타난다. 또한 양측으로 나타나는 병소는 대개 와르틴종양(Warthin's tumor)이다.

병소의 크기, 경도, 이동성, 압통 수준, 구강내 소견으로 타액관 주위의 변화, 분비되는 타액의 양과 성질, 안면신경의 건강도 등을 평가한다. 염증이 아니면서 압통이 있다면 대부분 악성종양이다.

1) 병소의 기간

기간은 병소를 진단하는 데 중요한 요소이다. 예를 들면 병소가 오래되고 급성염증의 병력이 있거나 종창의 악화와 완화가 함께 있다면 이는 만성염증으로 진단할 수 있을 것이다. 그러나 병소가 오래되면서 완화된 병력이 없고 지속적인 성장이 되었다면 이는 양성종양 혹은 악성도가 낮은 악성종양으로 범주를 좁혀 진단할 수 있을 것이다. 만약 새로운 병소로서 짧은 기간 내에 종창이 야기되고 국소적인 동통과 압통이 있다면 급성염증으로 볼 수 있으며, 이때 동통이 없는 종창이라면 악성병소의 초기로도 의심할 수 있다.

2) 발병의 양상

발병의 양상이 무통으로서 점차적으로 지속적이라면 쇼그렌증후군(Sjögren syndrome)이나 종양으로 파악할 수 있다. 갑작스럽게 발현되는 동통성 종창이라면 염증성질환으로 볼 수 있으나, 빠른 성장이 있는 종양에 이차적인 감염이 있는 경우도 완전히 배제할 수는 없다.

3) 병소 크기의 증가 속도

느리지만 지속적인 성장을 하는 병소는 양성병소로 볼 수 있다. 빠르게 성장하는 병소는 염증이거나 혹은 악성병소가 될 수 있다. 그러나 동통, 삼출액, 염증 및 발열이 있거나, 혈액내 미성숙백혈구가 증가하는 경우에는 염증병소로 보아야 할 것이다.

4) 전신상태

영양상태의 불량, 탈수 현상, 폐렴과 같은 급성 발열질환, 장시간에 걸친 전신마취, 부교감신경차단제, 항히스타민제제와 같은 약물투여, 결핵과 같은 만성소모성질환을 지닌 환자에서는 타액선 감염이 쉽게 야기될 수 있어 적절한 관찰이 필요하다.

2. 신체검사

적절한 신체검사는 중요한 진단학적 정보를 제공한다. 연관이 될 수 있는 전신적인 요소를 파악하기 위한 전체적인 신체검사와 더불어 타액선과 이의 부속기관에도 주의 깊은 평가가 필요하다. 병소의 위치, 크기, 병소의 경결 정도, 림프선 종창 및 주관적 반응 등의 평가를 위해 양수촉진(bimanual palpation)검사가 많이 이용되고 있다.

1) 병소의 위치

병소의 부위를 중심으로 해서 종창이 있다면, 해부학적으로 어느 타액선에서 문제를 야기하고 있는지 감별할 수 있다. 외이공(external auditory foramen)의 전하방이라면 이하선, 하악골의 후하방이라면 악하선의 병소로 파악할 수 있다. 병소의 크기와 경계가 뚜렷하지 않고 타액선 전체로 확산되어 있는 미만성이며, 촉진에 다소의 압통을 느낀다면 이는 염증성질환의 가능성이 높다. 경계가 뚜렷한 덩어리 형태로 촉진되는 병소는 종양일 가능성이 높다. 이때 병소가 주위조직에 고정되어 있는 느낌이 들면 악성종양의 가능성이 높다.

종창이 편측성이라면 반대측 정상 타액선과 비교하는 것도 도움이 될 수 있다. 양측성이라면 국소적 원인보다 전신적인 원인을 더 많이 고려해야 할 것이다. 또한 미만성 종창이 여러 개 타액선에서 나타나는 경우는 쇼그렌증후군, 당뇨 등의 내분비장애, 알코올성 간경화 등과 같은 대사성장애 혹은 불량한 영양상태를 고려할 수 있다. 이때 타액선 분비관 개구부에 농의 배출이 보인다면 화농성 감염을 의심할 수 있다. 분비관을 따라 촉진에 의하여 딱딱한 덩어리가 만져진다면 타석(sialolith)을 의심할 수 있으며, 이때는 탐침자(salivary probe)를 이용하여 분비관 내로 삽입하여 더욱 확실하게 파악할 수 있다. 또한 신경구조물의 평가도 포함되어야 한다.

2) 병소의 경결

타액선의 많은 병소는 특징적인 경결감을 가지고 있다. 농양은 일반적으로 파동을 나타내고 있으며, 표피양낭이나 낭종의 경우는 밀반죽 같은(doughy) 느낌을 주며, 타석은 단단한 돌 알맹이 같은 느낌이 있다. 감염이나 폐쇄성 질환이 있다면 타액선은 보통 굳고 긴장이 된 듯한 느낌이 있을 것이다. 병소의 경결이 심하거나 널빤지 같은 느낌이면 비교적 나쁜 예후를 보인다. 이때는 악성의 병변과 경화된(섬유화된) 염증성 병변 간의 감별진단이 요구되지만, 병력에서 현재 감염의 기본징후가 보이지 않는다면 더욱 예후가 나쁘다. 병소의 경결은 악성병소의 침윤을 나타내는 특징적인 증상이기 때문이다. 이 경결은 타액선 전체에까지 확산되지는 않는다. 반면에 감염의 경우에는 마치 전 타액선에 병변이 있는 것처럼 병소의 확산과 팽창을 느낄 수 있다. 특히 악하선과 이하선의 경우에는 타액선 주위 및 내부에 림프결절이 존재하기 때문에 타액선이 아닌 그 주위에 생긴 병소에 의해 타액선의 질환이 있는 것처럼 보이는 경우도 있다.

3) 주관적 반응

동통은 술자가 볼 수가 없는 환자의 주관적인 증상이라고 할 수 있다. 염증성질환이나 타석이 있는 경우에는 그 주위의 염증으로 인해 일반적으로 촉진에 의해 동통을 느낀다. 그러나 종양인 경우에는 동통은 주증상이 아니다. 그러나 타액선과 인접해 있는 감각신경까지 침범된 경우나 말기의 악성종양에서는 동통이 유발될 수 있다. 타액의 분비도 차이가 있을 수 있다.

3. 진단을 위한 검사

1) 단순방사선사진(Plain radiography)

타액선은 연조직이기 때문에 일반적인 병소의 진단에 방사선사진은 그렇게 큰 의미를 갖지 못한다. 그러나 방사선에 불투과성인 석회화된 타석의 존재 파악에는 아주 유용하게 사용될 수 있다. 타석은 타액선 실질내에서도 발생하지만 대개는 분비관에서 많이 나타나고 있다. 악하선관에 생긴 타석의 파악에는 하악교합촬영사진(mandibular occlusal view)과 하악골측사촬영사진(oblique lateral view of mandible)이 이용된다(그림 13-8). 이하선 분비관에 생긴 타석에서는 환자 협근을 부풀게 하여 타석과 골구조가 겹쳐지지 않도록 안면의 전후방 혹은 측방 사진, 상악교합촬영사진 및 은협이행부(mucobuccal fold)에 깊게 위치시킨 구내표준방사선사진이 유용하며, 이하두정 방사선사진(submentovertex view)도 잘 이용될 수 있다. 타석 내 유기성분이 적어 미성숙되거나, 방사선촬영상 소환(burnout)된 경우는 불명확하게 나타날 수도 있다. 이런 경우는 방사선노출을 짧게 해주면 파악될 수도 있다.

2) 타액선조영사진(Sialograph)

타액선조영술(sialography)은 타액선질환의 진단에 중요한 도구이다. 방사선에 불투과성인 조영제를 타액선에 주입하여 타액선의 분비관 체계를 봄으로써 타액관의 폐쇄 여부, 타액선내의 병소와 실질조직의 파괴상을 간접적으로 파악할 수 있다.

적응증

- 타석 혹은 이물질의 탐지
- 재발성이거나 갑작스러운 타액선 종창
- 장기간 지속되는 타액선 종창
- 의심이 되는 종물
- 원인불명의 동통
- 구강건조증에서는 타액선의 기능적 능력의 평가
- 타액선 누공 또는 타액선류
- 외과적 술후 평가
- 치료 후 평가

비적응증

- 타액선의 급성염증
- 요오드에 알레르기가 있는 환자
- 갑상선검사가 예정되어 있는 환자는 갑상선검사 후로 연기
- 삽관술(cannulation)을 할 수 없을 때

(1) 조영제

조영제는 방사선에 적당한 불투과성 성질을 가지면서, 타액과 혼합이 잘 되어야 하고, 국소적 혹은 전신적 독성이 없어야 하며, 작은 표면장력을 가져 섬세한 분비관까지 주입되어야 하고, 쉽게 제거되어야 하나 사진 촬영은 할 수 있어야 한다. 현재 조영제에는 크게 수용성과 지용성 조영제 두 형태가 있다. 수용성 조영제는 지용성 조영제보다 타액과 혼합이 잘되고 표면장력과 점성이 낮아 분비관에 주입이 쉽고 배설도 용이하다. 지용성 조영제는 수용성보다 조금 더 많은 압력이 필요하다. 지용성 조영제의 촬영 후에는 조영제의 제거가 용이하지 않아 미세분비관의 폐쇄를 야기할 수도 있으며 간혹 이물반응이 나타날 수도 있다.

(2) 촬영방법

준비물로는 분비관에 주입될 수 있는 삽입관(0.5 mm), 5-10 cc 시린지, 누관확장기(lacrimal dilator), 조영제, 레몬 혹은 오렌지 조각 및 주스 등이다. 먼저

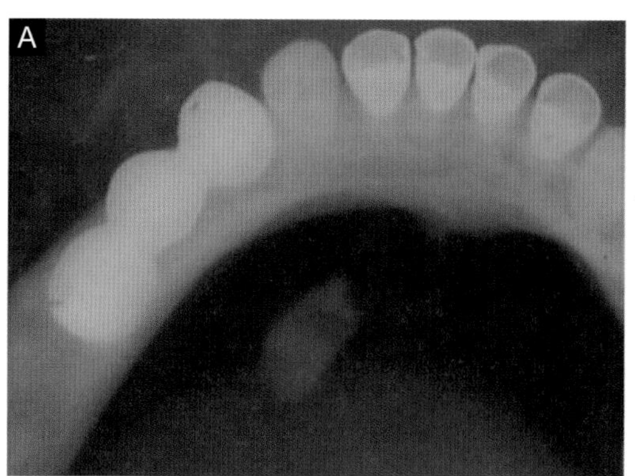

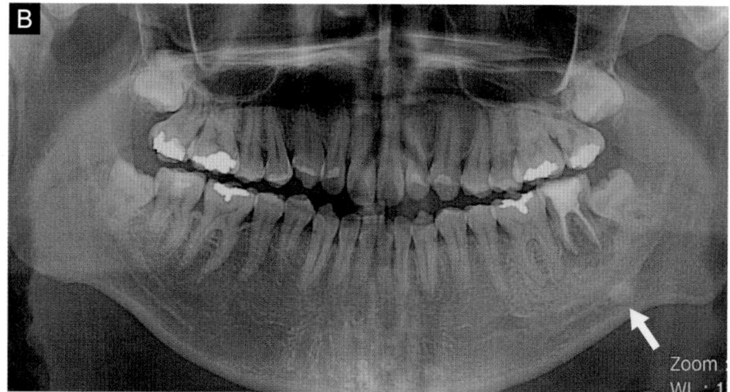

그림 13-8 A: Wharton's duct 내 타석을 보여주는 하악 교합방사선사진 B: 파노라마촬영에 나타난 악하선 타석.

타액분비관 개구부를 확인하고 누관확장기로서 다소 분비관을 확장시키고, 도관을 삽입한 후 조영제를 이하선에는 0.5–0.7 ml 정도, 악하선에는 0.5 ml 정도 주입한다. 촬영은 예비적 표준타액선촬영을 먼저하고, 조영제 주입 후의 촬영 그리고 기능을 예견할 수 있는 배출되는 과정의 촬영이 필요하다. 촬영사진의 종류는 앞서 기술한 타액선 촬영사진이 요구되며, 이하선에서는 심층엽을 파악하기 위해 역두개기저영상을 촬영하기도 한다. 파노라마도 유용하다.

(3) 타액선조영사진의 판독

① 정상 이하선사진

상악의 제2대구치 맞은편 협점막 표면에 개구부를 가진 이하선관은 약 6 cm 정도의 분비관을 갖는다. 직경은 약 1–3 mm 정도로서 타액선내로 들어가면서 점점 분비관이 좁아진다. 그러면서 2차, 3차의 미세분비관으로 세분되어 타액선 분비세포에 가까워진다. 정면에서 볼 때는 하악지의 약 2 cm 외방에서 분비관을 볼 수 있으며 심층과 표층은 협부에 의해 연결된다. 분비관이 외방으로 2 cm 이상으로 위치한 경우는 이하선에 어떤 종물의 병변이 있을 가능성이 높다.

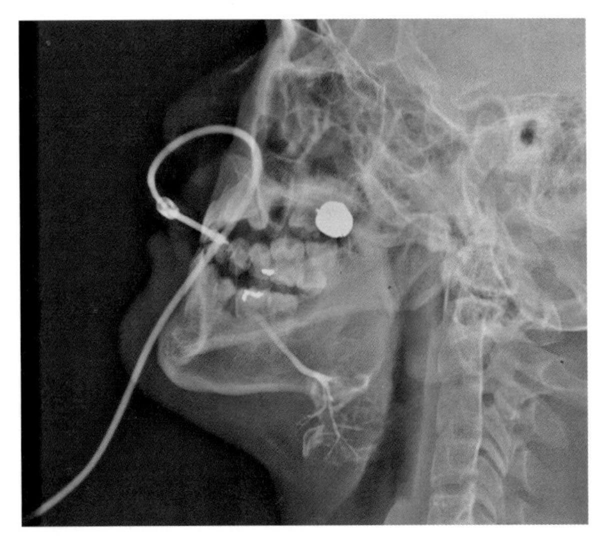

그림 13-9 정상 악하선의 조영사진.

② 정상 악하선사진

악하선관의 길이는 약 5 cm 정도이다. 타액선내로 들어가면서 분비관은 점점 좁아진다. 악설골근 후방에서 직각으로 꺾여 하방으로 타액선내로 주행한다(그림 13-9). 이하선보다 벽이 얇으므로 삽입관의 주입 시에 상처가 생기지 않도록 더욱 조심해야 한다.

③ 타석증(sialolithiasis)

타석은 유동적일 수 있어 조영제의 압력과 흐름에 따라 움직일 수 있다. 간혹 타석으로 인해 분비관이 폐쇄되어 조영제 주입이 용이하지 않을 수도 있으리라 판단되나 대부분의 경우는 타액선의 완전한 폐쇄는 야기되지 않으므로, 지연이 되어서라도 타액선내로 주입될 수 있다. 부분폐쇄 시는 분비체계의 확장과 더불어 선조직의 위축을 동반한다. 조영제의 사용으로 타석은 그 주위를 보다 명확하게 방사선불투과성 경계를 잡을 수 있고 또한 수술 전 타석 주위조직의 파괴양상을 파악할 수 있다. 타석과 감별이 되어야 하는 것으로는 하악골에 치밀한 골종이 있는 경우이다. 방사선사진(전후방, 측방)에서 방사선불투과성 병소를 나타내므로 세심한 주의가 요구된다. 정맥석(phlebolith) 또한 감별이 요구되며 이는 원형의 방사선불투과성 병소 내에 방사선투과성이 중심부에 나타난다. 석회화된 림프절도 나타날 수 있으며 이는 형태가 불규칙하고, 타액선의 외부에 위치하고 있다. 타액선 분비관에서 간혹 방사선투과성의 타석이 발견될 수도 있다. 또한 기포가 잘못 주입되어 나타날 수도 있으나 이는 타석보다 더욱 원형의 형태이며, 시간이 지남에 따라 방사선사진에 나타나지 않게 된다.

④ 타액관염(sialodochitis)

이는 분비관 상피세포의 염증이며 상피위축으로 인하여 도관이 확장될 수 있다. 보상적인 섬유화 현상 때문에 불규칙적인 도관의 협착(stricture) 부위가 또한 나타날 수 있다. 그러므로 최종의 분비관 분지는 감소되고 종말가지 또한 변형이 있다. 타액선조영사진에서

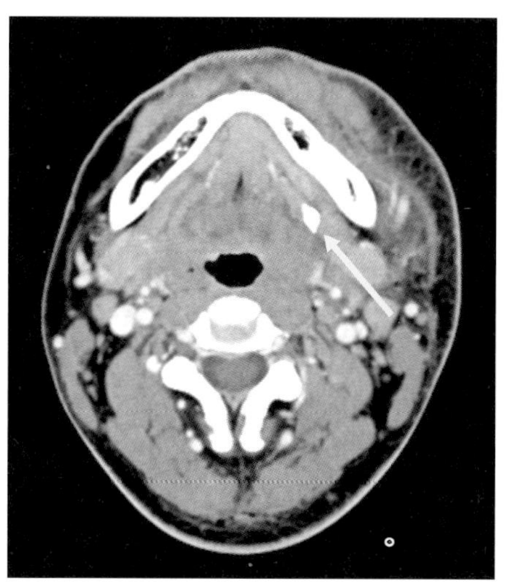
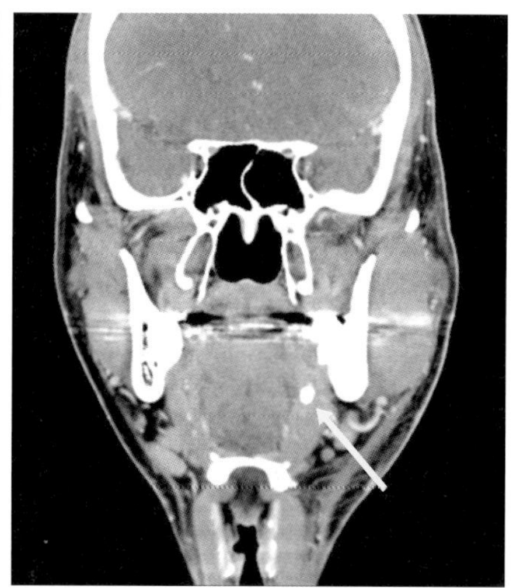

그림 13-10 악하선 내 존재하는 타석의 CT 영상.

는 sausage string appearance가 나타난다. 조영제의 배출은 비교적 지연된다.

⑤ **타액선염**(sialadenitis)

타액선 실질조직 내에 부종이 일반적으로 나타나며, 조영제 주입사진에서는 선세포와 종말분비 관의 주머니 모양의 확장이 있다. 즉 apple tree in blossom appearance를 나타낸다. 조영제의 배출은 지연이 되며 이러한 증상은 타액관염이나 쇼그렌증후군에서 나타날 수도 있다. 그러나 타액관염과는 달리 소엽 사이 도관은 정상적으로 나타난다.

⑥ **타액선종양**

타액선조영사진에서 크기와 위치 혹은 기원이 타액선 내인성인지 아니면 외인성인지, 선조직의 파괴가 있다면 얼마나 되는지, 또한 인접조직의 파괴 양상 등을 관찰할 수 있다. 더욱 많은 소견은 전산화단층촬영술이나 타액선조영사진을 이용함으로써 파악하기도 한다.

3) 전산화단층촬영술(CT)

분비관의 이상이 아닌 타액선질환의 검사에는 아주 유효하다. 더구나 수술이 예견된 경우에는 병소의 해부학적 위치를 파악하기 위해 주로 쓰이며 특히 후하악와 부위나 부인두강과 같은 부위로의 확산 여부를 확인하는 데 필수적이다(그림 13-10).

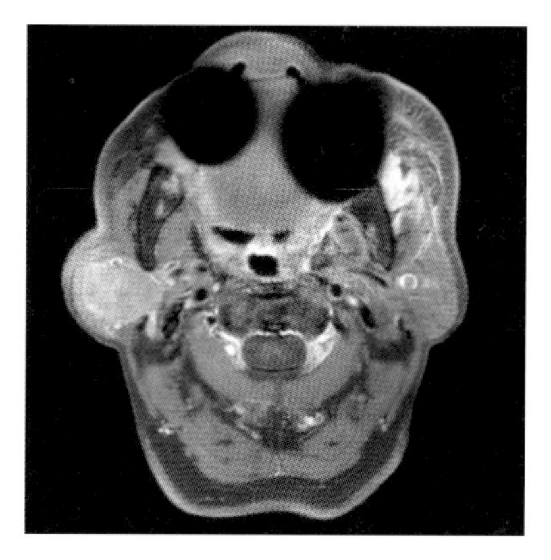

그림 13-11 이하선종양의 자기공명영상.

4) 자기공명영상(MRI)

MRI는 병소의 인지, 변연 형태와 범위, 내부구조를 파악할 수 있고 artifact degradation이 없어 CT보다 병소를 더 잘 파악할 수 있는 방법이다(그림 13-11). 그러나 촬영시간이 길고 비싼 것이 단점이다. 심장박동조율기(cardiac pacemarker)를 장착한 환자에서는 금기가 된다.

5) 타액선스캔(Salivary gland scan)

타액선기능의 정밀검사로 일명 salivary scan이라고 한다. 타액선의 구조적 특징 및 분비기능을 파악하기 위하여 사용할 수 있다. 그러나 해상력이 한계를 가지기 때문에 1 cm 미만의 종양 평가는 불가능하고 손상범위가 25% 이하일 때는 해상력이 떨어진다. 주위조직의 감염 유무에 따라 위양성(false-positive) 결과가 나올 수도 있다. 정상적인 환자에서도 다양성이 많이 나타나므로 판독 시에는 반대측의 타액선과 비교를 해보는 것이 많은 도움이 된다. 가장 많이 사용되는 동위원소는 테크네튬(technetium)이다. 약 0.5-1.0 Ci 정도를 정맥주입 후 60분경에 반응이 최고로 나타난다. 조영사진도 예정되어 있다면 섬광촬영술(scintigraphy)을 먼저 시행한다. 왜냐하면 조영제의 요오드 화합물이 과테크니튬산(pertechnetate)의 흡수를 방해하기 때문이다. 급성염증에서는 동위원소의 흡수가 증가되고 만성인 경우에는 감소된다(그림 13-12). 종양은 일반적으로 흡수가 낮아 냉각점(cold spot)으로 나타난다. 그러나 와르틴종양 또는 타액선호산성과립세포종(oncocytoma)에서는 열성결절(hot nodule)로 나타난다.

6) 초음파촬영술(Ultrasonography)

진단용 초음파는 액체로 가득한 구조물에서는 echo-free하게 나타나므로 낭종성 병소를 파악하는 데 유용하다. 불균질의 종양과 같은 고형구조물은 multiple echoes로 가득 채워져 나타난다. 그러므로 이하선 표층엽의 종양 혹은 낭종성 병소를 감별 파악하는 데 유용하지만, 심층엽에서는 하악지가 방해되기

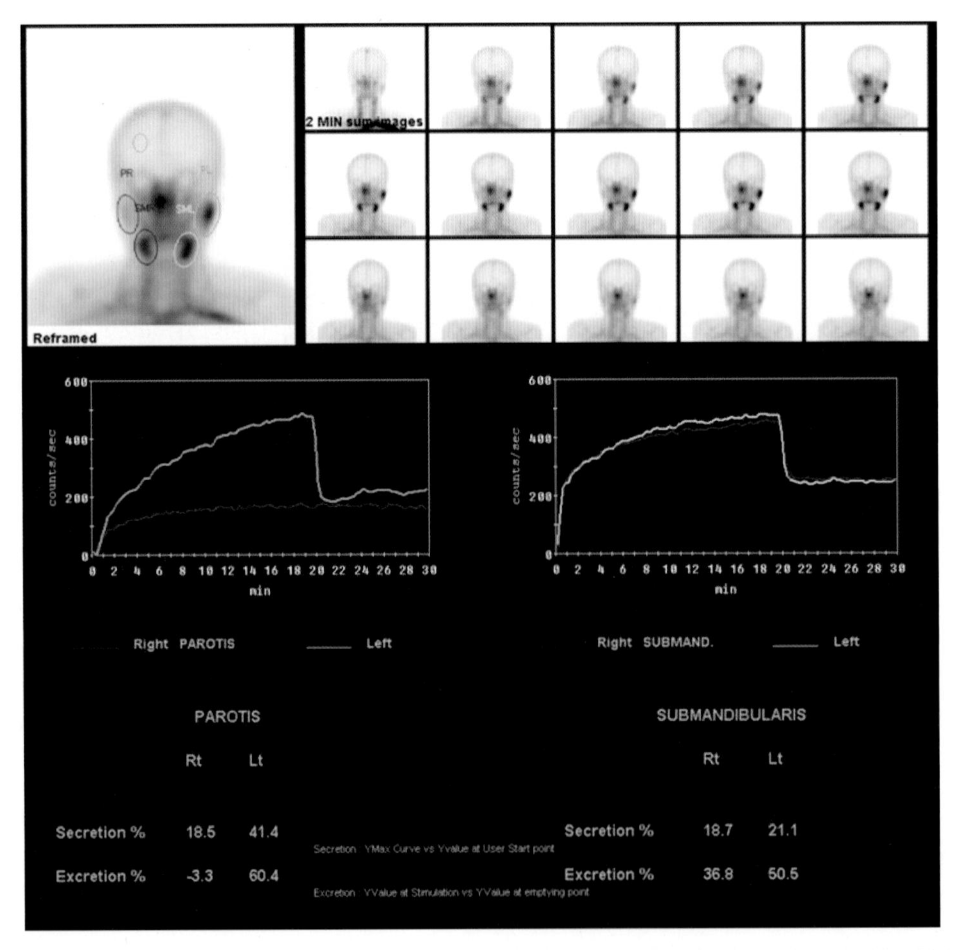

그림 13-12 Salivary scan 소견. 우측 이하선에 방사성동위원소 흡수가 적고, 시간 경과에 따른 타액선 분비기능이 관찰되지 않는다.

때문에 병소가 잘 파악되지 않는다(그림 13-13).

7) 생검진단(Biopsy diagnosis)

생검 혹은 생검진단도 유용하게 사용될 수 있다. 소타액선에서는 절제생검(excisional biopsy)이 선호되고 구강내 정중부와 구각 사이의 하순측 소타액선에서 많이 시행되고 있다. 특히 쇼그렌증후군의 진단에 유용하다. 대타액선에서는 병소의 확산 및 누공형성의 위험이 있어 생김을 잘 시행하지 않으나 경우에 따라 절개생검을 할 수 있다. 이는 주로 이하선의 검사에 이용되며 구강외 귓불 전방 주름에 절개를 가하여 안면신경가지 후방에서 조심스럽게 생검을 시행한다. 또한 미세침흡인 생검술(fine needle aspiration biopsy, FNA)도 와르틴종양 및 혼합성 종양(mixed tumor)에서는 유용하게 사용될 수 있다. 10 ml 시린지와 22 게이지 바늘을 사용하여 병소내에 주입하고 세포를 흡입하여 현미경슬라이드 상에 채취물을 95% 알코올로 고정하여 검사한다. 정확한 진단이 가능하기도 하나 잘못이 있을 수도 있다. 또한 적절한 세포를 흡입하지 못하면 검사가 되지 않을 경우도 있다. 그러므로 바늘의 끝을 짧은 동작으로 약간 움직여서 세포를 느슨하게 흩뜨려서 흡입하거나, 한 군데보다는 세 군데 정도 검사를 함으로써 진단의 오류를 감소시키기도 한다.

8) 타액화학(Sialochemistry)

이하선과 악하선에서 타액분비관에 직접 삽관술을 시행하여 타액을 채취하고, 타액의 분비속도, 전해질, 요소 및 단백질 등의 성분변화를 통해 질환을 파악할 수도 있다. 또한 전신질환이 있는 경우 타액성분 및 분비량이 변화하는 것을 관찰할 수 있으며, 주위 온도가 높아도 타액분비가 촉진되거나 혹은 성분변화가 있다.

9) 이화학적 검사(Laboratory data)

급성화농성 이하선염의 경우는 백혈구 증가가 있으며 만성일 경우에는 적혈구침강속도(ESR)가 증가된다. 유행성 이하선염에서는 오히려 백혈구감소증이 있으며, 췌장염이 동반됐을 시 아밀라아제 수치가 높아질 수도 있다.

10) 타액선내시경술(Sialendoscopy)

타액선내시경술은 타액선에 발생하는 염증성질환의 대부분을 차지하는 타액선관의 폐쇄성 질환을 진단하며 평가하고 타액선 폐쇄성 질환의 80-90% 차지하는 타석의 제거와 도관의 협착을 확장시킬 수 있는 새로운 비침습적인 술식이라 할 수 있다. 1990년 Gundlach와 Katz 등에 의해 처음으로 내시경을 이용한 타석의 제거가 시도된 이후로 1994년 Arzoz 등에 의해 mini-

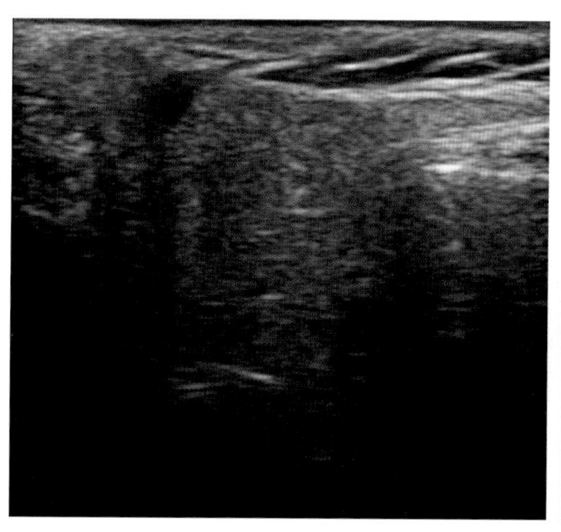

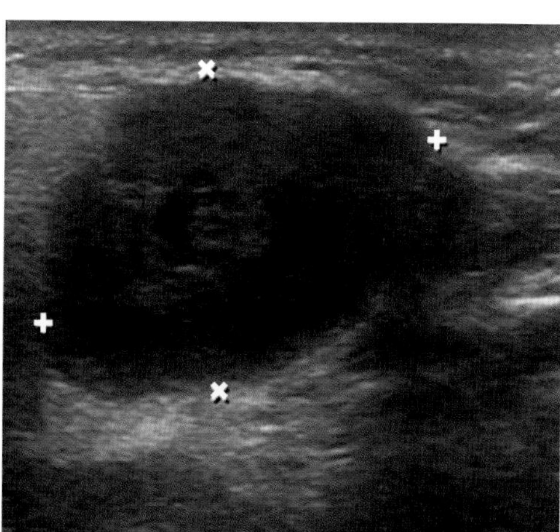

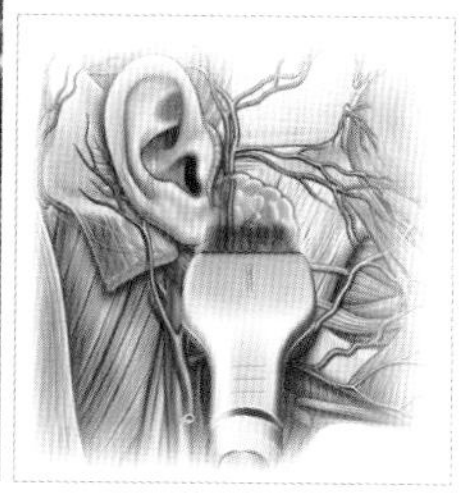

그림 13-13 이하선종양의 초음파 소견.

urethroscope와 레이저를 이용하여 타석을 제거한 시도가 있었고, 이후 지속적인 발전을 하고 있다. 타액선 내시경술의 원리는 타액선 도관 내로 미세내시경을 삽입하여 광원장치로부터 발생한 빛이 대물렌즈를 통해 화상이 전달되는 방법을 이용해 타액선관 내를 육안으로 직접 진단하는 방법이다. 대타액선에 발생하는 타석의 경우 바구니(basket)와 겸자(forcep)를 이용해 타석을 제거할 수 있는 진단과 치료가 동시에 이뤄질 수 있는 술식이다. 또한 타액선관 협착증을 치료하는 데 안전성과 유효성에 근거가 있는 의료기술(신의료기술 보건복지부고시 제2011-51호; 타액선내시경술)이다.

Ⅲ. 타액의 분비장애

1. 타액선 낭종

1) 점액류(Mucocele)

점액류는 구형의 경계가 잘 지워진 무통성의 종창으로 일반적으로 입술, 뺨 등을 깨문 경우와 같이 타액선 분비관의 외상성 절단, 폐쇄 등에 기인한다. 하순에 주로 발생하고 있으나 구개, 협점막, 구강저, 혀에서도 나타난다(그림 13-14). 병소는 분비관 외로 점액이 유출되어 점막하에 점액이 저류된 경우(extravasation mucocele)와 분비관이 폐쇄되어 점액이 저류된 경우(retention mucocele)로 나눌 수 있다. Extravasation mucocele은 주로 젊은 층에서 호발하며 깨물림 등에 의한 반복적인 손상이 주된 원인으로 생각된다. 초기에는 유출된 점액 주위에 백혈구와 조직구가 나타나며(initial phase), 다음에 점액을 흡수하기 위한 이물거대세포(foreign body giant cell)가 나타나고(resorption phase), 말기에는 결합조직 피낭화에 의한 위낭(pseudo cyst)이 생기며 상피세포 피복은 없다.

저류성 점액류(retention mucocele)은 주로 노년층에서 호발하며 미세결석(microlith), 농축된 점액, 만곡된 배출관 등에 의한 관의 부분폐쇄가 원인이다. 조직소견은 상피성 이장, 점액, 결합조직 등의 캡슐로 이루어지며 상피의 구조는 배출관계와 유사하다. 병소는 외과적으로 소타액선을 포함하여 타원형 절제를 시행하게 된다.

2) 하마종(Ranula)

하마종은 일반적으로 혀와 구강저에서 야기되는 타액선 기원의 낭종 구조물들에 사용되는 용어이다. 라틴어 'Rana'에서 유래되었으며 이는 개구리라는 뜻으로 구강저에 종창이 있는 낭종벽이 개구리의 울음주머니와 닮았다는 데서 유래되었다. 주로 설하선에서 많이 발생되며, 타액분비관의 부분적인 폐쇄 혹은 분비관의 파열로 인하여 야기된다(그림 13-15). 대개는 무통이며 편측성으로 투명한 푸른빛을 나타낸다. 크기가 증가함에 따라 혀의 변위를 가져올 수 있으며, 때

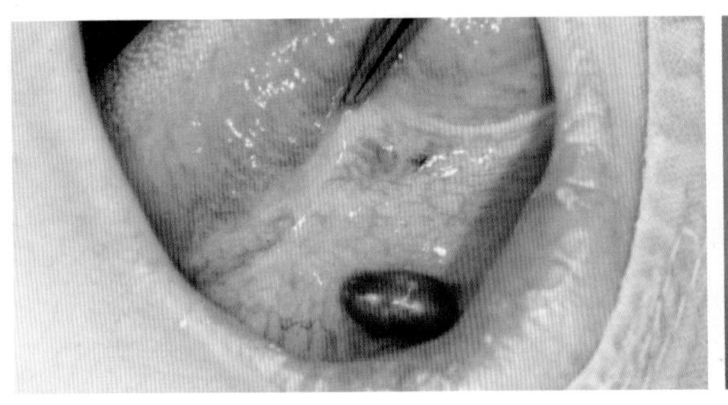

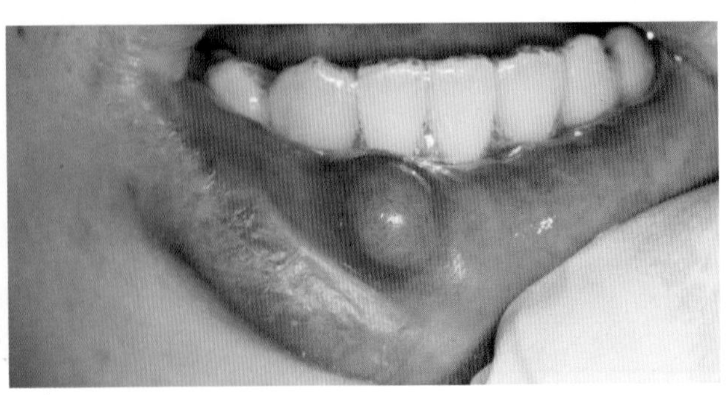

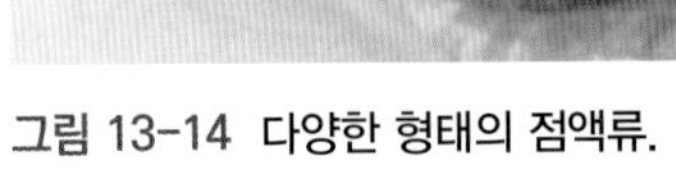

그림 13-14 다양한 형태의 점액류.

로는 저절로 낭종이 터지기도 한다. 그 후 빠르게 낭종벽이 치유가 되지만 다시 재발하게 된다. 이 병소는 자발적으로 없어지지 않기 때문에 외과적 처치가 필요하다. 가장 먼저 선택되는 치료는 낭종조대술(marsupialization)이다. 병소의 상부벽의 절제와 아울러 구강저 점막과 낭종의 내벽의 봉합을 한다. 즉 병소의 천정을 절제하여 낭종액의 배출을 도모하고 수술창의 이차적 치유를 도모하는 것이다(그림 13-16). 때로는 구강저의 악설골근을 통과하여 하방으로 확장되어 경부의 종창이 나타나기도 하는데, 이를 경부하마종(plunging ranula, cervical ranula)이라고 한다. 경부하마종인 경우에는 설하선의 적출이 필요하며 이때는 주위의 설신경, 악하선 분비관의 손상이 생기지 않도록 주의해야 한다(그림 13-17, 18).

2. 타석증(Sialolithiasis)

타액선에서 석회화된 침전물을 타석(sialolith)이라고 하며 타석으로 인한 제반 증상을 타석증이라고 한다. 타석은 대개 타액선내 타액관(intraglandular duct system)에서 생성되기 시작하나 타액선 실질내보다 주타액관에서 주로 발견된다.

타석은 주로 한 개의 타액선에 발생하고 재발되기 쉽다. 대체로 어린이에서는 드물며 남자에서 2배 이상 호발한다. 반복해서 식사 시에 타액선 실질이 팽창할 수 있으며 통증을 동반하게 된다. 타석의 80% 정도는 악하선에서 발생하며 나머지는 이하선과 설하선 등에서 발생된다. 타석이 저절로 빠지지 않으면 타액의 저류로 인하여 이차감염이 불가피하며 타액관은 확장되고 샘꽈리는 위축되어 만성폐쇄성 타액선염(chronic

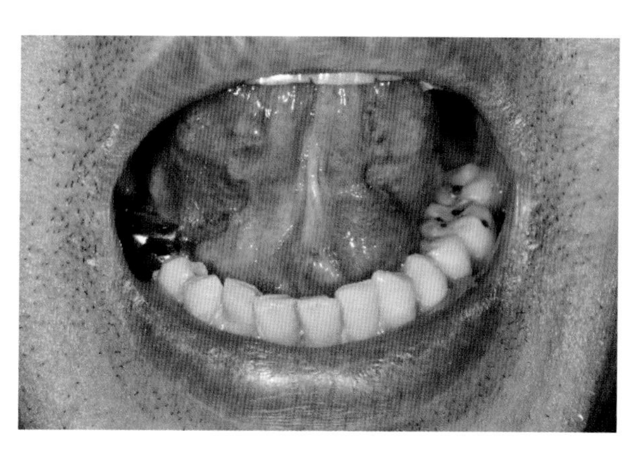
그림 13-15 구강저에 발생된 하마종.

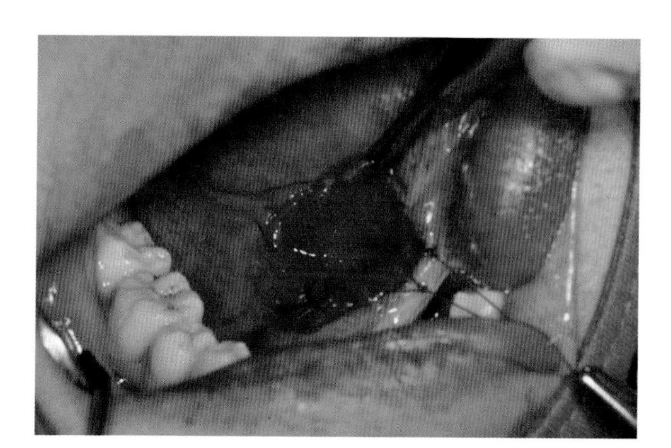
그림 13-16 구강점막과 낭종 내벽을 봉합.

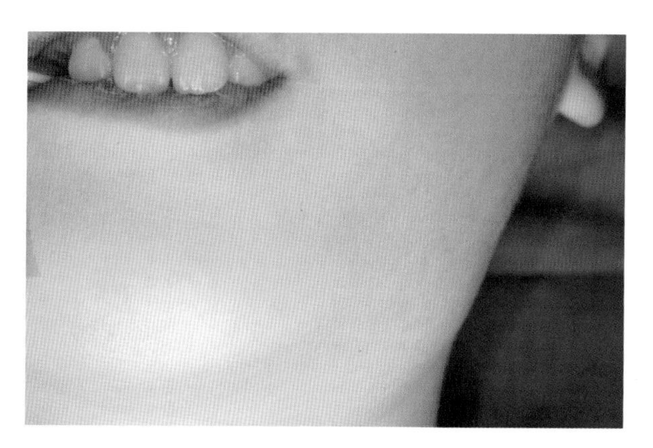
그림 13-17 **Plunging ranula** 환자의 악하부 종창.

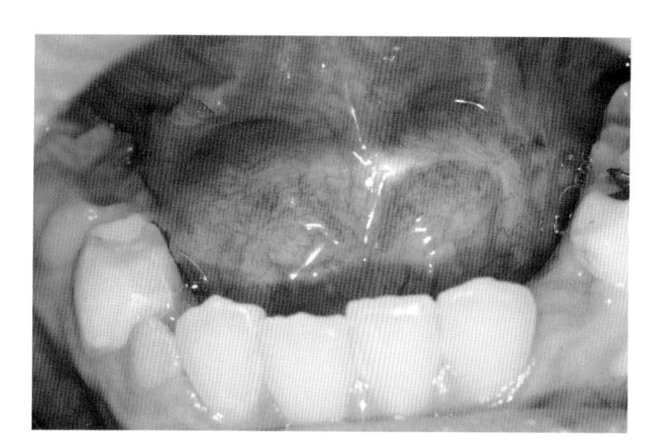
그림 13-18 **Plunging ranula**의 구강내 모습.

obstructive sialadenitis)을 유발한다.

1) 타석의 형성 원인

타석은 점액소경결(mucous plug), 세균 및 탈락상피 등의 유기질 성분에 무기염이 침착하여 석회화되어 점점 더 커지는 것이다. 타석의 형성기전은 정확하게 알려져 있지는 않으나 몇몇 학설에 의하면 ① 신경성으로 인한 타액의 정체, ② 타석형성에 필요한 유기질의 문제, ③ 염증의 존재가 복합적으로 타석의 형성에 관여한다고 할 수 있다. 타석의 성분은 탄산칼슘(calcium carbonate; 75%), 인산칼슘(calcium phosphate; 10%), 가용성 염류(soluble salts), 기타 유기질 및 수분으로 구성되어 있다.

악하선과 이하선에서 타석증 발현의 차이를 보면 악하선에서 타액의 pH는 6.8-7.1이며 이하선에서는 6.3-7.3으로서 악하선이 알칼리 상태에 더 가깝다. 그러므로 이때는 calcium-phosphate ratio에 변화를 가져와서 용해보다는 침전물이 많이 생길 수 있게 된다. 또한 악하선 타액의 점도는 이하선보다 높고, 악하선의 도관이 이하선 도관보다 길며, 분비관 개구부보다 타액선이 해부학적으로 하방에 위치되기 때문에 악하선에서 이하선보다 타석을 더 많이 볼 수 있게 된다. 임상적으로도 악하선에서는 타석이 먼저 형성되고 이차적으로 구강내 세균의 역행성 침윤과 함께 타액선염이 잘 야기될 수 있으나 이하선에서는 염증성 변화에 이차적으로 타석이 형성되기 쉬운 차이점이 있다.

2) 타석증의 증상

종종 증상이 없을 수도 있으며 방사선사진검사에서 우연히 발견될 수도 있다. 대개는 음식을 먹기 시작할 때 해당 타액선의 종창이 있고 다양한 정도의 통증과 불편감을 호소한다. 타석은 분비관을 완전히 폐쇄시키지 않으므로 타액선의 종창과 불편감은 시간이 경과하면서 서서히 완화되며 다음 식사 시에 증상이 반복된다. 타석증이 지속되면 타액의 저류로 역행성 감염이 일어나며 감염이 반복되면 타액선은 경결감이 있게 된다. 급성염증기에는 타액관의 개구부는 부종과 발적이 나타나며 탁한 빛깔의 타액이 배출되거나 농이 배출되는 것을 볼 수 있다. 타석은 개구부로 밀려 나오기도 하며 개구부에 가까울 때는 점막 하방에서 노랗게 비쳐 보일 때도 있으며 타액선 분비관을 따라 양수촉진(bimanual palpation)으로 파악할 수도 있다.

타석은 방사선사진, 타액선조영술, 전산화단층촬영술 등으로 진단이 가능하지만 타석의 석회화가 충분히 진행되지 않은 경우에는 방사선사진에서 잘 나타나지 않기도 하며 이하선 타석의 약 40%, 악하선 타석의 약 20% 정도가 이에 해당된다. 악하선의 경우 타액선내 타석과 타액관내 타석의 발생빈도는 1:4 정도이다. 이하선의 타석은 발견되기 어려운데 특히 방사선사진을 통한 진단이 어렵기 때문이다.

이하선의 경우 타액선 실질내에 타석이 발생한 경우와 이하선관에 타석이 발생한 경우가 1:35 정도이나 타액선 실질내의 타석은 진단이 어렵기 때문일 것이며 만성 재발성 이하선염에서 이하선절제술(parotidectomy) 시에 타석이 발견되는 경우가 많다.

3) 치료

급성기간에는 우선적으로 보존적 치료를 시행한다. 여기에는 항생제요법, 진통해열요법 및 소염요법을 들 수 있다. 아울러 구강청결의 유지 향상도 중요하다. 급성 현상이 줄어들면 결정적으로는 외과적 치료가 수립되어야 한다. 외과적 처치는 타석의 적출이다. 타석이 배출구에 가까울 때는 간단히 밀어내서 제거할 수도 있으며 타액선의 분비관에 있는 타석이라면 분비관을 장축으로 절개하여 타석을 적출하고 타액관의 유착을 방지하기 위한 도관을 타액관내에 설치한 후 점막을 봉합한다(sialithotomy)(그림 13-19~21).

타석이 타액관의 굴곡부 하방 또는 타액선 실질내에 위치하거나 만성폐쇄성 타액선염이 진행되어 타액선에 반복적으로 염증이 발생할 때는 타액선 모두를 적출하는 것이 추천되고 있다.

3. 타액선증(Sialadenosis; Noninflammatory disorders)

1) 임상증상

타액선증(sialadenosis)은 타액선 실질의 분비 및 대사장애로 야기되는 비염증성, 비신생물의 양측성 재발성 종창으로 종창은 식사와 무관하게 나타나며 40-70대의 이하선에 주로 나타난다.

2) 원인

타액선증에 의한 타액선의 증대는 모든 종류의 내분비장애에서 보고되고 있으나 주로 당뇨에서 나타나고 있으며 많은 경우 타액선 증대가 먼저 나타난다. 뇌하수체 시스템(pituitary system)의 장애, 갑상선기능저하(hypothyroidism) 등에 의하여 나타나며 임신 중이나 수유 중에도 나타난다. 사춘기나 폐경기 부신기능장애 등과 같이 호르몬 변화가 있는 시기에도 재발성의 이하선종창이 나타날 수 있다. 또한 기아상태이거나 알코올중독 등에서와 같은 만성 영양결핍상태에서 비타민이나 단백질 결핍이 있을 때 타액선종창이 나타난다. 그 외 자율신경계의 기능장애가 신경성 타액선증(neurogenic sialadenosis)의 원인이 될 수 있으며 항고혈압 약물, 항우울제 등의 약물투여 시, 거식증(anorexia nervosa)에서도 이하선종창이 나타날 수 있다.

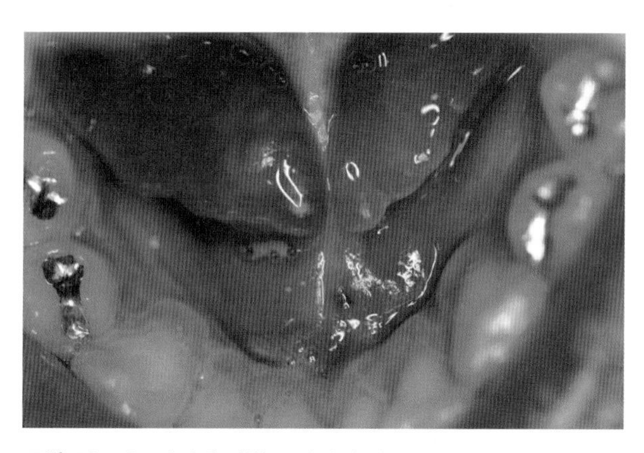

그림 13-19 타석에 의한 구강저의 염증.

3) 진단과 치료

통증을 동반한 양측성 이하선종양 환자에서 대개 원인이 되는 전신질환을 찾을 수 있다.

30-40 ㎛ 크기의 샘꽈리들이 50-70 ㎛ 이상으로 커지기 때문에 타액선조영술 상에서 타액선의 확장과 관의 압박을 관찰할 수 있으며 타액선스캔에서 저류가 증가되고 기능이 감소된 상이 보인다. 생검으로 확진할 수 있으며 흡입검사도 도움이 된다.

내분비 또는 신경성의 타액선증은 치료가 어려우며 당뇨가 적절히 조절되어도 타액선의 크기는 증가된 채로 변화가 없다. 심미적 장애가 문제가 될 때는 이하선절제술을 시행할 수도 있다.

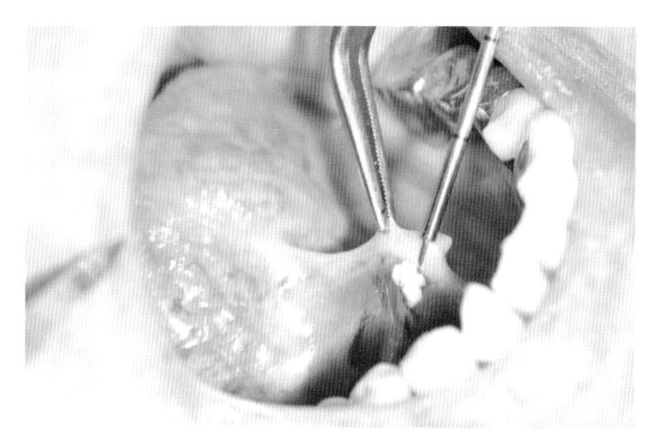

그림 13-20 타액선내시경술을 이용하여 타액선도관을 통해 타석을 제거하는 모습.

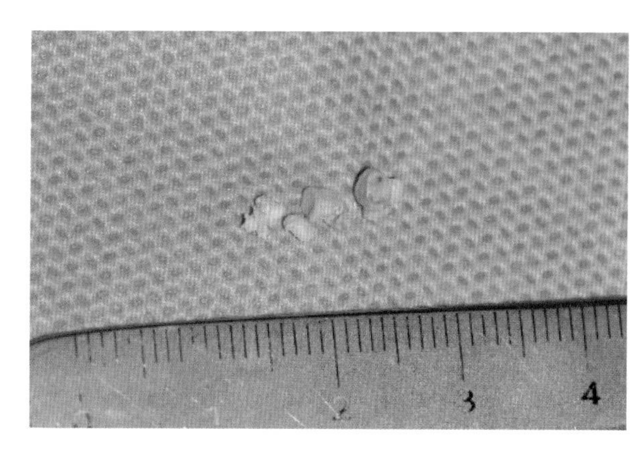

그림 13-21 제거된 타석.

4. 기타 장애

1) 구강건조증(Xerostomia)

구강내 타액의 분비가 적거나 없는 상태로서 전타액의 분비가 자극 시 분당 0.5–0.7 mL 이하 또는 비자극 시 분당 0.1 mL 이하의 타액이 분비되는 경우에 타액분비저하증(hyposalivation)으로 정의한다. 원인으로서는 탈수, 방사선요법, 약물요법으로 인한 후유증, 타액분비를 감소시키는 타액선질환 및 정신적 스트레스 등이 고려된다. 증상은 구강내가 건조하여 음식물의 섭취장애를 야기하며, 발음, 저작, 미각의 이상, 충치, 치주염, 점막염 등의 구강내 감염 가능성을 높인다. 치료는 구강내에 수분을 공급하는 것이 주요한 목표가 된다. 무설탕 껌을 이용한 기계적 자극 혹은 인위적으로 음료를 섭취하거나, 인공 대용타액(Salivart, grandosan)의 이용, 혀 균열 및 통증 완화를 위한 윤활제(lubricant)의 이용, 구강청결을 위한 치태조절, 올바른 칫솔질, 스트레스 관리 등이 요구되며, 불소도포도 충치예방을 위해 필요하다.

2) 타액선 위축(Atrophy)

타액선분비관의 폐쇄는 타액선 위축을 가져올 수 있다. 타액선의 일부 위축은 별로 문제가 되지는 않으나, 대타액선이나 많은 타액선의 위축은 타액분비의 결핍으로 구강건조증을 나타낼 수 있다. 치료는 우선 원인을 제거하고 필요에 따라 대증요법을 시행한다.

3) 타액선분비관 협착(Stricture)

협착은 분비관에 발생한 염증 혹은 타석으로 인하여 분비관 벽에 이차적으로 발생한 궤양의 치유 후에 잘 발생된다. 협착으로 다시 타액선의 병소가 잘 야기되기 때문에 경우에 따라 분비관에 탐침기를 넣어 확장을 시키기도 한다. 분비관 개구부에 협착이 있다면, 유두부를 절개하여 넓히는 유두절개술(papillotomy)을 시행하여 절개한 유두부를 봉합하지 않고 그대로 두거나 도관을 삽입하여 유지시켜 주기도 한다. 경우에 따라 타액관성형술(sialodochoplasty)을 통해 개구부를 구강저 후방 쪽으로 이동 및 확장시킬 수도 있다.

4) 타액 누공(Salivary fistula)

타액 누공은 외상성으로 많이 올 수 있다. 타액선 외상은 타액선 실질조직 및 분비관의 손상으로 나눌 수 있다. 이러한 손상은 구강외로 타액의 유출을 야기하기도 한다. 그러므로 분비관의 손상은 가급적 빨리 수복해 주는 것이 좋다.

도관을 분비관에 삽입하여 분비관을 봉합하고 약 10–14일 후 제거한다. 분비관 개구부의 손상은 개구부의 위치를 이동시키기도 한다. 치유될 수 없을 때는 미리 도관을 완전히 묶어 폐쇄시켜 주는 방법도 있다. 타액선 실질내의 손상은 타액선막을 단단히 봉합하고 층별 봉합을 시행한 후 상처부위를 약 48시간 단단히 압박하여 누공 형성을 막아주고 타액은 분비관을 통하여 나오도록 도관을 삽입하여 타액을 배출시켜줄 수도 있다.

5) 타액과다증(Sialorrhea), 유연증(Drooling)

침을 흘리는 것은 치아가 맹출되는 시기에는 생리적인 현상으로 볼 수 있지만 이 기간이 지나도 계속되면 비정상으로 볼 수 있다. 대개 파킨슨병, 중증근무력증, 경련성장애 등 신경성장애와 동반되는 연하반사의 장애와 중심성의 과다한 타액분비(central hyperstimulation)가 원인으로 생각되며 수유의 문제뿐 아니라 언어치료 등의 재활치료를 어렵게 한다. 그 외 구강, 인후, 식도부위 종양의 절제술 후에도 침을 흘릴 수 있다.

치료는 방사선치료에 의한 타액분비 감소, 타액선 절제술 등이 고려될 수 있으나 치료에 따른 위험도를 감안하여야 한다.

6) 괴사성 타액선이형성(Necrotizing sialometaplasia)

구개의 연구개와 경구개의 경계부에 호발하며 구개

의 상피 하부의 결합조직과 소타액선이 점차 괴사되고 도관이 편평상피화생(squamous metaplasia)되는 것이다. 직경 2–3 cm 정도의 분화구 모양의 궤양을 형성하며 융기되거나 기복된 변연을 갖지 않는다.

어떠한 외상없이 자발적으로 야기되며 40대에 호발하며 남자에게서 많다. 경우에 따라서는 구개의 국소마취 후에 야기되기도 하며 구개외에도 발생하였다는 보고도 있지만 원인은 아직 잘 파악되고 있지는 않다. 국소적 경색(infarction)으로 소타액선의 폐쇄와 함께 괴사가 진행되는 것으로 보고 있지만 그 경색의 원인으로 전신성 혈전색전증(thromboembolism)이나 미세혈관의 폐쇄와 관련은 없는 것으로 보는 자발적 현상으로 추정하고 있다.

이 질환에서는 세포의 형태가 보존되어 있는 응고성 괴사의 특징을 관찰할 수 있다.

중요한 것은 양성병소로 자가치유되나 임상적, 조직학적 소견상 타액선의 악성종양으로 오진되기 쉽다는 점이다. 현미경으로 확진되면 치료가 필요 없고 괴사부위는 1–3개월 이내에 서서히 자연치유된다. 경우에 따라서는 궤양 하부의 융기된 구개골의 삭제와 연조직 처치와 함께 구강내 환경을 개선시키기도 한다.

Ⅳ. 타액선염

1. 세균성 타액선염(Bacterial sialadenitis)

1) 급성화농성 타액선염(Acute purulent sialadenitis)

이 질환은 이하선에서 비교적 잘 발생된다. 이는 이하선이 다른 타액선보다 균에 대한 정균기능이 저하되어 있기 때문이다. 흔히 화농이 발생되므로 화농성 이하선염(suppurative parotitis)이라고도 한다. 주로 고령이거나, 영양불량, 탈수현상, 급성 발열질환, 장시간의 수술, 항콜린성제제, 항히스타민제, 안정제(tranquilizer)와 같은 타액선 분비억제제의 사용, 만성 소모성질환이 있는 경우에 역류성감염(retrograde infection)으로 잘 발병한다. 국소적으로는 외상, 트럼펫주자, 교정용 철선에 의한 도관의 외상, 기타 치과치료 후에도 약 5% 정도 나타나고 있다(표 13-1).

표 13-1 타액선염의 분류

세균성 타액선염
Acute purulent parotitis
Acute postoperative parotitis
Chronic recurrent parotitis
Tuberculosis of the salivary gland
바이러스성 타액선염
Epidemic parotitis
방사선성 타액선염
폐쇄성 타액선염
면역성 타액선염
Myoepithelial sialadenitis (Sjogren's syndrome)
Epitheloid cell sialadenitis (Heerfordt's syndrome)
Chronic sclerosing sialadenitis (Kuttner tumor) of the submandibular gland

(1) 증상

침범된 타액선주위로 발적 및 종창이 갑작스럽게 야기된다. 술후 환자에서는 대개 3–5일째 발생된다. 이하선의 경우에는 귓불 앞 혹은 뒷쪽 부위에 갑작스러운 단단한 발적 종창이 있다(그림 13-22). 악하선의 경우에는 하악골 우각부 및 악하부에 나타난다. 국소적으로 통증을 동반한다. 타액의 분비관을 개구부 쪽으로 문지르면 개구부에 농성 분비물을 볼 수 있다(milking test). 감염의 정도에 따라 갑작스러운 체온의 상승, 오한 및 혈액 내의 백혈구의 증가(20,000/μL 이상이 될 수도 있음) 등을 볼 수 있다. 이하선은 두터운 섬유성막으로 둘러싸여 있기 때문에 배농이 자연적으로 되기는 쉽지 않으므로 치료 시 주의를 요한다. 타액선조영술은 통증이 있는 급성타액선염에서는 적응증이 되지 않는다. 악하선에서는 타석증이 같이 동반되기도 한다. 때로는 생명에 영향을 줄 정도의 심한 감염이 안면피부 및 경부에 있어 호흡곤란이 있을 수 있으며, 경우에 따라서는 안면골에 골수염이 동반되기도 하고, 패혈증에 빠지기도 한다. 급성화농성 이하선염의 경우 사망 증례도 보고되고 있으나 이는 이미 저항력이 떨어지고 쇠약해진 환자들에서 주로 발생된다고 볼 수 있다.

(2) 원인

원인균으로는 처음에는 황색포도상구균(*staphylococcus aureus*) 균주가 많이 나타나며, 시간이 경과할수록 *klebsiella*, *proteus*, *diphtheroids*, *E coli*, *haemophilus influenza*, *gonococcus* 같은 균주가 많이 나타난다.

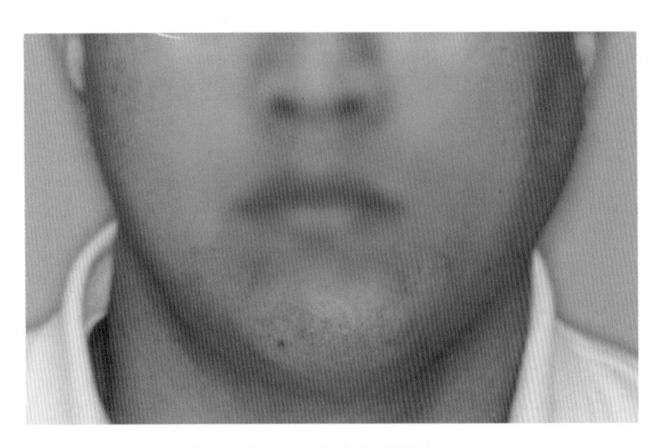

그림 13-22 좌측 이하선의 급성타액선염.

(3) 치료

① 수분공급

특히 고령이거나, 소모성질환을 가지고 있거나 혹은 술후 환자에서의 초기치료는 환자에게 충분한 수분을 공급해 주는 것이다. 이는 타액의 양을 증가시키고 점도를 감소시켜 배농을 도모해 주기 위한 것이다.

② 항생제의 사용

원칙적으로는 균배양검사를 시행한 후에 항생제를 선택하여야 한다. 그러나 여건에 따라 경험적인 항생제의 사용이 선행될 수도 있다. 포도상구균으로 인한 감염이라면 페니실린에 내성이 있는 경우를 고려하여 methicillin과 같은 penicillinase resistant penicillin의 사용도 바람직하다.

③ 분비관으로의 배농 촉진(타액선 도관세정술)

구강내의 청결을 도모하면서 급성감염의 정도가 조금 완화되면 탐침자를 이용하여 분비도관을 확장시켜주고, 생리식염수 혹은 요오드 용액 등을 이용하여 분비도관을 통하여 타액선을 세척한다. 분비를 촉진시키기 위하여 타액분비 촉진제 혹은 레몬즙 같은 신 음식을 섭취하게 한다. 타액분비억제제를 투여하고 있는 환자라면 투여를 중지시킨다. 물리치료로서는 온찜질을 염증의 정도에 따라 시행하기도 한다.

④ 외과적 절개 및 배농

단단한 섬유성막(dense fibrous capsule)으로 싸여진 타액선에서의 축적된 농의 자가배농이 힘들다. 따라서 경우에 따라 외과적 절개가 필요하다. 절개는 국소마취하에서 피부절개를 먼저 하고 섬유성막을 무딘박리로 뚫고 들어가 배농을 한다. 이때 안면신경의 손상을 주지 않도록 세심한 주의를 요한다. 배농관은 농 배출이 좋은 위치에 두고 염증성 종창이 없을 때까지 매일 세척해 낸다. 차후에 야기될 수 있는 타액 누공은 쉽게 생기지는 않는다.

⑤ 기타

과거에는 방사선요법도 시도된 바 있으나 현재는 사용되지 않고 있다.

⑥ 예후

치유가 되더라도 재발되는 경우가 많다. 재발 시에는 주로 아급성이나 만성형태의 타액선염으로 나타난다.

2) 만성 재발성 타액선염(Chronic recurrent sialadenitis)

급성타액선염이 완화되면서 만성화될 수도 있으며, 이때는 피부발적이 없을 수 있다. 장시간의 전신마취, 고열을 동반하는 폐렴 같은 질환 후에 탈수로 인하여도 야기될 수 있다. 결국 만성질환은 주로 타액의 점액성 응괴(mucous plug)로 인한 타액분비관의 폐쇄 이후에 잘 야기되고 있다. 이러한 상태에서는 타액은 정체되고 분비 관계는 팽창이 되어, 인접 타액선 조직에 압력을 가하게 되고 위축이나 섬유화 또는 협착을 일으키며, 구강내의 세균은 분비관으로 역행하여 염증을 야기시킨다. 그러므로 타액선은 단단해져서 경결이 있으며, 약한 정도의 염증이 오랫동안 지속되어 나타난다. 염증의 변화 시기에 따라 통증이 있을 수도 있으나 대개 만성인 경우 통증이 없다. 이하선의 경우에는 때로는 쇼그렌증후군과 병행하여 야기될 수도 있으며 원인 모르게 나타날 수도 있다. 잘 나타나는 균들은 *streptococcus* 계열이지만 *staphylococcus*와 혼합되어 나타나기도 한다.

선조직은 부분적으로 파괴될 수도 있으며, 또한 배출이 요구되는 농양이 형성되었거나 때로는 낭종이 생길 수도 있다. 수년간 증상의 완화 또는 재발이 반복되는 경우도 있다. 타액선조영술과 함께 항생제의 투여, 분비관의 세척, 구강내의 청결, 타액의 분비촉진 및 물리적인 보존적 치료 등으로서 증상을 완화시키기도 하나 재발이 빈번하다. 따라서 경우에 따라서는 외과적으로 타액선을 적출하기도 한다. 특히 이하선의 경우에는 표층엽의 절제만을 시행할 수도 있으며 이때는 안면신경을 잘 보존하면서 타액선 절제를 시행하 여야 한다.

감별진단으로서 부속타액선조직(accessory salivary tissue)의 감염이나, 협부의 농양 등이 있다. 특히 이하선의 경우 쇼그렌증후군과 감별을 요한다.

3) 소아에서의 타액선염(Childhood sialadenitis)

주로 급성 화농성 이하선염이 많으며 이는 출생 후 2주 정도 지나서 많이 발생한다. *Staphylococcus aureus* 균이 주로 나타나고 있다. 치료로서는 정맥을 통한 수분의 보충과 함께 항생제 투여가 요구되며, 신생아에서도 외과적 절개 및 배농이 필요한 때도 있다. 유아기에서는 잘생기지 않으나 야기되면 어른에서와 유사한 경로와 치료과정을 거치면 된다. 그러나 재발성이하선염은 사춘기 전의 여자보다는 남자에서 종종 많이 보이고 있으며, 원인으로서는 선천적으로 분비관의 이상이나, 바이러스, 이물질 및 교정장치 등에 의해 야기될 수 있다. 치료로서는 원인을 제거하고 항생제와 분비관의 세척 및 대증요법을 시행한다.

4) 특수 염증(Specific inflammation)

(1) 결핵(tuberculosis)

결핵균의 침범은 타액선에서도 있으며 일차적으로 발병하기도 하고 결핵성 폐렴이 있을 때 속발성으로 나타나기도 한다. 이하선과 그 주위의 림프선에서 다른 타액선보다 많이 나타나고 있으며, 경결을 동반한 종창으로 종양과 감별이 요구되기도 한다. 폐의 방사선사진과 피부반응검사(skin test), 항산염색(acid-fast stain) 및 미코박테륨속(*mycobacterium*)의 균배양검사 등으로 진단을 할 수 있다. 항결핵요법을 시행하며 경우에 따라 외과적 절제가 필요하기도 하다.

(2) **방선균증**(actinomycosis)

구강내 상재균 중의 하나인 *actinomyces israelii*에 의한 감염이다. 구강악안면의 방선균증 중 타액선으로의 침범은 약 10% 정도 된다. 진단은 미세도말(microscopic smear)이나 균배양검사 및 조직검사로서 확진할 수 있다. 균배양검사의 시검물은 분비관에서 분비되는 타액보다는 누공이 형성되었다면 누공의 물질이나 조직검사에서 나온 조직의 균배양검사가 더욱 믿을 만하다. 선조직의 파괴 양상을 보기 위해서는 타액선조영술도 도움이 된다. 치료는 장기간의 페니실린과 같은 항생제 사용이 중요하다. 치료의 중단을 위해서는 임상적으로 창상의 관찰을 잘 해야 하며, 타액선조영사진도 도움이 될 수 있다.

2. 바이러스성 타액선염(Viral sialadenitis)

1) 유행성이하선염(Mumps), 볼거리

유행성이하선염(mumps)는 그 어원이 lump 혹은 bump에서 나와 현재는 잘못 기술된 것이라고 한다. 이는 바이러스 중의 하나인 mumps virus에 의해 주로 겨울 및 봄철에 소아에서 잘 야기되는 질환이다. 감염된 타액이나 소변으로 잘 이환되며 약 15-18일의 잠복기를 거친다. 통증은 이환된 타액선에서는 극심하게 나타나며 대체로 급속한 종창을 가져오는데, 주로 양측성으로 나타나며 경우에 따라 편측성으로도 올 수 있다. 감염은 이하선으로 잘 침범하며, 이때의 종창은 하루 내지 이틀의 전구기간이 있으며, 이 시기에는 종창에 앞서 극심한 통증과 체온의 상승, 오한 및 두통이 있을 수 있다. 병발증으로는 아래와 같은 병증들이 있다.

① **췌장염(pancreatitis):** 췌장염이 동반될 수 있으며 복부의 동통이나 압통(tenderness)이 있다. 이때는 혈청의 아밀라아제가 상승하며 드물기는 하나 당뇨병이 나타나기도 한다.

② **고환염(orchitis):** 사춘기 이후에 이환된 환자의 20% 정도에서 나타나고 고환에 종창이 야기되고 단단해지며 통증을 동반한다. 양측성으로 자주 오며 불임이 될 수도 있다.

③ **뇌염 및 뇌막염(meningitis, meningoencephalitis):** 잘 생기지는 않으나 목이 뻣뻣하거나(stiff neck), 졸음 및 두통을 동반하게 된다. 그러나 질환의 심도는 비교적 약하고 자연치유될 수도 있다. 중추신경계에 감염되는 경우는 많으며 청신경의 마비를 야기시킬 수도 있으나 다행히 대부분 편측에만 나타난다.

④ **기타 병발증:** 그 외 드물게 mumps thyroiditis, mumps myocarditis, mumps hepatitis 등도 올 수 있다. 진단으로는 혈청의 아밀라아제 수치가 상승하며, 백혈구감소증이 나타나기도 한다. 보체결합반응검사(complement fixation test)도 진단에 도움이 되며, 양측성일 경우에는 바이러스 원인이 유력하고 편측성일 때는 세균감염을 의심할 수 있다. 치료로서는 대증요법으로 동통의 완화, 발열의 감소 및 탈수 예방을 위한 수분공급 등을 시행한다. 보통은 5-10일 내에 자연치유되며, 계속적인 재발의 증상이 있다면 만성이하선염으로 보아야 할 것이다.

3. 방사선성 타액선염(Radiation sialadenitis)

타액선기능의 상실 정도는 방사선치료의 세기와 빈도, 치료기간 등에 좌우되며 타액선이 치료의 표적기관인지 또는 치료범위에 포함되었는지에 따라서도 달라진다. 고도로 분화된 장액선 샘꽈리가 점액선보다 방사선에 대하여 민감하며 주로 이하선에 나타나며 치료적 방사선조사 후에는 대개 타액의 분비량이 10분의 1로 감소된다. 방사선성 타액선염에 관여하는 요소는 타액 흐름(salivary flow)의 감소, 타액의 점도 증가, 효소작용(enzyme activity)의 감소, 단백질 분비의 감소, 타액선에 대한 혈류감소 등이며 이러한 상황에서 타액선은 세균성 감염에 이환되기 쉬우며 구강점막은 방사선치료 중 *Candida albicans*에 이환되기 쉽다.

통계에 의하면 70 Gy의 방사선치료 후 5년이 경과하여도 타액분비의 감소, 단백질 분비장애 등 합병증이 나타난 경우가 50%였으며 40-60 Gy 후에도 영구적인 구강건조를 보인다는 보고도 있다.

완전한 치료는 어려우며 부족한 타액을 보충해주어 구강건조를 완화시키는 것이다.

4. 폐쇄성 타액선염(Obstructive electrolyte sialadenitis)

폐쇄성 타액선염의 90%는 악하선에 10%는 이하선에 발생한다. 초기에는 타액의 전해질 함량에 변화가 와서 타액의 점도가 증가되며 타액이 타액관 말단부에 정체되면서 계속 진행되면 말기에는 타석이 형성된다.

폐쇄성 타액선염의 초기에는 타액관 내에 분비물의 점액 덩어리가 채워져 있는 소견이 특징이며 타액관의 확장은 심하지 않다. 당뇨, 간경화 등의 대사질환이 있는 환자의 25%에서 이하선 내에서 구형결석이나 미세결석을 관찰할 수 있다. 도관 내에서 이러한 분비액의 농후는 거의 대부분 선관확장증과 도관주위염을 유발하게 되며 말기에는 선관확장증, 편평상피화생, ductular proliferation 등의 폐쇄성 병소의 정도가 심해진다. 분비 기질이 위축되고, 간질내에 periductal fibrosis가 진행되는데, 림프구, 조직구, 형질세포 등이 침착되어 도관을 결찰한 것과 유사한 조직소견을 나타낸다. 소타액선에서도 특히 노인의 입술과 협점막에서 미세결석과 저류낭종(retention cyst)이 나타난다.

5. 면역성 타액선염(Immune sialadenitis)

1) 알레르기타액선염(Allergic sialadenitis)

급성 알레르기타액선염은 타액선내에서 다양한 항원-항체 반응에 의하여 유발된다. 순식간에 발생한 타액선의 종창은 항원이 제거되어야만 사라진다. 항원으로는 음식물, phenylbutazone 등의 약물이 항원으로 작용할 수 있다. 종창은 2-3주의 간격으로 자주 발생할 수 있으며 연중 2-3개월간만 나타날 수 있다. 알레르기비염, 두드러기성통반 등 다른 알레르기 현상과 함께 나타날 수 있고 혈중 호산구가 증가되며 타액은 무균상태이며 타액선조영술상은 정상소견이다. 항히스타민 약물을 이용하여 예방할 수 있다.

2) 쇼그렌증후군(Sjögren syndrome)

이 증후군은 면역이상이 관련된 질환 중 타액선에서 볼 수 있는 만성전신성 자가면역질환으로서 자가면역타액선염, 양성임파상피성질환(benign lympho-epithelial lesion), chronic myoepithelial sialadenitis, autoimmune sialadenopathy 등으로 불린다. 1892년 Mikulicz는 임상적으로 타액선 및 누선에서 대칭적 양측성으로 종창이 있는 증례를 발표하여 Mikulicz's disease로 명명하여 만성염증성의 질환으로 간주하였다. 1933년 스웨덴의 안과의사인 쇼그렌(Sjögren)은 류마티스관절염(rheumatoid arthritis), 건성결막염(keratoconjunctivitis sicca), 구강건조증(xerostomia)의 증례를 보고하였으며 1965년 Bloch 등이 결체조직질환(connective tissue disease)으로 인식하여 류마티스관절염, 경피증(scleroderma), polymyositis, polyarteritis nodosa 등이 동반 가능하다고 하였다.

누선과 타액선의 대칭성비대가 특징인 Miculicz′ disease는 쇼그렌증후군과 같은 범주의 면역성 타액선염으로 생각된다. 주로 분비선에서 야기되며, 이차적으로 결합조직에서도 야기된다. 구강, 눈 및 관절에 주로 증상을 나타내며 구강내에는 구강건조증과 타액선의 종창이 있다. 눈에서는 눈물의 감소 및 건성결막염이 있으며 관절에는 관절염이 주로 존재할 수 있다. 이 중 구강내 불편감이 가장 흔하다. 구강건조증으로 치아에서는 다발성우식증이 나타나고 칸디다증과 같은 여러 가지 형태의 감염이 구강내에서 야기될 수 있다.

비스킷과 같은 마른 음식을 섭취하기 곤란하며, 구

강내 의치 장착도 힘들게 된다. 혀에서는 유두가 상실되기도 하며, 미각이상이 있기도 한다. 타액선의 선세포는 림프조직으로 대체되어 있고 분비관에서는 상피성 혹은 근상피성 세포증식이 있다. 그러므로 양성의 임파상피성질환(lymphoepithelial lesion) 중의 하나이다. 5-8%에서는 림프종(lymphoma)으로 이행될 수도 있다. 40세 이상의 여자에서 남자보다 약 9배 정도 많이 나타난다. 타액선조영사진, 눈물분비검사(Schirmer's test), 하순의 생검 등으로 진단할 수 있다. 치료는 자가면역질환의 치료와 아울러 대용 타액의 사용, 구강내의 치태조절 및 불소도포 등을 시행할 수 있다.

3) 유육종증(Sarcoidosis of the salivary gland)

만성, 전신적, 육아종성 염증으로 호발부위는 폐와 종격부 림프절(mediastinal lymph node)이며 인체 어느 기관에서도 나타날 수 있다. 백인보다는 주로 30-40대 흑인에서 잘 발생하고 있다. 타액선에는 약 60% 정도의 이환을 나타낸다. 10% 정도에서는 포도막이하선열(uveoparotid fever; Heerfordt's syndrome)이라는 이하선의 종창, 안면신경의 마비, 눈의 홍채와 모양체의 염증인 포도막염이 함께 나타나고 있다. 원인은 아직 밝혀지고 있지 않으나 박테리아, 결핵, 바이러스, 곰팡이, 화학물질 및 자가면역질환에 의한 가설 등이 제시되고 있다. 증상은 비교적 약하게 나타나며, 미열을 동반하거나 권태감(malaise)이 있다. 질환의 초기에는 흉곽내 폐문림프절(hilar lymph node)의 종창이 있고, 흉곽외에는 이하선 혹은 악하선의 종창이 나타날 수도 있다. 이 종창은 수개월 내지 수년간 지속될 수 있으며, 타액의 분비를 감소시키기도 한다. 그러나 화농은 드물게 일어난다. 그러므로 쇼그렌증후군과 감별도 요구된다. 진단은 타액선조영술과 생검을 이용하여 파악할 수 있고, 조직소견으로는 유상피성세포, 림프구 및 거대세포가 나타나며 진성 건락화(caseation)는 없다. 혈청내 아밀라아제 수치나 감마글로불린의 측정도 도움을 줄 수 있다. 경우에 따라 원인도 모르게 자연히 치유되기도 한다. 치료로서는 전신적인 코티코스테로이드의 투여로서 종창을 경감시키기도 한다.

V. 타액선종양

타액선종양은 어느 연령층이나 발생 가능하나 주로 50-70대에 많으며 남자보다 여자에게서 많이 나타난다.

타액선에서도 타 부위와 마찬가지로 양성 및 악성 종양이 나타나고 있다. 발생률은 모든 두경부종양 중 약 3% 미만이다. 이러한 종양은 대타액선에서 약 80-90%, 소타액선에서 약 10-20%를 나타내고 있으며, 대타액선의 경우 이하선에서 약 80-90%, 악하선 10-20%, 설하선 5% 미만에서 나타나고 있다. 소타액선의 경우 구개에서 가장 많이 호발하고 있으며, 다음으로 입술에서 많이 나타난다. 종양이 악성일 확률은 타액선의 크기가 작을수록 높다. 즉 대타액선보다는 소타액선에서의 종양이 악성일 가능성이 많다고 할 수 있다(표 13-2).

양성종양은 대부분 이하선의 표재엽 끝부분에서 약 80% 정도 발생한다. 진단은 세포의 종류나 성장양상이나 분화의 양상에 근거를 두어 진단한다. 타액선종양도 상피성종양과 비상피성종양으로 구분할 수 있으며 중배엽성 기원의 혈관종, 림프관종, 결체조직유래 또는 신경조직유래의 비상피성종양은 전체 타액선종양의 5% 미만으로 대부분은 상피성종양이다. 현재로는 많은 학문적 진보에도 불구하고 타액선종양은 아직 공통적으로 인정된 분류는 없다. 그러나 1987년 UICC (Union International Centre le Cancer), AJCC (American Joint Committee on Cancer)에서는 타액선 악성종양의 TNM 분류를 통합하였으며 구강암의 분류와 비슷하나 종양의 크기가 2 cm 이하일지라도 타액선

표 13-2 타액선종양의 유병률

타액선종양의 발생 부위

저자(연도)	증례 수	발생 부위(%)			
		이하선	악하선	설하선	소타액선
Eveson and Cawson (1985)	2,410	73%	11%	0.3%	14%
Seifert et al (1986)	2,579	80%	10%	1.0%	9%
Spiro (1986)	2,807	70%	8%	(소타액선에 함께 포함)	22%
Ellis et al (1991)	13,749	64%	10%	0.3%	23%
Tian et al (2010)	6,982	61%	10%	1.0%	28%

악성 타액선종양의 비율

저자(연도)	증례 수	발생 부위(%)			
		이하선	악하선	설하선	소타액선
Eveson and Cawson (1985)	2,410	15%	37%	86%	46%
Seifert et al (1986)	2,579	20%	45%	90%	45%
Spiro (1986)	2,807	25%	43%	(소타액선에 함께 포함)	82%
Ellis et al (1991)	13,749	32%	41%	70%	49%
Tian et al (2010)	6,982	18%	26%	95%	62%

이하선종양

	Tian et al (2010)	Ellis et al (1991)	Eveson & Cawson (1985)	Thackray & Lucas (1974)	Eneroth (1971)
총 증례 수	4,264	8,222	1,756	651	2,158
• 양성종양					
Pleomorphic adenoma	49.9%	53.0%	63.3%	72.0%	76.8%
Warthin's tumor	22.4%	7.7%	14.0%	9.0%	4.7%
Oncocytoma	0.5%	1.9%	0.9%	0.6%	1.0%
Basal cell adenoma	5.8%	1.4%	–	–	–
Other benign tumors	3.4%	3.7%	7.1%	1.8%	–
Total	82.1%	67.7%	85.3%	83.4%	82.5%
• 악성종양					
Mucoepidermoid carcinoma	4.3%	9.6%	1.5%	2.3%	4.1%
Acinic cell adenocarcinoma	3.2%	8.6%	2.5%	1.2%	3.1%
Adenoid cystic carcinoma	1.8%	2.0%	2.0%	3.3%	2.3%
Malignant mixed tumor	2.3%	2.5%	3.2%	4.1%	1.5%
Squamous cell carcinoma	0.7%	2.1%	1.1%	1.0%	0.3%
Other maligant tumors	5.6%	7.5%	4.4%	4.7%	6.3%
Total	17.9%	32.3%	14.7%	16.6%	17.5%

소타액선종양 발생 부위

저자(연도)	증례 수	구개	입술	협부	후구치	구강저	혀	기타
Eveson & Cawson (1985)	336	54%	21%	11%	1%	–	4%	8%
Walron et al (1988)	426	42%	22%	15%	5%	5%	1%	9%
Ellis et al (1991)	3,355	44%	21%	12%	2%	3%	5%	12%
Buchner et al (2007)	380	54%	22%	14%	5%	3%	1%	0%
Jones et al (2008)	455	51%	24%	12%	2%	2%	2%	8%

실질외막 밖으로 확산된 경우에는 T3으로 분류하는 것이 다소 차이가 난다.

타액선의 양성종양은 다른 조직의 양성종양보다 재발이 많으며, 악성종양은 다른 악성종양보다 악성도가 약간 떨어진다. 여기서는 기술상 양성종양과 악성종양으로 나누어 살펴본다.

1. 양성종양

1) 다형선종(Pleomorphic adenoma)

타액선에서 가장 흔한 양성종양으로서 기본적으로 근상피세포(myoepithelial cell)의 증식이 보이면서 상피와 결합조직이 같이 구성되어 있다. 여자에서 남자보다 2배 정도 호발하며, 주로 50–60대 연령층에서 호발한다. 호발하는 타액선의 종류를 보면 이하선에서 약 84%, 악하선에서 약 8%, 소타액선에서 6.5%, 설하선에서 0.5% 정도 발생한다. 특히 소타액선에서는 50% 이상이 구개에서 나타나며 상순, 협점막 순으로 나타난다. 형태는 둥글며, 중등도의 경도를 가진다. 궤양은 잘 나타나지 않으나 간혹 종양 상부의 상피조직에 궤양이 있을 수도 있다.

병소는 분명한 섬유성 피막을 형성하고 있는 것이 일반적이다. 크기는 1–5 cm 정도이며 경우에 따라 더 클 수도 있다. 치료로서는 종양의 주변 정상조직까지 완전히 절제를 하는 것이다. 재발은 일반적으로 5–30%이다. 통상 정상조직까지 완전히 절제하면 재발을 5% 이하로 줄일 수 있다. 이하선의 경우는 종양의 발현위치에 따라 안면신경을 보존하면서 표재성 이하선절제술(superficial parotidectomy)을 많이 시행한다. 심층엽에 발생된 종양도 안면신경을 보존하면서 전부 이하선절제술(total parotidectomy)을 시행하고 있다. 이때 안면신경은 전이부 안면신경간을 찾아 전방으로 신경을 분리하기도 하고 안면신경의 가지를 먼저 찾아 후방으로 신경간까지 도달하는 수술방법을 선택할 수도 있으나 술자의 선호도에 따라 선택할 수 있

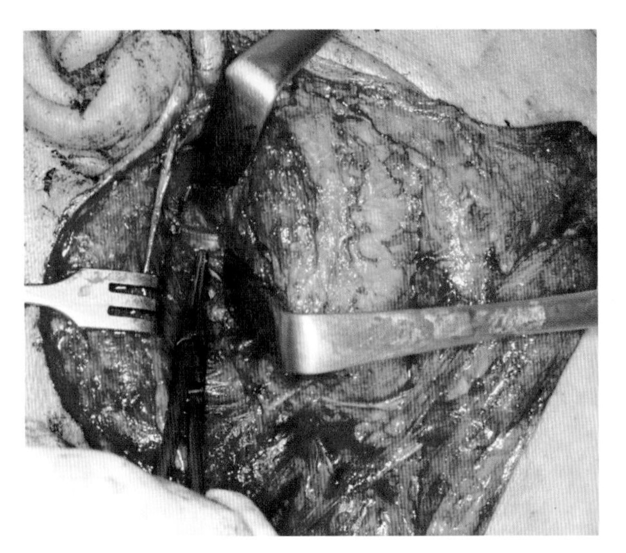

그림 13-23 이하선 적출 중 전이부 안면신경간.

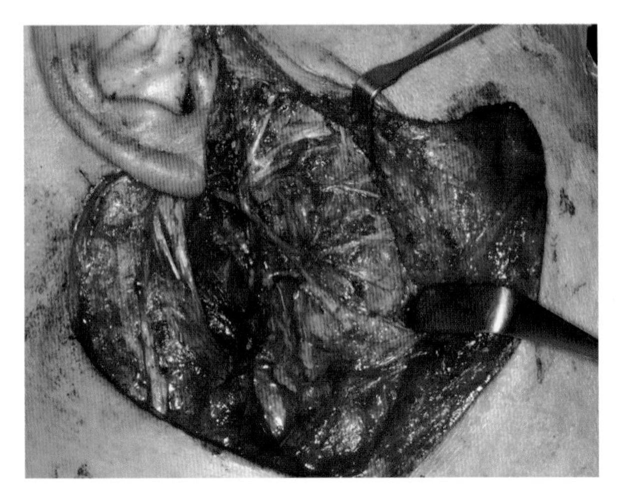

그림 13-24 박리된 안면신경 가지들.

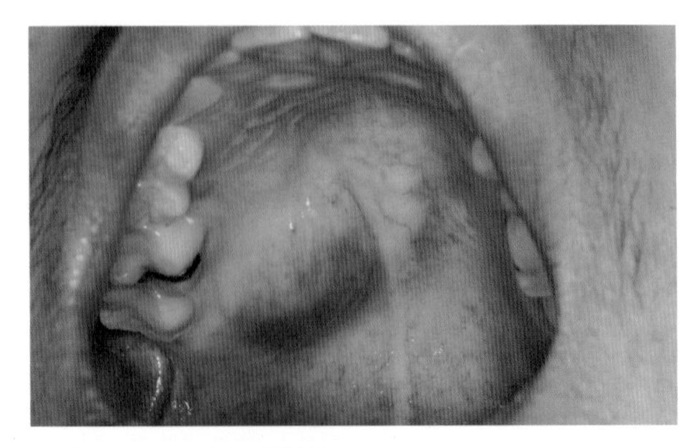

그림 13-25 구개부 다형선종.

다(그림 13-23, 24). 구개부에서는 종양상부의 점막상피를 포함하는 종양피막의 상부조직의 절제술이 필요하다(그림 13-25). 이 종양은 악성으로의 전이 가능성도 있다.

2) 와르틴종양(Warthin's tumor, Cystadenoma lymphomatosum)

타액선 상피의 약 6%이며 주로 이하선 미부(tail lobe)에서 호발한다. 병소는 많은 낭을 형성하고 낭내로 중층의 eosinophilic columnar cell이 돌출되어 있으며 주위 결체조직에는 풍부한 림프조직을 함유하고 있다. 양성종양으로 간혹 한정된 성장을 가지기도 한다. 40대 이후에 잘 발생되고 있다. 임상적으로 경계가 잘된 경도가 비교적 적은 3-4 cm 직경의 무통성 종물이며, 내용물은 크림 같은 물질을 볼 수 있다. 테크네튬(technetium)을 이용한 섬광촬영술(scintigraphy)에서는 열점(hot spot)으로 나오는 것이 특징적이다. 구강내로는 주로 구개나 협점막에 호발하며 양측성으로도 올 수 있다. 이하선과는 달리 종양피막이 없을 수도 있다. 치료는 정상조직만 남을 수 있도록 완전한 절제술이 필요하다. 이하선의 경우는 상엽절제술이 필요하다. 재발은 10% 미만이다.

3) 타액선호산성과립세포종(Oncocytoma; Oxyphilic adenoma)

일반적으로 양성종양이며 이는 50세 이하에서는 드물다. 선세포나 엽내분비관(intralobular duct)에서 생긴 퇴행성 상피세포인 호산성과립세포(oncocyte, eosinophilic granular cells)로부터 발생한다. 이 세포 집단에는 사립체(mitochondria)가 많이 있으며 섬유성 피막이 잘 형성되어 있다. 여자에게서 호발하며 주로 80대의 노년층에 많다. 무통성이며 테크네튬에 증가된 흡수를 보인다. 귀전방, 단발성 혹은 다발성 엽으로 이하선에서 발생이 많으며 소타액선에도 발병한다. 조직 소견에서는 진성으로는 림프조직이 없으며, 고농도의 사립체를 가지는 것이 특징적이다. 이하선에서 발생한 경우는 테크네튬 이하선 스캔에서 흡수가 증가된 양상을 보인다. 치료로서는 안면신경을 보호하면서 주의깊게 외과적인 절제술이 이용된다. 단순한 적출술에서는 10% 정도의 재발이 있다.

4) 단형선종(Monomorphic adenoma)

단형선종은 한 개의 상피종류로 구성된 타액선의 양성종양으로 섬유성피막이 잘 형성되어 있다. 타액선 종양의 약 2% 정도이며, 간엽조직은 거의 없고 주로 상피세포로 구성된 양성 타액선종양이다. 상피세포의 종류에 따라 basaloid, membranous, salivary duct, sebaceous, myoepithelia, mucinous 등과 같이 나눌 수 있다. 가장 흔한 것은 basaloid adenoma 같은 단형선종이다. 이하선과 상순 등에 호발하며, 5 mm-3 cm 정도의 직경으로 점막하의 단단한 덩어리를 형성한다. 병소는 비교적 팽창성으로서 파괴적이지는 않다. 종양의 위치, 크기 등에 따라 보존적 절제술 혹은 상부 이하선 절제술을 시행할 수 있다.

2. 악성종양

타액선의 악성종양은 전체 악성종양의 0.3%를 차지하며 타액선 악성종양의 80%는 이하선에, 10%는 악하선에, 10%는 소타액선에 발생한다. 전체 이하선종양의 20%, 악하선 종양의 45%, 설하선 종양의 90%, 소타액선종양의 45%가 악성종양이다.

악성도가 낮은 분화가 좋은 선방세포종양(highly differentiated acinic cell tumor)과 점액표피양종양(mucoepidermoid tumor)은 양성종양과 비슷한 증상을 나타내기도 하지만 종양이 급격히 자라거나 통증을 동반할 때, 종양의 움직임이 감소되면서 주위 조직에 고정될 때, 종양이 정상적인 타액선의 범위를 벗어나서 확장될 때, 이하선종양에서 안면마비가 동반될 때에는 악성종양을 의심할 수 있는 소견이므로 주의를 요한다. 대개 안면신경마비를 잘 일으키는 종양이 악성도가 높다.

모든 타액선 악성종양은 선암종(adenocarcinoma)의 한 종류로서 두경부 종양에서 또 하나의 더욱 규명해야 될 부분이다. 해부학적인 복잡성과 증례가 많지 않아 아직 잘 밝혀지고 있지는 않지만, 일반적으로 타액선에서의 악성종양은 완전한 수술경계를 주면서 한 덩어리로 절제하면 재발이 적은 것으로 나타나고 있다.

1) 점액표피양암종(Mucoepidermoid carcinoma)

1945년 Stewart 등이 이런 명칭을 사용하였으며 그전에는 광범위하게 혼합종으로 표현되었다. 이는 epidermoid 세포 성분과 점액분비세포가 혼합되어 있는 조직학적 양상을 보인다. 또한 림프류 조직도 포함되기도 한다. 모든 타액선종양의 3–9%를 차지하며 대소 타액선 모두에서 야기된다. 소타액선종양 중 10% 정도로 야기되고 있으며 주로 구개에 많이 발생한다(그림 13-26). 대타액선에서는 거의 반수 이상은 이하선에서 나타나고 있다. 30–70대에 고르게 나타나며 비교적 여성에게서 많이 나타난다.

상피세포 성분의 정도에 따라 더욱 세분하여 고도, 중등도, 경도의 종양으로 분류된다. 경도에서는 다발성의 낭이 관찰되고 goblet mucus-secreting cell과 columnar ductal cell로 이장되어 있으며, 고도에서는 낭은 거의 없고 편평상피세포의 증식이 많은 편으로 간혹 투명세포(clear cell)의 변이가 있다. 중등도는 편평상피세포 분화는 없으나 낭포도 그 수가 많거나 크지도 않다. 투명세포들의 변이가 있다면 고도(high grade)로 분류된다. 고도의 경우에는 타 부위의 전이도 야기하며 5년생존율은 약 30%이다. 중등도, 경도는 5년생존율이 약 80%이다. 그러므로 고도인 경우는 광범위한 원발성 종양절제술과 경부곽청술을 요하기도 한다.

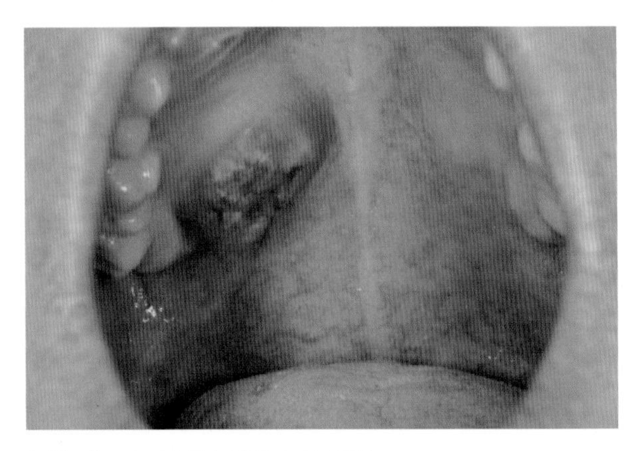

그림 13-26 구개부 점액표피양암종.

이 경우 안면신경의 절제는 종양의 악성도가 높거나, 이하선의 중심부 혹은 심층엽에 악성종양이 야기되었거나, 안면신경의 마비가 나타난 경우 및 재발성 악성종양인 경우에 시행하기도 한다.

간혹 악골에 이러한 병소가 야기될 수 있으며 이는 central mucoepidermoid carcinoma로서 주로 경도(low grade)로 분류된다. 때로는 함치성낭종의 중층 편평상피 내표면에서 mucous cell metaplasia가 나타나기 때문에 이 종양은 치성상피로부터 유래된 것으로 믿고 있다.

2) 세엽세포암종(Acinic cell carcinoma)

이는 선세포에서 야기되는 종양으로서 1950년대까지는 선종(adenoma)으로 양성종양으로 분류하였으나 현재는 양성과 악성 양상 모두를 가지고 있다. 이는 생물학적 작용을 가진 세포들의 형태적 특징으로 결정된다. 조직검사상 맥관확장 및 국소적 침투력(vascular extension and local finger like invasion) 소견이 있을 시 악성의 소견으로 볼 수도 있으나 아직 확실한 양상은 아니다. 그러나 현재는 세엽세포암종(acinic cell carcinoma)로 많이 불리고 있다. 조직소견은 근상피세포(myoepithelial cell) 성분은 적고 간질이 거의 없는 고형 혹은 여포형으로 배열된 염색이 얕은 선포세포로 구성되어 있다. 선포세포는 장, 점액선 세포들이 혼합되어 나타난다. 이하선에서는 표층엽에서 많이 생기며 점액표피양암종 다음으로 많이 발생한다. 여자에서 남자보다 2배의 발병률을 가진다. 5년생존율은 약 90%이며 전이는 약 20%이다. 치료는 비교적 광범위한 절제술이다. 이하선에서는 상부 이하선절제술 또는 전부

이하선절제술을 시행할 수 있으며, 경부림프선전이가 보이면 경부곽청술을 시행한다. 방사선치료에는 잘 반응하지 않는다.

3) 선양낭성암종(Adenoid cystic carcinoma)

선양낭성암종은 대타액선이나 소타액선에서 발생하는 악성 타액선종양이다. 단면의 현미경소견이 종종 관상 구조(실린더형)로 보인다 하여 이전에는 '원주종(cylindroma)'이라고 불렸다.

원주세포(columnar cell)들이 고형, 체모양(스위스치즈형태), 또는 관상으로 형성된 악성 타액선종양으로, 인접한 신경주위막 및 신경주위 림프관으로 침습하는 특징이 있으며 intercalated duct cell에서 유래된 종양이다. 점액표피양암종(mucoepidermoid carcinoma)보다는 발병률이 반 정도이며, 호발부위는 악하선이다. 비교적 서서히 자라고 신경의 침범이 있어 동통과 안면신경의 마비를 나타낼 수도 있다. 세 가지 성장유형이 있으며 한 가지 유형이 우세할 수도 있고 세 가지 유형이 단일병소에서 모두 관찰될 수도 있다. 체모양(cribriform pattern)이 전형적이다. 종양섬(tumor island)은 다수의 소낭으로 분리되고 소엽은 수많은 실린더로 분리되어 스위스치즈 또는 벌집 양상을 보인다. 관상형(tubular pattern)은 작은 관구조가 우세하며, 보통 1-3층의 기저양 세포가 이장되어 있다. 기저양형(basaloid pattern)은 기저세포의 고화성소(solid nest)로 구성되어 있고, 기저세포암종 또는 기저세포선종과 유사하다. 그러나 핵은 과염색상, 다형성 그리고 증가된 유사분열 등의 이형성을 보여준다. 대부분의 기저 양원주종(basaloid cylindromas)에서 부분적으로 사상체나 관상형태를 발견할 수 있다. 면역표시자로서 관성, 근상피성 분화를 가리키는 세포각질(cytokeratin)과 muscle-specific actin을 관찰할 수 있다. 모든 형태의 선양낭성암종의 공통점은 신경주위막의 침습(perineural invasion)경향이다. 종양세포는 관상의 동심성 판상형태로 신경주위막을 둘러싸고 신경세포주위의 림프관으로 침습한다. 종양세포가 신경줄기를 따라 주병소에서 상당히 먼 거리까지 퍼져있기 때문에 수술 후 높은 재발률을 나타낸다.

종양피막의 형성이 잘되지 않으며 전체적으로 재발이 잘 되어 약 60%이다. 악성을 띠는 조직은 solid cellular한 것이며, cribriform 혹은 cylindromatous한 것은 비교적 악성도가 낮다. 40%가 원격전이(metastasis)가 있으며 15%는 림프절 전이가 있다. 치료는 대타액선에서는 전부 이하선절제술이고 수술 시에는 주위 신경다발의 냉동절편을 조사하여 신경세포 침입을 확인해야 한다. 종양에 침습된 신경은 암세포가 더 이상 확인되지 않을 때까지 조사해야 한다. 구개 선양낭성암종은 대구개신경을 통해 익돌상악공간으로 퍼지므로 부분상악절제술을 시행한다. 초기 진단 시 림프절전이는 흔하지 않으며, 임상적으로 또는 방사선으로 발견되면 림프절 박리를 시행한다. 술후 방사선치료는 종양의 방사선감수성이 좋고, 남아있는 종양세포를 방사선으로 제거할 수 있으므로 선택할 수 있다.

첫 수술 후 수년 이내에 재발하는 현상을 보인다. 보통 5년생존율은 좋은 편이지만 10-15년 후 재발하는 경우가 많다. 선양낭성암종의 가장 큰 문제는 질환이 오랫동안 지속되고 국소적으로 재발하는 것이다.

4) 악성 혼합종양(Malignant mixed tumor)

Carcinoma ex pleomorphic adenoma, carcino-sarcoma, metastasizing mixed tumor 등을 들 수 있으며 carcinoma ex pleomorphic adenmoma는 pleomorphic adenoma에서 3-15% 정도 야기될 수도 있으며, 치료는 광범위한 절제술 혹은 국소림프절 절제술이 필요하며 부수적으로 방사선치료도 한다. 5년생존율이 25-65% 정도이며 15년째는 10-35% 정도이다. 예후는 악성도에 따라 달라질 수 있으며 고도로 분화된 암종(carcinoma)인 경우는 경도의 선암종(adenocarcinoma)처럼 5년생존율은 90% 정도되며, 불량한 분화암종에서는 예후가 아주 불량하다. 진성으로 상피세포 및 간엽세포에서 이상(biphasic)으로 편평상피육종(squamous sarcoma) 같은 악성종양이 생길 수 있다. 암육종(carcinosarcoma)의 치료는 근치적 수술과 함께 방사선요법, 항암화학요법을 시행한다. 혼합종양이 전이되면 원발병소와 전이병소 모두 근치적 수술을 시행해야 한다.

5) 다형성 선암종(Polymorphous adenocarcinoma)

타액선의 악성종양으로 소타액선에서 호발하며 중심부에서는 소엽(lobular)과 사상체형태(cribriform pattern), 가장 자리에서는 한 줄로 형성된 층판구조의 관상형태 등으로 다양하게 구성되어 있고 낮은 전이율을 보인다.

보통 구강내 소타액선에서 발생하며 대타액선에서의 발생률은 극히 미약하다. 기존의 다형선종(pleomorphic adenoma)에서 발생하는 선암종(carcinoma ex pleomorphic adenoma)은 놀랍게도 다형성 저등급 선암종과 유사하거나 혹은 똑같은 성장양상을 보인다. 종양세포 군집은 다양한 성장양식을 보이므로 다형성(polymorphous)이란 용어가 사용되었다. 대부분의 세포는 개재관이나 종말타액선관과 유사하다. 어떤 경우에는 선양낭성암종과 혼동할 수도 있는 데 두 종양의 세포형태가 유사하기 때문이다.

여성에서 호발하며 50-70대에서 많이 발생한다. 지금까지 20세 미만에서는 보고가 없다. 60%가 구개에서, 35%가 구순과 협점막에서 발생하며 구강의 다른 부위에서는 거의 발생하지 않는다. 무통성의 종괴이고 촉진에 단단하며 구개에서는 고정되어 있는 느낌이다. 표면의 궤양은 드물며, 서서히 성장하고 그 크기는 직경이 3 cm 이하일 경우가 많다. 일반적으로 종양은 경계가 잘 되어 있으나 피막형성은 없다. 가장자리에서 종양세포는 길게, 한 줄의 관상형태가 평행으로 배열되어 있다. 이러한 한 줄의 관상구조는 차곡차곡 쌓인 것처럼 보여 양파껍질이나 층판구조의 모양으로 보인다. 신경주위 침습 또한 관찰할 수 있는데, 이러한 소견은 선양낭성암종에서도 나타나므로 감별이 요구된다.

지금까지 국소적인 재발로 사망한 경우는 드물다. 재발은 불완전한 절제로 인해 흔히 일어난다. 먼 거리로의 혈류전이는 일어나지 않는다. 약 5% 정도에서만 국소적인 전파가 보고되었다. 넓은 부위의 외과적 절제술이 치료방법이다. 종양내로 통과하는 신경은 가능한 외과적으로 추적하여 동결 절편상에서 확인하여야 한다. 구개종양은 부분 상악절제술이 요구된다.

6) 선암종(Adenocarcinoma)

상기에서 더 이상 나눌 수 없는 타액선 악성을 나타내며 개재관 예비세포(reserve cell)에서 유래한다. 초기의 잘 분화된 종양에서 예후가 좋다. 생존율은 대타액선보다 구강내에서 생긴 종양이 좋다.

3. 타액선종양의 치료

타액선종양은 조직학적 특성이 특히 다양하고 조직학적 특성에 따라 치료결과의 예후에 크게 차이가 나므로 병리학자와의 긴밀한 협조가 특히 중요하다.

세침흡입검사와 수술 중의 동결절편(frozen section)을 통하여 수술범위를 결정하고 수술 후 절제된 조직을 검사하여 방사선치료 여부 등을 결정하며 차후의 분석자료로 활용하는 것이 중요하다.

1) 수술요법

타액선종양의 치료에 있어서 수술이 가장 중요한 요소가 되며 방사선치료는 대부분 수술 후의 보조적인 술식으로 이용된다. 약물치료 또한 타액선의 악성 종양에 있어서는 중요한 기여를 하지 못한다.

2) 방사선치료

방사선치료의 주된 목적은 종양 크기의 감소와 술후 재발의 억제이다. 양성종양에서 방사선치료는 시행하지 않으며 경우에 따라 악성종양을 유발할 수도 있다. 악성 타액선종양의 수술 후 방사선조사량은 대개 60 Gy 정도이다.

3) 화학요법

악성 타액선종양의 화학요법은 이하선의 악성임파종의 경우를 제외하면 대개 제한적이다.

4) 악성 타액선종양의 예후

악성 타액선종양의 예후에 영향을 미치는 가장 중요한 요소는 종양의 조직학적 종류이며 5년생존율을 좌우하는 가장 중요한 요소이다. 또한 소타액선에 발생한 악성종양이 대타액선에 발생한 경우보다 예후가 좋으며 이하선에 발생한 악성종양보다 악하선에 발생한 경우가 예후가 불량하다. 그 외에 악성종양의 크기, 안면신경마비의 여부, 원격전이 여부, 국소재발 여부 등이 예후에 영향을 미친다.

참고문헌

김명국. 머리 및 목 해부학. 5판. 서울: 도서출판 의치학사; 2011. p. 364–368.

Buchner A, Merrell PW, Carpenter WM. Relative frequency of intra–oral minor salivary gland tumors: a study of 380 cases from northen California and comparison to reports from other parts of the world. J Oral Pathol Med 2007;36(4):207–14.

Carlson ER, Ord RA. Salivary gland pathology: Diagnosis and management. 2nd ed. Wiley Blackwell; 2016.

EI–Naggar AK, Chan JKC, Grandis JR, et al. WHO Classification of Head and Neck Tumours. 4th ed. IARC; 2017. p. 159

Ellis GL, Auclair PL, Gnepp DR. Surgical pathology of the salivary glands. WB Saunders; 1991.

Eneroth CM. Salivary gland tumors in the parotid gland, submandibular gland, and the palate region. Cancer 1971;27(6):1415–8.

Eveson JW, Cawson RA. Salivary gland tumours: a review of 2410 cases with particular reference to histological types, site, age, and sex distribution. J Pathol 1985;146(1):51–8.

García JJ. Atlas of Salivary Gland Pathology. Springer; 2018.

Gritzmann N, Rettenbacher T, Hollerweger A, et al. Sonography of the salivary glands. Eur Radiol. 2003;13(5):964–75.

Jones AV, Craig GT, Speight PM et al. The range and demographics of salivary gland tumours diagnosed in a UK population. Oral Oncol 2008;44(4):407–17.

Marchal F. Sialendoscopy –The Hands–On–Book. ESTC; 2015.

Miloro M, Ghali GE, Larsen PE, et al. Peterson's Principles of Oral and Maxillofacial Surgery. 3rd ed. PMPH; 2012. p. 773.

Neville BM, Damm DD, Allen CM, et al. Oral & maxillofacial pathology. 4th ed. W.B. Saunders Co; 2016. p. 422.

Pedersen AM, Bardow A, Jensen SB, et al. Saliva and gastrointestinal functions of taste, mastication, swallowing and digestion. Oral Dis 2002;8(3):117–29.

Seifert G, Miehlke A, Haubrich I, et al. Diseases of the salivary glands: Pathology, Diagnosis, Treatment, Facial nerve surgery. George Thieme Verlag; 1986.

Spiro RH. Salivary neoplasms: overview of a 35–year experience with 2,807 patients. Head Neck Surg 1986;8(3):177–84.

Thackray AC, Lucas RB. Tumors of the major salivary glands. Atlas of tumor pathology series 2, Armed Forces Institute of Pathology; 1974.

Tian Z, Li L, Wang L, et al. Salivary gland neoplasms in oral and maxillofacial regions: a 23–year retrospective study of 6982 cases in an eastern Chinese population. Int J Oral Maxillofac Surg 2010;39(3):235–42.

Waldron CA, el–Mofty SK, Gnepp DR. Tumors of the intra–oral minor salivary glands: a demographic and histologic study of 426 cases. Oral Surg Oral Med Oral Pathol. 1988;66(3):323–33.

턱관절장애

턱관절장애는 측두하악관절(이하 턱관절로 명명) 및 저작근과 관련이 있는 구조적이고 기능적인 장애를 의미하며 교합이상, 턱관절과 주위 근육의 상태, 정신적 및 전신적 상태 등 다양한 인자에 의해서 발병되기 때문에 진단 및 엄격한 분류를 시행하는 것은 쉽지 않고 오래전부터 논란의 대상이 되어왔다. 턱관절장애는 측두하악관절장애, 측두하악장애, 측두하악기능장애증후군, 턱관절질환 등 다양한 용어로 혼용되어 사용되고 있으나 최근 일반인들의 이해를 돕는 차원에서 턱관절장애라는 용어를 사용하는 추세이다. 따라서 본 교과서에서도 턱관절장애라는 용어를 사용하기로 하였다. 일반적인 턱관절장애 환자들은 저작근 및 턱관절 부위의 통증, 하악운동제한, 관절잡음, 이통(earache), 두통, 안면통증 등 다양한 증상을 호소한다. 복잡한 양상을 보이는 턱관절장애 환자들을 치료하기 위해서는 우선 해부학적 특성을 알고 턱관절장애의 원인, 분류, 징후와 증상, 진단방법과 치료법 및 그 예후에 대한 포괄적인 내용을 숙지해야 한다. 다만 턱관절장애와 연관성이 많으면서 저작근육과 관련된 근육성 질환과 구강안면통증에 대해서는 본 교과서의 다른 단원(구강악안면 통증과 신경질환)에서 심도 있게 다루고 있으므로 본 단원에서 생략하기로 한다.

CONTENTS

CHAPTER 14

턱관절장애

Temporomandibular Joint Disorder

학습목적

턱관절장애를 가진 환자들을 진료하는 데 필요한 턱관절과 관련된 해부학, 기능생리학, 턱관절장애의 원인, 증상, 질병의 분류, 정확한 진단방법들과 치료법 및 그 예후를 숙지함을 목적으로 한다.

기본 학습목표

- 턱관절 주위 연조직, 경조직, 혈관 및 신경분포를 설명할 수 있다.
- 턱관절장애의 원인을 병태생리적, 심리적, 구조적인 요소별로 설명할 수 있다.
- 턱관절에 발생하는 다양한 질병에 대해 이해하고 그 발생과정을 설명할 수 있다.
- 턱관절장애의 징후와 증상을 병인과 연관해 설명할 수 있다.
- 턱관절장애의 임상 및 영상평가 방법과 기타 부가적인 검사방법을 이해하고 장단점을 기술할 수 있다.
- 턱관절장애 치료 시 사용되는 다양한 보존적 치료방법을 설명할 수 있다.
- 턱관절장애의 외과적 처치 시 그 적응증과 수술방법들을 비교해서 설명할 수 있고 그 예후를 기술할 수 있다.

심화 학습목표

- 턱관절원판, 관절낭, 관절인대 및 근육의 해부학적 특성과 구성요소를 나열하고, 수술 시 고려해야 할 해부 구조물을 설명할 수 있다.
- 턱관절의 혈관과 신경분포를 외과적 시술과 연관하여 설명할 수 있다.
- 턱관절장애의 병인을 단계적으로 설명할 수 있고 병인의 종류를 구분하여 상세히 설명할 수 있다.
- 턱관절장애의 징후와 증상을 해부학적 구조물 및 저작운동과 연관하여 설명할 수 있다.
- 턱관절장애의 진단을 위한 임상 및 영상검사의 종류, 적응증 및 장단점을 구체적으로 설명할 수 있다.
- 턱관절에 발생하는 종양과 그 치료방법에 대해 설명할 수 있다.
- 하악과두 외상에 따른 합병증과 치료에 대해서 설명할 수 있다.
- 턱관절과 관련된 성장장애에 대해서 설명할 수 있다.
- 턱관절 골관절염과 과두흡수의 원인, 발생기전, 임상적 증상 및 영상소견에 대해서 설명할 수 있다.
- 턱관절장애의 보존적 치료로써 물리치료와 교합장치를 이용한 치료법과 약물치료에 대해 설명할 수 있다.
- 보툴리늄 톡신을 이용한 턱관절장애의 치료방법과 효과에 대해 설명할 수 있다.
- 턱관절장애의 수술적 치료의 종류를 구분할 수 있다.
- 턱관절강세정술의 원리, 치료효과, 장점, 적응증 및 합병증에 대해서 설명할 수 있다.
- 턱관절경의 적응증과 치료법에 대해서 설명할 수 있다.
- 턱관절 개방수술의 종류, 관련된 해부학적 구조물, 그리고 시술의 핵심내용을 설명할 수 있다.
- 인공턱관절 전치환술의 적응증과 수술방법에 대해 설명할 수 있다.
- 턱관절장애 병인 및 치료에 대한 최신 연구동향에 대해 설명할 수 있다.

Ⅰ. 턱관절 임상해부학

턱관절은 하악을 두개골에 연결하면서 하악의 운동을 조절하는 중요한 관절로서 하악골의 말단부위에 위치하면서 동시에 기능하는 양측성 관절이다. 관절의 골성구조는 외이도 전방에 위치하는 측두골의 하악와(mandibular fossa, glenoid fossa), 하악와의 전방부를 이루는 관절융기(articular eminence), 하악와에 위치하는 하악골의 과두돌기(mandibular condyle)로 이루어진다(그림 14-1).

과두의 관절면과 하악와는 관절원판(articular disc)

과 연골(cartilage on the mandibular condyle)로 덮여 있고 관절을 상관절강(superior joint space)과 하관절강(inferior joint space)으로 구분하는 관절원판이 사이에 위치한다. 관절낭(joint capsule)은 관절원판과 연골을 덮으며 측방인대, 부속인대, 접하악인대, 경돌하악인대와 함께 관절의 과잉운동 방지와 관절보호 역할을 한다. 과두의 익돌근 소와(pterygoid fovea)에 부착하는 외측익돌근을 포함하는 저작근육들과 얼굴근육, 목의 전방부 근육 등 많은 근육들이 턱관절의 기능에 관여한다.

이주 전방(preauricular area)에 위치하는 턱관절의 운동은 개폐구 시에 피부에서 촉진이 가능하다. 임상가가 관절의 운동을 촉진하는 것은 어렵지 않지만, 교근의 후방 경계가 관절의 전방에 위치하고, 이하선, 지방조직, 표피 등으로 덮여 있기 때문에 실제로는 만져지는 부위보다 1–2 cm 하방에 위치한다. 그 외의 턱관절 주위조직의 해부학과 기능생리학적 내용들은 구강해부학과 생리학 교과서에서 자세히 설명되고 있으므로 생략하고, 본 단원에서는 턱관절장애의 외과적 처치와 연관되는 구조물(관절원판, 관절낭, 관절인대, 혈관 및 신경분포 등)에 대한 것만 다루기로 한다.

1. 턱관절을 구성하는 연조직

1) 관절원판

턱관절의 연조직은 관절원판, 관절낭, 인대, 그리고 근육으로 구성되어 있다. 관절원판은 관절와와 과두 사이에 있으며 관절공간을 상하로 구분하고 있다. Rees (1954)에 따르면 원판은 다음 네 가지 부분으로 구성되어 있다.

① **전부**(anterior band): 원판의 전방부로 두꺼워진 부분

② **중앙부**(intermediate zone): 전부 후방의 좁고 얇은 부분

③ **후부**(posterior band): 원판의 후부로 두꺼워진 부분

④ **원판후부**(retrodiscal tissue, bilaminar zone): 두 부분으로 나뉘어지는데, 상부는 탄성조직으로 이루어져 있으며, 관절와의 후단에 부착되어 있다. 하부는 주로 교원섬유로 이루어지며, 과두의 후부에 부착되어 있다.

Rees의 분류에 약간의 논란이 있기는 하지만, 본 교과서에서는 그의 분류를 따르기로 한다.

관절원판은 측방으로 넓은 타원형이다. 두꺼운 전부와 후부 사이에 있는 중앙부는 매우 얇다. 후부는 후방으로 원판후부의 결합조직과 연결되어 있다. 중앙부는 과두의 관절면과 관절융기의 후사면 사이에 위치하며, 이들 두 표면은 관절의 기능 부위이다(그림 14-2).

전두단면(frontal view)에서 원판은 쐐기모양으로 내방으로 두껍고, 외방으로 얇다. 이것은 원판의 외방 양쪽에서 혈관이 거의 없고, 골구조도 내방보다는 외방에서 더 두꺼우므로 관절와의 외측이 더 압력을 받기 쉽다는 것을 의미한다. 많은 연구에서 원판의 가장자리는 관절낭에 부착되어 있다고 보고되었으며, 이런 견해에 대한 조직학적인 증거도 있다. 그러나 더 정밀한 관찰을 해보면 원판은 낭이나 과두에 다양한 위치로 부착되어 있다. 관절원판의 외측, 내측 끝은 원판인대에 의해 과두의 내외측단(medial and lateral disc attachment at poles)에 부착된다. 상부구조에서 소위 관절낭으로 불리는 구조물의 역할을 하부구조에서는 이 원판인대가 담당한다(그림 14-3).

관절원판은 전방으로는 상하부를 둘러싸고 있는 조직에 부착되어 있다. 이렇게 부착되는 성상은 관절원판의 내외측에서 각각 다르다. 내측부에는 외측익돌근의 상두와 연결되면서 관절원판이 근막과 유사한 조직으로 관절융기와 과두에 성기게 연결되어 있다. 외측부는 관절융기 전면의 상방부에 단단히 부착되어 있다. 원판 후부는 과두의 관절면의 후방경계에서 시작하여 정맥총에 의해 상하로 구분되는 결합조직을 가지고 있다.

상층은 주로 탄력섬유로 구성되며 관절와의 후방부에 붙어 상부구조의 후방경계를 이룬다. 하층은 주로

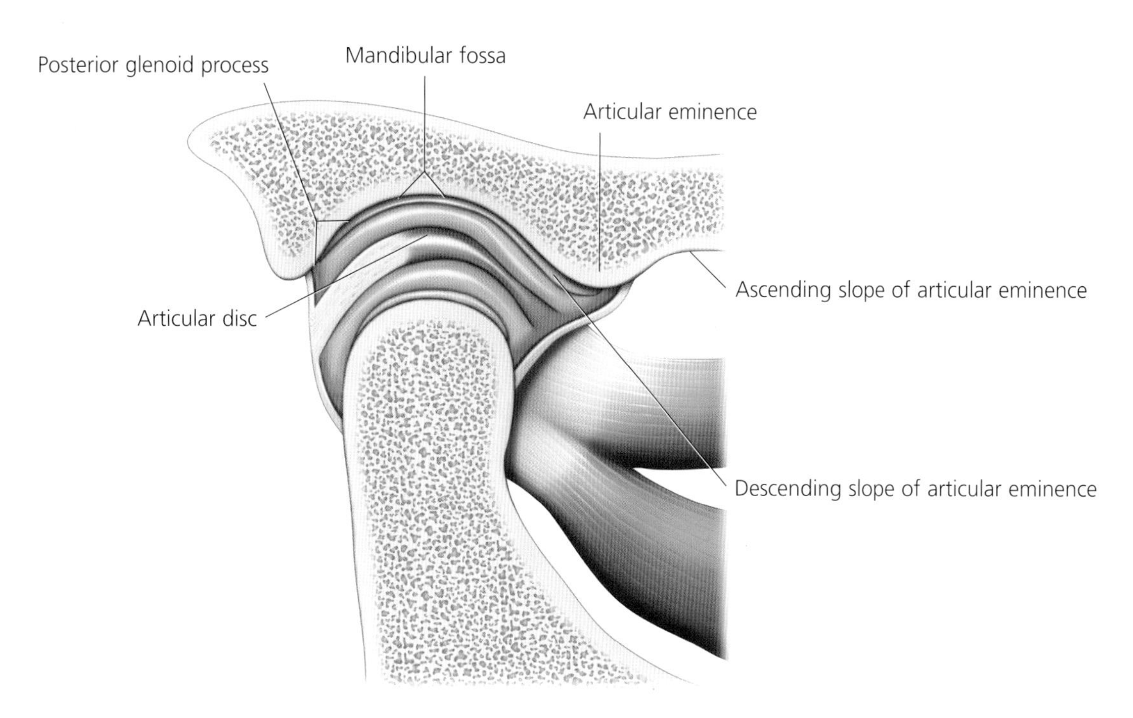

그림 14-1 턱관절의 모식도(시상면), 폐구상태.

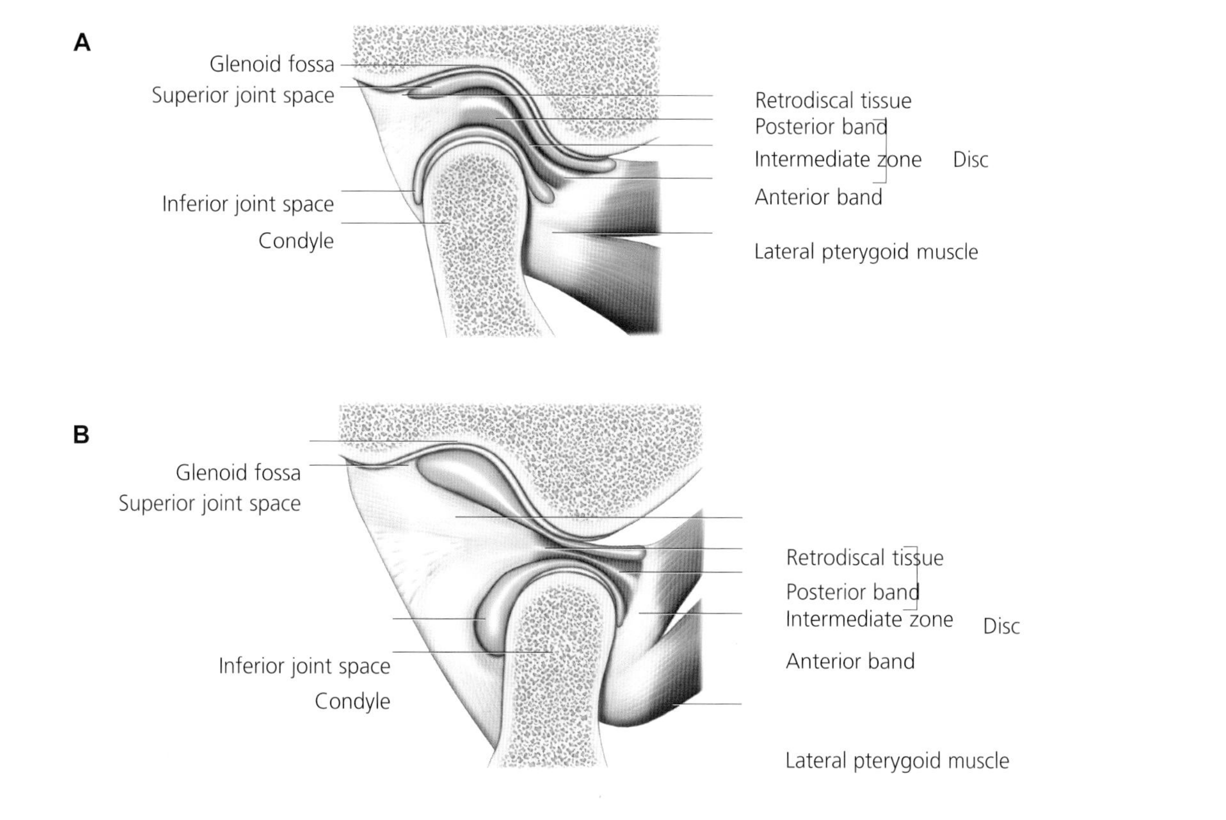

그림 14-2 관절와, 하악과두와 턱관절원판의 관계(시상면). A: 폐구상태 B: 개구상태.

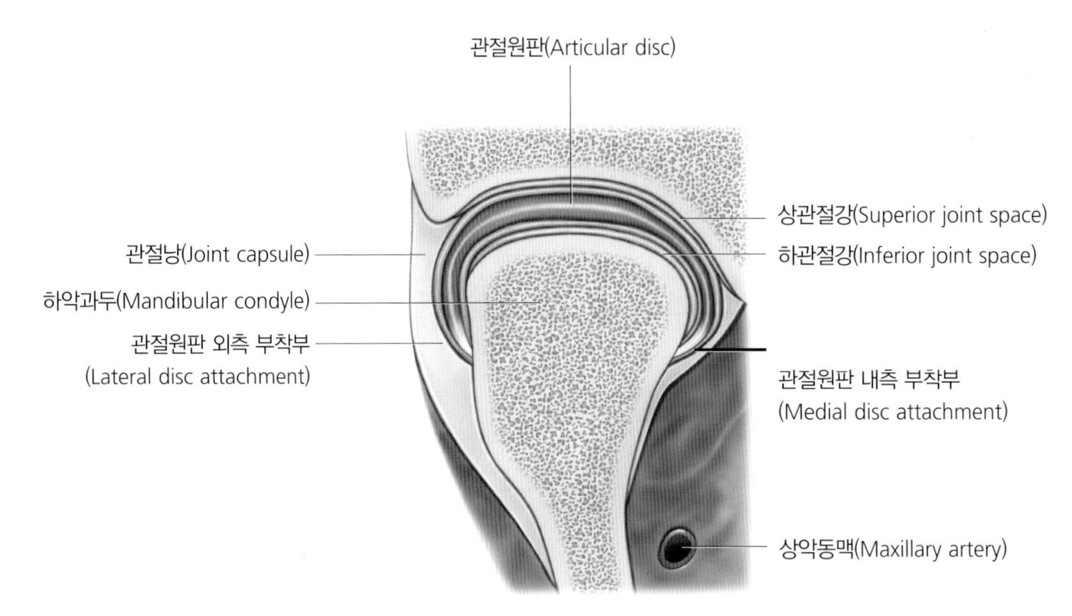

그림 14-3 턱관절의 모식도(관상면). 턱관절원판의 내외측 부착양상이 관찰됨.

교원섬유로 구성되어 하부구조의 후방경계를 형성하며 과두경부의 하부와 관절낭의 후방부에 부착되어 있다. 관절원판에 공급되는 혈관은 원판의 전후방부에서는 발견되나 중앙부에서는 발견되지 않는다. 중앙부 무혈관 조직의 순환은 조직액과 림프액이 담당한다. 중앙부는 직접 압력을 받는 곳이므로, 혈관이 없다는 것은 순환장애에 의해 생길 수 있는 괴사를 피하기 위한 조직의 적응이라 생각할 수 있다. 그러나 과도한 관절의 이상기능으로 주위조직의 순환장애가 생긴다면 중앙부의 한 부분이 얇아져서 천공되거나 두꺼워질 수 있다.

2) 관절낭

관절낭은 턱관절을 싸고 있는 섬유성 막으로 형성되어 있으며 관절와와 하악과두로 연결되어 있다. 낭의 내면은 섬모(cilia)같은 주름을 가지고 윤활작용을 하는 활막액(synovial fluid)을 분비하는 활막(synovial membrane)으로 구성되어 있다. 관절원판으로부터 앞쪽으로 연장되어 나온 섬유는 관절낭의 전방부로 유합되어 관절융기의 전방부와 과두에 부착된다.

관절와 주위로 관절낭이 관골의 기저부에서 관절와의 측방경계에 부착되어 있으며, 후방으로 후관절와돌기와 내방으로 접형골극(sphenoidal spine)의 기저부에 부착되어 있다. 과두부위에서 관절낭은 내외측으로 과두극(condylar medial and lateral poles)의 아래에, 후방으로는 과두경부(mandibular condylar neck)의 후방에 부착되어 있으며, 여기에서는 관절낭과 원판후조직의 결합조직은 구분할 수 없다.

3) 관절인대

(1) 외측인대(major ligament; lateral ligament; temporomandibular ligament)

외측인대(측두하악인대)는 관절에서 유일하게 활동성이 있는 인대로 턱관절 외측의 전방부에 위치한다. 해부학적으로 관절낭과 인대를 구분하기는 어렵지만, 조직학적으로는 두 구조 사이에 혈관과 신경이 존재하기 때문에 구분이 가능하다. 인대는 관골돌기(zygomatic process)와 측두골의 관절융기에서 시작하여 후하방으로 주행하여 과두의 외극(lateral pole) 아래와 과두경부의 후방에 삽입된다(그림 14-4). 이 인대는 관절을 지탱할 만큼 충분히 강하며, 과두의 측방 탈락을 방지하고 전후운동을 제한하는 역할을 한다.

(2) 부인대(minor ligament)

접형하악인대(sphenomandibular ligament)와 경상하악인대(stylomandibular ligament)는 악관절의 부인대로 불리며, 관절의 운동을 제한하는 것으로 알려져 있다. 그러나 관절로부터 멀리 위치하며 섬유가 충분히 강하지 못하기 때문에 그 기능적 중요성은 적다. 접형하악인대는 접형골극(sphenoidal spine)과 추체고실열(petrotympanic fissure)에서 시작하여 부채살 모양으로 외하방으로 뻗어 하악골 설소대(lingula) 부위에 부착된다. 이것은 상악동맥과 정맥을 가로질러 이하선과 이개측두신경을 지난다. 경상하악인대는 측두골의 경상돌기(temporal styloid process)와 경상설골인대(stylohyoid ligament)에서 시작하여 하악각과 하악지의 경계에 부착된다.

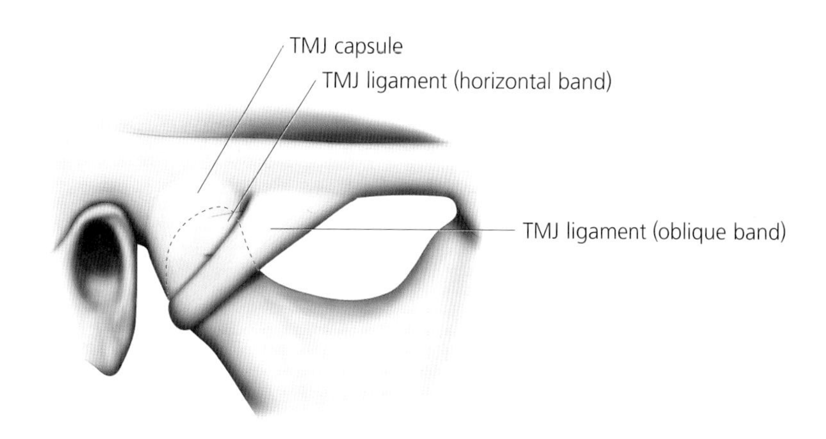

그림 14-4 턱관절의 외측인대(lateral ligament) 부착양상.

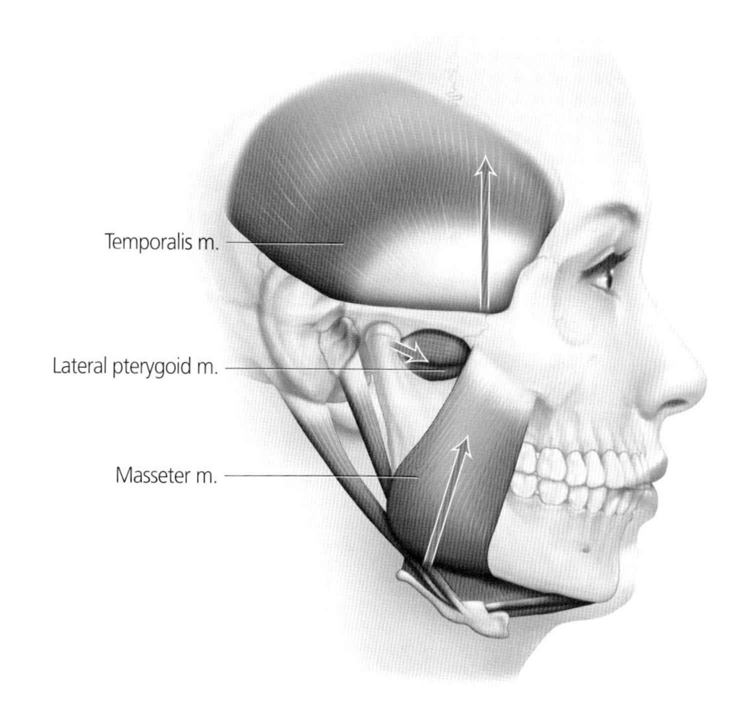

그림 14-5 하악운동에 관련된 교근, 외측익돌근, 설골상부근 및 측두근의 근력(force) 작용의 방향. 외측익돌근의 근력 작용방향은 다른 근육과 차이를 보임.

4) 턱관절에 부착된 근육

하악을 움직이는 데는 많은 근육이 관여하고 있다(그림 14-5). 외측익돌근은 익돌판(pterygoid plate)에 부착되어 관절원판과 과두의 움직임에 관여한다. 외측익돌근의 두부(head)의 수는 하나에서 셋까지 다양하다. 대부분의 경우 상하 두 개의 두부를 가진다. 이 근육은 접형골의 하측두면과 외측익돌판의 외측에서 시작하여 과두경부의 익돌와에 주로 삽입되며 일부분은 관절원판에 부착한다. 상두는 둘 중에 얇은 부분으로 익돌구개와의 후부에서 시작하여 하측두면을 따라 주행한다. 하두는 접형골의 외측익돌판의 외측면에서 시작하여 과두경부의 익돌와에 부착된다(그림 14-1, 2 참조). 외측익돌근의 근섬유들은 양측 외이도를 연결하는 선에 120−140°의 각도로 후외방으로 주행한다. 외측익돌근은 정지(insertion) 위치에도 변이가 많다. 관절원판의 전내부에 정지되기도 하고 바로 아래 부위의 하악과두의 익돌와에 들어가기도 한다.

2. 턱관절의 혈관 및 신경분포

1) 턱관절의 혈관분포

턱관절에 공급되는 동맥은 다음과 같다. 안면횡동맥(transverse facial a.), 중측두동맥(middle temporal a.) 및 관골안와동맥(zygomatico−orbital a.)을 포함하는 천측두동맥의 가지, 심이개동맥(deep auricular a.), 전측두동맥(anterior temporal a.), 중경막동맥(middle meningeal a.), 심측두동맥(deep temporal a.)의 후방가지 및 교근동맥(masseteric a.)을 포함하는 상악동맥의 심부가지이다(그림 14-6).

이 혈관들은 관절낭으로 들어가 관절낭 주위의 동맥망을 형성한다. 혈관들은 원판주위와 전후방부로 들어간다. 후방의 결합조직의 혈관들은 특히 잘 발달되어 있으나 중앙부는 혈관이 없다.

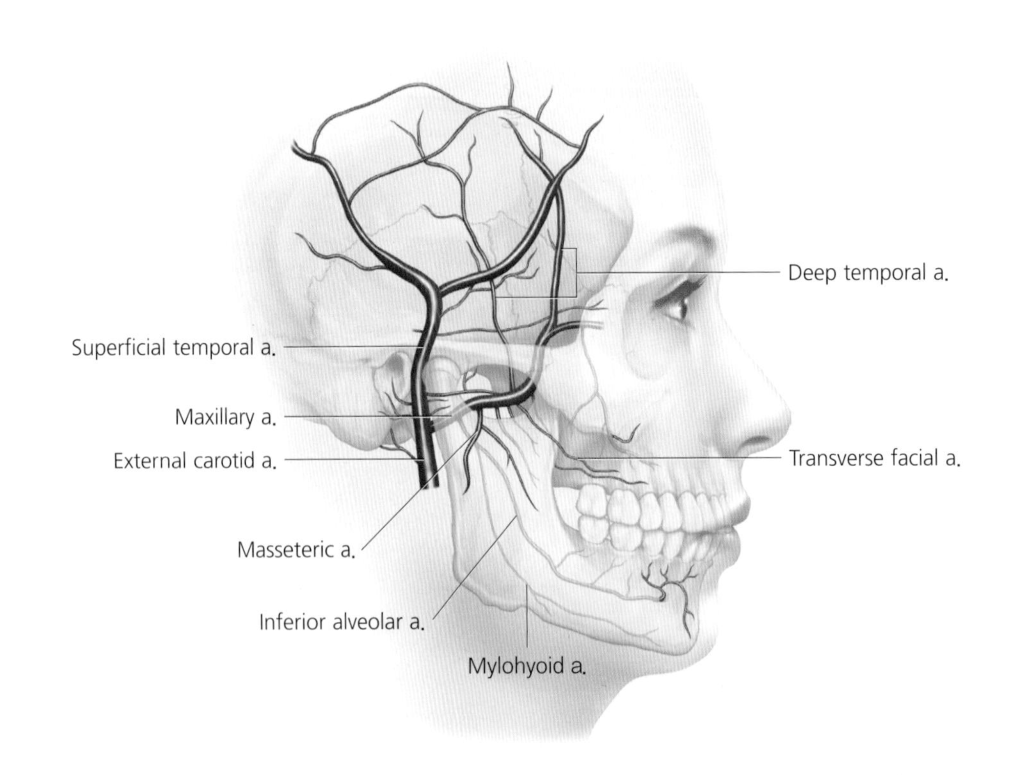

그림 14-6 턱관절부 주위로의 동맥분포.

2) 턱관절과 주위조직의 신경분포

(1) 턱관절의 신경

턱관절의 주요 신경은 삼차신경 하악지의 이개측두신경의 가지이다. 이개측두신경은 하악지의 외측가지로, 다음과 같이 5개의 가지로 나뉜다(그림 14-7).

① 외이도로 가는 신경, 외이도의 피부에 분포

② 이하선 가지, 이하선에 분포

③ 안면신경과의 연결가지, 안면신경의 측두가지, 관골가지와 연결

④ 전이개신경, 이부의 기저부에 분포

⑤ 천측두 신경가지

각각의 가지들은 턱관절에 여러 가지를 낸다. 또한 저작근에 분포하는 교근신경(masseteric n.)과 후심측두신경(posterior deep temporal n.)도 턱관절에 분포한다(그림 14-8). 위의 신경들이 과두의 전후방에서 관절주위로 올라간다.

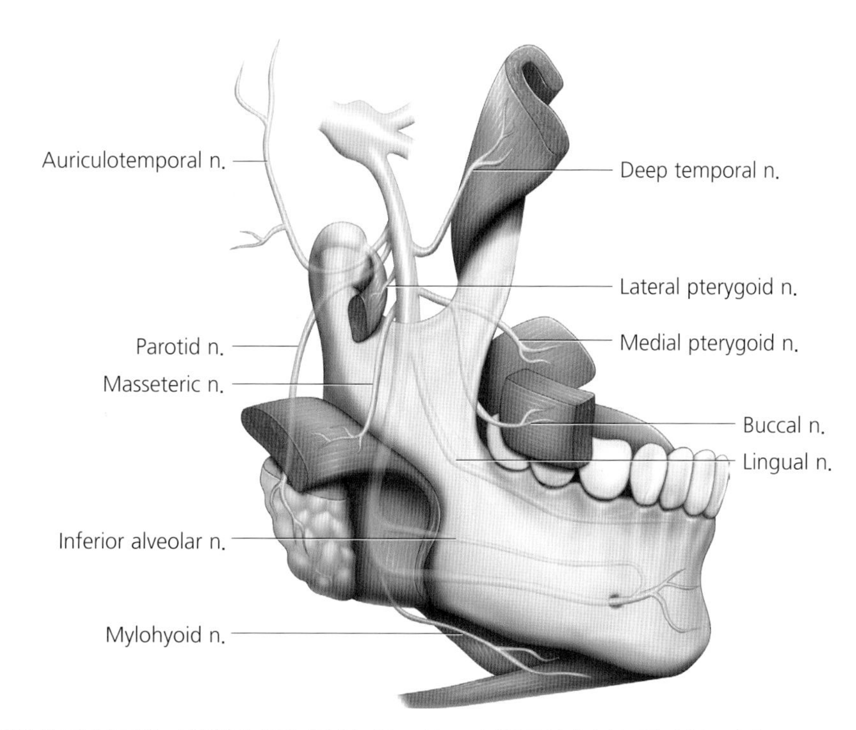

그림 14-7 턱관절부에 분포하는 삼차신경 하악지의 분지들로 주로 이개측두신경의 분지들이 분포된다.

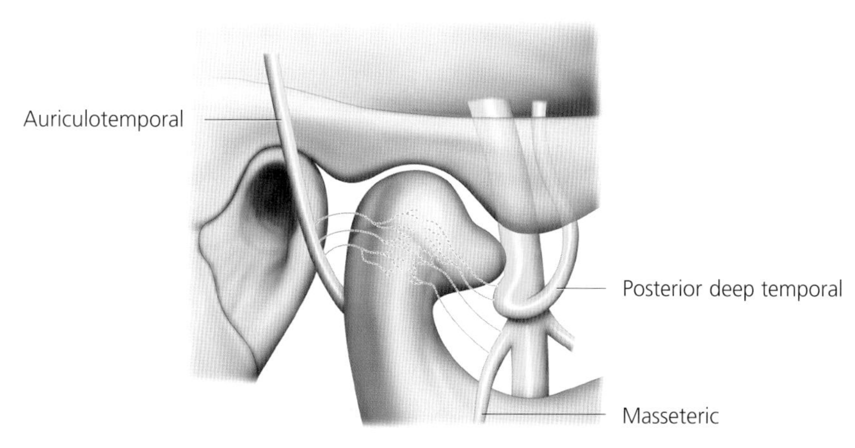

그림 14-8 턱관절부에 분포하는 또 다른 교근신경과 후심측두신경의 분지들.

(2) 관절낭 주위의 신경분포

관절낭 주위의 신경은 내측으로 이개측두신경으로부터 나온 관절가지와 외측으로 주로 안면신경과 부분적으로 천측두신경과 연결되는 가지로 이루어져 있다. 관절낭의 앞부분에는 교근신경(masseteric n.)과 후심측두신경에서 나온 가지가 분포하고, 후방으로는 이개측두신경에서 직접 나온 가지와 외이도로 가는 신경에서 나온 가지가 분포한다. 관절낭으로 분포하는 신경가지들은 그 위치에 따라 다른 양상을 보인다. 낭의 조직은 위치에 따라 주위조직에 붙어있는 상태가 다르다. 많은 소성결합조직을 가지고 있는 관절낭 후방부는 특히 후측방에서 전방부에 비해 더 많은 신경과 혈관을 함유하고 있다. 신경섬유는 내측으로 갈수록 수가 줄어든다. 이 수는 특히 낭의 내측 1/3에서 줄어든다. 대부분의 신경은 유리신경말단(free nerve ending)으로 끝난다.

(3) 관절원판의 신경분포

신경은 주위 낭조직으로부터 관절원판의 소성결합조직으로 들어간다. 원판의 교원섬유가 전후방으로 주행하므로 신경도 원판의 전후방으로 들어간다. 관절원판의 후측단은 특히 신경가지를 많이 포함하고 있다.

그러나 원판의 중앙부와 측방부에는 신경가지를 적게 포함하고 있으며, 특히 중앙부에는 신경이 관찰되지 않는데 그 이유는 저작압력이 여기에 집중되기 때문이다. 원판의 신경분포는 혈관의 분포와 비슷한 경향을 보인다.

(4) 과두의 신경분포

과두로 가는 신경은 관절낭의 신경가지에서 나온다. 하부구조의 하부로 들어가서 외섬유층을 지나, 과두의 꼭대기로 가서 활막과 결합조직 및 관절연골에 분포한다. 몇몇 가지들은 내려와 과두경부를 지배한다. 과두의 후방보다는 전방에 더 많은 가지들을 포함하고 있다.

II. 턱관절장애의 역학, 병인론

1. 역학

턱관절장애에 대한 역학조사에 따르면 전체 세계인구 중 어떤 형태로든 턱관절장애로 고통받는 사람들은 약 50–60%로 상당히 높으며 치료를 필요로 하는 환자들은 3–7%를 차지하는 것으로 알려져 있다. 서양인의 75%는 적어도 하나의 기능장애 징후(관절잡음, 압통 등)를 보이며 33%는 최소한 하나 이상의 증상(안면통, 관절통 등)을 보인다는 보고들이 있다. 증상이 있는 환자의 약 10% 정도가 치료를 필요로 하며 약 5%만이 그 정도가 매우 심하여 전형적인 턱관절장애 환자로 분류할 수 있었다. Drangsholt와 LeResche는 전 세계 4억 5천만 명의 성인 중 여성의 10%, 남성의 6%에서 턱관절장애가 존재하며, 매년 1–3%의 환자들이 전문가의 치료를 받고 있다고 언급하면서 턱관절장애는 건강 문제의 중요한 일부분을 차지하고 있다고 하였다.

일반적으로 턱관절장애의 징후와 증상은 10대에서 30대로 갈수록 빈도와 심도가 증가한다. 25–35세 사이의 여성에서 턱관절장애가 호발한다는 보고가 있으며, 호르몬, 안면외상, 건강관리에 대한 높은 욕구, 정신사회학적 요소들이 직간접적으로 턱관절장애의 발생에 관여할 가능성이 있다.

2. 병인론

신경근육성 부조화, 턱관절 골격구조의 부조화, 정신적 스트레스, 부정교합, 잘못된 보철수복물, 구강악안면 악습관, 안면외상, 영양, 호르몬 및 대사장애 등의 다양한 요인이 턱관절장애의 발생에 관여한다. 이들 중 특정 소인을 명확히 규명하기 어렵고 여러 소인들이 복합적으로 턱관절장애 발생에 관여할 수 있다는 가설이 가장 유력하게 받아들여지고 있다. 다양한 소인들에 의해 턱관절에 직접 혹은 간접적인 외상이 가해지면서 턱관절의 정상적인 치유능력을 넘어서는 과부하가 발생하고 결국 턱관절장애가 발생한다고 보고 있다.

턱관절장애의 발생은 선천적, 후천적인 다양한 원인에 의한 턱관절 및 관련 주변 조직의 기질적 변화에 기인하며, 특히 심리적, 정신적 요소도 직·간접적으로 발병에 큰 영향을 미친다. 따라서 턱관절장애의 진단 및 치료를 담당하는 치과의사는 턱관절의 기능, 해부 및 생리학적 이론을 충분히 공부하고 다변화된 진단 및 치료법을 도입해야 한다. 특히 인접 진료과(정신과, 정형외과, 재활의학과, 신경과 등)와 협진을 통해 가능한 원인요소를 찾아내어 장기적인 관점에서 서두르지 않고 치료에 임하는 것이 추천된다(그림 14-9~11).

턱관절장애의 유발요인(initiating factors)은 주로 외상이나 저작계의 과도한 부하 등과 관련된다. 이런 결과로 인해 턱관절 공간, 즉 하악골 과두와 관절와 사이가 좁아지면 턱관절원판과 주변조직에 부하가 증가되면서 표 14-1과 같은 과정을 통해 관절내 변화를 초래할 수 있다. 안면부의 타격에 의한 손상, 저작, 하품, 노래부르기에 의한 손상, 장시간의 치과치료나 전신마취 시 과도하게 입을 크게 벌림으로써 턱관절장애가 개시될 수 있다. 그리고 구강 및 교합의 이상기능으로 발생하는 지속적이고 반복적이며 유해한 저작계 하중, 스트레스, 불안, 수면장애, 약물, 알코올 및 그 외 다른 요소들에 의해 악화될 수 있다. 한편 장애를 직간접적으로 연장시켜 복잡하게 만드는 지속요인(perpetuating factors)에는 행동적, 사회적, 심리적장애가 있다. 행동적 지속요인에는 이갈이, 이악물기, 편측저작과 같은 구강악습관, 비정상적인 구개 및 악골의 자세 등이 있으며, 이들은 근육과 관절의 긴장을 유발하여 두통을 포함한 근골격계의 통증을 발생시킬 수 있다. 스트레스를 받는 상황 등의 사회적 지속요인 역시 통증반응에 영향을 미친다. 심리적 지속요인에는 만성통증 환자에서 흔히 나타나는 우울증이나 불안이 있으며, 지속적인 통증의 결과로 인해 나타나고 증상을 더욱 악화시키거나 치료의 예후를 불량하게 할 수 있다.

교합과 턱관절장애의 연관성에 대해 확실히 밝혀진 연구는 없다. 여러 학자들의 연구 결과에 따라 상반된 이론들이 제시되었으며 현재까지도 논란이 계속되고 있다.

턱관절장애의 병태생리학적 기전에 대해 여러 가지 이론들이 제시되고 있지만 역시 명확히 밝혀진 것은 없다. 안면부 중에서 특히 턱관절 부위는 턱에 가해지는 외력에 의한 간접적인 충격 혹은 턱관절 부위의 직접적인 충격에 의해 쉽게 손상을 받게 되고, 턱관절의 해부학적 구조 및 생리학적 기능의 파괴에 의해 다양한 병변이 나타날 수 있다. 특히 개구 상태에서 하악에 직접적인 외상이 가해지면 하악과두가 관절와내에서 갑작스러운 전위를 일으켜 정상적인 과두-원판 관계에 손상을 주게 되고 관절강내 출혈 및 염증 등이 발생할 수 있다. 여러 학자들이 악골에 발생하는 외상이 턱관절질환의 발생에 중요한 요소임을 보고하고 있다. Zhang 등은 턱관절질환이 있는 환자의 관절연골에서 면역복합체(immune complexes), 관절강 활액에서 collagen II 항체, interleukin 1, tumor necrosis factor, interleukin 6와 같은 사이토카인의 발견을 통해 안면부에 가해지는 외상이 턱관절질환을 일으키는 4대 요소 중 하나라고 보고하였다. 김(2009) 등은 하악골 골절 환자들의 관절내시경 검사, 조직형태학적 및 관절활액 분석을 통해 하악골 골절이 턱관절질환과 밀접한 관계가 있음을 보고하였다. 턱관절에 가해지는 외상은 안면골 골절과 같은 거대외상(macrotrauma), 부정교합이나 구강악습관 등에 의한 간접적인 미세외상(microtrauma), 시기에 따라 급성 혹은 만성 외상으로 구분할 수 있다. 또한 턱관절에 가해지는 외상은 연골의 파괴, 염증 및 통증유발 산물의 생산으로 턱관절장애를 유발할 수 있다. 물론 자발적인 치유가 이루어질 수도 있지만 다른 복합적 소인들이 관여하면서 턱관절장애로 진행될 가능성이 있다.

Pullinger와 Monteiro는 심한 외상, 교정치료, 매복지치 발치 등과 같은 술식이 턱관절장애를 유발할 수 있다고 하였으며 어떤 학자들은 구강악습관이 저작근과 턱관절에 심한 하중을 가하면서 연골 파괴 및 턱관절 내부의 생화학적 및 생역학적 이상을 초래할 수 있다고 주장하였다. Nitzan 등은 턱관절에 만성적으로 지나친 하중이 가해지면 활액막의 염증성 병변이 발생하면서 관절강내에 염증 및 통증유발물질이 유리되고 관절액의 조성이 변화하여 관절원판과 과두의 마찰력이 증가되고 관절원판은 전내방으로 전위되는 경향이 있다고 하였다. 관절원판이 전위된 것 자체가 모두 임상적으로 큰 문제를 유발하는 것은 아니며 활액병변(synovial pathology)이 만성적으로 지속되면 턱관절장애를 유발할 소지가 있다.

표 14-1 턱관절장애의 병인

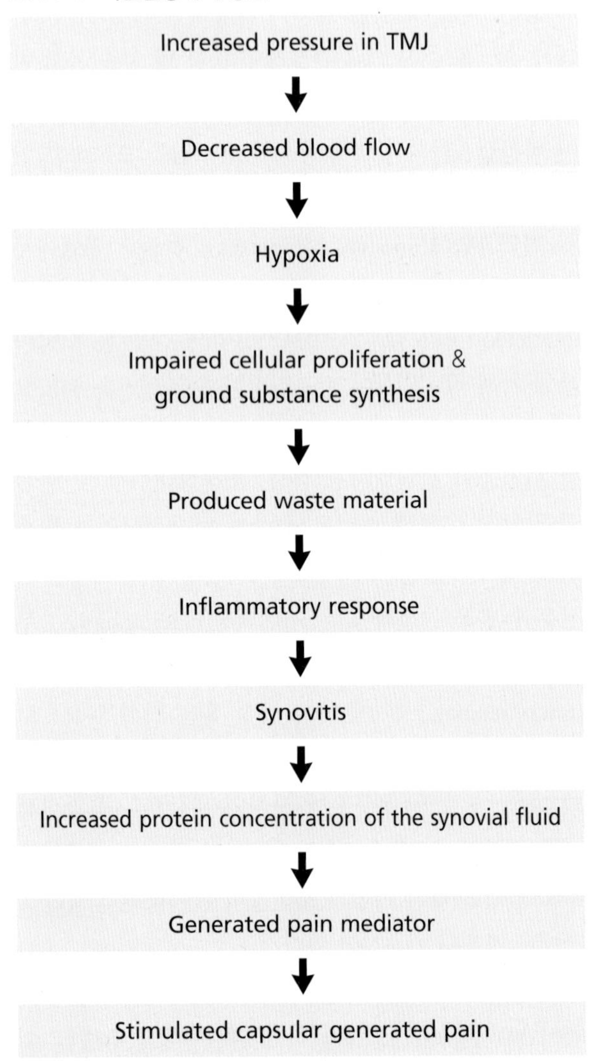

김 등은 외상성 턱관절 손상에 관한 일련의 실험적 연구를 시행하여 하악골 골절 환자의 상관절강에서 채취한 활액을 ELISA로 분석하여 PGE2 농도가 대조군에 비해 골절 환자에서 높게 나타나는 것을 관찰하였다. 그리고 턱관절강세정술과 같은 부가적인 치료법이 환자의 주관적 증상을 완화시키고 손상받은 턱관절의 치유를 촉진하는 데 도움이 될 수 있다고 언급하였다. 활액막염(synovitis)이 수반된 턱관절내장증과 골관절염은 통증이 수반되면서 악골의 운동을 제한시킬 수 있다. Substance P, serotonin, bradykinin, leukotriene B4, prostaglandin E2와 같은 염증 및 통증유발산물들은 턱관절장애 환자들의 활액에서 빈번히 검출된다. 외상으로 인해 손상받은 턱관절의 활막세포들은 이와 같은 통증유발산물과 연골파괴물질을 효과적으로 제거할 수 있는 기능을 상실하고 활액막염은 더욱 악화되는 경향을 보인다.

Ⅲ. 진단과 분류

턱관절질환은 다양한 병인에 의해 유발되기 때문에 진단에 있어서도 징후와 증상의 파악, 설문지 등을 이용한 임상적 평가, 방사선사진 등 영상평가, 근전도 검사, 행동 및 사회심리적 평가 등을 활용한 포괄적인 접근이 필요하다.

1. 징후(Signs)와 증상(Symptoms)

턱관절장애는 교합이상, 턱관절과 주위 근육의 상태, 정신적 및 전신적 상태 등 다양한 인자에 의해서 발병되기 때문에 정확한 진단이 어렵다. 따라서 초진 시 정확한 문진을 통해 질환과 관계 있을 요인을 파악하는 것이 중요하다. 문진은 질환의 개요를 파악하는데 매우 중요하기 때문에 이것만으로도 어느 정도 임상진단이 가능한 경우가 있다. 턱관절장애의 대표 증상인 개구장애, 관절잡음, 통증 중에서 관절과 근육 통증을 호소하는 경우가 가장 많으며, 머리, 어깨, 귀, 목으로 파급되는 연관통(referred pain), 이명증(tinnitus), 근육 촉진 시 압통, 안모의 변화 등의 증상이 동반되는 경우가 많다.

1) 통증

턱관절 부위의 통증은 크게 관절융기, 하악와, 하악과두, 관절원판, 활막, 관절낭 등에 나타나는 관절성 통증과 저작근과 두경부 주위근육에 나타나는 근육성, 근막성 통증으로 대별된다. 통증의 호발부위는 턱관절 부위가 가장 많으며 다음으로 교근부위, 측두근부위 등의 순서이다.

(1) 관절성 통증의 특징

일반적으로 개구 또는 턱 운동 시 턱관절 및 저작근 부위에 둔통으로 나타나며, 지속시간은 증례에 따라 조금씩 차이가 있으나 현저히 긴 증례는 많지 않다. 급성염증이 존재하는 경우에는 자발통과 압통을 동반한 지속성인 통증이 있으나 그 빈도는 극히 낮다.

관절낭과 활막에 신경말단이 많이 존재하기 때문에 관절원판의 형태 및 위치 이상이 존재하면 그 주위 조직에 자극이 가해져 통증이 생기는 것으로 추측된다. 악골 운동 시에 국한된 통증은 비정상적인 운동에 의해 하중이 높아져 통증이 야기되며, 이러한 비정상적인 상태가 계속되면 이차적인 염증이 일어나 통증이 더욱 커진다. 염증이 생기면 발통물질이 조직 내로 축적된다. 발통물질에는 histamine, serotonin, acetylcholine, bradykinin 등이 있다. 이러한 발통물질은 자발통을 일으킴과 동시에 통증의 역치를 저하시키는 것으로 알려져 있다. 정상적 턱관절 구조에서의 관절통은 관절운동과 밀접하게 관련되어 나타나며, 날카롭고 갑작스러운 통증으로 나타난다. 관절이 휴식하면 통증은 신속히 해결된다. 만약 관절구조가 파괴되면 염증은 관절운동에 의해 악화되는 지속적인 통증을 야기할 수 있다.

(2) 근육성, 근막성통증의 특징

과도한 이갈이(bruxism), 이악물기(clenching), 정신적 스트레스, 교합불균형, 편측저작 등은 근육의 과잉 수축과 피로를 유발하면서 저작근 긴장을 증가시키게 된다. 근육의 이완에는 ATP (adenosine triphosphate)가 필요하나, 장기간의 근육수축에 의해 ATP가 소실되면 근육내의 혈관이 수축하고 혈류가 감소하며, 산소가 부족하게 되어 발통점(trigger point)을 형성하게 된다. ATP의 에너지 발생에는 산소가 필요하게 되며, 다시 근육통이 발생하면 근육운동의 지배신경인 운동신경세포가 쉽게 흥분되어 근육의 긴장을 높이면서 악순환이 계속된다.

2) 턱관절의 잡음(그림 14-10, 11)

유병률은 매우 다양하며 전체인구의 60%까지 보고되고 있고, 여성, 어린이나 청소년기에 흔하게 나타난다. 턱관절의 잡음은 25세 이후에는 큰 차이를 보이지 않다가 나이가 들면서 점차 감소하는 경향이 있다. 관절음이 장기적으로 통증이나 기능제한의 소인이 된다는 근거는 아직 확립되지 않았으며 대부분의 관절음은 병적인 것이 아니며 수용 가능한 정상적인 변이로 생각할 수 있다. 일반인들에서 다른 턱관절장애 징후나 증상이 없으면서 관절음만 나타나는 경우를 흔히 볼 수 있다. 따라서 통증이나 기능적 제한을 동반하지 않는 턱관절 잡음을 턱관절장애의 주요 진단기준으로 사용해서는 안 된다. 대부분의 경우에서 관절음 그 자체는 치료 대상이 되는 증상이 아니라고 언급하는 학자들이 많다. 따라서 환자에게 단순 관절음은 위협적인 것이 아니고 턱관절에 특별한 해를 끼치지 않을 수 있음을 설명하는 것이 중요하다.

턱관절잡음은 "따각" 또는 "딱" 하는 소리로 표현되

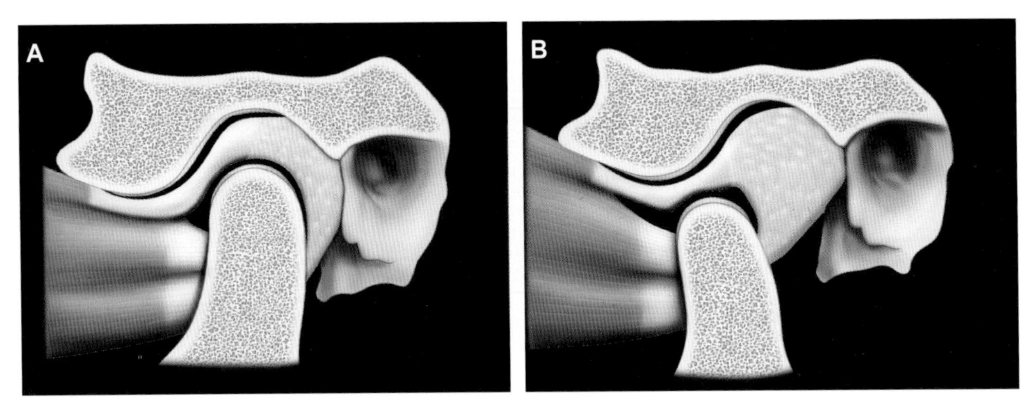

그림 14-9 A: 폐구 시 정상적인 턱관절원판의 위치로 하악골 과두상방에 턱관절원판의 posterior band가 위치한다. B: 개구 시 턱관절원판은 하악골과두에 의해 수동적으로 전방이동되어 하악골과두와 관절융기 사이에 위치한다.

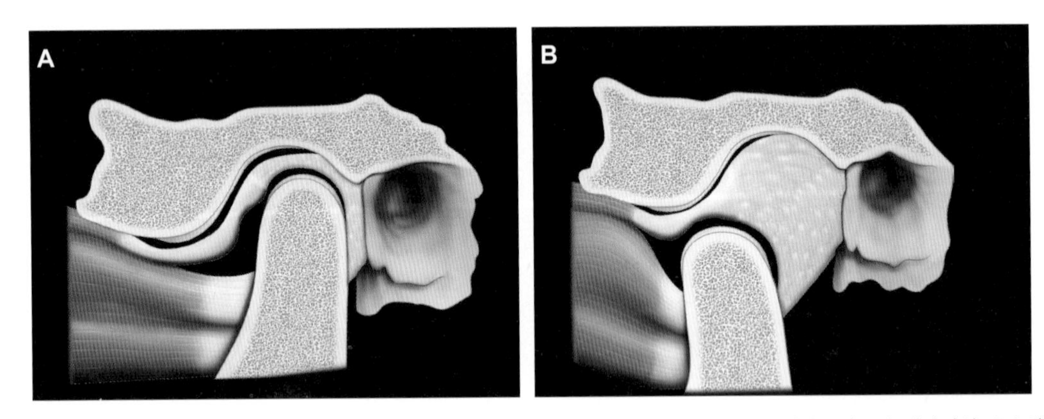

그림 14-10 A: 정상에 비해 턱관절원판이 전방이동 되어 개구 시 턱관절원판 posterior band를 하악골과두가 지나면서 click이 발생한다. B: 턱관절원판이 전방이동되어 신경 및 혈관이 분포되어 있는 턱관절원판 후방조직(retrodiscal tissue)이 하악골과두 상방에 위치하고 있다.

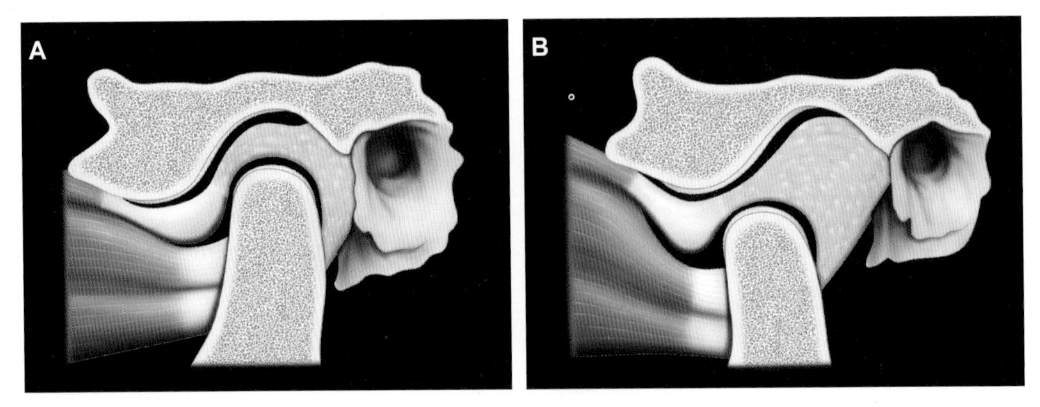

그림 14-11 A: 개구 시 click이 발생후 턱관절원판은 정복되어 정상적 하악골과두 관절과 턱관절원판의 관계를 갖게 된다(정복성 전방변위: anterior disc displacement with reduction). B: 개구 시 턱관절원판은 하악골과두 상방에 정복되지 않고 하악골 과두전방에 변형되어 개구 걸림(locking)이 생긴다(비정복성 전방변위: anterior disc displacement without reduction).

는 단순관절음(clicking)과 "사각사각" 또는 "부스럭부스럭" 등의 소리로 표현되는 염발음(crepitus)으로 크게 분류되는데 단순관절음이 관절잡음 증례의 90% 이상을 차지하고 있다. 관절잡음은 환자의 옆에서도 들을 수 있을 정도의 것(거대관절음; popping)과 촉진해서 간신히 파동을 느낄 수 있는 정도의 미약한 것도 있으나, 일반적으로 단순관절음이 염발음보다 소리가 크다. 염발음은 대부분 관절면의 골관절염성 변화(osteoarthritic changes)와 연관되어 있다.

관절잡음은 하악두, 관절원판, 관절낭, 관절인대 등의 구조물이 관절운동 중에 어떤 원인에 의해 마찰 또는 충돌 등의 현상을 일으키면서 발생한다. 턱관절 부위에 직접 또는 간접적인 자극, 구치부결손, 교합간섭 등의 요인이 하악과두를 하악와의 후방으로 편위시켜, 하악과두와 하악와 그리고 관절원판과의 정상적인 관계를 깨뜨려 관절잡음을 일으킬 수 있다. 전방전위의 정도가 적은 경우에는 개구 초기에 단순관절음이 생기나, 더욱 진행되면 개구 중기 또는 말기에 단순관절음이 생긴다. 그리고 개폐구 시에 동시에 발생하는 단순관절음의 경우, 개구 시의 전방변위된 관절원판이 정상 위치로 되돌아올 때 생기며 폐구 시의 단순관절음은 관절원판이 전방변위되기 때문에 발생한다. 이러한 현상을 왕복성 관절음(reciprocal clicking)이라 한다.

(1) 관절원판변위에 의한 단순 관절음

개구 시와 폐구 시 모두 단순 관절음이 나타나기 때문에 종종 왕복성 관절음(reciprocal clicking)이라고 부른다. 임상적으로 일정한 유형을 따르며 다른 심각한 증상이 동반되지 않는다면 치료 대상으로 볼 수 없다. 1980년대에는 단순 관절음이 턱관절 기능장애의 심각한 징후이며, 관절원판의 영구적 변위를 막기 위해 조기 치료가 필요하다고 믿었으나 이런 이론에 대한 과학적 뒷받침은 상당히 미약하다. 왕복성 관절음이 일시적인 과두걸림이나 통증과 관련될 경우엔 치료가 필요하다. 물리치료, 교합안정장치요법을 주로 사용하며 드물게 악골재위치 장치를 사용하거나 턱관절강세정술 등의 외과적 처치가 필요할 수도 있다.

(2) 형태이상으로 인한 단순관절음

관절면 형태의 작은 변이나 이상이 단순관절음이나 거대관절음(popping)을 야기할 수 있다. 반복적인 개구운동 시 항상 같은 수준의 개폐구 지점에서 소리가 나는 것이 특징이다. 환자에게 소리의 원인과 특성을 설명하고 고의적으로 그런 소리를 내지 않도록 교육하는 것이 중요하다.

3) 악골기능장애

악골의 기능장애는 턱의 운동장애를 말하며, 개구제한, 측방 및 전방으로의 운동장애, 개구 시 악골편위 등의 증상으로 나타날 수 있다. 과두걸림(closed lock)은 기능장애의 가장 흔한 원인 중 하나로, 관절원판의 비복위성 전방전위 및 관절낭 병변으로 발생되는 턱관절 내장증의 한 형태이다. 해부학적, 임상적 및 방사선학적 연구 등에 의해 과두걸림의 개념이 확립되었으며 일시적 혹은 지속적으로 나타날 수 있다. 간헐적 개구장애는 아침에 잠에서 깨어난 후 혹은 음식을 씹는 도중에 갑작스럽게 나타나거나 상당 기간 지속되기도 한다. 통증이 동반되거나 환자 스스로 하악골을 움직이거나 턱관절 부위를 누르면 관절음이 나타나며 풀리게 된다. 증상이 해소되지 않고 더욱 진행되면 걸리는 빈도가 잦아지고 기간도 길어지며 만성적 개구장애로 진행될 수 있다. 지속적인 개구장애가 있으면 관절음은 사라지고 환자는 거의 입을 못 벌리거나 약간 벌리는 상태로 되며 하악의 정중선은 이환 측으로 쏠리게 된다. 개구 시뿐만 아니라 저작 시에도 통증을 호소하게 되며 저작근육의 통증 및 긴장성 수축에 의한 악골운동장애가 나타나기도 한다. 간혹 급성 부정교합이 동반될 수도 있으며, 환자는 자신의 교합이 변했다고 호소할 수 있다.

2. 임상평가

설문지를 이용한 자각증상과 간단한 병력조사 및 임상검사를 시행한다. 설문의 내용으로 턱관절부위, 귓속 또는 귀주위, 관자놀이나 뺨의 통증에 대한 질문, 턱관절의 기능 시, 즉 저작, 개구, 하품 시 통증이나 기능적 장애에 대한 질문, 관절잡음이나 두통, 연관통에 관한 질문과 외상 병력, 구강악습관(이갈이, 이악물기, 편측저작 등) 및 턱관절 문제로 치료를 받은 과거력에 대한 질문이 포함된다. 촉진을 시행하여 턱관절 부위의 압통 유무, 기능 시 관절잡음의 발생여부, 근육의 압통 등을 평가하고, 개구량 및 하악골의 좌우측 측방운동과 전방운동의 범위 측정, 구강내 치아들의 과도한 교모, 동요도와 연관된 연조직의 변화를 관찰하고, 안면, 악골, 치열궁의 대칭에 대한 평가도 필요하다(그림 14-12).

통증이 일차 증상인 경우는 통증의 근원을 규명하는 것이 대단히 중요하다. 특정부위의 발통점(trigger point), 국소적인 근육 통증, 턱관절 통증과 실제 근원에서 멀리 떨어진 부위의 이소통(heterotopic pain)을 감별해야 한다. 통증 양상이 복잡할 때 통증의 근원과 발현부위를 감별하기 위하여 조직에 대한 국소마취가 유용할 수 있다. 통증의 근원부위에 국소마취를 하면 통증의 근원에서 유발된 유해수용정보를 차단할 수 있기 때문에 일시적인 증상 감소 효과를 얻을 수 있다. 그러나 이소통인 경우 유해수용정보가 유발되지 않으므로 통증발현부위에 대한 국소마취로 증상이 해소되지 않는다. 턱관절 부위의 통증 감별을 위해 관절강내 국소마취액 주입 혹은 이개측두신경전달마취가 유용할 수 있다.

3. 영상평가

영상기법의 선택은 보고자 하는 턱관절 부위가 경조직인지 연조직인지에 따라 나뉠 수 있는데 기존의 방법은 주로 경조직에 대한 정보를 얻기 위해 이용되어 왔다. 가령 파노라마나 횡두개방사선촬영(transcranial view) 등은 주로 턱관절을 이루는 경조직의 병변 감별, 과두의 형태이상 및 과두-관절의 관계를 보기 위하여 이용되어 왔다. 관절의 연조직을 평가하기 위해서는 자기공명영상촬영(MRI)을 시행하는데 이는 관절원판의 직접적인 관찰을 가능하게 하여 관절원판의 위치, 형태 및 내부구조의 이상을 평가할 수 있다.

1) 파노라마촬영

치아, 치주, 상하악골 병소의 검사뿐만 아니라 악골의 형태 및 대칭성을 살펴보고 하악과두의 형태적 변화 유무를 가장 간단하게 관찰할 수 있는 방법이다. 턱관절부위의 형태나 크기에 대한 대칭성의 비교가 쉽고 하악과두의 전상방에 발생할 수 있는 골변화의 관찰에 유용하다(그림 14-13).

2) 횡두개방사선촬영(Transcranial view)

폐구 및 개구 상태에서 양측 턱관절을 모두 촬영하며 비교하는 방법으로 관절 외측부위의 형태 및 부식성 변화에 대한 진단이 가능하다. 편측 혹은 양측 하악과두의 운동제한, 관절의 급성염증에 의한 관절강의 혼탁, 하악과두의 침식 또는 탈회, 증식성 변화나 골증식체의 형성, 과두돌기의 부분적 혹은 완전탈구 등을 관찰할 수 있으며 전반적인 퇴행성 또는 외상성 변화와 과두의 활주범위를 평가할 수 있지만, 방사선 촬영 시 각도의 다양한 변화로 인해 관절간극과 전후방 위치를 정확히 평가하기는 어렵다(그림 14-14).

3) 전산화단층촬영(CT)

턱관절부위의 발육성 기형, 외상, 신생물과 같은 골의 기형을 평가하는 데 매우 유용하다. 그러나 기술적 어려움과 영상의 특성상 관절원판의 변위는 평가할 수 없다. 비록 direct sagittal, thin-section CT image의 경우 골이나 연조직에 대한 해상력이 개선되고 parasagittal view의 촬영이 가능하여 턱관절내장증과

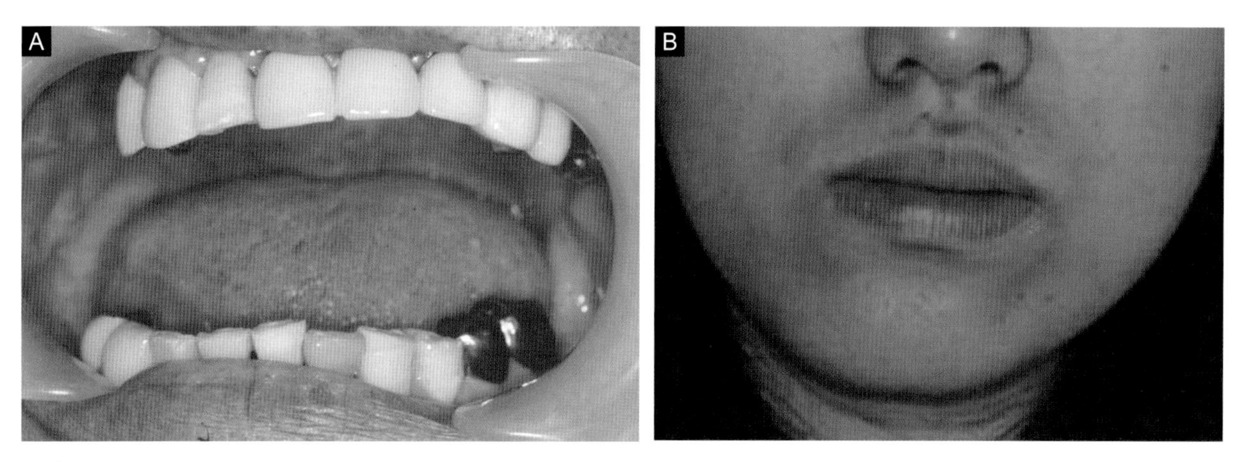

그림 14-12 **A:** 개구 시 하악의 우측 편위가 관찰된다. **B:** 턱관절 발육장애로 인한 안모 비대칭 소견이 관찰된다.

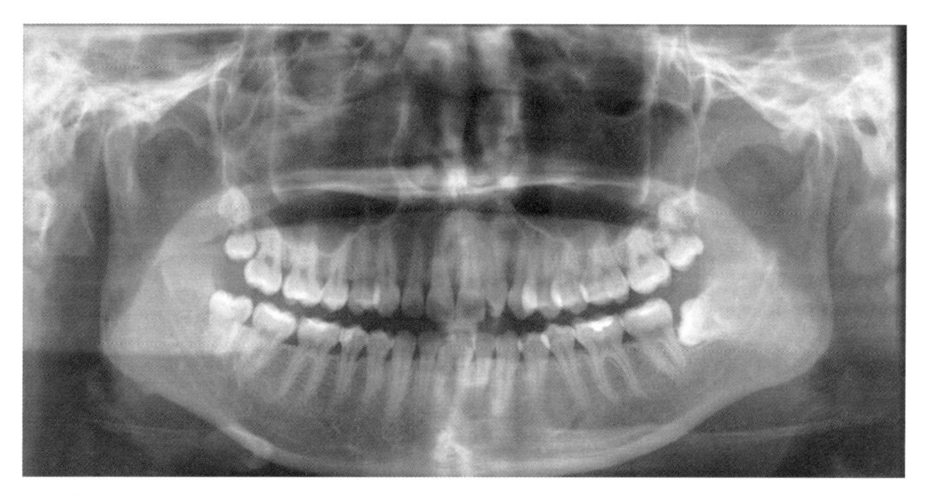

그림 14-13 **파노라마촬영.** 좌측 하악과두의 형태이상을 관찰할 수 있다.

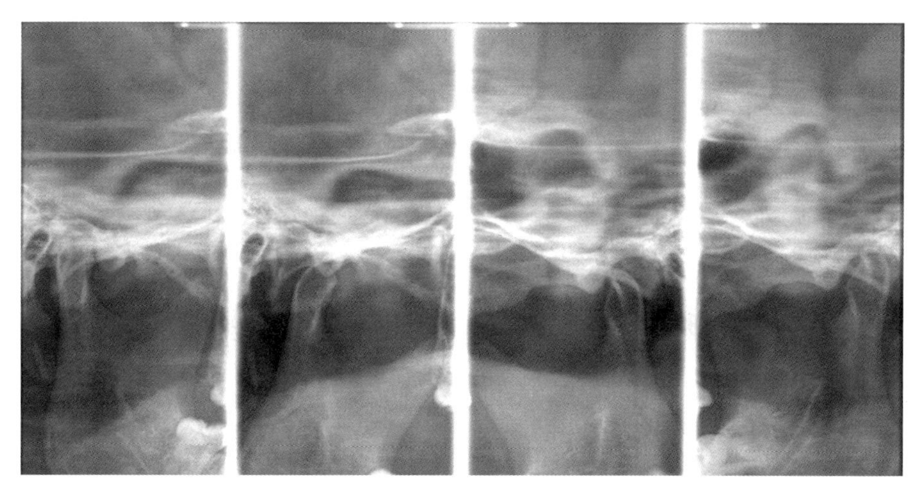

그림 14-14 **횡두개방사선촬영.** 개구 시 양측 하악과두의 활주운동 제한과 과두의 형태이상을 관찰할 수 있다.

골변화 양상을 보여줄 수 있으나 촬영 위치를 결정하기 어려운 경우가 있어, 관절원판에 대한 평가보다는 골변화 양상에 대한 평가를 위하여 사용하게 된다(그림 14-15).

4) 콘빔전산화단층촬영(CBCT)

콘빔전산화단층촬영(cone beam computed tomography, CBCT)은 일반 CT에 비해 비용과 방사선 노출면에서 유리하여 턱관절질환의 진단에도 유용하게 사용되고 있다. 최근 카데바를 이용한 연구에 따르면 CBCT로 촬영한 턱관절 과두와 턱관절와 사이의 거리 및 턱관절강 부피의 정확도가 높으며, 일반 CT와 비교하였을 때 진단 정확도 면에서 크게 차이가 없다고 하였다. 턱관절 골관절염, 류마티스 턱관절염 및 턱관절에 발생한 골성종양과 골성강직증 등의 진단에 유용하게 사용될 수 있다. 그러나 여전히 턱관절의 연골 및 연조직 질환의 진단에는 이용할 수 없으며 MRI를 대체하기 힘들다.

5) 골스캔(Bone scan)(그림 14-16)

Technetium-99m과 같은 방사성동위원소를 혈관내에 주입한 후, 조직내에 축적된 동위원소를 감마카메라를 이용하여 상을 얻는 방법이다. 뼈형성과 혈관형성이 증가된 부위에 동위원소가 축적되므로, 턱관절에 적용하는 경우 턱관절종양, 염증, 퇴행성 변화를 관찰할 수 있다. 과두과형성(condylar hyperplasia)이 있는 경우 골성장의 활동성 유무를 평가할 수 있으며 관절염의 진단에도 유용하다. 골의 활성이 증가된 부위

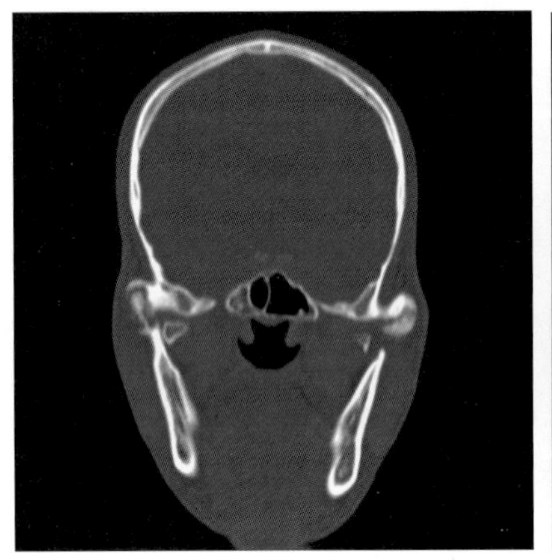
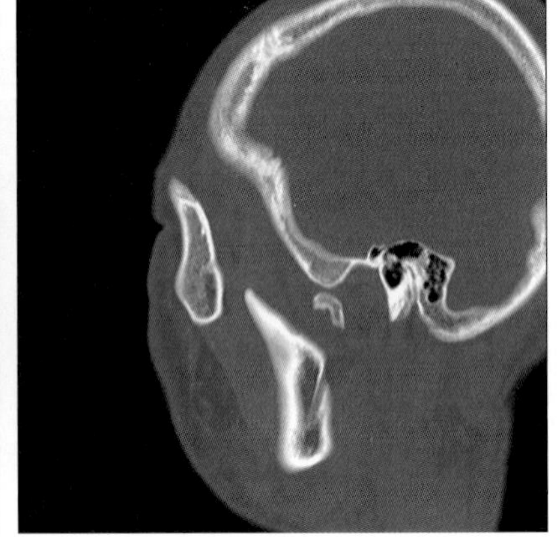

그림 14-15 CT 촬영.

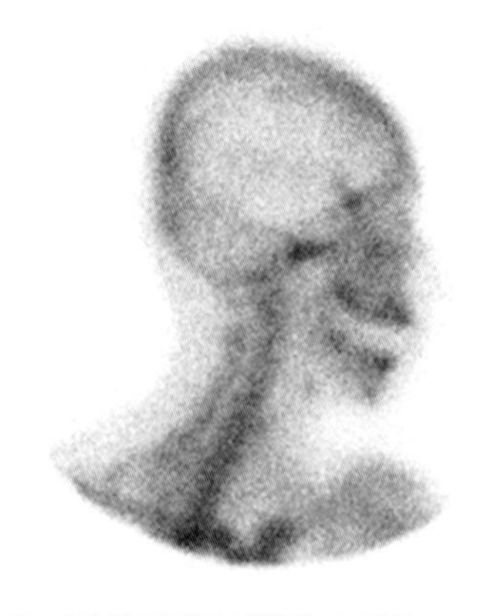
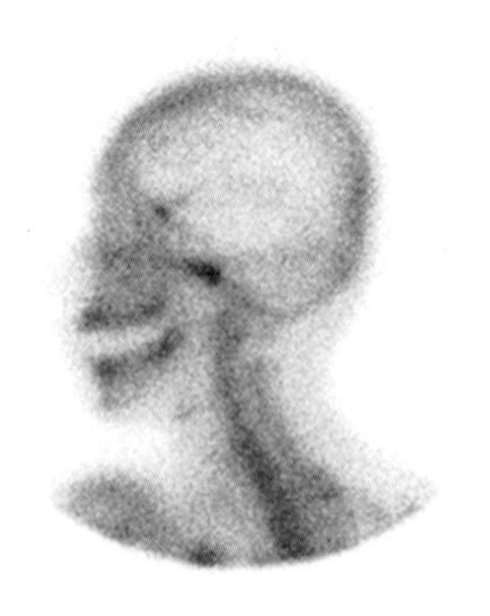

그림 14-16 골스캔. 염증 및 퇴행성 변화를 관찰할 수 있다.

를 확인하기 위한 단광자방출전산화단층촬영(single-photon emission computed tomography, SPECT)도 이와 비슷한 기술을 이용한다. 그러나 골스캔은 전반적인 병소의 판단에 도움을 주지만 골재형성과 골변성을 구분할 수 없고 소견이 비특이적이기 때문에 반드시 임상소견 및 다른 검사 결과들을 참고하여야 한다.

6) 단광자방출전산화단층촬영(SPECT)(그림 14-17)

골스캔 방법과 마찬가지로 Technetium-99m과 같은 방사성동위원소를 혈관내에 주입하여 조직내에 축적된 동위원소를 감마카메라를 이용하여 상을 얻는 방법이다. 단, 골 스캔과의 차이는 평면영상뿐 아니라 단층영상을 얻음으로써 3차원적으로 병소를 정확히 평가할 수 있다는 점이다. 방사성동위원소를 환자에게 투여한 후 감마카메라를 인체 주위로 회전시키며 여러 방향의 2차원 투사상(projection)을 얻고, 이를 사이노그램 형태로 변환한 후 영상재구성 기법을 적용하면 CT와 마찬가지로 체내 단층영상(tomogram)을 얻을 수 있다. 최근 연구에 의하면 턱관절 SPECT를 이용하면 과두과형성, 골관절염, 골연골성 종양 등의 턱관절 병변을 진단할 수 있으며, 그 정확도는 97% 이상으로 보고되었다.

7) 자기공명영상(MRI)(그림 14-18)

연조직영상이 우수하여 턱관절과 같은 작은 관절부위의 관절원판까지도 그 형태와 위치를 정확히 파악할 수 있다. 턱관절 부위에 대한 MRI는 횡단면 촬영을 통하여 하악과두의 위치와 형태를 파악하고 하악과두의 내외측 장축에 대하여 oblique sagittal view와 oblique coronal view를 촬영한다. 촬영 시에 TR (time of repetition)과 TE (time of echo)를 조절하여 T1-weighted images, T2-weighted images, Proton density weighted images를 얻을 수 있다. 이들은 서로 다른 연조직 대비를 보여줌으로써 동일한 부위를 다양하게 표현하고 있어 관찰하고자 하는 부위와 조직의 양상에 따라 적절한 상을 선택하여 관찰할 수 있다. 관절원판의 형태나 위치는 T1-weighted images나 proton density weighted images에서 잘 관찰되며 관절강내의 삼출액과 같은 염증상태는 T2-weighted images에서 관찰된다. MRI는 비관혈적 방법으로 환자에게 고통을 주지 않고, 관찰자의 숙련도가 크게 요구되지 않으며 방사선의 노출이 없고 관절원판의 형태를 명확하게 보여주며 그 주위 구조물과의 관계 및 조직학적, 생화학적 변화의 가능성도 보여줄 수 있다는 장점이 있다. 반면 촬영시간이 길고 환자의 경제적 부담이 크며 턱관절의 동적인 움직임 및 관절원판 천공을 정확하게 진단하는 데 어려움이 있다.

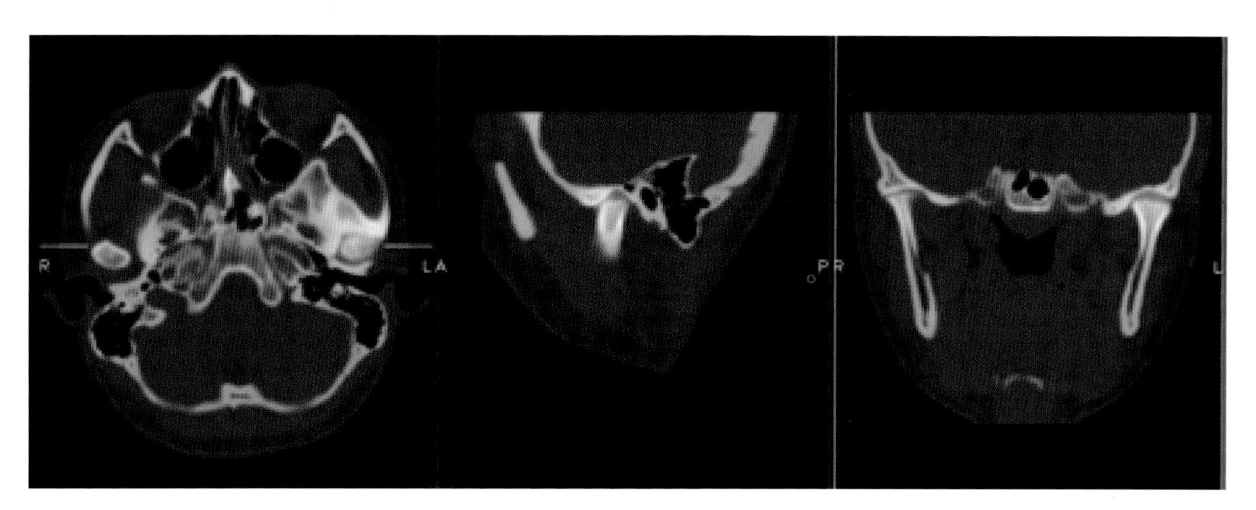

그림 14-17 TMJ SPECT-CT 영상사진.

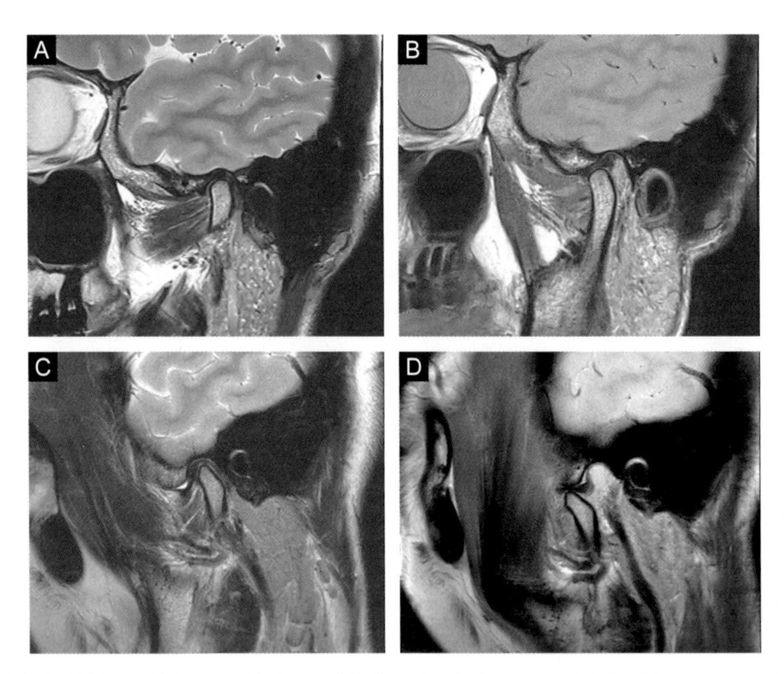

그림 14-18A-D A: 자각적 증상이 전혀 없으며 임상적으로 관찰되는 징후가 전혀 없는 정상적인 턱관절의 교합 시 MRI 소견으로 하악와와 하악과두가 적절한 간격을 유지하고 있으며 그 사이에 biconcave 형태의 관절원판이 관찰된다. B: 정상적인 경우의 개구상태로 biconcave한 관절원판이 하악과두와 eminence 사이의 안정된 위치에 놓여 있다. C: 관절원판이 biconcave한 형태를 유지하고 있으나 전방으로 변위된 모습을 볼 수 있다. D: 전방으로 변위된 관절원판이 개구 시에는 정상적인 위치관계를 회복하면서 안정된 위치관계를 보여주고 있다.

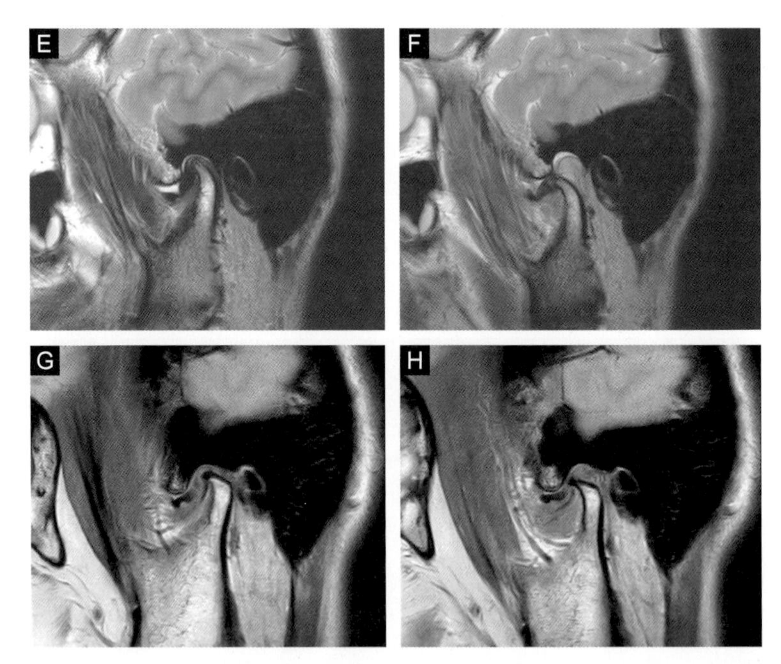

그림 14-18E-H E: 약간 변형이 일어나기 시작한 관절원판이 전방으로 변위된 것을 관찰할 수 있다. F: 전방으로 변위된 관절원판이 개구 시에도 정복되지 않고 전방에서 하악과두의 전방부에 눌려 변형이 일어나는 것을 볼 수 있다. G: 전방으로 심하게 변위되고 관절원판의 형태도 심하게 변형된 것을 관찰할 수 있으며, 관절원판 후방부의 조직이 상당히 늘어난 양상을 보이고 하악과두의 전상방에는 경화(sclerosis)를 보이고 있다. H: 전방으로 변위가 심하며 형태의 구분이 어려워진 관절원판이 관찰되며, 하악과두의 전방부에서 경화증 및 후상방부에 전체적으로 나타난 골의 평편화 등 골관절증으로 진행된 상태가 보여, 이러한 경우에는 관절원판의 천공을 의심할 수 있다.

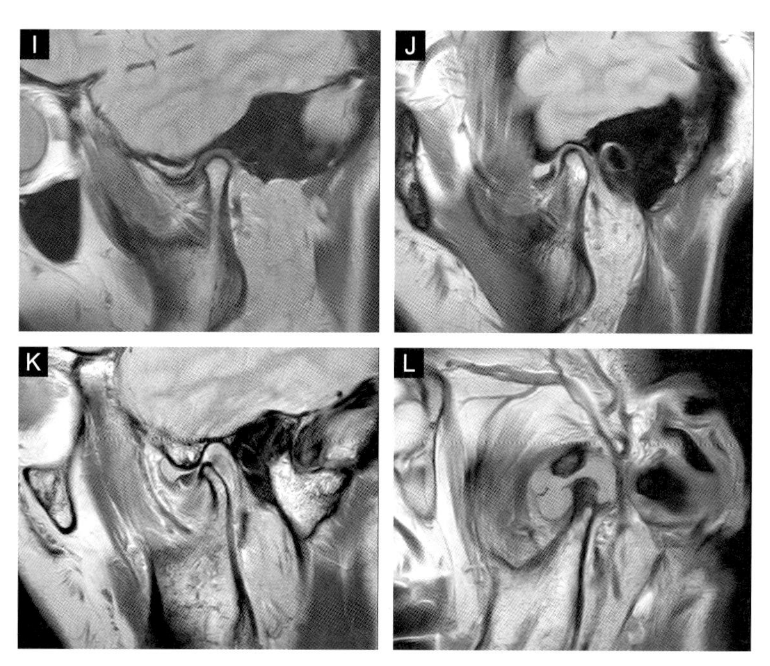

그림 14-18I-L 자기공명 PD (proton density)-강조영상에서 보이는 관절내 활액(삼출액). I: 활액이 거의 보이지 않는다. J: 활액이 턱관절원판의 경계 내에 국한되어 보인다. K: 활액이 원판 경계를 벗어나서 전방함요까지 차 있다. L: 관절낭을 팽창시킬 정도로 많은 양의 활액이 관찰된다.

8) 턱관절조영술(Arthrography)

관절강내에 방사선불투과성의 조영제를 주입하고 관절원판의 운동을 투시검사(fluoroscopy)를 이용하여 단층촬영(tomography) 영상으로 기록하는 방법이다. 관절원판의 위치와 형태를 파악할 수 있으며 천공, 유착 및 관절소성체(loose body)에 대한 추가적인 정보를 얻을 수 있다. 그러나 턱관절 MRI가 유용하게 사용되면서 MRI에 비해 진단 정확도가 떨어지고 검사 후 통증과 불편감이 심하며, 투시검사를 사용하면 방사선 과노출의 단점이 있어 최근에는 거의 사용하지 않는다.

4. 기타검사

1) 근전도(Electromyography)(그림 14-19)

최근 몇 년 동안 턱관절장애의 진단과 치료에 있어서 근전도의 사용에 관심이 집중되었다. 그러나 근전도 검사는 피검자의 연령, 성별, 근육의 위치, 음식물 섭취 여부, 근이완 약물의 투여 및 개구운동 등에 의하여 그 결과가 크게 영향을 받을 수 있기 때문에 여러 요소들을 세심히 고려하여야 한다. 또한 전극부착위치(electrode placement)의 작은 차이가 근전위에 상당한 변화를 주기 때문에 턱관절장애의 진단과 평가에서 근전도의 유용성에 대한 증거는 아직 확립되지 않았다. 단, 안면통증 및 턱관절장애의 평가와 관련하여 근반사활동, 신경전도, 이상기능행동(parafunctional behavior)의 분석에 참고자료로 활용할 수 있으며, 이완훈련 동안에 환자로 하여금 근육의 긴장도를 측정할 수 있는 여러 종류의 바이오피드백(biofeedback)에도 사용될 수 있다.

2) 하악운동 궤적검사(Mandibular kinesiograph)

하악운동의 분석은 턱관절장애뿐만 아니라 다른 치과질환의 치료 시 많은 정보를 제공해 주고 있으며, 최근에는 하악운동에 대한 정보를 전산처리하여 모든 하악운동의 궤적을 4차원적으로 분석함으로써 턱관절장애의 진단 및 치료에 유용한 정보를 제공해 주고 있다. 그러나 궤적검사 결과는 환자의 턱관절 병력 및 다른 검사소견과 함께 포괄적인 평가를 위한 보조수단으로 이용되어야 한다.

3) 음파촬영술(Sonography)

음파촬영술은 관절잡음을 기록하여 그림으로 나타내는 기술이다. 관절잡음은 종종 특정 관절원판장애와 관련이 있기 때문에 의미를 지닐 수 있지만 관절잡음이 존재한다고 해서 그 자체가 문제가 되지 않는다. 현재까지 개발된 음파촬영술은 촉진이나 청진기를 이용해서 얻을 수 있는 정보에 비해 우수한 진단적 가치를 제공하지 못하고 있는 실정이다. 장차 치료가 필요한 관절잡음과 치료가 필요하지 않은 관절잡음을 구별할 수 있는 기술이 개발될 것으로 기대된다.

4) 행동 및 사회심리적 평가(Behavioral and psychological assessment)

턱관절장애의 원인론에 있어서 신체적 요인과 정신사회적 요인을 모두 고려해야 하는데, 정신사회적 요인은 환자의 행동 및 사회심리평가를 통해 확인할 수 있다. 미네소타 다면적 인성검사(Minnesota Multiphasic Personality Inventory, MMPI)와 간이정신진단검사(Symptom Check List-90-R; SCL-90-R)가 주로 행동 및 사회심리평가에 이용되고 있다. 미네소타 다면적 인성검사는 방대하고 수검시간이 길며, 검사결과의 해석 및 진단에 있어서 전문성이 요구되는 것이 단점이지만, 높은 임상타당도, 검사문항의 함축성, 임상척도의 신뢰성을 즉각적으로 판정할 수 있는 것이 장점이다. 또한 순응적 극복(adaptive coping), 대인고통(interpersonal distress), 기능장애성 만성통증(dysfunctional chronic pain)이라는 세 가지 통증을 측정할 수 있다. 반면, 간이정신진단검사는 심리치료 및 향정신성 약물의 효과를 측정하거나 자기보고식 다차원 증상목록 형식의 심리진단검사인데, 실시시간이 20여분 정도로 짧고, 검사문항이 쉬우며, 환자의 증상을 포괄하는 것이 특징이다. 이 검사에는 우울척도(depression scale)와 비특정 신체증상의 정도를 측정하는 척도가 포함되어 있다.

5. 턱관절장애의 분류

임상의와 연구자가 동일한 기준과 분류법, 명명법을 사용할 경우, 임상에서의 문제점과 경험이 관

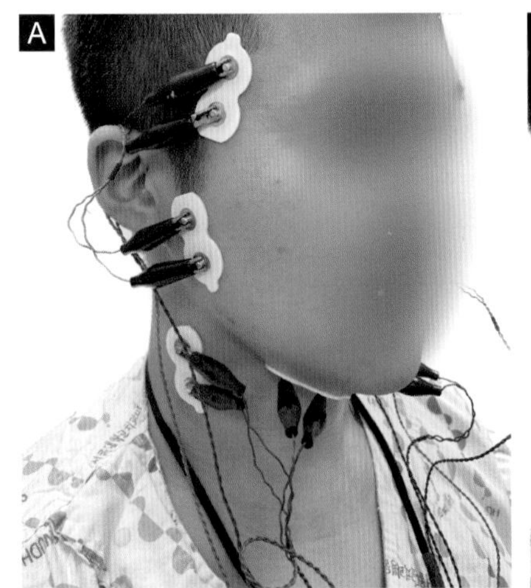

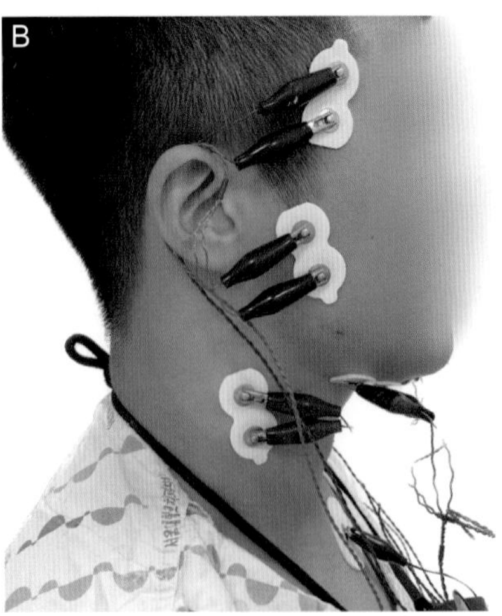

그림 14-19 TMJ 근전도 측정.

련 연구자에게 보다 쉽게 전달되고 반대로 연구 결과 또한 임상의가 환자를 보다 잘 진단하고 치료할 수 있게 도움이 될 것이다. 이러한 의미에서 1992년에 발표된 '턱관절장애의 연구진단기준(RDC/TMD; Research Diagnostic Criteria for Temporomandibular Disorders)'은 첫 출발이었고, 현재는 전 세계 연구자들이 모여 여러 번의 개정을 통해 2014년에 발표한 '턱관절장애의 진단기준(DC/TMD; Diagnostic Criteria/Temporomandibular Disorders)'이 연구자와 임상의 모두에게 통용되고 있다. 이 분류는 통증의 생물심리사회적(biopsychosocial) 모델을 기반으로 신체 평가인 Axis I 평가와 심리사회적 상태 및 통증 관련 장애에 대한 Axis II 평가로 나눈다.

표 14-2 '턱관절장애의 진단기준'에서 제시한 턱관절장애의 분류

I. Temporomandibular Joint Disorders
1. Joint pain
A. Arthralgia
B. Arthritis
2. Joint disorders
A. Disc disorders
① Disc displacement (DD) with reduction
② DD with reduction with intermittent locking
③ DD without reduction with limited opening
④ DD without reduction without limited opening
B. Other hypomobility disorders
① Adhesions/adherence
② Ankylosis
a. Fibrous
b. Osseous
C. Hypermobility disorders
① Dislocations
a. Subluxation
b. Luxation
3. Joint diseases
A. Degenerative joint disease
① Osteoarthrosis
② Osteoarthritis
B. Systemic arthritides
C. Condylysis/idiopathic condylar resorption
D. Osteochondritis dissecans
E. Osteonecrosis
F. Neoplasm
G. Synovial chondromatosis
4. Fractures
5. Congenital/developmental disorders
A. Aplasia
B. Hypoplasia
C. Hyperplasia
II. Masticatory Muscle Disorders
1. Muscle pain
A. Myalgia
① Local myalgia
② Myofascial pain
③ Myofascial pain with referral
B. Tendonitis
C. Myositis
D. Spasm
2. Contracture
3. Hypertrophy
4. Neoplasm
5. Movement disorders
A. Orofacial dyskinesia
B. Oromandibular dystonia
6. Masticatory muscle pain attributed to systemic/central pain disorders
A. Fibromyalgia/widespread pain
III. HEADACHE
1. Headache attributed to TMD
IV. ASSOCIATED STRUCTURES
1. Coronoid hyperplasia

신체 평가인 Axis I의 진단은 크게 측두하악관절장애와 저작근장애로 나누며, 턱관절장애로 인한 두통과 하악근돌기의 과형성은 따로 분류하였다. 측두하악관절장애는 관절통증과 관절장애, 관절질환, 골절, 선천성/발육성 장애로 나누는데, 관절장애에는 관절원판장애, 하악의 과운동장애, 하악의 운동저하장애가 포함되고, 관절질환에는 퇴행성관절질환, 골흡수, 종양 등이 포함된다. 퇴행성관절염, 골관절염(골관절증), 하악과두의 골흡수는 혼용하여 사용하는 경우가 있는데, 골관절증과 골관절염은 퇴행성관절질환으로 분류하였

표 14-3 '턱관절장애의 진단기준'에서 제시한 Axis II 평가 프로토콜

Domain	Instrument	No. of items	Screening	Comprehensive
Pain intensity	Graded Chronic Pain Scale (GCPS)	3	V	V
Pain locations	Pain drawing	1	V	V
Physical function	Graded Chronic Pain Scale (GCPS)	4	V	V
Limitation	Jaw Functional Limitation Scale–short form (JFLS)	8	V	V
	Jaw Functional Limitation Scale–long form (JFLS)	20		V
Distress	Patient Health Questionnaire–4 (PHQ–4)	4	V	V
Depression	Patient Health Questionnaire–9 (PHQ–9)	9		V
Anxiety	Generalized Anxiety Disorder–7 (GAD–7)	7		V
Physical symptoms	Patient Health Questionnaire–15 (PHQ–15)	15		V
Parafunction	Oral Behaviors Checklist (OBC)	21	V	V

표 14-4 '턱관절장애의 진단기준'에서 제시한 Axis I과 Axis II 검사의 임상과 연구 적용

	Axis I: Physical diagnosis		Axis II: Psychosocial status	
	Pain diagnoses	Joint diagnoses	Distress and pain disability	
Application	Clinical or research		Clinical	Clinical or research
Screening test	TMD pain screener	DC/TMD for disc displacements, degenerative joint disease, and subluxation	PHQ–4 and GCPS	PHQ–9, GAD–7, PHQ–15, and GCPS
Confirmatory test	DC/TMD for myalgia, arthralgia, and headache attributed to TMD	Imaging: MRI for disc displacements, CT for degenerative joint disease, and panoramic radiographs, MRI, or CT for subluxation	Consultation with mental health provider	Structured psychiatric or behavioral medicine interview

고, 하악과두 흡수와 골괴사는 따로 분류하였다. 저작근장애는 근육통증, 근육비대, 종양, 운동장애, 전신통증을 유발하는 섬유근통 등으로 분류하였다.

심리사회학적 요인을 평가하는 Axis II 진단을 위한 검사도구는 임상의에게 환자의 분류, 치료계획 및 환자의 예후평가를 위해서 통증 강도, 심리사회적 고통 및 통증 관련 장애를 스크리닝하는 쉬운 방법을 제공한다. 대부분의 턱관절장애 환자는 좋은 예후를 가지고 있으나, 10–15%의 치료가 잘 안 되는 환자들에게 적절한 치료법을 적용하고, 예후를 평가하기 위해서는 Axis II에 대한 평가 및 진단이 필요하다. '턱관절장애의 진단기준'에는 Axis II 평가도구와 평가 프로토콜(표 14-2), 과 더불어 이들을 임상과 연구에 적용하는 것을 도식화하여 제시하고 있다(표 14-3, 4).

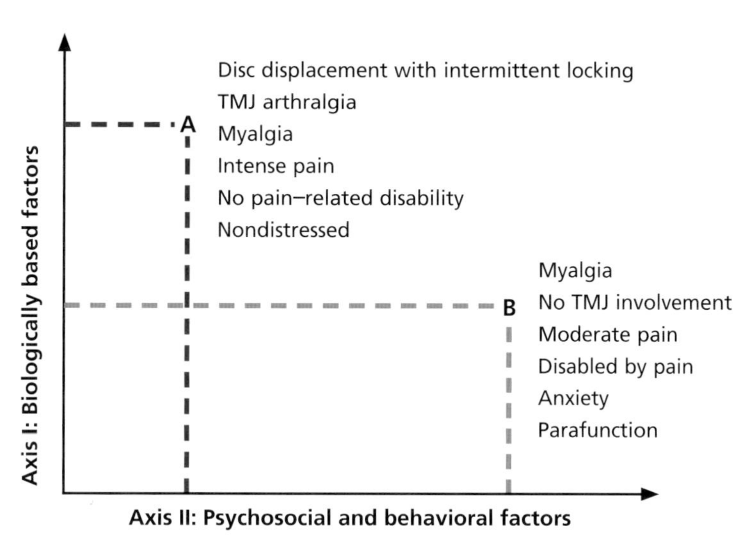

그림 14-20 턱관절장애에 적용되는 질병의 생물심리사회적 모델.

Axis I과 Axis II 진단을 같이 고려해 볼 때 두 가지 가능한 유형의 환자가 있을 수 있다. 그림 14-20에서 세로축은 신체장애를 포함한 환자의 생물학적 요인(Axis I)의 중증도를, 가로축은 통증으로 인한 기능장애를 포함한 심리사회적 및 행동적 요인(Axis II)의 심각성을 나타낸다. 각각의 축에서의 질병 중증도에 따라 환자가 위치하는데, 환자 A는 이차적인 심리사회적 요인이 없는 기계적 측두하악관절장애가 있고, 환자 B는 통증 진단을 받았고 임상적으로는 전반적인 기능과 기분상태에 유의한 장애가 있는 것을 나타낸다.

Ⅳ. 턱관절장애의 치료

앞에서도 언급했듯이 턱관절장애의 병인론은 복잡하며 여러 가지 소인들이 복합적으로 관여하는 것으로 알려져 있고, 원인 미상인 경우도 있다. 턱관절장애는 교합이상, 턱관절과 주위근육 상태의 이상, 정신적 및 전신적 상태 등 다양한 인자에 의해 유발되며 복잡 다양한 증상을 나타낸다. 따라서 임상의들은 복잡한 원인을 잘 파악하고 이에 따른 정확한 진단하에 포괄적인 접근 방법으로 치료계획을 수립하여야 하며, 단순한 보존적 치료부터 비가역적인 외과적, 교정 및 보철적 치료 등을 적절하게 조합하여 양호한 치료성적을 얻도록 노력해야 할 것이다.

과거 턱관절장애의 증상들은 치료를 안하더라도 시간이 지나면 자연스럽게 치유된다는 일부 보고들도 있었으나 반대로 치료를 하지 않는 경우 중증의 턱관절장애를 초래하는 경우도 적지 않으므로 턱관절 치료가 필요한 경우 적극적으로 환자를 교육하고 적절한 치료를 시작하며, 질병이 진행된 단계라면 전문의에게 바로 의뢰하여 중증으로 악화하는 것을 막아야 한다. 현저한 치료효과를 보이지 않는 장기간의 보존적 치료나 성급한 비가역적 치료는 바람직하지 않다.

턱관절질환의 치료는 상담, 정신과적 치료, 심리치료, 약물치료, 장치치료, 물리치료 등의 보존적 치료와 턱관절내 주사요법, 턱관절강세정술, 턱관절 내시경적 치료 및 외과적 수술과 같은 침습적 치료로 대별할 수 있다.

1. 보존적 치료(Conservative care)

1) 상담(Counselling) 및 행동치료 (Behavioral therapy)

환자가 자신의 턱관절장애를 잘 이해할 수 있도록 환자의 경우에 맞는 턱관절장애의 발병원리를 잘 설명하여 주는 것이 치료의 시작이다. 환자의 습관, 일상생활 동작 중 턱관절장애에 관계하는 것을 발견해 설명하고 이해시킨 후 행동을 바꿔 증상을 개선시키는 과정은 간단하게 보이지만 실제는 상당히 어려우며 치료의 예후에 많은 영향을 미친다.

DC/TMD (Diagnostic Criteria for Temporomandibular Disorders) 차트에 간단한 질문표에 기록하고 문진하고, 의심되는 행동, 습관을 정리하면서 문제의 동작을 환자 스스로 깨닫도록 한다. 가설적인 병인론, 소인이라도 환자에게 설명해야 하며 한번에 두세 가지 습관이나 행동을 변화시키도록 지도한다. 가령 개선해야 할 습관이 많이 관찰되어도 단시간에 변경하면 효과 발현을 확인하기가 곤란해 환자를 혼란스럽게 만들 수 있다. 또한 치료효과, 예후 등에 대해 설명하고 행동과 습관을 바꾼 후 효과가 발현하였다면 장시간 지속하도록 권유하고 재평가를 통해 환자를 이해시킨다. 여러 가지 주의사항들을 포함시킨 소책자와 같은 자료들을 제작하여 환자에게 전달하면 도움이 될 수 있다. 환자의 질문에 적극적으로 대답하여 설명함으로써 환자와 우호적인 관계를 유지하는 것이 대단히 중요하다. 질문에 적절히 답변하지 않고 얼버무리거나 애매모호한 답변을 할 경우엔 불신감을 가중시키며 좋은 치료 효과를 얻을 수 없다.

턱관절질환은 두경부의 관련 저작근과 턱관절의 연조직 및 경조직 부위의 증상들이 임상적으로 상호복합되어 나타나는 것으로 정의할 수 있으며 만성통증 증후군의 일부로 포함시키는 경향이 있다. 턱관절질환에서 정신적 요인의 중요성에 대해서는 학자들 간에 논란이 있지만 분명히 직간접적인 영향을 미치고 있는 것은 확연하다. 턱관절 및 저작기능 이상, 장애 및 통증 발생 시 환자는 의식적으로 그것을 회피하려는 비정상적 저작운동을 시도하게 되며 증상은 저절로 소멸될 수도 있지만 잔존 혹은 진전되는 경우엔 불안과 공포 등 심리적 문제가 반드시 발생되게 된다. 따라서 턱관절질환의 초기치료로서 상담(counselling)을 중심으로 한 심리치료 병행은 중요하며 환자의 개인 성향을 파악하고 신체적 측면을 치료하는 것이 바람직할 수 있다. 불량습관과 행동을 변화시키기 위한 시도는 전체적인 치료과정에서 중요한 부분을 차지한다. 단순한 악습관은 환자가 깨닫기만 하여도 스스로 줄일 수 있지만, 지속적으로 악습관을 변화시키기 위해서는 행동치료에 숙달된 임상가에 의한 체계적인 치료과정이 필요하다. 기여요인을 변화시키기 위해서는 종종 환자의 생활양식을 변화시킬 필요가 있다. 만약 더욱 체계적인 방법이 요구되면 습관반전법, 생활습관 상담, 점진적이완, 최면, 바이오피드백과 같은 행동변화를 위한 방법들을 고려하여야 한다. 스트레스는 근막통증증후군과 밀접한 관계가 있으며 잠을 자는 동안 이갈이나 이악물기를 유발시켜 턱관절 기능에 직접적인 악영향을 미칠 수도 있다. Jones 등은 턱관절질환 환자들은 정상인에 비해 스트레스를 받으면 코티솔의 분비가 현저하게 증가됨을 보고하면서 턱관절질환 증상과 스트레스의 연관성을 언급하였다. McKinney 등은 턱관절질환 환자들은 높은 스트레스와 관련이 있음을 보고하면서 정신적, 사회적 및 행동치료요법(psychological, social, and behavioral treatment methods)이 유용할 수 있음을 주장하였다. 정신적 스트레스로 인한 신체반응이 저작근육의 긴장을 증가시키며, 자율신경계의 활성도 증가로 에피네프린이나 노르에피네프린과 같은 스트레스호르몬의 분비 증가에 따른 혈관수축은 근육내 유해산물의 축적 증가로 근경련을 유발하며 이것이 근육내 산소전달 감소에 따른 미세 혐기성 환경으로 인한 통증을 유발할 수 있다.

정서적 스트레스는 안정 시에도 근육활성도를 증가시키거나 이갈이를 증가시키면서 근육기능에 영향을 줄 수 있다. 또한 교감신경계를 활성화시키면서 근육

통증을 유발할 수도 있다. 임상의들은 이런 관계를 인지하고 치료에 임하는 것이 중요하며 스트레스 수준을 낮추는데 주안점을 두어야 한다. 그러나 대부분의 치과의사는 정서적 스트레스를 치료하는 데 익숙하지 않아 적절한 스트레스 치료를 하지 못하더라도 이러한 연관성을 환자에게 알려주고 인식시켜 줄 필요성이 있으며 필요한 경우엔 신경정신과 등에 적절히 의뢰할 수 있어야 한다. 바이오피드백과 같은 스트레스 조절 프로그램 및 상담 프로그램 등과 치과적 치료를 병용하면 치료 효과가 증진될 수 있다.

간단한 형태의 정서적 스트레스 치료법은 다음과 같다.

(1) **환자의 인지**(patient awareness)

정서적 스트레스, 근활동 과다와 턱관절장애와의 연관성에 대해 설명하고 이해시키는 것이 중요하다. 대부분 이상 기능활동은 잠재의식 하에서 나타나므로 환자는 그 사실을 모르고 있다. 일상생활의 심한 스트레스가 근활동 과다를 유발하면서 수면 중 이갈이 혹은 자신도 모르는 사이에 이를 악무는 습관 등을 유발할 수 있다. 따라서 스트레스는 일상적인 생활에서 누구에게나 나타날 수 있으며, 턱관절장애의 주요 원인이 될 수 있음을 인식시키는 것이 중요하다.

(2) **자발적 회피**(voluntary avoidance)

정서적 스트레스의 원인이 확인되면 가능한 이를 피하도록 권유하지만 모든 원인을 전부 피할 수는 없다. 스트레스 요인을 완전히 피할 수 없다면, 노출되는 빈도와 기간을 줄이도록 설명한다. 그리고 환자가 자신의 구강 악습관(이악물기 등)을 인식한 경우엔 스스로 조절하도록 유도하지만 수면 중 이악물기 등과 같이 자발적으로 조절하기 어려운 경우엔 구강내 스플린트와 같은 보조적인 치료법을 도입해야 할 것이다.

(3) **이완요법**(relaxation therapy)

① **대치이완요법**(substitutive relaxation therapy)

행동수정(behavioral modification) 요법으로 스트레스원(stressors)을 다른 것으로 대치하거나 스트레스원 사이에 무엇인가를 개재시킴으로써 환자에 가해지는 충격을 감소시키는 것이다. 가령 스포츠, 오락, 취미생활 등에 더 많은 시간을 할애함으로써 스트레스원으로부터 멀어지도록 한다.

② **능동이완요법**(active relaxation therapy)

직접 근활성을 감소시키는 방법으로 환자가 증상이 나타나는 근육을 스스로 이완시킬 수 있도록 훈련되면 정상 기능 회복에 도움이 된다.

③ **점진적 이완요법**(progressive relaxation)

매일 약 20분 동안 등을 기댄 채 안락하고 조용한 분위기에서 누워서 긴장을 풀도록 한다. 또는 점진적 이완술식이 담긴 오디오테이프를 환자에게 제공하여 근이완을 도울 수도 있다. 치과의사 혹은 잘 훈련된 물리치료사가 정기적으로 환자를 내원시켜 이완을 도와주고 용기를 북돋워줌으로써 치료 효과를 극대화할 수 있다.

④ **바이오피드백**(biofeedback)

무의식상태에서 조절되는 신체기능을 환자 스스로 조절할 수 있도록 돕는 방법이다. 근전도 장비, 휴대용 바이오피드백 기기 등을 사용하여 환자로 하여금 증상이 있는 근육을 효과적으로 이완시킴으로써 증상을 완화시키는 술식을 스스로 배우도록 도움을 주는 방법이다.

2) 약물 치료

투약은 만성 구강안면통증과 극심한 통증을 완화시키기 위한 일차요법으로 선택될 수 있다. 그러나 약물치료만으로는 턱관절장애의 치료에 제한적이다. 또한 장기간 약물을 사용하는 것은 독성을 유발할 가능성이 있기 때문에 장점과 안전성 여부를 면밀히 평가하여 단기간 사용하는 것이 추천된다. 턱관절을 포함하여 두경부 영역의 통증을 호소하는 환자의 치료에 있어서 비스테로이드성 소염진통제가 가장 많이 사용되고 있지만 다른 약제들의 사용도 증상의 해소와 원인과 관련된 치료에 있어 유용할 수 있으며 임상의는 각각의 사용하는 약제와 투여받을 환자에 대한 올바른 정보를 가지고 있어야 하며 개개인의 차이에 따라 적절한 약제를 선택하는 것이 무엇보다 중요하다고 하겠다. 약물치료는 포괄적 치료법의 일부로 사용했을 때, 환자를 안락하게 하고 재활시켜주는 강력한 촉매제가 될 수 있다.

비스테로이드성 소염진통제는 prostaglandin, leukotriene 등의 활성을 억제함으로써 항염증, 항부종 및 진통효과를 발휘한다. 턱관절질환은 근골격계의 근막염, 턱관절 관련조직(활액막, 관절낭, 관절원판 후조직, 외측익돌근 등)의 염증이 야기되면서 급만성 통증이 동반되는 경향이 있으므로 초기 치료 시 통증완화를 목적으로 소염진통제를 사용하는 것은 적극 추천된다.

삼환계항우울제(tricyclic antidepressant)는 원래 우울증 치료제로 많이 사용되는 약물이지만 만성통증, 신경성 두통 등의 완화를 목적으로 실제 임상에서 많이 사용되고 있다. 또한 두통, 편두통, 안면통, 신경통, 섬유조직염(fibrositis) 및 관절염의 치료에도 유용하다고 한다. 통증완화 기전은 직접적 및 간접적인 효과로 구분되어 생각되고 있으며 만성통증을 보유한 환자들에서는 우울증 증세가 내재해 있기 때문에 그 효과가 간접적으로 나타나는 것으로 이해되고 있다. 한편 descending serotogenergic antinociceptive pathway를 활성화시킴으로써 endogenous opioids를 유리시키면서 진통효과가 나타날 수 있다는 기전이 있다. 삼환계 항우울제 중 amitriptyline이 많이 사용되는데 수면 촉진(sleep facilitation), 낮은 심장독성과 항콜린효과(anticholinergic effects) 및 불안해소(anxiolytic) 효과를 들 수 있으며 장기 투여 시에도 효과가 지속되는 장점이 있다. 부작용은 구강건조증, 불필요한 진정(sedation), 변비 등이 있으나 만성통증 치료에 적용 시에는 대개 소용량을 사용하게 되므로 큰 문제점이 없으나 진정효과에 의한 졸음 등의 부작용으로 인해 가급적 취침 직전에 투여하고 환자에게 부작용을 사전 설명할 필요성이 있다. 그 외 부가적인 약제로 근이완제, 항불안제, 항히스타민제제, hyaluronic acid, botulinum toxin, 스테로이드제가 있다. 근이완제는 근육성 통증 환자에 있어서 근육을 이완시킴으로써 통증을 해소하는 역할을 하며 진정제로도 작용을 하기 때문에 불안에 의한 근육통에 효과가 있다. 항불안제로는 valium이 대표적인데 불안을 줄이고 진정효과를 나타내며 골격근 이완 효과는 진정에 의한 이차적 효과로 받아들여진다. 항히스타민제는 염증과정에 연관되어 있는 히스타민의 차단 효과보다는 부수적인 진정 및 항불안제로 사용될 수 있다. 특히 어린이, 노인, 약물남용의 가능성이 있는 valium의 금기증인 환자에서 적절하게 사용될 수 있다.

Hyaluronic acid (HA)는 1934년 Meyer와 Palmer에 의해 처음 발견되었다. 생체 HA는 약 2,500개의 이당류가 반복적으로 결합된 linear chain을 형성하며 평균 분자량이 5-6백만 dalton의 고분자 생체물질로서 조직의 수분 유지, 윤활작용, 생리물질 이동, 세포 이동, 세포기능 및 분화 등에 중요한 역할을 하는 것으로 밝혀졌다. 특히 관절내 HA는 관절조직과 활액에서 관절의 항상성 및 정상적인 기능을 유지하는 데 결정적인 역할을 한다. 아울러 항염증작용, 연골손상 보호, 진통효과를 통해 턱관절 기능을 회복시킬 수 있으며 최근 임상에서 많이 적용되고 있다.

코르티코스테로이드(corticosteroids)는 항염증 작용이 강력하여 일시적 효과가 우수할 수 있지만 자주 사용하면 관절연골의 변성을 촉진하고 골을 괴사시킬 수 있다. 다발관절염과 관련된 급성의 전신적 근육관절 염증 시에는 전신적 투여가 가능하며 나이가 많은 환자에서 관절내에 1회 정도 주사하는 것은 유용할 수 있으나 25세 이하에서는 치료효과가 좋지 않다고 보고된 바 있다. 한편 류마티스관절염 환자에게 주사하면 급성 턱관절 증상 개선에 도움이 되는 것으로 보고되었다. 턱관절의 급성염증에는 50 mg 이하의 스테로이드 주사가 좋은 효과를 보일 수 있으며 안전하다.

보툴리눔 톡신(Botulinum toxin)은 식중독을 유발하는 *Clostridium botulinum*균에 의해 생성된 단백질의 일종으로, presynaptic cholinergic receptor에 비가역적으로 접합하여 아세틸콜린의 분비를 억제함으로써 근육의 수축을 차단하는 역할을 한다. 치과 영역에서 보툴리눔 톡신은 근막통증증후군, 턱관절장애의 보조적 치료, 이갈이, 이악물기와 같은 구강 악습관의 보조적 치료, 교근비대증(사각턱) 치료, 안면 주름제거 등 안면미용치료에도 도입되고 있다.

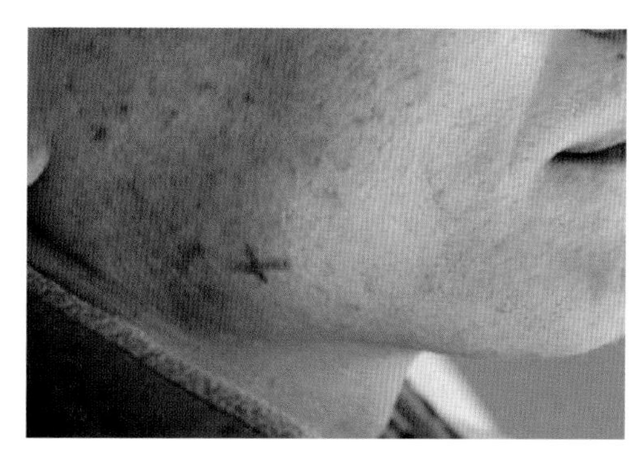

그림 14-21 이갈이 치료 목적으로 교근부위에 Botulinum toxin을 주사할 수 있다.

(1) Hyaluronic acid

① 손상된 연골세포를 보호하고 proteoglycan aggregates을 축적하면서 연골의 퇴행성 변화를 방지한다. 또한 연골분해에 작용하는 기질금속단백효소(matrix metalloprotease)와 IL-2의 작용을 억제한다.

② 활액에 존재하는 endogenous HA의 농도와 분자량을 증가시키고 활액의 viscoelasticity를 수복하는 역할을 한다.

③ 진통효과가 있어 관절통 치료에 효과적이다. 통증 유발물질인 bradykinin의 작용을 억제하고 활액막의 pain fiber (nociceptor)를 HA가 피개하여 관절내 연조직이 접힐 때 생기는 nociceptive activity를 감소시킨다.

④ 활액막 세포와 연골세포에서 arachidonic acid의 방출을 억제하면 prostaglandin E2의 합성을 억제함으로써 항염증작용을 발휘한다. 활액막을 통한 leukocyte의 침윤을 막아 염증반응을 완화시키고 활액 혈관들과 연골 사이의 그물 역할로 세포나 거대분자의 이동을 조절함으로써 삼투압에 의한 effusion을 억제한다.

(2) 보툴리눔 톡신(Botulinum toxin)

① 턱관절장애 치료 시 근막통증증후군에서 근육주사 또는 이갈이 환자에서 추천되는 근육주사량은 보툴리눔 톡신(Botox, BTX-A) 기준으로 편측당 다음과 같다. 측두근 10-30 units, 교근 20-50 units, 외측익돌근 10-30 units, 악이복근(digastric) 10-20 units, 협근 10-20 units, 구륜근 5-10 units(그림 14-21).

② 환자를 편안한 의자에 앉힌 후, 어금니를 꽉 물도록 하면, 교근이 풍융하게 커짐을 볼 수 있다. 이때에 가장 풍융한 지점을 선정하여 준비된 주사액을 자입한다. 이후 주변 근육에 필요한 만큼의 보툴리눔 톡신을 주입한다. 심각한 합병증이 보고된 경우는 없었으며, 자입부위의 국소적 통증이나 불편감을 호소할 수 있다. 주사를 맞은 당일은 격렬한 운동은 피하는 것이 좋고, 시술 후 2-3일이 지나면 딱딱하거나 질긴 음식을 씹을 때 불편을 느끼는 정도의 부작용이 있을 수 있다. 시술 후 2-3개월이 지나면 효과가 최고조에 이르게 된다. 2001년 To 등은 교근비대증 환자에서 보툴리눔 톡신 주사 후 초음파와 근전도검사를 이용하여 교근의 위축(atrophy) 정도를 측정한 결과 주사 3개월 후에 30.9%의 교근 부피의 감소를 보였음을 보고하였다.

(3) 국소마취제

국소통증 조절, 감별진단, 관절강 펌핑(pumping) 시 사용할 수 있으며 일반적으로 혈관수축제가 포함되지 않은 2% lidocaine을 사용한다. 턱관절질환 치료 시 사용 적응증은 다음과 같다.

① 턱관절 부위 통증에 대한 감별진단
② 급성 closed locking의 치료
③ 근막발통점(myofascial trigger point) 주사
④ 관절강 펌핑
⑤ 턱관절세정술 시행 전 국소마취
⑥ 주사신장요법(injection and stretching)

국소마취제 주사는 통증을 감소시킴으로써 근육신장 치료 시 많은 도움을 준다. 또한 주사침 자극 자체가 발통점의 기계적 파괴효과를 유발할 수 있다. 국소마취 후 부드럽게 근육을 신장시킴으로써 기능 회복을 도울 수 있다(그림 14-22, 23).

3) 물리치료

턱관절장애의 치료는 교합장치와 더불어 약물치료, 물리치료, 심리치료 등이 병행되고 있으며 이 중 물리치료는 부작용이 거의 없고 손쉽게 적용할 수 있다는 장점 때문에 많이 쓰이고 있다. 물리치료의 목표는 일차적으로 턱관절과 경추의 운동능력 및 기능을 회복하는데 있으며 나아가 기능장애를 유발할 수 있는 자세를 교정하고 하악에 부착된 근육들을 신장시키거나 혀의 안정위를 통한 구호흡 방지 등 올바른 운동 및 자가치료를 교육하는 데 있다. 물리치료는 기구를 사용하는 치료법과 수조작법으로 대별할 수 있으며 물리치료법에는 냉각요법, 온열요법, 이온삼투요법, 경피성 전기신경자극요법, 침술, 전기침자극요법 및 레이저 등이 있다. 이러한 물리치료는 대부분 허리나 무릎 등의 신체 다른 부위의 통증조절을 위해 사용되던 것이 턱관절에 도입된 것이며 국내에서는 1990년대 이후 본격적으로 사용되고 있다. 물리치료는 감각유입을 변화시키며 염증을 감소시키고 비정상적인 근육이 정상기능을 회복하는 데 도움을 준다. 현재 임상에서 사용되는 물리치료의 방법에는 다음과 같은 것들이 있다.

① 냉각요법(cryotherapy)
② 온열요법(thermal therapy)
③ 전기요법(electrotherapy)
④ 이온삼투요법(iontophoresis)
⑤ 침술(acupuncture)
⑥ 레이저(laser)
⑦ 수조작법(manual technique)

4) 교합치료(Occlusal therapy)

교합치료는 현존하는 교합상태가 턱관절의 구조를 적절하게 지지하지 못하거나, 불안정한 교합이 턱관절장애의 악화와 직접 연관이 있다고 판단될 때 치료완

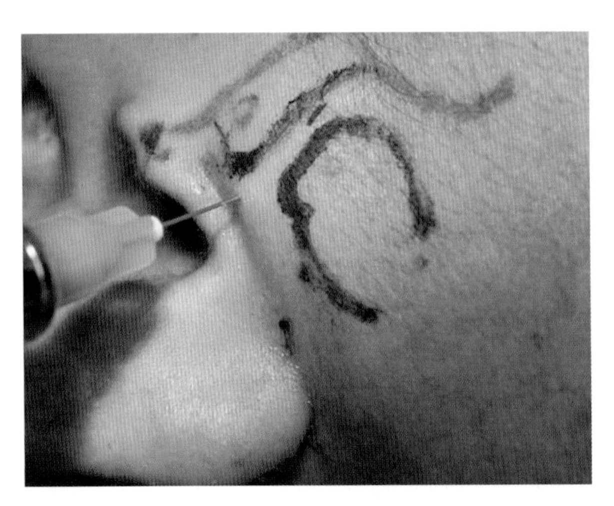

그림 14-22 턱관절강에 국소마취제를 주사하는 모습. 통증 발현부가 턱관절 내부인지 근육성인지 감별하는 데 효과적일 수 있다.

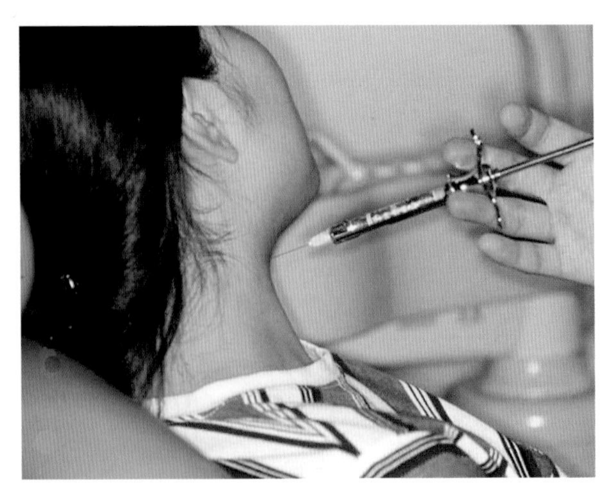

그림 14-23 발통점에 국소마취제를 주사하는 모습.

료 단계에서 필요할 수 있다. 교합조정, 수복치료, 악교정수술을 동반하거나 동반하지 않는 교정치료를 포함한다. 통증이 상당히 완화되고, 기능장애가 감소되고 운동범위가 정상범위에 속하거나 근접한 후에만 시행하여야 한다. 교합치료 전에는 환자의 상하악 관계, 신경근 활성, 사회심리적 문제 등은 모두 안정되어야 한다. 지속적으로 환자를 재평가하면서 가능하면 비관혈적이고 가역적인 술식을 사용하여 주의 깊게 진행하는 것이 중요하다.

5) 교합장치(Occlusal appliance)

교합장치는 교합의 부조화나 이갈이에서 기인하는 턱관절 증상에 유효하다고 알려져, 비관혈적 치료방법으로 최근까지 널리 사용되고 있다. 주로 단단한 아크릴 재질로 제작되어 상악이나 하악의 교합면을 덮도록 환자의 구강에 맞춤 제작한다.

치료기전은 턱관절에 가해지는 부하를 줄여주고, 근신경계 반사운동이 활성화 되는 것을 억제하여 통증을 감소시키는 것으로 추정된다. 교합의 수직고경을 변화시켜 하악의 위치를 인지하는 고유수용기(proprioceptor)에 영향을 주어, 새로운 하악위로 재프로그램화(reprograming)함으로써, 이갈이와 근막통증장애를 조절하는 것으로 받아들여지고 있다. 또한 과부하로 인한 치아의 손상위험도 함께 줄일 수 있는 장점도 있어, 치과치료의 여러 분야에서 응용될 수 있다.

지금까지 여러 종류의 장치가 개발되고 소개되었으나, 크게 교합안정장치(stabilization appliance)와 하악전방위치장치(anterior positioning appliance)가 대표적으로 사용된다.

(1) 교합안정장치(stabilization appliance)

한쪽 악궁의 모든 치아를 덮도록 제작되며, 좌우 대칭적으로 반대 악궁의 구치부만 접촉하고 하악의 전후 측방운동 시에는 전치만 접촉하고 구치는 이개되도록 교합을 설정하여, 저작근이 가장 안정적일 수 있는 과두의 생리적 위치를 재설정할 수 있게 한다.

저작근을 이완시키고 관절강내를 안정시키며 이갈이로부터 치아를 보호할 수 있다. 근육통이나 외상 후 관절강내 발생한 염증과 원판후조직염(retrodiscitis)에도 적응증이 된다. 턱관절강세정술 및 턱관절경 수술과 턱관절 관혈적 수술 후 몇 주 정도 장착하여 관절의 안정을 도모할 수 있다(그림 14-24).

많은 의사들이 상악장치를 선호하고 있지만, 하악의 장치는 발음이 더 좋고 노출이 덜 되는 장점으로 환자들의 순응도(compliance)가 매우 높다.

저작근의 통증 및 두통에는 치료효과가 높은 것으로 보고되고 있으나, 비정복성 관절원판 전위나 골관절염 등에 대한 효과는 아직 논쟁 중이다.

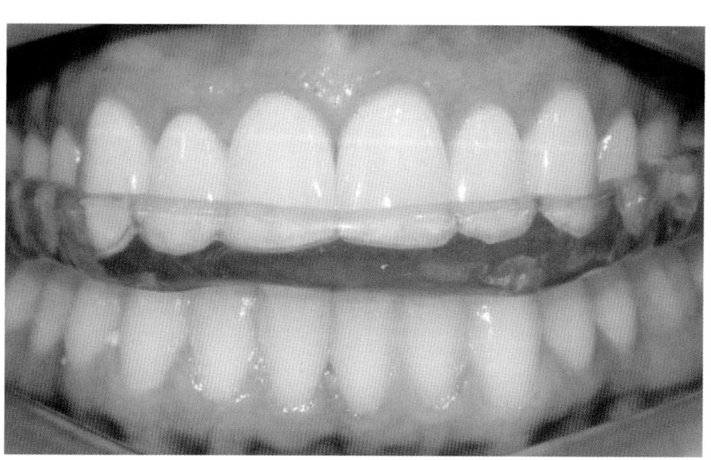
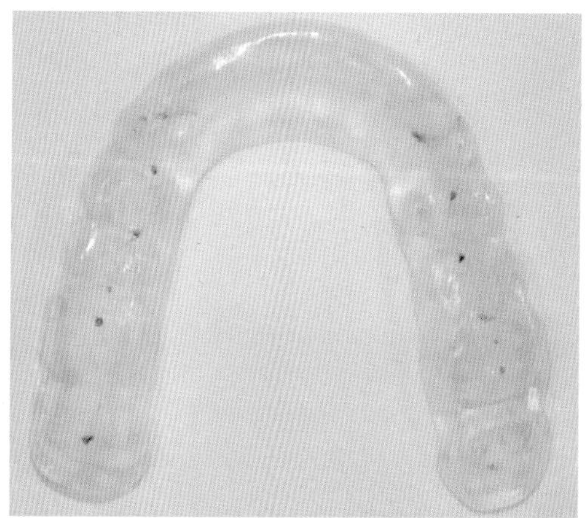

그림 14-24 교합안정장치(stabilization appliance).

(2) **하악전방위치장치**(anterior positioning appliance)

후방 위치한 하악과두를 전방 이동시켜 관절에 가해지는 부하를 감소시키거나, 하악이 후방으로 변위되지 않도록 유지하는 역할을 한다. 이를 위해서 장치에는 설측댐(lingual ramp)이 있으며(그림 14-25), 이는 장치의 설계에 따라 전방 이동하는 역할을 하기도 하고, 하악과두가 후방으로 부하를 가하는 것을 막는 정도의 역할을 하기도 한다.

복원성 원판변위 초기에 사용 시 관절원판의 일시적 복원으로 구치부 개교합이나 하악의 전방 변위가 일시적으로 나타날 수 있으나, 이로 인해 하악의 위치 개선이나 교합의 개선이 이루어진다면 기능성 장치처럼 계속 장착을 권하기도 한다. 특히 성장기에서는 변위된 관절원판이 영구 복원될 수도 있으므로 주의 깊게 관찰을 하여야 한다. 성인에서 전치부 개교합, 절단교합, 하악전치부 이개 또는 3급 부정교합 등이 나타나는 경우에는, 점차 하악이 더욱 전방으로 변위되거나 교합상태가 악화될 수 있으므로 즉각적인 장치의 중단을 고려해야 한다.

6) 협진치료

전신질환이 동반된 증례, 정신적인 측면과 환경적인 측면에서 문제가 많은 증례들이 있으며 통상적인 치과치료에 반응을 잘 보이지 않을 경우 정신건강의학과, 신경과, 마취통증의학과, 내과 등과의 협진치료를 적극 고려할 수 있다.

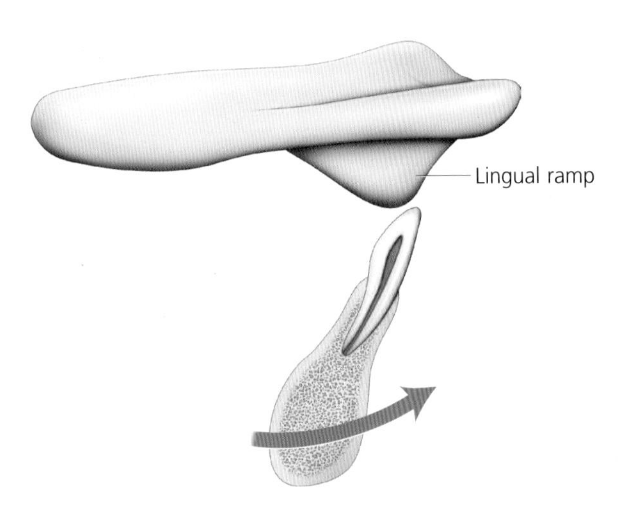

그림 14-25 하악전방 재위치 장치. 설측댐(lingual ramp)로 인해 하악이 전방으로 회전하게 된다.

2. 외과적 치료

보존적 치료에도 개선되지 않는 턱관절장애 환자들에게는 외과적 치료를 고려할 수 있다. 외과적 치료의 목적은 수술을 통해 턱관절내 관절원판 및 주변 조직에 가해지는 부하를 줄여주고(decompression), 변화된 해부학적 구조를 개선시켜 고유의 기능을 할 수 있는 환경을 만드는 것이다. 턱의 기능과 움직임을 개선시키는 목표가 우선되어야 함은 물론, 수술의 위험성과 한계를 환자가 이해하고 공유하게 하는 것도 매우 중요하다. 환자를 괴롭히는 증상들이 영상검사에서 발견되는 구조적 결함과 일치하는지에 대한 정확한 판단도 수술 적응증 확립에 필수적이다. 외과적 치료의 적응증은 다음과 같다.

① 턱관절 통증이 지속적 또는 반복적으로 나타나는 복위성 또는 비복위성 관절원판 전위(보존적 치료나 최소침습적 외과적 치료에 반응하지 않을 때)
② MRI 영상이나 턱관절경 소견에서 확인된 턱관절내 해부학적 변화가 심할 때(보존적 치료나 최소침습적 외과적 치료에 반응하지 않을 때)
③ 턱관절 골성 강직증으로 현저한 개구장애를 보이는 경우
④ 관절내 종양이 발견된 경우
⑤ 심한 하악골 열성장의 원인이 턱관절의 구조적 문제인 경우

외상이나 염증성 및 퇴행성 골관절염의 경우도 여러 가지 상황을 고려해서 수술을 시행할 수 있다.

표 14-5 외과적 치료의 종류

비관혈적 치료		관혈적 치료
턱관절강세정술	진단적 턱관절경 턱관절경 수술	턱관절성형술 – 관절원판성형술 – 관절원판적출술 – 골성형술 – 변형 하악지 골절단술(간접 관절 성형술) 사이관절성형술 턱관절재건술 하악지신연술 종양적출술

■ **외과적 치료의 종류**(표 14-5)

턱관절강 내부를 직접 보지 않으면서 주사바늘을 삽입하여 간단히 관절내부의 염증을 세정하는 턱관절강세정술(arthrocentesis and lavage)과, 관절강 내부를 직접 관찰하면서 세정 및 추가적인 간단한 수술을 함께 시행할 수 있는 턱관절경 수술(arthroscopic surgery)은 관절 주변의 광범위한 절개 없이 진행되는 덜 침습적인 외과적 치료법이다.

난치성 관절내장증에서, 전위된 관절원판을 재위치시키는 관절원판성형술(discoplasty)은 가장 흔히 시행되는 수술법이다. 위치가 변해있고 심하게 손상되어 재위치를 하더라도 재사용하기가 어려운 관절원판의 경우 제거하여 적절한 이식을 시행하는 관절원판적출술(discectomy)도 가능하다. 이들과는 달리, 관절낭을 직접 개방하지 않고 구내로 접근하여 하악지를 수직으로 절단하는 변형 하악지 골절단술(modified condylotomy)을 시행하면, 관절내로 가해지는 과부하를 감소시키고, 과두와 관절원판을 보다 생리적 위치로 유도하여 관절원판 변위가 심하지 않은 경우 과두–관절원판관계가 일부 해소되기도 한다.

골성유착(bony ankylosis)이 일어난 관절에서는, 유합된 골을 분리하고, 재유착 방지를 위해 인접조직을 이식하거나, 인공매식물을 넣어주는 사이관절성형술(gap arthroplasty)을 주로 사용한다.

과두돌기의 길이 및 기능을 재건해주기 위한 골신연술(distraction osteogenesis)을 사용할 수 있고, 신생물이나 골관절염에 의해 턱관절의 구조가 심하게 변형되거나 파괴된 경우는 하악과두, 관절원판 및 하악와의 주요 구성요소를 자가골이나 인공대치물로 바꾸어 주는 턱관절 전치환술을 시행하는 경우도 있다.

■ **수술 후 관리**

수술의 성공지표는 통증의 정도와 빈도가 감소하고, 턱기능과 운동범위가 증가하며, 안정된 교합을 획득하여 수술 전보다 나은 상태로의 개선 여부에 달려있다. 가장 중요한 것은, 턱관절수술로 턱관절 상태를 병적 상태 이전으로 완벽히 되돌릴 수는 없다는 것을 환자가 이해하는 것이다. 저작력은 다소 감소될 것이고 너무 단단한 음식을 저작하거나 장시간 말을 할 경우는 피로감을 느낄 수 있다는 것을 술전에 설명해야 한다.

외과적 치료가 완벽히 시행되었다고 해서 질환의 진행이나 재발을 방지할 것으로 기대해서는 안 된다. 수술 후 관절과 주변 근육이 적응하고 정상 운동범위를 확보할 수 있도록 신속하고 적극적인 물리치료가 동반되어야 한다. 이를 게을리 한다면 수술효과가 반감될 수 있다. 술후 물리치료 및 개구운동은 수술 종류 및 관절의 상태에 따라 다양하며, 인공관절 전치환술을 제외한 턱관절 개방 수술의 경우 대략 술후 5–7일 경부터 하루 3–4회 정도의 가벼운 개구 및 전측방운동을 시작하도록 하고, 필요한 경우 환자 스스로 강제 개구할 수 있는 기구를 사용하는 것도 추천된다. 개구운동 전후로는 온찜질이 요구되며, 술후 2주 정도까지는 완전한 액상식이나 부드러운 식이를 처방해야 한다.

또한 수술 후 교합안정장치 사용을 계속해야 하는데, 이는 특히 관절원판성형술을 시행한 경우에 그러하다. 재위치된 관절원판의 치유를 위해 관절내 압력을 줄이는데 목적이 있으며, 조절되지 않는 구강악습관(이갈이 및 이악물기)이 있는 경우는 더욱 철저히 착용해 주어야 한다. 수술 후에도 관절잡음이 남아있거나 새로 발생하기도 하는데, 무증상의 관절잡음은 심각히 고려할 만한 사항은 아니다.

1) 턱관절강세정술(Arthrocentesis and lavage)

(1) 턱관절강세정술의 의학적 근거

턱관절장애는 염증성이든 아니든 관절에 가해지는 만성적인 압력에 의해 관절조직의 구조적 변화(연골의 파괴 및 연골하부 골의 변성)를 유발한다. 관절내 가해지는 만성적인 과도한 압력에 의해 기질이 파괴되는 염증과정이 진행될 경우, 다양한 염증성 사이토카인들이 분비되고, 턱관절 기질을 분해시키며, 그 분해산물들이 관절활액의 점도를 높인다. 게다가 과도하게 혼탁해진 염증성 활액은 정상적인 윤활작용을 하지 못하여 하악과두의 부드러운 활주(translation)를 방해하게 될 수 있다. 이로 인해 관절내 음압이 발생하게 되고, 마찰력이 증가하여 관절잡음, 관절원판의 전방 변위 및 전위를 유발할 수 있고, 더 진행되는 경우 관절내 유착으로 인한 급만성의 과두걸림(acute and chronic closed locking)으로 개구제한이 발생하게 된다.

턱관절장애의 대표적 증상들인 염증성 관절통증, 관절잡음 그리고 개구제한은 모두 관절내 가해진 만성적인 과도한 압력이 초래한 것으로 볼 수 있다. 따라서 턱관절내 압박과 염증은 가급적 빠른 시간 내에 해소되어야 하며, 방치될 경우는 계속적인 기질의 파괴를 일으켜 과두의 심한 퇴행적 변화(degenerative Joint alteration)를 피할 수 없게 된다.

과두걸림으로 개구제한이 발생한 경우, 수조작법(manipulation)을 이용하여 턱관절의 고착을 해소해 볼 수 있다. 엄지손가락을 하악구치교합면에 대고 나머지 네 손가락은 하악하연을 잡는다. 엄지손가락을 하방으로 강하게 눌러서 들러붙은 턱관절면을 분리시키면서 네 손가락을 이용하여 하악을 전방으로 잡아당겨서 개구제한을 해소시키는 방법이다. 하지만 이는 갑자기 발생한 간헐적인 과두걸림에 효과적인 방법일 뿐, 지속성이 없고 만성 개구제한 환자에게는 제한적 효과를 보인다.

턱관절강내 유착과 음압을 제거하여 개구량을 증가시켜주는 가장 덜 침습적인 외과적 방법은 턱관절강세정술일 것이다. 상관절강에 수액을 주입하여 수압(hydraulic pressure)을 가하여 관절강내 유착과 음압을 해소하고 윤활작용을 회복하여 하악과두의 원활한 활주를 가능하게 한다. 그 후 계속적인 세정을 통해 염증 및 통증유발물질을 제거하고, 마지막에는 자입되어 있는 바늘을 통해 항염증 및 관절조직 재생을 위한 약제도 주입할 수 있다.

외과적 수술이나 관절내시경에 비해 덜 침습적이고, 치료비용도 저렴하며 합병증도 거의 없다. 많은 경우에서 세정 당일 과두걸림이 해소되어 정상범위로의 개구량 회복이 가능하기 때문에, 향후 치료에 대한 환자들의 동기부여도 매우 높은 장점을 가진다. 1991년 Nitzan은 급만성의 과두걸림 환자들에 처음 적용하였으나 점차 적응증이 확대되어 현재는 급만성 턱관절염, 골관절염에도 훌륭한 치료효과가 보고되고 있다. 비외과적 보존적 치료에 반응하지 않는 거의 모든 턱관절장애에서 수술적 요법을 시행하기 전에 반드시 고려되어야 할 술식으로 평가받고 있다.

심한 관절내 섬유성유착증이나 골성강직증, 그리고 턱관절내 종양이 있거나 통증의 원인이 관절낭외부에 존재하는 경우는 적응증이 되지 못한다.

세정술 후 통증과 개구제한이 해소되기는 하지만 관절내 음압과 유착의 해소로 인해 정상적인 윤활작용과 활주운동이 회복된 것이므로, 전방으로 전위된 관절원판이 원래대로 정복된 것은 아님을 인지해야 한다.

(2) 턱관절강세정술의 적응증(Indications)

① 개구제한(Limitation of motion) 해결 목적

- 과두걸림
- 관절내 유착 및 음압으로 인한 개구제한
- 외상 후, 혈관절증 발생으로 인한 개구제한

② 통증조절 목적

- 기능 시 발생하는 턱관절내의 통증
- 퇴행성 관절염에서 발생하는 관절통증의 완화목적
- 활막염, 관절낭염, 원판후조직염

③ 관절잡음의 완화 목적

기능 시 환자가 불편감을 느끼는 정도의 관절잡음에 부분적 효과

(3) 시술부위 준비

최소침습적 시술이기는 하나, 술자의 선호도나 환자의 불안감 등을 고려하여 국소마취, 정주 진정마취 혹은 전신마취 중에 선택할 수 있다. 턱관절 부근을 통법에 따라 소독하고, 외이도로 혈액이나 수액이 흘러들지 않게 미리 cotton pledget을 삽입해 두는 것이 좋다. 이측두신경 전달마취 혹은 관절 주변에 침윤마취를 한다.

(4) 이중천자세정술(two puncture arthrocentesis)

전통적인 방법은 2개의 바늘을 이용하는 것인데, 하나는 수액을 주입하는 용도이고 나머지 하나는 주입된 수액이 빠져나오는 용도이다. 환자로 하여금 개폐구를 하게 하면서 손가락끝으로 관절부를 촉진하면서 바늘의 자입부위를 인지한다. 초심자의 경우는 좀 더 정확한 자입점을 찾기 위한 방법으로 귀의 이주(tragus)를 이분하는 점과 외안각(lateral canthus)을 연결하는 선인, Holmlund–Helising line (Midtrago–canthal line)을 작도하는 것이 도움이 된다.

첫 번째 자입점은 이 선상에서 이주의 전방 10 mm, 선 하방 2 mm로 관절와(glenoid fossa)의 후방경사 부위와 일치하고, 두 번째 바늘의 자입점은 선을 따라 이주의 전방 20 mm, 하방 10 mm 지점으로 이는 전방 관절융기 부위의 높이와 일치한다. 첫 번째 자입바늘은 외이도의 경사를 고려하여 다소 전내상방으로 진행하는 것이 바람직하다. 또한 관절와 상방 외측 골면에 일부러 바늘 끝을 닿게 한 다음 개구운동을 하게 하여, 이 부위가 하악과두가 아님을 인지한 다음, 1–2 mm 후퇴하여 바늘방향을 약간 하방으로 향하게 하여 진행하게 된다면 더욱 성공률을 높일 수 있다(그림 14-26, 27).

이때는 관절강내 공간을 최대한으로 넓혀주기 위해 개구상태를 유지하는 것이 중요하며, mouth prop이나 개구기를 사용하는 것도 도움이 된다. 관절와의 내벽과 상방벽은 0.5–1.5 mm로 얇으며, 그 너머에는 뇌의 측두엽이 위치하므로, 지나치게 강한 힘으로 25 mm 이상의 과도한 진입은 피하며, 시술 전 CBCT 등을 이용해서 관절와 내벽에 퇴행성 관절염 등으로 파괴된 골부위가 있는지 미리 확인하는 것이 안전하다.

첫 자입 후에는 2–3 cc 정도의 주사용 생리식염수나 lactated Ringer's solution을 더 사용하여 관절강을 팽창(distension)시킨 후, 주입과 흡입을 반복하는 pumping 작업을 충분히 반복한다. 정수압을 이용하여 관절의 유착과 진공상태를 해소하는 중요한 과정이며, 상관절강내에 정확히 바늘이 안착되지 않으면 pumping이 원활히 이루어지지 않으므로, 적절한 위치에 바늘이 자입되었는지 알아볼 수 있는 지표가 되기도 한다. 유착의 정도가 심하거나 관절강내 염증으로 관절낭의 장력이 약한 경우는 5 cc 이상의 solution이 필요한 경우도 있다.

다음으로 두 번째 천자는 앞서 기술한 지점을 통해서 자입하는데, 이때는 관절융기의 골면에 바늘이 닿은 다음에 다소 후내상방으로 향하게 자입하는 것이 유리하다. 다소 직경이 큰 주사바늘을 사용하는 것이 끈적한 염증성 배액을 좀 더 수월하게 해줄 수 있다.

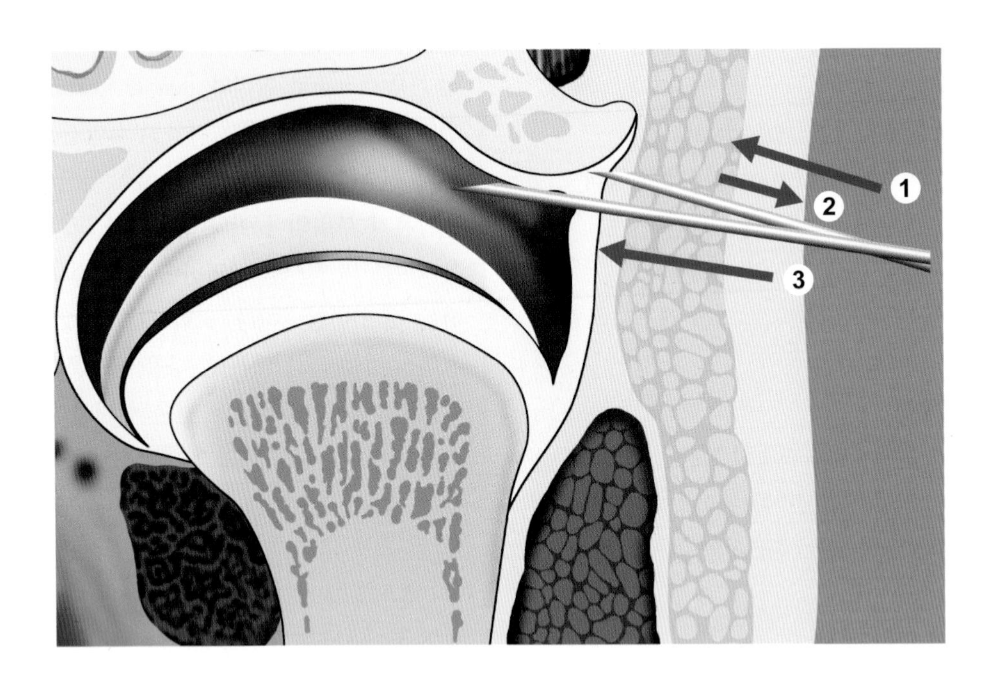

그림 14-26 턱관절세정술 시 바늘의 자입방법.
첫 번째 바늘은 관절와(glenoid fossa) 상방의 외측 벽을 reference point로 활용할 수 있다. 바늘이 골벽에 닿으면, 2–3 mm 후퇴한 후 하방으로 방향을 바꿔 삽입하면 천자 성공률을 높일 수 있다.

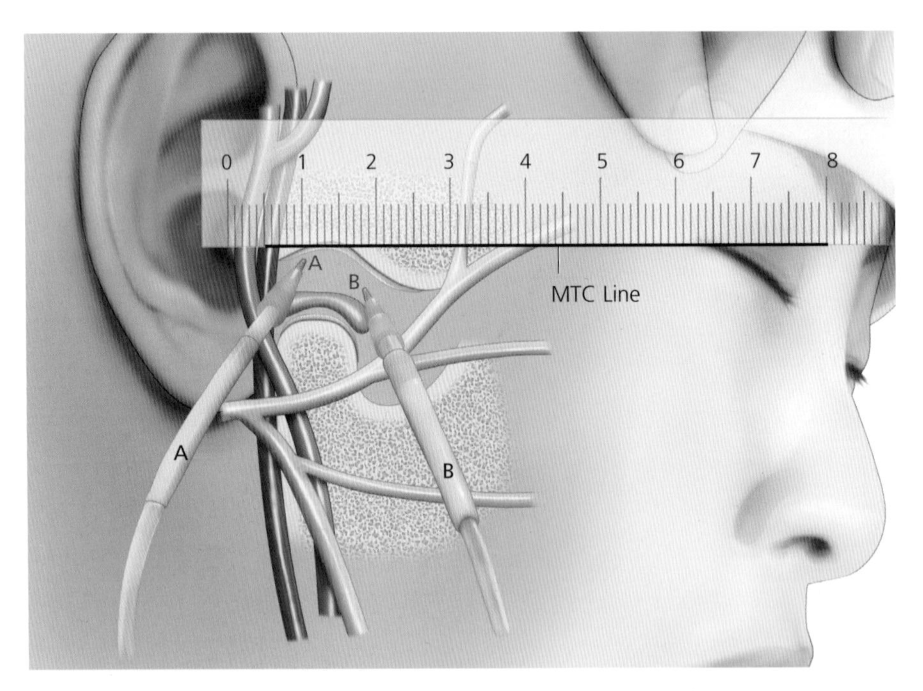

그림 14-27 이중천자세정술 중의 모습.
귀전방을 지나는 superficial temporal artery and vein과 전방의 안면신경을 최대한 피해야 한다. **MTC line (mid–trago cathal line)**: Tragus를 2등분 하면서, 외안각(outer canthus)를 연결하는 선. **A point**: 첫 바늘 자입점. 선을 따라서 이주에서 전방으로 1 cm, 하방 2 mm 지점 **B point**: 두 번째 바늘 자입점. 선을 따라서 이주에서 전방으로 2 cm, 하방 1 cm 지점 **A line**: 상방 1 m 높이의 수액에 연결하여 자유낙하 **B line**: 세정 후 빠져나오는 수액이 버려지도록 연결.

직경이 큰 주사바늘은 직경도 크지만 길이도 꽤 길기 때문에 약 2/3 정도만 삽입되어도 충분히 관절내벽까지 진입하므로 무리하게 완전히 삽입하지 않도록 주의한다.

두 바늘을 모두 위치시킨 후, 첫 번째 바늘부위를 통해 20–30 cc 정도의 수액을 힘을 주어 짜넣어, 적은 힘으로도 두 번째 바늘을 통해 주입된 양만큼의 수액이 잘 빠져나올 때까지 forced injection을 시행한다. 많은 세정이 필요한 경우 환자의 머리에서 최소 1 m 상방에 수액을 위치시키고 수액관으로 첫 바늘과 연결하여 자유낙하시켜 주입하고, 두 번째 바늘에 별도의 수액관을 연결하여 이는 배수구를 통해 흘러나가도록 한다(그림 14-27). 세정 속도를 빨리하기 위해 가압기구(infusion bag)로 수액에 압박을 가하거나 배액되는 관에 흡입기(suction)를 연결해 두기도 한다. 그러나 앞선 forced injection 동안에 이미 관절내압의 해소가 충분히 이루어졌다면 자유낙하만으로도 충분하며, 100–200 cc 정도만 더 세정이 되어도 염증성 사이토카인들이 충분히 제거되므로 더 오랜 세정은 무의미하다.

세정술 중에 환자 스스로 자발적인 하악운동을 하도록 하고, 세정술 종료 무렵에 술자가 환자의 악골을 전하방으로 움직이는 수조작으로 잔여 고착을 해소해주는 것도 도움이 된다.

수액관류가 끝나면 연결했던 배액관과 주사바늘 하나를 제거하고, 남아있는 주사바늘을 통해 부가적으로 스테로이드나 히알루론산액을 관절강내에 주입한다. 바늘을 제거한 후 자연스럽게 흘러나오는 액은 닦아내고, 출혈이 되는 경우 시술부위에 소독거즈를 대고 5분 정도 눌러 지혈을 시킨 뒤 소독거즈를 부착시킨다.

(5) 단일천자세정술(single puncture arthrocentesis)

단일천자세정술은 한 개의 바늘로 pumping과 세정을 하는 방법이다. 실제로 많은 경우에서 첫 바늘 삽입 후 pumping만으로도 완전한 정상 개구가 이루어지는 경우도 있다. 두 번째 바늘이 생략되므로 환자가 느끼는 술후 불편감도 적어 회복이 빠르며 시술 후 안면신경마비 등의 합병증 발현 빈도도 매우 낮아진다.

시술 시간도 짧아지고, 시술 후 주입한 히알루론산이 두 번째 바늘구멍으로 빠져나옴 없이 완전히 유지될 수 있다. 최근 진행된 연구들에서는 이중천자세정술의 치료결과와 비교해볼 때 치료효과가 크게 다르지 않아, 단일천자세정술도 훌륭한 세정술식임이 입증되고 있다.

그러나 세정액 양이 적어서 상관절강내의 통증 유발물질들의 제거가 제한되는 단점이 있다.

(6) 세정술 후 처치

세정술의 마지막에 자입되어 있는 바늘을 통해 히알루론산이나 스테로이드제제를 주입하고 마친다. 히알루론산은 관절낭내 염증의 제거와 윤활작용에 유용하고 스테로이드는 술후 부종과 통증을 조절하여 신속히 정상 개구 유도를 위해 사용하는 것으로 알려져 있다. 장단기적 효과 비교 시 두 약제 모두 차이 없이 훌륭한 치료효과를 보이는 것으로 보고되었다. 경우에 따라 장기간 작용하는 국소마취제(예: bupivacaine이나 morphine) 등을 주입하는 것이 시술 후 통증조절에 도움이 된다는 보고도 있다.

시술을 마친 후에는 항생제와 비스테로이드성 소염진통제를 3–5일간 처방하며, 세정술로 확보된 정상적인 개구량을 유지하기 위해 시술 후부터 적극적인 물리치료를 통해 악골운동을 증진시켜 주어야 하며, 관절강내 부하 감소를 위해 부드러운 식사와 교합안정장치를 시술 직후부터 철저히 시행하도록 해야 한다.

(7) 세정술의 합병증

턱관절의 해부학적 상태나 시행 방법(이중 또는 단일천자세정술)에 따라 다를 수 있으나, 합병증의 발현 빈도는 대략 2–10% 정도로 알려져 있고 대개 일시적이다.

① 비교적 흔하게 발생하는 합병증

a. 안면신경의 일시적 마비: 가장 흔하며, 안면신경

부위에 국소마취제가 전달되거나 주사바늘 삽입 시 안면신경 가지의 손상으로 발생할 수 있다.

b. **5번 뇌신경 손상:** 이개측두신경의 일시적 손상으로 감각이상이 나타날 수 있다. 또한 관절내로 주사한 마취액이나 수액이 관절낭 내측 벽을 뚫고 유출된 경우는 하치조신경이나 설신경의 이상을 호소하는 경우도 있다.

c. **귀의 손상:** 외이도 천공, 고실막 손상, 부분적 청력소실, 현기증. 시술 후 바로 일어서서 걷게 하지 않는 것이 좋다.

d. **전이개부 부종:** 주입된 수액의 안면조직내 유출에 의하며, 시간 경과 후 해결된다. 심한 경우 간혹 안와하신경의 일시적 감각이상을 호소하는 경우도 있다.

e. **관절내 급성 염증:** 전이개부 발적, 통증 및 개구제한으로 시술 전보다 더 불편감을 호소할 수 있다. 항생제 및 소염진통제의 처방으로 호전될 수 있다.

f. **천측두동맥(superficial temporal artery)의 관절낭내 출혈:** 심각한 문제는 아니며, 세정술 후 통상적으로 5-10분 정도 압박드레싱 한다면 잘 조절될 수 있다.

② 드물게 발생하지 않지만, 발생한다면 심각한 합병증

a. **삽입된 바늘의 파절**

b. **알러지 반응:** 세정술 마지막 시기에 주입한 약제에 의한 알러지일 수 있다.

c. **두개내 천공(intracranial perforation):** 매우 드물지만 발생할 경우 심각한 문제를 야기할 수 있다. 그러므로 술전 CBCT를 이용해서 관절와 골벽의 상태를 미리 파악하고 비정상적인 강한 힘으로 바늘을 자입하거나 수액을 주입하지 않도록 주의해야 한다.

2) 턱관절경 수술(Arthroscopic surgery)

최근 소관절관절경(small joint arthroscopy)의 발달로 인하여 턱관절 부위에도 이를 적용하게 되었다. 턱관절경은 1975년 Ohnish에 의해 처음 내장증 치료에 이용한 것이 보고된 이래, 주로 진단의 목적으로 사용되어 왔다. 그 후 Murakami와 Sanders, McCain 등이 시술방법을 발전시키며 활발히 보고하였다.

초기에는 주로 턱관절강내 병적인 상태를 모니터를 통해 확인하고 단순세정하여 유착만 제거하는 데 이용하였으나(lysis and lavage), 다른 관절에서 사용되는 관절경수술과 유사한 수술들이 속속 개발되었다. 근래에는 전방변위된 관절원판의 재위치나 병적조직의 제거까지 턱관절경을 이용하는 부가적인 수술까지 성공적으로 시행하여 양호한 결과를 보여주고 있다. 턱관절경을 이용하여 시행 가능한 부가적인 수술로는, 관절원판 재위치 외에도 섬유성 유착의 절제, 외측 익돌근 박리, 연마관절성형(abrasion arthroplsty) 그리고 괴사조직제거(debridement) 등이 소개되었다.

턱관절경 수술은 비교적 시술이 간단하여 다른 턱관절수술에 비해 신체의 손상이 덜하며, 관절경을 통해 관절내부를 관절경 또는 모니터를 통해 직접 보면서 수술을 할 수 있고, 수술 후 회복이 빠르며 경우에 따라 국소마취로 외래에서도 시행할 수 있는 장점이 있

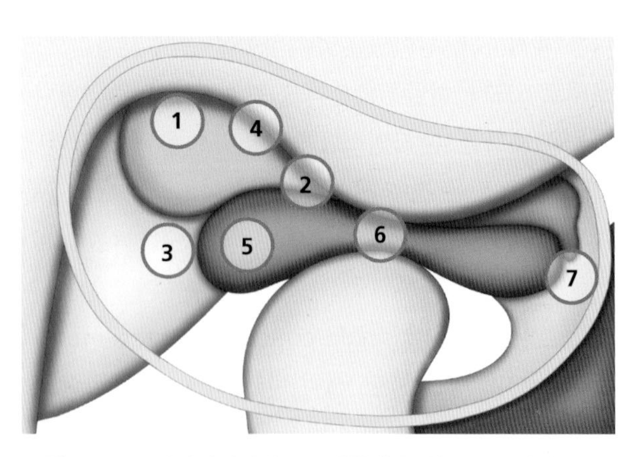

그림 14-28 턱관절내시경으로 관찰해야 하는 주요 지점.
1: Medial synovial drape 2: Pterygoid shadow 3: Retrodiscal synovium 4: Posterior slope of the articular eminence 5: Articular disc 6: Intermediate zone 7: Anterior recess.

어, 보존적 요법과 외과적 요법의 단점을 보완하여 이들 사이의 가교역할을 할 수 있는 치료방법이다(그림 14-28).

합병증들은 턱관절강세정술과 유사한 종류들이 발생하지만, 삽입하는 기구가 상대적으로 굵고 부가적인 수술들이 함께 시행될 수 있으므로, 덜 익숙한 술자들이 시행할 경우 합병증이 보다 심각하고 오래 지속되는 경우가 있으므로 주의를 요한다.

최근까지 보고된 성공률은, Alvarez 등은 4년 후 61명 중에 81.4%, Murakami 등은 10년 후 83%, Sorel과 Picuch는 10년 후 91% 등에서 만족할 만한 개선을 보였다고 보고하는 등, 대체로 80–90% 대의 성공률을 보인다.

3) 턱관절경 수술과 턱관절강세정술 비교

턱관절경 수술 못지않게 턱관절강세정술 또한 높은 치료성공률을 보인다. Frost, Nitzan, Samson 그리고 Laskin 등은, 턱관절강세정술의 성공률은 장기간 관찰 시 83–95%에 이른다고 하였다.

비록 내장증에 한해 연구한 결과이긴 하지만, 두 시술의 성공률이 통계학적으로 유의한 차이를 보이지 않는 것으로 보고되고 있으며, 나아가 턱관절경을 이용한 단순세정만 시행한 경우 또한 턱관절경 수술을 동반한 경우와 성공률에서 큰 차이가 없음도 보고되었다. 자가 관리가 중요한 턱관절장애의 특성상 환자가 자신의 턱관절 상태의 심각성을 인지하도록 하는 교육 목적에는 턱관절경 시술이 월등하며, 세정술로는 불가한 보다 중증의 관절유착이나 부가적인 수술이 필요한 경우에는 관절경을 선택하는 것이 필요하다.

4) 턱관절장애의 개방형 턱관절수술(open TMJ surgery)

턱관절부 해부학적 변이 상황이 턱관절 기능장애의 주요 원인이고 이의 외과적 개선만이 환자의 주소를 해결해 줄 수 있는 경우 턱관절을 개방하여 상황을 개선하여 줄 수 있다. 턱관절 개방수술은 크게 관절부 경조직에 대한 수술, 턱관절원판에 대한 수술, 턱관절 전체 치환술로 나눌 수 있다.

(1) 성공적 턱관절 개방수술의 기본 원칙

- 수술 목적에 맞는 적절한 피부 절개를 선택한 후 주요 해부학적 구조물(안면신경, 기타 주요혈관)등에 주의하며 layer by layer로 접근한다.
- 턱관절부 주변은 많은 혈관이 불규칙하게 주행하고, 관절강내 만성염증에 의하여 출혈이 많이 되는 부위이고 수술시야가 충분히 확보되기 힘든 부위이다. 하지만 관절부의 특성상 수술은 예민하고 정확하게 시행되어야 하므로 박리 중 적절한 지혈 및 견인을 통하여 가능한 명료하고 깨끗한 수술시야를 확보하는 것은 좋은 수술 결과를 얻는 데 기본이다.
- 수술 후 턱관절의 기능을 최대한 보존하기 위하여 수술부의 반흔형성을 억제하는 것이 필요하다. 따라서 수술 시 박리를 최소화하고 기타 가능한 외과적 외상을 줄이는 노력이 필요하다.
- 관절낭에 접근하면 수술에 적절한 절개법을 적용하여 관절낭 절개를 시행하고 관절강을 최종 노출시킨다.
- 수술 후 정확한 layer by layer 봉합을 시행한다.
- 수술 후 최소 수주간 저작에 주의하며 수술 전 시행했던 스플린트 치료를 포함한 보존적 치료를 바로 시행한다. 특히 상황별 가능한 조기에 시작하는 개구기 혹은 본인 손을 이용한 술후 자가 개구운동은 술후 관절의 가동성을 회복하는 데 매우 중요하다. 이러한 자가 물리치료는 가능한 평생 유지하도록 교육한다.

(2) 턱관절 개방수술 시 주요 구조물들

턱관절은 외과적으로 노출되는 양이 많지는 않지만, 상대적으로 중요한 구조물들이 근처에 위치해 있으며, 수술 시 노출되기 쉽다. 이 부위의 중요한 구조물로는 이하선, 천층 측두혈관(superficial temporal vessels), 안면신경과 이개측두신경이 있다.

① 이하선

이하선은 관골궁 하방, 외이도의 전하방, 교근상방, 하악지 후방에 위치하고 있다. 턱관절낭 외측에 바로 이하선의 천엽(superficial lobe)이 있다. 이하선 자체는 심경근막의 천층(superficial layer of deep cervical fascia)에서 기인하는 낭에 의하여 둘러싸여 있으며, 흔히 이하교근 근막(parotideomasseteric fascia)이라고 불리운다.

② 천층 측두혈관

천층 측두혈관은 이하선의 상부에서 출현하여 이개측두신경을 따라 주행한다. 외경동맥은 상부에서 두 가지로 분지되어 하나는 천층 측두동맥으로 이하선 위로 나타나고 다른 종말가지는 내상악동맥이 된다. 천층 측두동맥은 관골궁상방으로 천층으로 진행하다가 관골궁 바로 위로 측두분지를 낸다. 이 혈관은 출혈의 흔한 원인이 된다. 천층 측두정맥은 동맥의 후방에서 천층으로 진행한다. 이개측두신경은 천층 측두동맥의 후방에서 동맥의 주행을 따라 주행한다.

③ 이개측두신경

이개측두신경은 이개의 일부와 외이도, 고막, 측두부위 피부의 감각을 전달한다. 신경의 주행은 과두경부의 후부 내측에서 시작하여 상방으로 진행하고 측두골의 관골돌기를 경유하며, 이개의 전방, 측두부 피부 영역에서 이 신경의 종말분지로 나뉜다. 외과적으로 전이부 접근을 통한 턱관절의 노출은 거의 모든 경우에 이신경에 손상을 준다. 손상은 이 구조물이 주행하면서 어느 정도 전방에 위치함을 이해하고, 외이의 연골부에 매우 근접한 절개 및 박리를 시행한다면 최소화할 수 있다. 피부절개의 측두부 연장은 후방으로 향하여, 신경의 주요한 분포가 박리 및 견인 시 피판에 포함되게 한다.

④ 안면신경

안면신경은 두개저의 경유돌공을 통하여 나온 후 이하선으로 들어가서 두 개의 신경간으로 나뉜다. 즉 측두안면지(temporofacial neve)와 경안면지(cervicofacial neve)로, 이 가지는 이하선 신경초를 만든다. 이 분지는 골성 외이도의 최저 함요부에서 15–28 mm 아래에 위치하며, 이하선에서 나와서 전방부로 방사상으로 주행한다. 이 종말지들은 일반적으로 측두지, 관골지, 협근지, 하악지, 경지(temporal, zygomatic, buccal, marginal mandibular, cervical

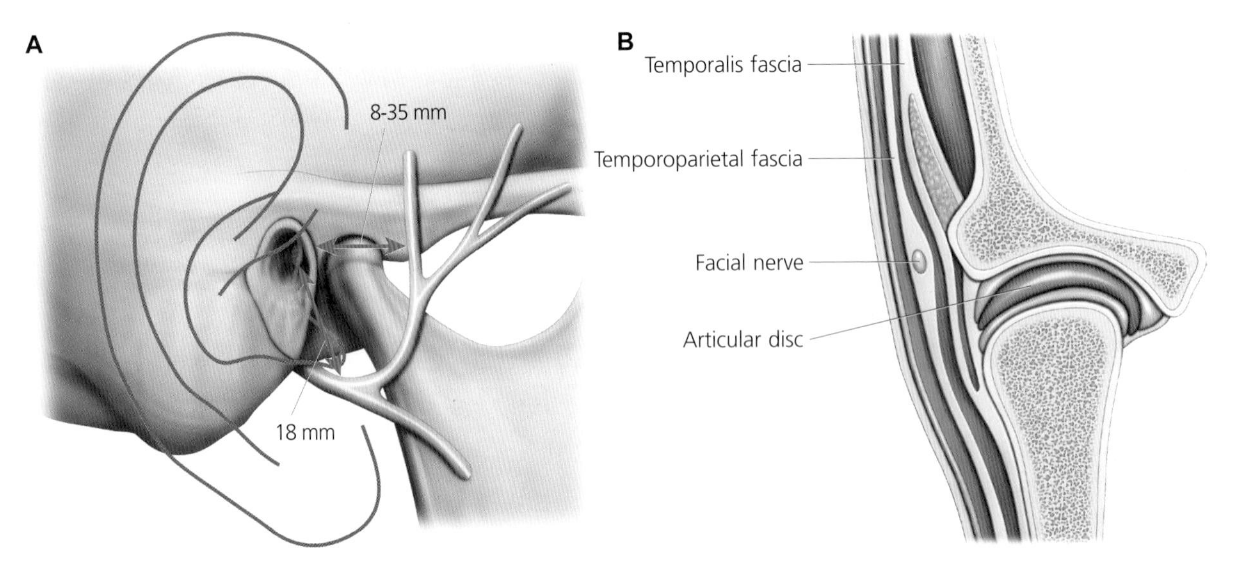

그림 14-29 턱관절 주변의 안면신경주행(A) 및 턱관절수술 시 유의할 측두–두정부의 근막절단면(B).

branch)로 분류된다. 이 중 턱관절의 수술 시에는 측두지가 위치적으로 손상받기 쉽다. 관골지가 관골궁 상방으로 주행하면서 분지하는데(주로 두 개), 관골두정근막의 하방으로 주행한다. 측두지는 관골궁 상방을 경유하는 경우 개인마다 위치의 차이가 있고, 보통은 외이도에서 8–35 mm 정도(평균 20 mm) 전방으로 주행한다. 그러므로 측두지의 보호를 위해, 외이도의 전연으로부터 8 mm 전방의 측두근막의 천층과 관골궁의 골막에는 절개를 하지 않는다(그림 14-29A).

⑤ 턱관절낭

턱관절낭은 턱관절의 해부학적, 기능적 경계이다. 턱관절 전체를 싸고 있는 결합조직의 막으로 섬유층과 내면의 활막층으로 구분된다. 섬유층은 측두하악인대에 의하여 보강되어 있고, 활막층에는 활액융모가 있어 이 융모에서 분비하는 활액이 하악운동 시 윤활작용과 무혈관조직에 영양을 공급하는 기능을 담당하고 있다.

⑥ 측두 두정부의 근막

측두 두정근막은 피하조직 밑에 존재하는 가장 표층의 근막이다. 이것은 모상건막(galea)의 측방 연장이며, 천층 근건막층(superficial musculoaponeurotic layer)과 연속되어 있다. 피부 절개 시 이 층은 표피 직하방에 존재하므로 노출될 수도 있다. 천층 측두동맥과 정맥은 이 근막층에서 외측으로 주행하며, 안면신경의 측두지와 같은 운동신경들은 심부로 주행한다. 모상건막하 근막(subgalea fascia)은 측두두정부 영역에 매우 잘 발달되어 있으며 독립된 근막으로 박리될 수도 있다. 그러나 이것은 전이개 접근 시 분리층으로만 사용된다.

측두근막은 측두근의 근막으로 상안와연의 위치에서 관골궁의 외측면에 부착하는 천층부와 관골궁의 내측면에 부착하는 심층부로 나누어진다. 적은 양의 지방이 이 두 층 사이에 존재하고 천측두 지방대를 형성한다(그림 14-29B).

(3) 턱관절 개방수술의 과정

턱관절원판 재위치술은 턱관절 개방수술 시 가장 많이 시행되는 수술로서 주요 과정은 다음과 같다.

① 수술 준비

수술장 입실 전 수술부 귀 주변에 면도를 시행한다. 수술 침대에서는 바로 누운 상태(supine position)에서 비강-기관내삽관(nasoendotracheal intubation)을 통한 전신마취를 시행하고 수술할 부위가 위로 오도록 고개를 45° 정도 돌려 놓은 상태가 되게 한다. 소독포는 수술 중에 보조자(assistant)가 수술부위를 오염시키지 않으면서, 환자의 구강내로 손을 넣어 하악을 잡고 움직일 수 있도록 이중으로 덮는다.

② 절개선의 설정(그림 14-30)

턱관절 수술 목적, 필요한 관절부 노출의 정도, 환자의 연령에 따른 술후 반흔의 양 등을 고려하여 최선의 절개선을 결정한다. 최근에는 다양한 길이와 부가적인 연장 절개를 이용한 내이개 절개가 보편적이며, 고령의 주름이 있는 환자의 경우 전이개 접근법도 많은 반흔을 남기지 않는다. 아주 드물게 후이개 접근법도 가

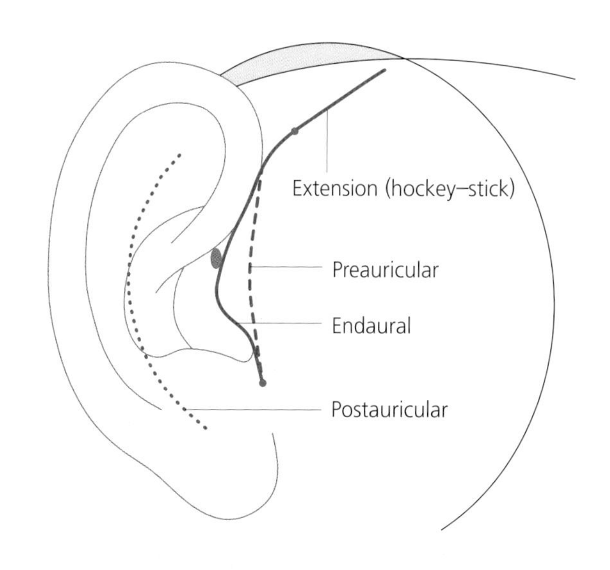

그림 14-30 턱관절수술 시 이용되는 다양한 접근법들.

능하나 큰 장점이 없고, 술후 외이도의 불편감과 부작용 등으로 최근에는 사용하지 않는다.

a. **내이개 절개법(endaural incision)**: 반흔이 거의 보이지 않으며, 수술 후 측두신경 마비와 같은 신경장애도 거의 발생하지 않는다. 따라서 반흔에 예민한 젊은 환자들에게 적용 가능하다. 익숙한 술자의 경우 tragus 부위만의 절개만을 시행하는 short endaural incision도 효과적이다.

b. **전이개 절개법(preauricular incision)**: 반흔이 남고, 일시적인 안면신경장애의 단점은 있으나, 관절로의 접근이 가장 용이하다. 특히 관절 전방부의 수술 시 시야확보에 용이하다. 기왕의 주름이 있는 노인 환자의 경우는 반흔도 거의 보이지 않는다.

c. **후이개 절개법(retroauricular incision)**: 외이의 후방부에서부터 접근하는 방법으로 안면신경 손상의 우려는 거의 없으나, 술후 외이도의 협착이 발생할 수 있으며, 최근 내이개 접근방법의 보편화로 현재는 거의 사용하지 않는다.

수술용 펜으로 절개선을 표시한 후 에피네프린을 포함하는 리도카인으로 절개선을 수술부 관절강 및 관절주변에 국소마취를 시행한다. 이는 절개 및 관절강 접근을 위한 조직박리(dissection) 시에 출혈을 최소화한다.

③ 피부판 절개 및 박리

피하지방층을 박리하면 측두 두정근막층이 보인다. 천층 측두지방대 부위에서는 층의 구분이 뚜렷하므로 이 부위에서 먼저 박리를 하고, 하악과두 쪽으로 내려가면서 박리를 한다. 천층 측두동맥과 정맥을 박리하고 필요한 경우 소작 혹은 결찰한다. 천층 측두근막까지 절개한 후 절개선의 전방으로 피부판을 박리한다. 박리는 절개선 전방으로 약 2 cm 정도까지 시행하며 비외상성 견인을 위하여 피부판을 전방부의 피부에 봉합해준다. 측두근막이 부착되어 있는 관골궁까지는 층이 뚜렷하나 그 아래쪽으로는 층이 뚜렷하지 않으므로 관절와와 하악과두를 손끝으로 확인하면서 관절낭을 노출시킨다.

④ 상관절강 노출

관절낭의 상부를 손끝으로 확인한 후 관절와의 형태를 따라 직선 혹은 반월형의 절개를 시행하여 상관절강을 노출시킨다. 이때 관절원판의 후방조직이 손상받지 않도록 하악와의 상부와 전방경사 쪽에서부터 접근하는 것이 바람직하다. 상관절강의 부분적 노출이 시행되었으면 하악와의 후방으로 연장하고 전방의 관절융기(eminence) 쪽으로 연장하여 상관절강을 완전히 노출시키는 것이 좋다(그림 14-31). 하지만 전방에 안면신경의 가지가 지나가므로 신경자극기(nerve stimulator)를 사용하여 안면신경의 가지를 확인하면서 조금씩 노출시켜야 하며, 견인에 의하여 신경가지가 손상받을 수 있으므로 항상 조심스럽게 접근하여야 한다. 상관절강이 완전히 노출되면 관절원판의 손상이나 변위 정도, 관절원판 후조직의 충혈 유무, 천공, 유착 등의 비정상적인 상태를 관찰한다. 시야가 좋지 않은 경우나 관절원판의 외측(lateral pole)의 관절간극이 좁은 경우 관절원판의 정복을 방해하므로 관절융기를 부분적으로 삭제해준다. 관절원판의 정복이 용이하고 절제할 양이 많지 않으면 하관절강의 노출을 시행하지 않고 관절원판 후조직을 쐐기모양으로 절제하고 봉합한다(discorrhaphy).

⑤ 하관절강 노출

대부분의 경우 관절원판의 변위가 심하여 수술을 시

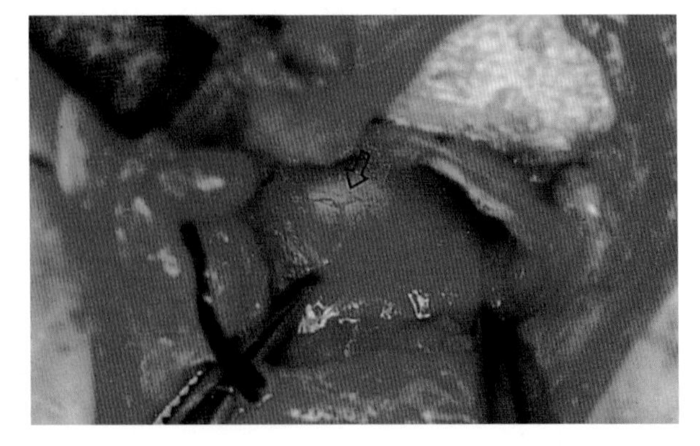

그림 14-31 상관절강(superior joint space)이 노출된 사진에서 턱관절원판과 충혈(hyperemia)된 후방조직(화살표)을 볼 수 있다.

행하게 되므로 상관절강의 노출만으로는 적절한 정복이 쉽지 않은 경우가 많아 하관절강의 노출을 시행하게 된다. 하악과두를 촉지하며 관절원판의 외측경계를 따라 절개를 시행하여 하악과두를 노출시키게 된다.

⑥ 변위된 관절원판의 재위치

상하관절강을 모두 노출시킨 상태에서 관절원판을 후방으로 재위치시켜보고 재위치된 상태에서 하악을 움직여 보아 재위치 후에 기능적으로 적응할 수 있을지 평가해보고 절제할 후방조직의 양을 결정한다. 턱관절용 집게로 관절원판 후조직을 잡고 늘어난 조직을 쐐기모양으로 절제한다.

⑦ 재위치된 관절원판의 고정

절제를 시행한 부위에 관절원판을 후방으로 재위치하여 하악운동을 시켜 보아 관절원판이 충분히 재위치되고, 하악운동 시 관절원판의 걸림이 거의 없는지를 확인하고 봉합을 시행한다. 그간 관절원판을 재위치시키는 다양한 방법이 소개되었는데 최근 소개된 방법은 봉합사와 봉합침이 부착된 특수 제작된 골고정 앵커를 이용한 관절원판 재위치술이다(그림 14-32). 이는 기존의 전통적인 턱관절원판 재위치술에 비하여 재위치된 관절원판이 턱관절 과두와보다 일체감 있게 운동할 수 있고, 최소 절개로 시행될 수 있어 많은 장점이 있다. 턱관절원판 재위치술을 위한 봉합사는 비흡수성의 재료가 사용된다.

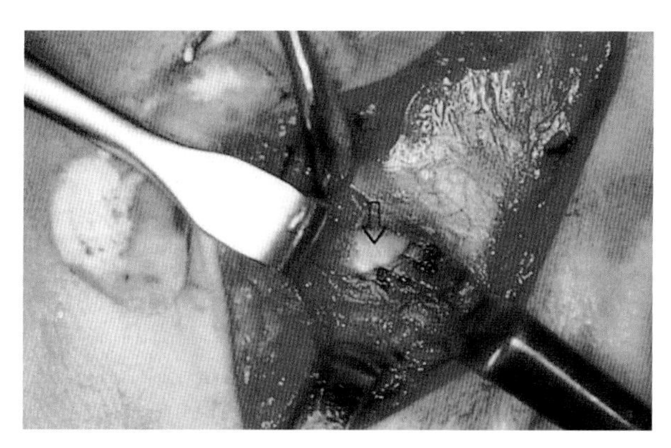

그림 14-32 수술 후 원래의 위치에 복위(reposition)된 턱관절원판(화살표).

⑧ 하악과두운동의 평가

관절원판의 재위치시술이 끝난 후 그 위치에서 기능적 역할을 제대로 시행할 수 있는지에 대한 평가를 시행한다. 보조자(assistant)는 환자의 구강내에 손을 넣고 환자의 이환측의 구치부를 잡고 개구, 폐구, 전방 및 측방으로의 하악골 운동을 시켜 기계적으로 방해가 되는 부분이 있는지 평가한다.

과두부의 두드러진 골극 혹은 골융기나, 관절와의 전방경사(anterior slope of glenoid fossa)가 심한 경우 이를 절제하거나 다듬어 주는 관절성형술을 동시에 시행할 수 있다.

⑨ 봉합과 붕대감기

악골의 기능적 운동에 장애가 없음이 확인되면 상관절강도 하관절강처럼 혈병이 남아있지 않게 생리식염수로 충분히 세척하고 통법대로 층별 봉합을 시행한다. 상관절강의 유착이 우려되는 경우에는 꼬리(tag)가 달린 실라스틱판(silastic sheet)을 상관절강에 넣을 수 있고, 꼬리를 천측두근막위에 위치시키고 봉합한다. 봉합 후에는 히알우론산 기반의 유착방지제를 상관절강에 주사한다. 실라스틱판을 삽입한 경우에는 수술부위의 치유가 어느 정도 이루어진 2-4개월 후에 국소마취하에 제거한다. 전이개 부위에 거즈패드를 이용하여 가벼운 압박드레싱을 하고 약 48시간 유지한다.

⑩ 술후 환자관리

수술한 다음 날부터 술전에 제작한 교합안정장치를 끼우도록 하며, 수술 후 1주일경부터는 적극적인 개폐구 및 측방운동을 시행하도록 한다. 관절원판이 수술 후 제자리로 들어가면서 수술한 측의 구치부가 맞물리지 않을 수 있는데, 이는 일반적으로 복위된 관절원판이 자리를 잡고, 치아가 미세하게 맹출이 되면서 서서히 교합이 되게 되거나 전체 치열의 미세한 교합조정으로 회복이 된다. 만일 수개월이 지난 후에도 상당한 정도의 부정교합이 지속된다면 보철 및 교정치료가 필요할 수 있다.

(4) 턱관절 개방수술의 종류

① 턱관절원판에 대한 수술

a. 턱관절원판 재위치술

개구제한, 습관성 과두걸림, 과도한 관절 염발음(popping) 등 일상생활에 장애를 야기하는 불편감의 주 원인이 턱관절원판의 위치이상이고, 이러한 불편감이 보존적인 방법으로 해소가 되지 않는 경우 턱관절원판 재위치술을 고려할 수 있다. 관절원판의 상태가 양호해야 그 예후가 좋으며 수술 후에도 관절원판이 빠지는 원인은 그대로 이므로 지속적인 술후 관리가 장기적 예후에 중요함을 환자에게 교육시켜야 한다. 류머티스나 기타 중증의 진행성 골관절염이 있는 경우 수술은 금기이다. 변위된 턱관절원판의 재위치 후 고정방법에 따라 늘어진 인대를 절제하고 재봉합하는 전통적인 방법(그림 14-33, 34)과 봉합사와 봉합침이 연결된 특수 제작된 골고정 anchor를 삽입하고 턱관절원판을 재위치시키는 방법이 있다(그림 14-35, 36). 골고정 anchor를 사용하는 방법은 보다 작은 절개로 수술이 가능하며, 수술 후 재위치된 턱관절원판과 과두와의 운동이 보다 일체화되어 일어난다는 점에서 장점이 있다.

관절원판의 형태적 변화가 아주 심한 경우에는 관절원판의 외과적 정복이 어렵고 술후의 좋은 예후도 크게 기대하기 어려우므로, 관절원판의 형태가 어느 정도 남아있는 상태에서 수술의 적응증에 해당된다면, 가능한 조기에 관절원판 재위치술을 시행하는 것이 효과적일 수 있다. 턱관절원판이 제위치에 있지 않다고 무조건 수술하는 것이 옳은 자세는 아니며, 환자가 가지고 있는 다양한 예후인자들을 면밀히 파악하고 반드시 필요한 경우에만 시행하는 것이 바람직하다.

b. 관절원판성형술

비후되거나 지나치게 변형된 관절원판을 적절히 다듬어 주는 수술이다. 천공이 있는 경우 천공부를 재봉합하는 수술도 포함된다.

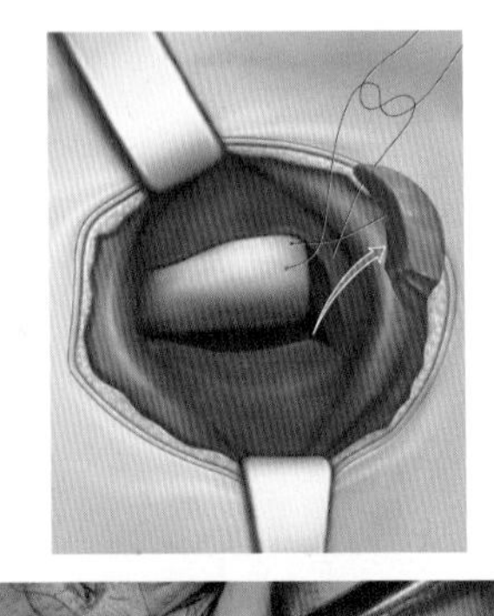
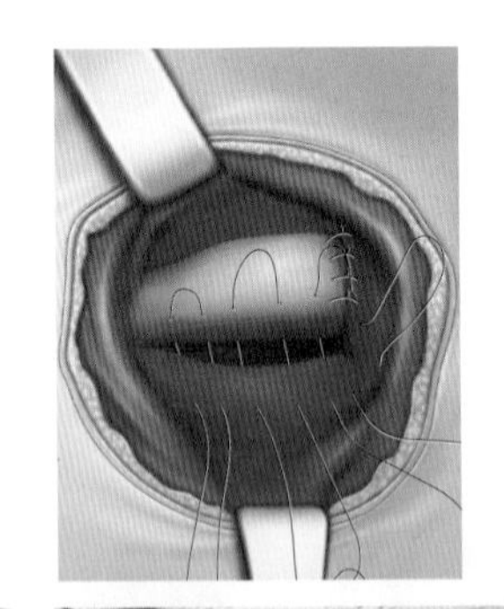
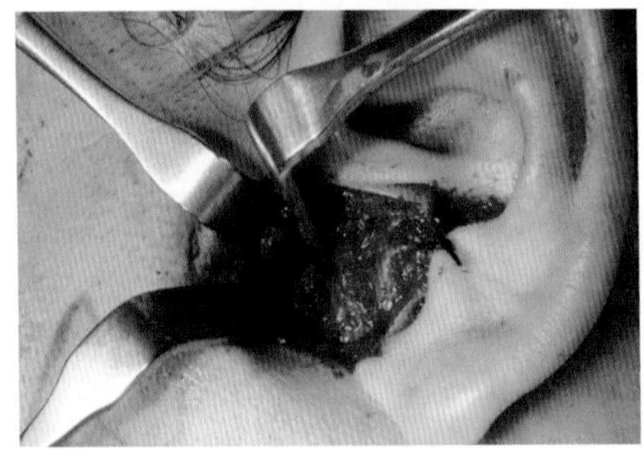
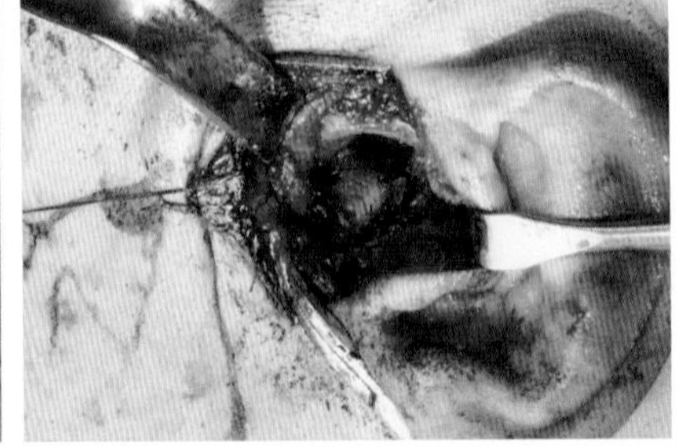

그림 14-33 전통적 턱관절원판 재위치술.

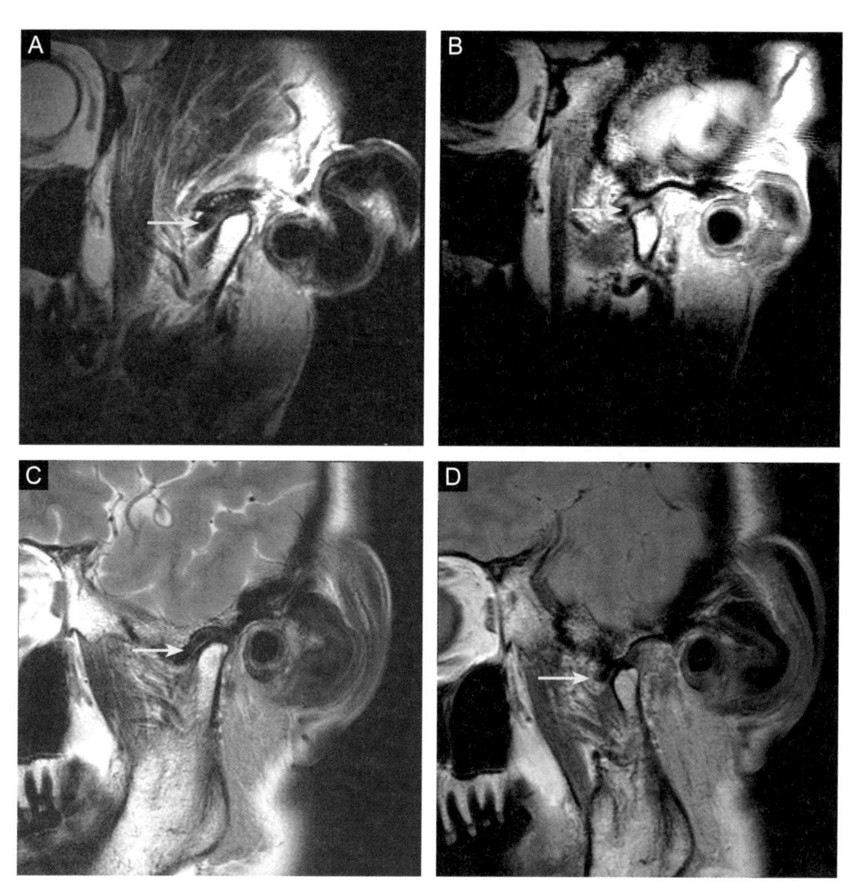

그림 14-34 전통적 턱관절원판 재위치술 술전, 술후 MRI.
A: 술전 폐구 시 B: 술전 개구 시 C: 술후 7년 폐구 시 D: 술후 7년 개구 시.
→: 턱관절원판.

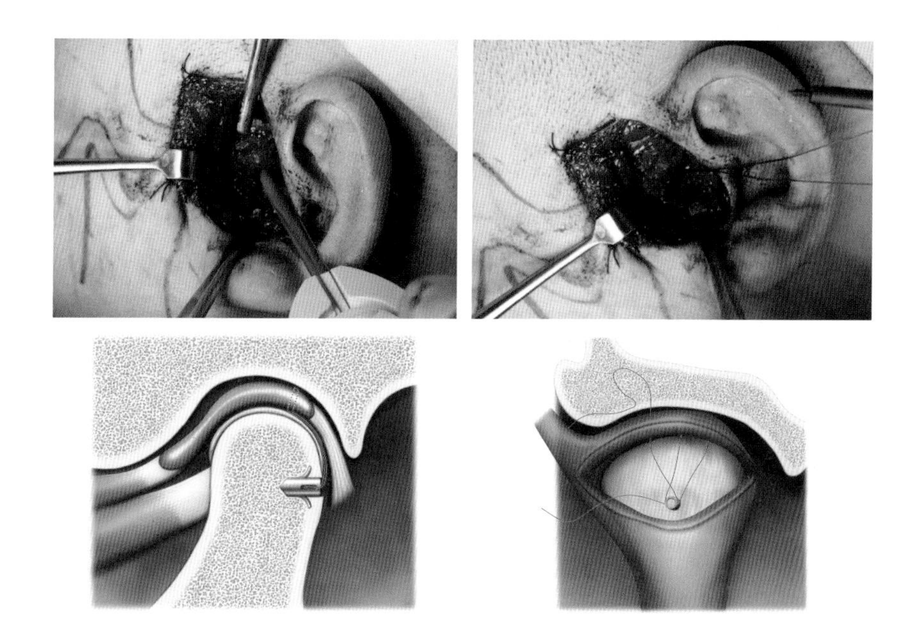

그림 14-35 MITEK® 고정나사를 이용한 턱관절원판 재위치술.

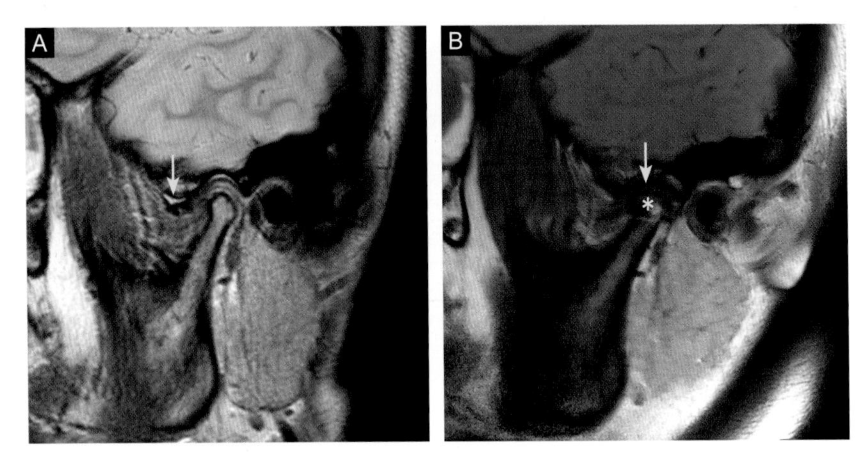

그림 14-36 MITEK® 고정나사를 이용한 턱관절원판 재위치술 술전(A), 술후(B) MRI.
→: 턱관절원판, *: Artifact of Mitek anchor.

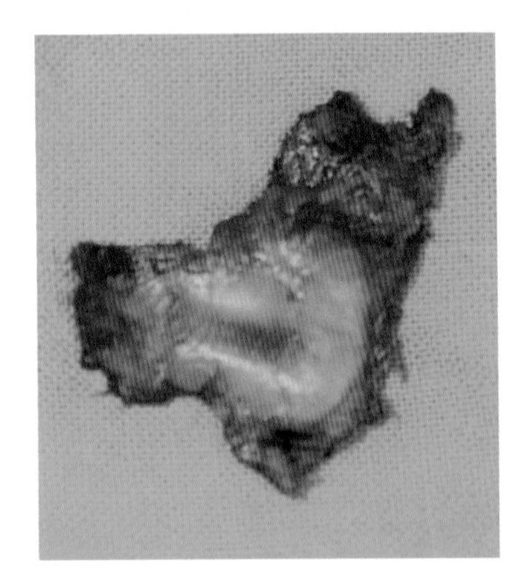

그림 14-37 절제된 턱관절원판.

c. 턱관절원판 절제술

턱관절원판의 퇴행성 변화가 심각하고, 관절원판 재위치가 불가할 정도여서, 턱관절원판을 제거하여야 개구 등 턱관절의 기능을 회복할 수 있는 경우 시행한다(그림 14-37). 관절원판 제거술 후 발생할 수 있는 상관절강의 유착 혹은 관절부 마찰에 의한 골관절염의 악화 등을 예방하기 위하여 하악과두와 관절와 사이에 인공물 혹은 자가조직을 삽입하여 술후 관절강내 직접적인 마모를 완화시키는 것이 필요하다. 한때는 silicone block이나 proplast가 많이 사용되었으나 매식재가 변질, 파괴, 변형되거나 장기간 매식에 따른 생체내 이물반응 등으로 술후 턱관절내 심각한 부작용을 초래하여 한동안 이들 매식재의 제거수술이 유행하기도 하였다. 최근에는 이러한 부작용이 없이 골대골 접촉과 유착을 방지하고 관절면에 두꺼운 섬유성 결합조직의 형성으로 술후 퇴행성 골변화를 방지하고 골성장을 유도할 수 있다는 동물실험(1989, Tucker)에 근거를 두고, 실라스틱판을 관절원판 모양으로 잘라 매식재로 잠정적으로 위치시켰다가 2–4개월 후에 제거하는 방법이 보편화되었다(그림 14-38). 자가조직도 많이 사용되는데 측두근막(temporal fascia)이나 측두근피판(temporalis muscle flap) 또는 귓바퀴 연골(autogenous auricular cartilage)을 매식재로 이용될 수 있다. 최근에는 삼차원 형상재현 기술을 이용하여 미리 비슷한 모양과 크기의 관절원판을 생체재료를 이용하여 사전 제작한 후 수술 시 제거한 관절원판을 대신하여 위치시켜주는 실험적 시도도 보고되고 있다.

② 턱관절의 골성구조물에 대한 수술

턱관절을 이루고 있는 골성구조물인 하악와와 관절융기, 하악과두의 각 구조물의 변형된 형태나 구조적 이상을 외과적 시술을 통해 개선해준다. 골성형

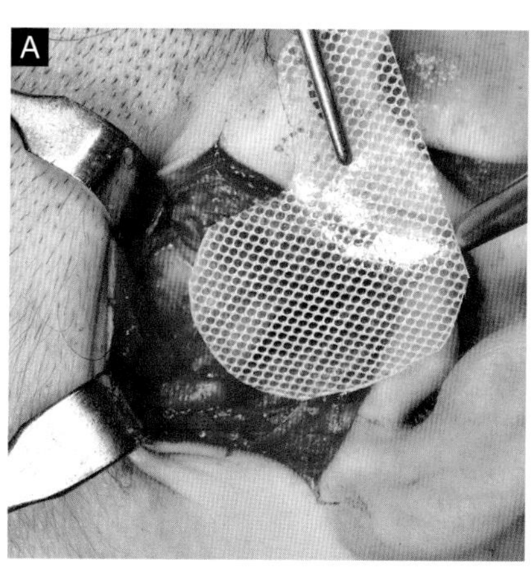

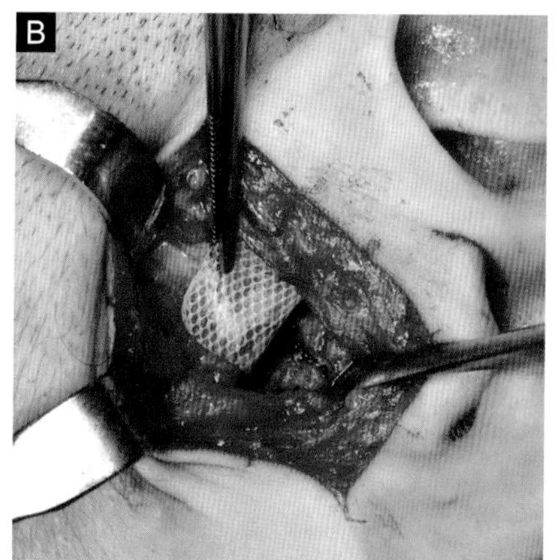

그림 14-38 턱관절원판적출술(discectomy) 후 턱관절 간격의 유지와 관절내 섬유성 결합조직의 형성을 촉진하기 위해 실라스틱판(silastic sheet)을 삽입하는 모습.

술은 턱관절의 기능 시에 골조직인 하악와, 관절융기, 하악과두에 의해 발생할 수 있는 기계적인 장애(mechanical interference)를 제거할 목적으로 시행하는 술식으로 관절원판성형술 또는 관절원판적출술과 동시에 혹은 단독으로 시행될 수 있다.

불규칙한 하악과두의 표면을 다듬는 하악과두 성형술(condyloplasty), 하악과두의 상부를 절제하는 하악과두 상부적출술(high condylectomy), 심하게 손상되거나 신생물 등에 포함된 하악과두의 절제술(condylectomy), 턱관절내에 가해지는 압력을 감소시키고 기계적인 장애를 해소하기 위한 하악과두하 골절단술(subcondylar osteotomy), 습관성 탈구해소나 관절내 압력을 줄이기 위해 시행하는 관절융기 성형/절단술(eminoplasty/eminectomy), 하악의 탈구방지를 위한 관절융기증강술(eminence augmentation) 등이 시행되고 있다.

a. 과두성형술

만성염증이나 외상에 의한 턱관절강직증, 턱관절 과두종양 등이 발생한 경우 시행한다. 3D CT 이미지를 이용하여 수술 전 절제 부위를 면밀히 계획하고, 과두 내측 주요동맥의 변칙적 주행 여부도 확인하면 안전한 수술에 도움이 된다.

b. 턱관절성형술

턱관절 구조물의 형태이상을 외과적으로 수정하여 기능개선을 도모하는 모든 술식을 통칭한다. 퇴행성 턱관절염으로 과두나 관절와, 관절원판의 형태이상이 심하여 턱관절기능에 장애가 되는 경우 과두나 관절와, 관절원판 부위의 성형을 시행한다.

5) 사이관절성형술(Gap arthroplasty)

하악과두의 분쇄성 골절, 심한 관절염 등으로 인하여 관절원판이 손상되어 하악와와 하악과두가 골성강직(bony ankylosis)이 되었거나(그림 14-39), 골성강직과 섬유성강직이 동반된 경우에는 개구가 되지 않으므로, 강직부위를 분리해주는 수술이 시행된다.

전이개 접근법으로 강직부위 골조직을 충분히 제거하여 공간(gap)을 만들어 주고, 치유과정에서 재유합이 일어나지 않도록 하악골과 두개골 사이 공간에 인공매식재(silastic sheet)를 삽입하거나, 자가연골 이식을 하거나, 측두근막 피판을 형성하여 위치시켜준다.

수술 후에는 재유합 방지를 위하여 개구연습을 강력히 시행해주어야 한다. 술자에 따라서는 재발률을 낮추기 위해 인공턱관절 전치환술(alloplastic total joint replacement)을 시행하기도 한다.

6) 턱관절재건술(TMJ reconstruction)

턱관절의 해부학적 구조의 심한 파괴나 제거 또는 외상으로 인해 상실된 경우에는 통상의 턱관절성형술로 치료가 어려울 수 있다. 심한 관절염, 하악과두의 과도한 흡수(idiopathic condylar resorption), 선천적 혹은 후천적 원인으로 인한 턱관절 부위의 성장제한, 심한 외상, 신생물, 골성강직 등은 문제가 있는 과두부에 전절단(condylectomy)을 시행하고 턱관절의 구조를 재건해주어야 한다. 턱관절의 재건은 단순한 형태의 재건뿐만 아니라 저작, 발음 등의 기능적 재건을 포함하여야 하므로 수술 전에 3D-CT, RP 모델, MRI 등을 이용한 정확한 진단을 통하여 안전하고 효과적인 수술계획을 수립한다. 턱관절 재건은 턱관절을 이루고 있는 주요 세 부위인 하악와, 관절원판, 하악과두이다.

하악과두의 재건은 자가골 이식, 하악과두/하악지 골신연술, 인공관절치환술을 이용할 수 있다. 자가골로는 늑연골이식(costochondral graft), 쇄골이식(clavicle graft)을 고려할 수 있고, 인공재료로는 스테인레스 스틸이나 티타늄을 쓸 수 있다. 자가골을 이용하여 재건할 경우 턱관절의 조직학적 구조와 가장 유사한 늑골을 이용하는 것이 일반적이며, 특히 성장기 아동의 경우 재건부위의 성장도 가능한 것으로 알려져 있다(그림 14-40). 하지만 공여부의 반흔 및 흔하지는 않지만 폐기종 등과 같은 부작용 발생 가능성이 있다.

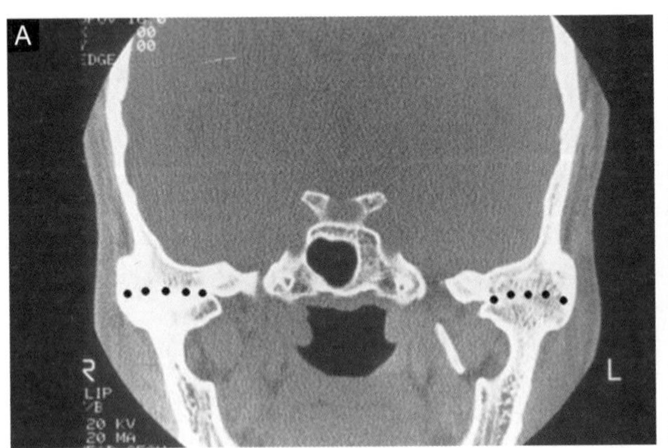

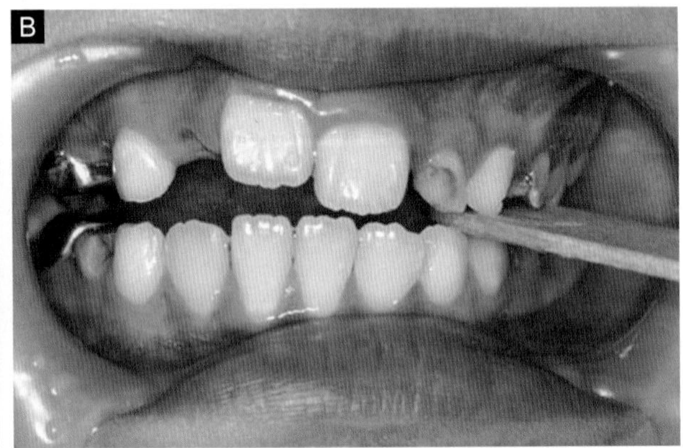

그림 14-39 양측성 골성강직의 방사선(CT) 소견과 구강내 사진. A: 점선 부위가 골성강직이 되어 있는 부위 B: 입이 거의 벌어지지 않는 모습.

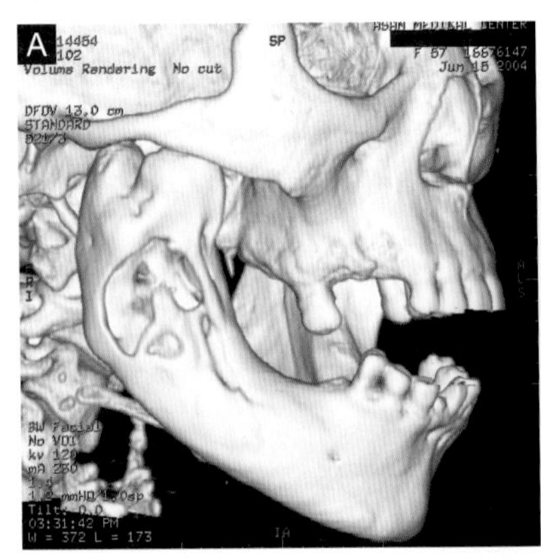

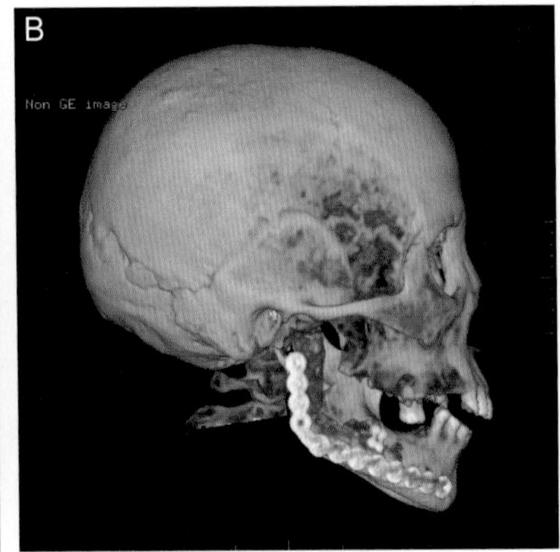

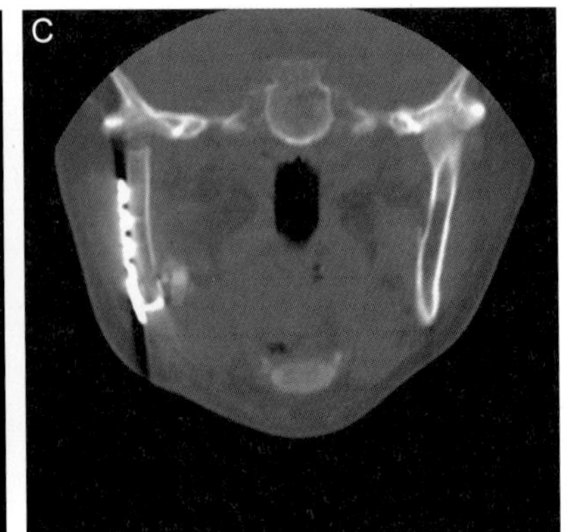

그림 14-40 자가골을 이용한 턱관절재건술.
A: 턱관절을 침범하는 거대 법랑아세포종 B, C: 자가장골과 늑골을 이용하여 재건.

인공관절치환술은 하악와, 하악과두를 각각 시행하는 경우도 있지만, 최근에는 하악와와 하악과두를 모두 치환해주는 전치환술(total joint replacement)이 선호되며 인공턱관절 전치환술에 사용되는 재료나 디자인은 장기간 안정성을 보여온 무릎관절 전치환술에 사용되었던 개념들과 비슷하다. 기성품으로 나와 있는 제품과 환자의 안면골 복제모형에 맞춤형으로 제작하는 제품이 있다(그림 14-41~44).

치환된 인공구조물은 장기간 개구 및 저작 시에 가해지는 기계적인 외력에 견딜 수 있어야 하므로, 위치된 구조물이 느슨해지거나 탈락되는 경우가 생기지 않도록 적절한 위치와 방향을 찾아서 단단히 고정해주어야 한다. 수술을 위한 적절한 시야를 확보하기 위하여 전이개접근 혹은 내이개 접근 및 악하접근 또는 후하악 접근이 동시에 시행되어야 한다. 수술 시 안면신경 손상 및 상악동맥 등 인접 주요혈관 손상에 의한 과다 출혈에 주의해야 하며, 인공관절의 감염에 특히 주의해야 한다. 술후 개구량은 대략 35 mm 정도로 편측 재건 시는 좀 더 많은 개구량이 확보될 수 있다. 다만 인공구조물에 저작근 부착이 상실되어 수술부 하악의 편

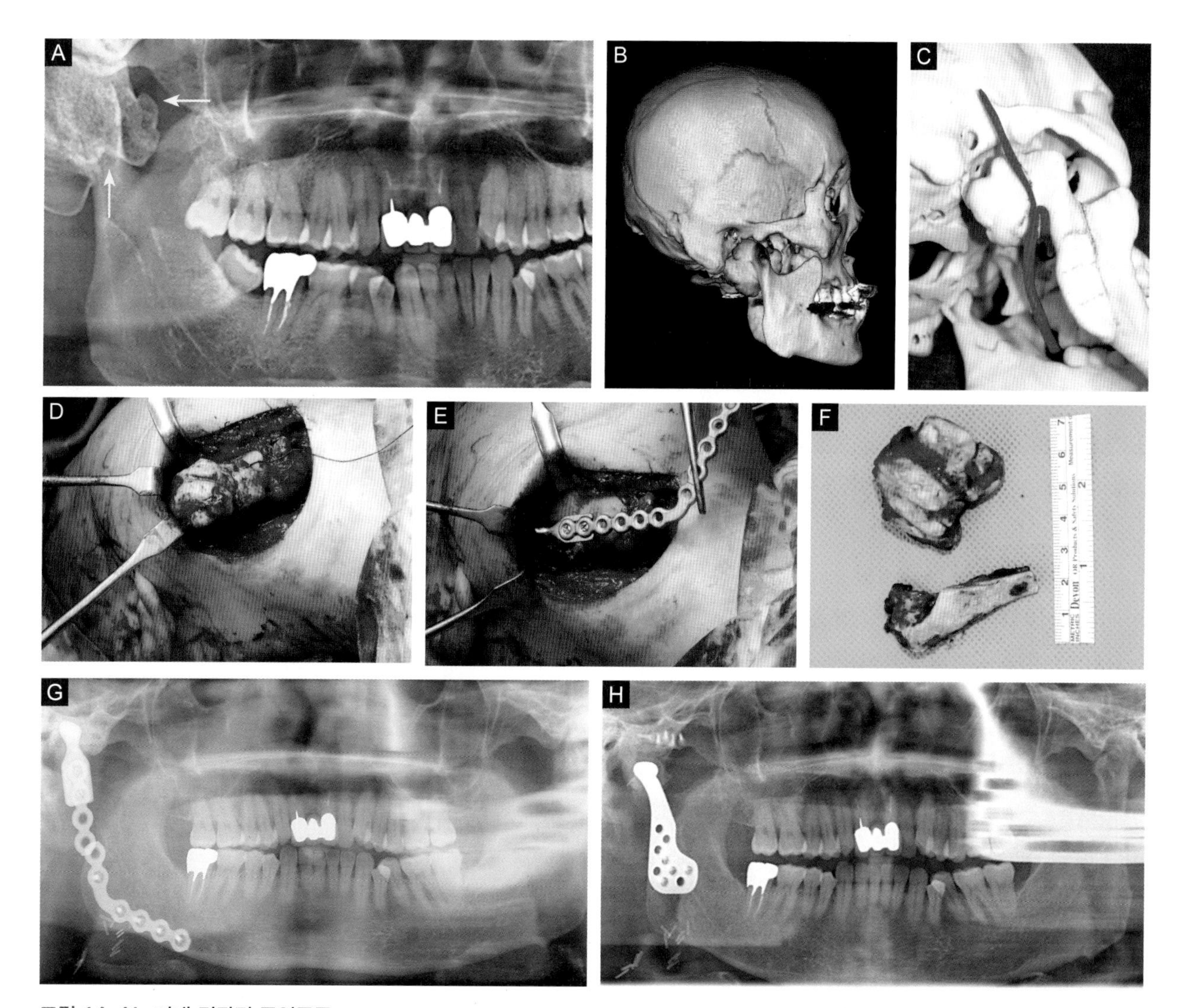

그림 14-41 거대 턱관절 골연골증.
A: 술전 파노라마 B: 술전 3D CT C: 술전 RP모델 및 상악동맥 주행 시뮬레이션 D: 수술로 노출된 골연골증 E: 재건용 플레이트 시적 F: 절제된 종양조직편 G: 술후 3년 뒤 파절된 재건용 플레이트 H: 피로 파절된 재건용 플레이트 제거 후 인공턱관절로 대치된 모습.

측운동이 제한된다. 최근에는 근육 부착이 가능한 인공턱관절에 대한 연구도 활발하다. 인공턱관절 전치환술은 성장이 끝난 환자에게 시행되므로 성장 중인 환자는 늑연골, 쇄골과 같은 자가조직 이식이나 골신연술을 고려한다(그림 14-40). 현재 상용화되어 있는 인공턱관절의 수명은 20–30년으로 예상되나, 환자의 터작습관 이갈이 등의 악습관 여부에 따라 그 수명은 달라질 수 있다.

일반적으로 어떤 턱관절수술보다 수술 후 빠른 개구 및 저작이 가능하며, 적절한 증례에 적용하면 안정된 교합과 관절부 통증의 소실로 드라마틱한 삶의 질을 개선시킬 수 있다.

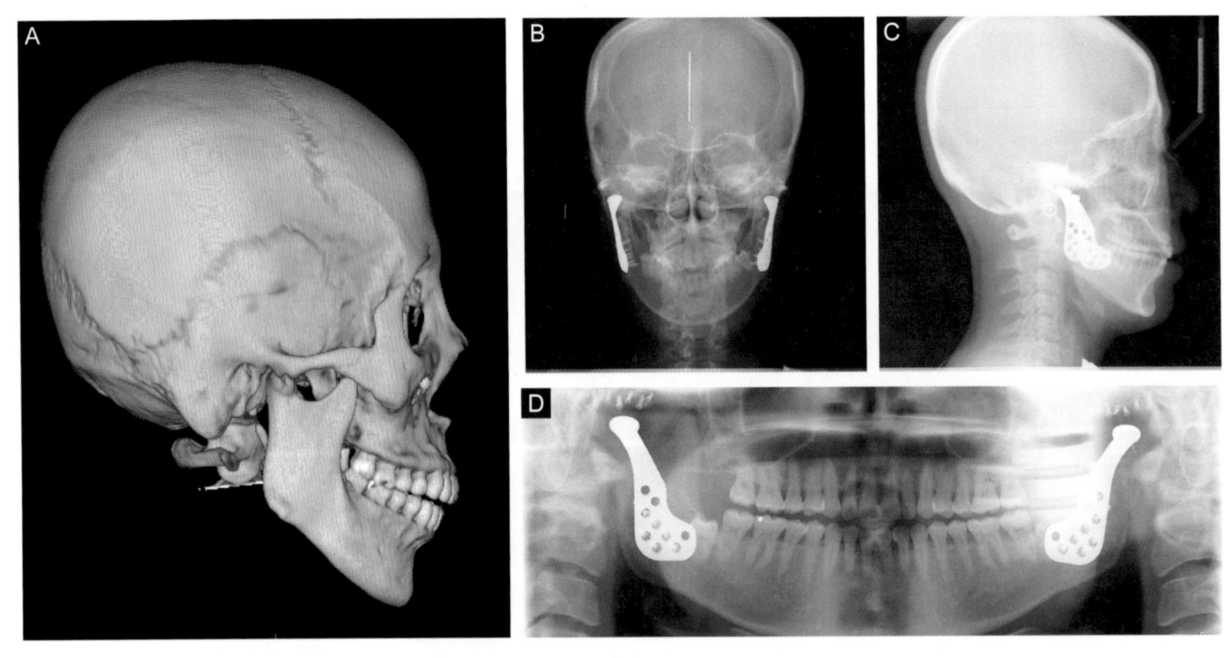

그림 14-42 A: 양측 퇴행성 골관절염에 의한 과두 흡수로 개교합 발생 B–D: 과두절제술 후 양측 인공관절로 대치.

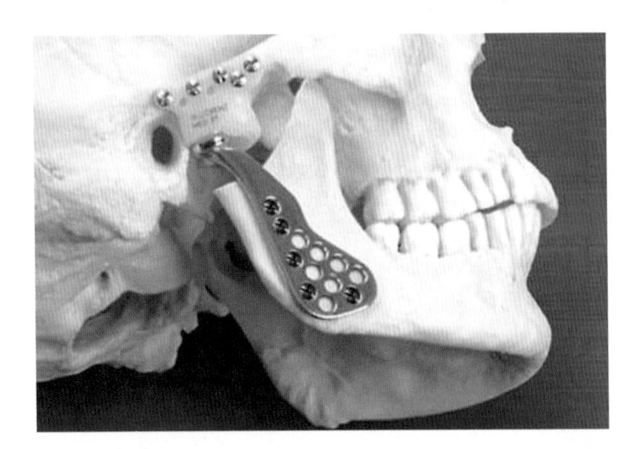

그림 14-43 기성품으로 출시된 인공턱관절 보철물. 보철물의 내면에 맞게 환자의 하악와와 하악상행지의 외측면을 다듬어서 인공관절 보철물을 밀접 고정하는 것으로 수술기구에는 하악와 보철물과 하악과두 보철물 각각에 대해 좌우 3가지 크기의 시적용 모형이 구비되어 있다.

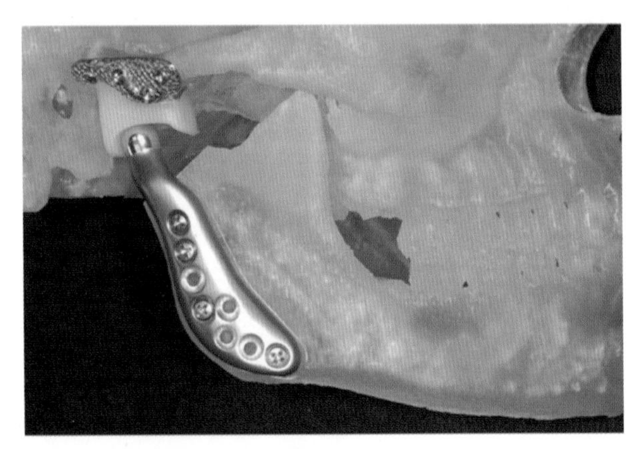

그림 14-44 환자의 안면골 복제모형을 이용하여 하악와 부분과 과두–하악지 부분을 환자맞춤형으로 제작하여 시술하는 제품 사진(예: TMJ Concepts® Prosthesis).

7) 하악지절단술(Condylotomy)

턱관절의 감압과 저작근 긴장의 완화를 목적으로 턱관절을 포함하는 하악지를 절단하고 절단된 하악지 골편이 보다 긴장이 완화된 생리적 위치에 재유합되도록 유도하는 술식이다. 하악지절단술로 가장 흔하게 사용되는 골절단술은 악교정수술 시에도 흔히 이용되는 구강내 하악지 수직 골절단술(IVRO)이며 수술방법과 술후 관리는 악교정수술 시와 동일하다. 최근에는 턱교정 수술에 더 보편적으로 이용되는 하악지 시상 골절단술(SSRO) 변법으로도 유사한 효과를 얻을 수 있어, 턱관절장애와 턱기형이 병존하는 증례에 보다 손쉽게 적용할 수 있다.

3. 질병에 따른 고려사항

1) 턱관절 양성종양

턱관절에 발생하는 양성종양은 제거 후 하악운동과 기능장애를 유발할 수 있으므로 종양 제거 후에도 악구강계의 기능을 최대한 유지할 수 있도록 종양의 특성을 이해하고 종물제거 방법과 술식을 고려해야만 한다. 턱관절에 발생하는 양성종양으로는 활막 연골종증(synovial chondromatosis)(그림 14-45), 골연골종(osteochondroma)(그림 14-46)과 연골모세포종(chondroblastoma) 등이 있다. 골연골종은 주로 하악과두의 전방부에 골증식이 일어나 폐구 시 하악과두가 하악와에 들어가지 못해 안면비대칭과 비이환측으로의 반대교합과 같은 부정교합을 유발하게 된다. 최근 보고된 증례들에서는 증식 부위만 제거하는 최소한의 절제를 통해서 좋은 결과를 얻고 종물 제거 후 추가적인 재건술을 시행해 주지 않아도 하악비대칭과 부정교합을 해결할 수 있다고 하였다. 활막연골종증은 관절강내에 연골 유리체(loose body)가 발생하는 종양으로 석회화되지 않은 경우에는 일반 방사선사진에서 이상이 관찰되지 않아 진단이 어려운 경우가 있다. 대부분 자기공명 T2 강조영상에서 관절강이 활액으로 가득차 있는 고강도 신호양상을 보고 진단을 하게 된다. 관절강 내에만 존재하는 경우에는 유리체만 제거해 주어도 되나(그림 14-45) 두개골이나 하악과두를 침범한 경우에는 이환된 부위의 골조직을 같이 제거해 주어야 한다. 드물게 연골모세포종(chondroblastoma), 색소융모결절성 활막염(pigmented villonodular synovitis, PVNS), 활액결절종(synovial ganglion cyst)이 발견된다.

2) 하악과두 외상

하악과두에 과도한 외력이 가해질 경우 하악과두나 측두골의 골절과 관절낭, 관절원판 등 주위 경조직, 연조직의 손상을 모두 동반할 수 있으나, 경조직의 골절 없이 연조직만 손상이 되는 경우는 혈관절증(hemarthrosis), 관절원판의 변위 또는 열상, 관절낭염, 윤활막염 등이 발생할 수 있다. 혈관절증은 관절강 내 출혈로 인해 이환측 턱관절 부위의 종창과 통증, 이환측 구치부 개교합을 보인다. 관절강내의 혈종이 자연 흡수되면서 종창이나 통증이 가라앉고, 이환측 교합도 정상을 찾아가게 되나 관절원판이나 주위조직이 손상된 경우 종창이 가라앉은 후에도 관절음이나 통증이 지속될 수 있으므로, 약물치료, 턱관절강세정술, 교합안정장치 치료 등 턱관절장애에 대한 치료를 고려해야 한다. 혈관절증 소견을 보이지 않더라도 연조직 손상이 있는 경우, 특히 턱관절내장증(internal derangement)이나 골관절염과 같은 기왕력이 있는 환자의 경우에는 외상후 증상의 악화를 초래할 수 있으므로 방사선사진에서 하악과두의 형태이상이나 턱관절장애 기왕력에 대한 조사를 자세히 하도록 한다. 종종 턱관절외상 이전에 존재했던 턱관절장애에 대해 환자가 인지를 못하고 있을 수도 있으므로 나타날 수 있는 합병증에 대해 이해할 수 있도록 자세히 설명하는 것이 추천된다.

3) 하악과두의 성장장애

미국 구강악안면통증학회와 국제두통학회에서

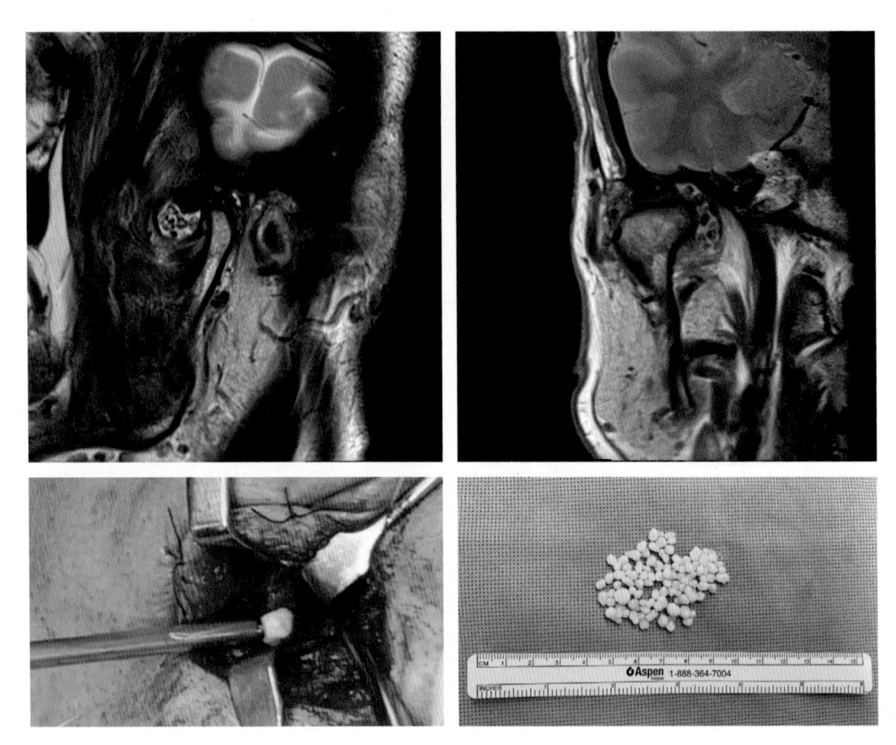

그림 14-45 **활막연골종증(synovial chondromatosis).** 관절강내에 연골 유리체(loose body)가 차 있는 종양이다.

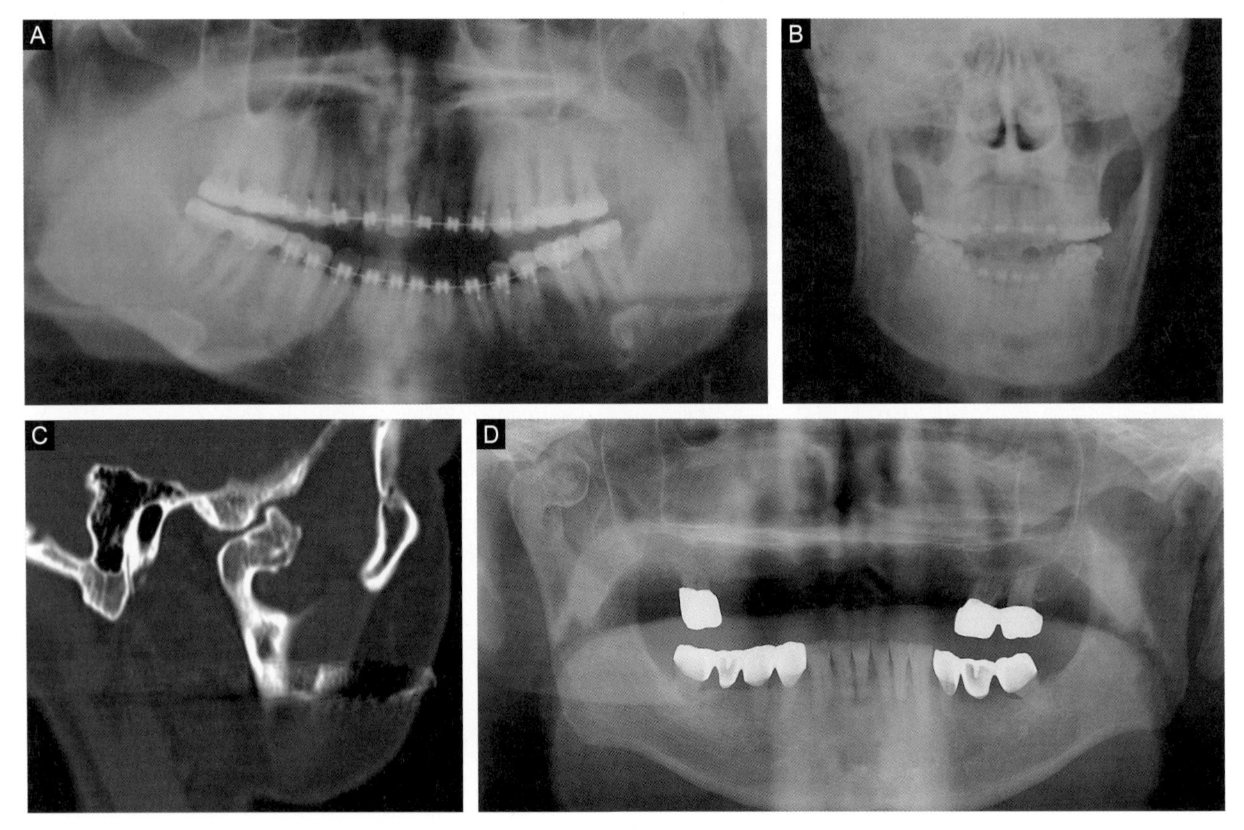

그림 14-46 **A, B:** 반하악 과다증식(hemimandibular hyperplasia). 좌측 하악과두의 부피가 크고, 과두돌기와 하악상행지 길이가 수직적으로 길어져 있으며, 좌측 치조골의 높이 또한 증가되어 있으며 하악체가 전체적으로 우측에 비해 커져있다. **C, D:** 하악과두 골연골종. 우측 하악과두에 비정상적인 골증식을 보이고 있는 골연골종을 볼 수 있다.

는 하악과두의 선천성 및 발육성 골장애를 ① 무형성(aplasia), ② 형성부전(hypoplasia), ③ 증식(hyperplasia), ④ 신생물(neoplasm)로 구분하였다. 하악과두의 성장장애는 신체 다른 부위와 마찬가지로 선천성과 후천성의 원인에 기인하는데 많은 경우에 그 원인이 정확하게 밝혀져 있지 않으며, 저성장의 경우 선천성과 후천성으로 구분되지만 과성장은 모두 후천성 원인으로 발생한다. 선천성 저성장에는 대표적으로 반안면왜소증(hemifacial microsomia)이 있으며 반안면왜소증에 안구유피형성(epibulbar dermoids)과 경추 이상(cervical spine abnormality) 및 구강과 비강의 갈라짐(oronasal clefting)의 증상이 추가로 나타나는 골든하증후군(Goldenhar's syndrome)과 하악안면이골증(mandibulofacial dysostosis; Treacher-Collins syndrome), 그리고 네거증후군(Nager syndrome; Nager Acrofacial Dysostosis) 등이 있다. 하악과두의 저성장과 과성장은 편측 또는 양측으로 나타날 수 있다. 성장기에 발생한 턱관절의 골절에 의해 하악과두가 저성장할 수 있다고 알려져 있으나, 이 외에 후천적으로 턱관절의 저성장과 과성장이 발생하는 원인에 대해서는 명확하게 밝혀져 있지 않다.

하악과두의 후천적 과성장은 Obwegeser와 Makek이 제안한 반하악 과다증식(hemimandibular hyperplasia)과 반하악 신장(hemimandibular elongation)으로 구분될 수 있다. 과다증식(그림 14-46)에서는 하악과두의 길이나 폭이 증가하며, 하악 상행지도 수직적으로 증가하여 하악우각의 각도가 정상적이거나 작아지고 우각부위가 반대측에 비해 하방으로 많이 내려와 있는 형태를 보이게 된다. 또한 이환부 치조골의 높이가 증가하고 치아장축이 경사지게 되는 특징이 있다. 이에 비해 신장형에서는 하악과두 경부의 길이는 증가하지만 하악과두 자체의 길이와 폭, 그리고 하악상행지의 수

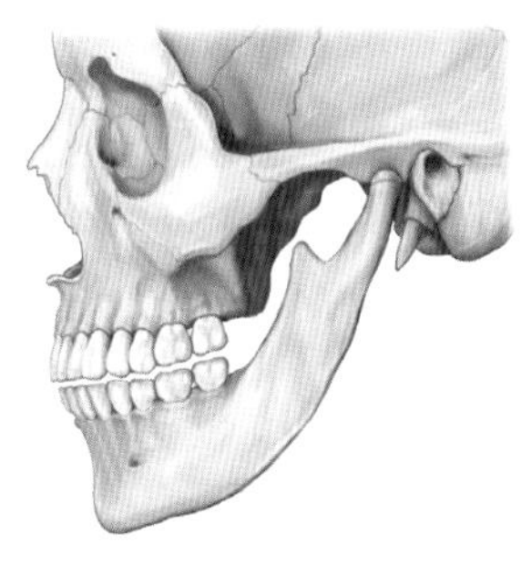
Type I

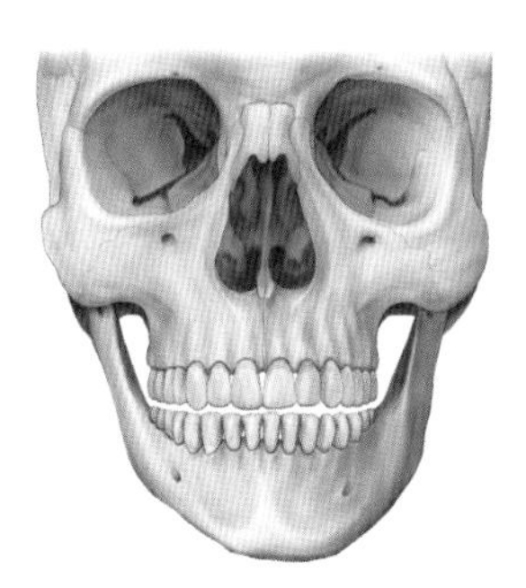
Type II A

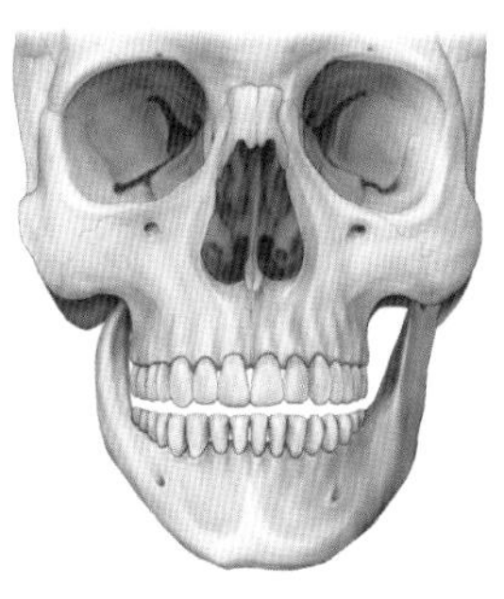
Type II B

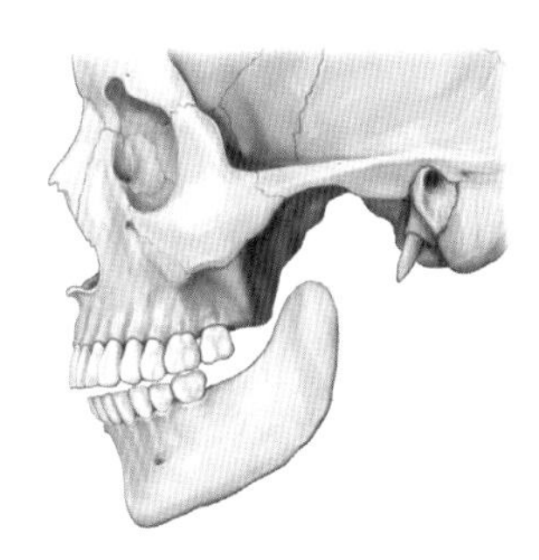
Type III

그림 14-47 반안면왜소증(hemifacial microsomia)의 Pruzansky 구분(Dr. Kaban 추가분류 포함).

Type I

하악의 크기가 축소된 점 외에는 하악골의 형태와 관절와 및 저작근은 정상

Type II

- 하악과두의 형태이상, 짧고 비정상적인 하악상행지, 약간의 저작근 형성부전
- Kaban의 세부 구분
  - Type II A: 대칭적인 개구가 가능하게 적절한 관절위치관계를 가진 턱관절
  - Type II B: 하방과 내측으로 변위된 하악과두의 위치를 동반하고 대칭적인 개구운동이 불가능한 턱관절

Type III

하악과두와 상행지 및 관절와가 결손되고, 심한 저작근 형성부전

직적 길이 변화가 없고 비이환측으로 하악이 길어짐에 따라 하악우각의 각도가 커지지만 우각부위가 반대측에 비해 하방으로 많이 내려와 있는 형태는 없으며, 이환부 치조골의 높이 변화나 치아 장축의 경사도 변화도 없다.

반안면왜소증(hemifacial microsomia)은 안면부에서 발생하는 선천성기형으로는 구순구개열 다음으로 두 번째로 흔히 발생하는 발육장애이다. 발생빈도는 1:5,600명 정도이고 남녀 비율은 3:2, 좌우비율은 2:3 정도로 알려져 있다. 성장장애는 안면 편측에서 주로 발생하지만 드물게 양쪽에 발생하기도 하며, 하악, 상악, 관골, 측두골 및 외이 등의 발육이상을 보이며, 눈, 신장, 척추 및 심장에서의 이상도 동반할 수 있다. 각 해부학적 구조물에서 나타나는 성장장애의 정도에 따라서 여러 가지 방법에 따라 구분이 되는데, 하악의 이상정도를 기준으로 한 Pruzansky의 구분(1969년)이 가장 많이 사용되며, 그 외에도 David 등이 종양의 구분법에 사용되는 TNM 방법을 응용하여 골격(skeleton), 귀(auricle)와 연조직(soft tissue)의 이상 정도를 파악한 SAT구분법과 Ventor 등이 눈(orbit), 하악(mandible), 귀(ear)와 중추신경계(central nervous system) 및 연조직(soft tissue)에서의 이상정도를 평가한 OMENS system에 의한 구분이 있다. 가장 많이 사용되는 Pruzansky 구분법은 그 후 Kaban이 추가한 내용을 포함하여 다음과 같이 구분된다(그림 14-47).

4) 턱관절염

미국 구강악안면통증학회와 국제두통학회에서는 턱관절에서의 관절염을 골관절염(osteoarthritis), 골관절증(osteoarthrosis), 다발관절염(polyarthritides), 외상성 관절염(traumatic arthritis), 감염성 관절염(infectious arthritis), 류마티스관절염(rheumatoid arthritis), 과요산혈증(hyperuricemia) 등으로 구분하고 있다. 초기에 정의를 내릴 때에는 골관절염과 골관절증이 서로 다르게 구별되었으나 실질적으로는 동일한 질환으로 구분되며, 대부분의 턱관절염은 과두의 섬유성 연골층에 변화를 가져오는 만성적 질환으로 염증성 기반의 관절염이 아니라 기계적 부하에 따른 이차적인 염증에 의한 경우가 대부분이다.

(1) 턱관절염의 원인과 발생기전

류마티스관절염이나 감염성 관절염 등의 염증성이 원인이 되는 턱관절염의 빈도는 매우 낮고, 대부분의 턱관절염이 과도한 부하에 의한 턱관절 조직의 손상에 의한 것으로 보고되고 있다. 관절원판변위와 턱관절염의 인과관계는 명확히 밝히기 어렵다. 임상적으로 관절원판의 변위가 모든 환자에서 턱관절염을 야기하는 것은 아니지만, 수술적으로 변위된 관절원판의 위치가 턱관절염을 야기했다는 동물실험 결과가 보고되었으며, 관절원판의 변위가 있는 환자를 장기적으로 관찰했을 때 턱관절염이 발생되었다는 임상결과로 비추어 볼 때 관절원판의 변위가 턱관절염의 원인으로 작용할 수 있다고 판단되고 있으며, 편측인 경우보다 양측성 관절원판의 경우에 그 빈도가 더 높다고 알려져 있다.

턱관절염의 정확한 발생기전은 아직 밝혀지지 않았지만, 관절에 오는 기계적 압력이 과도한 경우 저산소증이 유발되고, 이는 VEGF (vascualar endothelial growth factor)와 MMP (matrix metalloproteinase)의 증가와 TIMP (tissue inhibitor of metalloproteinase)의 감소를 가져와서 최종적으로 superperoxide와 hydroxyl anions과 같은 활성산소종(reactive oxidative radical species)의 발생을 증가시켜 윤활제로 작용하는 히알루론산을 파괴한다고 알려져있다. 이후 점차로 염증유발 사이토카인들이 형성되어 골관절염이 발생한다는 이론이 일반적으로 받아들여지고 있다.

(2) 임상적 증상 및 방사선적 소견

임상적 증상으로 통증, 개구제한, 관절잡음, 관절원판의 걸림현상, 두통 등이 있으며 턱관절염의 정도와 하악과두와 관절원판의 위치관계에 따라서 증상이 달라진다. 파노라마영상촬영에서는 턱관절 과두부를 관찰하기 어렵기 때문에, 다음 5가지 항목들에 대한 CT

표 14-6 관절원판변위 후 턱관절염으로의 변화단계

Stage	임상적 증상	MRI 소견
I	통증 없는 관절잡음(clicking), 개구제한 없음	폐구상태에서 관절원판의 미미한 변위, 최대 개구 시와 개구운동 시 정상적이고 조화된 과두와의 위치관계
II	드물게 통증 동반한 관절잡음(clicking), 간헐적인 관절원판의 걸림현상(locking), 두통	폐구 시 관절원판의 전방변위, 골의 형태변화는 없음, 최대 개구 시 관절원판은 정상적 관계로 위치 복원되며 2번의 관절잡음 유발(reciprocal clicking)됨
III	자발적 관절통증과 경결감 증가, 두통, 관절원판 걸림현상(locking), 개구제한, 저작 시 통증	관절원판 위치: 초기에는 폐구 시 관절원판의 전방변위가 있지만 개구 시 복원됨 후기에는 개구 시에도 복원이 되지 않거나 관절걸림현상(locking) 지속됨 최대 개구 시 하악과두가 관절원판을 전하방으로 눌러 관절원판의 두께 증가를 동반한 변형 발생 관찰, 골의 형태변화 없음
IV	만성적 통증, 두통, 개구제한	개구 시 관절원판의 복원 없는 전방변위, 개구 시 현저하게 두꺼워지고 변위된 관절원판 관찰됨. 명확하게 하악과두에 osteophyte가 동반된 턱관절염 소견 관찰
V	자발적 통증, 관절잡음(crepitus), 하악운동 제한과 운동 시 통증	개구 시 뚜렷한 형태변화를 보이는 관절원판의 복원 없는 전방변위 관찰, 골의 형태변화가 동반된 턱관절염 관찰(flattening, erosion)

를 통해 턱관절 골관절염을 진단한다.

- 하악과두의 평탄화(flattening of the condylar head)
- 연골하방에 미세낭종 형성(micro-cyst formation of the subchondral bone)
- 관절강 협소화(joint space narrowing)
- 골극 형성(osteophyte formation)
- 연골하방의 골경화(subchondral sclerosis)

관절원판의 변위와 연관하여 1989년 Schellhas와 Wilkes가 MRI상에서의 턱관절염 변화과정을 임상적 증상과 함께 보고하였고, 진행 정도에 따른 구분은 표 14-6과 같다.

(3) 진행성 하악과두흡수(progressive condylar resorption)

진행성 하악과두의 흡수는 턱관절의 퇴행성질환으로 턱관절염의 일종이며 그 진행이 장기간 지속적인 점에서 진행성이라는 명칭을 사용한다. 10대 중반에서 20대 말의 연령층에서 발생하여 통상의 턱관절염과 발병시기가 다르고 그 원인도 알려지지 않아서, 원인불명성 하악과두흡수(idiopathic condylar resorption)이라고 구분되기도 한다. 이 질환은 하악의 발달이 적어 하악후퇴증이 있으며 하악평면각(mandibular plane angle)이 35–40°를 넘는 10대 중반에서 30대 초반사이의 여성에서 주로 관찰되지만(그림 14-48), 이 연령대의 남성 환자들에서도 발생한다. 여성 우위의 발생빈도와 연관하여 그 원인으로 여성호르몬의 역할이 추정되고 있으나 확실한 병인론은 확립되지 않았다. 턱관절에 통증, 관절잡음 및 개구제한 등의 임상적 증상이 나타나지만 때로는 임상증상 없이 발생되기도 한다. 하악과두의 흡수는 대부분 자발적으로 발생하며, 턱관절에 무리한 하중이 오거나 악교정수술 등에 의해 발생되는 턱관절 변화에 기인하기도 한다. 대부분 양측성으로 관찰되나 편측으로 나타나기도 하는데, 이는 여성호르몬 단독에 의한 발생이라기보다 편측 턱관절에 가해지는 역학적 요소도 관여되고 있음을 의미한다. 파노라마와 같은 단순방사선영상에서는 하악과두 상부가 관절와 내부에 위치하여 하악과두흡수 양상을 평가하기 어려우므로, 입을 최대한 벌리고 촬영한 턱관절 파노라마사진이 유용하며 턱관절 CT를 통하여 골변화를 평가할 수 있다(그림 14-49). 흡수 변화의 지속여부에 대한 파노라마상에서 평가가 어려울 경우 골스캔(TMJ bone scan)을 촬영하여 평가하기도 하지만, 골스

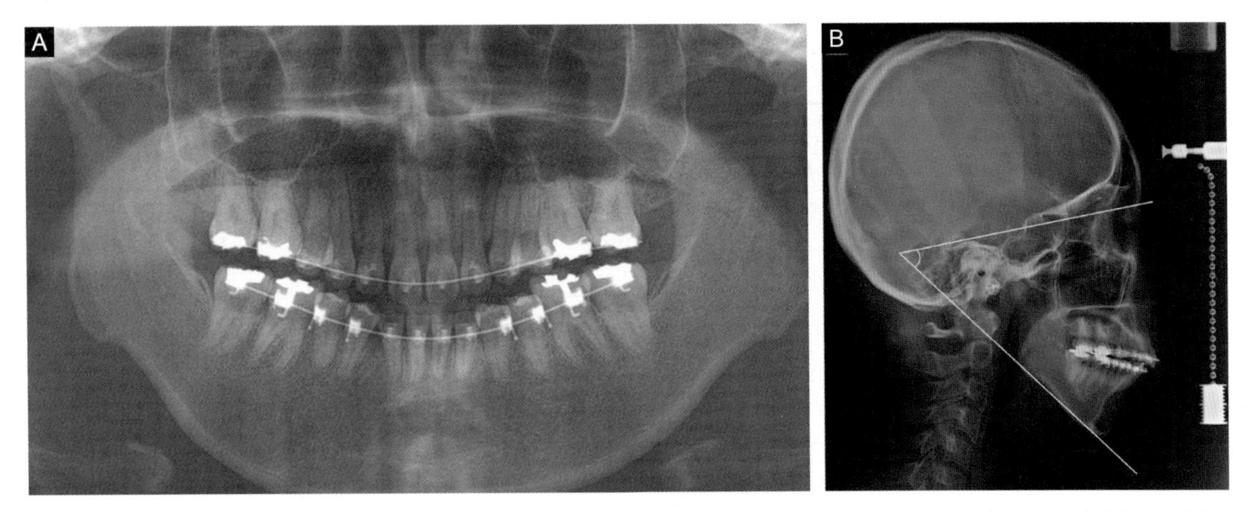

그림 14-48 진행성 또는 원인불명성 하악과두흡수(progressive or idiopathic condylar resorption). 우측 턱관절에서 하악과두의 흡수가 관찰되며(A), 하악평면각이 큰 골격성 2급 부정교합 여성 환자에서 호발된다(B).

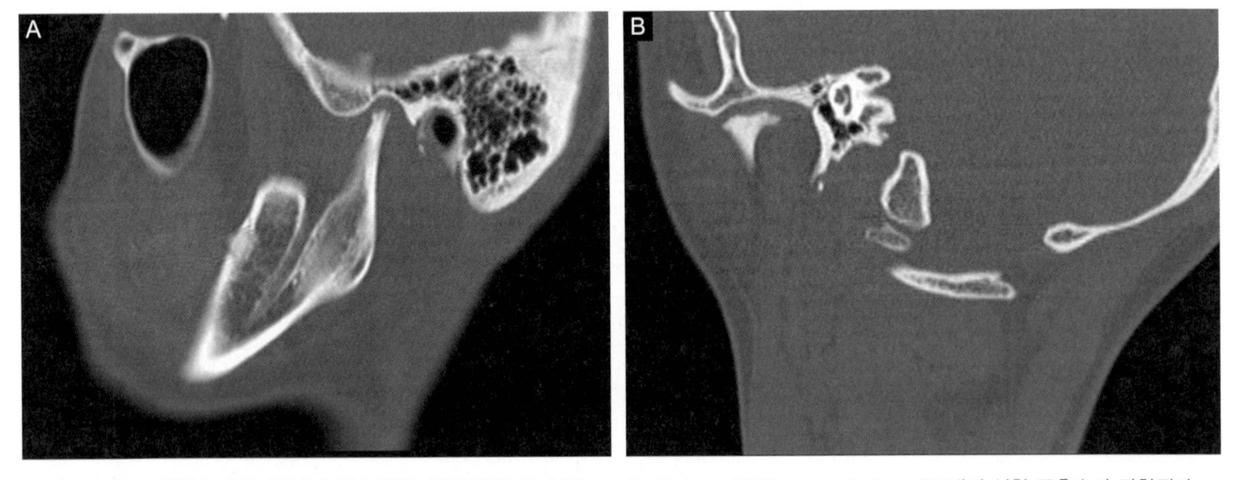

그림 14-49 진행성 하악과두흡수를 동반한 턱관절의 CT 사진. sagittal plane (A)과 coronal plane (B)에서 심한 골흡수가 관찰된다.

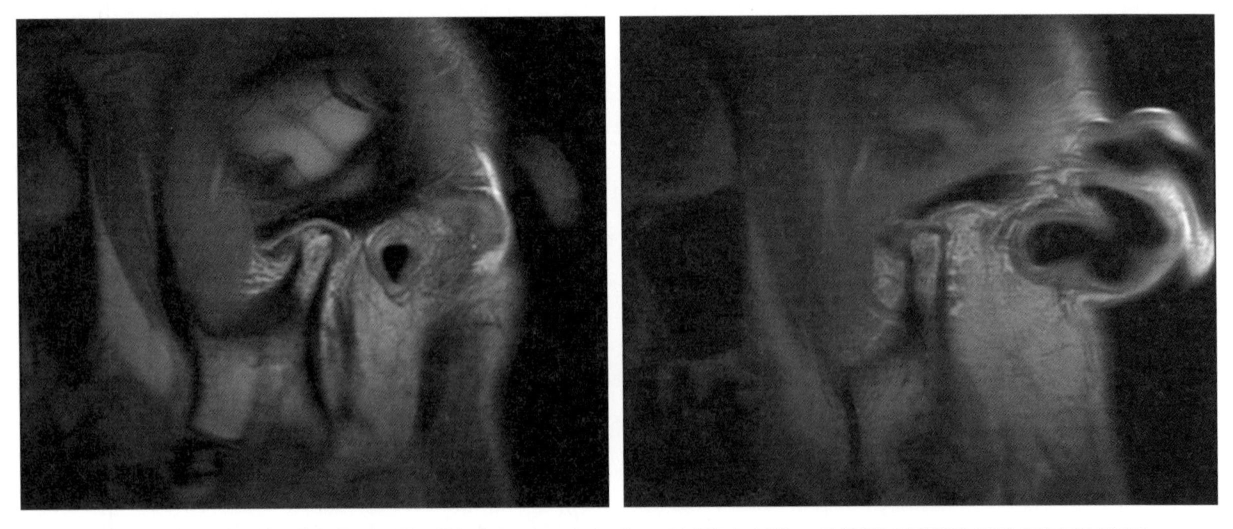

그림 14-50 진행성 하악과두흡수를 동반한 턱관절의 MRI 사진. 개구 시 복원되지 않는 비복원성 관절원판 전방변위가 관찰된다.

캔에서는 실제적인 골변화가 없어도 골대사가 있는 경우에는 양성으로 나타날 수 있으므로 그 평가에 유의하여야 한다. MRI에서 대부분의 진행성 하악과두흡수 환자의 관절원판은 변위되어 있으며, 많은 경우 전형적인 골관절염의 소견이 관찰된다(그림 14-50). 하악과두 흡수를 발생시킬 수 있는 위험요소로, 하악과두가 후방으로 경사진 하악과두와 턱관절에 과도한 힘을 받는 경우, 악교정수술의 경우에 수술 후 하악과두의 위치변화, 근심편의 시계반대방향으로의 회전과 과도한 전방 이동량 등이 알려져 있다. 하악과두의 흡수가 진행되면, 임상적으로는 하악의 후방으로 이동되며, 전치부 개방교합이 생기거나 더 심해지는 경우가 많으나 개방교합이 동반하지 않는 경우도 있다. 그리하여 하악전치부에서의 overjet 양이 증가하고, overbite 양이 감소한다. 방사선적으로는 하악의 시계방향으로 회전하여 하악의 교합면 각도 또는 하악평면각이 증가하고 그에 따라서 전안모 고경이 증가하여 전안모고경에 대한 후안모고경의 비율이 감소하게 된다. 측면두부방사선사진을 이용하여 진행성 하악과두흡수가 동반된 환자에서 악교정수술 전후를 비교하는 중첩그림을 그려보면 이러한 현상을 잘 관찰할 수 있다.

4. 최근 턱관절장애 치료연구 동향

최근 4차 산업혁명기를 맞아 재생의학 및 융합의학 기술의 획기적인 발전으로 이러한 기술을 적용한 턱관절장애에 대한 진단, 치료의 술식에 대한 연구가 활발하다. 특히 대증요법만이 가능한 난치성의 만성 턱관절 골관절염의 예방 및 치료에 있어 다양한 세포유래물 혹은 줄기세포를 이용한 치료가 시도되고 있으며, 긍정적인 결과를 보고하고 있다. 또한 턱관절 재건에 있어서도 최신의 3D 프린팅 기술과 보다 생체친화적이고 기능적인 소재를 이용한 인공턱관절에 대한 연구도 활발하여 기존의 인공턱관절의 제한점을 개선하려는 시도도 지속되고 있다. 아울러 보다 근본적인 턱관절장애 초기 단계에서 병증의 진행을 억제하기 위한 AI 혹은 증상 반응형의 다양한 의료기기 또한 활발히 연구되고 있어, 가까운 미래에는 치과분야 대표적 난치 질환의 하나인 중증의 턱관절장애 환자가 많이 감소할 것으로 기대된다.

5. 턱관절장애 관련 의료분쟁

정상적인 치과치료를 수행하였음에도 불구하고 과도한 개구량과 장시간의 치료로 인해 저작근과 턱관절에 과부하가 발생하고 하치조신경전달마취로 인해 일시적으로 내측익돌근 경련 혹은 근염이 발생하여 개구장애 및 통증 등의 증상이 나타나기도 한다. 또는 불량 수복물에 의한 교합부전, 과도한 개구기 사용 등으로 인해 턱관절장애가 유발될 수도 있다. 턱관절장애는 여성에서 압도적으로 빈발하는 것으로 알려져 있으며 다수 치아들이 상실된 경우와 이같이 환자에서 턱관절 통증과 턱기능장애가 빈발하는 경향이 있다. 따라서 다수 치아들이 상실되어 보철 혹은 임플란트 치료를 시행하는 도중에 혹은 치료 후에 턱관절장애가 악화되면 환자들은 치과치료가 잘못된 것으로 이해하고 의료분쟁으로 진행될 수 있기 때문에 주의가 필요하다.

Lundeen 등은 278명의 의치장착 환자들 중 턱관절장애 발생 비율이 17-35%였음을 관찰하였으나 증상은 심하지 않았다고 보고하였다. 그러나 이와 같은 환자들은 잠재적인 임상증상들을 가지고 있기 때문에 임플란트 치료와 같은 치과치료가 시행되는 과정에서 턱관절장애가 발병할 가능성은 충분히 있다. Dworkin 등은 일반인 집단의 약 50%에서 관절잡음, 운동 시 악골편위가 관찰되었으며 치료가 필요한 경우가 3.6-7%를 차지하였다고 보고하였다. Alexander 등은 일반 사람들 중에서 턱관절에 증상이 없는 사람들의 9-13%가 MRI 검사 시 관절원판 전위가 관찰되었다고 보고하였고 Pereira 등은 사체 턱관절의 91%에서 관절원판의 형태이상과 관절원판전위와 턱관절의 퇴행성 변화가 관찰되었다고 보고하였다. Johansson 등은 50-60대 연령군에서 턱관절장애 발생 위험요소들을 조사하였다. 조사 대상군의 12.1%에서 턱관절 통증이 존재하였다. 개구제한을 보인 빈도는 11.1%였고 개구제한과 통증이 복합된 경우는 19.2%였다. 여성들과 전신 건강상태가 좋지 않은 환자들, 치과관리 및 자신의 치아들에 불만을 가지고 있는 환자들, 치과공포증, 이갈이, 구강내 질병, 가철성 의치를 장착한 환자들은 턱관절 통증 및 이상증상이 나타날 위험성이 매우 높다고 언급하였다. 이 연구결과를 살펴볼 때 50-60대 환자들은 치과 임플란트 치료의 대상이 되는 경우가 많으며 이와 같은 위험요소들이 치과 임플란트 혹은 보철치료 후 턱관절장애가 발생할 가능성이 있으므로 주의해야 할 것이다.

치과치료와 턱관절장애의 연관성에 관해 여러 학자들의 보고가 있었다. Huang과 Rue는 매복지치 발치를 시행하였던 34,491명의 환자들 중 391명의 환자들이 턱관절장애 증상을 호소하였음을 보고하면서 매복지치 발치술은 턱관절장애의 위험요소이기 때문에 사전에 환자에게 잘 설명하고 턱관절에 과부하가 적게 발생하도록 주의할 필요가 있음을 강조하였다. McNamara 등은 턱관절장애와 형태학적 및 기능적 교합요소들과의 연관성을 조사하기 위해 최근의 문헌들을 살펴보았다. 정상인에서도 턱관절장애 증상 및 소견들이 나타날 수 있으며 나이에 따라 증가할 수 있으며 특히 청소년기에 증상들이 많이 나타날 수 있다고 언급하였다. 또한 치과치료 중에 발생하는 턱관절장애는 치료와는 관련성이 없으며 자연적으로 발생하는 현상이라고 언급하였다.

한편 치과치료 후 발생한 턱관절장애는 의료분쟁의 가능성이 있으며 소송이 제기된 경우에는 환자의 주관적인 증상개선이 이루어지기 어렵다. 또한 소송과 관련된 환자들은 자신의 증상을 과도하게 표현할 수 있으며 치료에도 좋지 못한 반응을 보일 수 있으므로 주의하여야 한다. 외상으로 턱관절장애가 발생한 환자들에 대한 연구들에서 소송에 연루되어 있는 환자들은 통증을 호소하는 부위가 매우 많고 좀더 복잡한 통증양상을 보인다고 발표된 바 있다.

Delcanho는 치과치료 전에 모든 환자들의 턱관절검사를 시행해야 하며 이미 존재하고 있던 턱관절장애가 일시적으로 치과치료 후 악화될 수 있다는 점을 환자에게 설명해야 하며 치료 중 혹은 치료 후에 발생한 턱관절장애를 관리할 수 있는 능력을 갖추어야 한다고 언급하였다. 그는 턱관절의 상태에 따라 건강군, 무증상성 '적응'군, 턱관절기능장애군 및 턱관절장애군의 4군으로 분류하였다. 이들 중 무증상성 '적응'군의 환자들은 환자 자신이 잘 모르는 잠재적인 증상이 있으나 통증이 없고 이상 기능에 환자 자신이 잘 적응하고 있는 경우로서 '알려지지 않은 위험(unknown risk)'군이라고 언급하였다. 이들이 사전 설명이 이루어지지 않은 상태에서 치과치료 후 증상이 발생할 경우에는 심각한 문제제기 가능성이 있고 턱관절장애가 잘못된 치과치료로 인해 야기된 것으로 생각하게 될 것이다. 턱관절기능장애군은 환자 자신이 턱관절장애 증상을 인지하고 있지만 심하지 않기 때문에 특별한 치료를 받지 않은 경우이다. 이 부류의 환자들은 사전 설명만 잘 이루어지고 턱관절장애를 악화시키지 않도록 조심스럽게 치과치료를 시행한다면 큰 문제가 발생하지 않는다. 턱관절장애군 환자들은 치과치료 전에 반드시 턱관절장애 치료가 먼저 이루어져야 한다.

모든 치과환자들에 대해 턱관절검사를 세밀하게 시행할 수는 없다. 그러나 하악운동 시 통증 유무, 능동적인 운동범주, 귀 앞의 턱관절 부위 촉진, 교근과 측두근 촉진 시 압통 유무, 안모와 턱의 대칭성, 이상기능 유무에 대한 구강내 평가와 같은 검사는 반드시 시행하는 것이 좋다. 이상기능이 턱관절장애의 직접적 소인이 된다는 이론에는 많은 논란이 있지만 저작근의 과활성, 치아마모 및 턱관절 과부하를 유발할 가능성은 충분히 있다.

참고문헌

김영균, 김현태, 김인수. 턱관절질환 환자에 대한 초기 치료의 효과: 상담 및 투약. 대한치과의사협회지. 2000;38:549-57.

김영균, 이용인. 치과치료와 턱관절장애의 연관성에 관한 연구. 대한치과의사협회지. 2008;46:308.

사단법인 대한턱관절연구회 편역. 턱관절증. 나래출판사; 2004.

Carvajal WA, Laskin DM. Long-term evaluation of arthrocentesis for the treatment of internal derangements of the temporomandibular joint. J Oral Maxillofac Surg 2000;58(8):852-5.

Cascone P, Paolo CD, Leonardi R, et al. Temporomandibular disorders and orthognathic surgery. J Craniofac Surg 2008;19(3):687-92.

De Kanter RJ, Truin GJ, Burgersdijk RC, et al. Prevalence in the Dutch adult population and meta-analysis of signs and symptoms of temporomandibular disorder. J Dent Res 1993;72(11):1509-18.

Dolwick MF, Sanders B. TMJ internal derangement & arthrosis: Surgical atlas. C.V. Mosby; 1985. p. 1-50, 75-196.

Driemel O, Braun S, Müller-Richter UD, et al. Historical development of alloplastic temporomandibular joint replacement after 1945 and state of the art. Int J Oral Maxillofac Surg 2009;38(9):909-20, Epub 2009 May 21. Review.

Dworkin SF, LeResche L. Research diagnostic criteria for temporomandibular disorders: review, criteria, examinations and specifications, critique. J Craniomandib Disord. 1992;6(4):301-55.

Figueroa AA, Pruzansky S. The external ear, mandible and other components of hemifacial microsomia. J Maxillofac Surg 1982;10(4):200-11.

Forssell H, Kalso E. Application of principles of evidence-based medicine to occlusal treatment for temporomandibular disorders: Are there lessons to be learned? J Orofac Pain 2004;18:9.

Goss AN, Bosanquet AG. The arthroscopic appearance of acute temporomandibular joint trauma. J Oral Maxillofac Surg 1990;48(8):780-3.

Graftt BM, Sickles EA, Wexler CE. Thermographic characterization of osteoarthrosis of the temporomandibular joint. J Orofac Pain 1993;7(4):345-53.

Holmlund A, Hellsing G. Arthroscopy of the temporomandibular joint: occurrence and location of osteoarthrosis and synovitis in a patient material. Int J Oral Maxillofac Surg 1988;17(1):36-40.

Huang GJ, Rue TC. Third-molar extraction as a risk factor for temporomandibular disorder. J Am Dent Assoc 2006;137(11):1547-54.

Hwang SJ, Haers PE, Sailer HF. The role of a posteriorly inclined condylar neck in condylar resorption after orthognathic surgery. J Craniomaxillofac Surg 2000;28(2):85-90.

Hwang SJ, Haers PE, Seifert B, et al. Non-surgical risk factors for condylar resorption after orthognathic surgery. J Craniomaxillofac Surg 2004;32(2):103-11.

Im JH, Kim YK, Yun PY. The epidemiologic study of the patients with temporomandibular joint disorders, using research diagnostic criteria for TMD(RDC/TMD): Preliminary report. J Korean Assoc Oral Maxillofac Surg 2008;34(2):187-195.

Johansson A, Unell L, Carlsson GE, et al. Gender difference in symptoms related to temporomandibular disorders in a population of 50-year-old subjects. J Orofac Pain 2003;17(1):29-35.

Johansson A, Unell L, Carlsson GE, et al. Risk factors associated with symptoms of temporomandibular disorders in an population of 50- and 60-year-old subjects. J Oral Rehabil 2006;33(7):473-81.

Kang SC, Lee DG, Choi JH, et al. Association between estrogen receptor polymorphism and pain susceptibility in female temporomandibular joint osteoarthritis patients. Int J Oral Maxillofac Surg 2007;36(5):391-4.

Kim YK, Kim HT, Lee DH, et al. Analysis of TMJ status in the patients with mandibular fractures: preliminary study. Arthroscopic examination, histomorphology and joint fluid analysis. J Korean Assoc Oral Maxillofac Surg 2001;27(4):308-313.

Kim YK, Yun PY, Ahn MS, et al. The relationship between trauma and temporomandibular joint disorder. J Korean Assoc Maxillofac Plast Reconstr Surg 2009;31(5):375-380.

Murakami K, Segami N, Moriya Y, et al. Correlation between pain and dysfunction and intra-articular adhesions in patients with internal derangement of the temporomandibular joint. J Oral Maxillofac Surg 1992;50(7):705-8.

Nitzan DW, Dolwick MF, Heft MW. Arthroscopic lavage and lysis of the temporomandibular joint: A change in perspective. J Oral Maxillofac Surg 1990;48(8):798-801.

Obwegeser HL, Makek MS. Hemimandibular hyperplasia--hemimandibular elongation. J Maxillofac Surg 1986;14(4):183-208.

Sato S, Goto S, Kasahara T, et al. Effect of pumping with injection of sodium hyaluronate and the other factors related to outcome in patients with non-reducing disk displacement of the temporomandibular joint. Int J Oral Maxillofac Surg 2001;30(3):194-8.

Sato S, Goto S, Nasu F, et al. Natural course of disc displacement with reduction of the themporomandibular joint: changes in clinical signs and symptoms. J Oral Maxillofac Surg 2003;61(1):32–4.

Schellhas KP, Wilkes CH. Temporomandibular joint inflammation: comparison of MR fast scanning with T1– and T2–weighted imaging techniques. Am J Roentgenol 1989;153(1):93–8.

Schiffman E, Ohrbach R, Truelove E, et al. Diagnostic Criteria for Temporomandibular Disorders (DC/TMD) for Clinical and Research Applications: recommendations of the International RDC/TMD Consortium Network and Orofacial Pain Special Interest Group. J Oral Facial Pain Headache. 2014;28(1):6–27.

Schiffman E, Ohrbach R. Executive summary of the Diagnostic Criteria for Temporomandibular Disorders for clinical and research applications. J Am Dent Assoc 2016;147(6):438–45.

Suvinen T, Nyström M, Evälahti M, et al. An 8–year follow–up study of temporomandibular disorder and psychosomatic symptoms from adolescence to young adulthood. J Orofac Pain 2004;18(2):126–30.

To EW, Ahuja AT, Ho WS, et al. A prospective study of the effect of botulinum toxin A on masseteric muscle hypertrophy with ultrasonographic and electromyographic measurement. Br J Plast Surg 2001;54(3):197–200.

Yun PY, Kim YK. The role of facial trauma as a possible etiologic factor in temporomandibular joint disorder. J Oral Maxillofac Surg 2005;63(11):1576–83.

구강악안면 통증과 신경질환

음식물의 저작과 연하, 안면표정과 발성 등의 복잡한 생리적 기능을 수행하는 구강악안면부위는 인체 가운데서도 감각신경, 운동신경, 자율신경의 분포밀도가 매우 높아 질병 발생 시 신경학적 장애로 고통받는 환자들이 많다. 특히 이 부위는 뇌신경(삼차신경, 안면신경, 설인신경, 미주신경 등), 경추신경(C1, C2, C3), 교감신경과 부교감신경들이 복잡하게 교차 분포되어 통증 발생 시 전달방식이나 반응 양상이 매우 다양하며 감별진단과 치료에 많은 어려움을 야기한다. 따라서 이 단원에서는 먼저 악안면 통증의 해부학적 특성과 통증전달체계를 학습하여 체계화된 통증평가법을 터득하고, 아울러 유사한 통증이지만 감별진단이 요구되는 신경통(neuralgia), 신경염(neuritis), 신경병증(neuropathy)들을 구별할 수 있도록 한다. 또한 턱관절장애와 긴밀히 연관되는 저작근막통증증후군과 외상성 신경손상 및 두통의 병태생리, 치료와 예후도 알아볼 것이다.

특히 외상성 신경손상에 대해서는 치과영역의 모든 수술이 조직내 신경들을 손상시킬 수밖에 없으므로 심도 깊은 학습이 필요한데 이는 최근 증가 추세에 있는 의료분쟁과 깊이 연관되어 있기 때문이다. 한편 악안면 신경질환은 전신상태와도 연관이 많으므로 전신질환에 대한 이해가 필수적이다. 중추성 신경장애가 구강악안면부위의 이상증상의 주요 병적 소견일 수 있어 악안면 신경질환을 다루는 치과의사에게는 전신적인 문제와 신경정신과적 문제를 종합적으로 고려하는 안목이 필요하다.

CONTENTS

CHAPTER 15

구강악안면 통증과 신경질환

Oral and Maxillofacial Pain and Neurological Disorders

학습목적

악안면에는 12개의 뇌신경과 경추신경, 자율신경을 비롯하여 눈, 귀 등의 감각신경이 있으면서 신경분포밀도가 높다는 해부학적 특성을 가지고 있다. 이와 관련된 통증의 기전 및 평가방법을 학습하고, 악안면에 발생하는 신경성 질환의 종류와 치료법을 이해하고 습득하여 임상에 적절히 활용할 수 있게 한다.

기본 학습목표

- 통증의 정의와 종류를 설명할 수 있다.
- 악안면부위내 분포한 감각신경과 자율신경을 설명할 수 있다.
- 통증의 평가방법과 뇌신경기능을 간략히 설명할 수 있다.
- 삼차신경통의 원인, 진단, 치료법을 나열하고 감별진단 병명들을 나열할 수 있다.
- 저작근막통증증후군의 정의, 진단, 치료법을 설명할 수 있다.
- 악안면 신경염의 종류를 나열하고, 벨마비에 대해 상세히 설명할 수 있다.
- 외상성 신경손상의 분류와 말초신경손상의 병태생리를 설명할 수 있다.
- 말초신경손상의 진단법과 치료법을 설명할 수 있다.
- 외상 후 통증증후군의 종류 및 치료법을 나열할 수 있다.
- 체성감각의 조직화와 연관통증을 설명할 수 있다.
- 악안면통증의 발생 및 전달기전을 설명할 수 있다.
- 두통의 종류, 진단, 치료법을 설명할 수 있다.

심화 학습목표

- 외상성 말초신경종의 발생기전과 치료법을 설명하고 치료할 수 있다.
- 말초신경손상의 수술치료법을 상세히 설명하고 치료할 수 있다.
- 전신질환성 악안면 신경병증의 종류와 기전을 설명할 수 있다.
- 중추신경성 통증과 전신질환에 의한 통증을 설명할 수 있다.

I. 악안면 통증

1. 통증의 정의 및 종류

1) 통증(Pain, Algesia)의 정의

통증이란 국제통증의학회(International Association for the Study of Pain, IASP)에 따르면, “실제적인 혹은 잠재적인 조직손상이나 이러한 손상에 관련하여 표현되는 감각적이고 정서적인 불유쾌한 경험”으로 정의된다. 질병이나 손상에 수반되는 불쾌한 지각적, 정서적 경험의 주관적인 표현으로 신체에 가해진 유해자극(noxious stimulus)에 대한 위험신호를 전달하는 것으로서 일상생활에서 부단히 발생되는 손상자극으로부터 신체를 보호하기 위한 필수적인 신경활동이며 존재하고 있는 질병의 결정적인 증거로 나타나기도 한다. 통각은 독립된 감각으로 유해자극에 의하여 유해수용감각(nociception) 즉, 통각을 일으킨다.

2) 통증의 종류

통증은 시간적 개념에 따라 급성통증(acute pain)과 만성통증(chronic pain)으로 나뉘며 즉 부위에 따라 몸통증(somatic pain)과 내장통(visceral pain)으로 구분한다. 몸통증은 피부에서 유래하는 피부통각 또는 표면통각(superficial pain)과 근육, 골격, 관절 및 결체조직 등에서 유래하는 심부통(deep pain)과 연관통(referred pain)으로 나눌 수 있다. 연관통은 내장이나 기타 심부조직에 통증이 발생한 경우, 같은 척수 분절의 지배를 받는 다른 피부영역에 투사되어 나타나는 통증이다. 신경생리학적 기전에 따라 침해수용성 통증(nociceptive pain)과 비침해수용성 통증(non-nociceptive pain)으로 나눌 수 있으며, 비침해수용성 통증은 다시 신경병성통증(neuropathic pain)과 심인성 통증(psychosomatic pain)으로 구분할 수 있다.

2. 해부학적 특성

1) 감각신경 분포

악안면부의 체성감각신경은 삼차신경 상악지와 하악지에 의해 분포되어 감염, 압박, 종양과 같은 급성 병소의 위치를 파악하는 데 중요한 특이증상을 나타낸다. 그러나 말초조직에서 느껴지는 신경학적 증상은 삼차신경절이나 중추의 병소 때문일 수도 있다. 왜냐하면 체성감각신경 분포의 말초부위는 중추의 삼차신경계 부위로 정밀하게 투사되기 때문이다. 삼차신경의 일차 구심성 뉴런은 후척수신경절과 두개내신경 모두에서 세포체를 가진다. 삼차신경의 대부분은 구강내의 구심성 통증섬유지를 가지는데 크게 안분지, 상악분지 그리고 하악분지로 나뉜다.

신경학적 증상의 특이성에도 불구하고 아급성이나 만성 악안면병소는 병소를 파악하기가 어려운 증상을 보이기도 하고, 실제 병소와 무관한 원위부에서 증상을 나타내기도 한다. 이는 뇌간의 삼차신경복합핵(brain stem trigeminal subnucleus complex)에서의 해부학적 양상, 즉 체성감각의 조직화(somatotopic organization) 개념에 근거한다(그림 15-1, 2).

악안면영역의 감각신경 입력(sensory nerve input)은 척수 외측에 있는 삼차신경계의 하행로 핵(descending tract nuclei)에서 1차 시냅스를 가진다. 이는 교(pons)에서 제4경추까지 2차 시냅스에서 신경섬유의 상당한 중복과 수렴현상(overlap & convergence)을 초래하게 되고, 이런 복합적 상호작용과 수렴현상이 악안면 신경증상의 확산성(diffuseness)과 연관성(referred nature)을 나타내게 된다. 예를 들어 하악 제3대구치 발치 후 치조골염은 귀 앞 부위에 통증을 초래하기도 하는데, 이는 하치조신경의 자극이 뇌간 시냅스 부위에서 삼차신경 하악지의 하나인 이개측두신경의 수렴섬유와 공유되기 때문이다.

2) 자율신경의 분포

악안면부의 교감신경 분포는 경부척수에서 기원하여 상경부 교감신경간(superior cervical sympathetic trunk)에서 시냅스하고, 타액선과 두경부 동맥벽의 평활근에 분포한다.

혈관주위에 교감신경 분포는 국소마취 투여 시 부주의한 자극을 주면 반사에 의해 급격한 혈관수축을 초래할 수 있다. 예를 들어, 국소마취제 바늘이 신경에 직접 닿거나 혈관수축제가 포함된 국소마취용액을 동맥내로 주입하면 혈관주위 교감신경섬유와 접촉된 지점으로부터 원심부는 과도한 경련을 유발하여 급격한 통증을 일으키며, 조직을 하얗게 변색시킨다. 이런 현상은 안와하신경 전달마취에서 빈발하는데, 그 이유는 안와하관에서 자율신경과 감각신경의 자극이 축삭반사에 의해 자율신경 분지의 점화를 촉발하기 때문이다(그림 15-3).

악안면부위의 부교감신경성 뉴런은 동안신경, 안면신경, 설인신경이 포함된 뇌간세포주(brain stem cell)에서 기원한다. 뉴런의 돌기는 모양체 신경절, 접구개신경절, 이신경절, 악하신경절 등에서 시냅스해서 혈관의 평활근, 타액선, 누선 등에 분포한다. 이들 부교감신경 섬유는 마지막에는 주로 삼차신경과 함께 주행하고 체성감각신경의 병소가 부교감 신경의 기능에도 영향을 주게 된다. 예를 들면 설신경이 절단되면 악하선과 설하선의 기능장애를 초래할 수도 있다(그림 15-4).

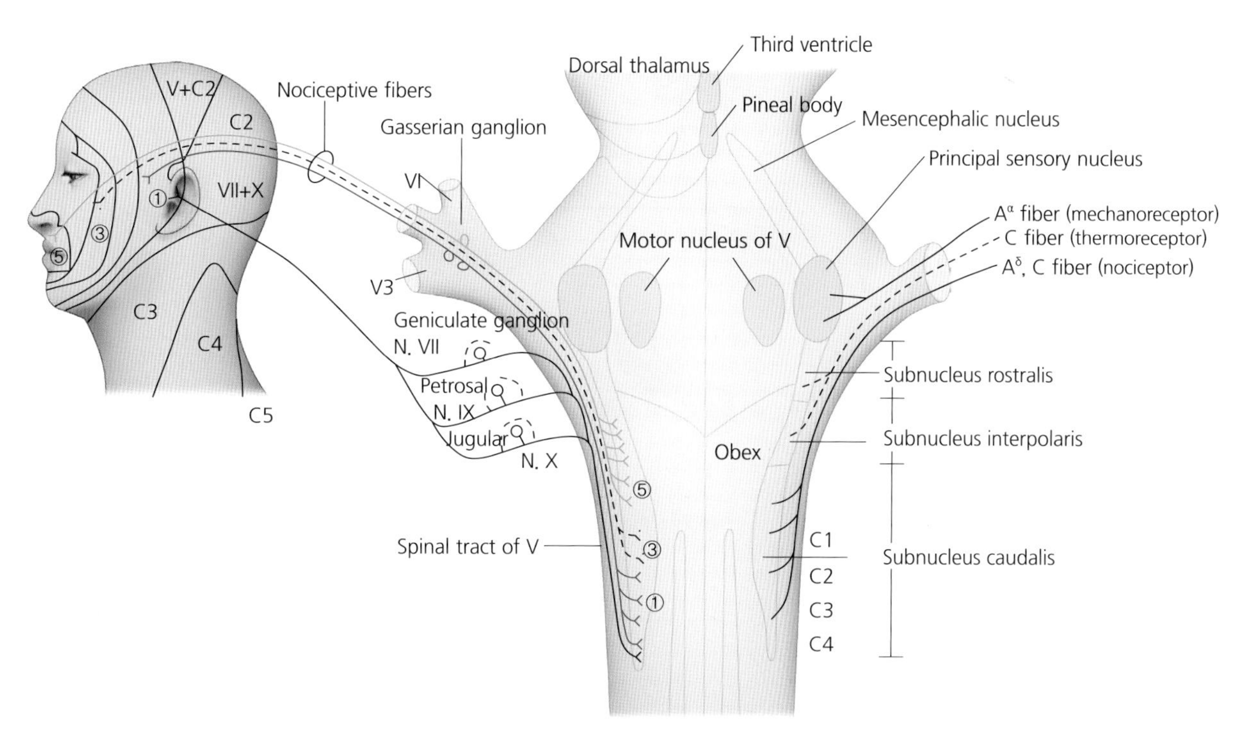

그림 15-1 뇌간의 삼차신경 복합핵으로 좌측에서 삼차신경 척수로와 subnucleus complex를 보이고, 우측은 미측소핵(subnucleus caudalis)에 유해수용기(Aδ,C)로 부터의 구심섬유가 집중되고 기계적 수용기(Aα)는 주감각핵(principal sensory nucleus)으로 투사된다. 좌측에서 미측소핵의 체성감각의 조직화(somatotopic organization) 양상은 삼차신경에 적용되어 안면에서 양파껍질(onionpeel) 양상으로 번호 순서대로 확산성과 연관통(referred pain)을 나타낸다. 또한 안면, 설인, 미주 및 경부 척수신경의 감각섬유와 삼차신경의 섬유들이 중첩되는 양상도 보인다.

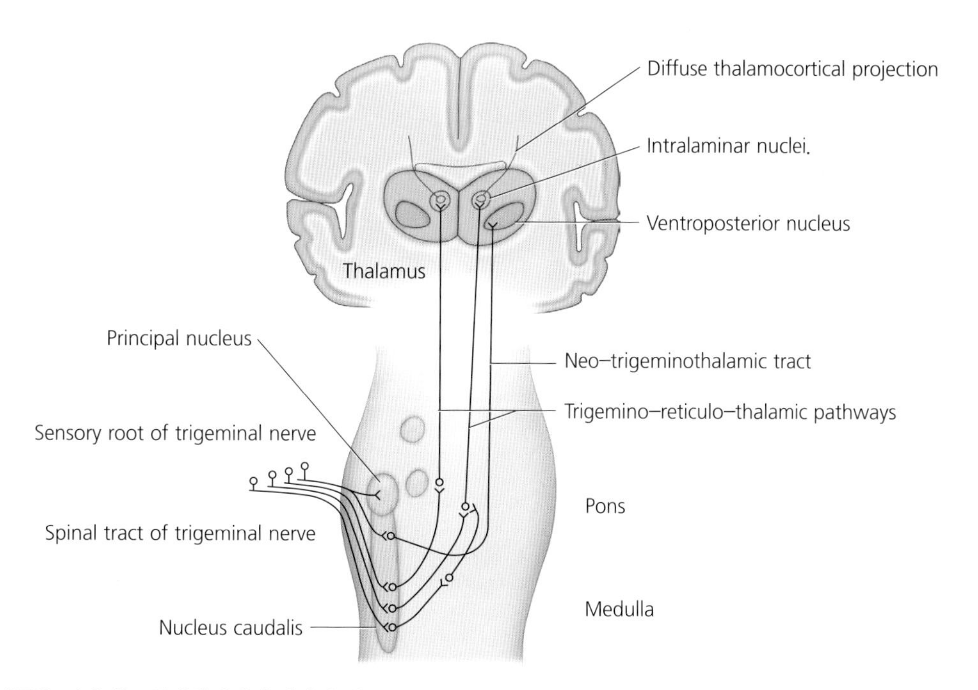

그림 15-2 통증자극을 전달하는 삼차신경계의 이차적 경로들.

통증과 관련된 정서반응이 연관된 삼차신경-망상체-시상로(Trigeminoreticulo-thalamic pathway)의 다발성 시냅스 특성과 기계적 수용기(mechanoreceptor) 정보를 전달하는 신삼차신경 시상로(Neotrigemino-thalamic tract)를 보인다.

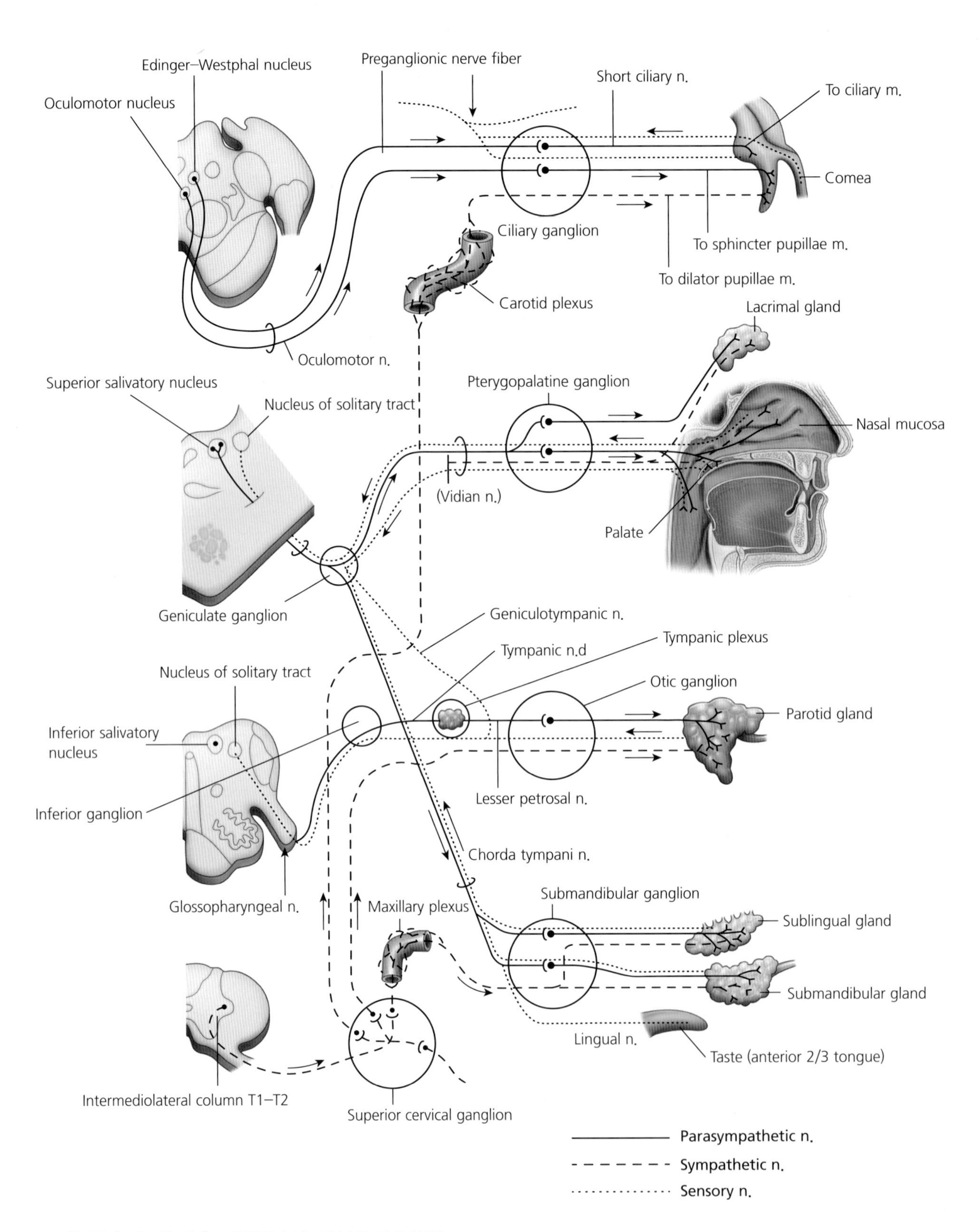

그림 15-3 두경부에서 교감신경과 부교감신경의 분포양상.

3. 통증의 성분과 기전

통증은 지각(perception), 감정(affect), 반응(reaction)의 세 가지 주성분을 포함하는 불쾌한 경험이다(그림 15-5). 통증의 지각단계는 말초자극으로부터 뇌간의 두 개의 주요 상행로를 통한 전달과정이다(그림 15-6). 조직에 손상을 주면 유해수용기인 유리신경 말단이 이를 감지하여 직경이 가는 유수신경인 Aδ 섬유와 무수신경인 C 섬유를 통해 전달하는데, 이 구심성 섬유들은 삼차신경 척수로를 거쳐 삼차신경 척

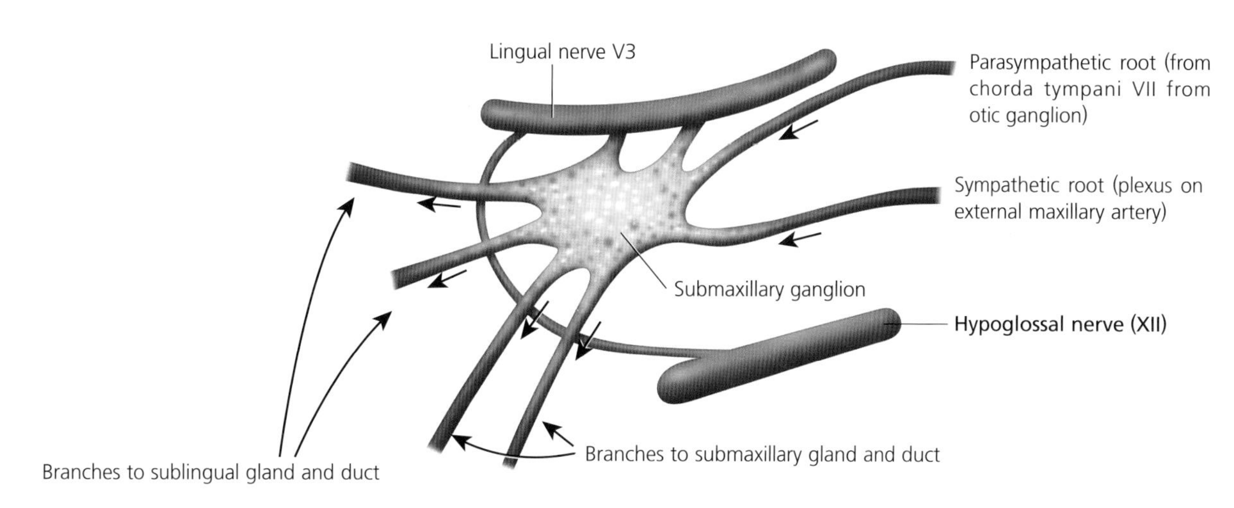

그림 15-4 악하신경절과 설신경 및 설하신경의 분포관련성을 보이는 모식도.

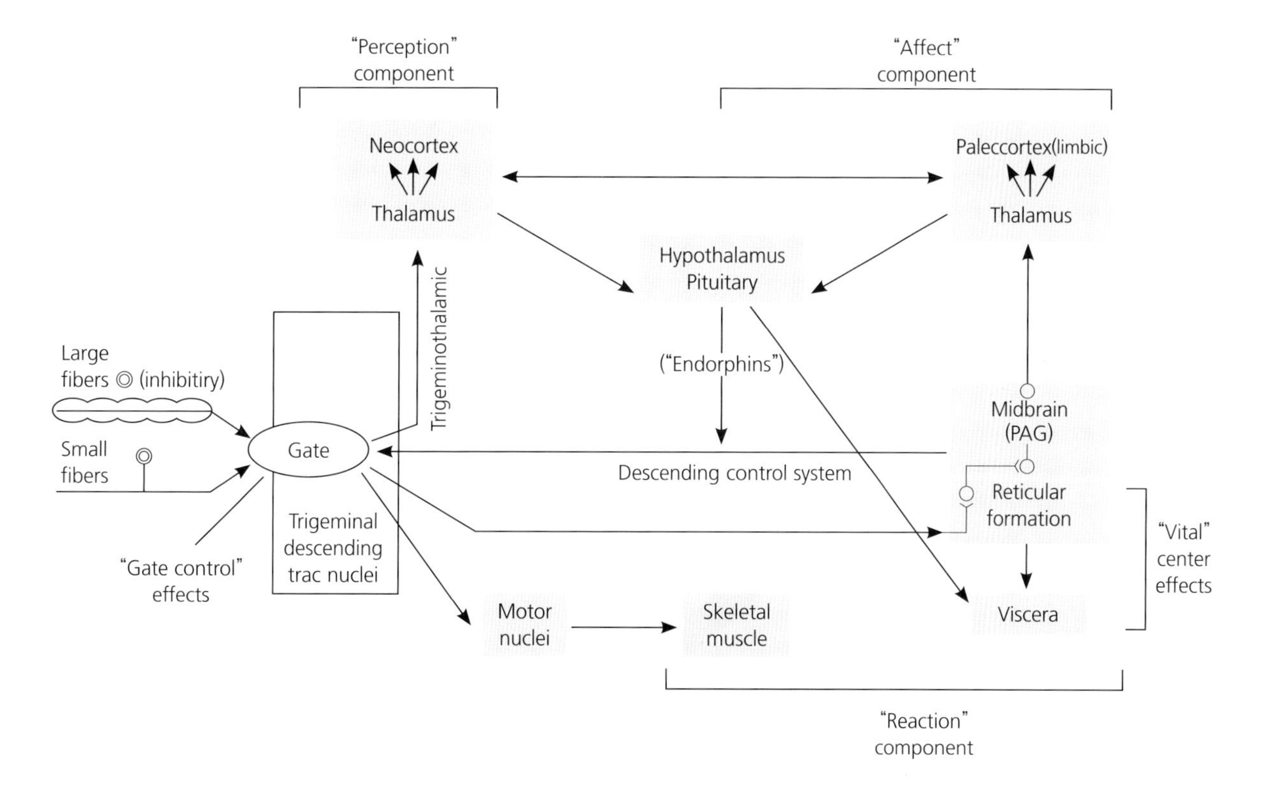

그림 15-5 악안면 통증의 기전과 성분요소들.

수핵(spinal nucleus of trigeminal nerve)에서 2차 구심성 뉴런과 시냅스한다. 이곳에서 시작된 2차 뉴런은 직간접적으로 뇌간 망상체의 신경핵을 통해 시상(thalamus)에 투사된다. 시상의 후복측 내측핵을 경유하여 대뇌피질의 체성감각 영역에 전달되는 통각은 아픈 부위를 명확히 알 수 있는 예리한 통증(sharp pain)인 반면, 망상체의 신경과 시냅스하며 시상의 중뇌핵으로 전달되는 통증은 망상체, 시상하부 및 변연계(limbic system)와 연계되어 대뇌피질에 광범위하게 투사되고 아픈 부위를 명확하게 식별하기 힘든 둔통

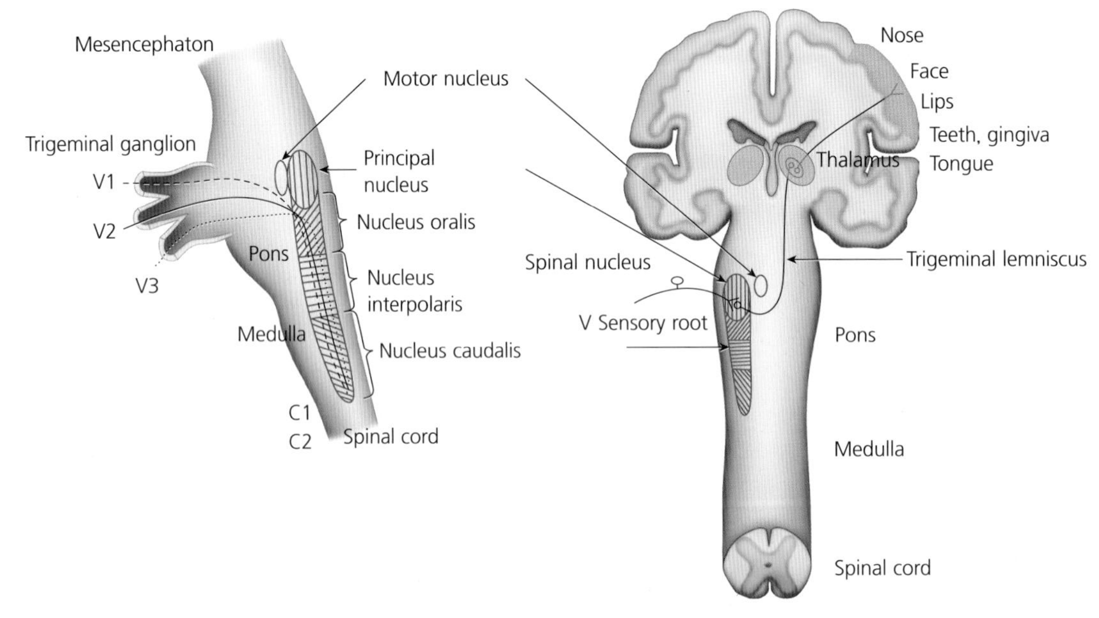

그림 15-6 통증의 삼차신경 전달로와 중추신경계로의 투사과정.

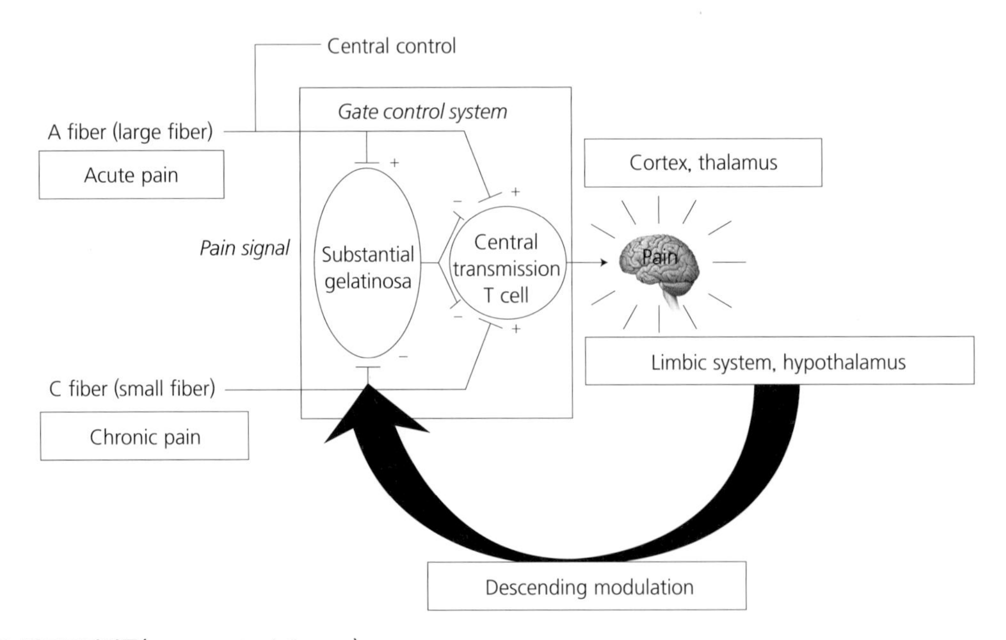

그림 15-7 관문조절이론(gate control theory).

구심신경섬유(afferent fiber)로부터 spinal cord transmission T cell들로 신경자극이 전달되는 것은 척수기전에 의해 조절된다. 동기화기전(gating mechanism)은 후각(dorsal horn)에 위치하고 있다.

(dull pain)의 성질을 가진다. 더 높은 통합중추로의 통증의 전달은 유해수용기로부터의 가는 신경섬유와 직경이 더 큰 뉴런들 간의 상호작용으로 변형되는데, 이른바 통증의 관문조절이론(gate control theory)이 그것이다(그림 15-7). 관문조절이론은 비통증감각이 어떻게 통증성 감각을 감소시키는지를 설명하는 이론이다. 통증은 일차 구심섬유를 자극해서 전달세포(transmission cell)를 통해 뇌로 전달된다. 악안면부위로부터의 통증이 지나가는 관문은 삼차신경 척수핵(미측소핵)에 위치된다고 알려져 있다. 전달세포의 활동성이 증가하면 통증의 지각이 증가하고 감소하면 통증의 지각도 감소하는데 관문이론에서는 관문의 폐쇄(closed)는 전달세포에 대한 입력이 감소하여 통증의 감각을 감소시킨다. 가장 흔한 예가 벌레에 물렸을 때 그 부위를 긁을 경우 통증이 감소하는 것이다. 삼차신경 척수핵에서 비유해성 자극에 반응하는 굵은 신경섬유는 유해자극에 반응하는 뉴런 사이에 게재뉴런을 가지고 있어서 이 개재뉴런(interneuron)을 통해 유해성 구심성 신호전달을 시냅스 전 억제 또는 시냅스 후 억제기전으로 차단시킴으로써 통증을 감소시킨다. 이러한 말초신경성 조절 외에도 중추신경의 내재성 신경로에 의한 하행성 조절계에 의해서도 통증을 전달하는 뉴런의 기능에 영향을 미친다. 중뇌수도주변회백질(periaqueductal gray matter, PAG)과 연수의 대봉선핵(nucleus raphe magnus, NRM) 등이 하행성 조절기능에 중요한 역할을 하는데, PAG와 NRM은 삼차신경 척수핵(미측소핵)에 하행성 신경로를 직접 가지고 있어 이를 통해 억제작용을 나타낸다. PAG나 NRM의 통증조절에는 내재성 아편유사체(opioid)가 신경전달물질로 작용한다고 알려져 있다.

통증의 감정단계에서 통증정보는 망상체를 통해 인간 감정의 중요한 통합중추인 변연계와 시상하부, 뇌하수체로 복합 투사되는 방법으로 인간 감정의 근원지와 자율신경계 및 주요 내분비선의 중추에 근접하게 된다. 이러한 연관성으로 인하여 통증이 즉각적인 반응을 일으켜 임상적으로 혈압상승, 피부 혈관수축, 동공확장, 타액 농도의 변화, 위산과다증과 같은 반응들이 나타난다. 또한 통증에 대한 체성계의 반응으로 골격성 신경근육계의 반사가 활성화되며, 이러한 반응이 지속되면 근육과 건에 병적변화가 나타나게 된다. 측두하악관절 통증과 저작근막 통증증후군에서도 이러한 변화가 있다.

통증의 조절을 위해 말초와 중추의 상호작용을 방해하는 병리적 요소가 감지되어야 하고, 각 개인에 따른 지각, 감정, 반응성분의 상대적 강도가 고려되어야 한다. 통증의 지각성분은 국소마취에 의해 직접적으로 차단될 수 있으며, 마약성 진통제는 변연계로의 투사를 차단함으로써 일차적으로 감정단계를 방해할 수 있다.

4. 통증의 평가

통증은 병력, 이학적 검사, 검사실 자료 등 전통적인 정보에 의해 평가되며, 의무기록, 의뢰의사로부터의 정보, 환자 면담, 정신사회적 문제 등도 함께 검토해야 한다(표 15-1). 이학적 검사의 경우 통증 호소 부위뿐만 아니라 신경해부학적 관련성 또는 만성통증 증례에서의 중요한 병변 유무를 검사한다. 이를 통하여 환자의 의식 정도, 말초 뇌신경기능 평가, 뇌신경 평가를 하며 유발점(trigger point)이 있으면 맵핑(mapping)한다(표 15-2). 환자의 많은 수가 정신과적 장애가 있음을 알아야 한다. 방사선학적인 검사는 비신경학적 원인 이외에는 제한적으로 사용된다. 통증 이외에 감소된 지각도 맵핑하여 평가해야 한다.

1) 통증평가설문지

단순평가 설문은 통증의 정도를 환자가 표시하게 하는 가장 단순한 방법으로 이해하기 쉽고 수행하는 시간이 오래 걸리지 않으므로 빠르게 통증의 정도를 판단하기에 좋은 방법이다. 그러한 통증의 정도 외에 여러가지 다양한 통증의 양상이나 빈도 등 다른 정보를 알지 못하는 단점이 있고 환자에 의존하므로 신뢰도가

표 15-1 악안면통증의 평가방법

Evaluation of maxillofacial pain or sensory dysfunction
Ⅰ. History
A. Chief complaint, describing pain 1. Location (where it begins, size of affected area, referral pattern) 2. Intensity 3. Nature (for example, stabbing, burning, dull, throbbing) 4. Duration (when pain is present) 5. Influences (time of day, jaw motion, body position, heat, medications) B. History of pain problem 1. Onset 2. Suspected initiating factors 3. Symptom course (worsening, periods of remission, changes in quality) 4. Previous therapy C. Past medical history, with particular attention paid to: 1. Systemic diseases (for example, diabetes, anemia, atherosclerosis) 2. Medications 3. Neurologic problems (including any chronic pain problems) 4. Psychiatric problems 5. Connective tissue or autoimmune diseases 6. Maxillofacial inflammatory processes (for example, otitis, sinusitis) 7. Maxillofacial trauma D. Review of systems, with particular attention paid to: 1. Constitutional symptoms (for example, fever, weight loss, fatigue) 2. Head, ear, eye, nose, mouth, throat, neck 3. Musculoskeletal system 4. Skin 5. Nervous system 6. Psychiatric
Ⅱ. Physical examination, with particular attention paid to:
A. General appearance B. Maxillofacial region (head, ear, eye, nose, mouth, throat, neck) C. Nervous system (cranial nerves, sympathetic and parasympathetic nerves, mental status)

표 15-2 악안면영역의 12개 뇌신경기능의 임상적 즉시 검사

Cranial Nerve	Abnormal test results
Ⅰ–Olfactory	Inability of nose to smell strong odors such as eugenol or oil of peppermint
Ⅱ–Optic	Inability of visual acuity by having the patient read the intergrity of the visual fields, by having the patient note the appearance of an object into the visual field from each of the four direction (superior, inferior, medial, and lateral)
Ⅲ–Oculomotor	Presence of ptosis may indicate damage to cranial nerve III.
Ⅳ–Trochlear	Inability of eye to look to ipsilateral shoulder may indicate CN IV problem.
Ⅴ–Trigeminal	Inability to feel light touch may indicate sensory CN V problem. Weakness of masseter may indicate motor CN V problem.
Ⅵ–Abducent	Inability of eye to look to ipsilateral side may indicate CN VI problem.
Ⅶ–Facial	Inability to raise eyebrows, hold eyelids closed, symmetrically smile, pucker and evert lower lip may indicate CN VII problem.
Ⅷ–Acoustic	Poor hearing or symptom of vertigo may indicate CN VIII problem.
Ⅸ–Glossopharyngeal	Failure of uvula to elevate on stroked side may indicate CN IX problem.
Ⅹ–Vagus	Failure of uvula to elevate on stroked side may indicate CN X problem.
Ⅺ–Accessory	Weakness in turning head against resistant may indicated CN XI problem.
Ⅻ–Hypoglossal	Deviation of tongue to one side may indicate CN XII problem on that side.

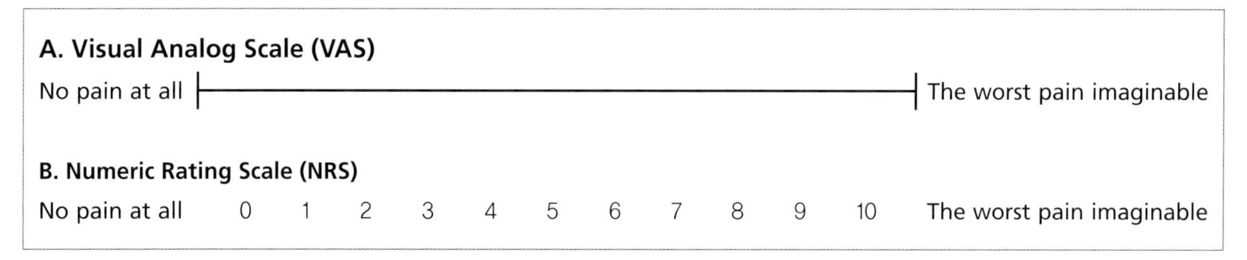

그림 15-8 통증 척도. **A:** Visual Analog Scale (VAS). Mark on the line below the amount how strong your pain is right now. **B:** Numeric Rating Scale (NRS). Choose a number from 0 to 10 which indicates how strong your pain is right now.

떨어질 수 있는 단점이 있다. 가장 흔하게 사용되는 것은 시각통증등급(visual analogue scale, VAS)과 수치통증척도(numerical rating scale, NRS)이다. VAS는 길이가 정해진 선(100 mm) 위에 통증의 정도를 환자가 스스로 표시하도록 하는 방법이다. NRS는 VAS를 수치화하여 0–10까지 숫자로 표현한 것이다. NRS는 이해하기가 쉽고, 수행하기 쉬우며 전화 등의 설문조사에서 사용할 수 있는 장점이 있다(그림 15-8).

II. 악안면의 신경병성통증

신경병성통증이란 두경부의 특별한 신경분포 분지부에 한정되는 발작적이고 강한 간헐적 통증(paroxysmal, intense intermittent pain)으로 정의된다. 이는 신경축삭들 사이에서 절연기전(insulating mechanism)의 파괴로 발생되는데, 말초병소 부위에서 통증을 야기하는 이유는 구심성 신경기능 불균형(afferent imbalance)과 삼차신경 하행로 핵들(trigenimal descending tract nuclei), 특히 간질발작핵(epileptogenic foci)에서 이차적인 중심뉴런의 비정상적인 정체현상(pool) 때문이다(그림 15-9). 여기서는 두경부에서 발생하는 삼차신경통, 미주신경설인통, 대상포진후신경통, 비정형안면신경통, 구강작열감증후군을 중심으로 살펴본다.

1. 삼차신경통(Trigeminal neuralgia; Tic douloureux)

삼차신경통은 삼차신경에서 기인한 극심한 안면통증을 보이는 신경병증이다. 삼차신경은 안면에서 기인하는 압각, 온각, 통각과 같은 감각정보를 처리하며 저작근의 운동기능을 조절하는 혼합 뇌신경이다. 안신경, 상악신경, 하악신경의 세 개의 분지를 가지고 있으며 하나 둘 또는 세 개 분지 모두가 이환될 수 있다. 인간이 경험할 수 있는 가장 심한 통증 중 하나로 간주되고 있다.

1) 원인

확실한 발생 원인은 아직 불분명하다. 한때 두개골 내부에서 외부로 나가는 개통부에서 신경이 압박되었기 때문이라고 생각되었으나 최근의 연구에 의하면 상소뇌동맥이나 다른 혈관이 확장되어 뇌교 연결부 근처에서 삼차신경의 미세혈관구조에 압박을 가하기 때문이라고 설명되기도 한다. 이런 압박이 삼차신경의 수초막을 파괴할 수 있고 신경의 기능이상과 과민반응을 야기할 수 있다는 것이다. 이는 결과적으로 삼차신경이 지배하는 영역에 약한 자극에도 통증발작을 야기할 수 있을 뿐만 아니라 자극이 끝난 이후 통증신호를 차단하는 신경의 기능에도 장애를 유발할 수 있다.

치성질환에 의한 치조골 감염의 파급이 원인으로서도 여겨지나 이 경우는 제1분지인 경우에는 설명이 곤란하다. 비정상적인 악간관계에 의한 삼차신경의 과도한 외상도 하나의 원인으로 생각되며 삼차신경의 과민

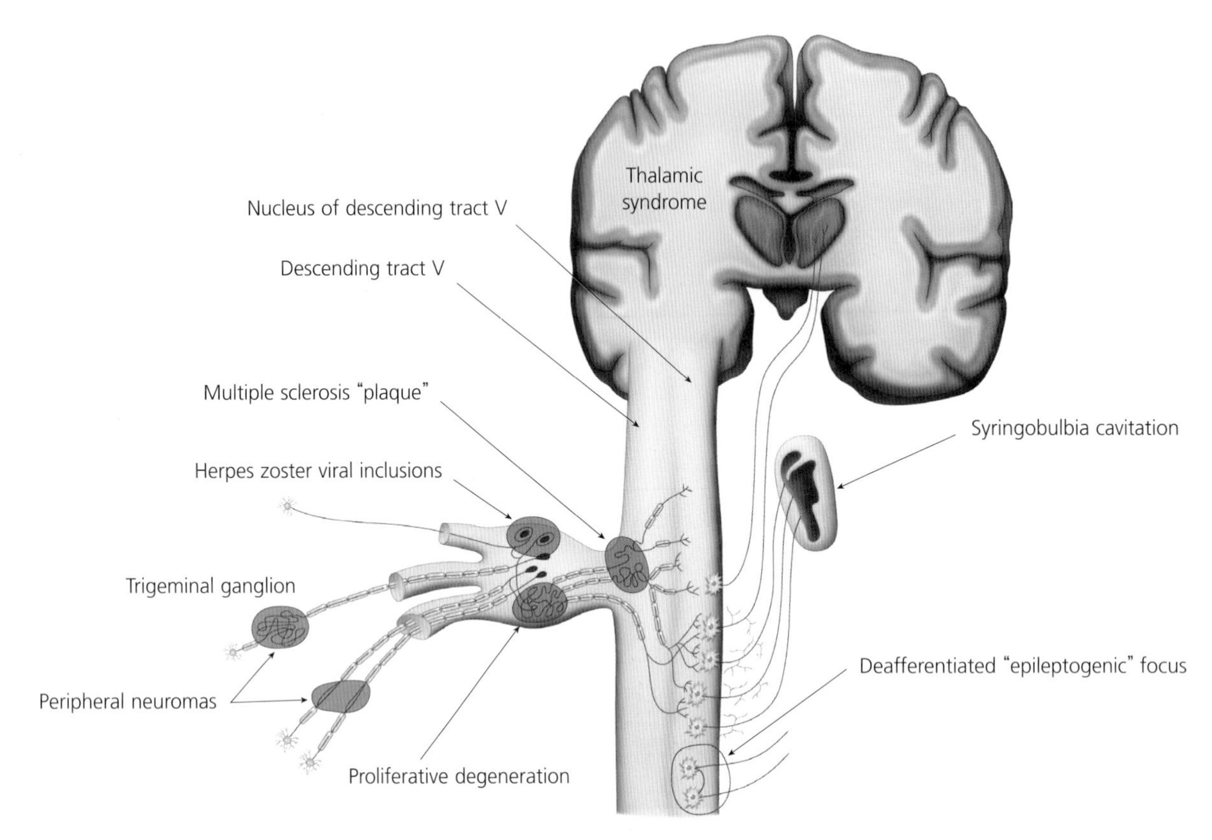

그림 15-9 악안면 신경병성통증의 부위들과 병인(pathogenesis).

반응과 수초막의 파괴에 의해 삼차신경통이 발생한다는 보고가 있다. 드물게 청신경종(acoustic neuroma), 진주종(cholesteatoma), 혈관종이나 동맥류 등에 의한 압박으로 발생되기도 한다. 삼차신경통이 삼차신경근의 혈관압박에 의해 일어난다는 가설을 Dandy가 제시한 바가 있고 Janetta에 의해 이론이 증명되어 공감대를 가져왔다. 또한 1-8%에서는 다발경화증과 동반되어 나타나기도 한다.

2) 증상

삼차신경통의 특징은 다음과 같다. 단시간 송곳으로 찌르는 듯한 통증이 발작성으로 수초에서 수 분간 지속되며 편측성으로 나타난다. 멈추고 나면 전혀 통증이 없으며 통증의 경로는 주로 삼차신경분포분위에 국한하여 발생하며 감각소실은 나타내지 않는다. 발작 후 둔한 통증이 수 분간 지속되는 경우도 있는데, 둔한

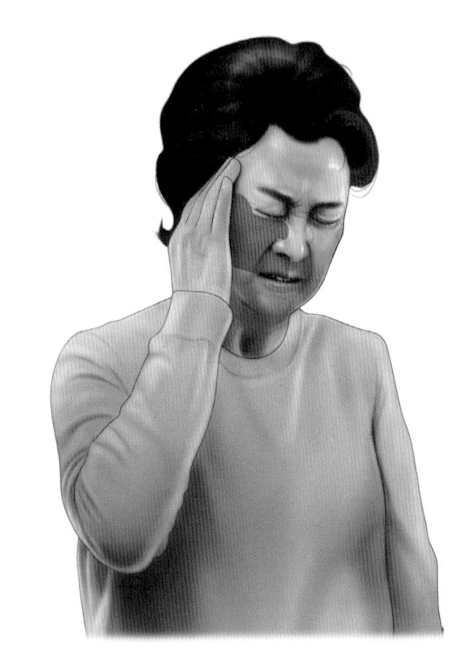

그림 15-10 통증유발점을 보호하기 위하여 오른쪽 손을 올리고 있고, 통증이 삼차신경의 제2분지에 국한되어 있는 삼차신경통 환자의 전형적인 자세이다.

통증이 오랫동안 지속되면 종양 등에 의한 증상성 삼차신경통을 의심하고 그 원인을 찾아야 한다. 통증 발생 측의 입술주위나 구강내 하악구치부 설측 인두이행부에 통증유발점(trigger point)이 흔히 발견된다. 통증 발생 시 안면근육 경련을 일으켜 'tic douloureux'라고도 불리고 있다. 이 통증은 저작, 대화, 양치질이나 세안 등과 같은 일상적인 피부자극에 의해서 유발되기도 하며, 발작은 정형화되어 나타난다. 대부분 환자에서 수면 중에 통증발작이 시작되는 경우는 드물며 수면 중에 통증이 발생하지 않는 것에 대한 메커니즘은 아직 밝혀지지 않았다(그림 15-10). 일반적인 발생 빈도는 100,000명 당 4명으로 발생 환자의 90% 이상이 40세 이상이며 여성(60%)에서 호발하는 경향이 있다. 삼차신경통은 대부분 편측성(95%)이지만 드물게 양측성을 나타내기도 한다. 편측성의 경우 우측이 좌측에 비하여 호발한다. 양측성으로 발생하거나 다른 뇌신경도 이환된 경우는 다발경화증이나 뇌종양을 의심하여야 한다. 하나의 분지에서 발생하는 것이 보통이지만 시간이 지남에 따라 여러 분지를 포함하는 경우도 있다. 제2분지와 제3분지에서 호발하며 제1분지에서 발생하는 경우는 5% 미만이다.

3) 감별진단

삼차신경통은 표 15-3에 정리된 것과 같이 많은 질병과 감별진단을 하여야 한다. 정확한 진단을 위해서는 환자의 병력이나 이화학적 검사를 충분히 하여야 하며, 진단 목적으로 신경차단을 시행한다. 그러나 가장 중요한 감별능력은 각각의 질병에 대한 임상적 특징을 정확히 인지하여야 하는 것이다. 최근에는 뇌종양이나 뇌혈관상태의 검사가 필요한 경우 뇌 자기공명영상(magnetic resonance image, MRI)이나 MRI 혈관조영술을 시행하기도 한다.

표 15-3 안면통증의 감별진단

	삼차신경통	미주설인신경통	대상포진후신경통	비정형안면신경통	구강작열감증후군
발병연령	40세 이상	50대 이상	50대 이상	젊은 성인	50세 이상
성별요인	여성	없음	여성	없음	여성
증상자극	표면접촉	연하, 저작, 목을 씻을 때, 말을 할 때	표면접촉	접촉에 의해 유발되지는 않음	없음
원 인	원인불명(신경압박, 치성감염 등)	후하소뇌동맥에 의한 압박설	대상포진바이러스감염	안면부외상병력, 종양	원인불명(빈혈, 영양장애, 의치상자극제, 우울증 등)
증상	발작성 예통 및 발작 후 둔통	발작성 예통	과민통각, 작열감, 안면표정근의 이상, 타액, 눈물 감소, 미각 변화	양측성 안면통증 지각 소실	외상성 작열통의 작열감과 비슷함
호발부위	편측성(우측), V2, V3	편측성, 연구개, 편도, 인두부, 혀의 기저부	편측성(좌측)	편측 또는 양측	혀의 전방 2/3, 협점막, 치은, 구개
진단적 차단 효과	발통대-전체적 해소	설인신경차단 시-해소	후유증 동반-선택적 실시	슬상 신경절차단-해소	없음
전신적 약물 투여 효과	진통제-효과 없음 항경련제-효과적	진통제-거의 해소 안 됨 항경련제- 효과적	Capsaicion 패치-효과적	Carbamazwpine, phenytoin, phenothiazine 등 복합 처방	저농도 tricyclic antidepressant 치료

4) 치료

대부분의 삼차신경통은 원인이 불분명하므로 완벽한 발생 원인의 제거는 어렵다. 통증의 소멸을 위하여 약물요법, 신경차단요법, 외과적 수술요법 등을 시행할 수 있다.

(1) 약물요법(표 15-4)

삼차신경통 발생 시 1차 선택 약물(first-choice drug)은 carbamazepine과 oxcarbazepine이다. 1차 선택 약물은 아니지만 Lamotrigine, Gabapentinoid (gabapentin and pregabalin), baclofen 등도

표 15-4 삼차신경통의 치료에 사용되는 약물의 사용용량, 작용기전 및 부작용

Drug	Initial dose	Titration*	Dose range	Frequency	Mechanism of action**	Specific side effects
First-line treatments						
Carbamazepine	200 mg	200 mg every 3 days	200–1200 mg	× 2–4/days	VGSC blocker, L-type VGCC blocker	Dizziness, drowsiness, fatigue, ataxia, diplopia, nausea, cognitive slowing, hyponatraemia leucopenia, thrombocytopenia, skin reactions, abnormal liver function tests
Oxcarbazepine	300 mg	200 mg every 3 days	300–1800 mg	× 4/days	VGSC blocker, N-P- and R-type VGCC blocker	Dizziness, drowsiness, fatigue, nausea, ataxia, hyponatraemia, skin reaction
Second-line treatments						
Lamotrigine	25 mg	25 mg for 2 weeks, 50 mg for 1week, then increase by 50 mg every week	25–400 mg	× 2/days	VGSC blocker, N-P-type VGCC blocker	Dizziness, drowsiness, fatigue, headache, gastrointestinal symptoms, irritability, sleep disorders, tremor, cognitive slowing, rash
Gabapentin	300 mg	300 mg every 3 days	300–3600 mg	× 3/days	α-2-δ-subunit of calcium channels	Dizziness, confusion, fatigue, ataxia, increased risk of infection, gastrointestinal symptoms, weight gain; use cautiously with opioids
Pregabalin	150 mg	150 mg every 3days	150–600 mg	× 2/days	α-2-δ-subunit of calcium channels	Dizziness, confusion, ataxia, increased risk of infection, gastrointestinal symptoms, weight gain
Baclofen	15 mg	15 mg every 3 days	15–90 mg	× 3/days	GABAB receptor agonist	Confusion, dizziness, drowsiness, gastrointestinal symptoms, euphoria, hallucinations

* The doses can be increased at a slower rate to improve tolerability; the doses are increased until the pain is well controlled, significant side effects intervene or the maximum dose is achieved.

** VGSC, voltage-gated sodium channel; VGCC, voltage-gated calcium channel; GABA, gamma-aminobutyric acid.

carbamazepine과 병용(add-on therapy) 혹은 단독(monotherapy)으로 사용되고 있다. 표 15-4에 삼차신경통의 치료에 사용되는 약물의 사용용량, 작용기전 및 부작용에 대해 요약되어 있다.

① Carbamazepine and Oxcarbazepine

Carbamazepine (Tegretol)은 항경련성 약물로 삼차신경통의 치료에 가장 효과적인 약제로 알려져 있으며 또한 매우 선택적이다. 따라서 최근에는 이 약물을 이용하여 삼차신경통을 감별진단하기도 한다. 약 60-90%의 환자에서 증세의 호전을 볼 수 있으나 약 15%의 환자에서는 재발을 호소하기도 한다. 복용 시 위장장애가 심하므로 음식물과 같이 섭취하여야 한다. 사용량은 처음 하루에 2번 100 mg씩 3일간 복용하는데 이때 졸음이나 현기증, 혼란, 발진 등의 부작용이 나타나는가를 관찰하여야 한다. 부작용이 없이 통증이 조절되지 않으면 용량을 증가시켜 하루 3번 200 mg씩의 용량(600 mg/day)을 투여한다. 가장 흔한 부작용으로는 호중구감소증, 혈소판감소증 등을 포함하는 혈액질환이며, 드물게 생명을 위협하는 재생불량성 빈혈이 발생하기도 한다. 따라서 장기 투여 시 계속적인 감시가 필요한데, 복용 1-2개월 동안은 매주, 그 후로는 매달 혈액검사 및 간기능검사, 신기능검사를 하여 적혈구, 백혈구 및 혈소판 수가 감소하거나 간 및 신장기능에 이상이 있으면 즉시 약물투여를 중지하여야 한다. 그 외에 일반적으로 나올 수 있는 부작용은 구역, 구토, 현기증, 분명치 않은 발음(slurred speech), 운동실조(ataxia), 최면(somnolence) 등이 있다. 5-10%의 환자에서 홍조나 다형성 홍반, 드물게 스티븐스존슨증후군(Stevens-Johnson syndrome)을 경험하기도 한다. Oxcarbazepine은 carbamazepine의 유도체로서 carbamazepine과 비슷한 임상적 효과를 가지지만 그 부작용이 적어 최근 많이 사용되는 약물이다. 이러한 장점으로 인해 더 고용량으로 사용이 가능하며, 이에 따라 최근 난치성의 삼차신경통 환자에서 oxcarbazepine으로 대체 시 임상적으로 좋은 효과를 나타낸다고 보고되었다.

② Lamotrigine

Lamotrigine은 항경련약물로 일반적으로 carbamazepine이나 oxcarbazepine보다 부작용이 적은 것으로 알려져 있다. 따라서 carbamazepine 치료에 부작용이 있는 환자에서 병용 또는 단독치료로 사용될 수 있다. Lamotrigine을 사용하는 환자의 약 10%에서 피부발진(lamotrigine-induced rash)이 나타난다. 하지만 적절한 약물증량요법(slow-dose titration protocol)을 통해서 피부발진을 0.1-0.01%까지 낮출 수 있다. 이러한 약물용량 조절의 특성상 급성 통증조절에는 사용하지 않는다. 스티븐존슨증후군 같은 전신성 급성피부점막 질환이 발생할 수 있으나 매우 드물다.

③ Gabapentinoid

Gabapentinoid는 Gabapentin receptor ($\alpha 2\delta$ subunit)에 작용하는 항경련제 약물계열로 gabapentin (Neurontin) 과 pregabalin (Lylica)이 여기에 해당한다. 임상적으로 carbamazepine이나 oxcarbazepine보다 효과가 떨어지지만 부작용이 적은 것으로 알려져 있어 병용요법으로 주로 사용한다. 어지러움(dizziness)이 발생할 수 있어 용량을 서서히 증량해야 한다.

④ Baclofen

Baclofen은 gamma-aminobutyric acid (GABA) receptor에 작용하는 항경련제이다. Carbamazepine과 Oxcarbazepine에 반응하지 않을 때 사용되는데 5 mg씩 하루 3번 2일간 투여하여 현기증, 졸음, 혼란, 피부발진 등의 부작용이 없으면 3일마다 15 mg씩 증량하여 하루 총 90 mg까지 투여할 수 있다.

(2) 외과적 요법

① 신경경로 차단요법

1904년 Schlosser가 삼차신경통에 알코올 주사를 이용한 말초신경 파괴를 통한 신경차단술을 보고한 이래 현재까지도 실용적이고 효과적인 치료법으로 사용되고 있다. 신경차단을 위해서는 이환된 신경분지를 확정하여야 하고 해부학적인 고려하에 국소마취제로 진단적 차단을 우선 시행한 후 신경파괴제를 사용하게 된다. 신경차단은 말초부위부터 시작하여 점차 중심부위로 차단을 시행하고, 삼차신경의 전 분지에 통증이 발생되는 경우에는 주사침을 외측 협부로부터 자입하여 난원공(foramen ovale)까지 다다르게 한 후 삼차신경절까지도 차단하게 된다. 일반적으로 경증인 경우 국소마취제를 이용한 반복 차단으로 치유될 수 있으며, 중증의 경우 알코올을 이용한 신경차단이 이루어지는데 1-2년 내에 다시 재발하면 재차단을 시행하여야 하고 이 경우 부작용의 발생률이 점차 높아진다.

삼차신경의 차단에는 제1분지의 경우 상안와신경 차단, 활차신경 차단이 있고 제2분지의 경우 하안와신경 차단, 상악신경 차단이 있으며 제3분지의 경우 설신경 차단, 하치조신경 차단, 하악신경 차단이 있다. 전 분지를 차단할 경우에는 삼차신경절 차단방법 등이 있다.

1975년 Hakanson의 보고 이래로 100% 글리세롤을 삼차신경절 부위에 주사하는 방법이 효과적으로 이용되고 있으며 장점으로는 완전마비가 일어나지 않는다는 것이다.

② 고주파열 응고법(hyperthermic coagulation)에 의한 삼차신경절 파괴

약물요법, 신경차단요법 등으로 통증이 조절되지 않는 경우 사용할 수 있는 방법이다. 전극을 삼차신경절의 복면에 위치하도록 하고 55-60℃의 온도를 이용한 고주파열 응고법을 시행하여 삼차신경절을 파괴함으로써 진통효과를 얻는 방법이다. 이 방법은 통증감각기인 Aδ와 C 섬유가 촉각을 담당하는 A-alpha와 A-beta섬유보다 더 낮은 온도에서 마비된다는 이론에 근거한다. 그러나 이 방법은 성공적인 통증제거를

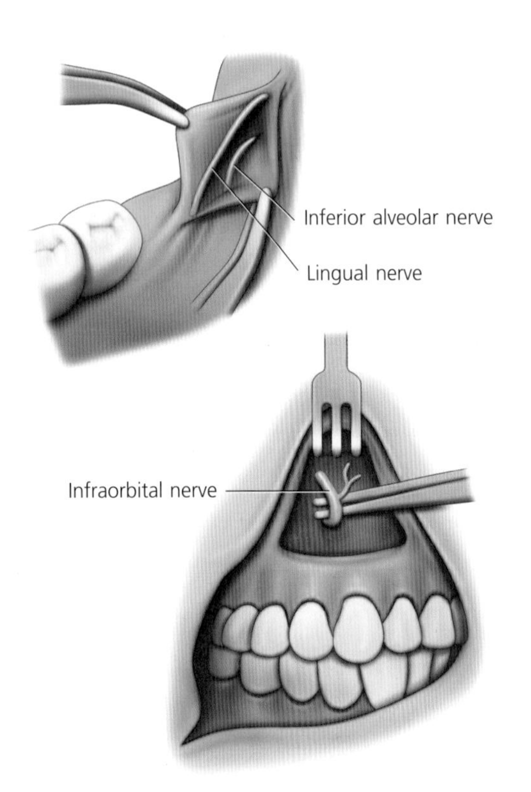

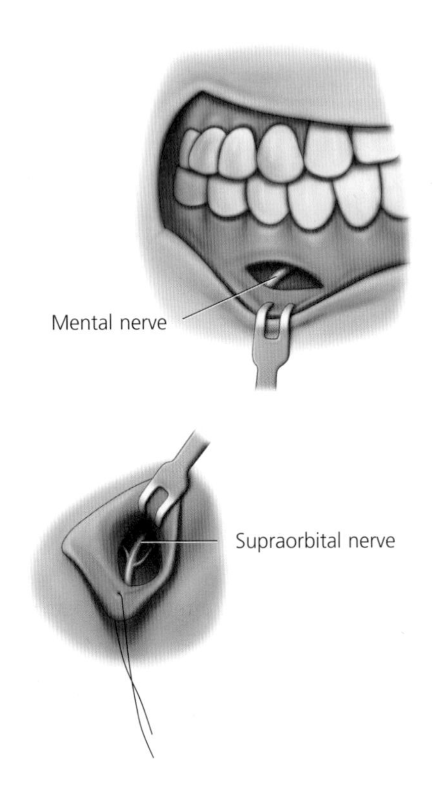

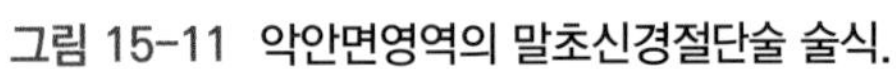
그림 15-11 악안면영역의 말초신경절단술 술식.

위하여 여러 번의 시도가 필요하기도 하며 완전마비가 일어난다는 단점을 가지고 있다. 높은 초기 통증경감을 보이나 5년 경과관찰 시 통증이 해소되는 비율은 50.4%로 보고된다. 재발률은 46%로 가장 낮은 재발률을 보이는 미세혈관감압술의 18.3%보다 높게 나타난다.

③ 초기 외과적 수술

가장 간단하면서도 효과적인 수술방법으로 말초신경의 절단술을 생각할 수 있다(그림 15-11). 이 방법은 특히 하치조신경에 발생한 통증의 치료에 탁월한 효과를 가지고 있다. 단점으로는 절단된 신경부위의 영구적인 마비가 있어 젊은 나이의 환자에서는 바람직한 수술방법이 아니다. 많은 경우에서 수술 후 6개월에서 2년 사이에 통증의 재발을 호소하기도 한다. 재발 시 재수술을 위해서는 두개강내 술식이 필요하게 된다.

④ 하행 삼차신경로 절단술(descending trigeminal tractotomy)

말단신경절단술 후 효과가 없거나, 통증이 재발하는 경우에 신경외과적으로 후두골하 개두술을 통한 하행 삼차신경로 절단술을 시행한다. 하행 삼차신경로가 끊어지면 통증소실과 함께 같은 쪽의 얼굴과 인두에 온도, 감각소실이 발생되나 촉각은 인지할 수 있다.

⑤ 삼차신경근의 미세혈관감압술(microvascular decompression of the trigeminal nerve root; Janneta's procedure)

현재 적용되고 있는 효과적이며 부작용이 적은 두개강내 수술방법으로, 삼차신경통의 원인이 되는 삼차신경근을 압박하고 있는 조직을 분리하는 방법이다. 신경근을 압박하고 있는 조직은 대부분 혈관이며(약 90%) 그 외 작은 종양이나 골조직(1-3%)이 있을 수 있으며 병변요소가 보이지 않는 경우(약 10%)도 있다.

혈관에 의하여 압박되었을 때는 혈관과 신경 사이에 스펀지를 끼워 넣음으로써 치료될 수 있다. 이 수술법은 삼차신경통의 근원이 되는 요인을 직접적으로 치료하며 삼차신경이 손상을 받지 않는다는 장점이 있다. 치료 후 초기 성공률은 약 90%, 장기적으로는 약 70-80%의 환자에서 성공률을 보이나 약 20-30%의 환자는 통증의 재발을 호소한다. 통계적으로 약 3%의 환자가 매년 재발되는 것으로 되어있다. 단, 이 시술법은 효과는 우수하나 개두술을 요하는 시술법으로 노약자나 쇠약한 환자에게 사용하기 어려운 단점이 있고, 간혹 치명적인 부작용을 초래할 수 있다.

⑥ 삼차신경절의 경피적 풍선압박술(percutaneous trigeminal ganglion balloon compression, PTBC)

1983년 Mullan 등이 경피적 삼차신경절 풍선압박술을 처음으로 보고한 이래 다양한 유사 술식들이 보고되었고 안정적인 결과를 보이고 있다. 난원공 주변으로 14G 바늘을 찔러 넣어 카테터(catheter)를 삽입하여 풍선을 팽창시킨 후 삼차신경에 압박을 가하여 신경을 손상시키는 방법으로 기술적으로 비교적 단순한 치료방법이다. 풍선을 통한 압박은 작은 신경섬유나 무수섬유가 아닌 중간 정도 이상의 유수섬유만을 선택적으로 손상시킨다. 특히 동공반사 등은 작은 신경섬유에 의해 전달되므로 풍선압박술은 제1분지 삼차신경통에 특히 유용하다. 미세혈관감압술과 경피적 풍선압박술의 효과는 유사하며 두 방법 모두 다른 방법에 비해 보다 높은 치료율을 보이는 것으로 보고되고 있다.

⑦ 감마나이프 방사선시술

1951년에 스웨덴의 Lars Leksell에 의해 최초로 방사선수술의 개념이 도입되었고, 1967년에는 감마나이프가 설치되어 뇌병변을 치료하기 시작하였다. 1980년대 후반부터 CT, MRI 등의 영상진단기술이 발전하고, 방사선을 정확하게 조절하는 컴퓨터기술이 접목됨으로써 감마나이프 수술은 최첨단 치료장비로써 각광받게 되었다. 감마나이프의 원리는 방사선동위원소인 코발트에서 발생되는 파장이 짧고 매우 높은 에너지를 가진 감마선을 이용하여 201개의 다른 방향에서 쏘아진

감마선이 돋보기가 햇빛을 모으는 것 같은 방식으로 병소에만 고에너지 감마선이 들어가 병소를 제거하게 된다. 감마나이프는 두피나 두개골을 절개하지 않고 머리 속의 질병을 치료할 수 있으며 오차범위가 0.1–0.3 mm 이하의 정확도를 가지고 있다. 최근 감마나이프수술의 경험 축적으로 입원이 필요 없고 수술 후 합병증이 거의 없는 매우 안전하고 효과적인 삼차신경수술법이 개발되었으며 최근 그 치료성적이 94%에 이르고 있다. 단 그 효과가 감마나이프 특성상 타 수술에 비해 늦게 나타나는 것으로 알려져 있다(약 4–6주). 최근 미국신경외과학회의 보고에 따르면 삼차신경통에 대한 감마나이프방사선수술이 점차 증가하고 있으며, 경제적으로도 효과적이라고 보고하였다. 재발의 가능성은 있지만, 재치료가 용이하기 때문에 여러 의미에서 환자에게 유리한 치료법으로 최근 각광받고 있다.

2. 미주설인 신경통 (Vagoglossopharyngeal neuralgia)

1) 원인

삼차신경통과 마찬가지로 원인은 불확실하나 가장 일반적으로 받아들여지고 있는 원인은 신경근 부위에서 후하 소뇌동맥에 의한 압박설이다. 이외에 종물에 의한 압박이나 신경의 수초가 벗겨지는 탈수질환(demyelinating disease) 등의 원인도 보고되고 있다.

2) 증상

증상은 연하, 저작 등의 접촉 시 제9뇌신경의 분포에 따라 찌르는 듯한 간헐적인 통증이 발생하는 것으로서 설인신경통은 삼차신경통과 통증의 성질과 비슷하나 발작성 통증이 연구개, 편도, 인두부 또는 혀의 기저부에서 일어나며 귀나 턱의 각 상경부 쪽으로 방사된다. 일반적으로 삼차신경통에 비하여 통증의 강도가 약하다.

발생빈도는 삼차신경통의 1/100 정도이고 통증유발점은 인두부에 있는 경우가 많으며 음식을 삼키거나 목을 씻거나, 또는 말을 할 때 통증이 유발되는 경우가 많다. 대부분 편측성이고 고령 환자(50대 이상이 60%)에서 많이 발생되며 성별 분포는 남녀 비슷하게 나타난다. 약 10%의 환자에서 삼차신경통이 동시에 나타나기도 한다. 또한 설인신경통 시 미주신경에 영향을 미치므로 통증발작 없이 서맥이나 실신을 하기도 한다.

3) 치료

치료는 삼차신경통에서와 같이 carbamazepine이나 phenytoin 등을 사용하고, 한두 시간의 통증경감을 위해서는 cocaine을 분무하기도 한다. 외과적으로 후두개와 설인신경감압술이 상당히 효과적이며 국소마취제에 의한 설인신경 차단이 진단이나 예후판정의 목적으로 사용된다.

3. 대상포진후신경통(Postherpetic neuralgia)

대상포진(herpes zoster)이 해소된 이후, 3개월 이상 지속되는 통증이 대상포진후신경통으로 정의된다. 대상포진후신경통은 herpes zoster에 의한 신경손상 때문이다. 미국에서 연간 백만 명이 herpes zoster에 감염되며 이들 중 약 20%가량이 대상포진후신경통으로 발전된다. 국내의 경우, 인구 1,000명당 2.5명의 연간 발생률을 보인다. Herpes zoster 감염자 중 60세 이하의 연령층은 10% 미만이, 60세 이상의 연령층에서는 40% 정도가 대상포진후신경통으로 발전한다.

1) 원인

수두–대상포진 바이러스(varicella–zoster virus) 감염 후 발생하게 된다.

2) 증상

발생 연령은 50대 이상의 노년층에 주로 발생하며, 여성(약 61%)과 좌측(59%)에 호발한다. 대부분의 발병

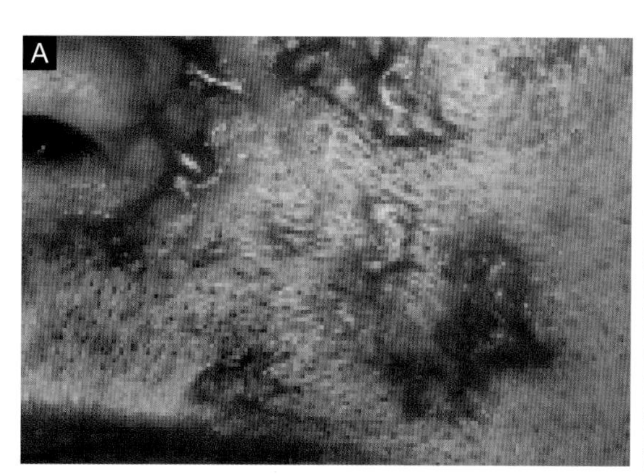

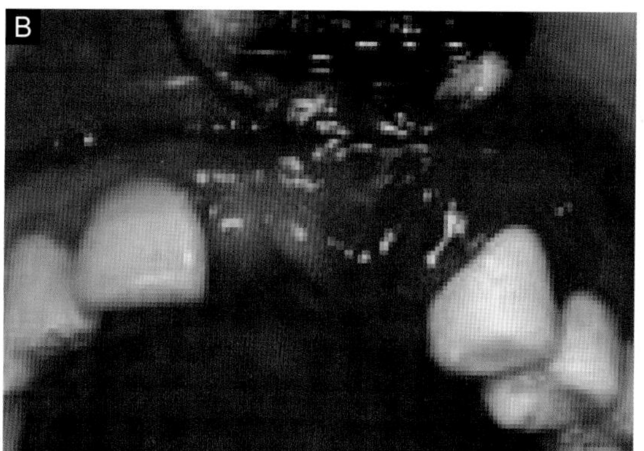

그림 15-12 Herpes zoster 감염에 이환된 안면부(A)와 구강내(B) 소견.

은 몸통과 연관이 있으나 삼차신경, 안면신경, 설인신경, 미주신경 등에도 발생한다. 통증의 양상은 접촉 시 과민통각과 조직 심부에서 느껴지는 작열감을 호소하는 심한 통증이 있다. 통증과 동반되는 증상으로는 미각의 변화, 타액과 눈물분비의 감소, 안면 표정근의 이상을 호소하며 삼차신경 분지부에 피부포진이 나타나고 심한 경우는 안면마비를 나타낸다(그림 15-12).

3) 치료

대상포진 감염 시 경구 항바이러스제제를 사용할 경우 대상포진후신경통의 기간을 줄일 수도 있다는 보고도 있으나, 일단 대상포진후신경통이 발생한 이후 치료는 약물요법이나 수술요법 모두가 만족스럽지 못하며 일반적으로 통증의 경감을 위하여 증상치료에 국한되어 있다.

(1) 약물요법

약물요법은 환자의 순응도와 약물의 부작용 등을 고려하여 시행되어야 한다. 국소요법으로는 캡사이신패치와 리도카인 패치가 사용되고 전신요법으로 gabapentinoid, 삼환성 항우울제, opioid가 사용된다.

① **국소요법**(topical agents)

캡사이신(capsaicin) 패치와 리도카인(lidocaine) 패치가 주로 사용된다. 캡사이신 패치(캡사이신 농도 8%)를 30분에서 60분간 부착하면 최소한의 부작용으로 약 3개월 가량의 통증완화를 가져온다. 리도카인 패치(리도카인 농도 5%)는 하루 3개까지 최대 12시간 사용할 수 있다.

② **Gabapentinoid** (gabapentin, pregabalin)

부작용이 적고 적절한 용량(gabapentin: 1800-3600 mg/day; pregabalin: 600 mg/day)으로 사용 시 통증경감에 효과적이다. 흔히 발생할 수 있는 부작용으로 어지러움(dizziness), 졸림(somnolence), 말초부종(peripheral edema)가 있다.

③ **삼환계항우울제**(tricyclic antidepressants, TCA)

Imipramine, doxepin, amitriptyline, nortriptyline 등의 항우울제의 사용으로 통증을 완전히 제거하지는 못하지만 통증경감에 매우 효과적이다. 적은 용량의 투여로도 60% 이상의 환자에서 통증경감에 효과적이다. 특히 amitriptyline의 경우 발진이 나타났을 때 2일 내로 시작하여 25 mg씩 90일간 수면 전 복용하면 대상포진후 신경통을 16%에서 35%가량 감소시킬 수 있다.

④ **Opioids** (oxycodone, morphine, methadone)

대상포진후신경통의 통증경감에 사용되지만 진정작용(sedation) 등의 부작용을 보일 수 있다.

(2) 드라이아이스를 이용한 저온소작법

질환이 포함된 신경의 경로에 드라이아이스를 이용한 저온소작법은 간단하면서도 통증의 소멸에 매우 효과적으로 이용되고 있다.

(3) 피부투과 신경전기자극(transcutaneous electrical nerve stimulation, TENS)

피부 표면을 통해 전기 에너지를 전달함으로써 말초신경말단의 자극을 통해 통증의 경감을 얻을 수 있다.

(4) 신경절제술

말초신경을 절제하며 동시에 신경염으로 인한 흉터를 같이 제거한다. 적은 부위의 통증완화에 효과적으로 사용된다.

(5) 신경절 절단 및 차단

직접적으로 관련된 신경절의 외과적 절단이나 마취제를 이용한 차단을 시행한다. 그러나 이러한 방법은 다른 후유증을 동반하므로 선택적으로 시행되어야 한다.

4. 비정형안면신경통(Atypical facial pain, Persistent idiopathic orofacial pain)

1) 원인

종종 삼차신경의 말초분지에 손상을 입히는 안면부 외상의 병력이 있는 경우가 있으며, 드물게 삼차신경을 압박하는 종양이 발견되기도 한다. 여러 가지 가능한 원인 때문에 광범위한 진단적 평가가 이루어지게 되지만 거의 모든 환자는 방사선검사나 병리검사 등에서 정상소견을 나타내고 아주 극소수에서 비인두 부위에 종양이 발견되기도 한다.

2) 증상

비정형안면신경통이라는 이름은 삼차신경통이나 다른 신경통 등으로 분류할 수 없는 안면부위의 통증을 한꺼번에 넓게 표현하고 있는 것이다. 일반적으로 비정형안면신경통은 삼차신경통과는 달리 편측성 또는 양측성으로 발생하고 젊은 성인에 많다. 통증이 있는 부위의 지각소실이 있는 경우가 많고 안면의 통증을 일으키기 전에 행동 및 심리적 장애병력을 갖고 있는 경우가 종종 있다.

통증의 강도는 삼차신경통처럼 심하지 않아 통증 때문에 말을 못하거나 먹지 못하는 경우는 거의 없으며 세수도 할 수 있다. 또한 삼차신경통과는 달리 중앙선을 건너 반대쪽까지 퍼진다. 통증은 지속적으로 나타나 통증이 없는 기간이 거의 없으나, 하루를 기준으로 하면 통증의 강도가 약간의 변동을 나타내고 이는 정신적이나 신체적 스트레스와 관련된다.

3) 치료

비정형안면신경통의 치료는 약물요법이나 신경차단 및 외과적 수술방법 등이 있으나 모두 적절한 치료가 되지 않는다. 적은 수의 환자에서 carbamazepine 이나 phenytoin 등에 반응하는 경우가 있으며, 여기에 phenothiazine 등의 복합요법이 증상완화에 도움이 된다. 그 외에 amitriptyline, fluphenazine, dothiepin, venlafaxine, topiramate 등도 사용된다. 신경차단요법으로는 슬상신경절(geniculate ganglion) 차단을 시행하여 증상완화를 보이는 경우가 가끔 있다.

수술적 치료로는 증상을 완화시킬 수 없다. 다만 미세혈관감압술이나 삼차신경절에 직접적인 만성 전기자극 등이 약간의 효과를 보였다는 보고가 있으나 비정형안면신경통 환자에 대한 효과적인 외과적 치료법은 없다. 최근에는 최면(hypnosis)을 이용한 치료에 임상적으로 통증경감 효과를 보였다는 보고도 있다.

5. 구강작열감증후군(Burning mouth syndrome)

1) 원인

국소적 자극인자(예: 보철물 금속, 의치상, 치아의 이상, 구강내감염, 비정상적 구강습관), 영양실조(예: 비타민 B나 C, 아연, 철분), 호르몬의 변화(예: 에스트로겐 감소), 내분비질환(예: 갑상선기능저하증, 당뇨, 폐경기 등), Candida albicans 감염, 구강건조증, 신경손상, 우울성 정신질환을 포함한 여러 가지 원인 요소들이 있다. Browning의 보고에 의하면 평균 나이 57세의 여성 환자에서 주로 발행하였고 발생 원인으로는 악성빈혈, 외상, 구강 모닐리아 감염, 지도상설, 정신장애 등을 열거하였다. Lipton의 보고에 따르면 남성에 비해 33배 정도 여성에서 호발하는 것으로 나타났다. 구강작열감증후군의 원인이 주로 생리적인 것에서 기인하는지 아니면 체성적인 장애에서 기인하는 것인지에 대한 논란이 계속 진행 중이다. 또한 우울증이 통증에 뚜렷한 반응을 일으키는 것으로 보아 전신성 신경병리요인과 어느 정도는 연관되리라 생각된다.

2) 증상

구강작열감증후군의 통증 양상은 임상적으로 말초신경에 직접적인 손상을 받은 후 나타나는 통증형태인 외상성 작열통의 작열감과 비슷한 양상을 보인다. 가장 호발하는 부위는 혀 끝과 혀의 측면부이다. 50세 이상의 여성에서 혀의 전방 2/3, 협점막, 치은 또는 구개 등에 작열감을 종종 호소한다. 입이 마르거나 미각이상, 연하장애 등도 동반된다. 보통 아침에는 통증이 크지 않다가 점점 증가하여 저녁에 최고조에 달한다.

최근 이러한 구강작열감증후군을 그 증상에 따라 다음과 같이 분류한다.

- Type 1: 아침에 일어났을 때는 통증이 없으나 시간이 지날수록 통증이 증가하는 양상으로 환자의 35%에 해당하며 이러한 경우 영양실조 등의 전신적인 문제일 가능성이 높다
- Type 2: 하루 종일 통증의 정도가 비슷하여 잠을 자기 힘든 경우가 많으며 환자의 55%가 이 같은 양상을 보이고, 이는 정신장애와 연관성이 높다.
- Type 3: 비정형적이고 간헐적인 양상을 보이며, 환자의 10%가 이 같은 양상을 보이게 된다. 이 분류는 알레르기성 질환의 원인이 되는 항원(allergen)과 구강부의 접촉이 원인일 가능성이 높다.

3) 치료

일반적인 검사인 호르몬검사(follicular stimulating hormone and luteinizing hormone test), 영양상태 확인(vitamin, mineral, folate level tests), 결합조직질환검사(ESR, ANA, ASA), 안구건조증(Schirmer's test)과 혈구검사(빈혈검사) 등을 시행해볼 수 있다. 통증부위와 통증이 없는 부위에서 점막생검이나 세포배양검사를 시행한 후 비교를 통해 염증성, 위축성 변화, 진균감염 등에 대한 정보를 얻을 수 있다. 하지만 다양한 검사에도 결정적인 진단을 할 수 있는 특이적인 정보는 얻기 힘들다.

첫 번째 치료방식은 흡연, 전신적 약물을 비롯한 모든 가능한 국소적/전신적 요인들을 제거하고 가능한 기저 요인들을 치료하는 것이다. 두 번째 치료접근법은 환자에게 그의 증상이 실재하는 것이며 치명적인 것이 아니라는 것을 알려주어 안심시키는 것이다.

만약 정확한 원인이 확인되지 않으면 구강작열감증후군에 대한 약리적인 접근법으로 최소 30일 동안 저농도의 삼환계항우울제(amitriptyline, nortriptyline)으로 치료를 고려해야 한다. TCA와 함께 저농도의 fluphenazine은 작열통에 효과적이다. 그 외에도 clonazepam, capsaicin, amisulpiride, paroxetine, sertraline을 사용한 치료도 보고되었으며, 만약 용량을 점점 증가시킬 경우에는 이 같은 복합 약제 투여는 부작용을 일으킬 수 있으니 주의해야 한다.

2002년 Femiano와 2008년 Steele 등은 인지행동치료(cognitive behavioral therapy, CBT)와 동시에 하루 3–4회 alpha–lipoic acid 600–800 mg 투약이 증상을

감소시킨다고 보고한 바 있다. Candida albicans 감염이 발견될 경우에는 nystatin 치료를 고려해야 한다. 비약리적인 방법으로는 정신분석(psychoanalysis), 위약치료, 침술(acupuncture) 등을 고려할 수 있다.

Ⅲ. 저작근막통증증후군

1. 정의

근막통증증후군은 근육과 근육을 싸고 있는 근막(fascia)의 병소에서 기인하는 통증증후군(pain syndrome)의 일종이다. 임상적으로는 골격근내에 발통점(trigger point)이라고 하는 자극에 대한 과민부위가 생기고, 발통점이 자극되었을 때 각 발통점의 위치에 따라 특정부위에 재현되는 연관통을 특징으로 한다. 치과임상에서 저작근막통증증후군은 악관절장애와 연관되어 발생하는 경우도 빈번하기 때문에 근막통증증후군의 진단과 치료 시에는 반드시 악관절장애의 질환들과 연관된 진료를 시행해야 한다.

2. 임상적 특징

1) 발통점

발통점은 대부분의 경우 근육내에 발생하지만 때로는 건(tendon) 또는 인대(ligament)에도 생길 수 있는 매우 예민한 압통점(tender point)을 말한다. 발통점이 생긴 근육을 촉진하면 근육의 주행방향을 따라 근섬유의 일부가 밧줄처럼 단단하게 뭉쳐져서 만져지는데 이것을 경직띠(taut band)라고 하며 근육의 방추내 근섬유(intrafusal muscle fiber)의 긴장도가 비정상적으로 항진되어 나타나는 현상으로 알려져 있다(그림 15-13). 경직띠를 수직방향으로 퉁기면 해당 근육의 수축이 관찰되며 이 현상을 연축반응(twitch response)이라고 한다.

발통점은 경직띠 중에서 발견되며, 자극하면 압통이 가장 심하게 나타나고 환자가 호소하던 연관통이 재현되는 부분을 말한다. 연축반응도 발통점을 자극할 때 가장 뚜렷하게 나타나는데, 발통점을 압박할 때 갑작스러운 통증을 피하기 위하여 환자가 몸을 비틀거나 '아', '바로 거기예요', '예, 맞아요'하는 등의 반응은 근막통증증후군 특유의 현상으로 간주된다.

2) 연관통

근육의 일부에 발통점이 생기면 나타나는 일련의 통증을 연관통이라고 한다. 연관통은 발통점 주변에 나

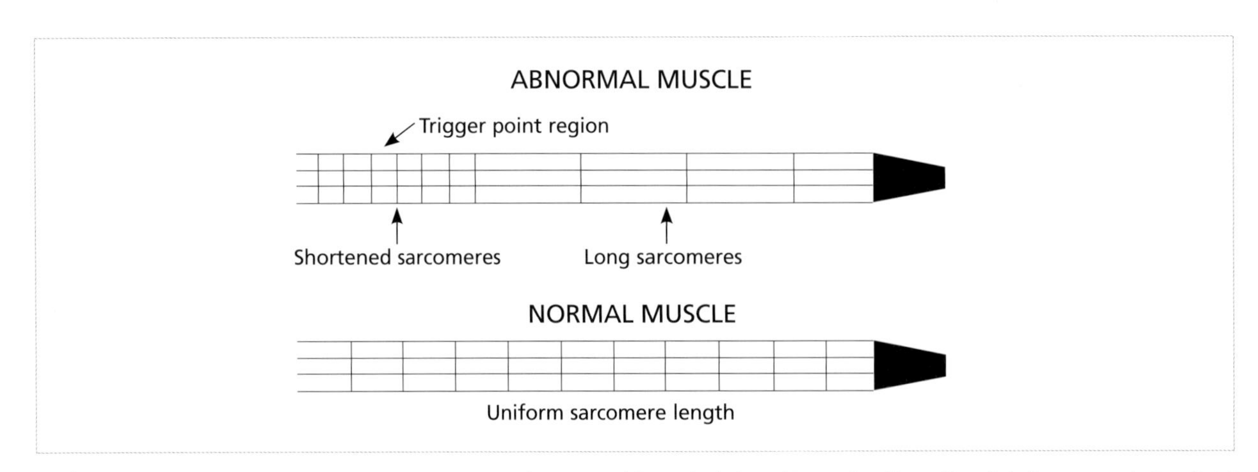

그림 15-13 정상근육섬유는 동일한 길이의 근섬유분절(sarcomere)을 보인 반면 근막통증증후군을 보이는 경직띠(taut band), 즉 발통점(trigger point area)에서는 동일하지 않은 길이의 근섬유분절을 보여 근육 fascicles에서 긴장을 증가시켜 신전(stretch) 근운동범위를 제한함.

타나기도 하지만 때로는 발통점에 의하여 유발된다고 생각하기 힘들 정도로 상당한 거리가 있는 부위로 확산되기도 한다. 근육은 중배엽(mesoderm)에서 기원한 조직이기 때문에 신경외배엽성(neuroectoderm) 조직의 방사통(radiating pain)과는 달라서 근막통증증후군에서 나타나는 연관통은 피판(dermatome), 근판(myotome)또는 골판(sclerotome)과는 무관한 분포를 보인다.

연관통은 근육에 따라, 또한 근육에서는 발통점의 위치에 따라 비교적 일정한 부위에 재현된다. 발통점은 자극될 때 나타나는 통증의 양상에 따라 발통점을 압박하여 특징적인 연관통이 재현되는 경우는 활동성 발통점(active trigger point)이라고 하고, 압박부위에서 심한 압통(ternderness)만이 재현되는 경우를 잠복성 발통점(latent trigger point)이라고 한다. 젊은 사람들에서는 활동성 발통점이 주로 생기며 따라서 심한 연관통이 유발되는 경우가 많으나, 활동량이 적은 고령층에서는 연관통은 심하지 않고 근육의 경직이 심하게 나타나서 관절운동범위만 제한되는 경우가 많다.

3) 관련 증상

근육에 발통점이 생기면 연관통 외에도 여러 가지 부가적인 증상들이 동반되는 것을 관찰할 수 있다. 이러한 관련 증상의 예로는 긁히는 감각(scratch sensation), 벌레가 기어가는 듯한 느낌(tingling), 마비감(numbness), 시린 감각(localized coldness), 감각과민(hyperesthesia) 등을 주로 호소하며, 두부와 경부의 근육에 발통점이 생기면 눈물이 나거나 타액분비의 증가, 비점막의 충혈, 현기증, 청력감퇴, 이통, 이명 등의 증상도 나타나곤 한다.

4) 기여요인(표 15-5)

근막통증증후군의 발현에는 여러 가지 구조적인 또는 기능적인 요인이 관여하는 것으로 알려져 있다. 양하지 길이의 차이(leg length inequality), 골반의 비대칭(small hemipelvis) 또는 척추측만증(scoliosis) 등

표 15-5 근막통증증후군의 대표적인 기여요인

구조적 비정상(structural abnormalities)
하지의 비대칭(leg length inequlity)
골반의 비대칭(small hemipelvis)
잘못된 자세(poor posture)
장기간의 악간고정(prolonged immobilization)
척추측만증(scoliosis)
모르톤병(Morton foot deformity)
영양장애(nutritional inadequacies)
대사성장애(metabolic inadequacies)
내분비장애(endocrine inadequacies)
만성감염(chronic infection)
정서적 스트레스(emotional stress)
열병(febrile illness)

의 구조적인 이상과 불량한 자세, 정서적인 스트레스(stress) 등의 경우에 만성적인 근육의 긴장 등이 근막통증증후군의 기여요인으로 작용할 뿐만 아니라, 실질적으로 거의 모든 내분비 이상이 근육의 수축에 영향을 미쳐 근육의 경련과 근막통증증후군을 야기할 수 있다. 내분비 이상 중에는 갑상선호르몬과 에스트로겐의 결핍이 근막통증증후군과 가장 흔히 관련된 것으로 알려져 있다. 특히 에스트로겐의 결핍이 근막통증증후군의 기여요인으로 작용한다는 사실은 중년 이상의 여성에서 근막통증증후군의 발생이 높다는 사실과 관련된다. 영양학적인 요인으로는 카페인의 과다복용에 의한 통증역치의 하강 그리고 티아민, 폴릭산, 아스코르브산과 같은 비타민의 부족 등도 근막통증증후군과 직접 간접적으로 관련되어 있다. 또한 정신생리학설에서는 인간의 생활 가운데 발생되는 스트레스들을 가장 큰 원인으로 보는 경향이 있다(그림 15-14A).

(1) 발통점의 생성기전(그림 15-14B)

세포 수준에서 근막통증증후군은 과다한 운동 또는 지속적인 스트레스에 의한 세포막의 손상과 관련이 있는 것으로 추정된다. 이후 안정상태의 근육내 운동신경 말단에서 비정상적으로 많은 양의 아세틸콜린이 지속적으로 생산되어 분비되고 근육의 운동신경 말단의

전위가 상승하여 근육세포가 지속적으로 탈분극된다. 이는 근형질내세망(sarcoplasmic reticulum)의 국소부위에서 지속적인 Ca^{2+} 유리를 야기하는데 손상받은 세포막의 칼슘펌프가 정상적으로 세포내의 칼슘이온을 세포외액으로 퍼내지 못하게 되어 세포내의 칼슘이온의 농도를 10^{-5} M 이하로 감소시키지 못하고 계속 수축된 상태에 머물게 된다. 따라서 근육속의 근섬유분절(sarcomere)들이 균일하게 이완되지 않는다. 방추내근섬유(intrafusal muscle fiber)에 충분히 이완되지 않은 근절이 생기게 되면 근방추(muscle spindle)의 긴장도를 낮추기 위하여 전체 근육이 계속 수축된 상태를 유지하게 된다.

이상과 같이 휴식 시에도 충분히 이완되지 않는 근섬유분절이 발통점이며, 이완되지 않는 근섬유분절을 포함하는 방추내 근섬유가 경직띠에 해당하는 것으로 사료된다. 따라서 발통점이 생긴 근육은 지속적인 과부하(overloading)에 노출되고, 길항근은 계속 이완된 상태를 유지하게 되어 위축(weakness)이 동반되며, 휴식 상태에서도 관절은 발통점이 생긴 근육 쪽으로 편위(deviation)된 자세를 취하게 된다.

그뿐만 아니라 칼슘이온이 세포 밖으로 퍼내어질 때 칼슘이온과 교환되어 세포내로 유입되어야 할 칼륨이온이 유입되지 못하여 세포외액의 칼륨이온이 높은 상태가 지속되고 이 칼륨이온은 통증의 전달물질로 작용하게 된다.

따라서 운동신경의 말단에서 아세틸콜린을 비정상적으로 과다하게 분비시키는 악순환이 형성되며 운동신경종말 부위의 기능이상(dysfunctional endplates region)으로 단단한 띠(taut band)가 형성된다는 통합가설로 근막통증의 발생이 설명되고 있다(그림 15-14B)

(2) 역학적 기여요인

근막통증증후군의 발현과 관계된 여러 기여요인 중에서 내분비학적 또는 영양학적인 문제 등은 별도로

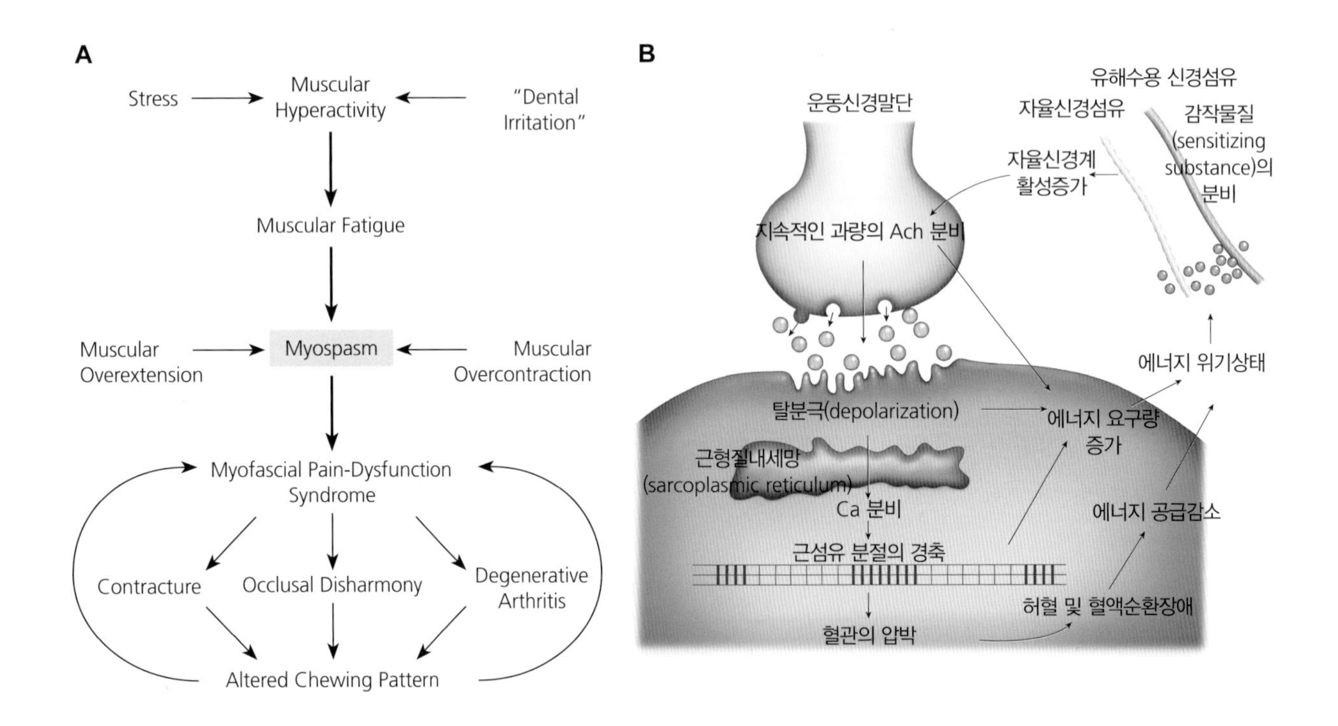

그림 15-14 A: 정신생리학설에 의한 근막통증 기능장애증후군(myofascial pain–dysfunction syndrome)의 원인론(주요 경로는 굵은 선으로 표시되어 있다) B: 발통점 생성에 대한 통합가설의 모식도.

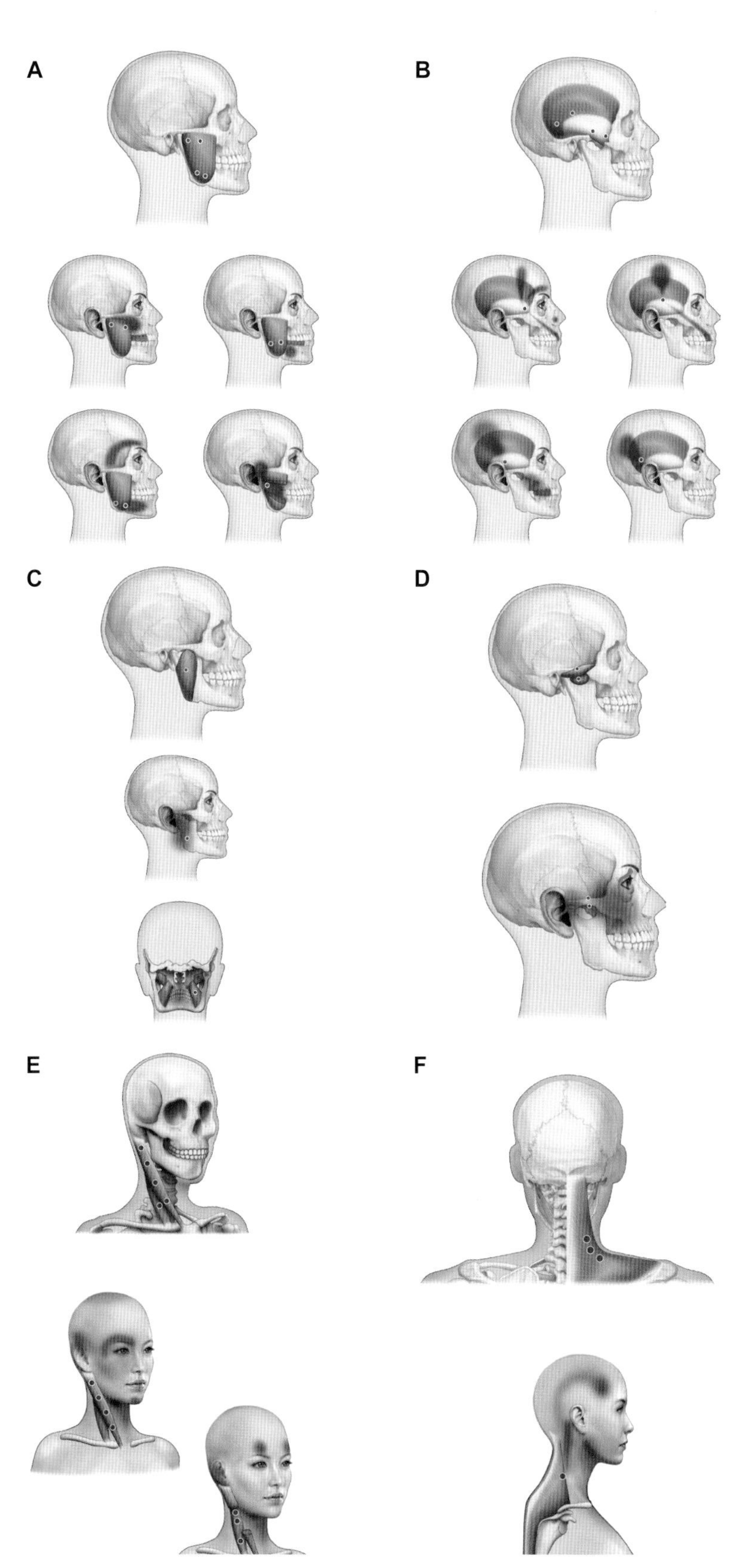

그림 15-15 저작근 및 경부 근육의 발통점 및 연관통 모식도. 점으로 표시된 부분이 발통점(trigger point)이고 붉게 표시된 부분이 연관통(referred pain) 영역. **A:** 교근 **B:** 측두근 **C:** 내측 익돌근 **D:** 외측 익돌근 **E:** 흉쇄유돌근 **F:** 승모근.

해당 전문가의 개입을 필요로 하는 문제이지만, 단순 X-ray로도 찾아낼 수 있는 역학적인 기여요인에 대해서는 숙지할 필요가 있다.

3. 진단

근막통증증후근은 근골격계의 다른 질환과는 달리 X-ray, CT, MRI 또는 EMG 등의 객관적인 진단장비의 도움을 받을 수 없기 때문에 진단은 이학적 소견(physical examination) 특히 전적으로 촉진(palpation)에 의존하여야 한다. 국제적으로 권장되는 근막통증증후군의 진단기준은 표 15-6에 열거된 5개의 주요기준과 3개의 부수적 기준으로 구분되며, 근막통증증후군으로 진단하기 위해서는 5개의 주요기준 전부와 적어도 1개의 부수적 기준을 충족시켜야 한다.

그러나 실질적으로는 연관통의 원인으로 의심되는 근육을 촉진하여 단단한 띠가 촉진되고, 경직띠를 수직방향으로 튕겨서 연축반응이 유발되며, 그리고 발통점을 압박하여 연관통이 재현되면 근막통증증후군 고유의 현상으로 간주하여 진단할 수 있다(그림 15-15).

최근에는 압력을 측정하거나, 조직의 장력을 측정하는 비교적 간단한 기기가 개발되어 근막통증증후군의 진단과 근육성 통증(muscle pain)의 감별에 유용하게 사용되고 있고, 열 감지기(thermography)와 표면 근전도(surface EMG) 등의 진단장비도 근막통증증후군의 진단에 활용되고 있다.

표 15-6 근막통증증후군의 임상적 진단기준

주요 기준
1. 일정한 부위에 통증을 호소한다.
2. 근막통증증후군으로부터 예상되는 연관통 부위에 통증과 감각 이상을 호소한다.
3. 의심되는 근육에 단단한 띠(taut band)가 있다.
4. 단단한 띠를 따라서 어느 한 부위에 심한 압박통을 느낀다.
5. 제한된 운동양상을 가진다.
부수적 기준
1. 발통점을 느끼는 부위를 누를 때 연관통이 재현된다.
2. 국소적인 연축반응(twitch response)이 나타난다.
3. 발통점 부위에 주사를 하거나 근육을 신장하면 통증이 경감된다.

4. 치료

근막통증증후군을 근원적으로 치료하고 재발을 막기 위해서는 기여요인(특히 스트레스 관리)에 대한 충분한 검토가 선행되어야 한다.

그러나 발통점 자체를 치료하는 방법은 발통점 주사(tigger point injection), 운동요법, 온습포(hot pack), 전기자극(electric stimulation) 등으로 대별할 수 있다.

1) 발통점 주사(Trigger point injection)

발통점 주사는 근막통증증후군의 치료에 사용되는 특이한 방법으로, 발통점과 주변의 이상조직을 파괴 또는 제거하는 것이 발통점 주사의 목적이다. 주사방법은 크게 세 가지로 대별된다.

(1) Travell's technique

발통점에 1-2 ml 정도로 소량의 0.5% procaine을 주사한다. 이 방법은 발통점을 정확히 천자하는 것이 요점이다.

(2) Fischer's technique

2-12 ml 정도로 비교적 많은 양의 0.5% procaine 또는 1% lidocaine을 사용하여 발통점뿐만 아니라 단단한 띠 전체를 주사하는 방법이다.

(3) Dry needling

주사액은 사용하지 않고 단순히 주사바늘만으로 발통점에 천자하는 방법이다. 발통점 부위의 단순주사는 발통점의 물리적 파괴를 목적으로 하기 때문에 효과가 있기는 하지만, 주사후 통증(post-injection soreness)이 심하게 나타나는 경우가 많아 일반적으로는 권장되지 않는다.

(4) 사용하는 용액의 종류

주로 0.5% procaine 또는 1% lidocaine(혈관수축제 없는 것)이 사용되며, lidocaine은 amide 화합물로서 실질적으로 과민반응이 거의 없기 때문에 1% lidocaine의 사용이 권장된다. 부위에 따라서는 국소마취제에 소량의 스테로이드를 섞어서 주사하는 쪽이 도움이 될 때도 있다. 초기에는 근육내에 포도당액을 주사하기도 하였으며, 일반적인 방법은 아니지만 H_2O_2용액을 사용하는 사람도 있다. 침술의 변형인 중국의 수침법에서는 포도당 용액 또는 $ZMgSO_4$ 용액을 사용하기도 한다.

2) 온습포와 초음파치료(Ultrasound)

온습포 또는 초음파치료는 통증질환의 물리치료에 널리 활용되는 방법들로서, 열에 의하여 근육의 이완을 돕기 때문에 근막통증증후군의 치료 시에도 활용된다. 특히 발통점 주사 후 또는 운동치료의 전후에는 통증이 있는 부위가 노출되어 있기 때문에 냉기에 의하여 근육이 긴장되는 것을 막기 위하여 온습포 또는 전기열 방석을 사용하여 근육을 따뜻하게 유지하도록 주의하여야 한다.

심부 경부근(deep cervical muscle)과 같이 주변에 중요한 구조물이 있어 안전하게 주사하기가 힘든 부위에는 발통점 주사 대신에 초음파치료를 사용하기도 한다.

3) 전기자극치료

전기자극치료에는 tetanizing current stimulation과 sinusoidal surging current stimulation이 사용된다. Tetanizing current stimulation은 근육의 피로를 초래하여 근육의 경직을 제거할 목적으로 사용되며 sinusoidal surging current stimulation은 근육을 주기적으로 수축시켜 근육의 이완을 유도하고 혈액순

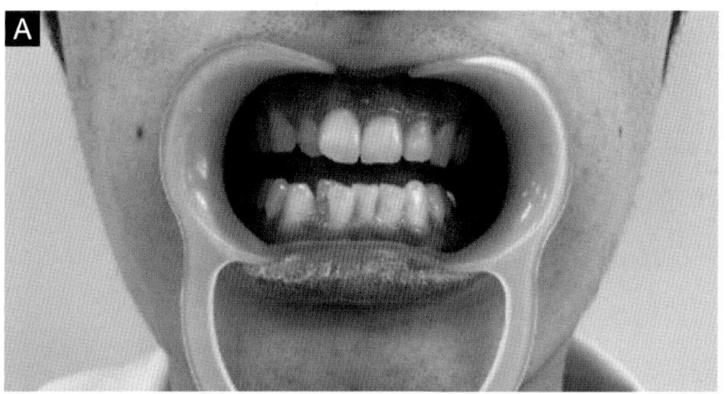

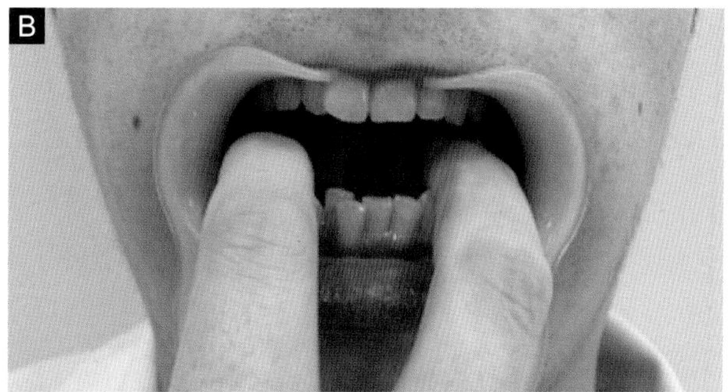

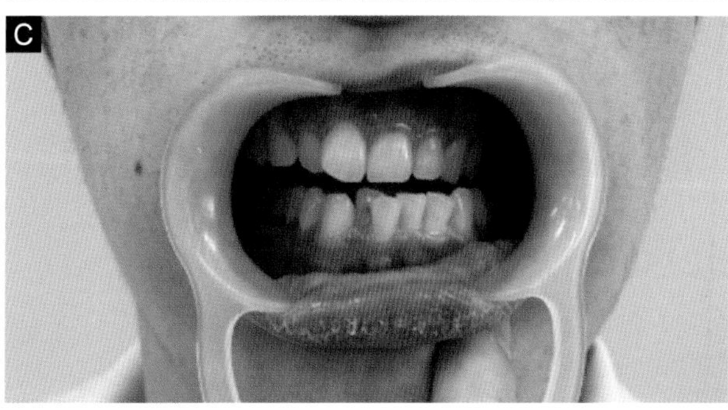

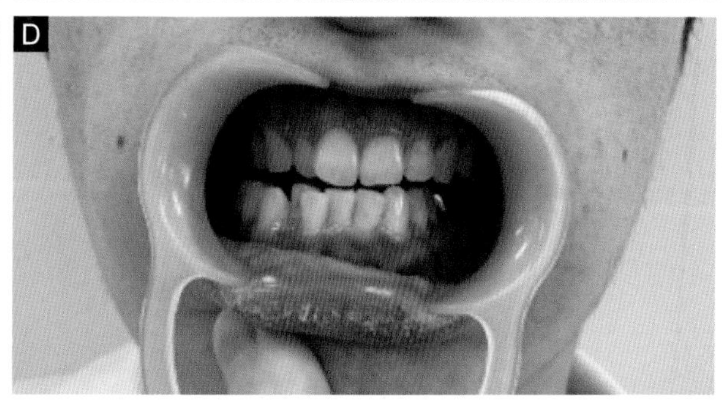

그림 15-16 후등척성 이완운동.

A: 환자 스스로는 개구하려고 하고 손가락으로는 턱 밑에 저항을 주어 개구근운동(등척성, isometric)을 시킴 B: 입을 다물지 못하게 손가락으로 좌우측 구치부를 받치면서 환자 스스로는 입을 폐구시키려고 하면서 폐구근 운동을 시킴 C: 좌측 하악체부에 저항을 주고 좌측운동을 시도하여 좌측 익돌근을 포함하는 관련근육의 근육운동을 시킴 D: 우측 하악체부에 저항을 주고 우측운동을 시도하여 우측 익돌근을 포함하는 관련근육의 근육운동을 시킴.

환을 증가시킬 목적으로 사용된다. 보통 약 10분간 sinusoidal surging current를 사용한 뒤 역시 약 10분간 tetanizing current를 사용하는 방법이 추천된다.

4) 운동치료(Exercise therapy)

발통점이 생긴 근육의 운동치료는 크게 신장운동(stretching exercise), 유연성 운동(limbering exercise), 후등척성 이완운동(post–isometric relaxation)으로 구분할 수 있다. 신장운동은 근육의 신장을 향상시키기 위하여 발통점이 생긴 근육에 근섬유의 주행방향을 따라 표면마취제인 fluoromethane vapocoolant spray를 도포한 뒤 근육을 수동적으로 신장시키는 방법(spray and stretch)이다. 유연성 운동은 환부의 근육에 ethyl chloride vapocoolant spray를 도포하고 환자의 능동적인 운동에 의하여 근육을 이완시키는 방법이다.

후등척성 이완운동의 요점은 숨을 들이마시면서 근육에 등척성 수축(isometric contraction)을 이용하고, 숨을 내쉬면서 근육을 이완(post–isometric relaxation)시켜 관절운동을 증가시키는 것이다(그림 15-16A~D).

적절한 호흡법이 대단히 중요하며, 기본적인 운동방법은 다음과 같다. 첫째, 숨을 천천히 들이마시면서 눈을 크게 치켜뜬다. 이때 교감신경의 긴장도가 항진되면서 골격근의 긴장이 증가되어 등척성 수축이 일어난다. 둘째, 숨을 천천히 내쉬면서 눈을 감는다. 근육이 이완되면서 수동적으로 신장되어 관절운동의 범위가 증가한다.

운동치료는 운동방법이 간단하여 치료자와 환자가 운동의 요점을 정확히 이해할 수 있고 교육에 의하여 환자의 자가치료(self home exercise)가 가능하여야만 치료의 효과를 높일 수 있다.

Ⅳ. 두통

두통은 두부 및 안면의 통증으로 정의되며 90% 이상의 사람들이 경험하고 있는 신경학적 증상이다. 2018년 국제두통학회(International Headache Society)는 두통을 다음과 같이 분류하고 소개하였다. 두통들을 진단하고 치료하기 위해서는 두통에 대한 올바른 이해, 분류, 진단 및 치료적 접근방식이 매우 중요하다.

1. 진단

1) 병력조사

(1) 만성도

통증의 급, 만성도는 기질적 원인에 의한 두통을 감별하는 데 지침이 된다. 수년간 규칙적으로 생긴 두통인 경우는 편두통 같은 혈관성 두통이나 긴장성 두통인 경우가 많고, 갑자기 생긴 두통이 의식소실이나 신경학적 소견과 연관되어 나타나면 뇌출혈, 뇌경색 등과 같은 뇌질환과 연관된 경우가 많다. 또한 수일, 수개월간 지속되는 두통인 경우는 상악동염과 연관되거나 뇌종양, 경막하출혈이 있는 경우가 있고 측두동맥염으로 인한 경우도 의심해 볼 수 있다.

(2) 두통의 빈도와 기전

두통의 빈도와 기전은 재발성 두통을 진단하는 데 중요하다.

2) 이학적 검사

(1) 전반적 신체외관

병력청취를 철저히 하고 환자가 신경긴장상태인지 확인한다. 그 외 갑상선종, 호너증후군(Horner's syndrome), 측두동맥 이상 등을 검사한다.

(2) 두부검사

국소감염과 종양여부, 두개골청진과 후두신경 주행 부위를 눌러서 검사하거나 악관절 운동제한이나 근막성 통증유무를 관찰한다.

(3) 경부검사

경추운동제한이나 통증의 유무, 경부경직 등을 확인한다

(4) 뇌신경 검사

안구검사, 동공대칭 등 대뇌신경 이상 여부를 확인하고, 호너증후군은 군발성 두통에서 주로 보이나 편두통 환자 및 경동맥 동맥류 및 뇌종양에서도 관찰된다. 군발성두통의 발작기 사이와 심한 편두통에서 한쪽 동공이 축소된 경우가 있고 뇌저동맥류는 한쪽 동공이 산대해 있다.

(5) 감각신경검사

환자 눈을 감게 하고 양측 손과 발의 감각검사를 한다. 심부의 대뇌와 뇌간병변이상 유무를 확인한다.

(6) 운동신경검사

두개강내 병변 시 소뇌장애 및 운동장애가 있고 반대측 대뇌장애시 편측 부전마비가 보인다. 경막하혈종은 동측 부전마비를 보인다.

3) 검사실소견 및 방사선검사

두통을 동반한 전신질환의 유무를 알아보기 위해 시행하며, 기본 혈액검사 및 생화학적 검사, 소변검사 등으로 빈혈, 교원질질환의 유무, 염증성질환 유무를 알 수 있다. 단순두부촬영으로 골절, 종양 등을 확인하고, 두개강은 CT나 MRI를 통해 확인할 수 있으며, 뇌척수액검사 및 섬광촬영술(scintigraphy)을 시행하기도 한다. 우울증 등의 심리상태 평가를 위해 심리검사를 시행하기도 한다.

두통의 분류

1. Migrane
2. Tension-type headache (TTH)
3. Trigeminal autonomic cephalalgias (TACs)
4. Other primary headache disorders
5. Headache attributed to trauma or injury to the head and/or neck
6. Headache attributed to cranial and/or cervical vascular disorder
7. Headache attributed to non-vascular intracranial disorder
8. Headache attributed to a substance or its withdrawal
9. Headache attributed to infection
10. Headache attributed to disorder of homoeostasis
11. Headache or facial pain attributed to disorder of the cranium, neck, eyes, ears, nose, sinuses, teeth, mouth or other facial or cervical structure
12. Headache attributed to psychiatric disorder
13. Painful lesions of the cranial nerves and other facial pain
14. Other headache disorders

2. 두통의 종류와 치료법

1) 편두통(Migraine)

심한 두통과 자율신경계 및 신경학적 증상을 수반하는 신경혈관성 두통으로 여성에게 호발하는 것으로 알려져 있다.

(1) 분류 및 진단

국제두통학회는 조짐 편두통, 무조짐 편두통, 만성 편두통, 편두통 합병증, 개연 편두통, 편두통과 관련된 삽화증후군 등의 6가지 범주로 구분하고 있다.

1. Migraine without aura
2. Migraine with aura
3. Chronic migraine
4. Complications of migraine
5. Probable migraine
6. Episodic syndromes that may be associated with migraine

(2) 임상증상

편두통 발작은 시간적으로 전구기, 전조기, 두통기, 회복기의 4단계로 구분할 수 있다. 하지만 모든 환자에서 4단계가 나타나는 것은 아니다.

① **전구기:** 편두통 환자의 50% 이상에서 1-24시간 전에 냄새, 빛, 소리에 과민반응을 보이면서 심한 피로감, 우울, 불안, 배고픔의 전구증상을 보인다.

② **전조기:** 약 10-20%의 환자에서 대개 30분에서 1시간 전에 시작하여 5-60분 동안 지속되는 국소 신경학적 증상을 말한다. 섬광처럼 빛나는 불빛이나 맹점 등이 나타난다.

③ **두통기:** 욱신거리는 박동성 두통이 특징이며 간혹 지속적이며 비박동성인 경우도 있다. 60%에서 편측성으로 두통이 발생하며 40%에서 양측성이다. 4-72시간 지속되며 일상생활을 수행할 수 없을 정도의 심한 두통을 호소한다. 동반증상으로 구역, 구토, 설사, 식욕부진, 눈부심, 소리공포증 등이 있다.

④ **회복기:** 두통이 소실되면 하루 정도 심한 피로와 탈진감이 뒤따르게 된다.

(3) 유발인자, 악화인자

편두통은 가족력을 보이는 경우가 많다. 스트레스가 유발요인이 되며, 여성의 경우 월경으로 두통이 악화되는 경우가 많다. 생리주기, 피로, 수면부족, 초콜릿, 치즈, 포도주 등이 악화인자가 된다.

(4) 병태생리학적 요인

혈관성두통에서 신경혈관성 두통으로 개념이 변화된 기전으로 설명되고 있다. 가족성인 경우 염색체 19번 칼슘통로의 선천성이상으로 신경원 흥분이 원인일 수 있다. 마그네슘 농도의 저하도 뇌신경전달에 영향을 주기도 한다. 또한 삼차신경혈관계의 신경종말 탈분극 이상이 원인이 되기도 한다.

(5) 치료

비약물 요법으로 심리치료, 이완요법(relaxation), 생체되먹임(biofeedback), 최면, 운동, 주의분산(distraction), 신경차단 및 수술요법이 있으나 편두통의 주된 치료는 약물요법이다. 아스피린과 아세트아미노펜이 일차약제로 투약되고 이후 ergot 유도체인 ergotamine 투여 및 triptan 제제인 sumatriptan이 광범위하게 연구되었다. β수용체차단제와 칼슘차단제 등이 편두통의 예방적 치료로서 5-20%까지 효과를 보이고 있다.

2) 긴장성 두통(Tension type headache)

가장 흔한 형태의 두통으로 발작성과 주기성이 없고 스트레스를 많이 받거나 매우 바쁜 날에 두통이 심해지고 항상 잠복성인 경우가 많다. 만성환자는 하루 종일 그리고 거의 매일 아프다고 호소한다.

(1) 특징과 진단

통증의 정도는 경도에서 중등도이며, 편두통이 없는 두통으로 내리누르며 꽉 조이는 듯한 두통으로 머리 전반에 나타난다. 환자의 40%는 가족력이 있고 심한 스트레스, 불쾌한 상황에서 잘 야기된다. 만성 일상성 두통은 잠에서 깬 직후에 많이 일어나며 원발성과 이차성으로 세분한다. 인구의 6%에서 발생하고 다른 분류로는 특발성 긴장성두통, 만성긴장성 두통으로 나눈다. 편두통처럼 신경학적 증상은 없으나 약한 구역 및 광과민증은 있으며 구토는 동반하지 않는다. 양측성으로 발생하며 일상운동이 두통증상을 악화시키지는 않는다.

(2) 긴장성 두통의 치료

비약물치료로는 두통을 유발시키는 인자 조절(부비동치료, 턱관절, 경추병변을 교정 등), 자세 교정, 최면요법, 행동요법, 운동요법 등이 있다. 약물치료는 항불안제, 항우울제, 근이완제, 소염진통제 등을 사용한다. 이외에도 성상신경절 차단, 통증유발점 주사, 후두신경차단, 척수신경절차단, 경추 추간관절차단 등의 신경차단술을 시행할 수 있다.

3) 삼차자율신경두통

삼차자율신경두통은 삼차신경영역 지배 부위의 특징적인 편측 두통과 주로 동측으로 동반되는 안구충혈, 눈꺼풀 처짐 등의 두개부교감자율신경 소견을 보이는 일차성 두통이다. 이는 정상적인 삼차-부교감신경반사를 자극함으로써 이차적으로 두개교감신경장애의 임상양상을 보이게 된다. 전형적인 조짐 편두통도 드물게 삼차자율신경두통과 연관되어 나타날 수 있다.

삼차자율신경두통에는 군발두통, 돌발반두통, 단기지속편측신경통형두통발작, 지속반두통, 개연삼차자율신경두통이 있다. 그중 대표적으로 군발두통(cluster headache)은 어떤 주기성을 갖고 있는데 군발기는 2주에서 3개월 지속하며 뒤따르는 3개월에서 4년간은 대개 두통이 없다. 군발기 동안에는 두통이 하루에 한두 번 이상 일어나며 각각 10여 분에서 수 시간 지속된다. 매우 드물기 때문에 간혹 삼차신경통으로 오진하는 경우가 있다. 그러나 군발두통은 수개월에서 수년간 통증이 없는 완화기가 있는 것이 특징적이다. 통증의 발현이 빠르고 지속시간이 짧고 자율신경계 증상이 동반하는 점이 편두통과 구별되는 점이다.

(1) 특징과 진단

편두통과 달리 남성에서 5:1의 빈도로 많이 발생하며 연령층 구분이 없다. 전체 신경혈관성 두통의 10-15%를 차지한다. 주기성을 가지며 매년 1-2회, 1-2개월간 지속하는 군발기가 있다. 대부분 일정하게 심하게 화끈거리는 것이 특징이며 하루 1-3회의 빈도로 편측성으로 나타나며 주로 삼차신경 지배영역인 안와와 안와상부, 후방 및 측두부에 가장 흔히 발생한다. 동반증상으로 결막충혈과 눈물이 나며 코막힘과 콧물이 나며 어지러움, 팔경련이 동반되기도 한다.

(2) 군발두통의 치료

두통의 군발기를 억제시키고 두통의 강도와 빈도를 감소시키는 데 초점을 맞춘다. 산소흡입과 피하 sumatriptan 투여가 빈번히 사용되나 예방적 치료로 1차 선택은 verapamil이고 2차 선택은 lithium과 methysergide로서 투약하여 군발기를 줄여야 한다.

V. 악안면 신경염

신경염(neuritis)이란 신경의 염증성 병변에 제한하지 않고 말초신경 전반에 대해 사용되어 왔으며, 악안면신경 영역에서의 급성 가역성 자극을 지칭하기도 한다. 신경염은 감각신경, 운동신경, 자율신경 모두에서 발생 가능하며 그 원인은 인접된 신경에 영향을 주는 감염(infection), 압박(compression), 침식(erosion) 등의 말초병변이다.

신경염은 급성질병상태의 신호가 되고 지속되면 퇴행성, 비가역성 신경병(degenerative and irreversible neuropathy)으로 진행될 수 있다.

감각신경의 신경염(sensory neuritis)은 통증으로 나타나며 통증의 특성은 1차 병소의 위치와 특성에 따라 다르지만, 통증의 임계치(pain threshold)가 낮아진다. 이는 중추성 관문조절(central gate control)기전에서의 변화에 기인된다. 예를 들면 치근단농양에서 기인한 만성신경염(chronic neuritis)은 통증에 예민한 신경섬유를 자극시켜 뇌간의 시냅스부위를 예민하게 만들어서 다른 종류의 자극(촉각, 압각)에 더 예민하게 반응하는 결과를 초래하게 된다.

신경염의 종류에는 감각신경이 관련된 신경염들(치성신경염, 점막성신경염 등) 외에도 타액선신경염, 안면신경염(Bell's palsy) 등도 있다.

1. 치성 신경염(Odontogenic neuritis)

치수질환은 치성통증의 가장 흔한 원인이며, 최초 울혈충혈(hyperemia) 시기에 통증이 과도하며 냉온자극에 민감하다. 치수질환이 진행됨에 따라 치수염의 통증은 더욱 예리한 박동성 통증(sharp throbbing pain)이 되는데 그 이유는 치수관내에서 수초가 불량한 신경(poorly myelinated nerve)의 염증 때문이다.

그러나 치수가 괴사됨에 따라 치통은 약화되는데, 이는 신경자극의 원인인 치근단조직에서 체액압력(fluid pressure)이 감소됐기 때문이다. 치주질환의 통증은 심하지 않고 둔통(dull pain)양상이며, 치수 신경염처럼 맥동성(pulsation)이 없다. 치관주위염(pericoronitis)도 인접근육이나 근막면을 침범하면 신경염의 증상을 초래할 가능성이 있어 개구장애(trismus)나 근막경련(myofascial spasm)이 연관된다.

또한 급성 골막질환이나 치조질환(alveolar disease)은 하악지치 발치 후 건성발치와(dry socket)가 있을 때 귀앞통증(preauricular pain) 발생처럼 연관성신경염(referred neuritis)을 나타내기도 한다.

2. 점막성 신경염(Mucosal neuritis)

점막성 신경염의 원인은 다양하다. 급성의 약물에 대한 특이체질(idiosyncrasy)로 인해 쏘는 듯한 통증이 있는 강렬한 점막염이 발생되며, 항생제의 과용에 의해서는 소양증성 신경염(itching neuritis)이 생길 수도 있다. 이종의 수복물로 인한 갈바니즘(galvanism) 역시 작열성 궤양을 일으킬 우려가 있다.

3. 타액선 신경염(Salivary neuritis)

가장 흔한 원인은 타액선의 감염과 타석에 의한 도관폐색이다. 그리하여 식사 중이나 타액선의 촉진 시 둔통과 압박감을 느끼게 된다.

4. 부비동 신경염(Paranasal sinus neuritis)

때로는 두통을 나타내기도 하는 통증성 신경염으로 콧물, 비출혈, 이통, 귀가 꽉 찬 느낌의 증상이 동반된다. 상악동에서 호발되고, 통증이 상악치아들로 전이되기도 한다.

상악동염의 진단은 중비도(middle meatus)에서 농의 관찰과 방사선사진상 혼탁상에 의해 확인된다.

5. 벨마비(Bell's palsy)

이는 넓은 의미의 안면신경마비(facial nerve palsy)와는 구분되는데, 벨마비(Bell's palsy)란 원인이 될만한 질환이나 외상이 없이 갑자기 발생되는 말초성 안면신경마비를 말한다. 벨마비를 이해하기 위해서는 우선 안면신경의 해부학적 특성을 알아야 하고, 안면신경마비의 전반적인 원인들을 파악하면서 특히 구강악안면외과 영역에서의 의원성 손상(iatrogenic injury)에 대한 주의가 필요하다.

1) 해부학적 특성

대부분의 운동신경은 손상에 대해 해부학적으로 잘 보호되고 있으며 저작근육에 분포되는 삼차신경 운동지도 심부에 위치되고 있다. 따라서 저작근육의 신경학적 결함의 증상이 있다면 임상가는 두개강내의 중추성 질환을 의심해야 한다. 그러나 불행하게도 안면신경만은 제대로 보호되어 있지 않아서 안면외부의 손상에 특히 취약하다. 예를 들어 안면신경 부전마비(facial nerve paresis)는 전신마취 동안 유양돌기 상부나 하악각의 압박으로 초래될 수도 있다. 안면신경은 비팽창성 안면신경관(facial bony canal) 내부에서의 긴 주행으로 인해 특히 허혈(ischemia)에 취약하다. 따라서 하악신경 전달마취(mandibular nerve block anesthesia)를 시행할 때 동맥내로 국소마취제가 주입된다면 후이개동맥과 경유돌동맥(posterior auricular & stylomastoid artery) 분포 부위에 허혈을 초래해 일시적인 안면신경의 마비를 초래할 가능성도 있다.

2) 원인

안면신경마비의 원인에 대해서는 많은 요인들이 복합적으로 관련되며, 이를 정리하면 **표 15-7**과 같다. 이들 가운데 치과에서 가장 주의를 요하는 것은 외상, 감염, 대사성 변화, 의원성 손상 등이다. 원인불명 환자 중에서 측두골내 좁은 안면신경관(facial canal)과 안면신경의 직경차로 인해 신경이 압박되어 벨마비가 발생된 가능성도 있다는 보고도 있다.

3) 증상

일반적으로 편측성으로 중년의 여성에서 많으며 봄과 가을에, 하루 중에서는 아침에 호발한다. 근육마비에 의하여 구각부가 쳐져서 침이 흐르고 눈에 눈물이 고이며, 눈을 감거나 윙크를 할 수 없어서 감염되기 쉽다. 웃을 때에 구각부가 올라가지 않고 전두부 피부에 주름이 생기지 않으며 눈썹도 올라가지 않으므로 마비가 더 확실히 나타난다. 환자는 전형적인 가면 같은 또

표 15-7 안면신경마비의 각종 원인들

종류	사례(대표적인 것만 기재)
Birth	Molding Forceps delivery
Trauma	Basal skull fracture Facial injuries Penetrating injury to middle ear Barotrauma (altitude paralysis)
Neurologic	Cortical lesion in facial motor area
Infection	External otitis media Mastoiditis Encephalitis Mumps Influenzas Syphilis Tuberculosis
Metabolic	Diabetes mellitus Hypertension Hyperthyroidism Pregnancy
Neoplastic	Cholesteatoma Seventh nerve tumor Schwannoma Sarcoma
Toxic	Tetanus Diphtheria Carbon monoxide
Iatrogenic	Mandibular block anesthesia Antitetanus serum Mastoid surgery Post tonsillectomy & adenoidectomy Embolization
Idiopathic	Bell's, familial Autoimmune syndrome Temporal arteritis Thrombotic thrombocytopenic purpura Multiple sclerosis Osteopetrosis

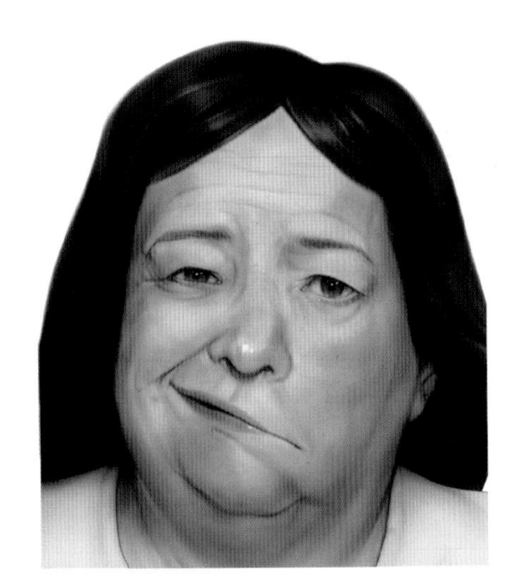

그림 15-17 벨마비(Bell's palsy) 환자의 전형적인 안모.

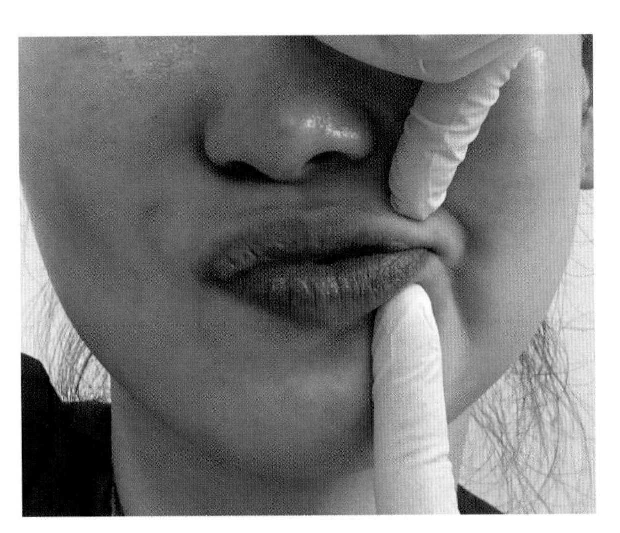

그림 15-18 벨마비로 기능장애가 있는 환자의 구륜근(orbicularis oris muscle)을 손가락을 이용해 등척운동(isometric exercise)을 시키고 있는 모습.

는 무표정한 외양을 갖게 된다. 대개 발음과 저작도 어렵게 되고 때때로 혀의 전반부 미각의 상실이나 변화도 일어난다. 경미한 경우, 수주에서 한 달 안에 저절로 완화되지만, 일 년 이상 지속되는 경우에는 영구적인 변화로 남는 경향이 있다(그림 15-17).

4) 진단

우선 마비의 원인을 알고 그 정도와 부위를 파악해야 한다. 이는 병력, 증상, 여러 가지 검사(혈액검사 등의 이화학적 검사와 근전도검사 등)로 알아낼 수 있다. 손상부위는 안면신경의 어떤 분지가 장애가 있는지, 타액선과 미각기능은 정상인지, 관련 근육들의 운동성은 어느 정도인지 등을 파악해야 한다. 또한 벨마비로 인한 정서장애(우울증 등)의 정도도 알고 대비해야 한다.

5) 치료

원인을 찾아 치료에 임하는데 약물요법, 물리치료, 수술 등으로 치료된다.

(1) 약물요법

안면신경으로 가는 혈행장애(동맥경련, 정맥울혈 등)가 원인이라면 혈관확장제를 사용하며, 부종 방지와 소염목적으로 코르티손제제의 사용, 비타민 B-complex의 경구투여 등도 사용된다. 최근에는 Phenytoin (Dilantin) 약제를 침술과 함께 적용 시 효과를 관찰했다는 보고가 있다.

(2) 물리치료

마비된 근육의 마사지는 근육의 위축을 방지하고 영양과 순환을 자극시키는 효과가 있으며, 전기적인 자극을 마비된 근육에 가하는 것도 큰 도움이 된다. 또한 근육의 기능적 장애를 조기에 회복시키기 위한 등척성 운동(isometric exercise) 등의 운동요법을 지도해 주는 것도 유익하다(그림 15-18). 한편 안대, 안약, 안연고 등의 사용으로 눈을 보호해 주는 것도 중요하다.

(3) 수술요법

외과적 치료는 가능한 한 신경이 변성을 일으키기 전에 시행해야 한다. 수술부위는 원인에 따라 다르며, 수술현미경과 미세수술기구 및 술기의 발달로 현재는 안면신경 대부분의 주행경로에서 수술이 가능하게 되었다. 수술방법에는 압박받는 안면신경 분지들을 감압시키는 감압술(decompression), 절단된 신경을 문합하는 신경문합술(nerve anastomosis), 신경이식술 등이 있다.

6) 예후

벨마비 발생 후 2-3주일 경과되면서 증상이 개선되어 약 90%에서 완전한 회복이 서서히 일어난다는 보고들이 많다. 그러나 신경의 변성이 과도하면 기능이 회복된다고 하여도 불완전하여 근육의 경련, 기능이상 등 불쾌한 증상을 초래하게 된다.

Ⅵ. 외상성 신경손상

악안면영역의 말초신경 손상은 안면골 골절, 열상, 좌상, 술후 속발증 등의 원인에 의해 유발된다. 유의해야 할 신경으로는 안면신경과 삼차신경의 분지로서 전자의 손상 시 안면표정근의 기능이상이 초래되며, 후자는 안면부 감각이상, 개구장애, 미각소실 등이 나타나게 된다. 특히 하치조신경은 제3대구치 발치, 치과 임플란트 식립술, 하악 구치부 근관치료, 치아이식, 골절단술, 악교정수술, 낭종이나 악성종양제거술 등의 여러 가지 술식 중에도 발생 가능하다. 설신경의 경우에는 제3대구치 발치, 설하선 또는 악하선의 제거, 구내에서 의원성 기구조작 실수, 종양 제거, 악교정수술 등에 의해 손상받을 수 있다. 안와하신경은 Le Fort 분류의 안와골절, 중안모골절, Caldwell-Luc 수술 등에 의해 손상을 받을 수 있다. 이와 같이 여러 가지 원인으로 말초신경에 손상을 야기할 수 있으며 특히 안면부위에 유발 가능한 신경손상을 관찰할 수 있다.

안면부위의 감각신경 손상은 자발적인 회복을 기대할 수도 있지만 감각이상이나 무감각 등의 불완전한 재생을 보일 수도 있다. 어떠한 경우에는 통증성 병리현상을 유발하기도 한다. 통증성 병리현상의 원인을 규명하며 감각신경 손상의 회복 여부에 대한 평가를 통해 신경재생의 여부를 판단할 수 있어야 한다.

1. 말초신경의 조직학적 구조와 기능

신경조직의 해부학을 이해하는 것은 신경손상 후 일어날 수 있는 일련의 현상을 파악하는 데 도움이 된다. 신경 조직은 결합조직, 혈관, 신경의 기본단위로 구성되어있다. 신경의 기본단위는 신경원(neuron)이며 신경세포돌기를 신경섬유(nerve fiber)라고 한다. 이러한 신경섬유의 일반적인 분류는 수초(myelin sheath)의 유무에 따라 유수신경섬유(myelinated nerve fiber)와 무수신경섬유(unmyelinated nerve fiber)로 나눈다. 신경섬유의 결합조직 구조를 보면 바깥쪽에서 안쪽으로 신경중막(mesoneurium), 신경외막(epineurium), 신경주막(perineurium), 신경내막(endoneurium) 등의 4가지 결합조직으로 나뉘며 수초와 축삭(axon)으로 구성된다 (그림 15-19).

신경중막은 장내막과 비슷한 결합조직으로 이루어져 있으며, 신경에 영양공급을 하는 말초혈류를 포함하고 있다. 연조직내에서 신경체간(nerve trunk)을 유지할 수 있도록 하고, 종축방향으로 신경의 이동을 용이하게 한다. 신경외막은 신경체간을 구분하는 소성 결합조직으로서, 압축력과 장력(tensile force)에 저항력을 가지는 종축배열의 교원질다발(longitudinally oriented collagen bundles)로 구성되어 기계적 스트레스에 저항한다. 신경외막은 신경직경의 22-88%을 차지하며, 이것이 풍부한 신경은 장력보다는 압축력에 잘 견딘다. 신경외막에 공급되는 말초혈관은 신경중막에 공급되는 말초혈관보다 압축력에 민감하다. 신경체간에 압박을 주거나 신경체간의 과도한 박리는 신경외막의 혈류공급 부족을 야기하여 신경외막성 섬유증을 유발하게 된다.

신경주막은 신경내막과 축삭을 감싸고 있으며 두 층으로 구성되어 있는데, 바깥층은 신경의 장축방향에 평행한 고밀도 교원질섬유로 구성되어 있으며 내층은 세포층으로 편평한 중층성 세포가 여러 겹으로 둘러싸여 있다. 신경주막은 신경펩타이드와 같은 일정한 분자들을 능동수송하는 역할을 하며, 분자물질 이동시 방어벽 역할을 한다. 또한, 신경속(fascicle) 내에 발생되는 양압을 유지하여 신경조직의 구조적지지를 담당하고 있다.

신경속은 신경섬유다발을 말하며 섬유속은 단다발(monofascicular), 소다발(oligofascicular), 다다발(polyfascicular)으로 구분할 수 있다. 단다발은 신경주막의 중층으로 둘러싸인 하나의 신경속으로 이루어진 형태를 말한다. 경유돌공(붓꼭지구멍; stylomastoid foramen)에서 나오는 안면신경이 이러한 형태에 속한다. 소다발은 각각 신경주막으로 둘러싸인 2–10개 이내의 신경속으로 구성되어 있다. 다다발은 10개 이상의 신경속으로 구성되어 있는 것을 말하며, 하치조신경과 설신경이 이에 속한다. 하치조신경은 18–21개의 신경속으로, 설신경은 15–18개의 신경속으로 구성되어 있다.

신경내막은 각각의 신경섬유와 슈반세포(Schwann cell)를 둘러싸고 있으며 외벽은 교원질섬유와 신경내막성 섬유모세포로, 내벽은 신경내막성 말초혈관과 기저막(basal lamina)으로 구성되어 있다. 신경내막성 말초혈관은 신경주막과 마찬가지로 혈관–신경 방어벽의 역할을 담당하고 있는데, 신경내막성 말초혈관은 신경외막 혈관보다 압축손상에 더 잘 견디는 것으로 알려져 있다. 신경주막과 신경내막은 탄성력을 함께 제공하고 있는데, 신경내막과 신경내막성 말초혈관손상은 신경속 자체가 건전하다고 할지라도 신경내막강의 섬유증으로 인해 축삭의 재생을 방해하게 된다.

신경섬유는 자극전도를 담당하는 말초신경의 기능적 기초단위를 말한다. 신경섬유는 축삭, 슈반세포, 수초 등으로 이루어져 있다. 축삭은 신경원의 연장형태로 모양, 신경전도속도와 기능에 따라 분류된다(표 15-8).

슈반세포는 유수 또는 무수섬유에 관계 없이 축삭의 생존에 영향을 준다. 축삭의 대사활동에 근본적인 역할을 하며, 허혈과 방사선조사에 가장 민감한 신경지지 세포이다.

2. 외상성 신경손상의 분류

1943년 Herbert Seddon은 조직손상 정도, 신경회복 예후 정도, 신경회복시간에 근거하여 세 가지 형태로 분류하였고, 1951년 Sydney Sunderland는 Seddon의

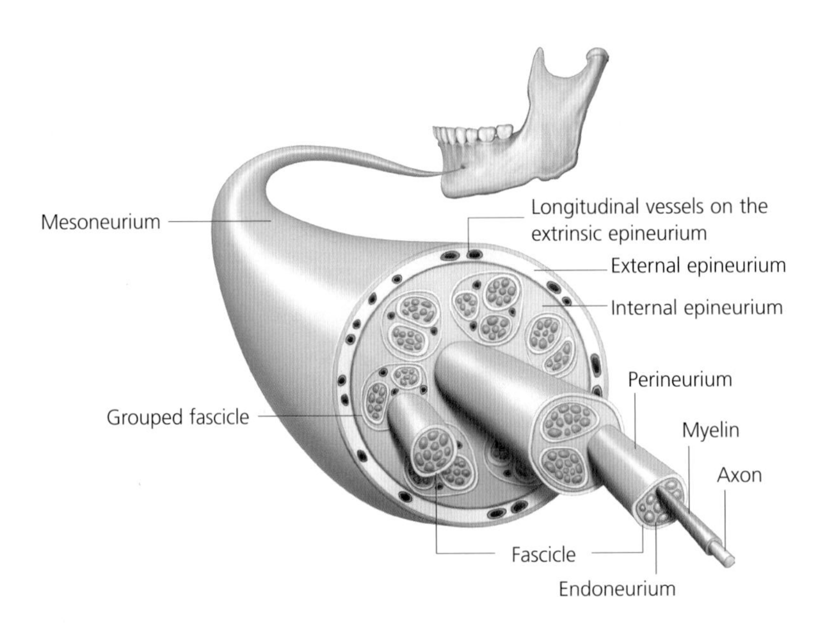

그림 15-19 말초신경의 절단면 모식도.

표 15-8 신경섬유의 분류와 특징

신경섬유	수초 유무	직경	신경전도속도	기능
Aα	있음	7–16 ㎛	70–120 m/s	근방추와 건기관에 구심성으로 전달되며, 골격근육에 원심성으로 전달
Aβ	있음	6–8 ㎛	30–70 m/s	촉감각(touch sensitivity)을 지배
Aδ	있음	2.5–4 ㎛	12–30 m/s	온도와 속도감각을 느끼며 초기통증을 지배
C	없음	1 ㎛	0.5–2 m/s	느린 통증성 감각이나 이차성 통증, 온도에 반응하며 교감성 신경에 원심성으로 전달

표 15-9 Sunderland (1951) 분류의 임상적 특징 및 Seddon (1943) 분류와의 관계

Degree of injury	Seddon classification	Histological neural damage	Recovery pattern	Rate of recovery	Treatment
1。	Neurapraxia	Myelin (+/−)	Complete	Fast (days−wk)	None
2。	Axonotmesis	Axon	Satisfactory (complete)	Slow (wk)	None
3。	Axonotmesis	Endoneurium	Incomplete (variable)	Slow (wk−mo)	Nerve exploration or None
4。	Axonotmesis	Perineurium	None	Unlikely recovery	Microneurosurgery
5。	Neurotmesis	Epineurium	None	No recovery	Microneurosurgery

분류방법을 세분화하여 손상받은 조직의 양과 손상받은 후 건전한 조직의 양에 따라 5단계로 분류하였다(표 15-9)(그림 15-20).

Seddon 분류에 의한 말초신경 손상은 신경실행증(neurapraxia), 축삭단절(axonotmesis), 신경단열(neurotmesis)의 세 가지 형태로 분류된다. 신경실행증은 신경의 연속성은 건전하나 전도가 불가능한 상태로 일부에서 탈수초화(demyelination)가 관찰된다(praxis = to do, to perform). 축삭단절은 축삭은 손상을 받았으나, 대부분의 결합조직구조물은 유지되는 상태이다(tmesis = to cut). 신경단열은 신경섬유가 해부학적으로 완전히 단절되어 대부분의 결합조직구조물이 변형되거나 파괴된 상태이다.

Sunderland 분류는 1–5도 손상으로 구분하며, 축삭단절의 2가지 세부분류로 3, 4도 손상을 추가하였다. Sunderland 분류의 1, 2, 5도 손상은 각각 Seddon 분류의 신경실행증, 축삭단절, 신경단열에 해당한다. 1989년 Mackinnon은 연속성 신경종(neuroma in continuity)이 발생한 경우를 6도 손상으로 추가 분류하였다.

1도 손상은 가장 경미한 말초신경손상으로서 축삭과 신경외막의 연속성은 유지되는 단순한 신경의 타박상을 말한다. 신경의 일시적 기능소실이 있으며, 수 시간에서 3개월 내에 자발적으로 회복된다. 주로 경한 타박상이나 신경의 견인, 신경주위의 염증, 신경의 국소적 허혈 등이 원인이 된다. 기전은 일과성 압박에 의한 신경섬유의 국부적 흥분전도의 차단을 초래한 전해질 장애로 해석된다. 손상조직의 회복기간에 따라 24시간 이내를 Type I으로, 1–2일 이내를 Type II로, 1개월 전후를 Type III로 분류한다.

2도 손상은 축삭과 수초는 단절되었으나, 축삭의 기저막(basement membrane), 신경내막, 신경외막 등의 결합조직구조물은 보존되어 있는 상태이다. 심한 타박상, 신경분쇄, 심한 견인 등의 원인으로 초래되며, 축삭의 퇴행성 변성(Wallerian degeneration)이 일어난다. 이 경우 축삭의 자발적 재생이 일어나 기능이 완전히 회복되지만, 회복속도는 1 inch/month 로 1도 손상보다 느리다.

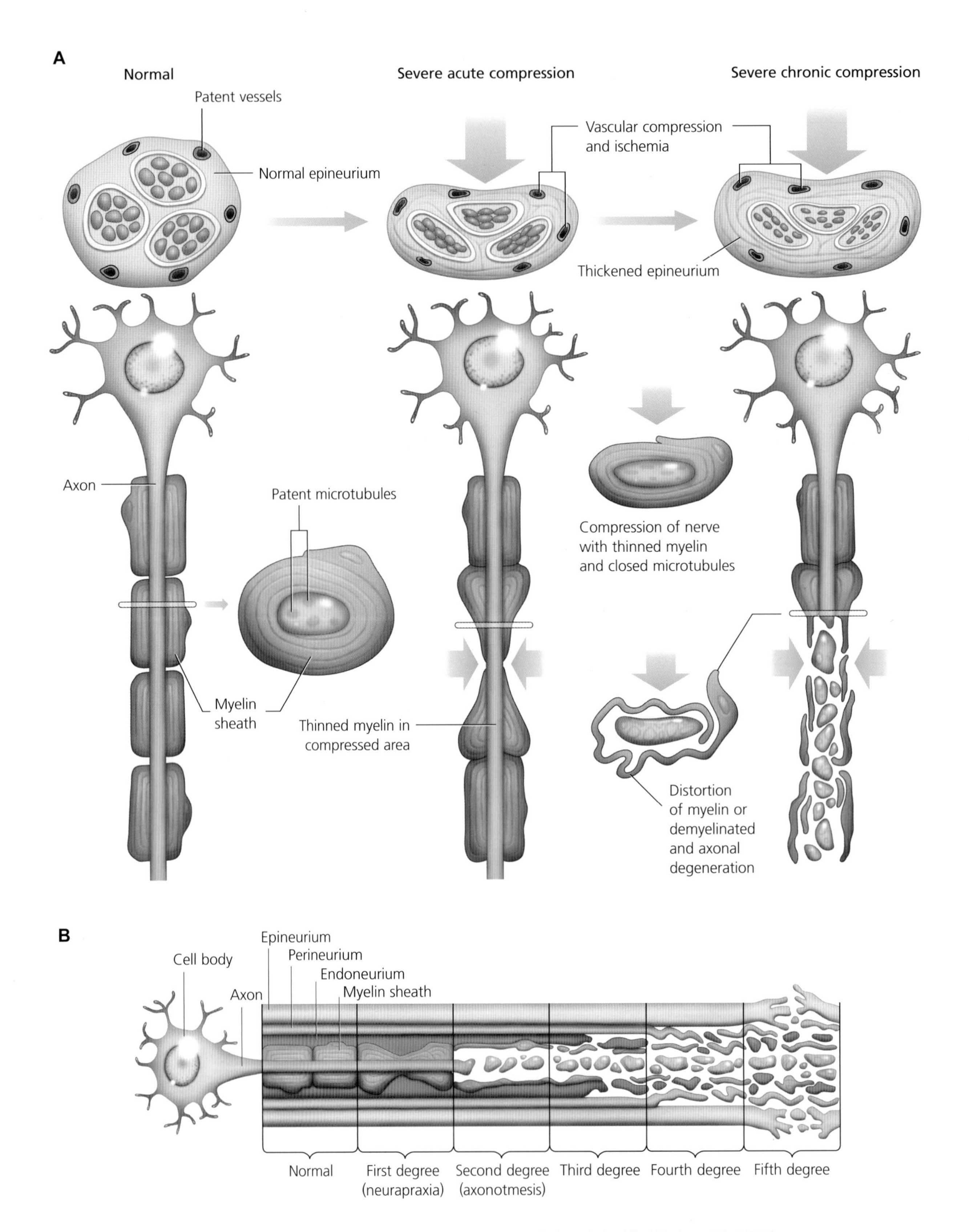

그림 15-20 A: 압박성 신경병증의 손상과정의 모식도 B: Sunderland 분류에 따른 신경 장축방향의 조직학적 특징.

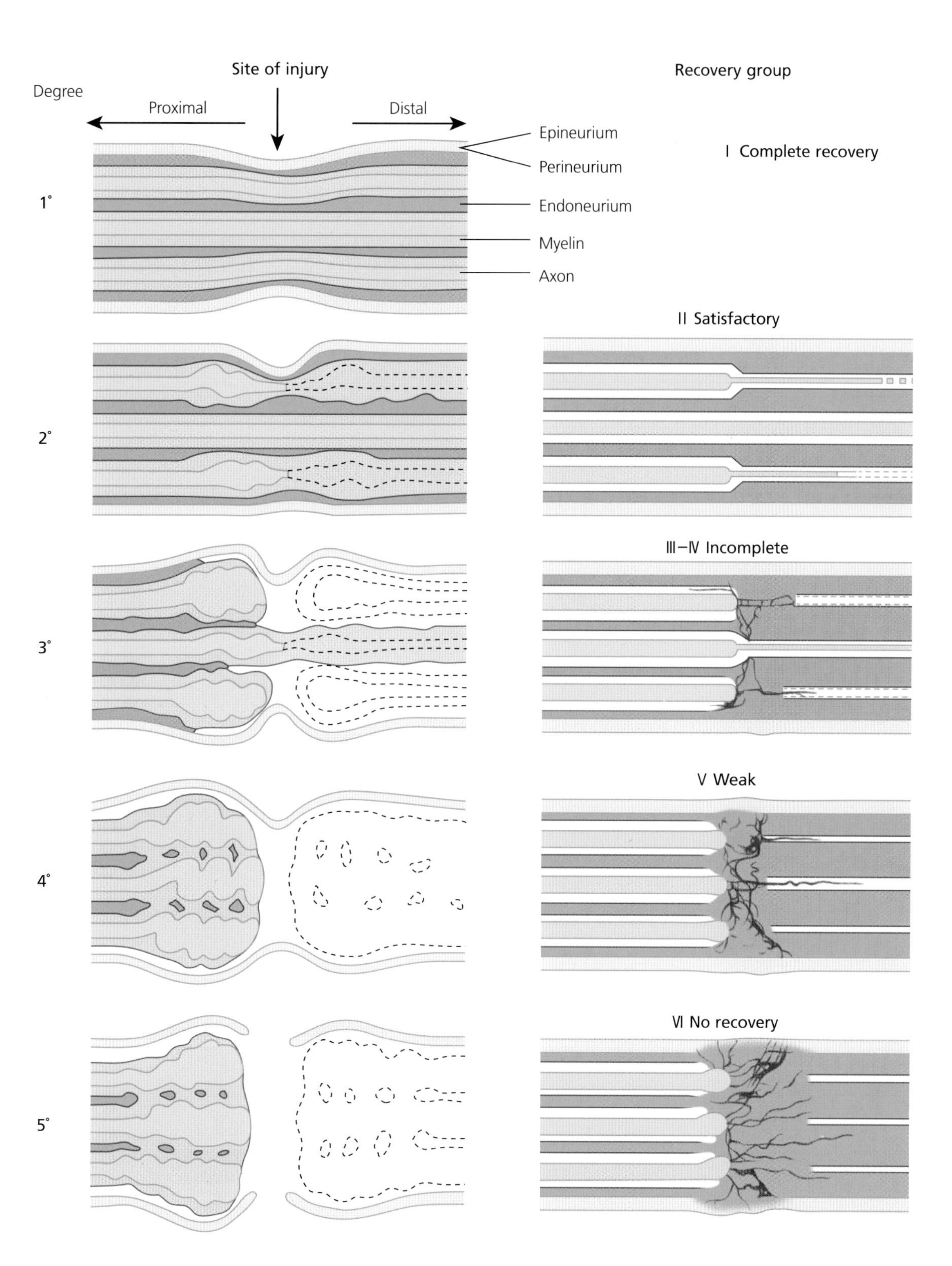

그림 15-21 Sunderland 분류에 따른 신경손상의 형태변화와 회복정도의 상호관련성 모식도.
1˚: 압박 2˚: axoplasm 및 myelin 장애 3˚: endoneurium 파괴 4˚: endoneurium 및 perineurium 파괴 5˚: 신경절단.

3도 신경손상은 축삭 및 신경내막까지의 손상을 말하며, 회복 시 무질서한 축삭의 배열과 흉터조직으로 인해 원위부 수용체와의 접촉에 한계를 보인다. 회복 속도는 2도 손상과 비슷하지만 불완전하게 회복된다. 만약 신경섬유가 감각신경과 운동신경을 모두 포함할 경우 회복 과정에서 미스매치가 일어나 더욱 불량한 회복 결과를 나타낸다.

4도 신경손상은 신경외막만 건전하며 연속성은 유지하는 상태이다. 손상 발생 후 신경의 원위부에서 왈러변성이 발생하나 흉터조직으로 인해 신경재생은 차단되고, 축삭은 퇴행하여 완전한 신경차단이 발생한다. 회복을 위해서는 외과적 수술이 필요하다.

5도 신경손상은 신경섬유와 결합조직구조물이 완전히 단절되어 연속성이 상실된 가장 심한 말초신경 손상으로 자연회복이 불가능한 상태이다. 심하게 변위된 골절, 열창이나 관통창, 심한 견인, 허혈손상, 드릴링 등에 의해서 초래된다. 치료는 외과적 문합술과 신경이식술에 의해서 재생과 기능회복을 기대할 수 있다(그림 15-21).

6도 신경손상은 정상 신경 또는 1–5도 손상 중 연속성 신경종이 발생한 혼합성 손상 상태를 말한다. 이 손상은 일부 신경회복을 보이기 때문에, 전체적인 손상 정도를 저평가할 가능성이 있어 진단과 회복 정도를 세심하게 파악하여야 한다.

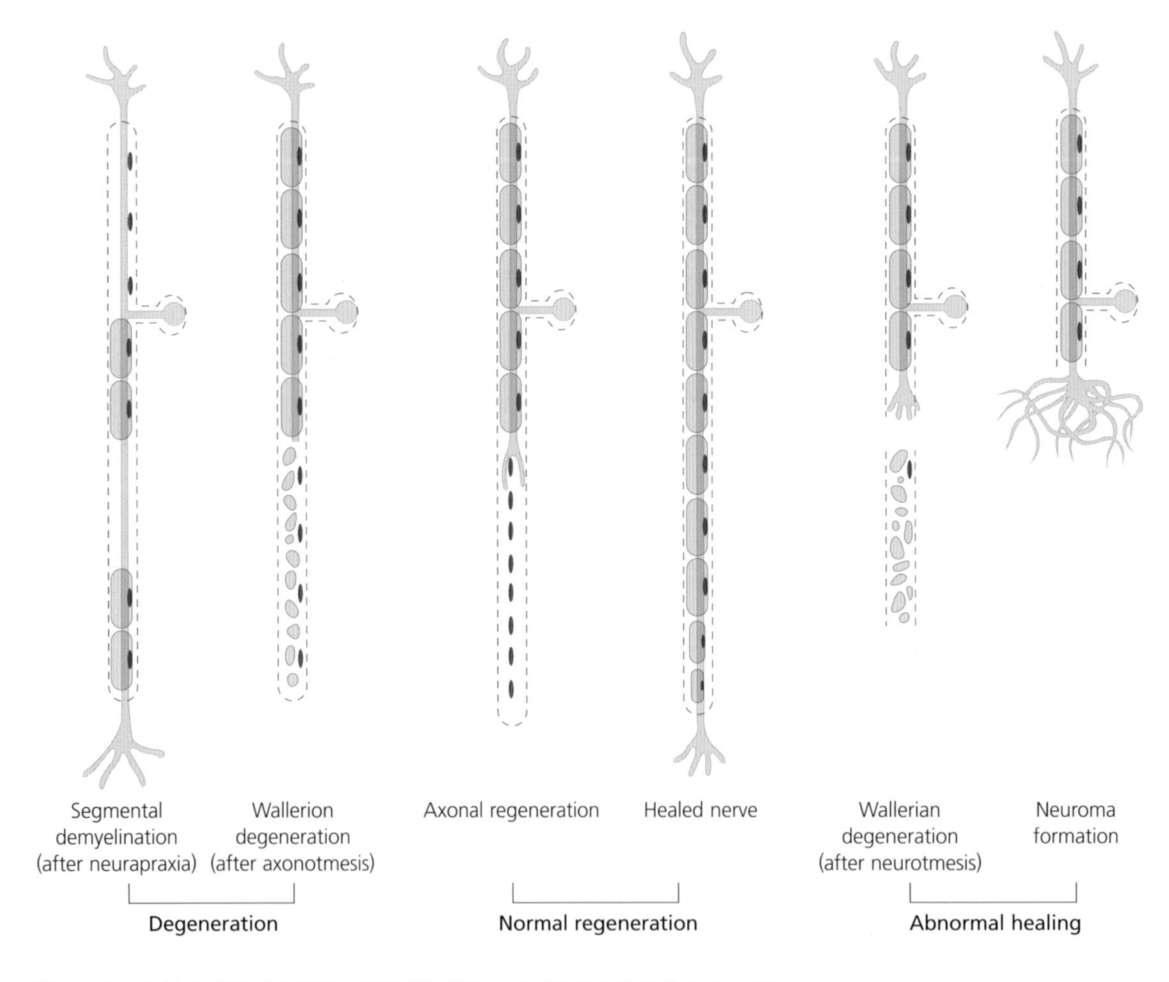

그림 15-22 손상에 대한 말초신경의 정상적인 반응과 비정상적인 반응에 관한 모식도.

3. 외상성 신경손상의 병태생리

외상성 신경손상의 병태생리를 이해하려면 손상된 신경의 변성(degeneration)과 신경영양효과(neuro-trophic effect)를 알아야 하고, 손상된 말초신경 조직은 변성과정과 재생과정이 동시에 일어날 수도 있으므로 이를 고려해서 진료에 임해야 한다.

1) 신경변성(Degeneration)

손상된 신경의 치유는 변성이나 재생(regeneration)으로 이루어진다(그림 15-22, 23A~D). 변성에는 분절성 수초탈락(segmental demyelination)과 왈러변성(Wallerian degeneration)의 두 가지 형태가 있다. 먼저 분절성 수초탈락은 국소적으로 수초가 용해되는 것을 말한다. 이 부분적인 수초탈락은 전도속도를 늦추고 임펄스를 차단하며, 증상은 이상감각, 무감각, 감각과민, 감각저하 등으로 나타난다. 분절성 수초탈락은 신

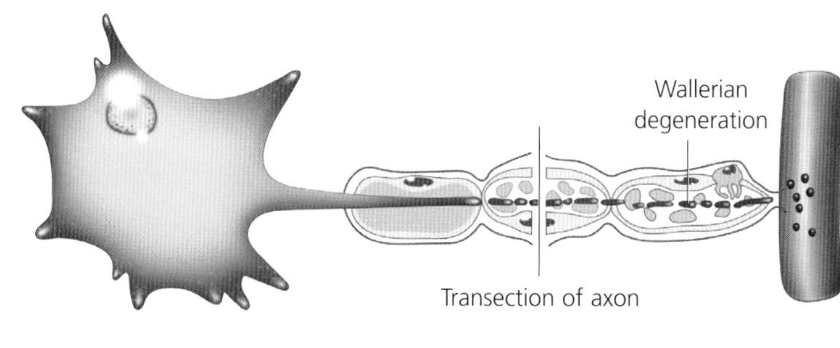

그림 15-23A 신경손상 후 원위부 수초의 용해, 축삭 원형질의 변성 및 축삭 근위부 말단이 차단됨으로써 축삭변성이 일어난다.

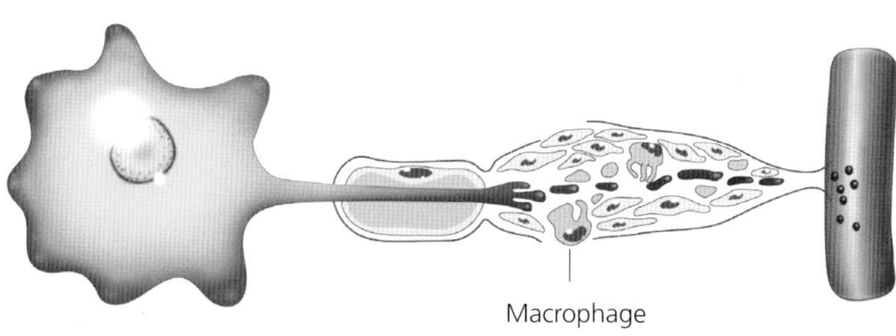

그림 15-23B **염증반응.** 기저막으로부터 나온 대식세포가 슈반세포관으로 이동하며, 이때 손상 원위부 슈반세포가 증식하고, 손상 근위부 축삭이 자라나기 시작한다.

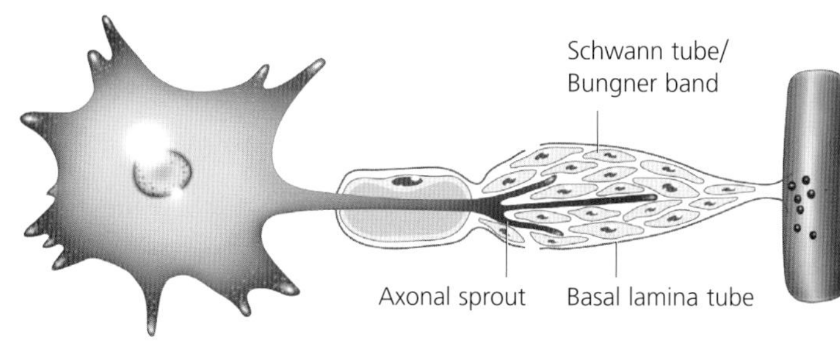

그림 15-23C **축삭재생(axonal regeneration).**

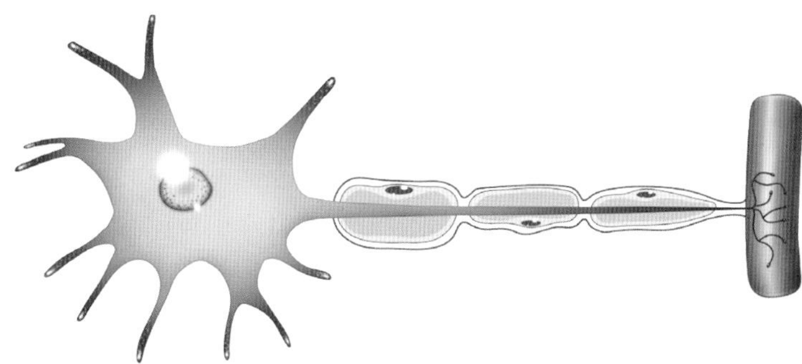

그림 15-23D **신경재생이 완료된 모습.** 새롭게 재생된 수초는 근위부에 비해 더 가늘고, 수송 길이가 짧아진다.

경실행증이나 혈관 혹은 결합조직 장애 후 나타난다. 왈러변성은 손상된 신경의 원위부에서 축삭과 수초가 붕괴되는 것이다. 슈반세포 주위 백혈구의 포식작용(phagocytosis)에 의해 수초가 흡수되며 축삭분절에 소화성 효소가 생겨서 1주일 이내에 대부분의 신경조직이 파괴되고, 6주에는 파괴된 조직의 제거가 끝난다. 이로써 근위부로부터의 원위부 신경전도는 모두 차단된다. 한편 왈러변성이 말초신경에서 중추로 진행되는 역행 변성(dying-back degeneration)도 발생될 수 있는데, 중금속중독과 영양장애 또는 약물(isoniazid 등)이 원인일 수 있다.

2) 신경영양 효과(Neurotrophic effect)

만약 골격근에 신경분포가 단절되면 근육의 tone은 위축되고 유약한 마비가 초래되며, 신경분포가 상실된 피부나 점막은 차고 건조하면서 탄력성이 없는 상태가 되어 취약해지는데, 이를 '신경영양효과'라고 한다.

신경영양 효과는 주로 혈관수축과 관련된 원심성 교감신경의 장애이지만, 신경체액성 영양요소(neuro-humoral nutritional factor)의 상실도 관련된다. 따라서 신경분포가 상실된 조직은 적절한 신경 재분포가 일어날 때까지 잔존된 정상조직들을 자극하는 노력(물리치료나 작업치료)을 기울여야 한다. 여기에는 선(gland)의 자극, 순환을 돕는 온열요법, 운동신경의 전기자극 등이 포함된다.

3) 손상된 신경의 재생

중추신경은 재생되지 않지만, 변성된 말초신경은 그 원인이 제거되면 24시간 이내에 재생의 시작이 가능하다. 손상된 신경의 중심간(central stump)은 성장원뿔(growth cone)이라 불리는 신생 신경섬유들이 얽혀 생기면서 반흔조직을 관통해 변성된 신경의 슈반세포관(Schwann cell tube)을 찾으려고 시도한다. 신경세포들의 성장원뿔은 주로 축삭으로 이루어지고, 하루에 약 1.5 mm씩 원위부 성장을 시도하여 말단 신경수용기(receptors)와 근신경 종말판(neuromuscular endplates)에 도달하며, 이후 피복된 슈반세포에서 새로운 수초를 만들게 된다(그림 15-23). 임상적으로 재생되는 성장원뿔의 확인은 티넬징후(Tinel's sign)를 관찰함으로써 가능하다. 성장원뿔을 건드렸을 때 이상감각(paresthesia)을 확인할 수 있다. 성장원뿔 말단 수용기의 기능적인 접촉완료 후 무감각부위는 고유수용성(proprioception)과 심부자극에 대한 반응이 회복되지만, 가려움증(itching), 작열감(burning), 폭발감(bursting)의 특성은 잔존한다. 따라서 신경의 재생과정에서 감각과민(hyperesthesia)은 자연적인 양상이다.

4) 비정상적인 재생(Abnormal regeneration)

만약 손상된 신경의 중심지(central stump)와 원위부의 슈반세포통로 사이에 반흔조직이나 이물이 있어 성공적인 신경재생 연결이 차단되면, 성장원뿔은 차단 부위에서 계속 증식하여 외상성 신경종(traumatic neuroma)을 형성하게 된다.

외상성 신경종은 적절한 성장이나 수초형성이 불가능하여 이를 자극하면 심한 통증과 이상감각을 초래하게 된다. 이 현상은 인위적인 시냅스(artificial synapses) 설정으로 설명되는데, 즉 하나의 수초탈락성 신경섬유가 인접한 다른 수초탈락성 섬유들을 자극시킴으로써 원래의 자극에 대해 비정상적 반응을 야기시키는 것이다. 인위적 시냅스 개념은 다발성 경화성 병소(sclerotic lesion)와 삼차신경통의 발작성 통증을 일으키는 삼차신경통 현상을 설명하는 데도 유용하다.

이와 비슷한 현상은 외상후 작열통(posttraumatic causalgia)의 심재성 화끈거리는 통증을 설명할 수도 있는데, 그 원인은 외상성 신경종 내부에서 수초가 없는 교감신경섬유(sympathetic fibers)와 수초가 탈락된 감각신경섬유의 인위적 시냅스로 인한 신경흥분에 기인한다. 말초신경섬유 자체에서뿐만 아니라 신경세포체(nerve cell body)의 영향으로 인한 신경장애도 발생한다. 예를 들어 삼차신경 신경절 세포체(ganglion cell body)는 외상, 대사성질환, 바이러스 감염 등으로 신경원 괴사가 초래될 수 있다. 이 경우 말초신경의 왈러변

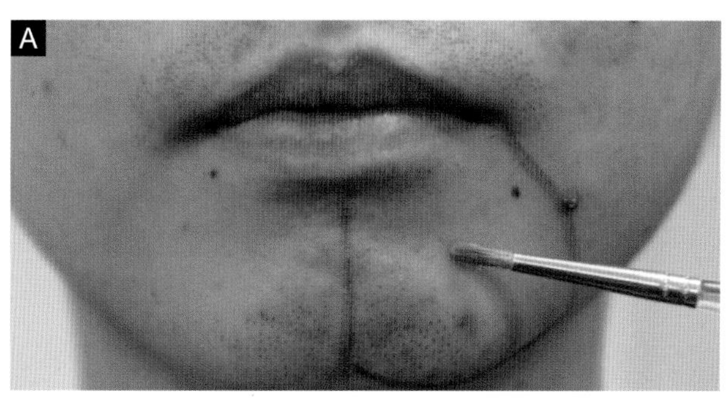

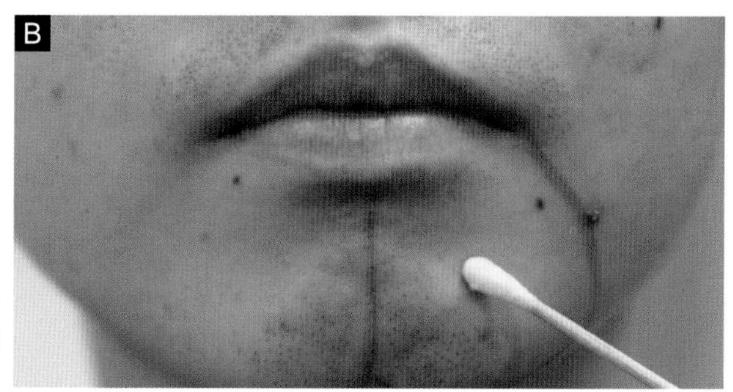

그림 15-24 브러시운동방향 감별법.
A: 일반적인 붓을 이용하는 방법 B: Cotton을 이용한 방법. 하순에서 브러시운동방향 구별법을 사용하는 방법과 mapping 모습.

성뿐만 아니라 중추 신경돌기의 파괴도 있을 수 있어 말초신경에서 중추신경계로 이차적인 전달, 반사, 통합중추의 기능적 연결이 차단된다. 이를 구심로 차단(deafferentiation)이라 하는데, 삼차신경에서 구심로 차단은 하행로에서 핵의 생리적 변화를 나타내며, 뇌간에서는 간질 발작성병소(epileptogenic focus)라 불리는 전기적 특성을 가져서 이들이 신경통을 야기해 삼차신경통, 환상통 등을 초래한다는 이론도 있다.

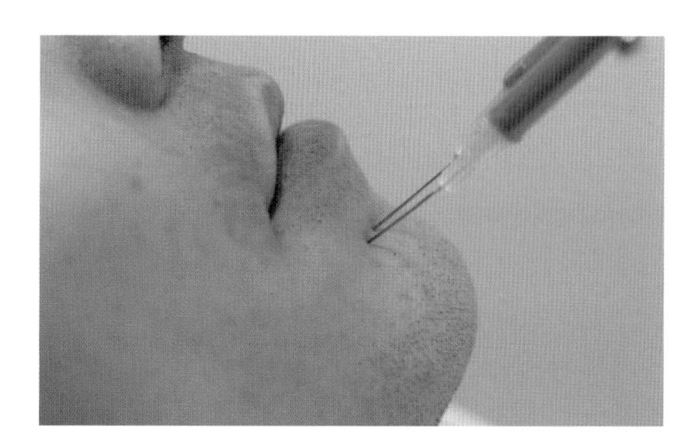

그림 15-25 두점 감별법. 끝이 날카롭지 않은 fine tip gauge 또는 캘리퍼를 이용할 수 있다.

4. 외상성 감각신경 손상의 진단법

외상성 감각신경 손상의 치료는 환자의 다양한 증상 해석과 정확한 진단을 기반으로 이루어진다. 신경손상의 평가, 치료 및 예후와 관련하여 다수의 연구가 보고되었지만, 정확하고 객관적인 손상의 평가는 어렵고 복잡하다. 그러나 손상된 신경의 수술적 치료 여부를 결정하기 위하여, 감각신경 손상의 정도에 대한 객관적이고 구체적인 평가자료의 확보는 구강악안면외과 의사에게 매우 중요하다.

신경손상을 평가하는 방법으로 환자의 주관적인 증상을 묻는 설문지나 진료실에서 쉽게 활용할 수 있는 cotton swab, 캘리퍼와 같은 도구를 이용하는 간이 질적 감각신경검사(qualitative somatosensory testing, QualST), 뉴로미터(Neurometer® CPT/C)와 같은 특수 장비를 이용한 정량적 감각신경검사(quantitative sensory testing, QST)가 널리 이용되고 있다. 설문지 검사방법으로는 시각통증등급(visual analogue scale, VAS), 맥길통증감별질문지(McGill pain questionaire) 등이 있다. QST는 German Research Network on Neuropathic Pain (DFNS)에서 표준화된 프로토콜을 개발한 이후 다양한 신경병성 질환에 대한 포괄적 신경검사법으로 널리 이용되고 있다. QST에는 기계, 온도, 화학적, 전기적 자극을 가하는 다양한 검사과정이 포함되어 전문가가 시행할 경우 재현성 있는 결과를 보여주지만, 1시간 정도의 긴 검사시간이 필요하여 임상적으로 이 과정을 매번 시행하기에는 어렵다. 따라서, 이 장에서는 흔히 chairside에서 이용되는 QualST를 자세히 소개하고자 한다.

QualST는 기계수용기검사(mechanoceptive testing)와 통각수용기검사(nociceptive testing)의 두 가지 범

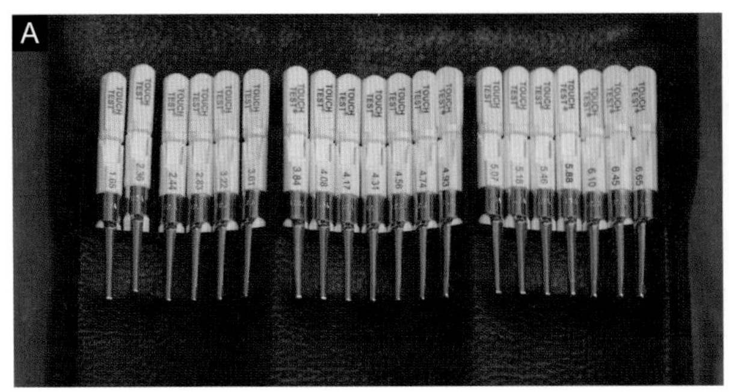

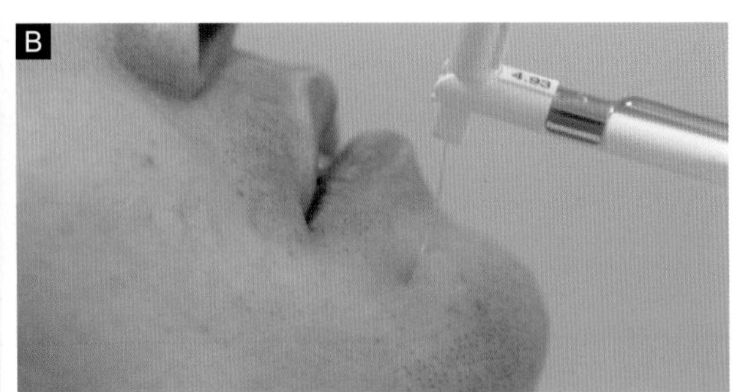

그림 15-26 정지성 경촉감 검사법.
A: Semmes-Weinstein monofilament B: 턱끝 부위 신경이상을 검진하기 위해 filaments를 사용하는 모습과 mapping 모습.

주로 나눌 수 있다. 기계수용기검사에는 브러시운동방향 감별법(brush direction discrimination), 두점감별법(Two-point discrimination), 정지성 경촉감 검사법(static light touch detection)이 포함되며, 통각수용기 검사에는 통각유해감각 감별법(pinprick test)과 온도감각 감별법(thermal discrimination)이 포함된다. 모든 검사는 환자 눈을 감게 하고 비이환측부터 시행한다. 상기 검사에서 브러시운동방향 감별법과 두점감별법에 정상 반응을 보일 시 감각저하는 없는 것으로 판단 가능하다.

브러시운동방향 감별법은 large Aα와 Aβ를 평가하는 방법으로 피부의 1 cm 범위에 brush moving을 일반적으로 15번 시행하여 50-75% 이하를 판단 가능 시 감각이상으로 판단하게 된다(그림 15-24).

두점감별법은 날카로운 침(0.5-0.7 ㎛ 직경)을 이용할 경우에는 유수성(myelinated) Aδ와 무수성(unmyelinated) C 구심성 신경을 평가 가능하며, 무딘 바늘침(5-15 ㎛ 직경)을 이용할 경우에는 Aα와 Aβ 구심성 신경을 평가할 수 있다. 캘리퍼를 이용하여 먼저 한점을 인지하는지 확인하고 1 mm씩 거리를 증가시켜 두 점으로 인지할 때까지 계속 거리를 증가시키는 방법으로 두 점이 인지되는 지점을 표시하게 된다. 신경 손상을 받지 않은 정상인 조직에서 평균치는 하순의 피부는 5 mm, 점막은 3.5 mm, 턱끝에서는 9 mm, 그리고 혀끝에서는 3 mm, 혀 등에서는 5 mm로 보고되고 있다(그림 15-25).

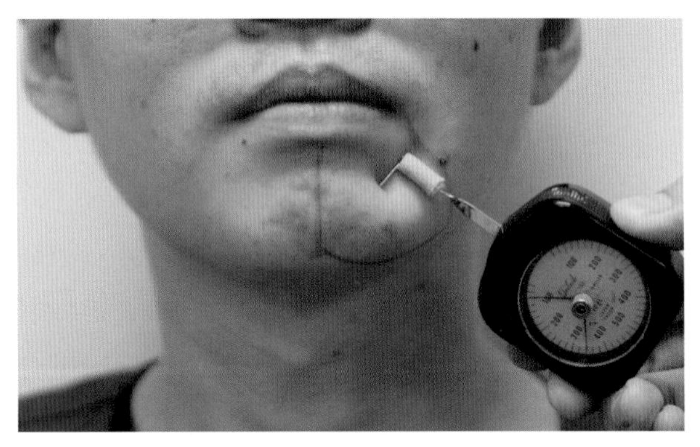

그림 15-27 통각유해감각 감별법. 끝이 날카로운 needle이 부착된 통각계(algometer)를 이용할 수 있다.

정지성 경촉감 검사법은 머켈세포(Merkell cell)와 루피니 말단(Ruffini ending)을 평가하는 방법으로 Aβ 신경섬유의 분포정도를 알 수 있다. 검사방법은 Semmes-Weinstein monofilament를 피부에 수직으로 활모양처럼 휠 때까지 1-1.5초 천천히 누르고 들어올려서 접촉 느낌이 오면 그 지점을 찍어보도록 지시하고 2, 3단계 낮은 직경으로 다시 시행하여 접촉에 반응이 없으면 큰 직경으로 다시 실행한다(그림 15-26).

통각유해감각 감별법은 Aδ와 C신경섬유와 자유말단신경을 평가하는 방법이다. 끝이 날카로운 needle(23-27게이지)이 부착된 통각계(algometer)를 사용하게 되는데, 100 g의 압력에도 반응이 없는 경우에는 무감각(anesthetic sensation)으로 기록하게 된다(그림 15-27).

온도감각 감별법은 통각유해감각 감별법과 같이 작

은 직경의 유수섬유와 무수섬유의 신경을 평가할 수 있다. 온감각은 Aδ 신경섬유가, 냉감각은 C 신경섬유가 담당하고 있다. 온도감각 감별에 사용되는 기구로는 다양한 형태가 있지만 열량계(thermodes), Minnesota thermal disk, 얼음, 에틸클로라이드 스프레이(ethyl chloride spray), 아세톤(acetone), 물 등이 있다. 특히 Minnesota thermal disks (MTD)와 같은 기구는 copper, stainless steel, glass, polyvinyl chloride로 만든 4가지 disks로 구성되어 있다. copper는 가장 차가운 냉자극이며, stainless steel, glass, polyvinyl chloride는 순서적으로 작은 냉자극이다. 일반적으로 세 쌍, 즉 copper와 polyvinyl chloride, copper와 glass, copper와 stainless steel로 상호비교를 해서 평가하게 된다.

5. 말초신경손상의 수술적 치료

악안면영역의 신경학적 문제들은 매우 다양해서 외상성 신경손상으로 인한 통증이 있는 경우에도 통증문제뿐만 아니라 운동신경계, 자율신경계, 감각신경계 모두에 관련성을 가지므로, 효과적인 수술적 치료를 위해서는 약물치료, 물리치료 관련 재활의학, 신경과, 정신과학적 접근방식 등을 종합적으로 고려하는 안목이 필요하다. 우선은 비외과적 방법을 시도하면서 예후를 관찰하다가, 그 경과가 불량하면 적절한 시기에 외과적인 시술을 고려함이 원칙이다.

신경문합과 이식에 대한 과학적인 근거는 1970년대 Millesi와 같은 개척자적인 외과의에 의해 시작되었으며, 수술 현미경과 미세봉합사의 발달과 미세수기의 향상에 힘입어 신경재건 영역도 활발히 발전하고 있다.

1) 손상된 신경의 수술시기

손상된 말초신경을 당장 즉 일차적으로 수복하는 것이 좋은지 또는 다소 지연시켜 이차적으로(early secondary) 수복하는 것이 좋은지에 대해서는 아직까지 명쾌하게 결론이 내려지지 않고 있다. 그 까닭은 신경 손상의 종류가 아주 다양하며, 신경재생에 복잡한 요인들이 영향을 미치기 때문이다. 왈러변성이 일어나지 않는다면 손상 즉시 일차적으로 신경수술이 시행되어져야 하지만 포유류에서는 왈러변성을 피할 수 없다. 일차수복은 미세한 해부학적 구조를 인지하기 쉽고 손상부에 반흔이나 수축이 없다는 이점이 있다. 또한 손상된 원위 운동신경단은 전기자극에 반응하며 또한 신경이 염색되므로 찾기가 쉽다. 복잡한 손상 없이 단지 깨끗하게 절단된 경우에는 일차적인 봉합이 가장 추천된다. 이차적 또는 지연 일차수복은 수술을 두 번 해야 하며, 반흔 형성, 신경단 수축, 원위단의 전기자극이나 염색에 의한 신경단 인지곤란 등의 단점을 가지고 있다. 그러나 신경손상 후 3주째에 신경반응이 가장 좋아 신경재생에 아주 유리하며 신경 손상부에는 섬유화가 일어나 손상 부위와 비손상 부위를 쉽게 구별할 수 있는 이점이 있다. 신경손상 후 바로 수복할 경우에는 아무리 수술현미경이 좋다 할지라도, 섬유화된 손상부와 신경재생 기시부인 비손상부를 구별하기란 그리 쉬운 일이 아니다. 따라서 일차 신경재건 시에는 손상된 조직을 모두 잘라내지 못하는 경우가 종종 발생하게 되는데, 신경이 깨끗하게 절단되지 않고 찢어진 경우에는 특히 이러한 것이 문제가 된다. 그리고 지연수복 시에는 신경단의 퇴축과 탄력성의 상실로 인해 신경단의 단단봉합이 어렵게 되지만, 미세신경이식술의 도입으로 이러한 문제점은 더 이상의 논란이 되고 있지 않다.

아직까지 과학적인 통계의 부족으로 신경손상 후 특별한 미세수술적 수복과정의 시기와 선택에 대한 분명한 선택은 없으나, 통상적으로 다음의 지침을 고려한다.

① 신경이 손상된 환자들의 주소(chief complaint)와 증상에 따라 수술의 여부를 결정하여야 한다. 손상 직후 증상의 호전이 보이는 환자에게는 관찰하면서 수술의 여부를 결정하여야 하나, 무감각 및 이상감각이 악화되는 환자에는 되도록 빠른 외과적 처치가 필요하다.

② 이미 확인된 신경단절증(전체적 분리, 찢어짐 또는 분쇄)은 1개월 내 미세수술법을 사용해서 수복하여야 한다. 깨끗하게 신경이 잘려진 경우에는 일차적 신경수복을 시행한다. 신경간극(nerve gap)이 있거나 복잡손상인 경우에는 지연일차(late primary) 또는 조기이차(early secondary) 수복이 추천된다.

③ 신경 내부 및 외부에 근관첩약과 같은 이물이나 골절편 등의 자극성 요소가 확인될 때는 가능한 빨리 외과적 감압법을 시행한다.

④ 통증유발이 있으나 손상 후 3–4개월경까지 감각신경이 회복되는 기미가 보이지 않으면 신경내부감압법이나 자가신경이식술 또는 두 방법 모두 시행한다. 4개월 동안의 시간은 외과적 처치를 요구하지 않는 신경실행증과 단순한 축삭단절 분쇄손상의 자연적인 재생을 위한 적정 기간이다.

2) 신경손상 수술의 종류

악안면 신경손상의 치료에는 세 가지 미세수술, 즉 신경문합, 신경감압, 신경이식술을 주로 적용하게 되며(그림 15-28), 그 외에 치료법은 다음 표와 같다(표 15-10).

(1) 신경문합법(neurorrhaphy)

절단된 신경을 직접 봉합하는 것으로, 신경단열증 양상의 손상이 일어났을 때 실시한다. 신경이식술 없이 신경의 수복이 가능할 때 신경문합법이 가장 예후가 좋다고 알려져 있다. 신경과 신경초 손상의 즉각적

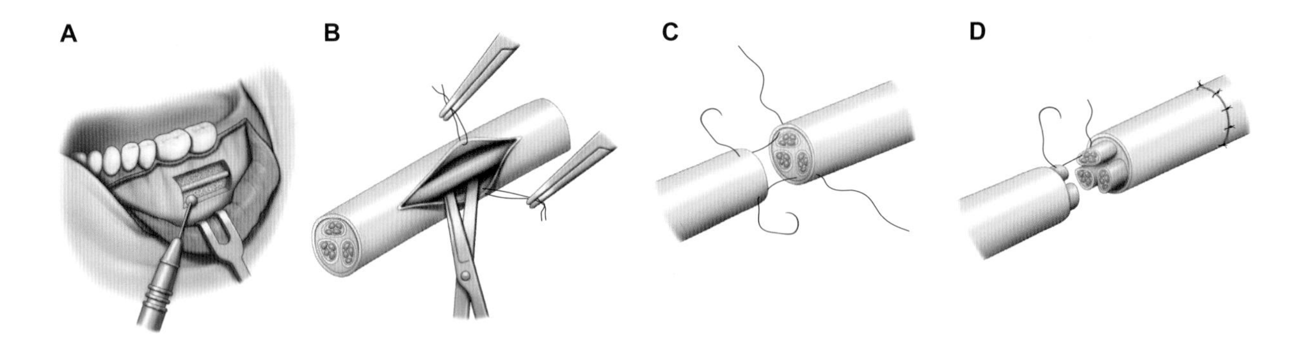

그림 15-28 삼차신경 손상의 미세수술법.
A: 하치조신경의 외부감압법 B: 내부감압법 C: 신경외막 봉합술 D: 신경이식 시 신경속 봉합과 신경외막 봉합술.

표 15-10 미세신경수술의 종류 및 적용

수술명	수술 방법
외부감압법(external decompression)	신경 주위를 둘러싸는 뼈, 연조직 또는 이물질의 제거
내부감압법(internal neurolysis)	신경외막의 개방을 통한 신경섬유속의 압박 또는 유착 해소
신경종 절제술(excision of neuroma)	신경종의 절제
신경문합술(neurorrhaphy)	미세수술을 통한 절단된 신경의 직접 문합
신경이식술(nerve graft)	자가신경 또는 동종신경의 이식
신경 이전(nerve transfer)	정상적인 신경의 일부를 손상된 신경의 원위부에 문합
신경유도재생술(guided nerve regeneration)	손상된 신경간극에 축삭의 재생을 위한 도관을 위치시킴
신경절제술(neurectomy)	신경의 일부를 절제
신경복조술(nerve capping)	신경종의 형성을 방지하기 위하여 절단된 신경의 근위부를 덮어줌

인 수복술은 손상부위에 이물질이 없고, 감염되지 않았으며 특히 유리신경 종말이 주위조직으로부터 상당한 장력이나 압박 없이 수동적으로 근접될 수 있으면 특히 효과적이다. 절단된 신경양단을 25 g 이하의 장력으로 근접시켜 봉합하여야 하며, 신경 길이의 80% 이상을 신전시키는 것도 내부의 세정맥 혈류량을 상당히 감소시키므로 피해야 한다. 지연 신경문합도 성공 가능한데, 실제로 최대의 재생대사 활동성과 신경외막의 비대시기는 말초신경 손상 후 거의 3주째 발생한다. 따라서 많은 술자들이 수복을 위해서 손상으로부터 3–4주일이 지난 시기를 선호한다.

삼차신경의 손상 후 신경이식이 없이 성공적으로 재문합될 수 있는 가장 오랜 기간은 알려져 있지 않지만 2개월 이상을 지연했을 경우에는 상당한 섬유조직의 내성장, 신경종 형성과 함께 정상 신경막초 직경의 50%가 감소한다. 또한 절단된 신경단은 손상 후 12개월이 지나면 신경상막 크기가 15%로 감소된다.

직접 신경을 문합하는 방법으로는 기본적으로 세 가지 형태의 방법이 있다. 신경문합을 위해서는 신경내초를 분리하고 손상부 양측으로 적어도 5 mm까지 신경을 유리해서 이차적인 손상과 손상된 부분을 관찰하고 장력이 없는 수복을 하는 데 도움을 얻는다. 출혈은 양극성 지혈기(bipolar microcoagulator)와 축축한 스펀지를 누르고 압박해 지혈하며, 신경혈관에 외상을 가하는 흡인이나 조작을 피해야 한다. 수술시야는 수술확대경이나 10배 전후의 수술현미경을 통해 확보하고, 섬유속을 적절히 재배열할 수 있게끔 절단된 신경종말의 해부학적인 양상을 적절히 확인한다. 실제적인 수복은 여분의 섬유속 원형질을 다듬고 신경종말로부터 불규칙한 신경외막 절제와 함께 시작한다. 하치조신경과 설신경 같은 다다발신경의 신경외막 수복은 단순하고 효과적이다. 실제 봉합은 8배에서 16배까지 확대하여 9–0나 10–0 나일론 봉합사로 시행한다. 최초의 봉합사는 결찰 후 길게 하여 견인을 위해 사용될 수 있다. 두 번째 유도봉합은 최초 봉합부에 180°로 위치시키고 신경크기에 따라 세 번째나 네 번째 봉합을 한다. 만약 봉합이 과도하게 긴장되면 섬유속 내용물의 외측 팽창이 있어 다듬거나 재봉합을 시행한다.

(2) **감압법**(decompression)

신경감압은 외부감압법(external decompression)과 내부감압법(internal neurolysis)의 두 가지 형태가 있다. 외부감압법은 주위의 반흔조직, 이물체, 뼈조각, 치아파편들로부터 신경외막을 미세박리 및 유리하는 것이다. 적응증은 임상적인 병력과 감각신경 조사에서 이미 신경성 실행증이나 축삭절단 손상이 있고 신경외부로부터 자극이 의심되거나 임상적 증거가 있을 때이다. 외부감압법은 관골과 상악골 골절 또는 하치조신경을 가로지르는 하악골체 골절처럼 신경혈관다발을 가로지르는 분쇄골절이 있을 때, 혹은 복잡한 하악 제3대구치 발치술이나 치근제거 때 발생한 신경손상에서 특히 적용된다. 신경이 육안으로 보일지라도 외부신경 박리술은 4–8배 확대경이나 낮은 배율의 수술현미경을 이용해 신경외막을 찢지 않도록 조심한다. 외부감압법을 시행한 후 수술현미경하에서 신경외막 범위 내의 세동맥을 보존하고 신경의 만입이나 외측 신경종 또는 연속적인 신경종이 있는지를 유심히 관찰해야 한다. 만약 외부감압법 후에도 신경내부에 병적인 징후가 있으면 내부감압법이나 신경이식술을 고려한다.

신경의 내부감압은 보통 감각과민증과 통증으로 정상적인 감각기능이 불안전하게 회복되는 경우, 신경의 섬유화 혹은 신경이 압박되는 부위가 있다는 증거가 있을 때 시행한다. 이 방법은 먼저 신경에 대한 충분한 시야확보를 위해 신경외막 박리를 먼저 시행한다. 30G 주사침을 사용해 병변이 명확한 부위에서 신경외막을 통해 그 하방으로 소량의 생리식염수나 국소마취제를 주입한다. 미세가위나 미세칼날을 사용하여 신경외막을 종으로 열고 신경주막과 신경섬유속을 노출시킨다. 12배에서 16배의 확대 하에 신경섬유속 사이나 내부의 유착을 유리시키고 개개 섬유속의 연속성을 바르게 배열한다. 특히 주의할 것은 신경종이 재발하지 않도록 신경주막이 실제로 관통되지 않도록 하며, 가능하다면 신경외막을 10−0봉합사로 봉합한다. 감압된 신경 섬유속을 가로지르는 신경전도의 특성을 조사하기 위해 수술 중 가능하면 신경전도속도(nerve conduction velocity) 등 신경진단적인 전도검사를 병행하는 것이 좋은데, 이것은 미세수술감압법의 효과 여부나 신경종 절제와 신경이식의 적응증 여부를 결정하는 데 도움이 된다.

(3) 신경이식술(nerve graft)

신경이식술의 적응증은 다음과 같은 급성 신경단열 증례이다.

① 장력이 없이는 재문합될 수 없는 곳
② 신경단열증과 축삭절단손상이 통증수반과 함께 감각회복이 불량할 때
③ 증후군적 신경종의 증거가 있는 곳

감압된 신경의 현미경적 관찰과 병소부를 가로지르는 신경전기 전도가 신경이식의 필요성을 결정하는 데 도움을 준다.

이식될 부위의 병소부는 절제하고 신경단 양측으로 5 mm 정도를 먼저 유리해서 외부감압법을 실시한다. 대개 좌골신경의 비복신경지(sural nerve)나 대이개신경(greater auricular nerve)이 신경이식 공여부로 선호된다. 특히 비복신경(평균직경 2.1 mm)은 하치조신경(평균직경 2.4 mm)과 굵기가 비슷하여 하치조신경의 이식에 특히 이용된다(그림 15-29).

또한 대이개신경(평균 직경 1.5 mm)은 안와하신경과 이신경지로 많이 이식되는데 대이개신경의 한 부위만을 제거해서는 공여부 감각결손은 거의 없다. 이환된 신경의 근심단의 원심단을 명확하게 수직 절단하고, 절단된 섬유속에서 발산하는 여분의 축삭돌기 원형질은 신경외막이나 신경주막과 함께 균등히 다듬는다.

이식편을 준비하고 9−0나 10−0 견인봉합으로 먼저 근심신경단을 지나 다음에 이식편을 관통해 봉합한다. 다음에 두 번째 봉합을 위해 신경을 120−180°로 회전시킨다. 필요하다면 원심조직편 수복부로 돌리기 전에 세 번째와 네 번째 봉합을 한다.

원심수복의 최초 견인봉합은 미리 완성된 근심 수복부를 과도하게 당기지 않도록 이식편부보다 원심신경단을 먼저 봉합한다. 신경외막이나 신경주막을 지나치게 크게 물거나 너무 죄어진 봉합을 피해 외측팽창과 신경종 형성 가능성을 줄여준다.

미세신경수복의 일반적인 원칙은 수복 시 장력이 거

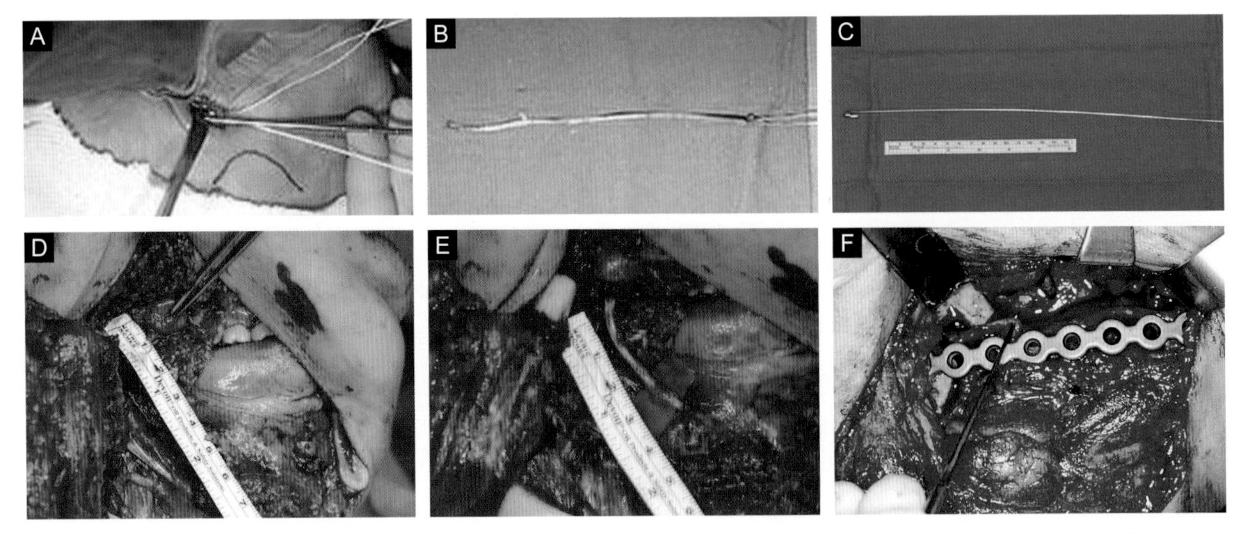

그림 15-29 신경이식술. A: 상실된 신경을 수복하기 위해 비복신경을 nerve stripper로 채취하고 있는 모습 B: 채취한 비복신경 C: nerve stipper D: 설신경이 암수술로 절제된 모습 E: 이식된 모습 F: 하악골 절제 후 비복신경 이식을 통해 하치조신경 결손부를 재건하는 모습.

의 없어야 하고, 근심과 원심신경 구조의 적절한 배열이 물샐틈없는 봉합보다 중요하며, 가능하면 봉합은 신경주막공간을 침범하지 않아야 한다.

비록 큰 혼합신경에 대한 Millesi의 고전적 연구와 하치조신경에 대한 Hausamen의 연구는 신경외막 이식편 수복보다 신경주막 섬유속 신경이식편 수복을 선호했지만, 어느 방법이 모든 면에서 우수하다는 명확한 연구는 없다. 신경이식법이 내부감압법보다 반드시 낫다는 유용한 증거 역시 없다. 자가신경이식편의 성공률은 80%이고, 동종이식편의 성공률은 30%로 자가신경이식이 훨씬 우수하다는 것은 입증되었다.

신경손상의 미세수술 수복의 성공여부를 결정하는 수많은 요소가 있는데, 젊은 환자일수록 양호한 신경재생을 나타낸다. 손상의 양상도 한 요소인데 찢김손상(avulsion)과 근심측으로 근접한 신경손상은 회복이 지연되기도 한다. 수복의 시기도 변수인데 신경단열증 손상의 조기수복이나 이식(손상 후 1개월 이내)은 지연된 수복보다 더 성공적이다. 이차적인 병변, 즉 이물체, 감염, 주위 구조물로부터의 신경압박 역시 수복의 성공에 장애요인이 된다.

(4) 신경종 절제

완전 혹은 부분적으로 절단된 신경손상(transection injury)에 의한 돌출형 신경종(exophytic type neuroma)에서 신경종 절제가 시행된다. 수술현미경하에서 미세가위 혹은 미세칼날을 이용하여 신경종을 제거하며, 시행 후 현미경하에서 신경의 양 끝단을 관찰하여 신경속들이 정상적인 조직인지를 확인하여야 한다. 이 술식의 목표는 신경의 양 끝단이 장력 없는 상태에서 신경봉합(primary neurorrhaphy)이 가능하도록 하는 것이다.

(5) 신경 유도관의 이용

자가 신경이식술이 가장 예후가 좋은 술식으로 알려져 있으나 공여부가 발생하고, 이식편과 공여부의 직경이 차이가 날 수 있으며, 공여부에서도 신경종이 발생할 수 있다는 점이 단점이다. 이런 단점을 극복하기 위하여 대체 재료를 개발하기 시작하였고, 최근 조직공학의 발전으로 자가신경이식술, 정맥이식술 및 동종신경이식술 외 합성도관을 이용한 신경이식술에 대한 연구가 진행되고 있다. 최근 연구들은 다양한 신경유도관(nerve guidance channel)에 대하여 진행되고 있으며, 엑소좀, 중간엽 줄기세포, 미세나노입자, 3D 프린터 등을 이용한 재료들이 개발되고 있다(그림 15-30).

합성재료를 이용한 신경이식술에서 합성재료는 크게 비흡수성 재료와 흡수성 재료로 구분할 수 있다. 비흡수성 재료로 실리콘, 고어텍스(Gore-Tex, polytetrafluorethylene) 등이 있다. 이들 재료를 장시간 동안 유지할 경우 신경섬유 총 갯수와 축삭의 크기를 유지할 수 있음에도, 국소적인 압력이 발생하여 액손의 전도능력을 감소시킴이 증명되어, 좋은 결과를 위해서는 반드시 제거해야 된다고 보고되고 있다. 흡수성 재료로 Neurotube (polyglycolic acid), Neurolac (co-polymer of lactide and caprolactone), NeuraGen (collagen type I) 등이 상용화된 신경재생용 도관이다. 이 재료들은 유연하며, 주변 연조직에 의한 압력에 저항성이 있고, 시술 후 체내에서 흡수된다. 이 재료를 이용한 수술에서 안면신경 및 손등에서 성공적인 결과를 얻었다는 연구결과가 있으나, 하치조신경 및 설신경에 대한 연구는 매우 적으며, 대개 2-3 cm 미만의 신경결손부의 치료에만 효과가 있는 것으로 알려졌다. 최근에는 도관 내면에 신경재생의 활성화를 위하여 신경재생에 관여하는 다양한 물질들(nerve growth factor, neurotrophins, fibroblast growth factor, glial derived neutotrophic factor 등)을 도관 내면에 코팅하고 있으며, 이를 신경의 양 말단에 이동시킬 수 있는 능력이 있는 소재(nanoparticles, nanofibers, microparticles, hydrogels, lipid microtubules)를 이용하기도 한다.

3) 신경봉합의 수기

신경주막봉합(perineural suture)이 더 좋은 결과를 가

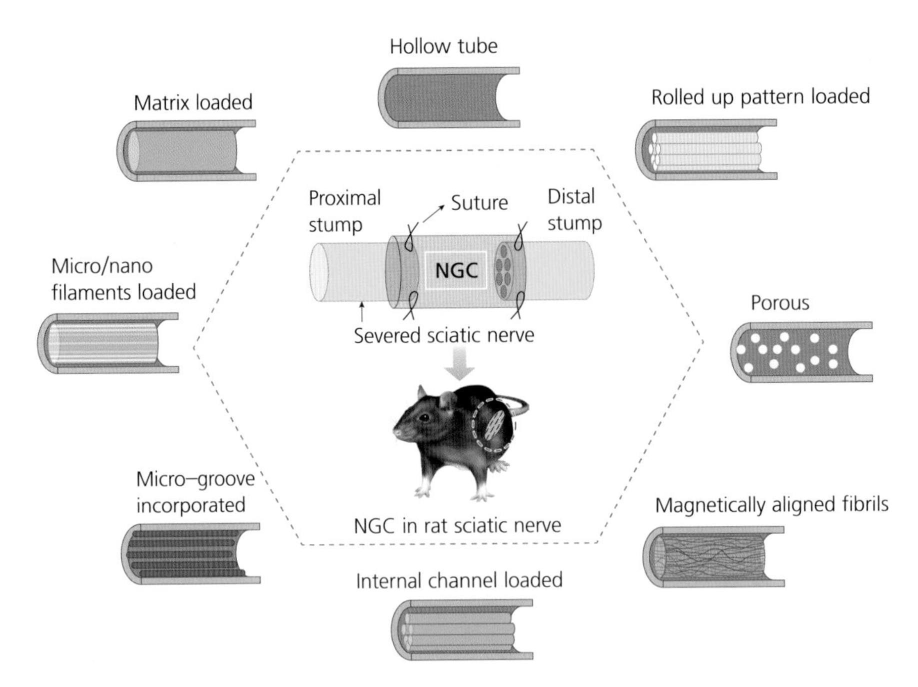

그림 15-30 신경재생을 위한 다양한 신경도관의 모식도.

져오는지 또는 신경외막봉합(epineural suture)이 더 나은지에 대해서는 아직도 논란이 되고 있으며, Tupper는 신경단에서 각각의 신경속을 분리시켜 신경속접합(fascicular repair)을 시도하였다. 9-21개의 신경속을 가지는 하치조신경, 설신경을 포함하는 삼차신경의 경우 다다발 신경속을 가지고 있고 다양한 직경의 신경속이 분포하여 신경외막봉합을 시행한다. 접합할 신경근처의 응고된 혈액은 신경주변 결합조직의 양을 증가시켜 반흔 발생을 증가시키고, 이 반흔으로 인해 압박허혈이 발생할 수 있으므로, 신경봉합 시 지혈에 유의하여야 한다. 신경의 단단문합(end-to-end nerve repair)은 다음의 기본단계로 구성된다.

(1) 신경단 준비(preparation of stumps)

신경단을 예리하게 잘라내거나 신경속간 박리(interfascicular dissection)를 통해 각 신경속이나 신경속군을 분리시켜 신경배열을 용이하게 하며 또한, 신경외막를 잘라내어 교원섬유 증식을 줄여준다.

(2) 신경단 접근(approximation)

근원심 신경단을 접근시키면 다소의 장력이 생기게 마련이지만, 이상적으로는 장력 발생 없이 신경단을 접근시킨다.

(3) 신경단 접합(coaptation)

하나의 큰 신경속을 가진 신경이나 신경속간 신경조직(interfascicular epineural tissue)이 적은 두 개에서 네 개의 큰 신경속으로 이루어진 신경에서는 단단접합이나 신경속 접합은 같은 의미를 갖는다. 이러한 경우에는 신경초를 잘라내는 것은 필요치 않으며, 몇 개의 신경외막 봉합으로 정확한 신경속 접합을 유지할 수 있다.

다섯 개에서 열 개 사이의 큰 신경속으로 이루어진 신경(oligofascicular nerve segment)에서는 속간박리를 통해 개개속을 접합해야 기능회복의 가능성이 가장 높아진다.

신경이 많은 신경속(polyfascicular pattern)으로 구성되어 있으면서 일정한 군을 형성할 때는 개개 신경속군을 박리하여 그룹–그룹간 접합(group–to–group coaptation)을 한다.

신경속이 어떤 군을 형성하지 않고 신경속이 빽빽이 들어 있을 경우에는 신경속간 유도봉합(interfascicular guide stitch)을 이용한 신경간–신경간 접합(trunk–to–trunk)이 가장 좋은 방법이다(그림 15-31).

4) 손상된 신경재건의 적응증 및 임상적용

악안면 영역의 신경재건 적응증은 기능상실의 정도에 의해서 평가된다. 일반적으로 안면신경의 기능장애는 가장 심각한 것으로 간주되기 때문에 이 신경에 병변이 있는 경우 신경재건의 절대적인 적응증이 된다. 이것은 또한 부신경과 설하신경의 재건 시에도 해당된다. 독립된 삼차신경 분지의 손실로 인한 무감각의 정도는 각 경우마다 다양하게 나타난다.

많은 환자들이 설신경 손상으로 혀 전체 2/3의 감각을 상실하게 되는데 이 경우 항상 교상의 위험이 존재하게 된다. 따라서 이 경우 신경재건이 필요하게 된다. 동측 하순 절반의 감각소실을 보이는 하악신경 손상이 있는 경우, 일부 환자들에서는 인접신경으로부터의 중복성 신경지배(overlapping innervation) 때문에 이러한 감각소실을 어느 정도 해결할 수는 있다.

그러나 일부 환자들에서는 하순감각의 장애로 인해 심한 고통을 받기 때문에 하악신경 재건의 적응증이 된다. 악안면영역의 신경재건 예와 신경재건의 적응증 그리고 사용되는 외과적 술식은 다음과 같다.

(1) 하치조신경(inferior alveolar nerve)

하치조신경이 손상되거나 제거되면 동측 하순의 감각마비를 야기하게 되며, 특히 음식물을 마실 때 흘리는 것을 전혀 느끼지 못하게 된다. 만약 감각이 상실된 하순이 식사 시 계속해서 치아 사이에 끼이게 된다면 상처가 발생하게 된다. 하악골절제술을 시행받은 종양환자의 일부 환자들에서는 감각소실에 잘 적응하는 한편, 일부 환자들은 감각소실로 인해 고통을 받게 된다. 또한 하악신경은 골절선이 신경관내로 주행하는 경우의 악골골절이 있는 경우에도 손상을 받게 된다. 그러나 대부분의 경우 탄성으로 인해서 신경은 완전히 절단되지 않고 신장, 좌상 또는 일시적인 감각소실을 동반한 부종성 압박만이 발생하게 된다. 심한 골절의 경우에는 신경이 절단될 수 있으며, 이 경우 영구적인 감각의 소실이 발생할 수 있다.

이러한 손상의 범위는 다양하지만 대개는 감각마비나 감각저하로 나타난다. 만약 양성종양이 관에 도달하였으나 관을 침범하지 않은 경우 또는 관을 조금 침범한 경우에는 신경을 보존하기 위하여 노력한다. 이 경우 먼저 신경관으로부터 신경을 자유롭게 하기 위하여 끝이 뭉툭하고 얇고 긴 견인자를 관내로 넣어서 신경을 보호하고 절삭용 버(bur)를 이용하여 협측골을 제거함으로써 간단히 시행할 수 있다. 이공에서 하악각

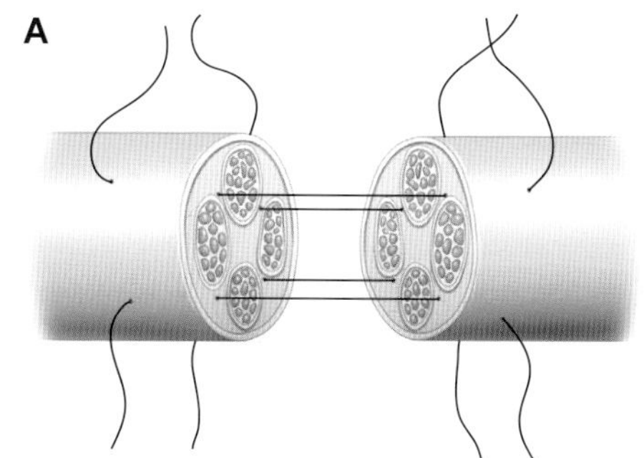
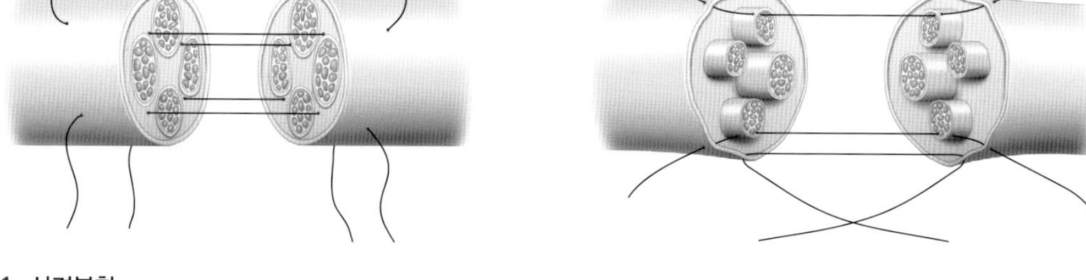

그림 15-31 신경봉합.
A: 신경속간(Interfascicular) 안내(guide) 봉합 B: 신경외막–신경속 봉합.

부위까지 신경을 노출한 후 종양조직이 남아 있지 않다는 것을 확인하기 위해 수술현미경하에서 신경외막을 제거하고 이를 즉시 현미경검사를 시행한다. 나머지 부위의 종양을 절제한 후에는 이식골내에 특별하게 만든 관내로 신경을 위치시켜 보존하게 된다. 만약 전체 신경이 모두 다 보존되었다면 가골형성에 의한 압박이나 영양장애로 인한 변성을 걱정할 필요는 없다. 왜냐하면 신경외막의 일부 혈관이 손상을 받았다고 할지라도 신경속간 결합조직에 있는 혈관들은 보존되어 있기 때문이다. 이미 언급한 것처럼 하악골절제술뿐만 아니라 심한 변위를 보이는 하악골 골절의 증례들 그리고 하악 제3대구치 발치 시에도 하악신경이 손상을 받을 수 있다.

하악 제3대구치 발치 후에 하악신경 분포 영역에 감각마비가 발생한 경우 발치를 시행한 치과의사는 신경이 완전히 손상되었는지 또는 그렇지 않은지를 확실히 알 수 없는 경우가 대부분이다. 치료의 첫 단계는 신경기능이 저절로 회복되는지의 여부를 확인하기 위하여 한 달 또는 두 달 간격으로 신경기능검사를 시행하면서 경과를 살펴본다. 대부분의 경우에 하악관내에서 양호한 신경재생이 실제로 일어난다. 더욱이 많은 수의 환자는 시간이 지나면 감각결손에 적응하게 되며, 인접부위에 의한 보충적인 신경분포로 인해 환자는 더 적응을 할 수 있게 된다.

그러나 만약 신경손상 후 4개월이 지나도 환자가 여전히 통증을 호소하고 발치와 주변에 압력을 가할 때 민감하게 되면 외과적 수술을 고려해야 한다. 일부 환자에서는 수술 시 치조골에서 점막하방으로 축삭이 재생되어 야기된 점막하신경종을 뚜렷이 확인할 수 있다. 이 경우 만약 신경병변이 연관되어 있으면 하악관을 열어서 제3대구치 부위를 노출시키는데, 이때 두꺼워지고 반흔조직으로 둘러싸인 신경종을 흔히 접하게 된다. 기존에 구강악안면영역에서 신경손상의 주원인으로 생각되었던 발치, 골절, 낭종 및 종양과 같은 질환 외에 치과임플란트가 보편화됨에 따라 치과임플란트수술 또한 신경손상의 한 축을 차지하게 되었다. 치과임플란트에 의한 손상은 대부분 하치조신경에 일어나나, 절개 또는 판막거상 시에 설신경, 협신경에서도 발생 가능하다. 치과임플란트수술에 의한 신경손상의 원인으로는 골형성이나 임플란트 식립 과정에서 절삭용 드릴이나 임플란트에 의한 직접적인 손상, 치조골의 위축에 의한 이신경의 해부학적 변화, 골이식 과정에서 골이식재의 신경압박 등이 있다. 이러한 손상은 대부분 의원성 손상으로 시술에 주의를 기울여야 한다. 신경손상이 의심될 경우, 환자의 주소와 외상성 감각신경의 진단법을 이용해 신경손상의 범위, 정도를 기록하고, 치과방사선 및 CT 촬영을 통해 임플란트와 신경과의 위치를 확인한다. 임플란트 끝단의 신경압박이 추측되는 경우에는 임플란트의 재위치, 짧은 길이의 임플란트로의 교체 혹은 제거를 시행하여야 하며, 재위치 및 제거 후에도 무감각, 심한 감각저하, 이질통 등이 3개월 이상 지속될 경우 미세수술을 이용한 신경봉합을 고려하여야 한다. 드릴링에 의해 혹은 임플란트에 의해 직접 하치조신경에 손상이 가해질 경우 신경종이 발생할 수 있고, 신경종은 신경성 통증을 유발하는 요소이므로 수술현미경하에서 제거 후 신경봉합 혹은 신경이식을 시행하여야 한다. 하치조신경의 미세문합수술은 개구제한 및 해부학적 구조가 구강내 접근으로 접근이 불가능한 경우 구외 접근법을 이용할 수 있으나, 대부분의 경우에 구강내로 접근하는 것이 편하다. 외과적 수술은 통증을 신속하게 감소시키게 되며 동시에 감각의 향상도 기대할 수 있게 된다.

(2) 설신경(lingual nerve)

설신경의 주행경로는 매우 중요한데, 익돌하악간극을 지난 후 하악 제3대구치 부근에서는 하악골에 근접하여 지나가고 전방으로 구강저 점막 하방을 지나 혀에 이르는 다양한 분지를 형성하게 된다. 설신경은 부주의한 하악 제3대구치 발치, 설하간극농양 시 부주의한 절개 또는 하악 대구치 지대치 형성 시 절삭용 버나 디스크에 의해서도 손상받을 수 있다. 구강저와 하악지에 있는 종양이 설신경까지도 침범한 경우에는 설신경을 희생시켜야 한다. 기능장애로 인해 혀의 감각이 소실됨으로 교상이 야기되고 어떤 경우에는 미각의 변화도 초래하게 된다. 처음에 치료한 치과의사가 설신경이 절단되었다고 확신한다면, 신경은 장방향의 신축성으로 인해 신경말단부가 당겨져 자연적인 신경재생은 드물 것으로 추측할 수 있다. 이 경우 상처가 치유된 후 가능한 빨리, 즉 신경손상이 발생한 후 약 4주경에 설신경의 재건을 시행해야 한다. 만약 처음 치료를 시행했던 치과의사가 신경이 희생되었는지를 확신하지 못할 경우에는 4개월을 기다린 다음 혀 절반의 감각소실이 여전한 경우와 환자가 혀 부위에 천자통이나 작열통을 호소하는 경우에 외과적 수술을 고려한다. 손상이 발생했을 때와 동일한 경로를 따르면 쉽게 설신경에 접근할 수 있다(그림 15-32).

절개를 설측판에 평행하게 설측 치은열구 절개 혹은 설측 전정절개를 시행한다. 하악골 상행지의 전방연에서 시작하여 최후방 구치의 후방연까지 절개를 연장하고 여기에서부터 전정과 혀를 향해 점막을 노출한다. 그런 다음 하악 제3대구치와 같은 높이에서 구강저의 연조직을 골막하방으로 거상시킨다. 이후 둔박리를 시행함으로써 손상된 신경의 말초부위를 쉽게 찾을 수 있다. 만약 신경의 연속성이 완전히 단절되지 않았다면 신경의 근위부를 더 쉽게 찾을 수 있다.

그러나 연속성이 완전히 단절된 경우에는 익돌하악간극에서 설신경 근위단을 찾는 것은 매우 어려운 일이며 많은 시간을 요한다. 신경을 노출한 다음에는 미세신경박리술을 시행하고 신경의 손상정도에 따라 손상부위의 부분적 또는 완전한 연결을 시행한다. 신경단단의 조작을 구강내로 한다는 것은 매우 어려운 일이며 특히 환자의 치아가 모두 다 존재하는 경우 구치후방의 수술부위에 도달하는 것은 더욱 그렇다. 설신경손상 후 수술적 처치에 대한 연구가 많지 않지만, 6개월 이내에 수술적 치료를 시행했을 때 좋은 예후가 보고된다.

(3) 안면신경(facial nerve)

안면신경마비의 심각한 결과 즉, 안모변형, 표정근의 기능상실, 불충분한 안검폐쇄로 인한 각막손상의 위험, 발음이상, 식사장애 등으로 인해 안면신경의 재건은 매우 중요하다. 측두골 외측에서 안면신경 마비가 일어나는 경우는 대개 신경간 또는 개재 분지의 외상 그리고 이하선 종양에 의해 야기된다. 안면신경의 재건은 대이개신경이나 비복신경을 이용한 자가신경이식을 사용한다. 이 두 신경의 장력과 분지정도는 안면신경이식에 매우 적합하며 절제된 안면신경의 말초단을 연결하는 데 이상적이다. 신경수복을 위해서는 신경간과 이하선 외측의 이환된 말초신경가지를 준비하고 표시하는 것부터 시작한다. 안면신경의 재건을 위한 비복신경의 채취는 다른 수술팀이 한쪽 다리에서 수여부 수술과 동시에 시행하기도 한다.

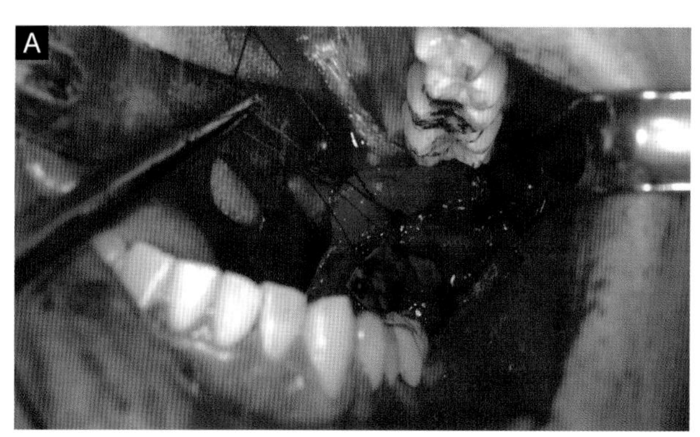

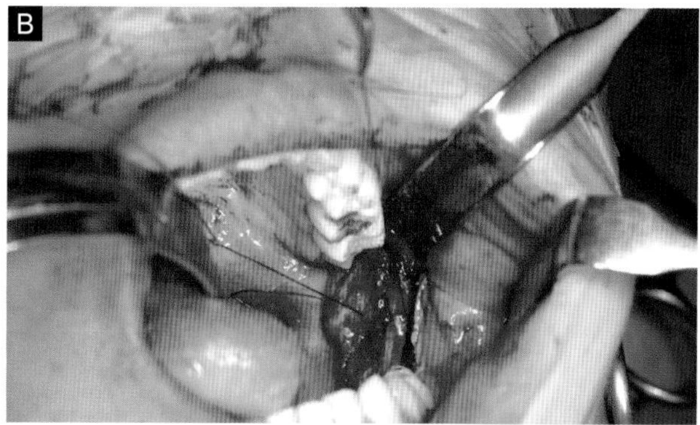

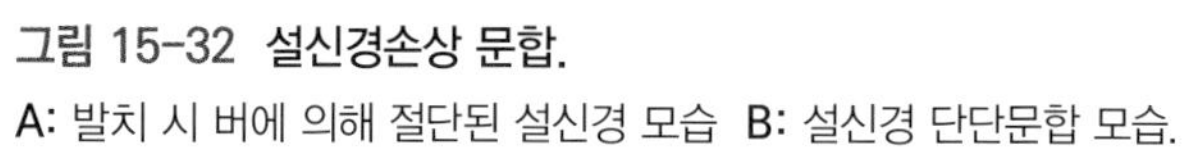
그림 15-32 설신경손상 문합.
A: 발치 시 버에 의해 절단된 설신경 모습 B: 설신경 단단문합 모습.

안면신경의 완전한 재건을 해야 할 필요가 있는 경우에는 비복신경을 수술현미경하에서 분리하여 비슷한 크기를 가지는 3개의 분지를 형성한다. 신경재생이나 기능의 수복이 되지 않기 때문에 안면신경의 전두분지 재건은 시행하지 않는다.

즉 눈, 상순, 그리고 하순으로 가는 3개의 가지만 재건한다. 이식될 신경을 3개의 신경다발로 나누는 것은 비교적 쉬운데, 현미경하에서 신경외막을 분리시키고 미세가위를 이용하여 속간 결합조직을 제거함으로써 쉽게 신경다발을 분리시킬 수 있다. 현미경하에서 안면신경간을 비복신경간(sural nerve trunk) 문합하고 이식신경의 가지를 각각 안면신경의 작은 말초분지에 연결한다. 안면신경을 수술할 때에는 신경이식 후에 창상을 잘 폐쇄시키는 것이 매우 중요하다. 이식 신경은 가능한 수술 창상으로부터 멀리 떨어져 있어야 하며 피부는 장력이 발생되지 않도록 봉합해야 한다. 비록 창상부위가 크다고 할지라도 흡인기에 의해 이식신경이 손상을 받지 않도록 하기 위하여 흡인배농관은 피하는 것이 좋다. 안면신경기능의 회복은 최소한 6개월은 지나야 예견할 수 있으며, 대개 긴 시간이 소요되어 대부분의 경우에서는 12개월 전까지는 많은 개선이 없을 수 있다. 안면신경 재건 후에 전기자극요법의 가치에 대해서는 의견이 다양하다. 전기자극요법은 신경재생을 촉진하지 못하며 근위축을 방지하기보다는 이것을 연장시키는 것으로 알려져 있다. 단지 완전한 마비가 있는 경우에만 가치가 있으며, 이 경우에도 일단 신경재생이 시작된 경우에는 운동요법으로 대체해야 한다. 전기자극요법은 근위축이 나타나기 전에 시작해야 하며, 인지될 정도의 재생이 있을 때까지 매일 실시해야 한다. 등장성 상태에서 마비된 근육을 확실히 수축시키기 때문에 지수성 전류(exponential currents)가 좋다.

협부 심부열창으로 안면신경의 손상이 있는 경우 신경을 일차적 또는 이차적으로 재건해야 할지를 먼저 결정한다. 이렇게 심한 손상을 받은 사람들은 종종 숙련된 미세수술팀이 즉시 진료할 수 없는 저녁 늦은 시간에 병원 응급실로 오게 된다. 더욱이 일차진료가 일차치유와 직결되지 않기 때문에 안면신경을 일차로 재건하기보다는 수상 후 3-4주일 후에 많이 재건한다. 이러할 경우에는 손상된 신경단을 색깔 있는 비흡수성 봉합사로 표시하고 봉합사 끝을 피부 밖으로 위치시킴으로써 이차수술 시 신경단을 찾기 쉽게 한다. 이차수술 시 말초부와 근심부 신경단을 치유된 창상 내에서 찾게 되며 반흔조직을 절제한다. 그런 다음 창상 내에서 대이개신경이나 비복신경을 이용해 자가신경 이식을 시행하여 재건한다(그림 15-33).

안면신경의 재건은 근심 쪽 신경단을 찾을 수 없거나 뇌종양 제거 또는 선천적으로 신경을 상실한 경우에는 매우 어렵게 된다. 이럴 경우에는 설하신경-안

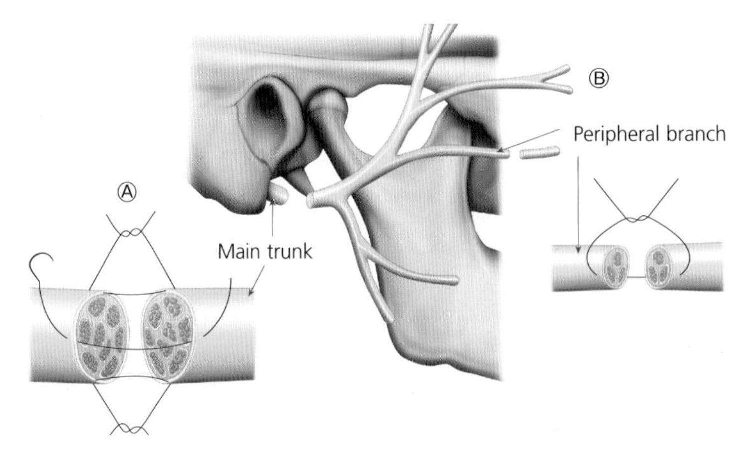

그림 15-33 손상된 안면신경의 이식술. **A:** 주 신경가지(main trunk)에서 몇 개의 신경외막(epineural) 봉합 **B:** 말초신경 분지에서 단일 봉합.

면신경 문합술(hypoglossal-facial anastomosis)이나 James Smith의 facio-facial anastomosis 또는 cross-face transplantation 방식에 의해서 안면신경기능을 최소한 부분적으로라도 회복시킬 수 있다. 설하신경-안면신경 문합술에서는 설하신경을 절단하여 근심 쪽 신경단을 마비된 안면신경에 문합하게 된다. facio-facial anastomosis의 기본적인 목적은 자가신경이식의 개념에 의해 건강한 쪽의 신경다발 일부를 마비된 쪽의 말초분지로 전환시키는 것이다. 건강한 쪽의 안면신경 가지 중 약 50%는 기능장애 없이 회생시킬 수 있다. 비록 facio-facial anastomosis의 결과는 대개 기대한 것만큼 좋지는 않지만, 안면신경의 중심단을 찾을 수 없을 경우에는 여전히 적응증으로 고려할 수 있다. 초기의 crossface transplantation은 이마와 하순으로부터의 이식을 사용하였으며 두 안면신경으로부터 가능한 먼 곳에서 문합을 시행하였다.

그러나 요즈음에는 이하선에서 비교적 중심부에 노출되어 있는 협관골분지 일부만을 반대편에 문합하기 위해 이식을 사용한다.

악안면영역에서 신경수술의 임상적용을 종합해보면 신경이식은 구강악안면외과 영역에서 성형재건외과술을 확장할 수 있다는 점에서 중요한 의미를 가진다. 요즘에는 만약 적응증이 바람직하다면 신경기능의 외과적 수복은 포기할 필요가 없다.

물론 재건의 필요성은 다양하다. 예를 들어서 나이 든 환자에서는 젊은 환자보다 재생과정이 만족스럽지 못하기 때문에 안면신경이식이 더 필요한 반면에 감각신경과 부신경의 대체는 그렇게 생활력이 있지 않기 때문에 안면신경의 이식이 더 필요하게 된다. 미세술에 의한 신경문합과 신경이식에 대한 최근의 기술을 사용함으로써 많은 증례에서 악안면영역의 수술 시 감각신경이나 운동신경의 상실로 인한 환자의 불편감을 최소로 줄일 수 있다.

6. 외상후 통증증후군(Post-traumatic pain syndrome)

구강악안면부의 말초감각신경에 손상을 받은 많은 환자들은 시간이 경과됨에 따라 감각기능의 회복을 가져오지만 때로는 상당한 고통을 가지는 경우도 있다. 일반적으로 감각기능이 떨어져 음식물이 붙어 있거나 침이 흘러도 잘 모르며, 입술이나 혀를 깨물거나 화끈거리는 느낌, 면도나 화장 같은 일상적 활동 시 어려움을 느낀다는 것이다. 이런 환자들 가운데는 외상 후 증상들이 고통스럽고 병적인 경우도 있어 여기서는 무지각성 통증, 발작성 신경통양상의 통증, 화끈거리는 작열통과 환상통을 중심으로 살펴본다.

1) 무지각성 통증(Anesthesia dolorosa)

이는 무감각증(numbness)이 있는 부위의 중심에서 일정하게 괴롭고 관통하는 듯한 통증을 보이는 것으로, 자세한 기전은 불확실하나 병적인 원인이 중추신경계 특히 시상과 대뇌피질부로 생각되는 것이다. 따라서 이 통증을 없애려고 말초신경조직 부위를 외과적으로 처치하는 것은 의미가 없다.

2) 발작성 경련과 같은 신경통성 통증 (Neuralgia form pain)

감각신경손상 후 첫 수주 이내에 칼로 찌르는 듯한 발작성 통증이 있을 수 있다. 몇 주 이상 지속되는 발작성 통증은 실제 감각저하 기간이 지난 후 나타나며 감각신경병증(sensory neuropathy)을 내포한다. 이 통증의 특성은 미세한 촉각이나 열자극에도 짧은 기간의 감각과민을 초래하므로 전형적인 삼차신경통과 유사하다. 통증의 원인은 앞에서 언급한대로 말초신경종이나 뇌간에서 이차적인 구심성차단에 기인한다. 임상검사가 중요하며 신경종의 경우 촉진에 의한 통증이 발작되는 반면, 중추성 삼차신경통의 경우 저절로 통증의 발작이 초래되게 된다. 치료는 그 원인이 중추성인 경우 carbamazepine과 같은 약물요법이 유용하지만,

신경종인 경우는 미세수술이 유용하다. carbamazepine의 장기적인 사용은 진정, 현기증, 오심, 무과립구증, 혈소판감소증 등이 발생할 우려가 있으므로 주의한다.

3) 작열통(Causalgia)

화끈거리는 통증(burning pain)을 특징으로 하는 증후군으로서, 작열통은 말초신경의 관통손상 후 약 2주일 정도 지나서 시작된다. 작열통은 삼차신경통처럼 발작적이지는 않고, 통증성 유해자극이나 염증이 원인으로 고려된다. 경우에 따라 신경조직 주위의 이물질, 이동성 골편의 존재, 감염부위의 과도한 발한이 발생할 수 있다. 색조와 퇴행성 영양변화(trophic change)를 보이고, 매우 따뜻하거나 차가운 느낌을 주는 경우도 있는데, 이들은 정서적인 스트레스에 의해 더욱 악화된다. 그 기전은 신경손상 부위에서 형성된 신경종 내부에서 체성감각신경(somatic sensory fibers)과 원심성 교감신경섬유(efferent sympathetic fiber)의 인위적인 시냅스로 추정되고, 교감신경성 임펄스의 시작은 변연계-시상하부축(limbichypothalamic axis)이다. 따라서 이런 상호작용으로 인해 정서적인 요소가 통증을 유발시킬 수 있다. 또한 악안면작열통은 안와하관, 하악관 같은 골 내부에서 교감신경과 체성감각신경의 혼재 때문에 발생될 수도 있다. 작열통의 감별진단에는 정신성고통(psychalgia)이나 과민증(hypersensitivity), 지속적 국소 병변상태(pathological condition), 표면과민성 같은 광범위한 조직변화 등이 포함된다. 혈관수축제가 들어있는 국소마취제에 의한 선택적인 조직의 전달마취가 진단에 도움이 되는데, 이는 교감신경자극을 차단함으로써 통증을 경감시킨다. 치료는 과도한 작열통의 경우 교감신경절제술(sympathectomy)로 효과적으로 치료되지만, 경미한 경우는 신경종의 확인과 절제로 치료되기도 한다.

4) 환상통(Phantom facial pain)

인체의 일부를 절제한 환자가 상실 부분을 실제 있는 것처럼 자각하는 느낌을 환상현상이라고 하는데, 전형적으로 사지절단 환자에서 나타난다. 절단된 부위에서 찌르는 듯한 통증(stabbing pain)을 느끼며 가려움증, 압박감, 작열감이 있을 수 있다. 이들 통증은 촉각자극에 예민해지고, 국소마취 시 차단된다. 악안면영역에서는 발치, 하악골 절제술, 설 절제술 등에서 환상통이 나타날 수 있다. 환상통 형성의 주요 기전은 뇌간(brain stem)에 있으며 신경종도 기여하는 것으로 알려져 있다.

손상된 말초신경의 재생과정에서 재생된 신경섬유는 수초가 적고, 전도속도도 늦어서 뇌간에서의 관문조절기전에 불균형을 가져와 환상통을 야기하는 것으로 생각된다. 환상통은 시간이 경과됨에 따라 감소하기 때문에 치료는 carbamazepine을 이용한 약물요법이 성공적인 경우가 많고, 대증요법과 환자의 심리치료가 필요하다.

Ⅶ. 전신질환성 악안면 신경병증

전신질환은 악안면에 발생하는 다양한 임상증상을 보이는 신경병증과 연관될 수 있다. 신경병증은 뉴런의 세포체 수준에서 말단 축삭까지 발생하는 여러 손상에 기인한다. 신경병증은 전신질환의 초기 증상으로 나타날 수 있기 때문에, 여러 신경병증과 전신질환 사이의 관계를 파악하는 것은 매우 중요하다. 본 장에서는 신경병증과 관련이 깊은 결합조직병(connective tissue disease), 암, 감염 및 당뇨병과 갑상선질환 같은 내분비질환 및 중독이나 영양장애에 의한 신경병증에 대하여 다루겠다.

1. 결합조직병과 혈관염

말초신경혈관염(peripheral nerve vasculitis), 비혈관성 대칭성 축삭 감각운동 다발신경병증(nonvasculitic symmetric axonal sensorimotor polyneuropathy), 감각신경절병증, 삼차신경 신경병증 등을 포함한 여러 가지 말초신경병증은 다양한 결합조직병과 연관되어 있다. 결절다발동맥염(polyarteritis nodosa, PAN), 처그스트라우스증후군(Churg-Strauss syndrome), 베게너육아종증(Wegener's granulomatosis) 등을 포함하는 혈관염들도 악안면 신경병증과 연관되어 있다. 고열과 체중소실 등의 전신적 증상이 흔하고, 발진이 관찰되는 경우 혈관염의 발생 가능성을 반드시 생각해야 한다. 홍반, 자색결절, 혈관성 발진 등이 관찰되면 말초신경혈관염과 연관될 확률이 매우 높다.

류마티스관절염은 말초신경혈관염과 관계된 결합조직병일 경우에 대부분 나타난다. 사실 모든 환자들이 말초신경혈관염으로 발전되기 전에 수년간 류마티스관절염을 겪는다. 환자들은 류마티스인자가 양성이고 높은 역가를 보인다. 말초신경혈관염은 또한 전신홍반루푸스, 쇼그렌증후군에서 말기 합병증으로 관찰된다.

대조적으로, 말초신경혈관염은 감별되지 않은 결합조직병 환자들에서 자주 나타난다. 전신적 증상과 증후를 가진 환자들은 항핵항체(antinuclear antibody, ANA)나 류마티스인자 중 하나가 양성반응을 보이거나 높은 역가를 가지지만, 특정 증후군임을 보여주는 특징은 보이지 않는다. 말초신경혈관염은 또한 결절다발동맥염과 베게너육아종증에서도 나타난다. 그러므로 말초신경혈관염은 이런 환자들에서 잠재적 요소로서 향후 발병 가능성이 있음을 유의해야 한다.

결합조직병이나 혈청학적 지표들(높은 역가의 항핵항체, 류마티스인자)이 관찰되는 환자들에서 신경조직검사는 감각과 운동신경의 이상을 보이는 임상적 증거의 존재와 고열, 체중소실, 발진 등의 전신적 증상이 명확하게 보일 때 시행하여 확진한다. 빈혈과 적혈구침강속도의 증가 시에도 말초신경혈관염의 가능성을 예견할 수 있다. 이런 경우들에서 신경과 근육조직검사 모두가 추천된다.

쇼그렌증후군에서 특징적인 감각신경절병증은 혈관염보다 더 흔하게 나타난다. 환자들은 아급성으로 발생되는 감각신경 실조를 보인다. 전기생리학적 연구에서 감각신경의 활동성전위가 없어지거나 진폭이 감소하면서, 복합적 운동신경 활동성전위는 비대칭적으로 보존된다.

삼차신경병증도 결합조직병과 연관을 갖는데 다음과 같은 증상들 중 하나가 자주 나타난다. 진행성의 편측 또는 양측의 얼굴마비, 감각이상, 통증이다. 증상은 입과 볼 주위에서 시작되며 6-24개월까지 지속된다. 병리학적 근거는 아직 알려지지 않았지만, 병소가 삼차신경절(Gasserian ganglion)의 원위부에서 관찰되므로 이를 통해 추정한다. 비록 결합조직병은 아니지만 전신성경화증(scleroderma)에서 가장 흔하게 나타난다. 면역조절치료는 삼차신경병증에는 효과적이지 못하다. 통증 발생 시 가바펜틴 등의 신경병증 통증치료약으로 치료해야 한다.

2. 종양과 관련된 신경병증

말초신경병증은 암세포의 직접 침윤이나 항암치료, 또는 방사선치료에 의해 간접적으로 발생할 수 있다.

1) 암의 직접효과

침습적인 종양은 전신 말초신경병증을 일으킬 수 있다. 연수막 암종증(leptomeningeal carcinomatosis), 상완과 요천추 신경얼기증(brachial and lumbosacral plexopathies)은 두통과 목 경직이 가장 흔하게 나타나지만, 이러한 특징들이 항상 나타나는 것은 아니다. 또 다른 증상으로는 하나 또는 여러 개의 두개내 신경병증과 다발성 신경근병증(polyradiculopathies)이 있다. 유방암, 폐암, 흑색종은 뇌수막에 전이되는 가장 흔한 악성 종양이다. 림프종과 백혈병 또한 연수막 암종증과 자주 연관되는 질병이다. 악성종양이 의심되면, 타과 의뢰를 즉시 시행한다.

암 전이로 인한 상완신경 얼기병증은 대부분 폐와 유방에서 기인한다. 보통 상완신경얼기의 하부를 침범하는데, 팔과 손의 내측 마비를 유발하고 손의 약화를 보인다. 호너증후군에서 자주 관찰된다. 어깨와 팔의 통증은 매우 심할 수 있다.

만성 염증성 탈수초 다발신경병증은 POEMS증후군(다발신경병증, 장기비대, 내분비병증, 단세포군감마글로불린병증, 피부결함)과 관계된 골경화성 골수종의 특징을 보인다.

2) 신생물딸림 말초신경증후군(Paraneoplastic peripheral nerve syndrome)

여러 신생물딸림증후군은 말초신경계에 영향을 미친다. 이 중 가장 잘 알려진 것은 신생물딸림 감각신경절병증인데, 이는 항-Hu 항체와 소세포폐암과 연관이 있다. 환자들은 감각실조가 급성 또는 아급성으로 나타나고, 사지의 원위부 통증 또는 부분마비와 종종 연관된다. 기타 유방암, 신장암, 연골육종, 고환종, 림프종과 연관되어 나타난다. 비록 신경학적 증후군은 면역조절 치료에 반응하기도 하지만, 예후가 불량하여 환자들은 심각한 불구로 남게 된다.

램버트-이튼 근무력증후군(Lambert-Eaton myasthenic syndrome)과 이삭증후군(Isaacs' syndrome)도 여기에 포함된다. 둘 다 극히 드물지만, 의원성 자가면역증후군의 일부로 나타날 수 있으며 신생물딸림 현상이 나타날 수 있다.

램버트-이튼증후군은 비록 콩팥세포암종, 림프종, 췌장암, 유방암, 난소세포암과 연관되어 있다고 보고되어 있지만, 주로 소세포폐암과 관계가 깊다. 환자들은 40세 이상이 대부분이고 평균 나이는 54세이다. 증상은 보통 몇 달에서 몇 년까지 암 진단이 선행된다. 특징적인 임상소견은 근위부 쇠약(어깨보다는 대퇴부)과 구강건조증이다. 비록 램버트-이튼증후군은 신경근연접의 장애이지만, 임상적으로는 중증 근무력증보다는 근위축성 측색경화증(amyotrophic lateral sclerosis, ALS) 또는 근병증과 혼돈되기 쉽다. 환자들의 사지쇠약이 아급성으로 시작되었는지와 정상 크레아틴 활성효소와 보통의 신경전도검사에서 저진폭의 복합근육 활동전위가 나타나는지를 보아야 한다.

이삭증후군 또는 후천성 신경근경직(neuromyotonia)은 드문 항체매개 이온통로병증으로 운동신경의 과흥분의 결과이다. 다른 신생물딸림증후군처럼 의원성 자가면역조건에서 발생할 수 있고, 내재된 암의 경우 이차적으로 발생할 수 있다. 내재하는 암으로는 흉선종, 호지킨림프종, 형질세포종 등이 해당된다. 환자들은 광범위한 근육경직과, 근육연축, 근경련, 다한증의 증상을 보이며, 근경직은 활동 시 더 악화된다. 근육잔떨림은 수면 중에 지속되고, 전신 근강직증후군의 장애와 구별된다. 치료는 내재된 암을 치료해야 하지만 가바펜틴이나 페니토인 등의 항경련제도 증상 완화에 도움이 된다.

3) 종양치료의 의원성 효과에 기인하는 신경병증

치료의 의원성 효과들은 종양환자의 말초신경병증의 또 다른 중요 원인이다. 이는 방사선치료의 지연된 효과뿐 아니라 화학요법의 더 즉각적인 효과를 포함한다.

방사선에서 기인하는 상완신경얼기병은 유방암의 방사선치료의 드문 합병증이다. 치료 후 대개 5년 이내지만 3개월 후부터 26년 사이에 언제든 나타날 수 있다. 불가능하진 않겠지만 임상적으로 전이된 상완신경얼기병과 감별하기 어렵다.

일부 항암치료제는 용량의존적으로 말초신경병증과 연관된다. 대표적인 예들로는 빈크리스틴, 시스플란틴, 탁산(즉, 파클리탁셀, 도세탁셀), 탈리도마이드와 보르테조밉을 포함한다. 가장 먼저 나타나는 증상은 장갑과 양말을 신는 부위의 부분마비로 이루어진다.

3. 감염

많은 감염성 질환들은 말초신경병증의 발생과 연관되어 있다. 후천성면역결핍증(AIDS) 환자에서 발생하는 원위부 감각성 다발신경병증은 HIV 감염의 가장 보편적인 신경학적 합병증이다. 신경병증은 HIV의 감염에 대해 이차적으로 생기거나 항레트로바이러스 약제의 독성 때문에 생길 수 있다. 임상적인 양상은 두 경우에서 동일하게 나타나는데, 환자는 원위부의 무감각과 이상감각을 나타낸다.

감각성 다발신경병증의 발생과 연관된 것으로 알려진 항레트로바이러스 약물은 뉴클레오시드 유사체로서 디다노신(ddI), 잘시타빈(ddC), 스타부딘(d4T) 등이 있다. 증상들은 전형적으로 약물 투여 후 수주 안에 시작되고 약물을 중지 시 임상증상이 소실되는데, 약물을 중지하고 난 후 임상적인 안정과 차후 증상의 호전이 있기 전에 증상의 진행이 수주 동안 지속될 수 있다.

또한 대상포진 바이러스 일차감염 후에 척수신경절에 잠복해 있던 바이러스가 나이가 들거나 체내 면역기능이 약화되었을 때 재활성화될 수 있다.

또한 B형과 C형 간염은 모두 말초신경계 혈관염과 관련된다. 한랭글로불린혈증으로 인한 소혈관염증은 C형 간염에서 더 보편적이지만, B형과 C형 간염 두 가지 질환과 모두 관련된다. 이것은 일반적으로 허약감을 수반하는 진행성 비대칭성 감각증상을 나타낸다.

4. 내분비 질환

당뇨병은 가장 흔한 전신질환이다. 당뇨병으로 인한 말초신경 합병증은 제1형과 제2형 당뇨병 모두에서 나타난다. 가장 흔한 신경병증은 발끝에서 시작하여 수개월에서 수년 사이 상부로 진행되는 이상감각과 감각소실이 특징이다. 신경병증이 진전되어도 무릎까지 진전되는 증거가 확실할 때까지 손은 거의 영향을 받지 않는다. 약한 무력증이 검사 중에 나타날 수 있지만 거의 증상이 없다. 사실상 증상이 있는 무력증은 신경병증의 다른 원인을 나타낼 수 있다. 대부분 환자는 말초신경병증보다 당뇨병 진단을 먼저 받는다. 그러나 제2형 당뇨병 환자의 10%는 신경병증을 치료받는 도중에 당뇨를 발견하였다.

당뇨에서 자율신경병증의 징후는 흔하지만 증상은 거의 없다. 위 마비, 자세성 어지러움, 남성의 발기장애는 당뇨에 기타 악안면 통증과 신경장애에서 자율신경병증의 흔한 형태이다. 심혈관계 자율신경병증이 있는 당뇨 환자는 그렇지 않은 환자보다 나쁜 예후를 보인다. 그러나 당뇨에서 신경병증과 자율신경병증의 발병기전은 밝혀지지 않고 있다.

5. 중독과 영양장애에 의한 신경병증 (Toxic and nutritional neuropathy)

심한 영양결핍과 이물질에 대한 반응으로 뉴런의 대사가 장애되면 뉴런은 더 이상 말초축색돌기를 유지할 수 없어 왈러변성이 일어난다. 진동과 위치감각에 예민한 말초신경의 원위부에서는 무감각증이나 이상감각이 발생한다. 인체에서 가장 말단부속지(appendages)에서 호발하는 영양결핍성 신경병증은 악안면 부위에도 발생하는데, 비타민 B 복합체 결핍과 관련이 많다. 비타민 B1 (thiamin) 결핍은 삼차신경 이상감각증과 후두마비를, 비타민 B2 (niacin) 결핍은 구내염, 설염, 설사, 삼차신경 감각기능이상을 초래할 수 있다.

수은, 납, 카드뮴, 비스무스, 비소 등과 같은 중금속 중독도 삼차신경이나 안면신경습에서 감각신경절의 괴사를 초래할 수 있다. 또한 급성 알코올중독도 일시적인 삼차신경 신경병을 초래해서 구강주위의 이상감각을 보이며, 치과임상에서 사용되는 페니실린, 코티손과 결핵약인 이소니아지드 등의 약제들도 삼차신경 감각기능에 장애를 초래할 가능성이 있다.

Ⅷ. 기타 악안면 통증과 신경장애

1. 중추신경성 통증과 신경장애

많은 중추신경계 병변에 기인한 통증과 신경장애는 그 원인이 주로 혈관성이다. 예를 들면 뇌의 여러 부위의 발생한 뇌졸중이 악안면 영역의 통증과 신경장애를 초래할 가능성이 있다. 기저동맥(basilar artery) 분지의 빈번한 폐색은 동안 신경과 안면신경의 장애를 초래하고, 교뇌(pons)에서 감각신경로와 운동신경로에 혈행장애를 초래하여 반신마비와 편측무감각을 초래한다.

뇌종양의 증상도 다양해서 말초신경질환의 증상과 유사하나, 종양의 경우 서서히 증가하는 일정한 양상의 두통, 의식악화, 발작(seizure) 등이 있다. 악안면 신경장애와 감별을 요하는 두개내 질환에는 다발경화증, 신경매독, 척수공동증, 시상증후군, 뇌막염, 정신과적 통증 등이 있다. 그러나 정신과적 통증 이외의 다른 질환들은 이화학적 검사, 전산화 단층촬영, MRI검사, 뇌파검사 등으로 감별진단이 가능하며 주로 신경외과, 신경과의 문제이므로 여기서는 생략하고, 이 단원에서는 악안면 신경질환의 진료 시 치과의사가 반드시 고려할 정신질환으로 인한 통증(psychalgia)에 대해서만 보다 다루고자 한다.

2. 정신질환 통증(Psychalgia)

신체적 원인에 기인하지 않은 신경정신과적 통증을 호소하는 악안면 통증은 애매모호하고 비특이적이며 신경분포 부위에 명확히 한정되지도 않는다. 환자는 흔히 통증을 호소하지만, 히스테리전환(hysterical conversion) 장애에 의한 무감각증, 이상감각증, 시력장애, 청력장애, 안면신경 부전마비, 신경통, 구토, 혈관신경성 부종 등으로 나타날 수도 있다.

이러한 증상들은 정서적 스트레스나 우울증과 관련될 수 있고, 기저질환으로 성격장애나 정신병이 있을 수도 있다. 이런 환자에게 내과적 또는 외과적 치료, 심지어 속임약효과로 일시적인 증상완화가 있을 수 있으나 완치는 불가능하다.

정신질환으로 인한 통증 환자에서 성격장애의 빈도가 높으므로, 진단에 minnesota multiphasic personality inventory (MMPI) 검사가 도움이 될 수 있다. 이러한 통증의 진단은 신중하게 이루어져야 한다. 명심할 것은 악안면 통증의 마지막 의지수단으로 고려되어서는 안 된다는 것이다. 앞의 **그림 15-5**에서도 나타난 것처럼 악안면영역의 신경학적 문제는 특히 통증의 경우에 정서적인 요소에 의해 보다 복잡한 양상을 보인다. 신경정신과적 요소가 확실하게 관여하는 임상상황에서도 신체적 원인들을 찾아서 진료하는 자세를 견지해야 한다. 기괴하거나 비정상 정신상태를 보이는 환자라고 하여도 정신질환에 기인한 통증 환자범주로 성급하게 분류해서는 안 된다. 왜냐하면 악안면 영역의 감각은 개인차가 크기 때문이다. 정신질환에 기인한 통증의 치료는 반드시 신경정신과적 접근이 필요하다.

참고문헌

대한두통학회. 국제두통질환분류. 3판. 2018. p. 1-30.

Baron R, Binder A, Wasner G. Neuropathic pain: diagnosis, pathophysiological mechanisms, and treatment. Lancet Neurol 2010;9(8):807-819.

Bendtsen L, Zakrzewska JM, Abbott J, et al. European Academy of Neurology guideline on trigeminal neuralgia. Eur J Neurol 2019;26(6):831-849.

Bendtsen L, Zakrzewska JM, Heinskou TB, et al. Advances in diagnosis, classification, pathophysiology, and management of trigeminal neuralgia. Lancet Neurol 2020;19(9):784-796.

Bergdahl J, Anneroth G, Perris H. Personality characteristics of patients with resistant burning mouth syndrome. Acta Odontol Scand. 1995;53(1):7-11.

Beris A, Gkiatas I, Gelalis I, et al. Current concepts in peripheral nerve surgery. Eur J Orthop Sur Traumatol 2019;29(2):263-269.

Bowsher D. The effects of pre-emptive treatment of postherpetic neuralgia with amitriptyline: a randomized, double-blind, placebo-controlled trial. J Pain Symptom Manage 1997;13(6):327-31.

Burchiel KJ. A new classification for facial pain. Neurosurgery 2003;53(5):1164-7.

Cruccu G, Di Stefano G, Truini A. Trigeminal neuralgia. N Engl J Med 2020;383(8):754-762.

Dawidowsky K, Branica S, Batelja L, et al. Anatomical study of the facial nerve canal in comparison to the site of the lesion in Bell's palsy. Coll Antropol 2011;35(1):61-5.

Fricton JR, Awad EA. Myofascial pain and fibromyalgia(Advances in pain research & therapy). vol 17. New York: Raven Press; 1990.

Gambeta E, Chichorro JG, Zamponi GW. Trigeminal neuralgia: An overview from pathophysiology to pharmacological treatments. Mol Pain 2020;16:1744806920901890.

Jessri M, Sultan AS, Tavares T, et al. Central mechanisms of pain in orofacial pain patients: implications for management. J Oral Pathol Med 2020;49(6):476-483.

Lambru G, Zakrzewska J, Matharu M. Trigeminal neuralgia: a practical guide. Pract Neurol 2021;21(5):392-402.

Lavorato A, Raimondo S, Boido M, et al. Mesenchymal stem cell treatment perspectives in peripheral nerve regeneration: systematic review. Int J Mol Sci 2021;22(2):572.

Maier C, Baron R, Tölle TR, et al. Quantitative sensory testing in the German Research Network on Neuropathic Pain (DFNS): somatosensory abnormalities in 1236 patients with different neuropathic pain syndromes. Pain 2010;150(3):439-450.

May M. The Facial nerve. Thieme; 1986. p. 333-440.

Miloro M. Trigeminal nerve injuries. Vol 1. Springer; 2013.

Mockenhaupt M, Messenheimer J, Tennis P, et al. Risk of Stevens-Johnson syndrome and toxic epidermal necrolysis in new users of antiepileptics. Neurology 2005;64(7):1134-1138.

Pabari A, Lloyd-Hughes H, Seifalian AM, et al. Nerve Conduits for Peripheral Nerve Surgery. Plast Reconstr Surg 2014;133(6):1420-1430.

Patton LL, Siegel MA, Benoliel R, et al. Management of burning mouth syndrome: systematic review and management recommendations. Oral Surg Oral Med Oral Pathol Oral Radiol Endod 2007;103(S39):e1-13.

Saguil A, Kane S, Mercado M, et al. Herpes zoster and postherpetic neuralgia: prevention and management. Am Fam Physician 2017;96(10):656-663.

Savica R, Laganà A, Calabrò RS, et al. Vagoglossopharyngeal Neuralgia: A Rare Case of Sincope Responding to Pregabalin. Cephalalgia 2007;27(6):566-7.

Singh VK, Haq A, Tiwari M, et al. Approach to management of nerve gaps in peripheral nerve injuries. Injury 2022;53(4):1308-1318.

구순구개열

안면이나 두개에서 선천적으로 피부, 근육 및 그 하부 골격구조의 결함으로 인해 갈라지는 것을 개열(cleft)이라고 한다. 두개안면부에 생기는 개열 중 구순구개열이 가장 흔하고, 그 다음은 구개열만 있는 경우이며 두개안면개열은 매우 드물다. 구순구개열은 발생원인과 발생학, 해부학적 특성이 다양하므로 정확하고 단순한 분류가 어렵고 이에 따른 진단과 치료도 까다로우므로 전문적인 지식과 이해가 필요하다. 구순구개열에 의한 장애는 일생 동안 지속되므로 심각한 사회심리학적 문제를 야기한다. 구순구개열은 심한 정도와 범위가 다양하므로 여러 분야의 협력치료가 필요한 질병이다. 구순구개열 환자에 대한 수술적 치료, 언어치료와 청각치료, 치아치료와 악교정치료, 정신과적 치료와 더불어 사회 전반적인 도움이 필요하다. 그러므로 구순구개열 환자에 대하여 장기적인 치료계획을 세밀하게 세우고 성장시기에 따라 일관적이고 단계적인 치료를 시행함으로써 가장 효과적인 치료 결과를 얻어 환자들이 정상적인 생활을 영위할 수 있도록 도와주어야 한다.

CONTENTS

CHAPTER 16

구순구개열

Cleft Lip and Cleft Palate

학습목적

두개악안면 부위의 성장과 발육 그리고 해부학적 구조를 숙지하고 구순구개열의 발생원인과 진행과정을 이해하며 단계적 치료과정을 숙지함으로써, 환자와 보호자에게 적절하게 설명할 수 있을 뿐만 아니라 이의 치료에 직접 및 간접적으로 관여할 수 있는 능력을 배양하는 것을 목적으로 한다.

기본 학습목표

- 구순구개열의 발생기전을 설명할 수 있다.
- 구순구개열을 분류하고 그 특징을 설명할 수 있다.
- 구순구개열이 악안면부의 성장발육과 기능에 미치는 영향을 설명할 수 있다.
- 구순구개열 치료의 전반적인 개요를 이해한다.
- 구개인두부(비인강부)의 해부학적 구조 및 그 기능을 설명할 수 있다.

심화 학습목표

- 구순구개열 환자에 대한 치과의사의 역할을 숙지하여 그 일관된 치료 방침을 설명할 수 있다.
- 구순구개열 환자의 문제를 해결하기 위한 일차수술 목적 및 원칙을 설명할 수 있다.
- 구순구개열 수술기법과 장단점을 설명할 수 있다.
- 구개인두기능부전(비인강폐쇄부전)의 원인과 증상, 치료방법에 대해 잘 설명할 수 있다.
- 언어평가와 언어치료 등에 대하여 숙지하여 적절한 의뢰를 할 수 있다.

I. 구순구개열의 발생과 치료계획

개체의 발생은 복잡하고 미세한 균형을 이루며 진행되는 과정이고, 이러한 과정이 정상적인 기능을 발휘하지 못할 때 선천성 결손이 발생한다. 결손의 원인으로 유전적인 요인과 환경적인 요인을 고려해야 하는데, 환경적인 요인이 어느 시기에 영향을 미치는가에 따라 결손의 범위, 형태 및 정도가 달라진다. 결손의 원인이 태아 발생 4주 전에 영향을 미친다면 대부분의 세포들이 손상받아 발생하지 못하게 되고, 발생학적으로 조직분화(histodifferentiation)와 형태분화(morphodifferentiation)가 진행되는 4-8주 사이에 선천성 결손의 여부가 결정되며 구순열과 구개열도 이 시기에 발생된다. 따라서 이 시기의 정상적인 형태발생학적 고찰을 함으로써 구순구개열의 발생과정을 이해할 수 있다.

1. 안면부의 발생과정

태생 3주경에 태아의 머리측에 신경판(neural plate)이 형성되고, 신경판의 경계부의 외배엽으로부터 발생하는 신경능세포(neural crest cell)들이 태아의 각 부위로 이동하여 골격 및 근육과 신경조직 등을 발생하고 향후 안면과 두개골의 경조직과 연조직을 형성한다. 신경능세포의 이동은 대체로 태생 5주경에 완료되며 이때부터 안면성장이 새로운 단계로 접어들게 되는데 국소적으로 안면돌기들과 인두궁(pharyngeal arch)들이 형성된다.

이때의 안면구조를 보면 구강이 형성될 원시구강(stomodeum)이 삽 모양을 하고 있으며, 원시구강의 상방에는 전두돌기(frontal prominence)가 있고 하방에는 하악돌기(mandibular prominence)가 발생하여 경계를 이루고 있다. 구강 외측 상방에 두 개의 코기원판(nasal placode)이 발생하고 그 주위가 증식하면서 가운데가 함몰되어 비와(nasal fit)를 만들며 장차 비공(nostril)을 형성한다. 비와의 외측이 융기하여 외측비돌기(lateral nasal prominence)가 생기고 내측에 내측비돌기(medial nasal prominence)가 형성된다.

1) 일차구개(Primary palate)의 발생과 구순열

태생 4-5주에 하악돌기, 즉 제1인두궁(first pharyngeal arch)의 근심 1/2 부위에서는 상악돌기(maxillary process)가 하악돌기의 상부로부터 분리되어 형성되며 점차 구부러지면서 성장하여 눈의 하방까지 자라고 다시 전방을 향해 위치하게 된다. 그 후 상악돌기는 그 첨부가 전방으로 성장하여 결국 내측비돌기 및 외측비돌기와 접촉하고 융합하여 하나의 조직으로 되는데, 이 조직이 비강과 구강을 최초로 분리하기 때문에 이것을 일차구개라고 한다. 일차구개는 상순의 대부분과 절치공 전방의 경구개 및 치아치조부(전상악)를 발생시킨다(그림 16-1~3).

안면돌기들이 일차구개를 형성하기 위해 서로 접근하면서 탈상피화(de-epithelization)하여 합쳐지는 것을 융합(fusion)이라 하고, 돌기 내에 간엽세포가 증식하면서 돌기가 커지고 돌기 사이의 간격이 메워지는 것을 병합(merging)이라고 하는데, 융합부전이 구순구개열의 원인으로 받아들여지고 있다(그림 16-4). 안면돌기의 융합을 설명하는 기전으로는 상피세포 사멸설과 상피-간엽세포 전이설(epithelialmesenchymal transition)이 인정받고 있다. 상피세포 사멸설은 안면돌기 간의 상피가 만나 이룬 상피주름(epithelial seam)에서 세포사멸(apoptosis) 기전에 의해 상피세포가 없어지면서 두 돌기의 간엽세포가 연결된다는 것이다. 또 상피-간엽세포 전이설은 상피주름의 기저막(basement membrane)이 깨지면서 상피세포가 간엽세포로 변해 연결된다는 것이다.

이런 과정이 완전하게 이루어지지 않게 되면 구순열과 전상악의 치조열이 발생되며 그 범위에 따라 구개열이 동반되기도 한다. 구순열은 거의 대부분 내측비돌기가 외측비돌기 및 상악돌기와 접촉하는 데 실패하거나 접촉하더라도 융합되는 데 실패함에 의해 발생하는 것으로 알려져 있다(그림 16-5, 6).

2) 이차구개(Secondary palate)의 발생과 구개열

일차구개의 성장이 완료된 후 태생 7-8주에 상악돌기 내측에서 외측구개돌기(lateral palatal process)가 형성되어 혀의 양측에 수직으로 놓여 선반모양을 하고 있다가, 태생 8-9주에 수평으로 놓이며 중앙을 향해 성장하게 된다. 이때 태아의 머리가 들리고 혀가 전하방으로 내려오고 혀 근육의 수축에 의해 비강과 구강의 압력이 달라져 외측구개돌기가 수평으로 상승되는 것으로 추정된다. 태생 9주에 양측의 외측구개돌기는 서로 접촉하여 앞에서부터 융합되기 시작하고 태생 12주에 뒤의 목젖(uvula)까지 형성되는데, 이것을 이차구개라고 한다. 외측구개돌기의 융합과 구개 형성과정은 전후방에서 일시에 일어나는 것이 아니라 처음에는 전방 일차구개돌기 직후방에서 일어나며 후방으로 폐쇄가 진행된다(그림 16-7).

이러한 이차구개 형성과정 중 어느 시점에서의 결손이 다양한 범위와 정도의 구개열을 유발하게 되는 것이다. 또 일차구개의 개열이 발생한 경우 안면성장의 부조화로 인해 외측구개돌기의 적절한 성장이 이루어지지 않아 구개열이 발생되는 경우가 많다(그림 16-8).

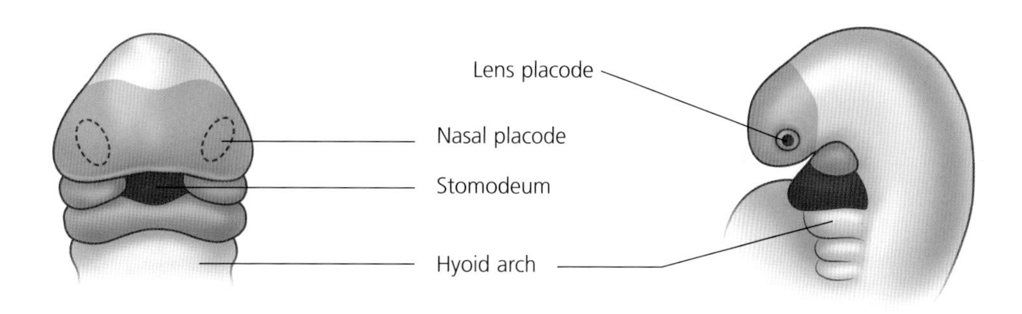

그림 16-1 태생 28일경의 코기원판(nasal placode)과 원시구강(stomodeum)의 형성.

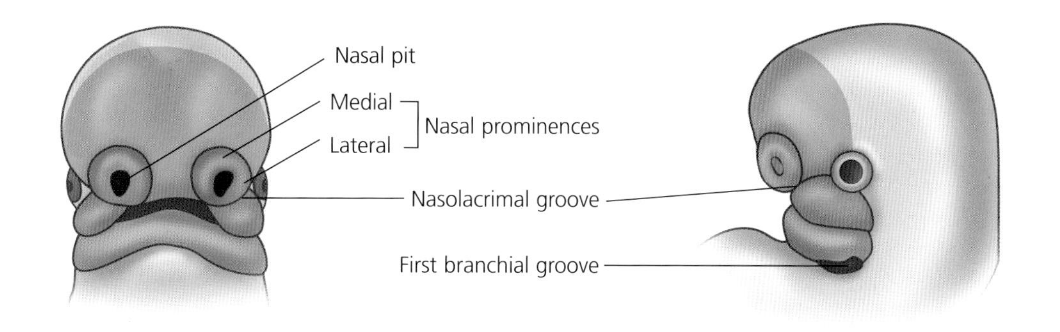

그림 16-2 태생 33일경의 내외측 비돌기(medial & lateral nasal prominence), 비소와(nasal pit), 비루구(nasolacrimal groove)의 형성과정.

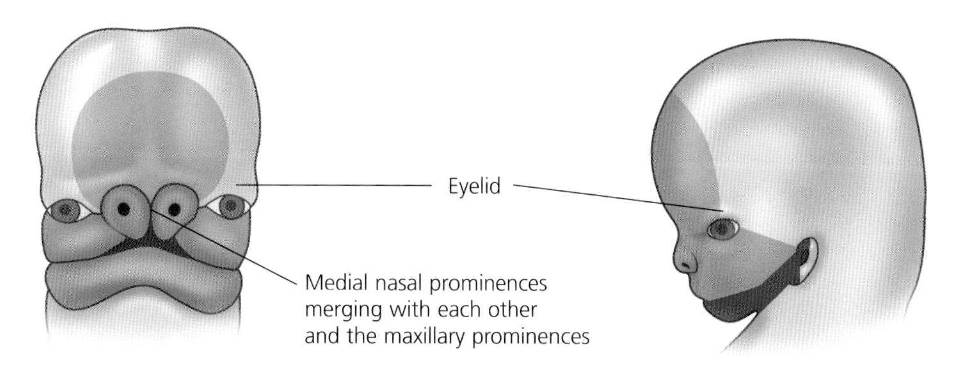

그림 16-3 태생 48일경의 상악돌기(maxillary process)와 내외측 비돌기(medial & lateral nasal prominence)의 융합으로 인한 코와 상구순의 형성.

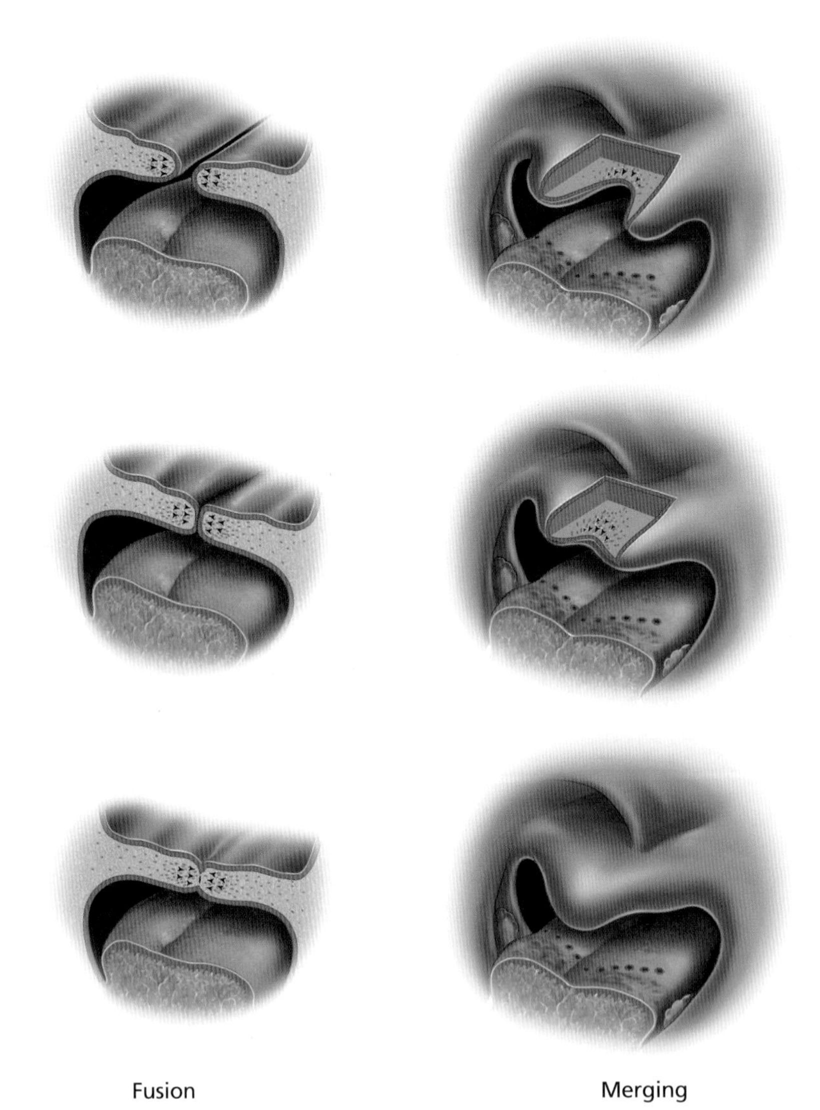

그림 16-4 안면돌기(facial prominence)의 융합(fusion)과 병합(merging) 과정.

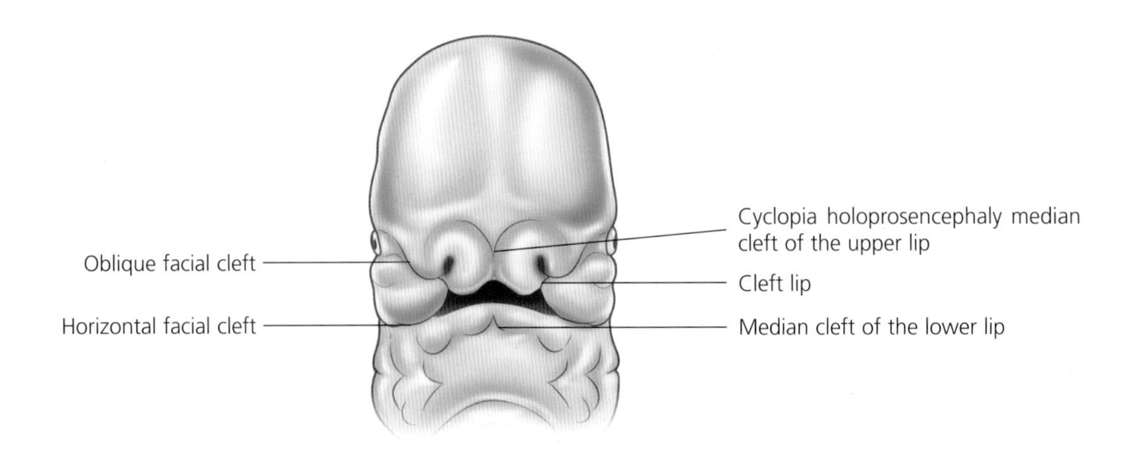

그림 16-5 태생 6주경의 안면발육 모습으로 돌기 간의 융합부전으로 다양한 개열(cleft)이 발생할 수 있다.

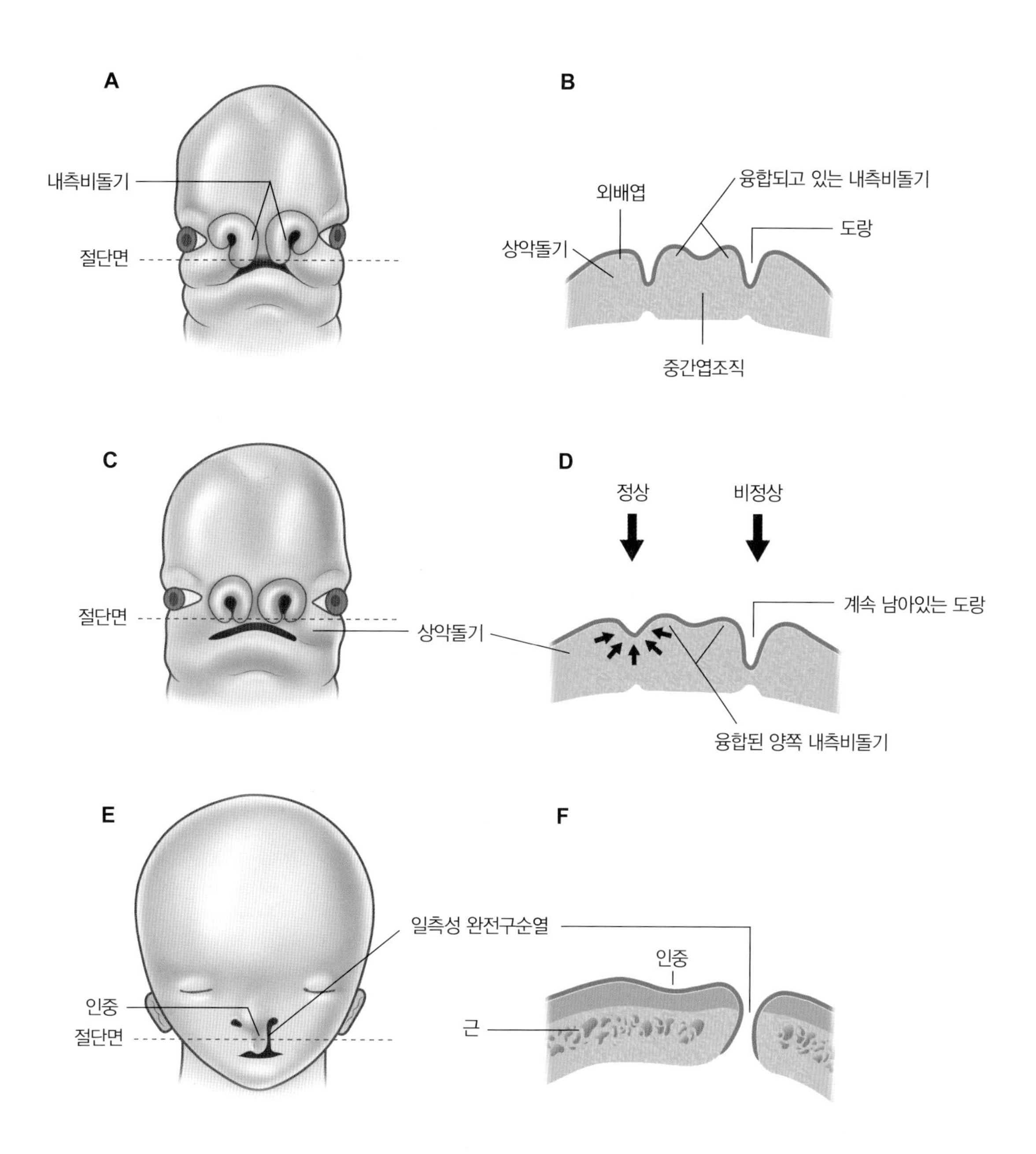

그림 16-6 일측성 완전구순열의 발생. **A:** 5주 태아 **B:** 머리를 수평으로 절단해 보면 융합하고 있는 상악돌기와 내측비돌기 사이에 도랑이 있다. **C, D:** 6주 태아의 머리를 수평으로 절단해 보면 우측 상순의 도랑은 간엽조직 증식으로 점차 메꿔지고 있다. 좌측 상순의 도랑은 계속 남아 있다. **E, F:** 이 경우 10주 때 태아의 머리를 수평으로 절단해 보면 좌측 상순에 완전구순열이 있다.

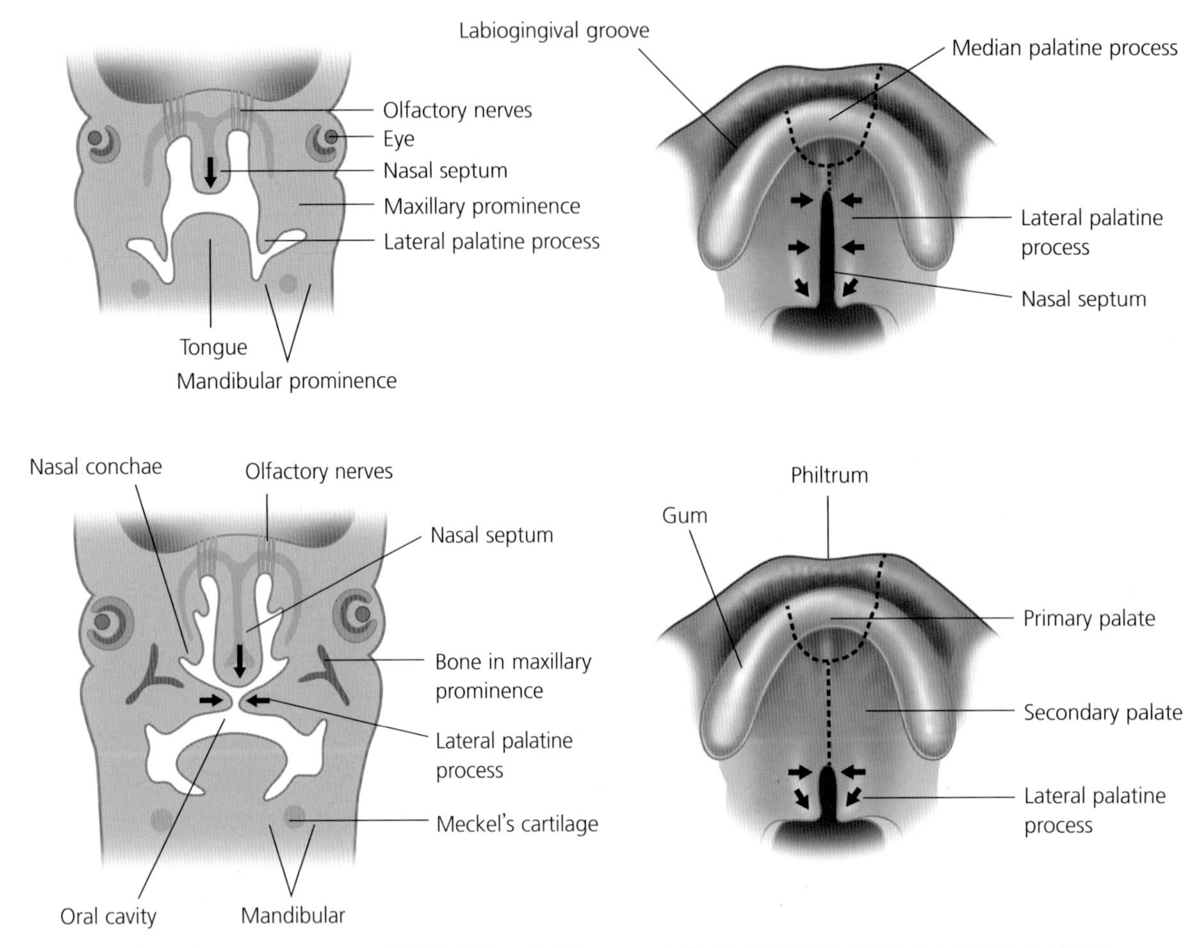

그림 16-7 이차구개(secondary palate)의 형성 과정. 구개선반(palatal shelf)이 수직위치에서 상승하며 수평방향으로 융합됨.

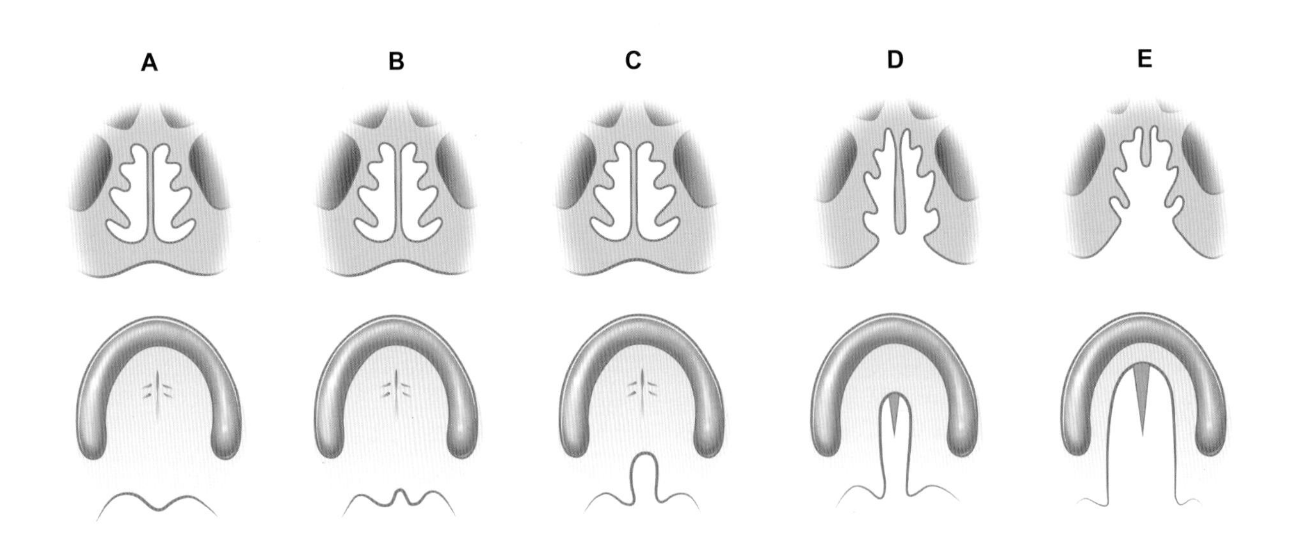

그림 16-8 구개열의 각 단계별 모식도. A: 정상 B: 점막하 구개열 C: 연구개열 D: 좁은 형태의 구개열 E: 넓은 구개열.

2. 구순구개열의 발생원인과 빈도

1) 발생 원인

구순구개열은 유전되기도 하지만 단일유전자질환은 아니고 수많은 관여인자에 의한 다인자 요인에 의해 발생한다. 구순구개열을 유발할 수 있는 요인은 크게 유전적인 요인과 환경적인 요인으로 분류된다.

유전적인 요인으로는 유전자의 변이와 염색체이상이 있으며, 개열 환자의 33–36%의 경우 가족력이 있다. 과거에는 구순구개열 환자 중 약 3%만 증후군과 단일유전자나 염색체이상 등에 의해서 발생한다고 생각하였으나, 최근 구순구개열과 안면열 환자 중 절반 이상이 다른 기형을 동반하는 것으로 나타났고 약 250여 종의 증후군에서 실제로 구순구개열과 안면열이 나타난다고 알려져 있다. 환경적인 요인으로는 산모의 감염, 방사선, 화학물질에 노출, 저산소증, 영양결핍, 알코올, 흡연, 약물, 스트레스 등이 있다(그림 16-9).

최근에는 원인으로 복합적인 유전자와 밀접한 관계가 있다고 믿고 있다. MSX, LHX, goosecoid, 그리고 DLX 등의 유전자와 더불어 FGF, TGF-β, PDGF, EGF 등의 성장인자나 그 수용체의 결합이 융합 실패에 관여할 것이라 생각된다.

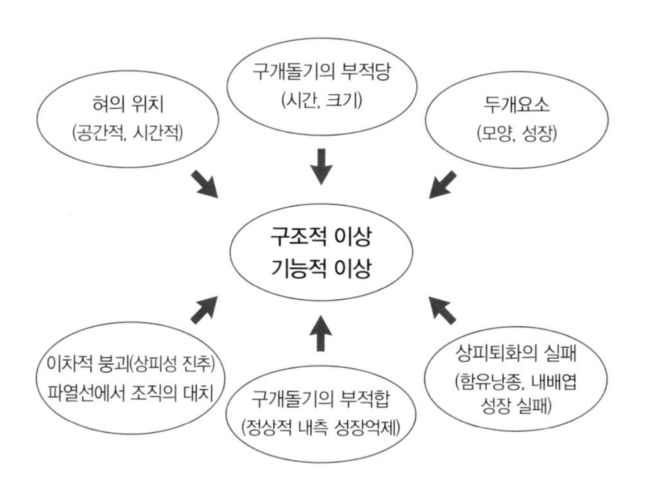

그림 16-9 구순구개열의 발생요인.

2) 발생 빈도

구순열과 구개열은 두경부의 선천성 기형 중에서 가장 흔하다. 구순구개열의 발생 빈도는 인종 간에 다소 차이가 있다. 인종별 발생 빈도는 백인에서는 1,000명 출생 중 1명, 동양인에서는 1,000명 중 2.1명, 그리고 흑인에서는 1,000명 중 0.43–1.34명으로 동양인에서 가장 많은 것으로 보고되었다. 구순열과 구개열이 함께 있는 경우가 46%로 가장 많고, 구개열만 있는 경우가 33%, 그리고 구순열만 있는 경우가 21%로 가장 적다고 보고되었다. 구순열에서 좌측과 우측과 양측 구순열의 비율은 6:3:1 정도라고 알려져 있다. 성별에 따라 구순열은 남성에 더 많고 구개열은 여성에 더 많이 생기는 경향이 있다. 부모의 연령이 많은 경우도 구순구개열의 위험인자이며 아버지의 나이 또는 부모의 나이가 30세 이상인 경우에 위험도가 증가하는 것으로 알려져 있다. 구순구개열의 발생 빈도는 최근에 증가하고 있는데 그 이유는 유전적인 요인보다는 환경적인 요인에서 찾아볼 수 있다.

3. 구순구개열의 분류

구순구개열의 복잡성 때문에 여러 분류법이 제안되었지만 이중에서 몇 가지만 임상적으로 인정받고 있다. Davis와 Ritchie (1922)는 Ⅰ군 구순열, Ⅱ군 구개열, Ⅲ군 구순구개열로 구분하였다. 이 분류법은 구순변형에 대한 기술이 불충분하여 일차구개의 개열과 치조열 침범 여부를 표현할 수 없었다.

Kernahan과 Stark (1958)는 발생학적 기원을 기초로 하여 절치공(incisive foramen)을 기준점으로 일차구개와 이차구개로 나누고, 이를 토대로 입술과 전상악부에 발생하는 일차구개의 개열과 절치공 후방의 경구개와 연구개에 발생하는 이차구개의 개열로 분류하고, 좌우측과 완전 또는 불완전 여부를 추가로 표시하였다(그림 16-10). 이 분류법은 1967년 국제성형외과연맹에서 채택되어 오늘날까지 사용되고 있으며, 여러 연구자들에 의해 점차 개선되어 "Y-형 도표"로 간략하게 그려서 술전과 술후 상태를 기록할 수 있게 되었다. 이 도표에서 완전열(complete cleft)이 있는 부분은 점으로 표시하고 불완전열이 있는 부분은 평행선으로 표시하여 환자의 상태를 쉽게 구분하여 기록할 수 있도록 하였다(그림 16-11).

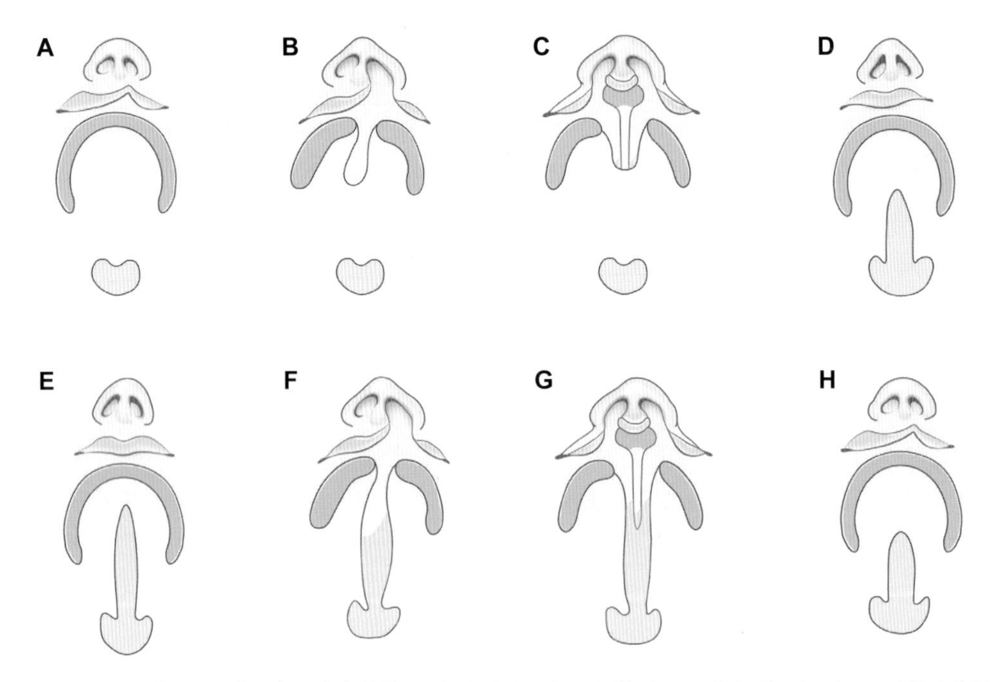

그림 16-10 Kernahan과 Stark의 구순구개열 분류. 일차 및 이차구개를 발생학적으로 절치공을 기준점으로 사용하여 일차구개의 개열, 이차구개의 개열 그리고 일차 및 이차구개 개열의 3군으로 분류하였다. A: 일차구개의 일측성 불완전열 B: 일차구개의 일측성 완전열 C: 일차구개의 양측성 완전열 D: 이차구개의 불완전열 E: 이차구개의 완전열 F: 일차 및 이차 구개의 일측성 완전열 G: 일차 및 이차 구개의 양측성 완전열 H: 일차 및 이차 구개의 일측성 불완전열

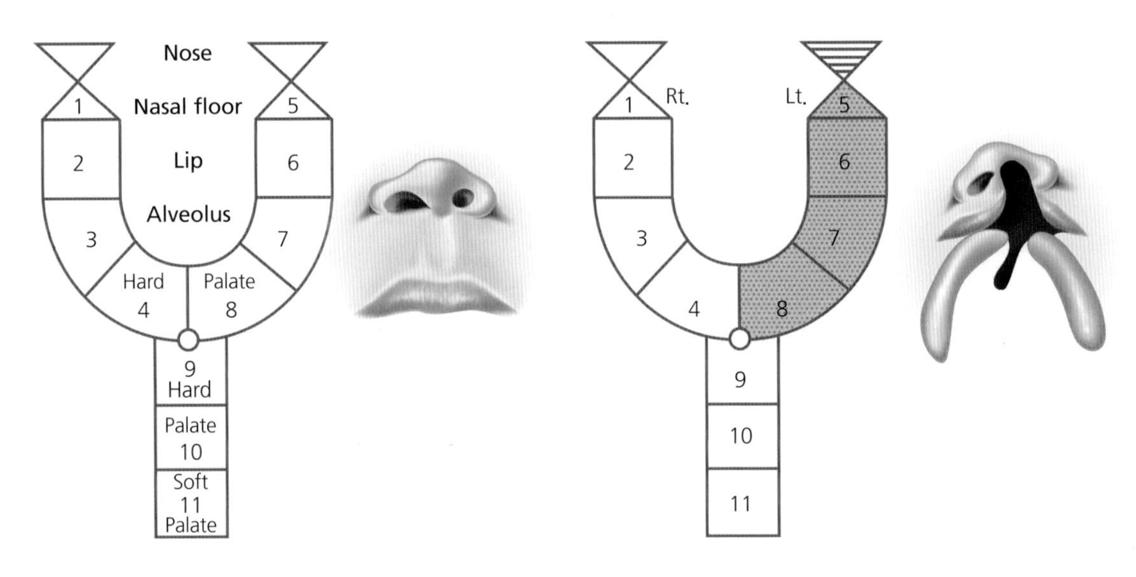

그림 16-11 Kernahan의 Y-형 구순구개열 분류도표와 표시법의 예.

4. 구순구개열의 치료계획

구순구개열은 악안면의 골격계통, 신경, 근육 및 치아교합 등 구강을 구성하는 저작기관의 장애를 동반하게 된다. 그러므로 구순구개열 환자가 악안면 형태와 기능을 회복하여 보통 사람들과 같이 사회에 복귀할 수 있게 하려면 출생 직후부터 악골 발육이 끝나는 성인에 이르기까지 장기간에 걸쳐, 수술을 하는 구강악안면외과뿐만 아니라 소아치과, 치과교정과, 치과보철과, 소아과, 이비인후과, 소아정신과, 언어치료사, 심리치료사 등 전문가들의 협력치료와 단계적인 치료가 필요하다(표 16-1).

1) 진료진에서 각 전문가의 역할

구강악안면외과의사의 역할은 구순구개열 부위를 외과적으로 수복하여 입술과 코의 모양을 바로잡고 구개의 기능을 증진시키며, 또 수유장애가 있을 때 부모에게 조언을 하거나 장치를 제작해 주는 것이다. 이 과정은 출생 직후에 이루어지기 때문에 환자의 부모와 친해지기 쉬워 구강악안면외과의사가 진료팀의 리더가 되는 것이 바람직하다. 이비인후과의사는 청력검사와 청각치료 및 중이염 등의 치료를 하여 환자가 정상적으로 말을 배우고 의사소통을 하도록 도와준다.

소아치과의사는 유치열이 형성될 때 치아 보존치료와 불소도포를 포함한 예방치과 치료를 해준다. 교정과

표 16-1 협력치료의 구성도

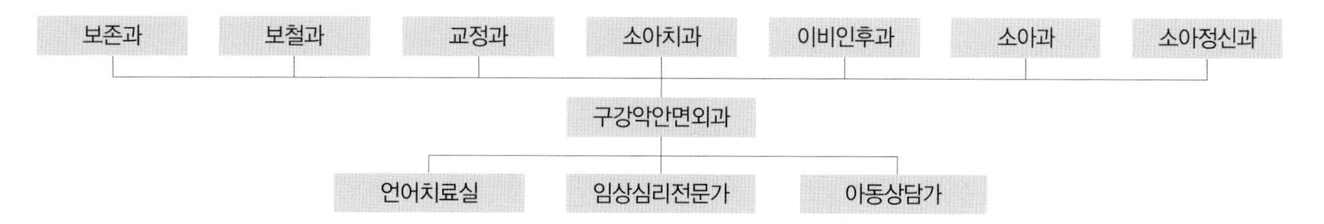

표 16-2 나이에 따른 단계적 치료계획과 치료내용의 예

나이	전문가와 치료내용
출생	부모를 먼저 안심시키고, 아기가 일관적인 치료를 받으면 정상적인 생활을 할 수 있음을 설명해주고, 스킨쉽(skinship)을 강조한다. 젖빨기 장애가 있을 때에는 호쯔 장치(Hotz plate)를 장착해주고 구개열 아기용 특수젖꼭지를 사용하도록 권장한다. 개열이 넓은 경우 악정형장치를 장착한다.
1-3개월	비구순접합술 및 치은골막성형술
3-5개월	구순열의 외과적 수술
6개월	예방적 치과치료의 시작
10-18개월	구개열의 외과적 수술
15-18개월	언어치료사에 의한 언어평가 및 언어치료 시작
2-4세	교정과의사는 치아와 연조직을 검사하고, 이비인후과의사는 청력과 고막을 검사한다. 언어치료사는 언어치료를 계속하고, 소아치과의사는 구강위생의 중요성을 숙지시킨다.
4-6세	발음개선을 위한 인두피판술, 입술-코의 이차 교정술
8-12세	치조열에 대한 골이식술
8-14세	치과 교정치료 및 언어치료 계속
17세 이후	악골 발육이 끝난 이후이므로 악교정수술, 치과교정을 용이하게 하는 수술, 보철치료, 입술-코의 이차 교정술

의사는 수술 전 비치조정형장치를 이용하여 수술을 용이하게 할 수 있도록 하고, 치아의 배열 이상을 조기에 교정하도록 하며 영구치열이 되면 보철치료를 위한 치아배열을 한다. 보철과의사는 폐색장치(obturator) 등과 같은 다양한 보철물을 제작하며 결손된 치아를 수복하기 위한 보철치료를 한다.

언어치료사는 부모에게 의사소통의 문제에 대해 조언해주며 아동이 정확하게 말할 수 있도록 도와준다. 또 구강내에 충분한 압력을 만들지 못해서 나타나는 과비음(hypernasality)이나 조음장애 등과 같은 문제를 해결해주는 훈련을 반복해서 시행한다. 정신과의사 또는 심리치료사는 부모와 환자와 상담을 통해 부모가 자녀의 기형에 대해서 느끼는 죄책감 또는 환자가 사춘기에 기형 때문에 나타낼 수 있는 심리적 장애 등에 대해 상담한다.

2) 구순구개열 환자의 단계적 치료계획

구순구개열 환자의 적절한 치료시기에 대해서는 아직도 많은 논란이 많으며 의사에 따라 치료의 주목적을 어디에 둘 것인가에 따라 치료시기가 달라지는 것도 사실이다. 예를 들어 상악골의 성장장애를 예방하기 위해서는 구개열 수술을 늦게 해야 하고, 발음장애를 줄이기 위해서는 수술을 빨리하는 것이 좋다. 구순열과 구개열이 동반된 경우와 단독으로 나타난 경우 또는 환자의 전신상태나 기형의 정도에 따라 치료계획을 조정하여야 한다.

기형을 가진 환자의 부모는 누구나 일회 수술로 환자가 정상을 되찾기를 원한다. 그러나 환자의 기형의 정도와 범위에 따라 여러 전문가들에 의한 일관적이고 단계적인 치료가 환자의 성장이 끝날 때까지 계속되어야만 좋은 치료결과를 얻을 수 있다는 것을 환아의 부모에게 이해시켜야 한다. **표 16-2**는 구순구개열 환자에게 필요한 대략의 단계적인 치료의 내용을 설명하고 있으며 환자의 상태나 의사에 따라 다소 달라질 수 있다.

II. 구순열 및 안면열

1. 구순열의 해부학

1) 정상 구순과 비저부의 표면해부

구순을 구성하는 중요한 기본 근육은 구륜근(orbicularis oris muscle)이며 바깥쪽에는 피부가 있고 안쪽에는 점막이 있다. 상순은 비순구(nasolabial groove)를 경계로 협부와 구분되고, 하순은 이순구(mentolabial groove)를 경계로 이부와 구분된다.

입술의 붉은 점막 부위를 홍순(vermilion)이라 하며, 홍순의 전방은 창백한 분홍색(pale pink)을 띠고 건조하며 후방은 짙은 분홍색을 띠고 습하다. 홍순과 피부 사이의 융기된 접합부를 홍순연(vermilion border)으로 홍순연은 외측에서 낮고 중앙에서 높고, 홍순연의 제일 높은 부위에서 곡선이 반전되어 정중부에서 가장 낮고 그 좌우에 정점(peak)을 보이는데 이를 큐피드궁(Cupid's bow)이라 한다. 홍순연의 상방에 백색릉(white roll)이 있으며 이 부분은 홍순과 피부의 경계보다 피부 쪽에 위치한다.

홍순연과 연결된 피부의 중앙부에는 약간 함몰된 인

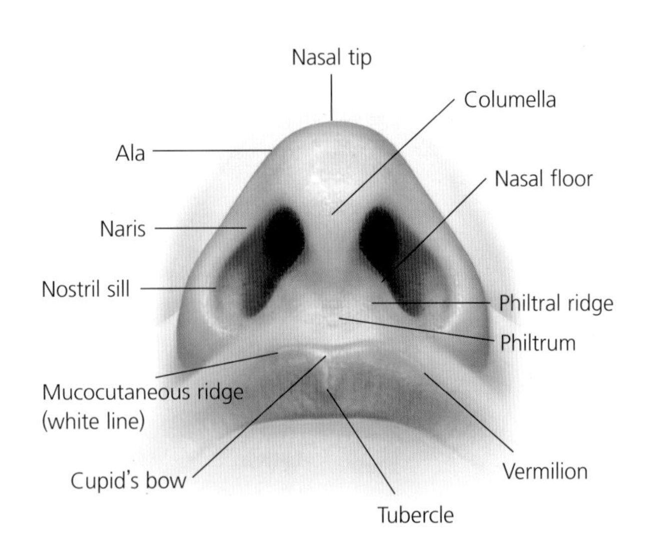

그림 16-12 코와 입술의 표면.

중와(philtral dimple)가 있고 좌우측에는 큐피드궁의 정점에서 연장된 인중능(philtral ridge)이 뻗어서 비주(columella)의 외측과 연결된다(그림 16-12).

2) 일측성 구순열의 병리해부

일측성 구순열비변형(unilateral cleft lip nasal deformity)과 관련된 특징들은 다음 요소들을 모두 또는 일부 포함할 수 있다(그림 16-13).

① 비첨이 비환측으로 편위된다.
② 비익원개(alar dome)가 후방(dorsal)으로 변위된다.
③ 환측 비익원개에서 내측각(medial crura)과 외측각(lateral crura) 사이가 둔각이다.
④ 비익이 내측으로 휘어 있다(buckling).
⑤ 비익이 편평하고 비공이 수평으로 위치(horizontal orientation)한다.
⑥ 비익-안면구(groove)는 희미하거나 없다.
⑦ 비익기저부는 외측으로 벌어지고 후하방으로 변위된다.
⑧ 환측 코둘레(nasal circumference)가 크다.
⑨ 전체 코가 더 후방에 위치한다.
⑩ 환측 비주가 더 짧다.
⑪ 비주가 사선으로 기울어지고 비주기저부가 비환측으로 편위된다.
⑫ 내측각의 하단(footplate)이 비환측보다 더 후방에 위치한다.
⑬ 환측 비강저는 보통 결손되거나 더 낮다.
⑭ 환측 상악 열성장이 있다.

3) 양측성 구순열의 병리해부

양측성 구순열비변형(bilateral cleft lip nasal deformity)과 관련된 특징은 다음 요소들을 모두 또는 일부 포함할 수 있다(그림 16-14). 비록 변형이 대칭적이라

16 구순구개열

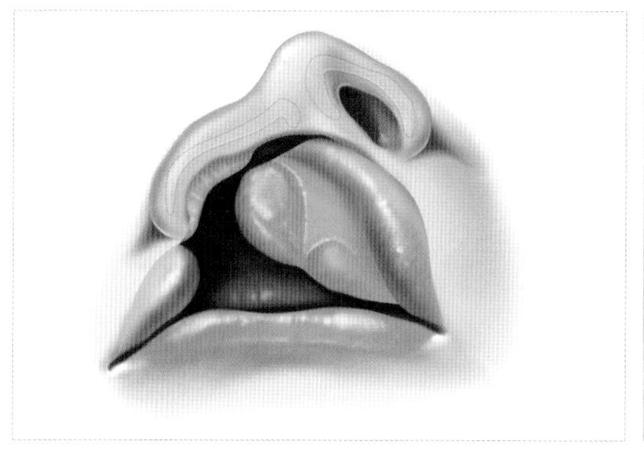
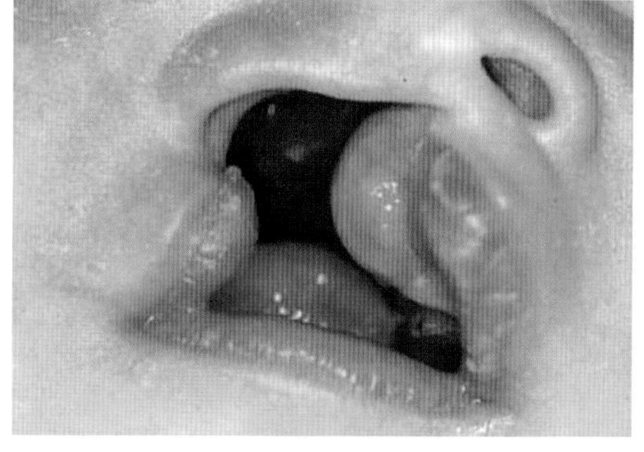

그림 16-13 일측성 구순열비변형의 모식도와 증례.

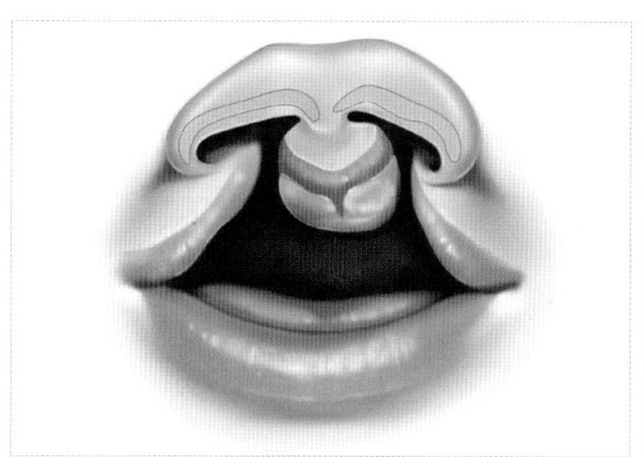

그림 16-14 양측성 구순열비변형의 모식도와 증례.

해도 정상에 비하면 다음과 같은 특징을 보인다.

① 비주가 짧다. 때로는 없는 것처럼 보이고 전순(prolabium)이 비첨부에 부착된 것 같다.
② 비첨부가 편평하고 넓다.
③ 비익이 편평하고 때로는 S자 모양을 한다.
④ 비익기저부는 외측으로 벌어지고 후하방으로 변위된다.
⑤ 두 비공은 수평으로 위치한다.
⑥ 하외측연골이 심하게 변형되어 있다. 내측각은 짧고, 첨부에서 상당히 떨어져 있고, 외측각은 길고 편평하며, 원개(dome)는 둔각으로 휘어 있다.
⑦ 비강저는 보통 양측이 결손된다.
⑧ 양측 상악열성장 소견을 보인다.

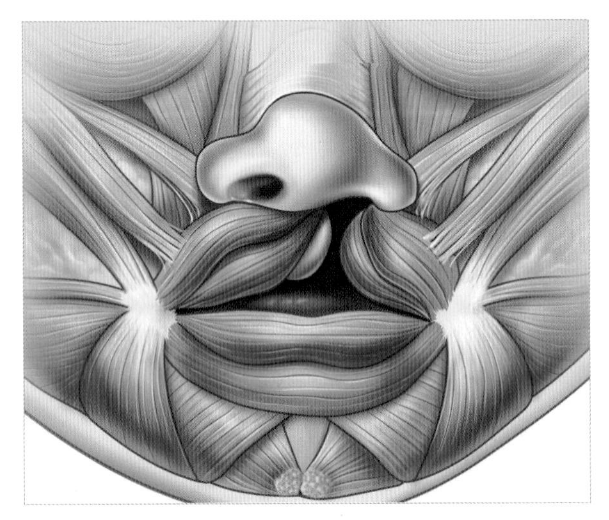

그림 16-15 일측성 구순열에서 환측 구륜근의 근섬유속이 비정상적으로 부착된 모식도.

2. 일측성 구순열(Unilateral cleft lip)

전형적인 구순열에서는 구륜근의 근섬유속이 개열의 변연을 따라 평행하게 주행하여 피부와 점막에 비정상적으로 부착된다. 이런 까닭에 구순열 수술 시에 근육의 재정위(reorientation)는 중요한 요소가 된다(그림 16-15). 구순열과 동반하여 나타나는 비기형(nasal deformity)도 교정하기 어려운 부분이다. 전형적으로 비중격(nasal septum)은 비환측으로 기울어져 있고 비주기저부는 전비극(anterior nasal spine)으로부터 비환측으로 편위되어 있다. 하외측연골은 편평하고 떨어져 있으며 상외측연골 위에 놓여 있지 않다. 비익기저부는 외측 상악골편에 부착되어 있으며 넓게 벌어져 있다. 이러한 변형들은 구순열 수술 시에 어느 정도 개선되지만 대부분 이차 교정술(secondary correction)이 필요한 경우가 많다.

1) 증상

(1) 경미한 구순열(lesser form cleft lip)

변형의 특징은 다음 세 가지 요소 중 몇 가지를 나타내며 그 크기와 특징에 따라 minor form, microform, mini-microform으로 나뉜다.

① 홍순의 하연에 절흔(notch) 같은 작은 개열이 보인다.
② 큐피드궁의 정점 부근의 홍순연부터 비공저(nostril sill)에 이르는 인중능에 함몰되어 있는 선상의 섬유조직띠가 있다.
③ 비익과 비공에 변형이 있다(그림 16-16).

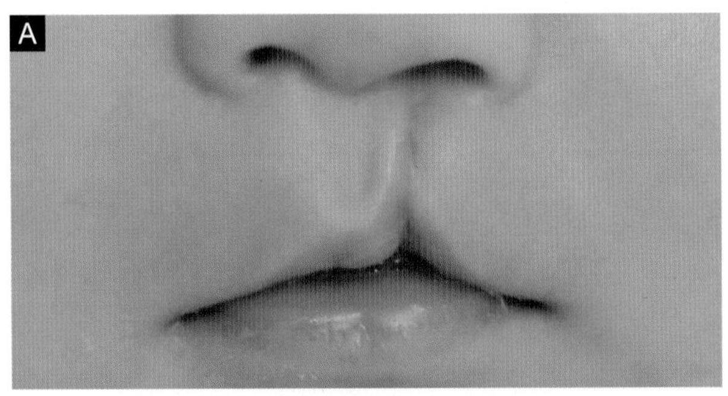

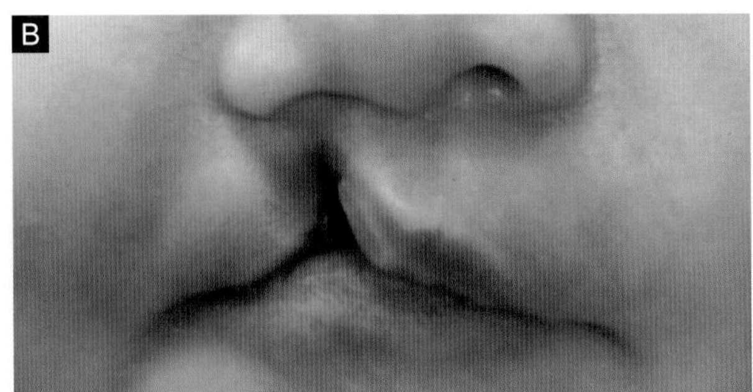

그림 16-16 일측성 미세형 구순열(A), 일측성 불완전구순열(B) 증례.

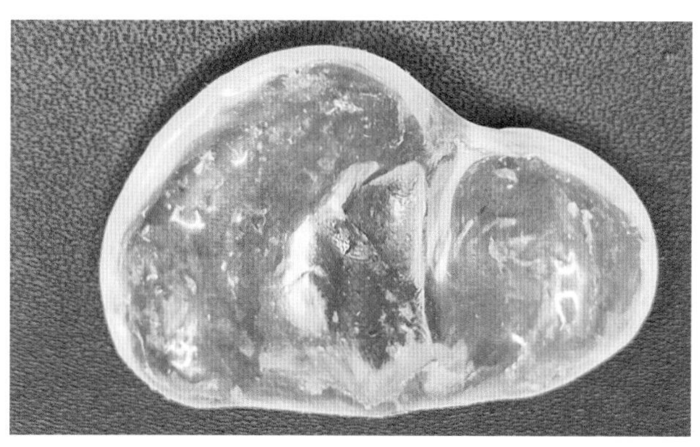
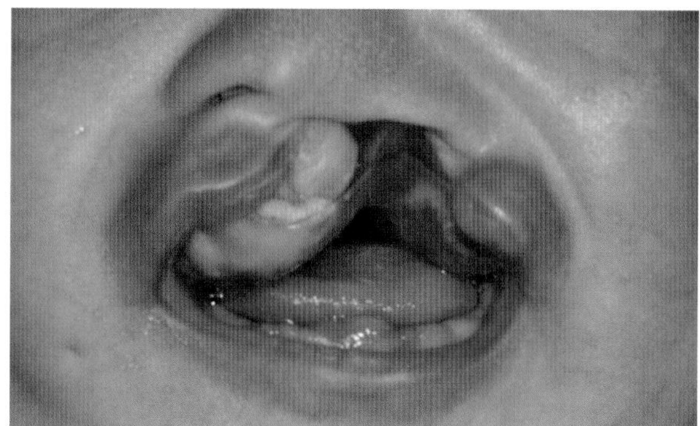

그림 16-17 호쯔 장치(Hotz plate)와 구강내에 장착한 모습.

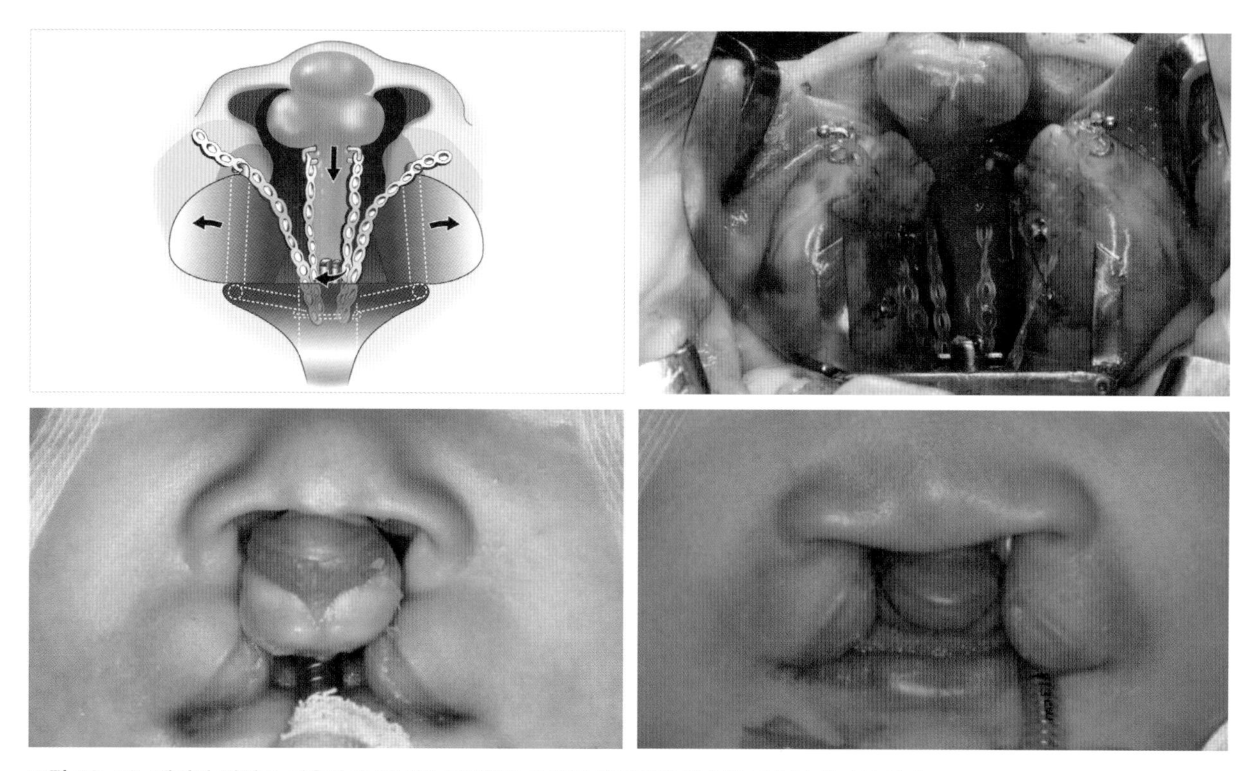

그림 16-18 레이탐 장치를 이용하여 전돌된 전상악을 후방에 위치시킨 양측성 구순열 환자의 증례.

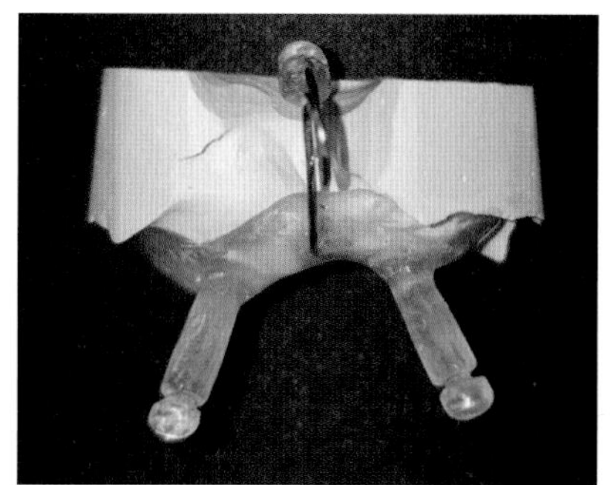
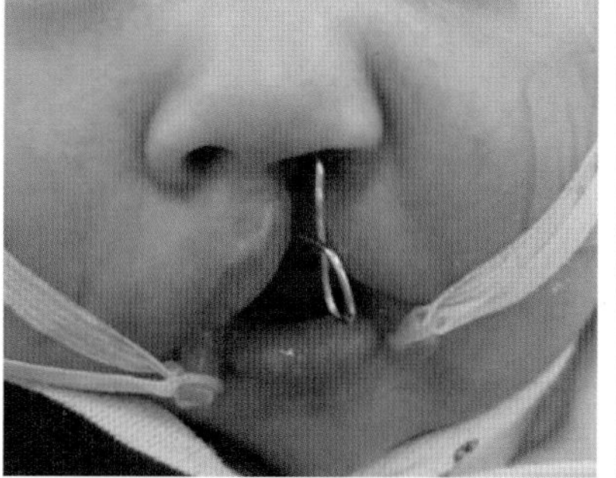
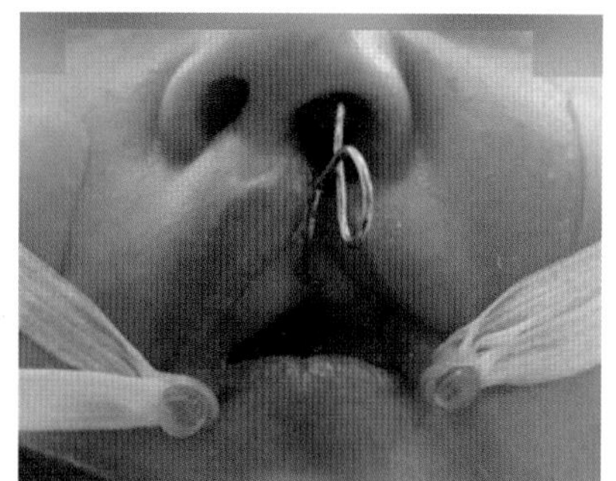

그림 16-19 일측성 구순구개열 환자를 위한 비치조정형장치와 장착한 모습.

(2) 불완전구순열(incomplete cleft lip)

개열이 상순의 일부에 걸쳐 있고 비공저까지 이르지 못한 경우로, 개열의 길이와 폭이 증례에 따라 다양하고 비익과 비공의 변형의 정도는 약간 더 심하다(그림 16-16).

(3) 완전구순열(complete cleft lip)

개열이 비강저까지 연장되어 상순 전체에 걸쳐 존재하는 경우로, 환측 비공과 비익이 심하게 변형되어 있고 비첨과 비주는 비환측으로 기울어져 있으며 비익 기저부는 외측으로 벌어져 있다. 구강 내에서는 전상악(premaxilla)이 비환측으로 회전되어 상악 정중선이 비환측으로 편위되어 있고, 전상악과 측방 상악분절(maxillary segment) 사이에 개열이 있으며 치조골의 높이가 서로 다르다. 완전구순열 환자의 경우 수유 시 구강내 음압을 만들기 어려워 수유량이 적어지기 때문에 신체 발육에도 영향을 받는다.

2) 술전 치료

(1) 술전 악정형치료(orthopedic treatment)

구순구개열 환자에서는 환측 하외측연골의 함몰과 변형, 환측과 비환측 하외측연골이 떨어져 있어 편위되고 납작한 비첨, 그리고 짧은 비주 등 코의 변형이 관찰된다. 또 구순구개열 환자에서 수술 전에 치조분절의 위치 관계를 해부학적으로 정상적으로 개선하면 구순성형술을 더 쉽게 할 수 있다.

호쯔 장치(Hotz plate)는 젖빨기수유를 돕고 수동적으로 치조골을 이동시키고자 하는 방향으로 장치의 내부를 삭제하여 공간을 형성함으로써 치조분절을 정형하는 장치이고(그림 16-17), 레이탐 장치(Latham device)는 능동적으로 치조분절에 정형력을 가하고 앞으로 돌출된 전상악을 후방으로 재위치시켜 악궁관계를 개선하는 장치이다(그림 16-18). Grayson 등(1999)은 구순열 수술 전에 치조분절을 정형하고 치조골의 간격을 줄이며 변형된 비익연골을 교정하고 짧은 비주를 연장시키기 위해 술전 비치조정형(presurgical nasoalveolar molding, PNAM) 장치를 고안하였다(그림 16-19). 이를 통해 구순성형술 시 피판 봉합부의 긴장을 줄여주고 술후에 발생하는 구순열비변형을 예방하는 효과를 나타낸다. 또한 치조분절 간의 간격을 줄임으로써 치은골막성형술(gingivoperiosteoplasty)을 할 수 있게 하므로 나중에 치조열 골이식술의 필요성을 감소시킨다.

(2) 비구순접합술(nasolabial adhesion)

비구순접합술은 구순유착술(lip adhesion)이라고도 하며 완전구순열에서 개열의 폭이 넓고 상순과 코 그리고 치조골편의 변형이 심할 경우 구순열 수술을 하기 전에 예비적으로 시행하는 술식이다. Millard, Randall, Mulliken 등은 생후 1-2개월에 비구순접합술을 먼저 하여 완전구순열을 불완전구순열로 만든 다음에 구순성형술을 시행하면 좋은 결과를 얻을 수 있다고 하였다. 비구순접합술 후에 생긴 입술의 압력에 의해 전상악이 상악 치조궁의 정상적인 위치로 이동되어 실제 치조분절 간의 폭이 감소되고 구순성형술도 어렵지 않게 할 수 있다(그림 16-20).

수술기법은 개열 변연의 피부를 벗기고 점막, 근육 및 피부를 3층 봉합한다. 구순성형술은 그 후 언제라도 가능하지만 보통 3개월 정도 후에 하고 때로는 구개열 수술 시에 동시에 하기도 한다. 비구순접합술은 수술을 한 번 더 해야 하는 문제점을 가지고 있다.

3) 일측성 구순열의 수술

(1) 구순열의 수술시기

구순열의 수술시기에 대해서는 아직도 이견이 많다. 건강한 아이라면 출생 후 언제든지 수술이 가능하지만 10-12주까지 기다리는 동안 심장기형과 같은 동반 기형을 찾아낼 수 있고 아이가 더 커질수록 해부학적 지표가 뚜렷해져서 수술이 쉬워진다. 구순열 환아에서 마취가 안전한 시기를 "10의 법칙"으로 정하였다. 구순열 수술을 위해 전신마취를 해야 하기 때문에 나이는 출생 후 10주, 체중은 10파운드(약 4.5 kg), 혈중 헤

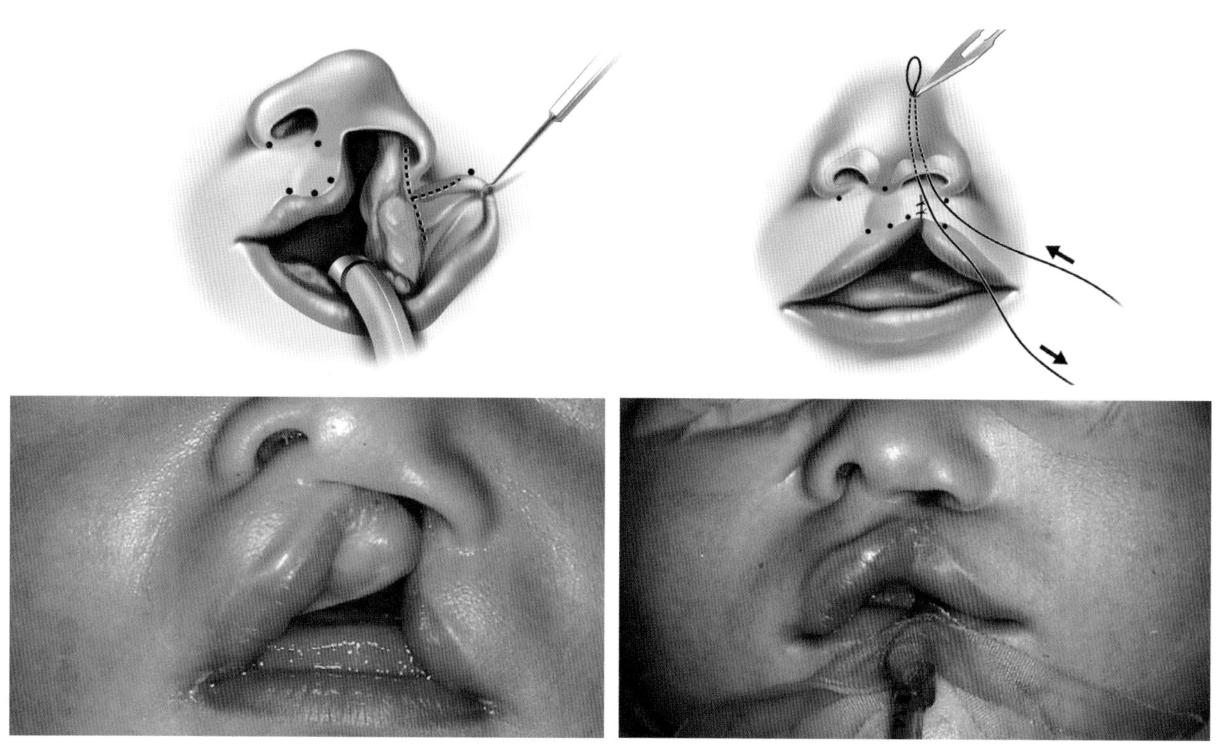

그림 16-20 비구순접합술의 모식도와 증례.

모글로빈 수치는 10 g/dL 이상이 될 때까지 기다려야 한다는 것이다. 최근에는 첨단화된 술중감시장치, 마취술기와 마취약제의 발전으로 보다 조기에 안전한 전신마취가 가능해졌지만, 출생 3개월 이전에 구순열 수술을 해서 얻을 수 있는 장점은 많지 않다.

(2) 비변형의 수술 시기

일측성 구순열비변형을 수술적으로 교정하는 시기에 대해서는 아직도 많은 견해가 있다. 일차 구순열 수술 시 비교정술을 고려하지 않는 연구자들은 비교정술을 동시에 시행하지 않는 이유로 비연골이 너무 작아서 교정하기 어렵고, 수술에 따른 손상으로 연골주위에 흉터조직이 발생하여 코의 성장장애를 야기할 뿐만 아니라 이차 구순열비변형 교정 시에도 지장을 초래하기 때문에 코 성장이 어느 정도 이루어지는 14세경까지 비교정술을 미루는 것이 바람직하다고 한다.

최근에는 일차 비교정술로 인해 코의 성장 장애가 수반된다는 주장보다 비연골의 위치를 일찍 바로잡아주면 더욱 만족스러운 형태와 위치로 코의 성장을 이룰 수 있다는 학설을 지지하고 있으며, 코의 심미적 조기 개선으로 사춘기 시기의 심리적 안정을 가져올 수 있어 많은 외과의사들이 일차 구순열 수술 시에 비교정수술을 함께 시행하고 있는 추세이다.

(3) 구륜근의 기능적 수복

초기 구순열 수술기법들은 개열 변연의 연조직을 벗기고 피부와 점막의 수복에만 치중하고 근육의 재정위(reorientation)는 시도하지 않았다. 그렇기 때문에 구륜근은 비정상적인 상태로 부착되어 있을 수밖에 없었고 그 결과 외측 구순에 전형적인 정형 팽융(orthopedic bulge)과 표정을 지을 때 근육의 뒤틀림이 나타났다. 이런 문제점들 때문에 구륜근에 대한 해부학적 연구가 이루어졌고, 비정상적으로 부착되어 있는 구륜근을 피부와 점막으로부터 박리하여 적절한 주행방향을 갖도록 하고 있다. 가장 이상적인 방법은 아직 제시되고 있지 않지만 대개 양측의 근육을 연결시키면서 다소 중첩시켜 주는 것이다.

(4) 수술방법의 진보

개열의 폭만 생각하기 쉬운데 더 중요한 것은 환측과 비환측 사이의 수직 길이의 불일치(height discrepancy)이다. 모든 수술방법의 기본은 짧은 환측의 구순 길이를 늘려서 비환측의 길이와 일치시키는 데 있다. 환측 구순피판에서 만들어진 근육판을 비환측 구순피판의 길이를 늘리기 위하여 형성한 절개선에 의해 벌어진 곳으로 삽입하여 근육의 재배열(muscle rearrangement)도 동시에 도모한다. 여러 가지 수술방법이 있지만 가장 보편적으로 이용되는 것은 구순 하부에 삼각피판(triangular flap)을 형성하는 방법과 구순 상부에 회전전진피판(rotation-advancement flap)을 형성하는 방법이다.

초기에는 개열부를 벗겨서 창상을 만들고 변연부를 접근시켜 직선상으로 봉합하는 직선봉합술(straight line closure)이 시술되었고, 나중에는 비환측과 환측이 대칭이 되도록 개열부에 조직판을 만들어 이용하는 수술법이 개발되었다. 개열부 외측에 사각피판을 만들어 수술하는 사각외측피판법(quadrilateral flap technique)은 큐피드궁의 회복이 만족스럽지 못하고 상순 중앙에 흉터가 남으며 성장에 따라 환측 입술이 길어지는 단점이 있다.

개열부 외측에 삼각피판을 만들어 수술하는 삼각피판법(triangular flap technique)은 큐피드궁을 보존하고 정상적인 위치로 두는 중요한 진보를 이루었으나 인중에 흉터가 남으며 성장에 따라 환측 입술이 길어지는 단점이 있다.

비주 하부에 수평 절개를 넣어 인중을 아래로 회전시키고 그 간극으로 환측 비익기저부에 수평 절개를 가해 환측의 구순조직 전체를 전진시켜 삽입하는 Millard (1959)의 회전전진법(rotation-advancement technique)은 Millard가 1953년부터 1955년까지 한국에서 한국전쟁 전후에 구순열 수술을 하면서 고안한 수술기법이다. 이 기법은 현재 전 세계적으로 가장 널리 사용되고 있는 대표적인 구순열 수술방법이며, 술자에 따라 그리고 증례에 따라 다소 변형시켜 사용되고 있다.

(5) 수술술식

① 직선수복법(straight line repair)

고전적인 방법으로 단순히 파열연을 질개하고 봉합하는 방법이다. 술기가 간단하고 조직 절제량이 적은 장점을 가진 반면, 반흔수축에 의해 환측 큐피드궁을 충분히 하방으로 내리기 곤란하고 반흔 함몰이 생기기 쉬운 단점이 있다. Rose-Thompson법(그림 16-21)과 Veau법 등이 여기에 속하고, 미세형 구순열 또는 불완전구순열에 이용될 수 있다.

② 사각피판법(rectangular or quadrilateral flap technique)

외측에 사각피판을 만들어 이것을 내측 중앙으로 삽입하는 방법이다. 봉합선이 사각형이 되므로 직선법에 비해 반흔 수축은 개선되지만, 조직 절제량이 많으므로 구순이 팽팽해지기 쉽고 상순 중앙에 흉터가 남으며 큐피드궁의 위치가 일정하지 못한 단점이 있다. LeMesurier법(그림 16-22)과 Wang법이 대표적이다.

③ 삼각피판법(triangular flap technique)

외측에 삼각피판을 작성하여 내측으로 삽입하는 방법으로 술식이 정확하고 간단한 계측에 의해 삼각피판을 작성하기 쉬운 장점이 있는 반면, 삼각피판의 반흔이 인중을 가로질러 인중의 변형을 초래하고 성장에 따라 환측 큐피드궁이 길어지기 쉬운 단점이 있다. Tennison법, Randall법, Cronin법 등이 여기에 속한다(그림 16-23~25).

원래 Tennison이 주장하였던 삼각피판법은 기본적으로 구순 하부에 Z형 피판을 넣는 기법이다. 이 기법을 더 구체적이고 정확하게 도안하도록 변형시킨 것이 Randall법이다. 아주 정확하고 수학적이어서 비록 경험이 적은 외과의사라도 계속 같은 결과를 얻을 수 있

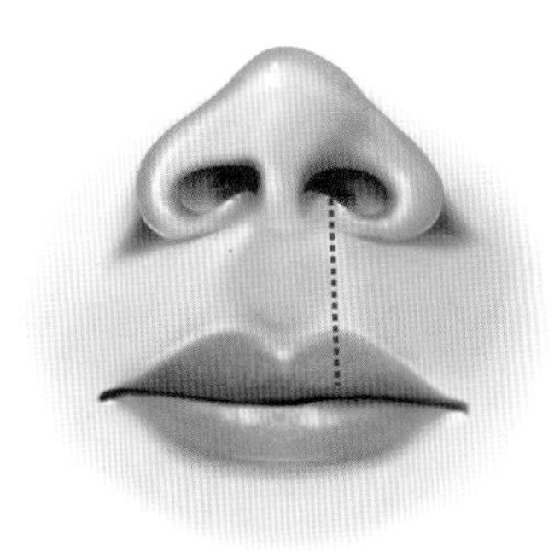

그림 16-21 Rose-Thompson법.

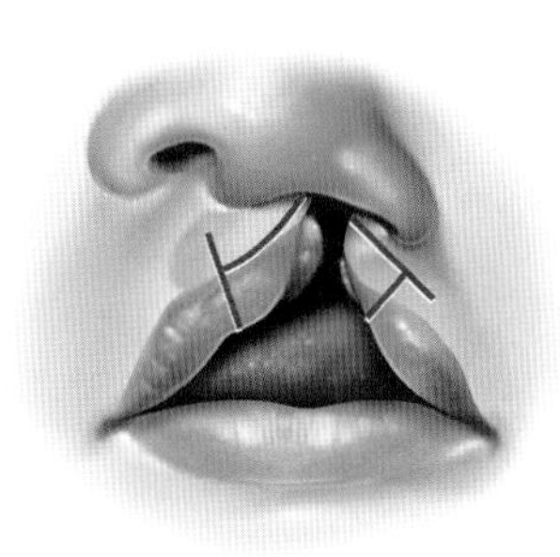
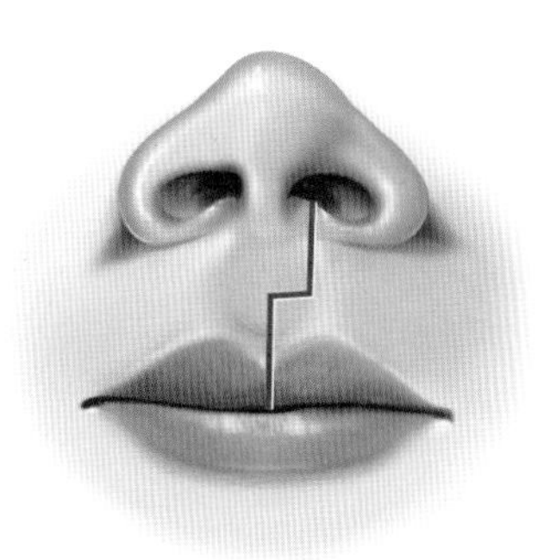

그림 16-22 LeMesurier법.

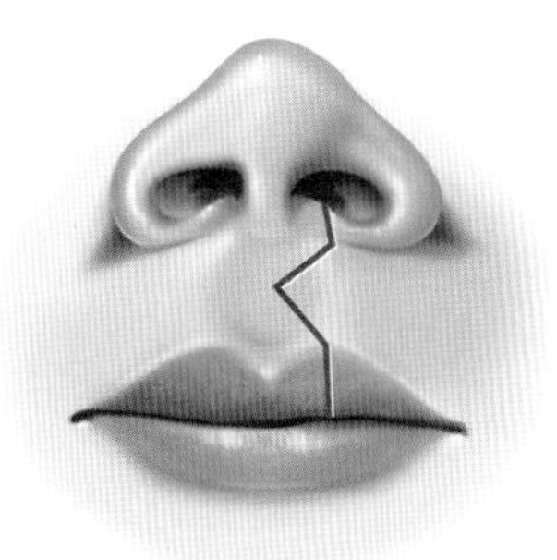

그림 16-23 Tennison법.

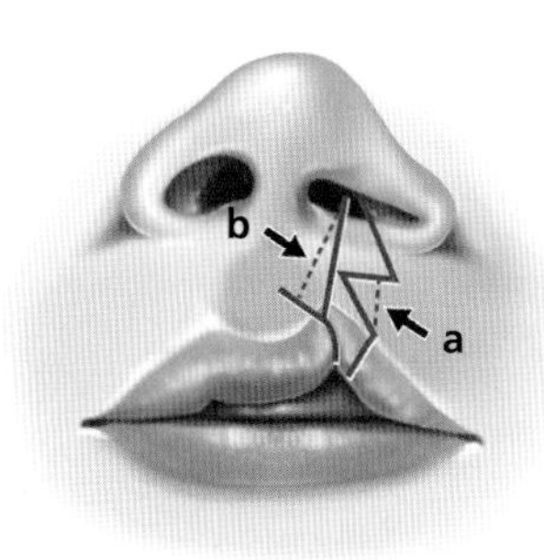

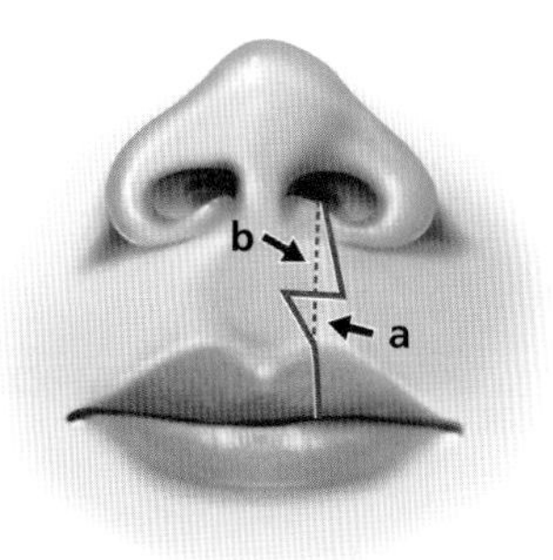

그림 16-24 Randall법.

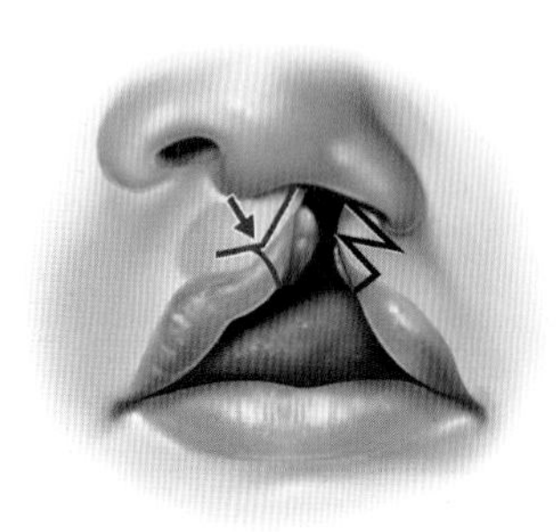
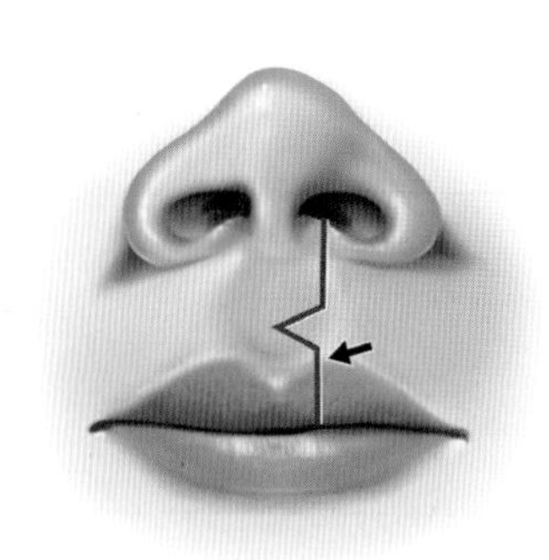

그림 16-25 Cronin법.

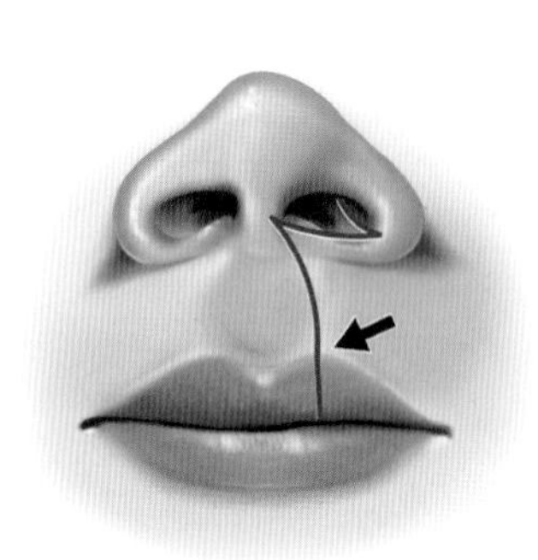

그림 16-26 Millard의 회전전진법.

는 장점이 있다. 비환측 구순의 절개선 끝에 환측 삼각피판과 대응하는 후측절개를 가하고 환측에 형성한 삼각피판을 끼워 넣어 내측 인중의 길이를 연장해준다. 이 기법으로 수술할 경우 나중에 환측 구순이 약간 더 길어지는 경우가 적지 않고, 입술 하방에 삼각형의 반흔이 인중능을 가로질러 남기 때문에 심미적으로 바람직하지 않으며 그 부분의 이차 교정 또한 용이하지 않다. 경험 많은 술자는 이 기법을 구순의 수직적 연장이 최대로 필요할 때만 사용하며 윗부분에 Z성형술을 같이 사용하지는 않는다. 모든 경우에 기능적인 근육의 재정위는 반드시 시행한다.

④ **회전전진법**(rotation–advancement technique)

현재 가장 널리 쓰이고 있는 수술기법이 Millard의 회전전진법과 그 변법들이다(그림 16-26). 구순 상부의 비주 바로 아래에 Z형 절개선을 넣기 때문에 반흔이 눈에 잘 띄지 않는 곳에 남게 되는 바람직한 술식이다. Millard는 이 기법을 "cut as you go"라고 기술하였으나 경험이 부족한 외과의사에게는 숙달되기 쉽지 않다. 수직적으로 짧은 구순열에서 수직 길이의 연장이 어려울 경우 Millard는 비환측 회전절개(rotation incision) 끝에서 인중능(philtral ridge) 안쪽으로 90° 각도로 2 mm 정도 후절개(back cut)를 가하고, 홍순연에 백선 풍융부 피판(white roll flap)을 이용하였다. 회전전진법은 불완전구순열의 수복에 많이 쓰이고 좋은 수술결과를 나타내고 있다.

⑤ **변형된 회전전진법**(modified rotation advancement technique)

Millard의 회전전진법을 Millard 자신과 다른 연구자들이 변형시켜 개량하였다. Millard 변법들의 장점은 환측 봉합선이 비환측의 인중능을 닮게 만든다는 것과 구순의 중앙부나 하방에 Z형 절개선을 넣지 않으므로 반흔이 심미적으로 눈에 띄는 곳에 남지 않게 한다는 점이다. Millard법의 문제점은 비환측 인중능이 수직적으로 직선인데 반해 Millard법에 의한 반흔의 모양은 곡선이거나 사각형이라는 것이다. Mohler는 이러한 문제점을 해결하고자 회전절개를 비주 쪽으로 연장하여 후절개(back-cut)를 넣었다. 또한 Millard법의 다른 하나의 문제점은 환측 구순의 수직 길이가 짧다는

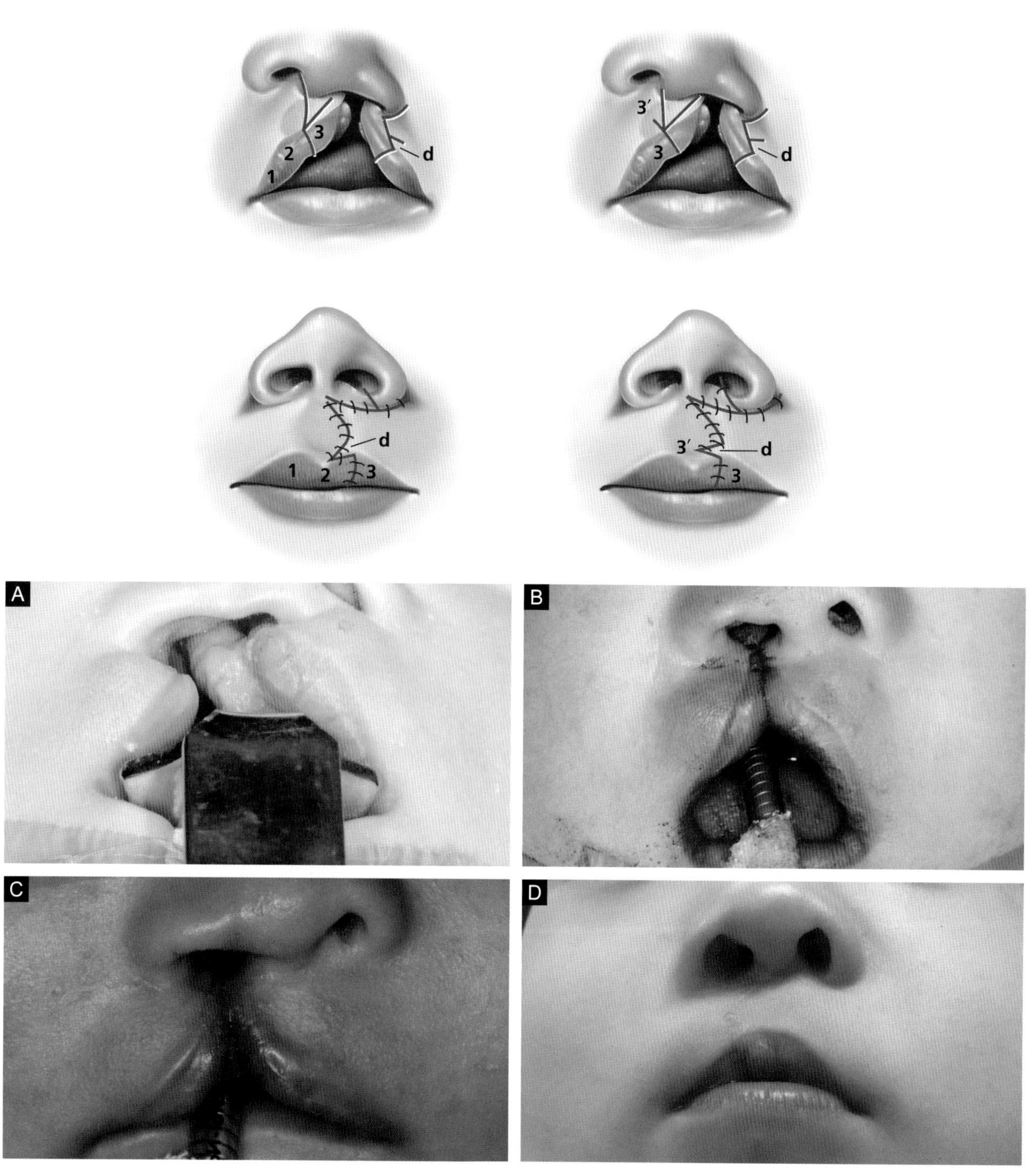

그림 16-27 변형된 회전전진법 모식도와 이 방법으로 수술한 일측성 완전구순열 증례.
A: 비구순접합술 전 B: 비구순접합술 후 C: 구순열수술 전 D: 구순열수술 후.

것이다. Millard법으로 수술하면서 홍순연의 백색 풍융부 직상방에 작은 Z형 피판을 넣어주거나 작은 삼각피판을 이용하여 수직 길이를 연장하는 방법을 동시에 사용할 수 있으며, 근육층의 성형도 동시에 시행한다(그림 16-27).

(6) 회전전진법의 수술기법

① 수술 전 준비

개열의 폭이 넓은 경우 먼저 비구순접합술을 하며, 생후 3-5개월경에 수술한다. 전신마취를 하며 입술이 뒤틀리지 않도록 주의하면서 마취용 튜브가 하순의 한 가운데에 위치하도록 잘 고정한다. 수술하기에 가장 편한 위치로 환아의 머리를 수술대에 고정한다. 이비인후과에 귀 검사를 의뢰하여 필요할 경우 구순열 수술과 동시에 이비인후과의사가 고막절개술(myringotomy)과 환기튜브(ventilation tube) 삽입술을 하도록 한다.

② 도안(design)

피부소독을 하고 통법대로 소독포를 덮어 격리한 다음, 중요한 기준점(points)을 겐티안 바이올렛(Gentian violet)으로 표시한다. 맨 처음 표시하여야 할 점들은 큐피드궁의 정중점과 비환측 정점 그리고 개열 변연에 있는 정점이다. 이 점들 간의 거리는 같아야 하고 보통 2-4 mm 정도이다. 환측에서 홍순연의 백색 풍융부가 가늘어지기 시작하거나 사라지기 시작하는 점을 표시한다. 이 점은 비환측 개열 변연의 정점과 맞닿는 점이며 홍순연이 풍융한 상태인 곳에 잡는 것이 좋다. 비주기저부의 정중점과 환측 및 비환측 비주기저부를 표시한다. 비환측에 환측과 잘 맞닿도록 하면서 충분한 수직 길이가 확보되도록 적절하게 기준점을 잡고 절개예정선을 그려 회전피판을 도안한다. 마찬가지로 환측에 비환측의 대응하는 절개예정선과 길이가 같도록 전진피판을 도안한다. 만일 길이가 맞지 않을 때는 환측 큐피드궁의 정점을 외측의 구각부 쪽으로 옮겨 잡아 수직 거리가 일치되도록 해야 한다. 환측의 백색 풍융부 직상방에 작은 삼각피판을 형성하고 비환측에는 백색 풍융부에 작은 삼각피판을 삽입하기 위해 2 mm 정도의 후절개(back-cut)를 도안한다. 이렇게 함으로써 구순의 수직 길이를 더 길게 해주고, 백색 풍융부 직상방에 약간 융기된 모양을 만들어 주므로 움푹 파인 듯한 반흔이 생기지 않게 하고 홍순피부경계의 모양을 자연스럽게 만들 수 있다(그림 16-28).

③ 절개 및 박리

도안이 끝나면 겐티안 바이올렛을 묻힌 주사바늘로 각 기준점을 표시한 다음, 절개 예정 부위에 혈관수축제를 함유한 리도카인을 주입한다. 회전피판에 후절개를 포함한 절개를 하고 피판을 아래로 회전시켜 수직 길이가 적절한지 살펴본다. 다음에는 전진피판을 박리

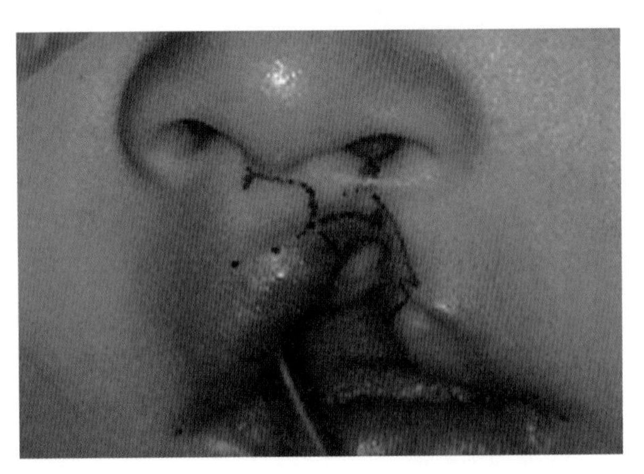

그림 16-28 회전전진법으로 도안한 불완전구순열 증례.

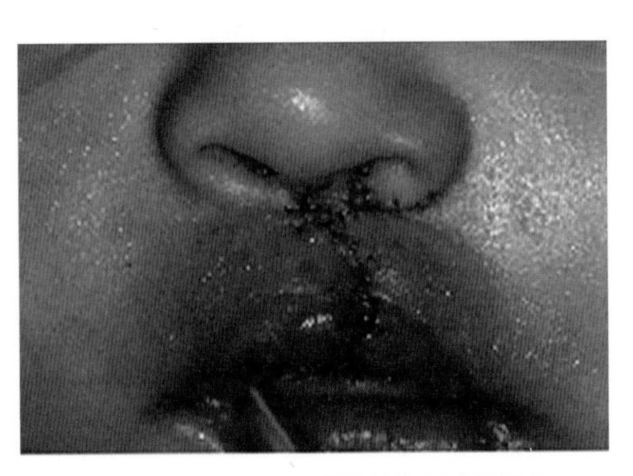

그림 16-29 회전전진법으로 봉합한 불완전구순열 증례.

한다. 비익기저부를 따라 수평으로 이완절개(releasing incision)를 하고 환측개열 변연을 따라 절개를 가한 다음 상악골로부터 박리하면 전진피판이 자유롭게 전진될 수 있게 된다. 근육의 기능적 수복을 위하여 근육다발을 분리시킨다.

④ 수복

수복을 시작하는데 먼저 코와 입술의 점막부터 봉합하고 이어서 홍순의 외부에서 보이는 곳까지 봉합한다. 그리고 근육층의 기능적 수복을 시행한다. 비익기저부를 적절하게 위치시켜서 전비극 주위조직과 조이기 봉합(cinch suture)하여 고정해주고, 전진피판의 정점을 회전피판의 후절개 끝으로 전진시켜 봉합하고 이를 기준봉합(key suture)으로 삼는다. 매몰형 피하봉합법과 피부의 단속봉합법으로 피판과 비강저 및 비익기저부를 모두 봉합한다. 홍순을 접합시켜 과부족이 없는지 살펴보고 필요한 경우 적절히 절제한 다음 봉합한다(그림 16-29).

⑤ 비변형의 교정(correction of nasal deformity)

구순열비변형의 교정은 쉽지 않다. 구순열을 수술하고 나서 몇 년 후에 코를 교정하는 이차 비교정술(secondary nasal correction)에 의해 좋은 결과를 얻기도 하지만, 최근 외과의사들은 구순열 수술 시에 비변형도 동시에 교정하는 일차 비교정술(primary nasal correction)을 선호하는 추세이다. 함몰되고 벌어진 하외측연골을 바른 위치로 교정하는 한 가지 유용한 방법은 구순성형술 시에 폐쇄접근법(closed approach)을 통한 연골교정술이다. 비주기저부 내측에서 상방으로 접근하여 비첨과 비배 그리고 환측의 비익연골을 넓게 박리한 다음, 비익연골을 들어올려서 정상적인 비환측의 비익연골과 단단하게 흡수성 봉합사로 원개봉합(dome suture)과 지주봉합(strut suture)을 하고, 비익연골의 외측각이 상외측연골의 하연에 얹히도록 매달기 봉합(suspension suture)을 한다. 비익기저부를 비중격에 조여매서(cinch) 바르게 위치시키고, 전진피판을 내측으로 전진시킴으로써 넓게 벌어진 비공저를 좁히는 효과를 동시에 거둘 수 있다. 수술결과에 대하여 질적으로 정확히 분석하기는 어렵지만 이 방법으로 코의 외관은 상당히 개선된다.

4) 예후

요즘에는 수술기법이 많이 개량되었고 외과의사들의 술기도 향상되어 술후 입술 변형의 문제는 별로 많지 않다. 증례에 따라 눈에 띄는 입술의 흉터, 큐피드궁과 인중의 변형, 불분명한 홍순피부경계, 비익과 비공의 변형 등이 있어 4세경부터 성인이 되는 사이에 이차 교정수술을 해야 하는 경우도 드물지 않다. 구순의 외형이 잘 수복된 경우라도 특히 비익의 변형은 개선되지 않는 경우가 많으므로, 나중에 성장과정 중 코의 성장에 장애를 일으키지 않으면서 외형을 개선하는 비교정술을 고려하여야 한다.

3. 양측성 구순열(Bilateral cleft lip)

1) 증상

경도인 경우에는 일측성 불완전구순열의 상태가 양측에 동시에 발생한 형태를 나타낸다. 심한 경우에는 일측성 완전구순열의 모습이 양측에 나타난 형태이며 치조열과 구개열도 양측에 동시에 존재하며 전상악(premaxilla)과 전순(prolabium)이 상당히 전방으로 돌출되어있다(그림 16-30). 그리고 납작한 비첨, 짧은 비주, 외측으로 넓게 벌어진 비익기저부, 앞으로 돌출된 전상악 등의 증상이 관찰된다. 경우에 따라서는 한쪽은 완전구순열이고 다른 쪽은 불완전구순열인 것도 있다.

2) 술전 악정형치료

일측성 구순열의 술전 악정형치료에 사용되는 호쯔 장치, 레이탐 장치, 술전 비치조정형장치가 양측성 구순열에도 사용될 수 있다(그림 16-31).

3) 수술법

수술 시기는 일측성과 같지만 약간 늦게 하는 것이 좋다. 수술법은 양쪽을 한 번에 수술하는 1단계 수술법(one stage operation)과 두 번에 나누어서 하는 2단계 수술법(two stage operation)이 있다. 양측성 구순열에 대한 수술기법은 일측성에 사용되는 수술기법을 개량한 것이므로, 과거에는 2단계 수술법을 사용하여 먼저 더 심한 쪽의 개열을 수술하고 다음에 덜 심한 쪽을 수술하였다. 최근에는 1단계 수술법이 주로 사용되고 있다.

(1) 1단계 수술법

양측의 개열을 한 번에 동시에 수술하는 방법이다(그림 16-32). 인중에 양측에서 횡절개를 가하면 인중이 괴사될 수 있으므로 직선봉합법을 이용하는 경우가 많으며, 환측 개열 변연의 피부를 절제해버리지 않고 반전시켜 연장하고 양측의 반전시킨 변연의 피부판을 홍순의 정중부에서 만나도록 봉합한다(그림 16-33). 그리고 인중에는 근육조직이 없거나 부족하므로 양측의 환측 구순분절로부터 구륜근을 정중부로 끌어당겨 봉합

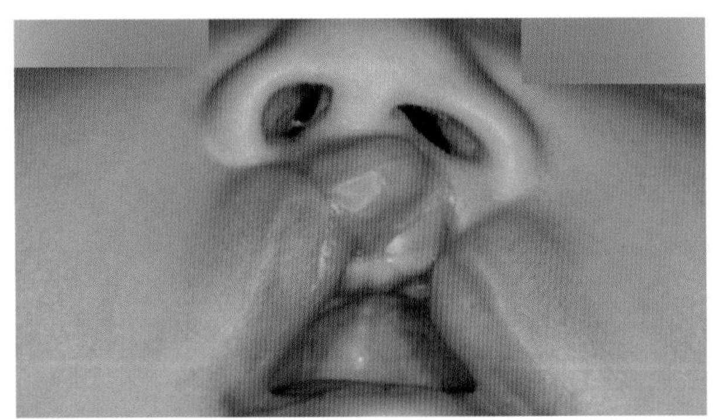
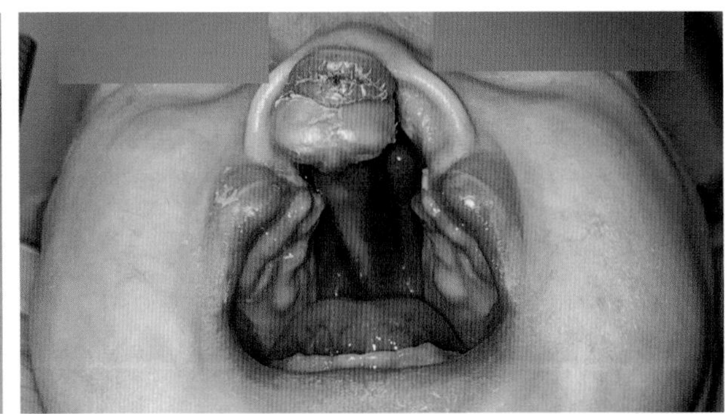

그림 16-30 양측성 불완전 및 완전구순열 증례.

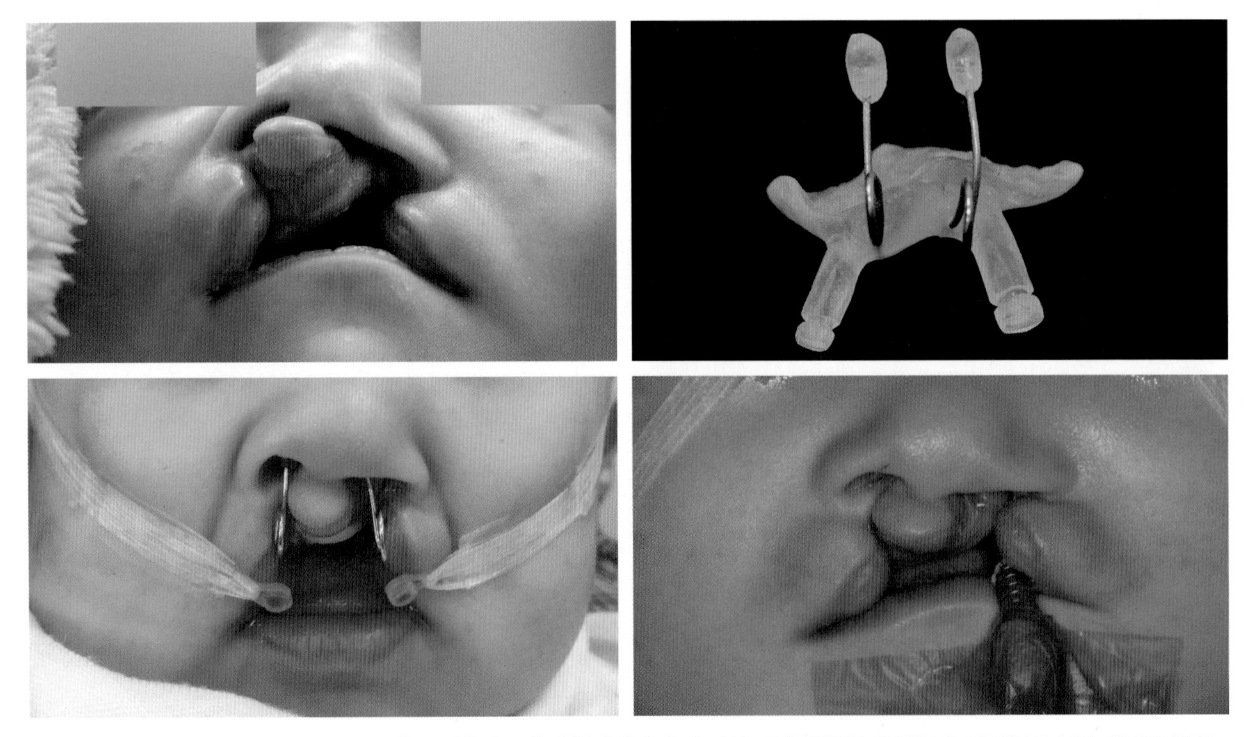

그림 16-31 전상악이 심하게 앞으로 돌출된 양측성 구순열 환자에서 술전 비치조정형장치를 장착한 후 전상악이 후방 이동된 증례.

함으로써 근육을 재배열해 주어야 한다. Veau III법, Millard법, Noordhoff법, Mulliken법 등이 여기에 속한다. 1단계 수술법은 수술 횟수가 적고 코와 상순의 대칭을 얻기 쉬운 장점이 있는 반면, 악골의 발육장애가 더 심하고 홍순의 정중부에 조직이 부족하여 홍순결절(vermilion tubercle)이 함몰되는 휘파람 변형(whistle deformity)이 생기기 쉬운 단점이 있다.

(2) 2단계 수술법

양측의 개열을 한 쪽씩 수술하는 방법으로 1단계 수술은 생후 4개월경에 개열의 폭이 큰 쪽부터 수술하고 2단계 수술은 그 3-4개월 후에 실시한다. 일측성 구순열에 적용하는 수술기법 모두를 응용할 수 있다. Bauer법, Wynn법, Millard법 등이 여기에 속한다. 이때도 근육이 없거나 부족하기 때문에 개열부 외측의 좌우

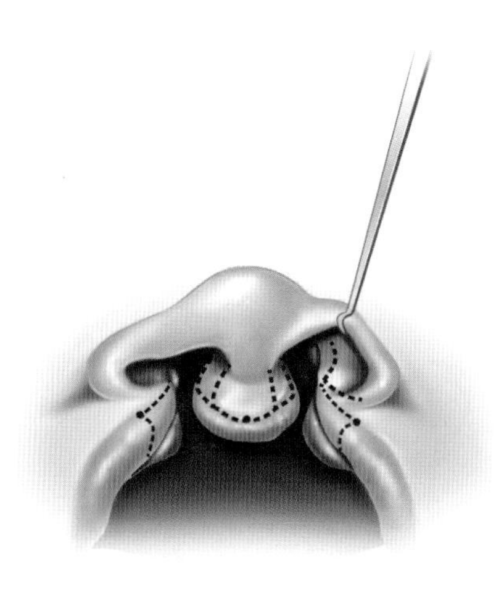
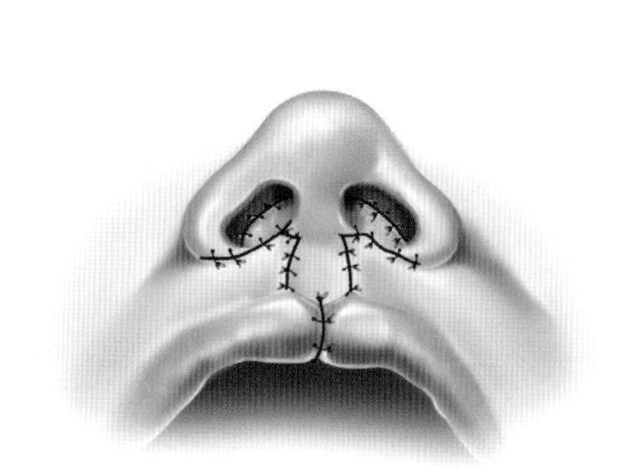

그림 16-32 1단계 수술법의 모식도.

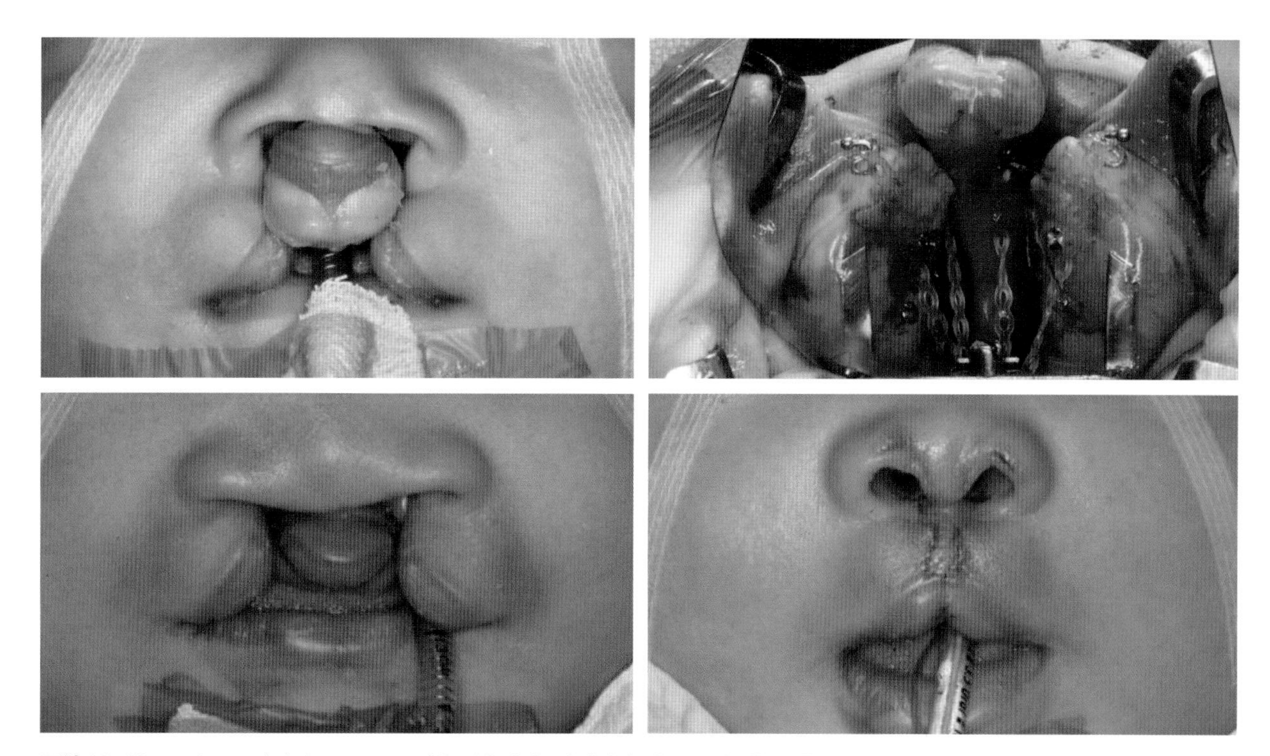

그림 16-33 Latham 장치와 Mulliken법을 이용하여 1단계 수술법으로 치료한 양측성 구순열 증례.

구순분절에서 근피판을 만들어 정중부에서 교차시켜 근육층을 재배열하는 방법이 많이 이용된다. 2단계 수술법은 상악 열성장 또는 홍순의 정중부 함몰이 드문 장점이 있는 반면, 수술을 두 번 해야 하고 좌우 대칭을 얻기 위한 술기가 어려운 단점이 있다(그림 16-34).

4) 양측성 구순열의 수술술식(그림 16-35, 36)

(1) **직선봉합법**(straight line closure, Veau III법)

(2) Tennison법

(3) Millard법

(4) Mulliken법

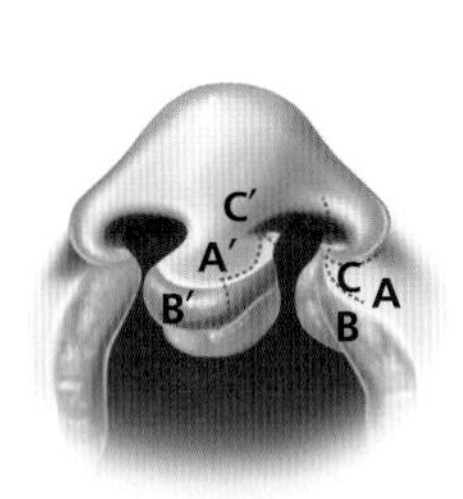

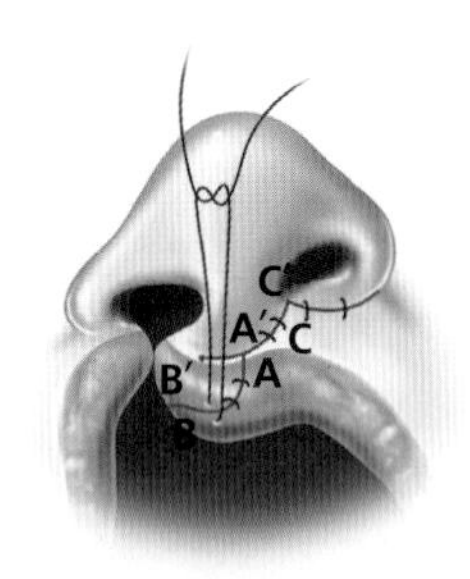

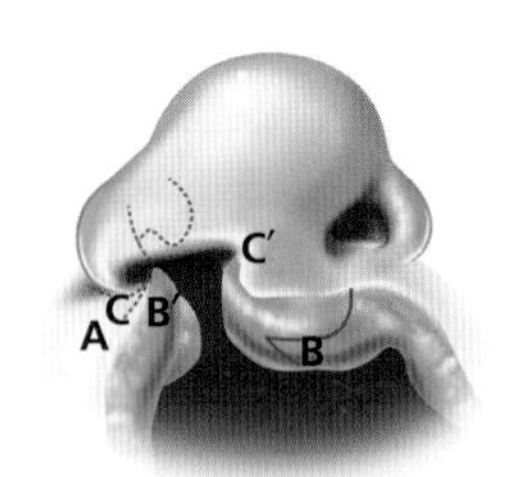

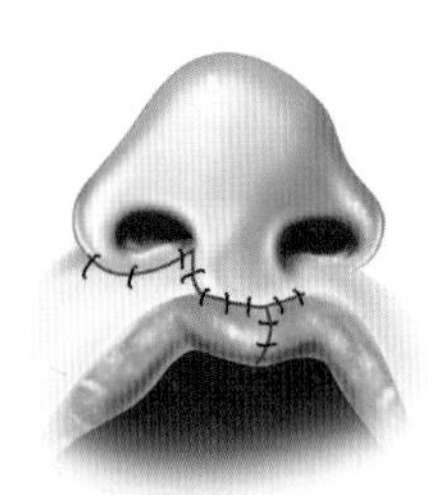

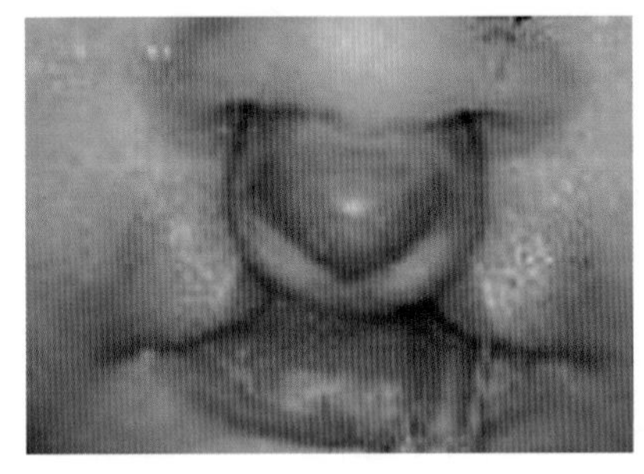

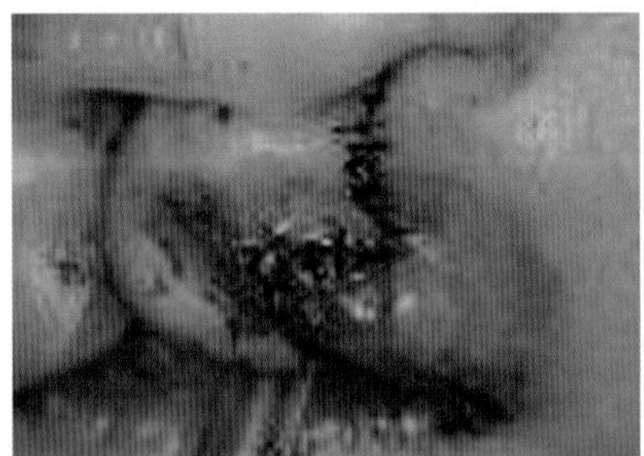

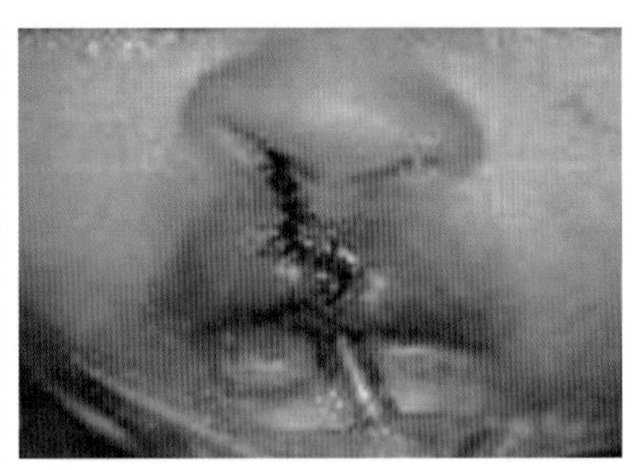

그림 16-34 2단계 수술법의 모식도와 수술 증례.

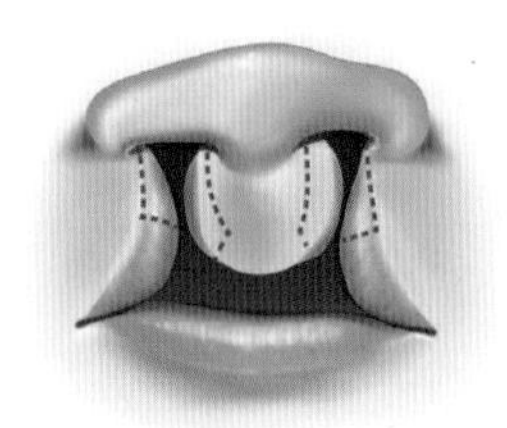

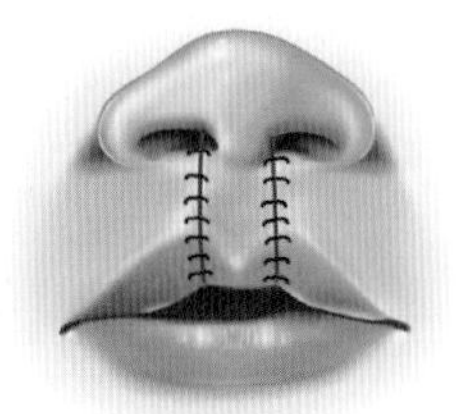

직선봉합법(Straight line closure, Veau III법)

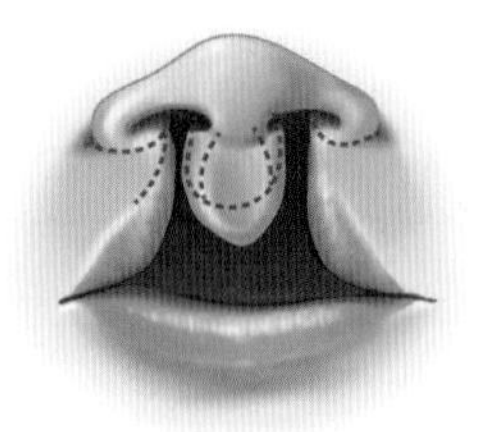

Millard법

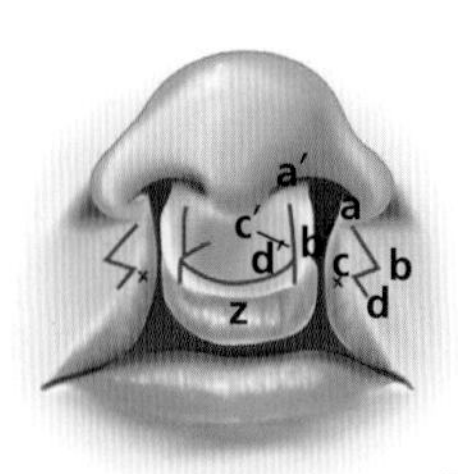

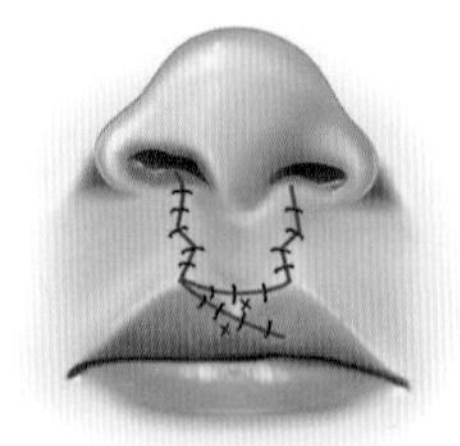

Tennison법

그림 16-35 양측성 구순열의 수술술식들.

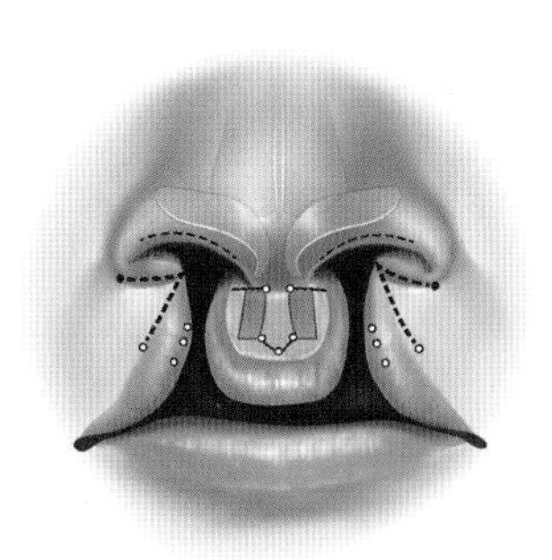
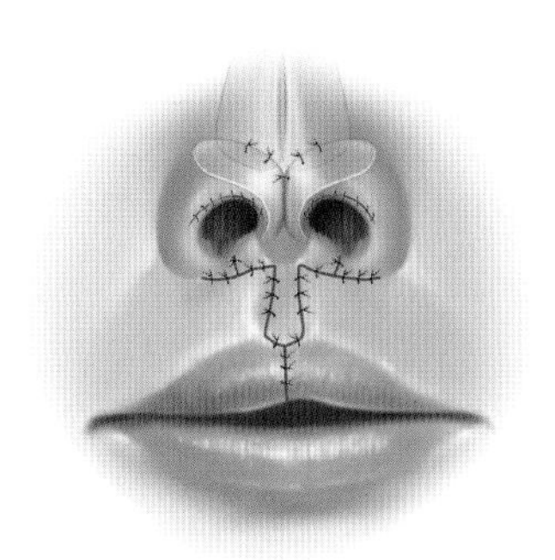
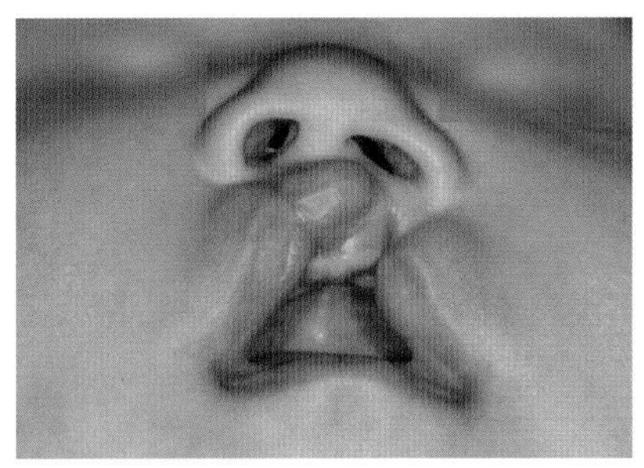
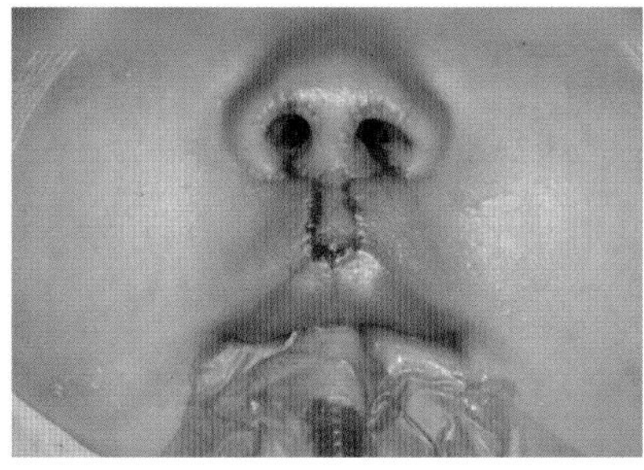
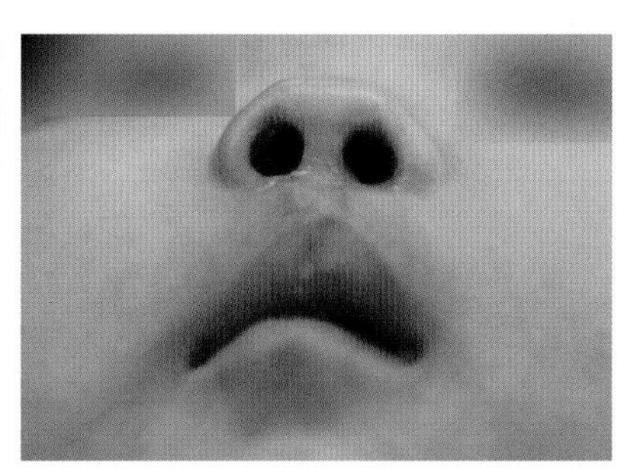

그림 16-36 Mulliken법을 이용한 양측성 구순열과 코의 동시교정술 모식도와 증례.

5) 예후

양측성 구순열에서는 어떤 수술기법으로 수술하더라도 비교적 좌우 대칭성을 얻기 쉽다. 그러나 증례에 따라서는 눈에 띄는 술후 반흔, 큐피드궁의 변형, 홍순 결절의 함몰, 인중의 소실, 짧은 비주, 편평한 비첨 등이 남는 경우가 많아서 4세부터 성인이 될 때까지 사이에 이차 교정술을 시행하기도 한다. 개열의 폭이 크고 치조열을 동반하는 증례에서는 치조열 부근의 치아의 맹출이상, 견치부터 후방에 있는 치아들의 좌우 치아간 폭경이 작아 교차교합이 생겨 치아교정치료를 받아야 하는 경우가 많다.

4. 기타 안면열(Other facial clefts)

1) 상순정중열(Median cleft of the upper lip)

태생기에 내측 전두돌기 하방에 해당하는 비하부의 하층에 있는 중배엽조직이 결손되거나 발육부전이 있으면 좌우구상돌기 사이에 구(groove)가 생기면서 인중의 정중부에 개열이 생긴다. 이 부위보다 상방에 있는 비능(nasal ridge)과 삼각부(triangle) 하층의 중배엽조직에 발육부전이 생기면 비능과 삼각부의 정중앙에 구가 생겨 정중비열(median cleft of the nose)이 된다.

(1) 진성 상순정중열(true median cleft of the upper lip)

가벼운 경우에는 상순 정중부의 홍순에 작은 개열 정도만 있는 것도 있으나, 심한 경우에는 비주 하부와 상순소대까지 개열되어 있다. 매우 심한 경우에는 비주와 비첨의 중앙부에 함몰이 있거나 정중비열이 있으며 전상악의 정중부 파열과 전비극이 갈라져 있는 모습을 보이는 경우도 있다. 모든 경우에 양안격리증이 동반된다. 치료는 생후 3–4개월경에 구순성형술과 비성형술을 동시에 한다. 수술 후 외비와 구순의 외형은 비교적 양호하고 예후도 좋은 편이다.

(2) 가성 상순정중열(false median cleft of the upper lip)

가벼운 경우 외관상으로는 일측성 완전구순열과 비

슷하게 보이기도 하는데, 차이점은 비주의 폭이 좁고 전순과 전상악의 발육이 나쁘며 상순소대의 발육부전 또는 결손이 관찰된다는 것이다. 심한 경우 비주, 전순, 전상악이 결손되고 구개열이 동반된 경우는 비강 정중부 상방에 발육부전된 비중격이 하수(ptosis)되어 있는 모습을 보이기도 한다. 코 전체가 작고 비첨과 비배가 편평하며 경우에 따라 안면보다 낮아져 있고 양안 사이의 간격이 좁아져 있는 등 정중부 발육부전이 뚜렷이 관찰된다. 치료는 가벼운 것에 대해서는 일측성 완전구순열의 수술방법으로 수복한다. 심한 경우에는 비주성형술과 구순성형술을 하며, 외비의 발육부전과 비배가 편평한 것은 치료가 어렵다.

그리고 원인불명의 발열, 경련, 호흡곤란 등이 종종 발생하고 폐렴과 같은 호흡기질환이 생겨 사망하는 경우가 많다. 매우 심한 경우에는 사골동(ethmoidal sinuses)의 결손, 전전뇌증(holoprosencephaly), 단안증(cyclopia) 등이 동반되어 생후 수개월 이내에 사망하므로 상순정중열에 대한 수술은 별로 의미가 없다(그림 16-37).

2) 하순정중열(Median cleft of the lower lip)

원인은 불확실하며, 태생기에 좌우 하악돌기가 융합하는 부위에서 하층의 중배엽 발육부전 때문에 생긴다고 알려져 있다. 가벼운 것은 하순 정중부의 홍순연에 약간의 개열만 있고 홍순과 피부의 경계가 불명확하며 정중부에서 피부가 홍순 내로 침입하는 듯한 외형을 보인다. 심한 것은 개열이 하순 정중의 이부와 구강전정까지 연장되어 하악정중열과 설열(cleft of the tongue)을 동반하기도 한다. 수술 시기는 생후 3-4개월 경이며, 개열 변연부의 조직을 절제하고 정중부에서 일직선으로 봉합한다. 하순정중열만 있고 다른 기형이 없는 경우에는 술후 변형이 거의 없고 예후가 양호하다.

3) 하악정중열(Median cleft of the mandible)

발생기전과 원인은 하순정중열과 같고 특히 하악정중부의 골형성 장애 때문에 나타난다. 가벼운 것은 외관상 이상을 보이지 않고 하악정중부의 골만 결손되어 있어 좌우 하악골이 정중부 골절 시와 같이 각각 움직이는 것을 볼 수 있다. 방사선사진상에서 하악정중부의 명확한 골결손을 관찰할 수 있다. 심한 경우 하순정중열과 설열 등을 동반한다. 치료는 악간고정이 가능한 소아기 이후에 골이식을 시행하여야 한다. 수술 전부터 하악골 형성부전이 있으면 수술 후에 소악증(micrognathia)과 교합이상이 남게 된다.

4) 사안열(Oblique facial cleft; Tessier no 3, 4 cleft)

태생기에 상악돌기와 외측비돌기 및 구상돌기가 접하는 곳 하층에 중배엽의 발육부전 또는 결손 시에 나타난다고 생각되고 있으나 원인은 불확실하다. 개열이 생기는 부위와 모든 돌기들이 접하는 곳이 반드시 일

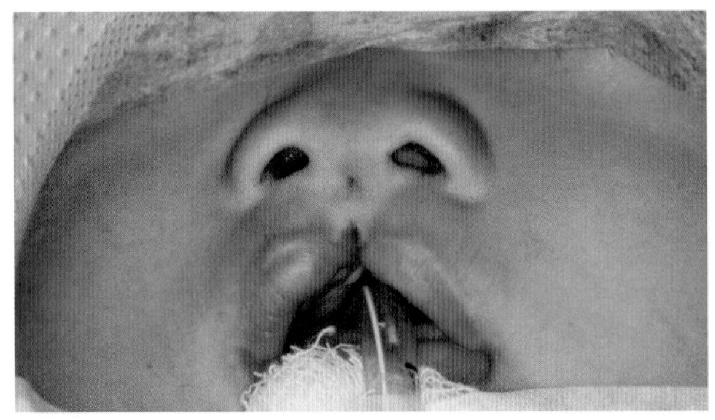

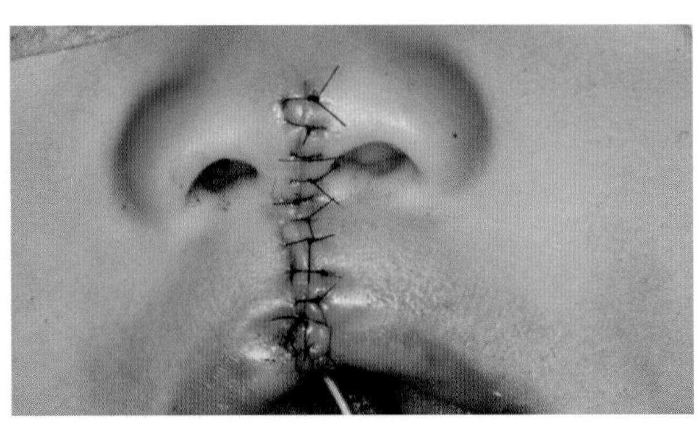

그림 16-37 상순정중열 증례.

치하는 것은 아니므로 다음과 같은 형태의 개열이 있을 수 있다. ① 환측 큐피드궁 정점의 외측으로부터 시작하여 비익외연을 지나 하안검의 내안각 부근에 이르는 것, ② ①형에 일측성 완전구순열이 동반된 것, ③ 구각부로부터 하안검의 외안각 부근에 도달하는 것 등이 있다. 이들 여러 형태의 사안열은 심한 정도에 따라 가벼운 것은 연조직의 함몰 없이 열구 모양만을 보이고 심한 것은 상악골의 결손을 동반하기도 한다. 그리고 사안열은 일측성과 양측성으로 분류될 수 있으며, 개열의 정도와 유무가 좌우 서로 다르다(그림 16-38, 39).

수술 시기는 전신마취와 술후 관리가 가능해야 하므로 생후 6개월은 지나야 하지만, 하안검이 개열되어 안구가 노출된 증례에서는 각막염, 각막궤양, 시력저하 등을 예방하기 위하여 더 일찍 수술하여야 한다. 개열의 폐쇄, 경사진 코의 수정, 눈과 입 사이의 거리를 늘려주기 위해 다수 Z성형술(multiple Z-plasty)을 이용하지만, 상악골의 결손을 동반한 증례에서는 만족할 만한 결과를 얻기 어렵다.

5) 횡안열(Horizontal facial cleft; Cleft of cheek)

태생기에 상악돌기와 하악돌기가 융합하는 곳의 하층에 있는 중배엽의 발육부전 때문에 생기는 것으로 알려져 있다. 가족 사이에 함께 발생하는 일이 없어서 환경적 요인이 작용하는 것으로 생각되지만 분명한 원인은 밝혀져 있지 않다.

가벼운 것은 구각으로부터 외방을 향하여 가벼운 개열을 보이고 거구증(macrostomia)의 외모를 나타낸다.

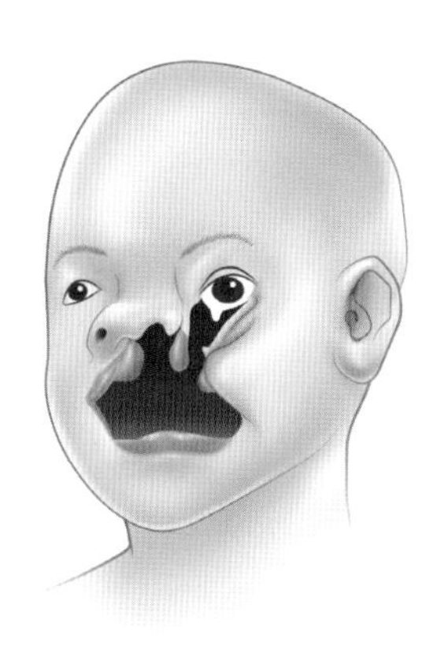
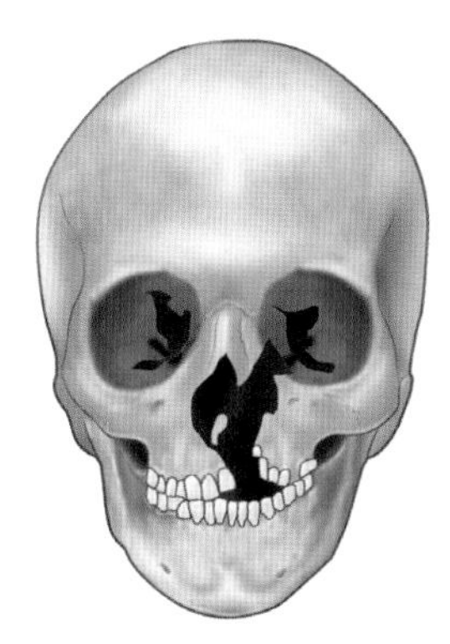
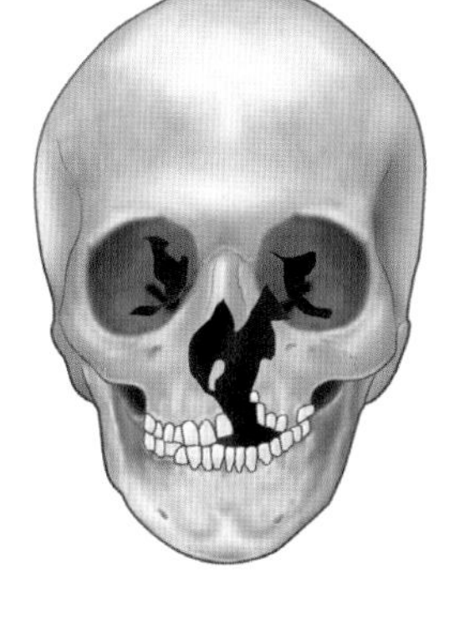
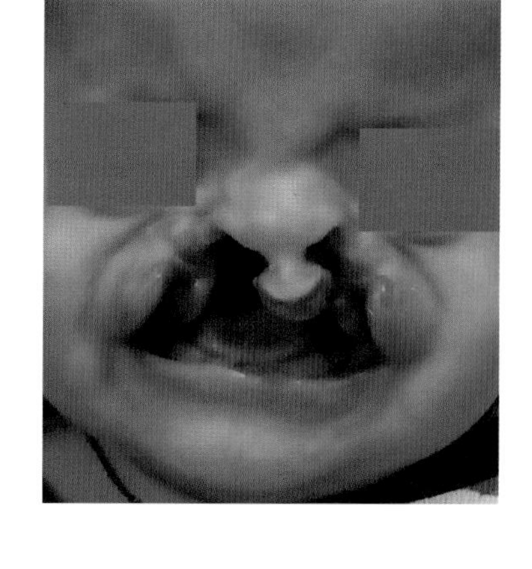
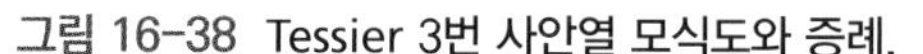

그림 16-38 Tessier 3번 사안열 모식도와 증례.

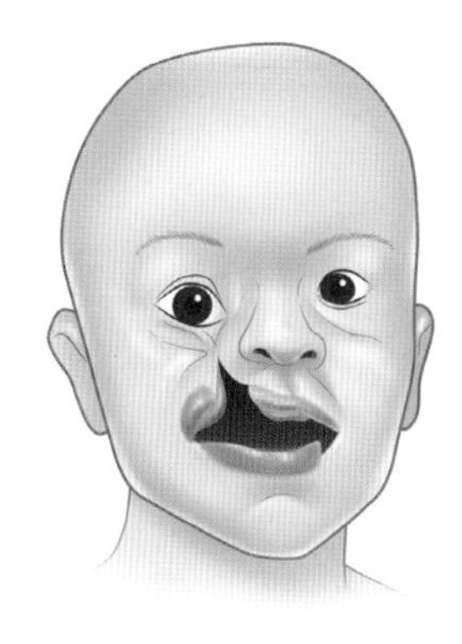
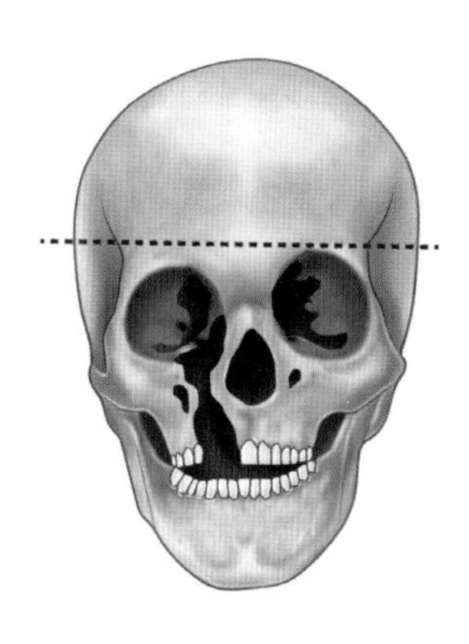
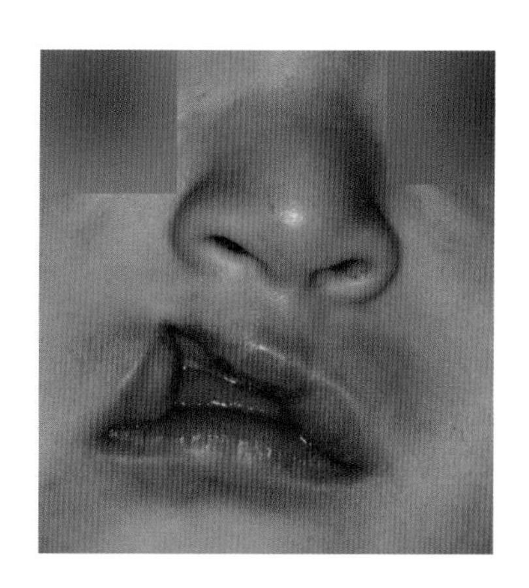

그림 16-39 Tessier 4번 사안열.

심한 것은 개열이 교근을 거쳐 귀까지 연장된 경우도 있다. 그리고 외관상으로 개열이 없어도 구각부와 귀를 잇는 선을 따라 뺨이 함몰된 상을 보이는 경우도 있다. 대부분 일측성으로 나타나지만 양측성으로 생기는 경우도 있다. 횡안열은 외이의 이상, 부이(accessory ear)나 하악골 형성부전을 동반하는 경우가 자주 있다(그림 16-40).

생후 3-6개월경에 다수 Z성형술(multiple Z-plasty)로 개열을 폐쇄하며, 특히 구각부 형태를 자연스럽게 만드는 일과 구륜근 재형성에 주의하여야 한다. 가벼운 경우는 외모의 수복도 양호하지만 교근의 개열까지 있는 증례는 만족할 만한 결과를 얻기 어렵다.

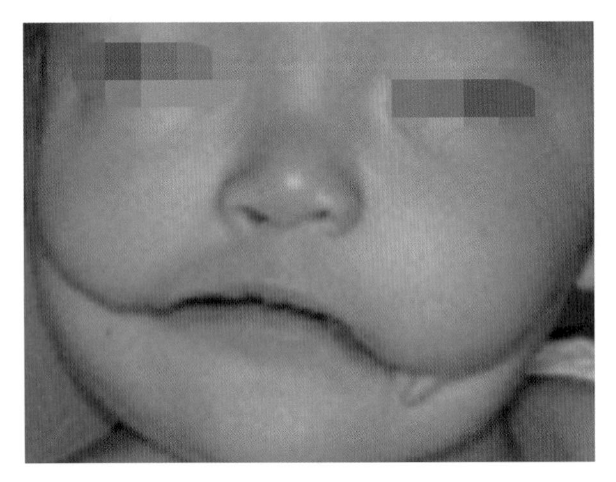

그림 16-40 횡안열 증례.

5. 구순구개열을 동반하는 두개안면 기형

두개안면 기형은 열기형이 대부분이고 다른 기형은 잘 발생되지 않지만, 그 종류가 대단히 많고 같은 질환에 대해서도 여러 가지 병명으로 불리우고 있으며 또한 유사한 질환이 많아 확실하게 분류하기 어렵다. 그리고 이 부위의 기형은 신체의 타 부위에 기형을 동반하는 경우가 많다.

1) Pierre-Robin 속발증(Pierre-Robin sequence)

자궁 내에서 앞쪽으로부터 하악에 압박을 가하면 소하악증이 생긴다고 생각되고 있어서, 태아의 머리가 전굴되고 이부가 흉골에 압박되어 생긴 것으로 추정되고 있다. 소하악증 때문에 설하수가 생겨 호흡곤란, 청색증(cyanosis), 숨을 들이마실 때 흉골 밑의 함몰(substernal depression) 등이 나타날 수 있다. 구개열을 동반하는 경우가 자주 있다(그림 16-41).

증상이 가벼운 경우에는 자세교정요법을 이용하여 옆으로 눕히는 횡와위(dorsal recumbent position) 또는 엎어 놓는 복와위(prone position)를 이용하여 혀가 인두로 말려 들어가 기도폐색이 일어나는 것을 예방한다. 중증의 경우에는 외과적 요법을 이용하며 혀에 굵은 실을 통과시켜 전방으로 견인하여 고정하거나, 혀-입술접합술(tongue-lip adhesion)을 시행하여 기도를 넓혀주거나, 기관절개술(tracheostomy)을 하는 경우

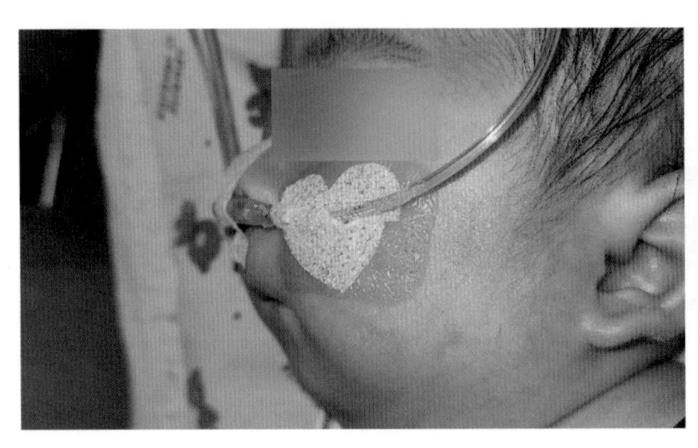

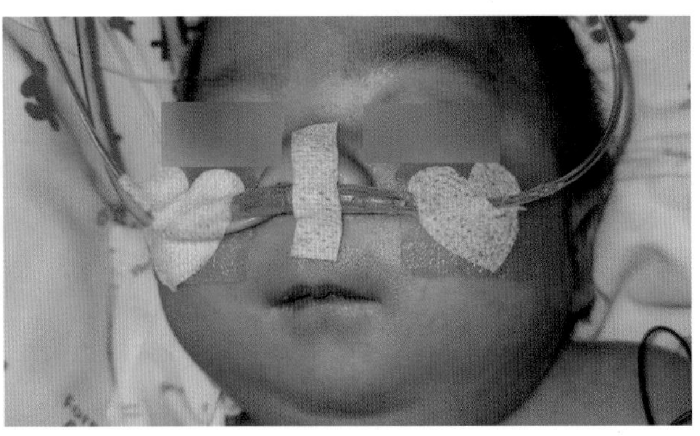

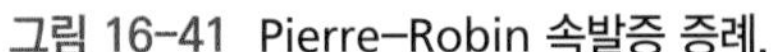

그림 16-41 Pierre-Robin 속발증 증례.

도 있다. 수유 시 환아를 바로 세우고 연하장애가 심하면 비위관(nasogastric tube)을 이용하여 영양공급을 한다. 환아가 발육됨에 따라 호흡장애는 가벼워지고 소하악증도 개선된다. 구개열이 있는 경우에는 호흡장애가 완전히 소실되는 시기까지 기다렸다가 구개성형술을 한다.

2) Treacher-Collins 증후군(Treacher-Collins syndrome)

제1새궁의 발육부전 때문에 생기는데 그 원인은 우성 유전에 의한 것과 태생 초기에 제1새궁에 어떤 자극이 가해져 갑자기 생기는 경우의 두 가지라 생각된다. 외안각의 외하방 경사, 하안검 외측부의 V형 작은 함몰, 속눈썹의 부분적 결손, 하악골 형성부전 때문에 새

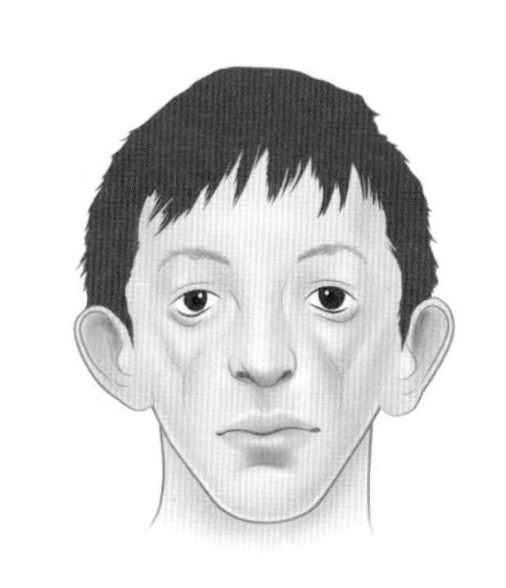
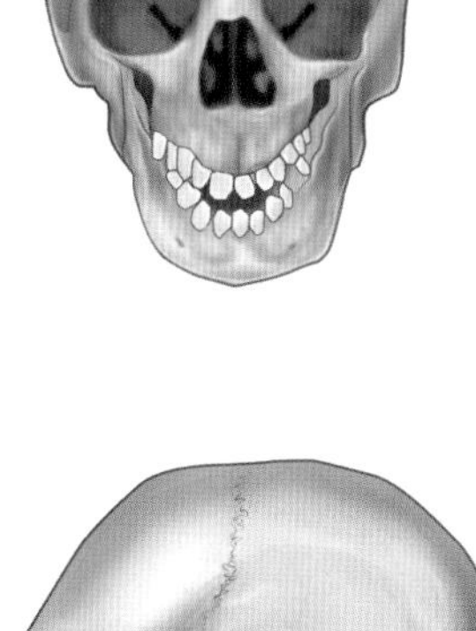
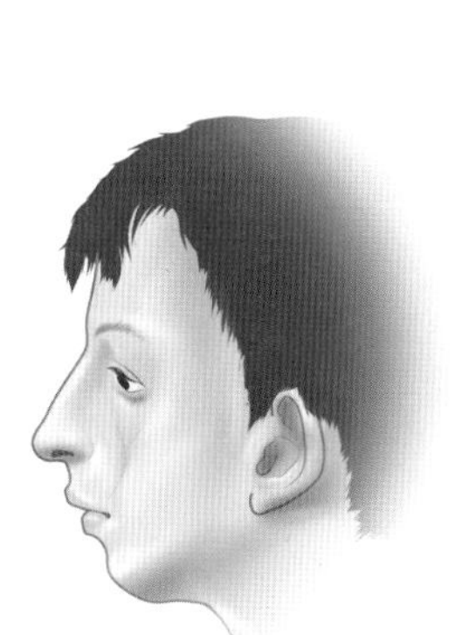
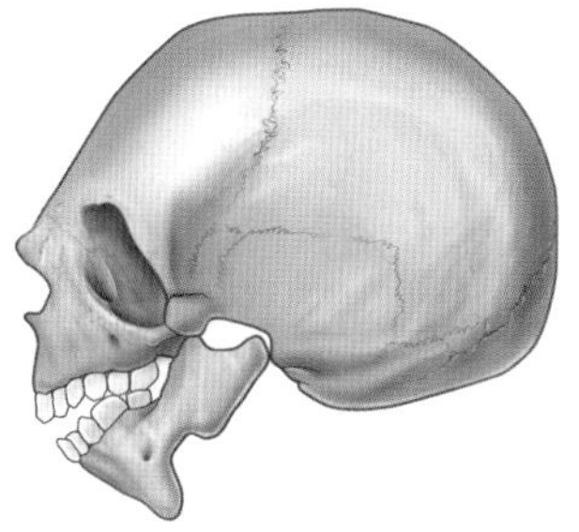

그림 16-42 Treacher-Collins 증후군

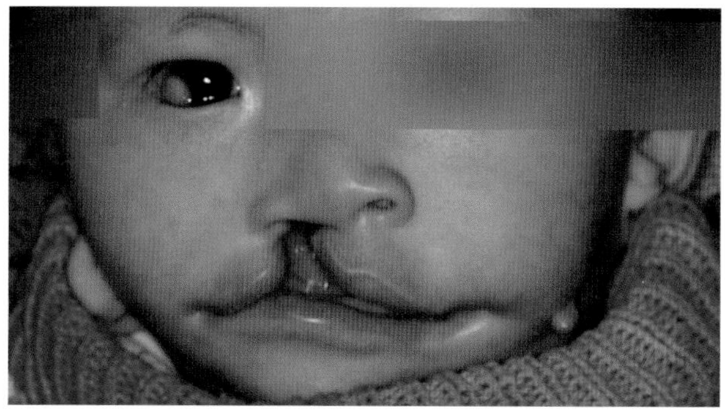
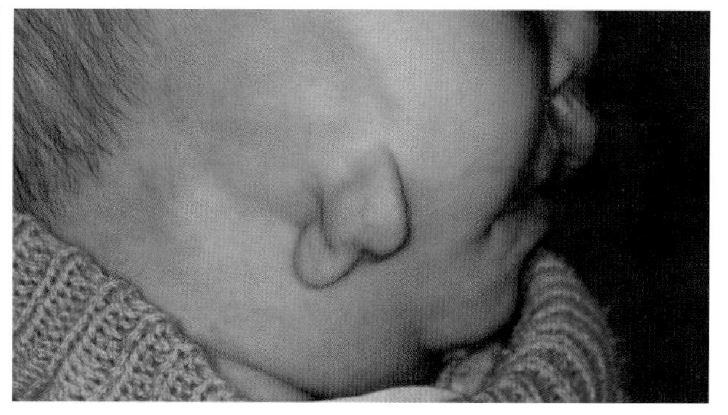

그림 16-43 Goldenhar 증후군 증례.

모양의 얼굴(bird face)을 보이고 협골 형성부전 때문에 협부가 편평해 보이는 특이한 안모를 보인다. 소이증(microtia), 외이도 협착, 청각장애, 거구증, 높은 구개, 구개열, 교합이상 등의 증상을 보인다. 이 증상들이 모두 동시에 나타나는 완전형은 드물고 안열과 안검의 증상, 협골과 하악골 형성부전 정도만 나타나는 증례가 많다. 안와하연과 협골에 대한 골이식, 인공물 삽입, 하안검성형술, 속눈썹 이식술, 구개성형술, 교합이상에 대한 보철치료 등을 시행한다(그림 16-42).

3) Goldenhar 증후군(Goldenhar syndrome)

제1새궁의 발육부전 때문이지만 원인이 불확실한 것으로 알려져 있다. 증상으로 안구상의 유피종(dermoid tumor), 부이(accessory ear), 귀 앞의 소와(pit), 이개(auricle) 기형, 거구증, 악골과 협골의 형성부전 등의 증상이 나타나고, 척추기형을 동반하는 경우가 많으므로 안이척추형성이상(oculoauriculovertebral dysplasia)이라고도 한다. 높은 구개궁, 구순구개열, 치조열 등을 동반하는 경우가 있다. 치료로는 유아기부터 소아기에 이르는 동안에 안구상의 유피종 적출, 부이와 이개 기형에 대한 교정술, 거구증에 대한 수술 등을 시행하며, 악골과 협골 형성부전에 의한 안모변형은 성인이 되고 나서 수술한다(그림 16-43).

4) Crouzon 증후군(Crouzon syndrome)

두개봉합부가 조기에 유합되어 나타나는 현상으로 염색체의 우성유전이 원인이며, 가끔 유전과 무관하게 발생되는 경우도 있다. 두개봉합 특히 선상봉합부의 조기유합 때문에 탑 모양의 두개, 좌우 폭이 길고 앞뒤 길이가 짧은 단두증(brachycephaly), 대천문(fontanel)이 유아기에 일찍 폐쇄되어 대천문 부위의 골융기가 이마에서 비근부(radix)에 이르기까지 이어져 있는 경우가 있다. 안와의 전후가 짧기 때문에 안구돌출증이 나타나며 양안격리증, 사시, 시력저하를 동반하기도 한다. 상악 열성장 때문에 상대적으로 하악전돌증이 나타나고, 높은 구개, 구개열, 선천성 부분적 치아결손 등을 동반하기도 한다. 그리고 두개봉합부의 조기유합 때문에 두개골 내압이 높아져 두통, 경련, 지능저하가 나타나기도 한다. 두개골 내압이 높아서 나타나는 신경증상이나 시력장애가 있으면 생후 6개월경에 뇌압 감압수술을 시행한다. 두개안면의 변형이 심한 증례는 소아기 이후에 두개안면성형술을 시행한다.

구개열 환자에서는 수유장애, 중이질환, 청력장애, 상기도 감염, 언어장애, 악골의 성장장애 등 여러 가지 문제점들이 발생할 수 있다. 그러므로 구개열의 치료 시에 단순히 구개열 부위를 막아주는 것만으로는 이러한 문제점들을 해결할 수 없다. 구개열 수복의 목표는 구강과 비강이 통하는 개열 부위를 막아주어 언어기능과 청력 그리고 악골 성장을 정상적으로 유지시켜 주는 것이다. 이를 위해서는 구개열 수술 시에 연구개 근육의 재배치(repositioning), 상악 열성장과 이에 따른 안모 변형과 부정교합, 그리고 구개의 기능부전에 의해서 생기는 중이염과 난청의 예방 등을 고려해야 한다. 그러므로 구개열을 수술하는 외과의사와 더불어 소아과의사, 내과의사, 이비인후과의사, 정신과의사, 언어치료사, 사회사업가 등의 협력치료가 필요하다.

Ⅲ. 구개열

1. 구개의 해부학

구개의 전반부는 골이 있는 경구개이고 후반부는 연조직으로 되어 있는 연구개이다. 절치공을 경계로 전방부위의 상순, 치조돌기 등을 전구개 구조물 또는 일차구개라 하고 후방의 경구개, 연구개, 구개수(uvula) 등을 이차구개라 한다. 경구개는 전상악, 상악골 및 구개골로 구성되어 있으며 치조돌기로 둘러싸여 있다. 전상악은 절치부와 절치공 앞쪽에 있는 경구개의 전반부 중앙부분이며 상악골과 붙어 있다. 경구개의 위 아랫면에는 점막골막이 단단히 붙어 있다.

연구개는 가동성의 근육막성 구조이며 구개건막(palatine aponeurosis)에 의해 구개골 후연에 부착되고 측방으로 인두와 융합한다. 연구개는 구강으로부터 비강을 분리시키고, 위에 있는 비인두(nasopharynx)와 아래에 있는 구강인두(oropharynx) 사이에서 부분적인 경계를 이룬다.

구개건막(palatine aponeurosis)은 구개인두 내에서 주된 구조적 요소를 이루는 섬유조직이며, 연구개에 안정성과 유연성을 제공하고 많은 근육들의 고정점으로 작용한다. 경구개 부착점을 따라, 구개건막은 경구개의 구강면과 비강면의 점막하 결체조직 및 골막에 연결된다.

1) 구개인두(Velopharynx)

구개인두란 용어는 구개와 인두 사이의 해부학적 연결성을 나타내며, 구개인두는 구강인두협부(oropharyngeal isthmus)와 비인두열공(nasopharyngeal hiatus)을 둘러싸고 있는 복잡한 근육막성 밸브이다. 연구개, 구강인두의 측벽과 후벽뿐만 아니라 편도선의 전후방 기둥(pillar)과 관련된 구조물들을 포함한다.

연하, 호흡 및 발성 시에 구개인두의 작용은 두 가지 기본적인 운동, 즉 ① 연구개의 거상(elevation)과 하방위치(depression), ② 인두 측벽과 인두후벽의 운동으로 특징지을 수 있다. 구개인두를 구성하는 근육은 구개인두근(Palatopharyngeus muscle), 구개설근(palatoglossus m.), 구개범거근(levator veli palatini m.), 구개범장근(tensor veli palatini m.) 상인두수축근(superior pharyngeal constrictor m.), 그리고 구개수근(uvula m.)이다. 구개인두의 근육들은 연하 및 발음 시에 비인두협부(nasopharyngeal isthmus)를 폐쇄시킨다.

2) 구개인두의 근육(그림 16-44~46)

구개에 있는 근육은 좌우에 쌍을 이루며, 발음 시에 주로 사용되는 근육과 연하 시에 주로 사용되는 근육으로 구분되고 두 가지 기능에 약간의 중복은 있다. 발음 시에 가장 중요한 역할을 하는 연구개의 근육은 구개범거근이다. 그리고 상인두수축근과 구개인두근으로부터도 약간의 도움을 받는다. 연하 시에는 구개인두를 닫기 위해 구개범장근이 수축하고 구개범거근도 조금 수축하며, 상인두수축근도 발음 시보다는 더 수축한다. 그 외에도 발음 시와 연하 시에 필요한 근육에는 구개설근과 구개수근이 있다.

(1) 구개인두근(palatopharyngeus m.)

구개부, 익돌인두부 및 이관인두부의 세 부분으로 구성되며 구개건막과 경구개 후연에서 기시하여 편도 후방으로 내려가 갑상선 연골에 부착되어 후구개궁을 형성한다. 구개범거근과 협력적으로 수축하여 연구개를 후방으로 당겨 구개인두 폐쇄에 도움을 준다.

(2) 구개설근(palatoglossus m.)

구개건막의 하면으로부터 연구개에서 기시하여 구개설궁과 혀에 부착한다. 구개열 환자에서 구개설근의 섬유들은 발육저하 상태이며, 식별할 수 있을 경우 구개설근은 구개열연을 따라 사선 방향으로 경구개의 후연에 부착한다. 연하 시에 혀의 중간부를 끌어올리고 비인두협부를 좁아지게 한다.

(3) 구개범거근(levator veli palatini m.)

측두골의 추체부(petrous portion)와 이관(auditory tube or eustachian tube)의 연골부 내측면에서 기시하여 하내전방으로 주행하여 구개건막의 비강면에 부착하고, 반대쪽 근섬유들과 혼합되어 연구개 중앙부에서 V형 거근슬링(levator sling)을 형성한다. 이 거근슬링이 수축하면 연구개를 상방과 후방으로 끌어 당기고, 이관에 부착되어 있는 섬유들은 연하 시에 이관을 열어준다. 따라서 구개범거근은 언어 시와 연하 시 구개의 거상(velar elevation)과 후방 변위(retrodisplacement)에 중요한 역할을 한다.

(4) **구개범장근**(tensor veli palatini m.)

내측 익상판과 접형골의 각극(spina angularis), 이관의 연골 외측면에서 기시하여 전하방으로 주행하여 익돌구(pterygoid hamulus)를 감싸고 부채모양으로 퍼져 수평으로 위치하며 구개건막으로 되어 구개골 후연과 반대편 구개건막에 붙는다. 구개범장근이 수축하면 연구개의 전방부가 팽팽하게 되고 거기에 혓바닥이 음식물을 눌러 음식물이 인두로 넘어가게 한다. 또한 이 근이 수축하면 이관이 확장된다. Cutting은 구개열 수술 시에 구개범장근의 건을 잘라줘야 수술 후 수복된 연구개의 측방 긴장을 감소시킬 수 있다고 하였다.

(5) **구개수근**(uvula m.)

구개건막과 후비극에서 기시하여 목젖에 부착한다. 이 근육이 수축하여 연구개 길이를 단축시키고 연구개의 비강측이 불룩하게 되어 비인두강을 좁히는 작용을 한다.

(6) **상인두수축근**(superior pharyngeal constrictor m.)

접형골의 익상돌기와 익돌구에서 기시하여 인두 측방을 돌아 인두후벽에 부착한다. 수축하면 상부에서

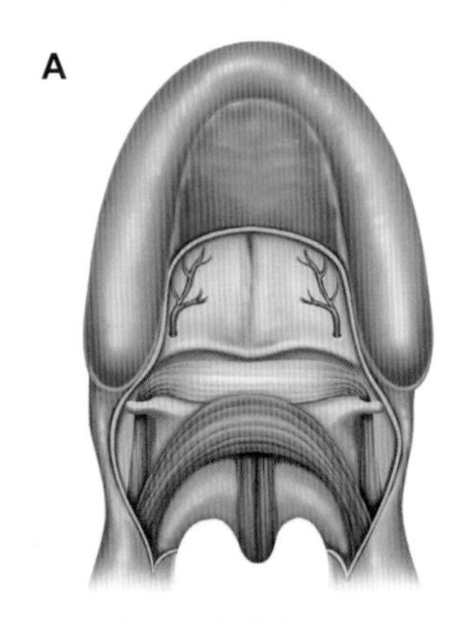

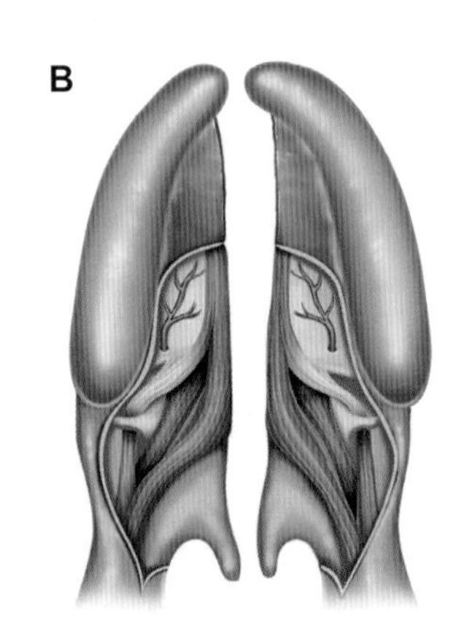

그림 16-44 정상인(A)과 일측성 완전구개열(B).

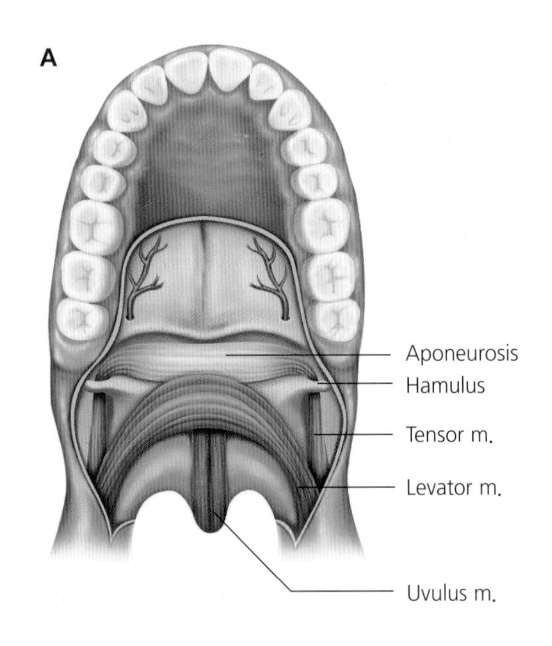

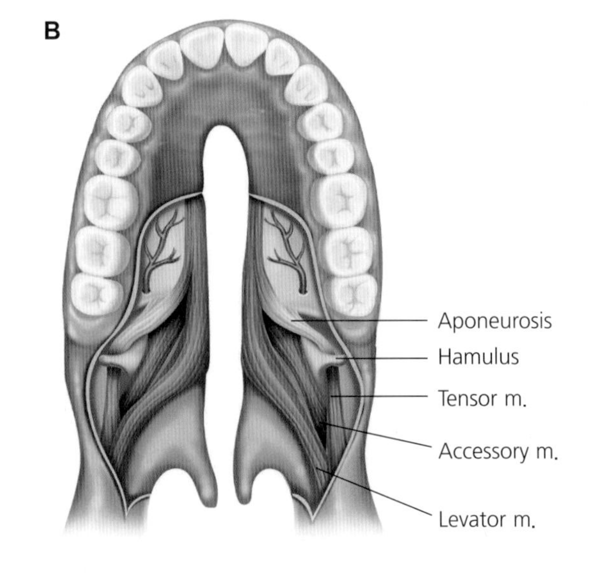

그림 16-45 정상인(A)과 구개열 환자(B)의 구개인두 근육조직.

인두 측벽이 내측으로 이동하여 구개인두 폐쇄에 도움이 된다.

3) 구개열 환자에서 구개의 해부(그림 16-44~46)

구개열에 있어서 구개의 국소해부는 다음과 같이 요약될 수 있다.

① 구개열의 경우에는 구개건막(aponeurosis)이 결여되어 있다.

② 연구개의 전방 1/4 부위에는 정상인의 경우 근육이 없어 구개건막만 존재하지만, 구개열 환자의 경우 구개인두근의 대부분과 구개범거근의 일부 그리고 구개수근이 구개골 후연에 직접 부착되어 있다. 이 근육을 Veau's cleft muscle이라 한다.

③ 경구개는 전체적으로 발육저하를 보이고 중앙부에 기질적 결손이 있으며, 대구개공은 구개열이 크면 클수록 전방에 위치한다. 또 치조돌기부의 기질적 결손은 정중부가 아니라 중절치와 측절치 또는 측절치와 견치 사이에 있다.

④ 연구개의 근육들은 전반적으로 발육부전을 보이며, 구개범거근은 현저한 발육부전을 보인다.

⑤ 구개수근 이외의 근육은 정상인과 같은 형태로 기시하는 데 반하여 근육의 주행과 부착은 현저한 차이를 보인다.

2. 구개열의 출생 후 처치

구순열과 달리 구개열은 심미적인 측면보다 기능적인 측면에서 많은 문제점을 야기한다. 발생될 수 있는 문제점으로는 구강내 음압을 형성하지 못해서 생기는 수유장애, 중이질환, 상기도 감염 또는 폐렴, 비인강 폐쇄부전으로 인한 언어장애, 그리고 악골의 성장장애 등이 있다.

1) 수유

구순구개열 환아는 젖빨기 능력은 있으나 구개열로 인해 구강내 음압을 만들 수 없어서 실제로 젖을 빨기 어렵다. 젖을 빨아먹으려고 하다가 지쳐서 잠을 자고 배가 고프면 깬다. 구개열 환아들의 경우 구개열 수술 전까지는 수유장애가 있기 때문에 출생 직후부터 비위관을 사용하여 젖빨기를 도와준다. 또는 모유를 환아의 입안에 방울방울 떨어뜨려 주거나 주사기 또는 플라스틱 우유병에 우유를 담아 입안에 떨어뜨려 주어야 한다. 30분 정도의 시간 내에 우유를 다 먹이지 못하면 아이들은 힘들어 먹지 못한다. 젖을 먹이고 나면 수유 중에 삼킨 많은 공기가 배출되도록 등을 톡톡 쳐서 트림을 시켜야 한다.

출생 후 빠른 시간 내에 구강내 인상을 채득하여 경성레진(hard resin)과 연성레진(soft resin)으로 제작한 호쯔 장치(Hotz plate) 등을(그림 16-17) 구개열 부위에

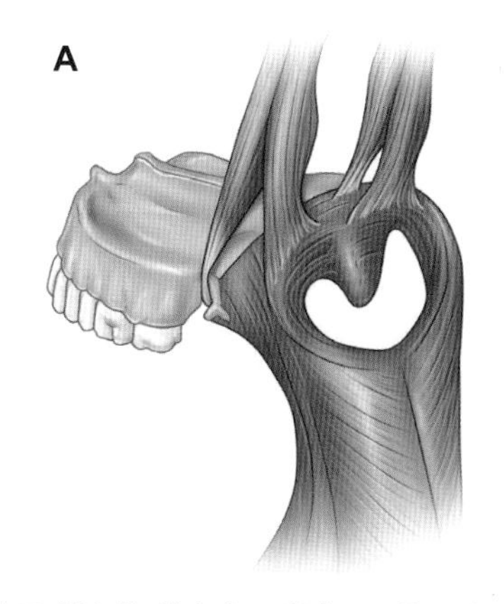

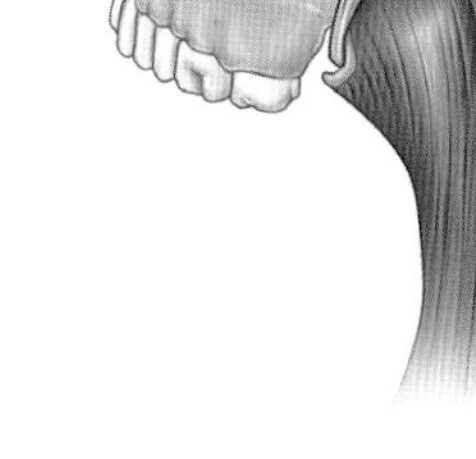

그림 16-46 정상인(A)과 구개열 환자(B)의 구개인두 근육조직.

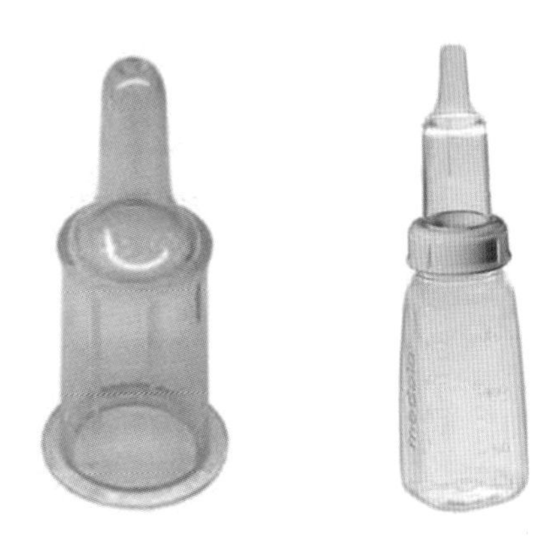

그림 16-47 구개열 환아용 특수 젖병.

넣어주고 구개열 환자용 특수 젖꼭지(그림 16-47)를 사용하여 젖빨기를 하게 하여 영양장애를 막아준다. 호쯔장치를 장착해 주면 젖빨기가 용이해지고, 구개의 개열부 내로 혀의 접근을 방지하며, 변위된 상악분절을 좀 더 나은 위치로 정형하는 장점을 갖는다. 치조분절(alveolar segments)을 정형하고 성장발육을 유도하기 위해 약 4주 간격으로 호쯔 장치의 내면을 첨가 또는 삭제하면서 계속 조절해준다.

2) 이비인후과 치료

대부분의 구개열 환아들에서는 이관에 붙어 있는 구개범장근의 기능장애로 인해 이관이 기능을 못하고 중이에 액체가 고이게 되고 감염될 수 있다. 이런 아이들이 자라면 45-50% 정도에서 청력상실이 나타난다. 그러므로 구개열 수술 시에 이관의 기능을 회복해주는 것이 중요하며, 이비인후과 검사를 해서 중이에 액체가 고여 있으면 고막에 환기관(ventilation tube)을 삽입하여 배액해줘서 중이염을 예방해야 한다. 중이질환에 대하여 부모에게 설명해주고 귀에 이상이 생기면 이비인후과 또는 소아과 진료를 받도록 교육해야 한다.

3) 부모 교육

환아와 어머니와의 피부접촉을 강조하고 일관적인 단계적 치료계획에 대하여 부모에게 설명하고 교육한다. 부모로 하여금 구개열 환아가 제대로 치료를 받으면 정상인들과 똑같이 사회생활을 할 수 있다는 자신감을 회복해주는 것이 무엇보다 중요하다.

3. 구개열의 수술 시기

구개열 환자의 치료 시에는 정상적인 언어기능을 회복하고 악골성장을 억제하지 않도록 고려해야 한다. 외과의사는 이 두 가지 요구를 만족시킬 수 있도록 수술시기와 수술방법을 잘 선택해야 한다. 구개열수술을 시작한 이래 현재까지 적절한 수술시기에 대한 논란이 계속되고 있는데 언어발달, 악골의 성장, 청력과 중이염 등을 고려하여 최적의 시기를 찾아야 할 필요가 있다.

1) 언어와 수술 시기

정상적인 발음과 언어발달을 위해서는 수술시기가 중요하며, 가능하면 구개열 수술을 빨리 받을수록 발음이 좋다. 언어는 습관이므로 구개열 때문에 구개인두 기능이 제대로 되지 않는 상태에서 언어를 배우면 잘못된 발음이상이 습관화되고, 나중에 구개성형술을 받은 다음에도 잘못된 발음습관을 고치기 어려워 언어장애가 지속된다. 그러므로 가능하면 빠른 시기에 정상적인 기능을 회복해주어야 발음에 좋다. 정상적인 소아의 언어발달은 생후 3-4개월 옹알이부터 시작하여 생후 12개월에는 첫 단어 시기를 지나서 24개월 전후에는 어휘폭발기를 거치게 된다.

생후 6-8개월 이전에 구개열 수술을 해야 한다는 주장은 수술이 빠를수록 언어발달이 좋을 것이라는 이론을 배경으로 제안된 것이며, 너무 이른 시기에 수술하면 수술이 쉽지 않고 수술반흔 때문에 악골 성장장애의 가능성이 큰 반면, 언어발달에 좋다는 객관적 자료는 보고된 바 없다. 일반적으로 12-18개월 이전에 구개열 수술을 하는 것이 그 후에 하는 것보다 언어발달에 좋다고 알려져 있다. 최근에는 정상적인 언어기능에 초점을 맞추어 생후 1년 전후 또는 좀 더 빠른 시기인 10-12개월에 구개열 수술을 하는 것이 세계적인 경향이다.

2) 악골의 성장과 수술 시기

일반적으로 악골성장을 억제하지 않도록 하기 위해서는 가능한 늦은 시기에 구개열 수술을 해야 한다고 알려져 있다. 성인이 될 때까지 수술을 받지 않은 구개열 환자의 경우 언어는 만족스럽지 못해도 악골의 성장은 비교적 정상적이라고 하였다. 그러나 생후 10개월 이전에 구개열 수술을 한 경우에도 상악골의 성장장애가 발생되지 않았다는 보고들이 있었다. 또한 악골성장을 좋게 하기 위해 연구개를 먼저 수술하고 경구개를 나중으로 연기해서 수술하는 2단계 수복술로 치료한 경우에도 악골성장에 유리하다는 객관적 자료가 제시되지 못하였다. 그리고 최근에는 경구개의 연기된 수술(delayed closure)로 인해 언어발달과 상악골 성장에 좋지 않은 결과를 나타낸다는 주장도 있다. 현재 1단계 수복술로 한 번에 수술하는 것이 세계적인 추세이다.

최근 교정치료와 악교정수술의 발전에 힘입어 악골의 성장장애 때문에 발생되는 상악 열성장과 III급 부정교합을 어렵지 않게 치료할 수 있게 되었다. 그에 따라 구개열로 인해 일단 잘못된 습관으로 언어장애가 굳어지면 치료하기 쉽지 않은 언어기능을 고려할 때, 구개열의 수술 시기는 생후 9개월부터 늦어도 2세까지가 좋다고 주장하는 연구자들이 많아졌다.

3) 청력과 수술 시기

구개열 환자들에서는 이관의 기능장애 때문에 중이염이 잘 생긴다. 구개열 환자에서는 94% 정도 중이염이 발생되고 약 45-50% 정도 청력상실이 나타난다고 보고되었다. 그리고 수술 시기에 따라 구개열 수술을 생후 1세 이전에 하면 약 10%, 그 후에 하면 약 60% 정도 청력상실이 있으며, 경구개 수술을 늦게 하면 중이염 발생 빈도가 현저히 증가한다고 하였다.

구개열 수술을 받으면 구강과 비강이 분리되어 각각 정상적인 기능을 수행하게 되고, 음식물이 코로 역류되는 것을 막아주며, 이관과 중이가 건조하거나 차지 지 않도록 하여 청력을 보존할 수 있다. 그러므로 구개열 수술을 하면서 동시에 귀에 환기관을 삽입하면 중이염의 빈도가 감소될 수 있다. 따라서 생후 1세 이전에 구개열 수술과 동시에 환기관을 삽입하면 중이염과 청력상실의 발생 빈도를 감소시켜 청력과 언어발달에 좋은 영향을 미칠 수 있다.

■ 2단계(two-stage) 구개열 수술법

Schweckendiek (1951), Perko (1979) 등은 언어발달을 위해서 연구개를 조기에 먼저 수술하고 악골성장을 위해서 경구개를 나중에 시행하는 법을 제시하였고, 그 후에도 여러 연구자들이 개량된 2단계법을 제시한 바 있다. 그러나 여러 연구에서 이 수술법이 악골성장에 유리하다고 객관적으로 증명하지 못하였다. 또한 이 방법은 수술 시기를 연구개는 3-34개월, 경구개는 6개월-17세까지 다양하게 주장하고 있어서 비교연구에 어려움이 있다. 이러한 이유로 최근에는 대부분의 술자들이 1단계로 수술하는 것을 선호하고 있으나, 여전히 일부 유럽과 아시아 국가에서는 이 방법을 사용하고 있다.

4. 구개열의 수술방법

구개열 수술의 기본 목표는 상악골의 성장에 장애를 주지 않으면서 비인강폐쇄기능을 정상적으로 회복시켜 주는 데 있다. 이를 위해서는 구개열 환자에서 비정상적으로 배치되어 있는 연구개 근육들을 정상위치로 재배열해주는 것이 중요하다. 또한 이 근육들이 발음시 수축하여 연구개를 후상방으로 견인할 때 인두후벽에 최대한 접근할 수 있도록 연구개의 길이를 적절히 늘려줄 수 있어야 할 것이다.

여러 가지 수술방법이 소개되었고 이들의 수술결과가 언어발달이나 상악골성장에 어떻게 영향을 미치는지 연구되었으나 아직도 논란의 대상이 되고 있는 상태여서, 수술방법의 선택은 여전히 술자의 선택에 의존하고 있는 실정이다.

1) 구개성형술의 진보

구개열 수술방법은 최근까지 크게 두 가지 추세로 흘러왔다. 첫째, 갈라진 입천장을 완전히 닫아주는 데 초점을 둔 방법으로 von Langenbeck (1861)에 의해 소개된 이래 널리 이용되었고, 술후 합병증을 줄이기 위해 많은 변형된 술식이 소개되었다. 둘째, 비인강폐쇄기능을 회복해주기 위해 입천장의 길이를 늘려주는 방법이 디자인되었고, 이 후방이동술식(pushback technique)도 수많은 술자들에 의해 변형되어 발표되었다. 여러 가지 방법 중에서도 구개점막골막피판(palatal mucoperiosteal flap)을 V–Y로 후방으로 밀어주는 Veau–Wardill–Kilner 후방이동 구개성형술(pushback palatoplasty)이 가장 보편적으로 사용되고 있다.

최근에는 구개부를 연장시켜 주고 구개범거근을 아치모양으로 연결시켜주기 위하여 구강측과 비강측에 각기 서로 다른 방향으로 Z성형술을 시행하는 이중대위 Z성형술(double opposing Z–plasty)이 Furlow (1986)에 의해 개발되어 구개열 수술에 사용되고 있다.

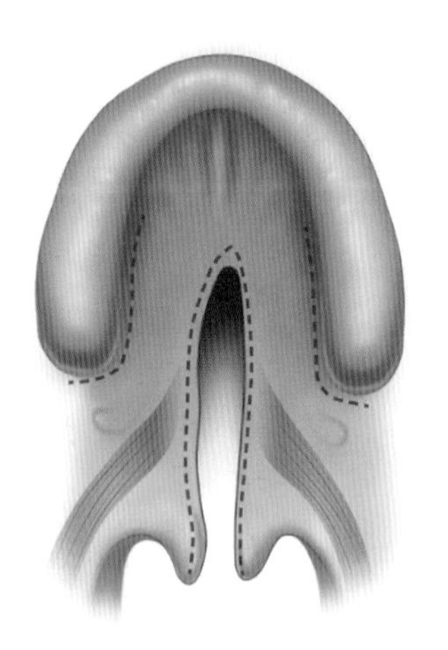

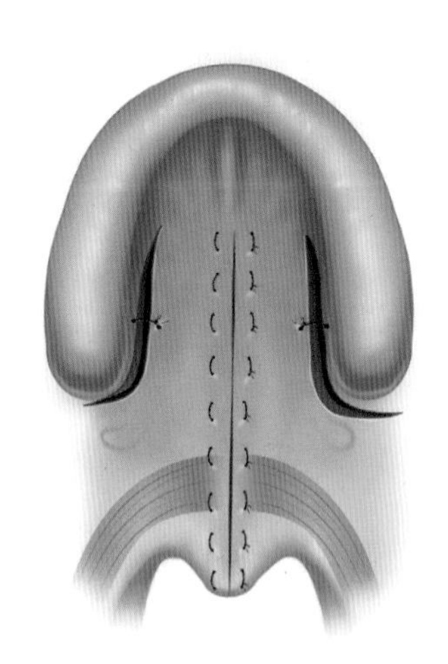

그림 16–48 Von Langenbeck법.

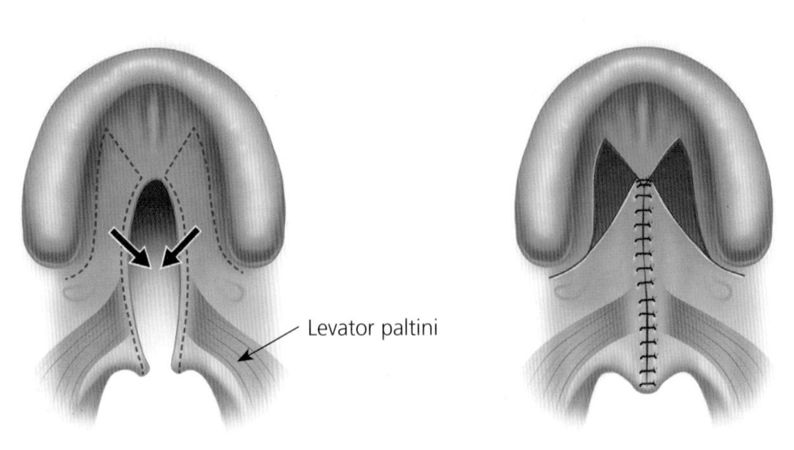

그림 16–49 Veau–Wardill–Kilner의 V–Y 후방이동 구개성형술(V–Y pushback palatoplasty).

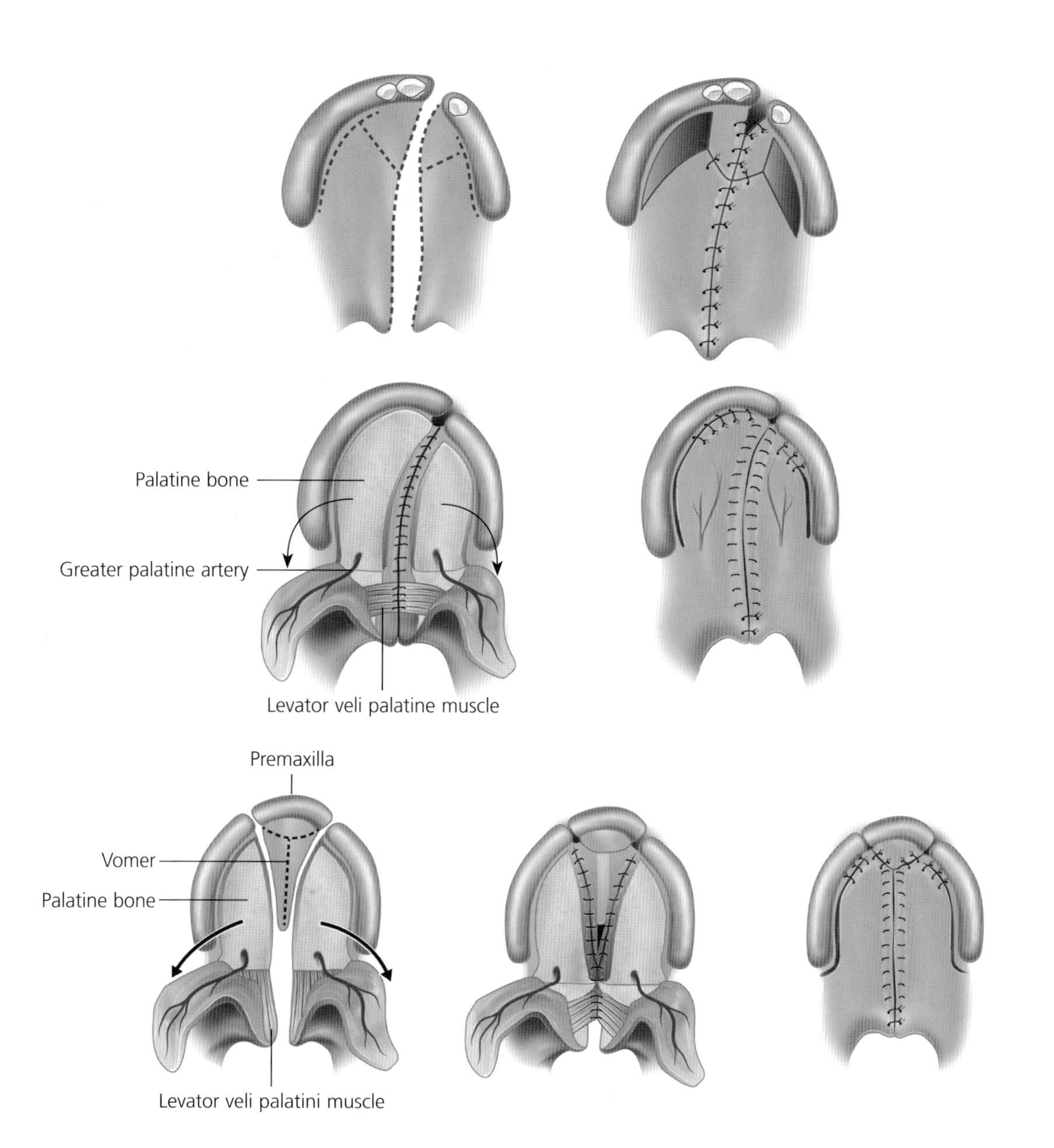

그림 16-50 Wardill법과 Wardill 피판의 변형.

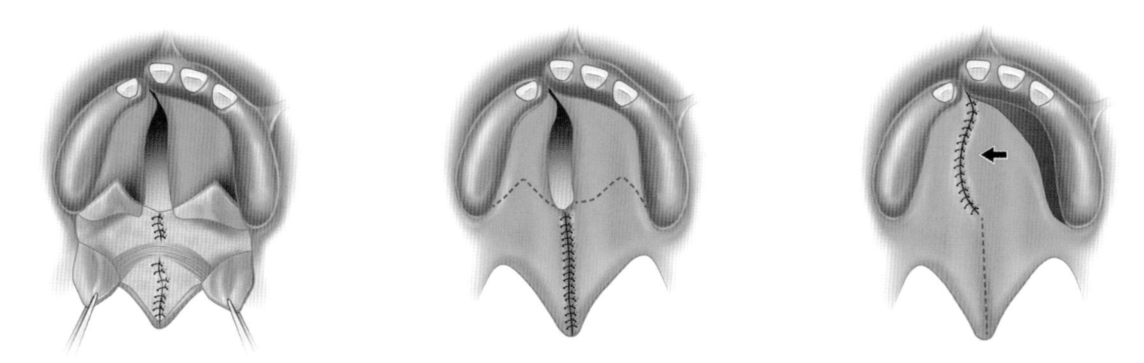

그림 16-51 Widmeier-Perko법(2 stage).

(1) 파열연을 단순 폐쇄시키는 술식

Von Graefe법

(2) 구개의 측방에 이완절개를 가하는 술식

Von Langenbeck법(그림 16-48)

(3) 구개를 후방이동시키는 술식

Veau-Wardill-Kilner법(그림 16-49), Wardill법(그림 16-50), Dorrance법 등

(4) 비인강 폐쇄기능을 고려한 술식

Millard법, Kaplan법, Kilner법 등

(5) 악골발육을 고려한 술식

- 구개성형술을 5세 이후로 연기하는 방법: Burian법, Eschler법 등
- 2단계 구개성형술(two-stage palatoplasty: 1단계에는 연구개성형술, 2단계에는 경구개성형술): Slaughter법, Schweckendiek법, Widmeier-Perko법(그림 16-51) 등

2) 구개열의 정도에 따른 수술방법의 선택

(1) 불완전구개열

Ganzer (V-Y)법, Wardill법, Dorrance법 등의 후방이동 구개성형술, Furlow 구개성형술(그림 16-52), 연구개에만 국한된 경우 연구개내근성형술(intravelar palatoplasty) 등.

(2) 완전구개열

Two-flap을 이용한 Bardach법, four-flap을 이용한 Wardill법, Furlow 구개성형술, Widmeier-Perko법을 이용한 2단계 구개성형술 등.

3) 수술술식

(1) 후방이동 구개성형술(pushback palatoplasty)

구개열 수술 후에 흔히 생기는 언어장애를 개선하기 위해 구개의 점막골막피판을 일으켜 V-Y 형태로 후방이동시켜 길이를 늘리기 위해 개발된 수술기법이다. Veau가 구개를 늘리는 방법을 고안하였고 Wardill, Kilner 등이 보완하여 현재 널리 사용되고 있다. 피판이 늘어난 부위의 골이 노출되지만 2-3주 내에 치유되고 상피화된다. 그러나 이 과정에 섬유성 반흔이 남고 상악성장과 치아교합의 변화가 나타날 수 있다.

■ **수술과정**

① 환자를 앙와위(supine position)로 눕힌 상태에서 머리를 약 15-20° 뒤로 젖혀서 고정한다. 술자는 환자의 머리 쪽에, 제1조수는 오른쪽에, 제2조수는 왼쪽에 위치하도록 한다. 인두피판술의 경우에도 같은 체위와 위치에서 수술하는 것이 효과

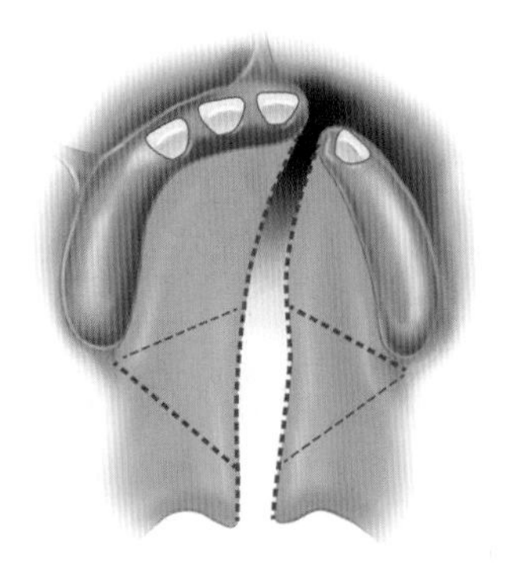
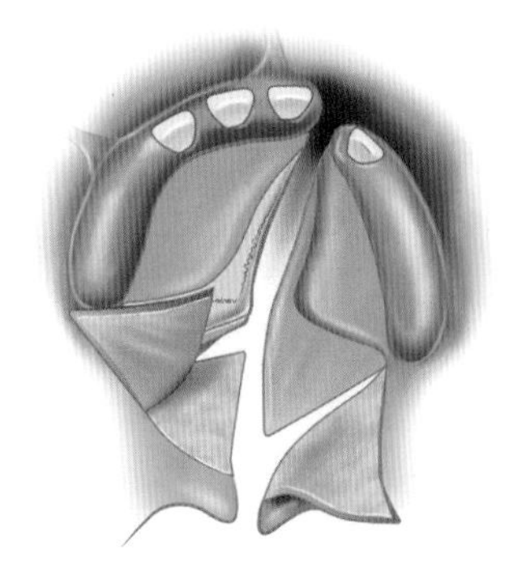
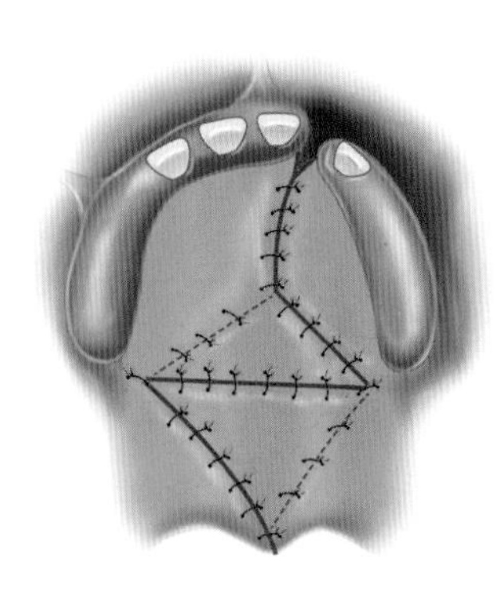

그림 16-52 Furlow법.

적이다. Dingman 개구기를 환자의 구강내에 장착한다.

② 구개열 변연의 구강점막과 비강점막의 경계부를 따라 후방으로 목젖까지 절개한다.

③ 외측 절개선은 편도선의 전방기둥(anterior pillar) 부위에서 근층 깊이로 절개를 시작하고, 익돌상악선을 따라 상악결절 내측에 이른다. 치조돌기와 대구개공 사이를 따라 골막 깊이로 절개하고, 치조돌기에 평행하게 치경부에서 2–3 mm의 거리를 두고 전방으로 견치부까지 절개를 연장한다.

④ 전방 절개선은 외측 절개선의 앞쪽에서부터 구개열 개열부의 맨 앞까지 연장하여, 양쪽에 V형 절개가 되도록 한다(그림 16-53).

⑤ 경구개에 있는 구강과 비강측 점막골막피판을 골막기자로 전방에서 후방으로 가면서 일으킨다. 경구개 후방의 대구개공에서 대구개신경혈관속(greater palatine neurovascular bundle)이 골외로 나와 박리된 구개판과 강하게 부착되어 있으므로, 골막조직에 세심한 절개를 가하고 혈관을 손상시키지 않도록 8 mm 정도 박리해가면 구개판으로부터 대구개신경혈관속이 자유로운 상태로 분리되고 효과적인 후방이동이 가능해진다. 익돌상악선을 메젠바움 가위 등을 이용하여 보다 깊이 박리하여 익상돌기(pterygoid hamulus)를 노출시키고, 익상돌기로부터 구개범장근의 건(tendon)을 후방으로 젖히거나 절단한다. 술자에 따라서는 익상돌기를 구부리거나 골절시킨 후 제거하기도 한다. 좌우 구강측의 박리 조작이 끝난 단계에서 비강측의 박리를 시작한다.

⑥ 비강측 점막의 박리는 후비극에서 시작한다. 구개범거근의 일부와 구개인두근 종주부가 후비극에 부착되어 있으므로, 골과 점막에 부착되어 있는 섬유성 조직을 분리하여 비강측 점막이 전진 및 이동할 수 있도록 해야 한다. 비강측 점막이 찢어지거거나 천공되면 구비누공(oronasal fistula)이 생길 가능성이 커지므로 점막이 손상되지 않도록 조심스럽게 박리해야 한다(그림 16-54).

⑦ V–Y 피판의 장점 중 하나는 V형 피판을 Y형으로 봉합하여 구개의 길이를 늘려준다는 점이다. 연구개의 후비극 후방의 비강점막에 1 cm 정도 크기의 Z성형술을 사용하면 비강점막층의 길이도 연장시킬 수 있다.

⑧ 먼저 목젖부터 봉합하고 경구개의 비강측 점막골막피판과 연구개의 비강측 점막을 봉합하며 매듭은 비강측에 둔다. 비강측 봉합이 끝나면 연구개의 후방 1/3 부위를 봉합하고, 구개범거근을 재배열하고 그 끝 부위를 연결하여 근육대를 형성한다. 근육층 봉합이 끝나면 연구개의 구강점막을 봉합하고 전방으로 진행하여 경구개의 구강측 점막골막피판을 봉합한다(그림 16-55).

⑨ 절개선 외측의 골 노출부에 창면의 보호와 감염방지를 위하여 수술 전에 제작한 스플린트(splint)를 장착해준다. 구개의 노출된 골을 그대로 놓아둘 경우 상악골 성장에 장애가 된다는 설이 있어서 동결건조피부로 덮어주거나 인접 협점막 이식을 해주기도 한다. 그래서 구개의 점막 결손부가 반흔 구축으로 다시 단축되는 것을 방지하기 위해 경구개의 비강측 점막골막피판을 후방으로 밀어주는 방법(Cronin법), 경구개의 구강측에서 작성한 도상점막골막피판(island mucoperiosteal flap)으로 막아주는 방법(Millard법), 연구개의 비강측 점막에 Z성형술을 하는 방법, 협부점막피판을 이용하는 방법(Kaplan법) 등을 시도하였다(그림 16-56). 불완전구개열과 점막하구개열 환자에서 후방이동 구개성형술을 이용하여 수술한 증례가 그림 16-57과 그림 16-58에 제시되어 있다.

(2) 이중대위 Z성형술(double opposing Z-plasty; Furlow 구개성형술)

Furlow (1986)에 의해 고안된 방법으로 연구개의 구강점막과 비강점막에 서로 다른 방향의 두 개의 Z성형술을 도안한다. 좌측 구개범거근은 후방에 기저를 둔

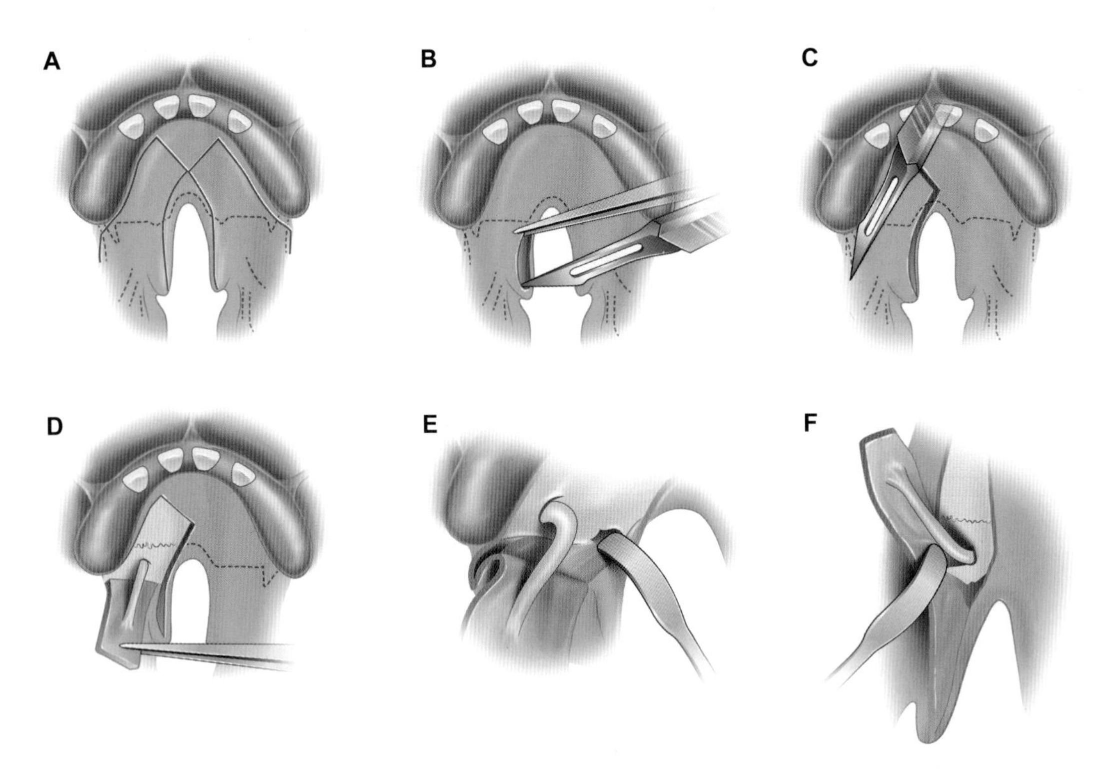

그림 16-53 후방이동 구개성형술(pushback palatoplasty) 수술과정(I). A: 연구개열 수술 시 절개선 B: 연구개의 절개 C: 경구개 부위의 절개 D: 구개 점막골막피판의 박리(구개 점막골막피판을 구개에서 박리한 상태) E: 후비극에 부착된 근육의 박리 F: 대구개신경혈관속을 골막에서 박리.

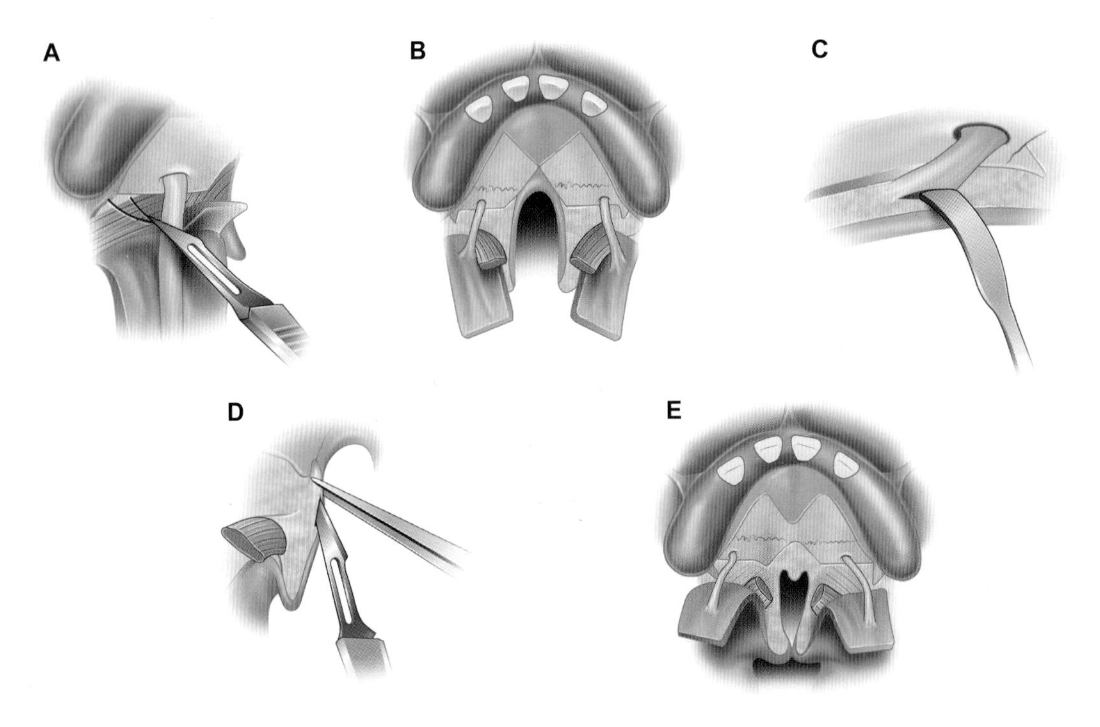

그림 16-54 후방이동 구개성형술 수술과정(II). A: 구개건막(aponeurosis) 부분의 처리 B: 연구개 부위의 박리가 끝난 상태 C: 신경혈관속(neurovascular bundle)을 구개점막골막판에서 8 mm 정도 박리 D: 비강측 점막의 박리 E: 박리가 끝난 상태.

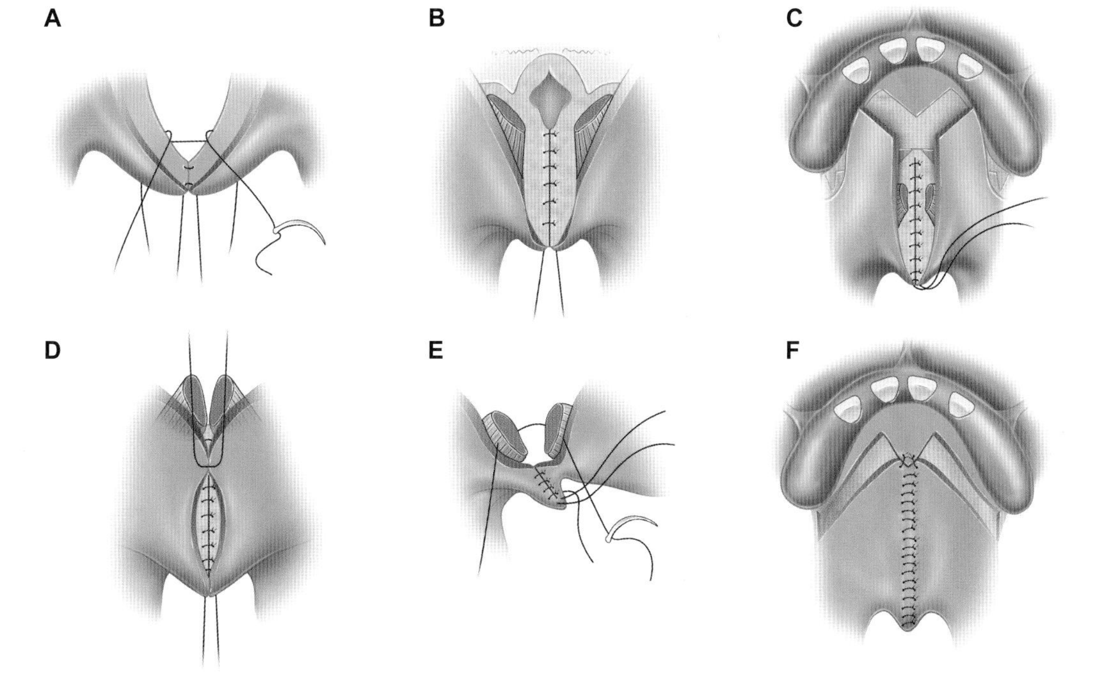

그림 16-55 후방이동 구개성형술 수술과정(III). A: 비강측의 봉합 B: 비강측 잉여 조직의 절제 C: 비강측의 봉합이 끝난 상태 D: 목젖 부위의 봉합 E: 근육층 봉합 F: 구강측의 봉합이 끝난 상태.

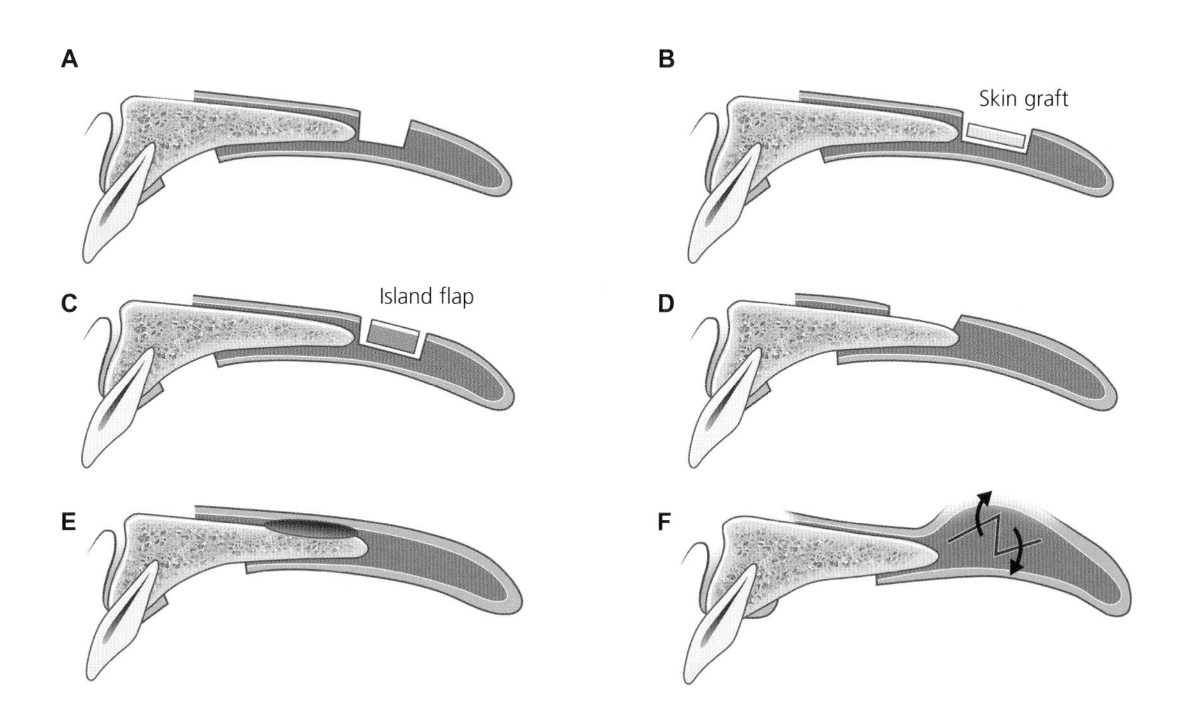

그림 16-56 후방이동 구개성형술 수술과정(IV): 비강점막의 연장법.

A: Ganzer법. 비강점막에 횡절개를 한다. B: Dorrance법. 횡절개를 가하고 구개피판 내면에 피부이식을 한다. C: Millard법. 횡절개를 가하고 생긴 구개피판 내면을 동맥함유 도상피판으로 덮는다. D: Cronin법. 비점막을 골면위에서 절개한 후 후방으로 당긴다. E: Nagai법. 비강측 점막을 골면에서 광범위하게 박리하여 연장한다. F: Z성형술. 비극의 후방에서 약 1 cm 정도의 Z성형술을 행한다.

구강측 점막피판에 포함되고, 우측 구개범거근은 후방에 기저를 둔 비강측 점막피판에 포함된다. 경구개열은 두 층으로 봉합하는데, 서골피판(vomer flap)을 이용해 비강측을 닫아주고 구개가 상부로 변위되어 있으므로 경구개의 개열 변연의 구강점막으로부터 작은 점막골막피판을 거상하여 구강측을 닫아줄 수 있다.

■ 이중대위 Z성형술의 장점

① 연구개 조직을 이용해서 연구개 길이를 늘릴 수 있다.
② 경구개에서 점막골막피판을 넓게 거상할 필요가 없어 수술에 의한 침습이 적고 경구개에 반흔이 작게 생기므로 상악골 성장에 지장을 주지 않는다.
③ 비정상적으로 주행하고 있는 구개범거근을 박리하여 양쪽을 두 겹으로 접촉시켜줌으로써 구개범거근 슬링이 형성된다.
④ 연구개 정중선에 수직으로 된 수술반흔이 남지 않으므로 반흔구축으로 인해 연구개가 짧아질 가능성이 적다.
⑤ 일차 인두피판술이 필요할 때 같이 할 수 있다.
⑥ 비인강포트(velopharyngeal port 또는 VP port)의 외측면을 줄일 수 있다.

■ 수술과정(그림 16-59)

① 좌측 개열 변연에 있는 경구개와 연구개의 경계점에서부터 익돌구 쪽으로 가면서 구강측 점막에 절개를 가하고, 우측 목젖 가까이에 있는 개열연에서부터 80° 각도로 익돌구 쪽으로 구강측 점막에 절개선을 도안한다.
② 좌측 경구개의 구강측에서 점막골막피판을 거상한 후 경구개의 비강측에서도 점막골막피판을 일으킨다. 좌측 연구개에서 구개범거근이 구개열 후

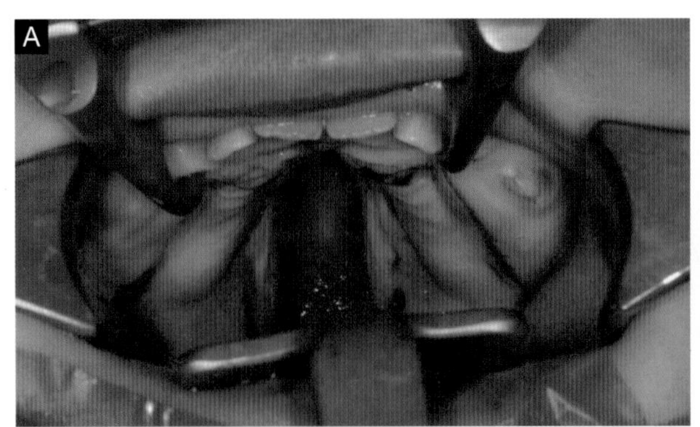

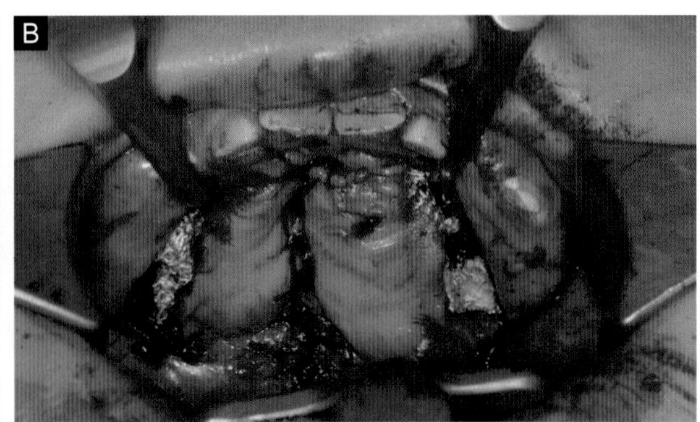

그림 16-57 불완전구개열 증례. A: 수술 전 후방이동 구개성형술 디자인 B: 수술 직후.

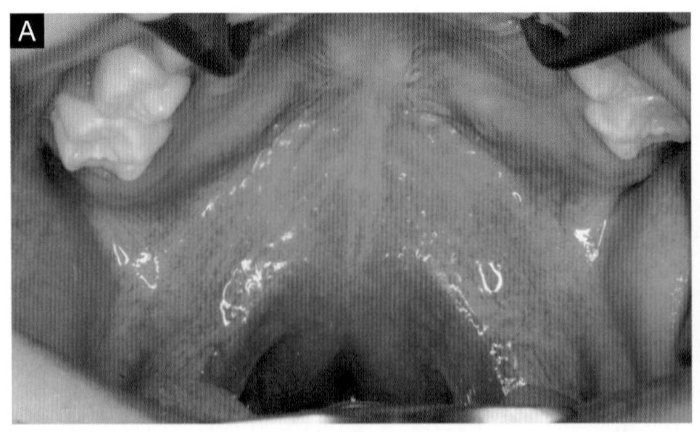

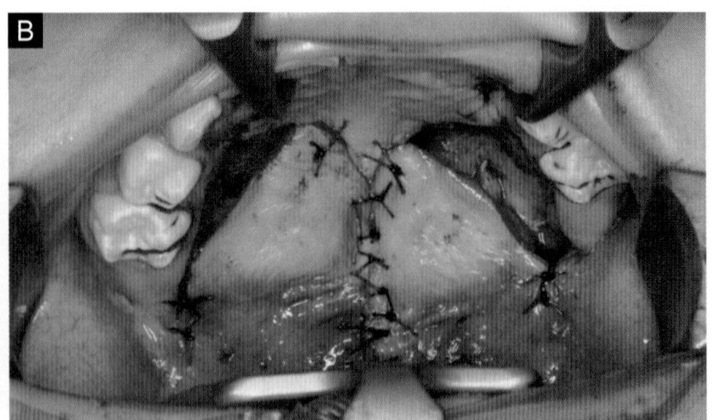

그림 16-58 점막하구개열 증례. A: 수술 전 bifid uvula를 동반한 모습 B: 후방이동 구개성형술을 이용한 수술 직후.

연에 붙어있는 부분을 조심스럽게 박리하여 후방으로 가면서 구개범거근과 비강측 점막 사이를 박리하고, 구개범거근의 외측에 있는 상인두수축근의 근막으로부터 박리하여 후방에 기저를 둔 구강측 점막근피판을 작성한다. 좌측 비강측에서 전방에 기저를 둔 비강측 점막판을 만든다. 우측 연구개에서 구강측 점막판을 구개범거근으로부터 거상하고 우측 경구개에서 점막골막피판을 일으킨다. 이때 점막골막피판을 개열연에서부터 멀리까지 박리하지 않는 것이 좋다. 우측 연구개에서 후

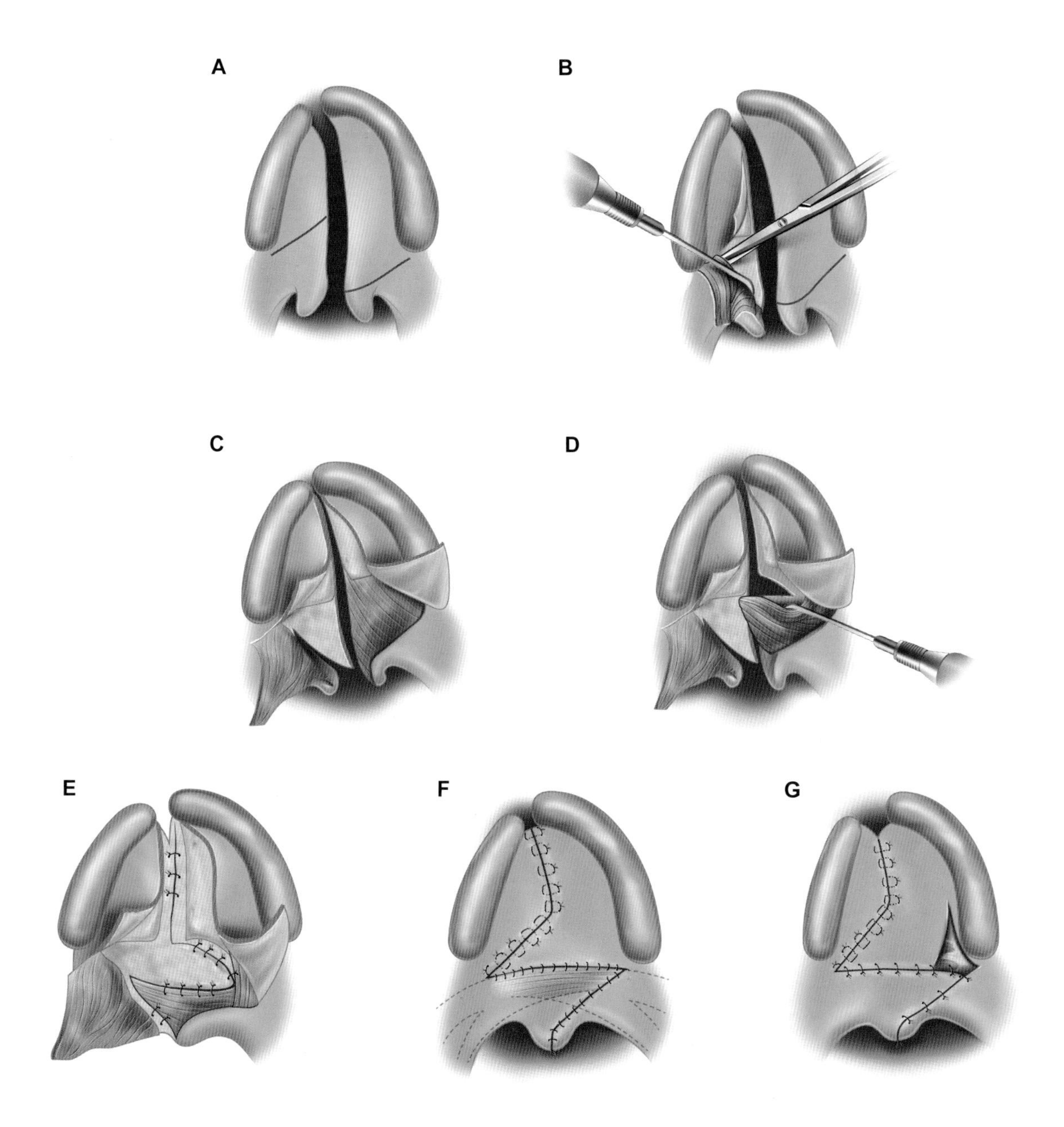

그림 16-59 이중대위 Z성형술(Furlow법).

A: Z-plasty incision B: oral myomucosal(post. based flap) 피판 거상(근육 포함) C: oral mucosa 피판 거상(반대쪽은 근육 미포함) D: 비강측 Z-incision(구강측과 반대 방향) 및 피판 거상 E: 비강측 피판 전위후 봉합 F: 구강측 피판 전위후 봉합 G: 넓은 구개열인 경우 extended back-cut이 필요할 수 있다.

방에 기저를 둔 비강측 점막근피판을 작성한다.

③ 경구개에서 점막골막피판을 측방에서부터 일으키고 대구개공으로부터 나오는 대구개혈관 주위도 조금 박리하여 점막골막피판의 긴장이 느슨해지도록 해준다.

④ 좌측 비강측 점막판을 우측으로 전위하고 우측 점막근피판을 좌측으로 전위해서 결찰이 비강 쪽으로 가게 봉합한다.

⑤ 좌측 점막근피판을 우측으로 전위하고 우측 구강측 점막판을 좌측으로 전위해서 봉합한다. 이렇게 작성한 양 점막근피판의 길이가 짧아 봉합할 때 긴장이 있으면 연구개와 경구개의 외방에 이완절개를 가한다(그림 16-59G). 폭이 넓은 구개열의 경우 봉합선에 긴장이 커서 구개누공이 잘 생길 수 있고 구개가 후방으로 뻗을 수 없어 구개인두 기능이 저해될 수 있다. 이런 요인들로 인해 일부 저자들은 이 술식을 폭이 좁은 불완전구개열 또는 점막하 구개열에 적절하게 사용하고 있다. 한편 Chen과 Hudson 등은 이차 구개인두기능부전의 교정을 위해 이 술식을 사용하여 좋은 결과를 얻었다고 하였다.

(3) 연구개내근성형술(intravelar veloplasty, IVVP) (그림 16-60)

Kriens는 비정상적으로 구개 후연에 부착된 구개범거근을 박리하여 횡적인 방향으로 재배열할 것을 강조

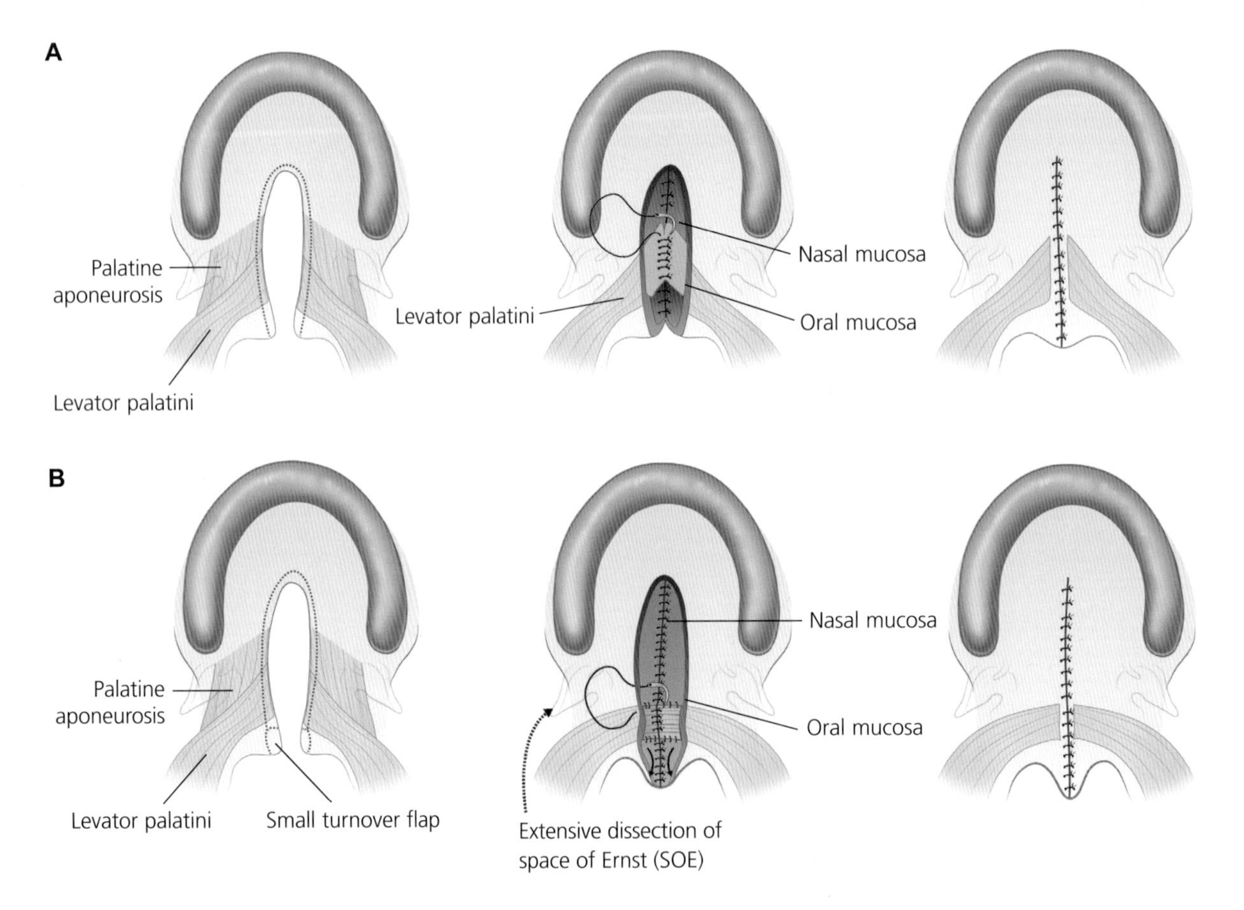

그림 16-60 연구개내근성형술(IVVP). **A:** Conventional IVVP. Levator palatini를 구강점막과 비점막으로부터 박리, 봉합. SOE 최소박리. 근육배치가 불완전하다. **B:** modified IVVP by Sommerlad. SOE의 넓은박리를 통하여 levator palatini을 가로로 재배치하고 후방위치시킬 수 있다.

하였다. 이 근들을 단단봉합(end to end suture)하여도 이 근들이 충분히 길이가 길어 중첩할 수 있다.

이 수술법은 근육의 재배치의 중요성을 강조한 기능적 수술법으로 정상적인 연구개 길이를 가지고 있는 연구개열에서 단독으로 시행할 수 있다. 최근에 시행되는 V-Y push-back이나 von Langenback 피판에서 연구개 근육의 재배치는 IVVP와 동일한 개념으로 보면 된다.

■ 수술과정

① 개열연에 있는 구강측 점막과 비강측 점막의 접합선을 따라 목젖까지 절개하여 구개범개근을 비롯한 연구개의 근들로부터 비강측 점막판과 구강측 점막판을 각각 조심스럽게 일으킨다.

② 경구개 후연에 비정상적으로 부착된 구개범거근을 분리한 후 내후방으로 회전하여 정중선에서 봉합하여 아치 모양이 되게 한다. 이때 구개인두근의 내측면도 아치에 포함시켜 인두 측벽의 기능에 도움이 되게 한다. 갈라진 구개수근(목젖근)도 봉합하여 연구개의 배면 중앙부가 볼록하게 해주어 이 부위가 인두후벽에 닿기 쉽게 하면 연구개 운동과 인두 측벽 운동이 좋아져 발음이 좋아진다.

③ 연구개의 비강측 점막에 Z성형술을 하여 길게 늘려주고, 구강측 양쪽의 점막을 그냥 정중선으로 모아서 봉합하든지 또는 후방이동술로 닫아 준다.

4) 구개성형술 후 후처치

수술 후 회복실에서 적어도 1시간 정도 특별히 기도유지, 출혈 등에 주의를 기울여 관찰한다. 12개월 이하의 유아는 최소 2시간 정도 관찰한다. 산소포화도를 측정하여 기도가 잘 유지되는지 관찰한다. 이때 구강이나 비인두에 고인 분비물은 흡인한다. 아기는 24-48시간 동안 울고 보채므로 잘 달래주는 것이 바람직하지만, 심한 경우에는 진정제를 사용할 수도 있으나 진정제는 호흡중추를 억제하므로 사용할 때 주의해야 한다. 정맥내 수액을 주어 환아가 탈수되지 않게 한다.

수술 직후부터 3주 동안 팔꿈치 부위에 부목을 유지하여 손가락 또는 딱딱한 물체를 구강내로 삽입하지 못하게 한다. 수술 후 수 시간이 지나면 끝이 고무로 된 주사기나 컵을 이용하여 물부터 먹이는 것이 좋고, 수술 후 3일째부터는 숟가락, 끝이 고무로 된 주사기, 컵 등을 이용하여 연식을 먹일 수 있다. 이때 젖병을 물려 빨게 하면 봉합부에 음압이 걸려 창상이 벌어지므로 사용해서는 안 된다. 음식을 먹인 후에는 끓인 물을 식혀서 자주 먹임으로써 음식물 잔사를 제거하고 구강위생을 청결하게 유지하는 데 도움이 된다. 수술 후 3주가 지나면 수술 전처럼 먹일 수 있다.

술후 3주 후부터 언어치료를 실시한다. 처음에는 빨대로 빨게 하거나 비누거품을 불게 하거나 호루라기를 불게 하는 등 언어와 관련 있는 근들을 움직여 구개인두기능을 자극한 후 언어치료를 시작한다. 외래로 정기적인 추적검사를 시행하여 부모들에게 음식 등이 코로 새는지, 청력의 이상유무 등을 물어본다. 그 후 구개를 살펴보아 구비누공 등이 남았는지 확인한다. 구개성형술 후 3-6개월마다 구개인두기능, 중이질환 및 치아교합 상태 등을 검사한다.

5. 합병증

1) 출혈

구개열 수술 후 주된 합병증 중의 하나가 출혈이다. 혈관수축제를 주사한 후 7분 정도 기다려야 충분한 효과를 볼 수 있다. 수술 중 출혈이 있으면 출혈점을 3-4분간 거즈로 압박한다. 그래도 지혈이 되지 않으면 출혈점을 지혈시켜야 하며 수술이 끝날 무렵 출혈이 있으면 반드시 지혈시켜야 한다. 혈관수축제인 에피네프린(epinephrine)을 수술부위에 주사하면 출혈을 줄일 수 있다.

2) 기도폐쇄

분비물, 출혈 또는 인후두 부종 때문에 기도폐쇄가 생길 수 있으므로 이를 예방하기 위해 수술이 끝나갈 무렵 No. 18 또는 No. 20 F 굵기의 비인두호흡관을 꽂아줄 수 있다. 필요하면 술후 혀끝을 봉합사로 떠서 이것을 앞으로 당겨 기도를 유지하기도 한다.

3) 창상의 벌어짐(Wound dehiscence)

음식을 숟가락으로 떠서 먹이다가 봉합된 곳을 터뜨릴 수 있고, 울거나 말하거나 음식을 먹을 때 봉합부 긴장이 증가되어 창상이 벌어질 수도 있다. 그리고 부적절한 봉합, 피판의 과도한 긴장, 점막 결손, 감염, 수술 후 외상 등으로 인해 봉합부가 벌어질 수 있다. 수술 후 2-3주에 창상이 벌어지면 즉시 봉합하는 것이 좋다. 만약 봉합할 처지가 못되면 염증이 치유되고 조직이 부드러워질 때까지 기다렸다가 4-6개월 후에 다시 봉합해준다. 이런 경우 창상부위의 수축과 섬유화가 더욱 심해져서 향후 비인강폐쇄기능에 악영향을 미칠 수 있으므로 일차수술에서 벌어지지 않도록 최대한 주의를 하는 것이 좋다.

4) 구비누공(Oronasal fistula)

구비누공을 예방하기 위해서는 수술 중에 지혈을 철저히 하고, 사강을 줄이며, 피판의 긴장도를 낮추고, 상피가 봉합부로 끼어들지 않도록 한다. 수술 후에도 주의 깊은 환자 관리가 중요하다. 대개 경구개와 연구개의 경계부에 호발한다. 구비누공의 크기는 대부분 직경 1 cm 이하이며, 그보다 더 큰 경우에는 대개 증상이 있지만 직경이 5 mm 이하인 경우에는 증상이 없고 불편을 느끼지 못한다. 음식물이 비강 내로 역류되고, 구강위생 상태가 불량해지며, 악취가 나서 불쾌감을 가져올 수도 있고, 심하면 언어장애, 청각장애 및 저작장애를 유발할 수도 있다. 구비누공의 가장 큰 문제점은 발음 시 음성에너지의 비강유출로 인한 과비음과 그로 인한 발음장애이다. 향후 누공폐쇄술이 성공한 후에도 수술부위의 수축과 섬유화로 인해 적절한 비인강폐쇄가 어려워져서 과비음이 잔존할 수 있다. 그러므로 처음 수술 시에 많은 주의를 할 필요가 있다.

과비음을 동반한 구비누공을 수술할 때에는 수술 전에 과비음이 누공과 비인두괄약근의 기능저하 중 어떤 원인에 의한 것인지를 파악해야 하는데, 누공을 치과용 왁스나 껌으로 막고 말하게 하면 감별진단이 가능하다. 이때 과비음이 누공에 의해 발생하면 누공을 폐쇄하고, 누공과 관계없이 발생하면 구개인두기능부전을 교정할 때 누공폐쇄술을 함께 시행한다.

5) 과비음(Hypernasality)

과비음은 말을 배우기 전에 구개성형술을 제때 하지 못했을 때도 생길 수 있지만, 적절한 시기에 구개성형술을 하고 또 적절한 연구개의 길이나 근육의 재배치가 이루어졌음에도 과비음과 조음장애는 잔존할 수 있다. 따라서 일차수술 후에도 지속적으로 언어치료를 하는 것이 좋고 주기적인 언어평가 등을 통해서 과비음에 의한 조음장애 등의 잔존 여부를 검사해야 한다.

Ⅳ. 구개인두기능부전(비인강폐쇄부전)(Velopharyngeal dysfunction / Velopharyngeal inadequacy)

구개인두부(비인강부; velopharynx)는 정상적으로 숨 쉬고 말하고 먹는 데 필수적인 역동적 구조물이며, 앞쪽은 연구개, 뒤쪽은 인두후벽, 외측은 좌우 인두 측벽으로 구성되어 있다. 비인강부의 구조와 기능은 정상적인 구강공명을 형성하는 데 중요한 역할을 하는데 정상적인 비인강폐쇄기능을 갖는 사람은 비호흡 시와 비강음을 발음할 때를 제외하고 모든 발음 시와 구호흡, 연하, 불기, 빨기, 휘파람 불기와 같은 기능 시에 연구개의 후방 1/3은 후상방으로, 인두 측벽이 내측으로, 인두후벽은 전방으로 움직이거나 선반처럼 융기(Passavant's ridge)를 형성하며 수축하면서 괄약근과 같은 형식으로 비인강부를 완전히 폐쇄시킴으로써 비강과 구강을 분리하게 된다(그림 16-61~63). 이때 작용하는 근육은 연구개를 이루는 근육들과 인두측벽과 후벽을 이루는 상인두수축근이다. 구강과 비강 사이에 있고 말할 때 구강과 비강이 분리되도록 하는 구개인두괄약(velopharyngeal sphincter)이 적절한 기능을 수행하지 못하는 경우를 구개인두기능부전 또는 비인강

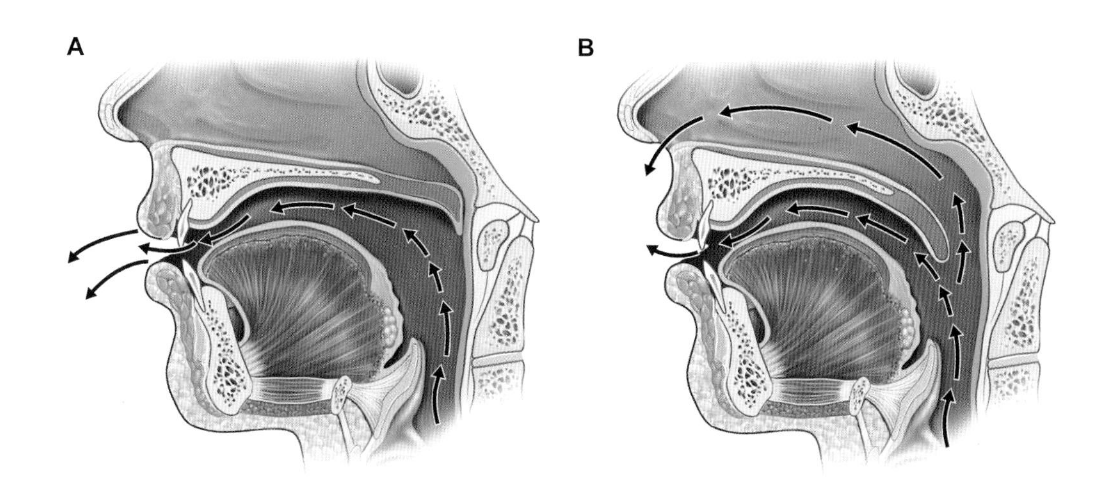

그림 16-61 정상비인강부(A)와 비인강폐쇄부전에서의 비인강부(B).

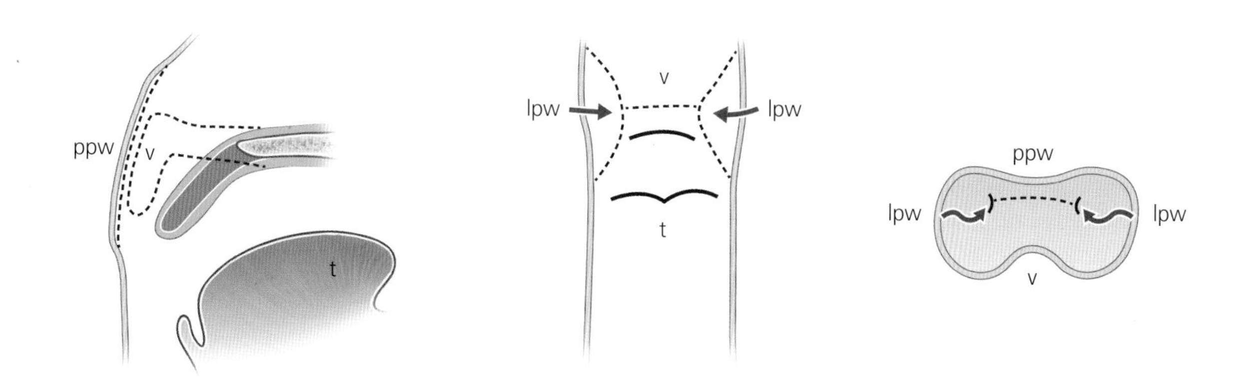

그림 16-62 정상인의 비인강폐쇄기능.
ppw: 인두후벽 lpw: 인두측벽 v: 연구개 t: 혀.

폐쇄부전이라 한다.

구개인두부의 기능이상에 대한 용어에 대해서 1989년 Trost-Cardamone는 원인에 따라서 3가지로 세분하자고 제안한 바 있다. 즉 구개열 등과 같이 해부학적 또는 구조적 이상에 의해서 생긴 경우를 velopharyngeal insufficiency라고 하고, 뇌성마비 등과 같이 구조적 이상은 없이 신경생리학적 장애에 의한 경우를 velopharyngeal incompetence, 구조적 이상이나 근신경계 문제보다 특별한 이유 없이 잘못된 구개인두기능 습득이나 청각장애에 의한 것을 velopharyngeal mislearning, 그리고 이들을 모두 velopharyngeal inadequacy (VPI)라고 통칭하자 하였다. 국내에서는 이러한 세분에 관하여 아직까진 합의된 바가 없고 비인강폐쇄부전, 구개인두기능부전, 구개인두폐쇄부전, 연인두기능부전, 구개범인두기능부전 등으로 쓰이고 있다. 본 장에서는 주로 구개열에 의한 원인에 대해서 비인강폐쇄부전(velopharyngeal insufficiency, VPI)이라는 용어로 서술하고자 한다.

1. 비인강폐쇄부전의 원인

① 점막하구개열(submucous cleft palate): 점막하구개열은 점막은 갈라지지 않았으나 연구개의 근육이 정중선에서 연결되지 못한 경우이다. 점막하구개열의 일반적인 특징은 목젖이 갈라져 있고(bifid uvula), 손가락으로 만져보면 경구개열의 후연 중앙이 패여 있으며(bony notch), 연구개 근육이 중앙에서 분리되어 있다.

② 구개열 수술을 받은 환자(그림 16-64): 구개열을 수

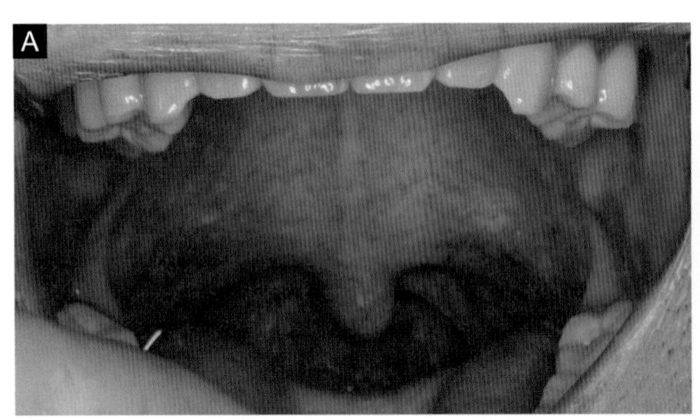
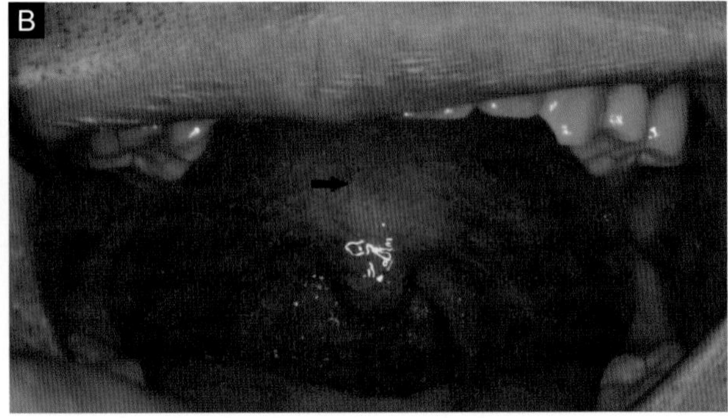

그림 16-63 정상 성인의 구강내 사진. A: Rest 상태에서 연구개 B: "아" 발음 시 비인강폐쇄기능. 연구개 후방 1/3(화살표)이 후상방으로 수축하고 있다.

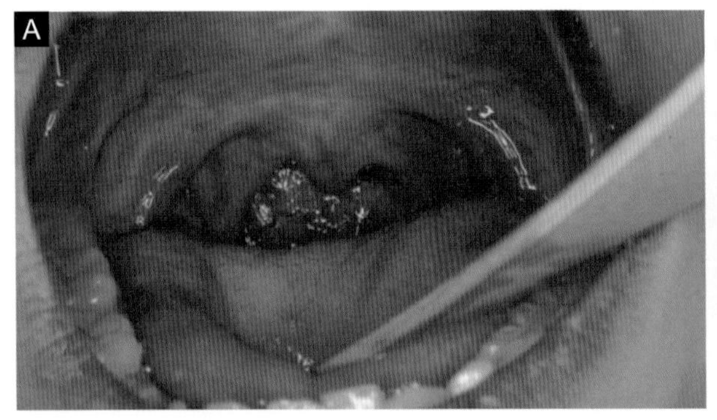
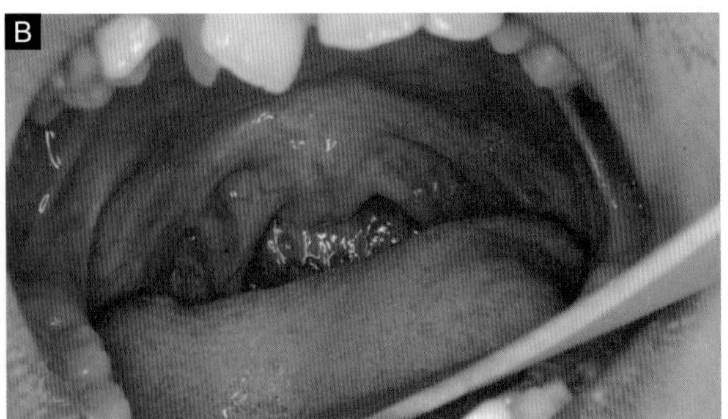

그림 16-64 구개열 수술환자의 구강내 사진. A: Rest 상태 B: "아" 발음 시 비인강부.

복한 다음 비인강폐쇄부전이 오는 경우는 10-20%이다. 연구개가 짧아서 인두후벽에 닿지 못하는 경우도 있고, 연구개가 충분히 올라가더라도 인두후벽이나 측벽이 적절하게 작동하지 못해서 결손이 생기는 경우도 있다. 구개성형술 후에 생긴 구비누공(oro-nasal fistula)이 원인일 수도 있다.

③ 아데노이드 적출술(adenoidectomy) 후: 아데노이드 조직 때문에 구개인두괄약이 쉽게 폐쇄되다가 이 조직이 제거되면서 기능부전이 오는 경우이다.

④ 편도비대(enlarged tonsil): 편도가 너무 크면 구인두(oropharynx)가 좁아져 기도를 확보하기 위해 구개인두괄약을 열려고 하기 때문이다.

⑤ 중안면전진술(midface advancement) 후: 상악전진술을 시행하면 연구개도 앞으로 당겨지게 된다.

⑥ 신경성 병변: 반안면왜소증(hemifacial microsomia), 말초성신경염(peripheral neuritis), 중증근무력증(myasthenia gravis), 연수형 소아마비(bulbar poliomyelitis) 등.

⑦ 발음 시 구개인두괄약의 움직임이 없는 경우

⑧ 기능성 혹은 히스테리성 과비음(functional/hysterical hypernasality)

2. 비인강폐쇄부전 환자의 특징적 언어현상

① 과비음(hypernasality): 음성에너지가 비강으로 유출되어 나타남.

② 비강유출(nasal emission)

③ 구강내 공기압력(intraoral air pressure)의 감소

④ 비강내 공기유량(nasal air flow)의 증가

⑤ 언어명료도(intelligibility) 저하: 과비음을 보상하기 위한 언어습관의 변화

3. 구개열 언어(Cleft palate speech)의 비정상적인 유형

구개열 환자는 수술 후에도 특유의 발음장애를 나타내는 경우가 많으며, 구개열 환자에서 특징적으로 나타나는 언어장애를 구개열 언어(cleft palate speech)라고 한다. 구개열 언어는 구개열 수술 후 약 20% 정도의 발생빈도를 보인다. 그러므로 구개열 수술 후 체계적인 언어평가와 언어치료가 필요하다.

1) 기식화된 발성(Aspirate phonation)

약한 발성과 기식화된 음성으로 이는 불완전한 구개형태에서 유래되며, 과비음이나 비강누출에서 야기되는 말소리 왜곡을 차폐하거나 감소시키기 위한 보상적 전략으로 해석된다.

2) 비정상적 조음양상(Abnormal articulation patterns)

구순구개열 아동들은 비인강폐쇄부전과 부적절한 학습으로 인해 아래와 같은 조음장애를 보이게 되어 언어전달 시 명료도가 저하되어 타인과 의사소통이 어려워진다.

① 비강누출에 의한 말소리 왜곡(distortion by nasal emission)

조음 시 공기압을 필요로 하는 자음(pressure consonants) 발음 시 비인강폐쇄를 얻지 못하는 데서 기인하는 것으로 파열음, 마찰음, 파찰음의 산출 동안 공기압(air pressure)이 구강이 아닌 비강을 통해 방출됨으로써 말소리의 음향학적 신호가 변화되는 결과를 가져온다.

② 성문파열음으로의 치환(substitution of glottal stop)

비인강폐쇄부전 시 파열음의 기류흐름의 차단이 성문(glottis) 근처에서 이루어지는 현상으로 청각적으로

는 '헛기침을 하는 것과 같은 소리'이다.

③ **인두마찰음으로의 치환**(substitution of pharyngeal fricatives)

비인강폐쇄부전을 가진 구순구개열 환자들은 정상적인 '마찰 잡음(friction noise)'을 구강에서 산출하지 못하고 인두부에서 만들어낸다. 예를 들면 /스/, /쉬/ 발음 시 /흐/로 들린다.

④ **단순왜곡**(distortion)

치아의 결손이나 잘못된 혀의 위치라든가 입술의 구조적 변형 등으로 인해 발생한다. 예를 들어 조음 시 부적절한 혀의 위치는 마찰음 /ㅅ/ 산출 시 기류흐름을 중앙으로 방출시키지 못하고 측면으로 방출되어 측음화(lateralization) 현상을 유발시킨다.

⑤ **생략**(omission)

용어 그대로 말소리가 단어에서 빠지는 현상으로 이는 기능적 조음장애를 가진 아동에게서 잘 나타나며 구순구개열 환자와 관련해서는 주로 파열음, 마찰음, 파찰음에서 빈번히 나타난다. 예를 들면 /사람/이 /아람/으로 생략된다.

3) 언어 발달의 지체(Delayed speech and language development)

구순구개열 환자들은 일반적으로 생후 2-3세까지 몸짓언어(gesture language)나 단순발성(simple vocalization)을 통해 자신들의 요구나 원하는 것을 이루어 나간다. 또한 이들은 조음기술을 발달시키지 못하여 말소리 지체뿐만 아니라 명료도(intelligibility) 저하를 동반하게 된다. 그러나 언어발달 측면에서 보면 기질적 요인에 관련되었다기보다는 말소리의 잘못된 학습이 조음장애를 가져오게 되고 따라서 언어발달 지체를 유발하기 때문에 이에 대한 적절한 조음치료가 이루어지면 이 문제는 개선될 가능성이 크다.

4. 비인강폐쇄부전의 평가 및 진단

비인강폐쇄부전 환자의 언어검사 및 평가는 크게 구개인두 기능(velopharyngeal function)의 평가와 조음(articulation) 평가로 나눌 수 있고 이 각각의 평가는 객관적 평가와 주관적 평가로 분리해서 할 수 있으며, 최근에는 비인강부의 기능을 보기 위한 영상법도 많이 발달되고 있다.

1) 구개인두 기능(Velopharyngeal function)의 평가

(1) 주관적 평가

육안 검사와 불기 검사, 청각적 판정 검사가 있다.

① **육안 검사:** floxite mirror를 통해 구개근육이나 목젖의 형태와 움직임 정도를 평가하고, See-Scape나 dental reflector와 같은 기구를 이용하여 발화 시 비누출을 시각적으로 평가하는 방법 등이 있다.

② **불기 검사:** 빨대, 피리, 두루마리 피리, 호루라기, 풍선 등을 이용하여 호기의 양과 비강누출 등을 검사한다. 탁구공 불기, 비닐필름 불기와 같은 약한 불기(soft blowing) 부터 더 많은 공기압을 필요로 하는 골프공·야구공 불기, 풍선 불기 같은 강한 불기(hard blowing)가 있으며, 이를 점차적으로 진행시키면서 비인강폐쇄 정도를 평가한다.

③ **청각적 판정 검사:** 임피던스가 높은 고모음(high vowel) /i/나 /u/를 발성하게 하거나 비강음이 포함되지 않은 문형을 읽혀서 청각적으로 듣고 평가하는 방법이다.

(2) 객관적 평가

음향학적 검사와 공기역학적 검사로 분류할 수 있다. 대표적인 음향학적 검사로는 CSL (computerized speech lab)이나 Visi-Pitch를 통하여 음성의 음향학적인 에너지 분포를 측정하는 검사와 발성 시 구강과 비강에서 흘러나온 음향 에너지의 비율을 비음도

(nasalance)로 측정하는 Nasometer (그림 16-65, 66) (표 16-3) 등이 사용되고 있다. 공기역학적 검사로는 Aerophone, Macquirer 등을 이용하여, 구강내 호기율(oral airflow), 구강내 호기압(oral air pressure), 비강 호기율(nasal airflow)을 측정, 비교 분석하고 있다.

2) 조음(Articulation) 평가

(1) 주관적 평가

일반적으로 단음절, 단어, 문장 순으로 준비된 음성 샘플을 발성하게 하여 테이프 레코더에 녹음한 다음 재생하면서 청각적으로 음성학적인 분석 평가를 하는 방법이다.

그림 16-65 Nasometer.

(2) 객관적 평가

VOT (voice onset time)나 음형대(formant), 강도(intensity) 등을 측정, 비교하여 올바른 조음 여부를 객관적으로 평가하는 방법과 Visi-Pitch를 이용하여 조음 시 음도나 세기, 조음기관들의 운동성 등을 측정하는 방법이 사용되고 있다.

이상에서 소개한 언어 평가방법들은 유아기 단계의 아동들에게는 불가능한 평가방법이다. 이 단계의 아동들은 특정한 말소리를 산출하도록 미리 디자인된 장난감이나 다른 도구들을 사용하여 '놀이활동(play activities)', '무의미성 음성놀이(nonsense speech play)'를 관찰함으로써 '구두를 통한 상호작용(verbal interaction)'을 평가하도록 한다.

3) 영상에 의한 평가

① 측두안모계측방사선사진(cephalometrics)

② 전산화단층촬영(CT)

③ 자기공명영상(MRI)

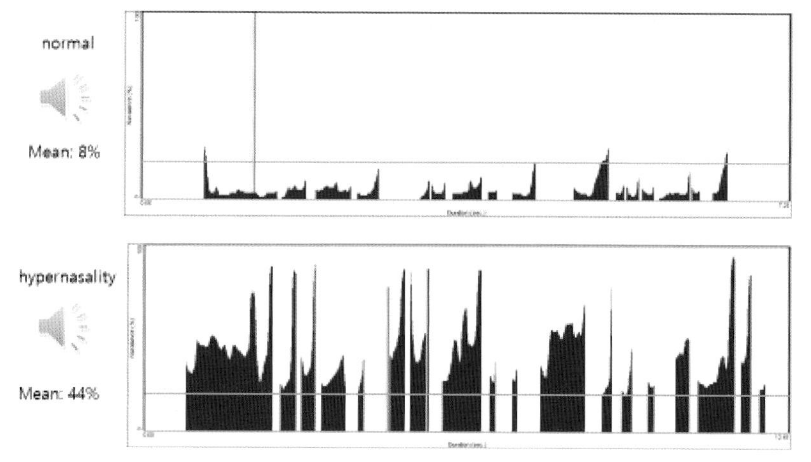

그림 16-66 Analysis of nasometer.

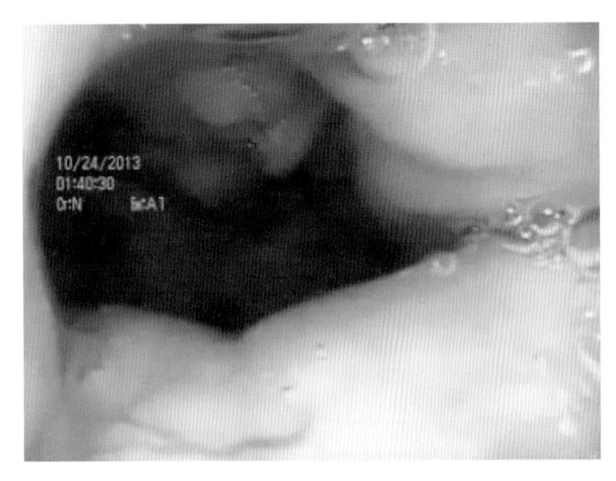

그림 16-67 비내시경.

④ 발음영상비디오촬영(videofluoroscopy)
⑤ 비내시경(nasopharyngoscopy)(그림 16-67)
⑥ 초음파검사(ultrasound)
⑦ 근전도(electromyography, EMG)
⑧ 전기구개도(electropalatogram, EPG) 등

5. 구개열에 의한 비인강폐쇄부전의 치료

구개열에 의한 비인강폐쇄부전의 치료는 크게 3가지로 나눌 수 있다. ① 언어치료, ② 발음보조장치에 의한 치료, ③ 수술적 치료. 이 중 언어치료는 구개인두기능부전이 있는 경우에는 우선적으로 해야 하는 가장 기본적인 치료방법이다. 이들은 각각 독립된 치료방법이 아니고 서로 유기적인 관계를 가지고 있다. 즉 환자의 상태에 따라서 단독 혹은 혼합하여 접근해야 한다.

1) 언어치료

수술 전 언어치료에 대해서는 논란이 있다. 불필요하다는 주장도 있고, 나이에 따라 다르다는 주장도 있다. 10세 이상의 심한 과비음을 가진 환자는 언어치료의 효과가 없으므로 바로 수술치료를 고려한다. 반면에 비인강폐쇄부전과 연관된 보상적인 조음장애가 있을 때는 언어치료가 필요하다. 구개인두에 대한 수술을 하기 전에 언어치료를 하면 구개인두괄약의 운동성 증가를 기대할 수 있고, 비인강폐쇄부전의 정도를 줄일 수 있기 때문이다. 수술 전 언어치료로 92%의 환자에서는 구개인두괄약의 운동성이 증가하고 비인강 결손의 크기가 줄어들지만, 구개인두기능부전 자체는 교정되지 않으며 비인강 결손의 형태도 변하지 않는다.

언어치료는 비인강폐쇄기능과 조음발달 두 가지 면을 항상 생각해야 한다. 따라서 비인강 기능을 향상시키는 치료와 올바른 조음을 목표로 하는 조음치료를 동시에 해주어야 한다.

(1) 비인강폐쇄를 위한 치료

시각적 피드백(visual feedback) 훈련과 근육훈련(muscle training)이 있다.

① **시각적 피드백 훈련:** Nasometer, Visi-pitch, See-Scape, Dental Reflector와 같은 기자재를 이용하여 파열음, 마찰음과 같은 목표음을 발성함과 동시에 시각적으로 피드백을 제공함으로써 비인강폐쇄를 증진시키는 훈련이다.

② 근육훈련에는 3가지 형태, 즉 간접적, 반직접적, 직접적 근육훈련이 있다.

- a. **간접적 근육훈련:** 하품하기나 삼키기 훈련으로 집게손가락을 목의 갑상연골 부위에 대고 삼키는 동안 목에서의 움직임을 느끼면서 진행해 나가는 훈련이다.
- b. **반직접적 근육훈련:** 불기, 빨기 훈련이 여기에 속한다. 색종이를 조각내어 불기에서부터 점점 공기압을 많이 필요로 하는 나팔이나 풍선불기 등으로 진행시켜 나가는 것이 효과적이며, 빨기훈련 역시 첫 단계에서는 큰 빨대로 물을 빨게 하고 이어서 다음 단계에서는 좁은 빨대를 이용해서 아이스크림이나 걸죽한 음료를 빨아먹게 하는 방법이다.
- c. **직접적 근육훈련:** 이 방법은 구개나 인두근육에

어떠한 인위적인 저항을 일으켜 의식적 자각(conscious awareness)을 통해 수의적 조절운동 행위(voluntary control motoract)를 유발시킴으로써 구개나 인두근육의 움직임을 증가시키는 훈련방법이다. 처음에는 혀의 앞부분이나 경구개에서부터 서서히 마사지하듯 촉각적 자극을 주면서 점점 인두벽, 비인강 부위 쪽으로 자극을 진행시킨다.

(2) 조음장애 치료

일반적으로 "자극요법(stimulation)"을 이용한 치료방법이 사용된다. 이 자극요법은 신체적 결함이 언어소통기술의 정상적 발달을 방해하는 경우에 나타나는 바람직하지 않는 보상성 조음이나 음성패턴의 발달을 최소화하거나 막기 위한 목적으로 사용된다. 이 치료에서는 정확한 조음위치를 인지시키는 훈련이 필요하다. 이 훈련의 첫 단계는 정확한 조음의 형태를 모방하는 것부터 시작하며, 이 단계에서 사용되는 자극으로는 시각적 자극이나 촉각적 자극이 효과적이다. 구순구개열에 의한 비인강폐쇄부전의 경우 올바른 조음위치를 학습한 이후에도 부적절한 비인강 폐쇄로 인해 불가피하게 비강 유출과 같은 부적절한 음향학적 현상이 발생할 수 있다.

마지막 단계는 자발적인 말소리 구사 시에 단어들이 올바르게 산출되도록 유도하는 것이다. 이 단계에서는 문맥 속에서 단어 산출을 반복하는 방법들을 실시한다. 이때 과비음이나 비누출과 같은 기질적 요인에서 기인하는 문제들이 부각되기도 하나 올바른 조음유형이 이루어지면 이러한 문제들을 최소화시킬 수 있을 것이며 청각적 자극이 효과적이다.

■ 구개열 아동의 부모 역할

구순구개열 환자는 언어장애, 악골의 성장장애, 심미적인 문제 등 여러 가지 복합적인 문제를 동반할 수 있기 때문에 협력치료를 통하여 일관성 있는 치료를 하여야 한다. 그러나 외과적 시술이나, 보철물 장착, 언어치료 등의 효과적 관리에도 불구하고 기대치 이하의 결과를 가져오는 경우도 적지 않다. 이러한 경우 자신감 상실이나 불안감 등의 심리적인 문제로 인해 언어발달의 퇴화를 초래할 수도 있다. 따라서 구순구개열 아동의 언어관리에 있어서 가정에서 부모의 역할은 매우 중요하다. 아동이 치료를 수용할 수 있도록 치료에 대한 올바른 이해를 시켜야 하며 치료사와의 상담을 통해 많은 정보를 공유해야 한다. 또한 지속적이고 일관성 있는 치료가 유지될 수 있도록 부모의 많은 인내와 사랑, 그리고 끊임없는 격려가 필요할 것이다.

2) 발음보조장치(Speech aids)

최근에는 수술시기의 선택이나 수술방법의 발전 그리고 술식의 정교함 등으로 구개열 수술 후 비인강폐쇄부전이 나타나지 않거나 약한 정도의 비음도만을 보이는 환자들이 많이 있게 되었다. 따라서 부가적인 치료 없이 언어치료만으로도 정상적인 언어를 구사하는 환자들도 많이 있다. 그러나 수술 후에도 잔존하는 짧은 연구개나 충분치 못한 근육 수축으로 인해 비인강폐쇄부전이 생기는 경우도 종종 볼 수 있고, 비음도의 정도에 따라서 치료계획을 세우고 예후를 예측할 수도 있다(표 16-3).

언어치료만으로 치료가 어려운 경우에는 발음보조장치나 인두피판성형술 등을 고려해야 한다. 수술치료는 수술 시에 비인강부의 역동적인 움직임을 전혀 관찰할 수 없어서 비인강폐쇄부전의 기능적인 치료가 어렵고, 수술 후에도 피판의 수축 등으로 인해 초기에 개

표 16-3 비음측정기를 이용한 비음도 분류(Shin's criteria, 2000)

20% 이하	정상
20-35%	경도 비음(mild)
35-45%	중등도 비음(moderate) (marginal VPI)
45-60%	고비음(high)
60% 이상	고도비음(severe)

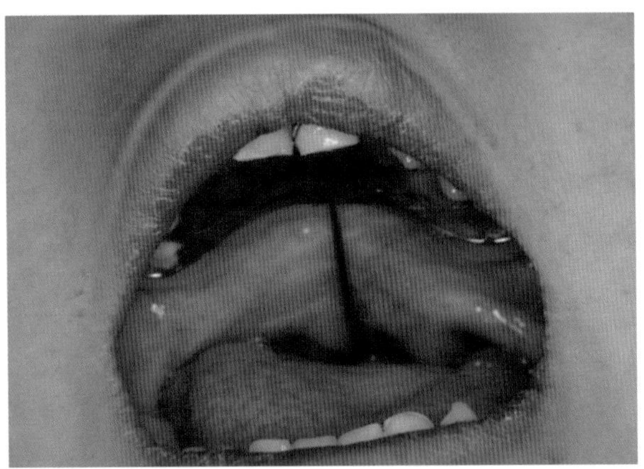
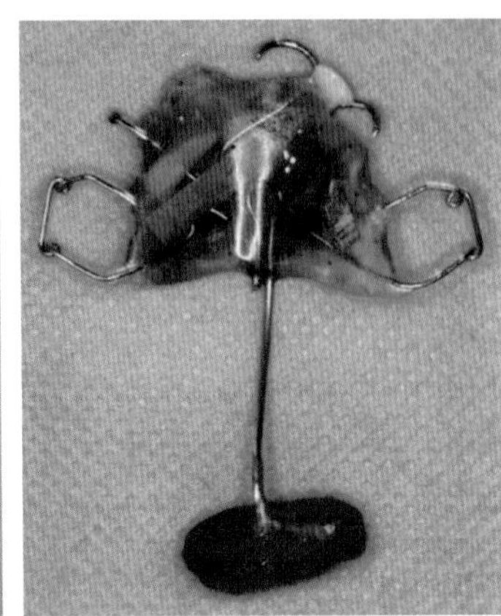

그림 16-68 Speech bulb.

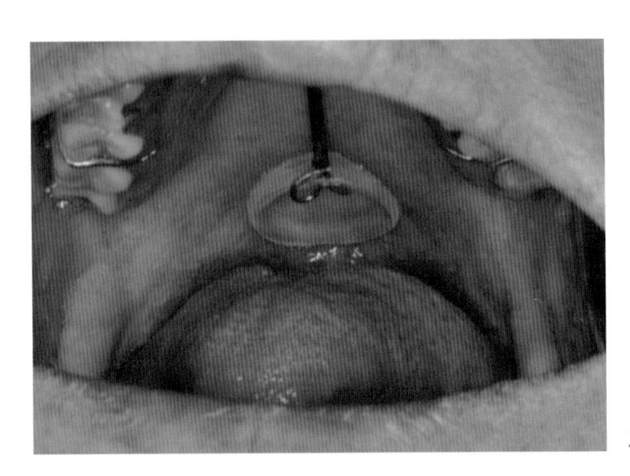

그림 16-69 Palatal lift.

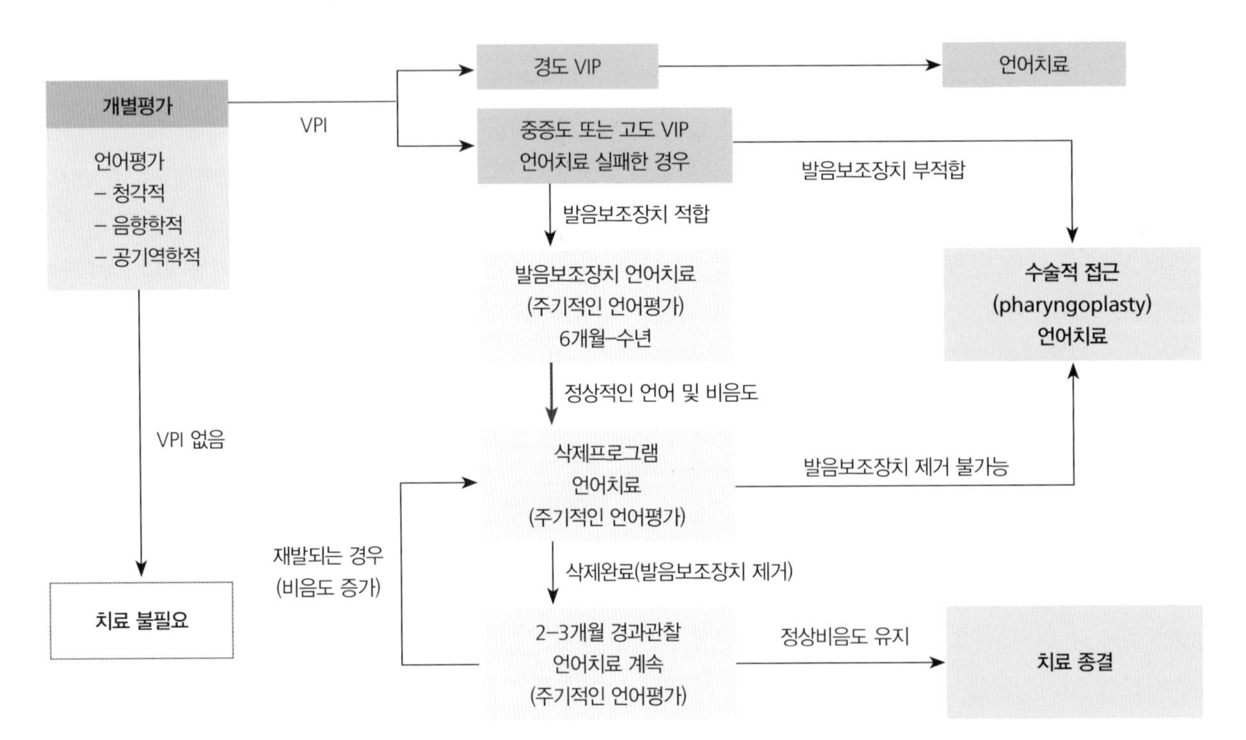

그림 16-70 비인강폐쇄부전의 치료 프로토콜.

선되었던 비인강기능이 재발되는 경우가 많이 있었다. 이에 반해 발음보조장치는 비인강부의 손상없이 고유의 두개인두괄약근 기능을 이용하여 비인강폐쇄기능을 개선시킬 수 있고 재제작이 가능하며 기능 시에 비인강부의 움직임을 보면서 제작이 가능하다는 장점이 있다. 그러나 이 방법은 오랜 시간 보철물을 장착해야 되고 환자의 상태에 따라서는 제작이 불가능한 경우, 발육에 따른 재제작, 치아우식 등의 문제점을 가지고 있다.

발음보조장치(speech aids)는 크게 구개거상형(palatal lift)과 벌브형(speech bulb)으로 나눌 수 있다. 구개거상형은 연구개 후방 1/3 부위를 올려주는 방법이고, 벌브형은 발음 시 열려 있는 구개인두강(비인두강; velopharygeal port, VP port)을 직접 폐쇄시켜주는 방법이다(그림 16-68, 69).

발음보조장치는 나이가 어릴 때 장착할수록 그 효과가 우수하다. 정상적인 언어, 즉 비음도와 비강누출 그리고 언어 명료도가 정상적으로 될 때까지 장착하고 그 후에는 점진적으로 삭제해 나가면서 최종적으로는 완전히 제거하는 삭제 프로그램(reduction program)을 시행한다(그림 16-70). 구개열 수술 후 연구개의 길이나 근육의 움직임이 비교적 적절히 유지되는 환자에서 비인강폐쇄부전이 잔존한 경우 초등학교 정도(6-12세)에 장착치료를 한다면 삭제 프로그램 후 장치물 없이도 정상적인 언어를 유지할 수 있다고 생각되고 마지막까지 제거가 불가능한 경우는 이때 인두성형술 등의 수술적인 접근을 하면 더 좋은 효과를 기대할 수 있다.

발음보조장치는 반드시 언어치료와 병행해야 하는 일종의 언어치료의 보조수단으로 생각하여야 한다. 또한 장착 후에도 장기간 관리와 언어치료가 필요한 만큼 치료법에 대한 담당의사뿐만 아니라 환자나 그 보호자의 확신과 노력이 수반되어야 하는 치료방법이다. 그리고 장기간의 언어치료로도 해결이 안 되는 비인강폐쇄부전 환자에서 우선적으로 시도해 볼 만한 치료방법이다.

6. 구개인두기능부전의 수술방법

구개열 환자의 일차수술 이후 생기는 비인강폐쇄부전의 수술적 치료는 크게 두 가지 방향으로 분류할 수 있다.

① 연구개의 길이를 늘려주거나 주변근육의 재배치를 위한 수술

- Palate re-repair (IVVP)
- Furlow double opposing Z-plasty
- Buccanator myomucosal flap (BMF)

② 비인강부의 공간을 줄여주는 수술

- Posterior pharyngeal flap
- Sphincter pharyngoplasty
- Posterior pharyngeal wall augmentation

문헌상으로 지난 50년간 구개성형술 후에 비인강폐쇄부전의 발생 빈도가 감소했지만, 기능적 결과를 개선시키는 절대적인 요소는 아직도 불확실하다. 여기서는 IVVP, Furlow법은 제외하고 나머지 부분에 대해서만 설명하도록 하겠다.

1) 인두피판술

인두피판술(pharyngeal flap operation)은 비인강폐쇄부전에 대한 최종적 치료수단이며 수술 자체도 비가역적인 방법이므로 신중을 기해 시술해야 한다. 구개열 수술 후 과비음이 어느 정도 있다고 하여 바로 이 수술을 시행하는 것은 바람직하지 않으며 외과의사와 언어치료사가 잘 협조하여 수술을 결정하는 것이 좋다. Passavant (1865)에 의해 연구개와 인두벽의 유착을 만들어 비인강폐쇄부전을 치료하는 방법이 소개된 후, 하부 및 상부 기저형 인두피판술이 소개되었으며, Hogan (1973)에 의해 외측 구멍조절(lateral port control) 개념이 도입되었다.

(1) 상부 기저형 인두피판술(그림 16-71)

수술 전 연구개조영방사선사진과 비인강내시경을 한 비디오를 보고 비인강 결손의 정도에 따라 인두피판의 길이와 폭을 맞추도록 준비한다. 상부 기저형 인두피판술의 결과는 수술 후에 남게 되는 양측의 구멍을 닫아줄 수 있는 인두 측벽의 움직임에 좌우되며, 인두피판을 가능한 높이 위치시켜야 효과가 좋다. 인두피판의 길이가 너무 길면 하인두(hypopharynx)가 좁아지기 때문에 폐쇄성수면무호흡증이 잘 생길 수 있다. 경구기관내 삽관을 이용한 전신마취 하에 Dingman 개구기를 사용하여 연구개와 구강인두가 잘 보이도록 한다. 술자는 수술대의 머리 쪽에 앉아서 헤드램프를 사용하여 좋은 시야를 확보하는 것이 좋다.

■ **수술과정(Hogan법)**(그림 16-72)

① 연구개의 중앙과 인두후벽에 절개예정선을 도안한다.

② 에피네프린이 함유된 리도카인을 주사한다.

③ 연구개 중앙부에 절개를 가하고 양측을 분리시킨다.

④ 분리된 연구개의 비강측 점막에 횡으로 절개를 넣고 아래쪽의 근육층에서 점막 피판을 박리해서 일으킨다.

⑤ 인두후벽에서 결손의 크기를 고려하여 적절한 폭과 길이를 가진 인두피판을 도안한다.

⑥ 피판의 끝부분으로부터 시작하여 상방의 기지 쪽으로 피판을 일으키는데, 척추전근막(prevertebral fascia) 상에서 점막과 인두근육을 박리하여 인두후벽의 점막과 근육이 포함된 피판을 만든다. 피판의 기저부에 손상을 가하지 않도록 조심해야 하며 아데노이드 부근에 오면 점막이 무르고 약하게 된다.

⑦ 완성된 피판의 끝부분을 경구개의 후연에 남아 있는 비강측에 봉합한다.

⑧ 외측으로도 연구개의 비강측 변연과 피판을 봉합하고, 미리 만들어 두었던 연구개의 비강측에 만든 점막피판으로 인두피판의 노출면을 덮도록 봉합한다. 목젖을 만들고 남아 있는 연구개의 구강측면을 봉합한다.

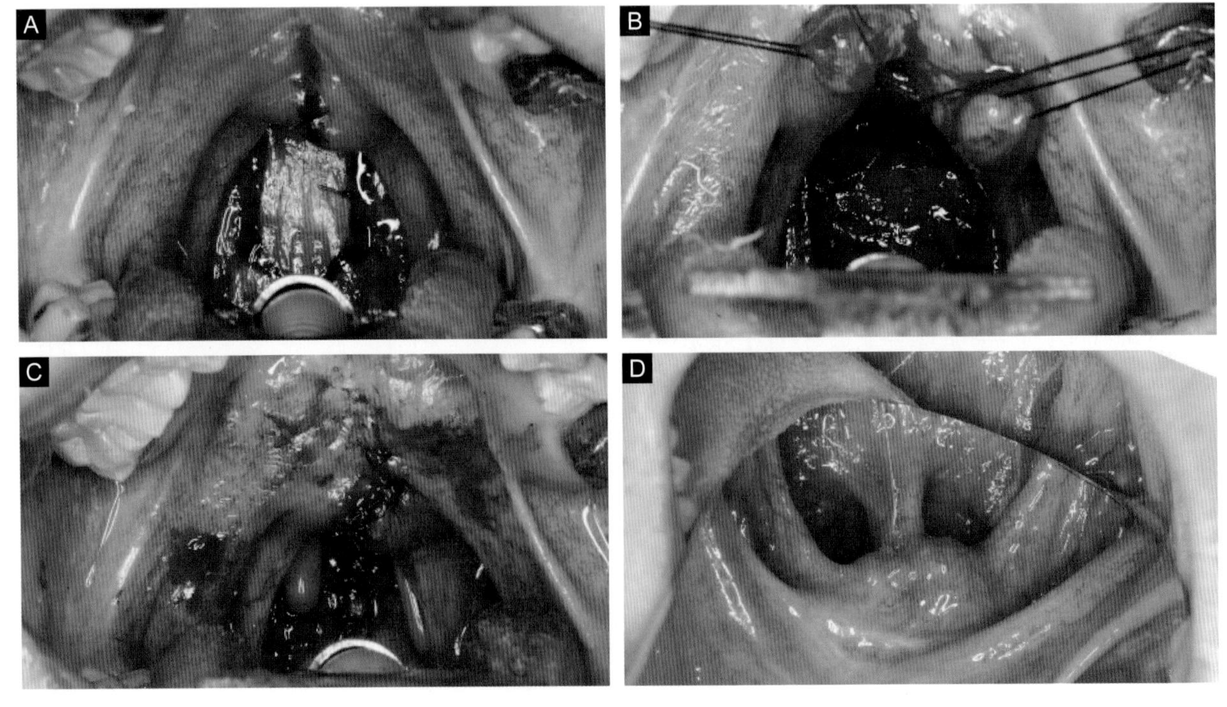

그림 16-71 A-C: 상부 기저형 인두피판술 D: 술후 12개월.

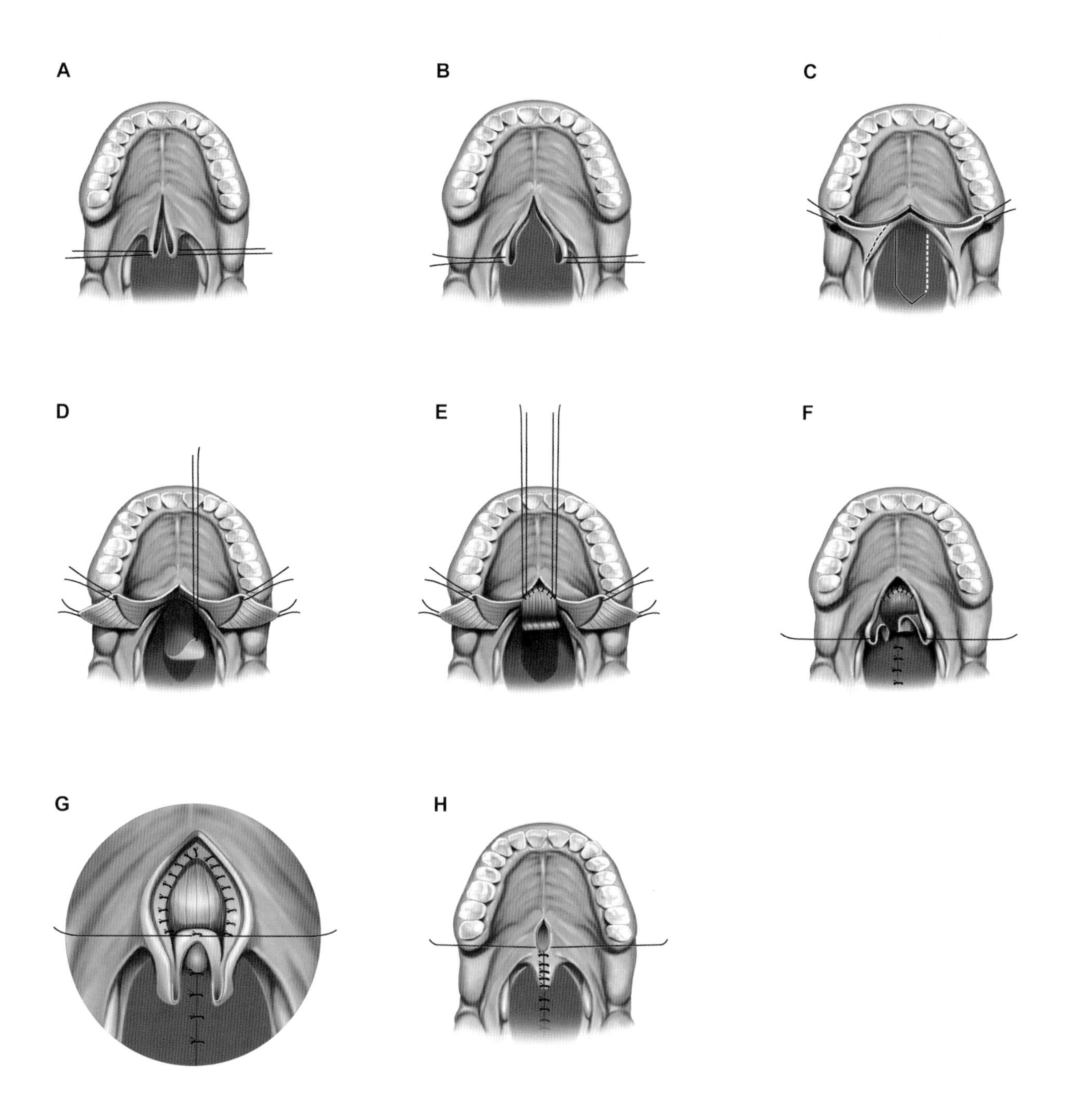

그림 16-72 Hogan씨 상부 기저형 인두피판술. A: 인두후벽에 인두피판을 도안한다. 연구개를 정중선에서 분할하고, 목젖에 실을 걸어 연구개를 당겨 올리면 인두후벽의 시야가 좋아진다. B: 연구개가 분할되어 벌어진 모습 C: 인두후벽에 절개를 하고 척추전근막(prevertebral fascia) 상에서 박리하여 인두피판을 만든다. 연구개의 비강측에서 점막피판을 일으킨다. D: 상부 기저형 인두피판을 일으킨다. 피판 끝에 실을 걸어 사용하면 편하다. 연구개의 비강측에서 점막 피판을 박리하여 위쪽으로 돌린다. E: 인두피판을 비강측 연구개의 가장자리에 봉합한다. F: 양측 구멍(lateral ports)의 크기를 조절하면서 상부 기저형 인두피판을 연구개 결손부의 비강측에 봉합하고, 연구개의 비강측에 만들었던 점막피판을 인두피판의 기저부에 봉합하여 노출면을 덮는다. G: 점막피판으로 인두피판의 노출면 전체를 덮어 준다. H: 목젖을 만들고 연구개의 구강측면을 봉합한다.

■ 수술 후 처치와 합병증

수술 후에 최소 12시간 동안 정맥주사로 수액을 공급하고 항생제를 투여한다. 다음 12시간 동안에는 맑은 물 종류의 음식을 마시게 하고 3주 동안 유동식을 먹게 한다.

인두피판술 직후의 합병증으로는 수술 직후에 오심, 구토, 출혈, 심한 분비물, 기도폐쇄 등이 있을 수 있다. 그 후에 생기는 인두피판술의 문제점으로 과소비음(hyponasality)이 생길 수 있고, 첫 몇 주간 코골이가 심할 수 있으며, 수면 무호흡증의 가능성이 있다. 또한, 불쾌한 맛이나 구취를 호소할 수 있으며, 피판이 벌어질 수 있고, 비인강폐쇄부전이 남아 있을 수도 있다.

(2) 하부 기저형 인두피판술

하부 기저형 인두피판술이 더 쉽고 합병증이 적다는 보고도 있지만, 대부분 임상의사들은 상부 기저형 피판을 많이 사용하고 있다. 상부와 하부 기저에 따른 결과의 차이는 없다는 보고가 많이 있으나 필자의 의견으로는 기능적인 측면에서 발음 시 연구개가 후상방으로 이동할 때 피판의 기저부가 상방에 있는 상부기저형 피판이 유리할 것이라 판단된다.

2) 괄약근인두성형술(Sphincter pharyngoplasty)

(그림 16-73, 74)

괄약근인두성형술은 인두측벽의 피판을 이용하는 수술법으로 1950년 Wilfred Hynes에 의해 처음 도입되었다. 이 수술은 salpingopharyngeus muscle을 포함하는 좌우두개의 상부 기저형 피판을 인두후벽으로 이동(side to side)하는 방법이고 1953년에는 좌우피판에 salpingophryngeus와 palatopharyngeus muscles를 포

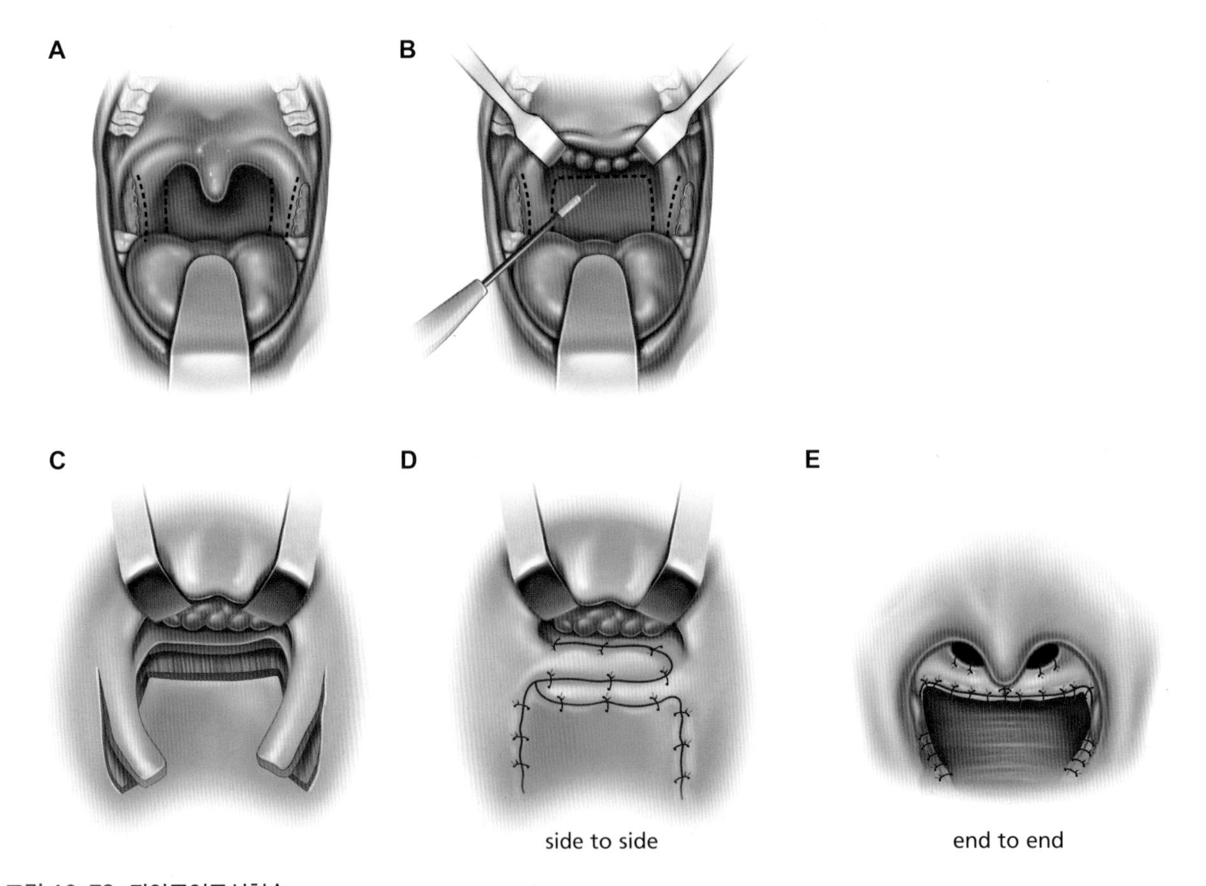

그림 16-73 괄약근인두성형술.

A: 양측 posterior tonsilla pillars에 수직절개(폭: 약 1 cm) B: 목젖을 위로 견인한 후 인두후벽에 가로절개 C: 수직절개부위 myomucosal 피판 형성 D, E: 피판을 가로절개부위로 전위시켜 봉합.

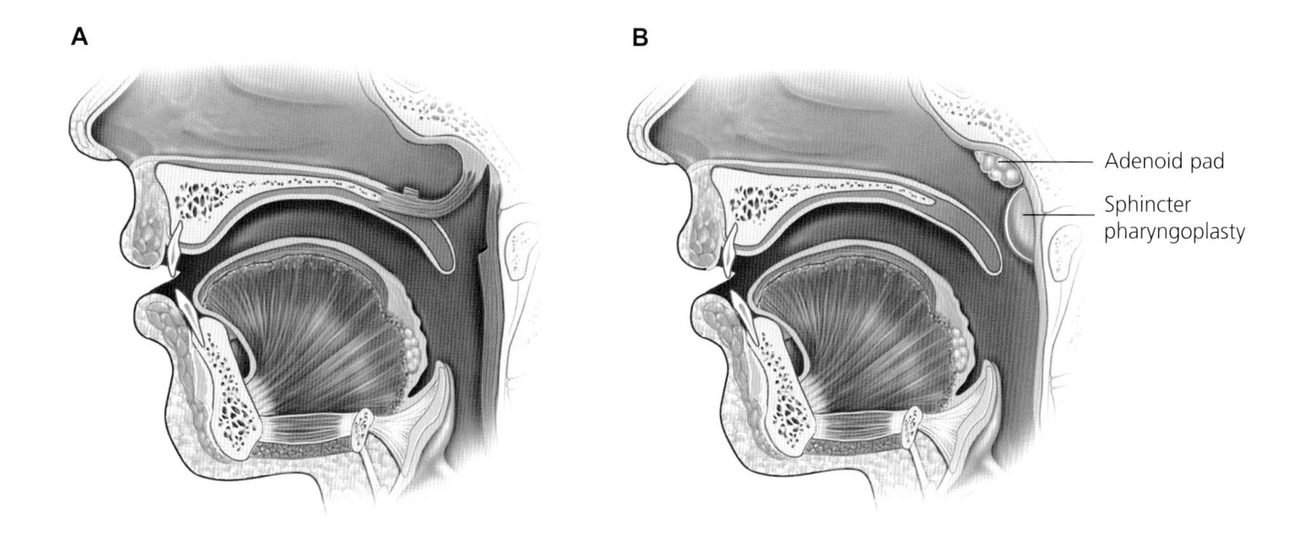

그림 16-74 A: 상부 기저형 인두성형술 B: 괄약근인두성형술.

함하여 피판의 부피를 키워서 인두후벽으로 이동(end to end)하는 수정법을 개발하여 보고하였다.

한편 1968년 Orticochea는 좌우 posterior tonsillar pillars를 인두후벽 중앙에 하부기저피판을 만들어 옮겨서 단순히 VP port 크기를 줄이는 것 외에 좀 더 괄약근형태의 비인강기능을 얻을 수 있는 방법을 보고하였다(Orticochea's dynamic muscle sphincter). Riski (1984)등은 피판의 위치에 대한 중요성을 강조하고 velopharygeal contact 부위까지 올려서 옮기는 Orticochea′s original design의 수정안을 발표하였다.

3) 인두후벽증강술(Posterior pharyngeal wall augmentation)

인두후벽증강술은 autologous materials 또는 allo-plastic materials를 인두후벽에 이식하여 비인강부의 크기를 줄여서 발음에 도움을 주는 수술법으로 주로 mild-to-moderate 비인강폐쇄부전 환자에서 주로 사용되었다. 1879년 Passavant가 처음 주변조직을 인두후벽에 이식한 수술법을 시도하였고 1900년에는 Gersuny가 처음으로 Petroleum gel을 이용한 수술법을 소개한 이후로 많은 재료가 사용되었는데 petroleum gel, Teflon, paraffin, silicone, collagen, cartilage (costochondral, tragal, septal, conchal), autogenous fat, calcium hydroxyapatite 등이 있다. Alloplastic materials는 foreign-body granulomatous reactions, 감염, 노출, 흡수, 이동 등 부작용이 많은 편이어서 근래에는 대부분 사용하지 않고 있다. Autologous materials는 fat, cartilage 등이 주로 사용되는데 부작용은 적으나 공여부의 관리가 필요하고, 특히 fat은 약 40% 정도가 1년 이내에 흡수되어 overcorrection이 필요하다. 최근에는 dermal fat graft, 혹은 hyaluronic acid, calcium hydroxyapatite, Dx/HA (hyaluronic acid and dextran polymer microspheres)를 이용한 injection pharyngoplasty가 좋은 결과를 보인다는 보고들이 있다.

4) Buccanator myomucosal flap (BMF)

구강내 협점막에 피판을 만들어서 연구개로 옮겨 연구개 길이를 연장하는 술식으로 이 수술법은 1969년 처음 소개된 이후로 2004년 Hill 등에 의해서 정식으로 보고되었다. BMF는 주로 large-to-moderate VP gaps을 가진 환자에 사용되며, 인두피판술이나 인두성형술에 비해서 비교적 술식이 간단하고, 다양한 비인강폐쇄부전(VPI) 환자에 적용할 수 있다. 또한 동시에 levator veli의 후방 재배치 효과를 볼 수 있고 구개누공이 있는 경우에도 사용할 수 있는 수술법이다.

술식은 먼저 구강내 양쪽 협점막에 후방기저형 pedicled bilateral buccinators myomucosal flaps을 이하선관 개구부 하방으로 만든다, 다음은 연구개와 경구개 경계부위에 횡적절개를 가하여 후방연구개를 인두후벽 쪽으로 연장한 후 사이에 생긴 공간에 이미 만든 2개의 협근점막피판을 한쪽은 비점막 쪽에 다른 쪽은 구강점막 쪽으로 옮겨서 봉합해준다. 수술 후 저작이나, 입술의 기능, 개구장애 등의 부작용이 거의 없다고 알려져 있다.

7. 비인강폐쇄부전 수술법의 선택

각 수술법들이 장단점을 가지고 있고 환자마다 다른 형태의 구개인두기능 때문에 수술법 선택에는 어려움이 있고 논란의 여지가 있지만 일반적으로 받아들여지고 있는 선택은 다음과 같다.

중등도 혹은 심한 비인강폐쇄부전

- 연구개운동이 불량하고 인두측벽운동이 좋은 경우(비인강폐쇄패턴: sagittal)
  - 인두피판술(pharyngeal flap)
- 연구개운동이 좋고, 인두측벽운동이 불량한 경우(비인강폐쇄패턴: coronal or circular)
  - 괄약근인두성형술(sphincteric pharyngoplasty)
- 짧은 연구개에 의한 비안강폐쇄부전
  - Buccanator myomucosal flap (BMF)

경도 혹은 중등도의 비인강폐쇄부전

인두후벽증강술(posterior pharyngeal wall augmentation)

8. 수술 예후

비인강폐쇄부전이 성공적으로 치료되면 말할 때 정상적인 비공명(nasal resonance)이 이루어지고, 음식을 먹을 때 코로 역류되지 않으며, 입을 닫고 코로 숨 쉬면서 음식을 씹고 삼킬 수 있다. 또한 폐쇄성무호흡증이 없으며, 구강인두 내에 분비물이 고이지 않게 된다.

인두 수술 후에는 환자의 발음상태, 음식 삼키기, 호흡 등에 대하여 주기적으로 추적조사를 해야 한다. 수술결과에 대해 많은 보고들이 있지만 구체적인 수술방법과 결과의 분석방법 등이 다양하고 각각 다르기 때문에 일률적으로 적용하기는 어렵다. 보통 수술 후 3-4개월이 지나면 수술 전에 시행했던 발음청각평가, 연구개조영방사선사진, 비인강내시경을 다시 시행하여 그 결과를 비교 분석한다.

일반적으로 인두피판술이나 괄약근인두성형술로 구개인두기능부전의 80-90%는 교정된다고 알려져 있다. Hogan(1973)은 외측구멍조절(lateral port control)을 이용한 인두피판술을 시행하여 93명의 환자 중 91명(98%)에서 구개인두기능을 회복하였다고 하였다. Orticochea (1968)는 환자의 62%에서 구개인두괄약이 닫힌다고 하였고, 최근에 Losken 등(2003)은 괄약근인두성형술 후에 87%가 성공적이었고 한 번의 재수술로 99%까지 성공률이 올랐다고 보고하였다.

구개열에 의한 구개인두기능부전(비인강폐쇄부전)의 치료(언어치료, 발음보조장치, 수술치료)는 모두 그 효과를 보장하기 어려운 방법이다. 그만큼 비인강폐쇄부전에 의한 언어장애는 치료가 간단치 않다. 따라서 구개열환자는 수술 시기와 방법을 결정할 때 일반적인 고려사항인 악골의 성장이나 청력 등뿐 아니라 언어발달이나 비인강부의 기능에도 특별한 고려가 필요하다. 그리고 수술 이후에도 비인강폐쇄부전에 의한 언어장애 등을 지속적으로 평가해야 하며 필요시에는 환자의 상태에 맞는 적절한 치료방법을 찾기 위한 노력이 필요하다.

V. 치조열

일차 구개열(cleft of primary palate)은 입술뿐만 아니라 치조돌기 부위를 포함하는 경우도 적지 않다. 치조열은 대부분 측절치와 견치 사이에 생기며 치조열이 완전히 발생된 경우에는 치조골막, 치조골, 구개골막 등이 이환되어 위로는 비강과 통하고 후방으로는 구개 전방부를 관통하게 된다. 치판(dental lamina)이 영향을 받게 되면 해당 치아의 위치와 형태 및 수에 변이를 일으킬 수 있다. 치아 맹출은 유치열과 영구치열 모두에서 지연되며, 유치열에서는 과잉치가 5-30% 정도 나타나고 영구치열에서는 측절치의 결손이 10-40% 정도에서 나타난다.

1. 치조열 재건의 목적과 시기

구순구개열 치료의 역사를 되돌아보면 구순열과 구개열의 수복에는 많은 노력을 기울여 왔으나 치조열의 치료에 대해서는 상대적으로 관심이 적었다. 그 이유는 치조열의 폐쇄가 기술적으로 어려운 술식일 뿐 아니라 구순열의 수복 상태가 만족스럽고 발음이 양호하며 치아결손부에 보철치료가 가능하다면 구태여 어려운 수술을 할 필요가 없다는 생각 때문이었을 것이다. 그러나 치과교정치료가 일반화되고 상악 치조궁의 연속성 회복의 중요성이 인식되면서 치조열의 치료에 대한 관심이 증대되었다. 이제는 치조열 골이식술은 구순구개열의 단계적 치료과정 중 중요한 단계로 시행되고 있으며, 적절한 수술 시기에 대해서는 논란이 있는 상태이다.

1) 치조열 재건의 목적

① 치궁(dental arch)의 해부학적 연속성을 회복하여 구강과 치아위생이 유지되도록 한다.

② 치궁, 전상악(premaxilla) 및 인접치를 안정시킴: 치궁의 안정성이 없는 상태에서 보철치료를 하게 되면 교합력에 의해 양쪽 상악골편이 움직이게 되어 도재 수복물 등의 경우 파절이 일어날 수 있고, 양측성 치조열에서는 전상악의 동요가 심하므로 안정이 필요하다. 또 치조열에 인접한 치아의 골조직 지지를 향상시키고, 나중에 상악전진술이 필요할 경우 Le Fort I 골절단술을 시행하기 용이하게 된다.

③ 미맹출 영구치(주로 견치 또는 측절치)의 생리적 맹출을 돕고 임플란트 매식을 위한 공간을 확보한다.

④ 치조열부 구순과 코의 융기: 골이식에 의해 정상 쪽과 대칭되는 이상연(piriform rim)을 만들어 비익기저부를 재건함으로써 코의 대칭성을 향상시킬 수 있다.

⑤ 치아교정을 위한 공간을 만든다.

⑥ 구비누공을 폐쇄: 음식물이 비강으로 흘러 들어가는 것과 과비음을 방지한다.

2) 치조열 재건의 시기

치조열 재건을 위한 수술 시기에 대하여는 아직도 학자들 간에 논란이 많다. 치조열 골이식 시기는 치아맹출 연령에 근거하는데 절치는 7세경에, 견치는 11-12세경에 맹출한다. 치조열골이식은 일차, 이차, 지연 이차골이식으로 구분한다. 일차골이식은 2세 이전에, 이차골이식은 7-11세에, 지연 이차골이식은 13세 이후에 시행한다.

① 일차골이식(primary bone graft)

일차골이식은 2세 이전에 통상 구순성형술 시에 실시한다. 조기에 골이식을 함으로써 상악골 성장장애를 예방하고 상악골 성장을 촉진시킬 수 있을 것으로 생각하였다. 그러나 일차골이식 후 장기간 추적조사 결과 상악골 성장의 정상화가 미미하고 오히려 반흔조직 때문에 상악열성장과 수직적 성장의 감소가 나타나, 골이식 수술을 나중에 하는 것이 상악골 성장에 좋다는 것이 밝혀지면서 대부분의 임상의사들은 이차골이식을 선택하게 되었다.

② **이차골이식**(secondary bone graft)

이차골이식은 혼합치열기(mixed dentition) 시기인 7–11세에 시행된다. 현재 임상의사들은 이 시기에 치조열골이식술을 하는 것을 가장 선호한다. 수술 시기의 일반적인 기준은 견치의 치근이 1/2–2/3 정도 형성되는 시기이며, 이 시기에는 상악골의 성장이 수직방향을 제외하면 거의 완료되고, 견치가 아직 맹출되지 않아 중안면 성장에 대한 영향을 최소화하고, 맹출하는 견치의 골성 지지를 제공해 줄 수 있는 시기이기 때문이다. 많은 연구자들은 견치의 치근이 1/2–2/3 정도 형성되는 9–11세경에 골이식을 할 것을 주장하고 있으며 각 환자의 상태에 따라 수술 시기를 조절하는 것이 좋다.

③ **지연 이차골이식**(late secondary bone graft)

이차골이식이 현재 가장 선호되고 있지만, 12–13세경에 견치가 약간 맹출된 상태에서 처음 교정치료를 받으려는 환자의 경우 먼저 치조열골이식술을 해주고 나서 교정치료를 받도록 한다.

④ **르 포트**(Le Fort) **골절단술과 동시 시행**

성장이 완료되고 악교정수술을 받아야 될 환자가 치조열 재건을 시행받지 않은 경우 악교정수술과 동시에 치조열골이식술을 할 수 있다. 그러나 이 경우에는 상악골편의 안정성이 떨어지고 골이식이 실패할 위험이 있으므로, 가능하면 치조열골이식술을 먼저 하고 나중에 Le Fort 골절단술을 해야 수술이 용이하고 성공률이 높다.

2. 골이식의 공여부

1) 장골능(Iliac crest)

장골능은 해면골이 풍부하고, 채취가 용이하며, 치조열 부위를 수술하면서 동시에 장골 부위에서 이식골을 채취할 수 있으므로 가장 많이 사용되고 있다. 장골능에서 채취한 자가입자골수망상골(autogenous particulated marrow and cancellous bone, PMCB)은 신생골 형성능력이 좋아 골결손부를 신속히 치유시킬 뿐만 아니라 주위치조골과 잘 유합하여 치아맹출과 이동에 반응한다. 단점은 반흔, 술후 동통, 보행지연(delayed ambulation), 대퇴신경 손상의 위험 등이 있다.

2) 두개골(Cranial bone)

두개골은 반흔을 숨길 수 있고, 막성골(membranous bone)이므로 연골내골(endochondral bone)에 비해 이식골의 흡수가 적으며, 장골에 비해 술후 동통이 적으면서도 비슷한 성공률을 보이는 장점이 있다. 치조골과 조직학적으로나 발생학적으로 동일한 막성골로서 한때 이식골로 사용되었으나, 경도가 커서 견치의 맹출을 방해할 수 있으므로 현재 많이 사용되지 않고 있다.

3) 하악골 정중부 및 하악지(Mandibular symphysis and ramus)

골이식 공여부로서 하악골의 장점은 수술 시야가 같고 반흔이 보이지 않으며, 술후 통증이 적고, 막성골이므로 이식골의 흡수가 적으며, 좀더 빠른 재혈관화가 이루어질 수 있다. 그러나 많은 양을 채취할 수 없는 것이 단점이다. 하악지와 정중부에서 채취할 수 있다.

3. 치조열 골이식술

치조열에 대한 성공적인 골이식을 위해서는 치조열 및 비강 내층의 골결손부에 빈틈없이 골이식을 하고 치조부에서 연조직의 정확한 폐쇄가 필수적이다. 치조열 골이식술의 중요한 세 가지 원칙은 다음과 같다.

① 비강저(nasal floor) 재건과 비강측 폐쇄
② 적절한 양의 이식골로 골결손부를 충전
③ 치은 점막골막피판(gingival mucoperiosteal flap)으로 구강측 폐쇄

1) 수술과정

(1) 이식골 채취

① 장골능

전신마취하에 전장골능(anterior iliac crest)에서 이식골을 가장 많이 채취한다. 전상장골돌기(anterosuperior iliac spine)를 기준으로, 외하방 약 1 cm에서 시작하여 장골능을 따라 6–8 cm 정도 절개한다. 피판을 거상하고, 둔근과 복근의 연결부인 골막에 절개를 가해 골을 노출시킨다. 대둔근과 중둔근에 손상을 주지 않기 위해 내측으로 골막을 거상하여 술후 동통과 보행장애를 최소화한다. 장골능 상연에 연골이 존재할 경우 연골하방에서 trap door를 형성하고, 골큐렛(bone curette)으로 필요한 만큼 망상골 또는 블록골편을 채취한다. 이식골의 채취 깊이는 8 cm 이하로 하고 골채취 부위를 충분히 지혈하고, 음압배액관을 삽입한 다음 골막과 피하조직, 피부를 층별로 봉합한다.

② 하악정중부

치조열부를 먼저 준비한 다음, 공여부에 환전정절개(circumvestibular incision)를 하고 골막을 거상하고 이신경을 노출시킨다. 골절단톱 또는 라운드버로 골절단을 하고, 골끌(osteotome)로 피질골을 채취한 후 필요시 골큐렛으로 망상골을 채취한다. 골 채취후 결손부에는 다양한 종류의 지혈제로 지혈한다.

③ 조직공학적 접근

치조열에 대한 자가골 이식술로 인한 공여부 합병증을 배제하고 수술 후 골흡수율을 감소시키기 위한 보다 효과적인 골재생(bone regeneration)을 위하여 조직공학적 원리를 적용할 수 있다. 세포 성분으로는 전장골능(anterior iliac crest)의 골수나 협지방대에서 유래된 간엽줄기세포를 배양하고, 골아세포 전달 능력을 높이고 성장인자의 유리를 조절할 수 있는 스마트 지지체(smart scaffold)나 CAD/CAM을 이용한 치조열 부위의 환자 맞춤형 지지체를 활용하여 효율적인 골재생을 기대한다. 또한 기존의 자가골 이식재에 의한 골유도 능력을 증가시키기 위하여 골형성단백질군 중 rhBMP–2나 골형성에 관여하는 혈소판유래성장인자(PDGF), 혈관형성인자(VEGF)와 같은 성장인자들도 보조적으로 활용할 수 있다.

(2) 일측성 치조열

전정부 쪽에서는 치은연을 따라 절개하고 후상방으로 비스듬하게 절개해 점막골막피판을 거상한다. 치조열 변연에 절개를 하고 점막골막피판을 거상한 후, 구개측 결손을 폐쇄하기 위해 구개측 점막을 거상한다. 치조열 골결손부를 광범위하게 노출시킨 다음, 치조열 내의 반흔조직을 모두 제거한다. 구비누공이 있을 경우 폐쇄해야 하며, 점막골막피판을 상방으로 회전시켜 비강저를 형성하고 4–0 또는 5–0 흡수성 봉합사로 봉합한다. 비강저 폐쇄가 끝난 후 채취한 이식골을 작게 분쇄하여 치조열 부위에 최대한 충전되도록 이식한다. 필요하다면 이식골을 사용하여 비강저를 상방 위치시킨다. 구강측 폐쇄를 위해 거상된 치은 점막골막피판을 이식골이 완전히 덮히도록 봉합한다(그림 16–75).

(3) 양측성 치조열

치조열이 크지 않을 경우에 구강측 폐쇄를 위해서 일측성 치조열에서 사용하는 점막피판들을 양측에 사용해서 폐쇄시킬 수 있다(그림 16–76). 그러나 치조열이 심하고 경구개부 누공이 클 경우에는 일차로 연조직 폐쇄를 위해 설피판(tongue flap)을 이용할 수 있다. 설피판은 충분한 양의 각화점막을 제공하고, 넓은 결손도 폐쇄할 수 있으며, 봉합부가 짧아서 골노출이 잘 되지 않는 장점이 있으나, 원격피판이라서 피판거상 및 수혜부 봉합의 일차수술과 피판 분리의 이차수술 등, 2단계 술식으로 행해야 하는 불편감이 있다.

2) 술후 관리

구강위생이 중요하므로, 수술 전에 치아우식증을 모두 치료하고 잇솔질로 구강을 청결히 해야 한다. 수술 후 환자에게 유동식을 먹게 하고 2일째부터 3주 동안

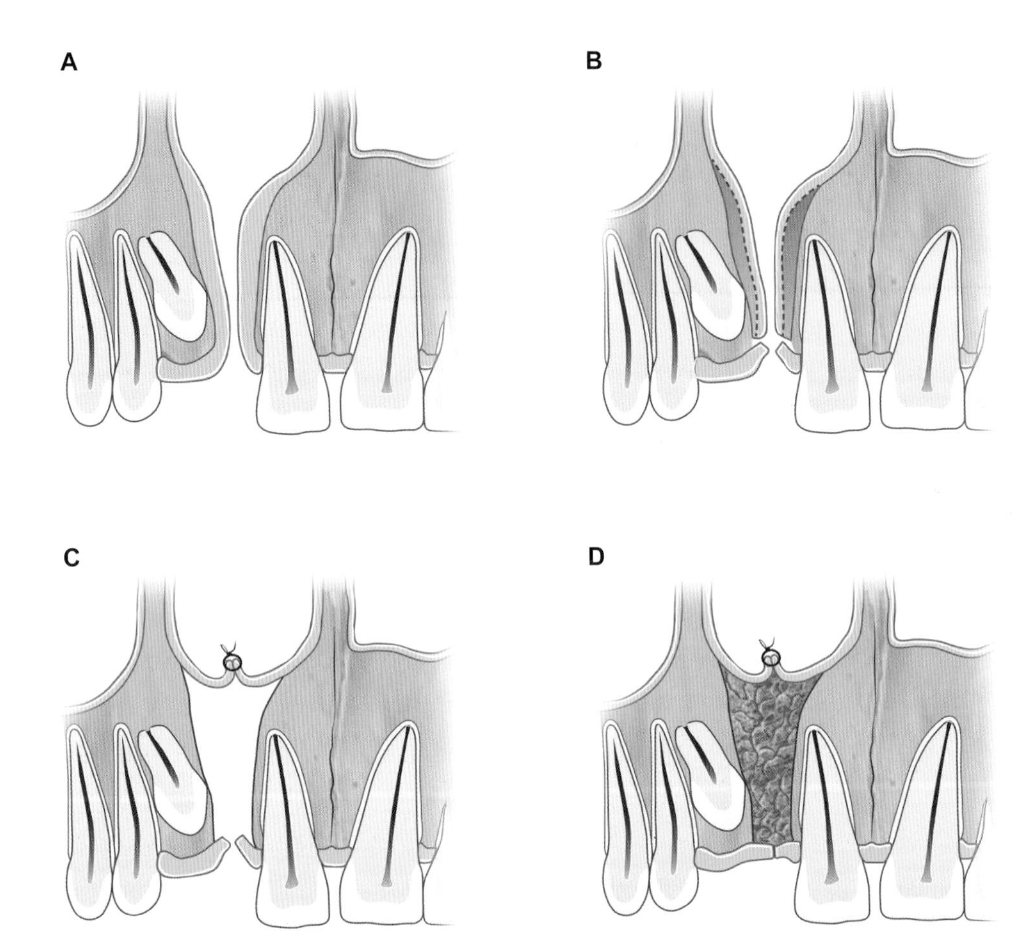

그림 16-75 A: 구비누공 B: 절개선의 위치 C: 비강측을 봉합한 상태 D: 골이식 시행 후 순측의 점막골막피판으로 폐쇄.

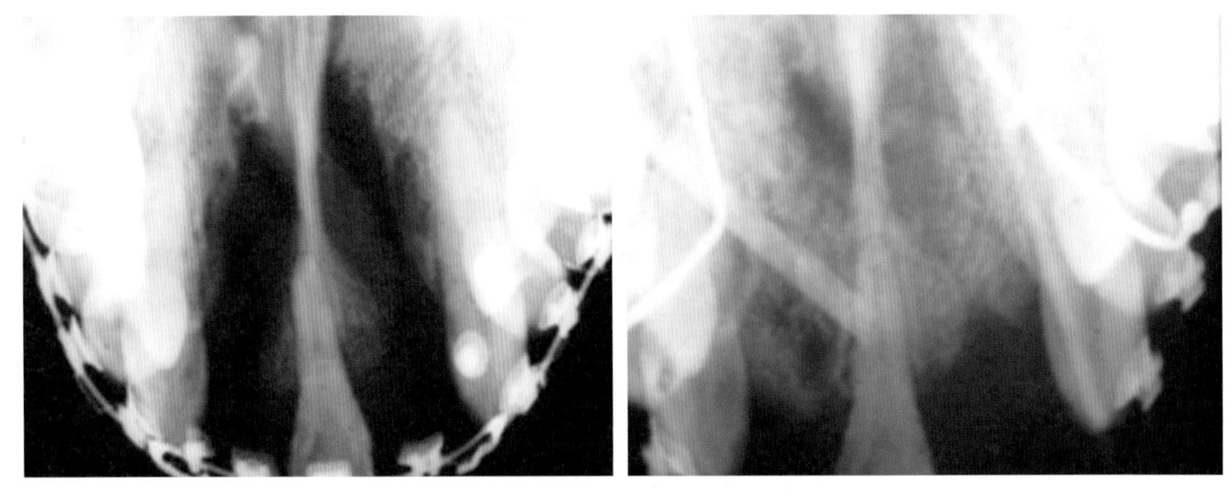

그림 16-76 양측성 치조열에서 자가장골을 이용한 지연 이차골이식술 전후의 방사선사진.

연식(soft diet)을 먹도록 한다. 항생제는 보통 1주간 투여하며, 세파로스포린 등 광범위 항생제를 예방적으로 사용한다. 장골 이식 시에는 동통이 있을 수 있으므로 진통제를 투여한다.

3) 합병증

술후 구강위생이 철저하지 못하면 감염, 창상의 벌어짐, 이식골 흡수가 일어날 수 있으며, 구강측과 비강측 폐쇄가 완전하지 못하면 이식골의 노출과 흡수, 감염을 유발할 수 있다. 술후 이식골의 노출은 과도한 긴장이나 외상에 의해 이차적으로 생길 수 있다. 노출된 이식골이 적다면 항생제를 투여하고 연식을 먹이면서 이차치유시킨다. 이식골편이 약간 손실될 수 있지만 창상은 잘 치유될 수 있다. 이식골을 충분히 충전해도 약간의 이식골 흡수가 일어날 수 있어 치조골의 절흔(notching)이 생길 수 있다.

4. 예후

골이식의 실패율은 5% 미만이며, 여기에는 이식골의 완전한 소실 또는 구비누공의 재발 등도 포함된다.

1) 이식골의 유합

치조열에 이식골편이 유합되는 비율은 대략 90-97%이다.

2) 견치의 맹출

치조열골이식부에서 견치의 맹출에 대하여 El Deeb 등(1982)은 약 27%의 환자에서 견치가 저절로 맹출하였고 나머지 73%에서는 견치의 외과적 노출과 교정치료가 필요하다고 하였으며, Turvey 등(1984)은 5%만 외과적 노출을 시행하였다고 보고된 바 전반적으로 혼합치열기에 치조열 골이식술 후 견치의 맹출은 만족스러운 것으로 보고되었다.

VI. 구순구개열의 이차 변형

구순구개열 환자들은 출생 시부터 입술과 코의 변형을 갖고 있다. 또한 구순구개열 환자들은 선천적으로 중안모의 성장 잠재력이 떨어져 있기 때문에 수술받은 후 입술과 코가 정상적으로 성장하지 못한다. 그러므로 구순구개열 수술을 잘해도 일차 수술 후에 어느 정도의 변형이 남게 된다. 이와 같은 변형을 이차 변형(secondary deformity)이라고 하며 입술 변형, 코 변형, 구개인두기능부전, 부정교합, 상악골 열성장(maxillary deficiency) 등 다양한 형태로 나타난다. 이차 변형은 구순구개열의 심한 정도, 선행된 수술방법, 안면골격의 성장력에 따라 다르게 나타나며 대부분 이차 교정술을 필요로 한다.

1. 입술 변형

입술의 이차 변형은 주로 구순열의 정도와 일차 구순열 수술방법 그리고 수술한 의사의 숙련도에 따라 변형의 정도가 결정되며, 입술을 지지하고 있는 치조골 또는 상악골의 발육 상태에 따라 그 정도가 달라지게 된다.

1) 흉터(Scars)

구순열 수술 후에 가장 문제가 되는 것은 입술 흉터이다. 일차 구순성형술 후 입술 흉터는 피할 수 없는 문제이며, 성장기 환자에서 흉터를 없애기 위하여 수술을 반복하는 것은 바람직하지 못하다. 그러나 입술 흉터와 입술 변형으로 인해 환자가 스트레스를 받을 경우에는 아이가 유치원에 들어가기 전인 4-5세경에 또는 치조열골이식술을 시술하는 7-11세경에 흉터성형술(scar revision)을 함께 실시한다. 교정방법은 사용된 일차 구순열 수술방법에 따라 도안을 달리하며 흉터 절제 후 직선봉합법, Z성형술, W성형술 등으로 교정한다.

2) 긴 입술(Long lip)

입술의 길이는 사용된 일차 구순열 수술방법과 관계가 깊다. 예를 들면, 삼각피판법을 사용한 경우 삼각피판이 크게 디자인되거나 근육의 재배열이 잘못되면 나중에 근육이 성장함에 따라 외측 입술이 길어질 수 있다. 그러므로 삼각피판법으로 수술하려고 한다면 삼각피판을 작게 디자인하는 것이 좋다. 입술이 긴 경우에는 비공연(nostril sill) 바로 아래에서 조직을 수평으로 전층 절제함으로써 교정할 수 있다(그림 16-77).

3) 짧은 입술(Short lip)

구순열 수술 후 일반적으로 수직 방향의 반흔 구축 때문에 입술이 짧아질 수 있다. 직선수복법으로 수술한 경우 또는 넓은 구순열을 Millard법으로 수술하였을 경우에 잘 발생한다. 치료는 흉터 절제 후 후절개를 통하여 내측 피판의 하방 회전량을 증가시키고 외측 피판은 이에 따라 조절하면서 근육층의 길이를 연장시켜 서로 접합시킨다. 또 부분적인 전위피판(transposition flap)을 이용할 수 있다(그림 16-78).

4) 팽팽한 입술(Tight lip)

정상인의 상순은 측면에서 보았을 때 도톰하게 앞으로 돌출되어 있다. 일차 구순열 수술 시 너무 많은 양의 조직을 절제한 경우, 또는 많은 반흔조직 때문에 상순이 제대로 성장하지 못한 경우에 상순의 수평 길이가 짧아지면서 측면에서 보았을 때 돌출되는 느낌이

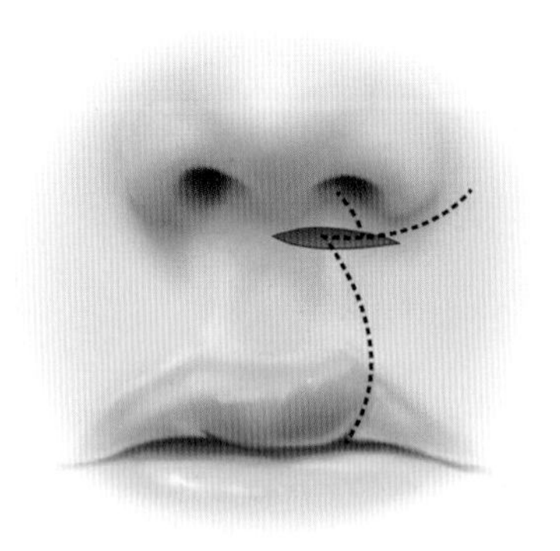

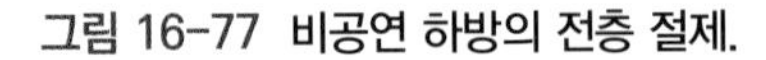

그림 16-77 비공연 하방의 전층 절제.

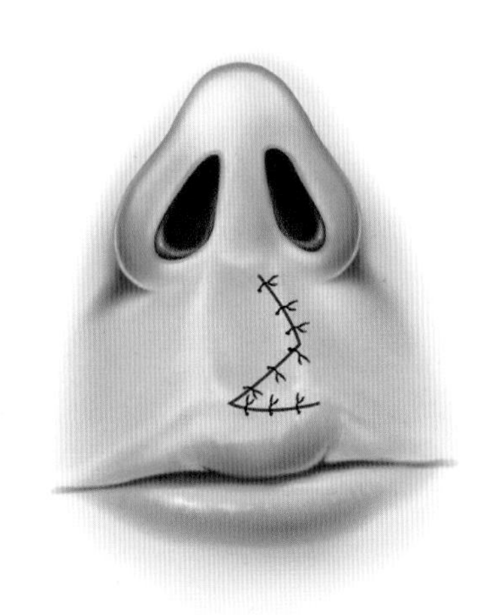

그림 16-78 전위피판을 이용한 짧은 입술의 교정.

사라지게 된다. 만약 상순은 팽팽한데 하순이 돌출되어 대조가 될 정도면 Abbe 피판을 이용하여 하순 조직의 일부를 상순으로 이전하여 상순을 보충해준다(그림 16-79).

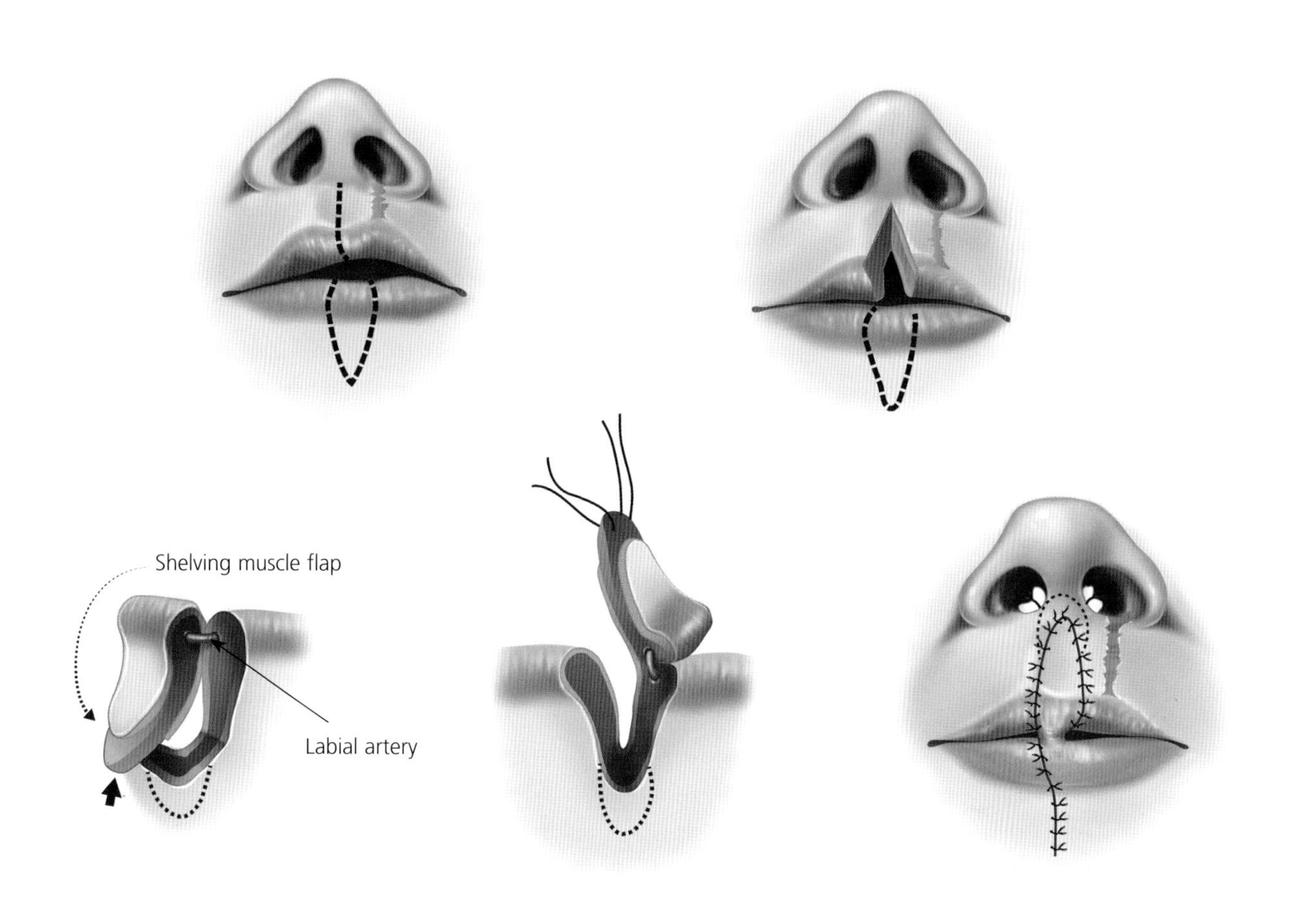

그림 16-79 Abbe 피판술의 모식도.

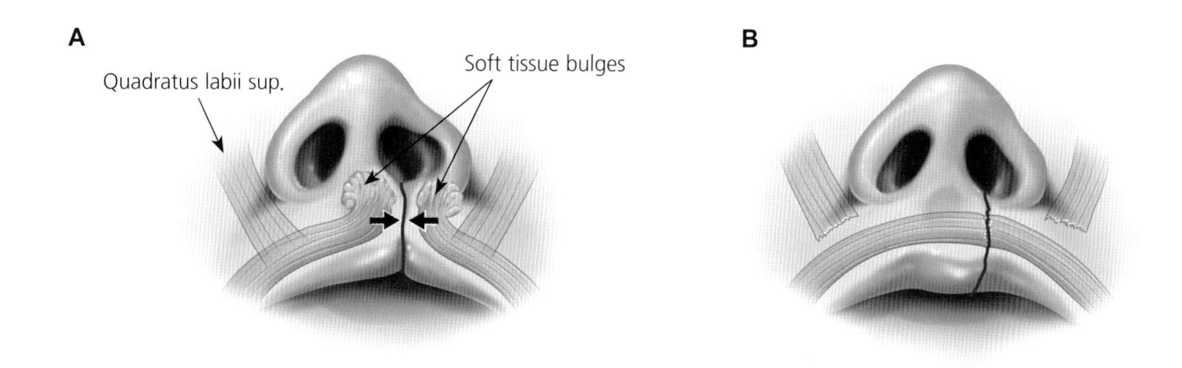

그림 16-80 구륜근 변형의 교정. A: 일측성 구순열에서 구륜근이 환측 비공저부에 비정상적으로 부착되어 뭉쳐 있다. B: 구륜근을 분리하여 수평으로 재위치시키고 봉합하여 연결한다.

5) 구륜근 변형

일차 구순열 수술 시에 내측 및 외측 입술분절에 수직으로 잘못 위치되어 있는 구륜근을 부착부로부터 분리하여 수평으로 재위치시킨 다음 봉합하여 해부학적 연속성을 회복해 주어야 한다. 그렇게 하지 않을 경우 환측 비익저부(alar base)와 인중 부위에서 근육이 뭉쳐 불룩하게 보인다. 이러한 경우 치료는 반흔조직을 절제하고 구륜근 섬유들을 충분히 분리하여 수평 방향으로 재배열해 주어야 한다(그림 16-80).

6) 인중 변형

인중은 상순의 특징적인 부위이므로 구순열 수술 시 이것을 재건하는 일이 중요하다. Millard법으로 수술하면 인중이 보존되지만 삼각피판법 또는 LeMesurier법을 사용하면 인중을 가로지르는 절개 흉터가 남는다. 인중은 두 개의 인중능(philtral ridge)과 함몰부

그림 16-81 V-Y 전진술 모식도.

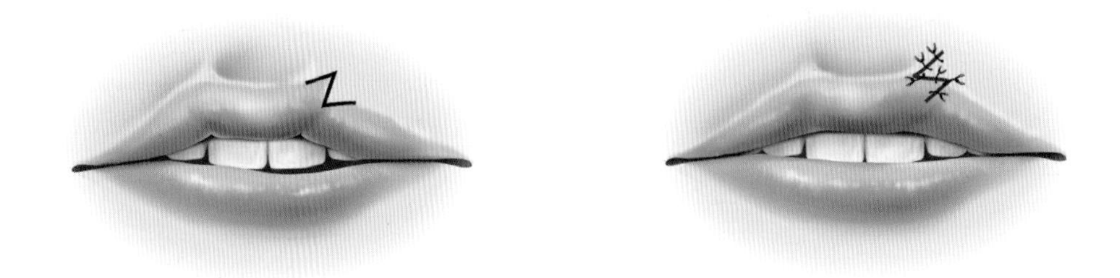

그림 16-82 작은 Z-성형술을 이용한 홍순 경계부 계단모양 변형의 교정.

(philtral dimple)의 독특한 구조로 이루어져 있어 재건하기가 쉽지 않으므로 일차 수술 시 세밀하게 맞추어 준다.

7) 홍순 변형

(1) 홍순 외측부의 부족

홍순 외측부가 조금 부족한 경우에는 구순 점막에 Z성형술, V-Y 전진술(그림 16-81) 등으로 교정한다.

(2) 홍순 중앙부의 부족: 휘파람 변형 (whistle deformity)

상순의 홍순 중앙부 조직이 부족하면 그 부분이 휘파람을 불 때처럼 잘록하게 위로 올라가게 되는데 이러한 상태를 휘파람 변형이라 한다. 일측성 구순열 수술 후에도 볼 수 있지만, 특히 양측성 구순열 수술 후에 홍순 중앙부가 부족하여 많이 나타난다. 교정술식으로는 Z성형술, V-Y 전진술, 전위피판술(transposition flaps), 그리고 Abbe 피판 등이 있다.

(3) 홍순연의 변형

구순열에서 흔히 발생하는 이차 변형의 하나가 홍순부의 부족 또는 변형이다. 이로 인해 홍순의 절흔(notching), 홍순경계부의 불연속성, 홍순 융기부가 상실되거나 지나치게 강조된 경우, 큐피드궁의 문제점 등의 임상소견을 보인다. 홍순 경계부의 계단모양 변형(step deformity)은 작은 Z성형술을 이용하여 교정한다(그림 16-82). 홍순부의 패임은 작은 Z성형술 또는 외측 홍순부의 잉여조직을 노출시켜 내측 입술분절 내로 집어넣어 교정해 준다.

8) 순협측 전정부의 유착

구순열 수복 후 구강 쪽에 빈발하는 문제로 순협측 전정의 깊이가 얕은 경우가 있다. 이런 경우는 일측성 구순열에서는 잘 생기지 않지만, 전순부가 전상악골과 맞붙어 있어 원래 전정부가 없는 양측성 구순열에서 잘 발생한다. 유착되었을 경우에는 점막측에서 Z성형술, V-Y 피판술, 점막이식 등의 방법으로 교정한다(그림 16-83).

2. 코 변형

일차 구개에 개열이 있는 구순열 환자들은 선천적으로 코 변형이 존재한다. 일차 구순열 수복 후 반흔조직의 영향과 함께 성장에 따른 코의 이차 변형이 나타나게 된다. 이와 같이 구순열로 인한 선천적인 변형과 수술 후 반흔조직과 성장의 영향으로 코에 생긴 변형을 이차 구순열비변형(secondary cleft lip nasal deformity)이라고 한다.

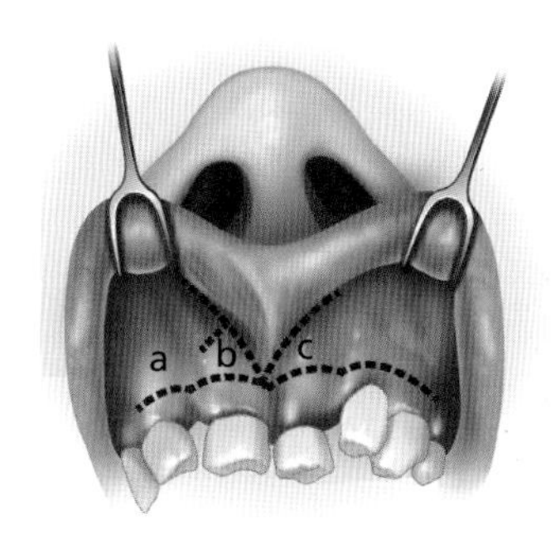

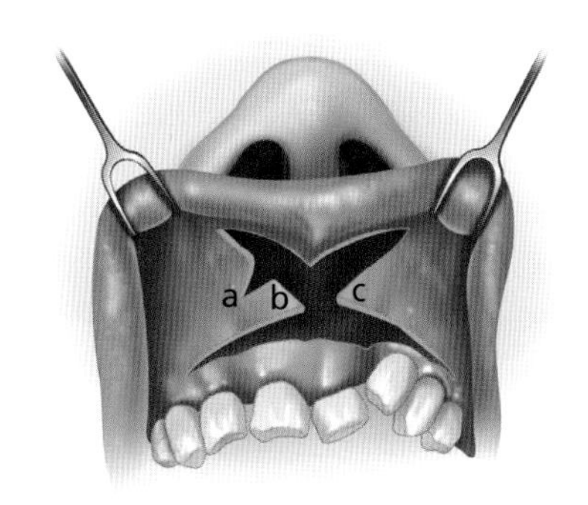

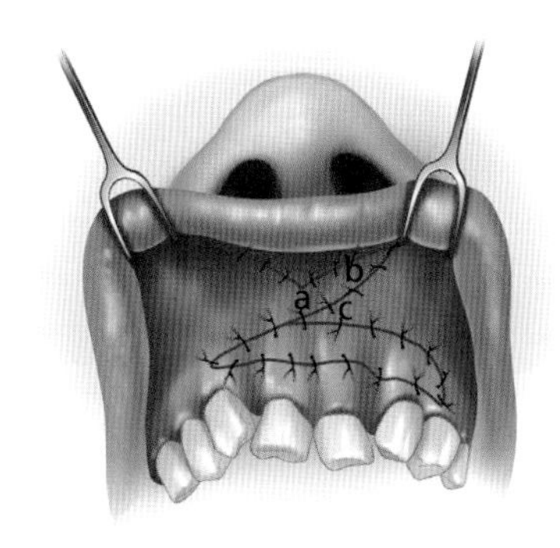

그림 16-83 전정성형술.

1) 일측성 구순구개열의 이차 비변형

일측성 구순열비변형의 경우 비주와 비첨부뿐만 아니라 환측과 비환측 비익, 비익연골, 비익기저부, 비공 사이의 변형과 비대칭이 문제가 된다(그림 16-84).

(1) 이차 비교정 수술 시기

구순구개열 환자들이 유치원 또는 초등학교에 들어갈 때가 되면 자의식도 발달하고 자신의 얼굴에 관심도 많아지며 친구들도 의식하게 된다. 그러므로 이 시기의 스트레스를 완화해 주기 위해 구순열비변형에 대한 교정이 필요하게 된다. 심한 일측성 구순열비변형을 가진 경우에는 취학 전 연령인 4–6세에 이차 비교정술을 하거나 치조열 골이식술을 할 시기인 7–11세경에 이차 비교정술을 동시에 하는 것이 좋다. 그러나 비중격성형술(septoplasty), 비골절단술(nasal osteotomy), 연골이식, 골이식 등의 교정 비성형술(corrective rhinoplasty)은 얼굴 골격의 성장이 완료된 시점 이후로 연기하는 것이 좋다.

(2) 이차 비교정 수술기법

비성형술 기법에는 여러 가지가 있으며 어느 한두 가지 방법만으로는 모든 증례에서 만족스러운 결과를 얻기 힘들다. 코의 대칭성을 회복시켜 주기 위해서는 비익연골의 재위치, 현수고정(suspension), 크기 조절,

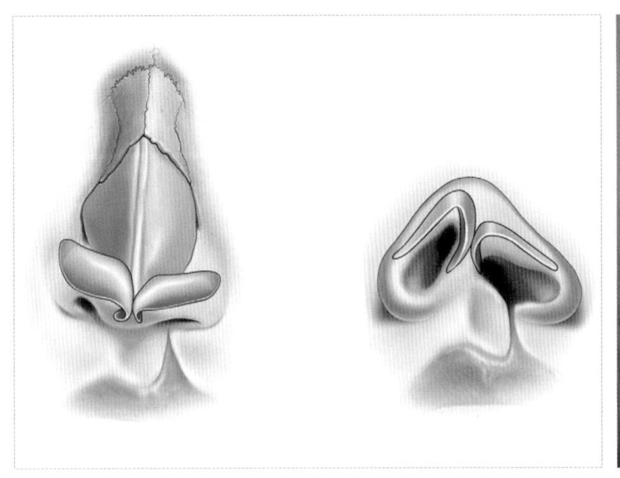

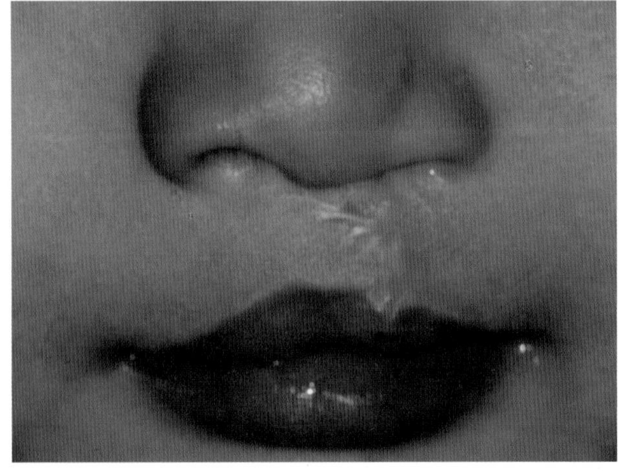

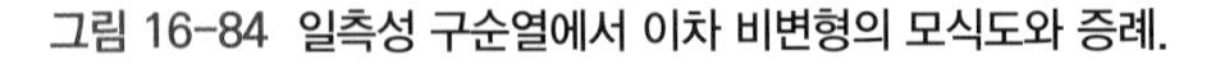

그림 16-84 일측성 구순열에서 이차 비변형의 모식도와 증례.

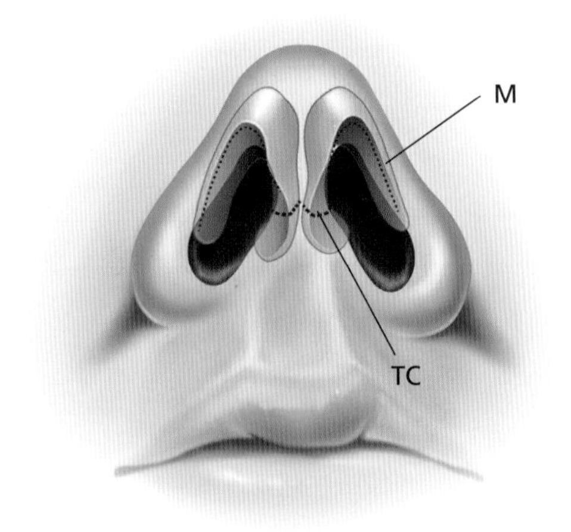

그림 16-85 개방 비성형술을 위한 절개.
M: 비익연골변연절개(marginal incision), TC: 경비주절개(trans-columellar incision).

또는 이식술을 통한 증대술 등으로 교정해 주어야 한다. 때로는 비환측 코에 대한 수술도 필요할 경우가 있다. 비첨부 변형증은 비중격의 휘어짐, 상악골 발육장애 등으로 인해 야기되므로 이들 구조물들을 개선시켜 줄 수 있는 수술을 시행하여야 한다.

① **개방접근법**(open approach)

개방접근법 또는 비외접근법(external approach)은 경비주절개(transcolumellar incision)와 양측 비익연골 변연절개(bilateral marginal incision)를 연결하여 한꺼번에 박리하여 비익연골을 노출시키는 방법이다(그림 16-85). 개방접근법은 수술시야를 넓게 하여 해부학적 구조물을 눈으로 직접 보면서 연골과 뼈 등의 구조물을 원하는 위치로 쉽고 정확하게 교정할 수 있는 장점이 있다.

개방 비성형술 시에 연골이식(cartilage graft)이 필요한 경우가 많은데, 환측 비익연골을 재배열하여 고정해도 비환측과 같은 높이를 얻기 힘들거나 대칭성에 문제가 있을 경우, 비익연골 위에 연골 이식편을 중첩시켜서 융기시킬 수 있다. 비중격연골(septal cartilage), 이개연골(auricular cartilage), 늑연골(rib cartilage)(그림 16-86)을 이용할 수 있다. 그러나 이러한 목적으로 이물 성형매식체를 사용하는 것은 좋지 않다고 알려져 있다.

② **비내접근법**(endonasal approach)

비내접근법은 비외접근법에 비해 수술 시야가 좁고, 변형된 해부학적 구조물이 명확히 보이지 않으며, 연조직 이동이 불충분하고, 박리 중에 미세한 구조물에 손상을 줄 수 있는 단점이 있다. 그러나 비외절개법에 비해 흉터가 남지 않는 장점이 있어 지금도 많은 술자들은 비내접근법을 이용하여 코를 교정하고 있다. 그

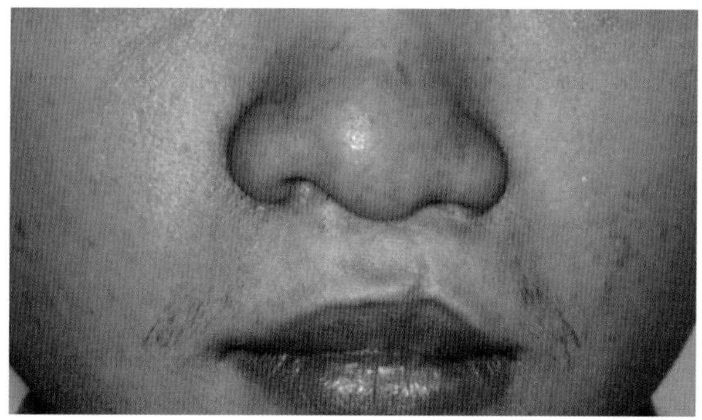
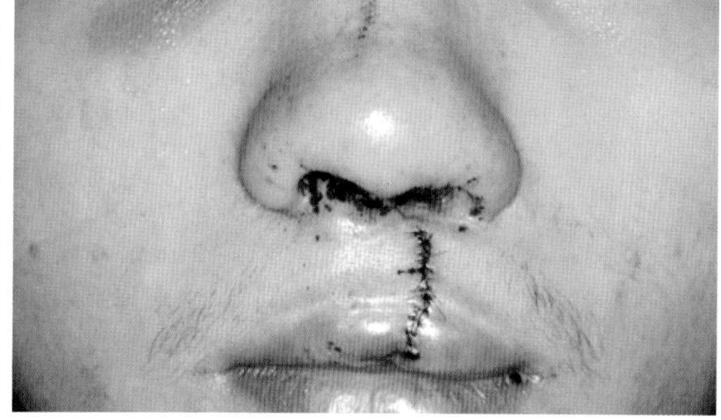

그림 16-86 일측성 구순열비변형에서 늑연골을 이용한 개방비성형술 전후.

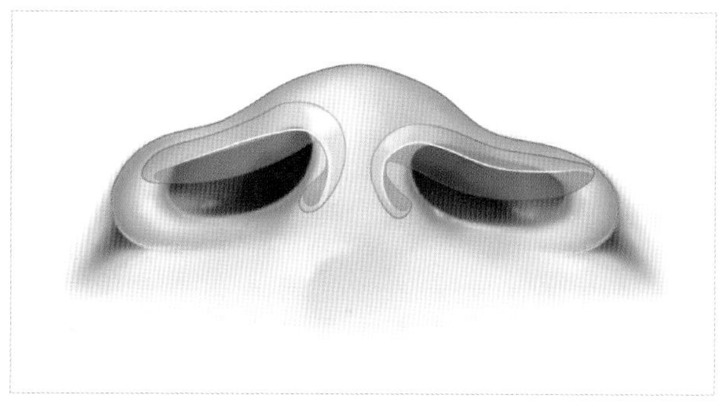
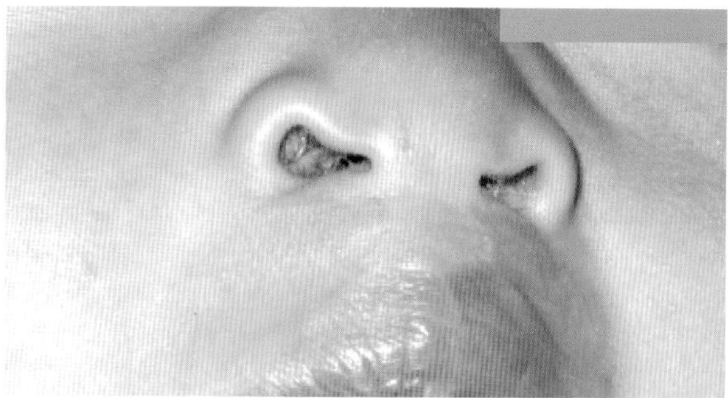

그림 16-87 양측성 구순열비변형의 모식도와 증례.

러나 비익연골을 광범위하게 노출시켜야 하는 심한 비변형 증례에서는 비외절개법이 선호된다.

③ **연조직 변형의 교정**

환측 비공의 윗부분은 일반적으로 비환측에 비해 조직이 남아 물갈퀴 모양(webbing)을 형성하고 있는 경우가 많다. 이러한 잉여 피부는 역U자형 절개(reverse U incision) 또는 Z-성형술을 적용하여 교정할 수 있다.

2) 양측성 구순구개열의 이차 비변형

일측성 구순열비변형을 교정할 경우 만족스러운 결과를 얻기 어려운데 반해, 양측성 구순열비변형을 교정하면 대부분 대칭적이므로 좋은 결과를 얻을 때가 많다. 양측성 구순열비변형의 특징적인 소견은 다음과 같다(그림 16-87).

① 비주(columella)가 짧다.
② 비익과 비익연골의 변위로 인해 비첨이 낮고 편평하다.
③ 비익원개가 외측으로 변위되고 비익기저부가 외측으로 벌어져 있다(flaring).
④ 비공 모양은 수평에 가깝다.

양측성 구순열에서는 대부분 짧은 비주와 낮은 비첨이 문제가 된다. 양측성 구순열비변형에 대한 중간 비

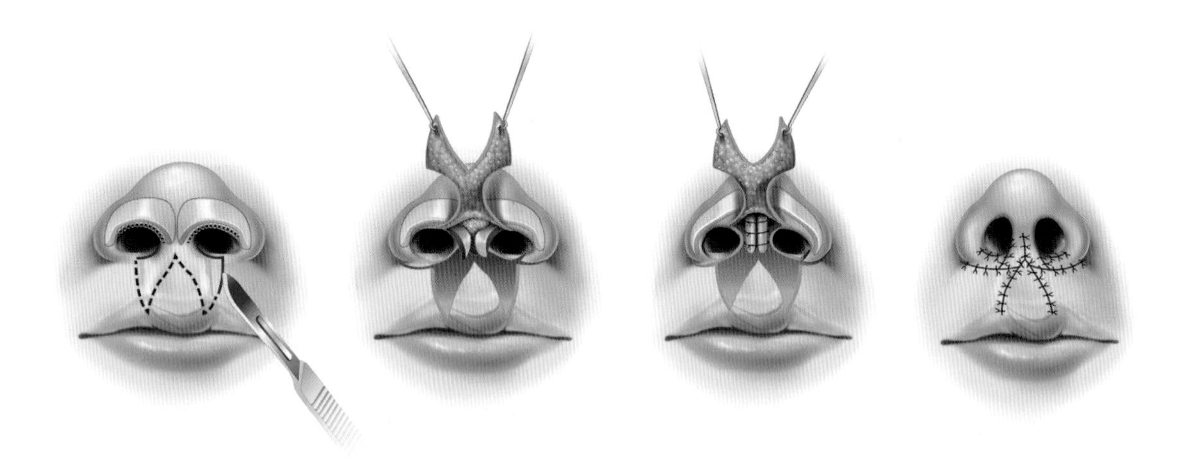

그림 16-88 포크피판을 이용한 비주연장술.

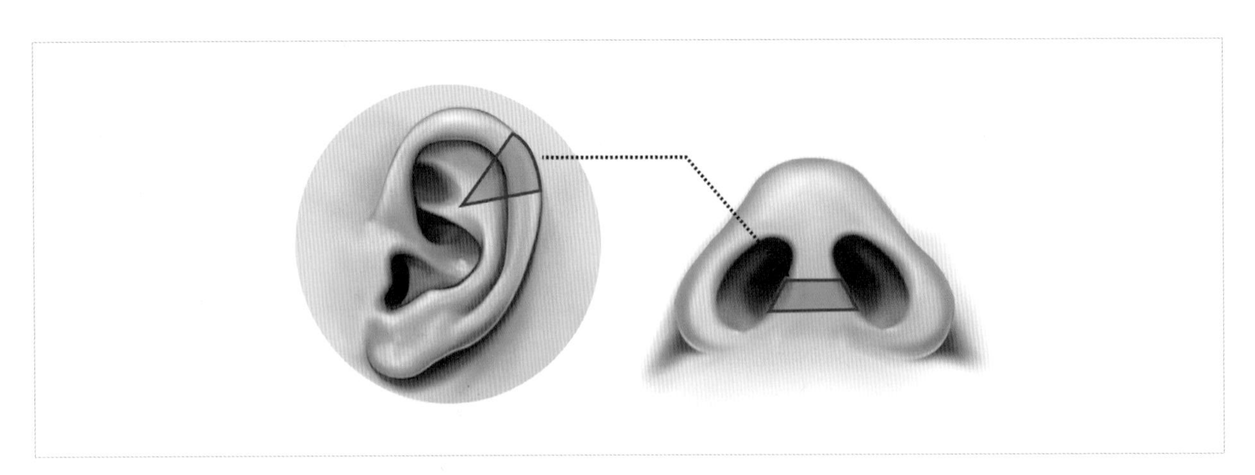

그림 16-89 이개복합조직이식을 이용한 비주의 교정.

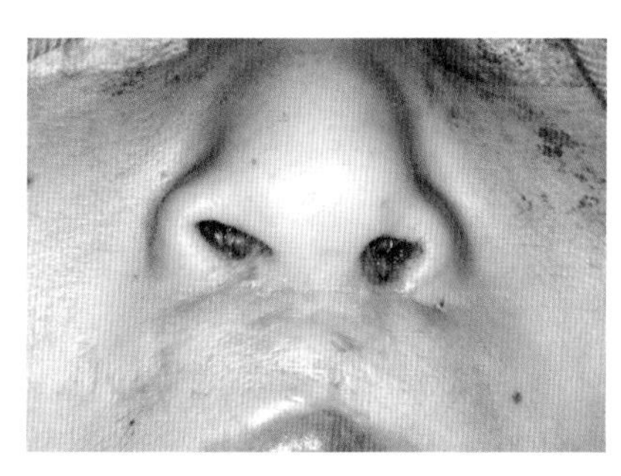
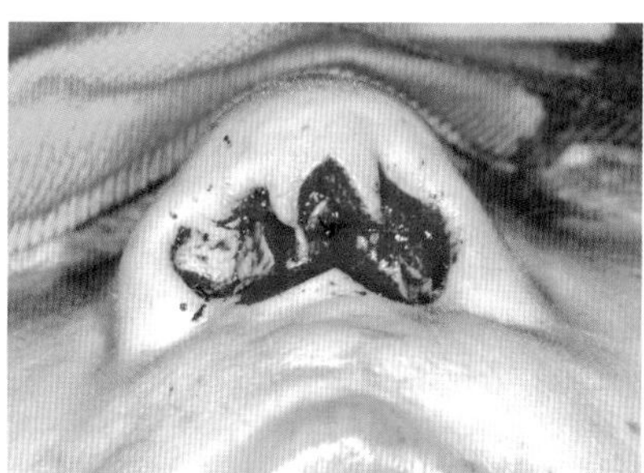
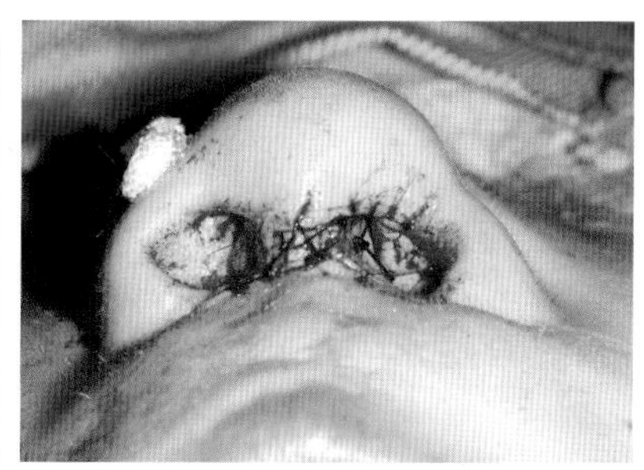

그림 16-90 양측성 구순열비변형 환자에서 포크피판을 이용한 비주 연장과 이개연골을 이용한 비주 지지대, 비첨부 이식술을 적용한 교정 비성형술 증례.

성형술(intermediate rhinoplasty) 시 비주 길이를 연장시켜 코의 높이를 높이기 위해서는 전순부의 V-Y 전진술이나 Bardach법 또는 Millard의 양측성 포크피판(fork flap)을 이용할 수 있다(그림 16-88). 비주연장술은 증례의 상태에 따라 상황에 맞게 적용하는 것이 임상적으로 가장 중요하다. 상순, 비첨 및 비익의 관계가 비교적 양호한 상태에서 비주 길이만을 연장시킬 때에는 이개복합조직이식(auricular composite graft)이 유용하다(그림 16-89). 또한 상순조직이 전체적으로 부족하여 주위에서 조직을 이용할 수 없는 상태에서 비주를 연장하려면 전순부 전진술과 함께 Abbe 피판술을 적용할 수 있다. 양측성 구순열비변형에 대한 최종 비성형술 시에는 험프(hump) 절제술이나 비배부 증강술과 같은 비배부수술, 비주 지지대(columellar strutting), 그리고 비첨부 이식술 등의 술식을 주로 사용한다(그림 16-90).

3. 상악 열성장(Maxillary deficiency)

구순구개열 환자는 개열 부위의 선천적인 성장력 감소와 선행된 수술로 인한 반흔의 영향으로 성장기나 혹은 골격 성장이 완료되어도 상악 열성장의 얼굴모습을 보이는 경우가 많다. 이를 해결하기 위하여 교정치료와 함께 골신장술 혹은 턱교정수술을 시행한다. 턱교정수술 시에는 상악골의 연속성 여부, 구개인두기능부전과 인두피판의 존재여부, 상악골의 필요한 전진 이동량과 그에 따른 비구강계의 영향 등을 고려하여 마취와 수술계획을 세운다. 특히 치조열 골이식술이 시행되지 않았거나 시행되었어도 성공도가 높지 않을 경우 턱교정수술과 함께 골이식술을 시행하여 주며, 이 경우 개열 부위를 수술적 조작을 통하여 좁혀주는 것이 수술 성공도, 즉 이식골 생착과 구비누공의 재발 방지율을 높일 수 있다(그림 16-91)

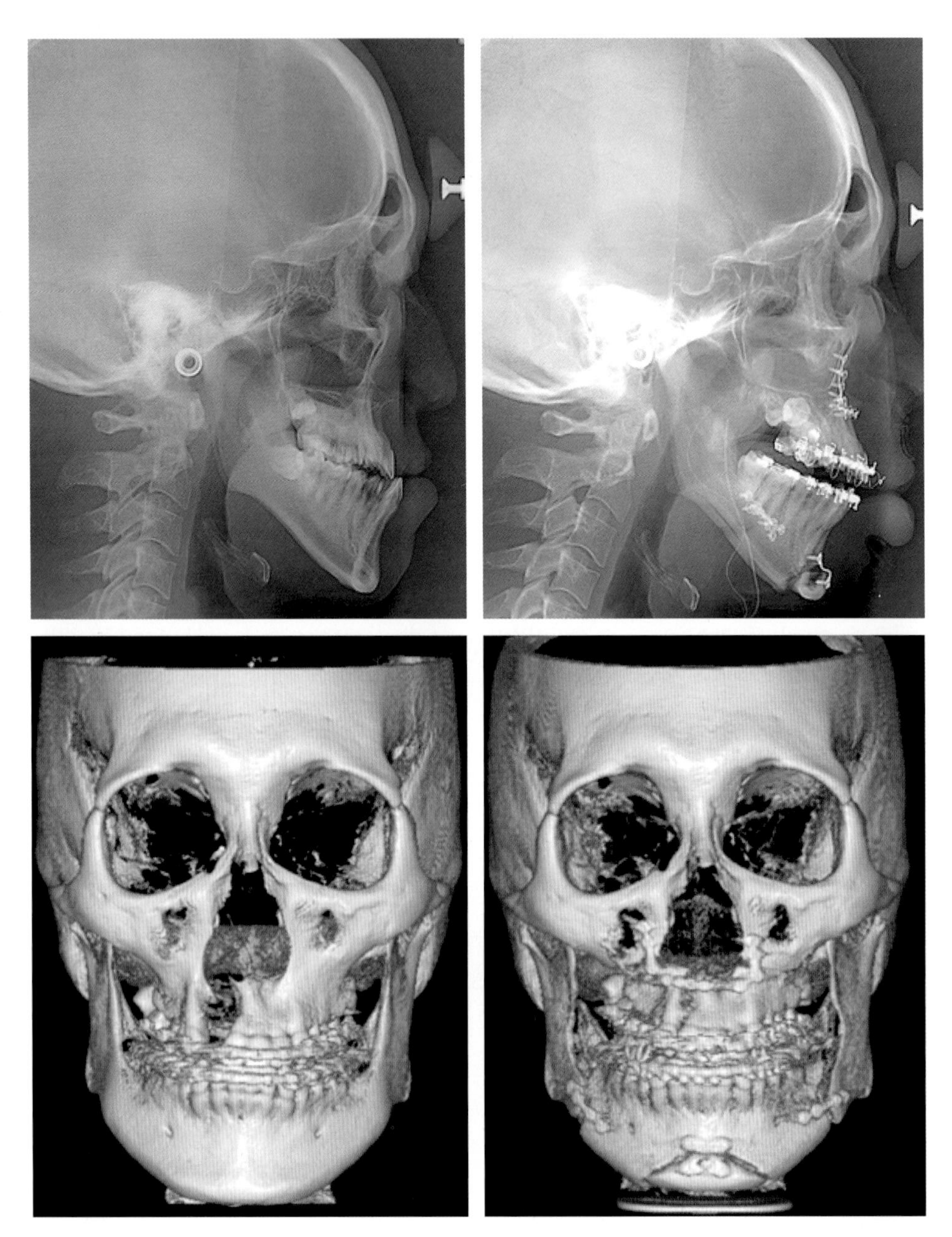

그림 16-91 우측의 편측성 구순구개열로 인한 상악 열성장 증례에서 상하악 동시 턱교정수술과 함께 우측 상악 골편(lesser segment)의 외과적 재위치(surgical repositioning)를 통한 치조열 골이식술을 시행한 증례의 수술 전후 측모두부방사선사진과 3차원 상의 정면.

참고문헌

Abdali H, Yaribakht M. Assessment of outcomes and complications of posterior pharyngeal wall augmentation with dermal fat graft in patients with Velopharyngeal Insufficiency (VPI) after primary cleft palate repair: A pilot study. JPRAS Open 2018;19:6-18.

Daniel RK. Rhinoplasty an atlas of surgical techniques. New York: Springer-Verlag Inc.; 2002. p. 227-78.

Davis JS, Ritchie HP. Classification of congenital clefts of the lip and palate. JAMA 1922:79(16):1323-1327.

El Deeb M, Messer LB, Lehnert MW, et al. Canine eruption into grafted bone in maxillary alveolar cleft defects. Cleft Palate J 1982;19(1):9-16.

Gorney M. Rehabilitation for the post-cleft nasolabial stigma. Clin Plast Surg 1988;15(1):73-82.

Grayson BH, Santiago PE, Brecht LE, et al. Presurgical nasoalveolar molding in infants with cleft lip and palate. Cleft Palate Craniofac J 1999;36(6):486-98.

Hogan VM, Converse JM. Secondary deformities of unilateral cleft lip and nose. In: Grabb WC, Rosentstein SW, Bzoch KR. Cleft lip and palate; surgical, dental and speech aspects. Boston: Little Brown; 1971. Ch 16.

Jackson IT, Fasching MC. Secondary deformities of cleft lip, nose, and cleft palate. In: McCarthy JG. Plastic Surgery. Vol 4. Philadelphia: WB Saunders; 1990. p. 2771-877.

Kim MJ, Lee JH, Choi JY, et al. Two-stage reconstruction of bilateral alveolar cleft using Y-shaped anterior-based tongue flap and iliac bone graft. Cleft Palate Craniofac J 2001;38(5):432-7.

Kirschner RE, Wang P, Jawad A, et al. Cleft-palate repair by modified Furlow double-opposing Z-plasty: the Children's Hospital of Philadelphia experience. Plast Reconstr Surg 1999;104(7):1998-2010.

Koberg W, Koblin J. Speech development and maxillary growth in relation to technique and timing of palatoplasty. J Maxillofac Surg 1973;1(1):44-50.

Lee YK, Park YW. Clinical study on surgical correction of cleft nasal deformity. Kor J Cleft Lip Palate 2018;21(1):1-7.

Losken A, Williams JK, Burstein FD, et al. An outcome evaluation of sphincter pharyngoplasty for the management of velopharyngeal insufficiency. Plast Reconstr Surg 2003;112(7):1755-61.

Marsh JL. The evaluation and management of velopharyngeal dysfunction. Clin Plast Surg 2004;31(2):261-9.

McComb H. Primary correction of unilateral cleft lip nasal deformity: a 10-year review. Plast Reconstr Surg 1985;75(6):791-9.

Millard DR. Cleft craft. Vol I: The unilateral deformity. Boston: Little Brown; 1976. p. 3-772.

Millard DR. Cleft craft. Vol II: Bilateral and rare deformities. Boston: Little Brown; 1977. p. 3-722.

Millard DR. Cleft craft. Vol III: Alveolar and palatal deformities. Boston: Little Brown; 1980. p. 3-1161.

Morris HL. Future prospects: The outlook for speech. In Heddard AG, Ferguson MJ. Cleft lip and palate: Long-term results and future prospects. Vol 2. Manchester, England: Manchester University Press; 1990. p. 292.

Mulliken JB, Pensler JM, Kozakewich HP. The anatomy of Cupid's bow in normal cleft lip. Plast Reconstr Surg 1993;92(3):395-403.

Orticochea M. The timing and management of dynamic muscular pharyngeal sphincter construction in velopharyngeal incompetence. Br J Plast Surg 1999;52(2):85-7.

Park YW. Corrective rhinoplasty using rib cartilage for patients with unilateral complete cleft lip and palate. Kor J Cleft Lip Palate 2021;24(2):60-67.

Park YW. Corrective rhinoplasty with combined use of autogenous auricular cartilage and porcine dermal collagen in cleft lip nose deformity. Maxillofac Plast Reconstr Surg 2014;36(5):230-236.

Park YW. Repair of complete cleft lip using extended Mohler repair. Maxillofac Plast Reconstr Surg 2012;34(3):200-204.

Salyer KE, Bardach J. Salyer and Bardach's atlas of craniofacial and cleft surgery. Vol II. Philadelphia, New York: Lippincott-Raven; 1988. p. 421-854.

Shih CW, Sykes JM. Correction of the cleft-lip nasal deformity. Fac Plast Surg 2002;18(4):253-62.

Smith HW. The atlas of cleft lip and cleft palate surgery. New York: Grune & Stratton Inc.; 1983. p. 1-329.

Trost-Cardamone. JE: Coming to terms with VPI: a response to Loney and Bloem. Cleft Palate J 1989;26(1):68-70.

Turvey TA, Vig K, Moriarty J, et al. Delayed bone grafting in the cleft maxilla and palate: A retrospective multidisciplinary analysis. Am J Orthod 1984;86(3):224-56.

Yuzuriha S, Mulliken JB. Minor-form, microform, and mini-microform cleft lip: anatomical features, operative techniques, and revisions. Plast Reconstr Surg 2008;122(5):1485-1493.

CHAPTER 17

두개악안면기형

악안면기형의 치료목표는 심미성의 회복과 기능적 재건이다. 심미성의 회복은 환자의 외모뿐 아니라 개인의 성격과 사회성을 바꾸어 놓으며, 기능적 재건은 저작, 호흡, 발음 및 자세와 관련한 환자의 생리적 기능을 정상적으로 회복시키는 과정이다. 이 두 가지 목표를 모두 충족해야만 악안면영역에서 발생한 기형을 올바로 치료하였다고 할 수 있다.

악안면기형을 치료하기 위해서는 먼저 악안면기형에 관한 올바른 진단과 치료계획이 수립되어야 하고 이를 위해서는 현재의 기형에 이르게 된 원인에 대한 분석과 성장과정에 대한 이해가 선행되어야 한다. 일반적인 악안면영역의 성장과 차별되는 기형의 성장패턴을 분석해 보는 과정은 현재의 기형에 대한 이해를 풍부하게 할 뿐만 아니라 치료계획을 분명하게 한다.

악안면기형의 진단과정은 환자의 임상관찰, 방사선학적 분석, 모형분석 등의 여러 과정을 통하여 총체적으로 이루어지며 치료계획 역시 치과교정의와의 협의진료 체계 아래에서 수술 전 교정, 방사선사진 및 모형을 이용한 모의수술, 수술 후 예측 분석, 수술 후 교정 등의 여러 단계를 함께 고려하여 수립된다.

CONTENTS

CHAPTER 17

두개악안면기형

Craniofacial Deformity

학습목적

두개악안면 부위에 발생하는 선천성 및 발육성 기형의 원인, 성장의 양상, 진단 및 치료계획, 수술방법 등을 학습하여 이 분야에서 치과의사의 역할을 이해하고 환자 및 보호자에게 정확히 설명할 수 있는 능력을 배양한다.

기본 학습목표

- 두개악안면부의 성장과정을 이해한다.
- 두개악안면기형의 원인을 이해하고 분류할 수 있다.
- 두개악안면기형의 전반적인 진단방법을 이해한다.
- 두개악안면기형의 진단에 따라 치료계획을 수립하는 과정을 파악한다.
- 두개악안면기형의 다양한 수술방법을 이해하여 적응증을 제시할 수 있다.
- 치료계획에 따른 치열교정 치료과정과 악교정수술의 연속된 치료과정을 설명할 수 있다.

심화 학습목표

- 두개악안면기형의 분류에 따른 대표적인 수술방법의 수술 전 필요한 사항을 제시할 수 있다.
- 각 수술방법의 고려사항, 장단점 및 합병증을 환자가 이해할 수 있도록 설명할 수 있다.
- 수술 전 치료계획 수립의 원리를 이해하여 수술계획 수립 및 모형수술을 시행할 수 있다.

I. 두개악안면의 성장과 기형

1. 악안면의 일반적 성장

악안면기형을 평가하고 진단하기 위해서는 먼저 일반적인 두개악안면의 성장과정을 이해해야 하고 성장과정 중 어느 시기에 어떤 요인들의 영향에 의해 악안면기형이 발생하는지 알아야 한다. 악안면기형은 선천성 또는 발육성으로 발생할 수 있으며, 따라서 출생 전 두개안면부 성장발달뿐만 아니라, 출생 후의 성장과정도 이해하는 것이 필요하다.

1) 출생 전 두개안면부의 성장

일반적으로 출생 전 성장은 배아기(embryonic stage)와 태아기(fetal stage)로 나누어 분류한다. 배아기(임신-태생 8주), 초기 태아기(early fetal stage; 태생 9-12주)에서는 두개안면부의 대체적인 기관이 형성되며, 임신 2, 3분기(태생 13-42주) 기간에는 두개안면부가 확대 성장하면서 각 기관의 재배치 및 골형성이 일어나게 된다.

(1) 배아기 성장

배아기 초기에는 가장 빠른 기관형성과 분화를 보이는 뇌의 성장이 두개안면부의 성장을 주도한다. 두개안면부의 골격을 이루는 연골 및 막성골(membranous bone)은 두개부 내용물인 뇌와 안면부 각 기관들의 성장의 영향을 받으며 보조를 맞춰 성장한다.

① 두개저(cranial base)

두개저에서는 뇌 신경관과 소화관 사이에 있는 중간엽세포(mesenchymal cell)들이 분화하여 주로 연골을 형성하며 연골두개(chondrocranium)를 이룬다. 여러 연골들은 성장하면서 연결되어 태생 8주 말에는 연속된 두개저 골격을 형성함으로써 이후 안면부 성장의 지지대 역할을 한다.

② 두개관(calvarium)

두개관은 태생 6–7주경에 막성골화가 시작되어 뇌의 용적 증가에 맞춰 커지게 된다. 출생 시까지 각 부분의 골은 봉합(suture)과 천문(fontanelle)에 의해 분리되어 있어 출산 시 태아의 머리가 산도를 빠져나오기 쉽게 할 뿐만 아니라, 출생 후에도 계속적인 뇌의 성장과 두개골의 성장을 가능하게 한다. 따라서, 두개봉합(calvarial suture)의 조기유합(premature synostosis)은 뇌성장과 그에 따른 지능발달(mental development)을 심각하게 위협할 수 있고 추후 이어지는 두개안면부의 성장장애 및 기능장애를 야기할 수 있다.

③ 상악골

상악골은 내측비돌기(median nasal process), 외측비돌기(lateral nasal process) 그리고 상악돌기(maxillary process)의 유합과 성장에 의해 상악골, 일차구개, 미래의 치조골이 형성된다. 또 상악돌기에서 성장된 구개상(palatal shelf)이 반대측과 유합되어 이차구개를 형성하며 일차구개나 이차구개 형성 실패 시에는 구순열(cleft lip)과 구개열(cleft palate)이 발생한다(그림 17-1).

④ 하악골

하악골의 각 영역은 발생학적으로 서로 다른 골형성 패턴을 보인다. 하악체(body)의 형성은 Meckel 연골 주변에서 직접 골내막성 골형성(intramembranous bone formation)을 통해 일어난다. 그러나 하악과두(condyle), 관상돌기(coronoid process), 이부(mentum) 및 우각부(angle)는 연골성 골형성 과정(cartilaginous bone formation)을 통해 골이 발생되고 그 기원은 Meckel 연골이나 연골두개와는 관계없는 간엽세포이다.

태생 6주 말경, 하악골에서는 안면골의 성장에 중요한 위치 변화가 일어난다. 이 시기 이전까지 하악골은 두개골 및 상악골에 비해 후퇴된 양상을 보인다. 또 혀는 구비강(oronasal cavity)의 대부분 공간을 차지하며 들어올려져 있다. 그러나 태생 6주에 이르면 Meckel

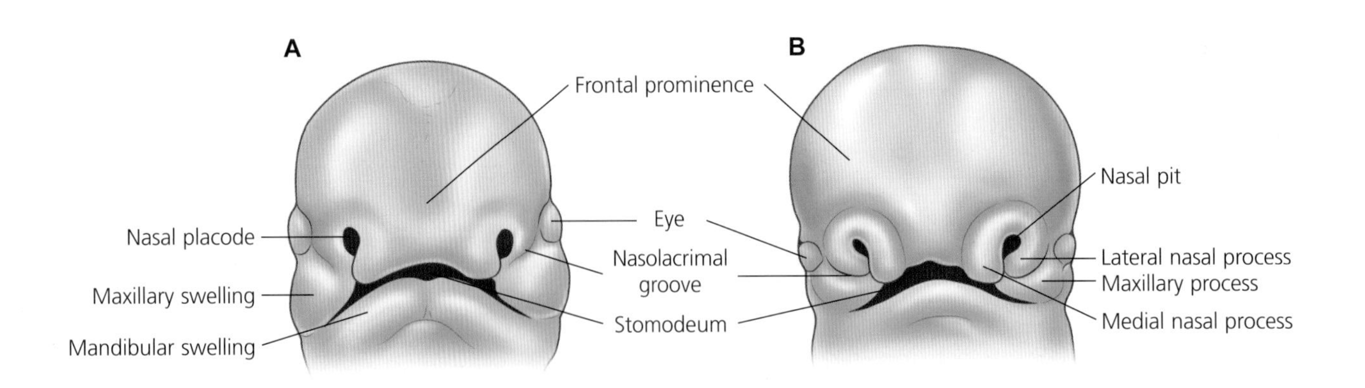

그림 17-1 구순 및 구개부의 발생.
A: 발생 4주째 B: 6주째. 태아의 발생과정 중 여러 돌기들 간 융합 실패로 인해 구순, 구개열 및 안면열 등이 발생할 수 있다.

연골의 성장이 촉진되어 하악골이 전방으로 전진되면서 구강저가 깊어지고 구비강을 채우던 혀는 아래로 떨어지면서 전방으로 길어진다. 이에 따라 태생 7주경에는 이차구개가 유합될 수 있다.

(2) 초기 태아 성장기(early fetal development) 성장

이 시기(태생 9-12주)에 연골두개의 중앙부는 합쳐지고 전두개저와 후두개저 사이의 각도는 안정화된다. 안면부에서는 폭이나 높이에 비해 전후방(시상면)으로 성장이 주로 일어나기 때문에 상악골, 하악골과 혀의 전후방 성장이 두드러진다. 상하악골의 급속한 전방성장은 두부의 위치를 들어 올리고 두개저와 상하악골이 이루는 각도를 크게 증가시킨다. 안정된 두개저 각도는 임신 2, 3분기에도 계속 유지되고, 출생 후 청소년기에 이르기까지 증가하지 않는다.

(3) 임신 2, 3분기 성장

임신 2, 3분기 중의 두개안면부 성장은 이전 시기의 급속한 발생, 분화와는 다른 양상을 보이고 전체적으로는 비례적 확대성장(isometric growth)을 나타낸다. 두개저는 안면보다 일찍 성숙되어 악안면기형의 진단-치료에 필요한 참고점이 된다.

한편, 이 시기에서는 배아기, 초기 태아기와 달리 안면의 성장이 주로 좌우 폭 및 위아래 높이 방향으로 일어나 얼굴의 전후방 크기와 균형을 이루게 된다. 또 이 시기의 안면골 성장속도는 두개골과 보조를 맞춰 진행된다. 반면, 출생 후에는 안면골 성장이 두개골보다 상대적으로 빨라지게 된다.

(4) 두개안면부 성장의 진화론

모든 동물의 발생 초기에는 유사한 분화과정을 거치지만 발생이 진행됨에 따라 종마다 독특한 성장양상을 나타낸다. 특히 인간에서는 직립 자세를 유지하게 위한 형태학적, 기능적 적응이 신체의 모든 부위에서 일어난다. 그중 머리가 똑바로 서기 위해서는 발생과 성장과정 모두에서 두개부, 안면부 및 경추부가 각기 적절한 위치로 배열되어야 하고, 기능적으로 두경부의 근육 건막체계(musculoaponeurotic system)가 두개안면부와 경추부 사이의 장력 평형을 이루도록 해야 한다.

또 다른 인간 두개안면부의 특징은 뇌 용적이 크게 발달한 것으로 이에 따라 두개저가 각을 이루며 휘어지고 전두엽이 발달하면서 중안면부가 하방으로 회전되도록 하여 전두개저 하방에 위치하도록 한다. 또 직립자세를 유지하기 위해서는 경추가 만곡되고 두부는 뒤쪽으로 기울이게 되는데, 이때 경추의 만곡도는 두부 위치의 평형상태와 시야 확보를 함께 만족시키는 위치에서 결정된다.

따라서 두개안면부의 성장패턴은 기능적 요구와 밀접하게 관련되어 있고, 기능적 요구와 두부, 안면부, 경추부의 각 영역 성장은 서로 영향을 미치는 동적 평형관계에 있게 된다.

2) 출생 후 두개안면부의 성장

출생 후 두개안면부의 성장에 있어 가장 중요한 점은 단위 골격 간의 상대적인 이동이고, 이러한 이동에 의해서 성장과정 동안 두개안면부 골격계의 평형이 유지된다는 것이다. 보통 두개안면부 성장은 두개부(두개관 및 두개저), 중안면부, 하안면부로 구분하여 이해하는 것이 일반적이다. 이 중 두개부는 가장 먼저 성장이 완료되고 안면부의 성장패턴 결정에 중요한 역할을 한다. 또 두개부의 성장은 뇌용적의 증가에 크게 의존하고 골격계는 하나의 단위로 작용하여 뇌를 둘러싸고 보호하고 지지하는 역할을 한다.

(1) 두개 성장

① 두개관

태생기의 왕성한 성장으로 출생 시 이미 60% 정도의 성장이 완료되며 출생 2년 후에는 87%까지 성장하고 이는 출생 초기 뇌 용적의 급속성장과 직접적인 관련을 가진다. 출생 전 각각의 두개골은 봉합에 의해 서로 연결되고 출생 후에는 봉합성장(sutural growth)에 의해 성장한다. 그러나 두개관을 이루는 각 봉합부위에서의 골침착과 성장 속도는 서로 다르기 때문에 성장이 완료된 시기의 두개골은 출생 초기와 다른 형태를 보인다.

② 두개저

전두개저는 조기 성장하여 8세경 성장이 완료되고 후두개저는 연골결합(synchondrosis)이 출생 초기에 골화되어 안면부 골격성장의 주춧돌이 된다. 접형 후두 연골결합(spheno−occipital synchondrosis)과 전두동(frontal sinus)을 포함하는 전두골은 사춘기까지 계속적인 성장을 하고 개인마다 서로 다른 성장형태를 보인다.

(2) 중안면 성장

출생 전 안면부 성장이 두개부의 주도적 성장에 보조를 맞추는 양상이라면, 출생 후에는 두개부보다 안면부 성장이 더 활발한 성장을 보이게 된다. 중안면부의 전방 및 측방의 성장은 주로 막성봉합(membraneous suture) 성장에 의한 상악골 위치 이동과 부가적인 골 침착에 의해 일어난다.

중안면부의 성장은 방향에 따라 전두동 하방에서 전후 방향의 성장을 주도하는 변위(translation), 수직방향의 신장(elongation), 전두골에 매달려있는 상부에 대해 하부가 전하방으로 성장하면서 이루어지는 회전(rotation)으로 나뉠 수 있다(그림 17-2).

또 중안면부는 일반적으로 하방 이동하지만 유아에서 성인으로 성장할수록 안와저보다 비저부(nasal floor)의 하방 이동이 뚜렷하다. 이는 성장하면서 안구의 크기가 커짐에 따라 안와 자체의 용적이 증가하면서 변화에 적응하지만, 성장하면서 호흡량이 증가함에 따라 비강도 커져야 하기 때문에 비저부가 하방 이동하기 때문이다.

(3) 하안면 성장

하악골은 다른 두개안면골과 분리되어 허공에 떠 있는 하나의 독립적 골격이라고 할 수 있고, 근육을 비롯한 주위조직에 의하여 두개안면부 및 경추와 연결된다(그림 17-3). 또 하악골은 출생 후부터 성인에 이르기까지 호흡, 발음, 저작기능을 끊임없이 하기 때문에 성장 역시 이러한 기능에 영향을 받는다.

특히, 하악골은 두개안면 복합체 중 출생 후 가장 강력한 성장 잠재력을 가지고 있으며, 하악체는 골내막성 골형성을 통해서, 하악과두부는 연골성 골형성을 통해 성장하게 된다.

하악골의 전체성장은 상악골과 마찬가지로 두개저를 기준으로 전하방으로 진행되지만 그 성장의 양과 방향은 사람마다 모두 다르다. 예를 들어 하악골의 길이는 두개의 다른 성장단위들(과두부, 하악체부)의 독립적인 성장의 결과로 증가하고 두 성장단위에서의 성

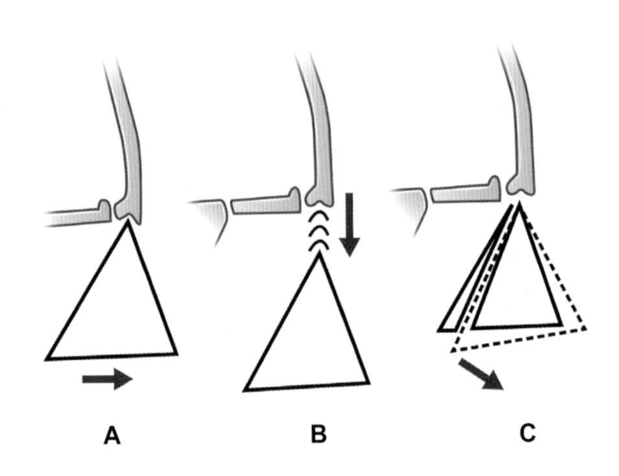

그림 17-2 중안면부의 성장은 그 방향에 따라 전후 방향의 변위(A), 수직방향의 신장(B), 전하방으로의 회전(C) 세 가지 성장방향을 가진다.

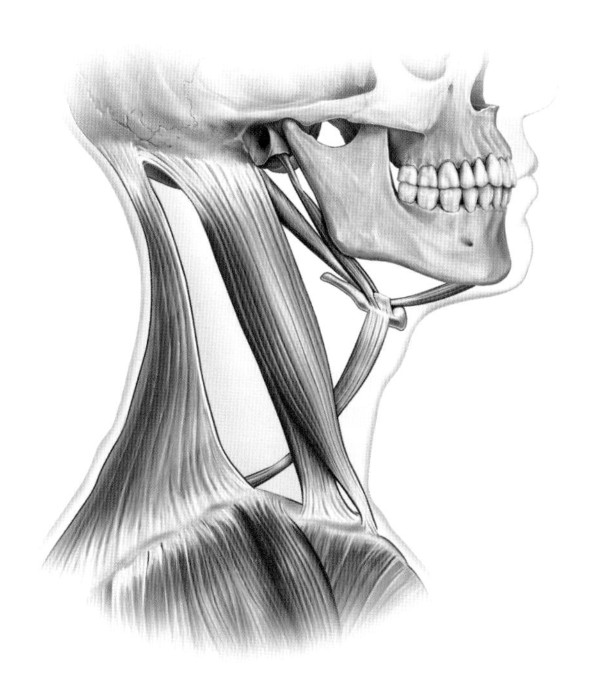

그림 17-3 하악골의 위치는 후방으로는 목 근육, 전방으로는 저작근 및 상설골근에 의해 평형을 이루는 위치에서 결정되며, 하악골의 성장 역시 하악골과 직접 또는 간접적으로 연결되어 있는 근육들의 영향을 받으며 이루어진다.

장은 그 양이나 방향이 서로 달라 하악골의 길이와 형태, 후방 또는 전방회전의 정도에 있어서 사람마다 다양한 변이를 보이게 되는 것이다.

2. 악안면기형에 기여하는 요인

1) 유전적 요인 및 환경적 요인

정상적인 두개안면부 성장으로부터 악안면기형으로 전환되는 일련의 발생기전은 유전적 요인과 환경적 요인의 상호작용에 의해 야기된다. 두개안면부 성장 과정에서 유전적, 환경적 요인이 미치는 영향은 그 양상이 매우 복잡하다.

역사적으로 다양한 성장이론들이 대두되어 왔고 1960년대 이전까지는 두개안면부의 골성장은 내재된 유전정보에 주로 의존한다는 이론이 강조되었다. 특히, 골조직이 내적 유전정보에 의해 성장한다고 하였고, 연골 및 골막을 중심으로 연골결합과 봉합의 성장을 중요시했지만 무엇보다도 유전적 요인을 지배적인 요소로 보았다.

하지만 Moss는 골격형성 활동이 유전적 요인보다는 기능적 기질(functional matrix)에 기본적으로 의존하고 기능적 요구가 성장에 필요한 힘을 제공한다는 이른바 기능적 기질이론을 제시하였다.

두개안면부의 성장에 관한 유전적, 환경적 영향에 대한 기전은 아직도 명확히 밝혀지지 않았지만, 대체적으로 인정되는 하나의 결론은 두개안면부의 어떠한 성장도 단일한 유전정보에 의해 결정되지 않는다는 것이다.

최근 인간 유전체 지도의 완성, 고효율의 분자진단기구의 개발, 분자유전학의 발달로 악안면기형, 특히 선천성 기형이 두개안면부, 구강 그리고 치아구조물의 발육에 관여하는 유전자기능에 영향을 미치는 염색체 이상(chromosomal abnormality)과 특정 유전적 돌연변이(mutation)가 알려지게 되었다.

분자유전학적인 분석결과에 의하면 특정 유전자의 돌연변이나 염색체 이상이 치아 및 구강악안면 영역의 발육에 영향을 미치는 유전자의 기능에 영향을 미친다고 보고되었다. 예를 들어 관골형성부전과 하악골 과두의 발육부전 등 다양한 안면기형을 나타내는 Treacher Collins 증후군의 경우 염색체 5q32-33에 위치하는 TCOF1 유전자의 돌연변이와 관련된 것으로 밝혀지고 있다.

악안면기형 중 선천성 기형 일부는 그 유전적 요인에 의한 영향이 잘 밝혀진 경우들이 있지만, 발육성 기형이나 나머지 선천성 기형을 가진 악안면기형 환자에서 유전적 성향을 명확히 규명하기에는 아직 한계가 있다. 예를 들어 제2, 3급 부정교합자의 경우 치열이나 교합이 치아의 크기, 위치, 골격형태에 직접적인 영향을 받을 뿐만 아니라, 손가락 빨기와 같은 기능적 요인이나 주위 연조직 등이 함께 영향을 미칠 수 있기 때문이다.

2) 악안면 기능

시각, 청각, 호흡, 저작, 발음과 같은 악안면부위에서의 기능이 악안면 성장에서 중요한 역할을 하는 것은 이미 잘 알려져 있다. 예를 들어 호흡은 성장기 아동의 악안면 성장에 지속적으로 관계되어 상악의 이동과 측방 팽창, 재형성(remodeling)의 성장과정이 비인두 기도(nasopharyngeal airway)의 체적을 증가시킨다. 사춘기의 급속한 신체성장은 호흡적 요구를 증가시켜 구조적 적응이 필요하게 되고 상악골의 변화는 이러한 생리적인 요구에 따르게 된다.

반면, 근육기능과 골성장의 관계는 명확히 설명하기 어렵지만, 저작기능의 관점에서 보면, 하악골의 관상돌기와 같은 안면골 특정 부위의 성장은 저작기능에 대단히 의존적이다. 또 구호흡이나 성장기의 구강습관도 안면부 성장에 많은 영향을 미치는 것으로 알려져 있으며 손가락 빨기는 소아기에 부정교합이 초래되는데 연관된 인자 중 하나로 보인다(그림 17-4). 하지만 이러한 인자들이 부정교합과 직접적인 인과관계를 가지는지는 확실하지 않다. 왜냐하면 손가락 빨기를 하는 많은 어린이들이 모두 부정교합을 보이는 것은 아니기 때문이다.

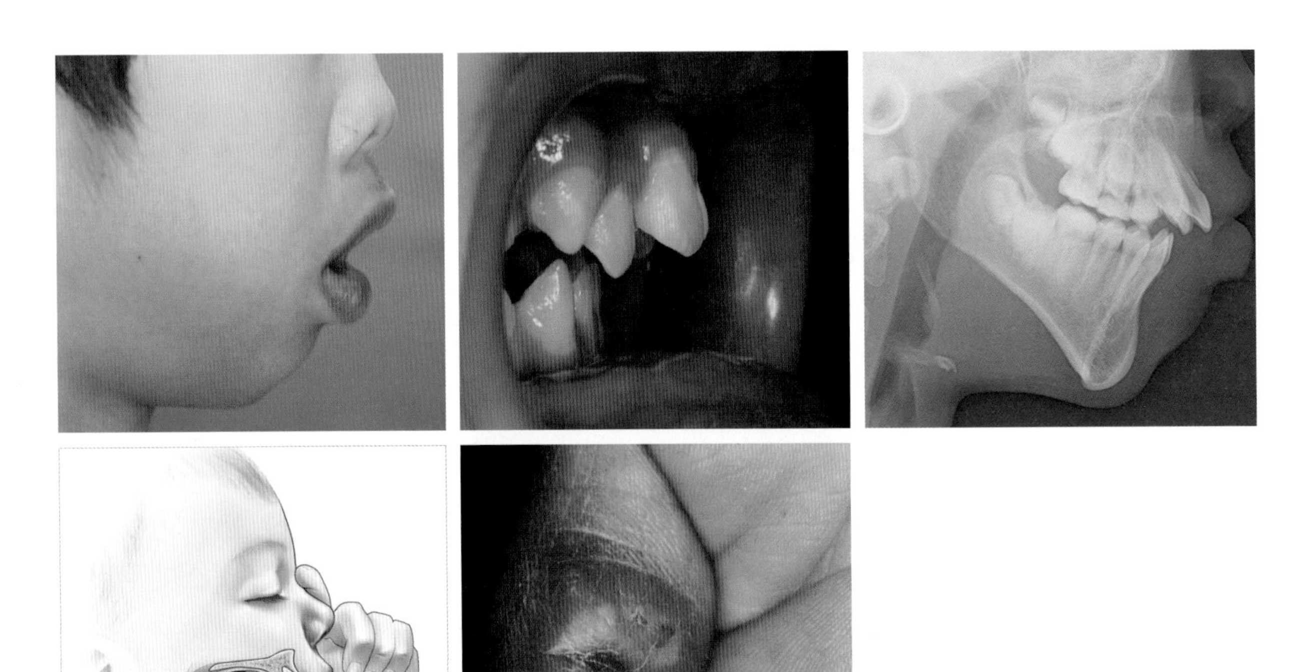

그림 17-4 성장기에 손가락 빨기 습관이 지속된 환자에게 관찰되는 개교합 및 상악 전방치아의 돌출.

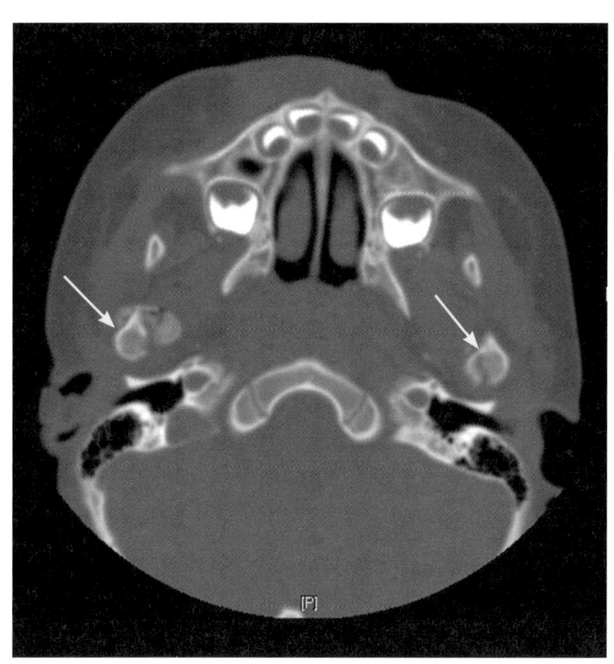

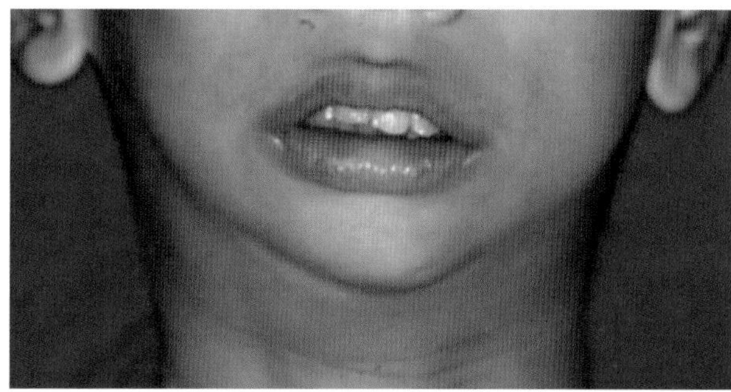

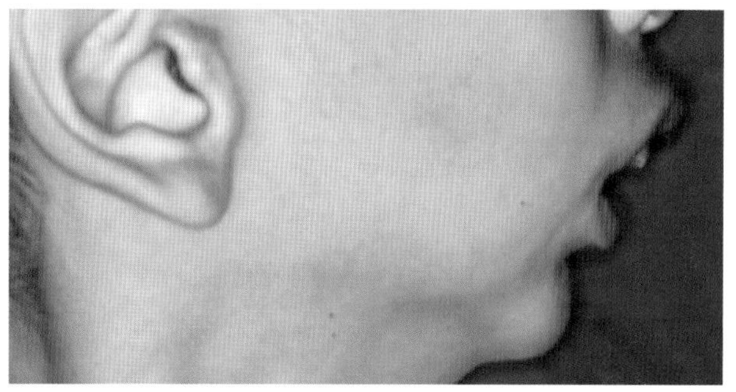

그림 17-5 3세에 하악 양측 과두와 하악 정중부 골절 후, 성장하면서 턱관절강직증이 발생하여 안모비대칭과 개구제한이 초래된 증례.

가장 흔한 부정교합의 양상은 전치부 개교증이지만 부정교합의 양상과 심각성은 악안면 성장과 관련된 신경-근육계의 적응, 습관의 지속기간 등에 따라 다양하게 나타날 수 있다. 예를 들어 구호흡 환자에서는 소아기 인두비대에 따라 좁아진 비인두강, 높고 좁은 구개, 전방으로 돌출된 상악 치조골, 증가된 하안면각 등의 안면부 형태의 특징이 함께 관찰될 수 있다.

3) 외상

성장기의 안면부 외상은 악안면부의 심한 기형을 야기할 수 있고 미세외상(micro-trauma)과 거대외상(macro-trauma)이 모두 포함된다. 이 중 미세 외상은 교합 부조화 등에 의한 충격이 반복적으로 과두부에 전달될 때 발생할 수 있다.

또 거대외상은 교통사고나 넘어지는 과정에서 발생한 충격이 하악과두부에 전달되며 생기는 손상으로 적극적인 치료와 장기적인 관찰을 해야 안모비대칭과 손상측 하악골의 열성장 등을 피할 수 있다. 심한 경우 관절의 골성 또는 섬유성 유합으로 개구제한을 비롯한 기능제한과 하악과두 연골의 성장제한이 일어나 악안면부 전체 성장의 변화와 기형을 유발할 수 있기 때문이다(그림 17-5).

II. 악안면기형의 평가와 진단

1. 악안면기형의 평가

악안면기형 환자의 치료계획을 설정하기 위해서는 개인의 전신적, 사회심리적 평가와 함께 두개안면부의 형태 및 기능에 대한 평가가 필요하다.

1) 전신 평가

악안면기형 환자에 대한 교정 및 수술치료를 위해서는 전신적 평가가 반드시 필요하다. 특히 심혈관계, 내

분비계, 혈액, 신경계 및 알레르기에 대한 병력파악 및 임상병리 검사가 필요하다. 전신마취가 필요한 경우 전문의에게 의뢰하여 외과적 수술을 비롯한 제반 치료에 대한 위험을 미리 예측하고 후유증의 가능성을 줄여야 한다. 또 선천성 기형 환자에서는 선천성 기형과 관련된 증후군에 대한 면밀한 검사와 병력 파악이 필수적이다.

청소년기 류마티스관절염(juvenile rheumatoid arthritis)과 같은 특이 퇴행성질환의 경우, 성장과정에서 악안면기형이 대부분 나타나며, 이에 대한 악교정 수술이 오히려 증상을 악화시킬 수 있으므로 정확한 진단과 치료계획이 수립되어야 한다.

2) 사회심리 평가

유아기에서 청소년기에 이르는 자아확립 과정에서 개인의 신체에 대한 긍정적 또는 부정적 인식은 각기 다른 사회화 결과에 이르게 한다. 악안면기형 환자들의 자아관과 사회인식도 이런 사회화의 산물이란 점을 기본적으로 인식해야 한다. 그리고 악교정수술을 통해 얻어지는 얼굴 모습, 기능의 변화는 개인의 사회적 기대치와 인식에 커다란 변화를 가져오기 때문에 본인의 안모 평가, 치료동기와 기대를 미리 평가해야 한다. 환자가 너무 비현실적인 기대를 가지고 있다면 객관적으로 수술의 결과가 훌륭하여도 환자에게는 실망스러운 결과가 될 수 있기 때문이다.

또 수술을 비롯한 치료의 전 과정이 사진 등으로 충분히 설명되어 환자를 이해시키고, 환자의 부모나 친구들을 통해 수술 후 환자가 긍정적인 자기인식을 갖도록 도와야 한다. 그리고 궁극적인 치료목표가 심미, 기능회복 모두에 있다는 점을 명확하게 하여야 환자가 치료의 목표와 한계를 잘 이해할 수 있게 된다.

3) 구강 평가

전반적인 구강 평가는 필요한 치과치료, 시기 및 예후를 결정하는 데 중요하다. 불량한 구강위생상태를 보이는 환자는 교정-외과 수술 전에 구강건강을 회복시켜야 한다. 우식증이나 치근단 병소가 있을 경우 미리 치료받도록 하고 치과 보철물의 상태도 면밀히 평가되어야 한다. 치료계획을 변경시키거나 수술 후 교합변화를 야기할 수 있는 모든 요소들이 철저히 평가되어야 한다.

(1) 치주 평가

급성 치주질환이나 부적절한 부착치은은 교정-외과 치료 전에 치료되어야 한다. 교정치료나 수술이 현존하는 해부학적 구조를 현저하게 변화시킬 수 있기 때문에 치은절제술, 치은성형술이나 치조골이식술과 같은 치주수술은 교정-외과수술 후로 연기하는 것이 좋다. 교정적 치아이동이나 외과적 분절 골절단술이 시행되는 부위는 치료에 의해 치주조직에 외상이 크게 가해지므로 치주질환의 이환 정도와 부착치은의 상태를 면밀히 평가해야 한다.

(2) 교합 평가

교합의 기능적인 평가를 위해서 중심교합위(centric occlusion, CO)와 중심위(centric relation, CR) 간의 차이와 치아의 마모도를 주의 깊게 관찰해야 한다. 많은 제2급 부정교합 환자와 안모 비대칭 환자들에서는 습관성 교합위를 보일 수 있어 유의해야 한다. 평탄하지 않은 교합평면은 수술 전에 교정되어야 하고 교정 후의 교합상태도 수술 후의 회귀를 방지하기 위해 고려해야 한다.

(3) 치열 및 악궁 평가

악안면 골격, 치열의 중심선과 안모 중심선 사이의 관계를 기록하고 악궁의 형태, 대칭성, 상실치아, 과맹출치아, 교합평면을 관찰한다. 악궁간 관계에서는 견치 및 대구치의 교합관계, 전치부 피개정도, 반대교합을 평가해야 하고 제2, 3급의 교합관계에서 제1급 교합관계로 변경되는 수술의 경우 횡적 관계(transverse relation)를 상하악 치열모형에서 평가해야 한다.

(4) 혀

거대설(macroglossia)은 하악 전돌증 환자에서 흔히 발견되지만 하악골 성장과의 인과관계는 분명하지 않다. 그러나 거대설에 의한 발음장애가 확인된 경우는 설 부분절제술로 발음 개선을 기대할 수 있다. 또 혀의 부분절제술이 계획될 경우 언어치료사에 자문 의뢰하는 것이 좋다.

악안면기형에 미치는 혀의 영향을 평가하기 위해서는 혀의 크기뿐 아니라 위치도 함께 고려해야 한다. 악교정수술 후 하악골과 설골 그리고 인후두부 연조직에 의해 변화된 혀의 위치는 악골의 회귀 현상에도 영향을 미칠 수 있다.

4) 악관절 기능 평가

교정-외과적 수술치료를 시작하기 전 측두하악관절에 대한 평가는 치료 중이나 치료 후 발생할 수 있는 문제를 예측하는 데 중요하다. 그리고 악관절에 대한 기본검사에는 하악운동, 악관절의 자각, 타각증상에 대한 평가로 나눌 수 있다.

전체 인구의 70-80%에서 측두하악 관절잡음을 들을 수 있는 사실은 널리 알려져 있다. 따라서 이것이 악관절내장증(internal derangement)에 의한 것인지를 감별할 필요가 있다. 그 외에도 closed lock, open lock의 경험이 있는지, 관절마찰음(crepitus)이 있는지를 파악하여 악관절장애를 확인해야 한다. 이러한 진단의 결과를 바탕으로 악교정수술 전에 악관절내장증에 대한 치료를 하는 것이 추천된다.

악관절질환의 직간접 원인으로 외상, 스트레스, 부정교합의 양상 등이 거론되어 왔다. 악안면기형 환자에서도 악관절장애는 기형에 의한 기능적 부조화에 영향을 받기 때문에 관절 원판-과두의 위치관계를 개선하거나 유지할 수 있도록 교정-외과치료가 이루어져야 한다.

5) 호흡 평가

악안면 기능 중 호흡은 두개악안면부 성장에 큰 영향을 미친다. 상호작용적으로 악안면기형에서 골격의 형태와 근-골격계의 관계가 환자의 호흡기능에도 매우 중요한 영향을 미치게 된다. 특히, 수면무호흡증(sleep apnea)은 상기도의 저항성 증가 혹은 기도폐쇄가 원인이 되어 수면 무호흡, 호흡장애가 나타나는 증상으로 이로 인해 고혈압, 수면중 심장연관 급사, 포도

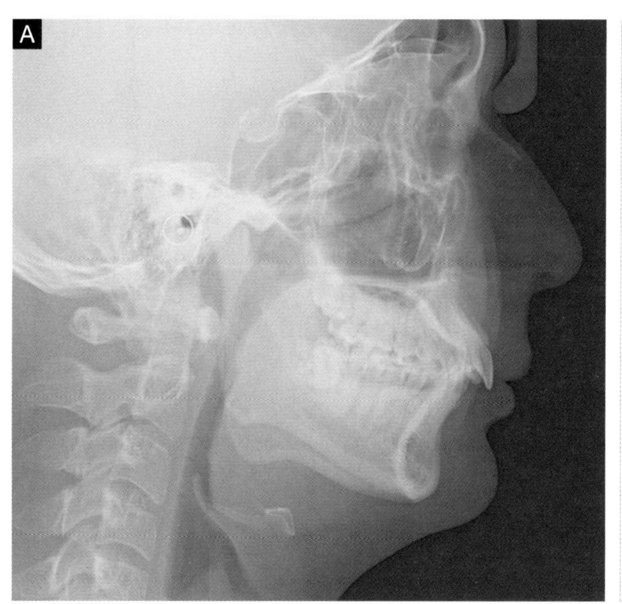

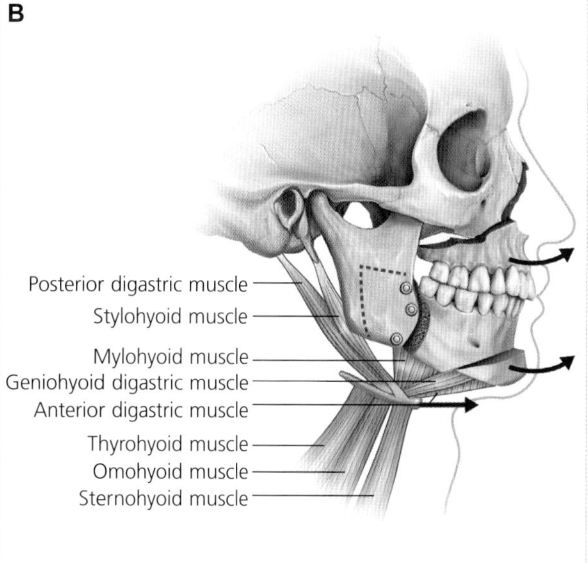

그림 17-6 수면무호흡증 환자의 방사선사진(A), 수면무호흡증을 개선시키기 위한 상하악 전진술 및 관련된 근육(B).

당 대사이상, 낮 동안의 과도한 졸림, 일상생활의 어려움 같은 문제점을 야기할 수 있다.

하악후퇴증(mandibular retrognathia), 악골왜소증(micrognathia)과 같은 두개악안면기형의 해부학적 조건이 수면무호흡을 일으킬 수 있는 주요한 요인 중 하나이므로 치료 전 이에 대한 검사 및 평가가 필요하다. 또한 증상이 있는 환자의 경우, 연조직 수술 또는 이부성형술(genioplasty), 상하악전진술(maxillomandibular advancement)과 같이 기도공간 자체를 확장시켜 주는 골격수술이 치료계획에서 고려되어야 한다(그림 17-6).

2. 악안면기형의 진단

1) 얼굴형태 분석

얼굴형태 분석은 환자가 자연스럽게 머리와 척추의 각도를 유지하면서 하악 안정위 상태에서의 정모, 반측모, 측모 및 치아가 보이도록 웃을 때의 정모를 관찰하고 시진, 촉진 등을 통한 임상검사를 통해 이루어진다(그림 17-7). 골격의 전체적인 외형과 연조직의 형태, 대칭, 고경, 돌출도 및 비율 등을 분석한다.

(1) 정모 분석

정모 사진 및 임상검사를 통해 안모의 대칭, 균형, 형태를 분석한다(그림 17-8). 전체적인 안모의 형태를 확인한 후, 좌우측 대칭을 검사하고 상부, 중부, 하부안면의 수직적 비율을 검사한다. 입술을 다문 상태와 웃을 때를 비교하면서 상순의 이동에 따른 상악 전치와 치은의 노출도를 평가한다(그림 17-9).

① 상안면(upper face)

머리 선(hairline)에서 눈썹까지를 말하며, 두개골의 형태가 대칭적인지 살펴보아야 한다. 이 부위에서의 기형은 흔히 두개안면부기형 증후군과 관련이 있으며 발육성 악안면기형 환자에서는 일반적으로 정상이다.

② 중안면(midface)

눈썹에서 비하점(subnasale)까지를 말하며, 눈, 코, 뺨, 귀의 대칭을 평가한다. 눈의 내안각 거리(intercanthal distance), 동공사이거리(interpupillary distance)를 측정하고 내 · 외 안각(inner & outer canthi)의 수직적 대칭을 평가한다. 이 선이 기울어져 있을 경우 하안면부에서의 수직적 대칭 평가에 영향을 미친다. 코의 형태와 대칭성은 미간(glabella), 비배첨부(dorsal tip), 비익 기저부(alar base)로 나누어 살펴보아

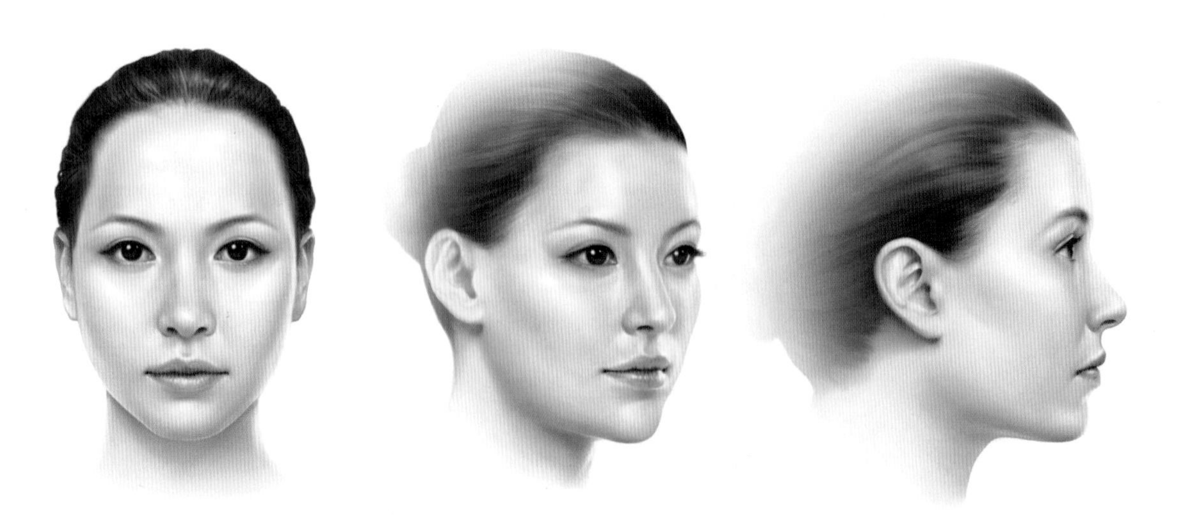

그림 17-7 안모 분석을 위한 환자의 정모, 반측모, 측모 모습.

야 한다. 정상적인 비익 기저부 폭은 내안각 거리보다 약간 좁다. 빰 부위의 대칭성은 정면뿐 아니라 위나 아래 방향에서 관찰하고 촉진해 보는 것도 필요하다.

③ 하안면(lower face)

비하점에서 턱끝점(menton)까지를 말한다. 정상적인 중안면과 하안면의 수직고경 및 하안면 내에서의 수직고경 비율을 분석한다. 입술은 안모 전체의 심미성에 중요한 영향을 미치므로 다물고 있을 때와 움직일 때를 비교하면서 평가되어야 한다. 안모의 중심선과 치아의 중심선이 불일치하는 경우 상악과 하악중 어느 부위가 얼마만큼 차이가 있는지 확인하여야 한다. 이부는 대칭성과 수직비율, 형태를 살펴야 한다. 하악각 부위의 좌우 대칭성을 확인하고 형태적으로 전체 안모와 비교하여 외측으로 튀어나와 있는지, 부족해 보이는지를 평가해야 한다.

(2) 측모 분석

측모 역시 상, 중, 하안면의 세 부분으로 나누어 분석하는데, 악안면기형 분석에서 주로 대상이 되는 것은 중안면과 하안면이다. 중안면은 코, 빰 부위를 관찰한다. 빰과 안구와의 상대적인 위치와 형태를 관찰하고 중안면 부위의 성장을 평가한다. 특히, 하악골이 전돌되어 있고 과교합되어 있는 경우 정상 중안면도 위축된 것처럼 보이므로 하악골은 안정위에 두고 평가하여야 한다.

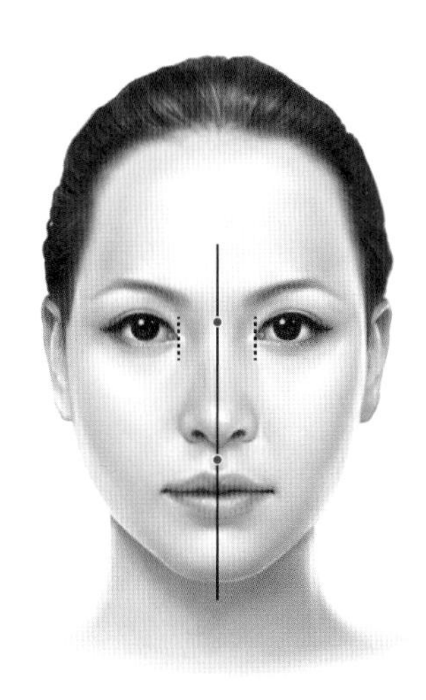

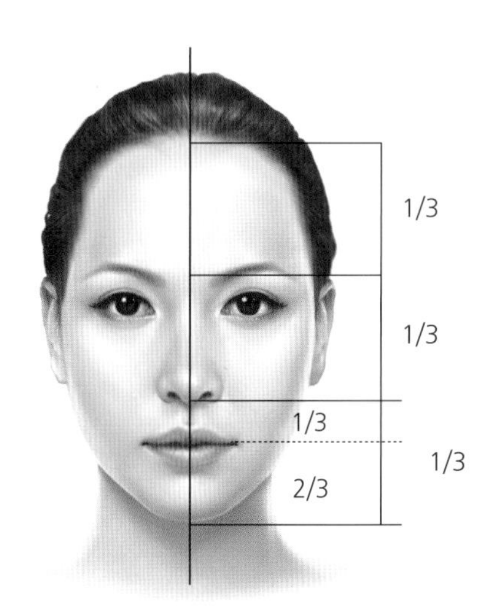

그림 17-8 **정모 분석.** 안모의 대칭, 균형, 비례, 전체적인 외형을 평가한다.

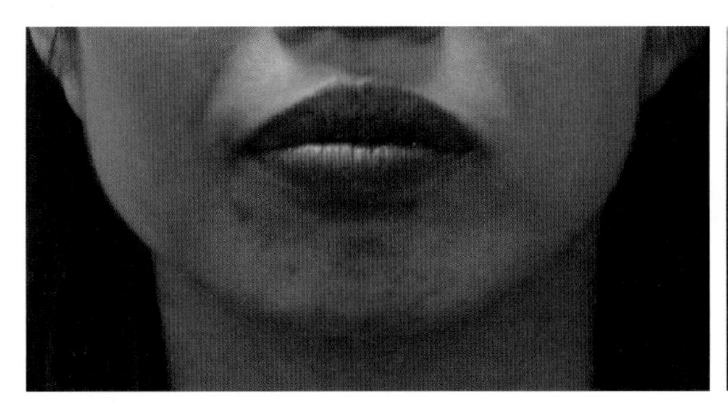

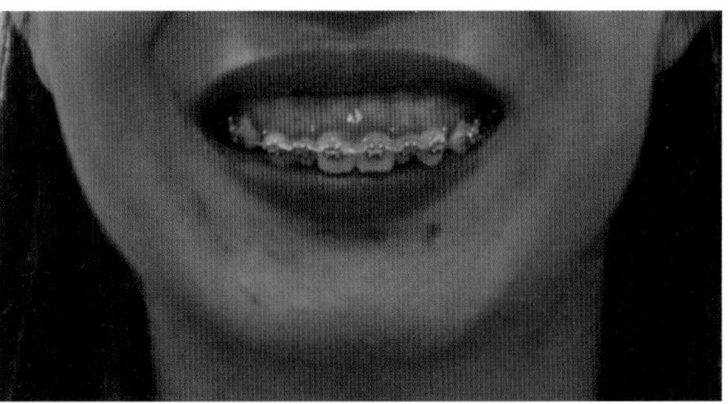

그림 17-9 입술을 다문 상태와 웃을 때를 비교하여 상악 전치와 치은의 노출도를 평가한다.

하안면 분석에서는 입술의 외형과 돌출도, 비순구(nasolabial fold)와 순이구(labiomental fold), 턱의 돌출도가 과한지 부족한지, 턱에서 경부(neck–chin area)까지 이어지는 외형을 평가한다(그림 17-10).

2) 방사선사진 분석

(1) 파노라마사진 분석

파노라마사진은 치아 및 치주병변을 파악하고 매복치의 유무 및 위치를 관찰하기 용이할 뿐만 아니라 하악골의 길이나 형태, 비대칭을 파악할 수 있다. 또 하악지의 폭과 형태, 하악과두의 크기와 형태 및 하치조신경관의 주행방향을 평가하는 데 유용하다(그림 17-11).

(2) 정모 두부계측방사선사진 분석

정모 두부계측방사선사진은 안모 비대칭 평가에 유용한 도구이며 임상적 관찰, 정모 사진과 연계해서 분석하는 것이 좋다. 골격의 정중선과 치아의 정중선, 연조직의 정중선은 각기 다를 수 있고 정모 두부계측방사

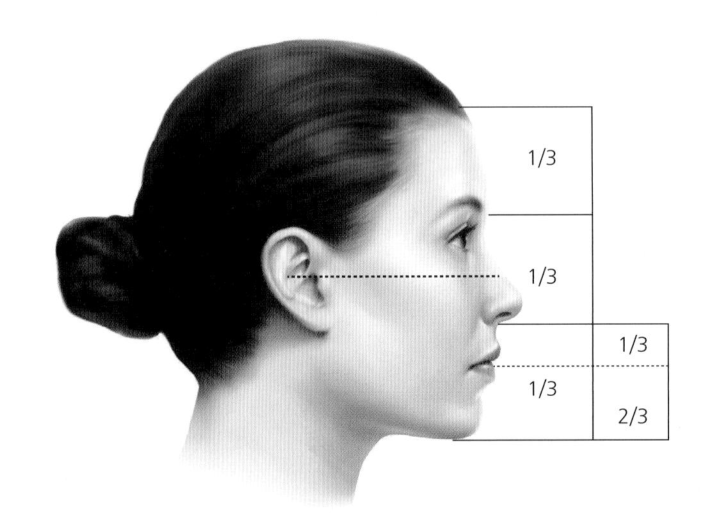

그림 17-10 측모 분석. 코의 고경, 입술의 외형과 돌출도, 비순구와 순이구의 형태, 턱의 돌출도를 평가한다.

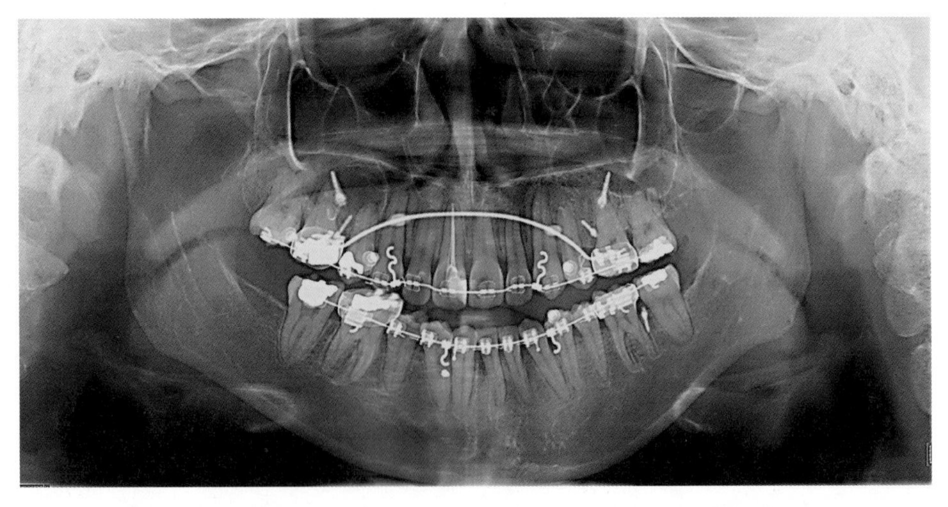

그림 17-11 파노라마사진 분석. 안모비대칭 환자의 파노라마방사선사진으로 좌, 우 하악과두부위의 길이가 다르며, 상악 치열 정중선과 하악치열의 정중선이 일치하지 않는 것이 관찰된다.

선사진에서의 두개 정중선과 상악골, 하악골 이부에서의 정중선 편위 정도가 각각 다를 수 있으므로 주의 깊게 관찰해야 한다. 정중선과 함께 좌우 대칭성도 관찰해야 한다. 상악골 폭경의 좌우 차이가 있는지, 하악골의 크기가 비대칭적인지, 하악각의 풍융도가 대칭적인지 살펴야 한다. 또 수직 관계도 이상이 없는지 알기 위해 상악 골체부와 구치부, 하악각에서의 좌우 높이 차이를 평가해야 한다. 최근에는 전산화단층촬영(computed tomography, CT)을 이용한 3차원 영상을 이용해 안모 비대칭을 분석하고 수술계획을 많이 세우고 있어서 정모 두부계측방사선 사진보다 3차원(3-dimensional, 3D) CT 영상의 중요성이 강조되고 있다(그림 17-12).

(3) 측모 두부계측방사선사진 분석

측모 두부계측방사선사진은 악안면기형을 정량적, 정성적으로 분석하고 분류하고 정보를 교환할 수 있는 도구로써 오랫동안 사용되어 왔다. 측모 두부계측방사선사진 분석은 안면의 발육과 성장을 계측하고 치아, 악골 및 안면의 변화를 측정하는 데 유용한 방법이다.

또한 측모 두부계측방사선사진은 안모 개선을 예측

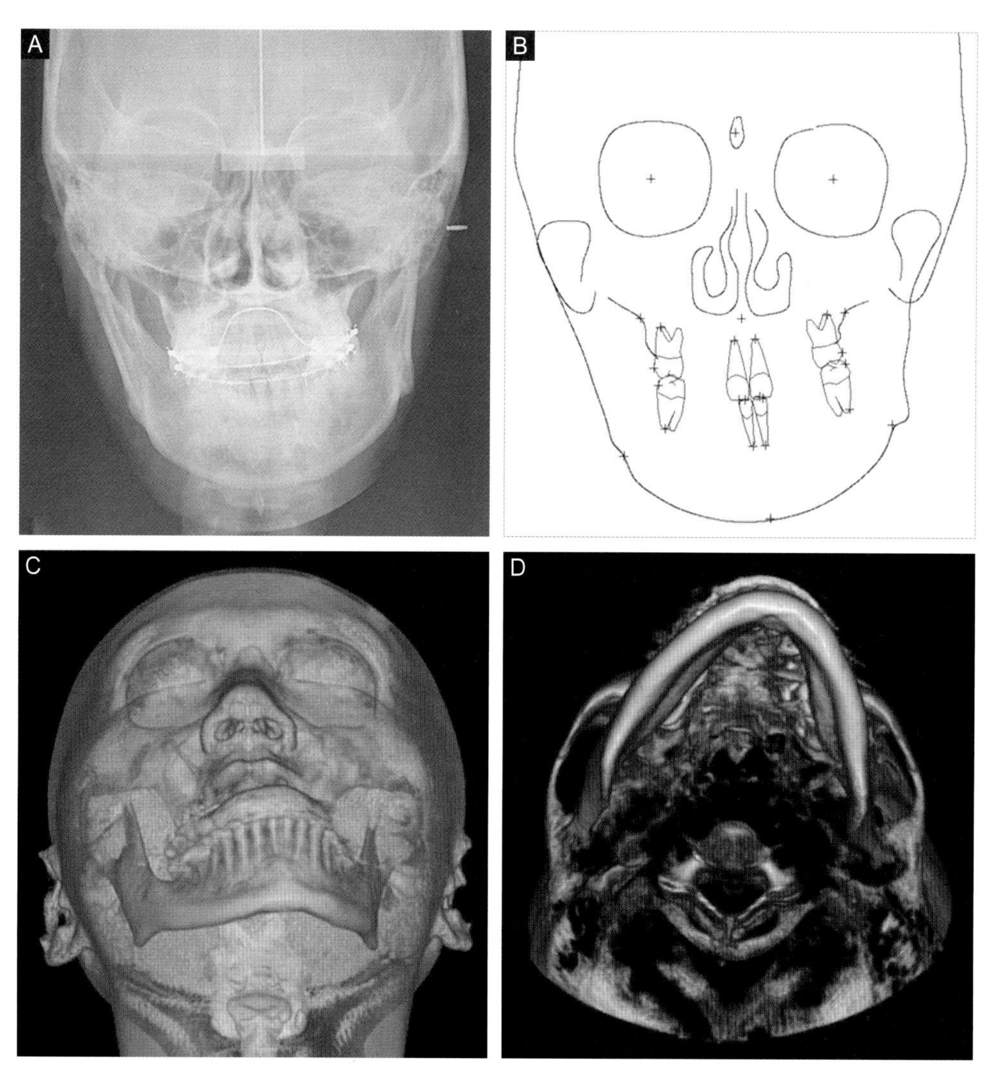

그림 17-12 **A, B:** 안모 비대칭 평가의 기본적인 평가에 유용한 정모 두부계측방사선사진 분석 **C, D:** 안면비대칭에 대한 3차원적인 비대칭 분석이 가능한 3D CT 영상.

하고 교정-발치를 결정하는 등 치료계획 수립에 필수적이다. 하지만, 측모 두부계측방사선사진으로 얻어진 수치만으로 치료계획을 세워서는 안 된다. 왜냐하면, 많은 증례에서 보여주듯이 방사선사진 계측상의 수치가 평균치에서 벗어나 있어도 모두 교정될 필요가 있는 것은 아니며 중요한 것은 방사선사진과 안모사진, 치열모형, 3D CT 등의 자료를 모두 종합하여 환자의 전체적인 안모 균형과 기능개선을 위해 치료계획이 수립되어야 한다는 것이다.

현재 다양한 측모 두부계측분석방법과 이를 반영한 컴퓨터계측 프로그램을 이용하여 술자는 각 환자 상태에 알맞은 분석방법을 선택, 조합하여 분석결과를 도출할 수 있다.

① **계측점**(그림 17-13)

- S (Sella): sella turcica의 중점
- N (Nasion): frontonasal suture의 최전방점
- Or (Orbitale): bony orbit의 최하방점
- Po (Porion): 외이도(external auditory meatus)의 최상방점
- Ar (Articulare): 후두개저(posterior cranial base surface)와 하악과두 후방면(condylar head or neck)의 교차점
- ANS (Anterior nasal spine): 상악골의 전비극
- PNS (Posterior nasal spine): 상악골의 후비극
- Point A (Subspinale): ANS와 상악전치 치조골 사이에서 가장 깊은 점
- Sd (Supradentale): 상악전치 치조골의 최전하방점
- UIP (Upper incisor point): 상악전치 치관 순면의 최전방점
- Is (Incision superius): 상악전치 치관첨
- UIA (Upper incisor apex): 상악전치 치근첨
- Id (Infradentale): 하악전치 치조골의 최전상방점
- LIP (Lower incisor point): 하악전치 치관 순면의 최전방점
- Ii (Incision inferius): 하악전치 치관첨
- LIA (Lower incisor apex): 하악전치 치근첨
- Point B (Supramentale): Pogonion과 하악전치 치조골 사이에서 가장 깊은 점
- Pog (Pogonion): 턱의 최전방점
- Gn (Gnathion): mandibular plane과 facial plane의

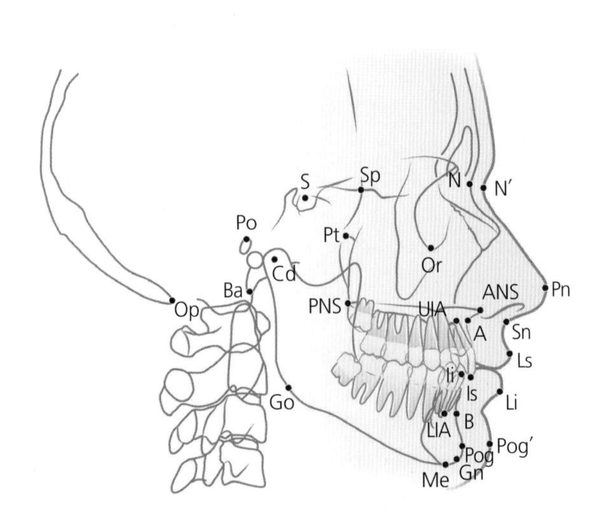

그림 17-13 측모 두부계측방사선사진의 기준점.

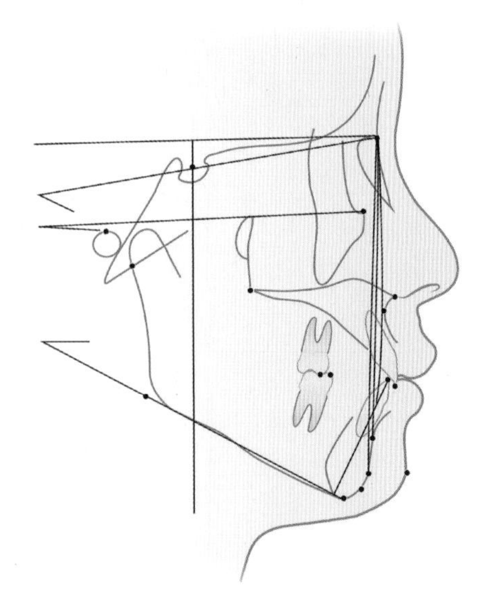

그림 17-14 측모 두부계측방사선사진의 기준평면.

이등분점, 턱의 최전하방점

- Me (Menton): 턱의 최하방점
- Go (Gonion): mandibular plane과 ramus의 이등분점

② 기준평면(그림 17-14)

- SN plane: sella와 nasion을 연결한 선으로 전두개저를 나타냄
- FH plane: orbitale와 porion을 연결한 선
- Palatal plane: PNS와 ANS를 연결한 선
- Occlusal plane: 상하악전치의 치관첨의 중간점과 상하악 제1대구치의 교차점을 연결한 선
- Mandibular plane: menton과 하악각의 최후하방점을 연결한 선
- Facial plane: nasion과 pogonion을 연결한 선
- AB plane: A점과 B점을 연결한 선으로 상하악 치조골의 전방한계를 표시
- Upper incisor axis: 상악전치 치근첨과 치관첨을 연결한 선
- Lower incisor axis: 하악전치 치근첨과 치관첨을 연결한 선

③ 계측분석(그림 17-15, 16)

부정교합 및 악안면기형의 진단을 위한 진단용 두부방사선사진 계측은 두개안면부의 크기, 형태, 위치 등을 절대적 통계 기준치에 의해 분석하는 정량적 방법과 절대 수치보다는 두개안면부의 균형, 비례관계에 의해 분석하는 정성적 방법으로 크게 구별할 수 있다.

대표적인 정량적 분석방법으로는 Downs 분석법, Steiner 분석법, Ricketts 분석법 등이 있다. 이들 분석법들은 두개안면골 내 기준점 또는 기준 평면을 설정하고 이들 사이의 길이, 각도 등을 계측해 정상인과의 차이에 따라 개인을 평가하는 방법이다.

정성적 분석방법은 두개안면부의 절대값보다는 균형, 비례관계를 중심으로 분석하며, Coben 분석법, Sassouni 분석법, Delaire 분석법 등이 있다.

악안면기형 환자 진단을 위해 다양한 분석방법들 중 적절한 분석방법을 선택, 조합할 수 있으며, 주로 사용되는 골격의 전후방적 관계 계측분석은 다음과 같다.

a. **Mandibular plane angle**: Mandibular plane과 SN plane 사이의 각으로 평균 수치는 23.5 ± 5.0°, 전방과 후방의 얼굴 길이의 차이.
  - > 23.5°: Class II 부정교합, 상악수직적 과도성장, open bite를 가지는 경향
  - < 23.5°: 수직적 성장결핍, deep bite를 가지는 경향

b. **SNA angle**: SN plane과 N, point A를 연결한 선 사이의 각으로 평균 수치는 82.0 ± 3.2°, 전방 두개저와 비교한 상악의 전후방적인 위치.
  - > 82°: 상악의 돌출
  - < 82°: 상악의 전후방적인 성장결핍

c. **SNB angle**: SN plane과 N, point A를 연결한 선 사이의 각으로 평균 수치는 79.8 ± 3.1°, 전방 두개저에 대해 하악의 전후방적인 위치.
  - > 80°: 하악이 전후방적으로 과다성장
  - < 80°: 하악성장 결핍

d. **ANB angle**: A–N과 N–B 사이의 각. 평균수치는 약 2.3 ± 1.8°, 상악과 하악 사이에서 전후방적인 부조화.
  - > 2°: Class II
  - < 2°: Class III

e. **Wits appraisal**: 두개골에 의해 영향을 받지 않음. 평균 수치는 약 −2.5 ± 2.5
  - AO와 BO점은 point A와 point B에서 교합면에 내린 수선과 교합면의 교차점. AO와 BO 사이의 측정값은 상악과 하악의 전후방적인 부조화를 나타내며, 부조화 양에 따라 교정적 치료 또는 외과적 시술의 필요성을 결정할 수 있음.
  - 남성에서 BO는 AO의 1 mm 전방, 여성에서 BO와 AO는 동일

f. **Facial angle**: Facial line과 FH 사이의 각으로 평균 82–95°. 두개골에 대해 하악의 전후방적인 위

치를 보여줌.

g. Maxillary depth

- N을 통과하는 FH에 수직인 선과 point A 간의 거리
- 평균값은 0이며 두개골에서 상악의 전후방적인 위치를 나타냄.

3) 치열모형(dental cast model) 분석

상하악 인상을 채득하여 얻은 모형분석의 주요 장점은 환자의 실제 교합관계를 재현하여 교정치료 및 수술의 가능성과 한계를 미리 예측해 볼 수 있다는 것이다.

치열모형 분석을 통해 치아 정중선, Angle씨 교합관계, 치아의 총생 및 상실, 치궁의 부조화, 치아의 협-설측 치축관계 및 경사도, 횡적 부조화 등에 대한

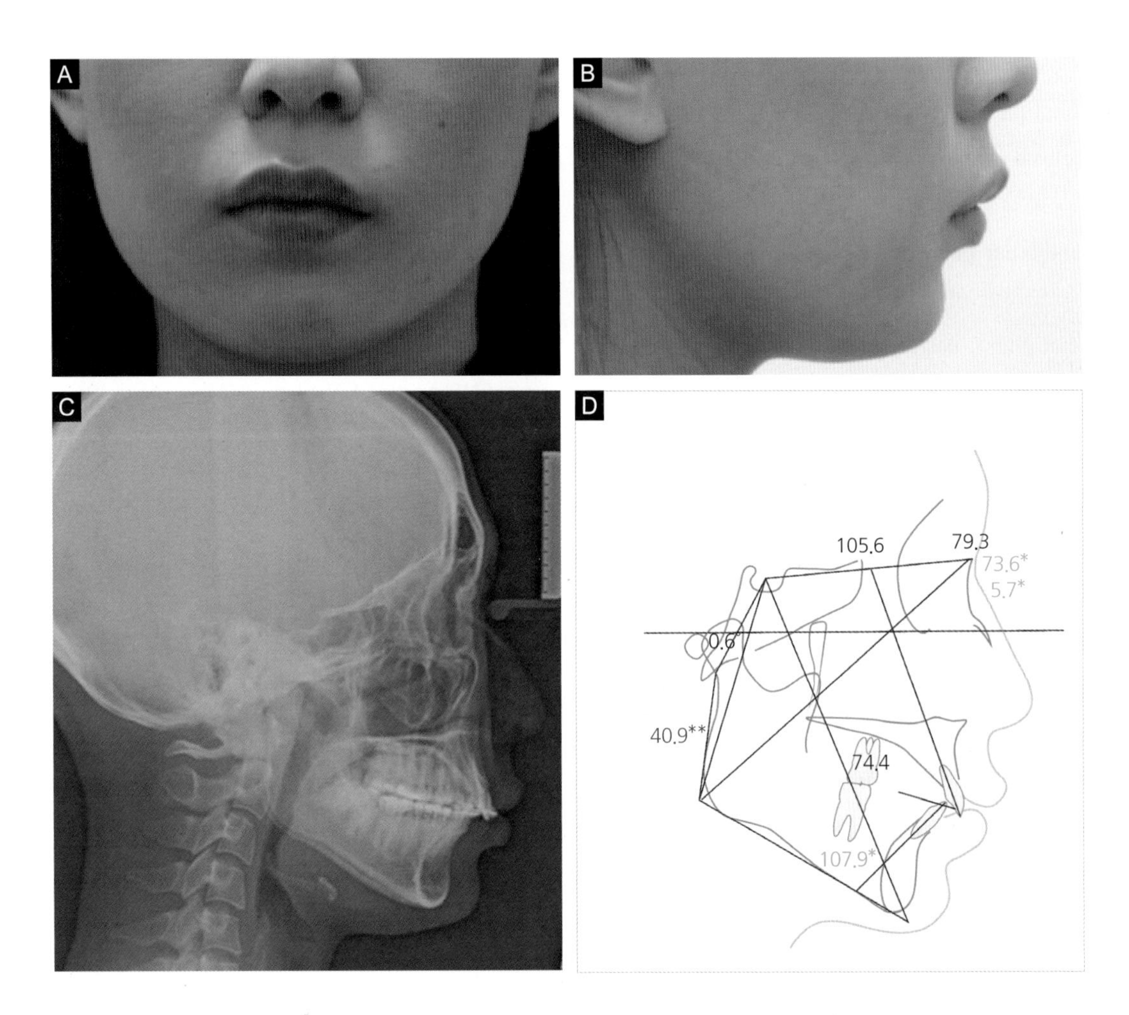

E

Cephalometric analysis	Normal parameters	Patient notes
SNA: 79.3°	82.4 ± 3°	제2급 부정교합으로 상악의 전방 과성장보다는 하악후퇴증으로 판단되며 그에 따른 Maxillomandibular discrepancy가 있다.
SNB: 73.6°	80 ± 3°	
ANB: 5.9°	2 ± 1°	
Mandibular. Plane Angle: 34.3°	26 ± 4°	
Facial Angle: 79°	87 ± 3°	

그림 17-15 **측모 두부계측방사선사진 분석 임상증례 1.**

A: 정모사진 B: 측모사진 C: 측모 두부계측방사선사진 D: 측모 두부계측방사선사진 계측 E: 계측 분석.

분석이 가능하다. 또 상하악의 골격성 관계를 교합기에 재현함으로써 상악골의 경사도, 골격성 비대칭정도, 교합평면의 경사도 같은 두개부에 대한 상하악골의 골격관계를 분석할 수 있다.

4) 3차원 영상 분석 및 3차원 프린팅모델

전통적으로 측모 및 정모 두부방사선사진 계측분석이 두개안면기형을 진단하고 치료계획을 세우는 데 중요한 부분을 차지한 것은 사실이나, 부위에 따른 확대율 오차가 있고, 2차원 영상이라는 한계로 상의 중첩이 있어 부위별로 자세히 관찰할 수 없다는 단점이 있

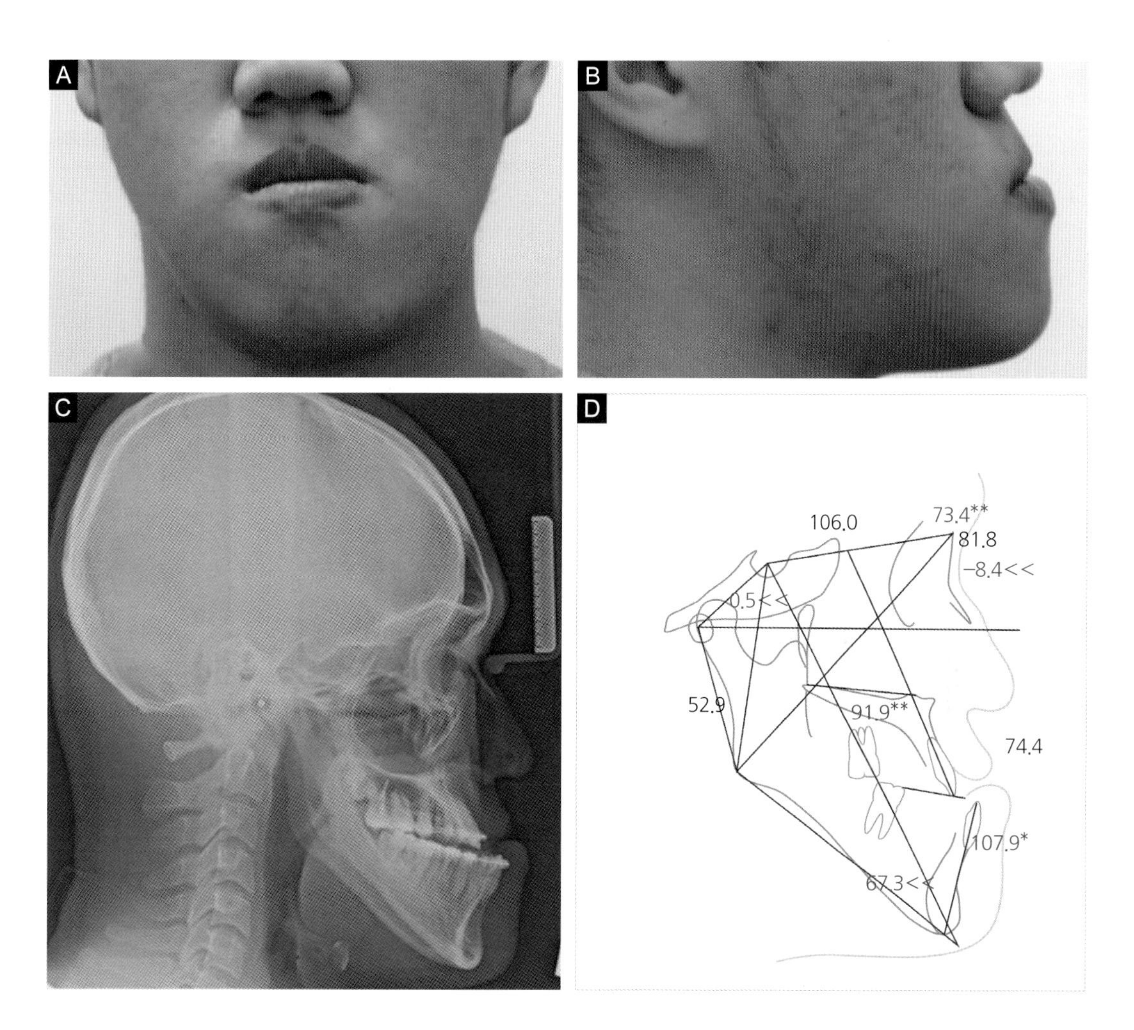

E

Cephalometric analysis	Normal parameters	Patient notes
SNA: 73.4 °	82.4 ± 3 °	제3급 골격성 부정교합으로 하악골의 전방 과성장이 보이지만 상대적으로 상악골의 성장결핍도 관찰된다.
SNB: 81.8 °	80 ± 3 °	
ANB: −8.3 °	2 ± 1 °	
Mandibular . Plane Angle: 29.5 °	26 ± 4 °	
Facial Angle: 91.2 °	87 ± 3 °	

그림 17-16 측모 두부계측방사선사진 분석 임상증례 2.

A: 정모사진 B: 측모사진 C: 측모 두부계측방사선사진 D: 측모 두부계측방사선사진 계측 E: 계측 분석.

다. 이러한 한계를 극복하기 위해 전산화단층촬영 영상을 이용한 3차원 두부계측분석(3D cephalometric analysis) 방법이 개발되었다. 이를 이용해 기존의 2차원적 영상에 비해 더 정밀한 정량적 분석이 가능할 뿐만 아니라, 컴퓨터 모의수술(virtual surgery)을 용이하게 할 수 있고 환자의 술전, 술후 상태를 더 정확하게 비교 평가할 수 있게 되었다(그림 17-17).

또한 3D CT 영상자료를 3D 프린팅하여 두개안면 모형(3D model)을 제작할 수 있으며, 환자의 골격구조를 입체적으로 재현하여 보다 시각적으로 용이하게 환자에게 상담할 수 있고 수술의 가능성과 한계를 미리 예측해 볼 수 있으면서 수술과정에서의 고려 사항을 미리 확인할 수 있다(그림 17-18).

5) 두개악안면기형의 진단별 분류

두개악안면기형은 크게 선천성 기형(congenital deformity)과 발육성 기형(developmental deformity)으로 분류할 수 있다. 선천성 기형은 자궁내 태아시기에 발생하며 두개골조기유합증(craniosynostosis), 두개안면이골증(craniofacial dysostosis), 안면열(facial cleft), 구순구개열(cleft lip and palate), 반안면왜소증(hemifacial microsomia) 등이 있다. 선천성 기형은 발육성 기형에 비해 이른 나이부터 치료가 필요하고 수술이 더 복잡하고 어려우며 위험한 합병증이 동반될 가능성도 높다.

발육성 기형은 출생 후 성인으로 성장하는 동안 발생하며, 치열안면변형증(dentofacial deformity)이 대표적이다. 교정-수술 진단 및 치료계획 수립의 용이성을 위해 두개저에 대한 상악골 및 하악골의 위치관계 및 크기에 따라 일반적으로 상악골 과성장, 상악골 저성장, 하악골 전돌증, 하악골 후퇴증, 양악전돌증(bimaxillary protrusion), 안모비대칭(facial asymmetry)으로 분류할 수 있다.

이 외에 외상, 내분비장애, 퇴행성 만성질환 및 감염에 의해 후천적 기형(acquired deformity)이 발생하기도 한다.

(1) 두개골 조기유합증

두개관이나 기저부 봉합의 조기유합에 의한 기형으로 이로 인해 발생되는 두개안면부의 성장장애와 이에 따른 기능장애까지도 모두 포함한다. 두개골 조기유합증은 크게 증후군이 동반되지 않는 경우와 동반되는 경우로 분류할 수 있으며, 후자의 경우 치료가 더 어렵다. 또한 두개안면 이골증후군은 두개골 조기유합증의 임상적 특징을 공통적으로 가지는 모든 증후군을 의미한다.

① 증후군이 동반되지 않은 두개골 조기유합증

발생원인은 태아기의 감염증, 출생 시 손상, 내분비이상증, 태아의 방사선노출, 유전, 변이 등 매우 복합적이며 증후군이 동반되지 않는 경우가 더 일반적이다. 조기유합되는 봉합선의 영향을 받아 생기는 특징적인 두개골 형태에 따라 분류한다.

a. **삼각두(trigonocephaly)**: 두개골 조기유합증 중 약 5–16%를 차지하며 두개골의 전두봉합(metopic suture)의 조기유합으로 생긴다(그림 17-19A). 대개는 단독으로 오는 변형으로 뇌실질의 병변은 동반하지 않지만 종종 두눈가까움증(hypotelorism)을 동반한다.

b. **주상두(scaphocephaly)**: 두개골 조기유합증 중 약 50–60%를 차지하며 시상봉합(sagittal suture)의 조기유합으로 발생한다(그림 17-19B). 단독으로 오는 변형으로 대개의 경우 두개내압 상승 같은 신경과적 문제는 동반되지 않는다.

c. **사두(plagiocephaly)**: 편측 관상봉합(unilateral coronal suture)의 조기유합으로 일어나는 변형으로 두개골뿐만 아니라 안면골의 발육에까지 영향을 미쳐 두개안면 비대칭을 초래할 수 있다(그림 17-19C). 대개의 경우 뇌압 상승이나 신경과적 문제는 없으나 교정의 시기가 늦을수록 안면부의 변형은 심화된다.

d. **단두(brachycephaly)**: 양측 관상봉합(bilateral coronal suture)의 조기유합으로 발생하게 된다(그림 17-19D). 전두부 하부의 발육부전이 심하여 안

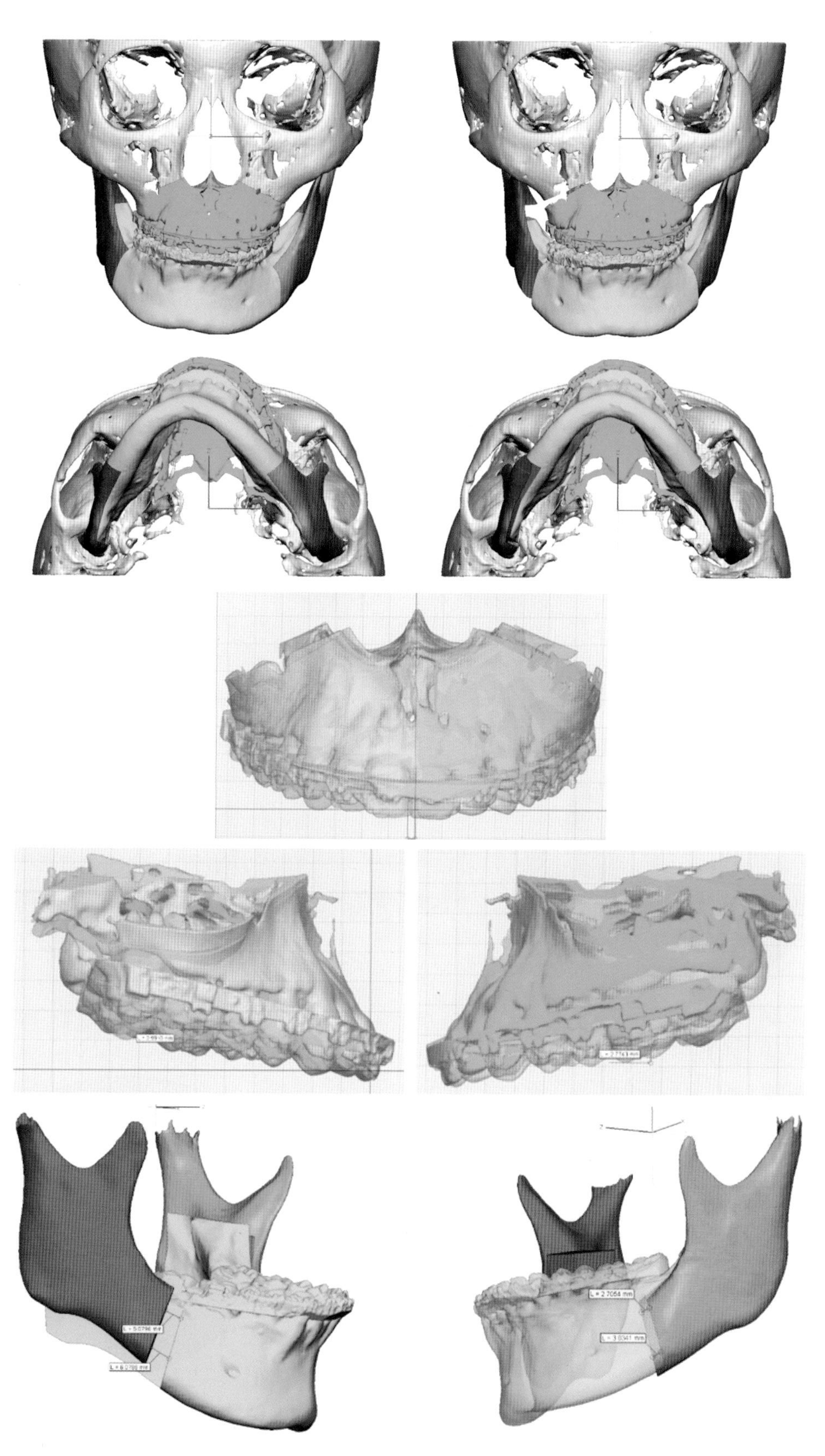

그림 17-17 컴퓨터단층사진의 삼차원 영상 데이터로 가상 모의수술(virtual simulation surgery)을 시행하여 환자의 술전-술후 상악 및 하악 골편의 이동상태를 정량적으로 분석할 수 있다.

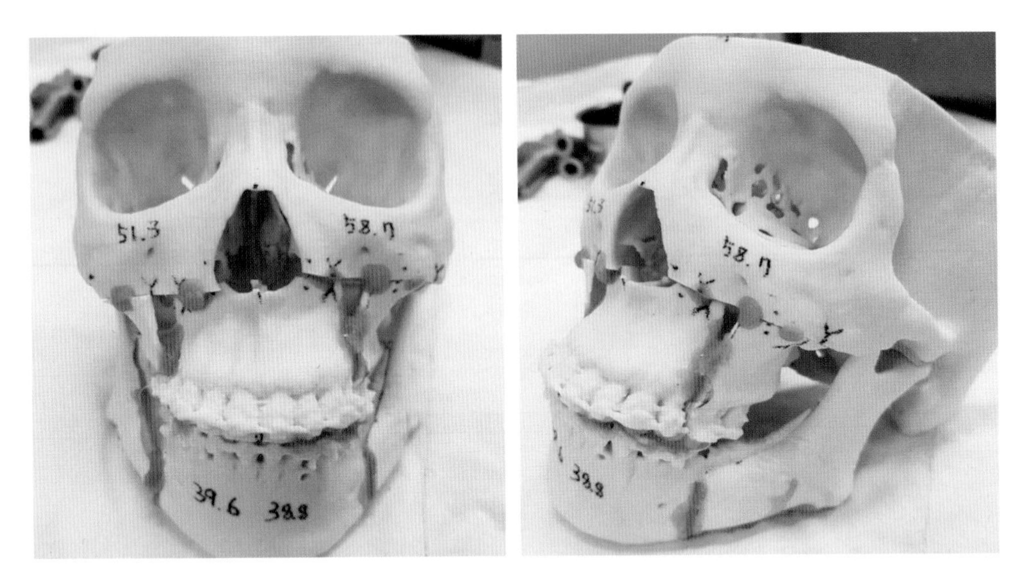

그림 17-18 3D 모델을 이용하여 수술 전 모의수술을 시행할 수 있다.

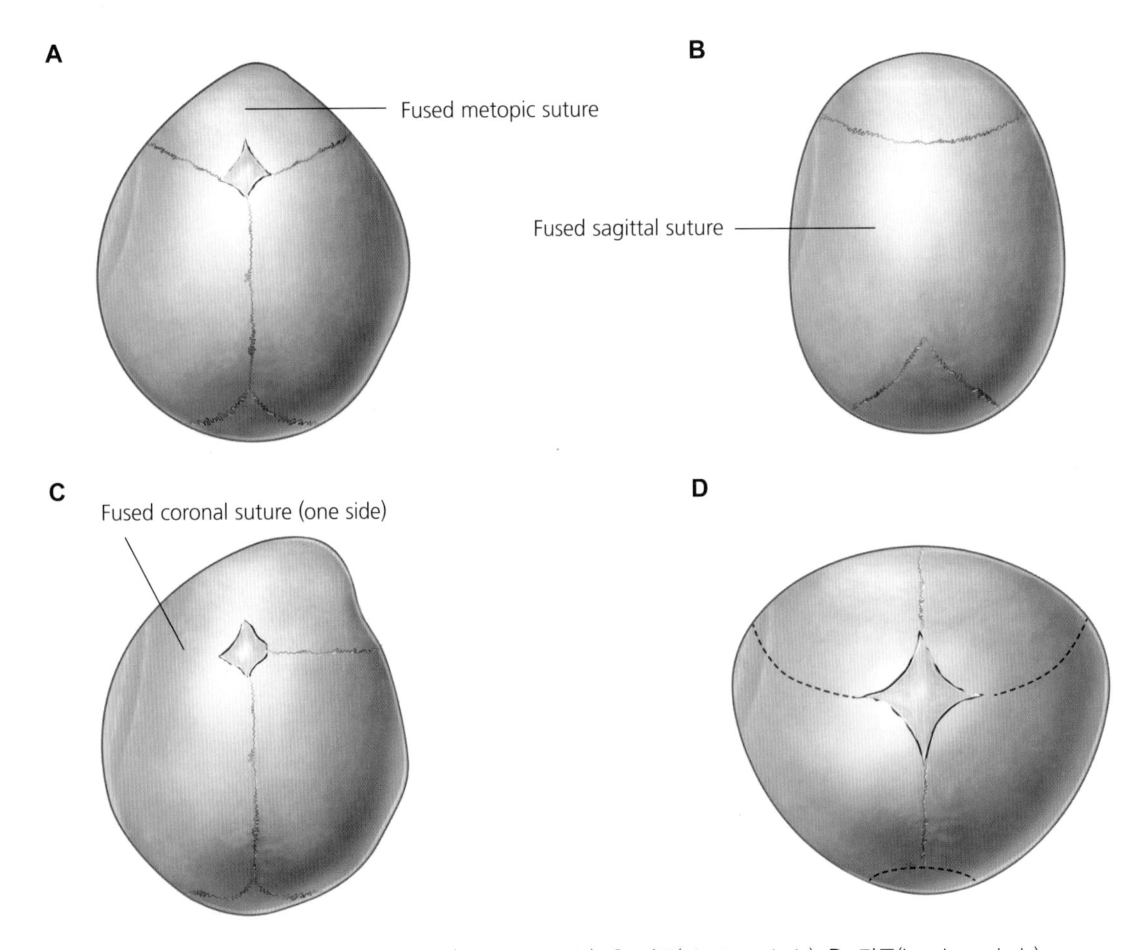

그림 17-19 A: 삼각두(trigonocephaly) B: 주상두(scaphocephaly) C: 사두(plagiocephaly) D: 단두(brachycephaly).

구 돌출증이 나타날 수 있다. 많은 환자에서 뇌압 상승으로 인해 신경과적 문제를 초래하므로 발견되는 즉시 수술로 교정하는 것이 좋다.

② **두개안면 이골증후군**(craniofacial dysostosis syndrome)

두개골 혹은 두개저의 봉합선 조기유합에 의해 두개골 변형뿐만 아니라 중안모의 변형까지 초래되는 선천성 두개안면 기형을 말한다. 대개 다른 증상이 동반되는 증후군의 형태로 나타난다. 발견되는 즉시 치료가 필요하며, 일차적인 목표는 두개내압 감소를 통하여 시각장애 및 정신, 지각발달 장애의 문제를 예방하는 것이다. 이후 순차적으로 정상적인 안모의 형태를 가지도록 연령에 따른 성장과정에 맞춰 치료계획을 수립한다. 신경외과, 소아과, 치과교정과, 구강악안면외과 전문의 등 적절한 전문인력의 팀을 구성하여 치료에 접근해야 한다(그림 17-20).

a. Crouzon syndrome: 두개 조기유합증과 함께 안구돌출 및 중안면 열성장의 특징적인 세 가지 임상상을 보이는 질환으로 1912년 프랑스의 신경학자 Crouzon에 의하여 처음 소개되었다(그림 17-21). 안구증상은 안구돌출 이외에도 안구진탕, 사시, 안와이개증 및 시신경위축 등이 올 수 있다. 두개골의 조기유합 양상은 일정한 모양의 두개골

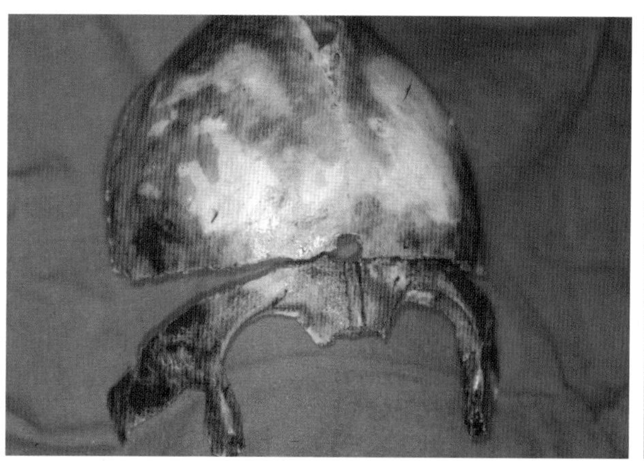
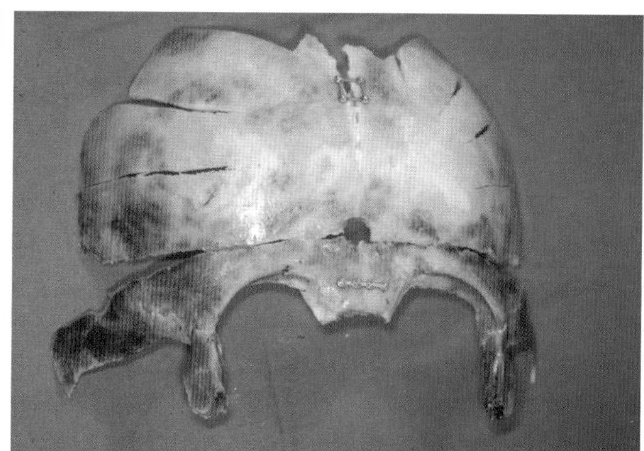
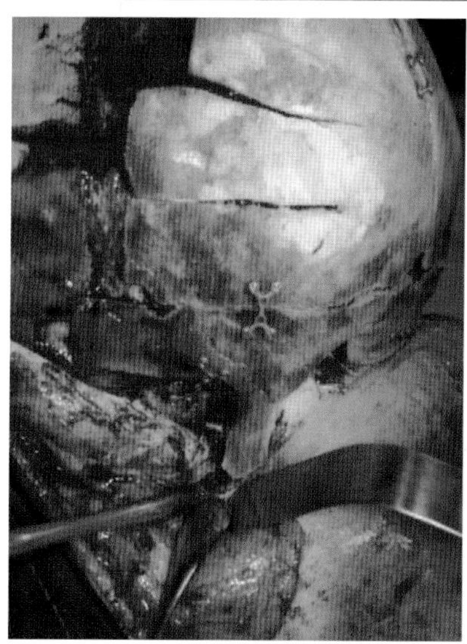
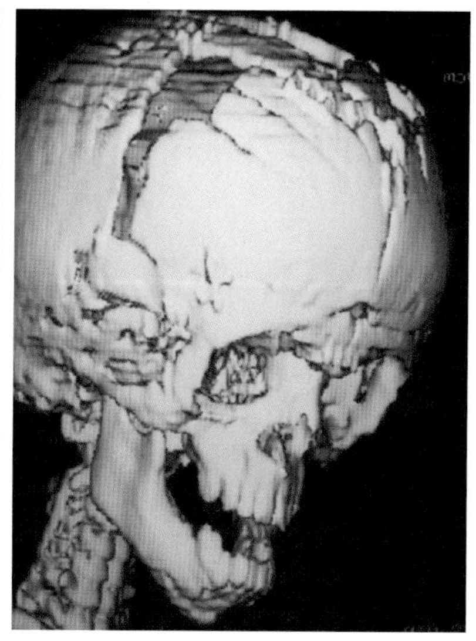
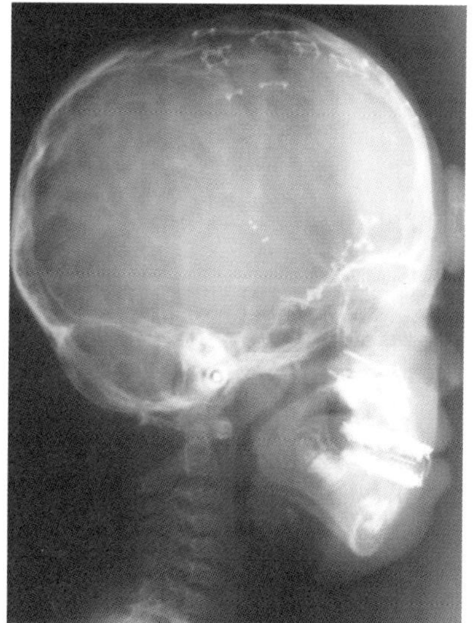

그림 17-20 Crouzon 증후군 환자의 수술.
Frontal bone advancement 후의 모습, 구강내 Le Fort III 수술 후의 모습과 방사선소견.

의 조기유합증보다는 어느 봉합선이 먼저 유합되느냐에 따라 주상두, 탑상두 등이 다양하게 생길 수 있다. 두개내압이 증가하기도 하며, 이로 인해 안와의 용적이 적어지고 시신경의 손상이 초래되기도 한다. 안와저가 짧아지면서 치조골궁이 좁아져 class III 부정교합, 관골궁의 발육부전 등을 보인다. Fibroblast growth factor receptor 2 (FGFR2) gene의 돌연변이가 관여하는 것으로 알려져 있다. 대부분의 경우 손의 기형은 동반되지 않는다.

b. **Apert syndrome:** Crouzon 증후군과 두개골 형태가 거의 비슷하나 그 정도가 다소 경미한 양상을 띠고 여드름, 점막하구개열(submucosal cleft), 동안신경마비(oculomotor paralysis), 안검하수(ptosis) 등이 동반되어 나타난다. 하지만 Crouzon syndrome과는 달리 양손에 합지증을 동반한다(그림 17-22). 또한 정신박약이 보다 자주 발생한다. Crouzon syndrome과 마찬가지로 FGFR2 gene의 돌연변이가 관여하는 것으로 알려져 있다.

c. **Pfeiffer syndrome:** Lower Apert라고도 부르는데 두개기형보다는 중안모의 기형이 Apert 증후군과 비슷하며 연조직 합지증(soft tissue syndactyly)과 거대 엄지손가락(enlarged thumbs), 큰 발가락

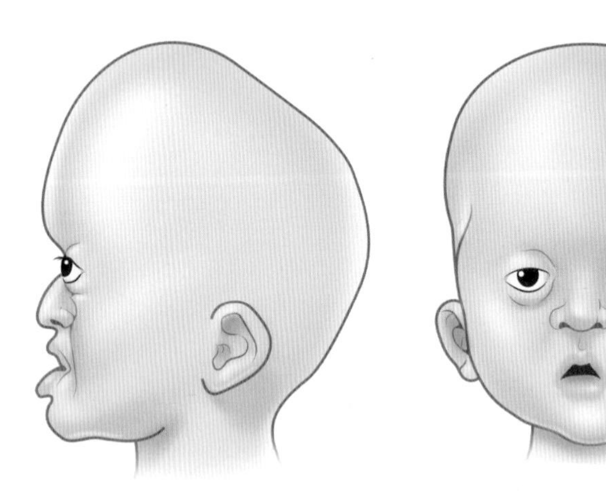

그림 17-21 Crouzon 증후군.

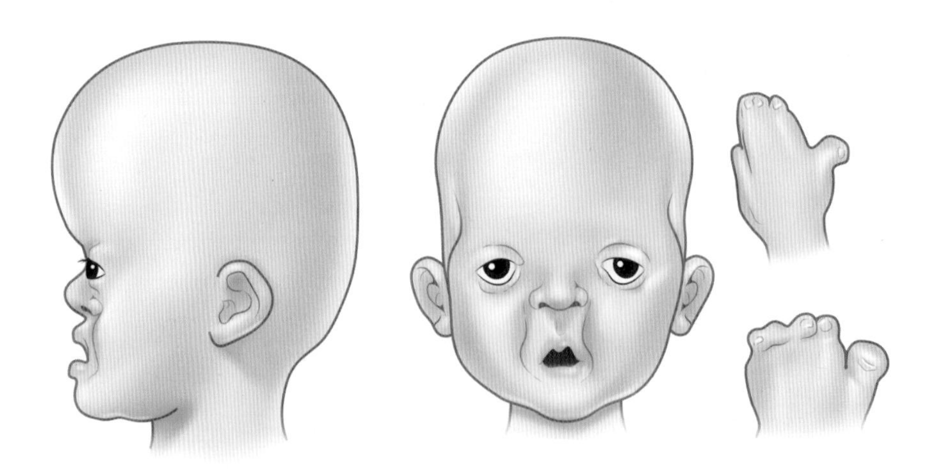

그림 17-22 Apert 증후군.

(great toe) 등의 특징이 있으며 정신박약은 거의 없다(그림 17-23). 역시 FGFR2 gene의 돌연변이가 관여하는 것으로 알려져 있다.

d. **Sathre-Chotzen syndrome**: Upper Apert라고 불리는 이 증후군은 다양한 형태의 두개안면 변형과 수지변형을 특징으로 하는 선천성 기형으로 두개골 조기유합증, 모발선 하방이동, 안검하수, 비중격변위, 단지증(brachydactyly), 상악의 발육부진, 경도의 안와격리증, 전두부융기, 안면비대칭의 소견을 보인다(그림 17-24). 안와상연의 발육부전으로 경한 안구돌출도 있다. 상악골 열성장은 흔하지 않다. TWIST gene의 돌연변이가 관여하는 것으로 알려져 있다.

(2) 반안면왜소증(hemifacial microsomia)

반안면왜소증은 제1, 2인두궁(pharyngeal arch)의 발생이상으로 생기는 선천성 두개안면기형으로 안와, 상악골, 하악골, 귀, 뇌신경 및 안면부 연조직의 비대칭적 편측성 저형성-저성장이 특징이다(그림 17-25). 치료시기와 방법, 예후 등을 판단하기 위해서는 안모의 성장잠재력, 특히 복합체의 형태와 기능의 정도가 중요하고 발생-형태 차이가 다양하게 나타나므로 Pruzansky가

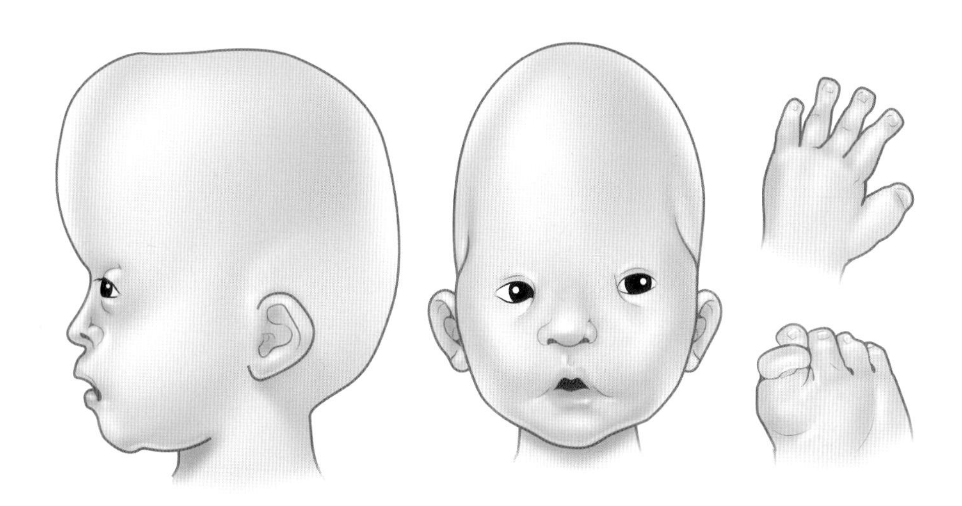

그림 17-23 Pfeiffer 증후군.

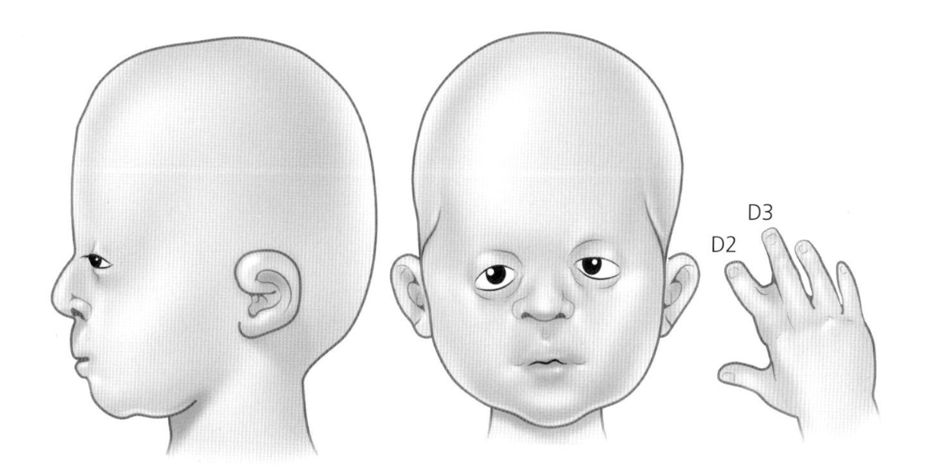

그림 17-24 Sathre-Chotzen 증후군.

고안하고 Kaban 등이 변형한 다음과 같은 분류가 많이 사용된다(14장. 턱관절장애 그림 14-47 참고).

- Type I: 하악과두, 하악지, 측두와(glenoid fossa) 및 저작근의 약간의 저성장만 있으며, 측두하악관의 활주운동(translation)에는 제한이 있지만, 정상적인 회전운동은 가능한 경우이다. 경증의 안모 비대칭과 약간의 하악 후퇴증을 보인다.
- Type IIa: 저성장된 측두와의 전, 내방에 고깔형태(cone-shaped)의 저성장 하악과두가 위치한다. 측두하악관절의 기능은 양호한 경우가 많지만, 관절원심부의 성장저하 등에 의해서 하악골 및 얼굴 비대칭이 발생할 수 있다.
- Type IIb: type IIa와 다르게 측두하악관절의 정상적인 관절운동 기능이 없는 경우이다. 하지만, 손으로 하악의 위치를 유도할 때 측두와의 후방 경사면에 하악과두의 후방면이 접촉되어 이동이 제한되는(posterior stop) 특징이 있다.
- Type III: 하악과두와 하악지가 완전히 결손되었으며 하악의 후방이동 제한이 없다. 대부분 심한 정도의 하악골 저성장 및 안모 비대칭을 나타내며 측두하악관절 복합체의 수술적 재건이 필요하다.

(3) 치열안면변형증(dentofacial deformity)

① 상악골 과성장

상악골 과성장의 양상에 따라 골격성 및 치성 2급 부정교합으로 분류되고 전치부 피개 정도에 따라 개교

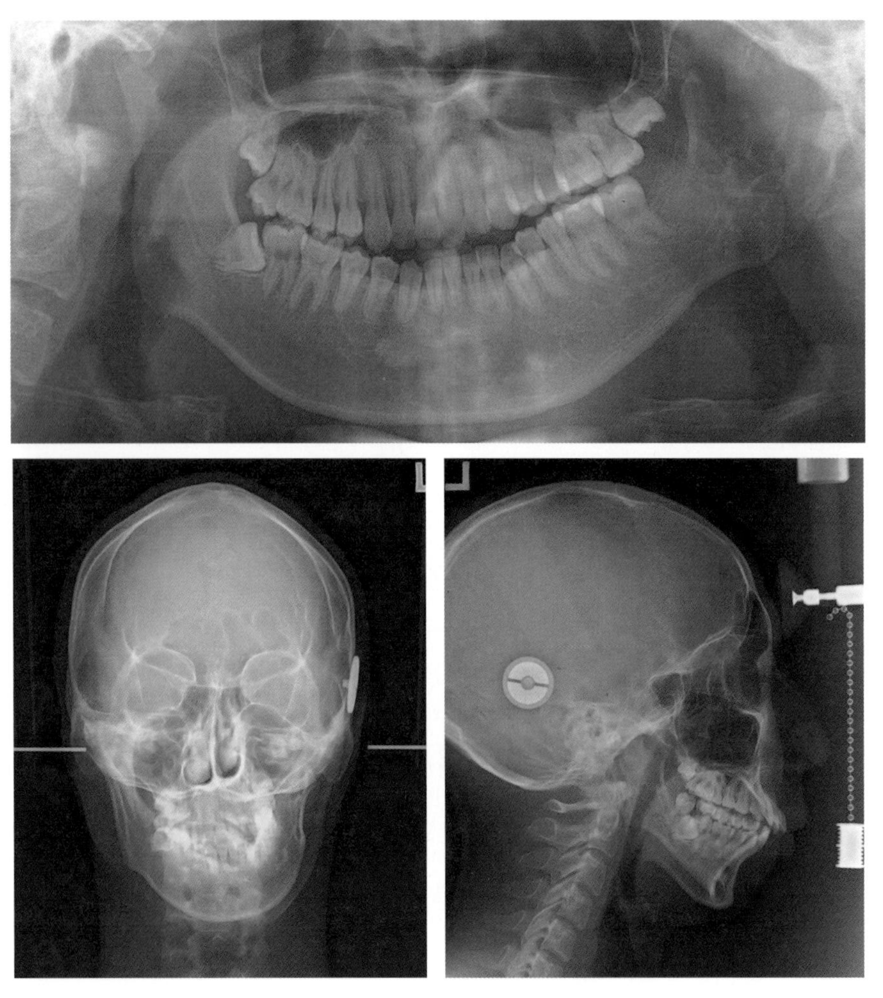

그림 17-25 **반안면왜소증.** 좌측의 저성장된 측두관절와 및 하악과두가 관찰되며, 안모 비대칭과 하악후퇴증이 보인다.

합, 과교합, 정상교합으로 분류될 수 있다. 이때 하악골 성장이 저하되어 있는지 또는 정상적인지의 여부를 반드시 평가하여야 한다. 상하악 치조골만의 전돌이 관찰될 경우 치료방침이나 수술방법이 달라지므로 따로 분류하여야 한다.

② 상악골 저성장

상악골의 골격성 성장 부족으로 중안면이 결핍된 경우, 상악골 저성장으로 분류한다. 측모 방사선사진상 상악골의 전후 방향으로 길이가 짧은 상악골의 전후적 저성장이 동반된 경우 중안면 전체가 골격적으로 열성장인지 정도를 분명하게 파악하여야 적절한 수술방법을 선택할 수 있다.

③ 하악골 과성장

하악 전돌증은 하악의 과성장에 의한 골격성 및 치성 3급 부정교합으로 분류되며, 하악골 구성단위 중 어느 부위가 과성장하였는지에 따라 하악전돌의 방향과 전치부 피개 정도, 상악골의 보상 정도가 모두 다르다. 또 우각부의 비대를 동반한 하악 전돌증의 경우는 하악골 전돌 방향이나 안모의 형태, 저작근의 비대 정도, 하악각의 형태 등이 단순히 과두부 과신장에 의한 전돌증과 다르므로 그에 대한 분석이 필수적이다.

④ 하악골 저성장

하악골 저성장의 경우 상악골의 보상성 반응과 치성 보상이 마찬가지로 다양하게 관찰되기 때문에 상악골 과성장과 감별하여야 한다. 하악골 저성장에서는 교합평면이나 전치부의 치축이 왜곡된 경우가 흔히 관찰되고, 수술 후 치축이나 하악골 위치의 회귀 위험성이 높다. 이를 피하기 위해서는 교합 평면과 하악 평면이 저작근, 상설골근과 평형이 되도록 해 주어야 한다.

⑤ 안모 비대칭

안모 비대칭은 안모의 입체적인 변형이므로 3D 진단 및 치료계획이 필요하다. 또 안모 비대칭에 대한 상악골, 하악골, 연조직, 치아의 보상작용이 모두 다르기 때문에 골격적인 비대칭을 수술로 교정하여도 얼굴 전체가 대칭되는 것이 아니어서 주의가 필요하다. 대칭적 안모와 심미적인 결과를 얻기 위해서는 비대칭 요소들을 분석하여 3D CT 영상-모델 기반의 3D 시뮬레이션 및 3D 두개안면 모형수술, 안모사진, 방사선사진 분석으로 예측하고 수술계획을 수립해야 한다.

Ⅲ. 치료계획

악안면기형을 가진 환자에 대한 체계적인 평가를 통해 치료와 관련된 여러 가지 문제점들을 확인할 수 있다. 이러한 문제점들을 문제목록(problem list)의 형식으로 구체화하여 치료계획을 위한 기본자료로 이용한다.

1. 문제목록

치료계획을 수립하기 위해 임상적 및 방사선학적 검사 자료와 치아모형 등 다른 평가자료들을 분석한다. 이때 나타난 모든 문제점에 대한 목록을 작성하며, 이에 따라 최종 치료계획을 결정한다. 문제목록에는 모든 기능적, 심미적 문제뿐만 아니라 전신적 병력 및 사회 심리적 요인 등도 포함하여야 한다.

기본적인 외과적 치료계획은 환자의 주소와 안모검사로부터 얻어진 심미적인 치료목표 목록을 기초로 수립하며, 두부계측분석과 교합분석을 통해 치료목록에 대한 평가가 필요하다. 이 정보를 이용해 환자의 안모 심미성을 개선시키고 근골격기형을 교정할 수 있는 가장 알맞은 외과적 술식을 결정한다.

환자가 여러 가지 문제점을 가지고 있다면 이들 문제점들에 대해 양적, 질적으로 재평가한다. 이를 위해서 문제목록은 환자의 주소와 심각성에 따라 우선순위를 두어 다시 나열한다. 우선순위를 판단하는 기준은 해부학적 형태의 개선점과 환자의 심리적 선호도 및 관심사 등이 된다. 이렇게 재평가된 문제목록들에 맞는 개별적인 치료계획을 수립한다.

최종 치료계획은 앞서 수립된 개별적 치료계획들 중 가장 심각한 문제점을 해결할 수 있는 방법부터 우선으로 선택한다. 이 방법은 다른 문제점들도 쉽게 해결해 줄 수 있어야 한다. 만약 선택한 방법이 다른 문제점의 해결을 어렵게 하거나 더 악화시킨다면 이를 선택해서는 안 된다. 그밖에 고려할 사항으로는 잠재적 위험성, 경제적 비용 등이 있다.

교정 및 외과치료에 대한 최종 치료계획을 설정하기 위해서는 몇 단계가 필요하며, 이때 치아모형에 대한 분석과 두부계측방사선 및 치과용 컴퓨터단층촬영(cone-beam computated tomography, CBCT) 자료가 이용된다. 분석한 자료를 토대로 악교정 수술의 구체적인 치료방법을 설정하는 외과적 치료목표(surgical treatment objective, STO)가 결정되고, 이에 따라 교정적 치아이동과 외과적 악골이동 계획이 결정된다.

외과적 치료목표는 초기 외과적 치료목표(initial STO)와 최종 외과적 치료목표(final STO)로 구성된다. 초기 외과적 치료목표는 초진 시의 임상검사 및 두부계측방사선검사를 기초로 술전 교정치료의 상태와 수술 후의 경조직과 연조직 변화를 예측하는 것이며, 술전 교정 치료목표(presurgical orthodontic goal), 외과적 목표(surgical goal), 연조직 예측(soft tissue prediction) 등으로 구성된다. 최종 외과적 치료목표는 술전 교정치료가 완료된 후 수술직전의 임상검사 및 두부계측방사선사진을 사용하여 수술 후 경조직 상태와 연조직 변화를 예측하고 최종 치료계획을 설정하는 것으로, 외과적 목표 및 연조직 예측 등으로 구성된다. 술전 교정치료 없이 수술 후 교정치료를 진행하는 선수술의 경우 최종 외과적 목표는 초기 외과적 목표와 동일하다

이어서 초기 외과적 치료목표에 대해 간략히 설명하고, 최종 치료계획 수립에 필요한 수술 전후의 교정 및 치아에 대한 전반적인 처치에 대해서 설명한다.

2. 치료계획

1) 치아 및 치주치료

교정-외과치료를 시작하기에 앞서 치열을 유지하거나 치아건강을 증진시키기 위한 치주치료와 일반 치과치료가 필요하다. 치료목표는 가능한 많은 치아를 유지하고 치주조직을 안정화하는 것이다. 교정-외과치료 전에 필요한 치주치료는 스켈링과 치근소파술, 부착치은을 제공하기 위한 치은이식술 등으로 제한된다. 치주수술은 교정-외과치료의 종료 이후까지 연기하는 것이 좋으나, 필요하다면 초기에 시행해야 한다. 고정성 보철치료 또는 치아수복치료 등은 교정-외과치료 전에 시행해서는 안 된다. 임시치관은 교정-외과치료가 끝날 때까지 유지되어야 하는데, 그 이유는 교합관계가 교정-외과치료에 중요한 영향을 미칠 수 있기 때문이다. 치료 전에 만들어진 보철물 등은 악교정수술이 끝난 후 교합관계를 평가하여 다시 만들어야 하는 경우도 있다.

2) 발치

교정에 필요한 발치는 교정-외과치료 전에 시행한다. 매복 제3대구치, 특히 하악 제3대구치를 하악지 시상분할골절단술(sagittal split ramus osteotomy, SSRO) 수술 중에 동시에 발치하여도 된다는 의견도 많이 있으나, 수술 전에 시행하는 것이 현실적으로 유리하다. 얇은 설측 피질골판은 제3대구치 발치 시 파절되기 쉬워 발치 후 충분한 치유시간이 허락되지 않으면 악교정수술 중 해당 부위에서 파절이 발생하여 심각한 합병증을 유발할 수 있다. 조기에 발치를 시행하는 것이 악교정수술 합병증을 예방하는 데 도움이 된다.

3) 초기 외과적 치료목표(Initial surgical treatment objective) 및 술전 교정 치료목표

초기 외과적 치료목표는 임상검사와 모형분석, 두부계측방사선사진 트레이싱(cephalometric tracing)을 이용해 수립한다. 바람직한 교정적 치아이동, 적용할 수 있는 외과적 치료 방법과 그 결과 예측되는 안모 변화 등을 포함해야 한다. 초기 외과적 치료목표는 상세한 치료계획을 설정하는 데 도움을 주기 위하여 치료 전에 수립된다. 술전 교정치료는 상하악 악궁의 길이 부조화를 해결하고 치아의 보상적 이동을 해소하며 수술 시 수평적 조화가 이루어지도록 계획을 수립하며, 이를 술전 교정 치료목표라 한다. 초진 시의 두부계측방사선사진 트레이싱 위에 예비적 교정목표(preliminary orthodontic goal)를 설정한다(그림 17-26).

술전 교정목표가 수립되면 심미적, 기능적 요구를 만족시키도록 이동시킨 치아-골격단위(dento-osseous unit)의 위치 이동을 초진 두부계측방사선사진 트레이싱 위에 시행할 수 있다. 이러한 치아-골격단위의 위치 및 각도의 조절을 외과적 목표라고 한다. 편악 외과적 치료목표(single jaw STO), 양악 외과적 치료목표(two jaw STO), 이부 외과적 치료목표(chin STO)의 3가지 경우가 있다. 외과적 목표 수립 시 악골절단을 위한 기준선을 잘 설정해야 악골의 이동량을 정확히 결정할 수 있다(그림 17-27~29).

이부를 포함한 치아-골격단위를 재위치시킨 후 이에 따른 연조직의 변화를 예측한다.

4) 최종 외과적 치료목표(Final STO)

최종 외과적 치료목표는 술전 교정치료가 끝난 상태에서 정확한 악골 이동량을 결정하기 위해 수립한다. 위치가 변하지 않고 고정된 두개부 구조물을 기준으로 하여 치아, 골격구조, 연조직 등을 새로운 관계로 재위치시키며, 이 과정을 통해 교정적 및 외과적 치료목표를 확인하고 환자가 수술 결과를 이해할 수 있도록 한다. 이 과정은 교정적 목표와 외과적 치료목표를 구체화하며, 환자에게 치료 결과를 이해시키는 데 도움을 준다.

3. 수술 전후 치아교정치료

1) 술전 교정치료

술전 교정치료는 악골의 외과적 이동이 용이한 위치로 치아들을 이동시키는 것으로 12-24개월 내에 끝날 수 있다. 술전 교정치료를 통해 치아의 보상적 치아이동(dental compensation)을 제거(decompensation)할 수 있다. 치아의 보상적 이동은 상하악골 성장의 차이에 의한 자연스러운 이동 결과이다. 예로 3급 부정교합에서 하악전치들은 일반적으로 설측으로 경사되고 상악전치는 순측으로 경사되는 치아 보상이동이 일어난다. 이러한 환자에서는 술전 교정치료를 통해 하악전치를 순측 이동시키고 상악전치를 설측 이동시켜 치아의 보상적 이동을 제거하며, 이로 인해 치아의 부정교합은 더욱 심화되기도 한다. 수술 전 기저골에 대해 적절히 이동시킨 치열은 좀 더 나은 골격적 균형을 얻기 위한 하악골의 이동량 조절을 가능하게 한다(그림 17-30).

(1) 술전 교정장치

악교정 수술을 위한 교정치료에 금속, 세라믹, 레진, 자가결찰형 브라켓 등의 다양한 브라켓이 이용된다. 수술 중에 악간고정(intermaxillary fixation)이 필요하기 때문에 이를 쉽게 하기 위하여 부가적인 교정용 장치가 이용될 수 있다. 이를 위하여 crimpable hook을 rectangular orthodontic wire (교정용 호선)에 고정하는 경우가 많다. 외과적 hook을 치궁강선(arch wire)에 납착(soldering)하거나 브라켓 자체에 부착된 ball hook 등을 이용하거나, 치은에 교정용 나사(miniscrew)를 심어서 악간고정에 이용하기도 한다(그림 17-31). 이러한 술전 교정장치는 술중이나 술후에 고무밴드 또는 wire를 이용한 악간고정과 견인이 가능하도록 한다.

(2) 술전 교정목표

초기 외과적 치료목표에 따라 치아 목표위치가 설정될 수 있으며, 술전 교정치료의 일차적 목표는 다음과 같다.

① 치아는 환자의 상하악 기저골의 위치에 따라 위치시킨다. 분절골절단술이 적응증이라면 골절단선 주변의 적절한 위치로 이동시킨다. 치아들의 바람직한 위치는 일차적으로 초기 외과적 치료목표에 의해, 이차적으로는 치아모형분석에 의해 결정될 수 있다. 발치를 시행한 경우 남는 공간은 일반적으로 술전 교정치료에 의해 폐쇄되어야 한다. 분절골절

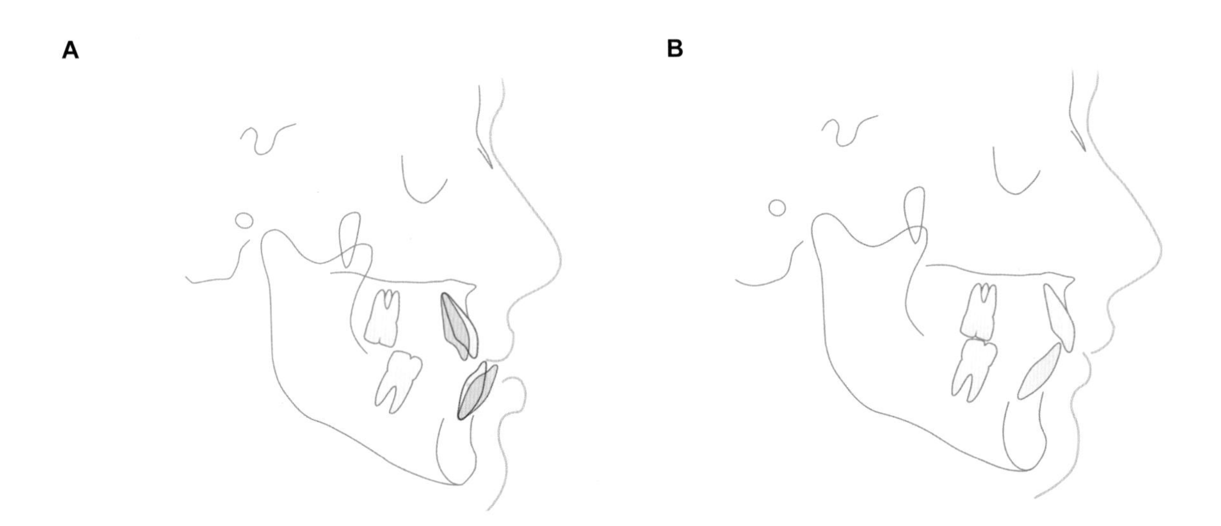

그림 17-26 초진 시의 두부계측방사선 트레이싱 위에 예비적으로 결정된 치아 배열을 표시하여 교정적 이동량을 예견할 수 있다. **A:** 하악전돌 소견을 보이는 환자로 상하악 전치부의 총생과 상악 전치부의 과순측 및 하악 전치부의 과설측경사를 보이고 있다(파란색 선). 상악의 소구치를 발치하여 총생을 해결하고, 상악 전치를 2 mm 후방이동, 하악 전치는 1 mm 순측이동시켜 하악의 교합곡선을 교정하는 술전 교정목표를 정한다(붉은색 선). **B:** 예상되는 수술 후 상태.

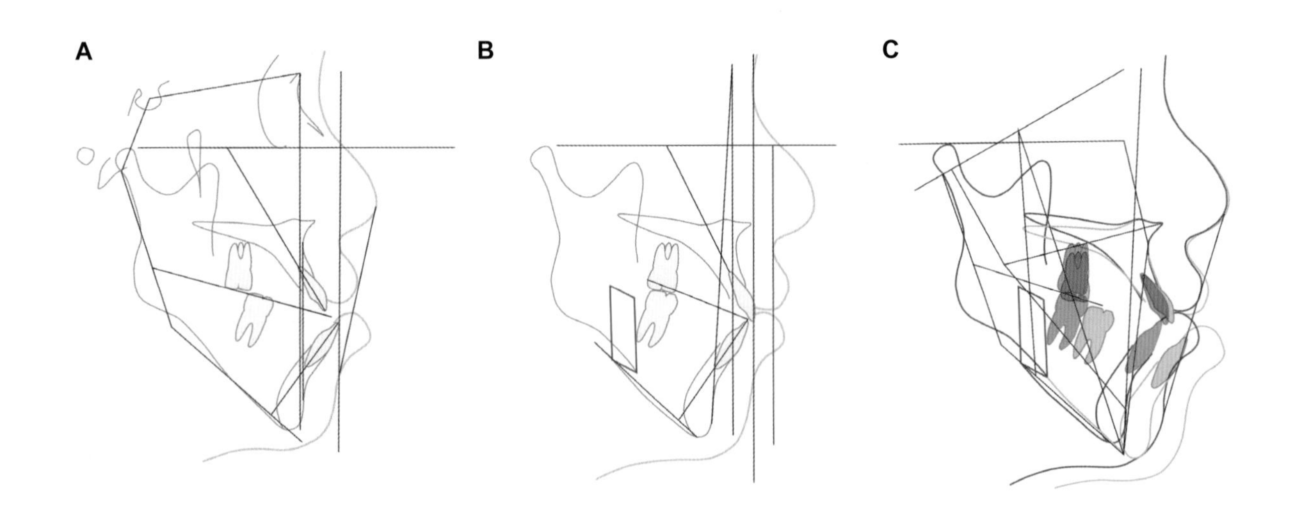

그림 17-27 **A:** 하악전돌증과 개교합을 갖고 있는 환자에서 상악수술에 의한 상악의 시계방향 회전과 하악지 시상골절단술에 의한 하악후퇴수술을 계획한다. **B:** 수술에 의하여 상하악을 이동시킨 후의 외과적 치료목표(STO)로 시상기준선의 이동량에 따라 악골의 이동량을 예측할 수 있다. **C:** 술전과 술후 예상을 중첩하여 변화를 비교할 수 있다.

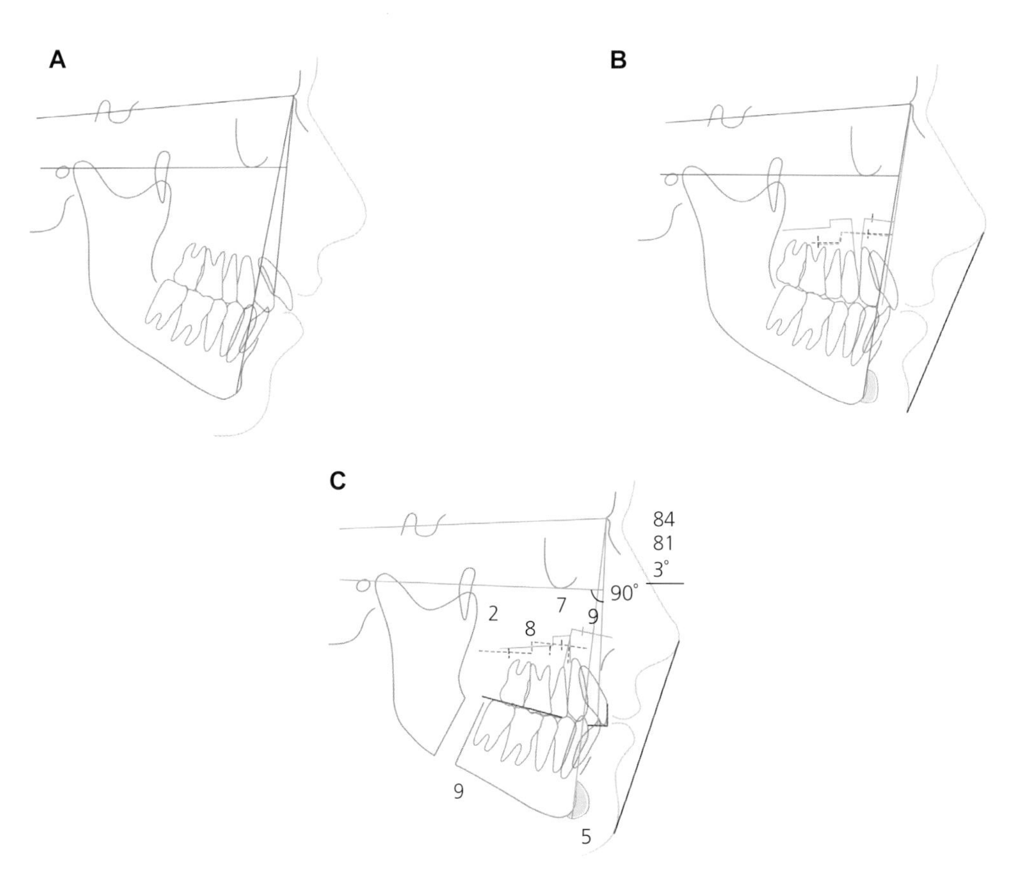

그림 17-28 수직적 상악 과성장과 약간의 하악열성장, 이부열성장, 과순측경사된 상악전치의 소견을 보이는 환자로**(A)**, 일차 예비 외과적 치료목표로 상악에서 세 부분(three-piece) 골절단술과 이종골 이부증강술을 계획할 수 있고**(B)**, 이차 예비 외과적 치료목표로 상악에서 세부분 골절단술, 이부증강술, 하악시상골절단술 등을 계획할 수 있다**(C)**.

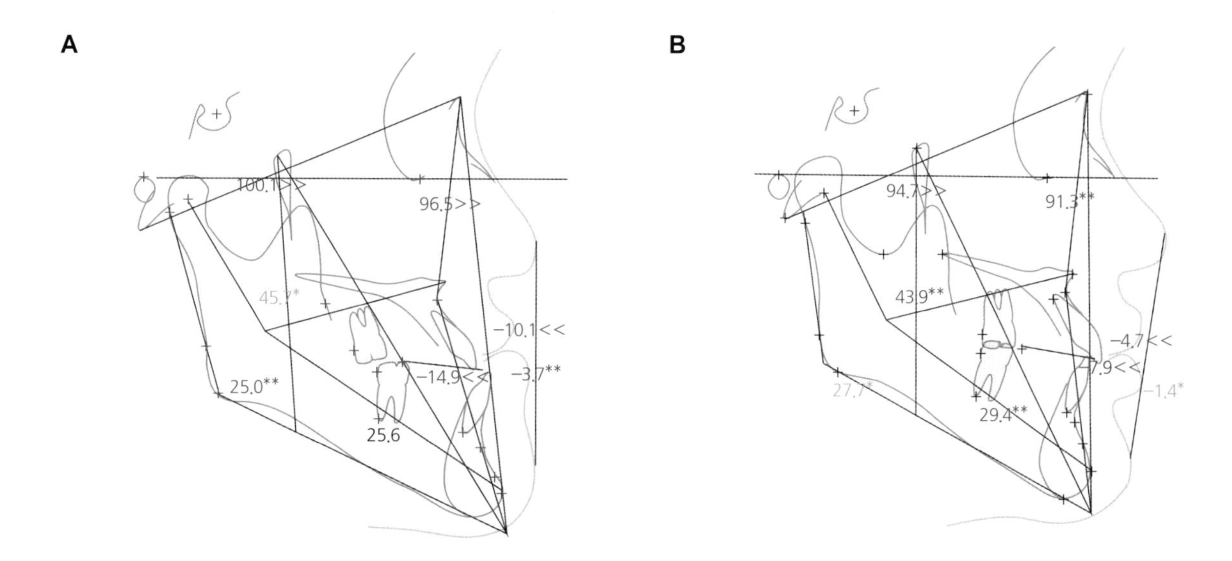

그림 17-29 A: 긴 상순과 하순, 하안모의 전돌을 가지고 있는 환자 B: 상하악의 후방 및 시계방향으로의 회전을 계획한다.

단술(segmental procedures)이 적용된다면 그 공간은 교정 또는 외과적으로 폐쇄될 수 있다.

② 치아모형 분석결과에 따라 악궁내에서 치아들을 배열한다. 적절한 교합면 만곡을 형성하도록 치아를 배열하는데, 심한 만곡을 가진 교합의 경우 치아배열(leveling)은 교정치료보다 외과적 분절골절단술을 적용하는 것이 더 용이할 수 있다. 심한 상악 만곡은 외과적 술식으로 해소하는 것이 장기간 안정성을 부여하는 데 유리하다(그림 17-32).

③ 상하악 치아간 크기 부조화를 줄인다. Bolton 분석시 심각한 치아간 크기 차이가 존재하면 교정의사에 의해 적당한 교정치료로 수술 후 1급 구치부 관계를 얻을 수 있다. 어떤 증례에서는 하악 전치부의 발치를 통하여 총생을 해결해 줄 수 있다. 또한 상악 전치부 총생 시 이를 해결하기 위하여 전치부 인접면 삭제를 시행하기도 한다. 만들어진 공간이 교정에 의해 폐쇄되지 않는다면 이 공간들은 수복처치(restorative treatment)를 술후에 시행하여 없애줄 수 있다.

④ 회전된 치아를 교정한다. 치아회전의 결정은 분석모형상에서 이루어진다. 치아회전이 수술목표에 따른 바람직한 상하악관계에 간섭이 되지 않는다면 이를 술후에 교정하여도 된다.

⑤ 수술부위에 이웃한 치근은 이개시킨다. 치아 사이에 골절단술이 계획되면 치과교정과의사는 수술에 의한 손상을 막기 위해 이웃한 치아의 치근을 서로 이개시킨다(그림 17-33).

⑥ 상하악 치열궁의 넓이를 조절한다. 어떤 증례에서 상하악간 악궁의 폭경 차이는 교정치료를 통해 안정적으로 개선시킬 수 있다(그림 17-34). 치열모형 분석을 시행하여 바람직하지 못한 치아경사와 불안정한 이동을 피하도록 하여 폭경의 부조화 치료를 위한 교정의 정도를 결정한다.

교정적 치아이동이 불안정하거나 중증도에서 심한 악궁간 횡폭 차이가 존재할 경우, 외과적 술식으로 교정하는 것이 더 안정적일 수 있다. 술전 교정치료를 시행하는 중에 새로운 진단 모형을 채득하여야 하는데, 이는 수술시기를 결정하기 위해 필요하다. 외과적 치료목표와 컴퓨터단층촬영 자료 등을 이용하여 3차원 분석모델을 제작하고, 이 모델 상에서 가상수술을 시행하는 것은 계속적인 술전 교정치료의 정도와 필요성을 결정하는 데 이용된다. 외과적 평가에 대한 기록에 따라 바람직한 결과가 얻어질 수 있고 환자를 수술계획에 따라 준비할 수 있다.

2) 술후 교정치료

수술 후 치아교정은 골편을 견고고정(rigid fixation)하였다면 2-6주 내에 다시 시작된다. 치아와 수술 시 절단된 골분절편은 수술 후 첫 한 달 동안에 급격하게 움직일 수 있다. 따라서 치과교정과의사는 술후 변화량을 확인하기 위하여 술후 교정치료 첫 2달 동안 환자를 면밀하게 관찰하여야 한다. 초기 치유시기가 지나고 교합이 안정된 상태라면 약속은 3-5주 간격으로 시행할 수 있다. 치열이 최종위치로 움직일 때 근골격계는 변화된 위치에서 안정화되기 위한 지속적인 치유과정을 보인다. 이러한 최종 치유과정과 치아들의 위치 변화는 일반적으로 술후 교정치료의 4-10개월간 이루어진다. 통상의 교정치료를 통해 상하악 치열의 교합을 맞춘다. 교정치료 후에는 유지장치(retainer)가 필요할 수도 있다.

3) 선수술

전통적인 악교정 치료의 과정은 3단계로 구성된다. 술전 교정, 악교정수술, 술후 교정치료가 그 단계이다. 이 3단계 치료법은 안정적이고 예측이 가능한 장점으로 인해 오랜 기간 널리 이용되어 왔다. 그러나 단점 역시 존재한다. 첫째, 술전 12-24개월, 술후 6-12개월 정도의 교정치료 기간이 필요하므로 전체적인 치료 기간이 길다. 둘째, 술전 교정치료 기간 동안 치아의 탈보상적 이동(dental decompensation orthodontics)으로 인해 비심미적인 시기가 발생할 수밖에 없다.

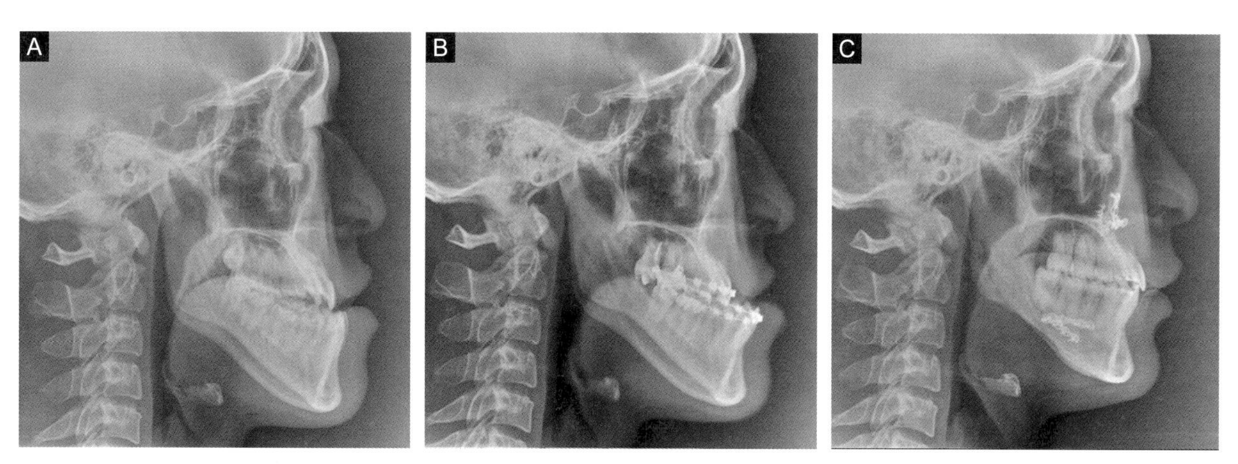

그림 17-30 A: 하악전돌증 환자로, 치아의 보상이동으로 하악전치는 과도하게 설측경사되었으며 상악전치는 순측경사 소견을 보이고 있다. B: 술전 교정치료로 상악전치와 하악전치를 탈보상(decompensation) 하였다. C: 수술 1년 후 경과소견.

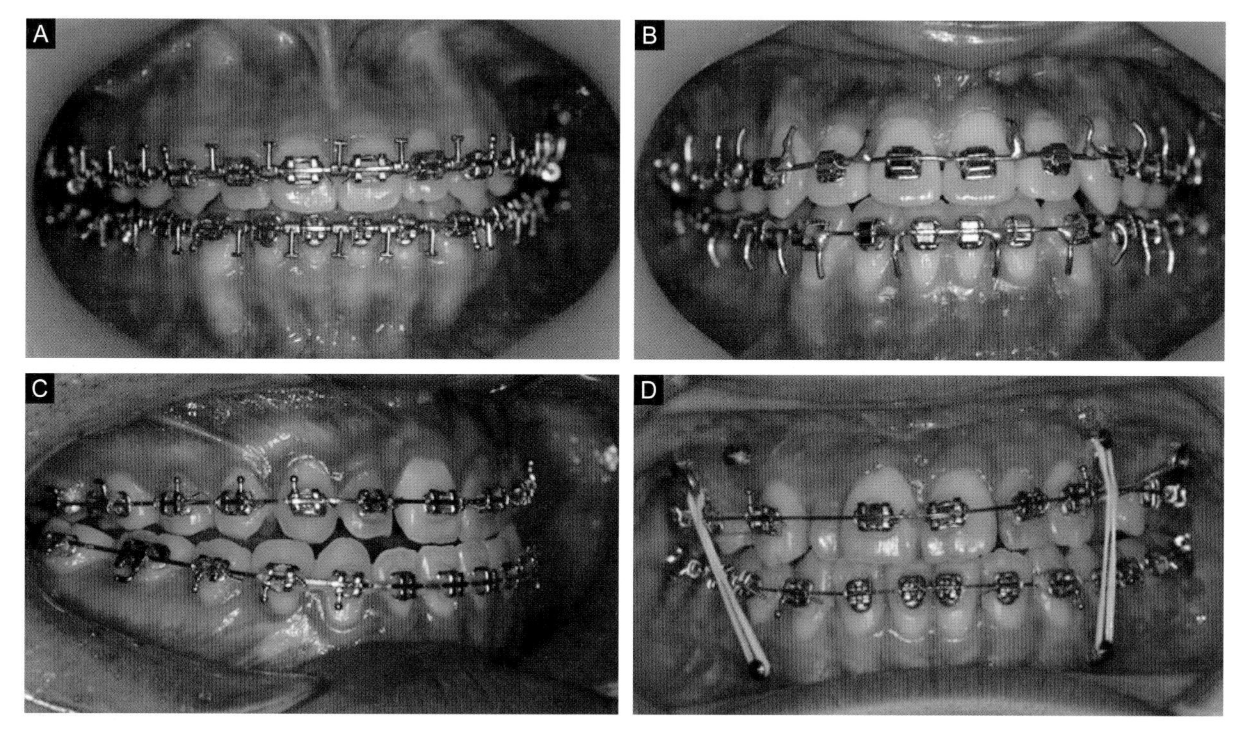

그림 17-31 수술 중에 악간고정이 필요하기 때문에 crimpable hook을 교정용 호선(orthodontic wire)에 고정하거나**(A)**, 외과적 hook을 교정용 호선에 납착(soldering)하거나**(B)**, 브라켓 자체에 부착된 ball hook 등을 이용한다**(C)**. 치은에 교정용 나사(miniscrew)를 심어서 악간 고정이나 고무견인에 이용하기도 한다**(D)**.

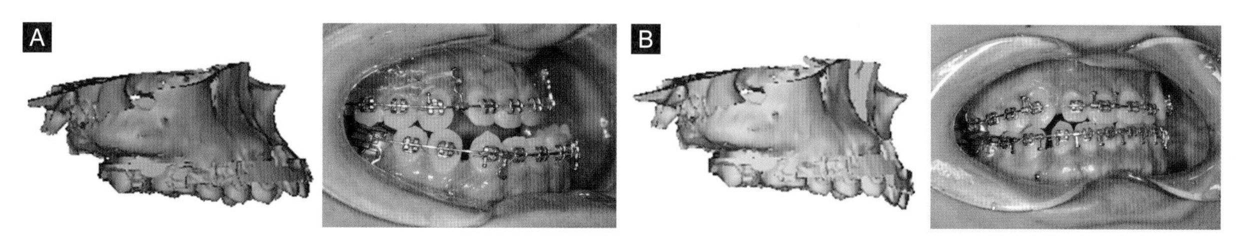

그림 17-32 상악의 교합만곡이 심한 환자에서 상악 전방부 분절골전단술을 추가하여 교합만곡을 해소. A: 술전 B: 술후.

이러한 전통적인 악교정 치료 과정의 단점을 보완하기 위해 선수술(surgery–first approach, SFA) 개념이 제시되었다. 1959년 Skaggs 등은 환자의 기존 교합이 수용 가능한 범위에 있을 경우, 교정적 치료 이전에 외과적 치료를 선행하여 전반적인 치료 기간을 줄이는 방법을 제시하였다. 이것이 문헌상으로 제일 처음 제안된 선수술의 개념이다. 이후 Nagasaka 등은 2009년에 선수술을 적용한 첫 번째 임상증례를 보고하였다. 이후 선수술에 관한 다양한 연구가 이루어졌다. 선행된 연구를 통해 알려진 선수술의 장점은 다음과 같다. 첫째, 전반적인 치료기간을 줄일 수 있다. 둘째, 안모의 즉각적인 향상을 보인다. 이러한 변화는 환자의 치료 협조도를 증가시킬 수 있다. 셋째, 술후 교정치료 시 치아의 이동이 빨리 일어난다. 이러한 빠른 골반응

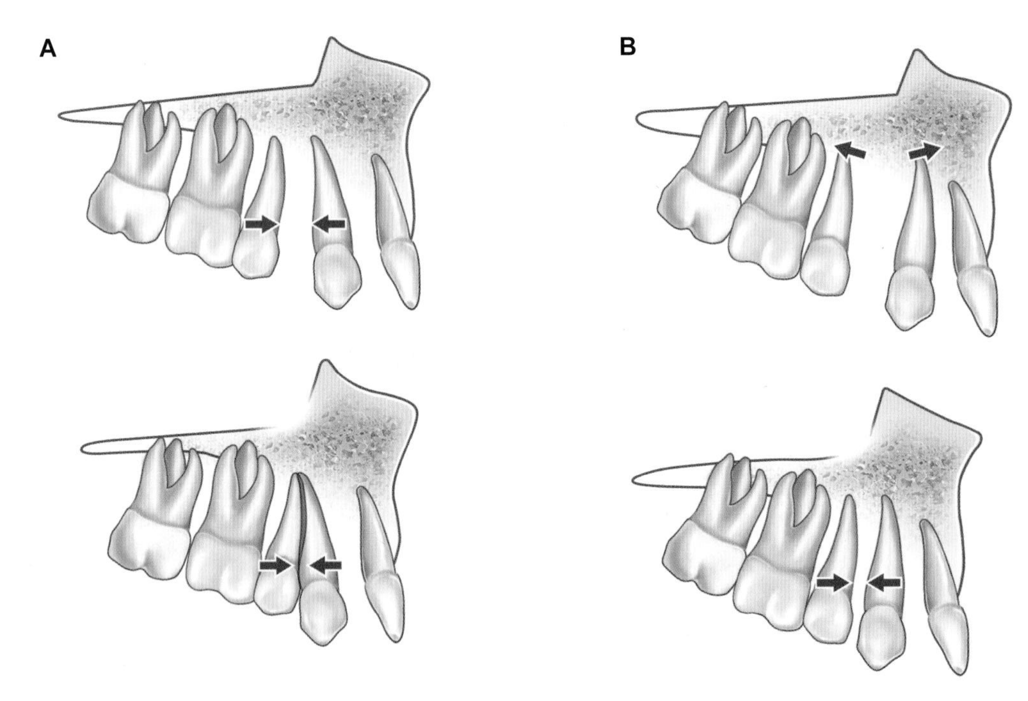

그림 17–33 **A:** 치근 이개가 부족하여 치근손상 없이 발치공간을 폐쇄하는 것이 어렵다. **B:** 견치 치근은 전방으로, 소구치 치근은 후방으로 경사시켜 골절단술로 치근손상 없이 발치공간을 폐쇄할 수 있다.

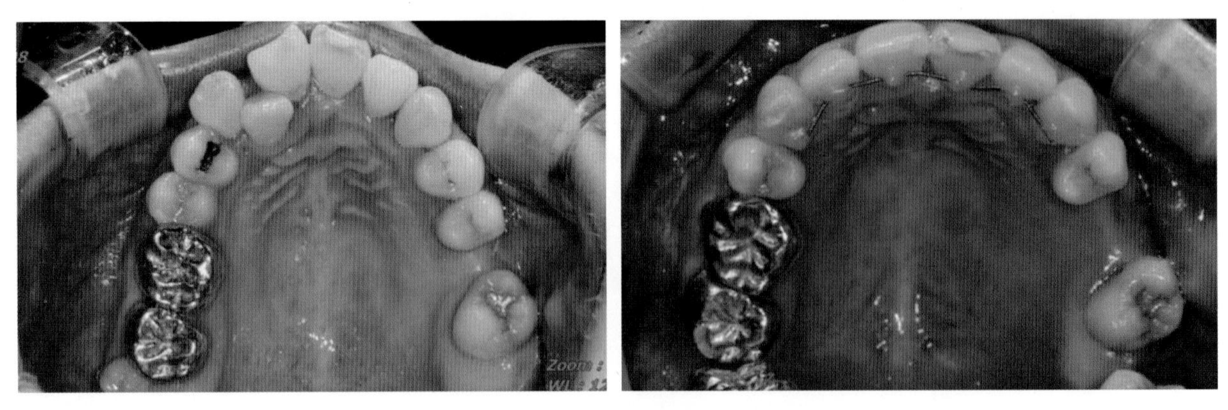

그림 17–34 상하악 치열궁의 넓이를 조절하는 것은 술전 교정치료에서 중요하며, 상하악 간 악궁의 폭경 차이는 교정치료를 통해 안정적으로 개선시킬 수 있다. 상악 전치부에 총생을 가지고 있는 환자로 상악 소구치 발치와 상악궁의 확장을 시행하였다.

은 regional acceleratory phenomenon (RAP) 때문이라고 보고되었다. RAP는 골대사 속도를 증진시키고 국소적으로 골밀도를 감소시키는 복잡한 생리과정으로, 골모세포와 골파괴세포의 구성비율변화, 신생혈관형성, 칼슘침착 등 몇 가지가 그 원인으로 제시되고 있지만 정확한 기전은 밝혀져 있지 않다. Yaffe 등은 RAP가 수술 직후부터 약 4개월까지 지속된다고 하였다. 빠른 치아이동의 또 다른 원인은 개선된 상하악 기저골의 위치이다. 보다 안정적인 방향으로 재위치된 상하악골은 관련된 근골격계의 움직임 역시 안정적으로 일어나게 한다. 따라서 교정장치에 의한 교정력 외에 근골격계의 개선된 작용을 받는 치아들은 그 이동이 이상적인 위치에 빨리 도달할 수 있게 된다.

선수술은 여러 장점을 가진 치료법이지만, 단점 역시 존재한다. 가장 큰 문제점은 전통적인 방법에 비해 술후 안정성이 낮다는 것이다. 수술 후 골격적 안정성은 3급 부정교합 환자를 대상으로한 연구에서 전후방적으로 11.6% 정도의 회귀(relapse)를 보였으나 2급 부정교합 및 비대칭 환자에 대한 보고는 적은 편이다. 성공적인 선수술 치료를 위해서는 정확한 수술교합 설정과 수술 후 교합간섭의 조절이 필수적이다. 또한 적절한 증례의 선택 역시 중요하다. 선수술의 적응증은 다음과 같다.

- 치아의 총생이 비교적 양호하여 발치교정이 불필요한 경우
- 상악 전치의 경사도가 정상에 가까운 경우
- 상하악 기저골의 전후방적 위치 개선을 통해 적절한 악궁 폭경의 조화를 얻을 수 있는 경우, 이는 치아모형의 구치를 class I 관계로 교합시켰을 때 파악할 수 있다.

이와 반대로 악관절증이나 증후군을 동반한 경우 혹은 다수 치아의 상실이 관찰되는 경우는 적응증이 되지 못한다.

적절한 증례의 선택과 교합설정이 중요하지만, 가장 중요한 것은 치료과정 전반에 걸친 구강악안면외과의사와 치과교정과의사 간의 긴밀한 협조이다. 진단, 수술, 수술 후 교정에 이르는 전체의 과정 동안 지속적인 협진이 필수적이다(그림 17-35).

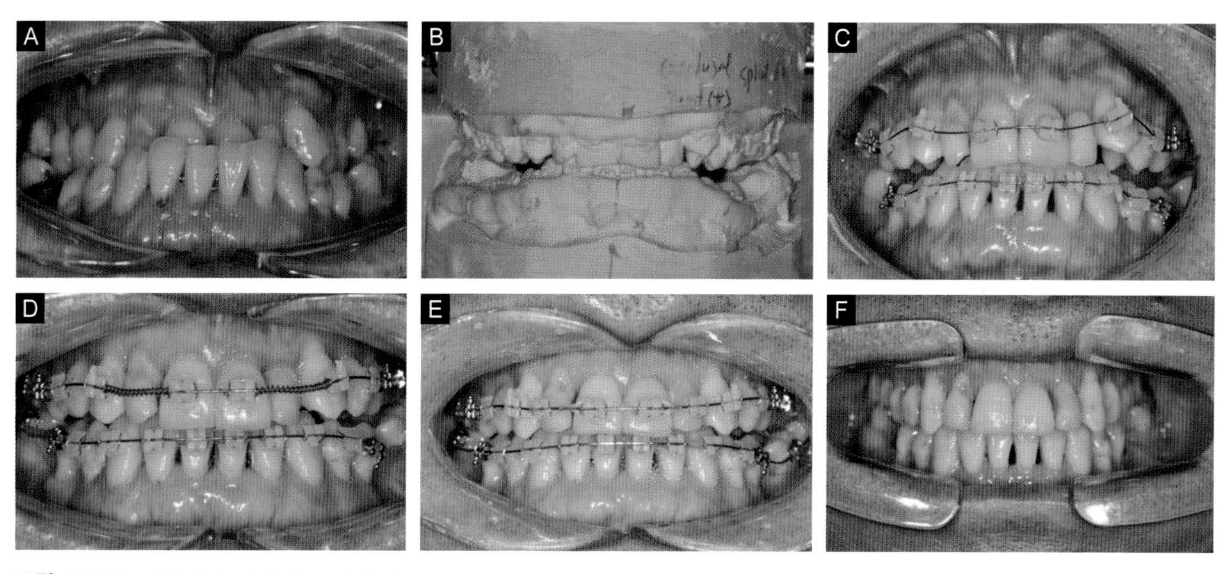

그림 17-35 진단, 수술, 수술 후 교정에 이르는 전체의 과정 동안 지속적인 치과교정과 의사와 구강악안면외과 의사간의 협진이 중요하다.
A: 선수술 전 **B:** 수술 직전의 Setup 모델 **C:** 선수술 직후 **D:** 술후 3개월 **E:** 술후 6개월 **F:** 술후 1년.

4. 외과적 치료의 계획

존재하는 근골격 기형을 해소하기 위한 외과적 술식은 최적의 기능적 심미적 결과를 안정적으로 나타낼 수 있는 방법으로 조심스럽게 선택해야 한다. 술전 교정치료 후 새로운 검사기록들을 만들어야 하며 이는 임상적 재평가, 두부계측방사선 사진, 치아모형 등을 포함한다. 변화된 악골구조의 위치와 측모의 예견을 위하여 최종 외과적 치료목표가 수립되어야 한다. 3D CT를 이용한 가상 수술을 통해 이러한 예측이 보다 용이하게 이루어질 수 있다. 가상수술은 상하악의 기저골을 재위치시키며, 치아-치조골의 관계가 보다 이상적인 형태가 되도록 시행한다. 가상수술을 통하여 하악의 근원심 골편간의 간섭과 간극을 미리 예상해 볼 수 있다(그림 17-36).

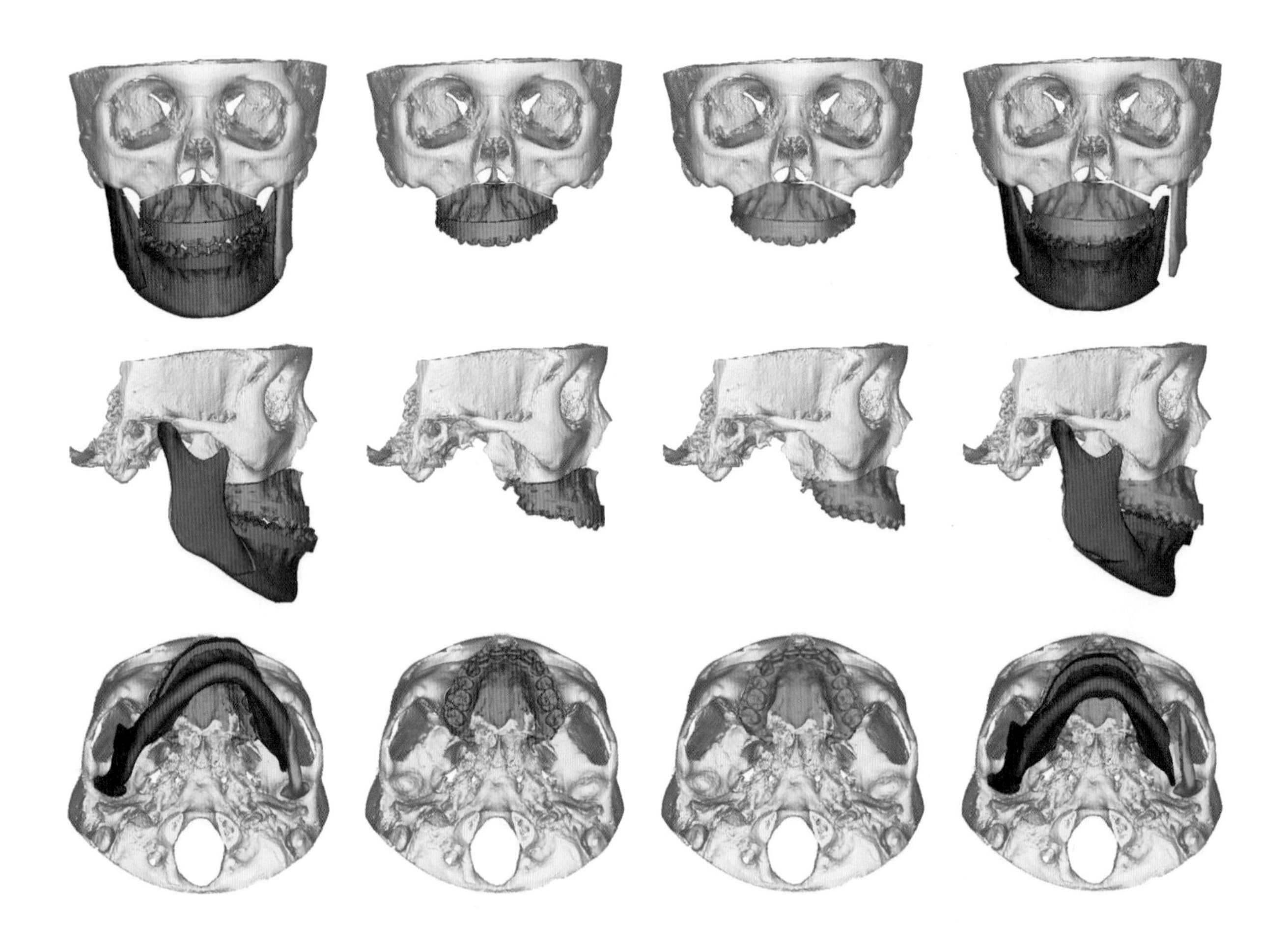

그림 17-36 안면비대칭 환자에 대한 술전 계획 수립 시 3차원 분석과 가상수술을 이용한 술전 예측의 예.
환자의 canting을 바로잡고 안면비대칭을 해소하기 위한 양악수술을 계획한다. 예측된 상하악의 골편 위치를 확인하여 하악 근심골편과 원심골편 사이의 골간섭과 간극을 예측해 볼 수 있다.

■ **임상증례 1**(그림 17-37)
- 23세 남자, 3급 부정교합 및 개교합
- 수술: 양악수술
- Maxilla: Posterior impaction (4 mm) Le Fort I osteotomy
- Mandible: Setback BSSRO (Rt: 10 mm, Lt: 10 mm)
- 총 치료기간: 14개월

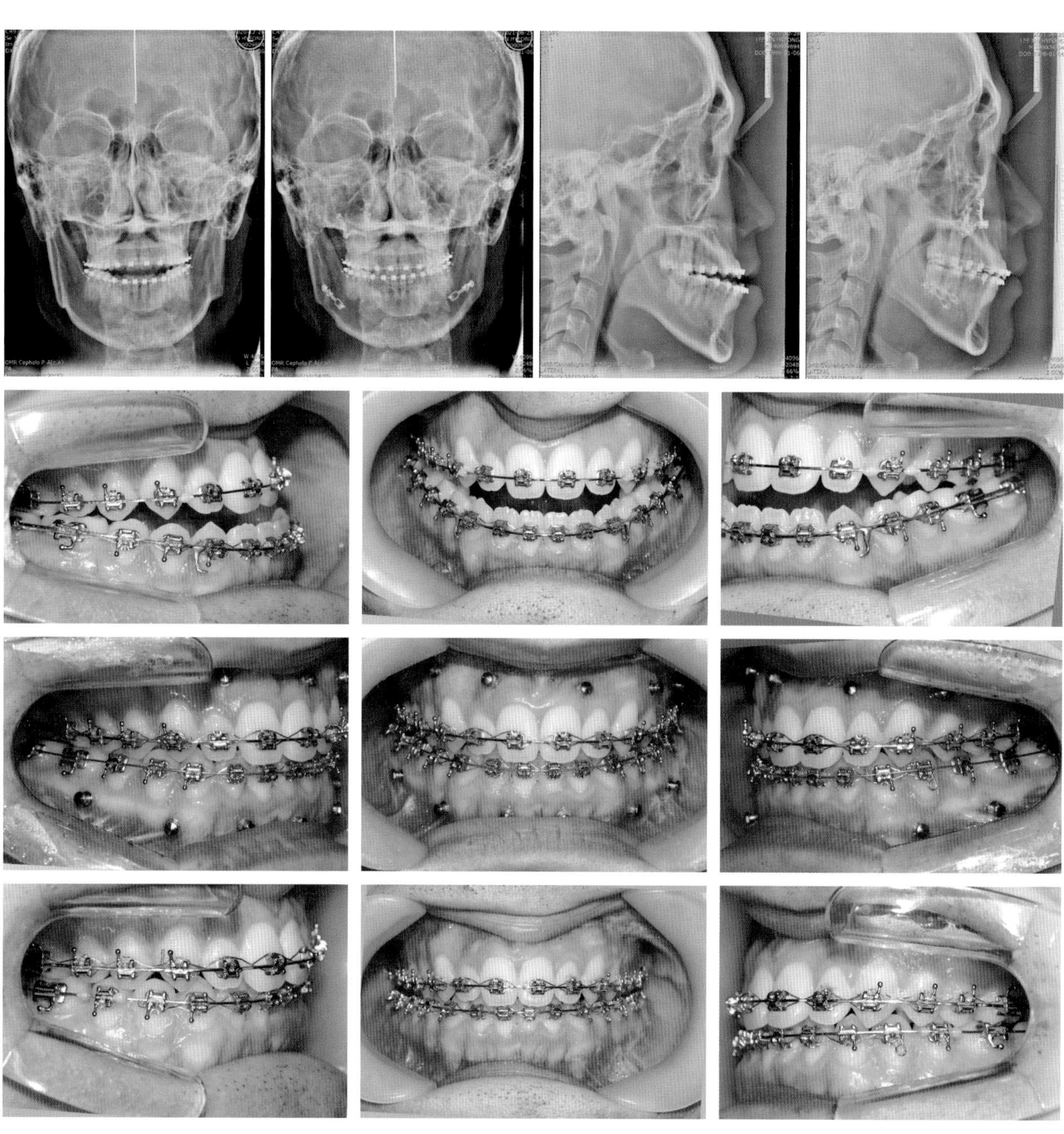

그림 17-37 임상증례 1.
하악전돌증 및 개교합 동반한 환자에게 Le Fort I과 SSRO를 이용한 양악수술을 시행.

■ **임상증례 2**(그림 17-38)

- 19세 여자, 3급 부정교합 및 개교합
- 수술: 양악수술
- Maxilla: Midline correction to left (1 mm), Posterior impaction (0.5 mm), Anterior elongation (3 mm), Setback (2.5 mm), Advancement (3 mm), Le Fort I osteotomy
- Mandible: Setback SSRO (Rt: 9.5 mm, Lt: 7 mm)
- Genioplasty: Reduction (3 mm)
- 총 치료기간: 24개월

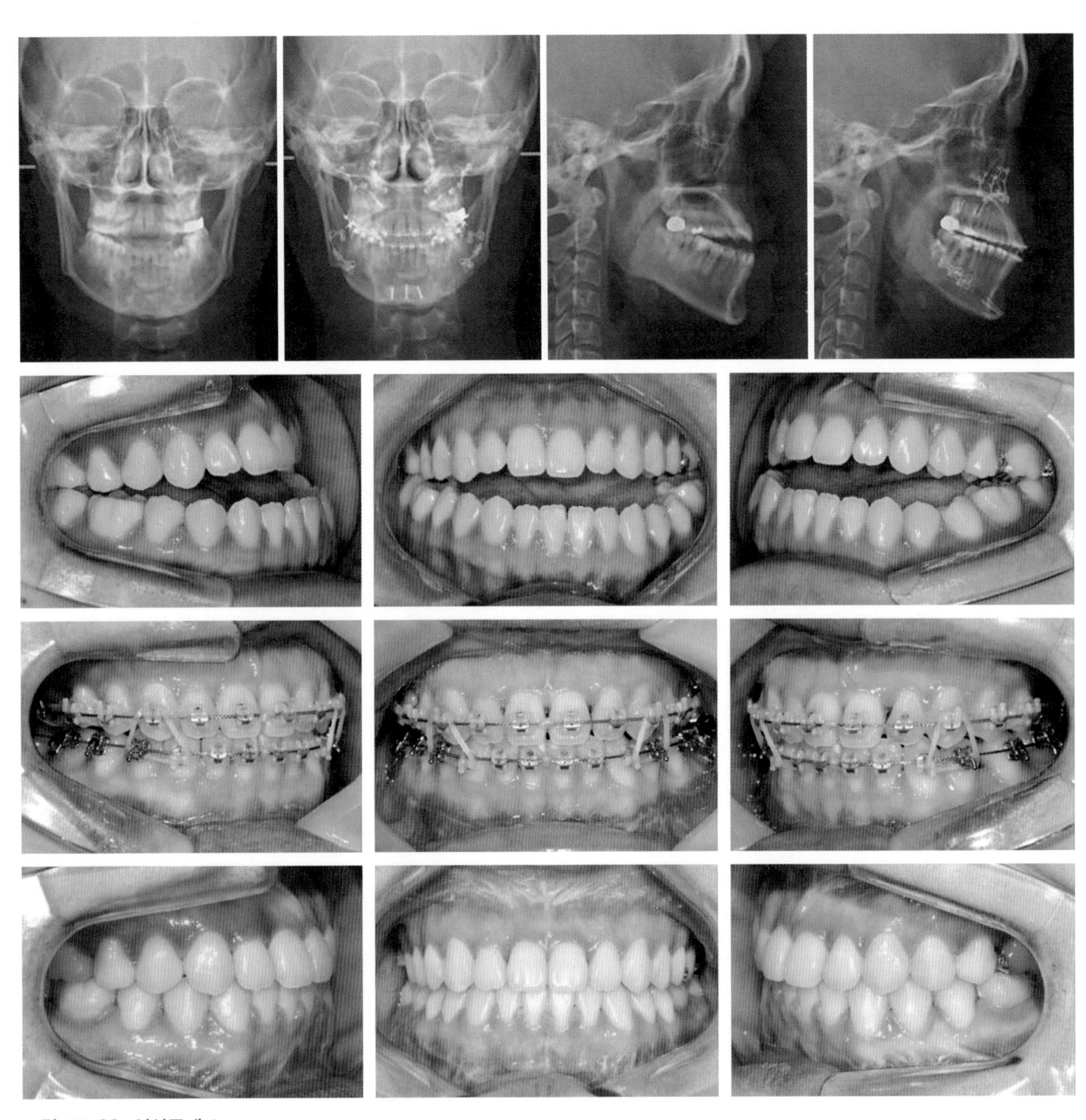

그림 17-38 임상증례 2.
개교합과 안면비대칭, 상악 열성장을 동반한 하악 전돌증 환자에게 상악의 정중선을 맞추고 상악의 구치부를 함입하는 Le Fort I과 SSRO, 이부성형술을 시행.

Ⅳ. 외과적 치료

1. 악교정수술(Orthognathic surgery)

악교정수술은 잘못된 '악골계(gnathologic system)'를 '수술(surgery)'을 이용하여 '교정한다, 고쳐준다(ortho=correct)'는 뜻을 지닌 단어들의 복합용어이다. 즉, 비정상적인 상태의 구강악안면계(oral & maxillofacial system)를 수술적인 방법을 통해 개선시켜 정상으로 회복시켜 준다는 뜻이다. 구강악안면 기형 환자는 악골의 비정상적인 성장 · 발육에 따라 안모 심미성의 저하와 함께 치아의 위치, 배열 및 각도에 있어서 보상적 변화가 동반된 부정교합이 나타난다. 악교정수술은 골격성 부정교합의 경우에 상하악골을 조화로운 위치로 재위치함으로써 안모의 심미적 개선뿐만 아니라 치열을 재배열하는 데 도움을 주어서 구강악안면계의 기능을 개선시키고 사회심리적으로 자신감을 갖게 해주는 수술이다

2. 악교정수술의 역사적 고찰

1849년 미국 외과의사인 Hullihen이 화상으로 인해 하악 치조골이 전방 돌출된 21세 여자 환자의 하악골을 쐐기형 골절제술(wedge-type ostectomy)을 이용해 후방으로 이동시킨 증례가 최초의 악교정수술로 보고되었다(그림 17-39). 미국 외과의사인 Blair는 악골 기형을 하악골 전돌증(mandibular prognathism), 하악골 후퇴증(mandibular retrognathism), 상하악 치조골 전돌증(alveolar mandibular and maxillary protrusion) 및 개교증(open bite)으로 최초 분류하였다. 또한 1897년 전돌된 하악골의 골체부를 절제해내고 후방으로 이동시키는 골체부골절제술(body ostectomy; 'St. Louis 수술법'이라고도 칭함)을 고안하였다. 프랑스 의사인 Berger (1897)는 과두절제술(condylar ostectomy)을 통

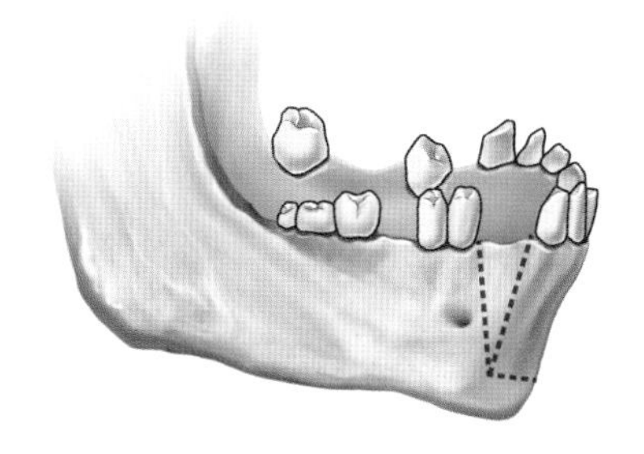
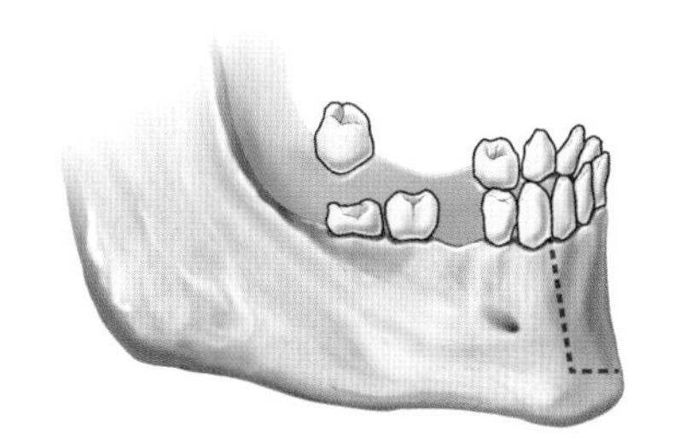

그림 17-39 Dr. Hullihen의 수술 모식도.

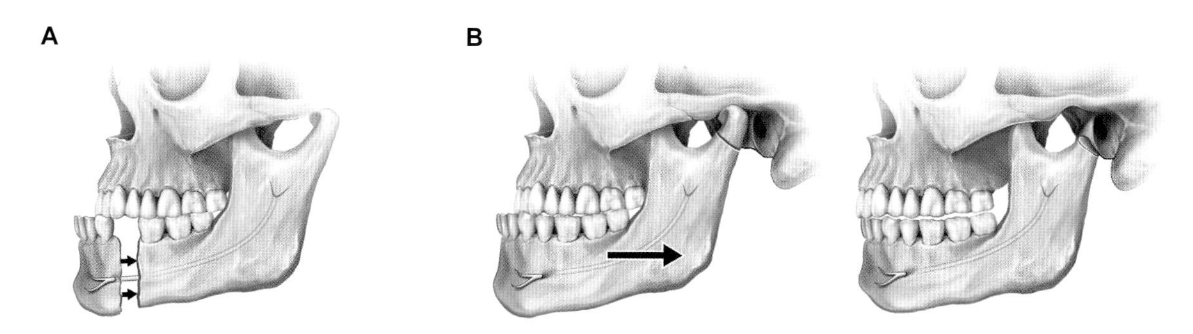

그림 17-40 Dr. Blair의 골체부절제술(A)과 하악과두절제술을 이용한 하악골 후방이동의 모식도(B).

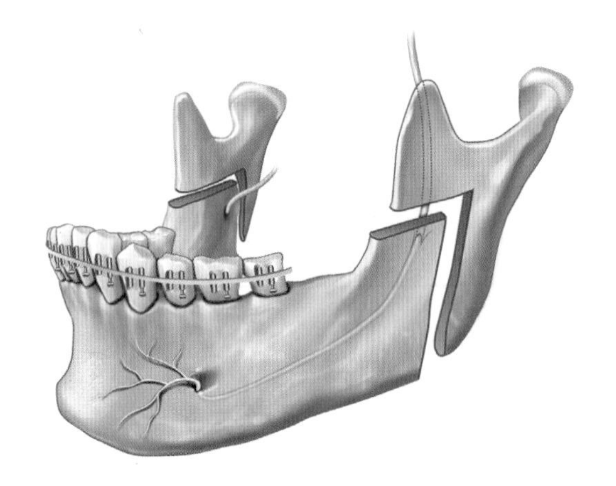
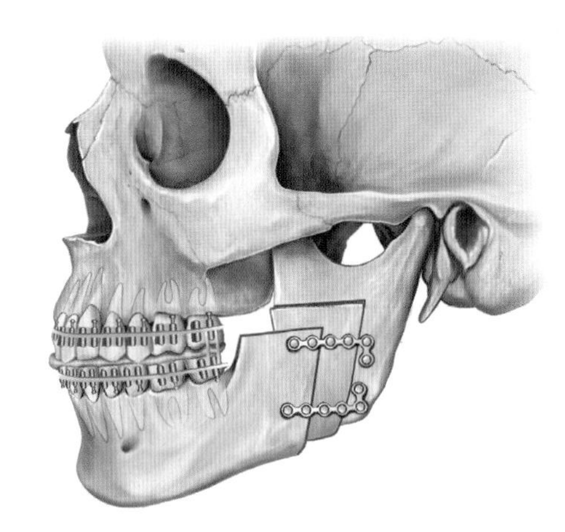

그림 17-41 역L자형 골절단술(inverted L osteotomy).

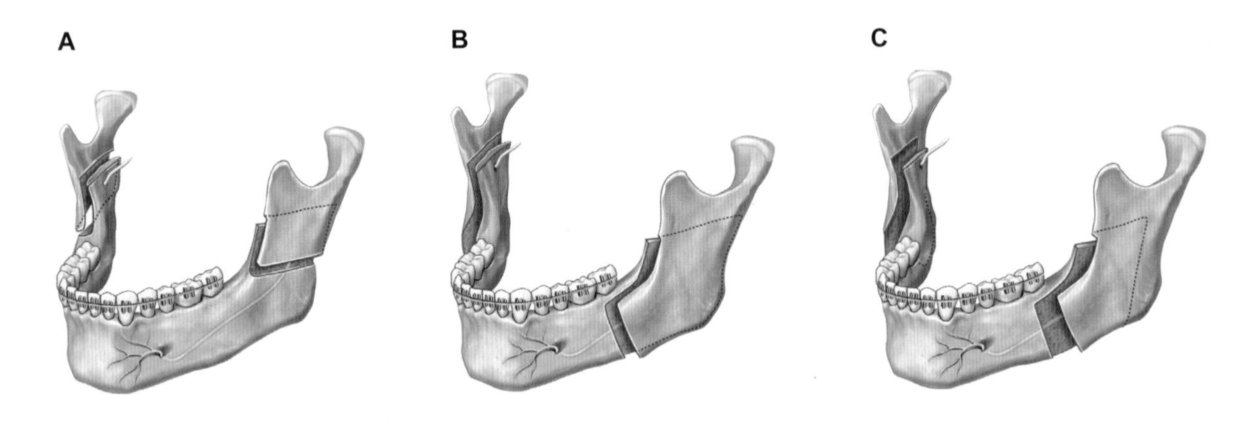

그림 17-42 Dr. Obwegeser의 SSRO(A)와 Dr. Dal-Pont(B), Hunsuck(C)의 SSRO 모식도.

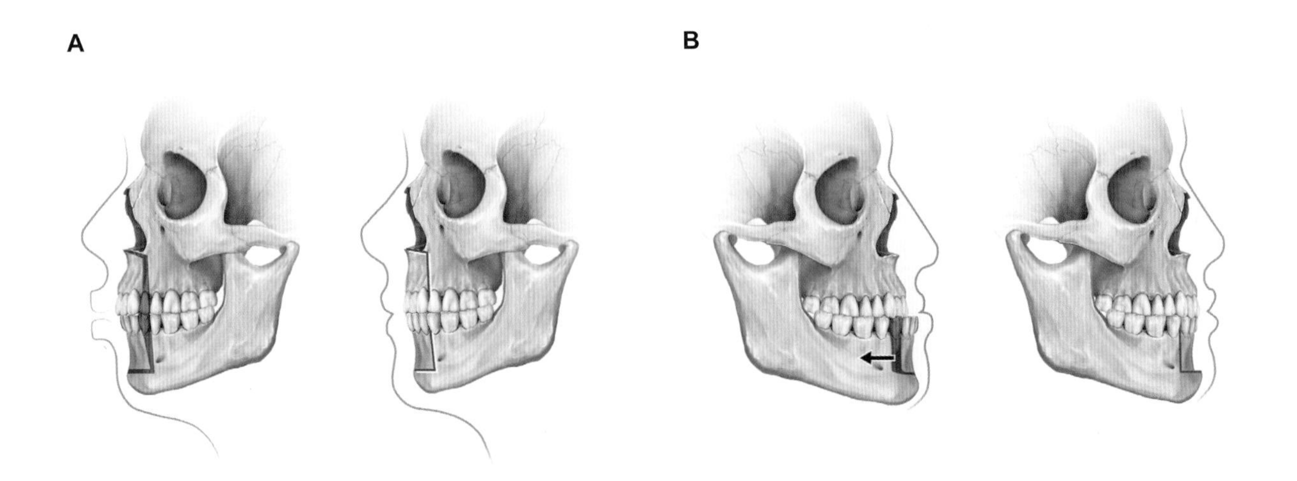

그림 17-43 Dr. Köle의 상하악 동시 분절골 수술 모식도(A)와 전치부 치근단하 분절골 수술 모식도(B).

한 과두부의 공간을 이용하여 하악전돌증을 후방이동시키는 방법을 소개하였다(그림 17-40). Trauner는 상행지부에서 역L자형 골절단술(inverted L osteotomy)을 이용해 하악골을 후퇴시키는 방법을 소개하였는데, 이 방법은 지금도 수정 보완되어 하악골을 후퇴시키거나, 골이식과 동반하여 하악골을 전방으로 이동시킬 때 이용되기도 한다(그림 17-41).

악교정수술 분야는 제2차 세계대전의 경험을 통해 눈부시게 발전하였다. 특히 항생제의 발달과 더불어 새로운 시도의 외과적 술기 적용은 종전의 수술을 구내접근법(intraoral approach)을 통해 시행하는 획기적인 발전을 이루었다. 1955년 Obwegeser가 구내접근법으로 처음 소개한 SSRO는 Schuchardt의 골절단술보다 접촉면을 더욱 확대시켰으며 시상평면을 따라 하악상행지를 수술하여 하악골을 골이식이 없이도 앞으로 전진시켜 치유시킬 수 있었다. 1961년 Dal Pont가 골절단선을 더욱 전방으로 이동하여 골접촉면을 증가시킨 시상골절단술을 제안하였고, 일명 'Obwegeser-Dal Pont osteotomy'라고 지칭되었으며 이후 Hunsuck에 의해 더욱 세련되어졌다(그림 17-42). 수직골절단술(vertical ramus osteotomy)도 1954년에 Caldwell & Letterman이 구외접근법 통한 술식으로 처음 소개하였고, Hinds (1957), Robinson (1958) 등이 사선골절단술(oblique sliding osteotomy)을, Herbert (1970)에 의해 oscillating saw를 이용한 구내 상행지 수직골절단술(intraoral vertical ramus osteotomy, IVRO)의 방법으로 기술적 진보가 이루어졌다.

한편 전신마취의 발전과 더불어 악교정수술의 구강내접근 술식이 보다 정교하게 발전하면서 상악골과 하악골을 동시에 수술하여 이동시키는 '양악수술'이 시도되었고 이는 단번에 여러 가지 술식을 활용하면서 치료효과를 극대화할 수 있다. 이는 치료효과의 신뢰성을 높이면서 악교정수술을 더욱 보편화시키는 계기를 맞게 하였다. 양악수술은 1959년에 Köle가 상하악 전치부 분절골절단술(bimaxillary alveolar osteotomy)을 시행함으로써 효시를 이루었지만(그림 17-43), Obwegeser가 1970년대에 상악골과 하악골의 동시 이동술에 따른 여러 가지 심미적 및 술후 안정성에 대한 발표를 한 후부터 활발히 시행되기 시작하였다.

한편 악교정수술의 역사적 발전에 빼놓을 수 없는 것은 골편고정방법(fixation method for bony segments)의 개선이다. 제2차 세계대전 후 의학용 재료 및 기구의 획기적인 발전으로 기존에 흔하게 사용되던 강선(wire)를 이용한 고정방법 대신에 소형 금속판(miniplate)과 골고정나사(screw)를 이용한 견고고정 또는 반견고고정(semi-rigid fixation)의 개념이 도입되었다. 1974년 Spiessl이 압박골고정나사(compression screw)를 하악골의 SSRO 후 골편간고정에 처음으로 사용하였다. 악안면영역에 사용되는 소형 금속판과 골고정나사는 초기에는 Luhr (1979)에 의해 압박골유합(compressive osteosynthesis) 개념으로 개발되었으며, 이후 Champy & Lodde (1976), Steinhaeuser (1982) 등에 의해 비압박골유합(non-compressive osteosynthesis) 개념으로 개발되었다. 이로 인하여 악교정수술이 더욱 쉬워지고 수술 후에 보다 안정적인 예후를 갖게 되었으며, 악교정수술이 급속히 발전하고 보편화되는 계기가 되었다.

돌출된 상악골 전방부를 절단·분리하여 후방이동시킴으로 치열을 개선하는 목적으로 사용한 최초의 보고는 1921년 Cohn-Stock에 의한 상악전방부 골절단술로 알려져 있으며, 1935년 Wassmund에 의해 단회 수술법으로 보고되면서 상악전돌증환자의 전치부 분절골 수술방법으로 알려지게 되었다. 이는 상악골 전방부의 골점막과 구개측의 구개점막을 터널처럼 벗겨 골을 노출시킨 후 터널처럼 형성된 공간을 이용하여 맹관식(blind method)으로 골을 절제하여 이동시키는 것으로 골절단 및 골 이동이 매우 까다로웠다. 이어서 1955년 Schuchhardt가 구치부 분절골 수술을 소개한 바 있다.

상악골 전체의 이동은 Wassmund (1927)가 보고한 개교증 환자에서 상악골절단술(total maxillary osteotomy) 증례가 최초이다. 1939년 Axhausen이 부정유합된 상악골을 르포트 1급 골절단술(Le Fort I osteotomy)을 이용하여 전진시켰음을 최초로 보고하였고, Obwegeser (1969)가 Le Fort I을 이용한 다양한 수술 결과를 보고하여 현재 흔히 사용되고 있는 Le Fort I osteotomy를 보편화시킨 계기가 되었으며, Bell (1980) 등 여러 학자들의 고안에 의해 수술원리 및 유용성이 발전되어 왔다.

상악골의 단순한 전진뿐만 아니라 안와 하부의 효과적인 전진도 이루기 위한 사각형 르포트 1급 골절단술(quadrangular Le Fort I osteotomy)이 Keller & Sather (1990)에 의해 고안된 바 있으며, 상악골과 함께 열성장된 비골(nasal bone) 및 관골(zygomatic bone) 등도 같이 이동시키는 Le Fort II와 Le Fort III도 제시되었다. 특히 안면골의 전체적인 전진을 위한 수술의 개발은 Gillies & Harrison에 의한 Le Fort II (1942) 및 Le Fort III (1950) 수술증례 보고 이후 Tessier (1964)에 의해 orbito-craniofacial deformities의 개선을 위한 여러 가지 두개안면수술(craniofacial surgery)이 제시되면서 획기적인 관심과 발전을 이루게 되면서 Apert syndrome 등과 같이 선천적인 두개안면기형 환자의 두경부 문제 해결뿐만 아니라 중안면 발육부전 등의 안모결손을 획기적으로 개선시킬 수 있게 되었다.

골신장술(distraction osteogenesis)은 1905년 Codivilla에 의해 고안되었으나 잘 알려지지 못했다가 1988년 러시아 의사 Illizarov의 사지신장술(osteodistraction of extremities)의 보고 이후에 세계적으로 크게 각광을 받기 시작하였다. 하악골에 골 신장술을 적용하는 것은 McCarthy (1992), Molina (1995), Stucki-McCormick (1997) 등이 활발히 보고하기 시작하였다. 하악골의 골신장술은 하악골의 길이를 과격한 수술방법으로 늘려 주면서도 연조직의 한계로 만족할 만한 효과를 보기 힘들었던 하악골 재건의 한계를 경조직과 함께 연조직도 늘려줄 수 있다. 특히 악골의 성장이 왕성한 소아에서 치료할수록 효과가 크므로 심한 하악골 후퇴증이나 하악과두결손에 의한 기형 등을 조기에 교정하는 시대를 열고 있다.

국내에서도 이미 약 1960년대부터 악교정수술이 시작되어 여러 치과의사들의 노력으로 간헐적인 시술이 이루어지다가 1980년대에 이르러 해외와의 인적 및 학문적 교류가 활발해지면서 눈부신 성장을 거듭하여 이제는 보편적으로 시행하는 시술로 자리 잡고 있다. 특히 국내에서는 외국인의 경우와 달리 하악골전돌증과 관련된 유형의 구강악안면기형이 많으므로 이를 진단하고 치료하는 기법이 많이 발전해 왔으며, 이제는 한국인의 인종적 특성을 고려한 진단 및 시술방법의 개발에 발전이 이어지고 있다.

최근의 악교정수술의 경향은 악골의 위치적 개선을 통한 안모의 단순한 심미성 개선을 넘어 보다 적극적인 심미적 개선을 완성하고자 각종 성형적 수술기법이 도입되어 안면교정수술(corrective facial surgery)의 개념으로 부가적인 시술이 추가되는 경향에 있다.

3. 수술 전 준비(Presurgical workup)

악교정수술 전 준비과정에서는 대개 예측된 치료목표의 진행상태를 재점검하고, 술전 교정으로 완성된 치아상태를 바탕으로 최종 수술계획을 수립하고, 적절한 수술술식을 선택하여야 한다(그림 17-44).

1) 치료목표의 재점검

술전 교정치료가 완성되어 수술이 의뢰된 환자는 교정치료에 의해 치아의 배열 및 교합은 물론 경조직 및 연조직의 형태도 교정치료 전의 상태와 다르므로 최초 예측 시 고안되었던 치료 목표와 술전 교정치료 후의 치료목표가 다소 차이가 있을 수 있다. 따라서 수술 전에 이를 다시 한 번 확인하여 정확히 점검하는 것이 무엇보다 중요하다. 술전 교정이 최초의 예측대로 잘 진행되었는가, 수술 직후의 교합이 수술 후의 안정성과 치료목표의 완성에 바람직한가, 골절단선에 방해가 되는 치아가 없는가, 치근의 건강도 및 배열상태가 수술 시 혹은 수술 후의 유지에 영향을 주거나 방해되지는 않는가, 교정장치의 부착상태가 양호하여 수술 시나 혹은 수술 후의 교합에 방해를 주지는 않는가 등을 확인한다. 경우에 따라서는 수술법의 선택에 있어서도 처음 예측과 매우 다른 경우도 있으므로 최종 수술계획 전에 최초의 예측을 참고로 하여 치료목표에 대한 세밀한 재점검이 필요하다.

2) 최종 수술계획 수립

최종 수술계획을 세우는 과정은 술전 교정치료 전에 하였던 최초 수술 예측과정과 동일하다. 다만 이 시기는 수술 전 교정이 완료된 시기이므로 이에 준해 경조직의 이동을 고려하여 치료계획을 수립한다는 점만 다르다. 수술계획의 수립 시에는 수술의 결과로 필연적인 영향을 받는 상악전치의 각도 변화, 상악전치의 노출량, 비순각의 변화, 총체적인 입술의 심미적 변화 등을 고려해야 하며, 이부성형술 혹은 횡적 이상의 수술적 교정 등을 모두 고려하여 수술계획을 수립하여야 한다. 수술계획의 수립이 완성되면 환자 및 보호자에게 수술 내용, 예상 결과, 속발증 및 합병증, 수술 전 준비 과정, 수술비, 수술 후 주의사항 등에 관해 자세히 설명하고 수술계획에 동의하면 수술 전 환자 준비를 진행한다.

3) 수술 전 환자 준비

상하악골의 정교한 3차원적인 위치 이동과 수술 후의 안정성을 위해 수술 전에 준비되어야 할 것들이 많고 또한 전신마취하에서 수술이 진행되므로 대개는 최소한 2개월 전에 수술일을 미리 정하고 수술 준비를 진행한다. 악교정수술 전에 필수적으로 준비되어야 할 사항들은 전신검사 및 임상병리검사, 수술용 arch wire 및 hook 부착, 교합조정(occlusal adjustment), 모형수

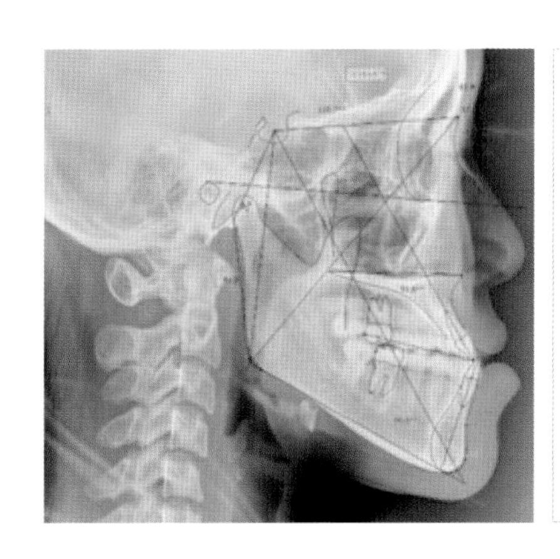
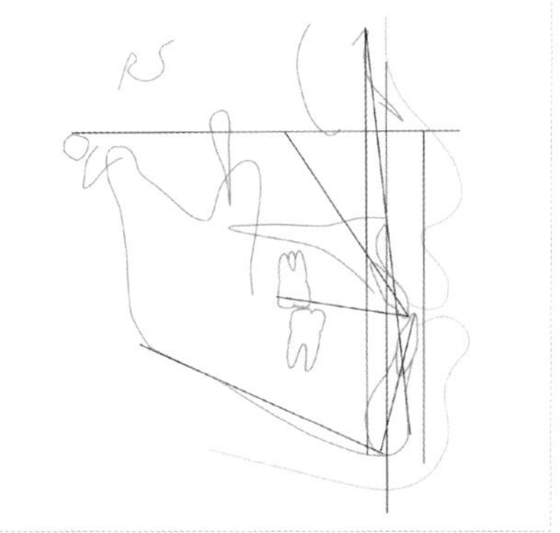
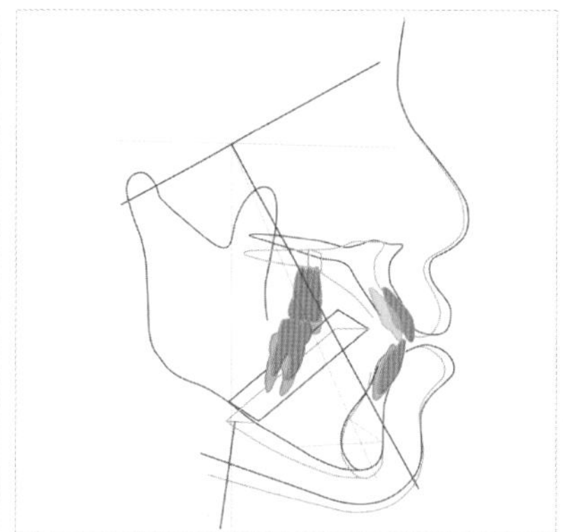

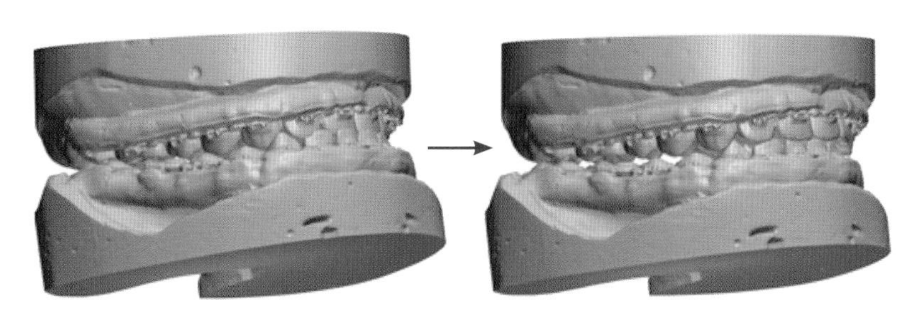

그림 17-44 수술 전 준비(Presurgical workup).

술 및 교합 장치 제작, 입원 예약 등이 있다. 전신검사 시에는 특히 심폐기능, 간기능 및 혈액질환 등에 대한 철저한 검사가 필요하다.

교합장치를 만들기 위한 인상채득 후에는 치열의 배열이 달라지면 안 되므로 장치 제작 일정을 고려하여 수술용 arch wire를 미리 교환한다. 예상되는 수술 후의 상하악 교합상태가 안정되지 않고 특정 치아가 먼저 닿아서 교합의 불안정성에 영향을 미친다면, 수술 후 교합이 안정될 수 있도록 교합조정을 시행해주는 것이 필요하다.

중간 스플린트(intermediate splint)와 최종 스플린트(final splint)는 수술 중 악골의 위치를 결정하는 역할을 담당하며 수술 후 물리치료 시 교합을 유도하는 역할도 하므로 정교한 모델수술(model surgery)을 통하여 제작되어야 한다. 편측 악골만을 수술할 경우에는 한 개의 장치만 이용되지만 양악수술이나 분절골 수술이 적용될 때에는 여러 개의 장치가 사용되기도 한다. 특히 여러 개의 장치를 이용할 경우에는 장치의 변형이 없도록 세심하게 제작해야 한다(그림 17-45).

4. 외과적 술식(Surgical methods)

악교정수술은 20세기 전반에 걸쳐 다양한 수술술기가 개발되어 이 교과서에 악교정수술에 관한 모든 것을 망라하여 기술하기는 어렵다. 그러므로 여기서는 수술부위인 하악골, 상악골 및 하악이부(chin)에 대표적으로 적용되는 술식만 이동방향에 따라 설명하고 이들의 복합적 수술방식인 '양악(상악골 및 하악골) 동시 이동수술'에 대해 설명하고자 한다. 악교정수술은 환자

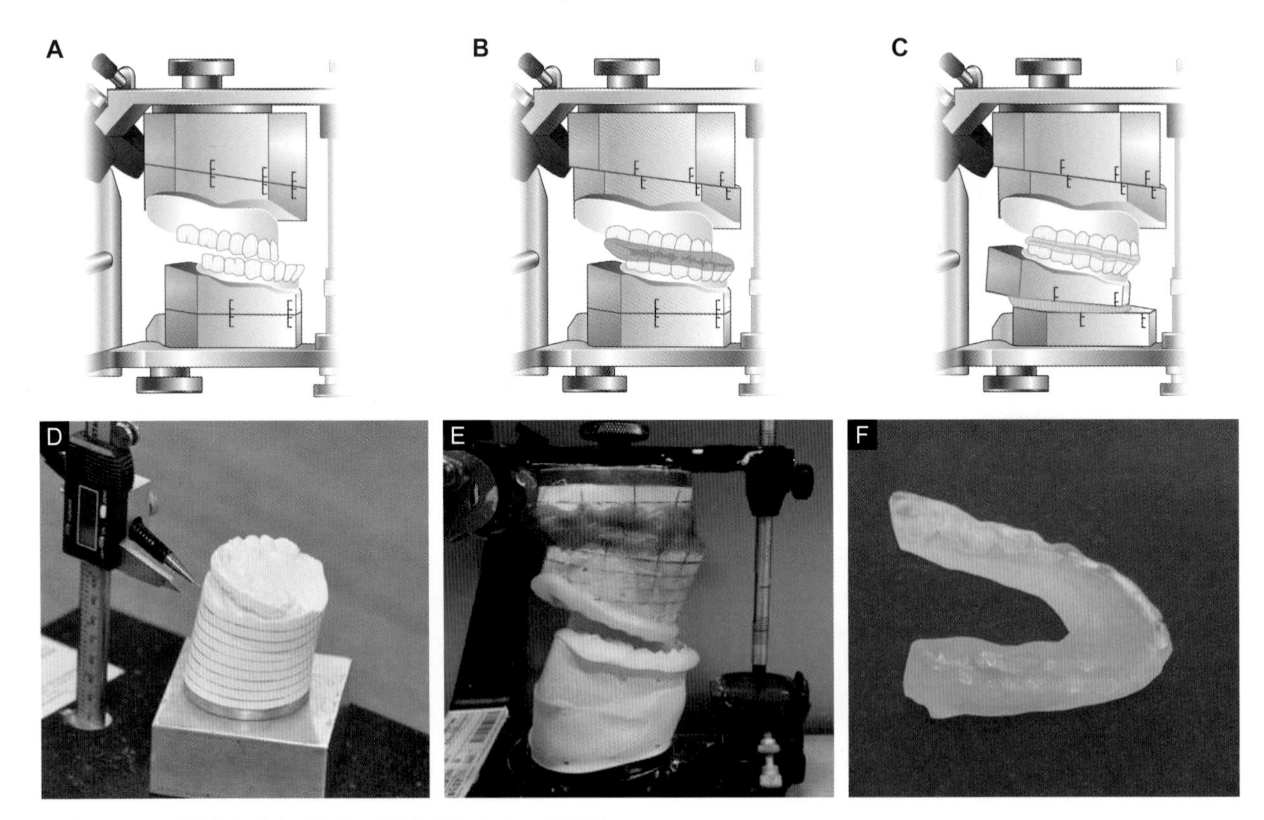

그림 17-45 양악수술에서 필요한 스플린트를 만드는 기본개념.

A: 수술 전 B: 상악만 이동 후의 intermediate splint C: 상하악 모두 이동 후의 final splint D: 악교정수술을 위한 상악 이동량의 측정 E: 교합기 상에서 상악만 이동 후의 사진 F: 상악 재위치에 사용할 intermediate splint 장치.

가 보이는 비정상적인 악골의 상태를 정상으로 환원시켜 주는 것이므로 어느 한 가지 수술술식이 선택되기보다는 구강악골계의 3차원적인 균형을 재창조하기 위한 술식이 복합적으로 선택되어야 한다. 또한 최근 개발되어 활발히 적용되고 있는 디지털 악교정수술에 대해 소개하고자 한다.

1) 상악골의 악교정수술

(1) 르포트 1급 골절단술(Le Fort I osteotomy)

치열을 포함한 상악골을 머리뼈와 분리하여 이동시키는 가장 표준화된 수술방법은 Le Fort I 골절단술이다.

① 술식

상악 전방의 전정부를 절개후 골점막 피판을 중앙에서는 이상구(piriform aperture)와 비점막이 노출되기까지, 상부로는 안와하신경(infraorbital nerve)이 노출되는 정도로 상악골 전벽을, 측방으로는 상악골 후벽까지 광범위하게 노출한다(그림 17-46A). 다음에 비강내 비점막을 골벽으로부터 완전히 분리한다. 비점막을 젖혀 보호하고 상악골의 측벽 및 후벽의 골막을 상향견인자(upward retractor)를 삽입 후 골절단톱(reciprocating saw)을 사용하여 수평골절개를 시행한다(그림 17-46B). 수평의 골절개선은 최장의 치근단으로부터 최소한 5 mm 상방에 위치시키며, 비점막 및 상악골 후방에 위치한 주요혈관들의 손상이 없도록 주의하면서 골절단톱으로 골절단을 시행한다. 상악골 전벽 및 후벽의 수평골 절개가 완료되면 인접 연조직을 보호하면서 미세한 절골도(wax spatula osteotome)와 망치(mallet)를 이용하여 골절단의 완성을 확인 및 추가한다. 비점막을 보호하면서 비중격절골도(nasal septum osteotome)를 사용하여 비중격을 절단하고 구개골을 비중격으로부터 분리한다(그림 17-46C). 다음에 상악골 후벽의 골과 골막 사이에 절골도(curved osteotome)를 삽입하여 골절단기의 날이 상악골과 익돌판(pterygoid plate)의 경계부위의 열구에 위치되도록 한 후 상악골을 익돌판으로부터 분리한다(그림 17-46D). 상악골 분리의 모든 과정 중 이때가 가장 출혈도 많고, 과출혈의 위험과 함께 상악골 후벽에 원치 않는 골절을 발생시킬 수 있으므로 기구의 사용에 각별히 조심해야 한다. 골절단이 완성되면 상악골겸자(maxillary disimpaction forcep)로 상악골을 붙잡거나 혹은 직접 손힘으로 하방으로 밀어 상악골을 하방으로 골절 · 분리한다. 이를 소위 '상악골의 하방골절(downfracture of the maxilla)'이라고 한다(그림 17-46E). 이후 상악치열과 하악치열 사이에 상악골 위치 조정을 위한 중간 스플린트를 끼우고 악간고정을 한다. 다음에 하악골을 자연스럽게 움직여 상악골편을 위로 이동시키면서 상악골의 재위치를 위해 필요한 만큼의 골삭제를 시행한다(그림 17-46F). 상악골이 계획한 대로 이동이 되면 소형 금속판 및 골고정나사로 고정(rigid fixation)한다(그림 17-46G). 고정하기 전에 지혈이 충분한지를 확인하고 고정하여야 한다.

절단된 상악골편을 정확히 위치시키려면 적절한 계측이 필요하다. 이를 위해서는 크게 외부계측법(external measuring technique)과 내부계측법(internal measuring technique)을 사용할 수 있는데, 외부계측법을 사용할 때는 상악골을 수술하기 전에 전두골-비골봉합부(fronto-nasal suture)에 K-wire를 꽂아 외부계측의 상방 기준점을 설정하고 이 기준점으로부터 상악전치부의 교정용 브라켓(bracket)까지의 길이를 측정한 후 예정된 상방 이동량에 준해 길이를 고정하는 경우가 많다(그림 17-46H). 상악골 하방골절을 완성하고 중간교합용장치를 상하악 치열 사이에 끼우고 악간고정을 한 후 하악골의 자가회전(autorotation)을 이용하여 상악골편이 전치부의 위치가 미리 설정된 밀림자의 길이에 일치될 때까지 상악골편과 상부골의 측벽 및 후벽을 절제하여 상악골편을 상부로 이동시키고 소형금속판과 골고정나사로 고정한다. 내부계측법을 이용할 경우에는 상악골의 골절단을 시작하기 전에 수평절개선에 대해 수직으로 표시된 전치부 및 구치부의 수직 표시선 끝에 피셔버로 가는 구멍을 내어 표식을 해두며 각각의 수직 길이를 측정한 후 기록해둔다(그림

17-46I). 마찬가지로 상악골의 하방골절 후 중간 스플린트를 끼워 악간고정을 한 후 골편 및 상부골의 해당 부위를 상방 이동량에 준해 절제한다. 이때 골 절제량은 내부계측점들을 이용하여 골절제 부위 및 절제량을 결정한다. 상악골편의 상부 이동 후 소형 금속판과 골고정나사로 고정한다.

② 상악골 이동방향에 따른 고려사항

Le Fort I 골절단술로 분리된 상악골은 비정상적인 성장양상을 정상적으로 회복시키는 방향으로 3차원적으로 재위치된다. 상악골의 과성장은 전방으로의 과성장, 수직길이의 과성장 및 횡적 과성장 등의 3차원적 과성장의 기형유형을 갖고 있으며 이들이 단독 혹은

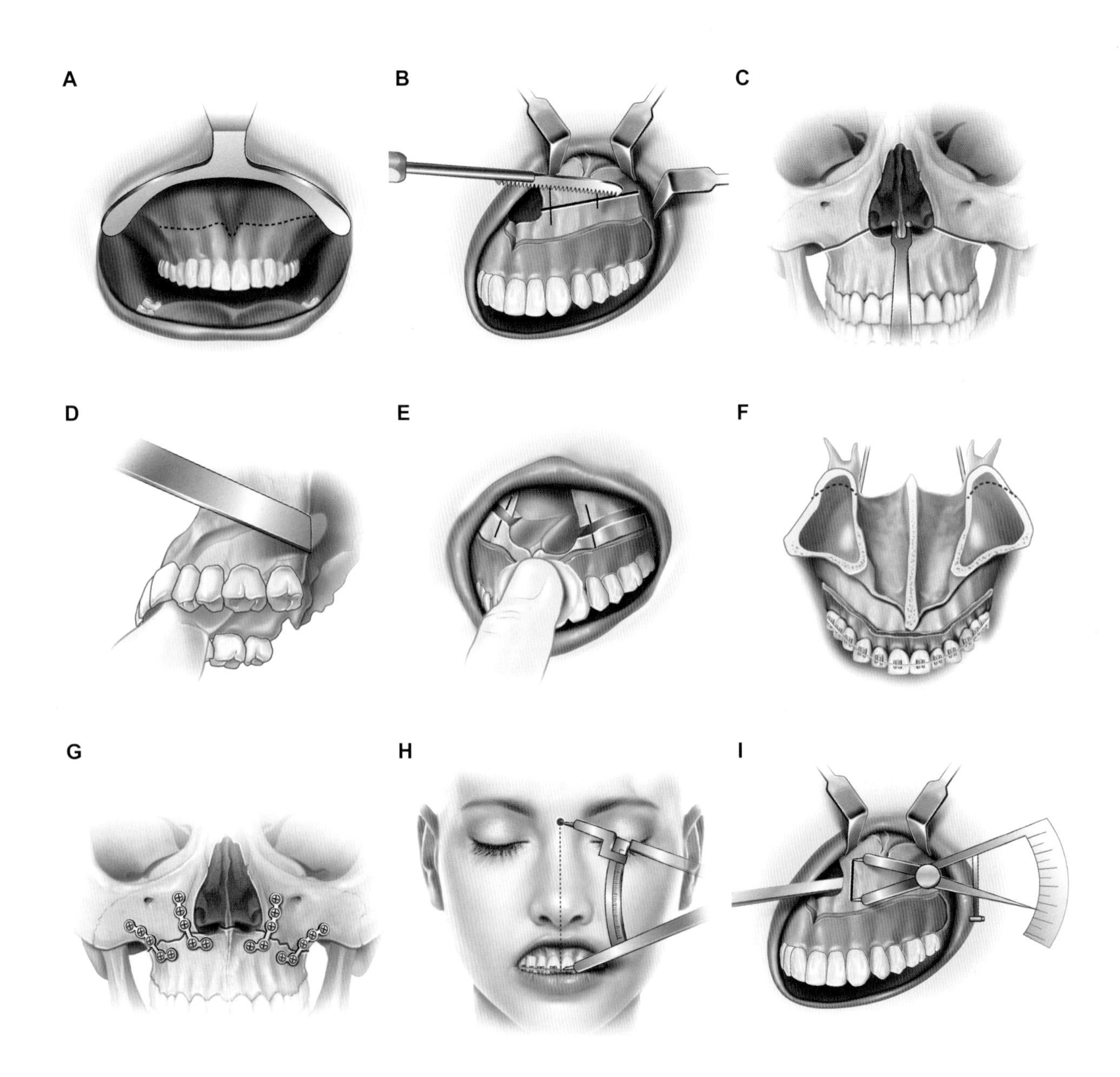

그림 17-46 Le Fort I 골절단술.

A: 절개선 B: 수평 골절개 C: 비중격절골도를 이용한 비중격 절단 D: 상악골과 익돌판의 분리 E: 하방 골절 F: 상악골 재위치를 위한 골삭제 G: 이동 후 골편의 소형 금속판을 이용한 견고고정 H: 외부계측 I: 내부계측.

복합하여 발생한다. 전방으로의 과성장에는 골격성 과성장과 치조골성 과성장이 있으며, 수직길이의 과성장은 전치부의 과성장과 구치부의 과성장이 있다. 상악골의 전방부가 수직으로 과성장되면 상순으로부터 치아 및 잇몸의 노출이 심하여 심미적으로 보기 좋지 않으며, 후방부가 수직으로 과성장되면 전방부에 개교증(open bite)을 야기한다. 또한 좌우측의 어느 한쪽이 수직으로 과성장을 한 경우에는 안모비대칭을 야기한다. 따라서 상악골의 수직방향의 과성장은 발생된 유형 및 부위에 따라 수직방향으로 과성장된 부분을 줄여 줌으로써 심미적 및 기능적 목적을 달성할 수 있다. 상악 과성장을 해결하기 위해 예정된 골절제 부위를 확인하여 바람직한 양만큼의 골절제를 시행한다. 상악골을 후방으로 이동시키는 경우 후방부의 혈관 및 신경에 대한 손상의 위험이 크므로 주의해서 시행해야 한다.

두개골에 비해 상악골이 후방으로 퇴축되어 있거나, 수직길이가 짧은 열성장의 기형 유형이 단독 혹은 복합적으로 발생할 수 있는데(그림 17-47), 상악골을 전방으로 이동시키거나 수직길이를 늘려주는 방향으로 하방 이동시킬 수 있다. 상악골의 전진시에는 골편의 전진이동에 방해 요소가 없으므로 분리된 상악골편을 전방으로 이동시켜 미리 제작한 중간 스플린트에 고정하고 하악과 악간 고정한 후 상악골편을 정확한 위치에 고정한다.

상악골의 수직길이가 짧은 경우에는 상악 전치가 입술에 가려지므로 심미적으로 불리하다. 물론 이러한 경우에 심하지 않으면 치아교정을 통해 상악 전치를 정출(extrusion)시켜 개선시켜줄 수도 있다. Le Fort I 을 통한 상악골편의 하방골절후 하악과 악간고정을 하고 하악과두를 회전축으로 하여 원하는 만큼 골편을 하방으로 이동시키고 골편과 상부골 사이의 공간에 골이식을 한 후 고정해준다. 이 술식은 수술 직후에는 원

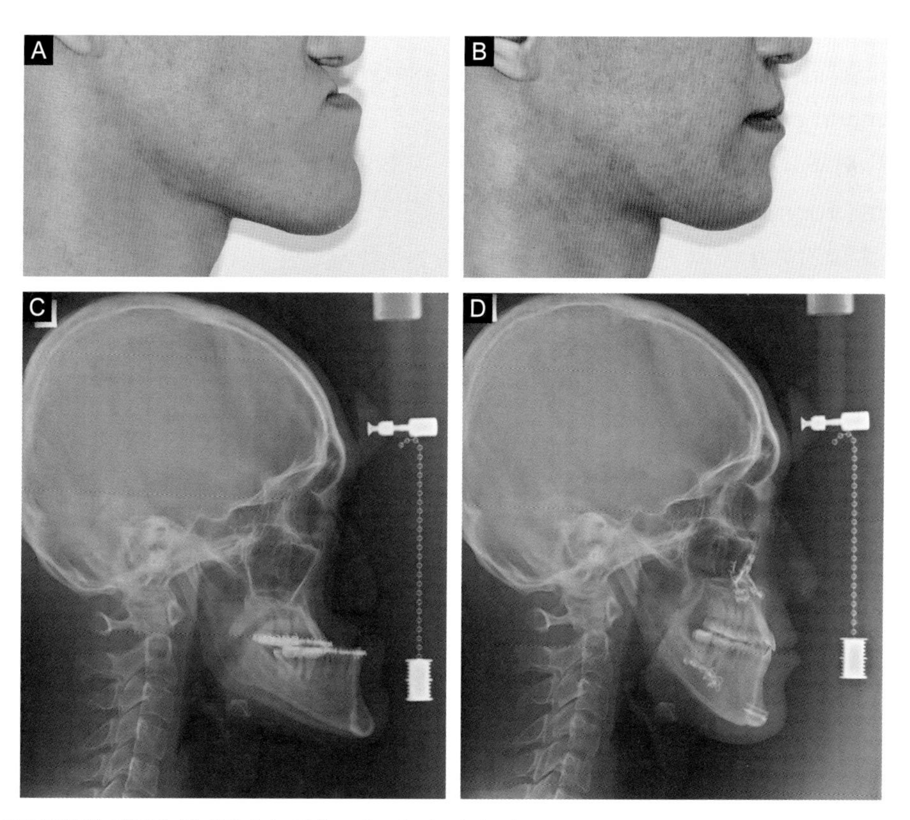

그림 17-47 상악골 전후방 열성장 환자의 수술 전후 모습. **A, C:** 수술 전 **B, D:** 수술 후.

하는 만큼의 하방 이동이 이루어지지만 상악골의 측벽이 얇아 이식골의 두께가 얇으며 저작압에 쉽게 영향을 받아 이식골의 흡수도가 높으므로 점차 상방으로 길이가 줄어드는 단점이 있다. 따라서 하방 이동 시에는 이러한 점을 고려하여 이상적인 길이보다 좀 더 과도하게 위치시켜주는 것이(overcorrection) 유리하다.

(2) 상악골의 분절골절단술

상악골은 치아부위의 재배열을 위하여 분절화될 수 있다. 발치된 공간을 골절단하거나, 추가적인 발치 없이 치근 사이를 골절단하는 방법을 사용할 수 있다. 상악 치아의 배열양상 혹은 하악 치아와의 위치관계에 따라 다양한 디자인으로 분절골절단술을 시행할 수 있다. Le Fort I과 함께 시행되면 더 쉽게 골절단이 가능하며, 폭경의 변화 없이 전방부 혹은 후방부의 골절단만 시행하는 경우에는 분절골절단술 단독으로도 시행이 가능하다. 일반적으로 분절골절단술은 다음과 같이 시행될 수 있다.

- 양측 소구치의 발치공간을 골절단하는 전치부 분절골절단술(anterior segmental osteotomy)
- 구치부 교합의 변화를 위해 시행하는 구치부 분절골절단술(posterior segmental osteotomy)
- 횡적 부조화를 교정하기 위해 중절치 사이에서 시행되는 2분할 골절단술(two-piece maxillary osteotomy)
- 전치부 분절골절단술에 후방 구개부의 분할이 추가되는 3분할 골절단술(three-piece maxillary osteotomy)

전치부 분절골절단술은 전치부와 구치부의 교합평면이 다른 경우 전방부 골편을 수직적으로 재위치시켜서 전치부와 구치부의 수직적 관계를 개선시키는 것이다. 물론 경우에 따라서는 구치부 분절골절단술을 시행하여 구치부 교합을 변화시킴으로써 교합평면을 개선시킬 수도 있다.

상악 치열에서의 교합평면의 만곡도(curve of Spee)가 비정상적으로 심하여 전치부가 몹시 상방으로 휘어져 올라가 있는 경우에는 교합면 조정(arch leveling)을 위해서 전치부를 아래로 정출시키고 구치부를 위로 함입(intrusion)시켜 교합평면을 이상적으로 맞추어야 하는데 치아의 이동만으로 이를 무리하게 시행할 경우에는 치근의 노출이 심해지거나 혹은 치료 후에 치아들이 회귀되어 개교합이 재발되기 쉽다. 이렇게 치아교정만으로 개선하기 어려운 경우에 구치부 분절골절단술이 이용될 수 있다. 수술 전에 교정치료를 통해 전치부와 구치부의 교합평면을 각각 분절화하여 각각의 평면상에서 조정한 후(segmented arch leveling), 이로 인해 생긴 전치부와 구치부 간의 수직적 차이를 분절수술에 의해 맞추어 줌으로써 무리한 치아이동에 따른 합병증을 예방하고 치료효과를 극대화해 줄 수 있다(그림 17-48). 이 경우 전치부와 구치부간의 골절단 시 치근의 손상을 피할 수 있는 정도의 공간만 있으면 골편의 분리가 가능하다.

전치부 분절골절단술은 대개 Le Fort I과 병행하여 시행되는 경우도 있다. 일단 상악골의 하방골절이 완성되면 양측의 제1소구치를 발치하거나 혹은 교정을 통해 미리 남겨진 공간에서 이 부위의 순측 골점막을 치조정상까지 벗겨 상악골 측벽에서 절단시킬 골부위를 노출시킨다. 골절단선 양쪽의 치아들(만일 제1소구치부를 절단할 경우에는 견치와 제2소구치)의 치근 주행방향을 감안하여 이들 사이에 골절단선을 표시하고 이들 치근의 손상이 없도록 조심하면서, 또한, 내측의 구개점막의 손상을 피하면서, 상악골편의 측벽 및 구개골에 톱이나 버로 골절단 및 절제를 완성한다(그림 17-49). 미리 준비된 최종 스플린트에 분절된 상악골의 각 골편을 맞추어 보면서 방해되는 골 부분을 삭제하여 골편간의 간섭을 없애면서 장치에 골편들을 세밀하게 맞춘다. 최종 스플린트에 분절골편들이 무리 없이 잘 맞으면 철사를 이용해 분절골편들을 최종 스플린트에 단단히 고정하고 중간 스플린트를 상하악 치열 사이에 끼우고 악간고정을 한다. 분절골편들의 안정을 위해 모든 골편은 소형금속판 또는 골고정나사로 단단히 고정해준다.

전치부 분절골절단술은 상악골 전방부의 골편이 수술 도중 후방부의 골편으로부터 분리되어 있으므로 구개 점막을 통해서만 주로 혈류공급을 받게 된다. 따라서 전후방 골편 사이의 구개점막이 수술 중 너무 팽팽하게 당겨지거나 혹은 찢어지거나 하면 전방부로의 혈류공급이 제대로 안 되어 조직의 괴사나 치수괴사 등의 합병증을 일으키기 쉽다. 따라서 수술 중 구개점막이 찢어지지 않도록 주의함은 물론 자주 구개점막을 느슨하게 해주어 혈류공급이 차단되지 않도록 하여야 한다. 또한 전치부 분절골편의 후방이동과 함께 분절골편을 회전시켜 줌으로써 상악 전치의 각도를 조정해 줄 수 있는데 회전의 방향에 따라 전치부 골편상의 견치와 구치

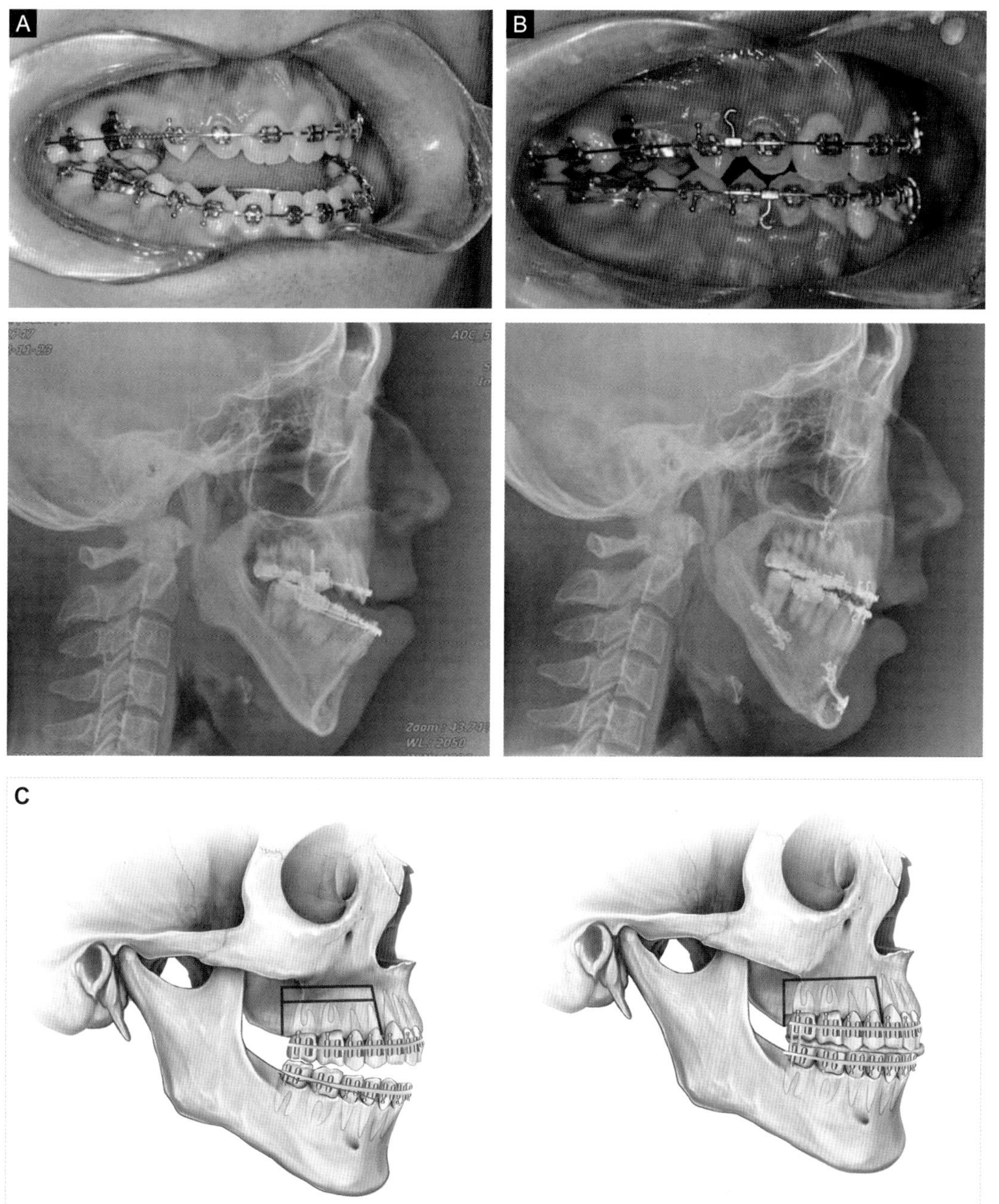

그림 17-48 A, B: 구치부의 분절골절단술 전과 후의 모습 C: 구치부 과성장을 해결하는 분절골 수술의 모식도.

부 골편상의 소구치 치근 간의 거리 확보가 분절골편의 성공적인 이동에 직접적인 영향을 주므로 수술 전에 이에 관하여 세심한 신경을 써야 한다(그림 17-50).

상악골의 횡적 과성장이나 열성장이 심하여 수술 전 치아 교정치료나 정형치료에 의해서도 폭경을 맞추지 못하는 경우에는 수술에 의해 폭경을 맞추어야 하며 상악 악궁이나 하악 악궁을 분할함으로써 맞추어 줄 수 있다. 하지만 하악 악궁을 분할하는 것은 해부학적으로 치근에 대한 혈류공급의 차단이나 하치조신경의 손상 위험이 있으므로 대개는 상악골을 2분할(two-piece) 또는 3분할(three-piece)하여 폭경을 조절한다.

2분할을 하는 경우에는 Le Fort I을 통해 하방골절된 상악골을 하방으로 견인시켜 구개골 비강쪽 상면을 노출시킨 후 구개점막을 보호하면서 가는 버로 구개골의 중간부위를 골절단한다. 구개골의 후방부는 정중시상면(midsagittal plane)에 골절단을 하기도 하고, 구개점막이 얇은 경우 골절단 중 찢어지거나 술후 무혈관성괴사(avascular necrosis)가 발생하기 쉬우므로 구개골 후방의 시상면상 골절단선은 구개점막의 두께가 비교적 두껍고 지방조직이 풍부하여 골절단 시 손상을 최소화할 수 있는 부중앙시상면(paramedian sagittal plane)을 따라 시행하는 경우도 있다(그림 17-49). 3분할을 하는 경우에는 경구개의 후방으로부터 만들어진 골절단선이 상악골 전치부분절골절단술 시와 마찬가지로 양측 견치와 소구치 부위 혹은 기타 방향으로 연장되면서 골절단선이 만들어지므로 분절부위 치아들

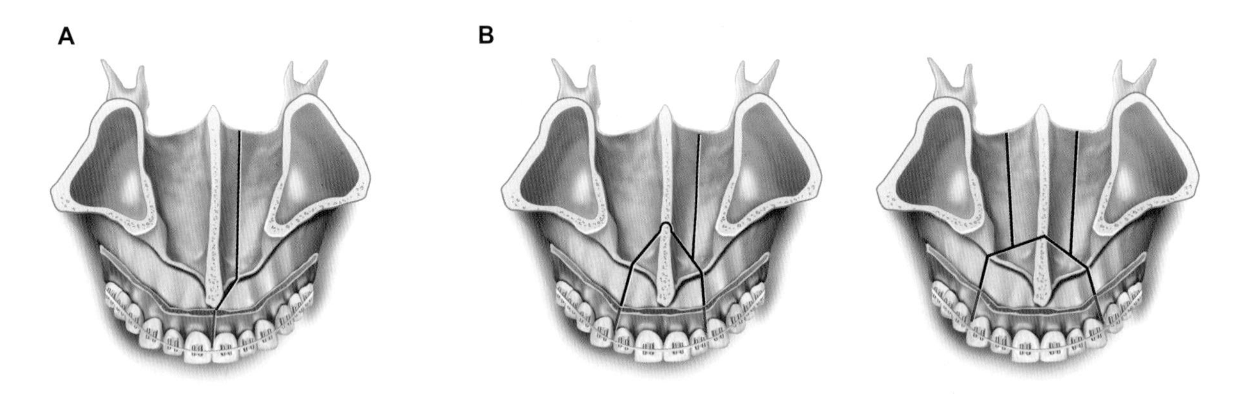

그림 17-49 Le Fort I 골절단술 후 구개골의 2분할(A) 3분할(B)의 모식도. 폭경 증가량이 클 경우에는 시상면상 골절단선을 양측에 시행할 수 있다.

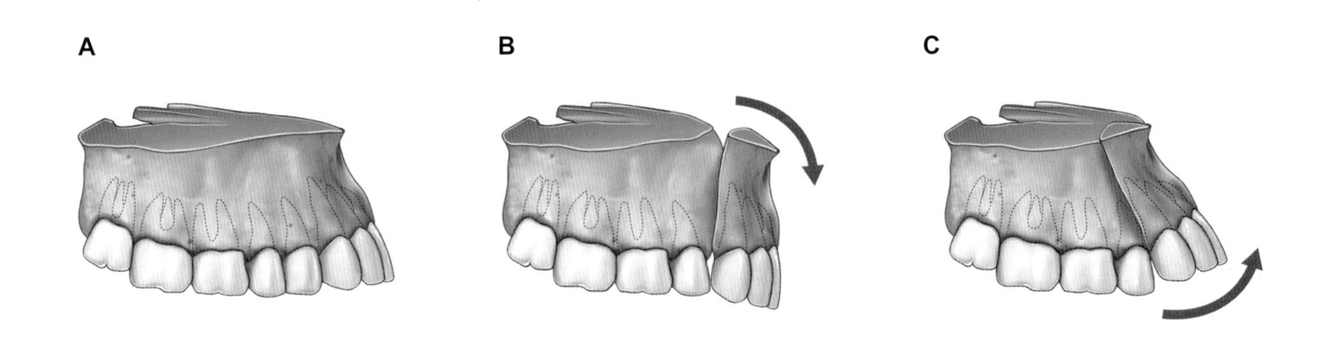

그림 17-50 상악골 전치부 분절골편의 이동방향. A: 수술 전 B: 전치부 분절골편의 시계방향 회전 C: 전치부 분절골편의 반시계방향 회전.

의 치근간 이개가 수술 전에 충분히 확보되는 것이 매우 중요하다. 2분할 혹은 3분할이 완성되면 구개점막을 보호하면서 폭경을 줄이는 데 방해가 되는 골면을 삭제하고 최종 스플린트에 골편을 고정하고 전치부분절골절단술에서 설명한 바와 동일하게 중간 스플린트를 이용하여 상부골에 재위치시키고 고정한다.

상악골의 폭경을 넓히는 수술은 좁히는 경우에 반해 폭경이 다시 줄어드는 재발의 위험이 있으므로 구개골의 골절단 부위의 구개점막을 가능한 한 벗겨 자유롭게 해줌으로써 구개점막의 견인성 탄성(pulling elasticity)이 최소화되도록 해주어야 하며 특히 최후방의 골편간 이개가 5.0 mm 이상을 넘지 말아야 한다. 왜냐하면 이보다 과도하게 이개되는 경우에는 구개점막의 중심부에 대한 혈류공급이 차단되어 수술 후 점막의 허혈성 괴사에 따른 구·비강 누공(oronasal fistula) 형성의 위험이 있으며 장기적으로는 구개점막의 견인성 수축에 의한 재발이 일어나기 쉽다.

(3) 외과적 급속 구개확장술(surgically assisted rapid palatal expansion)

상악골의 폭경을 넓히는 수술은 벌어진 구개골 사이에 골이식을 하였거나 하지 않았거나 혹은 고정장치를 철사로 하였거나 소형 금속판 및 골고정나사로 하였건 간에 폭경이 다시 줄어드는 재발이 발생되어 수술 후 부정교합을 야기하는 경우가 많다. 따라서 폭경 증대가 많이 필요한 경우에는 수술 후 회귀현상을 최소화하기 위하여 외과적 급속 구개 확장술(surgically assisted rapid palatal expansion, SARPE)이 추천되고 있다.

이 술식은 상악골의 측벽과 정중시상면을 골절단하고 정형장치를 부착하여 수술 후 급속히 상악 치궁의 폭경을 늘리는 술식으로 종래의 corticotomy를 변형한 방법이다. 즉, Le Fort I에 준한 골절개와 2분할 시의 골절단선에 준한 골절개만을 가하고 상악골을 하방골절시키지 않은 상태에서 상악 치열에 즉시 정형장치를 부착하여 정형력에 의해 일정 기간 동안 매우 빠른 속도로 악궁을 확장해주는 방법이다(그림 17-51). 따라서 이 술식을 적용하는 경우에는 골편들간을 소형 금속판으로 견고고정하지 않는다.

2) 하악골의 악교정수술

하악골 전돌증은 하악골이 전방으로만 돌출된 경우, 전하방으로 성장하여 개교합을 가진 경우, 또는 전방돌출과 함께 하악골 자체의 수직길이가 길어진 경우 등이 있으며 또한 이러한 현상이 좌우측에서 비대칭적으로 발생하여 안모비대칭을 보이는 경우가 있다. 이러한 현상은 이미 진단과정에서 설명된 하악골의 주요 성장 기능단위인 과두부, 오훼돌기부, 상행지부, 골체부, 치조골부에서의 단위별 비정상적 성장 및 발육에 의해 발생하는 것으로 이해되고 있으며 따라서 수술은 이들 성장단위의 비정상적인 상태를 정상화시키는 방향으로 모색되어야 한다. 하악골의 성장양상에 따라 후퇴 혹은 전진시키는 악교정수술을 시행하게 되는데 하악골 성장 기능단위의 해부학적 위치에 따라 대체로 하악골 상행지에 적용하는 술식(ramus surgery), 하악골 골체부에 적용하는 술식(body surgery), 하악골 과두부에 적용하는 술식(condyle surgery) 및 전치부에 적용하는 술식(anterior segmental osteotomy)들로 나누어 생각할 수 있다. 이 장에서는 하악골 상행지에 적용하는 술식인 SSRO, IVRO, 역L자형 골절단술(inverted L osteotomy of the ramus), 구내 수직시상 하악지골절단술(intraoral verticosagittal ramus osteotomy, IVSRO), 전치부의 분절골절단술 및 골신장술에 대해 소개하고자 한다.

(1) 상행지 시상분할골절단술(sagittal split ramus osteotomy, SSRO)

① 술식

구치부 측방의 점막상에 상행지의 외사선을 따라 제1대구치 부위까지 골점막 절개를 가한 후(그림 17-52A) 골점막을 벗겨 오훼돌기(coronoid process)의 내측면과 상행지 전연부를 노출시킨다. 상행지 내측면의 소설

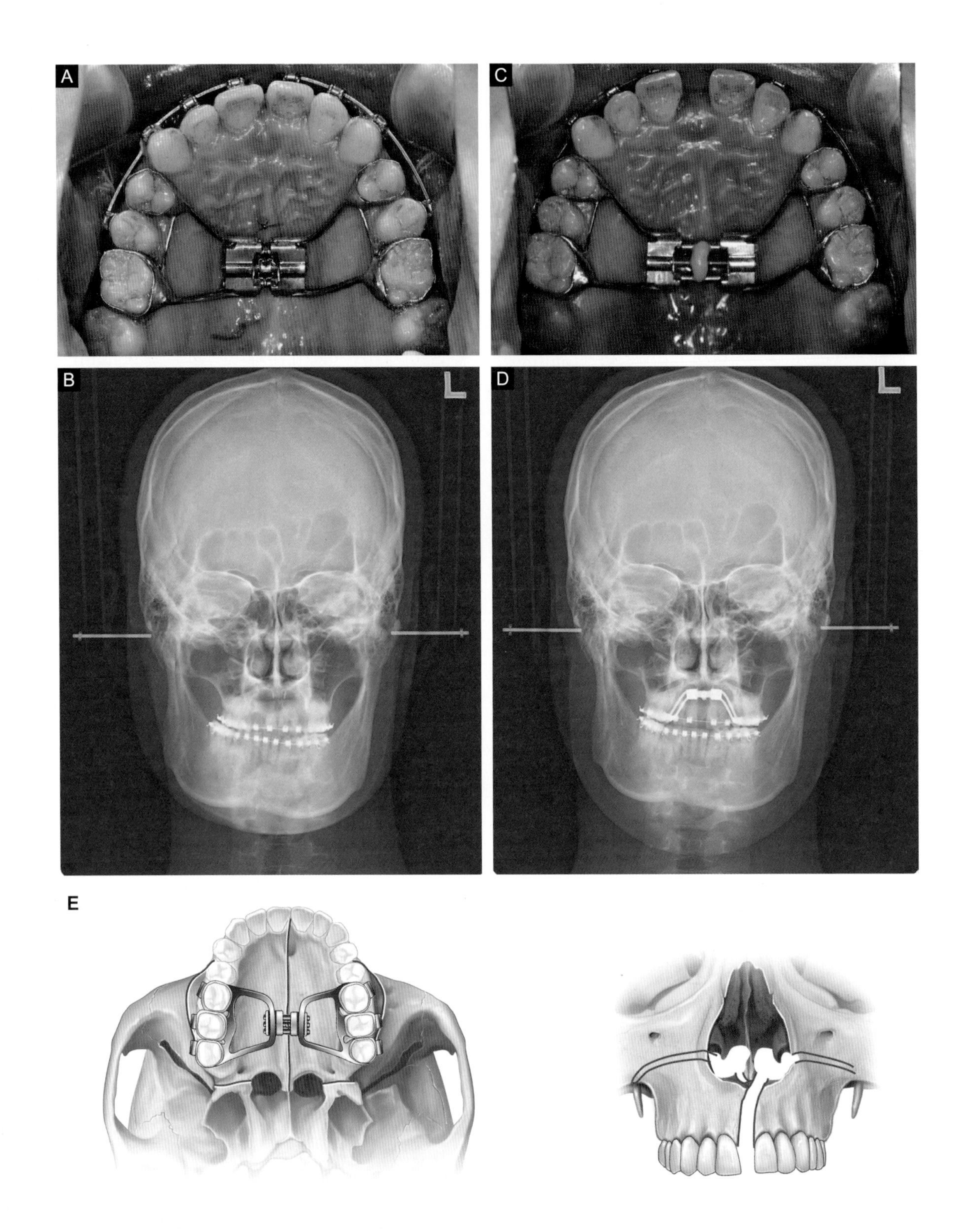

그림 17-51 좁은 상악궁의 SARPE를 이용한 악궁 확장.
A: 수술 직후 B: 확장 후 C: 수술 전 D: 확장 후 E: 수술적 악궁 확장의 모식도.

(lingula)을 확인하여 바로 인접된 하악공(mandibular foramen)으로 주행하는 하치조신경혈관분지(inferior alveolar neurovascular bundle)를 골막과 함께 내면으로 젖혀서 골막기자로 보호한 후 중간 크기의 지혈겸자(medium hemostat)를 오훼돌기의 가능한 상방에 삽입하여 오훼돌기를 잡은 채 상행지 내측 골면의 시야를 확보한다. 다음에 소설로부터 약 4–5 mm 상방의 위치에서 Lindemann bur를 이용하여 외사선과 내사선의 중간위치–상행지 내면의 수평골 절개를 완성한다(그림 17-52B). 다음에 상행지 전연을 따라 골절개선을 앞쪽으로 연장하여 외사선과 내사선의 중간위치를 따라 제2대구치 부위까지 피셔버(또는 reciprocating saw)를 이용하여 역시 골수강이 노출되는 깊이로 시상방향의 골절개선을 완성한다(그림 17-52C). 다음에 제2대구치 하방에 해당되는 골체부의 하연을 노출시킨 후 적절한 견인기자를 삽입하여 연조직을 보호하면서, 시상방향으로 절개되어 내려온 골절개선을 수직방향으로 연장하여 하악골 하연까지 수직방향으로 골절개를 연장한다(그림 17-52C). 이 과정에서 특히 하악골 하연의 골절개를 확실하게 완성해 주어야만 골편의 분리 시 측면의 피질골과 내면의 피질골이 서로 잘 분리되어 예기치 못한 부위 골절 등의 합병증을 피할 수 있다. 골절개선이 완성되면 미세한 절골도를 이용하여 골절개의 깊이가 골수강의 깊이까지 완성되어 있는지 확인하고 골분리도(separating osteotome)를 이용하여 근심골편과 원심골편의 분리를 완성한다(그림 17-52D). 골편의 분리가 성공적으로 완성되면 근심골편에는 상행지 측면골판과 오훼돌기 및 과두부가 존재하며 원심골편에는 상행지 내측골판, 하악골체부, 치열 및 하치조신경 및 혈관이 포함되게 된다(그림 17-52E). 특히 SSRO의 골편 분리 시에는 하치조신경 및 혈관줄기가 손상되지 않도록 기구 사용을 주의해야 하며 골편 분리 후에도 신경 및 혈관 줄기의 일부가 근심골편에 붙어 있는 경우도 있으므로 이를 주의 깊게 확인하여 잘

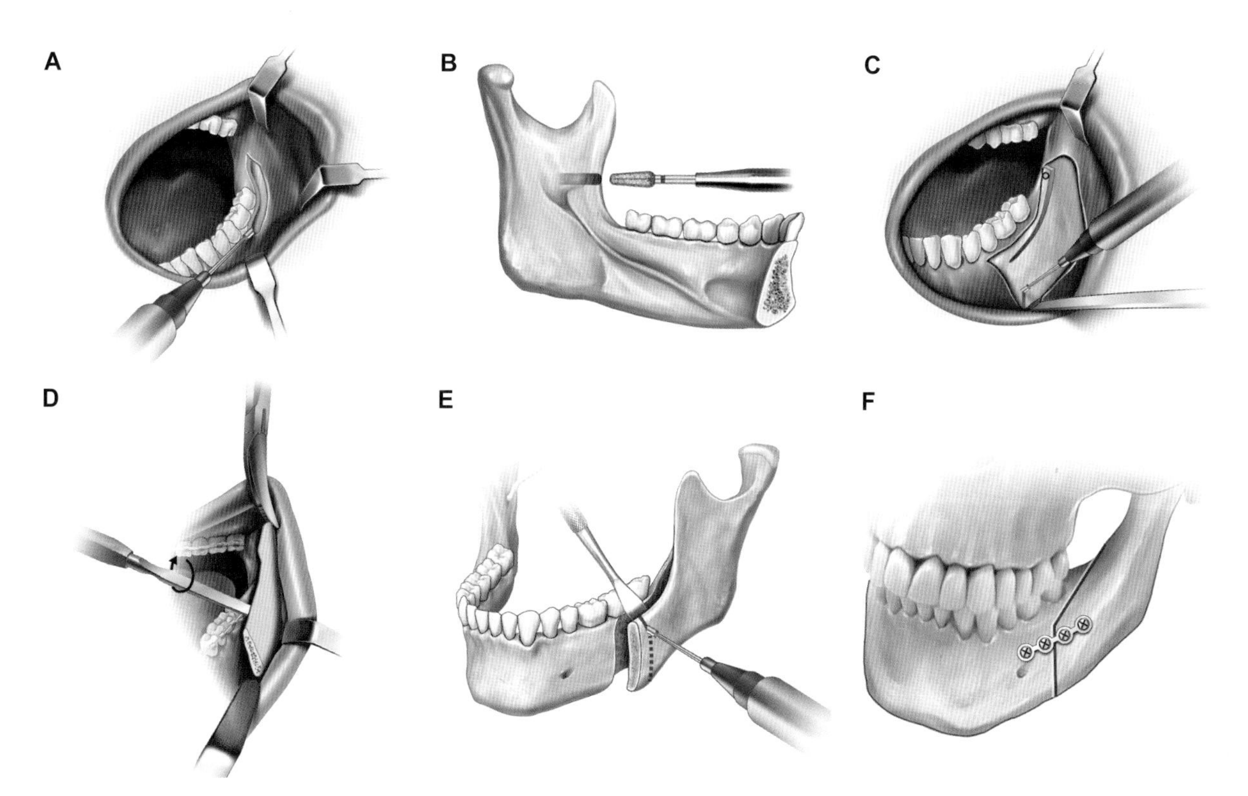

그림 17-52 상행지 시상분할골절단술(sagittal split ramus osteotomy, SSRO). A: 구강전정부의 골점막 절개 B: 내측면의 수평골 절개 C: 외측면의 시상방향 골절개 및 수직골 절개 D: 근 · 원심 골편 분리 E: 수술 이동량에 맞춰 골절제 시행 F: 근 · 원심 골편 고정.

분리해 내서 원심골편에 포함시켜야 한다. 원심골편을 최종 스플린트에 맞게 이동시켜 상하악 간의 교합을 정상위로 맞추어 악간고정을 한 후 근·원심 골편이 중첩되면서 과잉으로 남는 근심골편의 골체부 쪽 앞부분을 절제하여 근심골편과 원심골편을 맞춘 후 근심골편과 원심골편을 고정한다(그림 17-52F). 골편 고정에는 골고정나사 고정 또는 소형 금속판과 골고정나사의 고정 등의 방법이 사용되어 강선고정(wire fixation)으로 시행되었던 이전보다 술후의 안정성이 향상되었다. 골편의 고정이 완성되면 악간고정을 풀고 하악골의 운동을 검사하여 특히 개구운동(hinge movement) 시 좌우가 대칭적으로 움직이는지 확인하여 좌우 양쪽의 근심골편 및 원심골편의 위치가 이상적인지를 확인하고 만일 잘못되었다면 이를 시정한 후 골점막을 봉합한다.

② 하악골 이동방향에 따른 고려사항

SSRO는 분리된 골편들이 서로 해면골끼리 넓게 접촉되는 상태로 치유되므로 일차적 혹은 이차적 골치유과정을 통한 골성 융합이 잘 이루어지고 특히 견고고정의 경우에는 골치유과정을 더욱 신속히 해주며 특히 수술 직후에 개구가 가능하다. 또한 식사, 발음 등의 기본적인 구강기능을 조기에 회복시킬 수 있는 장점을 갖고 있으나, 견고고정에 따른 과두의 위치가 잘못되었을 때는 악관절증을 유발하기 쉽고, 하악의 기능 회복에 지장을 주며, 골편의 이동에 따른 교합이상이 초래될 수 있다. 또한 하치조신경이 골편 사이에 끼워져 눌리는 경우 신경장애(neuropathy)가 올 수 있다. 따라서 SSRO를 적용할 경우에는 하악과두의 위치를 수술 전과 동일한 위치로 유지하는 것이 매우 중요한데, 이를 위해 수술 중에 하악과두의 위치를 제 위치로 보존시키기 위한 여러 가지 장치(condylar seating device)들이 이용되기도 한다. 특히 SSRO를 통해 원심골편의 전방이동을 시행할 경우, 견고고정 시 일차적 골치유가 가능한 경우가 많다(그림 17-53). 전방이동량이 많은 경우 골편간의 접촉량이 적으므로 골편간에 골이식이 필요한 경우도 있다. 하악골전돌증 환자에서 하악을 후퇴시킬 경우, 특히 좌우의 비대칭이 있어 비대칭적인 후방 이동을 할 경우에는 골편간이 벌어지는 경

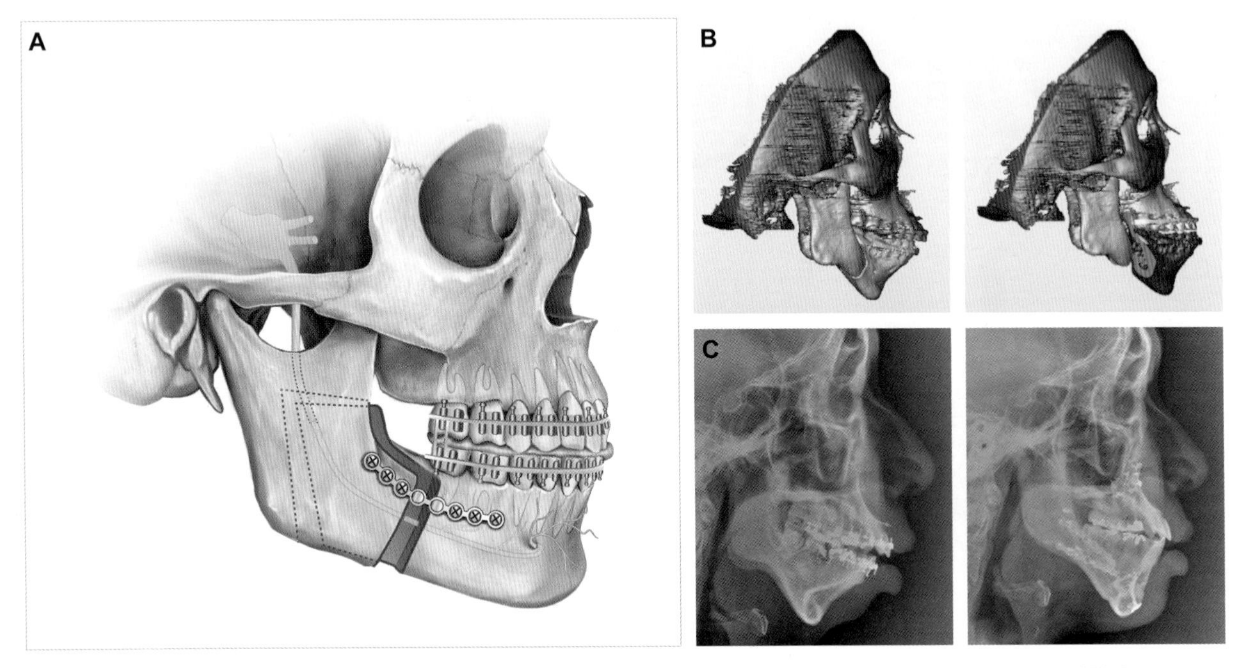

그림 17-53 **A:** SSRO를 이용한 하악골 전진이동의 모식도 **B:** 하악후퇴증 환자에게 양악수술을 이용한 하악골 전진이동 계획 **C:** Le Fort I, SSRO 및 이부 전진술을 시행한 전후의 모습.

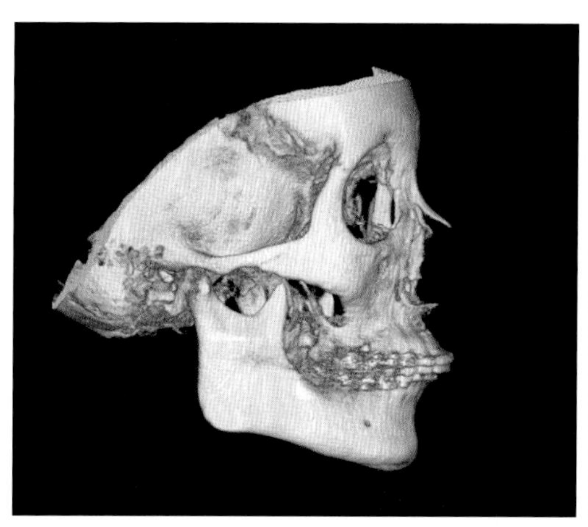

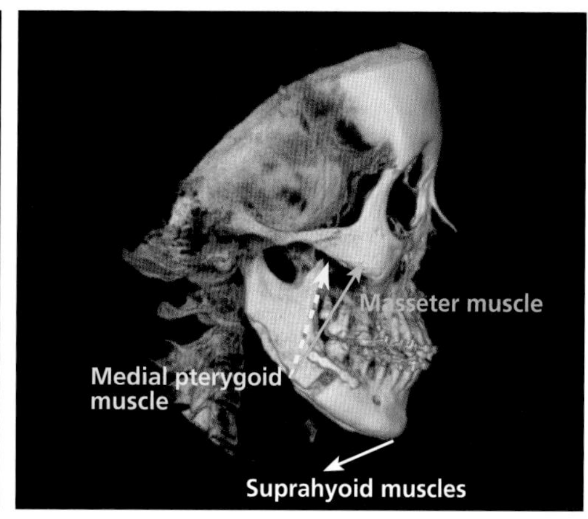

그림 17-54 SSRO의 전방이동 후 근육견인에 의한 생역학적 반응(biomechanical response).

우가 많으므로 견고고정 시 벌어지는 골편을 처리하는 방법에 관해 세심한 배려를 해야 한다.

SSRO의 경우 골편의 전방이동 후 골편간의 고정이 이루어지면 골절단면의 전연이 익돌·교근건(pterygomasseteric sling) 전방에 위치하게 되므로 골절단면 전연 뒤쪽의 익돌근(pterygoid muscle)과 교근(masseter muscle)의 상방 견인과 앞쪽의 설골 상부 근육군(suprahyoid muscle group)의 하방 견인에 의해 원심골편은 하·후방으로, 근심골편은 전·상방으로 회전력을 받게 되어 전치부에서 개교합이 발생하는 성향으로 영향을 받게 된다(그림 17-54). 이러한 회전경향을 막아 술후 안정성에 도움을 주기 위해 개교합이 심한 경우는 양악수술을 시행하는 것이 추천된다.

(2) 구내 상행지 수직골절단술(intraoral vertical ramus osteotomy)

하악 대구치 측방의 구강전정부에 하악골 외사선을 따라 절개를 가한 후 상방으로는 S 절흔(sigmoid notch)까지, 하방으로는 우각부 하연까지, 또한 후방으로는 상행지 후연까지 골점막을 벗겨 상행지의 측면을 노출시킨다. S 절흔과 우각부 하연에 각각 두 개의 견인자(Bauer's retractor)를 걸어 상행지의 측면에 진동톱(oscillating saw)이 들어갈 수 있는 공간을 확보한다. 노출된 상행지 측면에서 반소설돌기부(antilingular eminence)를 확인하고 연필로 이를 표시하면서 수직 골절단선의 방향을 표시한다. 이는 골절단 시 내측의 소설에 인접한 하악공으로 들어가 상행지의 하·전방으로 주행하는 하치조신경혈관줄기가 골절단 시 손상되는 것을 예방하기 위함이다. 다음에 진동톱을 이용하여 반소설돌기부의 약 5 mm 후방에서 먼저 아래쪽으로 우각부까지 수직의 골절단을 완성한 후 다시 위쪽으로 S 절흔까지 약간의 전방 경사를 주어 골절단을 완성한다(그림 17-55). 골절단이 완성되어 근·원심 골편의 분리가 이루어졌음을 확인하고 견인자를 제거한 후 근심골편의 내측에 부착되어 있는 골막 및 근육의 일부를 벗겨 골편이 중첩될 때에 근심골편에 부착되어 있는 근육이 끼지 않도록 조치한다. 편측의 골절단이 완성되면 반대측의 골절단을 동일한 방법으로 완성한다. 근심골편이 원심골편의 측면에서 중첩되도록 하면서 하악골을 후방으로 이동시켜 상하악 간의 교합을 정상위에서 맞추고 악간고정을 한다. 양측의 상행지부를 다시 노출시켜 골편들 간의 중첩을 확인한 후 근심골편의 최하단부를 원심골편의 하연과 일치되는 위치에서 삭제하여 우각부 하연이 튀어나오는 것을 방지한다. 골점막을 층별로 잘 봉합한다.

근심골편과 원심골편이 피질골 상태로 중첩되면서 이

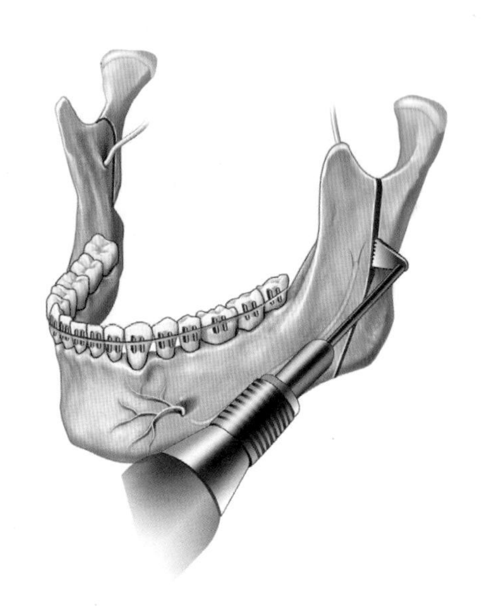
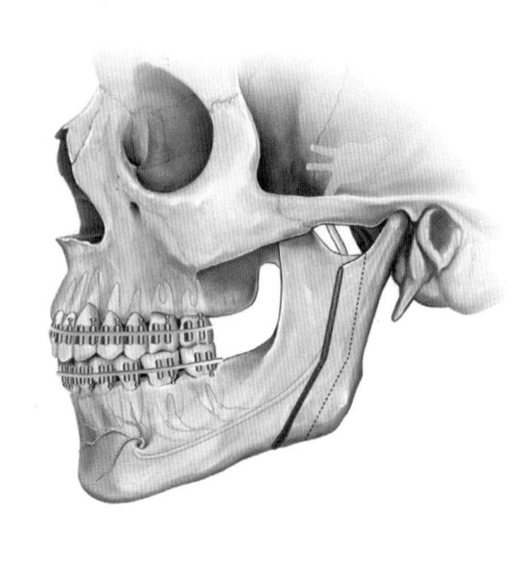

그림 17-55 IVRO의 골절단.
반소설돌기부의 약 5 mm 후방에서 먼저 아래쪽으로 우각부까지 수직의 골절단을 완성한 후 다시 위쪽으로 S 절흔까지 약간의 전방 경사를 주어 골절단을 완성한다. 중첩된 골편들은 고정하지 않는다.

들 골편간에 고정을 하지 않기 때문에 치유 초기에 이들 골편들의 자유로운 움직임이 허용되면서 치유과정을 겪게 된다. 즉, 골절단편들이 피질골끼리 중첩되면서 골절단부가 익돌근-교근 포(pterygomasseteric envelope)에 싸여있게 되는 해부학적 환경에 놓이게 된다.

비록 골편의 조기 움직임이 허용되어도 비유합 등의 위험이 없으며, 치유과정을 통해 골성 결합이 완성되는 동안 하악과두가 자유롭게 생리적 평형위(physiologic equilibration)에 위치하게 되므로 술후 악관절증의 위험이 적고, 하악운동의 조기 회복이 가능하며, 재발 현상의 위험이 적은 장점을 갖는 것으로 알려져 있다. 따라서 수술 후 일정 기간의 악간고정(약 2주간) 후에 조기의 적극적이고 체계적인 하악골 기능운동이 중요하며, 이는 IVRO 후의 골치유 및 악골의 안정성에 결정적인 영향을 미친다.

IVRO는 피부에 반흔을 남기지 않고, 안면신경의 손상위험이 없으며, 일반적으로 하치조신경이나 혈관에 대한 손상 확률이 낮고, 시술이 간단하며 신속한 장점이 있다. 반면에 골절단 시 내측의 절단면을 확인할수 없고, 숙련이 되지 못하면 하치조신경이나 혈관에 손상을 줄 위험을 배제하지 못하며, 수술 후 일정 기간 동안 악간고정을 해야 하므로 환자에게 불편감을 줄 수 있다는 단점이 있다. 또한 하악을 전방이동시키는 경우에는 IVRO를 사용할 수가 없다.

(3) 역L자형 골절단술(inverted L osteotomy of the ramus)

역L자형 골절단술은 특히 하악골의 후방이동이 약 15 mm 이상으로 매우 큰 경우에 원심골편의 오훼돌기가 후방으로 너무 많이 이동되면 측두근의 신장에 의해 수술 후 전방으로 회귀되거나, 혹은 개교합이 발생되기 쉬우므로 IVRO를 이용하면서 이를 예방하고자 할 때 적용되는 술식 중의 하나이다. 따라서 수술방법에서 골점막의 절개선이나 골막의 박리방법 및 기구의 사용 등은 IVRO와 같으나, 다만 소설 위쪽에서 S 절흔까지 수직방향의 골절단을 하는 대신 수평 방향으로 상행지 전연으로 수평골 절단을 하므로 마치 L자를 거꾸로 한 형태로 골절단이 이루어지므로 근심골편에 하악과두와 오훼돌기가 모두 존재하는 점이 IVRO와 다르다.

(4) 구내 수직시상 하악지골절단술(intraoral verticosagittal ramus osteotomy, IVSRO)

하악지 부위의 점막절개를 통해 하악지를 노출시킨다. 이때 하악지의 외측면만 골막을 박리하고 노출시키며 하악지 후방 쪽의 골막 및 연조직은 박리되지 않도록 주의한다. S 절흔 부위에서 rectangular vulcanite bur로 시상면에 평행되게 피질골만 삭제한다. 하악각 부위에서 수평으로 L자형으로 피질골을 절단한다. S 절흔 하방 5 mm 부위를 처음엔 round vulcanite bur, 다음엔 fissure bur로 피질골만 수평절단한다. 이후 절단톱을 이용해 수평 절단면에서 antegonial notch에 이르는 직선형태로 시상면에 평행하게 분할 골절단을 한다(그림 17-56).

IVSRO는 골절단 평면이 상행지의 해부학적 시상면이 아닌 실제의 고유한 시상면과 평행하게 골절단하여 SSRO에서 발생할 수 있는 하악과두의 변위를 감소시킬 수 있는 장점이 있으며 과두돌기 절개(condylotomy)의 효과가 있기 때문에 턱관절장애와 연관된 상행지의 과도한 이개를 갖는 환자에서도 유용하며, 기존의 턱관절장애를 개선할 수 있다.

(5) 전치부 치근단하골절단술(anterior subapical osteotomy)

전치부 치근단하골절단술은 전치부의 치조골만이 돌출되어 있는 치조골돌출(alveolar protrusion)을 보이는 경우나(그림 17-57), 전치부와 구치부의 교합면 높이 차이가 큰 경우 사용될 수 있는 수술술식이다. 기본적인 술식은 먼저 하악 견치 원심부 및 전치부 치근단 하방의 골면을 노출시킨다. 이때 하악 이공 및 이신경을 확인하여 신경손상을 피한다. 양측의 제1소구치 공

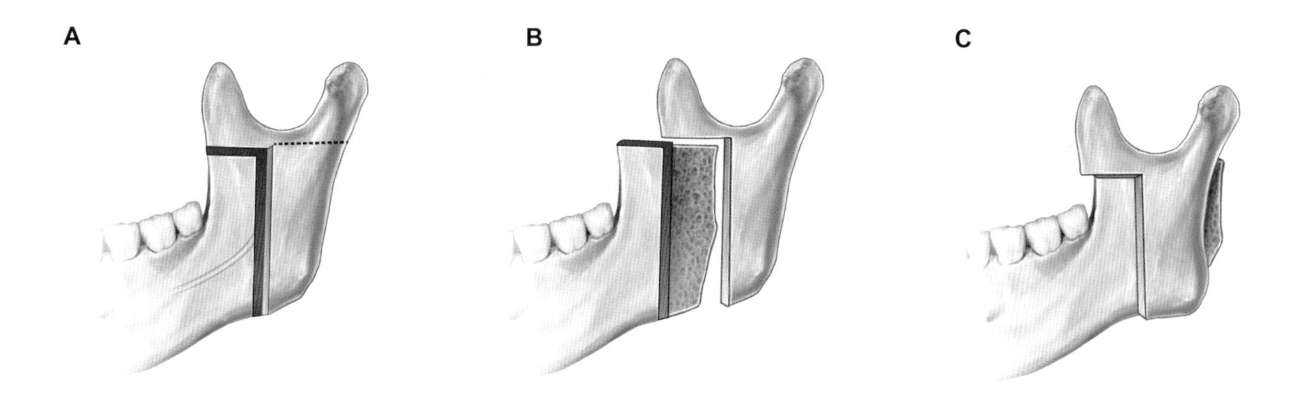

그림 17-56 C-shaped IVSRO. A: Decortication B: 골절단 C: 하악골 후퇴 후 고정.

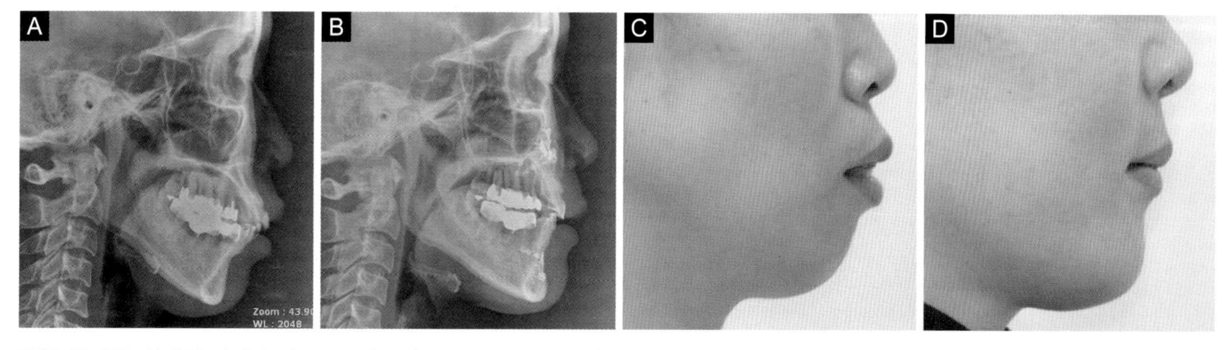

그림 17-57 상하악 전치부 치조골 돌출증 환자의 상, 하악 치근단하골절단술 전과 후의 측모 두부계측방사선사진(A, B)과 측모(C, D).

간을 이용하여 이 부위의 순측 및 설측골을 견치와 제2 소구치의 치근손상을 피해 먼저 계획된 만큼 수직으로 절제하며, 치근단으로부터 약 10 mm 하방의 골을 수평절단하여 좌우측의 수직 골절제 부위와 연결시켜 골편을 분리시킨다. 최종 스플린트에 골편을 맞춰보면서 전치부 골편이동에 방해가 되는 골편간의 접촉을 삭제하면서 전치부 골편을 장치에 잘 맞도록 후방의 원하는 위치로 이동시키고 소형 금속판 및 골고정나사 등으로 견고고정한다.

전치부 치근단하골절단술 중 전치부 골편에 대한 혈액공급이 원활하게 이루어지도록 하는 것이 매우 중요하다. 골절단부 노출을 위해 순측 골점막을 벗기면 설측 골면에 부착되어 있는 골점막의 범위가 작고, 또한 설측의 골점막이 매우 얇아 수술 중 골편의 이동을 위한 조작 시 찢어지기가 쉬우므로 이를 적절히 보호하지 못할 경우 순측 및 설측의 혈액 공급이 원활하지 못하게 되어 수술 후 골편의 무혈관성 괴사나 혹은 치아의 생활력이 상실되는 등의 합병증이 발생할 수 있다. 따라서 수술 중 주위의 연조직이 손상되지 않도록 최선을 다해야 하며 수시로 혈액 공급의 안정성을 주의 깊게 관찰해야 한다.

(6) 하악골신장술(distraction osteogenesis of the mandible)

하악골 신장술은 상기한 여러 술식처럼 후퇴되어 있는 하악골을 골절단술을 통해 한 번에 전진시키는 방법이 아니라 하악골에 골신장기를 적용하여 하악골의 길이를 점점 늘려줌으로써 경조직의 길이의 증가뿐만 아니라 연조직의 길이도 늘려주는 치료방법이다. 즉, 원통형 구조의 피질골에서 피질골 부분만을 절단하고 해면골이 건재한 채로 고의적인 골절을 만든 후 피질골 절단면 양측에 골신장기를 고정하고 골치유의 잠복기를 거쳐 매일 신장력을 조금씩 가하면, 잠복기에 형성된 가골이 양쪽으로 늘리는 방향을 따라 골내막성 골형성(intramembraneous ossification)이 일어나면서 점차 늘어나 벌어지는 틈새를 메꾸면서 골형성이 유도된다. 뼈의 길이가 늘어난 상태에서 일정기간 안정화시키면 골치유가 진행되고 골편간의 간격이 벌어진 만큼 골의 길이가 늘어나며 이에 따라 연조직도 늘어나는 개념의 술식이다(그림 17-58). 이 술식은 특히 골이식이 없이 하악골의 길이를 늘려 줄 수 있어 골 채취를 위한 별도의 수술부위가 필요 없으며, 수평적 및 수직적 길이의 신장이 모두 가능하며 대부분 구내접근으로 수술한다.

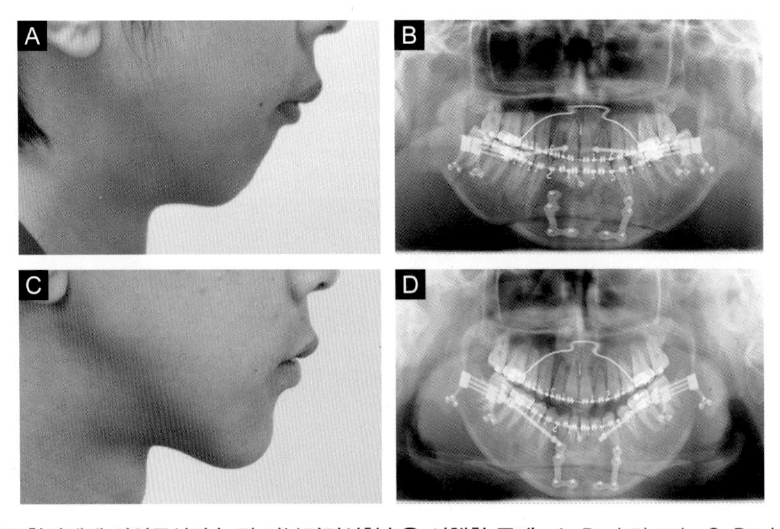

그림 17-58 하악후퇴증 환자에게 하악골신장술 및 이부전진성형술을 시행한 증례. A, B: 술전 모습 C, D: 술후 모습.

3) 이부성형술(Genioplasty)

이부성형술은 교합관계는 정상이나 하악 이부가 길거나 짧은 경우, 돌출되거나 후퇴된 경우, 혹은 비대칭 등 심미적이지 않을 때 심미성 개선을 위해 시행되는 미용목적의 술식이다. 단독으로 시행되기도 하지만 악교정수술의 최종단계에서 전체적인 심미적 균형을 위한 하악골 이부의 위치교정을 위해 부가적으로 시행되는 경우가 많다.

수평 골절단에 의한 이부성형수술 술식의 기본은 다음과 같다. 하악전치부 치은점막경계 하방 점막에 수평절개를 가하고 이근(mentalis muscle)을 통과해 골막까지 절개를 가하여 골막을 벗겨 좌우로는 양측 하악이공(mental foramen)까지, 하부로는 이부골 하연까지의 골표면을 노출시킨다. 하치조관의 주행 및 치아의 치근단을 충분히 피한 거리를 유지하면서 좌우측 골체부 하연이 절단되도록 수평으로 골을 절단한 후 원하는 만큼 원심골편을 전진 혹은 후퇴시키고 소형 금속판 및 골고정나사로 고정해준다.

이부 골편을 전진 시 넓은 유경피판을 사용할 때에는 뼈의 전진량에 따른 연조직의 전진량이 대개 1:1이 되므로 예견된 만큼의 정확한 전진량을 성취할 수 있어 안모의 정확한 심미적 보완에 유리하다. 반면 후퇴이부성형술의 경우에는 연조직의 심미적 변화가 다양하여 계측에 준한 후퇴 이동량을 예견하기가 부정확하며 또한 후퇴 시 목턱각(neck–throat angle)이 둔화되고 턱밑의 연조직이 처지는 등 심미적으로 불리하다. 따라서 요즘에는 후퇴 이부성형술(setback genioplasty)은 잘 쓰이지 않는다. 후퇴 이부성형술의 시행 시에는 수술 후의 심미적 결과에 대한 세심한 검토가 필요하며 경우에 따라 턱밑의 지방흡인술을 병용하는 것이 추천되고 있다.

4) 양악수술(Two–jaw surgery)

상악골은 하악골과 달리 상악골 자체의 발육 이상에 의한 기형도 발생하지만 하악골의 비정상적인 발육이상에 따른 보상적 성장(compensatory growth)의 결과에 의해서 공간적 변화가 초래되기도 한다. 따라서 상악골에 대한 악교정수술은 상악골 자체의 비정상적인 위치를 교정해 주기 위한 경우도 있지만 하악골의 위치 이동을 3차원적으로 보완해주기 위해서나 혹은 하악골의 위치 변화 후 장기간의 안정을 위해 선택되는 경우가 많다(그림 17-59).

양악수술은 Obwegeser (1970)가 편악수술에 비하여 양악수술이 수술 후 안정성이 더 우수하고 회귀가 적다고 발표한 이후에 적극적인 관심을 끌기 시작하였다. 초기에는 양악수술의 필요성을 인식하면서도 수술시간 혹은 마취시간 증가에 따른 위험 부담 때문에 상악골과 하악골을 시기적으로 나누어 수술한 경우도 있었다. 또한 이 시기에는 주로 심미적 개선의 측면에서의 양악수술이 고려되었으며 술후의 교합 및 재위치된 악골의 술후 안정성(postoperative stability)과 관련된 인식이 부족하였다. 이후 점차 전신마취가 발전하면서 장시간의 전신마취 하에서도 환자의 안전을 보장할 수 있게 되고, 수술술기의 발전과 수술장비의 개발로 수술시간이 많이 단축되면서, 효과적인 양악수술 방법에 더욱 관심을 갖게 되었다. 이와 더불어 양악수술에 의한 심미성 및 기능 개선과 술후 안정성 증가에 도움이 되는 연구 결과들이 계속 보고되면서 널리 보편화되었다.

일반적으로 악교정수술 시의 상악골 이동은 전후방 및 상 · 하방 방향으로의 이동뿐만 아니라 pitch (횡축 중심 회전), roll (전후방축 중심 회전) 및 yaw (수직축 중심 회전)의 3차원적인 회전이동을 하게 된다. 이러한 상악골의 이동은 하악골의 이동에 결정적인 영향을 주는 것으로 대부분의 구강악안면기형 환자는 상악골의 이상적인 재위치를 통해 하악골이 재위치되어 기능적 및 심미적으로 만족할 만한 결과를 가질 수 있으며, 이를 위해 양악수술이 시행된다(그림 17-60).

양악수술은 악교정수술이 목표로 하는 여러 가지 치료목표를 달성하기 위한 수단이지만 대개는 ① 개교증 환자에서 상악골의 후방을 상방이동시키는 경우, ② 상악골 및 하악골의 전후방 위치의 편차가 심하여 서로 보상적으로 이동시키는 경우, ③ 전안면고

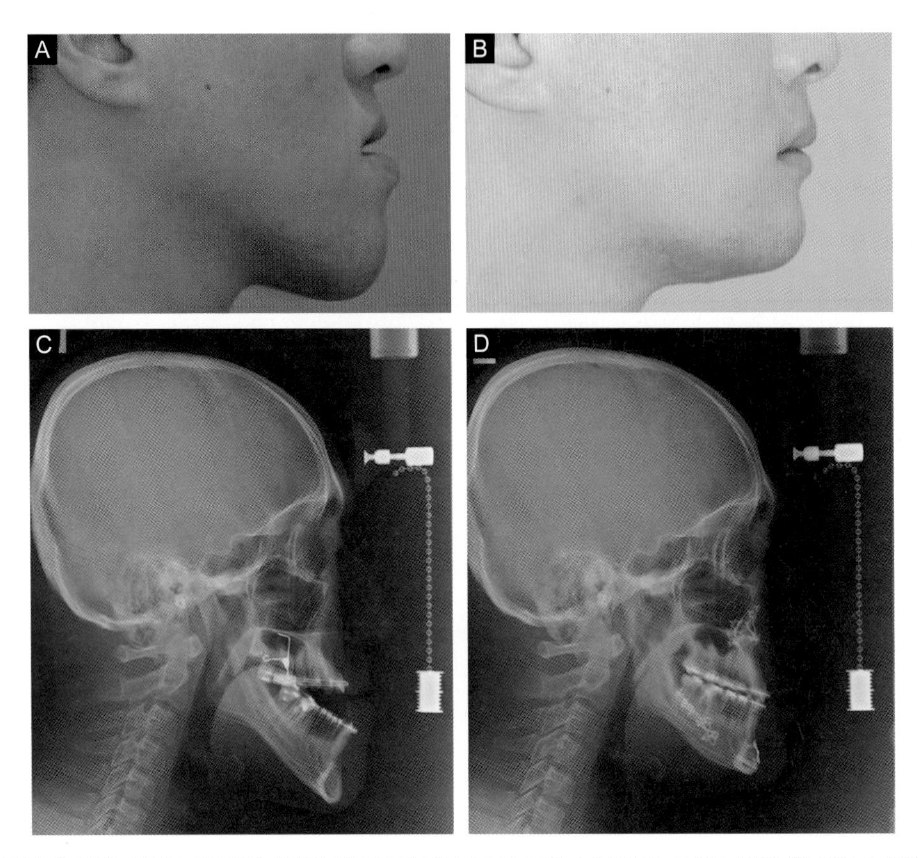

그림 17-59 **양악수술 증례.** 상악골 후퇴증과 하악골 전돌증 및 개교증으로 주된 수술방향은 상악골 후방부위 거상과 하악골 후방이동이다. 수술 전 모습(A, C)과 수술 후 모습(B, D).

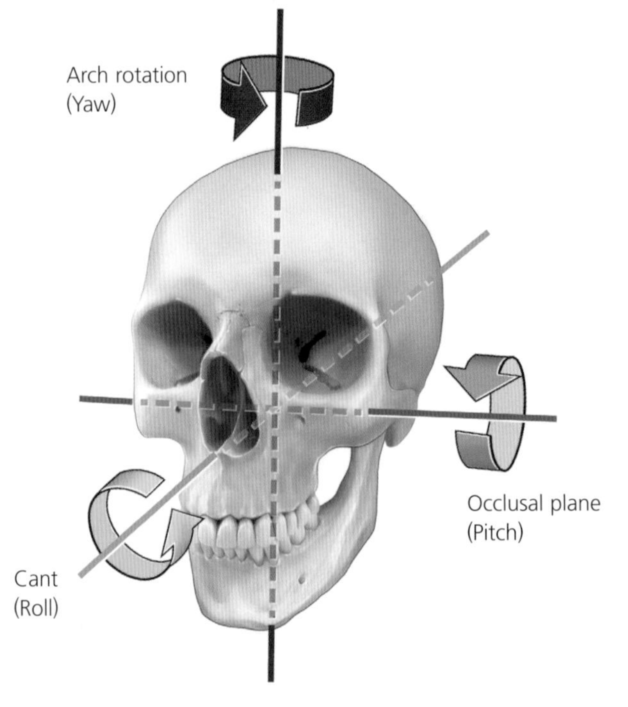

그림 17-60 상악골의 3차원적 회전이동.

경(anterior facial height) 또는 후안면고경(posterior facial height)의 문제를 해결하기 위해 상악골을 상방 혹은 하방으로 이동시켜야 하는 경우, ④ 상악과 하악의 악궁이 맞지 않아 상악의 악궁을 수술적으로 조정해야 하는 경우, ⑤ 상악골의 좌우 기울기가 심해 이를 고쳐야 하는 경우, ⑥ 상악 악궁의 중심이 안면중심과 일치하지 않아 이를 고쳐야 하는 경우 및 ⑦ 기타 기하학적인 목적상 양악을 동시에 움직여야 하는 경우 등에서 시행된다.

개교증을 동반한 하악 전돌증 환자(그림 17-61A)에서 하악골을 SSRO로 절단하여 원심골편을 반시계방향(counterclockwise rotation)으로 회전하며 후방이동시키면(그림 17-61B) 골절단부 후방의 익돌근-교근 삼각건의 상방견인(upward pulling)과 설골 상부 근육군

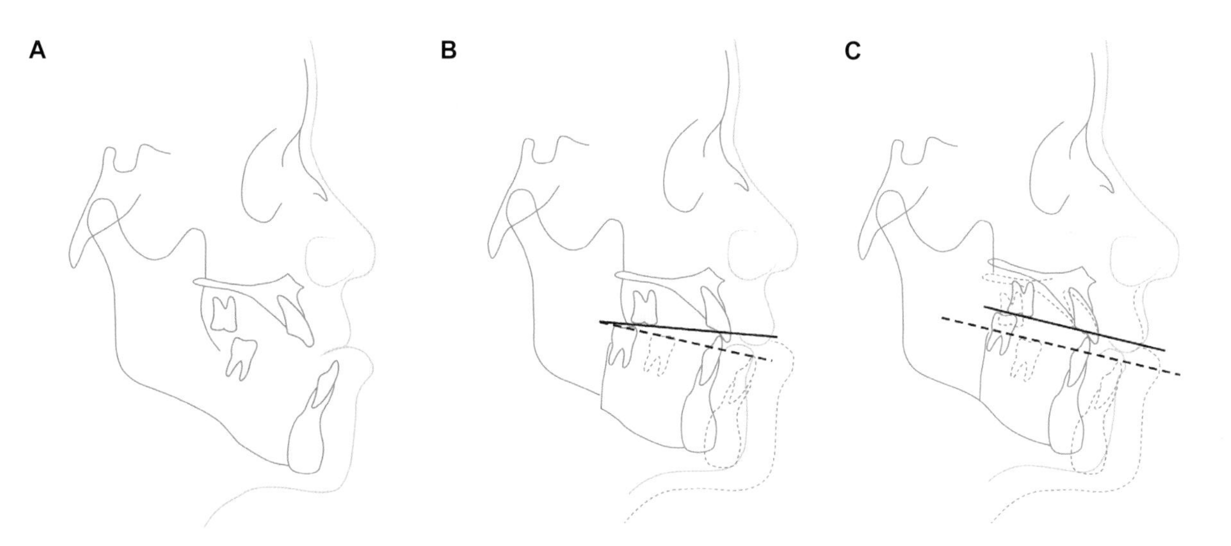

그림 17-61 개교증 환자에서의 SSRO를 포함한 악교정수술 시 상악골 후방의 상방 이동에 의한 안정성(stability).
A: 수술 전 상태 B: SSRO를 하여 하악골만 이동한 경우 발생되는 반시계방향 회전 C: 상악골 후방의 상방이동이 동반되면 하악골의 반시계방향 회전을 피할 수 있음.

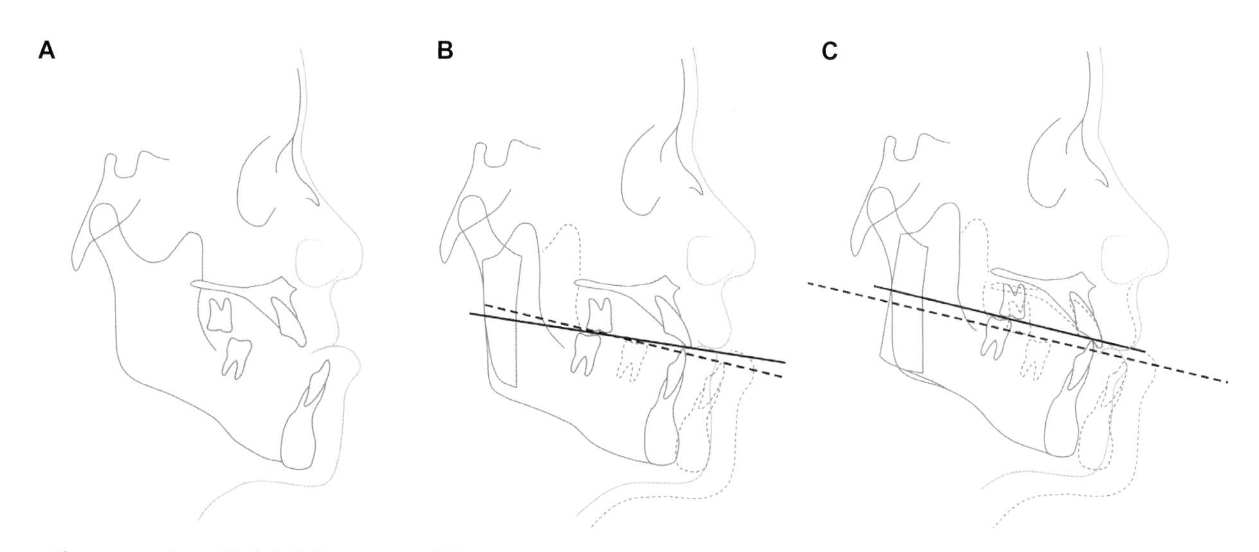

그림 17-62 개교증 환자에서의 IVRO를 포함한 악교정수술 시 상악골 후방의 상방 이동에 의한 안정성(stability).
A: 수술 전 상태 B: IVRO를 하여 하악골만 이동한 경우 발생되는 반시계방향 회전 C: 상악골 후방의 상방이동이 동반되면 하악골의 반시계방향 회전을 피할 수 있음.

(suprahyoid muscle group)의 하방견인 작용에 의해 개교합 재발이 발생할 가능성이 높다. 반면 상악골의 후방을 상방으로 들어올려(posterior impaction) 하악 원심골편의 반시계방향 회전을 피하면 술후 안정성을 증가시킬 수 있다(그림 17-61C). 또한 동일 환자에서 하악골 수술 방법으로 IVRO가 선택되는 경우에는 하악골의 오훼돌기가 원위치에 비해 후하방으로 이동되므로 여기에 부착되어 있는 측두근(temporalis muscle)이 신장되게 되는데(그림 17-62), 측두근은 폐구를 시키는 데 관여하는 수축근이므로 신장된 측두근의 인장력의 증가로 개교증의 재발 가능성이 높아진다. 이때 상악골의 후방을 상방으로 들어올리는 수술(posterior impaction)을 동시에 시행하게 되면 오훼돌기의 위치가 원래의 위치에서 그리 멀어지지 않으므로 상대적으로 측두근의 신장효과를 줄여 재발 가능성이 줄어든다.

교합은 정상이지만 심미적으로 하악골이 돌출되어 있는 경우에도 양악수술을 통해 상하악골을 동시에 시계방향으로 회전시켜 줌으로써 교합변화 없이 안모의 심미적인 개선을 꾀할 수 있다. 한편, 수술 전 교정치료를 통해서도 상하악 간의 폭경이 맞지 않는 경우에서도 양악을 동시에 이동시키면서 상악골의 폭경을 조정해주어 수술 전 교정치료의 한계를 극복해 줌으로써 교합을 안정시키고 교정치료 기간을 단축시켜 줄 수 있다.

안면비대칭은 악골의 좌우측 간의 발육 차이에 의해서 발생되는데 특히 악골의 성장단위 중 편측의 특정한 부위가 병적으로 과다 또는 과소하게 성장이 되는 경우에 크게 영향을 받는다. 안면비대칭은 ① 편측 하악과두의 종양, 과증식증 및 길이 증가 ② 편측 하악과두의 열성장 ③ 편측 안면골의 과증식 혹은 열성장 및 ④ 하악골의 편측이동 등에 의해 발생되며, 하악골의 비정상적인 성장에 영향을 받아 상악골이 보상적으로 기울어져 있는 경우가 흔하다. 안면비대칭 치료는 비대칭에 결정적인 영향을 주는 원인을 제거하고 상악골의 비대칭적인 기울기를 교정해주며 하악골을 정상위로 이동시켜 주는 수술을 시행하는 것이다. 성장기의 경우에는 하악골에 발생한 과두부의 종양 혹은 과증식 등을 없애 주기만 하여도 상악골이 보상적으로 작용하여 안면비대칭이 많이 개선되지만 성인에 있어서는 비대칭의 정도에 따라 여러 가지 수술술식이 적용된다. 대개는 안면비대칭과 더불어 교합에 이상이 발생하므로 교정치료를 동반한 양악수술을 통해 이를 개선한다.

5) 디지털 악교정수술

악교정수술에서 전산화단층촬영을 기반으로 한 디지털방식의 도입은 점차 증가하고 있다. 실제 악교정수술 방법은 변화하지 않았지만 3차원 진단 및 가상수술 소프트웨어의 개발, computer-aided design/computer-aided manufacturing (CAD/CAM) 기술의 발전으로 악교정수술의 각 과정에서의 효율성을 향상시키는데 일조하고 있다. 전산화단층촬영을 통해 안면골 3차원 모델이 만들어지고, 상하악 치열의 3차원 스캔이 시행되면 둘을 정합하여 깨끗한 치아상을 갖는 안면골 3차원 모델을 얻을 수 있다. 소프트웨어를 이용하여 실제 수술과 유사하게 가상의 골절단술을 시행하고, 수립된 수술계획대로 골편을 이동시킨다. 이러한 가상수술 과정의 장점은 술후 상하악골의 위치를 3차원적으로 파악할 수 있어 보다 정확한 수술계획 수립이 가능하다는 것이다. 수술계획 수립이 완료되면 CAD/CAM 방식으로 중간 스플린트와 최종 스플린트를 제작할 수 있다. 이를 통해 기존의 반조절성 교합기를 이용한 모델수술 중에 상악골을 손으로 이동시키는 과정에서 발생되는 오차를 피할 수 있다. 또한 가상수술과 동일하게 실제 수술을 진행하기 위하여 골절단가이드(osteotomy guide)와 소형 금속판을 CAD/CAM 방식으로 만들 수 있다. 이러한 시스템을 이용하면 계획된 위치에서 골절단을 시행하고 정확히 골편을 재위치할 수 있다는 장점이 있다. 이러한 디지털 방식의 도입이 모든 악교정수술 환자에서 필수적이지는 않지만, 안면비대칭의 교정 등 복잡한 악교정수술에 적용되면 보다 나은 결과를 만들 수 있다.

5. 악교정수술과 악관절의 관계

악관절에 포함되어 있는 하악골의 과두돌기는 하악골 전체의 성장과 발육에 영향을 주는 기능단위이므로 과두돌기의 성장과 발육은 하안면 기형의 발생에 직접적인 원인이 될 수 있다. 예를 들면, 성장기에 발생한 악관절내의 관절염, 활액막염, 악관절강직증 등의 병적상태는 하악골의 성장과 발육을 방해하여 하악골 후퇴증을 초래하는 직접적인 원인이 되며, 과두돌기의 신장, 비대 및 왜소 등의 성장형태도 하악골 전돌증, 하악골 후퇴증, 개교증 혹은 안면비대칭 등 여러 유형의 악안면기형의 직접적인 원인이 된다.

악교정수술 시 하악골 과두돌기는 하악골이나 상악골을 회전이동시키는 회전축으로도 사용되는데 교합기 상에서 계산된 회전축의 위치와 실제 회전축의 위치가 다를 때 악골의 회전이동에 차이가 발생하여 전체적인 수술의 결과에 영향을 줄 수 있다.

하악골은 기하학적으로 삼각형의 모양을 갖고 있으므로 하악골 상행지의 골절단술 후 원심 골편의 이동에 의해 근심골편에 존재하는 하악과두의 위치가 변할 수 있고 이러한 변화는 특히 원심골편을 전방이동시킬 때 보다는 후방이동 시킬 때에 더욱 영향을 받게 되며, 특히 비대칭적으로 후방이동될 때에는 많은 변화를 초래할 수 있다. 하악과두의 위치는 악교정수술 후 하악골의 기능 회복의 속도와 단기간 혹은 장기간의 하악골 위치 안정에 영향을 미칠 수 있다. 또한 하악과두의 위치는 악관절 디스크의 위치에 영향을 주어 악관절증의 발현에도 영향을 미칠 수 있다.

Arnett 등은 SSRO 후 견고고정을 할 경우 고정 위치에 따라 수술 시 과두의 위치가 변할 수 있고 이것이 수술 후 하악골의 위치변화에 영향을 줄 수 있다고 주장하였다. 이러한 악교정수술 후의 과두위치 변화는 SSRO에 의한 하악골 원심골편의 전진 및 후퇴뿐만 아니라 상악골 이동 시에도 모두 발생할 수 있음이 많은 학자들에 의해 보고되어 왔다. 하악과두의 위치는 수술 중 환자가 앙와위(supine position)에 놓이고 전신마취 중 근육이완제가 사용되므로 중력의 영향을 받아 자연히 후하방으로 위치되므로 상행지 분리수술 후 하악골편의 고정 시에는 우각부를 받치고 고정해야 이 오차를 줄일 수 있다는 보고도 있다. 한편에서는 수술 전의 하악과두의 위치를 유지하기 위해 과두고정용장치(condylar seating device)를 상행지 분리 전에 장착할 것을 권장하기도 한다.

Bell & Yamaguchi는 IVRO 후에 근심골편의 하악과두가 필연적으로 전 · 하방으로 처지므로(sagging) 이러한 상태로 원심골편과 고정이 이루어지면 술후 하악골의 위치이동에 영향을 주어 개교합 등을 야기할 수 있다고 하였다. IVRO 후 골편간의 고정이 없어도 상행지 부위의 골성결합이 일어날 수 있으므로, IVRO 후 골편간의 고정 없이 조기에 하악골의 기능을 시켜줌으로써 하악과두가 생리적인 평형위에 놓이게 되어 개교합의 성향을 막을 수 있을 뿐만 아니라 술전에 악관절증을 가진 환자들이 술후에 오히려 악관절증이 해결되는 경향이 있음이 보고되고 있다.

이와 같이 하악골 과두돌기는 그 자체의 성장과 발육이 악골기형의 직접적인 원인이 될 수 있으며, 관절강내의 술후 위치가 수술 후의 기능회복 및 이동된 악골의 안정성에 중요한 관계를 가지므로 악교정수술의 진단과 수술계획을 수립할 때뿐만 아니라 수술의 예후 판정에 있어서도 불가분의 관계에 있음을 잘 이해하여야 한다.

V. 수술 후 합병증과 관리

악교정수술은 비교적 안전한 술식이지만 다른 많은 수술과 마찬가지로 수술과 관련한 다양한 합병증이 동반될 수 있다. 수술 중 초래될 수 있는 합병증을 파악하여 이를 미리 방지하고, 적절한 수술 후 환자관리 방법을 숙지하여 환자의 이해와 협조를 얻는 것이 성공적인 결과를 얻는데 중요하다.

1. 악교정수술과 관련된 합병증

악교정수술은 수술이 가해지는 부위의 직접적인 해부학적 구조물의 손상에 따른 직접적인 합병증뿐만 아니라, 골편의 새로운 위치 이동, 악관절 및 교합관계 등과 관련된 간접적인 합병증이 발생할 수 있으며 수술과 관련된 시기에 따라 ① 수술 전 계획과정의 오류로 인한 합병증, ② 수술 중 발생할 수 있는 합병증, ③ 수술 후 나타날 수 있는 합병증 등으로 나눌 수 있다.

1) 수술 전의 계획수립의 오류

적절한 술전 계획을 수립하기 위하여 수술을 시행하기 전에 교정과 의사와 수술하는 집도의 간에 긴밀한 협력이 중요하다. 환자의 기대 정도와 수술의 목적을 이해하고 환자의 심리적 상태에 대하여 충분히 파악하는 것이 필요하다. 특히 교정치료 시작 전에 환자가 수술을 시행할 수 있는지, 수술에 영향을 미칠 수 있는 전신 질환은 없는지에 대하여 미리 평가하여야 한다.

수술 전에 상악과 하악 이동과 술후 경조직 및 연조직의 변화 정도에 대하여 환자에게 설명하여 수술의 정도와 술후 장기간에 걸친 교정치료 과정을 이해하여 전 과정을 협조하도록 한다. 수술 전의 교합기 모델상의 오차나 3차원 수술계획상의 골편이동 계획수립 과정에 생기는 착오는 수술의 정확도에 직접적인 영향을 미친다(그림 17-63).

인상채득 과정 중 악간관계를 부정확하게 인기하거나, 스캔한 치열을 CBCT 데이터와 정확히 정합(integration)시키지 못할 경우, 예정한 수술의 계획을

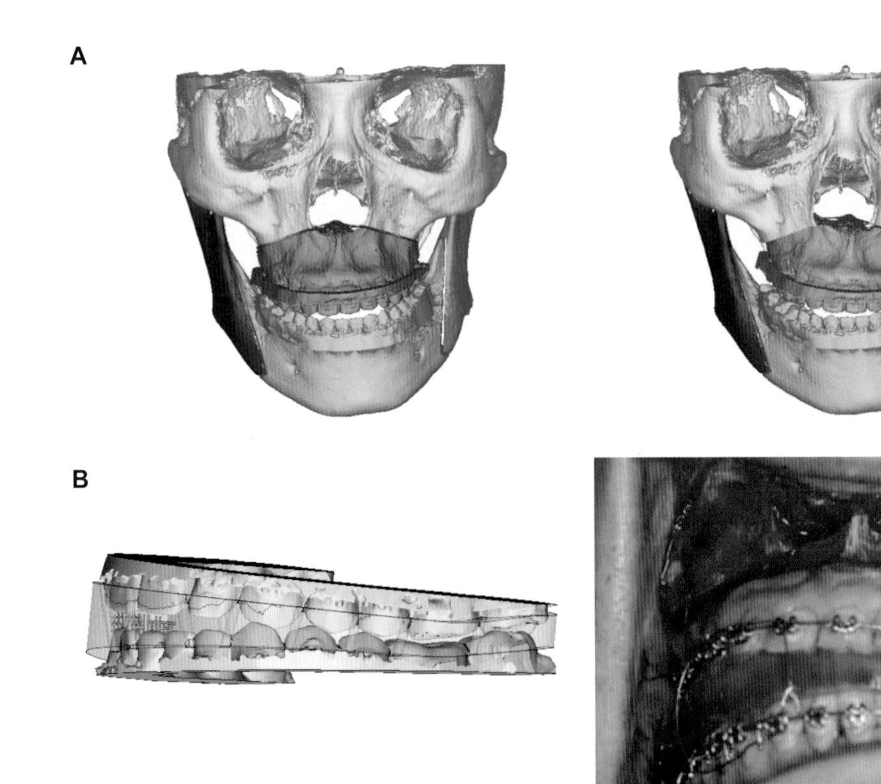

그림 17-63 **양악수술과정의 3차원 simulation.** 수술계획상의 상악이동 계획수립 과정으로(A), 이 과정에 착오가 생기면 CAD-CAM으로 제작되는 중간 스플린트 제작에 영향을 주며, 이것은 수술 중 상악위치를 결정하는 데 직접적인 착오를 초래한다(B).

실행하기 어렵다. 또한 인상채득과 스플린트 제작을 위한 일련의 과정에서 생기는 오차는 술후 교합뿐 아니라 안모에 영향을 주게 된다.

2) 수술 중 발생할 수 있는 합병증

수술 중 발생할 수 있는 합병증은 대개 일반적인 경우에는 수술술식과 관련된 해부학적 구조에 대한 지식의 부족이나 판단착오 및 잘못된 기술에 기인한다. 그러나 때로는 환자들마다 특별한 해부학적 구조를 갖는 경우도 있어서 예기치 못하게 합병증이 발생할 수도 있다. 악교정수술 중에 발생할 수 있는 합병증들로는 과도한 출혈, 예기치 않은 골절, 잘못된 골편의 위치, 신경손상, 치근손상, 구-비강 누공 등이 있을 수 있다.

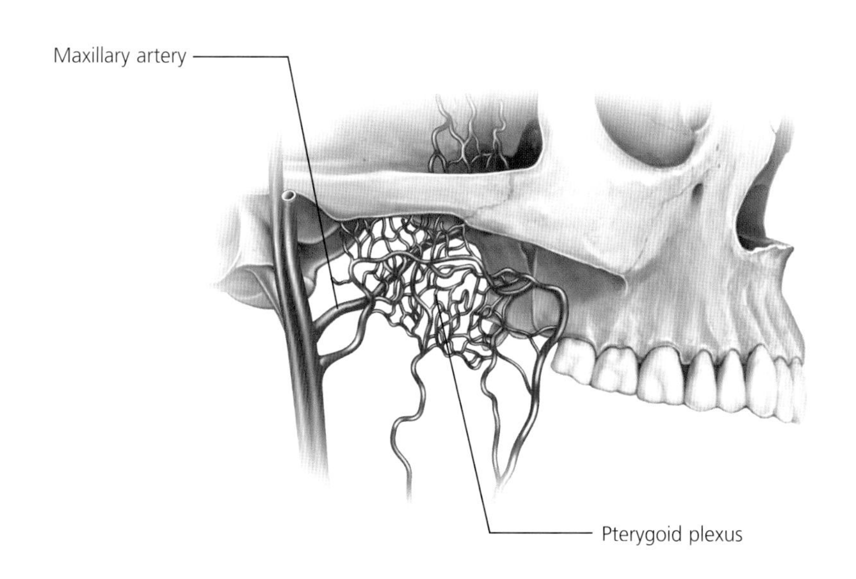

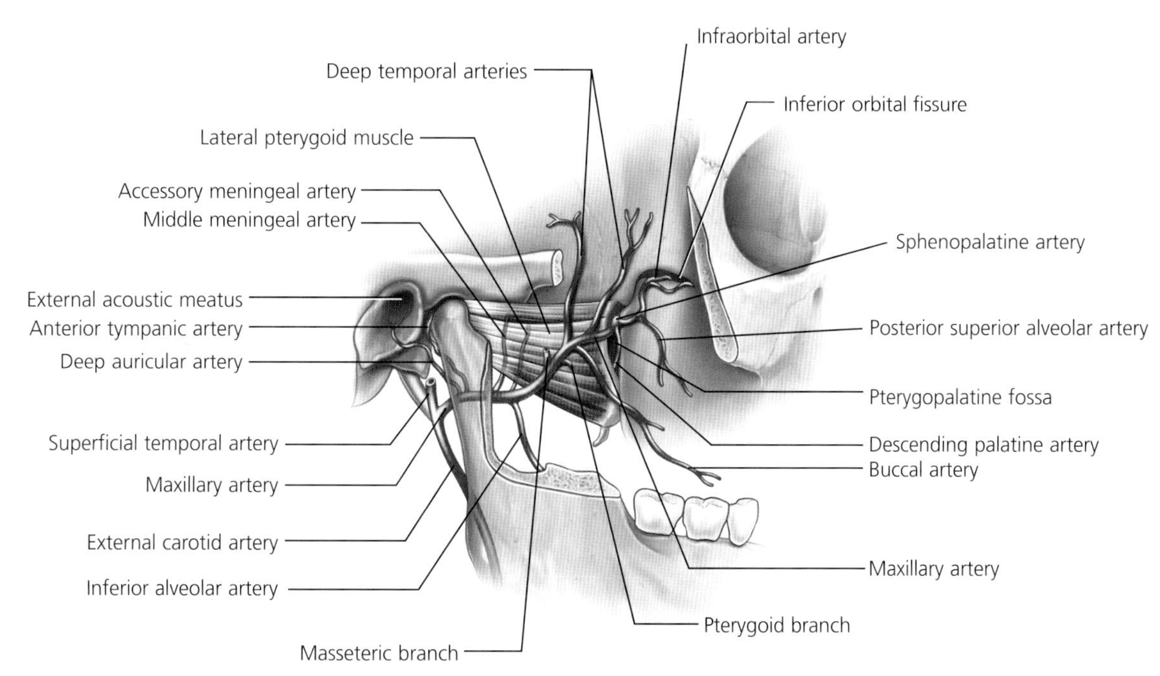

그림 17-64 상악 및 하악 골절단술과정에서 과다출혈을 초래할 수 있는 혈관의 해부학적인 위치.

(1) 출혈

악교정수술은 연조직의 절개와 경조직의 절단이 가해지는 수술이며 골편의 정교한 재배열을 위해 비교적 긴 시간의 수술을 요하므로 치명적인 출혈이 동반되는 경우는 드물지만 양악수술을 시행할 때는 상악이나 하악 단독수술보다도 더 많은 출혈이 동반된다. 따라서 출혈에 영향을 미칠 수 있는 전신적인 질환이나 투약 등을 미리 파악하여 출혈요인을 최소화하는 것이 필요하다. 수술부위의 출혈량을 줄이기 위해 저혈압 마취(hypotensive anesthesia), 자가수혈(autologous blood) 준비, 수술 중 혈관수축제가 포함된 국소마취제 주사, 또는 술전 항섬유소용해제(antifibrinolytic agent, tranexamic acid)를 투여하는 것을 고려할 수 있다.

상악골의 Le Fort Ⅰ 시에는 상악후방의 하행구개동맥(descending palatal artery), 익돌상악총(pterygo-maxillary plexus), 상악동맥(maxillary artery), 접형구개동맥(sphenopalatine artery), 후상치조동맥(posterior superior alveolar artery), 교근동맥(masseteric artery) 등이 기계적 손상에 의해 과다출혈되기 쉽다. 상악의 경우에는 상악동 및 비강의 빈 공간을 통해 출혈이 되는 경우 수술 후 지혈이 쉽지 않아 심각한 문제를 야기할 수 있으므로 재위치된 상악골을 고정하기 전에 철저한 지혈을 완성해야 한다. 매우 드물게 대량의 수술 중 출혈을 조절하기 위하여 익돌상악 후방부의 결찰(ligation)이나 상악동맥의 색전술(embolization)을 시행하는 경우도 있다. Le Fort I 시행 중 하행구개동맥이 수술 도중 손상을 받거나 의도적으로 결찰하는 경우가 많은데 이러한 결찰이 상악의 혈행에 영향을 주지 않는다.

하악골의 SSRO 시에는 내측 골절단(medial cut) 시행 도중의 하치조동맥(inferior alveolar artery) 손상이나 하악 후하방의 골절단도중의 안면동맥(facial artery) 손상이 초래될 수 있으며 하악 수술부위와 하치조신경을 충분히 견인하여 혈관손상을 방지하는 것이 좋으며, 출혈이 생겼을 경우에는 압박(pressure), 결찰 등을 통한 지혈을 시도한다. IVRO 시에는 교근동맥, 상악동맥 또는 하치조동맥의 기계적 손상에 의해 과다 출혈이 발생할 수 있으므로 골절단선의 위치설정이 중요하다(그림 17-64).

수술을 위한 비-기관(nasotracheal) 삽관 시나 비점막 조작시 비강의 Kisselbach plexus를 다쳐 과다한 출혈이 야기되는 경우도 있다. 그러나 이와 같은 기계적인 손상이 아닌 경우에도 환자가 출혈성 혈액질환의 소인을 갖고 있거나 혈압이 비교적 높은 경우에는 수술 도중에 과다출혈이 야기될 수 있다. 따라서 수술 전에 출혈성 소인여부 등에 대한 검진이 필수적이며 수술 시에는 중요한 혈관들이 손상되지 않도록 수술기구의 사용에 세심한 주의를 기울여야 한다. 만일 수술 중 과도한 출혈이 발생할 경우에는 출혈 발생부위를 찾아 전기소작기, hemoclip 등을 통한 결찰, oxidized celloulose sponge (surgicel)의 적용, 비강패킹(nasal packing), 외경동맥(external carotid artery)의 결찰을 고려하며 최종적으로는 혈관조영술을 통한 색전술을 고려한다(그림 17-65).

수술 후 1-2주일 경과 후에 출혈부위에 초기에 응고되었던 혈병이 녹으면서 이차 출혈이 초래될 수 있다. 특히 상악골 수술과 관련된 경우에 지속적인 체적의 감소에 따른 쇼크(hypovolemic shock)뿐만 아니라 호흡곤란을 야기할 수 있으므로 즉각적 조치를 통해 이를 막아야 한다. 특히 지연성으로 양측성 비강출혈이 초래되는 경우 수술부위를 다시 노출시켜 출혈소인을 확인하고 적절한 방법으로 지혈시켜 주거나 경우에 따라 혈관조영색전술을 고려한다. 출혈이 심하지 않은 경우는 비강을 에피네프린 거즈나 비흡수성 스펀지로 팩킹(anterior/posterior nasal packing, Merocel packing)하여 지혈에 이용할 수 있다.

(2) 예기치 않은 골절(unfavorable osteotomy)

예기치 않은 골절은 상악골 및 하악골 모두에서 발생할 수 있으며 하악의 SSRO 시행 시 좀 더 빈번하다. 하악골에서는 SSRO 과정의 골분리 중 근심골편의 외측벽이나 과두경부 혹은 원심골편의 내측벽이 예기치 못하게 파절되는 경우가 있다. 하악 상행지가 얇거나 하악의 소설(lingula) 위치가 상방에 있거나 하악 제3대구치가 존재할 경우, 골절단 과정에서 예기치 않은 골절이 초래될 수 있다. 하악골의 경우 예기치 않은 골절이 생겼을 때는 일단 골분리를 완성한 후, 소형금속판이나 골고정나사 등으로 파절된 골절편을 고정한다(그림 17-66). 수술 중 예기치 않은 골절을 방지하기 위하여 제3대구치 발치는 SSRO 수술 전 미리 시행하자는 의견도 있으나, SSRO 수술 중에 발치하여도 된다는 의견도 있다.

상악수술을 시행할 때 상악 전벽의 골 두께가 매우 얇은 경우 골절단 시 톱날에 의해 예기치 못하게 부서지는 경우가 있으며, 상악골을 익상판(pterygoid plate)으로부터 분리하는 골절단기의 사용 과정에서 상악골 후방부가 예기치 못하게 부서지는 경우도 있다. Le Fort I 골절단술 도중 예기치 않은 골절이 발생할 확률은 낮으나 익상판을 분리하는 과정에서 골절선이 두개부 기저부(cranial base)로 이환되는 경우 출혈과 함께 안과적 문제가 동반될 수 있으며, 뇌신경 일부까지도 기능적 장애를 초래할 수 있으므로 주의해야 한다(그림 17-67). 따라서 골절단부의 골질 및 상악골과 익상판의 경계부에 대한 해부를 정확히 판단하여 세밀한 기계의 조작으로 예기치 않은 골절을 피하는 것이 좋다.

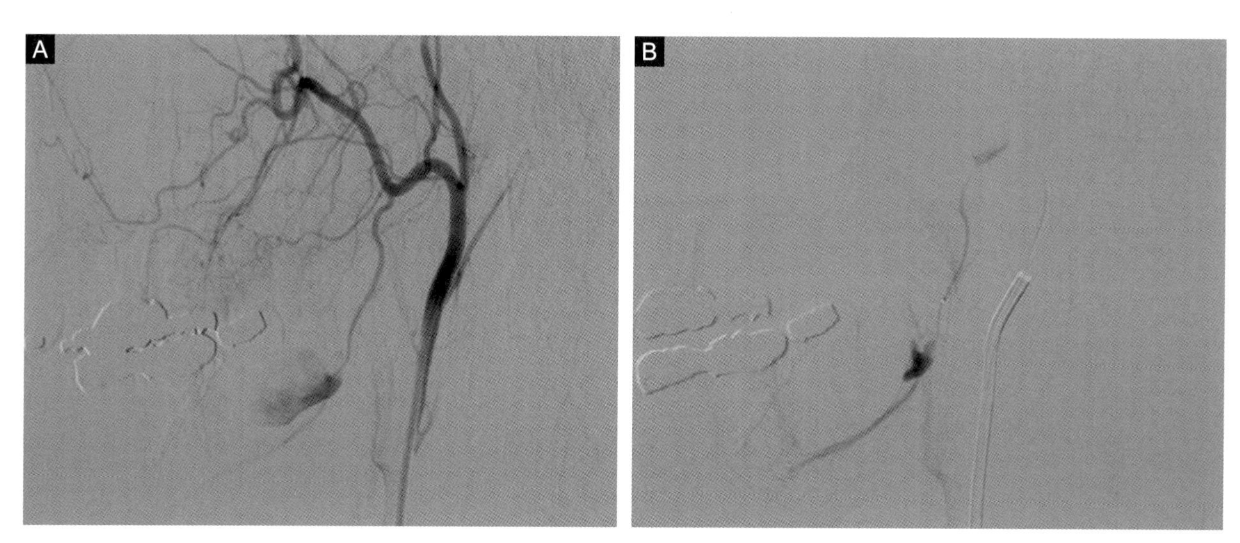

그림 17-65 A: 혈관조형술을 이용한 하치조신경 출혈부위의 탐색 B: 외경동맥으로 접근한 혈관조형색전술 이후의 지혈상태.

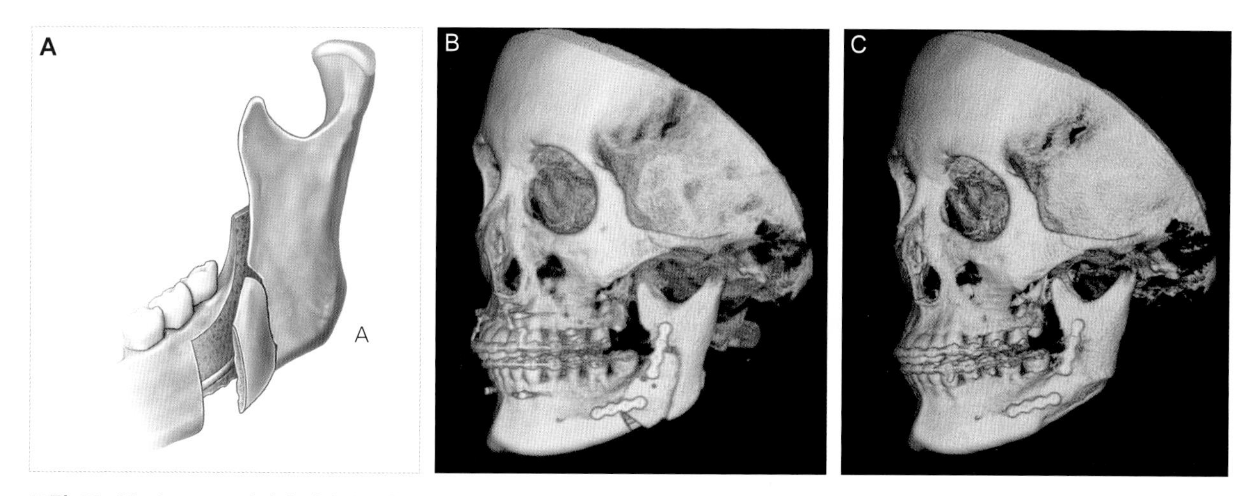

그림 17-66 A: SSRO 과정의 예기치 않은 골절의 모식도 B: 소형 금속판을 이용한 파절된 골절편의 고정 C: 고정 6개월 후.

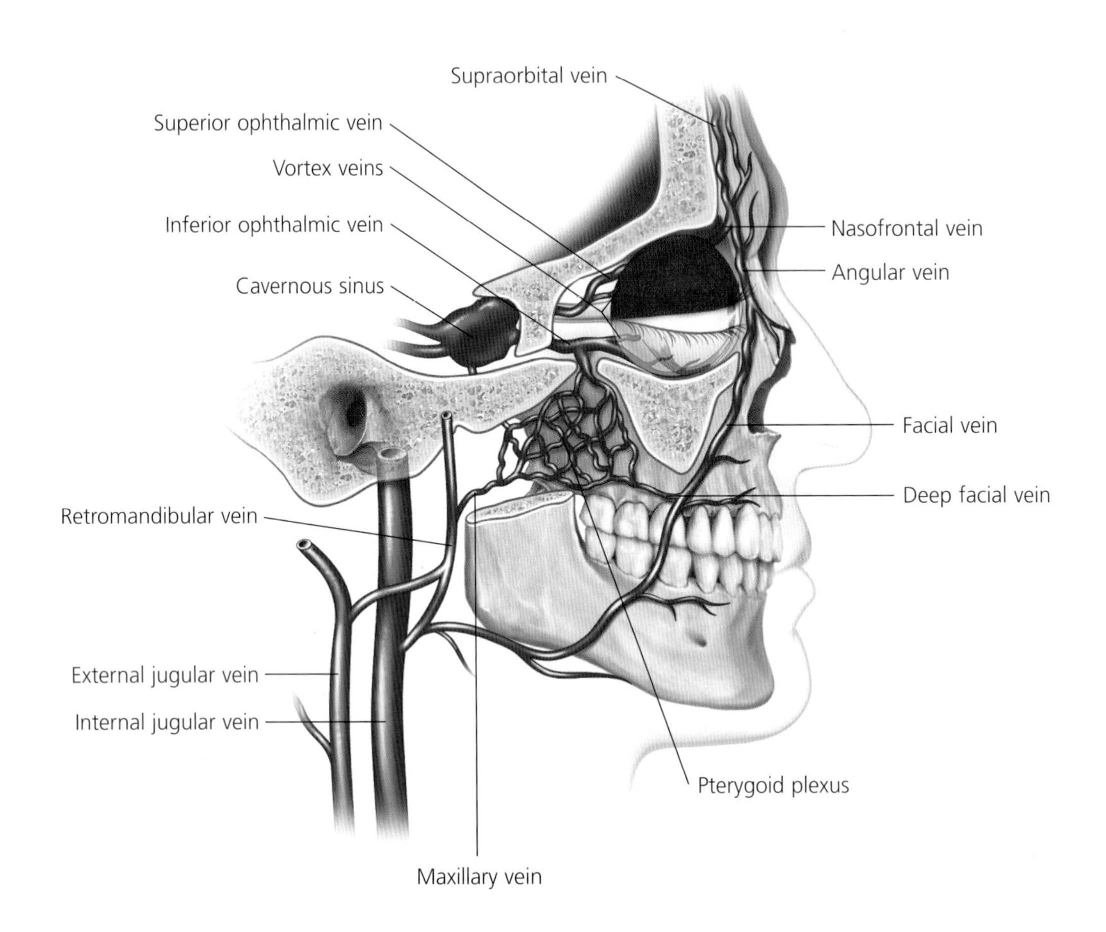

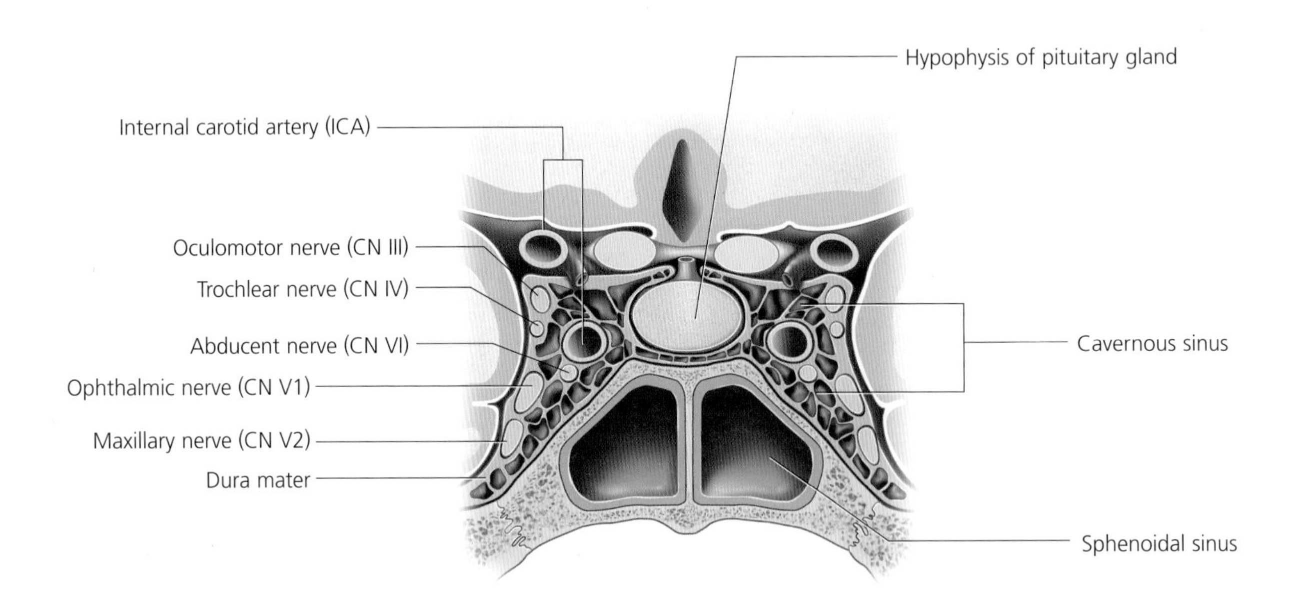

그림 17-67 Le Fort I 골절단술 도중 드물지만 익상판을 분리하는 과정에서 골절선이 두개부 기저부(cranal base)로 이환되면 출혈과 함께 뇌신경 일부까지도 기능적 장애를 초래할 수 있다.

(3) 잘못된 골편의 위치(malposition of bony segments)

양악수술의 경우, 수술 중 상악골의 위치를 잘못 잡게 되면 상악치열 교합이 맞물리는 하악치열과 악골의 위치 이상을 동반하게 되므로 술후 안모의 심미적 결과에 큰 영향을 미친다. 특히 상악골의 정중선이 안모의 정중선과 일치하지 않는 경우나 교합평면의 기울기가 맞지 않는 경우에 심미적으로 불리한 결과를 초래한다. 수술 후 하악 근심골편 위치 이상이나 근원심 골편간의 간섭은 하악과두의 위치를 변화시켜 술후 악관절장애나 기능이상 혹은 재발로 이어질 수 있으므로, 근원심 골편의 고정 후 악간고정을 풀고 하악골 운동을 확인하여 근심골편의 위치가 정확한 위치에서 고정되었는지를 수술 중에 확인하여야 한다. 또한 상악골이나 하악골에서 분절골 수술 후 위치이상이 초래되면 계획했던 술후 교정치료가 어렵게 되므로 주의해야 한다.

(4) 신경손상(neurologic complications)

악교정수술로 인한 신경손상은 여러 뇌신경(II–VII, X–XII)에 초래될 수 있으며 대부분 예기치 않은 골절, 과도한 견인(retraction), 출혈, 혈종 생성 또는 술후 부종 등과 관련되어 있으며 신경절단, 부분적 손상, 골편간 압박, 연조직의 압박 등으로 인한 신경손상에 의하여 초래될 수 있다. 하치조신경, 이신경, 설신경과 안와하신경(infraorbital nerve)의 손상 이외에는 극히 드물게 나타난다. 환자의 나이, 수술시간, 수술방법(골절단 방법), 골편의 이동정도, 술자의 숙련도, 환자의 해부학적 구조나 신경주행 경로 등이 신경손상의 발현에 영향을 미친다. 만일 SSRO와 IVRO에 이부성형술이 동반되었을 때 하치조신경 손상의 빈도는 높아진다.

SSRO의 경우 대부분의 신경손상이 골편의 조작이나 견인 혹은 골편간의 압박에 의한 신경손상으로, 많은 경우 2–3개월 후에 회복된다. 근–원심 골편 분리 시 대개는 하치조신경이 원심골편에 위치하지만 때로는 일부가 근심골편에 붙어있는 경우가 있다. 이 경우 적절히 분리하지 못할 경우 하치조신경이 손상받을 수 있다. 또한 골편의 고정 시 신경이 드릴 등에 의해 손상을 받거나 혹은 근 · 원심골편간에 끼여 압박을 받을 수도 있다. SSRO 수술 후의 장기적인 신경손상의 빈도는 0–75%로 다양하게 보고되고 있으며 여러 논문을 평균하면 33% 정도로 나타나고 있다. 다른 체계적 문헌고찰에 의하면 SSRO 수술 1주일 후에 환자의 약 63%가, 수술 1년 후에는 13%가 객관적인 검사상 감각 이상을 느끼는 것으로 보고되고 있다. 만일 수술 도중 신경이 절단된 것이 눈으로 확인되었다면 미세수술을 통해 2–3개의 신경외막 봉합(epineural suture) 혹은 중간 봉합(interpositional suture)하는 것이 추천된다. 부분적 손상이 가해진 경우에는 손상의 정도에 따라 적절한 치료를 해주는 것이 필요하며, 신경이 압박되는 경우에는 압박이 가해지지 않도록 골편의 재위치 또는 신경박리술(neurolysis) 등을 고려한다. 수술 중 조직 견인 등에 의해 일시적으로 눌린 경우에는 대부분의 경우 3개월 이내에 정상적으로 회복된다. 그러나 3개월이 지나서도 환자가 견디기 어려운 신경장애를 호소하면 보다 적극적인 치료방법을 모색해야 한다. SSRO를 시행한 환자의 대부분이 술후 1년에도 어느 정도의 신경감각 이상(neurosensory disturbance)을 호소하지만, 90% 정도의 환자는 수술에 대하여 만족하는 것으로 보고되고 있다. 최근 3차원 디지털 수술계획이 도입되어 하치조신경의 3차원적 주행경로를 표시하여 하악수술 시 신경손상을 최소화하는 방향의 골절단선을 디자인하여 수술에 이용할 수 있다. 하악수술 도중 설신경 손상도 일어날수 있다. 이는 설측 연조직의 박리나 골고정나사 고정 중 과다삽입(over–penetration)된 골고정나사로 인한 신경손상으로 사료되며, 대부분은 일시적이지만 하치조신경 손상보다 환자의 불편함이 좀 더 심할 수 있으며 평균 약 0.7%(0.3–18%) 빈도로 보고되고 있다.

IVRO의 경우에는 상행지 절단 중 하치조신경의 주행 입구 및 가지를 볼 수 없으므로 골절단선이 잘못 설정된 경우에는 하치조신경 절단을 초래할 수도 있으므로 골절단선의 설정에 주의를 기울여야 한다. 하지만 IVRO는 SSRO보다 수술 후 신경장애의 확률이 유의하게 낮다. 이부성형술 시 이신경(mental nerve)의 주행위치에 너무 가깝게 골절단선이 형성된 경우에 이신경이 절단 혹은 손상을 입을 수 있으며, 수술 중 과도한 조직견인 시 신경가지가 눌려 술후 감각이상이 발생할 수 있다.

환자들이 상악수술 이후에 상악신경이나 안와하신경의 손상으로 인하여 신경분포 부위인 치아, 치은, 상순 등의 감각저하를 호소하지만 1년 이상 경과 후에는 대부분 회복되어 현저한 불편함을 호소하는 경우는 드물다. 또한 Le Fort I 골절단술 과정에서 하행구개동맥을 결찰하게 되면 하행구개신경(descending panatine nerve)도 결찰하게 되며 이에 따라 동일한 분지인 대구개신경(greater palatine nerve)에 영향을 줄 가능성이 있다. 그럼에도 불구하고 이러한 결찰을 시행했다고 해서 수술 후 구개점막의 감각이상 회복에 영향을 미치지는 않는다.

(5) 허혈성 괴사 및 인접조직 손상

허혈성 괴사는 특히 상악의 분절골수술(Le Fort I multi-segment osteotomy), 양측성 구순구개열 환자의 악교정수술 등에서 분절 골편을 과도하게 재위치시키거나 점막이 파열된 상태에서 분절골편을 횡적으로 과도하게 확장시키는 경우에 조직에 혈액공급이 차단되어 발생할 수 있다. 허혈성 괴사와 관련된 요소로는 환자의 전신적인 상태(흡연 등 포함), 골절선의 디자인, 골편의 이동, 상부 연조직의 견인 또는 압박, 부적절한 스플린트 등이 있다. 상악수술 도중에 상악분절을 시행할 경우 구개측 점막이 찢어지거나 분절된 골편에 연조직이 과다하게 박리되지 않도록 주의한다. 소구치 부위에서 8 mm 이상의 횡적팽창을 시행할 경우 구개골의 허혈과 점막의 치유부전 위험성이 높아진다(그림 17-68). 또한 골편의 괴사가 발생하지 않는 경우에도 치아상실, 치아의 치수생활력 소실 등이 발생할 수 있다. 허혈성 괴사는 복구가 안 되므로 수술 전에 이를 예방하기 위한 고안을 세밀히 검토하고 수술술기에 반영하여 예방하는 것이 최선이다.

수술 도중 골절단의 방향이 잘못되었거나 드릴(drill), 톱(saw), 또는 절골도(osteotome) 등 수술도구에 의하여 치아가 손상받을 수 있다. 일단 치근이 손상되면 자연 치유되지 않는 한 치아의 희생을 감수해야 하는 경우도 있으므로 분절골절단술 시행 시 특히 주의한다. 따라서 수술 시 치근의 손상이 가해지지 않도록 기구를 섬세하게 조작하고 골절단선의 방향을 잘 선택해야 한다.

3) 수술 후의 합병증

(1) 감염

구강내의 수술은 "청결오염된 창상(clean-contaminated wound)"으로 간주되며, 악교정수술 시에는 수술 중 혹은 수술 후에 예방적 항생제를 투여하므로 감염이 발생되는 경우는 매우 드물다. 그러나 수술부위가 오염되거나 잔존된 골절편이 있을 때, 또는 술후 환자의 전신면역이 저하된 경우나 흡연으로 인한 창상치유 지연이 동반된 경우에 감염이 발생할 수 있다. 수술부위에 혈종이 잔존할 경우에 상방 창상이 벌어지고 감염의 원인이 될 수 있다. 감염이 발생하면 감염발생 부위에 발적, 동통, 부종 등 감염의 특징이 나타나며, 적절한 항생제의 투약과 함께 절개 및 배농을 시행한다(그림 17-69).

(2) 비부의 변형(nasal abnormality)

상악수술을 시행한 이후에 비부의 변형이 초래될 수 있다. 수술에 의하여 비중격이 전비극첨(ANS)으로부터 분리되는데, 이 과정에서 상악의 수직 또는 수평적 위치변화에 따라 비중격 연골의 위치도 달라지기 때문이다. 특히 상악을 상방이동하였을 때 이동량만큼 여분의 비중격의 수직길이를 조정해야 하며 비부 연조직을 부적절하게 재위치시켰을 경우 비중격의 편위(septal deviation), 과다한 비익 기저부의 확대(excessive alar base widening), 비첨의 과다회전

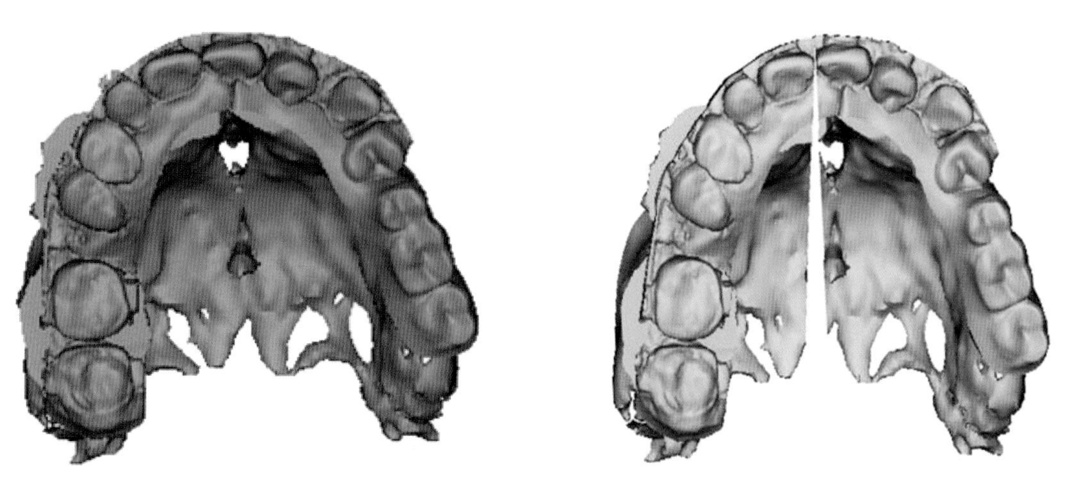

그림 17-68 Le Fort I에서 상악의 분절을 시행할 경우, 과다한 횡적 팽창은 구개골의 허혈과 점막의 치유부전 위험성이 있다.

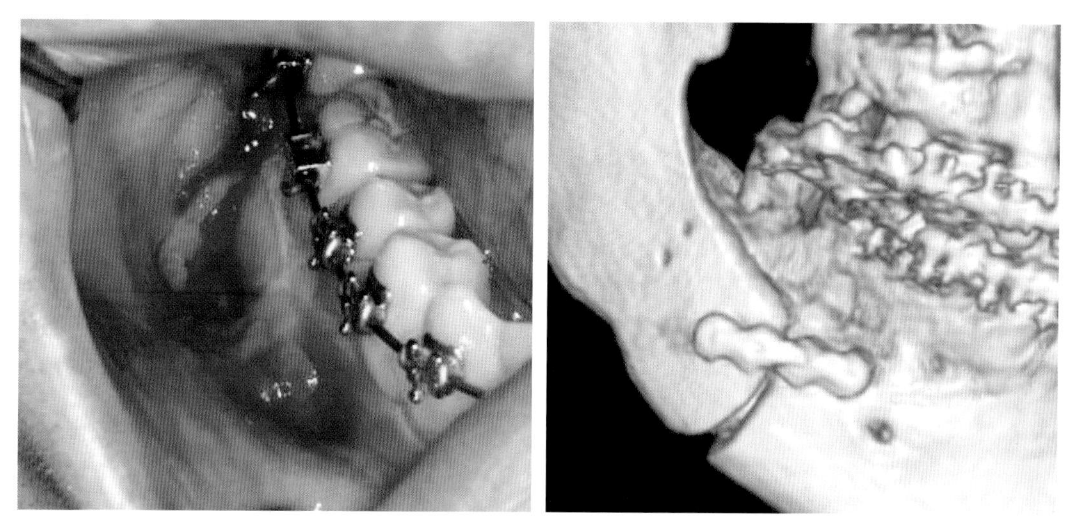

그림 17-69 SSRO 시행 후 골절단 부위의 치유지연으로 봉합부위에 누공이 발견되는 경우.

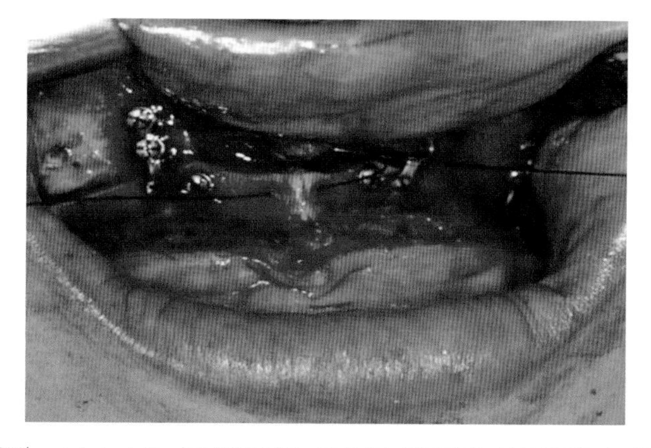

그림 17-70 수술 후 비중격의 편위(septal deviation)가 있을 경우, 구강내로 비중격에 다시 접근하여 비중격을 비강저에 재위치시키는 것이 필요하다.

(nasal tip over-rotation), 비배의 편위(nasal dorsum deformity) 등이 동반될 수 있다. 이 경우 구강내에서 비중격을 다시 접근하여 비중격을 비강저에 재위치시키는 것이 필요하다(그림 17-70).

(3) 악관절 문제

거의 모든 종류의 악교정수술은 직접적 혹은 간접적으로 악관절 기능에 영향을 미친다. 따라서 수술 전에 미리 환자가 가지고 있는 기존의 악관절장애나 증상을 파악하는 것이 필요하다. 만일 악관절장애가 심하다면 수술 전에 미리 치료하여 악관절의 증상을 호전시키고 안정화한 후에 악교정수술을 하는 것이 원칙이다. 악교정수술이 악관절 기능이상에 미치는 영향에 대하여서는 아직 일관된 결론을 내리기 어렵다. 악관절 내장증 등의 악관절 기능의 문제가 있는 환자의 경우 SSRO보다 IVRO가 더 유리하다. 골격성 2급 부정교합자의 경우, 상하악 복합체를 반시계방향으로 회전시켜 하악을 전방이동해야 하며 이러한 하악의 전방이동이 악관절 증상을 악화시킬 수 있다. 하악과두 위치변화의 정도가 환자의 생리적인 적응범위를 넘어서면 악관절이 흡수될 수 있다. 현재로서는 여성 환자, 골격성 2급 부정교합자, 과두 경부가 후방으로 경사져 있는 경우 악교정수술 후 과두흡수의 위험성을 가지는 것으로 보고 있다. 만일 악관절이 수술 후의 변화된 교합력과 스트레스를 이겨낼 수 있다면 상하악 복합체의 시계 혹은 반시계방향의 이동 모두 가능하다.

악교정수술에 의하여 예정된 교합으로 골편을 견고고정을 하였음에도 불구하고, 관절와(glenoid fossa)에 대한 하악과두의 위치가 수술 직후 또는 수술 후 관찰 기간 동안 변화하여 교합이 변화하는 경우가 있는데 이를 "condyle sagging"이라고 한다. 이는 수술 중의 하악과두를 위치시킬 때 가해지는 힘의 방향이 잘못되었거나 골편이나 연조직의 간섭, 불완전한 골 분리로 인하여 관절의 재위치가 부적절하게 이루어졌을 때 생길 수 있다. 골편사이를 고정할 때 정해진 상하악 교합을 맞추면서 과두(근심골편)를 적절하게 재위치시킬 수 있도록 수술하는 것이 중요하다(그림 17-71).

(4) 수술고정(surgical fixation)의 문제 및 골유합의 실패(fixation failure)

악교정수술은 악골을 절단 · 분리하여 재위치시켜주는 것이므로, 골절의 개념으로 볼 때의 엄격한 의미에서는 부정유합(malunion)의 과정을 거치는 치유과정이며 따라서 대개는 이차성 골치유과정(secondary bone

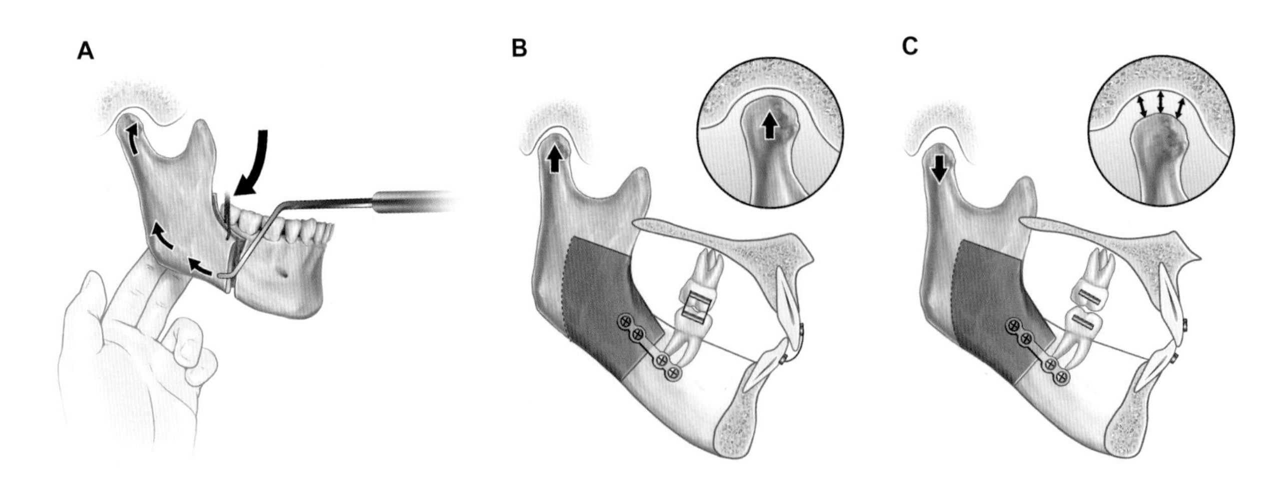

그림 17-71 하악 전돌증 환자에게 하악 후퇴수술을 시행할 때 하악과두를 관절와에 과다하게 상방 및 후방이동한 상태로 견고고정을 하게 되면 수술 후 관절이 다시 제자리로 돌아오고 하방으로 재위치되면서 하악이 전방으로 이동하게 된다. A: 잘못 재위치되는 근심골편 B: 악간고정 시 좁아진 관절내 공간이 보임 C: 악간고정 제거 시 하악골의 전하방 변위와 늘어난 관절내 공간.

healing process)을 겪게 마련이다. 수술부위의 고정에 문제가 생긴 경우 골노출이 초래되거나 수술부위의 골 고정나사나 금속고정판이 노출되거나 파절되는 경우가 있다. 이러한 고정의 실패는 금속고정판이나 골고정나사 인근의 감염이나 골괴사를 초래할 수 있다. 고정에 문제가 생긴 경우, ① 골편이 만져질 정도로 움직임이 있거나, ② 지속적인 감염이 존재하고, ③ 개교합 경향을 보이며, ④ 교합의 변화(정중선 편위, 이환측 하악 전방이동 또는 조기접촉)가 나타난다. 이 경우 골 고정나사와 금속고정판을 제거하는 것이 필요하며 경우에 따라서는 괴사골도 같이 제거하는 경우도 있다. 만일 조기에 이러한 고정의 실패(fixation failure)를 파악하지 못하는 경우 부정교합, 부정유합, 근심골편의 회전, 과두흡수 등이 초래될 수 있다.

지연 유합(delyed union)또는 비유합(nonunion)은 적절한 골편간의 고정이 이루어지지 않아 골편이 편위되거나 골편간에 근육 등의 연조직이 끼어들어 골편간의 접촉이 방해됨으로써 발생된다. 특히 골편을 에워싸야 하는 골막이 파괴되고 상부 연조직이 치유가 지연되어 골편이 노출되었을 때 발생하기 쉽다. 또한 상악 전방 이동량이 과다하거나, 근원심 골편간의 간극이 과다하게 클 경우에도 초래될 수 있으므로 술후 골편을 부가적으로 안정시킬 수 있는 스플린트(occlusal splint)를 장착한다(그림 17-72).

(5) 부정교합

수술 후 부정교합이 초래되는 경우는 다양하게 있으며 미세한 부정교합은 약간 고무줄 견인(elastic traction)이나 신경근육의 술후 재교육(reprograming) 과정에 의하여 어느 정도 극복될 수 있다. 술후 부정교합은 ① 수술 중 과두위치의 편위, ② 골편위치 유지의 문제(골편고정 부족, 스플린트 문제), ③ 교정적 재발, ④ 과두흡수, ⑤ 잔존 성장 등으로 인해 초래될 수 있다. 하지만 수술 직후에 심한 부정교합이 관찰되는 경우에는 다시 수술실로 옮겨 골편간의 재고정을 시행하여 적절한 술후 교합이 확보되었음을 확인하는 것이 필요하다.

(6) 심미적인 불만족

악교정수술 후 변화된 얼굴 모습에 대개의 환자 및 보

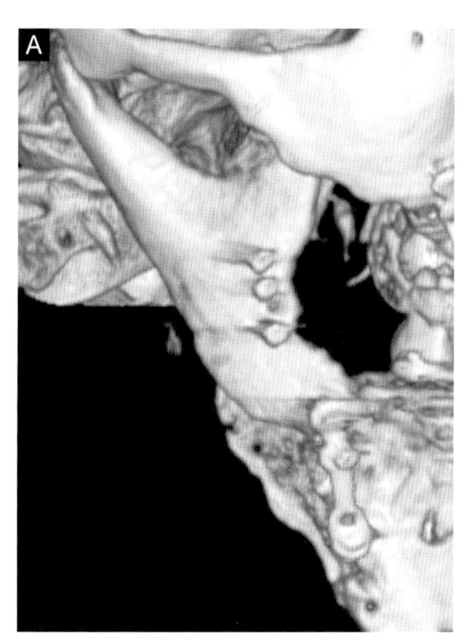

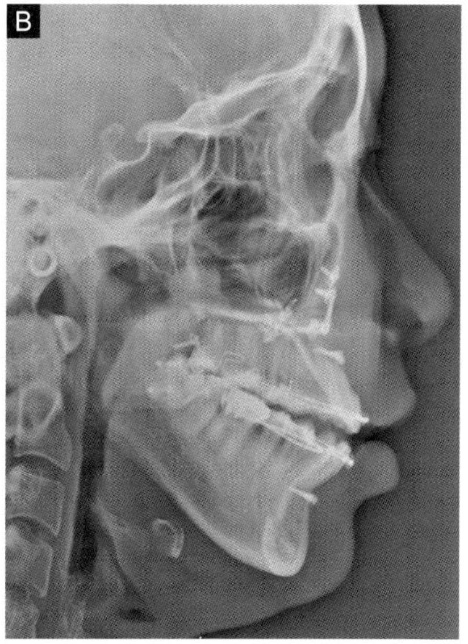

그림 17-72 SSRO 시행 후 근원심 간 골편간 고정의 실패로 인하여 근심골편이 회전하거나(A), 고정의 실패로 인하여 수술 후 개교합이 초래된 경우(B).

호자가 만족한다. 대개 수술 후 1개월째까지는 부종이 완전히 가라앉지 않은 상태로 변화된 얼굴의 모습이 다소 어색하게 보이지만 이후 3–6개월까지는 활발한 경조직과 연조직의 개조과정(active remodeling process)을 통해 가장 많은 변화가 초래되면서 어색함이 많이 사라진다. 술후 초기 6개월까지는 안모의 모습이 수술 직후에 비해 비교적 많은 변화를 보일 수 있으나 이후에는 거의 변화 없이 미세한 부분의 변화를 겪는다.

대부분의 악교정수술 환자 및 보호자들의 수술 후 변화에 대한 관심은 악골의 기능 개선보다 심미적 개선과 관련된 경우가 많다. 따라서 수술 후의 안모형태가 바라는 바대로 되지 않았다거나 혹은 보기 싫다거나 하는 경우, 다른 어떠한 합병증보다 이에 대한 불만이 가장 높을 수 있다. 수술 후의 안모변화는 완벽한 예측은 불가능하지만 수술에 대한 술식의 설계 시 어느 정도는 예측될 수 있으므로 수술법 선택 시 신중히 고려하고 만일 수술 후 문제가 예상되면 수술 전에 이에 관해 자세히 설명해 주어야 한다. 만일 환자 및 보호자가 변화된 안모에 지속적인 불만을 표시하는 경우에는 불만의 이유 및 정도를 정확히 파악하여 향후의 개선 방안에 대해 심각히 고려해야 한다. 경우에 따라서는 추가수술 혹은 재수술이 요구될 수도 있다.

2. 악교정수술 후의 환자관리

악교정수술 후 환자가 전신마취로부터 깨어나면 회복실로 후송되고 의식이 완전히 돌아온 것을 확인한 후에 병실로 후송된다. 병실에 후송된 후 의사는 수술 시의 혈액소실량 및 보충량, 수액 보충량, 사용 약물, 최근의 검사결과, 술후 환자상태 등을 면밀히 살펴보고 환자의 전신상태를 점검하여야 한다. 대개 악교정수술 후의 환자 관리는 ① 입원 중 관리(마취가 깨어난 후부터 퇴원까지의 병실에서의 관리)와 ② 퇴원 후 관리(퇴원 후 외래통원에 따른 관리)의 두 단계로 나누어 생각할 수 있다.

1) 악교정수술 후의 초기관리: 입원 중 환자 관리

악교정수술의 수술부위 및 수술술기의 특성상 여러 가지 수술 직후 속발증(postoperative sequela)이 발생할 수 있으며 수술 직후 초기에 환자를 매우 힘들게 하는 요소들로 작용한다. 그러나 속발증은 합병증(complication)과 달리 정상으로 회복되는 것들이며, 합병증으로 이관되지 않는 한 대개 수술 후 2–3일 정도면 어느 정도 환자가 견딜 수 있을 정도로 회복되므로 수술 전에 속발증에 대한 충분한 설명을 환자 및 보호자에게 해주고 수술 직후에도 속발증의 발현에 관한 충분한 설명을 해줌으로써 이를 극복하는 데 도움을 줄 수 있다.

악교정수술 직후 발생하는 속발증들로는 ① 동통, ② 부종, ③ 비호흡 곤란(difficult nasal breathing), ④ 구호흡 곤란(difficult oral breathing), ⑤ 피하출혈(ecchymosis), ⑥ 전신권태(general malaise), ⑦ 목안 통증(throat pain), ⑧ 비 삼출(nasal discharge), ⑨ 중등도 발열(moderate hyperthermia), ⑩ 오심 및 구토(nausea, vomiting) 등이 있다.

(1) 통증과 부종

악교정수술은 대개 입안을 통해 골점막을 절개하여 광범위하게 골표면을 노출시킨 후 악골을 절단 · 분리한 후 재위치시키는 매우 정교함이 요구되는 수술이다. 대부분의 환자 및 보호자들이 수술 전에 가장 많이 걱정하는 것이 술후에 초래될 수 있는 심한 안면부 통증과 부종이다. 수술 시야확보를 위하여 연조직을 견인하고 수술방법과 정도에 따라 많은 시간이 소요되므로 어느 정도의 술후 안면부종과 동통이 동반될 수 있음을 이해하는 것이 좋다. 이를 최소화하기 위한 노력으로는 수술 중 연조직 견인에 주의하고, 수술 중 및 수술 후에 적절한 스테로이드제제와 소염진통제를 투약하며 환자의 통증과 부종의 호전 정도에 따라 점차 용량을 줄인다. 수술 직후 수술부위의 안면부에 탄력반창고나 탄력붕대 등으로 압박드레싱을 하여 이차출혈의 방지와 함께 부종을 막고, 수술부위에 대한 냉습포(ice pack)를 술후 2–3일까지 적용하며, 가급적 침대의 각도를 세우거나 높은 베개를 사용하여 하여 머리가 심장보다 위로 가게하는 것이 좋다. 수술 직후의 통증이나 부종은 대개는 수술 48시간 경과 후에는 신속히 가라앉기 시작하므로 수술 후 약 2일간이 환자로서는 제일 견디기 힘든 시간이다. 만일 수술 후 3일 경과 후에도 지속적으로 심한 통증을 호소하거나 부종이 더욱 심하게 진행되면 감염 등의 합병증이 발생했는지를 확인하여 적절한 조치를 취해야 한다.

(2) 발열 및 고열

대개 수술 직후 최초의 24시간 이내에서는 37.5–38℃ 정도의 미열이 있을 수 있으며 특별한 해열제 없이도 정상체온으로 곧 환원되기도 한다. 최초의 체온상승 시 38℃ 정도를 보이는 경우에는 양쪽 겨드랑이에 얼음주머니를 적용하여 물리적으로 체온을 하강시키거나 해열제를 투여한다. 그러나 수술 후 24시간이 지났음에도 지속적으로 38.5℃ 이상의 고열이 있으면 해열제를 투여하고 정확한 원인을 규명하여 적절한 조치를 취해야 한다.

악교정수술 후 고열이 발생되는 경우는 드물다. 그러나 폐렴, 감염, 정맥염 혹은 항생제에 대한 부작용 등으로 고열이 발생할 수도 있다. 일단 고열이 발생하면 일단 해열제를 투약하고 필요한 물리요법을 통해 열을 낮추어야 함은 물론 열검사(fever study)를 통해 고열의 원인을 찾아 이를 근본적으로 해결해 주어야 한다.

(3) 수술 직후 호흡곤란

악교정수술 후의 호흡곤란(airway compromise)은 부종, 출혈, 상기도의 크기와 모양의 변화, 술후 악간고정 등에 의하여 초래될 수 있다. 수술 직후 호흡곤란에 대한 주의 깊은 관찰이 필요하며, 특히 상악골 수술이 병용된 환자들에게는 호흡관리가 잘 이루어지는 환경을 마련하는 것이 필요하다.

호흡곤란은 수술 직후에도 발생할 수 있지만, 이후 좀 더 심해질 수 있다. 이는 악교정수술 중 비–기관 삽입마취(naso–tracheal intubation anesthesia)를 하므로 비강을 통과해 마취용 튜브가 삽입되어 유지되므로 장시간 튜브장착이 된 경우에는 비점막이 눌려져 있어 자극을 받아 수술 후 심하게 붓기 때문이다. 따라서 수술 종료 후 지나치게 오랫동안 삽관을 유지하는 것은 바람직하지 않다. 또한 상악골 수술 시 비점막을 거상해야 하므로 이에 대한 자극을 피할 수 없는데 특히 상악골절단 시 비점막에 대한 예기치 못한 손상이 가해질 경우에는 술후 비점막의 부종이 더욱 심하게 초래될 수 있다. 또한 상악골을 상방으로 이동시킬 경우에는 상악골편의 상방이동에 의해 비강의 공간 자체가 더욱 좁아질 수 있으므로 호흡곤란 상태가 보다 심해질 수 있다.

비점막은 혈관분포가 풍부하므로 비–기관삽관 제거 후 즉시 붓기 시작해 수술 후 24–48시간대에 가장 많은 부종이 오게 된다. 수술직후에는 비점막의 부종 전에 호흡관리용 인공튜브인 비인두기도유지기(nasopharyngeal airway)를 삽입하여 호흡통로의 개통성을 원활하게 유지하는 경우도 있으며, 비점막의 부종이 가라앉기 시작하면 제거한다. 상악골의 수술 직후 비강의 부종이 동반된 상태에서 악간고정(intermaxillary fixation)을 시행할 경우 호흡에 현저한 어려움이 초래된다. 악교정수술 후 수술실에서 악간고무(intermaxillary elastics) 혹은 강선(intermaxillary wiring)으로 악간고정을 시행한 후 환자를 병실로 옮기는 경우도 있었으나, 악골에 대한 견고고정이 도입된 이후부터는 가급적 수술 직후 환자가 의식이 회복되지 않은 상태에서 악간고정을 유지하는 것은 피하는 추세에 있다. 악간고정을 하지 않는 경우에는 어느 정도의 구호흡(transoral respiration)이 가능하므로 악간고정 시보다 호흡이 편하다. 불가피하게 수술 중 악간 고정 상태에서 수술이 종료된다면 악간고정을 즉시 제거할 수 있는 기구를 미리 환자 옆에 준비하여 호흡부전에 대비한다. 하악골만 단독으로 수술한 경우에는 수술시간이 짧아 비점막에 대한 자극이 미미하므로 비호흡이 비교적 수월하여 별 문제가 없다.

대개의 호흡곤란은 술후 2-3일이면 회복되지만 이 기간 중 비강이 폐색된 경우 흡인(nasal suction), 악간 고정의 해제, 출혈의 조절 등을 시행하면 심한 경우 경비(nasotracheal) 또는 경구삽관(orotracheal intubation)을 시행한다. 매우 응급한 상황에서는 기관절개술을 시행하는 것을 고려하여야 한다. 수술 후 폐렴이 발생하면 극심한 호흡곤란이 야기되므로 잘 관찰해야 한다. 폐렴에 의한 호흡곤란의 경우는 대개 수술 도중 혹은 회복 시 기관을 통해 폐로 액상의 이물질이 흡인되어 야기되는 흡인성 폐렴이 흔하다. 폐렴이 발생하면 고열이 있고 심한 기침과 함께 가슴에 통증을 느끼며 호흡하기 힘들어한다. 폐렴이 의심될 경우에는 지체 없이 흉부방사선사진을 촬영하여 이를 확인하고 관련과의 전문의와 협조하여 신속한 조치를 취하는 것이 필요하다.

(4) 목안 통증(throat pain)

전신마취용 비-기관삽관 삽입에 의한 후유증으로 수술 후 목구멍에 통증을 호소하는 경우가 종종 있다. 악간고정을 하지 않는 경우에는 입을 벌리게 하고 통증을 완화시키는 진통제를 분사시켜줄 수 있으나 악간고정을 한 경우에는 이것이 불가능하므로 통증완화제를 경구 투여하고 진정시키는 것이 좋다. 대개 수술 후 2-3일 지나면 자연소멸된다.

(5) 비삼출(nasal discharge)

상악골을 수술한 환자들은 수술 후 최초의 1주일간은 비삼출이 있을 수 있다. 이것은 수술 시 찢어진 비점막에 대한 봉합이 완전하지 않을 경우, 심부로부터의 삼출물이 비점막 틈으로 새어나와 발생할 수도 있다. 대개는 수술 시 필연적으로 골절단이 통과되는 상악동 내에 존재하는 혈병(blood clot)들이 수술 후 녹으면서 상악동의 코쪽 입구(ostium)를 통해 빠져나오는 일시적인 현상인 경우이다. 비삼출에 대해서는 호흡곤란 못지않게 환자들의 공포감이 상당하므로 비삼출의 이유와 함께 시간이 경과되면서 서서히 줄어 수술 후 약 1주일 내에 소멸됨을 환자 및 보호자에게 충분히 설명하여 안심시켜야 한다. 그러나 통상적인 혈병의 체액화 현상(liquefaction)에 따른 소량의 검붉은 삼출액이 아니라 지속적이고 비교적 많은 양의 붉은 빛깔의 삼출액이 계속 나오면 이차 출혈에 의한 것이 아닌지를 세심히 살펴보아 적절한 조치를 취해주어야 한다.

(6) 피하출혈

피하출혈은 수술 중 연조직에 대한 자극이 심하였거나 또는 환자의 말초혈관벽이 취약하여 혈액이 조직내로 빠져나와 발생하는 일시적인 현상으로, 별 처치 없이 대개 2주 후면 정상으로 회복된다. 그러나 안면이나 경부에 광범위한 피하출혈이 있을 경우 환자가 이에 따른 심미적 어려움을 호소할 수 있다.

(7) 오심·구토

전신마취와 관련된 약제나 자극 등에 대한 반응이나 마취용 튜브에 의한 목구멍의 자극 및 수술 후 사용한 약제 등에 의해 수술 후 오심을 느낄 수 있으며 심한 경우에는 구토할 수도 있는데 특히 악간고정 시에는 구토에 의한 오물이 기관을 폐색할 경우에는 매우 위험하므로 가능한 한 수술 전에 8시간 이상의 금식(Nil per os, NPO)이 준수되어야 하며, 수술 직후에는 항오심제(antiemetic agent)를 미리 투약하여 오심이나 구토를 예방해준다.

(8) 전신권태(general malaise)

수술 후의 쇠약감은 외상에 대한 정상적인 신체반응이지만 악간고정을 하여 음식물 섭취가 원활하지 못한 경우에는 심신쇠약으로부터 회복에 상당한 시간이 걸릴 수 있다. 따라서 수술 후에는 수술이 안전하고 목적한 대로 잘 끝났음과 초기의 2-3일간은 힘들지만 이후에는 견딜만하다는 것을 수술 전에 충분히 설명해 주어야 한다. 이러한 조치들이 잘 수행되면 대개 환자는 수술 후 약 3일째부터 붓기도 많이 가라앉고, 호흡 장애도 덜 느끼며, 스스로의 음식섭취가 용이해지므로 퇴원에 대한 욕구가 생긴다. 따라서 보통 양악수술의 경우에는 수술 후 약 5-6일, 편악수술 시에는 수술 후 약 3-4일이면 퇴원이 가능하다.

2) 악교정수술 환자의 장기관리: 퇴원 후 관리

(1) 개구운동

악교정수술을 시행받은 후 골편간의 안정을 얻고 수술로 인하여 변화된 구강환경과 교합상태에 환자가 어느 정도 적응하기 위하여, 수술 직후 일정 기간의 악간고정 기간을 가지게 된다. 악간고정 기간은 환자의 술후 상태, 수술을 시행한 골편간의 고정 정도(fixation stability), 그리고 골편에 대한 근육의 영향 등을 종합적으로 고려한다. 일반적으로 환자가 소형 금속판이나 골고정나사로 골편간 견고고정을 하였을 경우, 수술 후 스플린트(postoperative splint)의 장착 없이도 교합유도가 되는 4-6주경까지 양측성 유도 고무견인(intermaxillary elastic)을 간헐적 혹은 지속적으로 장착하며, 환자 개개인의 임상상태에 따라 즉시 개구운동을 허용하거나 혹은 짧은 기간의 악간고정 기간을 거쳐 개구운동을 시작할 수 있다. 상악골 수술에 다분절골절단술(multi-piece segmentation)이 동반된 경우 상악 스플린트는 골치유가 일어날 때까지 6주 이상 유지하고, 제거 시에는 교정과의사와 의논하여 횡적 재발을 방지하도록 교정치료가 이어지도록 한다. 술후 개구 시에 술후 스플린트에 치아가 삽입되는 정도를 관찰하여 술후 부정교합이나 개교합 발현 여부를 초기에 감지하도록 한다(그림 17-73).

IVRO를 시행하고 골편간 고정을 시행하지 않은 경우에는 7-10일 정도의 악간고정을 유지한 후 능동적인 물리치료(active physical therapy)를 시작한다. IVRO의 경우, 악간고정에도 불구하고 하악과두가 관절강내에서 자유로운 위치에 있어 악관절장애를 유발할 위험이 적으며 오히려 하악과두 및 근·원심 골편들에 부착된 근육들이 새로운 위치에서 적응할 수 있는 시간이 필요하기 때문이다.

(2) 술후 변화의 관찰

악교정수술 후 경조직의 위치 및 연조직의 모양은 초기 3개월 내에 주로 많이 변화하며 이후에도 지속적인 개조(remodeling)의 과정을 통해 계속 변화한다. 또한 수술 후 교정치료 과정을 통해 교합의 조정이 계속 이루어지지만 골편의 위치 및 하악골 기능에 있어서도 계속적인 변화가 초래된다. 따라서 악교정수술 환자는 술후 교정치료가 완성된 이후에도 정기적으로 검사를 하여 치료의 경과 및 예후를 살피고 필요한 부분을 보정해 주어야 한다. 대개는 수술 후 1개월, 3개월, 6개월째와 이후 매 6개월 간격으로 불러서 수술 후 변화된 안모의 심미적 결과에 대한 만족도, 술후 교합 및 저작 기능에 대한 만족도, 골절편의 치유경과, 재위치된 골편 및 연조직의 안정성 혹은 재발성향, 치아의 건강 상태(치근 흡수, 치근노출 등의 치주 상태), 하악골 운동

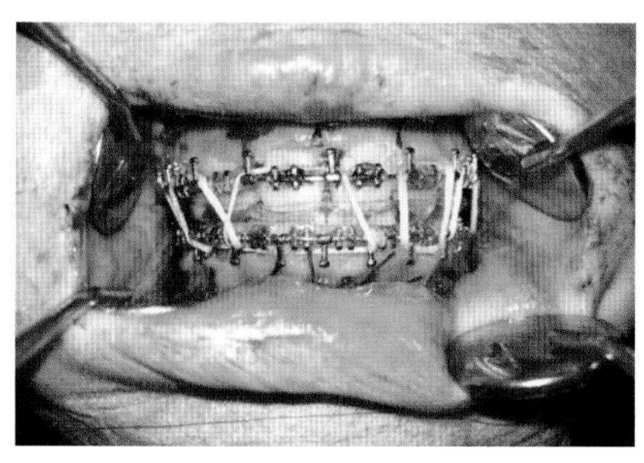
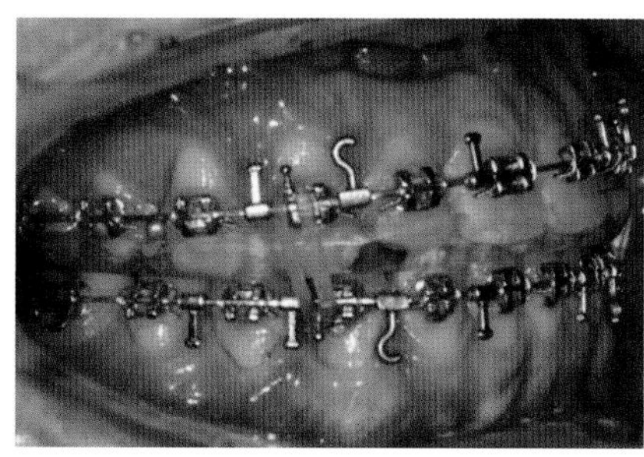
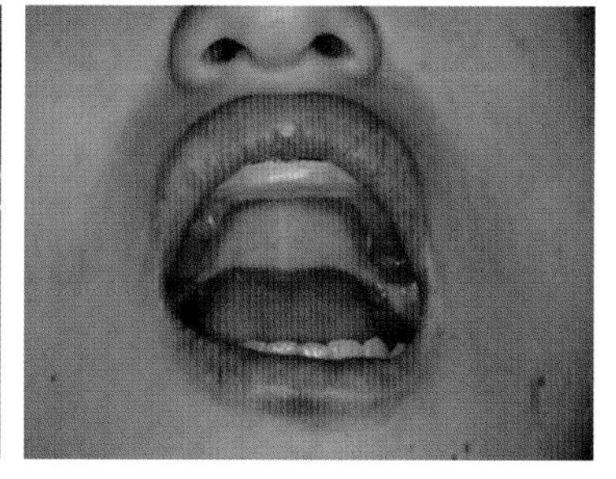

그림 17-73 수술 후 최종 스플린트를 장착한 상태에서 4-6주경까지 양측성 유도 고무견인(intermaxillary elastic)을 간헐적 혹은 지속적으로 장착하게 된다. 이후 스플린트 장착 없이도 교합 유도가 되도록 개구운동을 한다. 환자 상태에 따라 수술 직후 악간 고정 기간 후 일정 시간이 지나면 개구운동을 시작할 수 있다.

기능 상태(최대개구량, 전방이동량, 좌우 측방이동량), 악관절 기능상태(관절음, 통증 등), 환자의 사회심리적 만족 상태 등을 검사한다. 또한 수술 후 골편간의 골치유가 완성된 6–12개월 후에 수술 시 골편고정을 위해 삽입되었던 고정장치들(miniplate, screw 등)을 제거할 수 있다.

3. 술후 재발과 처치

재발은 수술 전 위치나 방향으로 다시 회귀하거나 또는 더 멀리 편위되는 것을 의미한다. 하악골의 악교정수술 후 재발은 주로 수술 중의 과두의 위치에 의하여 초래되거나 수술 후의 골개조나 흡수, 골절부위의 불안정한 고정 등이 원인이 된다. 하악 전돌증에서 하악을 후퇴시키는 SSRO를 시행할 때 근심골편을 시계방향으로 회전시키면서 과도하게 과두와의 후방으로 근심골편을 위치시켰을 때 전방으로의 재발이 초래될 수 있다(그림 17–74).

상악을 전방이동시킬 때 견고고정을 시행할 경우의 재발률은 비교적 낮다. 하지만 상악을 8 mm 이상 전방이동시킬 때는 골이식이 추천된다. 상악을 횡적으로 팽창시키거나 하방으로 이동할 때 재발률이 높은 것으로 보고되고 있다.

여러 가지 요인들 중 악골 이동의 회전방향과 이동량의 크기에 따른 근육계의 생리적 영향, 하악과두의 위치, 악관절장애 및 수술 후 치아의 위치변화 등이 재발의 주요한 원인으로 알려져 있다. 일단 재발이 발생하면 악골의 위치변화에 따른 부정교합이 따라서 재발되므로 치료의 방향이 매우 복잡할 수 있다. 따라서 물론 수술 전에 악골이동의 기하학적 측면과 이동량 및 주위근육과의 생리적 관계를 충분히 고려한 수술설계와 함께 수술 중의 세밀한 완성이 요구되지만, 수술 후 일단 재발현상의 기미가 있으면 그 정도를 면밀히 살펴 교정의사와의 충분한 논의를 통해 재발을 최소화할 수 있는 방법을 모색해야 한다.

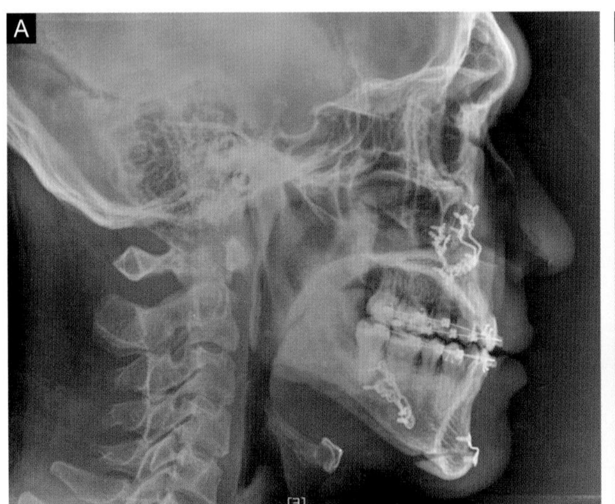

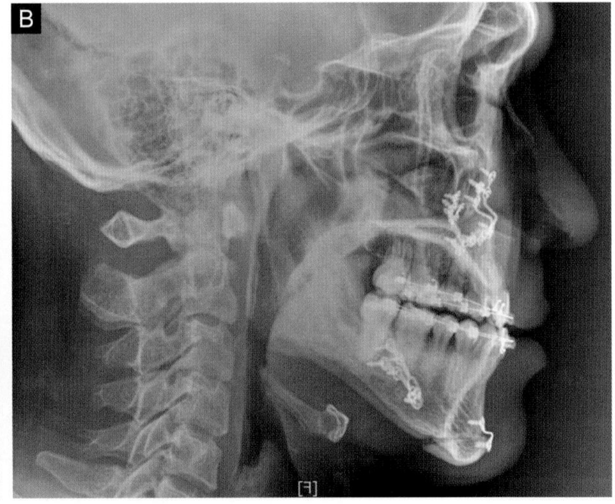

그림 17–74 하악 후퇴 수술 후(A) 상태에서 술후 6개월 경과 후에 전방으로 수평적인 재발을 나타냄(B). 수술 후 골편의 안정성 정도, 교합의 안정성, 턱관절 위치의 변화 등의 요소에 의하여 수술 후 재발이 나타날 수 있다.

참고문헌

대한치과교정학회, 부정교합백서발간위원회. 한국성인 정상교합자의 측모두부규격방사선사진 계측연구 결과보고서. 1997

Bell WH, Gonyea W, Finn RA, et al. Muscular rehabilitation after orthognathic surgery. Oral Surg Oral Med Oral Pathol 1983;56(3):229-35.

Bouloux GF, Bays RA. Neurosensory recovery after ligation of the descending palatine neurovascular bundle during Le Fort I osteotomy. J Oral Maxillofac Surg 2000;58(8):841-845; discussion 846.

Choung PH. A new osteotomy for the correction of mandibular prognathism : techniques and rationale of the intraoral vertico-sagittal ramus osteotomy. J Craniomaxillofac Surg 1992;20(4):153-62.

Dodson TB, Bays RA, Neuenschwander MC. Maxillary perfusion during Le Fort I osteotomy after ligation of the descending palatine artery. J Oral Maxillofac Surg 1997;55(1):51-55.

Ghali E. Ghali JEW, Stavan Patel. Chapter 77. Avoiding Surgical Complications in Orthognathic Surgery. Maxillofacial Surgery. 3rd ed. Churchill Livingstone; 2017. p. 1155-1178.

Haas Junior OL, Guijarro-Martínez R, de Sousa Gil AP, et al. Stability and surgical complications in segmental Le Fort I osteotomy: a systematic review. Int J Oral Maxillofac Surg 2017;46(9):1071-1087.

Kaban LB, Moses MH, Mulliken JB. Surgical correction of hemifacial microsomia in the growing child. Plast Reconstr Surg 1988;82(1):9-19.

Lanigan DT, Hey JH, West RA. Major vascular complications of orthognathic surgery: hemorrhage associated with Le Fort I osteotomies. J Oral Maxillofac Surg 1990;48(6):561-573.

Larson BE. Orthodontic preparation for orthognathic surgery. Oral Maxillofac Surg Clin North Am 2014;26(4):441-458.

Liou EJ, Chen PH, Wang YC, et al. Surgery-first accelerated orthognathic surgery: Postoperative rapid orthodontic tooth movement. J Oral Maxillofac Surg 2011;69(3):781-5.

McCarthy JG, Schreiber J, Karp N, et al. Lengthening the human mandible by gradual distraction. Plast Reconstr Surg 1992;89(1):1-10.

Moore GE. Molecular genetic approaches to the study of human craniofacial dysmorphologies. Int Rev Cytol 1995;158:215-277.

Nagasaka H, Sugawara J, Kawamura H, et al. "Surgery first" skeletal Class III correction using the Skeletal Anchorage System. J Clin Orthod 2009;43(2):97-105.

Olsen JJ, Skov J, Ingerslev J, et al. Prevention of Bleeding in Orthognathic Surgery—A Systematic Review and Meta-Analysis of Randomized Controlled Trials. J Oral Maxillofac Surg 2016;74(1):139-150.

Peiró-Guijarro MA, Guijarro-Martínez R, Hernández-Alfaro F. Surgery first in orthognathic surgery: A systematic review of the literature. Am J Orthod Dentofacial Orthop 2016;149(4):448-462.

Peleg O, Mahmoud R, Shuster A, et al. Orthognathic surgery complications: The 10-year experience of a single center. J Craniomaxillofac Surg 2021;49(10):891-897.

Piñeiro-Aguilar A, Somoza-Martín M, Gandara-Rey JM, et al. Blood loss in orthognathic surgery: a systematic review. J Oral Maxillofac Surg 2011;69(3):885-892.

Posnick JC. Chapter 16. Complications Associated with Orthognathic Surgery. Orthognathic Surgery. WB Saunders; 2014. p. 475-542.

Pruzansky S. Not All Dwarfed Mandibles Are Alike. Birth Defects 1969;5:120-129.

Reyneke JP, Evans WG. Surgical manipulation of occlusal plane. Int J Adult Orthod Orthognath Surg 1990;5(2):99-110.

Reyneke JP, Ferretti C. Intraoperative diagnosis of condylar sag after bilateral sagittal split ramus osteotomy. Br J Oral Maxillofac Surg 2002;40(4):285-292.

Skaggs JE. Surgical correction of prognathism. Am J Orthod 1959;45(4):265-271.

Soverina D, Gasparini G, Pelo S, et al. Skeletal stability in orthognathic surgery with the surgery first approach: a systematic review. Int J Oral Maxillofac Surg 2019;48(7):930-940.

Thygesen TH, Bardow A, Norholt SE, et al. Surgical risk factors and maxillary nerve function after Le Fort I osteotomy. J Oral Maxillofac Surg 2009;67(3):528-536.

Wilkie AO. Craniosynostosis: genes and mechanisms. Hum Mol Genet 1997;6(10):1647-1656.

Wolford LM, Chemello PD, Hilliard AFW. Occlusal plane alteration in orthognathic surgery. J Oral Maxillofac Surg 1993;51(7):730-40.

Wolford LM. Comprehensive Post Orthognathic Surgery Orthodontics: Complications, Misconceptions, and Management. Oral Maxillofac Surg Clin North Am 2020;32(1):135-151.

Yaffe A, Fine N, Binderman I. Regional accelerated phenomenon in the mandible following mucoperiosteal flap surgery. J Periodontol 1994;65(1):78-83.

구강악안면 미용수술

악안면미용외과는 얼굴을 보다 아름답게, 보다 젊게 만들기 위하여 약물이나 수술과 같은 의학적 방법을 통하여 치료하는 구강악안면외과의 한 분야이다. 주지하는 바와 같이 보툴리늄 톡신이나 필러를 이용하여 악안면부위의 주름을 개선한다든지 교근비대로 인한 사각턱을 치료하여 환자들에게 수술에 대한 두려움 없이 큰 만족을 주고 있다. 한편 마취학의 발달과 안면골성형술의 발달로 안전하게 환자들은 얼굴형태까지 바꿀 수 있게 되었다. 본 챕터에서는 대표적인 악안면 미용외과 술식인 보툴리눔 톡신, 필러, 지방이식술, 비성형술, 관골성형술, 하악골성형술 등에 대해 설명하고자 한다.

CONTENTS

CHAPTER 18

구강악안면 미용수술

Oral and Maxillofacial Aesthetic Surgery

학습목적

악안면영역에서 행해지는 미용외과 및 시술에 대해 이해함으로써 이 영역에서 치과의사의 역할을 이해하고 악안면미용수술의 진단 및 치료능력을 배양하는 데 있다.

기본 학습목표

- 악안면미용수술의 종류와 수술 및 처치의 원리를 이해한다.

심화 학습목표

- 하악골성형술의 진단 및 술식과 치료계획을 설명할 수 있다.
- 관골성형술의 술식과 합병증을 설명할 수 있다.
- 안검성형술의 술식과 합병증을 설명할 수 있다.
- 기타 안면피부성형술, 지방이식, 레이저, 보톡스, 필러의 적응증 및 술식을 설명할 수 있다.

I. 하악골성형술(Mandibuloplasty)

얼굴형은 사람의 인상을 결정짓는 중요한 요소들 중의 하나로, 각이 진 얼굴은 고집스러워 보이며, 얼굴이 더 넓게 보인다.

장두형(dolichocephalic)의 두상을 가진 서양인에 비해, 동양인은 중두형(mesocephalic)이나 단두형(brachiocephalic)의 두상을 보이는 경우가 많아 작고 갸름한 얼굴을 갖기 어렵고 턱이 두드러져 보이기 쉽다. 따라서 현대의 동양인들은 갸름하고 부드러운 계란형 얼굴을 선호하며, 여성의 경우 하안면부가 아래로 갈수록 폭이 더 좁아지는 V자형의 얼굴을 추구하고 있다. 얼굴을 정면에서 바라보았을 때 안면부의 가장 넓은 부분은 관골궁간 폭경(bizygomatic distance)이며, 이것은 정면에서 보았을 때 양쪽 광대뼈 사이의 거리이다. 양측 하악각을 연결한 하악각간 폭경(bigonial distance)은 관골궁간 폭경보다 약 10% 작은 것이 이상적으로 간주되고 있다(그림 18-1).

전통적으로 사각턱의 교정은 수술적 방법에 의존해 왔다. 1880년 Legg는 처음으로 '양성 교근비대증(benign masseteric hypertrophy)'에 대해 언급하였고, 1949년 Adams는 피부절개를 통한 하악각의 골 및 근육절제술을 소개하였다. 1951년 Converse는 Adams와 동일한 수술을 구강내접근법으로 시행하였다. 1989년 백 등은 구강내접근법을 통해 근육절제술을 시행치 않고 하악각의 골절제술만 시행하여도 시간이 경과함에 따라 교근(masseter muscle)의 양이 줄어듦을 관찰하였다. 이후 하악 우각부 절제술(mandibular angle ostectomy)은 사각턱 수술에 있어서 기본적인 술식으로 자리 잡게 되었다.

현재는 하연(inferior border), 외측 피질골(lateral cortex), 우각부를 아우르는 하악골의 외형적 개선을 통해 안모의 심미성을 증진시키는 수술적 방법을 하악골성형술 또는 하악골윤곽술(mandibular contouring surgery)이라고 통칭하고 있다. 하악골성형술은 축소(reduction) 또는 증강(augmentation)으로 크게 나누어 질 수 있다.

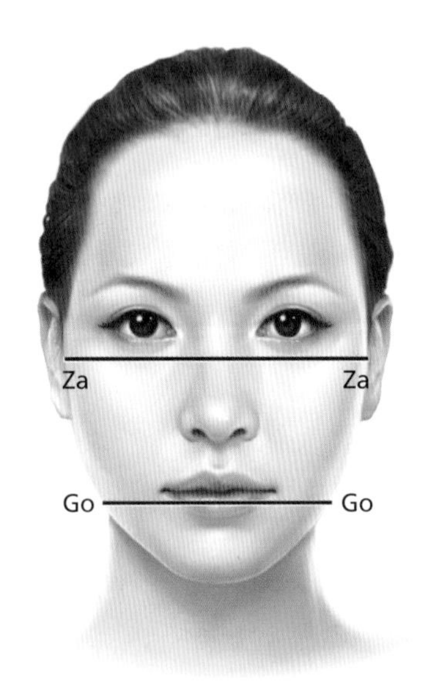

그림 18-1 얼굴의 폭경. 하악각간 폭경(Go-Go)은 관골궁간 폭경(Za-Za)에 비해 10% 정도 작은 것이 이상적이다.

1. 진단 및 치료계획

하악골성형술을 위한 치료계획 과정은 일반적인 안면성형 수술환자와 마찬가지로, ① 진단을 위한 자료수집, ② 문제목록의 작성, ③ 치료계획의 과정을 거치게 된다.

진단을 위한 자료수집과정에서는 먼저 환자와의 면담을 통해 환자가 치료를 원하는 이유를 명확히 파악해야 한다. 간혹 환자의 수술에 대한 기대심리가 비현실적이라면 이 과정에서 치료결과에 대해 명확히 해둘 필요가 있다. 이후 환자에 대한 임상검사를 실시하게 되며, 이 과정에서 안모의 비율, 형태, 대칭성 등을 측정한다. 환자의 안모사진은 정면, 측면 및 45° 반측면 사진을 촬영하고, 두부계측 방사선사진(cephalometric radiograph), 파노라마방사선사진 등 방사선사진을 분석하여 하악골의 윤곽, 하악각의 돌출도 등을 평가한다. 최근에는 전산화 단층촬영(CT)이나 콘빔전산화단층촬영(CBCT)을 이용한 3차원(3D) 영상분석 및 RP (rapid prototyping) model, CAD-CAM (computer-assisted design and manufacturing) 프로그램 등을 이용하여 진단 및 치료계획에 이용하고 있다(그림 18-2, 3).

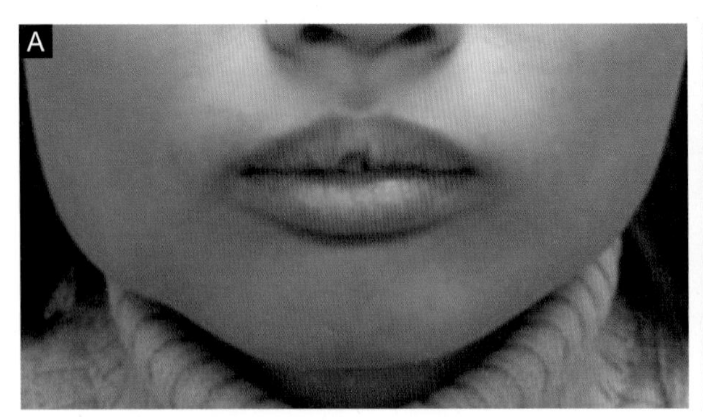

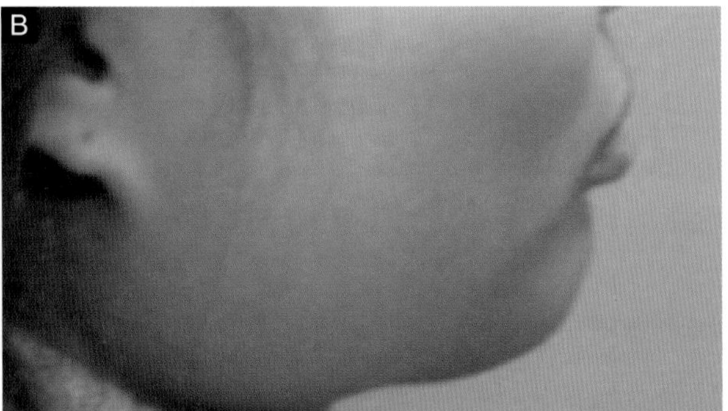

그림 18-2 교근비대증을 동반한 사각턱의 안모를 보이는 환자의 임상사진. A: 안모 정면사진 B: 측모사진.

하악골성형술을 위한 치료계획 수립 시, 하악각간 폭경과 관골궁간 폭경 간의 비율 등의 안면 폭경에 대한 기준을 참고로 하되, 환자의 전체적인 안모 및 주소를 고려하여 계획을 세운다. 특히 얼굴형이 중요한 고려사항으로, 동일한 하악각 돌출도/경사도를 가지더라도 얼굴이 긴 경우에는 하악 윤곽의 경사도가 완만하게, 얼굴이 짧은 경우에는 경사도를 다소 가파르게 하는 것이 좋다. 사각턱의 경우 대개 양측성으로 나타나는 것이 일반적이며, 교근비대와 동반되는 경우가 많다. 이러한 경우 하악각간 폭경이 비율적으로 크고 돌출된 경우가 많기 때문에, 기존의 하악 우각부 절제술만 시행할 경우, 측모는 개선될 수 있으나 정모에서는 만족스러운 윤곽 개선을 얻을 수 없는 경우가 많다. 따라서 외측 피질골절제술(lateral cortex ostectomy)이 동반되어야 정면에서의 하안모 폭경을 효과적으로 줄일 수 있다. 또한 하악각뿐만 아니라 하악 체부(body)와 이부를 비롯한 전체적인 하악의 윤곽 변화를 원하는 경우에는 하연절제술을 고려한다. 우각부 비대가 편측성으로 나타날 때에는 편측성 교근비대 외에, 이 부위에서 발생하는 섬유이형성증(fibrous dysplasia), 혈관종, 지방종, 횡문근육종 및 이하선종양과 같은 종양성병변과 감별진단을 필요로 한다.

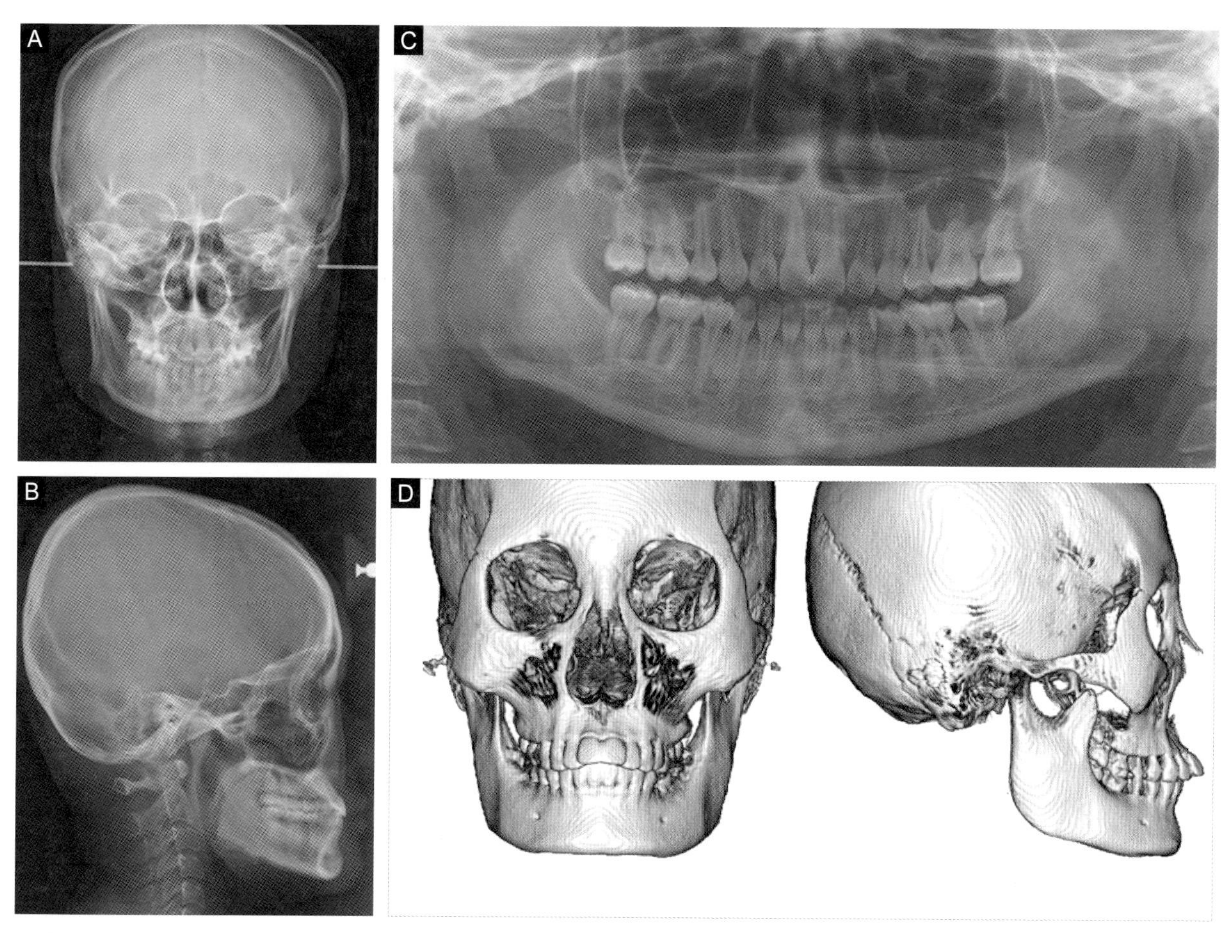

그림 18-3 하악골성형술을 위한 진단 및 치료계획 수립 시 사용되는 방사선사진.

A: 전후방두부계측방사선사진. 하악골의 전체적인 윤곽 및 우각부의 돌출과 근육 및 연조직의 풍융도를 확인할 수 있다. **B:** 측방두부계측방사선사진. 하악 우각부의 경사도를 확인할 수 있으며. 하악 이부(chin)의 돌출도 및 길이를 부가적으로 확인하여 이부성형술(genioplasty)의 필요성을 확인한다. **C:** 파노라마방사선사진. 하악 우각부의 돌출 및 경사도와 하치조신경관의 주행상태 및 하악 제3대구치의 상태를 평가할 수 있다. **D:** 3D 콘빔전산화단층촬영사진. 실제적인 하악의 외형/윤곽을 파악할 수 있으며, RP 모델 제작이나 3차원적 분석을 가능하게 해준다.

2. 하악골성형술을 위한 수술기구 및 술식 종류

1) 수술기구

하악골성형술을 위해 사용되는 기구는 안면골 수술에 사용되는 기본적인 기구 외에 그림 18-4에 나와 있는 기구가 추가적으로 필요하다.

2) 하악골성형술의 술식

(1) 축소 하악골성형술(reduction mandibuloplasty)

① 하악 우각부 절제술(mandibular angle ostectomy)

② 하악 외측 피질골절제술(mandibular lateral cortex ostectomy)

③ 하악 하연 절제술(mandibular inferior border ostectomy)

(2) 증강 하악골성형술(augmentation mandibuloplasty)

3. 수술방법

1) 하악 우각부 절제술(Mandibular angle ostectomy)

하악 우각부 절제술은 축소 하악골성형술 중에서 가장 흔하게 시행되고 있는 방법으로 얼굴 측면으로 하악각이 두드러져 있을 때 효과가 좋다. 정면에서 바라보았을 때의 하안모의 폭경을 줄이기 위한 목적으로는 비효율적이다.

■ 수술방법

① 비강내삽관(nasotracheal intubation)을 통한 전신마취가 선호되며, 협점막에 에피네프린(1:100,000)이 함유된 리도카인을 절개선을 따라 주사하여 혈관수축을 유도한다.

② 구강내 점막절개는 하악상행지 전연의 중간부에서 시작하여 하악 제1소구치까지 시행한다. 절개

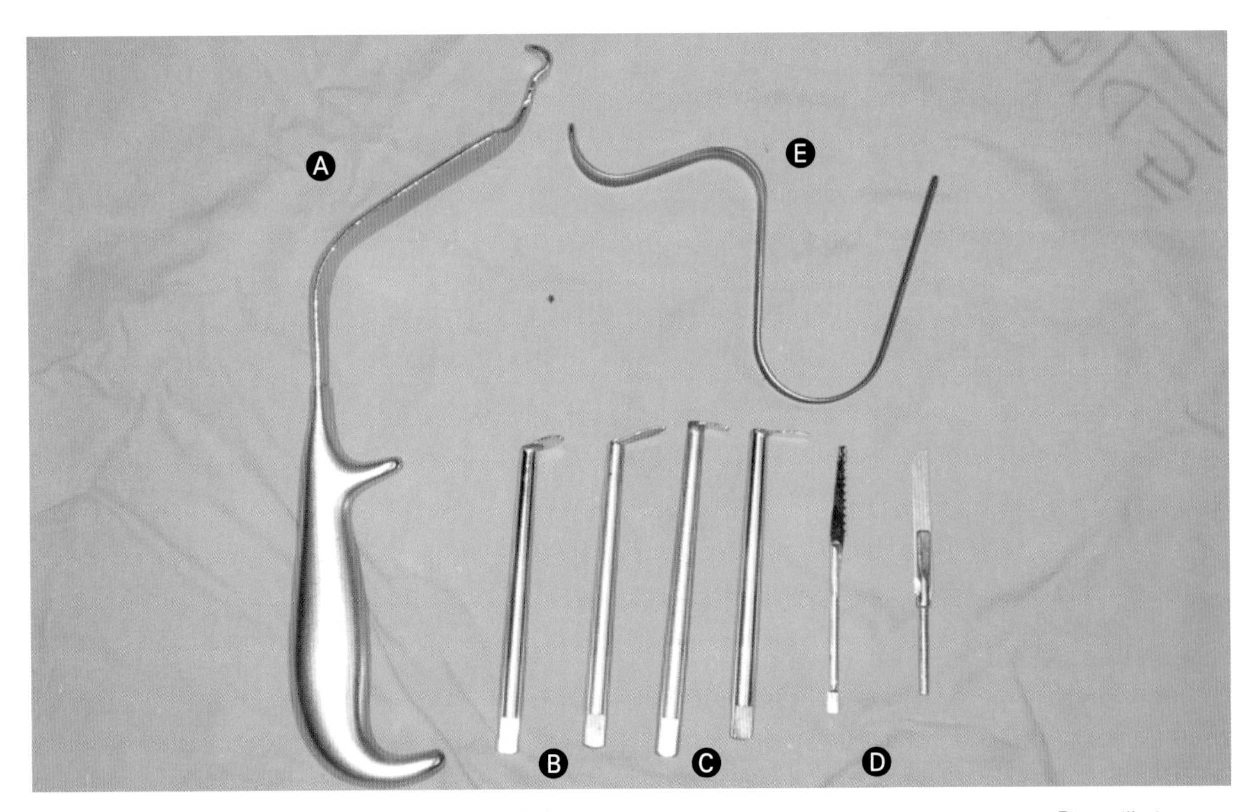

그림 18-4 하악골성형술에서 사용되는 수술기구 사진. A: Intraoral vertical ramus osteotomy retractor B: oscillating saw (obtuse-angled) C: oscillating saw (right-angled) D: reciprocating saw E: mental nerve retractor.

선은 골막까지 연장하고, 골막기자를 이용하여 골막거상을 시행하여 하악골을 상방으로 S상절흔까지, 후방으로 하악상행지 후연까지, 하방으로는 하악하연까지 충분히 노출시킨 다음, J-골막기자(J-stripper)를 이용하여 익돌교근건을 하악지 하연으로부터 박리한다. 외과의사는 이때에 안면동맥(facial artery), 안면신경(facial nerve) 등의 중요한 해부학적 구조물의 위치에 항상 주의를 기울여야 한다.

③ Intraoral vertical ramus osteotomy retractor를 하악지 후연에 위치시켜 시야확보 및 oscillating saw를 위한 공간을 부여하고, 설정된 골절단선을 연필로 그려준다. 통상적으로는 상행지 후연에 교합면의 연장선과 교차하는 점으로부터 하악하연에 제2대구치의 원심면의 연장선과 교차하는 점까지 연필로 부드럽게 그려준 뒤, dental mirror를 이용하여 확인한다(그림 18-5).

④ Oscillating saw를 이용하여, 설정된 골절단선을 따라 하악 우각부 골절제술을 시행한다. Saw blade의 깊이는 하악 우각부 내측 피질골까지 절단할 수 있도록 충분히 길어야 하지만, 과다한 출혈을 방지하기 위해 외과의사는 내측 피질골을 통과하는 시점에서 느껴지는 저항감의 감소를 예민하게 파악해야 한다.

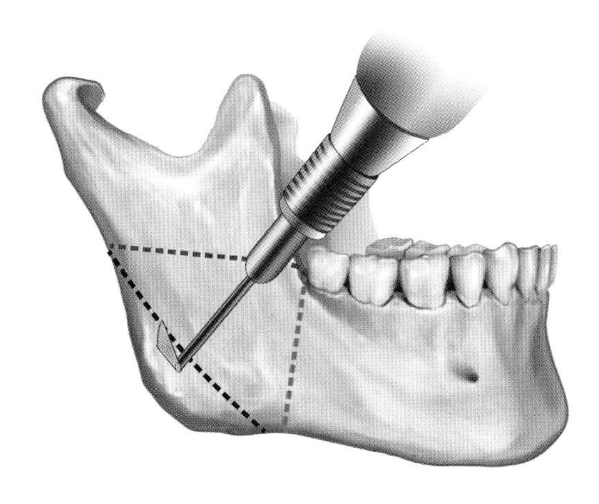

그림 18-5 하악 우각부 절제술을 위한 골절단선.

⑤ 골절단이 완료되면 chisel을 이용하여 우각부 골편을 분리하고, 골편의 내측에 부착된 골막을 전기소작기를 이용하여 분리한 뒤 골편을 제거한다. 이후 날카롭거나 불규칙한 골절단면을 부드럽게 한다. 특히 골절단선과 하악 하연이 만나는 부위는 2차각(second angle)이 생기지 않도록 vulcanite bur나 rasp을 이용하여 부드럽게 다듬거나, oscillating saw를 이용하여 부가적인 골절제술을 시행하여야 한다.

⑥ 세심한 지혈과 충분한 생리식염수 세척을 실시한 뒤, closed suction drain을 삽입한다. 흡수성 봉합사를 이용하여 창상을 봉합한다. 거즈와 elastic bandage를 이용하여 압박드레싱을 시행한다.

⑦ 수술 후 관리를 위해, 수술 전후로 2-3일간 고용량의 스테로이드를 처방하여 술후 부종을 어느 정도 감소시킬 수 있다. 냉찜질은 수술 후 48시간까지 추천되며, Drain은 수술 후 2-3일 뒤에 제거하는 것이 일반적이다. 수술 후 1주일 정도 유동식을 처방한다.

2) 하악 외측 피질골절제술(Mandibular lateral cortex ostectomy)

하악각간 폭경이 커서 얼굴이 넓어 보이는 경우 하악 우각부 절제술만으로는 하안모의 폭경 감소를 기대하기 어렵다. 이를 보완하기 위해 하악 외측 피질골절제술을 동시에 시행하여 효과적으로 하안모의 폭을 줄일 수 있다(그림 18-6).

■ 수술방법

① 하악 우각부 절제술과 유사한 방법으로 하악골을 노출시킨다. 이때 피질골 절제의 범위에 따라 이공부위(mental foramen) 하방 및 전방부까지 노출을 확대한다.

② 상행지 후연에 교합면의 연장선과 교차하는 점에서 시작하여 전방으로 fissure bur 또는 reciprocating saw를 이용하여 외측 피질골에

groove를 형성한다(그림 18-7A). 이어서 하악 외사선(external oblique ridge)을 따라 vulcanite bur를 이용하여 피질골을 제거한다. 이때 전방으로는 이공(mental foramen) 후방 및 하방으로까지 피질골 제거를 연장한다(그림 18-7B). 제거된 피질골의 내측 경계면을 따라 reciprocating saw를 이용하여 시상 골절단을 시행한 후(그림 18-7C), chisel osteotome을 이용하여 하악체와 상행지의 외측 피질골을 제거한다.

3) 하악 하연 절제술(Mandibular inferior border ostectomy)

하악 하연 절제술은 하악 우각부 절제술 및 하악 외측 피질골 절제술과 동반되는 경우가 많으며, 하악각 부위의 측모 개선 및 하안모 폭경 감소 외에 하악 전방부까지 V-line과 같은 갸름한 얼굴을 원하는 경우에 시행하게 된다. 하악 우각부 절제술의 골절단선이 전방으로 연장된 형태로, 이공 직하방 또는 견치 하방까지 연장하거나 턱끝까지 연장하기도 한다(그림 18-8).

■ **수술방법**

① 하악 우각부 절제술과 동일한 방법으로 하악골을 노출시킨다. 이때 최소한 이공 전방까지는 노출시키고, 전방 절제의 범위에 따라 이부까지 노출을 확대한다. 이신경의 견인이 많이 필요하기 때문에 이신경을 충분히 박리해준다.

② 골절단선의 설정은 하악 우각부 절제술과 약간의 차이점이 있다. 골절단선의 후방경계의 경우 하악 우각부 절제술의 후연에 비해 다소 낮게 설정하여 하연이 과도하게 절제되지 않도록 하고 전방경계는 환자의 주소 및 결과를 고려하여 설정한 부위까지 연장한다. 술전에 파악한 하악관의 위치를 고려하여 손상되지 않도록 골절단선을 설정한다.

③ 수술방법은 하악 우각부 절제술과 유사하게 진행되는데, 골절단 시행 시 oscillating saw 및 reciprocating saw 모두를 사용하게 된다. 골절단선 상에서 하악지의 전연을 중심으로, 후방부는 obtuse-angled oscillating saw로, 전방부는 right-angled oscillating saw 또는 reciprocating으로 골절단을 시행하는 것이 용이하다.

④ 설정된 골절단선을 따라 하악지의 전연에서 후연까지 골절제를 시행하되, 처음에는 blade 길이가 짧은 obtuse-angled oscillating saw를 이용하여 협측 피질골을 절단한다(그림 18-9A). 이어서 right-angled oscillating saw 중 blade 길이가 짧은 것으로 하악지 전연에서 이공 하방부까지 골절단을 시행하고 후방부 골절단과도 이어준다. 이공 전방부 이상까지 연장되는 경우에는 이공 하방부-전방부에 이르는 부위는 reciprocating saw로 시행해주는 것이 용이하다(그림 18-9B). 이때 이신경이 다치지 않도록 mental nerve retractor 등으로 보호해준다. 술자에 따라서 이 과정 전체를 reciprocating saw로 시행하는 경우도 있다.

⑤ Blade 길이가 긴 obtuse-angled 및 right-angled oscillating saw, reciprocating saw를 직전 단계와 각각 동일한 위치에 사용하여 골절단을 시행하되, 설측 피질골까지 충분히 골절단을 시행한다. 이어서 chisel osteotome과 mallet을 이용하여 골편을 제거한다.

4) 증강 하악골성형술(Augmentation mandibuloplasty)

증강 하악골성형술은 한국인을 비롯한 동양인의 안모를 고려하였을 때 축소 하악골성형술에 비해 그 사용빈도가 현저히 낮으며, 대부분의 경우 축소 하악골성형술 시행 후 과교정(overcorrection)된 부위를 회복시키기 위해 적용되고 있다. 그로 인해 진단을 위한 객관적 기준이 없는 상태로, 환자의 주소에 의존하여 시행하게 되는 부분이 있다. 환자와의 충분한 상담을 통해 실현가능한 부분과 실현하기 어려운 부분을 잘 구분하여 설명해 줄 필요가 있다.

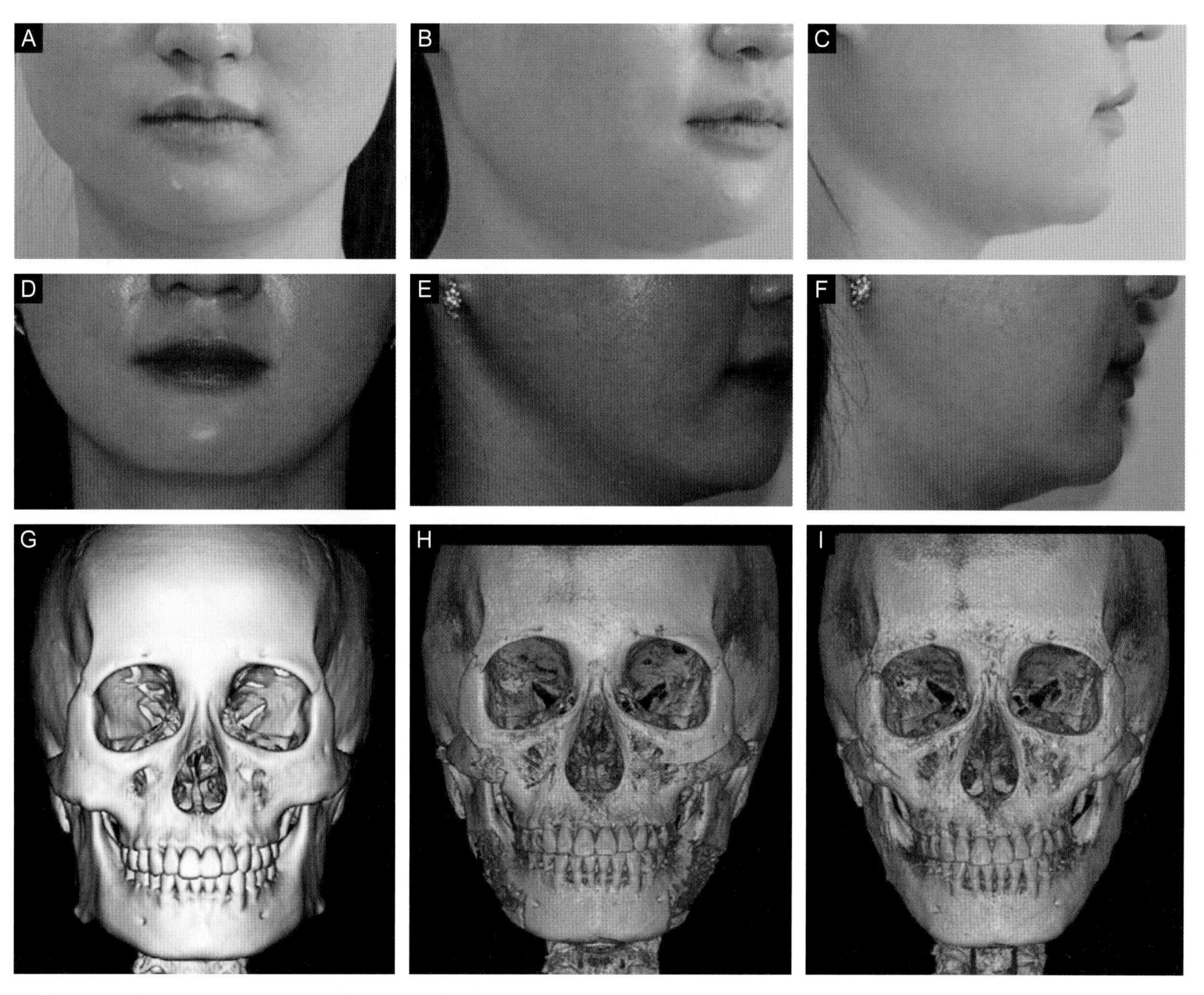

그림 18-6 하악 우각부 절제술 및 하악 외측 피질골 절제술을 시행받은 임상증례. A: 술전 정면사진 B: 술전 45° 측면사진 C: 술전 측면사진 D: 술후 정면사진 E: 술후 45° 측면사진 F: 술후 측면사진 G: 술전 3D-CT 정면 H: 술후 2주 3D-CT 정면 I: 술후 1년 3D-CT 정면.

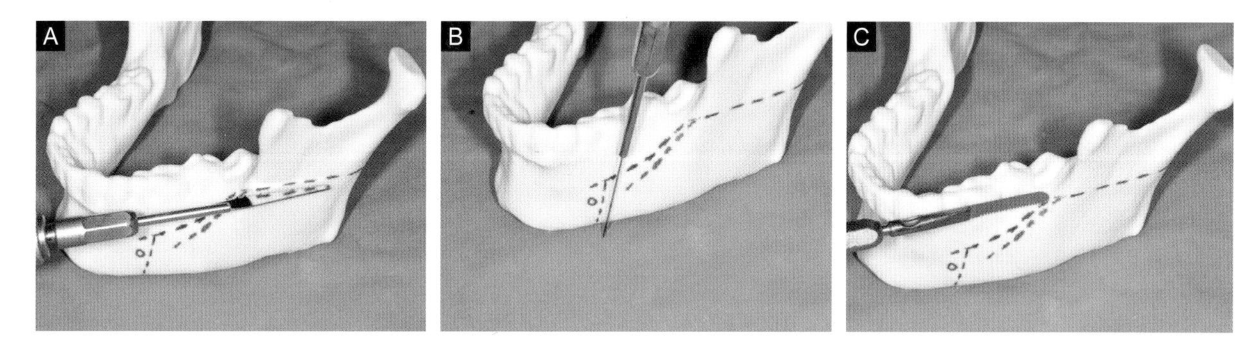

그림 18-7 하악 외측 피질골절제술. A: 수평 골절단(horizontal osteotomy) B: 수직 골절단(vertical osteotomy) C: 시상 골절단(sagittal osteotomy).

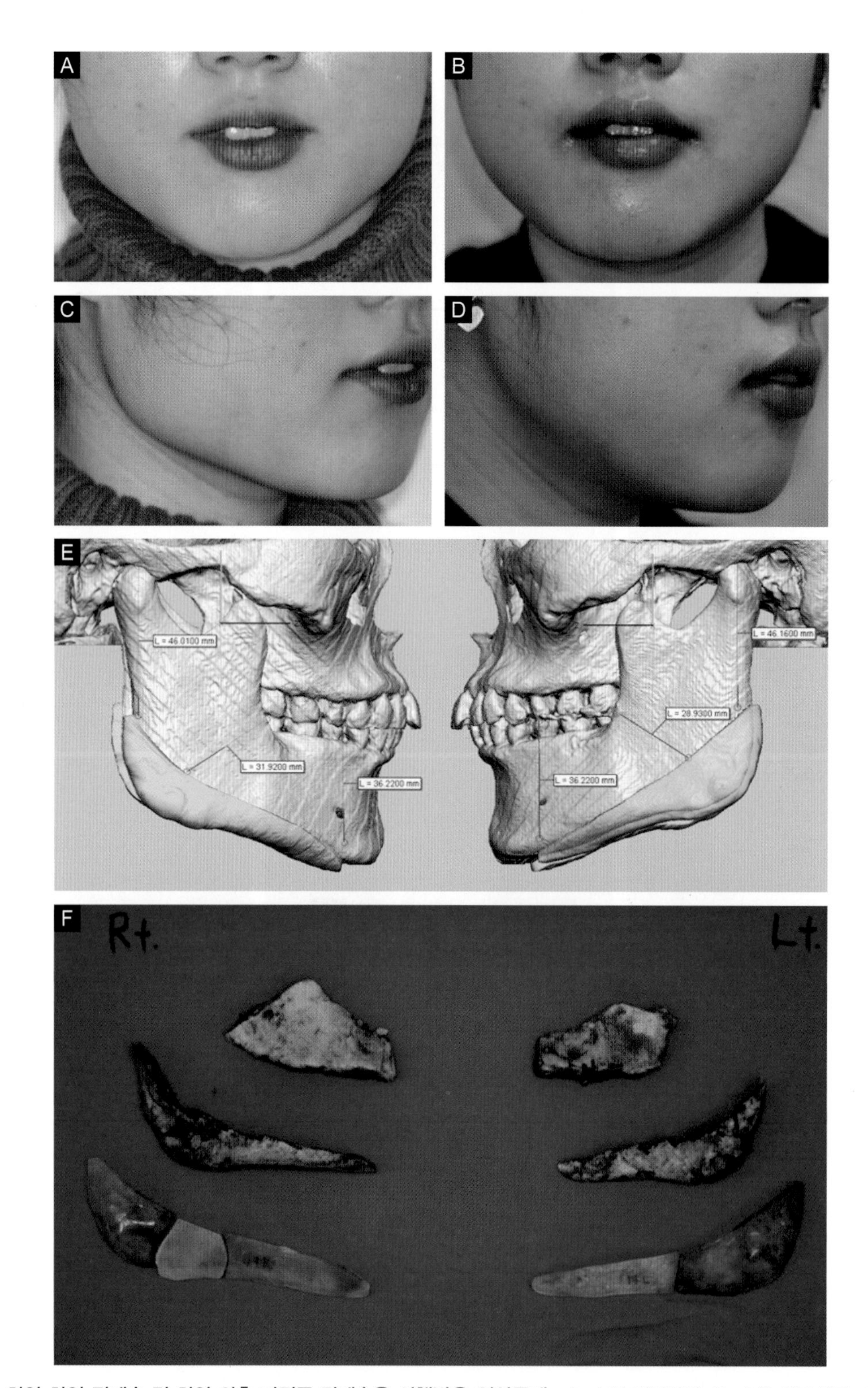

그림 18-8 하악 하연 절제술 및 하악 외측 피질골 절제술을 시행받은 임상증례. A: 술전 정면사진 B: 술후 정면사진 C: 술전 45° 측면사진 D: 술후 45° 측면사진 E: CAD-CAM을 이용한 수술용 가이드의 제작 F: 제거된 하악 우각부, 하연, 외측 피질골 골절제편과 사용된 수술용 가이드.

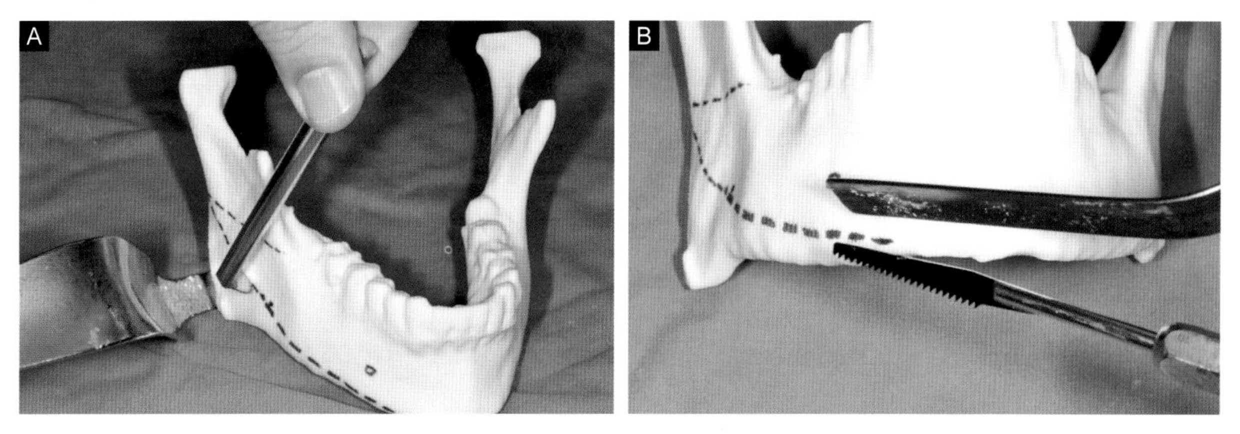

그림 18-9 **하악 하연 절제술.** A: Oscillating saw를 이용하여 하악 후방부를 골절단하는 모습 B: Reciprocating saw를 이용하여 하악 전방부를 골절단하는 모습.

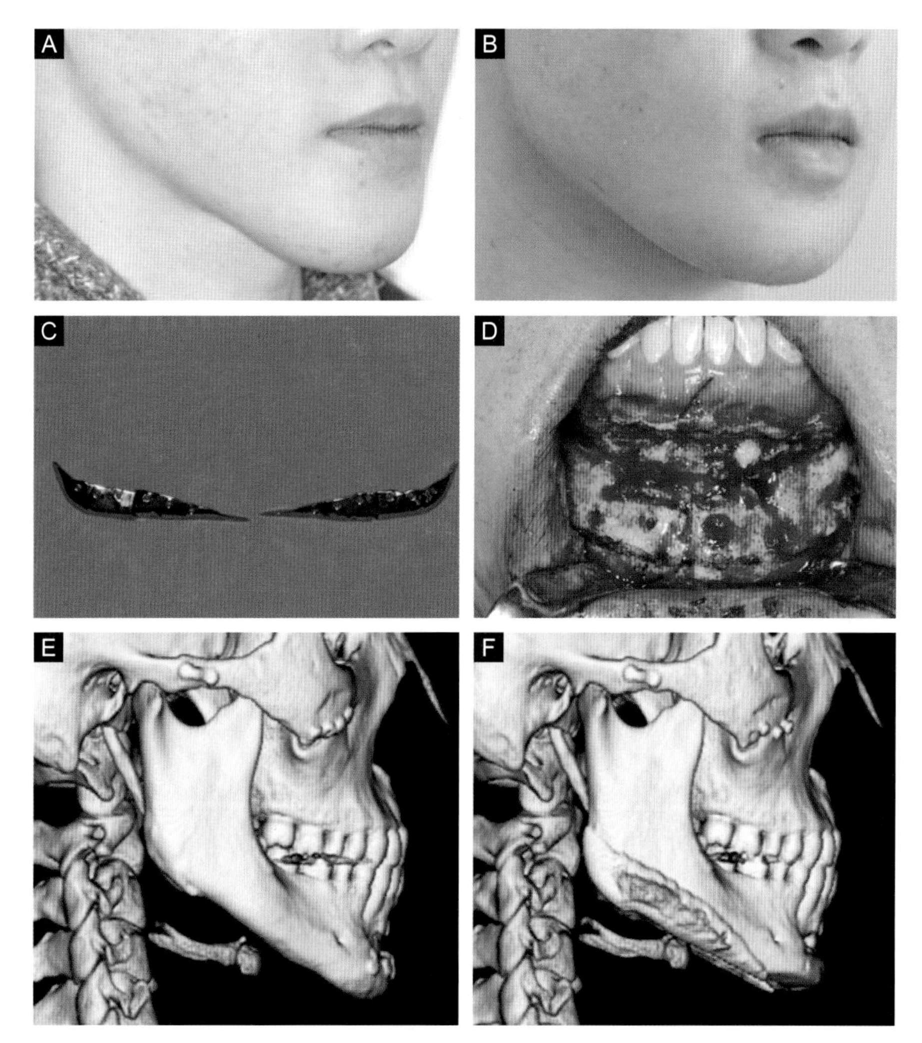

그림 18-10 **CAD-CAM 티타늄 매식체를 이용하여 증강 하악골성형술 및 하악 하연 절제술(전방부)을 시행한 임상증례.** A: 술전 45° 측면사진 B: 술후 45° 측면사진 C: CAD-CAM을 이용하여 제작된 2-piece 티타늄 매식체 D: 하악 전방부 하연 절제술을 위한 작도를 보여주는 술중 사진 E: 술전 3D-CT 측면 F: 술후 3D-CT 측면.

결손부의 회복을 위해 증강 하악골성형술에서 사용되는 재료로는 자가골 또는 Medpor, expanded polytetrafluoroethylene (ePTFE), silicone과 같은 대체성 재료가 사용된다. 하지만 다양한 단점들이 존재하는 상태로, 최적 표준(gold standard) 재료는 없는 실정이다.

최근에는 기존 재료에 비해 물성 및 생적합성이 뛰어난 티타늄으로 CAD-CAM을 이용한 환자 맞춤형 매식체를 만들어 증강 하악골성형술에 사용한 좋은 결과들이 보고되고 있어, 차후 증강 하악골성형술의 발전에 큰 역할을 담당할 것으로 기대되고 있다(그림 18-10).

4. 하악골성형술의 합병증

1) 좌우 비대칭

좌우 골절제량이 다를 때 발생할 수 있다. 진단 시부터 비대칭 여부를 고려하여야 하며, Oscillating saw를 사용한 골절제 시 하악 외사선 등의 기준점으로부터 saw blade까지의 길이를 marking pen으로 saw blade의 축에 표시한 후, 반대측 시행 시 참고로 하면 좌우 대칭적 골절제에 도움이 된다.

2) 부족하거나 부적절한 절제 및 과다 절제로 인한 안모변형

특히 하악 우각부 절제술을 시행할 때 너무 많은 절제를 시행하면 턱선이 아름답지 못하고, 골절제된 부위의 하연이 부드러운 곡선을 이루지 못할 경우에는 우각부에 이차각이 형성될 수 있다.

3) 과두하 골절(Subcondylar fracture)

하악지 후방의 골절단선이 후연으로 진행하지 못하고 하악과두돌기 쪽으로 진행하거나, 불완전한 골절단 이후 과도한 chisel osteotome과 mallet의 사용으로 골절을 유발할 수 있다. 적절한 수술시야를 확보하고 골절단을 적절하게 시행하기 위해 수시로 dental mirror로 골절단선을 확인한 뒤 chisel osteotome을 사용하여야 한다(그림 18-11).

4) 하치조신경 손상

과다한 골절제로 인해 골절단선이 하악관을 침범하여 하치조신경의 손상이 발생할 수 있고, 이런 경우 환측의 하순 및 이부에 감각이상을 초래할 수 있다.

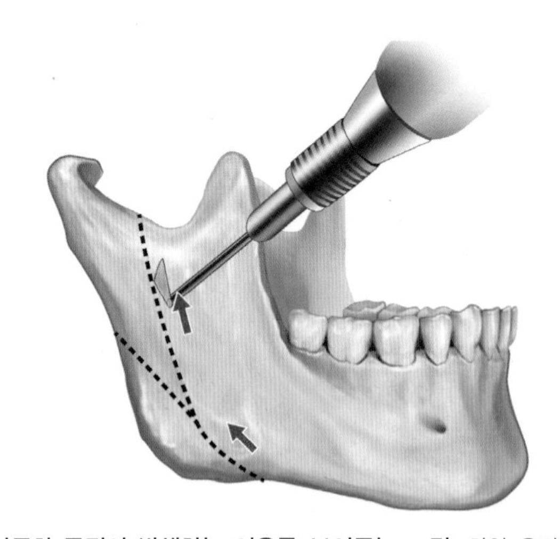

그림 18-11 하악골성형술 시 과두하 골절이 발생하는 이유를 보여주는 그림. 하악 우각부 절제술이나 하악 하연 절제술 시행 시 oscillating saw가 하악 후연까지 진행하지 못하고 하악지 중간부에서 상방으로 이동하면서 과두하 골절이 발생하게 된다. 시야확보가 어렵고 saw의 shaft가 상악 치아에 걸려서 충분히 하악지 후연까지 도달하지 못하는 것이 주원인이므로, 이러한 점을 고려하면서 수시로 dental mirror로 골절단을 확인하며 진행하여야 한다.

5) 이신경 손상

하악 하연 절제술 시행 시 전방으로 연장하는 경우에 이신경의 노출과 연관되어 발생할 수 있으며, 절단되지 않더라도 견인에 의해 손상될 수 있으므로 주의 깊은 조작이 필요하다.

6) 과다출혈

Antegonial notch 하방의 연조직 손상 시, 안면동맥의 천공이나 파열로 인한 출혈의 가능성이 있다.

7) 수술부위 이물질(Foreign body)

수술 시 사용되는 saw blade 등의 파절로 인한 이물질 잔존이 드물게 나타날 수 있다.

II. 관골성형술

관골은 인종 간의 형태적 차이를 보이며, 돌출된 관골은 동양인의 골격적 주요특징 중 하나이지만, 동양인들 사이에서는 미적으로 선호되지 않는다. 대부분의 아시아 국가에서는 돌출된 광대는 이기적이고, 고집이 센 성격을 가지고 있다고 여겨진다. 달걀형과 매끈한 윤곽을 가진 얼굴형이 여성에서 선호되며, 이러한 이유로 아시아에서는 관골축소술이 가장 흔한 성형수술 중 하나이다. 서양인은 좁고 긴 안모를 가지며, 관골 및 관골궁이 함몰된 경우가 많다. 따라서 서양인은 동양인과 반대로 관골증대술이 많이 시행된다.

1. 관골의 해부학

관골은 볼의 돌출부를 이루는 뼈로, 안와의 외측벽과 아래벽의 일부를 형성한다. 위로는 전두골, 안쪽으로는 상악골과 관절하며, 측두골의 관골돌기와 관골궁을 형성한다. 관골은 전두돌기, 상악돌기, 측두돌기로 이루어진다(그림 18-12).

2. 술전 평가 및 분석방법

관골성형술을 위한 술전 평가로는 임상검사, 얼굴사진, 두부계측방사선사진, 3D CT 등이 사용된다. 이 외에도 환자의 나이, 연조직 두께 등에 대한 평가가 중요하다. 나이가 많을수록 피부 탄력은 떨어지고, 이로 인해 수술 후 잔여 피부의 적합이 좋지 않아, 만족스러운

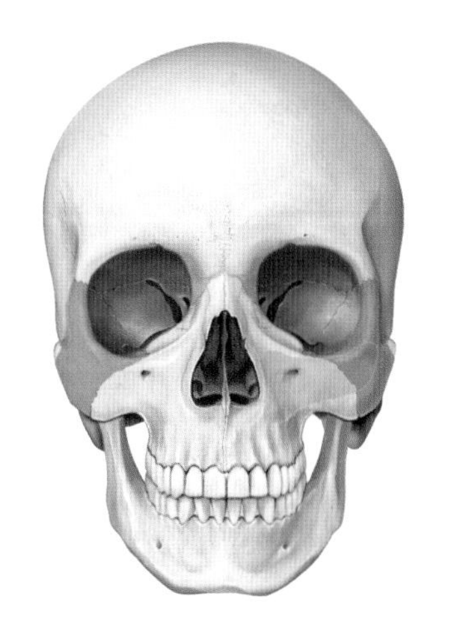

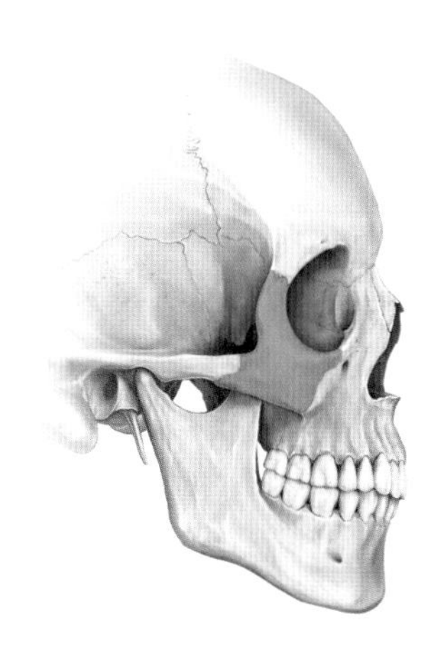

그림 18-12 관골(zygoma).

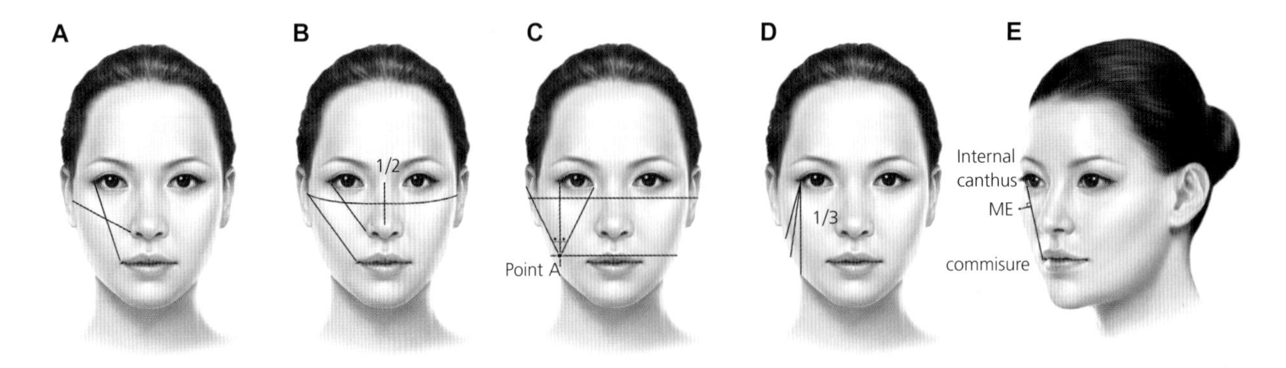

그림 18-13 관골융기의 분석법(analysis of malar projection).
A: Hinderer B: Powell C: Silver & Guilden D: Wilkinson E: Schoenrock.

결과를 얻지 못할 수 있다. 또한 연조직이 너무 얇거나, 너무 두꺼워도 예측한 결과를 얻기가 쉽지 않다.

관골성형술 시 관골의 최대 돌출부를 어디에 위치시키느냐가 가장 중요하다. 관골 최대 돌출부 높이를 평가하는 방법은 지금까지 여러 가지가 소개되었다(그림 18-13).

1) Hinderer 분석법

눈의 lateral canthus와 입술의 lateral commissure을 연결한 선과 귀의 tragus와 코의 alar base를 연결한 선이 교차되는 점의 후상방 부위에 관골의 최대 돌출부가 위치되도록 한다.

2) Powell 분석법

Nasion과 nasal tip의 중점을 지나면서, 안모의 정중선을 직각 이등분한 선을 그린다. 눈의 lateral canthus와 코의 alar base를 연결한 선을 긋고, 이 선과 평행하면서 입술의 lateral commissure를 통과하는 선을 그린다. 두 선이 만나는 지점이 관골의 최대 돌출부가 위치하도록 한다.

3) Silver and Guilden 분석법

FH line을 그리고, FH와 평행하면서, 윗입술을 이등분하는 선을 그린다. Lateral canthus에서 이 선에 수직인 선을 내리고, 그 점을 A라고 한다. A에서 medial canthus를 연결하는 선을 그리고, 이 두 선이 이루는 각을 x로 하고 A에서 외상방으로 각 x를 이루는 선을 그린다. 이렇게 하여, FH를 밑변으로 하고, A를 정점으로 하는 삼각을 얻을 수 있으며, 관골의 돌출부는 이 삼각형에 위치하여야 한다.

4) Wilkinson 분석법

눈의 lateral canthus와 하악골 하연 세 점을 연결한 세 선의 위쪽 1/3에 관골의 최대 돌출부가 위치되도록 한다.

5) Schoenrock 분석법

안모를 35° 옆에서 바라볼 때, 관골의 최대 외측 돌출점에서 lateral canthus와 lateral commissure를 연결한 선에 수직선을 내린다. 이 수직선의 길이가 commissure–canthus 선 길이의 17%에 해당하도록 관골 돌출부가 위치하여야 한다.

3. 관골축소술

1) 역사적 고찰

1983년 Onizuka가 처음으로 구강내 접근을 통한 관골축소술을 보고하였다. Onizuka는 치즐을 이용해 골 삭제를 시도하였으며, 1991년 Whitaker는 관상접근을 통해 contouring bur를 이용한 관골 reshaping을 시행하였다. 하지만 shaving과 chiseling을 이용한 골삭제는 한계를 나타냈으며, 이후 다양한 골절제술을 이용한 관골축소술이 소개되었다. 그중 L-shape 골절제술이 가장 보편적으로 사용되어 왔다. 1990년 Koh는 구강내 접근을 통한 tripod 골절제술을 소개하였고, 2000년 Kim은 구강내 접근을 통한, L-shape 골절제술을 소개하였다. 이후 변형된 다양한 L-shape 골절제술과 infracture 방법이 소개되었다. 하지만 구강내 접근을 통한 골절제술은 제한된 시야, 관골궁 접근의 제한, 고정의 어려움 등 몇 가지 문제점을 보였다. 그중 술후 협부처짐(cheek drooping)이 가장 고민되는 문제였다. 이를 해결하기 위해 2015년 Zou는 facelift와 동시에 관골축소술을 시행할 것을 추천하기도 하였다.

2) 접근법

(1) 구내 접근법(intraoral approach)

구강내 점막 절개를 통해 접근하는 방법으로 수술이 간단하고, 수술시간이 짧아 수술 후 회복이 빠른 장점을 가진다. 다만 구강을 통해 모든 골삭제와 절골이 이루어져 시야확보의 제한으로 정확한 수술이 어려울 수 있다. 골막박리는 골절제가 이루어질 수 있는 범위 내에서 최소로 해야 협부처짐을 예방할 수 있다.

(2) 관상 접근법(coronal approach)

시야확보가 좋아 이전에는 많이 사용하였으나, 수술시간이 오래 걸리고, 수술 후 합병증 발생이 많아 최근에는 거의 사용하지 않는 방법이다. 특히 나이가 젊은 여성 환자에서는 사용이 제한적이다.

(3) 전이개 접근법(preauricular approach)

반흔은 줄일 수 있지만 안면신경의 손상의 위험이 높고, 관골궁 후방에만 제한적 접근이 가능하기 때문에 관골궁의 돌출만 있는 경우에 주로 사용한다.

(4) 구레나룻 접근법(sideburn approach)

관상 접근법과 전이개 접근의 단점을 줄이면서, 구강내 접근법과 동시에 사용하여 관골축소술에 가장 많이 사용되는 접근법이다. 골절제선과 피부 절개선이 가까워 관골궁 절제와 골편고정이 용이하다. 안면신경 손상의 위험이 높으므로, 최소로 피부절개 후 blunt dissection을 통해 관골궁 골막을 노출시킨 후 골절제를 시행한다.

3) 수술방법

성공적인 관골축소술은 다음의 다섯 가지 조건이 충족되어야 한다. 첫째, 중안모의 폭경을 효과적으로 줄여야 한다. 둘째, 관골 최대 돌출부를 평평하게 해야 한다. 셋째, 관골부위는 자연스러운 곡선을 유지해야 한다. 넷째, 눈에 보이는 흉터 발생은 피해야 한다. 다섯째, 관골궁의 수직적인 상하위치는 유지되어야 한다. 이처럼 관골축소술은 복잡하며, 관골축소술 후 만족스럽지 못한 결과를 보이는 경향이 높고, 이를 교정하기 위한 이차 수술의 비율 또한 높다. 1983년 Onizuka 등이 구강내 접근을 통한 관골축소술을 소개한 후, 다양한 접근을 통한 수술방법이 소개되었다. 현재는 골삭제술 및 다양한 절골술 등이 이용되고 있다.

(1) 관골삭제술(zygoma shaving procedure)(그림 18-14)

상부 소구치 및 대구치의 협측 점막 절개를 통해 골막하 박리를 시행하고, 전체 관골체와 관골궁을 노출시킨다. 관골궁 일부와 관골의 가장 돌출된 부위를 수술용 펜으로 표시한 뒤 bur를 이용해 면도하듯이 shaving을 시행한다. 골 삭제 시 상악동이 노출되지 않도록 삭제 두께를 잘 확인하여야 하며, 안와하신경과 주변혈관이 손상되지 않도록 주의하여야 한다.

적응증

관골체의 경미한 돌출이나 관골궁 전방의 돌출과 같은 관골의 전측방 돌출

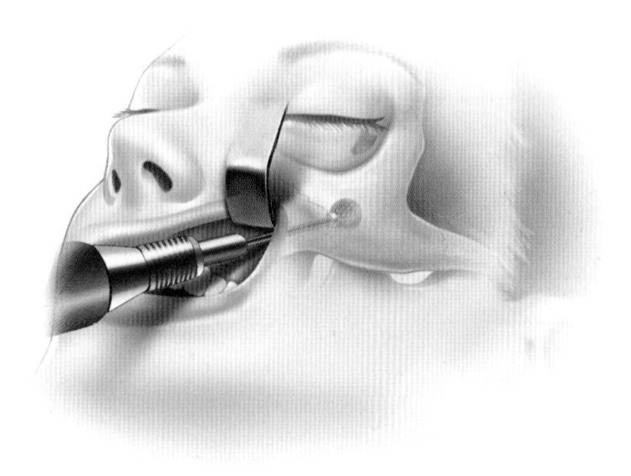

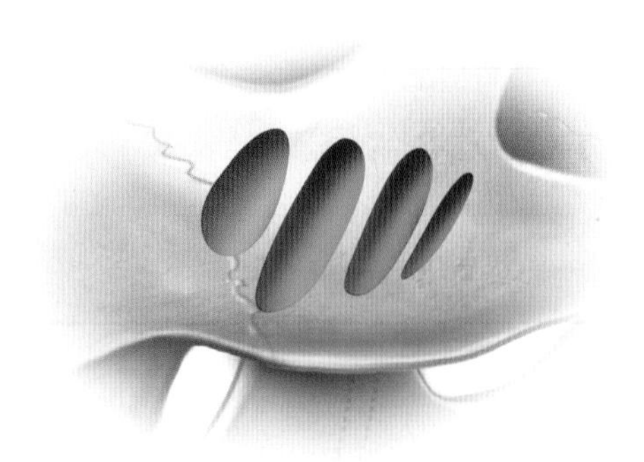

그림 18-14 관골삭제술(zygoma shaving procedure).

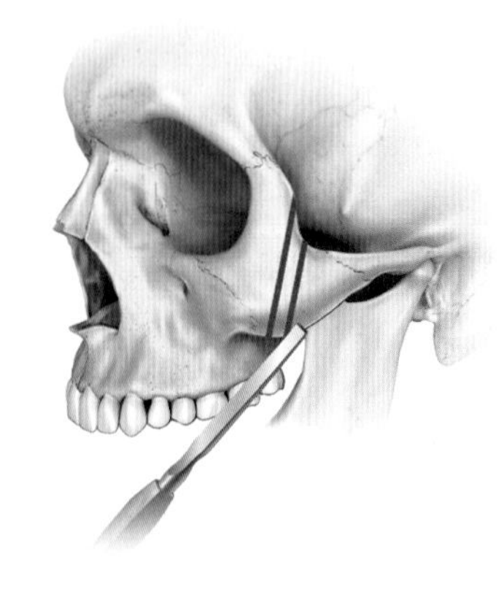

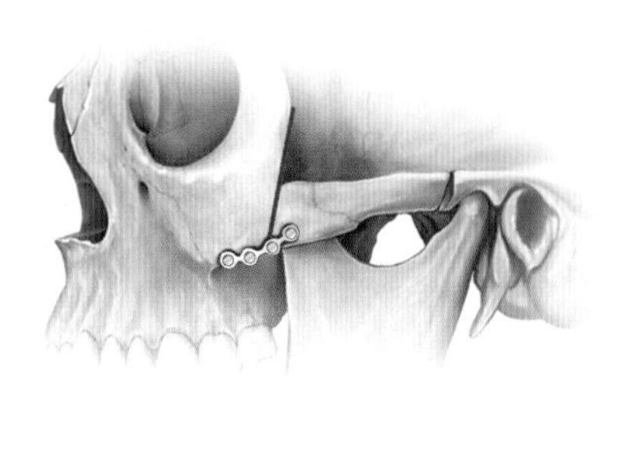

그림 18-15 I형 골절단술(I-shaped osteotomy).

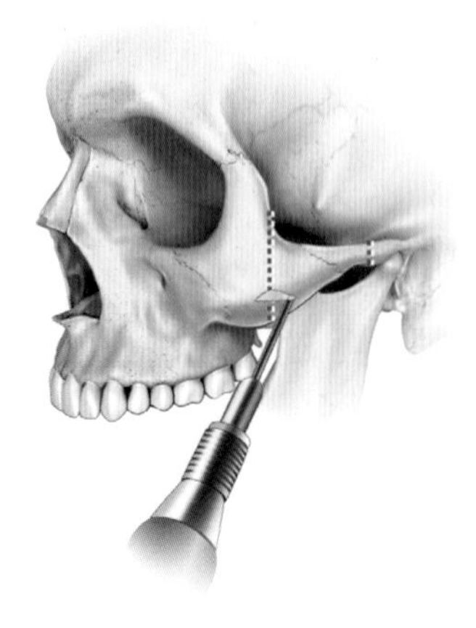

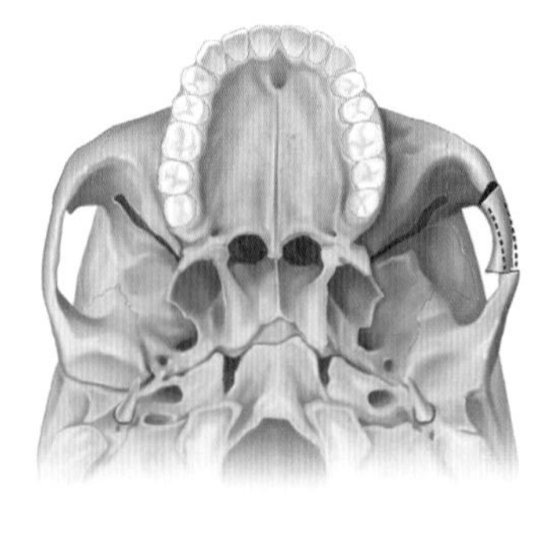

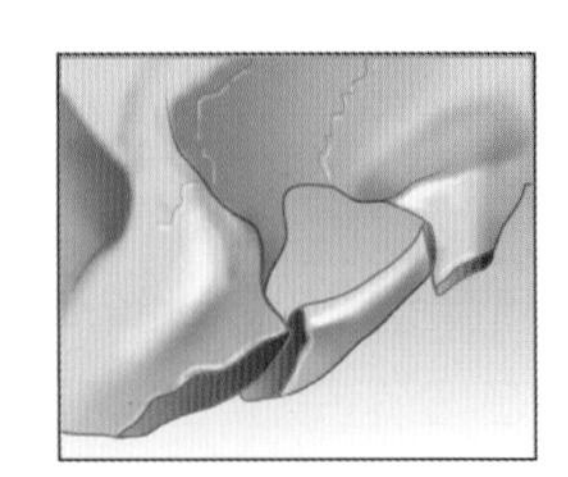

그림 18-16 불완전굴곡골절(greenstick fracture).

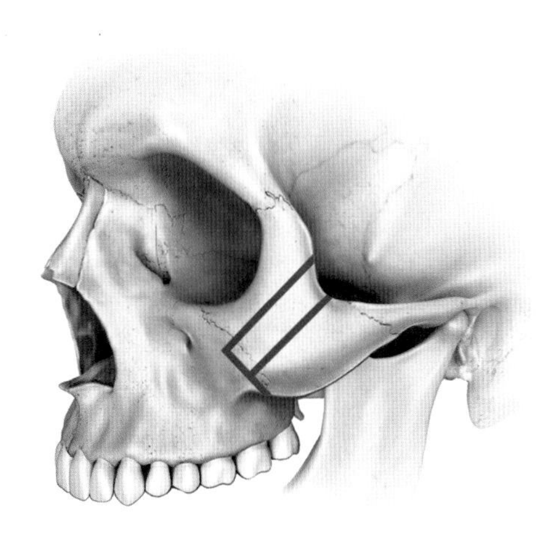

그림 18-17 L형 골절단술(L-shaped osteotomy).

관골은 편평한 뼈이므로, 과도한 shaving은 수술 후 골절의 위험이 발생한다. 또한 shaving 양을 정확히 측정하기가 어렵고, 대칭적으로 적용하기가 쉽지 않아, 수술 후 비대칭이 발생할 수 있다. Shaving 양이 제한적이므로, 넓은 관골을 가진 환자에서는 효과적이지 않다.

(2) I형 골절단술(I-shaped osteotomy)(그림 18-15)

상부 소구치 및 대구치의 협측 점막 절개를 통해 골막하 박리를 시행하고, 전체 관골체와 관골궁을 노출시킨다. 수술 전 미리 절골량을 결정하고, 노출된 관골체에 I형의 두개의 평행한 절골선을 표시한다. Reciprocating saw를 이용해 I형 절골술을 시행한 뒤 골편을 제거한다. 관골궁 후방부위는 계획에 따라 다양한 방법으로 재위치시킬 수 있다. 관골궁의 폭이 넓지 않은 경우, 절골된 관골체를 내방으로 압박, 밀착시킴으로써 휘게 하거나 curved osteotome이나 saw를 이용해 관골궁을 out-fracture 시킨 뒤 불완전굴곡골절(greenstick fracture)을 유발시킨다(그림 18-16). 관골궁의 폭이 넓은 경우 관골궁 후방의 관골결절(articular tubercle) 전방부위에 피부 절개를 가하고, 관골궁을 골절시킨 뒤 관골궁을 내측으로 infracture 시켜 금속판을 이용해 재위치시켜준다. 협부 처짐을 예방하기 위해 전방 관골궁을 약간 상방 위치시켜 고정하고, 돌출된 골은 삭제하여 부드럽게 해준다.

적응증

넓은 관골궁과 관골체가 측방으로 돌출된 경우

이 방법은 주로 넓은 관골궁을 좁히기 위해 사용하며, 동시에 관골체의 전방 돌출도 줄일 수 있다. 관골을 효과적으로 줄여, 좁은 얼굴윤곽을 얻을 수 있다.

(3) L형 골절단술(L-shaped osteotomy)(그림 18-17)

구강내 절개는 I형 절골술과 동일하나 약간 더 길게 해준다. L형 절골술을 위해 직각으로 만나는 1개의 사선과 2개의 수직선을 표시한다. 관골전두돌기 외하연에서 내하방으로 첫 번째 수직 절골선을 표시하고, 미리 계획한 절골량만큼 외측부의 두 번째 수직 절골선을 첫 번째 수직선에 평행하게 표시한다. Zygomatic buttress에서 이 두 선에 직각인 사선을 표시한다. Reciprocating saw를 이용해 절골을 시행하고, 절골편을 제거한다. 관골궁은 I형 절골술과 동일하게 관골궁의 폭에 따라 결정하여 시행한다.

적응증

관골체와 관골궁의 돌출, 특히 관골궁 전방부의 심한 돌출을 가진 환자

I형 절골술에 비해 관골 돌출부를 유지할 수 있고, 고정이 쉬운 장점을 가진다.

4) 합병증

(1) 비대칭

관골부위는 피부가 얇으므로, 수술 후 비대칭에 대한 불만이 많이 발생한다. 관골성형술 시 수술 전에 정확한 수술량 설정과 양측 관골의 대칭성 확보를 위한 위치 설정이 매우 중요하다. 수술 전에 비대칭을 보이는 환자에서는 대칭성 확보가 매우 어려우며, 수술 전에 이에 대한 설명이 반드시 필요하다.

(2) 협부처짐(cheek drooping)

관골축소술 후 가장 많이 발생하는 합병증이다. 수술 시 골막박리 범위, 골편의 하방위치, 골편의 비고정, 환자의 협부 연조직량, 나이 등이 관여인자로 영향을 준다. 골막박리가 과도할 경우 근육 및 인대의 분리가 과도하게 발생해 협부처짐이 많이 발생한다. 이를 예방하기 위해 시야확보를 위한 최소한의 골막박리만 하여야 한다. 관골 골편의 고정 시 골편을 하방에 위치시킬 경우, 협부 연조직이 과도하게 남아 협부처짐을 발생시킨다. 골편은 반드시 고정해주어야 하며, 고정 시 하내방으로 위치되지 않도록 주의하여야 한다. 또한 협부 연조직의 양이 많거나 나이가 많은 경우 협부처짐이 많이 발생할 수 있으므로 수술 전 이에 대한 설명은 필수이다.

(3) 통증 및 부종

수술 후 발생하는 통증과 부종 외에 과도한 통증이 발생한다면, 골편의 nonunion을 의심해 봐야 한다. 앞서 설명한 것처럼 골편의 고정은 합병증을 줄이기 위해 필수적이다.

(4) 개구제한

관골축소술 후 일반적인 개구제한은 수술 후 1-2개월 정도 지속된다. 관골궁 절제 위치가 과도하게 뒤쪽으로 놓일 경우 관골 폭은 많이 축소되나 개구제한의 위험성이 증가할 수 있으므로 절골선의 위치 설정이 중요하다.

(5) 신경손상

관골궁 절제 시 안면신경 손상의 위험이 높으므로, 피부 절개 후 골막까지는 blunt dissection으로 통해 접근하는 것이 필요하다. 구강내 접근 시 골막박리 및 골절제술 시 안와하신경 손상의 위험이 있으므로 주의하여야 한다.

(6) 비유합

관골축소술 시 골편의 고정은 비유합 예방을 위해 필수적이며, 골편의 비유합이 발생되면 가급적 빠른 시간 내에 재수술을 통해 골편고정을 시행하여야 한다.

(7) 비심미적 결과

관골체의 하방위치로 인한 협부처짐, 관골궁의 절골 위치에 따라 비심미적 안모 등이 발생할 수있다.

4. 관골증대술

서양인에서 관골의 돌출은 아름다움과 젊음의 상징인 타원형 얼굴을 이루는 가장 중요한 요소이다. 하지만, 동양인과 달리 관골궁의 폭이 좁거나, 함몰된 관골체를 가진 사람들이 많으며, 이로 인해 관골증대술이 많이 시행된다. 관골증대술에 가장 많이 사용되는 재료는 Medpor (Porous Polyethylene, 125-250 μm pore)이며, 이외에도 Gortex, Silicone 등의 보형물이 많이 사용된다. 자가골의 사용은 감염, 이물반응 등의 부작용은 없지만, 흡수율이 높은 단점을 가진다. 수술은 구강내 접근을 통해 이루어지며, 안와하신경 상측방으로 이식체가 위치하므로 수술 시 신경손상이 발생하지 않도록 주의하여야 한다. 이식체는 수술 전 설정한 위치로 정확히 위치시키는 것이 중요하며, 반드시 고정을 시행해주어야 문제 발생이 적다.

Ⅲ. 비성형술

비성형술(rhinoplasty)은 미용 비성형술과 재건 비성형술로 나눌 수 있다. 미용 비성형술에는 낮은 코를 세우는 융비술(augmentation rhinoplasty), 비정상적으로 큰 코를 작게 하는 축비술(reduction rhinoplasty), 그 외 비변형의 교정술인 일차 비성형술 및 일차 비성형술 후 남아있는 문제점을 수술하는 이차 비성형술이 있다. 재건 비성형술은 다른 조직을 이용하여 코의 결손을 고쳐주는 재건술을 말한다.

1. 해부

코의 골격은 비골(nasal bone), 비연골(코연골; nasal cartillages)에 의해 삼각추상의 돌출성 구조물로 얼굴 중앙에 위치하며, 여기에 비근(nasalis m.)이 붙으며 외부는 피부로 덮혀있다. 코는 비근, 비배, 비첨 및 비익으로 구성되며 하방에는 한 쌍의 비공이 있다.

1) 외비(External nose)의 구조

외비의 구조는 배부(dorsum), 첨부(tip), 익부(ala), 측부(lateral side)로 나뉘고 피라미드 형태이며 비

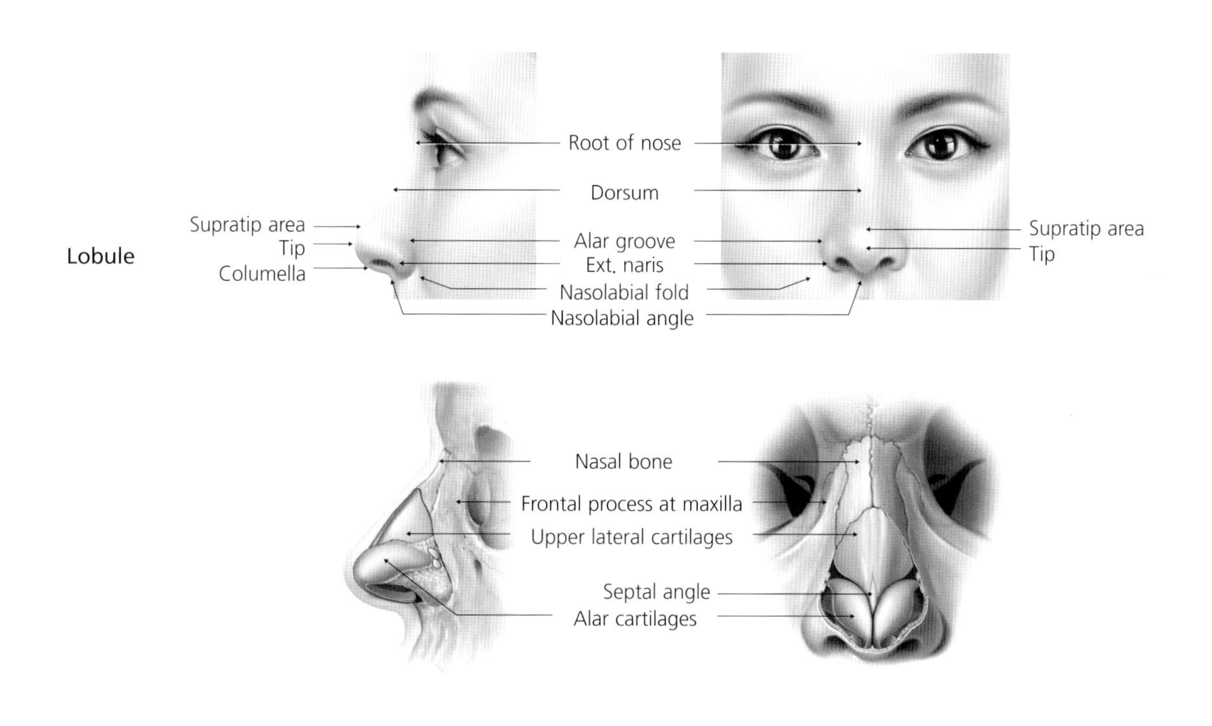

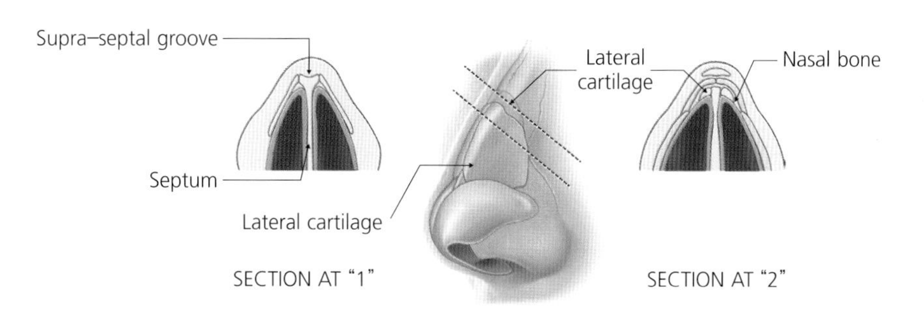

그림 18-18 코의 부위별 명칭.

골과 네 가지 연골로 이루어져 있다. 비측부는 비배부에서 시작하여 협부와 연결되어 있으며 이 부위를 nasofacial angle이라 하며 비익부는 비측부와 alar groove에 의해 경계가 지어지고 입술 부위와는 nasolabial groove에 의해 분리된다. 비근부(root)는 glabella와 연결되는 부위를 말하며, 비공(nostril)은 중앙에서 비중격으로 나누어지고 측방에는 비익이 존재한다. 비중격의 하부에 잘 움직이는 유연한 연부조직이 있는데 이를 비주(columella)라 한다.

상방에서는 전두골의 비돌기(nasal process)에 좌우 한쌍의 비골이 얼굴 정중선에서 서로 붙어 있다. 비골의 가장자리와 상악골 전두돌기의 가장자리가 이어져 이상구(pyriform aperture)를 형성하고 있다. 네 가지 연골은 양측 외측 연골(lateral cartilage, upper lateral cartilage), 양측 비익연골(alar cartilage, lower lateral cartilage), 여러 개의 종자연골(sesamoid cartilage), 여러 개의 부연골(accessory cartilage)로 구성되어 있다(그림 18-18).

2) 비중격(Nasal septum)

비중격은 비강을 두 개의 공간으로 나누고 한 개의 비중격연골(septal cartilage)과 네 개의 골판, 즉 사골 수직판(perpendicular plate of ethmoid), 서골(vomer), 상악골 비릉(nasal crest of maxilla), 구개골 비릉(nasal crest of palatine bone)으로 구성되어 있다(그림 18-19).

2. 비성형술의 수술시기

동양인에서는 여성은 16세, 남성은 17세 이후에 비성형수술을 해주는 것이 추천된다.

3. 비성형술의 술전 관리

1) 술전 검사

술전 검사로는 문진, 내비검사, 환자의 정신상태, 비변형 검사, 술전 사진 촬영 그리고 주위 안면 구조와의 상관관계 평가 등을 시행한다. 문진은 환자가 수술로 고쳤으면 하는 부분들을 우선 순위대로 기술하고 술자의 평가와 차이점을 기록해둔다. 환자의 기대와 술자의 평가 사이에 격차가 크다면 수술을 권하지 않는 것이 현명하다. 내비검사는 내시경으로 비중격의 만곡, 점막상태, 비갑개의 비후상태 등을 검사한다. 환자의 정신상태에 따라 수술 목적과 기대감이 비현실적일 수 있으므로 잘 분별해야 한다. 술전에 정면, 비저면(nasal

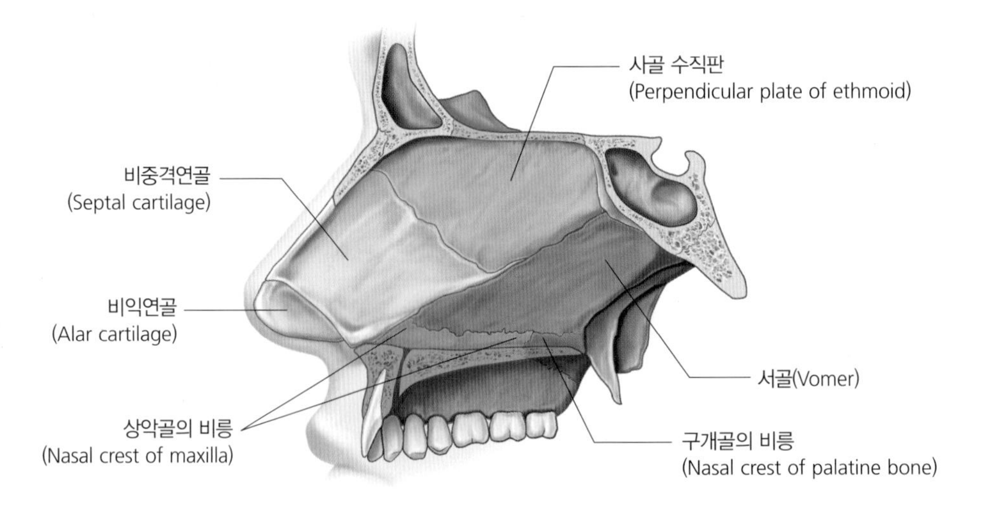

그림 18-19 비중격의 해부학적 명칭.

base view), 좌 · 우측 3/4 사면 및 좌우 측면 사진을 찍어서 술중 참고사진으로 삼고, 또 술후 사진과 비교함으로써 수술 결과를 평가할 수 있도록 한다. 얼굴의 균형 특히 이마, 미간(glabella), 관골부(zygomatic area), 상순 및 턱과의 관계를 평가하고, 해당 부위의 수술을 비성형술과 동시에 시행할 것인지에 관해 의논한다.

2) 술전 준비

수술 전 준비로는 진정법, 국소마취, 소독 순서로 시행한다. 주로 진정법은 전신마취가 더 선호되지만 수술의 침습도나 필요에 따라 마취과의사를 동반하여 국소마취로 시행할 수도 있다. 국소마취는 수술하고자 하는 부위에 혈관수축제를 포함한 국소마취제로 점막하층에 침윤주사한다. 소독은 베타딘 용액으로 수술부위와 주위를 세밀하게 세척하고 코털을 깎고 난 뒤 이차 세척을 하여 감염의 가능성을 최소화한다. 비강충전을 위해 sterile cotton을 5% cocaine 4 cc와 norepinephrine을 첨가한 용액에 담그고 4 inch 정도의 크기로 자르고 짠다. 첫 번째 pack을 중격과 하비갑개 사이의 비강에 넣고 두 번째 pack은 절제될 부위의 점막을 마취하기 위해 넣는다.

4. 비성형술의 접근방법

비골격에 대한 수술 시 접근법은 비외(개방성)접근법과 비내접근법으로 나눌 수 있다.

1) 비외(개방성)접근법(그림 18-20)

비외접근법은 먼저 하측방 미측유리연을 따라 변연절개(marginal incision)를 시행하고 스킨훅(two prong)으로 비공연(nostril rim)을 견인하여 외반시킨다. 다음은 비주를 가로지르는 피부에 계단형 혹은 역V자 절개를 통해 양쪽 절개선을 연결하는 횡비주절개(transcolumella incision)를 시행한다. 스킨훅이나 미세한 겸자로 비주 피부의 절단부위를 들어 올리고 가위(converse scissors)로 연골 노출을 위한 박리를 시행한다. 연골성 중격의 미부경계를 따라 절개를 시행하고 점막 연골막을 중격으로부터 거상시킨 다음 전하방으로 박리를 진행하여 중격연골과 전비극 사이의 접합부 전체를 노출시킨다. 비성형 수술 후 봉합 시 횡비주 절개는 6-0 나일론이나 polypropylen으로 봉합하고 변연절개는 5-0 white vicryl로 봉합해준다. 수술부위 보호를 위한 부목은 아쿠아 스플린트(1주)가 주로 사용되나 골절개술을 시행한 경우는 알루미늄 스플린

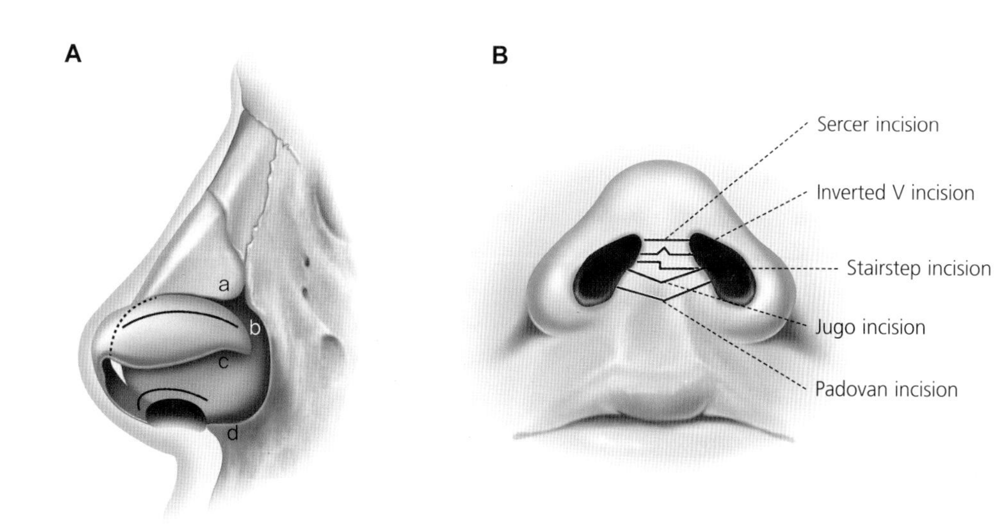

그림 18-20 비성형술의 접근방법.
A: 비내접근법. a: intercartilagenous incision b: intracartilagenous incision c: marginal incision d: rim incision B: 비외접근법.

트(3주)를 사용한다. 중격점막이 박리되었을 때는 비강내 부목이나 팩(Merocel)을 위치시키는 방법과 횡중격봉합을 시행해주는 방법이 있다. 발사는 통상적으로 비외 피부의 경우 1주일 후, 비내 봉합은 2주 후에 시행한다.

2) 비내접근법(그림 18-20)

비내접근의 순서는 다음과 같다. 변연절개는 비외접근법과 동일하게 시행하나, 연골간 절개(intercartilagenous incision)를 통해 상측방 연골과 하측방 연골을 분할시킨다. 그리고 중격연골의 미측단에 관통절개(transfixation incision, TF)가 이루어지며 연골간 절개선과 서로 연결되어 중격이 완전히 노출된다. 비배와 비근의 노출을 위해 상측방연골 상부에서 연조직을 견인하여 비골하연의 골막에 절개를 가하여 골막하 박리를 시행한다. 중격이 노출되면 서골에서 비배까지 그리고 후방으로는 사골의 수직판 상방에서 중격 연골 전체의 점막연골막을 박리한다. 그리고 점막골막을 비강저로부터 상악골 및 서골의 비골능상으로 거상시키는데 중격과 상악골/서골 간의 접합부까지 시행한다. 봉합과 부목은 비외접근법과 동일하게 시행한다.

5. 비성형술식

1) 코를 올리는 수술(그림 18-21, 22, 24)

(1) 진단 및 치료계획

융비술에서 가장 중요시해야 할 부분은 이상적인 코의 형태에 대한 관점이다.

코의 폭은 코천장 부위에서 전면에서 볼 때 두 개의 선으로 나타나는 것이 좋으며, 한국인의 경우 이상적인 폭은 남자의 경우 10 mm로 보고된 바 있다. 측면에서 코뿌리점과 코 끝 부위를 연결하는 선과 비배부는 남자의 경우 직선으로 곧게 이어지지만 여자의 경우 기와지붕처럼 약 2 mm 정도 오목하게 안으로 들어가는 것이 좋다. 콧등 바닥의 넓이는 양쪽 내안각선 안쪽으로 2–4 mm 들어간 것이 좋다.

코끝의 형태가 코 전체의 미적 완성도를 높이므로

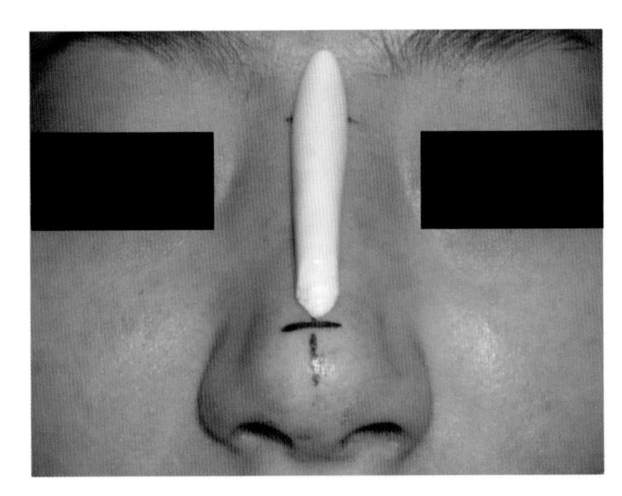

그림 18-21 코융기술에 사용되는 실리콘.

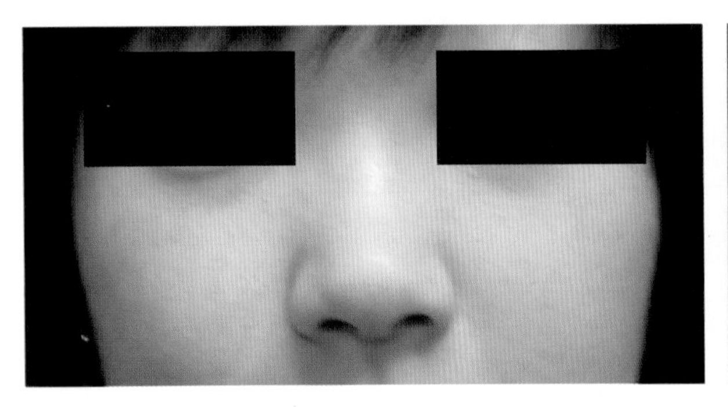

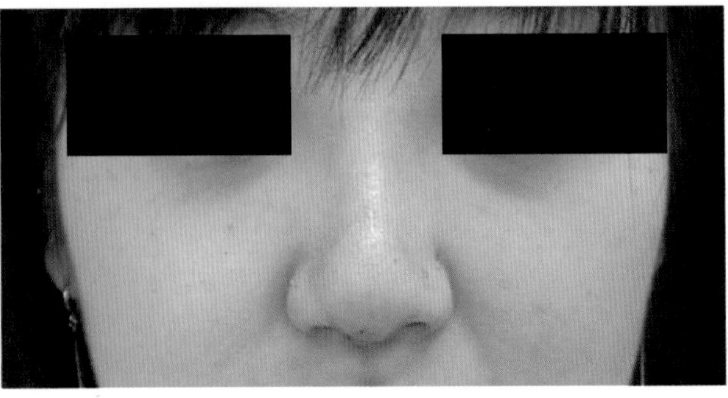

그림 18-22 실리콘을 이용한 비성형술의 증례사진.

tip defining point가 나타나도록 하여야 하며 측면에서 볼 때 한국인의 코입술각은 90−95°가 적당하다.

(2) 재료의 선택

수술 전 환자와의 면담과 사진 검사를 통한 진단 이후 이식할 재료를 결정한다. 일반적으로 콧등을 높이기 위해서는 실리콘이나 고어텍스 등 보형물을 사용하며 코끝 수술을 위해서는 비중격이나 귓바퀴에서 연골을 채취하여 사용한다(그림 18-23).

(3) 코의 융기

비내접근법과 비외접근법을 통해 삽입술을 계획할

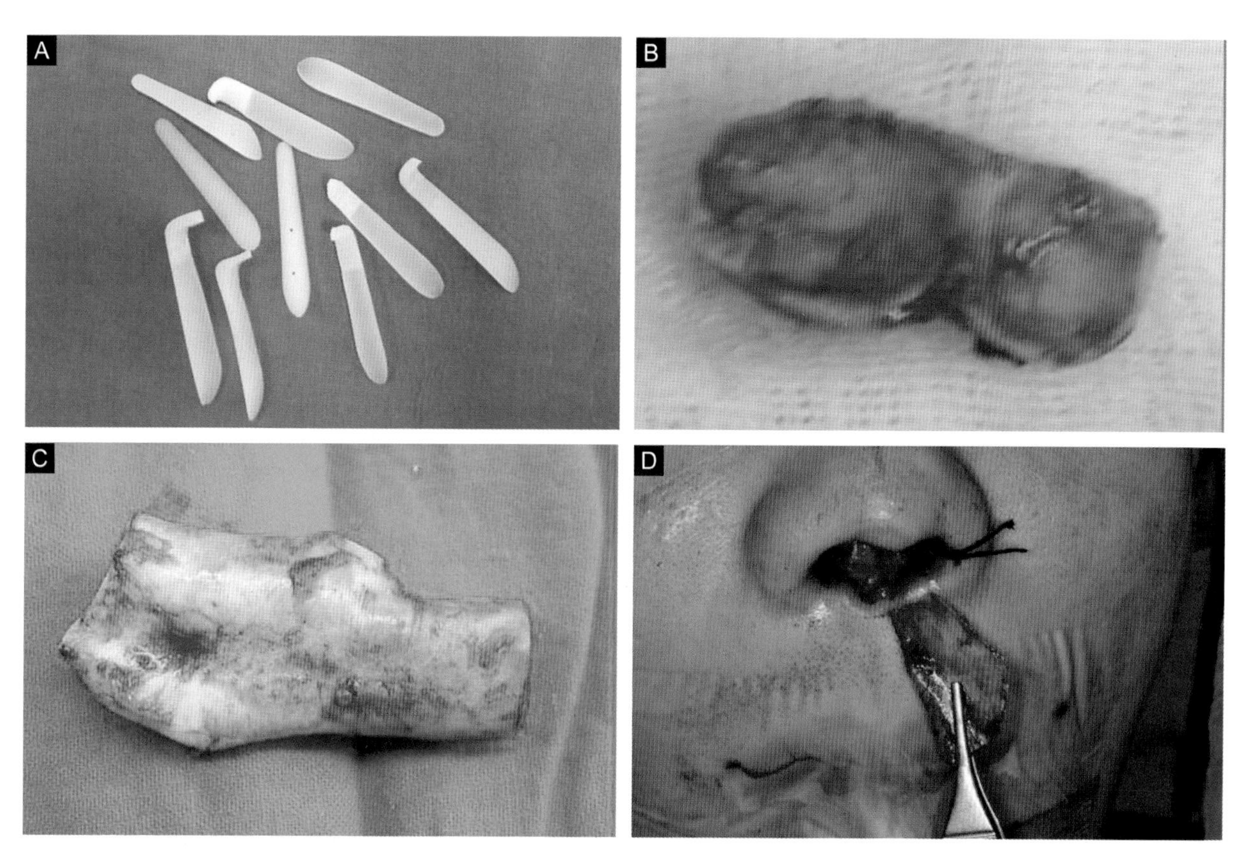

그림 18-23 재료의 선택. A: 실리콘 B: 귀에서 채취한 연골 C: 늑연골 D: 비중격에서 채취한 연골.

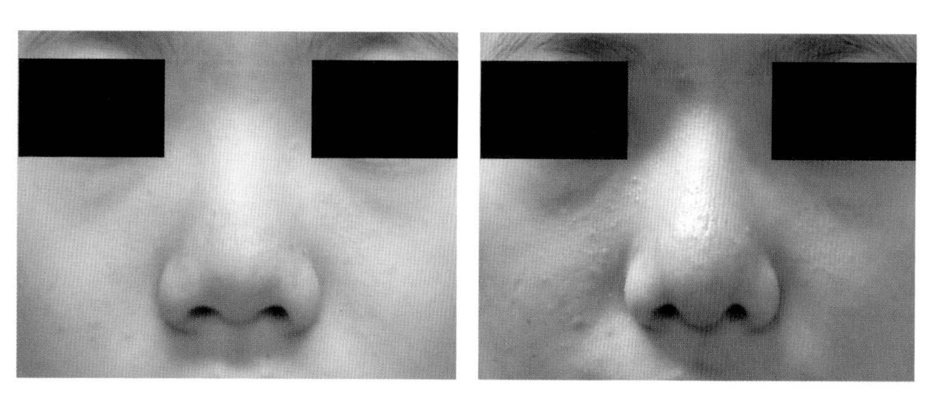

그림 18-24 코융기술 전후 모습. 코등융기는 고어텍스를 이용하였고 코끝은 자가연골을 사용하였다.

수 있으며, 수술면은 연골막 위 골막하로 접근한다. 증강술에 사용되는 재료는 위코 연골까지만 놓이게 하며 콧대를 올릴 때는 언제나 코끝을 동시에 올려야 한다. 이때 코끝은 콧등보다 높아야 하며 그 사이에 supratip break point가 나타나야 한다.

(4) 융비술 후 합병증

융비술 후 합병증으로는 출혈 및 혈종 형성, 감염, 삽입물의 변위 및 이동 및 돌출, 환자의 불만족 등을 들 수 있다.

2) 휘어진 코의 교정

(1) 휘어진 코의 교정(그림 18-25)

휘어진 코의 교정에서 비중격의 교정은 삐뚤어진 외비의 교정으로 나타내며, 코막힘의 해결, 코변형의 교정을 위한 이식물의 채취를 가능하게 한다.

(2) 교정을 위한 술기

일반적으로 비외접근법을 이용한다. 비중격성형술과 절골술 후에도 휘어진 코가 정위치로 오지 않는 경우가 대부분인데 이는 비중격 중 골성중격의 휘어짐이 잔존하기 때문이며 Boies elevator나 Walsham forceps을 이용하여 골성중격 부위를 강하게 골절시키거나 손으로 강하게 힘을 주어 바로 잡는다.

3) 매부리코의 교정

(1) 매부리코의 교정(그림 18-26)

비혹(nasal hump)은 코뿌리점과 코끝을 연결한 가상선보다 돌출된 상태를 말하며 비골, 위코연골, 비중격연결의 상연으로 구성되어 있다. 매부리코의 교정은 순수한 미용목적의 수술이 많으므로 미적인 부분에 목표를 두어야 하며, 이는 이상적의 콧등과 적절한 이마각 및 코입술각이다. 코이마각은 한국인에서 135° 정도이며 코입술각은 남자의 경우 90°, 여자의 경우 95°가 적당하다. 주로 코끝과 코뿌리부의 융기가 필요하다.

(2) 교정을 위한 술식

① 제1단계: 접근

비첨성형술(nasal tip plasty)부터 먼저 하고 나중에 비혹(nasal hump)을 절제한다. 접근 방법에는 횡연골법(transcartilaginous method), Delivery법, 비주-상순절개(columella-labial incison) 및 양쪽 비익연절개법 등의 세 가지가 있다.

② 제2단계: 비배노출

비배를 노출시키기 위해 연조직외피와 비중격점막을 거상시킨다.

③ 제3단계: 비혹절제술(humpectomy) 및 비배축소술(dorsal reduction)

비봉이 심한 경우 연골성원개를 먼저 굽은 가위(angulated scissors)로 자른 다음 골성원개를 골절단기로 제거한다. 그러나 비봉이 아주 심하지 않으면 골성원개를 먼저 축소시켜야 연골성원개의 축소량을 결정하기가 쉽다.

④ 제4단계: 비골절술(nasal osteotomy)

골절술은 bony pyramid의 비골과 상악골의 봉합부를 절단하는 술식으로 근본적이고 효과적인 축비술의 일종이다. 양측에 연골간 절개를 가한 후 피부 및 골막을 거상한다. 이때 외측 연골 상방의 조직은 수술도를 사용하고 비골 상방의 조직은 골막기자를 이용하여 삭제될 골상방의 골막까지 거상한다.

만약 연골 및 비골로 이루어진 anterior hump가 존재한다면 먼저 제거한다. 이어서 외측 연골의 재단(trimming) 및 줄질(rasping)을 시행하여 anterior hump의 제거를 마친다. 비골을 골성중격과 반대측 비골로부터 분리시키는 내측절골술(medial osteotomy)을 시행한다. Flat, guarded osteotome을 anterior septum에 위치시킨 후 mallet으로 tapping하여 radix의 단단한 골에 다다르면 외측으로 서서히 편향시킨다.

마지막으로 외측절골술(lateral osteotomy)을 시행한다. 이상연에 짧은 수평절개을 가한 후 thin 3-4 mm straight guarded chisel을 이용하여 비상악돌기의 바깥 쪽인, 상악 쪽 1/3에서 1/2 지점에서 radix를 향하여 골절단을 시행한다. 마지막 1/4에서 radix를 향하여 서서히 내방으로 편향시켜서 transverse fracture를 방지한다(그림 18-27). 비부가 뒤틀리거나 비정상적으로 휘어졌을 경우에는 multiple osteotomy를 시행한다. 이때 앞쪽의 골절단술을 먼저 시행하는 것이 좋다. Multiple fracture 시킨 후 정상적인 형태로 molding 하여 비변형을 바로잡는다.

⑤ 제5단계

외측 연골의 내단 다듬기, 비첨성형술(nasal tip-plasty), 비저(nasal base) 교정술, 절개창 봉합 및 비강 충전(packing)으로 축비술을 마무리한다.

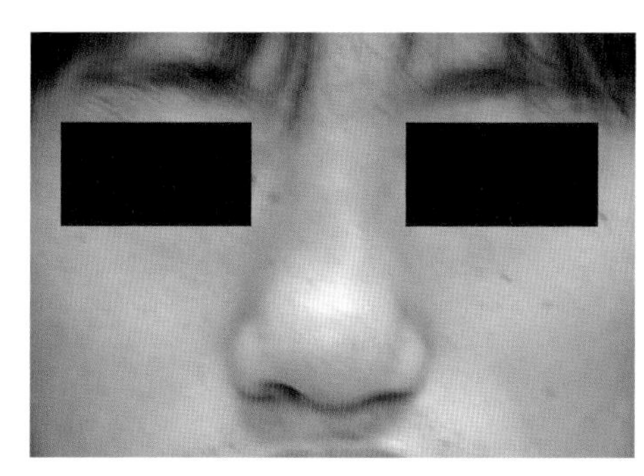
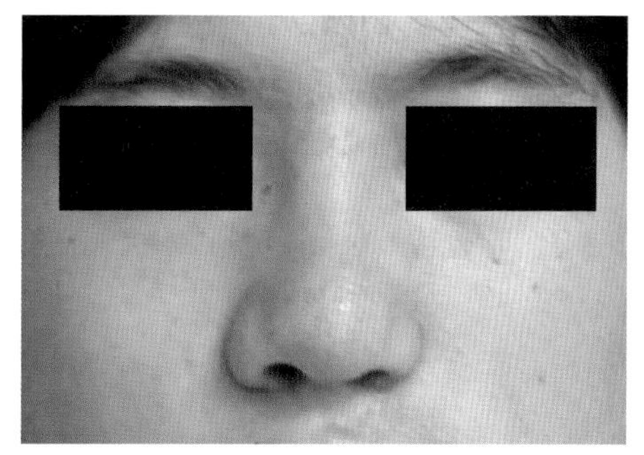

그림 18-25 휘어진 코의 교정 안쪽 및 가쪽 절골술, 비중격술을 함께하였다.

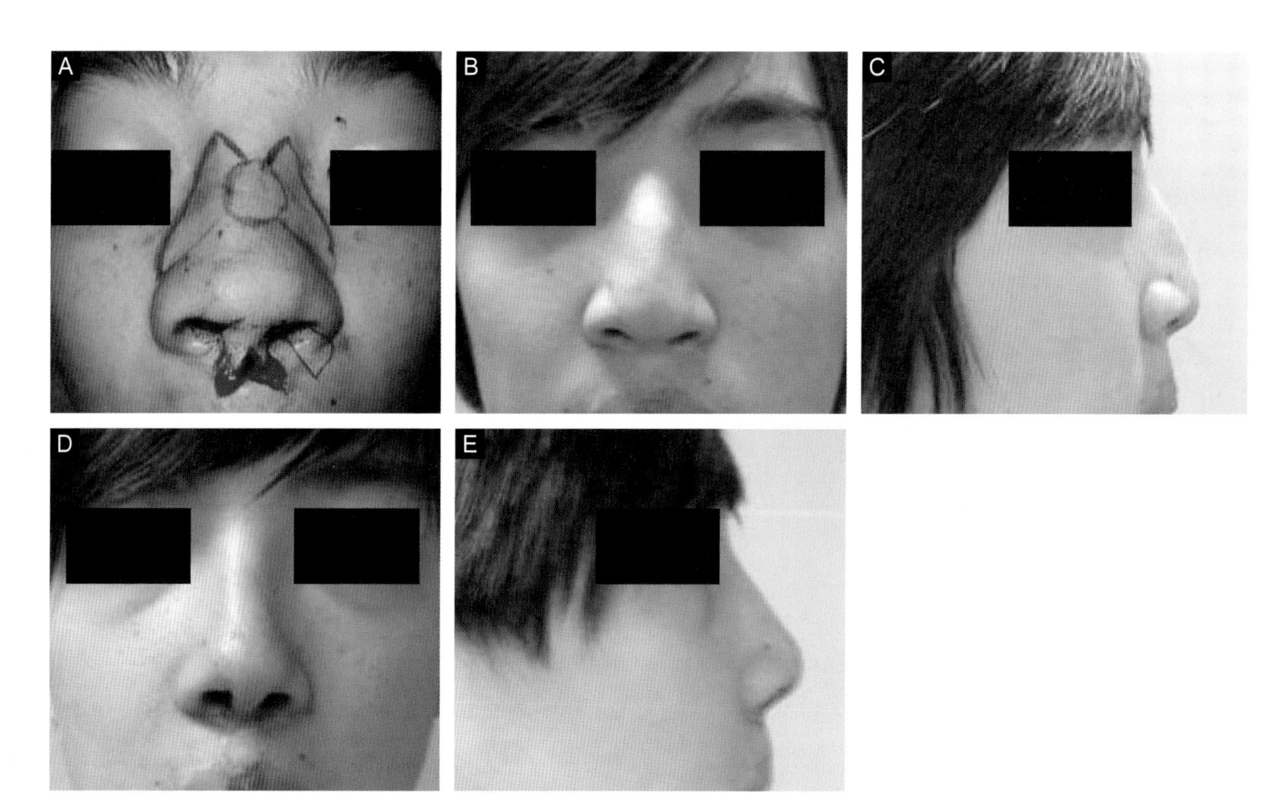

그림 18-26 A: 양측성 구순열 환자에서 매부리코를 교정하기 위하여 디자인한 모습 B, C: 비혹절제 및 코끝 증강술 술전의 환자 모습 D, E: 술후 모습.

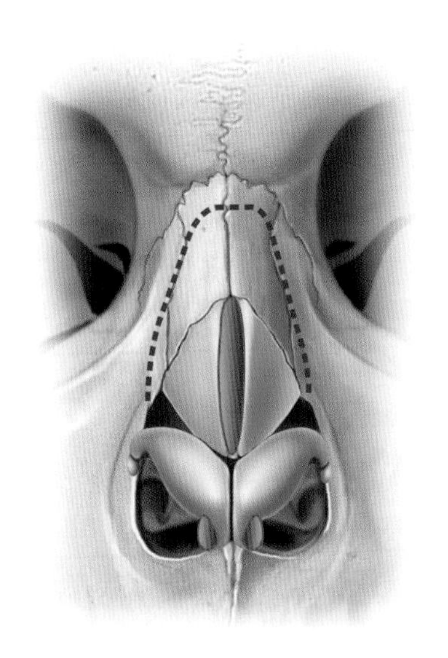
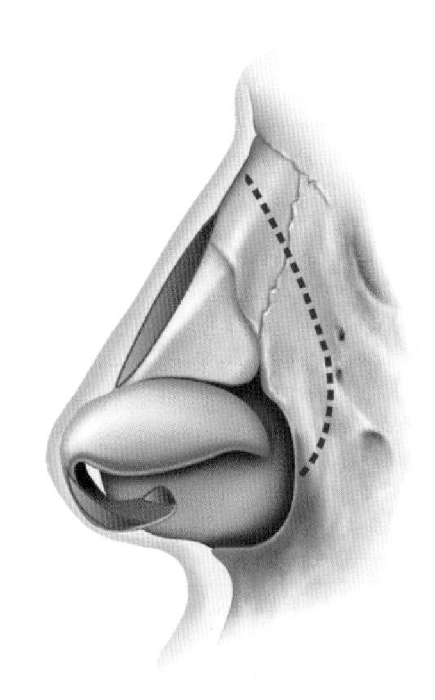

그림 18-27 외측절골술(lateral osteotomy)의 모식도. 비누관이 손상되지 않도록 피해서 작도해야 한다.

⑥ **제6단계: 부목**(splint)

비골절개술(nasal osteotomy)을 시행한 경우에는 통상 알루미늄 재질의 부목을 1주 정도 유지 후 부종이 빠지면 다시 thermoplastic splint를 이용하여 추가로 약 2주 정도 부목을 대어준다.

(3) 합병증

합병증으로는 반상출혈(ecchymosis), 부종, 출혈, 감염, 기도폐쇄, 비중격천공(septal perforation), 환자의 불만족 등이 있다.

4) 비첨성형술(Nasal tip surgery)

코끝성형은 비성형의 미적완성도에 가장 큰 부분을 차지하는 코수술이다.

(1) 코끝성형의 기본 개념

Anderson은 코끝성형의 기본 원리를 tripod theory로 설명하였는데 이는 안쪽다리와 가쪽다리를 3개의 다리로 보고 어느 쪽 다리든지 자르면 길이가 짧아지며 그 방향으로 회전이 일어난다는 개념이다.

(2) 코끝성형의 목적, 접근방법

오뚝하고 약간 들쳐진 코가 아름다운 코로 인식되기 때문에 코끝을 올리거나, 코끝을 들어주거나, 뭉툭한 코의 교정을 위해 코끝수술을 시행한다. 코끝수술은 해부학적 특성을 이용하여 아래코 연골에 대한 조작으로 이루어진다. 콧기둥 가로절개의 위치는 일반적으로 콧기둥의 가장 좁은 부위에 절개선을 넣음으로 반흔의 길이를 줄이고, 안쪽 다리가 지지구조로 작용하여 반흔의 구축을 줄일 수 있다.

(3) 코끝성형술을 위한 코끝의 조작방법

코끝성형술을 위한 코끝의 조작방법에는 코끝의 위치변화 방향에 따라 여러 가지 조작방법이 있다. 조작방법에는 가쪽다리 상부 절제(cephalic resection of lateral crura), 중간다리 절제(transection of the dome area), 중간다리간 봉합(transdormal suture or suture repositioning of the cartilage) , 안쪽 및 가쪽다리의 절개 후 봉합(vertical transection and overlapping of the medial and lateral crura), 안쪽 다리 선단의 일부절개(trimming of the caudal margin of the medial crura), 비중격의 선단 절제(resection of caudal septum), 방패

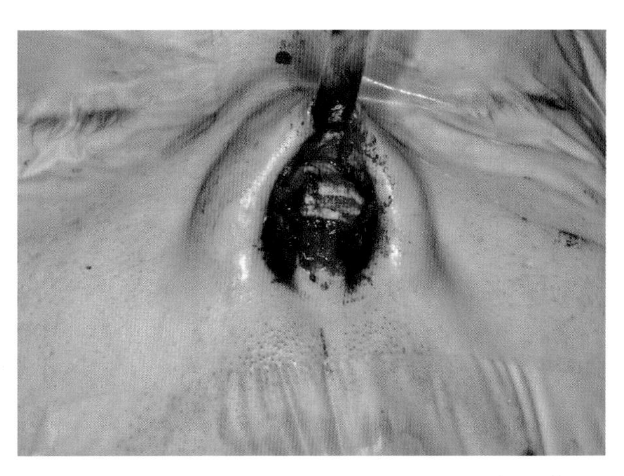

그림 18-28 코끝을 융기시키기 위하여 코끝지지대(strut)를 대고 모자이식을 한 모습.

이식(shield graft), 모자이식(cap graft), 콧기둥 지지대(columella strut), 가쪽다리 지지대(insertion of lateral crura strut) 등이 있다(그림 18-28).

5) 비중격 변형

비중격은 골성 비중격(bony septum)과 연골성 비중격(cartilaginous septum)으로 이루어져 있고 비중격연골이 변형되면 코의 형태와 기능에 변화가 생긴다.

미용적으로는 비연골과 연조직의 변위에 의해 외비 형태가 변위되고, 기능적으로는 일측성 또는 양측성으로 비기도가 폐쇄되어 비기류(nasal airflow)에 영향을 미치게 되므로 비성형술이 필요하다.

(1) 비중격 변형의 수술원칙

① 비골 미측의 외비변형은 비중격연골의 탈구나 비중격 연골 배부 윤곽의 만곡 때문에 생기므로 외비변형을 교정하기 위해서는 우선 비중격 변형부터 교정한 다음 비성형술을 한다.

② 비중격연골의 배측 및 미측 지주(strut)를 유지하기에 충분한 양(최소 10 mm 정도)의 연골을 남기면서 비중격 연골을 긴장 없이 코의 정중시상선으로 재위치시킨다.

③ 비중격 연골 절제는 연골을 정중시상선에 재위치시키기에 필요한 만큼만 보존한다.

④ 만곡된 비중격연골은 주위의 점막, 외측 연골, 전비극, 서골이나 사골 수직판으로부터 박리시키면 펴질 수 있지만, 그래도 남아있는 경우에는 제한된 연골절제술, 부분층 연골절제술(cartilage scoring), 연골압좌술(cartilage morselization)과 같은 내재연골변형술(intrinsic cartilage modifi-cation)을 이용하여 곧게 편다.

⑤ 사골 수직판과 접하고 있는 비중격연골은 두꺼기 때문에 비골 미부와 외측 연골을 지지하는 데 기둥과 같은 역할을 한다. 그러므로 사골 수직판과 접해 있는 비중격연골은 가능한 한 보존해야 한다.

(2) 비중격변형의 수술방법

외비교정술과 비중격수술(septal surgery)로 구성된다.

① 외비교정술의 수술방법

양쪽 비외측벽 사이에 불균형이 있기 때문에 통상의 비봉절제술(humpectomy) 대신 만곡된 반대쪽이 더 많이 절제되도록 경사지게 절제해야 비배가 코의 정중시상선에 위치하게 된다.

② 비중격수술(septal surgery) 및 비중격성형술(septoplasty)의 수술방법

a. 마취

마취액을 적신 거즈를 비강내 삽입한 후 에피네프린이 들어 있는 리도카인을 가는 주사바늘을 이용하여 점막하 주사한다. 이렇게 함으로써 마취효과, 수술 중 출혈 감소, 연골과 점막 사이의 분리 용이 등의 효과를 기대한다.

b. 비중격에 대한 수술적 접근

Interseptocolummelar approach, Killian approach, Intraoral approach, External approach 등 다양한 비중격에 대한 접근법이 있으며 각각 장단점과 적응증이 있어 환자에게 적당한 접근법을 이용한다(그림 18-29).

c. **술식**

- 비중격 선단에서 2–3 mm 후방에 절개선을 넣는다.
- 비점막과 연골막 안으로 접근하여 연골에 접근한다.
- 골성 비중격까지 박리한다.
- 상악능선 부위점막이 찢어지지 않도록 조심스럽게 분리한다. 비중격 부분과 상악능 부분의 박리한 부분을 연결한다.
- 연골과 골성 비중격을 분리한 후 반대쪽 연골막을 분리한다.
- Rhinion과 nasal spine을 연결하는 선 앞쪽은 코를 지지하는 구조이므로 그 선 안쪽에서 연골을 채취한다. 통상 콧등 쪽과 비중격 선단 부위 비중격은 L자 모양으로 1.5 cm 이상씩을 남긴 후 연골을 채취해야 한다. 이때 keystone 부위의 연결이 떨어지지 않도록 한다. Keystone 부위는 비골과 윗코연결의 이행부위로 단단히 중복되는 구조로 이 부위가 분리되면 안장코가 될 수 있다(그림 18-30).
- 상악능에서 2–3 mm 정도 상부에 절개선을 넣은 후 연골을 제거한다.
- 비중격 부위의 휘어진 부위를 찾아 다양한 방법(쐐기모양 절제, 연골상에 바둑판모양의 절개선, 만곡된 부분 제거 후 재건 등)을 이용하여 교정한다.
- 5–0 vicryl 등을 이용하여 절개부 봉합과 관통봉합을 하고 심한 만곡의 경우 silastic sheet를 이용하여 코안 부목을 시행한다.

d. **합병증**

비중격 수술의 합병증은 비중격 천공, 혈종감염 비중격 농양 등이 올 수 있다. 비중격 천공은 비중격 연골박리 시 연골막하 박리가 제대로 되지 않은 경우 발생할 수 있으며 혈종 감염이나 비중격농양은 외과적 배농술과 함께 항생제 투여로 치료한다.

6) 특수 비성형 술식(Special rhinoplasty techniques)

특수 비성형 술식은 콧방울 아래 절제술(alar base resections)과 콧구멍의 교정으로 나뉜다. 콧구멍의 교정 중에는 콧방울 함몰(notched alar rim), 콧구멍 모양의 교정, 콧기둥의 교정, 함몰된 콧기둥의 교정, 늘어진 콧기둥의 교정, 화살코의 교정, 코길이의 연장, 주먹코변형(broad or bulbous nasal tip), 이열비첨(bifid nasal tip), 구순열 코변형 등이 있다.

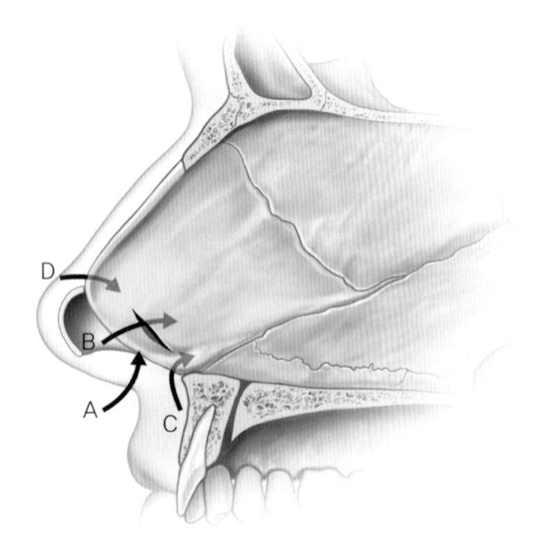

그림 18-29 비중격 수술을 위한 접근법.
A: interseptocolumellar approach B: Killian approach C: intraoral approach D: external approach.

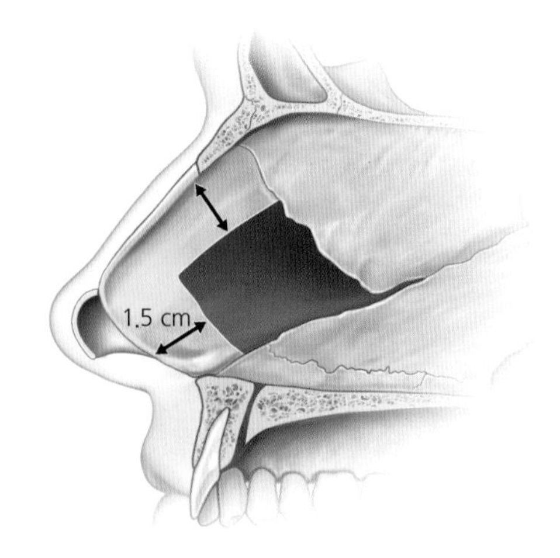

그림 18-30 비중격에서 연골을 채취할 때에는 콧등 쪽과 비중격 선단부위 비중격은 L자 모양으로 1.5 cm 이상씩 남긴 후 연골을 채취한다.

Ⅳ. 안검성형술

1. 안검의 해부

1) 표면 해부

안검은 상안검 및 하안검으로 나누어지며, 각검연 사이를 검열(palpebral fissure), 내측 끝 및 외측 끝을 각각 내안각(medial canthus), 외안각(lateral canthus)이라고 한다. 내안각 부위의 눈물이 고이는 부위를 누호(lacrimal lake)라고 하며 누호 속에 황색의 융기된 누구(lacrimal caruncle)가 있다. 누호의 입구에 해당되는 곳의 상하안검에 각각 한 개의 누점(lacrimal punctum)이 있고, 누소관(lacrimal canaliculus)으로 연결되어 있다(그림 18-31).

안와상연에 함몰된 부위가 전두안검구이며 '상안검 주름'은 눈을 뜰 때에 안검연에 3–10 mm 떨어진 위치에 안검연과 평행한 주름이다. 상안검 주름은 눈을 뜰 때 형성되는 주름으로 쌍꺼풀 혹은 이중검이라고도 하며, 동양인에서는 약 40–50%가 이중검이다. 상안검 주름의 위치는 서양인에 비하여 낮아서 검연에서 평균 약 6 mm 위에 위치해 있다(그림 18-32). 서양인의 쌍꺼

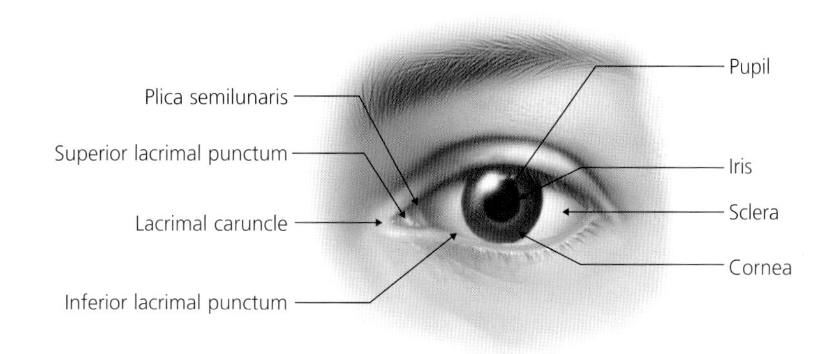

그림 18-31 안와 및 안와주위조직.

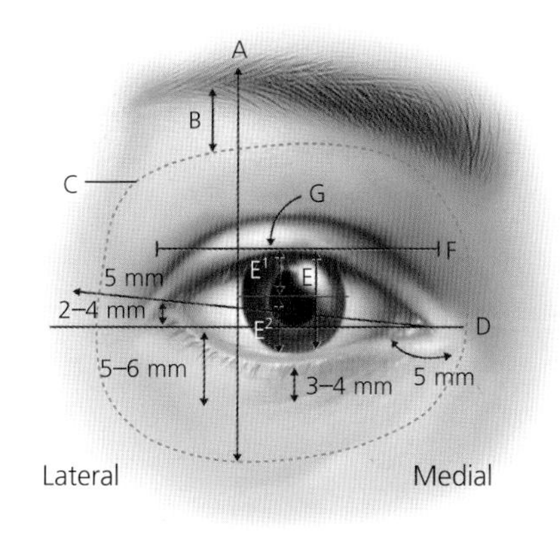

그림 18-32 안와 및 안와주위조직의 이상적인 위치.
눈썹의 최고점(A)은 각막윤부(lateral limbus)나 그 측방부에 위치하고, 눈썹의 하방 경계(B)는 상안와연(C) 10 mm 상방에, 외안각(D)은 내안각보다 2–4 mm 상방에 존재한다. Intrapalpebral distance (E)는 10–12 mm으로, 평균 Reflex distance 1 (E^1)은 상안검 하수(ptosis) 시 감소하고, 평균 reflex distance 2 (E^2)는 하안검 외번 시 증가한다. 동양인의 검열 길이(F)는 27–30 mm이며, 상안검 주름위치(G)는 서양인은 8–11 mm, 동양인은 6 mm이다.

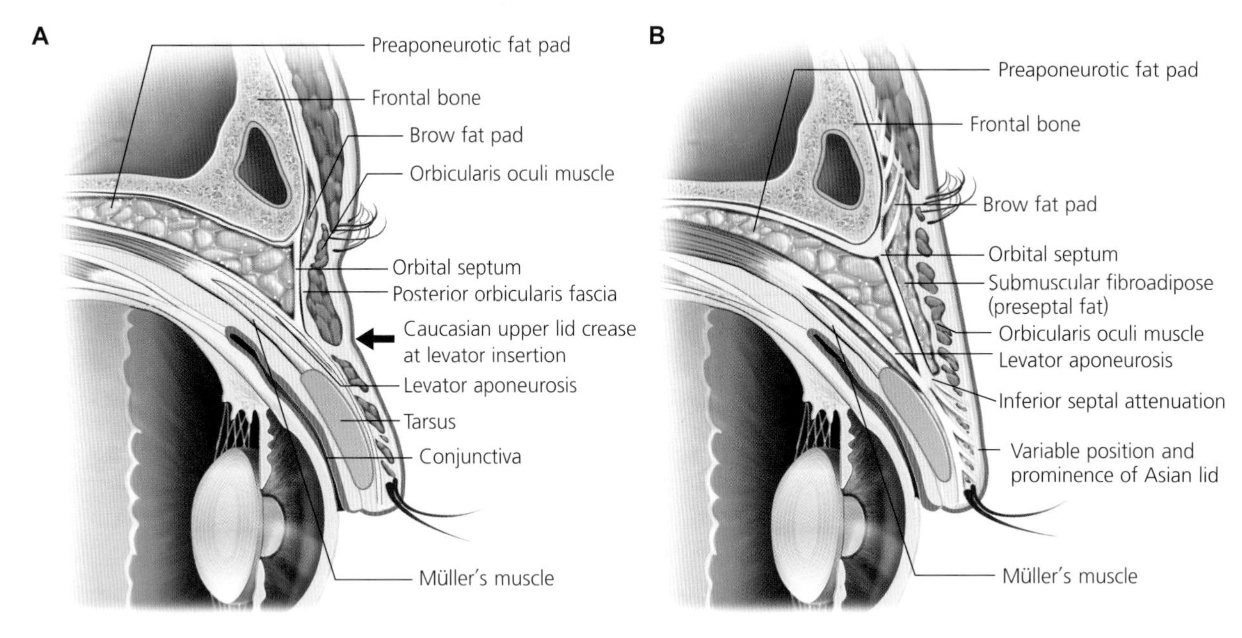

그림 18-33 A: 서양인 안검 횡면 구조 B: 동양인 안검 횡면 구조.

풀에서는 올림 필라멘트가 안와사이막과 안륜근을 통과하여 진피층에 부착하게 되어 눈을 떴을 때 상안검 주름이 생겨 상안검이 두 가닥으로 나뉘게 된다. 또한 눈썹 지방이 상안검에 풍융하게 나온 부위보다 상방에 존재한다. 동양인의 상안검에서는 올림 필라멘트가 안와사이막과 안륜근을 더 다양하게 통과하여 얇거나 얕은 상안검 주름이 형성된다. 만약 통과하지 않고 눈꺼풀판막에 정지하게 되어 눈을 떴을 때 안검주름이 형성되지 않으면 한 가닥으로 존재하게 된다. 또한 눈썹 지방이 안륜근 심부에 존재하며 많은 경우 눈꺼풀판을 덮기 때문에 이러한 차이를 보인다(그림 18-33).

2) 안검의 구조

안검은 크게 검판결막층과 피부근육층으로 나뉘며, 피부근육층은 다시 피부, 안륜근, 중앙 결합조직층으로, 검판결막층은 안와격막, 안검거근건막, 검판, 결막층으로 나누어진다. 상안검은 피부, 피하조직, 안륜근, 근하층, 안와격막이 있고 검판결막층은 검판, 안와지방, 안검거근, Mueller근, 결막층으로 구성되어 있다.

안검피부는 두께가 약 1 mm 정도로 신체 중 가장 얇고, 안검피부의 피하조직과의 결합은 느슨하여 유동성이 풍부하지만, 눈썹, 외안각 및 안검연에서는 피하조직과의 결합이 단단하다.

피하조직은 아주 얇고 지방조직이 거의 없다. 이 피하결합 조직이 밑에 있는 안륜근과 느슨하게 붙어 있으므로 안검부 부종, 혈종 및 현저한 반흔구축을 초래하기 쉬운 원인이 되고 있다.

안륜근(orbicularis oculi muscle)은 검열을 둘러싸는 횡문근으로, 내안각건(medial canthal tendon)을 기시부로 하고 있으며 눈을 감는 역할을 한다. 근하층은 안륜근과 안와격막 사이에 있는 결합조직으로 혈관 및 신경이 풍부하다.

안검은 안와격막에 의해 천층과 심층으로 나뉘어진다. 안와격막의 안검연으로의 연장이 회색선(gray line)에 닿는다. 안와격막은 위는 안면골의 골막과 안와 골막(periorbita)이 합쳐 두꺼워진 골막인 연변궁(arcus marginalis)에서 시작하며, 아래는 안검거근건막(levator palpebrae aponeurosis)과 융합하여 검판전면에서 끝난다. 안와격막은 결합조직의 비교적 얇은 막이며 고정된 것이 아니고 안검운동에 동반하여 그형이 변하는 부유막(floating membrane)이다.

검판은 치밀한 섬유성 결합조직으로 이루어지는 연골 같은 경도를 가지는 탄성판으로 안에 검판선(tarsal gland meibomian gland)을 포함한다. 상안검의 검판은 중앙부에서 8-10 mm의 높이가 되고 좌우 양끝은 약간 낮다.

안와지방은 안와격막과 안검거근 사이에 있는 안와 내의 지방조직으로 나이가 들면서 안와격막이 느슨해지면 안와지방이 안검내로 탈출한다.

상안검거근(levator palpebrae superioris)은 동안신경(oculomotor nerve) 지배의 횡문근(striated muscle)으로 안검을 들어올리며 눈을 뜨게 한다.

Whitnall 인대는 거근이 건막(aponeurosis)으로 이행하는 부위에 마치 안와상연의 내외, 양측부의 사이를 인대로 쳐놓은 것 같은 양상으로 되어 있다. Whitnall 인대는 거근이 너무 수축하지 못하게 제한하는 작용을 갖고 있다.

Mueller근은 상안검 거근건막의 바로 아래를 달리는 가는 줄모양의 평활근(smooth muscle)으로 교감신경 지배를 받고 있으며 주요기능은 올라간 상안검을 그대로 유지해주는 것이다.

결막은 검판과는 치밀하게 결합되어 있지만, 상방에서는 Mueller근과 느슨하게 결합되어 안검부 결막(palpebral conjunctiva)을 이루는데, 다시 상방에서 원개결막(fornical conjunctiva) 및 안구결막(bulbar conjunctiva)으로 이행된다.

상안검의 지방조직은 4개의 부분으로 나누어 생각하는 게 좋다. 즉, 피하지방, 안륜근하지방(중앙결합조직), 검판 전지방 및 안와지방이다.

3) 혈관 및 신경분포

안검부는 혈행이 매우 풍부하고 정맥환류(venous return)도 좋기 때문에 창상치유가 양호하며 국소피판의 성공률이 높은 반면 혈종을 만들기 쉽고 국소마취가 빨리 깨는 단점도 있다.

동맥은 내경동맥의 분지인 안동맥(ophthalmic artery)에서 나뉜 상하내측 안검동맥(superior and inferior medial palpebral artery)이 내안각건의 상하에서 안와격막을 가로질러 뚫고 나와 측방으로 주행하고, 누선동맥(lacrimal artery) 및 안면횡동맥(transverse facial artery)으로부터 분지된 상하외측 안검동맥(lateral palpebral artery)과 문합된다. 정맥계는 다소 복잡하고 풍부한데, 검판전 부분은 안각정맥(angular vein)이나 측두정맥(superf icial temporal vein)으로 흐르며, 심부는 안정맥(ophthalmic vein)의 분지로 흐른다. 림프계는 상안검측방 2/3와 하안검측방 1/3은 이하선 림프절로, 상안검내방 1/3과 하안검 내방 2/3은 악하림프절로 흐른다.

운동신경지배는 안륜근은 안면신경, 안검거근은 동안신경, Mueller근은 교감신경의 지배를 받는다. 안검의 지각신경은 삼차신경 지배를, 상안검은 주로 삼차신경의 전두분지(frontal branch)인 상안분지(supraorbital branch), 상활차분지(supratrochlear branch)의 지배를 받지만, 상안검 측방의 일부는 누선신경(lacrimal nerve)의 지배를 받는다. 하안검은 주로 상악신경(maxillary nerve)의 안와하 분지(infraorbital branch)의 지배를 받으며, 일부는 누선신경의 지배를 받는다.

2. 안검성형술

노화로 인해 안검부의 피부 탄력이 떨어지고 안와지방이 약해진 안와격막을 밀고 튀어나오므로 안검이 두툼해진다. 상안검 피부가 늘어지면 시야가 좁아져서 기능적 장애도 생기게 된다.

1) 안검 변형의 종류

안검 변형의 종류로는 안검이완증(blepharochalasis), 피부이완증(dermatochalasis), 안륜근 비대(hyper-trophy of orbicularis oculi muscle), 안와지방탈출(herniated orbital fat), 눈썹하수(eyebrow ptosis), 노인성 안검(senile lid) 등으로 나눌 수 있다.

2) 수술 전 평가

(1) 병력

안구질환에 대한 병력을 자세하게 물어보고 술후 생길 수 있는 불만족스러움의 방지를 위해 병력을 정확하게 청취해야 한다.

(2) 진찰

환자가 앉은 상태로 안검과 안구의 상태를 주의 깊게 관찰하여야 한다. 안검성형술 후에 안검외반증(ectropion)과 공막징(scleral show)을 예측하기 위해 안구의 크기와 모양도 관찰하여야 한다. 쌍꺼풀 수술을 할 부위를 표시하여 환자에게 보이면서 환자의 취향을 참고로 하고 환자의 얼굴에 가장 적당한 쌍꺼풀이 되도록 쌍꺼풀형이나 폭을 정한다.

(3) 사진

수술 전 사진은 얼굴 정면, 측면 및 눈 주위를 확대한 정면, 측면 사진이 필요하다. 수술계획을 세우거나 수술 도중 결정에 도움된다.

(4) 안검의 긴장도 검사

퇴행성 변화가 있는 안검은 수술 후에 안검외반증이나 공막징이 생길 수 있으므로 미리 확인해야 한다. 이완성 검사나 수축성 검사 등을 통해 평가한다.

(5) 눈물 생성량 검사

수술 후에 안구건조증이 생길 수 있으므로 술전에 눈물 생성량을 측정해야 한다.

3) 수술방법

국소마취와 전신마취가 모두 가능하나 국소마취로 수술을 하면 수술 중에 눈을 떠보게 할 수 있으므로 대부분 국소마취를 이용한다.

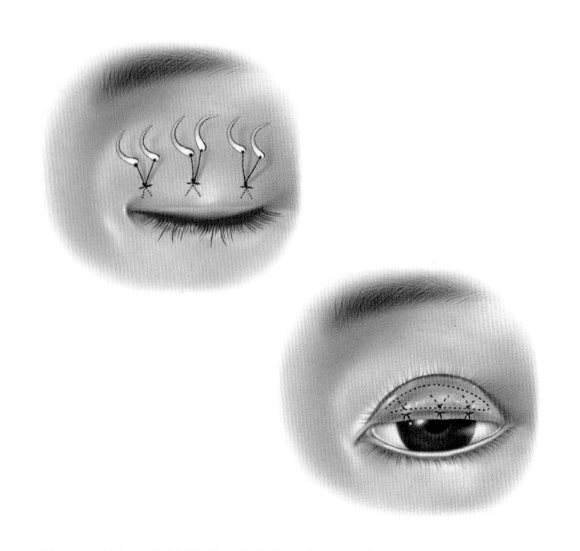

그림 18-34 매몰법에 의한 쌍꺼풀 수술.

(1) 상안검성형술(쌍꺼풀수술; double eyelid operation)

① 도안선의 결정

쌍꺼풀 수술은 상안검 거근과 눈의 피부조직이 연결되어 생기는 단순한 수술로 이루어진다. 여기에서는 쌍꺼풀 환자의 얼굴 형태와 안검 형태에 따라 쌍꺼풀이 형성되는데 크게 눈 안쪽에서 바깥쪽으로 넓어지는 말광형(내안각췌피의 내측에서 시작하고 한국인에서 가장 흔한 형)과 평행형, 그리고 초승달형 등이 있다.

② 수술방법

a. 단순 봉합법(매몰법)

쌍꺼풀 예정선에 작은 절개를 가하고 7-0 nylon으로 결막까지 매몰하여 진피층을 안검거근에 봉합해 주는 방법으로 한쪽 안검에 3개씩 매몰봉합을 해준다(그림 18-34~36).

b. 절개법

- 도안: 보통 아래쪽 절개선은 쌍꺼풀 선에 혹은 상안검연에서 6-8 mm 떨어진 곳에 그린다. 외안각 주위 주름선을 따라 완만하게 상방으로 굽어지도록 그리며, 안와 외연보다 10 mm 이상 밖으로 나가지 않게 한다. 위쪽 절개선은 측정된 절

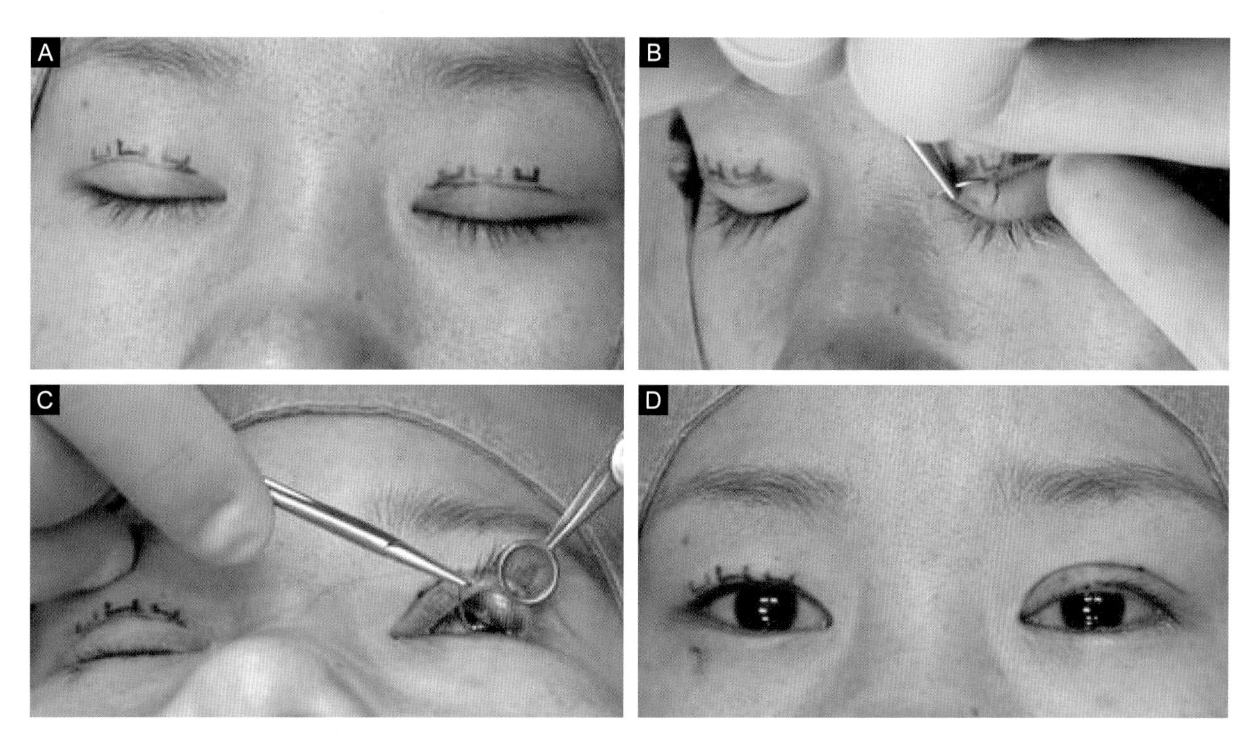

그림 18-35 **매몰법 수술 장면.** A: 디자인한 모습 B: 봉합바늘을 이용하여 피부에 보합하는 모습 C: 피부를 통과한 바늘을 결막을 통과하는 모습 D: 매몰법이 끝나고 쌍꺼풀의 높이 모양을 확인하는 모습.

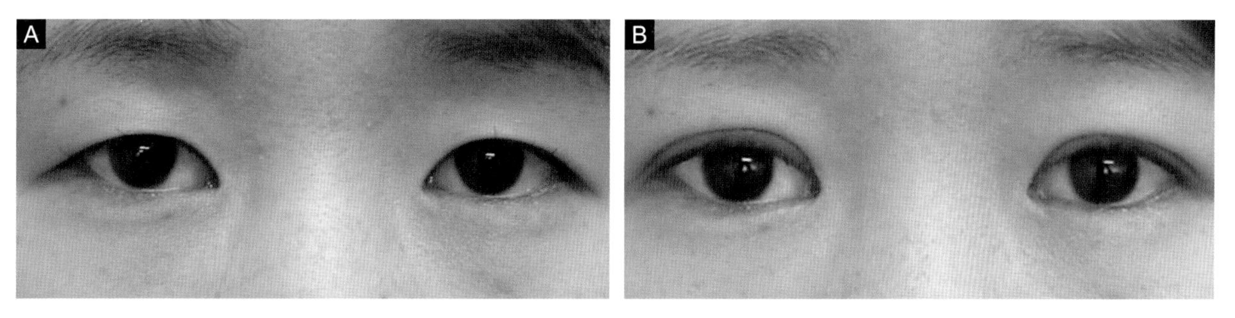

그림 18-36 **매몰법 수술 환자 임상사진.** A: 술전 모습 B: 술후 모습.

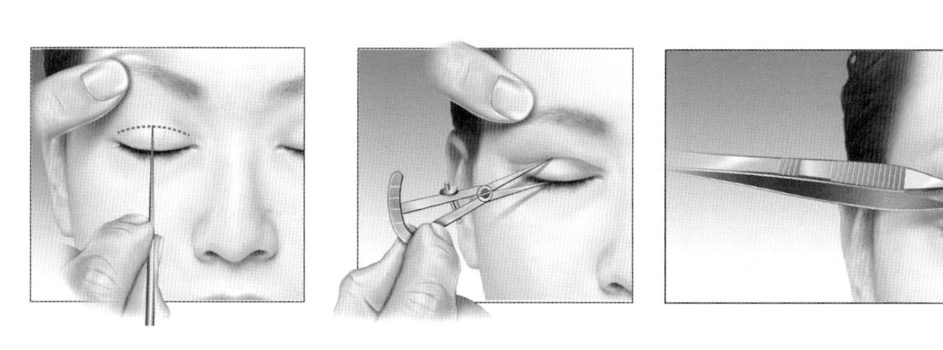

그림 18-37 **절개선 도안.**

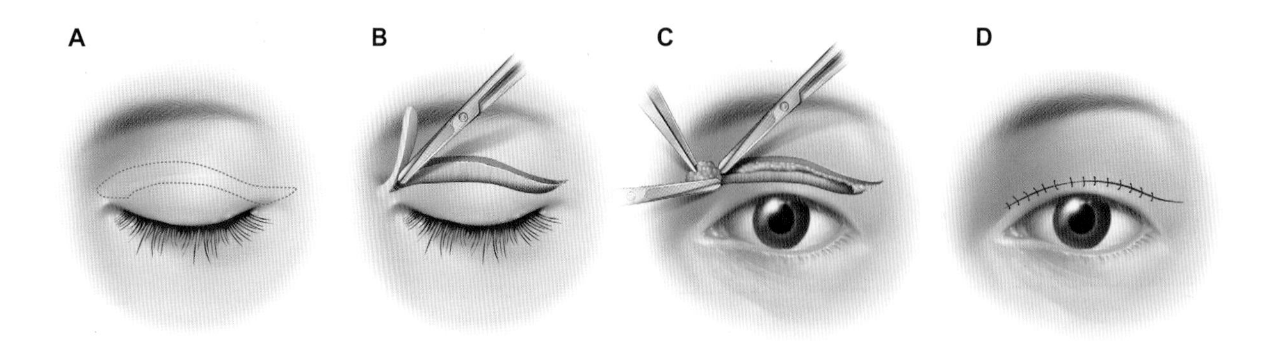

그림 18-38 상안검성형술의 술식. A: 절제할 과잉 피부를 도안한 모습이다. B: 피부와 근육을 제거한다. C: 안와 지방을 제거한다. D: 피부봉합을 한다.

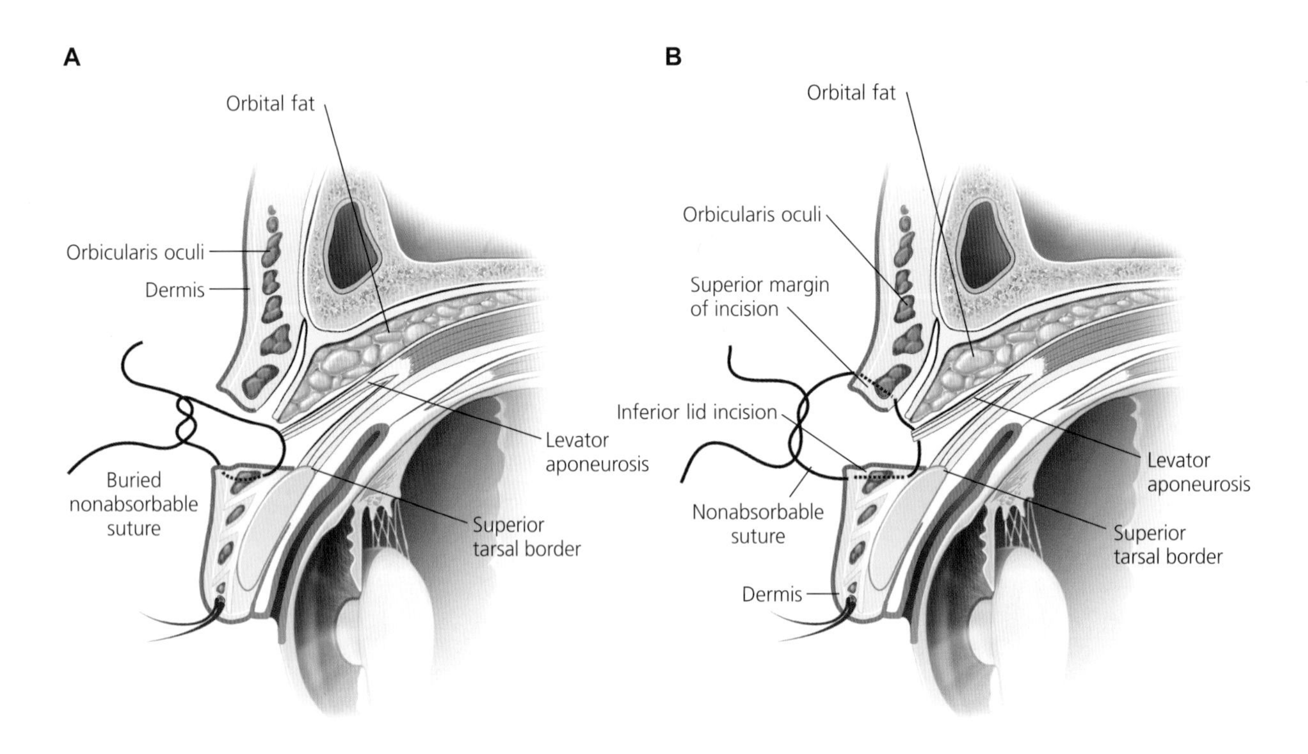

그림 18-39 절개법의 봉합술식. A: 내측고정법 B: 외측고정법.

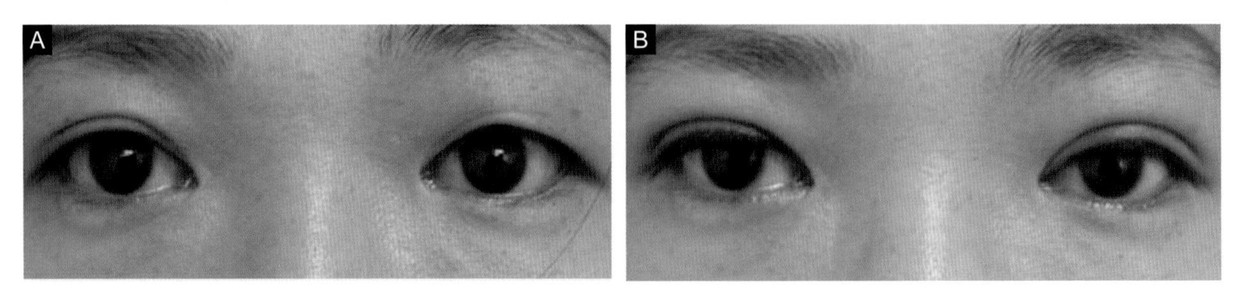

그림 18-40 상안검성형술 임상사진. A: 술전 모습 B: 술후 모습.

제 폭에 따라 적당한 부위에 그린다. 도안된 선을 보고 제거될 폭만큼의 안검 피부를 잡고 눈을 뜨고 감게 하면서 절제 폭을 조절한다(그림 18-37).

- 절개: 피부만 절개를 하고 과잉 피부를 제거하며 안륜근을 피부 절제 폭보다 적게 절제한다. 안와지방이 과다한 경우는 안구를 약간 압박한 상태에서 돌출된 안와격막을 열고 안와지방을 제거해 준다(그림 18-38).
- 봉합: 절개법의 봉합술식은 내측고정(internal fixation)과 외측고정(external fixation)이 가능하다. 내측고정법은 상안검 절개선 하부의 진피조직과 올림근(levator) 혹은 위눈꺼풀판(upper tarsus)과 봉합을 시행한다. 외측고정법은 상안검 절개선 하방의 진피 및 피부조직, 올림근(levator)과 위눈꺼풀판(upper tarsus), 그리고 절개선 상방 조직의 진피 및 피부조직과 봉합한다. 6-0 또는 7-0 nylon 또는 prolene으로 세 군데 봉합한 뒤 고정외의 부분은 6-0나 7-0 nylon으로 연속봉합(running suture)을 시행한다(그림 18-39, 40).

(2) 하안검성형술

하안검성형술은 안검의 상태에 따라 수술방법이 다르다. 피부가 많이 늘어져 있는 경우는 피부만 거상하고 과도한 피부를 제거하는 피판법을 사용하는 것이 좋고, 피부는 별로 늘어지지 않았지만 안륜근이 늘어져 있거나 안와지방탈출이 있는 경우는 피부와 근육을 붙여 근피판을 형성해 절제해 주는 근피판법을 사용하는 것이 좋다. 그리고 안와지방탈출 있는 경우는 결막을 통해 지방을 제거해 줄 수 있다.

① 도안

하안검연의 2-3 mm 하방에 안검연과 평하게 절개선을 그리고 누점(lacrimal punctum) 바로 외측에서부터 외안각에서는 까마귀발 주름을 따라 수평으로 10 mm 연장되게 도안한다.

② 방법

a. 피판법(transcutaneous method)(그림 18-41)

도안된 선을 따라 절개하고 피부를 안륜근으로부터 박리시키고 범위는 안와 하연까지 한다. 안륜근을 벌

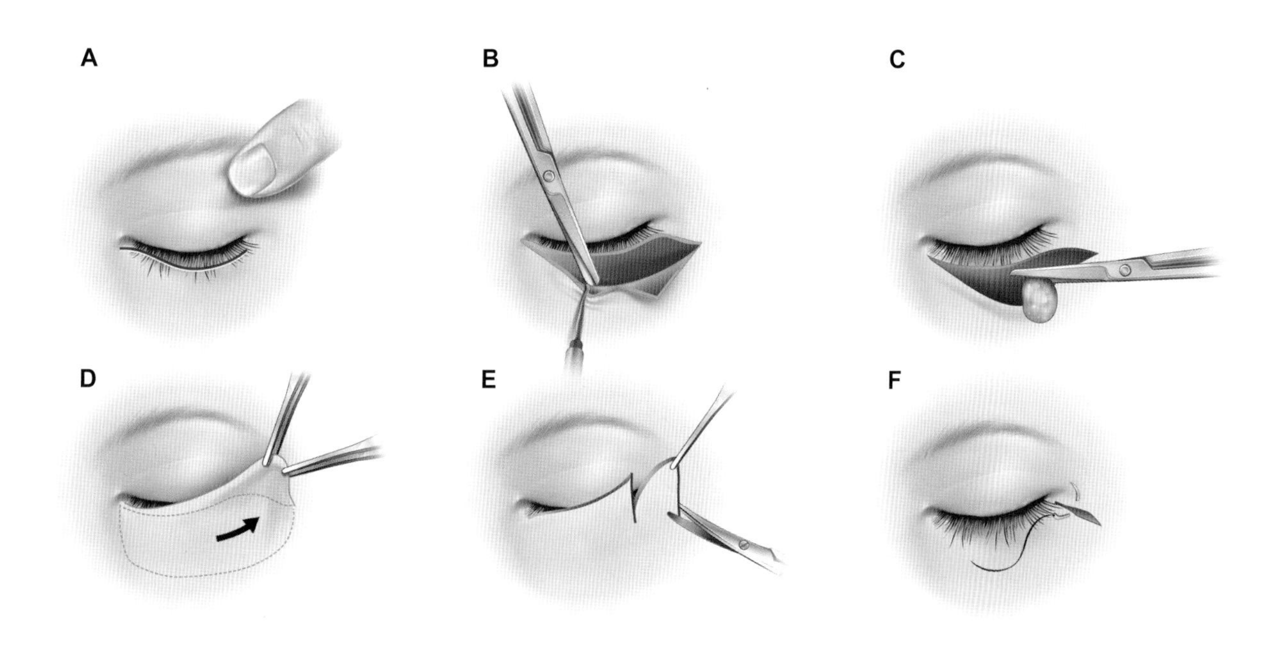

그림 18-41 안검성형술의 술식. A: 절개선 B: 피판의 박리 C: 안와지방의 제거 D: 피판의 견인 E: 남는 피부 제거 F: 피부봉합.

린 상태로 안와격막을 열고 돌출되는 지방을 제거한다. 하안검에는 중, 외, 내측 세 개의 지방구획이 있는데 그 중 중앙부가 가장 많고 외측구획은 가장 적다(그림 18-42). 내측 구획에서 지방을 제거할 때 하사근(inferior oblique muscle)이 손상될 수 있으므로 조심해야 한다. 과도한 지방제거는 공막징을 초래할 수 있다.

하안검성형술은 절제되는 피부의 양을 결정하는 것이 매우 중요하다. 국소마취로 수술을 할 때에는 입을 크게 벌리고 눈을 머리 쪽으로 보게 한 상태에서 피판을 상외방으로 당겨서 남는 피부의 양을 결정한다. 전신마취로 수술을 할 때에는 안구를 하방으로 눌러서 하안검연이 정상 위치로 올라오게 한 뒤에 남는 피부의 양을 결정한다. 그리고 피판을 외상방으로 견인하고 외안각 부위에 주요 봉합을 한 뒤에 남는 피부를 제거하고 피부봉합을 한다(그림 18-43).

그림 18-42 **안와지방의 구획.** 상안검에 2개, 하안검에 3개의 지방구획이 있다. 하안검의 내측과 중앙 구획 사이에 하사근이 있다.

b. 근피판법

근피판법은 근본적으로 피판법과 동일하며 박리층이 근육과 안와격막 사이라는 점이 다르다. 수술결과도 큰 차이가 없으므로 안검의 변형상태에 따라 적절한 방법을 선택하여야 한다.

c. 경결막법(transconjunctival method)

하안검 결막을 통해 심미적으로 우수한 결과를 얻을 수 있다. 절개는 눈꺼풀판(tarsus)의 하방경계 및 하뇌궁(inferior fornix) 중간부위 결막을 통과해 하방 수축근(retractor)까지 시행한다. 내측으로는 누점(punctum) 하방, 외측으로는 외안각(lateral canthus)까지 진행한다. 상방에는 견인봉합(traction suture)을 이용해 상방으로 견인한다. 지방탈출조직(herniating fat)을 제거 후 조직을 재위치시키고 6-0나 7-0 polyglactin으로 2-3 지점을 봉합한다(그림 18-44).

③ 하안검수술의 부작용

하안검수술의 부작용으로는 안검외반(ectropion), 눈꺼풀 처짐(lid retraction), 눈길이(horizontal palebral fissure) 짧아짐, 눈 바깥 꼬리가 둥글게 변함, 눈 바깥 꼬리가 안쪽 꼬리보다 아래로 처짐, 애교살 소실, 인상이 강해짐, 눈의 불편한 증상(안구건조, 시림, 피로) 등이 있다.

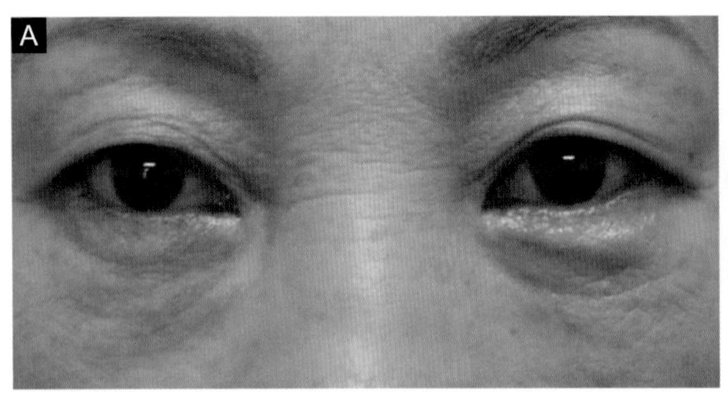

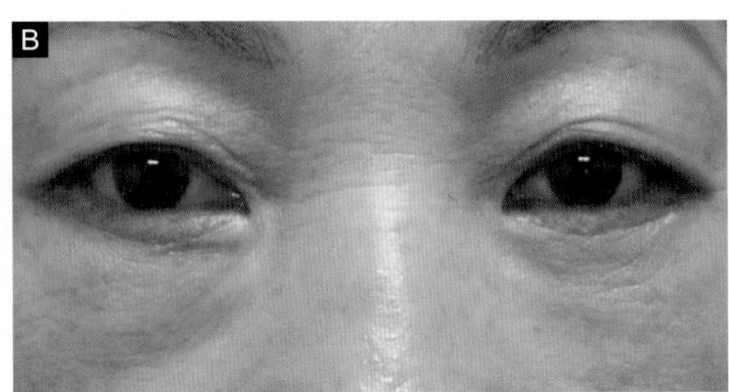

그림 18-43 **하안검성형술 임상사진.** A: 술전 모습 B: 술후 모습.

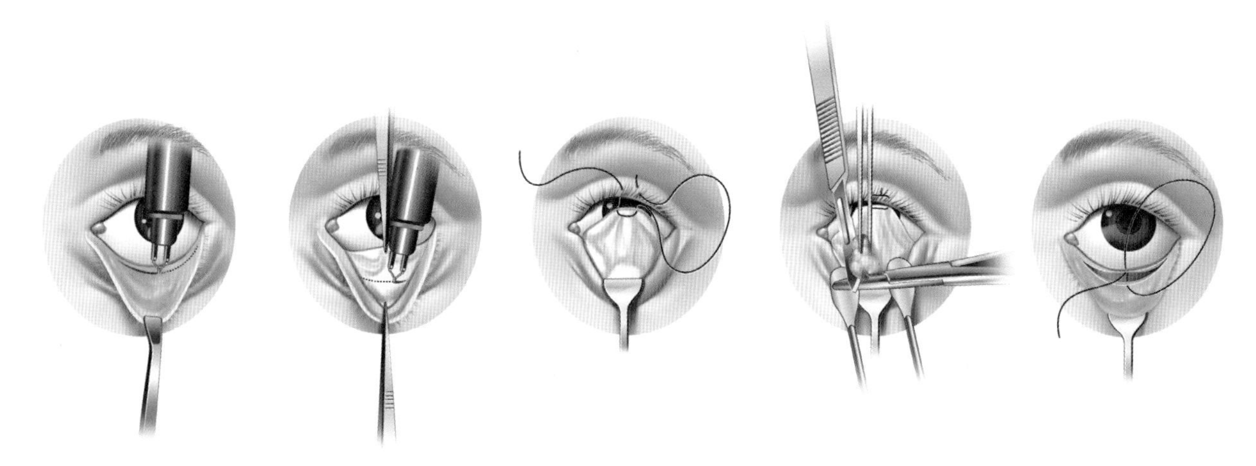

그림 18-44 경결막(transconjunctival) 하안검성형술.

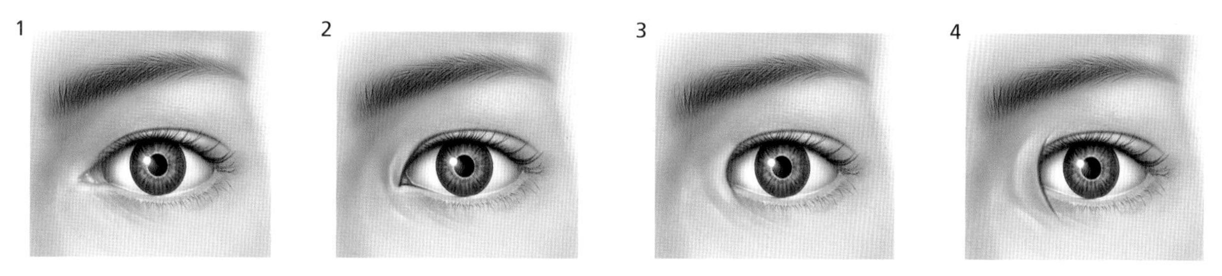

그림 18-45 누호(lacrimal lake)의 노출량에 따라 내안각 주름(medial epicanthal fold)은 Type 1, 2, 3, 4로 분류.

(3) 내안각성형술(epicanthoplasty)

눈 구석주름(epicanthal fold)이 있으면 눈이 안쪽으로 답답해 보이고 눈 사이가 멀고 안검열(palpebral fissure)의 가로 길이가 좁으면서 안검열의 안쪽이 둥근 경향이 있다. 내안각성형술의 적응증으로는 안검열의 가로 길이를 연장시켜 눈이 보다 시원하게 보이도록 하고 싶을 때, 눈 사이의 길이가 길 때, 몽고주름이 존재할 때이다. 절제될 양을 좌우하는 것은 누호(lacrimal lake)의 노출량, 눈 사이의 거리, 그리고 누호의 모양 및 색깔이다.

누호의 노출량에 따라 내안각 주름을 분류할 수 있는데, Type 1에서는 누호가 충분히 노출되어 있으며 내안각 주름이 존재하지 않는다. Type 2에서는 누호가 부분적으로 가려지며 피부 경계부위에만 내안각 주름이 존재한다. Type 3에서는 누호 및 누구(lacrimal caruncle)가 거의 가려지며 하안검의 주름이 내측으로 기울어져 있으며 검열(palpebral fissure)은 둥근 형태이다. Type 4에서는 특이하게 하안검에서 내안각 주름이 기시하여 상안검으로 이어지는 형태로 누호 및 누구가 거의 가려진다.

내안각 교정술은 내안각 거리(intercanthal distance)를 줄이는 수술이 아니라 외견상 보이는 내안각 췌피간 거리(interepicanthal distance)를 줄이는 수술이다. 조화로운 눈 사이의 거리는 사람에 따라 다르지만 대개 35 mm 전후이다. 눈 사이의 거리가 30 mm 이하인 경우에는 눈이 몰려 보이기 때문에 주의해야 한다.

누호의 색깔이 지나치게 붉거나 회색빛으로 어두운 경우, 누유두(papilla lacrimalis)가 심하게 튀어나온 경우, 갈고리 모양인 경우처럼 누호가 아름답지 못할 때에는 보다 적게 여는 것이 좋다(그림 18-45~47).

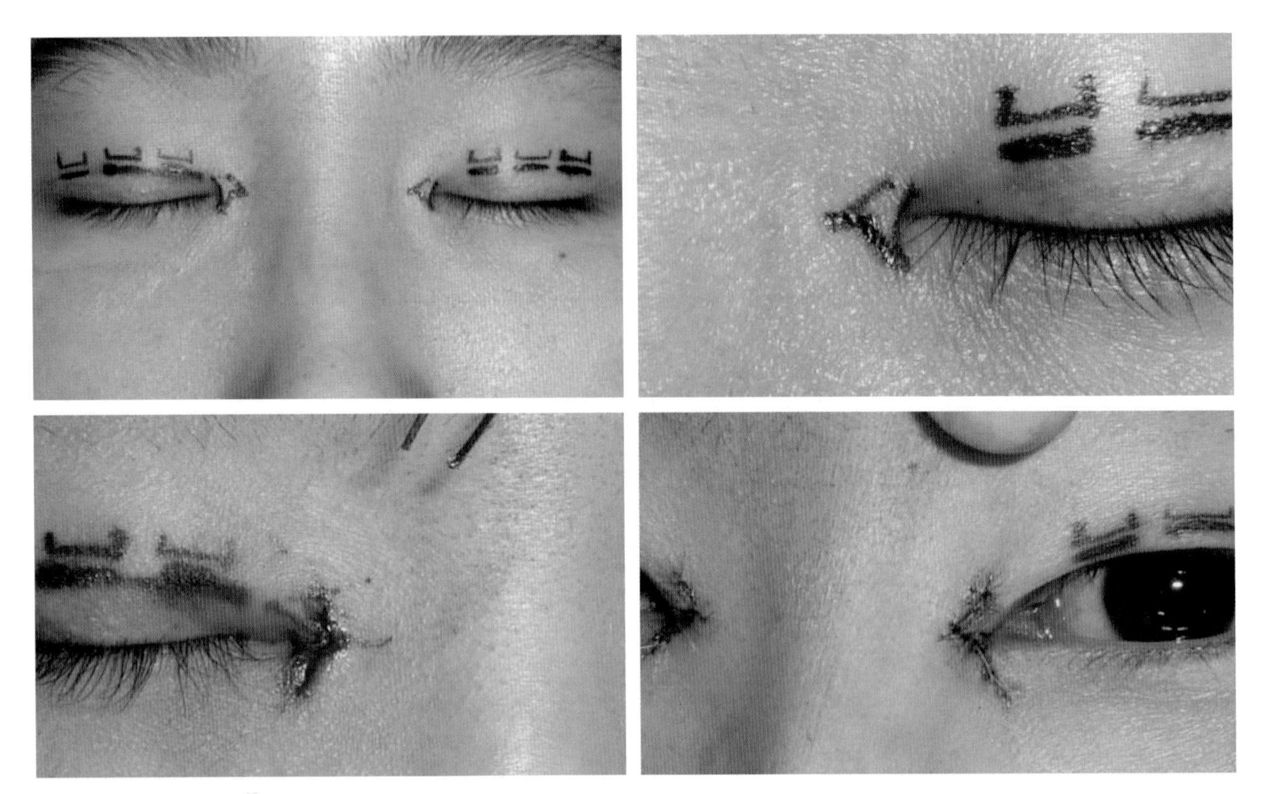

그림 18-46 쌍꺼풀(매몰법)과 내안각췌피술의 디자인 및 수술.

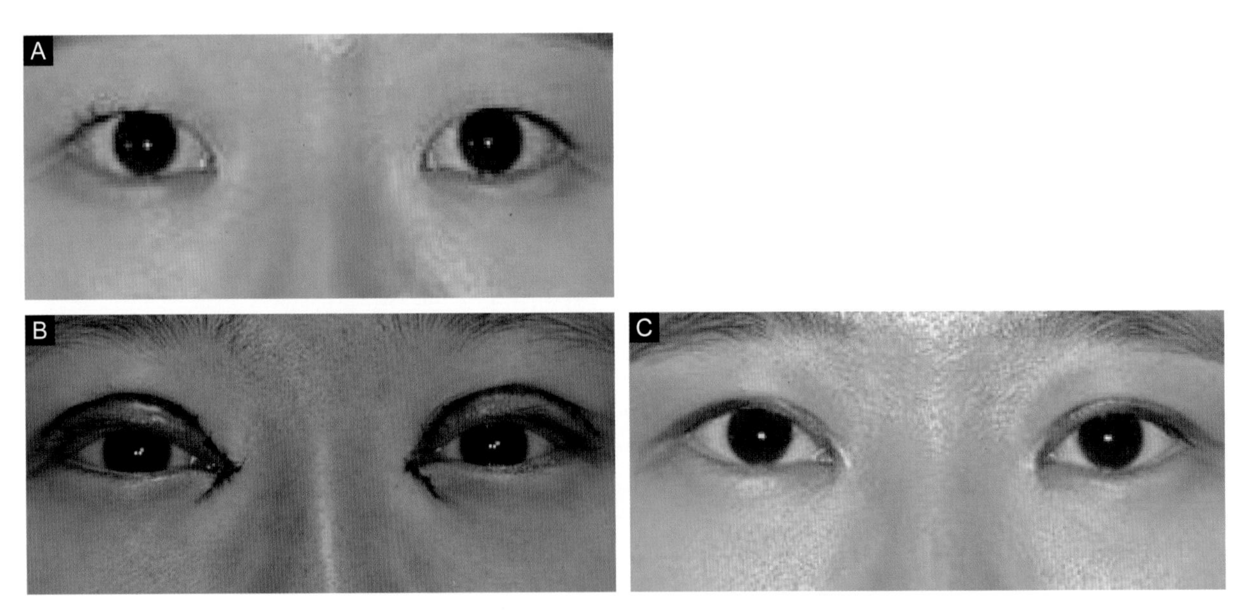

그림 18-47 내안각 수술 임상사진. A: 쌍꺼풀과 내안각췌피수술 전 모습 B: 수술 직후 모습 C: 수술 후 모습.

4) 술후 처치

상안검 혹은 하안검 수술은 비교적 청결한 수술창상으로 간주하여 항생제 투여는 술후 24시간 이내로 한다. 며칠간 콘택트렌즈 착용은 금지한다. 혈압이 높아질 경우 모세혈관의 파열로 멍이 들 수 있기 때문에 술후 2주간은 심한 운동은 피해야 하고 부종 방지를 위해 스테로이드 안약을 처방할 수 있다.

5) 합병증

수술 직후의 합병증으로는 각막손상 및 안구천공, 안구건조, 부종, 출혈 및 혈종 그리고 봉와직염 및 농양 등이 있다.

술후 수주에서 수개월 뒤에 발생하는 합병증으로는 안륜근 이상, 누계기능이상, 안구건조, 내안각변형, 복시 및 외안근 운동장애 그리고 노출성 각막염 등이 있다.

수개월 후 발생하는 합병증으로는 안검하수, 안검외반, 안검함몰, 비대칭, 봉입낭종, 비후성 반흔, 토안(lagopthalmos), 쌍꺼풀 소실, 높은 쌍꺼풀 혹은 낮은 쌍꺼풀 등이 있다.

V. 안면피부성형술

1. 흉터교정술

흉터교정술이란 흉터를 완전히 제거하는 것이 아니고 미용적으로 만족스럽고 기능적으로 나은 흉터로 개선하는 것이다. 흉터교정술의 목적을 보다 구체적으로 열거해 보면 흉터를 숨기거나, 흉터의 방향을 개선하거나 더 작은 분절로 나누고, 장력의 방향을 바꾸고, 윤곽을 편평하게 하거나 흉터의 폭을 좁히고, 흉터를 눈에 덜 띄게 위장하는 것을 들 수 있다.

1) 흉터

흉터란 손상됐던 피부가 치유된 흔적으로 조직학적으로는 수술, 외상 또는 염증으로 피부가 손상되었을 때 이에 대한 반응으로 진피의 교원질이 과증식된 섬유성 조직이라 할 수 있다. 초기 흉터 발생을 최소화하기 위해서 모든 상처는 이물질을 철저히 제거하고 확실히 괴사된 조직은 과감히 절제하는 것이 필요하다. 그리고 일반적인 흉터는 6개월-1년의 성숙기간을 가지면 상당 부분 개선되는 점도 기억해야 한다. 흉터는 윤곽, 모양, 색깔, 길이와 폭, 방향과 성숙도 등을 종합적으로 고려하여 분류하는데 수술 또는 외상 후 비교적 가늘던 흉터가 주변 피부의 높은 긴장도에 의하여 폭이 점점 넓어진 융기 흉터(elevated scar)와 더 붉고 단단하며 튀어 올라와 있는 비후성 흉터(hypertrophic scar)로 주로 분류한다. 그리고 절개나 상처 범위를 넘어서지 않는 비후성 흉터에 비하여 흉터의 표면과 경계가 불규칙하고, 단단하고 두꺼우며, 성숙되면서 퇴축되는 것이 아니라 오히려 점점 자라나 정상 피부조직까지도 침범하는 켈로이드(keloid)도 있다.

2) 이완피부긴장선(relaxed skin tension line, RSTL)

피부는 뼈나 연골과 같은 심부구조들이 피부를 밀어 올리기 때문에 여러 방향으로 당겨지지만 그중에서도 특정한 방향으로 더 세게 당겨지고 있다. 이 방향으로는 편히 쉬고 있는 상태에서도 가장 세게 당겨지는 일종의 긴장상태에 있으므로 그 방향들을 종합한 선을 이완피부긴장선이라고 부른다(그림 18-48). 살아 있는 사람의 이완상태에서의 피부를 꼬집어 당겨보아 그 존재를 확인할 수도 있다. 흉터의 크기가 작고 이러한 이완피부긴장선의 방향과 일치하면 흉터는 눈에 덜 띄게 된다. 그러므로 흉터는 절개선이 이완피부긴장선에 평행할 때 얇고 작아지고, 이완피부긴장선에 비스듬할 때 흉터가 더 커지며 이완피부긴장선에 절개선이 수직일 때 가장 두껍고 커진다.

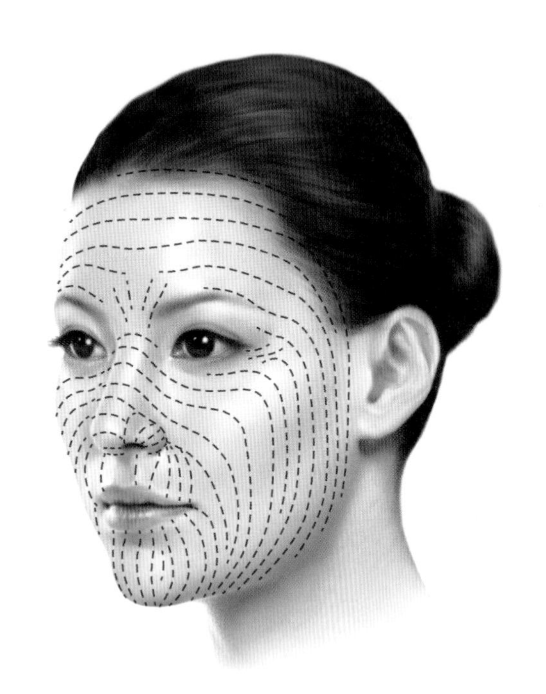

그림 18-48 안면의 이완피부긴장선.

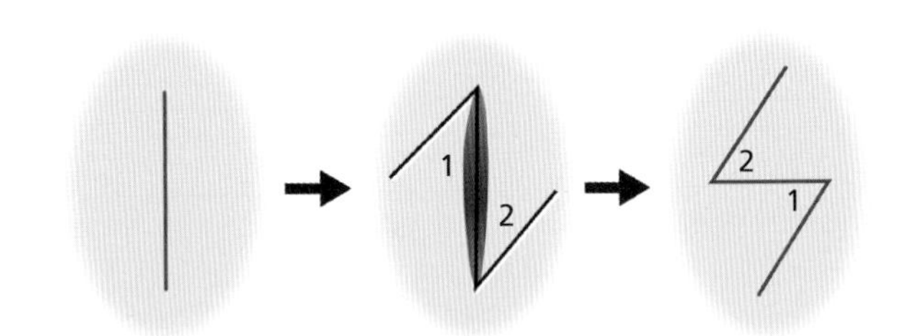

그림 18-49 Z성형술.

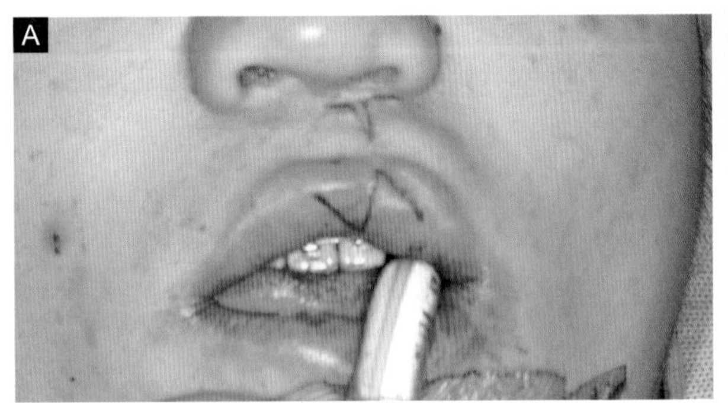

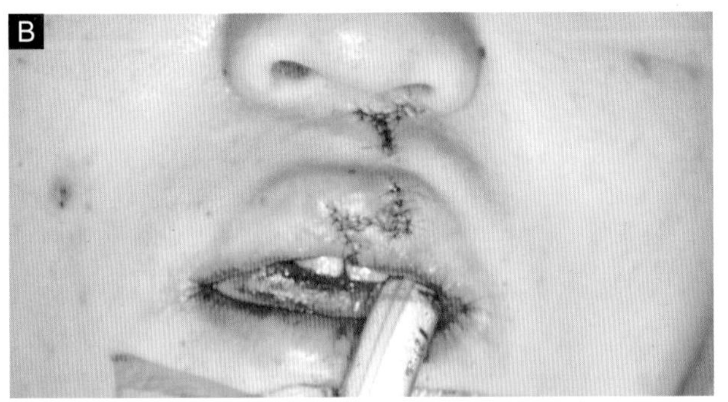

그림 18-50 입술의 Z 성형술. A: 수술 전 B: 봉합 후.

3) 흉터교정술의 실제

흉터교정술은 사강(dead space)을 줄이고, 절개 후 피부 접합면을 정확히 배치하며, 접합면의 긴장도를 최소화하면서 접합면을 외번(eversion)시킨다는 원칙하에 시행되어야 한다.

(1) Z성형술(그림 18-49)

흉터의 방향을 바꾸거나 일직선의 긴 흉터를 눈에 덜 띄게 하는 가장 기본적인 흉터교정술이다. 흉터를 제거할 부분이 가운데 선이 되고 이완피부긴장선과 평행하면서 가운데 선과 같은 길이의 두 선을 절개하여 이동시키게 되는데 가운데 선과 이루는 각도가 클수록 흉터는 더 이완되고 당기는 힘을 분산시킬 수 있다(그림 18-50). 임상적으로 약 75%의 추가적인 이완 효과를 얻을 수 있는 60° 각도의 Z성형술을 많이 사용하고 있다. Z성형술은 흉터를 절제하지 않고도 실시할 수 있는 장점이 있고 긴 흉터의 경우 여러 개의 Z성형술을 사용할 수도 있다. 넓은 융기 흉터의 경우 흉터를 절제한 후 Z성형술을 시행한다.

(2) W성형술(그림 18-51)

W성형술은 Z성형술과는 달리 흉터가 길어지지 않는 장점이 있다. 가능한 절개선을 이완피부긴장선에 일치하도록 여러 개의 작은 삼각형 피판을 톱니바퀴처럼 물고 물리게 구성하는 것이 원칙이다. 흉터의 가장 끝부분은 dog-ear 형성을 피하기 위하여 30° 이하의 각도를 유지하고 흉터를 절제한 후 피하박리를 충분하게 하여 긴장 없이 봉합한다(그림 18-52). W성형술은 흉터와 정상조직 일부도 삼각형으로 절제해야 하기 때문에 긴장이 증가하여 흉터가 넓어질 수 있는 단점이 있다.

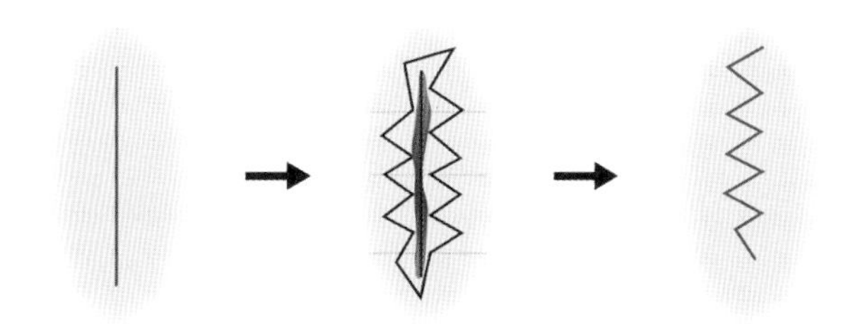

그림 18-51 W성형술.

(3) 수술 후 관리

Z성형술이나 W성형술과 같이 절개를 통한 흉터교정술 후에는 항생제 연고를 봉합선과 상처주변에 약 일주일 동안 충분히 발라준다. 일반적으로 상처치유에 문제가 없다면 봉합사는 일주일 후에 제거하고 수주에서 수개월간 외과용 테이프로 봉합선이 넓어지지 않도록 붙잡아준다. 특히 켈로이드의 경우 분홍 또는 붉은색을 띠다가 성숙하면서 점차 갈색으로 변하면서 따갑고 가려운 경우가 많기 때문에 흉터교정술을 결정할 때는 반드시 이 흉터가 비후성 흉터인지 켈로이드인지를 먼저 감별해야 한다. 비후성 흉터와 달리 켈로이드는 흉터교정술보다는 압박, 병소내 스테로이드 주사, 레이저와의 병합요법으로 치료하는 것을 추천한다. 압박의 경우 다양한 장치를 이용, 모세혈관의

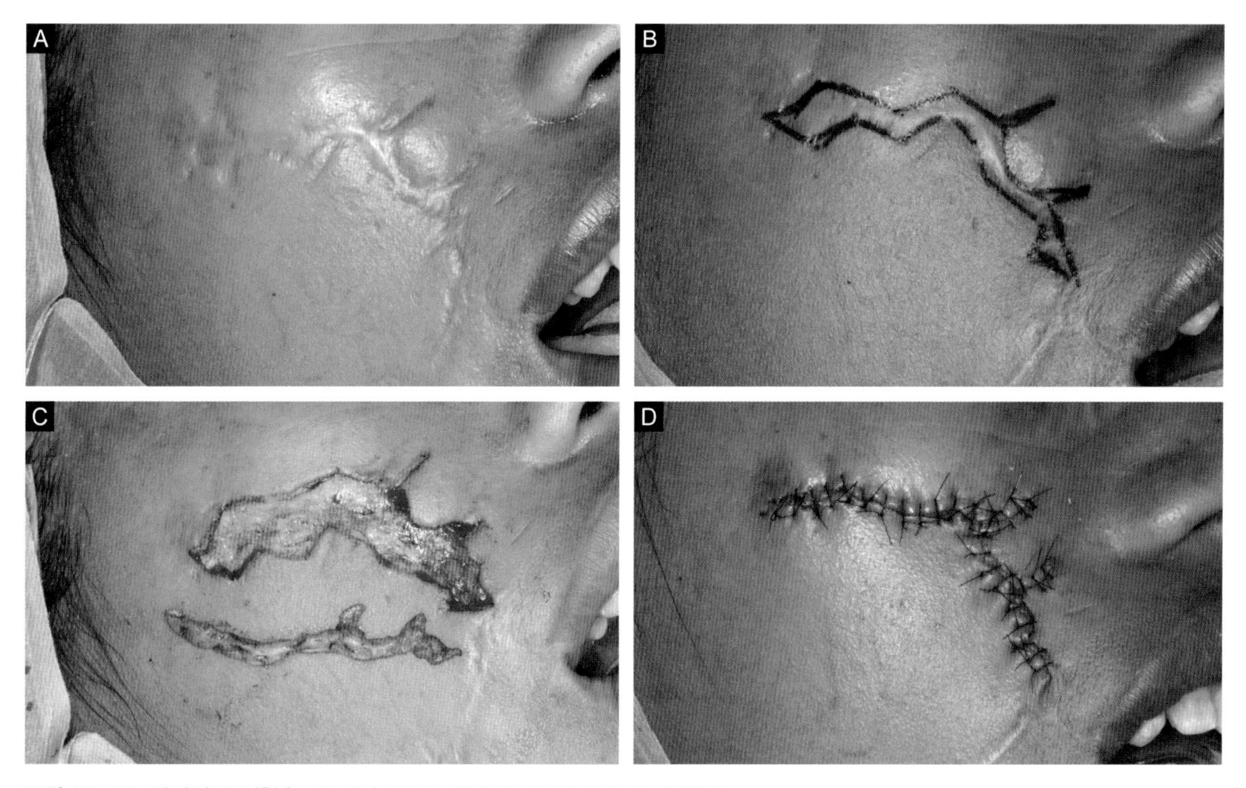

그림 18-52 안면의 W성형술. A: 수술 전 B: 절개 전 C: 절제 후 D: 봉합 후.

압력보다 높은 24–30 mmHg의 압력으로 대략 6–12개월 정도 적용해야 한다. 병소내 스테로이드 주사는 triamcinolone acetonide 10 mg/ml를 흉터의 진피부위에 2–4주 간격으로 주사하는데 치료율과 재발률에 대한 논란에도 불구하고 켈로이드에는 가장 효과적인 단독치료로 알려져 있다.

2. 피부박피술

피부박피술이란 피부 표면에서부터 목표하는 만큼의 표피와 진피 천층부를 제거하여 자연 치유되게 함으로써 고르지 않은 피부표면을 매끈하고 편평하게 하는 술식으로 크게 기계적 박피술과 화학적 박피술로 구분된다.

1) 기계적 박피술(Dermabrasion)

기계적 박피술은 화학적 박피술에 비해 박피 깊이의 조절이 비교적 용이하며 치유가 빠르고, 통증 기간이 짧으며, 유색인종에서 탈색소화(depigmentation)가 적게 발생하는 장점이 있다. 상처치유는 상처 속에 남아 있는 피부부속기에서 시작되기 때문에 피지선(sebaceous gland)이나 모지선(pilosebaceous gland) 등의 피부부속기가 풍부하게 존재하는 얼굴은 기계적 박피술의 가장 좋은 대상이 된다.

수술 전 처치로 피부를 차갑게 하면 피부가 단단해지고 시술 중 전달되는 열이 적어져 균일한 깊이로 시술이 가능하다. 다이아몬드 버(diamond–impregnated bur)나 와어어 브러시(wire brush) 등의 기구를 사용하여 피부표면에 수직이 되도록 전후 또는 원형으로 적용한다. 일반적으로 와이어 브러시가 피부를 더 깊이 갈아내기 때문에 다이아몬드 버에 비해 효과는 좋지만 합병증 가능성이 높다. 박피 깊이가 중요한데 박피술 시 색깔이 옅어지면 표피층의 기저층을 통과했다는 표시가 되고, 진피의 얕은 유두층(superficial papillary layer)에 이르게 되면 여러 개의 모세혈관들이 관찰되면서 점상출혈이 발생하는데 이때가 적정 깊이에 도달한 것으로 부분층 피부이식 공여부의 출혈 양상과 비슷하다. 너무 얕게 박피하면 색소가 침착되고 진피의 깊은 망상층(deep reticular layer)보다 깊게 박피하면 비후성 흉터가 발생하므로 주의하여야 한다.

수술 후 수술부위는 생리식염수로 충분히 세척하고 1:100,000 에피네프린이 포함된 리도카인을 적신 거즈로 지혈시키면서 통증을 줄여준다. 수술 후 관리는 바세린이나 항생제 연고만을 바르고 수술부위를 열어두는 개방처치법과 듀오덤(duoderm) 등으로 덮고 딱지가 떨어질 때까지 기다리는 폐쇄처치법이 있으나 그 결과에는 큰 차이가 없다. 개방처치법 시에도 연고를 계속 도포하여 피부가 건조되지 않도록 한다. 정상적인 피부로 돌아오는데 약 한 달 정도가 걸리지만 수술 후 일주일부터는 자외선 차단제를 사용하면서 일상생활을 해도 된다.

추가적으로 기계적 박피술은 피부를 갈아내는 작업으로 필연적으로 분진이 발생하므로 시술 시 개인보호장비를 포함, 이에 대한 철저한 대비가 필요하다. 기계적 박피술 후 합병증으로는 수술 후 감염, 피부색조 이상, 홍반, 여드름 재발, 비립종(milia) 등을 들 수 있다.

2) 화학적 박피술(Chemical peeling)

화학적 박피술이란 화학적 박피제를 이용하여 표피와 진피에 화학적 손상을 주어 피부병변을 제거하고 피부의 질을 향상시키는 방법이다. 기미, 주근깨, 검버섯, 과색소화 등의 색소성 피부이상, 표재성 주름, 흉터, 광노화 및 여드름 흉터 등이 화학적 박피술의 좋은 적응증이다. 화학적 박피술은 화학적 박피제들이 침투되는 피부 깊이에 따라 일반적으로 얕은 층 박피, 중간층 박피, 깊은 층 박피, 세 가지로 분류하는데 얕은 층 박피술에는 glycolic acid, α–hydroxy acid와 salicylic acid, 그리고 10–20% tricholoacetic acid (TCA)가 주로 사용되고 중간층 박피술에는 보다 농도가 높은 30–40% TCA나 70% glycolic acid와 35% TCA의 혼합제제를 사용한다. 그리고 깊은 층 박피술에는 주로

phenol 또는 phenol을 주성분으로 하는 복합제제를 사용하는데 수술 후 통증이 심하고 합병증 가능성도 높아지므로 시술 시 신중을 기해야 한다.

얕은 층 화학적 박피술 중 glycolic acid를 이용한 박피술은 짧은 회복시간에 미용적 효과가 크고 합병증 발생이 적어 가장 효과적인 시술로 알려져 있다. 시술 부위에 상처나 염증이 있는지 먼저 확인하고 알코올이 포함된 세안용액으로 안면 피부의 미세한 각질을 제거한다. 50% 또는 70%의 glycolic acid를 거즈나 큰 면봉으로 얼굴 전체에 고르게 바른다. 피부에 바른 후 시간에 따라서 침투 깊이가 결정되는데 여드름 흉터 치료 시에는 50%의 glycolic acid를 약 1–2분 정도, 기미 제거 시에는 약 2–4분 정도, 주름 제거 시에는 70% glycolic acid를 약 4–8분 정도 적용한 후 중탄산염(sodium bicarbonate)으로 중화시킨 뒤 차가운 물을 분무하여 통증을 완화시킨다. 필요하면 2–4주 간격으로 박피술을 반복할 수도 있다.

TCA를 이용한 박피술은 glycolic acid를 이용한 박피술에 비해 좀 더 깊은 박피가 필요할 경우 사용되는데 역시 알코올이나 아세톤으로 피부의 각질과 피지를 제거하고 TCA를 거즈에 충분히 적신 다음 잘 짜서 얼굴에 적용한다. 바르는 횟수와 압력에 따라 박피의 깊이가 달라지므로 얼굴 전체에 가볍고 균일하게 바른다. 일반적으로 TCA 적용 후 30초 이내에 피부의 표피층과 진피층 단백질이 분해되면서 피부가 서리가 내린 것 같이 하얗게 되는 서리화(frosting)가 나타나고 2–3분 후에 최대가 된다. 이러한 서리화가 분홍색을 띠고 투명하다면 TCA가 표피와 진피의 경계부까지, 서리화가 하얗고 불투명하다면 진피의 얕은 유두층까지 침투하였음을 의미한다. 그러나 회색의 서리화는 TCA가 진피의 깊은 망상층까지 침투한 상태로, 너무 깊은 박리를 의미하므로 주의하여야 한다. TCA는 별도의 작업 없이 스스로 중화되고 서리화가 약 1시간 후에 사라지면서 시술 부위가 검붉어진다. 약 3일 정도가 지나면 붓기가 가라앉고 갈색의 딱지가 형성된다. 약 5–7일 후 입 주위를 중심으로 차츰 딱지가 저절로 떨어지는데 이 시기에는 가벼운 세안은 가능하지만 일부러 딱지를 떼어내서는 안 된다. 세안 후 보습크림을 바르고 자외선 차단제도 충분히 발라준다.

화학적 박피술의 합병증으로는 술후 감염, 탈색소화나 과색소화, 비후성 흉터 등이 대표적이다. 그리고 특히 중간층 화학적 박피술의 경우 단순포진이 박피 후 활성화되어 재발할 가능성이 있으므로 예방적으로 항바이러스제제를 투여하는 것도 추천한다.

VI. 지방이식술

1893년 Gustav Neuber에 의해 처음 시도된 지방이식은 기능의 회복 또는 심미 증진을 위하여 여러 사람들이 이식 또는 주입을 시도하였으나 주입된 지방이 대부분 흡수되거나 낭종을 형성하거나 또는 섬유조직으로 대체되는 결과를 보이는 등 예측할 수 없는 결과를 초래하여 한동안 기피하는 술식이 되었다. 주입된 지방의 흡수를 줄여보려는 다양한 술식이 시도되었으나 큰 성과를 얻지 못한 상태에서 1997년 Sidney Coleman이 지방 채취 시 충격을 최소화하고 지방세포의 손상을 적게 하는 술식을 개발하였다.

Coleman은 지방 주입이 성공적으로 되기 위한 요소로 ① 작은 음압으로 지방 채취 ② 원심분리기를 이용하여 순수지방 분리 ③ 이식할 부위에 여러 군데 터널링하여 소량의 지방이 넓은 수혜부 조직과 접촉하도록 함을 주장하였다.

1. 지방의 채취(그림 18-53)

① 복부, 바깥 허벅지, 둔부가 좋은 지방 공여부로 이용된다. 시술하기에는 복부가 편하다.
② Stab incision을 주고 끝이 뭉툭한 캐뉼라를 이용하여 Tumescent 용액(생리식염수 1 L, 2% 리도카인 50 mL, 1 mg/mL 에피네프린 1 mL 혼합)을 주입한다.
③ 직경 3 mm의 흡인용 캐뉼라와 10 cc Luer-lock syringe를 이용하여 필요한 만큼의 지방을 채취한다(악안면부의 심미증진을 위한 경우 50 cc면 충분함).

2. 지방 분리(그림 18-54, 55)

10 cc syringe에 담아 원심분리기에 넣고 1,200 rpm에서 3분 돌리면 세 개의 층으로 분리된다. 가장 상층은 파괴된 지방세포에서 나온 오일, 중층은 이식에 사용될 지방세포, 하층은 Tumescent 용액, 혈액 등이다. 상하층의 물질을 제거하고 중층의 정제된 지방을 1 cc syringe에 옮긴다.

3. 지방 주입(그림 18-56)

① 원하는 부위에 미리 Tumescent 법으로 마취를 한다.
② 주입 부위에 No.11 blade로 작은 구멍을 낸 후 터널링한다.
③ 1 cc syringe에 18 G 주입용 캐뉼라를 연결하여 터널링한 부위 끝까지 밀어넣고 캐뉼라를 빼면서 아주 소량씩 천천히 주입한다.

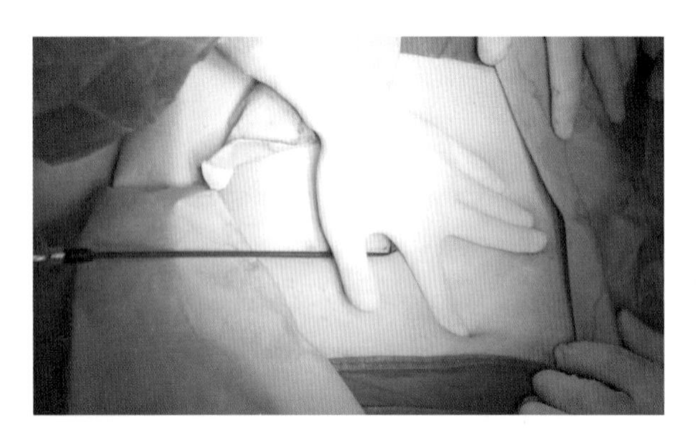

그림 18-53 복부에서 지방 흡입.

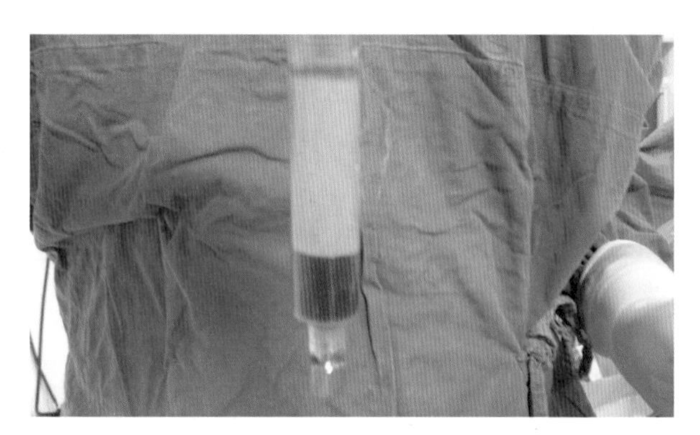

그림 18-54 흡입한 지방을 원심분리한 후의 모습. 가운데 노란 층이 순수한 지방.

그림 18-55 원심분리한 지방을 1 cc syringe로 전달.

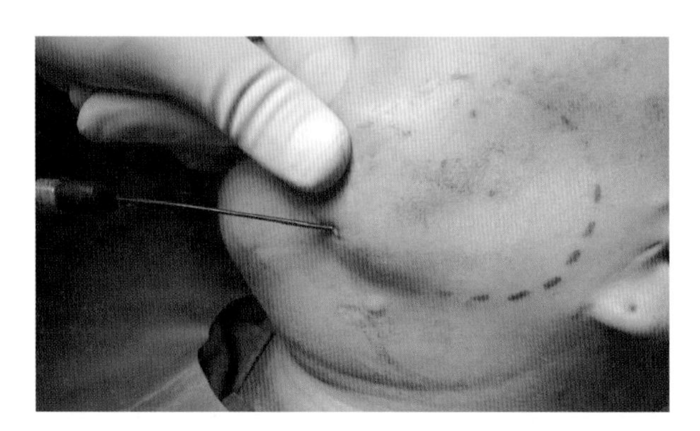

그림 18-56 협부 연조직 결손부에 지방을 이식.

4. 적응증 및 증례(그림 18-57, 58)

나이가 듦에 따라 과도한 체중조절, 과도한 안면골 축소 수술 등으로 피하지방층 감소, 안면근육 위축, 골격 변화 등에 따른 연조직 볼륨의 감소가 올 수 있으며 이런 연조직 볼륨의 감소는 입, 빰, 턱 주위의 피부의 탄력을 잃게 하여 더 나이들어 보이는 얼굴을 갖게 만든다. 안면의 볼륨감 증진을 위한 재료로 자가지방이식이 인공 필러에 비해 면역학적으로 우수하며 이물감도 더 적다.

자가지방 이식은 반안면왜소증에서의 함몰부위, 기관절제술 후 상처, 구순열 수술 후 상순 심미 개선을 위해 이용될 수 있으며 구개범인두기능부전(velo-pharyngeal insufficiency, VPI) 환자의 발음개선에도 이용될 수 있다.

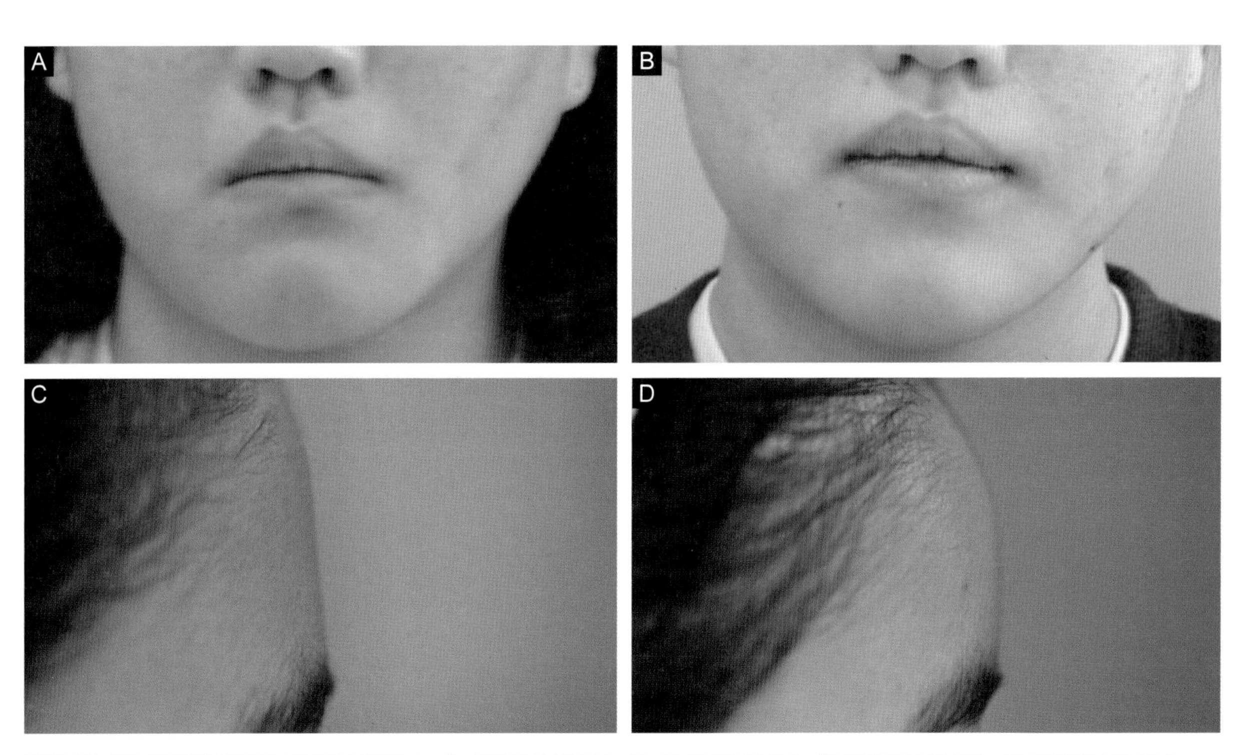

그림 18-57 협부와 전두부 지방이식증례 1. A: 지방이식 전 모습 B: 지방이식 후 모습 C: 지방이식 전 모습 D: 지방이식 후 모습.

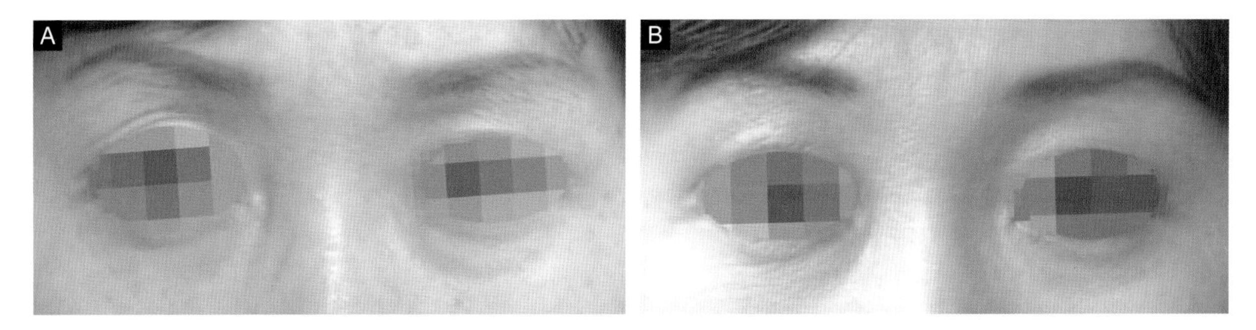

그림 18-58 상안검 지방이식증례 2. A: 지방이식 전 B: 지방이식 후.

5. 합병증

외과적 합병증으로 부종, 감염, 피하출혈 등이 있고 주입 절개부의 과색소침착이나 흉터도 발생할 수 있다. 지방조직 색전에 의한 중심부 동맥폐쇄는 조직허혈을 일으킬 수 있는 심각한 합병증이다. 이를 방지하기 위하여는 에피네프린의 말초혈관 수축효과를 충분히 볼 수 있게 하고 끝이 뭉툭한 캐뉼라를 사용하며 한 부위에 주입량을 적게 하고 힘을 주어 주입하지 않도록 하여 색전증이 생기지 않게 한다.

심미적 합병증으로는 불충분한 교정과 과교정, 울퉁불퉁함, 덩어리 느낌을 들 수 있다.

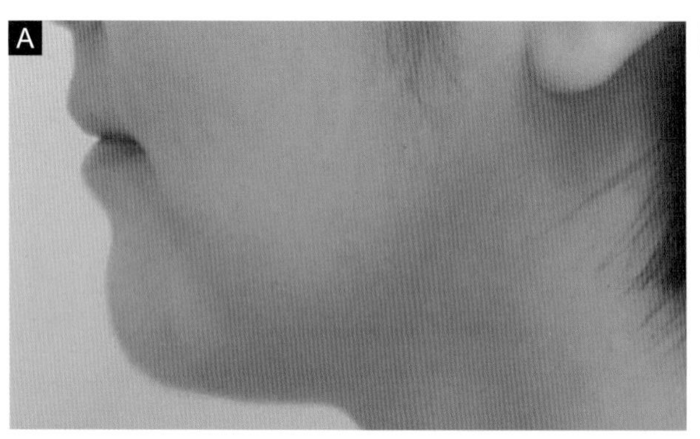

그림 18-59 **턱밑지방제거술 증례.** A: 시술 전 B: 시술 후.

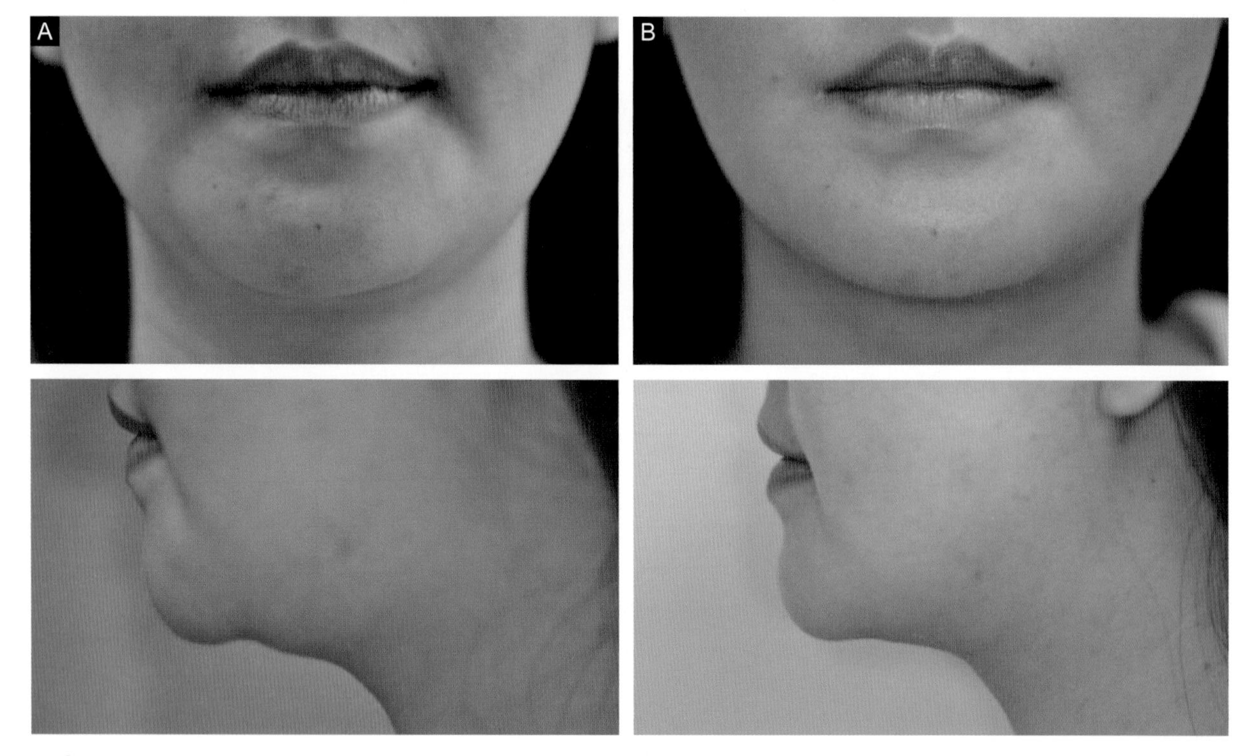

그림 18-60 **턱밑지방제거술 증례.** A: 시술 전 B: 시술 후.

6. 턱밑지방제거술(그림 18-59, 60)

하악전돌 수술 후 하악골이 후방으로 이동함에 따라 턱 아래 연조직이 뭉쳐서 이중턱이 생기기 쉽다. 턱수술과는 상관없이 턱밑지방층이 두껍거나 살이 쳐진 경우에도 이중턱이 생겨 나이들어 보일 수도 있고 얼굴이 커 보여 비심미적인 경우가 많다.

이중턱을 감소 또는 제거하기 위하여 지방흡입술(그림 18-61)이나 안면, 경부거상술(face and neck lift)을 고려해 볼 수도 있으나 지방흡입술은 턱밑지방 제거에 효과적이지 않으며 안면, 경부거상술은 수술이 광범위해지는 단점이 있다. 턱밑지방 제거에는 술식이 비교적 쉬운 레이저를 이용한 지방용해술이 권장된다.

레이저 지방융해술은 지방에 흡수가 잘되는 1064, 1320 또는 1444 nm의 파장을 가진 레이저를 지방층에 적용함으로써 지방세포를 파괴하여 액화하는 술식이다. 액화된 지방은 주사기를 이용하여 흡입해내고 조직에 남아있는 액화지방은 림프시스템에 의해 흡수된다. 없어진 지방층의 치유과정이 진행됨에 따라 상부 피부조직의 콜라겐이 수축하여 피부의 탄력도 증가하게 된다.

레이저 지방융해술은 Tumescent 용액을 이용한 국소마취로 가능하며 시술 후 곧 일상생활을 할 수 있다. 이중턱의 축소 및 피부가 탱탱해지는 효과는 시술 1주일 후부터 6개월에 걸쳐 서서히 나타나기도 한다.

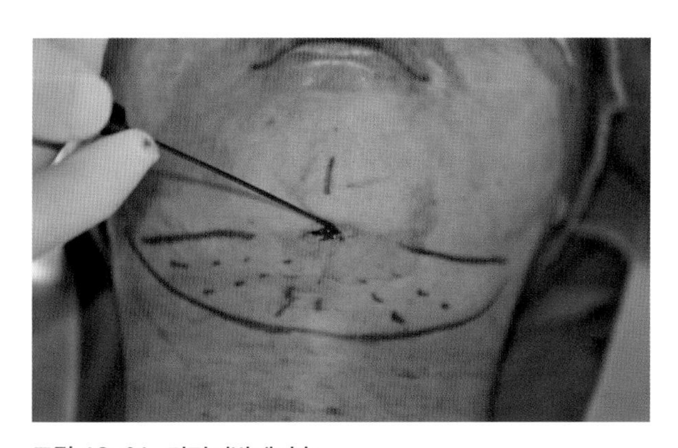

그림 18-61 턱밑지방제거술.

Ⅶ. 레이저를 이용한 수술 및 성형술

최근 최소침습수술(minimally invasive surgery)이 대두되면서 레이저(light amplification stimulated emission radiation, LASER)를 이용한 치료법은 매우 안정적이고 효과적인 수술법으로 자리 잡고 있다. 레이저를 이용하면 수술도(scalpel)나 전기소작기(electrocautery)를 이용하는 것보다 훨씬 더 정밀한 시술이 가능하며 주변조직 손상도 적기 때문이다. 초기에는 레이저 치료장비의 크기가 컸기 때문에 사용이 번거로웠으나 최근에는 장비가 충분히 작아지고 쉽게 이동시킬 수 있기 때문에 외래에서 수술을 하거나 구강악안면부위 시술을 할 때에도 보다 손쉽게 사용할 수 있게 되었다. 또한 새로운 레이저기기와 기법들이 계속적으로 개발되어 향후에도 구강악안면분야에서 획기적인 발전이 예상되고 있다.

1. 레이저의 정의

레이저(LASER)란 Light Amplification by Stimulation Emission of Radiation, 즉 복사에너지(방사선)의 유도방출에 의한 광증폭을 의미한다.

2. 파장에 따른 레이저의 분류(그림 18-62)

각 파장대별로 레이저의 특성이 달라진다. 즉 조직에의 흡수와 반응이 달라지게 된다. 그러므로 원칙적으로는 사용 목적(연조직 절제, 경조직 삭제, 색소제거, 조직재생, 통증완화 등)에 따라 각기 다른 파장대의 레이저를 사용하여야 한다. 현재 치과에서 사용되고 있는 다양한 종류의 레이저에 대해 각 파장대별 흡수계수(absorption coefficient), 사용되는 활성매질, 레이저의 중요 적용물질 등을 숙지해야 한다.

3. 레이저와 조직의 상호작용(그림 18-63)

레이저는 반사, 통과, 흡수, 산란 등의 작용이 일어나는데 주로 흡수에 의해 조직 반응이 일어난다. 모든 파장의 레이저광은 생체조직에 입사되어 흡수된 경우, 매우 낮은 출력에서는 세포의 파괴 없이 특정한 화학적 반응과 신신대사 반응을 일으켜 통증치료, 항염증치료 및 생체자극요법에 이용되며, 높은 출력에서는 조직의 온도를 높여 열파괴를 유발할 수 있다. 매우 높은 출력에서는 열파괴 작용이 발생하기 전에 비열적, 기계적 파괴가 일어난다. 레이저가 조직에 흡수되는데 영향을 끼치는 요인으로는 조직의 수분, 색소, 조직구성성분, 레이저의 파장 등이 있다.

4. 레이저 치료의 효과

1) 지혈(Hemostasis)

레이저 광이 헤모글로빈(hemoglobin)을 표적으로 직접 작용하거나 또는 미세혈관을 폐쇄시켜 외과적 술식을 출혈 없이 혹은 최소한의 출혈로 진행할 수 있다. 이러한 충분한 지혈효과로 인해 시야확보가 용이하여 수술의 정밀도(precision)를 높여주고, 주변조직에 대한 손상이 적어서 향후 조직의 괴사나 퇴축을 감소시킨다.

2) 진통효과(Analgesia)

진통 효과에 관한 정확한 기전은 아직 연구 중이나, 신경섬유의 신경전달을 일시적으로 차단함으로써 나타나는 것으로 알려져 있으며, 이외에 베타 엔도르핀(β-endorphin)과 같은 신경전달물질의 분비를 촉진시키거나, 프로스타글란딘(prostaglandin)과 같은 통증전달물질의 분비를 감소시켜 진통효과를 나타내기도 한다. 이러한 진통효과로 시술을 위한 마취의 필요성을 줄일 수 있으며, 이러한 점은 환자에게 중요한 장점이 될 수 있다.

3) 살균효과(Bactericidal effect)

레이저 조사부위의 세균감소 효과가 보고되고 있으며, 이러한 효과는 시술부위의 염증을 감소시켜 치유를 촉진시킬 수 있고, 잠재적인 혈행성 감염의 위험을 줄여 술후 감염이나 균혈증에 대한 예방효과를 기대할 수 있다.

4) 창상치유(Wound healing)

저출력 레이저치료에 의한 생체자극 효과(bio-stimulation effect)와 레이저 광의 세균감소 효과로 인해 상처부위의 치유가 촉진된다.

5. 치과에서 사용하는 레이저의 종류 및 레이저의 적용

레이저는 사용되는 레이저의 활성매질에 따라 이름이 명명되며, 각기 고유의 파장을 지닌다(그림 18-64). 치과 영역에서 사용되는 레이저의 파장은 대부분 가시광선과 적외선 영역에 속하며, 여기에는 아르곤(Ar), 헬륨네온(He-Ne), 다이오드(AlGa, AlGaAs), 엔디야그(Nd:YAG), 홀뮴야그(Ho:YAG), 어븀크롬 YSGG(Er,Cr:YSGG), 어븀야그(Er:YAG), 이산화탄소(CO_2) 레이저 등이 있다

1) 이산화탄소(CO_2) 레이저

이산화탄소 레이저는 치과에서 가장 오랫동안 사용되고 있는 레이저 중 하나로 10600 nm 파장의 원적외선 영역에 속하는 기체 레이저로서, 물과 교원질, 수산화인회석(hydroxyapatite)에 흡수가 잘된다. 접힘팔이나 파도관을 통하여 레이저 광의 전달이 가능하며, 방출 방식은 연속파와 개폐형 펄스이다. 레이저 적용방식에서 이산화탄소 레이저는 대표적인 비접촉형으로, 정초점 방식(focusing)과 탈초점 방식(defocusing)을 모두 사용할 수 있다. 접힘팔 형태는 구강내의 병소에 접근하고 시술하기에 불편한 점이 많았지만, 최근에는

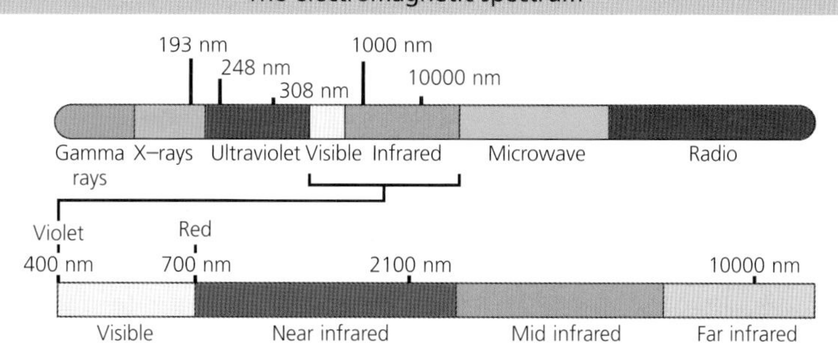

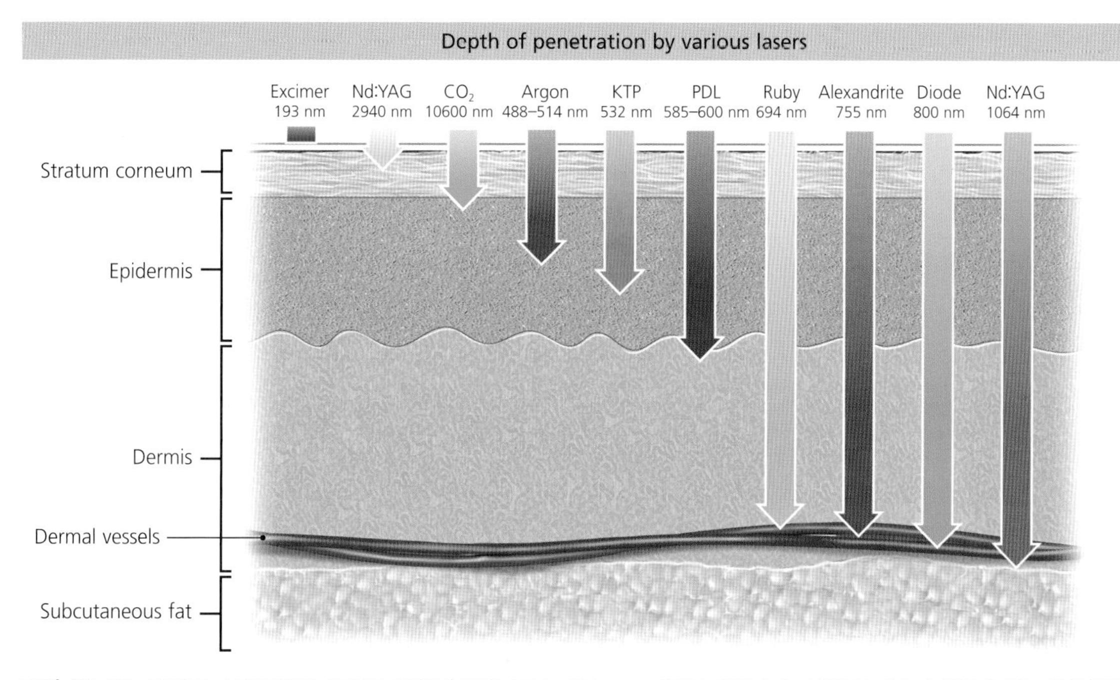

그림 18-62 전자기 스펙트럼에 표시된 레이저 파장. 500–800 nm 파장의 레이저가 가시성이 있으며 색깔이 있는 빛을 발하며 그 외의 파장은 비가시성을 띤다.

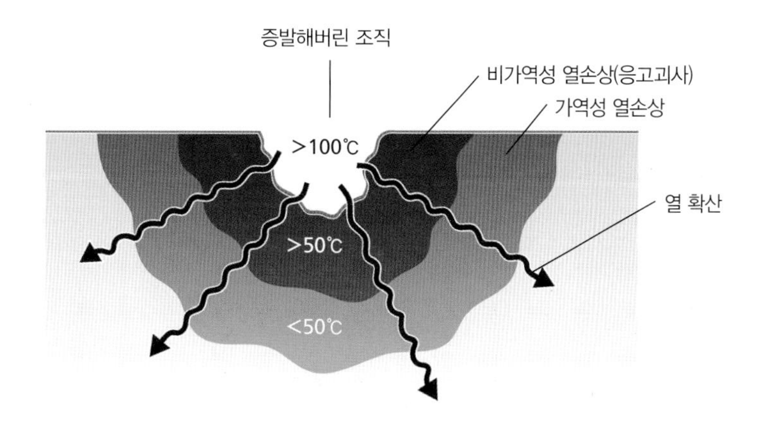

그림 18-63 100℃ 이상에서는 조직이 증발해버리고 50–100℃ 사이에서는 대부분의 조직이 비가역성 응고괴사, 50℃이하에서는 조직이 가역성 손상된다.

파도관 전달계를 장착한 레이저장비가 나와서 구강 모든 부위에 쉽게 접근할 수 있게 되었다.

이산화탄소 레이저는 구강 연조직의 절제 또는 절개에 주로 사용되며, 평균출력 설정은 대부분 4–6W이다. 또한 탈초점 방식으로 2–3W의 낮은 출력을 적용하여, 조직을 응고 표백시켜 하부조직과 분리시킴으로써 넓고 얕은 연조직 표층부 병소를 완전히 박리해내는 데에도 매우 효과적이다(그림 18-65). 이산화탄소 레이저는 조직에 대한 직접적인 열자극을 통한 지혈효과와 절개능력이 뛰어나 치은절제술(gingivectomy), 치은성형술(gingivoplasty), 소대절제술(frenectomy), 임플란트 이차수술(second–stage implant surgery), 레이저 박피술(laser peel), 구강 점막병소에 대한 저출력 레이저요법 등 구강 연조직 치료에는 매우 효과적이나

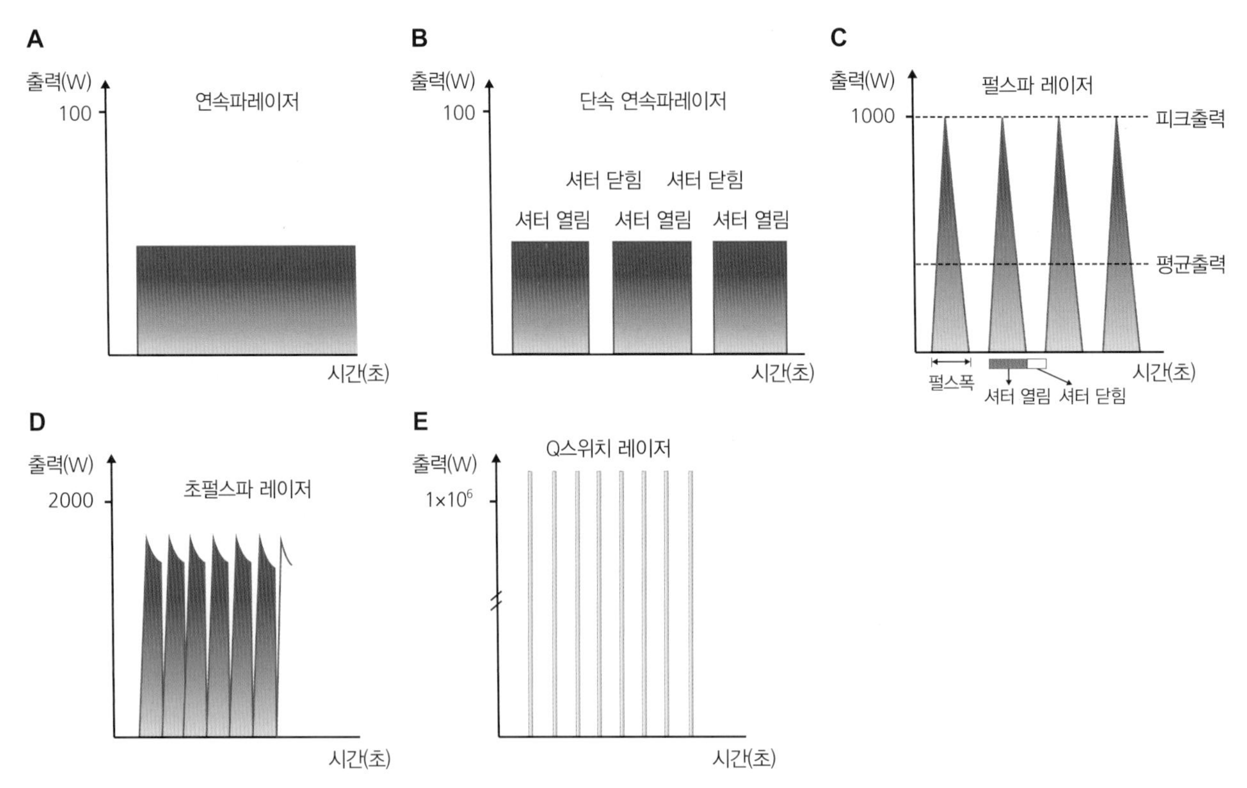

그림 18-64 레이저 빔의 유형(연속파, 단속 연속파, 펄스파, 초펄스파).

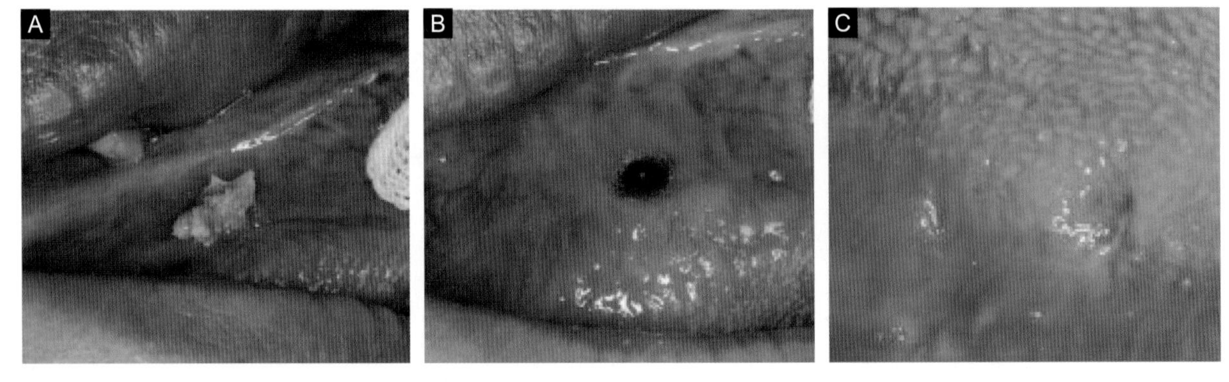

그림 18-65 CO_2 레이저를 이용한 혀의 병소 절제 생검. A: 혀의 측면 병소 B: 병소 절제 직후 C: 수술 후.

치아삭제 등 경조직 관련 치료에는 거의 사용되지 못하고 있는 것이 한계이다. 이산화탄소 레이저는 국산화와 함께 장비의 가격이 매우 저렴해짐으로써 치과에서 보편적인 레이저가 되어가고 있다.

2) 엔디야그(Nd:YAG) 레이저

엔디야그(Nd:YAG) (Neodymium doped Yttrium Aluminum Garnet) 레이저는 1064 nm 파장의 근적외선 영역의 고체레이저로서, 멜라닌 색소에 흡수가 잘 되며, 헤모글로빈과 같은 어두운 색소에서도 높은 흡수도를 보인다(그림 18-66). 물, 상아질(dentin) 등에는 약하게 흡수되며, 조직에 포함된 수분에 대한 흡수도가 매우 낮기 때문에 조직에 조사하면 레이저 에너지가 수 mm 깊이로 멀리 전달된다. 엔디야그 레이저의 활성매질은 소량의 neodymium (Nd) 성분이 균일하게 도포된 yttrium aluminum garnet (YAG) 결정체이며, 발생된 레이저 광의 전달시스템으로서 광섬유를 사용한다. 광섬유를 이용한 전달시스템은 원하는 부위에 접근성이 용이하며, 접촉식 레이저 조사가 가능하다. 광섬유를 이용하여 접촉식으로 사용되는 레이저는 가는 광섬유 첨단에 의해 세밀하게 연조직을 절개할 수 있으며, Hot-tip fiber effect를 이용하여 연조직 절개 및 소산이 가능하다. 이는 광섬유 첨단에서 발생된 고열에 의한 효과로 레이저의 파장별 특성과는 무관하다.

엔디야그 레이저는 연조직에서는 조직생검(biopsy), 치은연하소파(subgingival curettage), 치은판절제술(operculectomy), 치은절제술, 소대절제술, 아프타성 궤양 등에 적용하며, 경조직에는 지각과민처치(desensitization), 치면열구처치(pit and fissure therapy), 초기 우식증의 제거, 근관치료에서 치수절제 및 근관소독에 사용할 수 있고, 근관충전에도 응용할 수 있다. 그러나 현재 경조직에는 어븀야그(Er:YAG) 레이저와 같은 경조직용 레이저를 사용하는 것이 보다 보편화되어 있다.

3) 어븀야그(Er:YAG) 레이저

어븀야그(Er:YAG) (Erbium doped Yttrium Aluminum Garnet) 레이저는 2940nm 파장의 근적외선 영역의 고체레이저로서, 물과 수산화인회석, 콜라겐(collagen)에 흡수가 잘 되며, 접힘팔 형태나 광섬유로 전달된다.

어븀야그 계열 레이저의 치아삭제 기전은 미세폭발(microexplosion)과 음파충격(acoustic shock)이며, 미세폭발이 90%, 음파충격이 10% 정도의 역할을 한다. 어븀야그 레이저와 어븀크롬YSGG 레이저는 특히 수분에 잘 흡수되어 레이저가 조직내 수분에 집중적으로 흡수되어 온도를 급상승시켜 기화되게 함으로써 그 압력에 의해 폭발이 일어나게 되며 이러한 조직내 미세폭발에 의해 조직이 절제된다. 이외에도 수분에 레이저가 흡수되면 물 내부에 음파가 발생되고 그 음파의

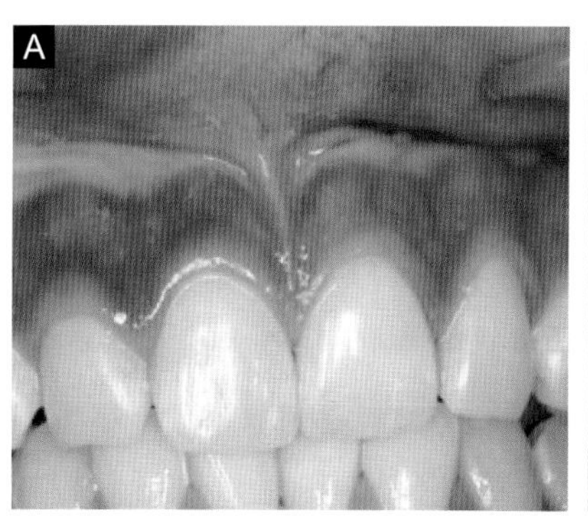

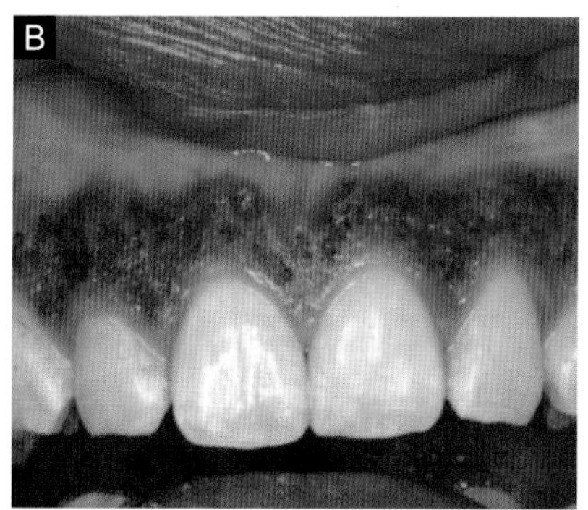

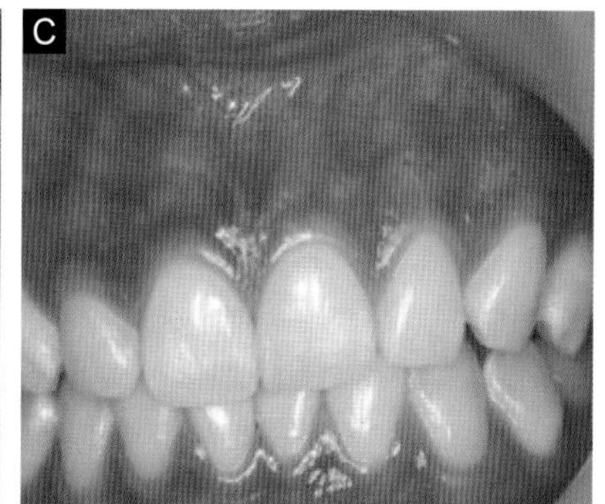

그림 18-66 Nd YAG 레이저를 이용한 치은의 멜라닌성 착색 제거.
A: 치은의 착색 병소 B: 레이저조사 직후 C: 수술 후.

충격에 의해 조직이 파괴되기도 한다. 이와 같은 미세 폭발이나 음파충격으로 인한 조직의 절제는 조직이 용융되기 전에 발생하는 것이므로 열에 의한 손상이 적고 깨끗하게 절제된다는 장점이 있다.

어븀야그 레이저는 치아우식 제거뿐만 아니라 법랑질의 삭제도 가능하며, 골의 삭제 및 연조직 수술 등에도 적용된다. 치아우식 제거, 법랑질 삭제, 골삭제의 경우 열적 손상이 적은 장점을 가지고 있는 반면 물과 함께 사용하므로 연조직 수술 시 지혈 효과가 적다.

4) 어븀크롬YSGG(Er,Cr:YSGG) 레이저

어븀크롬YSGG (Er,Cr:YSGG) (Erbium, Chromium doped Yttrium Scandium Gallium Garnet) 레이저는 2780 nm 파장의 고체레이저로서 물과 수산화인회석에 흡수가 잘 된다. 펄스방식으로 조사되며 물과 공기의 분사와 함께 사용된다.

어븀크롬YSGG 레이저는 연조직 수술뿐만 아니라 법랑질, 상아질, 골을 삭제하는 데 효과가 있다. 어븀크롬YSGG 레이저의 치아삭제 기전은 어븀야그 레이저의 삭제기전과 기본적으로 같으며 삭제효율도 비슷하다. 물을 분사하면서 사용하면 치아의 경조직에 조사해도 온도가 올라가지 않고 절삭능력이 우수하다. 또한 어븀크롬YSGG 레이저는 다른 레이저에 비해 임플란트 표면에 적용 시 열손상이 적고 오염물질 제거에 효과가 탁월한 것으로 보고되고 있다(그림 18-67).

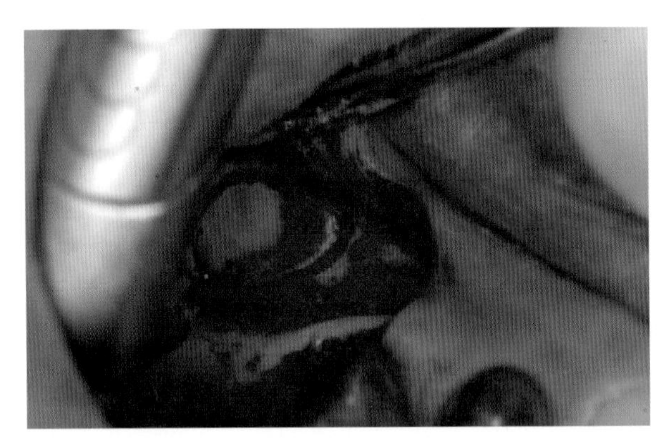

그림 18-67 Er Cr YSGG 레이저를 이용한 상악동 window opening 형성.

5) 다이오드(Diode) 레이저

812-980 nm 파장의 근적외선 영역의 고체레이저로, 멜라닌 색소, 물, 헤모글로빈에 흡수가 잘 된다. 광섬유로 전달되며 연속파 또는 펄스방식이다. GaAs 레이저(904nm), GaAlAs 레이저(780-820-870 nm), InGaAlP 레이저(630-685 nm) 등이 있으며 상처치유 시간이 단축되고 잇몸조직을 정밀하게 절단할 수 있는 장점이 있어 연조직 수술 시 이용되며 통증감소, 상처치유 촉진, 환자의 항염증반응 촉진과 같은 장점이 있어 치은염이나 치주질환 치료에 광범위하게 사용된다

6. 구강악안면영역에서 레이저의 사용증례

구강악안면외과 영역에서 레이저는 수술도의 대용으로 많이 이용된다. 레이저는 수술도로 할 수 있는 모든 구강내 시술, 즉 절개 또는 절제 생검, 양성 및 악성 종양의 절제술, 치주조직피판 형성을 위한 절개를 위해 사용할 수 있다.

또한 구강점막에 발생한 편평태선(lichen planus)의 제거나 백반증(leukoplakia)과 같은 전암병소의 제거에 효과적으로 사용할 수 있으며 안면부에서 피부박피술(laser peeling, resurfacing), 주름살 제거술, 여드름흉터 제거술, 피부 모반, 비후성 반흔, 수두에 의한 흉터, 등의 치료에 사용하고 있다. 그 외에도 임플란트 이차 수술 시 치은을 절개하거나 과증식된 임플란트주위조직을 절제하는 데 사용할 수 있으며 임플란트주위염의 처치에도 활용되고 있다.

악관절내장증(temporo-mandibular joint internal derangement)의 치료를 위한 악관절내시경수술에서도 수분에 흡수되는 양이 적은 비친수성의 레이저인 Ho:YAG 레이저를 사용하여 원판절제술(diskectomy), 원판성형술(discoplasty), 지혈(hemostasis), 원판후 조직수축술(posterior attachment contraction), 그리고 관절융기절제술(eminectomy) 등을 시행할 수 있다.

Ⅷ. 보톡스, 필러

1. 보툴리눔 톡신(Botulinum toxin)을 이용한 안면미용성형술

1) 보툴리눔 톡신의 개요

보툴리눔 톡신(botulinum toxin)은 햄, 소시지, 통조림 등 밀폐된 곳에서 오래 저장된 음식물에서 발견되는 *clostridium botulinum*이 분비하는 외독소로서, 임상에서는 이들 외독소 중 A형이 주로 사용되고 있다. 역사적으로 보툴리눔 톡신이 질병치료에 사용되기 시작한 것은 1973년 Alan B. Scott이 원숭이를 대상으로 한 실험에서 안구를 움직이는 근육이 지나치게 수축된 것을 보툴리눔 톡신으로 약화시킬수 있다고 보고한 이래, 1980년대에 들어 안검경련증(blepharospasm)과 사시(strabismus) 치료에 사용되었다.

상기 환자들을 치료하는 과정에서 우연하게도 치료부위에 주름개선 효과가 관찰되었으며 이후 이들 보툴리눔 톡신들이 실험적으로 미용목적으로 사용하게 되었다. 2002년 미국식품의약국(FDA)으로부터 미간주름 개선을 목적으로 사용승인을 받았으나, 현재에는 미간주름뿐만 아니라 다른 부위 주름의 개선과 기타 의학적인 목적으로도 사용되고 있다. 많은 보툴리눔 톡신 제제들이 개발되었으며, 이들 약제들은 구강악안면외과의사가 다양한 안면미용성형술에 사용할 수 있는 치료도구가 되었다.

정상적인 신경근육접합부(neuromuscular junction)의 시냅스 간극 부위에서는 아세틸콜린이 신경말단에서 유리되어 근육세포막의 수용체(receptor)에 부착됨으로써 근육 세포의 수축을 야기시킨다. 보툴리눔 톡신을 주입하는 경우 이러한 신경근육접합부로부터 아세틸콜린의 분비를 억제하고 이로 인해 해당 근육은 수축을 일으키지 못하는 마비상태가 된다. A형 보툴리눔 톡신은 일반적으로 72시간 내에 효과가 나타나며, 평균적으로 90일간 효과가 지속된다.

이러한 작용기전을 이용해 근육에 주사하였을 때 심미적인 그리고 기능적인 변화를 얻을 수 있다. A형 보툴리눔 톡신은 수의근(voluntary muscle)을 일시적으로 마비시킬 수 있기 때문에 안전한 용량의 사용과 정확한 주사 위치가 중요하다.

보툴리눔 톡신은 주름과 교근비대 외에도 안면홍조, 흉터, 피지분비, 건선 등에서도 사용된다. 보툴리눔 톡신은 혈관확장 완화를 통해 안면홍조 개선가능성이 있으며 진피내 주사는 수술 후 비후흉터를 예방할 수 있다. 피지분비 감소 또는 모공크기 감소 효과도 보고되고 있으며 건선과 다한증에 효과가 있었다는 임상결과도 보고되었다.

2) 보툴리눔 톡신을 이용한 이마주름제거술

(1) 환자 선택

보툴리눔 톡신으로 치료결과가 좋은 경우는 크게 두 가지이다. 가만히 있을 때는 주름이 없으나 이마를 올리는 움직임을 할 때만 주름이 생기는 경우와 이마 중앙부에 주름이 몰려있고 이마 하부에는 주름이 거의 없는 경우이다.

반대로, 이마를 움직이지 않아도 주름이 깊게 형성되어 있거나 주름이 이마 하단부까지 내려와 있는 경우, 눈을 뜰 때마다 눈부터 이마까지 전체가 같이 올라가는 환자들은 조심해야 한다.

(2) 시술방법

상안모에서 사용할 때에는 안검거근(levator palpebrae superioris)에 주사하여 상안검하수(upper lid ptosis)가 발생하지 않도록 주의해야 한다. 이를 위해 안와골(bony orbital rim) 상방 10 mm 이내에는 주사하지 않도록 주의해야 한다.

눈썹 상연에서 약 20–25 mm 높이를 주사자입선으로 결정한다. 자입점 간격은 20 mm로 하며 보툴리눔 톡신 A형의 경우 보통 5–6 개의 자입점에 약 2 unit 정도씩 주사한다. 너무 과도한 양을 주사하는 경우 눈썹의 외측이 올라가는 사무라이 눈썹 발생 가능성이 있으므로 주의해야 한다(그림 18-68). 전두근(frontalis muscle) 외에는 다른 근육이 없으므로 주사 깊이는 큰 상관없다.

3) 보툴리눔 톡신을 이용한 미간주름제거술

(1) 환자 선택

미간(glabella) 주름에 대하여 대부분 효과가 있으나 중년 남성들에서 정적주름이 해소되지 않는 경우가 있다. 깊은 정적주름은 추가적인 필러 주사를 통해 해결할 수 있다. 미간부위 시술만으로도 이마 동적주름 일부가 해결되는 경우가 있으므로 미간을 먼저 시술하고 경과를 본 후 이마주름시술을 고려해도 된다.

(2) 시술방법

미간주름의 경우 눈살근(procerus muscle)과 눈썹주름근(corrugator supercilii muscle) 부위와 연관이 있으며 특히 눈썹주름근 부위는 개인차가 크다. Procerus는 가운데 1 부위만 2.5 unit 주사해도 가능하나 corrugator는 최소 양측 2 부위 각각 3 unit씩 주사하며 근육긴장도가 큰 경우 외측상방 양측 두 부위에 각각 2 unit씩 추가적인 주사를 할 수 있다. 고령환자 또는 과거 안검하수 이력이 있는 환자의 경우 corrugator 부위는 안전하게 2 부위만 주사하는 것을 추천한다(그림 18-69).

4) 보툴리눔 톡신을 이용한 눈가주름제거술

(1) 환자 선택

보툴리눔 톡신으로 눈가주름제거술 결과가 좋은 경우는 크게 두 가지이다. 크게 웃을 때에만 주름이 나타나는 동적 주름만 있는 경우와 3-4줄의 까마귀발(crow's feet) 모양 주름선만 보이는 경우이다. 하지만, 눈 주위 움직임이 중요한 직업을 가진 환자나 눈웃음이 매력인 환자의 경우 주의해야 한다.

(2) 시술방법

눈가주름의 경우 외안각 또는 안와외벽을 기준으로 자입점을 결정한다. 임상적으로 외안각에서 15 mm 외측 3 부위에 각각 2 unit 주사하는 것이 일반적이며 눈 아래 외각주름도 개선을 원할 경우 외하방부위를 추가하여 각각 1.5-2 unit, 총 4 부위를 주사하기도 한다(그림 18-70).

5) 보툴리눔 톡신을 이용한 과도한 잇몸노출 개선

(1) 환자 선택

웃을 때 잇몸이 3 mm 이상 노출될 경우 잇몸노출증으로 볼 수 있다. 상악골 과성장, 치아 구조상의 문제 등으로 인해 잇몸노출증이 발생할 수도 있으며 수술적 치료 이전에 간단한 차선책으로 선택할 수 있다.

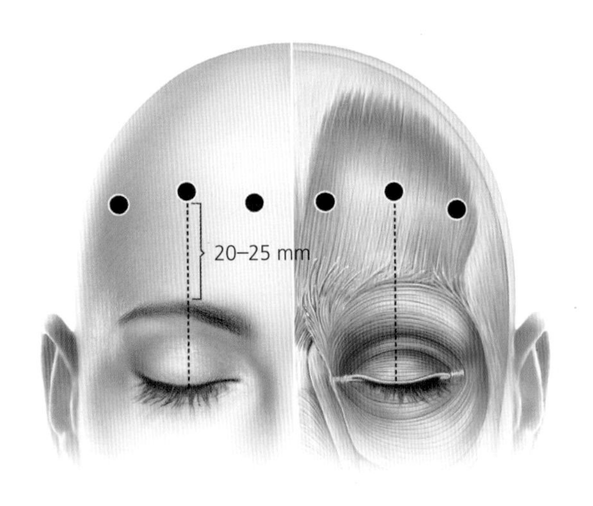

그림 18-68 이마주름제거술 주사 위치.

(2) **시술방법**

잇몸노출을 개선하기 위해서는 보툴리눔 톡신이 상순거근 하방부에 작용하게 해야 한다. 하지만, 해당 근육의 위치를 임상적으로 정확히 찾는 것은 어렵고 환자가 최대한 잇몸이 보이게 웃도록 하여 가장 근육긴장이 큰 부위에 주사를 하면 된다. 일반적으로 비익(ala of nose) 외측 10 mm 부위에 각각 1.5 unit을 주사한다(그림 18-71).

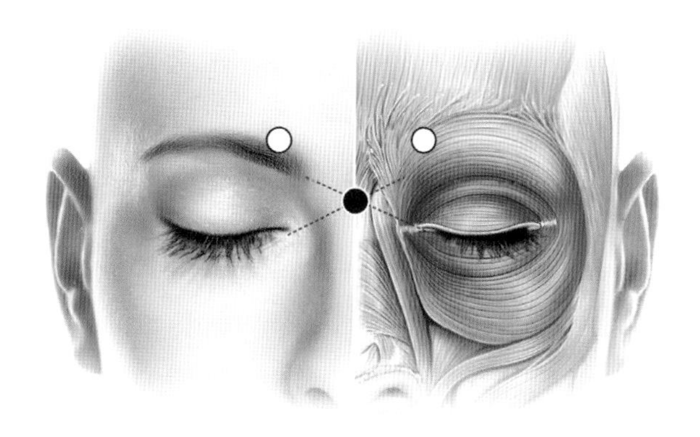

그림 18-69 미간주름제거술 주사 위치.

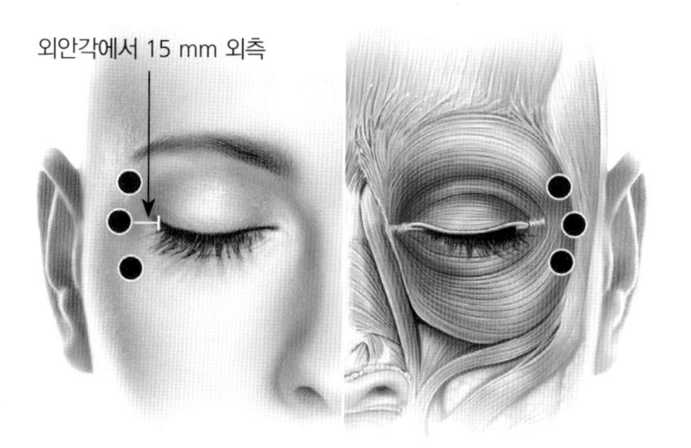

그림 18-70 눈가주름제거술 주사 위치.

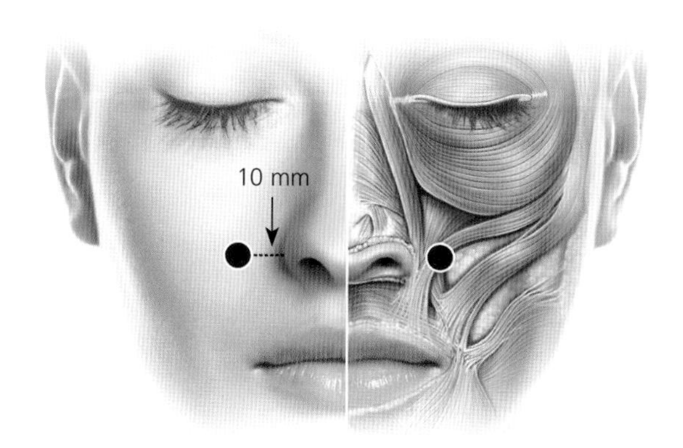

그림 18-71 잇몸노출개선 주사 위치.

6) 보툴리눔 톡신을 이용한 교근비대증 개선

일반인들에게 흔히 '사각턱'이라 불리는 교근비대증(masseter muscle hypertrophy)은 비정상적인 편측 또는 양측 교근의 비대를 말한다. 1990년대 이후 여러 임상가들에 의해 A형 보툴리눔 톡신 주사가 교근비대증 환자의 치료에 효과가 있음을 보여주고 있다. 보툴리눔 톡신을 교근에 주사하게 되면 교근의 위축을 유도하여 하안모 크기를 줄일 수 있고 근긴장도 완화시켜 교근 유래 통증을 개선시킬 수 있다.

(1) 환자 선택

임상적으로 외관상 하안모가 큰 사람 중 이악물기를 시행하였을때 과도한 교근이 촉진되는 환자가 추천된다. 반대로 교근 부피가 적거나 관골이 상대적으로 큰 경우에는 추천하지 않는다. 교근 부피가 적은 경우 보툴리눔 톡신을 주사하면 저작력이 심하게 약화될 수 있고 관골이 큰 경우 교근이 축소되면 중안모가 더욱 도드라져 보일 수 있기 때문이다.

(2) 시술방법

귓볼의 아래 경계와 입꼬리를 연결한 선, 교근의 전후방 경계로부터 10 mm 내측, 하악하연 상방 10 mm를 자입부위를 결정하는 경계선으로 한다. 양측 각각 25 unit씩, 총 50 unit의 보툴리눔 톡신을 4개의 경계선 내부에 3–4개의 자입점을 고르게 표시하고 균등하게 주사한다(그림 18-72, 73).

(3) 합병증

교근에 보툴리눔 톡신 주사 후 발생할 수 있는 합병증은 거의 없으나 주사를 맞은 당일은 격렬한 운동은 피하는 것이 좋고 자입부위의 국소적 동통이나 불편감이 생길 수 있다. 시술 후 2–3일이 지나면 딱딱하거나 질긴 음식을 씹을 때 불편을 느끼는 정도로 약간의 저작력 저하를 호소할 수 있다. 이는 주사된 톡신의 양과 관련이 있으며, 아주 딱딱한 음식을 제외하고는 저작장애는 심하지 않다. 이는 측두근과 내측익돌근이 상실된 교근의 기능을 보상하기 때문이다. 시술 후 2–3개월이 지나면 효과가 최고조에 이르게 된다. 임산부를 제외하고는 특별한 금기증은 없다.

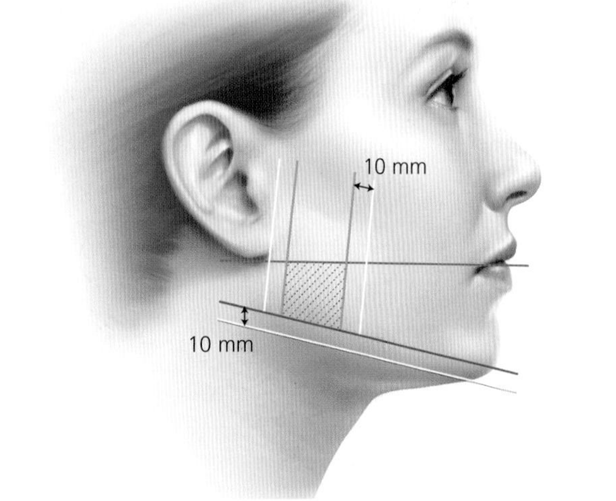

그림 18-72 교근비대증 개선을 위한 보툴리눔 톡신 주사부위. **붉은 선:** 입꼬리와 귓볼의 아랫면을 연결한 선, **녹색선:** 교근의 앞과 뒤 경계부위로부터 10 mm 안쪽을 표시한 선, **파란선:** 아래턱뼈의 아랫면으로부터 10 mm 위.

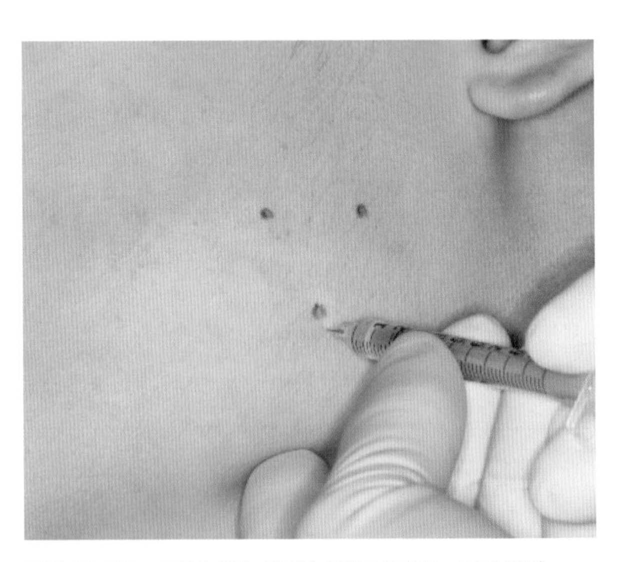

그림 18-73 교근비대증 개선을 위한 보툴리눔 톡신 주사.

2. 필러(Filler)

의학의 발달과 함께 누구나 원하는 젊음을 유지하고자 하는 꿈들이 현실화되어가고 있다. 그중 대표적인 것이 보툴리눔 독소와 필러의 사용이다. "필러(filler)"란 말 그대로 하면 채운다는 의미를 갖는데, 의학적으로는 피부의 함몰된 흉터나 주름과 같은 연조직 결손부위를 채워서 심미적 증강을 도모하는 재료를 의미한다. 필러는 나이가 들어 함몰되고, 탄력이 없는 경우에 사용하여 볼륨감을 주고, 보툴리눔 독소로 해결할 수 없는 깊은 주름이나 팔자주름(비순구; nasolabial fold) 등에 사용하여 우수한 효과를 보여준다. 젊어보이는 얼굴은 주름이 없는 얼굴뿐 아니라 3차원적으로 볼륨감이 있는 얼굴이므로 필러가 고연령층 환자의 젊어보이고자 하는 욕구를 어느 정도 해소시켜 줄 수 있게 되었다.

1) 이상적인 필러의 조건

이상적인 필러의 기준으로 생각할 수 있는 것은 우선 인체에 사용하기 위해서는 생체친화적이며 안전성이 확보되어야 한다. 또한 다루기 쉬워야 하며 얕은 주름에서부터 깊은 주름까지 모든 부분에서 적용 가능해야 하고, 심미적으로 우수해야 하며, 그 효과가 오랫동안 지속되어야 한다(표 18-1).

표 18-1 이상적인 필러의 조건

부작용 없이 안전할 것
조작하기 쉬워야 함
심미적 결과가 우수해야 함
한 번 주입으로 오래 지속
적용가능 범위가 넓어야 함
알레르기반응이 없어야 함

2) 필러의 종류 및 특성

필러의 종류는 크게 흡수성과 비흡수성 필러로 나뉘어진다. 하지만, 근래에는 비흡수성 필러 사용이 감소하여 대다수가 흡수성 필러를 사용하고 있다. 흡수성 필러 중에서는 hyaluronic acid (HA)를 cross-linking으로 액체 상태에서 젤 상태로 바꾼 HA필러가 가장 많이 사용되고 있다. Cross-linking의 정도와 방법에 따라 HA필러의 물성이 달라진다. Cross-linking 비율이 높을수록 필러가 단단해지고 점도가 올라가며 지속기간도 길어진다. 하지만 cross-linking 비율을 높이면 친수성이 감소하고 이물반응 발생 가능성이 높아질 수 있다. HA필러들은 체내 지속시간이 6개월에서 18개월 정도로 알려져 있으며 체내에 기본적으로 존재하는 hyaluronidase에 의해 자연적인 분해가 일어난다.

3) 주입방법

(1) Linear threading technique

연조직 함몰부위 혹은 주름의 중앙에 주사바늘을 끝까지 삽입한 다음 바늘을 천천히 뒤로 빼면서 필러를 주입하는 방법이다. 약 10 mm 간격으로 주사하며 주름방향으로 주사하여 전체가 하나의 긴 선을 형성하도록 하여 주름을 들어올린다. 주로 nasolabial fold 또는 입술에 필러를 주입할 때 사용한다(그림 18-74).

(2) Serial puncture technique

주름을 따라 연속적으로 주사하는 방법이다. 전체적으로 고른 연속선이 되도록 가급적 주사 사이에 공간이 생기지 않도록 한다(그림 18-75).

(3) Fan technique

Linear threading 방법을 변형한 것으로 주사바늘을 linear threading technique의 경우와 마찬가지로 원하는 부위에 끝까지 삽입하여 한 라인을 주사한 다음, 바늘을 피부에서 완전히 빼지 않고 방향을 바꾸어서 다른 방향으로 다시 삽입한 다음 주사한다. 이런 방법을 반복하여 부채살 모양이 되듯이 주사한다. 이 방법은 함몰부위가 삼각형이나 원형인 경우 필러를 주입하는 방법이다(그림 18-76).

(4) Cross hatching technique

Linear threading 방법과 마찬가지로 1회 주사 후 바늘을 피부에서 완전히 빼고 여러 번 일정한 간격으로 평행되게 필러를 주입한 후 방향을 완전히 90° 틀어서 다시 linear threading 방법을 여러 번 적용하는 방법이다. 그물망 형태로 하방에서 안정적으로 지지해주는 구조를 만들 수 있다(그림 18-77).

4) 부위별 고려사항

(1) 이마(forehead)

이마주름은 대부분 보툴리눔 독소만으로도 해결할 수 있으나 주름이 매우 깊은 경우는 필러 사용을 고

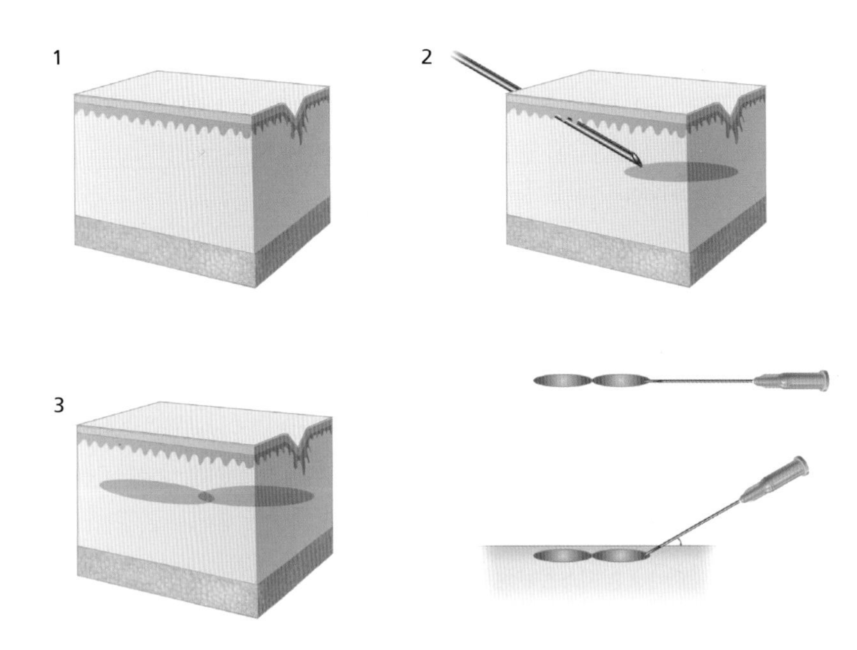

그림 18-74 Linear threading technique.

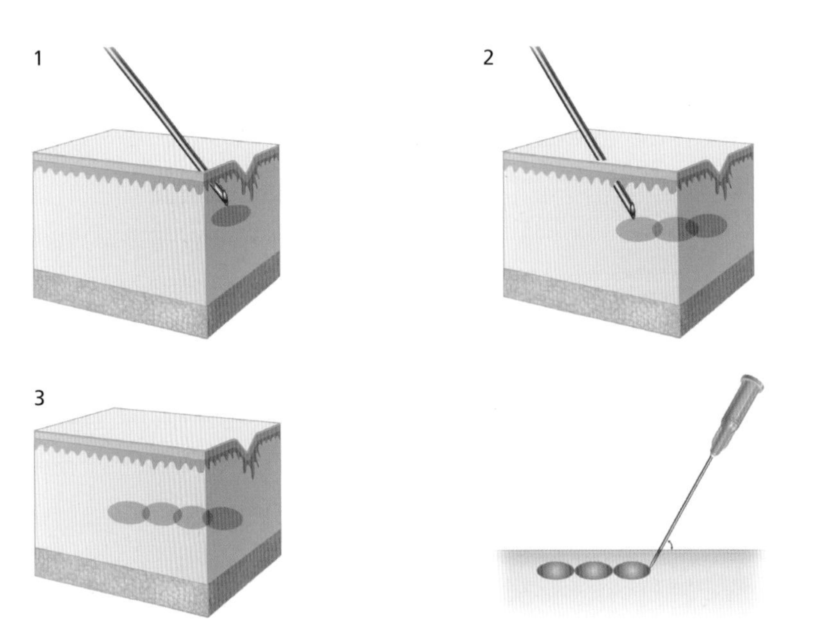

그림 18-75 Serial puncture technique.

려할 수 있다. 주입 부위는 혈관과 신경의 깊이와 주행방향을 숙지하여 안전성을 확보하고 적절한 캐뉼라(cannula) 사용을 통해 흉터를 최소화하는 방향으로 결정한다. 주입 부위는 이마 함몰부위에 따라 변경될 수 있다(그림 18-78). Corrugator muscle 상부는 혈관이 얇은 층에 주행하므로 frontalis muscle보다 깊은 층에 주입해야 한다. Corrugator muscle 부위는 혈관이 깊은 층과 얇은 층 모두 주행하여 깊은 층에서 주입 시에도 조심해야 한다. Frontalis muscle보다 깊은 층을 캐뉼라로 박리하여 공간을 만들고 필러를 주입 후 몰딩(molding)한다. 활차위동맥(supratrochlear artery) 또는 안와위동맥(supraorbital artery) 내로 필러가 잘못 주입되면 실명 위험이 있으니 주의한다(그림 18-79).

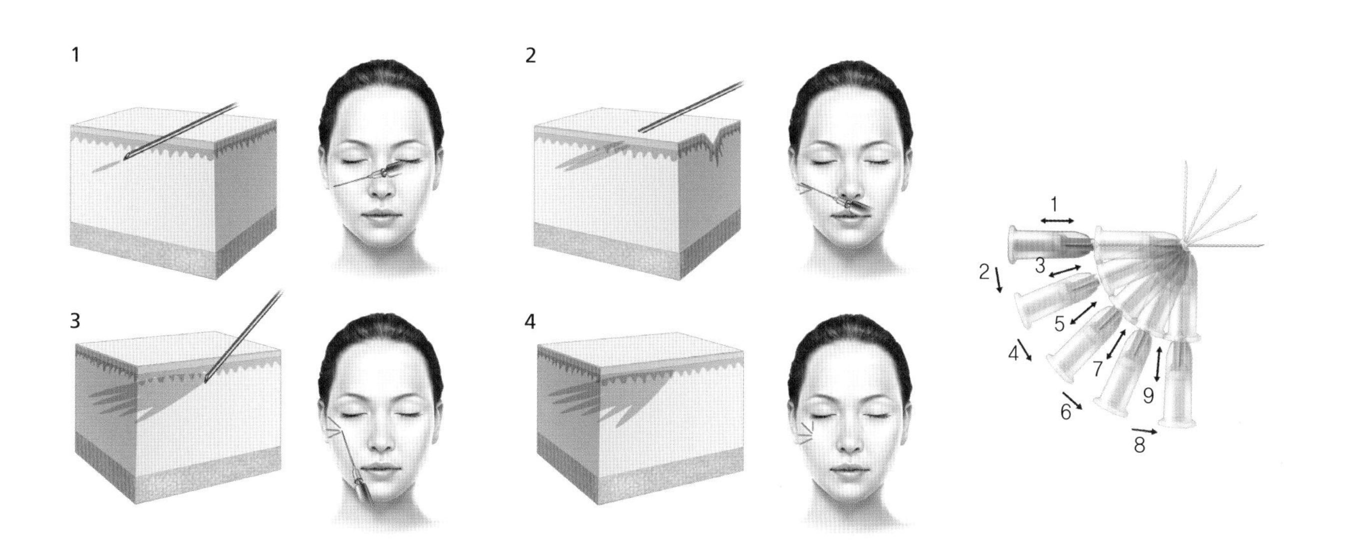

그림 18-76 Fan technique.

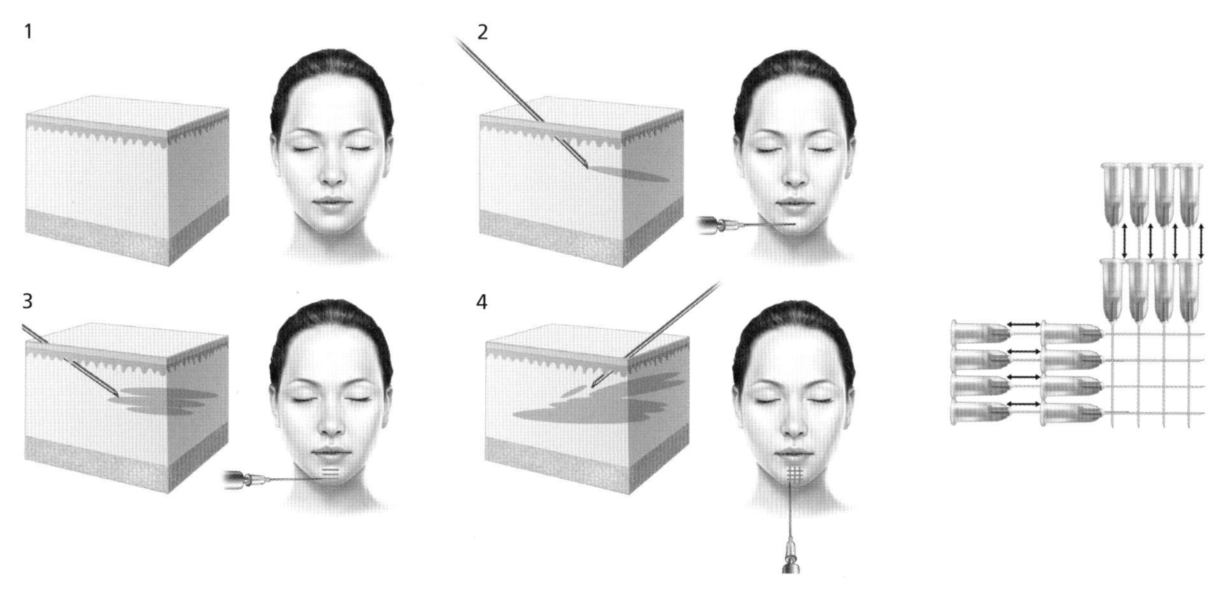

그림 18-77 Cross hatching technique.

(2) 미간(glabella)

미간 부위는 혈액의 순환이 아주 제한적인 부위이므로 국소괴사 가능성이 높은 부위 중 하나이다. 시술 시 색전 및 조직의 괴사를 예방하기 위해 반드시 주입 전 주사기를 역류(aspiration)시켜 확인하는 것이 중요하며 소량을 아주 서서히 주입하고 몇 초 동안 주변조직 상황을 지켜보면서 신중하게 진행하는 것이 좋다. 또한 이 부위 시술에는 약간의 과교정이 필요하다. 시술 후, 어느 정도의 효과를 알 수 있는데, 만약 일률적이지 않고 많은 양이 주입되었다면 주변조직으로 잘 퍼지도록 부드럽게 마사지하는 것이 큰 도움이 된다. 중간이나 낮은 점도의 필러로 시술하는 것을 추천하며 모공이 큰 사람들은 모공을 통해 필러가 새어나올 수 있는데 그런 경우 더 깊은 층으로 주사해야 한다.

(3) 코(nose)

코는 얼굴의 중앙에 위치하면서 형태나 모양에 따라 안모에서 큰 역할을 하고 있다. 필러로써 코를 올리는 시술(융비술)을 시행할 수 있는 범위는 제한적이다. 일반적으로 정상적이거나 약간 낮은 코를 가진 사람이 적은 양의 개선을 원할 때 효과적이다.

① 적응증·비적응증 및 장단점

필러를 이용한 융비술을 사용할 수 있는 증례는 제한적이다. 첫 번째는 정상적인 코의 높이를 가졌거나 약간 낮은 코를 가진 사람이 적은 양의 개선을 원할 때가 해당된다. 두 번째는 피부의 두께가 정상적이거나 약간 얇은 경우에서 치료의 효과가 우수하다. 피부가 두꺼운 경우에는 같은 양의 필러를 넣어도 효과가 작고, 잘못할 경우 코가 더욱 뭉툭해 보이는 경향이 있으므로 주의해야 한다. 세 번째는 융비술을 하고 싶으나 수술에 대한 공포심이 많은 경우로 수술에 비해 통증과 부종이 적어 추천할 만한 시술방법이다. 이 중 가장 좋은 적응증은 코끝은 비교적 낮지 않으면서 콧등만 낮은 경우이며, 이런 경우 아주 우수한 결과를 얻을 수 있다. 비적응증은 적응증에서 설명했듯이, 심하게 낮은 코는 필러를 사용하여 치료하는 데 한계가 있고, 피부가 매우 두꺼운 경우 필러를 사용하여 치료하면 코가 오똑해지는 효과를 갖기보다는 코 자체가 커 보이는 결과를 초래하므로 하지 않는 것이 좋다(표 18-2).

표 18-2 필러를 이용한 융비술(augmentation rhinoplasty)

적응증	비적응증
1. 정상 또는 약간 낮은 코 2. 피부의 두께가 중간이나 얇은 경우 3. 수술에 대한 공포심이 많은 사람	1. 심하게 낮은 코 2. 피부가 매우 두꺼운 경우
예후가 가장 좋은 경우	
코끝은 비교적 낮지 않으면서 콧등이 낮은 경우	

② 시술 전 검토사항

코끝의 혈액공급은 외비동맥(lateral nasal artery)이나 비배동맥(dorsal nasal artery)이 공급원이며 일부 비주가지(columella branch)에 의해서도 공급된다. 필러 주입 시 코의 비익구(alar groove)와 외비동맥 사이의 거리가 가깝기 때문에 측면에서의 주사바늘 자입은 삼가야 한다. 또한 비배동맥을 분지하는 양미간 사이에서 측면 주사도 피해야 한다.

③ 마취방법

시술 전 마취크림을 코에 바르고 비닐 랩을 씌운 후 50-60분가량을 기다리고 시술을 시작한다. 필러를 이용한 융비술을 시행할 때에는 국소마취제 연고만으로 충분히 통증조절이 가능하다. 리도카인 주사는 특별한 경우 외에는 사용하지 않는데, 그 이유는 필러주사 자체가 심한 통증을 유발하지 않는 이유도 있지만, 리도카인 주사를 할 경우 주입한 양만큼의 부피 증가가 생겨 정밀한 시술이 어려워지기 때문이다.

④ 시술방법

a. 코의 전체적인 균형과 조화를 생각하여 시술하며

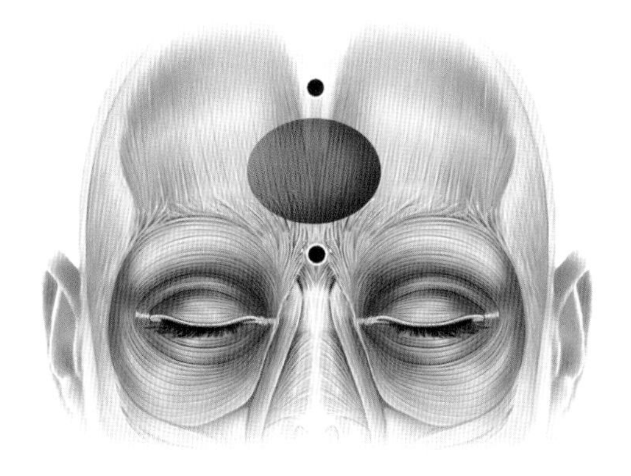

Type Ⅰ Central concavity (중심부 함몰)

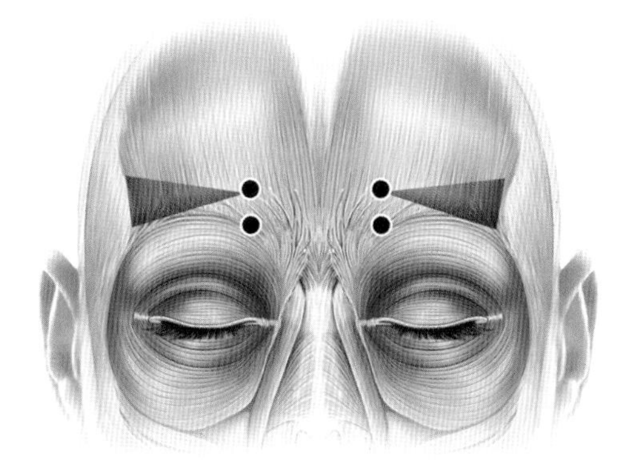

Type Ⅱ Bilateral concavity (양측성 함몰)

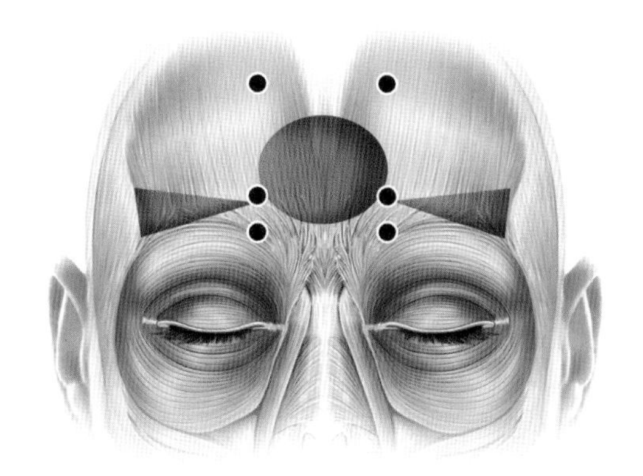

Type Ⅲ Mixed type (혼합형)

그림 18-78 이마함몰 형태에 따른 자입위치.

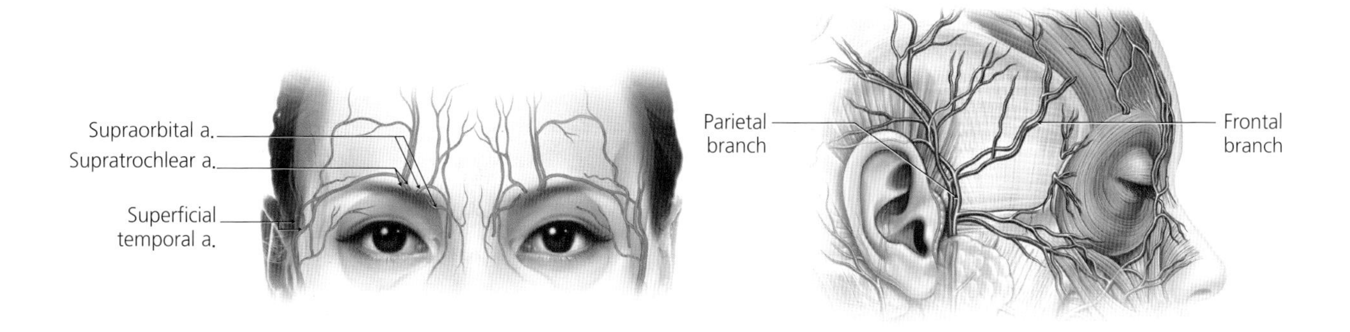

그림 18-79 이마 혈관의 해부학적 위치.

흐름성이 적고 단단한 물성의 HA필러를 선택한다.

b. 코의 정중선을 표시한다. 얼굴의 정중선과 코의 정중선이 일치하는지를 확인하고 일치하지 않는 경우에는 시술 후에 휘어진 코가 더욱더 두드러져 보일 수 있으므로 미리 환자에게 설명을 하고 이런 환자인 경우 가급적 시술을 피하는 것이 좋다.

c. 코의 정중선상에 주사기를 피부표면과 수직이 되도록 위치하여 주사바늘을 찌른 후 연골이나 골에 닿는 것을 확인 후 상, 중, 하 3등분하여 주입한다(vertical injection technique)(그림 18-80). 또는 캐뉼라를 이용하여 코끝이나 코끝과 코기둥 사이에 자입위치를 설정하여 비근(radix)까지 캐뉼라를 넣고 반대방향으로 나오면서 천천히 주사한다(cannula injection technique)(그림 18-81).

이때 필러가 코의 중앙에서 벗어나지 않도록 하는 것이 중요하다. 혹시 필러가 중앙에서 벗어나게 되면 이를 몰딩(molding)하는 데 상당한 시간이 소요되기 때문이다. 코의 융기가 시작되는 부

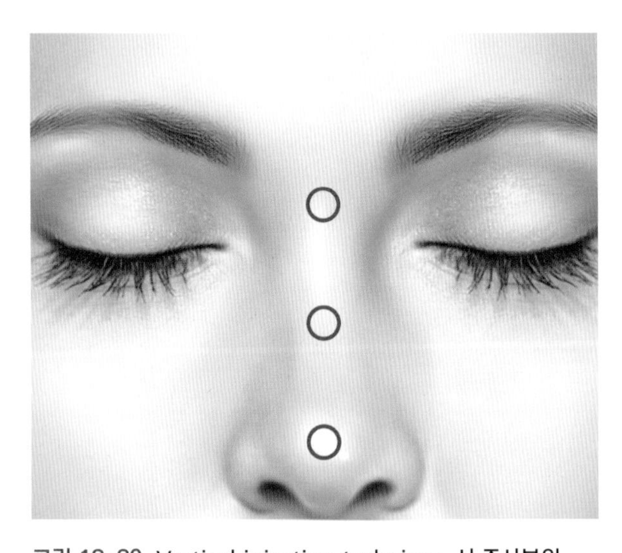

그림 18-80 Vertical injection technique 시 주사부위.

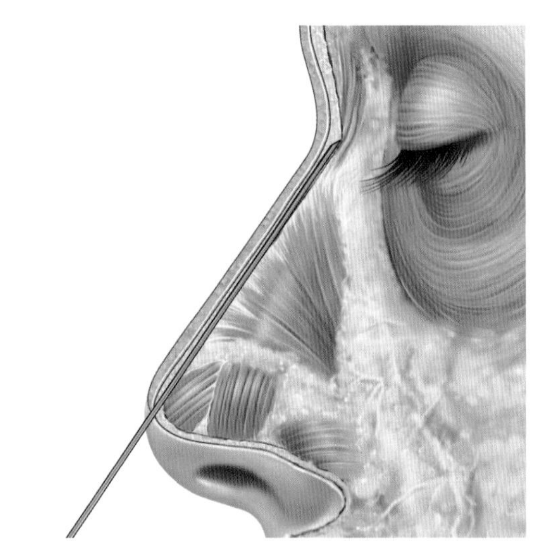

그림 18-81 Cannula injection technique 시 자입방법.

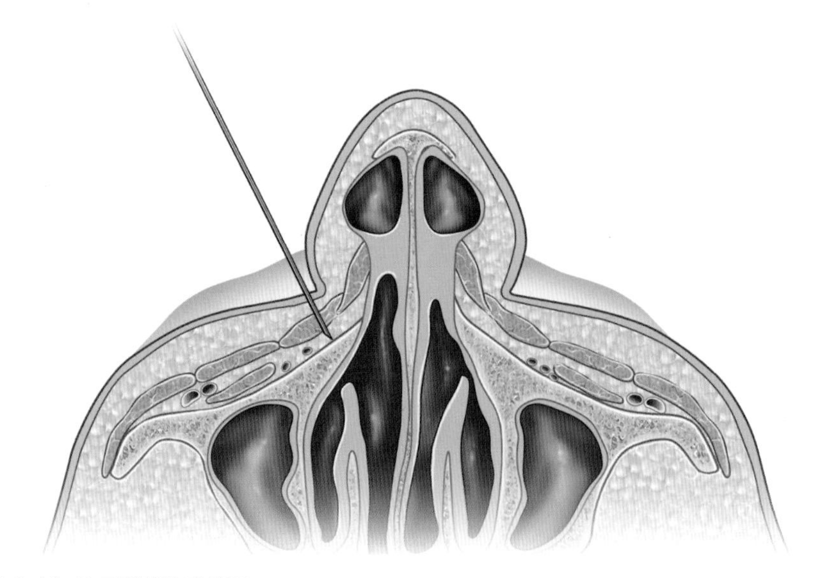

그림 18-82 비순구제거술 시 자입방향 및 깊이.

위는 눈을 떴을 때 상안검이 있는 높이이므로 이를 기준으로 필러를 주입한다.

d. 코이마각(nasofrontal angle)은 약 135°로, 이 부분에 필러를 너무 많이 주입하면 코이마각이 낮아지면서 원치 않는 결과를 초래할 수 있으므로 주의한다.

(4) 비순구(nasolabial fold)

흔히 팔자주름이라고 불리우는 비순구는 HA필러의 가장 흔한 적응증이다. 대개 30대 초반 이후에 얼굴이 노화 양상을 띠면서 깊어지기 시작하며 50세 이후에 특히 깊어진다.

필러를 주입하기 전에는 구강내로 마취를 하며 마취 주사기를 비순구하방의 점막에서 비순구를 향하여 자입한다. 환자의 상태가 어떤 분류에 속하는지를 우선 구분하는 것이 중요하다. 비순구의 경우는 피부조직 결손이 아니고 잉여피부조직과 함께 지지가 없는 것이다. 깊은 층은 부족한 부피 향상을 위해 입자 크기가 큰 필러를 추천하고 얕은 층은 울퉁불퉁해지는 것을 예방하기 위해 보통 크기의 필러를 추천한다.

주사바늘을 이용할 경우 수직당김주사법 사용하는 것을 추천하며 주사바늘이 골에 접촉하는 것을 느낀 후 주사한다(그림 18-82). 안면동맥(facial artery)이 안각동맥(angular artery)을 형성하여 코 옆을 지나 눈 쪽으로 이동하므로 근심측을 손가락으로 압박하여 필러가 혈관으로 유입될 가능성을 감소시킬 수 있다.

캐뉼라(21G 또는 23G)를 이용할 경우 비순구의 연장선상의 한점을 자입점으로 하되 angular artery pulse가 느껴지는 부위를 피해서 자입한다. 최소한 피하지방층 최하단부나 근육층 아래 부위까지 들어간 후에 비순구를 따라 내측으로 더 자입한다. 비익주름(alar fold)에 도달하게 되면 근육하지방층에 공간을 확보한다는 느낌으로 박리를 시행한다(그림 18-83). 박리 완료 후에 캐뉼라를 완전히 빼내서 안각동맥의 손상이 없음을 확인하고 다시 캐뉼라를 넣어서 원하는 부위에 필러를 주사한다.

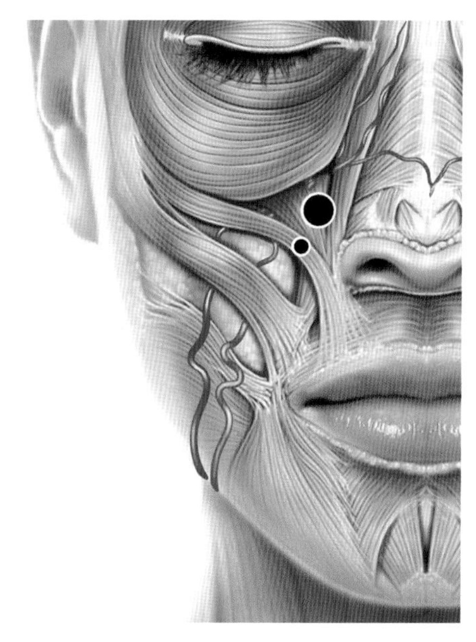

그림 18-83 비순구제거술 시 주사부위.

(5) 입술(lip augmentation)

입술은 근육이 많이 분포하고 혈액순환이 많으며 움직임이 많은 편이므로 필러의 흡수가 빨라 다른 부위에 비해 지속기간이 짧다. 시술 전 환자에게 충분히 주지시켜야 하며 시술 시 근육내로 필러가 들어가지 않도록 해야 한다. 또한 시술 시 비대칭이 생기지 않도록 편측 당 주입된 필러의 양을 기억해서 반대측에도 동일한 양이 주입될 수 있도록 한다. 환자는 앉은 자세로 시술을 받도록 한다.

① 시술방법

주사바늘과 캐뉼라 둘 다 가능하며 주사바늘은 홍순경계(vermilion border)로 자입하고 캐뉼라는 양측 입술꼬리 부위에서 자입한다(그림 18-84). 구륜근(orbicularis oris muscle) 상층으로 주입하며 상순과 하순 각각 0.2–0.4 cc 정도 주사한다(그림 18-85).

a. **상순:** 입술 라인을 강조하고 인중융기(philtrum ridge)와 구순결절(labial tubercle)을 적절히 강조한다. 이를 위하여 입술 라인을 따라 linear threading technique을 사용하고 또한 philtral ridge도 같은 방식으로 주사한다. 그리고 구순결절에도 적당량 주사함으로써 만족할 만한 상순을 만들어 줄 수 있다.

b. **하순:** 입술 경계부위는 상순과 비슷하게 linear threading technique을 사용하며 환자가 앵두입술을 선호하는 경우 bolus 형태로 주사한다.

② 주의사항

a. 주사 후 입술이 부어올라 정확한 대칭을 판단하기가 어렵다. 그러므로 모양으로 대칭을 판단하는 것이 아니라 주입하는 필러의 양으로 판단한다.

b. 과교정을 하지 않는다.

c. 너무 얕은 층이나 점막 안층에 가깝게 주입하지 않도록 주의한다.

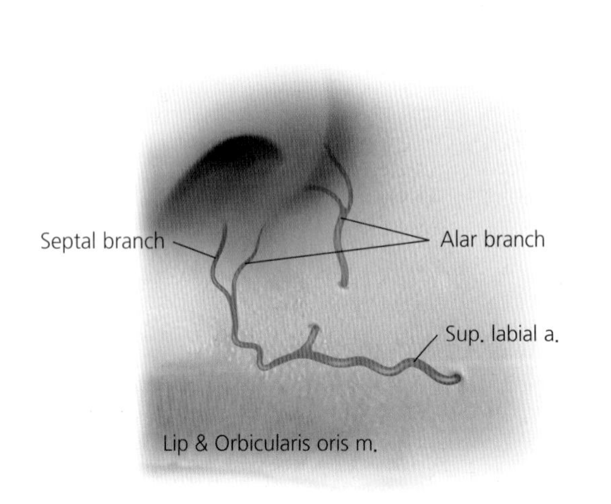

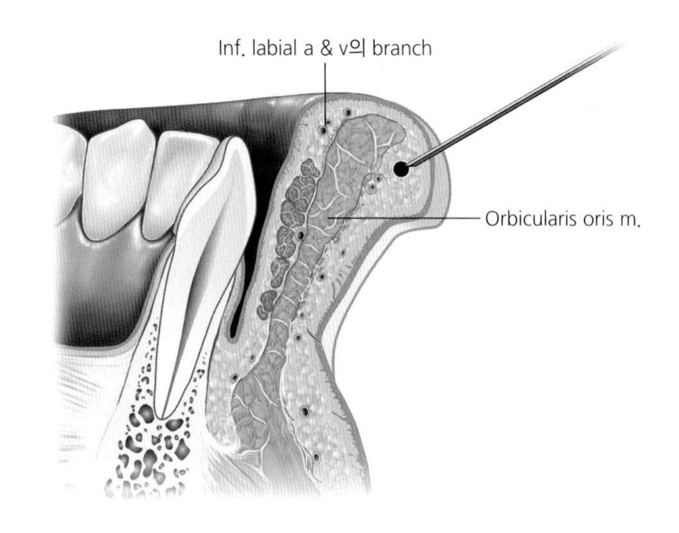

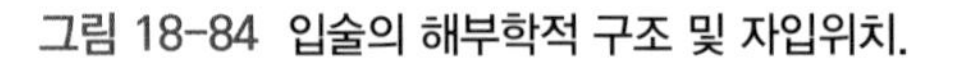
그림 18-84 입술의 해부학적 구조 및 자입위치.

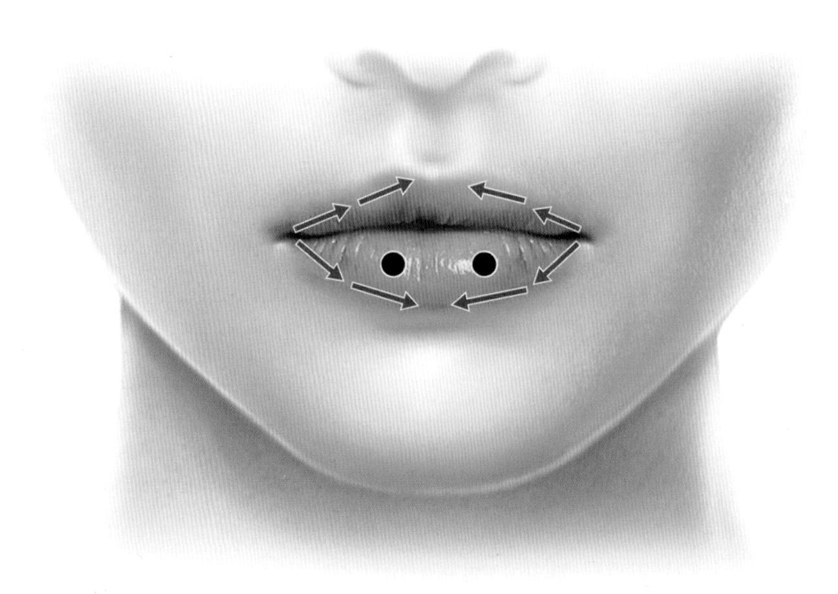

그림 18-85 입술의 자입방향.

d. 입술시술 후 쉽게 붓는 증상이 나타나므로 환자에게 충분히 설명한다.

e. 보정 시술은 충분히 붓기가 빠지고 난 뒤(약 2-3주 후) 재평가하여 시술한다.

5) 필러의 합병증과 대처방법

(1) 멍(bruise), 혈종(hematoma)

필러시술은 많이 붓지는 않지만 멍이 드는 경우는 종종 발생하고 심할 때는 혈종이 생기기도 한다. 시술 전에 아스피린이나 항응고제 복용 여부 확인하여 조절하고 음주, 사우나, 격렬한 운동을 시술 후 2-7일까지 피하도록 한다. 그리고 혈관발달이 많은 구강주변에 시술할 경우 멍이 잘 생길 수 있다는 것을 환자에게 사전에 충분히 설명하고 시술 후 냉찜질을 하게 한다. 에피네프린이 섞인 마취제를 사용하는 것도 도움이 되고 시술 중간에 출혈이 있으면 확실히 압박지혈시키는 것이 중요하다.

(2) 감염(infection)

다른 시술과 마찬가지로 필러시술도 감염 가능성을 가지고 있다. 이에 대한 원인으로는 시술부위 소독부족 및 환자 면역력과 필러 자체에 세균이 들어있는 경우이다. 이를 예방하기 위해 소독을 철저하게 해야 하며 청결한 환경에서 보관하고 설명서에 나와있는 보관방법(기간, 온도 등)을 준수한다.

그리고 반영구적 필러를 시술했거나 HA필러의 경우라도 10분 이상 시술한 경우 경구항생제를 처방하는 것을 추천한다. 주입된 필러의 수술적 제거는 절개 후 생기는 흉터로 인해 환자의 불만을 야기할 수 있으므로 최후의 방법으로 선택한다. 반드시 제거해야 하는 상황이라면 18G 주사바늘을 장착한 주사기를 사용한다.

(3) 피부괴사/실명(skin necrosis/blindness)

드물게 필러가 혈관에 주입됨으로써 그 혈관의 영향하에 있는 피부의 괴사, 실명 등이 발생한다는 보고가 있다. 그러므로 시술 시 한 번에 많은 양의 필러를 주입하지 말고 주입하려고 하는 부위의 피부를 들어 올려서 혈관침범을 예방한다.

(4) Hyaluronidase의 사용

HA필러는 지속시간이 짧지만 hyaluronidase로 녹일 수 있다는 큰 장점이 있다. 필러와 연관된 혈관문제는 hyaluronidase로 부작용을 감소시킬 수 있다. 혈관문제 발생 후 4시간과 24시간에 hyaluronidase를 사용했을 때 부작용에서 차이가 있었으며 이를 통해 hyaluronidase를 최대한 빨리 사용해야 한다는 것을 알 수 있다. 그리고 고용량의 hyaluronidase를 사용할수록 HA가 잘 녹으므로 문제 발생 시 충분한 양의 hyaluronidase를 사용해야 한다는 주장이 지지받고 있다.

참고문헌

강일규, 송형민, 이건희 등. 최신안면성형재건. 1판. 서울: 군자출판사; 2015.

대한미용성형외과학회. 미용성형외과학 1. 서울: 군자출판사; 2019. p. 333-363.

대한미용피부외과학회. 미용피부외과학. 2판. 서울: 한미과학; 2013.

대한성형외과학회. 표준성형외과학. 2판. 서울: 군자출판사; 2009.

대한악안면성형재건외과학회. 악안면성형재건외과학. 4판. 서울: 군자출판사; 2021.

오승민, 김봉철. 생체 영상을 바탕으로 한 안전하게 필러하기. 2판. 서울: 대한의학; 2017.

이수근. 보톡스와 필러의 정석. 2판. 서울: 한미의학; 2017.

정동학. 코성형. 그린북; 2002.

최진영, 백승학. 턱교정 수술 및 안면 윤곽술. 서울: 범문에듀케이션; 2015.

최진영, 황윤정. 치과개원의가 손쉽게 할 수 있는 턱 · 얼굴 미용외과. 서울: 명문출판사; 2007.

Aiach G. Atlas of rhinoplasty open and endonasal approaches. St. Louis: Quality Medical; 1995.

Aiache AE. Mandibular angle implants. Aesthetic Plast Surg 1992;16(4):349-354.

Baek SM, Kim SS, Bindiger A. The prominent mandibular angle: preoperative management, operative technique and results in 42 patients. Plast Reconstr Surg 1989;83(2):272-80.

Baylis HI, Long JA, Groth MJ. Transconjunctival lower eyelid blepharoplasty. Ophthalmology. 1989;96(7):1027-32.

Beeson WH. Browlift. In Beeson WH, McCollough EG. Aesthetic surgery of the aging face. St. Louis: C.V. Mosby; 1986. p. 129-138.

Berman WE. Rhinoplastic surgery. St Louis, C.V. Mosby; 1989.

Ellis EI, Zide MF. Surgical approach to the facial skeleton. Media, Williams & Wilkins; 1995.

Flowers RS. Periorbital aesthetic surgery for men. Clin Plast Surg 1991;18(4):689-729.

Glasgold RA, Lam SM, Glasgold MJ. Facial fat grafting: the new paradigm. Arch Facial Plast Surg 2008;10(6):417-8.

Johnson CM, Toriumi DM. Open structure rhinoplasty. Philadelphia: WB Saunders; 1990.

Koldsland OC, Scheie AA, Aass AM. Prevalence of peri-implantitis related to severity of the disease with different degrees of bone loss. J Periodontol 2010;81(2):231-8.

Lipovsky A, Nitzan Y, Gedanken A, et al. Visible light-induced killing of bacteria as a function of wavelength: implication for wound healing. Lasers Surg Med 2010;42(6):467-72.

Mazzola RF, Cantarella G, Torretta S, et al. Autologous fat injection to face and neck: from soft tissue augmentation to regenerative medicine. Acta Otorhinolaryngol Ital 2011;31(2):59-69.

Miserendino L, Pick RM. Lasers in Dentistry. Quintessence; 1995.

Most SP, Mobley SR, Larrabee Jr WF, et al. Anatomy of the Eyelids. Facial Plast Surg Clin North Am 2005;13(4):487-492.

Newberry CI, Thomas JR, Cerrati EW. Facial Scar Improvement Procedures. Facial Plast Surg. 2018;34(5):448-457.

Onizuka T, Watanabe K, Takasu K, et al. Reduction malar plasty. Aesthetic plast Surg 1983;7(2):121-5.

Raulin C, Greve B, Grema H. IPL technology: a review. Lasers Surg Med 2003;32(2):78-87.

Shorr N, Enzer YR. Considerations in aesthetic eyelid surgery. J Dermatol Surg Oncol 1992;18(12):1081-95.

Sumiya N, Ito Y, Ozumi K. Reduction malarplasty. Plast Reconstr Surg 2004;113(5):1497-9.

Tardy ME, Brown RJ. Surgical anatomy of the nose. New York: Raven Press; 1990.

Wolfey D. Blepharoplasty. In Krause CJ, Pastorek N, Mangat DS. Aesthetic facial surgery. Philadelphia: JB Lippincott; 1991. p. 571-599.

Woo JM, Baek SH, Kim JC, et al. Contour Restoration of Over-Resected Mandibular Angle and Lower Border by Reduction Mandibuloplasty Using Three-Dimensional Planning and Computer-Aided Design and Manufacturing Custom-Made Titanium Implants. J Craniofac Surg 2018;29(4):e340-e343.

CHAPTER 19

폐쇄수면무호흡증후군

폐쇄수면무호흡은 심한 코골이와 함께 호흡 중지가 주기적으로 발생하여 수면 중 호흡이 반복적으로 중단되는 수면장애이다. 비만 인구의 증가와 함께 폐쇄수면무호흡 환자는 계속 증가하는 추세이다. 증상이 심화될 경우 주간 피로, 고혈압, 제2형 당뇨병을 포함한 대사증후군의 합병증이 발생할 수 있으므로 적절한 치료가 필요하다.

본 단원에서는 폐쇄수면무호흡을 포함한 수면호흡장애의 원인, 진단 및 치료방법 등을 학습하여 이 분야에서 치과의사의 역할을 이해하고, 이를 통해 환자 및 보호자에게 정확한 설명을 할 수 있는 능력을 배양하는 데 목적이 있다.

CONTENTS

CHAPTER 19

폐쇄수면무호흡증후군

Obstructive Sleep Apnea Syndrome

학습목적

폐쇄수면무호흡을 포함한 수면호흡장애의 원인, 진단 및 치료방법 등을 학습하여 이 분야에서 치과의사의 역할을 이해하고 환자 및 보호자에게 정확히 설명할 수 있는 능력을 배양하는 데 목적이 있다.

기본 학습목표

- 정상 수면 양상을 이해하고 설명할 수 있다.
- 수면호흡장애의 원인 및 분류를 설명할 수 있다.
- 수면호흡장애 원인에 따른 치료법을 설명할 수 있다.
- 수면호흡장애의 병태생리 및 합병증을 설명할 수 있다.

심화 학습목표

- 두개악안면 기형이 수면호흡장애의 발생에 미치는 영향을 설명할 수 있다.
- 수면호흡장애 치료를 위한 두개악안면영역의 대표적인 수술법을 설명할 수 있다.
- 하악전진장치, 악교정수술을 이용한 폐쇄수면무호흡 치료방법을 설명할 수 있다.

Ⅰ. 수면호흡장애 용어 및 정의

1. 역사와 정의

수면호흡장애(sleep-related breathing disorders, SBDs)란 수면 중 상기도의 저항 증가로 일어나는 호흡 이상으로, 단순 코골이(primary snoring), 상기도 저항증후군(upper airway resistance syndrome, UARS), 폐쇄수면무호흡(obstructive sleep apnea, OSA), 중추수면무호흡(central sleep apnea, CSA)을 포함하는 질환군이다. 1956년 Burwell 등은 고도 비만(obesity), 수면과다증(hypersomnolence), 과탄산혈증(hypercapnia), 폐심장증(cor pulmonale), 적혈구증가증(erythrocytosis)을 가진 사람들을 보고 피크윅 증후군(pickwickian syndrome)이라고 정의했다. 'Pickwickian'라는 용어는 찰스 디킨스(Charles Dickens)의 책 『The Posthumous Papers of the Pickwick Club (1837)』에 등장하는 매우 뚱뚱하고 낮에 참을 수 없는 졸음에 시달리는 Fat Boy Joe라는 인물에 빗대어 만든 단어이다. 현재는 이러한 사람을 비만저환기증후군(obesity hypoventilation syndrome, OHS) 으로 정의한다. 이 환자들은 OSA 환자의 10%에서 15%를 차지한다.

1972년에 Guilleminault 등은 뚱뚱하지 않으면서 OSA가 동반될 수 있다고 보고하였고, Guilleminault 등은 낮졸음이 있는 환자들에서 수면다원검사(polysomnography, PSG)를 이용하여 OSA를 진단하고 무호흡-저호흡 지수(Apnea-Hypopnea Index, AHI)가 5/hr 이상이면 비정상으로 정의한 바 있다.

American Academy of Sleep Medicine (AASM) 매뉴얼에 의하면 무호흡을 측정할 때에는 구비강 온도센서(oronasal thermistor)로 측정하고, 저호흡은 비압력관(nasal pressure cannula)으로 측정하며 양압호흡기 적정압력 측정검사 시에는 positive airway pressure (PAP) device flow signal로 측정하는 것을 원칙으로 권고하고 있다.

2. 폐쇄수면무호흡증후군(OSAS) 관련 용어

1) 무호흡(Apnea), 무호흡지수(Apnea index)

무호흡은 수면 중 10초 이상의 시간 동안 평소 호흡 기류의 90% 이상의 감소를 보이는 것으로 정의하고, 1시간 동안 무호흡이 일어 나는 횟수를 무호흡지수라 한다.

2) 저호흡(Hypopnea), 저호흡지수(Hypopnea index)

저호흡은 수면 중 10초 이상 일호흡량(tidal volume)이 30% 이상의 감소를 보이며 혈중 산소포화도가 3% 이상의 감소를 동반하거나 각성을 동반하는 경우이다. 저호흡지수는 1시간 동안 저호흡이 일어나는 횟수로 정의한다.

3) 무호흡-저호흡지수(Apnea-hypopnea index, AHI)

1시간 동안 무호흡지수와 저호흡지수를 합하여 무호흡-저호흡지수라 한다. 성인에서 5 이상을 비정상으로 보고 소아에서는 1 이상을 비정상적으로 본다.

4) 호흡노력관련 각성(Respiratory effort related arousal, RERA)

10초 이상의 시간 동안 무호흡이나 저호흡의 기준에는 도달하지는 못하나 호흡노력(ventilatory effort)이 각성역치(arousal threshold)를 초과하여 수면각성이 일어나고 결과적으로 호흡노력이 해소되는 것을 의미한다. 호흡노력은 식도내압이 음압으로 10cmH_2O 이상으로 유지되는 것을 말하며, 식도내압을 직접 측정하거나 호흡기류의 파형이 편평하게 변화하는 기류제한(flow limitation) 모양으로 간접적으로 측정할 수 있다. 과다한 주간기면현상뿐 아니라, 두통, 만성 통증과 같은 체성증상(somatic complaints)을 흔히 호소한다. 호흡노력관련 각성지수는 1시간 동안 호흡노력 관련 각성이 일어나는 횟수이다. 대체적으로 OSA에 비해 젊은 연령층, 여성 그리고 정상체중에서 그 빈도가 높다.

5) 호흡장애지수(Respiratory disturbance index, RDI)

1시간 동안 무호흡-저호흡지수(AHI)에 호흡노력관련 각성지수(RERA)를 합하여 호흡장애지수라 한다.

6) 산소불포화지수(Oxygen desaturation index, ODI)

시간당 산소포화도 값이 기저수치보다 3% 이상 저하되는 횟수이며 정상은 5 미만이다.

7) 폐쇄성 저환기(Obstructive hypoventilation)

전체수면시간(total sleep time) 중 25% 이상 동안 피부경유(transcutaneous) PCO_2 또는 호흡종기(end-tidal) CO_2 센서로 측정된 CO_2가 50 mmHg 이상으로 지속되는 경우로 정의한다.

8) 수면 저환기(Sleep hypoventilation)

호기말 이산화탄소포화도(end-tidal CO_2)나 경피 이산화탄소포화도(transcutaneous PCO_2)로 측정하는데, 10분 이상 55 mmHg를 초과하거나 깨어있을 때 하늘을 보고 누운 상태에 비해서 수면 시에 50 mmHg를 초과하는 상태로 10분 이상 10 mmHg 이상 증가한 경우로 정의한다.

9) 주기성 사지 움직임 지수(Periodic limb movement syndrome index, PLMS index; PLMSI)

PLMS는 사지 근육의 주기성 운동이 특징인 질환이다. 수면 시 주기성 운동과 더불어 뇌파 검사상에서 각성이 유발될 수 있다. 수면다원검사 시 0.5–5초의 기간과 4회 이상의 움직임이 5–90초 간격으로 나타날 때로 정의되고 있다. PLMS index는 시간당 PLMS의 횟수로 전체 수면 평균 5회를 초과할 때 임상적으로 의미 있는 것으로 간주한다.

II. 수면호흡장애 분류 (Classification)

수면호흡장애(SBDs)는 수면 중에 일어나는 다양한 호흡장애를 총칭하는 것으로 국제수면질환분류(International Classification of Sleep Disorders–Third edition, ICSD–3)에서는 수면호흡장애 질환을 크게 폐쇄수면무호흡장애(obstructive sleep apnea disorder), 중추수면무호흡증후군(central sleep apnea syndrome), 수면관련 저환기장애 , 수면관련 저산소장애로 분류했다.

중추수면무호흡은 원발성 중추수면무호흡(primary central sleep apnea), 체인–스톡스호흡(Cheyne–Stokes breathing)으로 인한 중추수면무호흡, 높은 고도에서 주기성 호흡으로 인한 중추수면무호흡, 체인–스톡스호흡과 연관되지 않은 질환에 의한 중추수면무호흡, 약물이나 물질에 의한 중추수면무호흡, 유아기 중추수면무호흡으로 나뉜다.

OSA는 성인의 OSA와 소아의 OSA로 나뉜다. 수면관련 저환기 · 저산소혈증은 원발성 수면관련 비폐쇄성 폐포저환기증, 선천성 중추성 폐포저환기증, 폐실질이나 혈관질환에 의한 수면관련 저환기증, 하기도 폐쇄로 인한 수면관련 저환기증, 신경–근육과 흉벽질환에 의한 수면관련 저환기증, 기타 질환으로 인한 수면관련 저환기증으로 구분할 수 있다.

1. 수면호흡장애의 분류

수면호흡장애는 단순 코골이에서 시작하여 상기도저항증후군으로 발달하고, OSA까지 진행하게 되는 수면장애이다(표 19–1).

1) 폐쇄성 무호흡증 장애

(1) 폐쇄수면무호흡(obstructive sleep apnea, OSA)

OSA의 특징은 수면 시 반복적인 부분적 또는 완전한 상기도의 폐쇄이며 상기도의 완전한 폐쇄는 무호흡을, 부분적인 폐쇄는 저호흡을 유발한다. 상기도의 어디든지 폐쇄가 일어날 수 있으며, 일반적으로 비강, 구개후부, 설근부, 후두개부, 인두 측면부로 나누고 있다. 무호흡과 저호흡에 의한 반복적인 폐환기의 저하는 저산소혈증과 동맥혈 이산화탄소 분압의 증가를 야기하고 무호흡을 중지시키기 위해 수면 중 각성이 요구되며, 이런 반복적인 수면 중의 각성에 의해 주간졸림, 집중력 저하 등의 주간 증상이 초래된다.

성인의 OSA 진단기준은 ① 환자가 수면과 관련된 증상(졸음, 피로, 불면증, 코골이, 호흡장애, 무호흡) 또는 장애(고혈압, 관상동맥질환, 심방섬유화, 울혈성 심부전, 뇌졸중, 당뇨병, 인지기능장애)를 동반하면서 수면다원검사에서 무호흡, 저호흡, RERA의 발생 빈도가 시간당 5회 이상인 경우, ② 수면과 관련된 증상 또는 장애가 없더라도 수면다원검사에서 무호흡, 저호

표 19-1 수면호흡장애 분류

폐쇄수면무호흡장애
성인 폐쇄수면무호흡
소아 폐쇄수면무호흡
중추수면무호흡증후군
체인-스톡스호흡을 동반한 중추수면무호흡
신체적 질환에서 기인한 중추수면무호흡
높은 고도 지역의 대기압에 의한 중추수면무호흡
특정 약물에 의한 중추수면무호흡
원인을 알 수 없는 원발성 중추수면무호흡
유아의 원발성 중추수면무호흡
미숙아의 원발성 중추수면무호흡
폐쇄수면무호흡 환자의 치료 중에 관찰되는 중추수면무호흡
수면관련 저환기장애
비만저환기증후군
선천성 중추성 폐포 저환기증후군
시상하부 기능장애를 동반한 후기발현 중추성 저환기증
특발성 중추성 폐포 저환기증
약물이나 물질에 의한 수면관련 저환기증
기타 질환으로 인한 수면관련 저환기증
수면관련 저산소장애

흡, RERA의 발생빈도가 시간당 15회 이상인 경우 폐쇄성 무호흡증으로 진단한다.

소아의 OSA는 코골이, 비정상적인 호흡 또는 졸음, 과잉행동 등의 낮에도 지속되는 증상 중 1개가 존재해야 하고 수면다원검사상 ① 폐쇄수면무호흡 또는 혼합 무호흡증의 빈도가 시간당 1회 이상이거나 ② 코골이, 비정상적인 흉부운동 또는 평탄한 비강 압력의 파형을 동반한 폐쇄성 저환기 증상이(수면시간의 25% 이상 동안 동맥혈 이산화탄소분압이 50 mmHG이상으로 나타남) 나타나는 경우 폐쇄성 무호흡증으로 진단한다.

(2) 혼합 무호흡(mixed apnea)

혼합성 무호흡은 중추성 무호흡과 폐쇄성 무호흡이 같이 있는 경우로, 10초 이상 무호흡이 지속되는 초반에는 호흡에 대한 노력이 없는 중추성의 특징을 보이나 후반부에는 다시 호흡노력이 증가되어 폐쇄성 무호흡을 보인다.

2) 중추수면무호흡증후군

(1) 체인-스톡스호흡(Cheyne-Stokes respiration, CSR)

호흡운동의 주기적인 증감을 특징으로 하는 중추수면무호흡의 한 형태로 호흡의 진폭이 주기적인 크레센도-데크레센도(crescendo and decrescendo) 변화를 보이며 주로 심부전이나 뇌신경 질환에서 동반된다. 심부전 환자에서 체인-스톡스호흡은 흔하게 동반되며 나쁜 예후와 연관성이 있고 불면증과 발작적인 야간 호흡곤란을 야기하지만, 심장 기능 개선 시 호전될 수 있다. 체인-스톡스호흡은 ① 최소한 40초 이상(전형적으로는 45-90초)을 하나의 사이클로 이루어지고 호흡기류가 증가 또는 감소하는 것으로 다른 호흡과 구분되는 3개 이상의 연속된 중추성 무호흡이나 저호흡과 ② 최소 2시간 이상 검사 시 호흡기류의 증가 또는 감소와 함께 5개 이상의 중추성 무호흡이나 저호흡이 관찰되는 것으로 정의한다.

(2) 중추수면무호흡(central sleep apnea, CSA)

중추성 무호흡은 10초 이상 무호흡이 있으면서 동시에 호흡에 대한 노력이 없는 경우로, 상기도 폐쇄소견 없이 수면 중 무호흡이 반복되는 것이 특징인 환기조절시스템(ventilatory control system)의 이상이 주된 기전이다. 중추수면무호흡은 저산소증과 반복되는 각성을 야기하여 불면증이나 주간졸림과 같은 주간증상을 동반한다. 중추수면무호흡의 진단은 주간졸림이나 수면 중 각성 증상이 있으면서 5회 이상의 중추성 무호흡이 동반되고 동맥혈가스분압이 45 torr 이하로 감소하는 경우이다. 중추성 무호흡이란 무호흡의 조건을 만족시키면서 호흡기류가 없는 동안 호흡노력이 없는 경우를 말한다. 중추수면무호흡은 일반적으로 과탄산혈증(hypercapnic) 중추성 무호흡증과 비과탄산혈증(nonhypercapnic) 중추성 무호흡증으로 크게 분류할 수 있다. 기전으로는 저산소혈증·과탄산혈증에 반응하여 호흡하려는 노력의 정도가 약할 때 과소환기(hypoventilation)와 중추수면무호흡이 나타나는 경우(hypercapnic)와, 반대로 저산소혈증 · 과탄산혈증에 반응하는 정도가 과도할 때(nonhypercapnic) 나타나는 경우로 분류할 수 있다.

3) 수면관련 저환기장애

비만은 많은 경우에 OSA에 영향을 주며 비만이 심한 환자는 수면 중뿐만 아니라 깨어 있는 상태에서도 저환기 상태가 유지되기도 한다. 비만과 저환기 상태가 공존하는 경우 비만저환기증후군이나 Pickwickian 증후군이라는 명칭을 사용하고 있으며 최근에는 수면저환기증후군이라고도 한다. 진단기준은 체질량지수(body mass index, BMI)가 30 이상인 비만환자 중 저환기로 인해 혈중 이산화탄소 분압이 45 torr 이상인 경우로 동반된 심폐질환이 없는 경우이다. OSA와 비만저환기증후군은 모두 주간졸림을 특징으로 하지만 중요한 차이가 있다. OSA 환자의 경우 호흡조절시스템은 정상이며, 비만이 진단에 반드시 필요한 것은 아닌 반면에 비만저환기증후군의 경우에는 비만 정도가 진단에 필요 조건이며, 저환기 상태가 수면 중뿐만 아니라 깨어 있는 상태에도 지속된다는 특징이다.

4) 수면관련 저산소장애

(1) 코골이(snoring)

수면 중 상기도에서 발생하는 소리로, 대개 잠자리를 같이하는 사람에 의해 보고되며 환자는 코골이나 호흡기류 감소에 의한 불편감을 호소하지 않고 주간졸림을 호소하지 않는 것이 일반적이다. 진단을 위해서 수면다원검사는 필요하지 않으며, 코골이는 호흡기류장애나 수면 중 각성, 산소포화도의 감소, 심부정맥과는 연관성이 없다.

(2) 상기도저항증후군(upper airway resistance syndrome, UARS)

상기도에 저항이 증가하게 되어 수면 중 각성이 동반되고 주간졸림 증상이 생기는 것이다. 수면다원검사상 OSA가 없고, AHI가 5 이하이며, 의미 있는 산소포화도 감소가 없는 것이 특징이다. 상기도 압력 증가는 식도압을 측정하여 진단하는 것이 추천되나 잘 사용하는 방법은 아니다. 진단은 수면다원검사 결과와 주간졸림이 있는 경우 내릴 수 있다. 다른 질환으로 분류하기보다는 일반적으로는 OSA의 경증 상태 정도로 파악한다.

2. 폐쇄수면무호흡의 중증도 분류 (Severity classification of OSAS)

성인에서 무호흡-저호흡지수나 호흡장애지수가 5 미만이면 정상(normal), 5에서 15 미만인 경우 경증(mild), 15에서 30까지 중등도(moderate), 30 초과는 중증(severe)으로 정의한다. 중증 OSA의 경우 정상이나 경증 OSA에 비해서 10년 추적관찰 시 심장질환이나 사망률이 2-3배 증가하므로 적극적인 치료가 필요하다.

소아에서는 AHI가 1 미만이면 정상, 1에서 5 미만인 경우 경증, 5에서 10까지 중등도, 10 초과는 중증으로 정의한다. 소아는 특징적으로 호흡이 빠르고 기능적 잔류폐활량은 적은 반면, 시간당 소모되는 산소량은 많기 때문에 짧은 기간의 무호흡에 의해 쉽게 산소불포화상태가 올 수 있어서 성인의 호흡장애 지속기간의 기준인 10초를 적용하지 않고, 호흡장애 지속기간을 5-6초로 적용하거나 2회 호흡기간 이상 유지되는 경우로 무호흡을 정의한다(표 19-2).

3. 수면단계의 분류(Sleep staging)

인간의 수면은 기본적으로 비렘(non-rapid eye movement, NREM)수면과 빠른 눈동자 움직임을 보이는 렘(rapid eye movement, REM) 수면의 두 가지로 구분할 수 있다. 비렘수면은 수면의 깊이에 따라 3가지의 수면단계(N1, N2, N3수면)로 나눌 수 있고 높은 단계의 더 깊은 수면상태일수록 각성상태로의 전환을 위해서는 더 강한 자극을 필요로 한다.

비렘수면은 상대적으로 수면의 깊이가 낮은 N1수면이나 N2수면으로 시작해서 고진폭의 델타파를 특징으로 하는 N3수면(서파수면)으로 진행하게 된다. N1수면에서 관찰되는 소견으로는 느린 눈동자 움직임, 저진폭의 복합진동수 파형(low amplitude and mixed frequency activity), 두정부 예파(vertex sharp wave)가 있다. N2수면에서는 특징적으로 K복합체(K complex)나 11-16 Hz 빈도로 0.5초 이상 지속되는 수면방추파(sleep spindle)가 관찰된다. N3수면은 수면 뇌파의 30초 기본 단위시간(1 epoch) 동안에 20% 이상에서

표 19-2 소아 및 성인 수면무호흡증 환자의 진단기준의 비교

PSG	Child	Adult
Respiratory related cortical arousal	Less than 50% of respiratory events	At termination of each respiratory event
Slow wave sleep	Normal	Decreased slow wave sleep
REM sleep dependency of respiratory events	REM dependence	REM or non-REM
Characteristics of airway obstruction	Cyclic obstruction or prolonged obstructive hypoventilation	Cyclic obstruction
Definition in duration of obstructive apnea and hypopnea	More than two respiratory cycles	More than 10 seconds
Definition in duration of central apnea	Either duration more than 20 seconds, or more than two respiratory cycles and associated with arousal, awakening or more than 3% desaturation	More than 10 seconds
OSA definition as AHI	More than 1 per hour with OSA symptoms	More than 5 per hour with OSA symptoms or more than 15 per hour without symptom

REM, rapid eye movement; OSA, obstructive sleep apnea; AHI, apnea-hypopnea index.

0.5-2 Hz 빈도와 75 uV 이상의 진폭을 보이는 파형이 관찰되는 단계이다.

N1수면 시 보이는 느린 눈동자 움직임을 제외하고는 나머지 단계의 비렘수면 동안에는 안구운동은 관찰되지 않는 편이다. N1수면은 각성과 수면의 중간 단계로 수면 시작 후 잠에 드는 과정이나 수면 중 잠깐 깨는 경우에 관찰되며 전체 수면시간의 2-5%를 차지하게 된다. 성인에서의 정상적인 N2수면은 총 수면시간의 45-55%에서 관찰된다. N3수면은 주로 수면의 초기 1/3 시기에 집중적으로 나타나며 총 수면시간의 5-15%를 차지한다.

렘수면의 특징적 소견으로는 양안의 불규칙한 빠른 눈동자 움직임, 턱근육의 저하된 근긴장도, 저진폭의 복합진동수 뇌파소견이 있다. 이러한 렘수면의 뇌파는 활동적으로 깨어 있는 각성 시의 뇌파소견과 유사하다. 또한 렘수면 동안에는 비렘수면처럼 수면의 깊이에 따른 단계는 없지만 활동양상에 따라 위상(phasic)과 긴장성(tonic)으로 나눌 수 있다. 일반적으로 렘수면은 비렘수면 뒤에 나타나며, 정상인의 8시간의 수면시간 중 비렘-렘 주기가 3-7회 관찰된다. 첫 렘수면의 지속시간은 10분보다 짧을 수도 있는 반면 마지막 렘수면은 60분 이상 지속되기도 한다. 렘수면은 밤사이 수면의 후반부에 집중적으로 관찰되며 전체 수면의 20-25% 정도 차지한다

비렘-렘 주기는 수면의 전반부에는 70-100분 정도이지만 수면의 후반부로 진행하면서 90-120분으로 길어진다. 전체 총 수면시간 중 비렘수면이 75-80%를 차지하고 렘수면이 20-25%에서 관찰된다. 서파수면인 N3수면은 수면주기의 첫 1/3분기에 가장 많이 나타나는 반면 렘수면은 마지막 1/3분기에 주로 관찰된다.

소아의 수면은 어른과는 다르다. 신생아기와 영아기에는 비렘수면과 유사한 비활동수면(quiet sleep), 렘수면인 활동수(active sleep), 중간단계(intermediate sleep)의 3가지 형태의 수면 패턴을 관찰할 수 있다. 생후 1년간은 어른과 비교하여 2배에 가까운 시간 동안 수면을 취하게 된다. 또한 잠에 들 때에도 성인과 달리 렘수면으로 시작을 하는 경우가 많다. 생후 첫 1년간은 렘수면 이 전체 수면시간의 50%를 차지하고, 3세가 되어서야 비로소 성인의 렘수면 수준인 20-25%까지 감소하게 된다. 신생아의 비렘-렘 수면주기는 약 50-60분으로 어른의 90분과 비교하여 더 짧다. 서파수면은 태어난 직후에는 관찰되지 않고 생후 2-6개월에 이르러 점차 뚜렷하게 나타난다. 수면방추파는 생후 2개월 후부터 관찰되며 성인과 비교하여 훨씬 뚜렷하고 지속시간이 길다. 성인에서 보이는 밤낮 주기를 갖는 수면구조는 생후 3개월이 지나야 관찰할 수 있다. 생후 6개월부터는 K복합체가 관찰되기 시작하고 생후 1년 후부터 수면방추파의 밀도가 점차 감소하여 성인의 형태에 가까워지게 된다(표 19-2).

Ⅲ. 폐쇄수면무호흡의 기전

1. 폐쇄수면무호흡의 유병률

OSA의 국내 유병률은 남성 4.5%, 여성 3.2%로 흔하며, 한국 성인 2,740명을 대상으로 한 2018년 연구에서 15.8%가 OSA의 고위험군으로 조사되었다. OSA의 발병은 체질량지수, 연령, 성별, 전신질환에 영향을 받는다. 비만은 성인의 OSA에 큰 영향을 미치는데, BMI가 29 이상인 경우 25 이하인 사람보다 OSA가 발생할 가능성이 8-12배 높다. 연령이 증가할수록 OSA의 유병률도 점차 증가하여 고령에서는 30-80%까지 증가한다. 중년 성인에서 남성의 유병률은 여성보다 1.83배 정도 높은데, 여성과 달리 남성은 주로 목 주변이나 복부와 같은 중심부에 지방이 축적되기 때문이다. 하지만, 폐경 이후 에스트로겐 감소로 여성의 유병률이 급격히 증가하고 고령에서 남성의 사망률이 높기 때문에 50세 이후에는 성별에 따른 유병률

의 차이가 없어진다. 또한, 심혈관질환이나 대사성 질환이 있는 환자에서는 OSA의 발병 가능성이 높다.

2. 폐쇄수면무호흡의 발병기전

상기도의 개방과 폐쇄는 구조적 특성과 신경학적 요소들이 관여하고 이들의 복합적인 상호작용을 통해 조절된다. 비강과 경구개 부위는 골과 연골에 의해 지지되어 내부에서 음압이 발생하더라도 폐쇄되지 않는다. 반면 연구개부터 하인두 사이의 상기도는 연하, 호흡, 발성을 수행하는 복합적인 역할을 하는 부위로 골격적인 지지구조 없이 근육이나 점막으로만 구성되어 있다. 따라서 이 부위는 호흡 시 발생하는 기도내 음압의 균형과 인두근육에 의해서 상기도의 형태가 유지되기 때문에 폐쇄가 잘 일어나는 특성을 가지고 있다. 상기도 폐쇄기전에 대해서는 아직 명확하게 밝혀지지 않았지만 OSA를 유발하는 주요 요인은 ① 상기도 공간이 좁아지는 해부학적 이상, ② 확장근(dilator muscle)의 약화, ③ 과민한 환기반응에 의한 환기조절의 불안정성, ④ 낮은 각성역치(arousal threshold)이다.

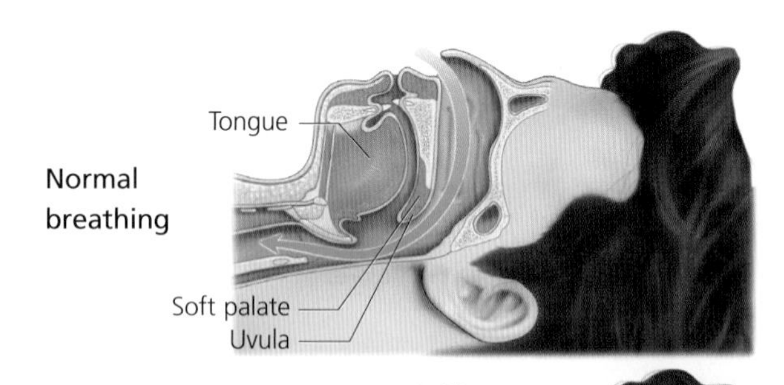

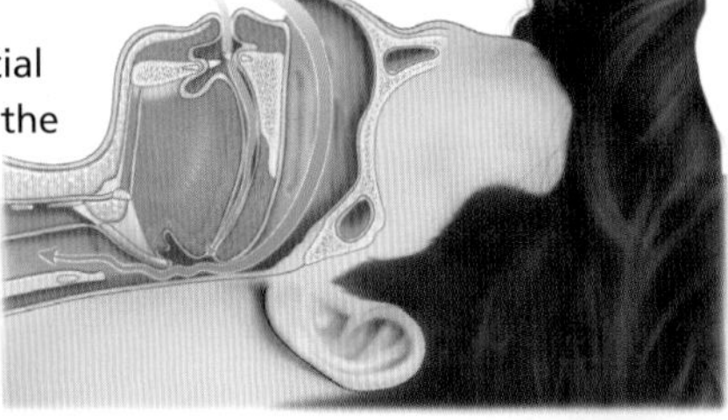

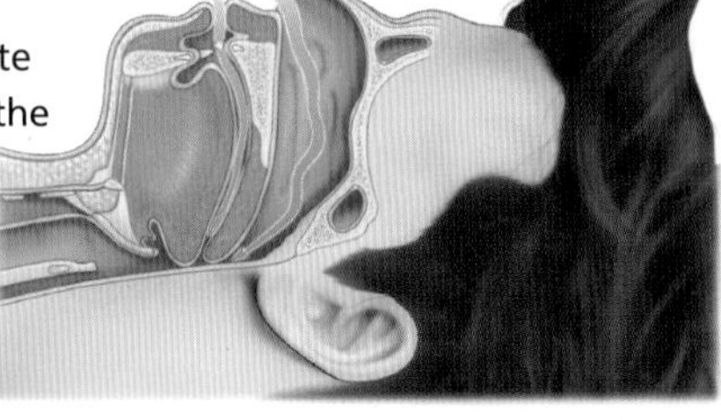

그림 19-1 해부학적 상기도 폐쇄의 모식도.

상기도는 비인두, 구인두, 후두인두로 구분할 수 있으며 OSA에서 상기도의 폐쇄는 대부분 후구개(retropalatal)와 후설(retroglossal) 부위의 구인두에서 나타난다. 상기도의 해부학적 허탈은 악골의 해부학적 형태, 연조직 요인, 비만으로 상기도 직경과 개방성이 감소하고 저항성이 증가함으로써 발생한다(그림 19-1). 악골 후퇴증, 비강 폐쇄, 설골이 하방에 위치하고 상기도 길이가 긴 경우, 혀가 기도에 근접해 위치한 경우, 혀, 아데노이드, 편도의 비대가 주요한 해부학적 요인이다. 또한, 비만은 상기도 공간을 좁아지게 하는 가장 주요한 원인이다. 인두 측벽의 지방축적은 상기도를 압박하고 근육을 저하시키며, 악골이나 연조직 요인이 복합적으로 작용할 경우 더 쉽게 OSA가 발생한다. 또한, 복부비만이 심할 경우 복부 및 흉벽의 지방이 흉곽을 압박하여 폐용적(lung volume)을 감소시키고 결과적으로 상기도의 허탈을 증가시킨다.

인두 확장근과 수축근은 상기도의 폐쇄와 개방에 매우 중요한 역할을 한다. 기도폐쇄는 수축근의 기능 증가에 의한 것이 아니라 확장근의 장애에 의해 발생한다. 상기도 확장근에는 구개범장근(tensor veli palatini muscle), 이설골근(geniohyoid muscle), 경돌인두근(stylopharyngeal muscle), 이설근(genioglossus muscle)이 있으며, 이 중 혀의 후방변위를 막는 이설근은 위상근(phasic muscle)으로 상기도의 개방을 유지하는데 가장 주요한 근육이다. 흡기 동안 횡격막에 의해 상기도에 음압이 형성되면 반사적으로 긴장도가 증가되어 상기도가 좁아지는 것을 상쇄시킨다. 이설근은 크게 3가지 메커니즘에 의해 활성화된다. 첫째, 상기도에는 호흡운동과 기도의 탄력성이나 직경을 조절하는 기계수용체(mechanoreceptor)가 있는데, 상기도에 음압이 발생하면 이것은 설하신경 운동핵을 통해 이설근을 활성화시켜 기도를 개방한다. 둘째, 연수의 호흡패턴 생성(respiratory pattern generator) 신경세포에 의해 활성화된다. 셋째, 각성을 조절하는 신경전달물질을 분비하는 신경세포 또한 근육의 활성화를 증가시킨다. 깨어 있을 때는 신경세포의 활성으로 무호흡이 발생하지 않지만 수면 중에는 음압 반사의 감소, 신경세포의 흥분신호 감소, 근육의 긴장도가 감소하여 상기도가 폐쇄된다. 즉, 음압 호흡자극에 대한 인두 확장근의 반응성이 감소하거나 소실됨으로써 무호흡증이 발생할 수 있다. 또한, 지속적인 무호흡으로 인한 보상반응으로 흉벽근육의 긴장도가 증가하게 되어 상기도의 폐쇄는 더욱 심해진다.

무호흡 또는 저호흡과 같은 호흡장애가 발생했을 때 호흡조절시스템이 반응하게 되는데, OSA 환자들에서는 이 반응이 매우 불안정하고, 이산화탄소의 작은 변화에도 과도한 호흡반응이 나타날 수 있다. 수면 중 저산소혈증, 고탄산혈증, 호흡부하 등의 호흡자극은 각성을 유도한다. 각성역치란 각성이 발생하기 위해 필요한 호흡노력이나 자극의 정도를 말한다. 수면 중 상기도 저항이 증가함에 따라 인두 확장근이 상기도를 개방하게 되는데 각성역치가 낮은 사람은 인두 확장근이 활성화되기 전에 각성역치에 도달하게 되어 수면과 각성이 반복되고 이는 호흡을 불안정하게 만든다.

이 외에도 상기도의 신경과 근육이상을 들 수 있는데, 심한 코골이는 저주파 진동을 발생시키고 이러한 진동은 상기도의 점막손상과 감각기능 저하를 일으키는 것으로 알려져 있다. 이는 인두 확장근과도 관련이 있는데, 코골이나 진동, 근육피로 등으로 상기도에 염증과 외상이 발생하게 되고 이것은 인두 확장근의 신경지배에 영향을 미쳐 음압을 감지해 내지 못하게 만들고 인두 확장근 자체를 손상시킨다.

Ⅳ. 폐쇄수면무호흡의 임상증상 및 합병증

수면 중 무호흡이 지속되면서 저산소혈증과 고탄산혈증이 유발된다. 이로 인해 비정상적인 가스교환과 환기를 정상화시키기 위해 호흡요구가 커지게 되고 호흡근의 긴장도가 증가하는 과정에서 빈번한 각성이 동반된다. 수면 중 고탄산혈증, 저산소혈증과 함께 상기도 폐쇄와 각성이 반복되면서 수면 분절, 교감신경 항진 등이 동반되며 이와 관련된 다양한 합병증을 초래한다.

심한 코골이, 발한, 구강건조증, 기상 시 두통(morning headache), 인후통, 야뇨증, 위식도역류, 질식감을 느끼거나 침을 흘리는 야간증상이 나타난다. 주간증상으로는 과다한 주간졸음(daytime sleepiness), 피로, 판단력, 기억력, 집중력 저하 등의 인지장애와 우울증이 나타날 수 있다.

지속적인 무호흡과 질식으로 인해 수면 중 교감신경의 활성화, 산화스트레스의 증가, 혈액응고기전의 활성화, 혈액 지질대사이상, 혈관내피의 기능이상이 발생함으로써 고혈압, 부정맥, 관상동맥질환, 뇌졸중, 허혈성 심장질환과 같은 심혈관계 질환을 야기한다. 또한, 반복적인 각성 및 뇌허혈에 의해 신경정신학적 합병증이 나타난다.

잦은 각성에 의해 교감신경이 지속적으로 활성화되고 자율신경 기능부전이 발생하면서 야간에도 혈압하강이 나타나지 않고 혈압이 지속적으로 높은 상태가 유지된다. OSA 환자의 약 50%에서 고혈압이 동반되고, 중증 OSA 환자는 저항성 고혈압이 나타날 가능성이 4배가량 높은 것으로 알려져 있다.

OSA는 심방세동의 유병률을 5배가량 높이고, 무호흡 정도가 심할수록 심방세동의 위험성도 높아진다. 무호흡에 의해 흉곽내 음압이 증가하면 이것은 미주신경의 조절기능 이상을 초래하고 심방 부착부위의 섬유화로 심방세동의 발생 가능성이 높아진다.

OSA는 고혈압, 심방세동, 당뇨병 등을 유발함으로써 간접적으로 뇌졸중의 위험을 증가시킴과 동시에 뇌졸중의 독립적인 위험인자이다. 만성적인 저산소증과 염증을 유발함으로써 뇌혈관과 뇌실질을 손상시키고 과응고증, 혈관내피세포의 기능저하를 초래하여 뇌졸중의 위험성을 높이는 것으로 알려져 있다. 특히, OSA는 뇌졸중의 예후와 밀접한 관련이 있다. 무호흡으로 고탄산혈증이 발생하면 뇌혈관이 확장되는데, 정상 혈관에 혈류가 증가하고 뇌경색이 발생한 혈관의 혈류는 오히려 감소하는 reverse Robin Hood syndrome이 나타나 급성 뇌졸중을 악화시킨다.

OSA 환자의 60–90%에서 과체중이나 비만이 있고, 비만에 의한 인슐린저항성 증가가 OSA를 악화시킴과 동시에 OSA가 대사이상, 인슐린저항성 증가 등을 일으켜 당뇨와 같은 대사증후군을 발생시키고 비만을 악화시키는 악순환이 발생한다. 비만과의 연관성을 제외하더라도 OSA가 인슐린저항성 및 카테콜아민이나 코티솔의 분비를 증가시키고 포도당 불내성을 초래하여 당뇨병을 유발한다.

V. 폐쇄수면무호흡의 진단

수면무호흡 환자의 진단에는 두경부 영역에 대한 전반적인 검진이 필요하다. 환자의 병력청취와 신체검사, 두부방사선검사, 전산화단층촬영(CT) 및 수면다원검사 등을 시행할 수 있다. 수면무호흡 환자 평가에 실험실 진단검사도 도움이 될 수 있는데, 이차성 적혈구증가증은 일반혈액검사(complete blood count, CBC)를 통해 확인하고 야간의 이산화탄소 저류 양상은 전해질 검사상 중탄산염 수치의 상승을 통해 파악할 수 있다. 갑상선기능저하증은 수면무호흡증의 기여요인 중 하나로 갑상선기능검사를 통해 확인할 수 있다.

1. 병력청취

먼저 환자의 주호소를 주의 깊게 평가한다. 수면무호흡증 환자들의 일반적인 기본 증상은 낮 시간동안 과도한 졸음이다. 장기간 심한 코골이의 병력과 아침 두통

표 19-3 OSA의 고위험군

체질량지수 35 초과의 비만(obesity) (BMI > 35)
울혈성 심부전(congestive heart failure)
심방세동(atrial fibrillation)
난치성 고혈압(refractory hypertension)
2형 당뇨(type 2 diabetes)
야간 심부정맥(nocturnal dysrhythmias)
뇌졸중(stroke)
폐성 고혈압(pulmonary hypertension)

표 19-4 주간기면지수(Epworth Sleepiness Scale)

아래 상황별 질문에 대하여 당신은 얼마나 졸리거나 또는 잠이 드십니까? 항목별로 자신의 상태에 가장 적합한 것을 선택하세요.
0 = 졸지 않음
1 = 약간 졸림
2 = 보통 졸림
3 = 매우 졸림

상태	졸림 정도
앉아서 책 읽기	____
TV 시청	____
극장이나 회의석상과 같은 공공장소에서 가만히 앉아 있기	____
1시간 정도 계속 버스나 택시 탑승	____
오후 휴식시간에 편안히 누워 있기	____
앉아서 대화하기	____
점심 식사 후 조용히 앉아 있기	____
운전 중 교통정체로 차 안에서 몇 분간 멈춰 있기	____
합계	____

결과
0–9: 정상
10–13: 주간졸림증이 있음
14–18: 중증도의 주간졸림증
19 이상: 심한 주간졸림증

을 호소하면 수면무호흡을 의심해 볼 수 있다. 환자의 평균 수면시간, 수면의 경향, 불면증과 같은 수면 중 이상행동 유무를 확인해야 하며, 흡연이나 음주소비 여부 또한 조사한다. 항우울제나 수면제와 같은 약물의 복용 여부 및 고혈압, 당뇨, 심혈관질환 등과 같은 환자의 전신질환의 유무를 파악해야 한다(표 19-3).

수면무호흡을 증상을 알아내기 위해 간편하게 사용할 수 있는 베를린설문, 엡워스 주간기면지수(Epworth sleepiness scale, ESS), STOP-Bang (snoring, tiredness, observed apnea, high blood pressure, BMI, age, neck circumference, gender) 등과 같은 설문조사 방법들이 개발되었다. 이 중 ESS 자가평가는 졸음을 초래할 수 있는 8가지 상황을 설정하고 각 상황에 따른 졸음의 정도를 4단계로 선택할 수 있게 구성되어 졸음의 전반적인 평가가 가능한 주간 졸음 자가평가방법이다. 10점 이상이면 비정상적인 과다졸음으로 판정한다(표 19-4).

2. 신체검사

수면 중 호흡의 폐쇄를 유발할 수 있는 기여요인이나 원인이 될 수 있는 해부학적 이상을 확인한다. 신체계측검사, 상기도 검사, 얼굴 형태에 대한 검사와 함께 구강, 코, 인두부, 후두부의 전반적인 검사를 시행해야 한다. 체중, 체질량지수(body mass index), 지방 분포 등 비만에 관련된 사항과 목 둘레, 배 둘레 등의 측정도 필요하다. 비강에서부터 후두에 이르는 전체 상기도 검사를 시행할 수 있다. 얼굴의 발달 형태를 파악하기 위해 상악, 하악의 전반적인 구조를 관찰하여 하악후퇴증(retrognathia), 소하악증(micrognathia) 등의 골격 이상 여부를 확인한다. 부정교합(malocclusion)이나 좁고 깊은 구개궁, 골융기(torus), 늘어진 목젖과 같이 문제가 되는 구강내 구조물을 파악하기 위한 구강내 검진을 시행한다. 코의 검사 시 비중격의 심한 만곡이나 비갑개의 비대소견이 있는지 확인하며, 비강에서는 다발성 용종, 상악동 후비공 폴립(antrochoanal poly), 종양 등 병변의 유무를 확인한다. 인두부위에서 아데노이드나 편도의 비대증, 긴 연구개, 거대설(macroglossia) 등은 기도의 폐쇄를 유발할 수 있는 잠재적 요인이 된다. 종종 비인두나 하인두에서도 종물이 관찰될 수 있다. 하인두와 후두부에서는 설근부, 후두개곡, 후두개 등에 낭종성 병변이나 종양, 성대마비 소견의 여부를 검사한다.

기도의 폐쇄 지점을 확인하기 위해 비강이나 인두에 국소마취를 한 뒤 코를 통하여 굴곡내시경검사(fiberoptic endoscopy)를 이용할 수 있다. 비인두, 구강인두, 하인두 그리고 후두를 순차적으로 검진하고 기도의 모양과 협착 부위 및 정도를 측정한다. 또한 하악골 전진에 따른 혀의 전방이동과 같은 혀 기저부의 위치 변화를 확인할 수 있다.

인두기도의 형태나 인두벽의 협착 정도는 환자가 modified Müller maneuver를 수행함으로써 확인할 수 있다. 이 동작은 먼저 호기 말에 환자의 기도모양을 본 다음, 환자는 코와 입을 막은 상태에서 흡기를 시도하여 기도내 음압을 형성시키는 것이다. 이때, 기도폐쇄 지점은 인두벽에서 음압이 증가하는 위치로 판정할 수 있다.

3. 해부학 구조에 따른 분류(Grading of anatomical structures)(그림 19-2)

1) Friedman tongue position (FTP)

FTP는 구강내 혀의 위치를 scoring하여 수면무호흡증을 진단하고 치료를 선택하는 데 도움을 준다. FTP에 편도선(tonsil)의 크기에 따라 UPPP와 같은 수술적인 치료의 성공률을 예측할 수 있다. 5가지의 위치로 분류되는데, position 1은 연구개, 구개수, 편도선까지 다 보일 정도로 혀가 작거나 위치가 낮은 경우, position 2a는 구개수, 연구개, 경구개가 보이고 편도선과 pillar가 보이지 않는 경우, position 2b는 구개수

base와 연구개, 경구개가 보이고 편도선과 pillar, 구개수가 보이지 않는 경우, position 3은 연구개의 전방부와 경구개만 부분적으로 보이는 것을 의미하고, position 4는 경구개만 보일 정도로 혀가 크고 tongue base가 뒤로 밀린 것을 의미한다.

2) Tonsil grading

편도선 크기를 0에서 4까지 분류되며, 0은 수술해서 편도선이 없는 경우, 1은 편도선이 살짝 보이는 경우, 2는 pillar까지 연장된 경우, 3은 pillar를 지나서 큰 경우, 그리고 4는 편도선이 kissing tonsil으로 완전히 닿는 것을 말한다.

3) Friedman staging system

Friedman staging system은 FTP와 tonsil size와 BMI를 통합한 분류기준이다(표 19-5).

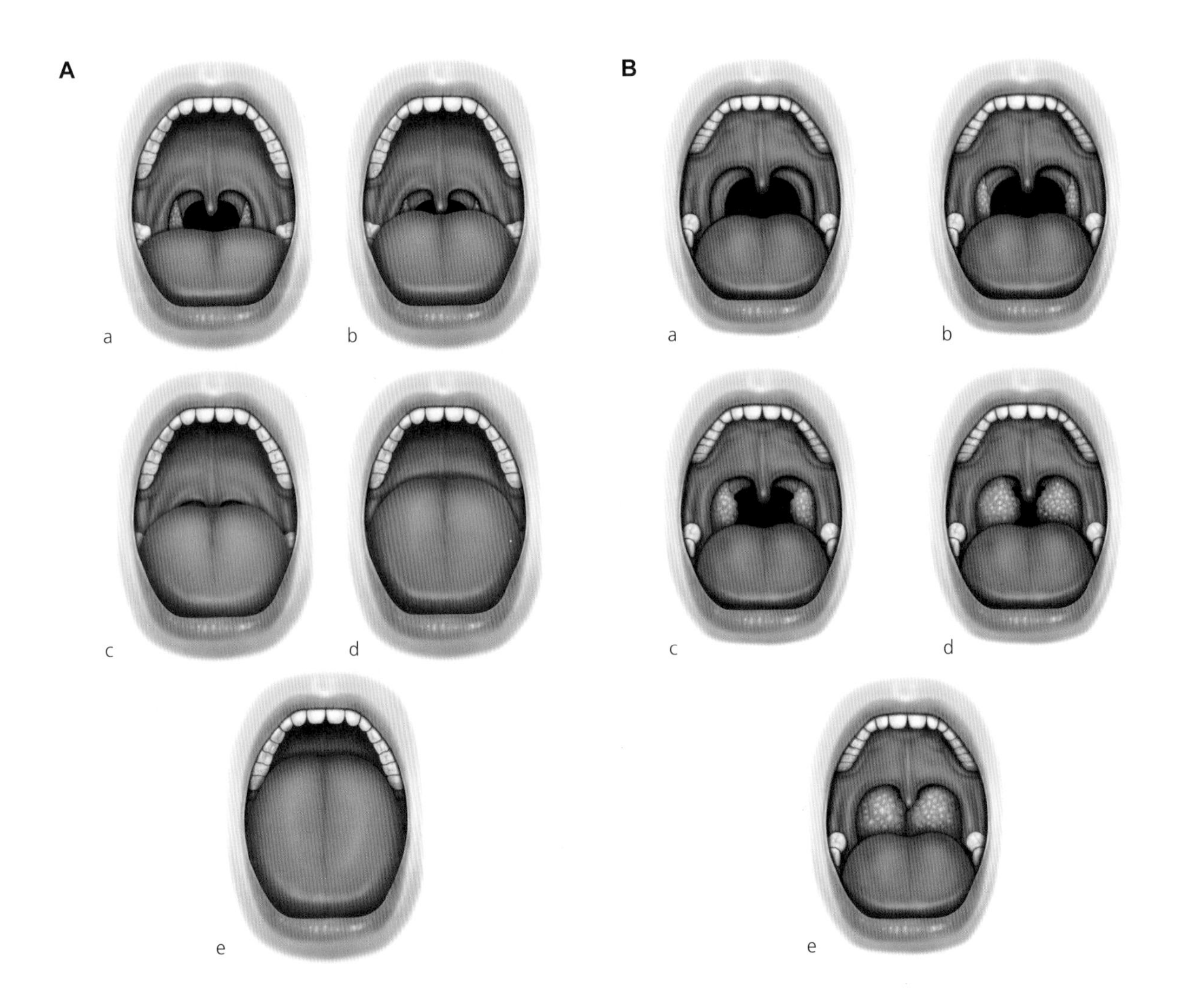

그림 19-2 Friedman tongue position & Tonsil grading.

A: Friedman tongue position(FTP). a: position 1, b: position 2a, c: position 2b, d: position 3, e: position 4 **B:** Tonsil grading system. a: size 0, b: size 1, c: size 2, d: size 3, e: size 4.

표 19-5 Friedman staging system

Stage	FTP	Tonsil size	BMI
I	1, 2a, 2b	3 or 4	<40
II	1, 2a, 2b	0, 1, or 2	<40
	3 or 4	3 or 4	<40
III	3 or 4	0, 1, or 2	<40
IV	1–4	0–4	<40

4. 두부계측방사선사진

측면두부방사선사진 분석은 수면무호흡 환자의 초기 분석에 사용할 수 있는 기본적인 검사도구로, 인두의 폭 전체를 두개안면부와 인두주위 연조직 이상과 연관지어 평가할 수 있다. 기도는 2차원 단면이 아닌 3차원 입체구조이므로 동적인 현상을 반영하기에는 한계가 있지만, 악안면 골격이상 및 후방 상기도폐쇄 부위의 진단이 용이하고 수술적 치료 전후의 악골 변화를 정량화하여 평가하기 유리하며 비용이 상대적으로 저렴한데다 방사선 노출이 적다는 장점이 있다.

상악과 하악의 위치는 SNA (sella–nasion–A point)와 SNB (sella–nasion–B point) 각도로 평가한다. 악골의 결손이 있는 환자는 혀의 기저부나 연구개 수준에서 기도폐쇄를 보이는 경향이 있는데, 수면 무호흡증 환자들은 보통 설골이 하방으로 변위되어 있고 연구개가 평균보다 길며, 혀의 기저부 부위에서 좁아진 양상을 보인다. 설골의 위치는 하악평면(mandibular plane, MP)에서 설골(hyoid bone, H)을 향해 수직선을 그어서 평가한다. 보통 사람들의 평균적인 MP–H 거리는 15.4 ± 3 mm이다. 설골의 위치는 혀의 근육들이 부착하는 중심 고정원을 제공함으로써 혀의 위치를 일부분 결정하는 중요한 구조물이다. 연구개의 길이는 후비극(posterior nasal spine, PNS)에서부터 연구개 형상의 첨부(P)를 향해 그은 선으로 평가할 수 있다. 정상인에서 평균 PNS–P 거리는 37 ± 3 mm이다. 후방기도공간(posterior airway space, PAS)는 B 포인트에서 혀 기저부와 후인두벽을 교차하는 gonion (Go)을 향해 그린 선에 의해 결정된다. 후방기도공간은 양악전진술(maxillomandibular advancement, MMA)을 통해 변화할 수 있다. 일반인의 평균 PAS는 11 ± 1 mm이다. 전비극(ANS)에서부터 이부(menton, Me)까지 거리를 측정하여 하안면의 길이를 평가한다. 수면무호흡증 환자에서 두개저의 길이는 감소하는 반면 하안모의 길이는 증가하는 경향이 있다.

5. 전산화단층촬영(CT)

전산화단층촬영(CT)은 짧은 시간에 기도의 다양한 부위를 3차원으로 재구성해 볼 수 있다. 3차원적 기도의 모양과 부피를 정량적으로 평가할 수 있고, 기도의 다양한 위치에서 이미지를 분할하여 구체적인 해부학적인 정보를 획득할 수 있는 장점이 있다. 근래에는 방사선조사량을 줄이면서 3차원적 기도의 평가를 수행하기 위해 콘빔 CT(Cone–beam CT, CBCT)를 활용하고 있다.

CT를 이용한 기도평가는 연조직 구조물인 기도와 경조직 구조물인 악골, 경추, 설골 등과 같은 주변 구조물과의 상대적인 관계를 파악하기에 용이한데, 특히 수평분할 이미지(cross–sectional image)를 통해 기도의 단면적이 가장 좁은 부위를 주변 해부학적 구조물과 함께 평가할 수 있다. 수면무호흡증 환자의 평가에서 정상인들과 비교했을 때 상대적으로 혀의 표면적이 넓고 기도의 부피는 적은 경향이 있고, 비인두, 구강인두 및 하인두의 수평분할 면적이 유의미하게 감소되는 양상을 나타낸다.

6. 수면다원검사(Polysomnography)

수면다원검사는 수면 상태인 환자의 뇌파(electro–encephalography, EEG), 안전도(electrooculogram,

EOG), 근전도(electromyogram, EMG), 심전도(electrocardiogram, ECG), 호흡기류, 호흡노력, 산소포화도, 호흡사건 등 다양한 신호를 밤새 감지하고 기록하는 것으로 수면무호흡증을 진단 및 평가를 하는 데 있어 반드시 필요한 검사이다. 이 방법은 무호흡-저호흡지수(AHI)나 호흡장애지수(respiratory disturbance index, RDI)와 같은 객관적 지수를 평가할 수 있고, 수면무호흡증의 심각도를 판단할 수 있으며 치료의 성공여부를 추적관찰할 수 있는 유용한 방법이다. 수면다원 검사는 수술치료를 시작하기 전에 반드시 시행해야 하며, 진단을 위해서는 총 수면시간이 최소 4시간은 반드시 기록이 되어야 한다. 수면다원검사의 단점은 인력과 비용이 많이 필요하고, 시간이 많이 걸리며, 검사를 시행하는 병원에서만 행해지므로 반복검사는 어려우며 결과 해석에 많은 지식이 필요하다.

7. CT data를 이용한 전산유체역학 및 인공지능을 통한 분석

기도는 코와 입을 통해 공기를 유입하고 폐까지 도달하게 하는 독특한 해부학적 구조와 기능을 가지고 있는데, 공기의 흐름과 상기도 연조직 사이의 구조적 관계를 유체의 흐름으로 초점을 맞춘 유체역학적 연구가 활발히 이루어지고 있다. 이는 기도의 3차원적 구조와 호흡 현상에 대한 이해가 더 풍요로워지고, 진단 및 치료계획 수립을 위한 임상적 적용이 더욱 유용하게 활용되고 있다. 이 방법을 통해 기도 내부에서의 공기의 흐름과 유속, 인두벽의 전단응력(shear stress), 그리고 유압의 변화 등과 같은 지표들을 시각적으로 확인할 수 있기 때문이다. CBCT의 활용과 컴퓨터 분석 방법이 빠른 속도로 개발됨에 따라 3차원 방식으로 기도의 구조를 시각화하여, 공기의 흐름을 시뮬레이션하고 기도 내부에서 발생하는 소용돌이(vortex)와 유속(flow velocity)의 상승 정도 및 위치를 파악할 수 있다. 분석 장비와 컴퓨터 소프트웨어의 발전으로 전산화 시간이 점점 짧아지고 있는데, 최근에는 이러한 자료들을 기계학습(machine-learning)하여 인공지능(artificial intelligence, AI)을 통해 더욱 더 빠르고 정확하게 유체역학 분석이 가능하게 되었다.

VI. 수면호흡장애 치료

OSA 환자를 치료하는 방법은 크게 3가지로 나뉜다. ① 행동 조절(behavioral modification), ② 비수술적인 치료, ③ 수술적인 치료이다. 모든 환자에게 치료의 다양한 옵션에 대해 설명하고 선택하게 하는 것이 중요하며 개인의 증상과 해부학적인 요소에 의해 결정해야 한다. 치료의 선택은 증상의 정도와 AHI에 따라 결정할 수 있다(표 19-6).

1. 비수술적 치료

미국수면학회에서는 비수술적인 치료로 체중감량, 체위요법, 산소공급, 그리고 약물치료를 제시했다(표 19-7).

1) 행동요법(Behavioral strategies)

(1) 체중감량(weight loss)

비만은 수면 무호흡을 유발하거나 악화시키는 중요한 위험인자로 과체중이거나 비만을 동반한 OSA 환자는 체중감량과 운동을 반드시 병행해야 한다. 많은 연구에서 5-10%의 체중감량은 AHI를 줄이고, 삶의 질을 향상시키고, 주간졸림증을 줄일 수가 있고 OSA가 완치되는 경우가 있다고 했다.

체중감량으로 OSA가 좋아지는 환자가 다시 체중이 늘어나면 수면무호흡이 재발하거나 악화할 수 있

표 19-6 AHI와 증상에 따른 치료 선택기준

AHI	Symptomatic	Asymptomatic (기저질환 없음)	Asymptomatic (기저질환 있음)
Mild	치료	관찰 또는 보존적 치료	치료 고려할 수 있음
Moderate	치료	치료	치료
Severe	치료	치료	치료

보존적 치료: weight loss, side sleep position, nasal congestion treatment, avoid alcohol

표 19-7 폐쇄성 무호흡증의 의학적 치료를 위한 미국수면학회(AASM) 권고사항

치료	의학적 치료를 위한 권고사항
체중감량	과체중 OSA 환자에서 성공적인 체중감량은 AHI를 개선시킴. 체중감량은 OSA의 일차적인 치료와 병행해야 함. 과체중 환자에서 비만수술을 OSA의 치료에 보조적으로 시행할 수도 있음.
체위요법	체위요법은 비앙와위 자세를 유지하는 방법으로 이차적인 치료에 효과적이거나 AHI 수치가 낮은 OSA 환자의 일차적인 치료를 보완할 수 있는 방법임.
산소공급	산소공급은 OSA의 일차적인 치료로는 추천하지 않음.
비강 코르티코스테로이드	국소적인 비강 코르티코스테로이드는 비염을 동반한 OSA 환자에서 AHI를 개선시키므로 OSA의 일차적인 치료에 유용함.
Modafinil, Armodafinil	Modafinil은 효과적인 PAP 치료에도 불구하고 졸음이 지속되거나 졸음을 유도하는 요소가 없는데도 과도한 졸음이 지속되는 OSA 환자를 치료하는 데 추천함.
그 외 치료	프로프틸린, SSRIs, 아미노필린, 프로게스테론을 포함하거나 포함하지 않는 에스트로겐 제제 및 충혈완화제의 단기 작용.

AHI: apnea-hypopnea index; OSA: obstructive sleep apnea; PAP: positive airway pressure; SSRIs: selective serotonin reuptake inhibitors.

기 때문에 환자는 감량한 체중을 유지하도록 노력해야 한다. 체중감량은 모든 과체중 OSA 환자에게 권고되어야 한다(guideline; 권고의 근거수준: 보통, Level 2 evidence). 하지만 체중감량만으로 OSA의 완치를 기대하기는 어렵고, 또한 상대적으로 체중감량의 치료효과가 뒤늦게 나타나는 점을 고려하면, 체중감량은 단독 치료보다는 양압기 등 일차적인 치료법과 병행하는 것이 좋다(option; 권고의 근거수준: 낮음). 그리고 충분한 정도의 체중감량에 도달했을 때에는 수면다원검사 추적검사를 실시하여 양압기가 계속 필요한지 혹은 양압 수준의 조정이 필요한지에 대한 평가를 실시해야 한다(Standard; 권고의 근거수준: 높음, Level 1 evidence).

(2) 체위요법(position therapy)

수면 중 체위는 기도의 크기와 개방성에 영향을 미치며 앙와위(supine) 자세에서 상기도의 단면적은 감소하게 된다. 따라서, 많은 환자에서 수면 중 무호흡은 비앙와위(non-supine) 자세보다 앙와위 자세에서 더욱 빈번하게 발생한다. 체위요법은 수면 중 비앙와위 자세를 유지하는 방법으로, 앙와위 AHI에 비해서 비앙와위 AHI 수치가 상대적으로 낮은 OSA 환자의 이차적 혹은 부가적 치료로 활용될 수 있다(guideline; 권고의 근거수준: 보통, Level 2 evidence). 하지만 모든 환자가 비앙와위 자세에서 AHI가 정상 수준까지 감소하지는 않기 때문에, 체위요법을 일차 치료로 시작하기 전에는 반드시 수면다원검사를 실

시하여 체위변화에 따른 OSA 치료 정도를 평가해야 한다(consensus; 권고의 근거수준: 보통, Level 3 evidence). 그리고 체위요법을 시작할 때에는 비앙와위 자세를 유지하도록 도와주는 기구(알람, 베개, 테니스공 등)를 활용하는 것이 좋다(consensus).

(3) 인자 회피

OSA를 악화시킬 수 있는 위험인자를 피하는 것이 행동요법에서 중요한 부분이다. 알코올이 OSA를 악화시키는 사실은 잘 알려져 있다. 알코올 섭취는 단순 코골이 환자에서 수면 중 무호흡을 유발하고, 또한 수면무호흡 환자들에서는 무호흡의 빈도와 중증도를 악화시킬 뿐만 아니라 주간졸림증상을 더욱 악화시키는 영향이 있다. 모든 OSA 환자는 금주가 권고되며, 완전한 금주가 어려울 경우는 음주량을 제한하고 취침 전 두 시간 이내에는 음주를 피하도록 한다. 또, 불면증이나 턱관절치료로 사용하는 벤조디아제핀 계열의 수면-진정제는 OSA 환자에서 무호흡을 악화시킬 수 있기 때문에 신중히 사용해야 한다. 흡연은 수면의 질을 악화시킬 뿐 아니라 OSA의 위험인자로 작용하는데, 점막의 부종을 유발하고 상기도 저항을 증가시키기 때문이다. 금연이 수면무호흡 자체를 호전시키는 효과는 크지는 않으나, 흡연이 전신 장기에 미치는 악영향을 고려하여 모든 OSA 환자에게 금연을 권고해야 한다.

2) 약물요법(Pharmacologic)

OSA의 치료를 적절히 받고 있음에도 불구하고 주간졸림증이 심한 경우 보조요법으로서 약물치료를 시작해 볼 수 있다. 항우울제, 수면진정제, 항경련제, 항히타민제와 같은 약물 또한 중추신경계를 억제하여 수면 무호흡과 주간졸림증을 악화시킬 수 있어 이들 약제의 복용을 삼가야 한다. 항우울제는 체중증가, 하지불안증후군(restless leg syndrome)과 주기성 사지운동장애(periodic limb movements) 등을 유발하는 경우도 있어 주의가 필요하다. 이런 약제의 사용이 반드시 필요할 경우 주의 깊은 관찰과 용량 조절이 중요하다.

Amphetamine 계열의 중추신경 각성제(modafinil)들은 수면 분절로 인한 주간기면증의 증상 호전을 위하여 사용될 수 있으나 처방에 앞서 정확한 진단이 선행되어야 한다. 무호흡증과 만성폐쇄성폐질환(COPD)이 동반된 경우 산소요법은 수면 중 저산소혈증 치료를 위해 사용된다. 산소공급 초기 수분 동안은 무호흡이 연장될 수 있으므로 모니터링이 필수적이며 적절한 산소포화도 유지를 위해서도 모니터링이 필요하다.

Protriptyline (Vivactil), amitriptyline (Elavil), nortriptyline (Pamelar) 등의 nonsedative tricyclic 항우울제들과 호르몬제제들도 사용할 수 있다. Protriptyline은 무호흡이나 코골이 증상이 심한 REM 수면의 시간을 단축시키고 상기도 확장근 및 설하신경을 활성화하여 기도폐쇄를 억제하는 효과와 주간 각성효과가 있다. 이 계통의 약제들은 부작용으로 구갈, 변비, 배뇨장애 등의 항콜린효과 및 성기능장애의 위험이 있어 복용 중 주의 깊은 추적관찰이 요구된다. Medroxyprogesterone acetate는 수면무호흡과 비만-저환기증후군을 동반한 환자에서 극히 제한적으로 사용된다. 갑상선호르몬제제는 수면무호흡이 동반된 갑상선저하증에서 무호흡 감소에 효과가 있다.

3) 상기도 근기능 운동(Myofunctional therapy/training, MFT)

상기도 확장근은 기도의 개방성 유지에 중요한 역할을 하기 때문에 상기도 근기능을 향상시키는 운동을 통해 OSA 증상을 완화할 수 있다. 등장성 운동을 통해 혀, 인두와 연구개의 근육 강도를 증진시킬 수 있으며 특히 경증에서 중등도의 OSA에서 유용하게 활용될 수 있다. 운동방법은 문헌마다 약간의 차이는 있었으나 주로 연구개, 혀, 안면, 하악 운동을 기본으로 하고 있었고, 환자들은 전문가에 의해 교육 및 시범받은 상기도 근기능 운동을 집에서 지속적으로 시행 후 주기적으로 재평가받는 방식을 이용하였다. 구체적인 운동 방법으로는 성인을 대상으로 한 연구에서는 혀를 브러시로 닦기, 경구개 밀기, 입천장에 대항하여 빨기,

입술을 포개거나 오므리기, 목젖을 상승시키기, 볼근육을 누르기, 입 벌렸다 닫기, 풍선불기 등이었고, 소아를 대상으로 한 연구에서는 혀를 회전시키고 좌우로 움직이기, 입술을 포개고 진동을 주기, 연구개와 목젖을 상승시키기, 안면운동, 턱 움직이기 등이 있었다.

4) 양압기(Positive airway pressure, PAP)

양압기 치료는 OSA의 주 치료 방법이다. 양압기는 지속형 양압기(continuous positive airway pressure, CPAP), 이중형 양압기(bilevel positive airway pressure, BPAP), 그리고 자동형 양압기(auto-titrating positive airway pressure, APAP) 세 종류가 있다(그림 19-3). 지속형 양압기는 일정한 압력을 수면 중 지속적으로 전달하는 것으로 가장 간편하며, 가장 많이 연구된 방법이다. 흡기와 호기 시에 모두 일정한 양압이 지속적으로 전달된다. 흡기에 적용되는 양압은 코골이, 저호흡과 무호흡의 발생을 억제하는 치료목적으로 사용되지만, 기도폐쇄가 잘 일어나지 않는 호기 시에 적용되는 양압은 오히려 환자의 불편함을 초래할 수 있다는 단점이 있다. 이중형 양압기는 흡기양압(inspiratory positive airway pressure)과 호기양압(expiratory positive airway pressure)을 전달하여 호기 시에도 편안한 호흡이 가능하다. 자동형 양압기는 상황에 따른 자동조정(auto-adjusting) 기능이 있어 기도에 필요한 최저압력을 전달할 수 있어 지속형 양압기보다 낮은 압력을 사용할 수가 있다. OSA 환자에서 이중형 양압기 치료와 자동형 양압기 치료가 지속형 양압기 치료보다 우수하다는 증거는 아직 없다. 이외에 최근에 개발된 장비로 자동 적응형 양압기(adaptive servo-ventilation)가 있다. 이것은 사용자의 호흡에 맞추어 자동으로 사용자의 최근 평균 환기의 90%를 계산하여 이를 달성하기 위해 압력을 조절한다. 자동형 양압기 치료 후 중추수면무호흡이 나타나거나 심부전에 의한 수면호흡장애가 있는 환자에게 도움이 될 수 있다.

양압기 기계의 주장치는 압력을 생성하는 펌프, 가습기, 기류저항을 측정하는 센서와 호흡 및 압력정보를 저장하는 저장부로 구성이 되어 있다. 마스크에는 코형(nasal type), 콧구멍형(pillow mask)과 안면형(full-face mask)이 있으며, 대개 처음 사용하는 경우에는 코형 마스크를 가장 흔하게 사용한다. 마스크에는 작은 구멍이 있어서 호기 시에 나오는 이산화탄소를 밖으로 배출시켜 줄 수 있다. 양압기 기계의 사용내역에 대한 정보저장은 최대 1년까지 가능하여 사용시간, 마스크 공기누출, 무호흡-저호흡지수 등의 정보를 얻을 수가 있고, 이를 추적자료로 활용할 수 있다.

OSA를 치료하기 위하여 기도에 전달되는 압력은 기본적으로 수면 중 체위변화 및 수면단계 등 모든 상황에서 기도폐쇄를 억제하는 동시에 환자의 각성을 유도하지 않아야 한다. 이런 적정압력(optimal pressure)은 특정압력에서 최소 15분 이상 호흡장애지수를 시간당 5 이하로 유지하면서 산소포화도를 90% 이상 유지할 수 있는 압력이라고 정의할 수 있다. 양압기 치료를 잘 사용하는지에 대한 기준은 하룻밤에 4시간 이상 사용해야 하고, 전체 기간의 70% 이상 사용할 것이 권유된다. 치료의 순응도가 떨어지면 양압기 치료의 효과는 감소하게 된다. 권고사항보다 많이 사용할수록 치료효과는 더 큰 것으로 알려져 있고, 시간이 지남에 따라서 누락되거나 사용 중단의 확률이 높아진다. CPAP의 주된 문제점은 환자의 순응도로, 비착용률(non-acceptance rates)은 5-50%로 다양하게 보고되고 있으며 평균 20% 정도이다.

양압기 치료 사용에 따른 불편함은 마스크의 압력에 관련된 것이 가장 많다. 마스크에 의한 부작용으로 마스크 착용에 따른 불편함, 피부발적 및 손상, 폐쇄공포증 등이 있을 수 있다. 문제가 생기는 경우에는 다른 종류의 마스크로 교체하는 것을 고려하고, 너무 꽉 조이지 않게 밴드를 조절해보고, 피부를 보호할 수 있는 외용제를 바르게 하는 것이 도움이 된다. 폐쇄공포증이 있는 경우, 콧수염이 많은 경우, 상악골 결손이 심한 경우 등에서는 콧구멍형 마스크가 유리할 수 있다. 잠자는 동안 구강호흡을 하고, 양압기 치료를 하는 중

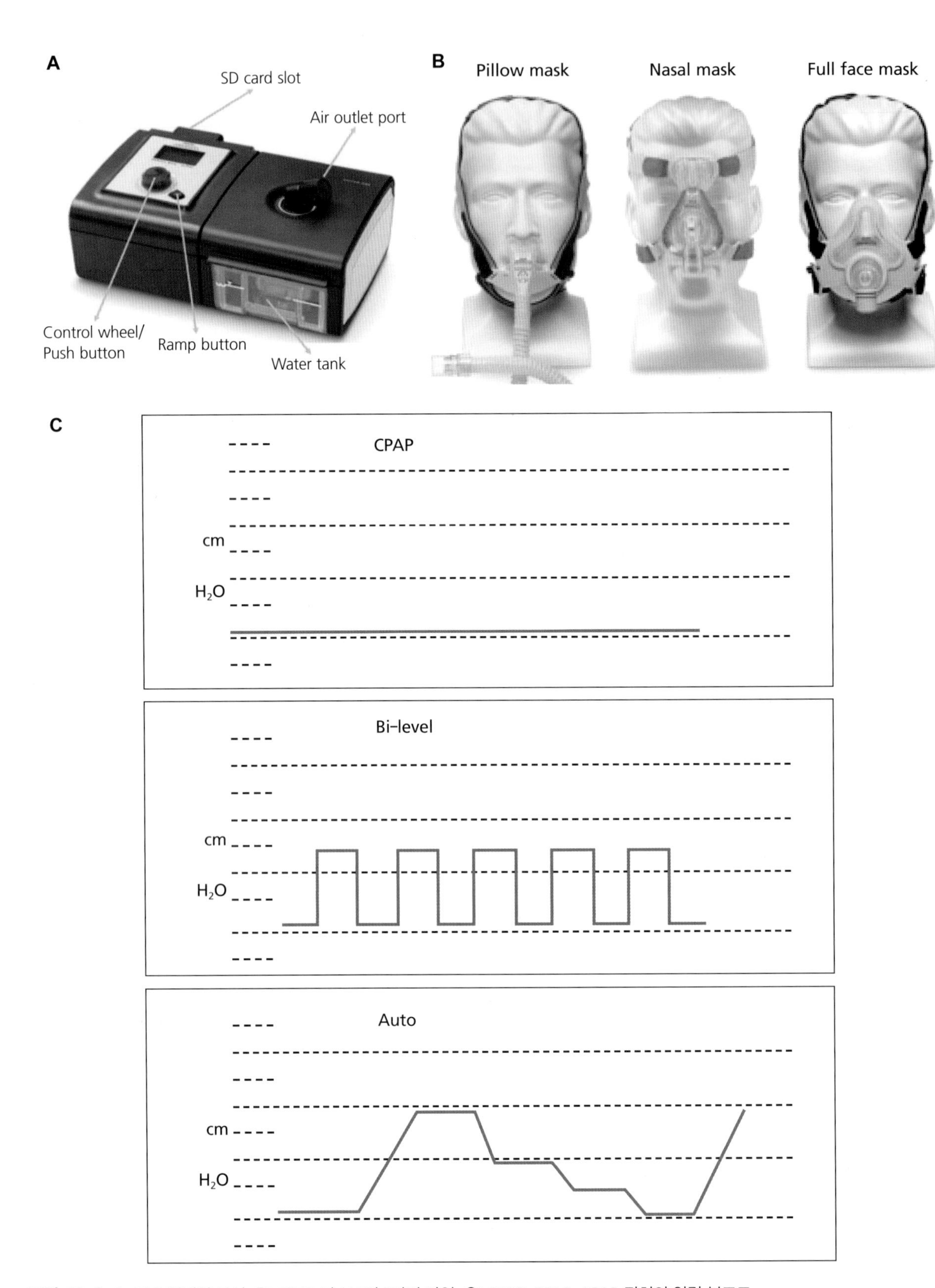

그림 19-3 A: PAP 장치의 구성 B: CPAP 마스크의 3가지 타입 C: CPAP, BPAP, APAP 장치의 압력 분포도.

출처: Choi J, Cho SH. Treatment of Obstructive Sleep Apnea with Positive Pressure Ventilation. Hanyang Medical Rev. 2013; 33(4): 239-245.

간에 입을 닫을 수가 없는 경우에는 입을 통해 기류손실이 생길 수 있으며, 이럴 경우에는 턱끈(chin strap)을 사용할 수 있다. 그래도 교정이 안 되는 경우에는 안면형 마스크로 교체하면 도움이 된다. 양압기 치료의 압력은 코를 통하여 들어가게 되기 때문에 비강과 연관된 불편함이 발생할 수 있다. 코막힘 때문에 공기 저항이 증가하여 코로 숨을 쉬는 것이 불편해지고, 이 때문에 치료의 순응도를 떨어뜨릴 수 있다. 코막힘이 심한 경우 가습기 기능을 이용하거나 스테로이드 비강 분무제 등의 약제를 사용해 볼 수 있다. 비강건조증이나 비출혈이 발생하는 경우에는 역시 가습기 기능을 이용하거나 생리식염수 세척을 권유한다. 압력에 대한 민감도가 높은 경우에는 호기압력을 떨어뜨려 주는 기능을 활용하거나 자동형 양압기로 전환할 수 있다.

5) 구강내장치(Oral appliance therapy, OAT)

구강내장치는 구개수(uvula) 혹은 혀의 후방 이동을 억제하는 다양한 형태의 구강내장치가 개발되어 있으며, 원리에 따라 연구개 거상장치(palatal lifter), 혀 유지장치(tongue retaining device, TRD)와 하악전방이동장치(mandibular advancement device, MAD)로 분류할 수 있다(그림 19-4). Palatal lifter는 연구개를 거상하고, TRD는 혀를 전방으로 당겨주며, MAD는 하악을 전방으로 이동시키는 장치로 가장 많이 사용한다. 구강내장치는 단순 코골이나 경증의 OSA를 가진 환자에서 체중감량이나 수면자세의 변화와 같은 행동요법에 효과가 없을 경우, 또는 중등도 이상의 OSA를 보이지만 양압기 치료에 순응하지 못하는 환자에게 사용될 수 있다. 수면다원검사를 통해 치료효과를 평가하여야 하며 경과에 따라 구강내장치를 재조절할 수도 있다.

TRD는 말랑한 플라스틱 suction bulb 내에 혀를 위치해서 음압에 의해 혀 기저부가 앞으로 당겨지게 된다. 기성제품과 customized acryl TRD가 존재하는데, 기성제품은 덜 효과적인 반면 customized acryl TRD가 효과는 좋은 것으로 보고되었다. 그러나 착용상 불편감이 존재하고 음압이 밤 사이에 소실되어 많이 선호되지는 않는다.

하악전방이동장치는 상악과 하악 치아에 각각 부착되어 하악을 전방으로 위치 및 유지시켜 주는 장치이다. 대부분의 하악 전돌장치는 악궁 전체의 교합면을 피개하도록 설계되어 있으며, 주로 투명하고 견고한 아크릴릭 레진 및 유지력을 얻기 위한 클래스프(clasp)로 이루어져 있다. 하악전방이동장치는 형태에 따라서 비조절성의 형태 및 조절성의 one-piece와 two-piece 형태로 구분된다. Monobloc 형태의 디자인은 하악을 견고하게 잡아주는데 bibloc은 약간 움직임을 허용하여 개구 및 하악의 측방운동이 가능하다(표 19-8). 주로 하악의 최대 전방이동량의 정도의 하악전돌 상태 75%로 전방이동량을 설정하지만 환자의 치료효과 및 불편

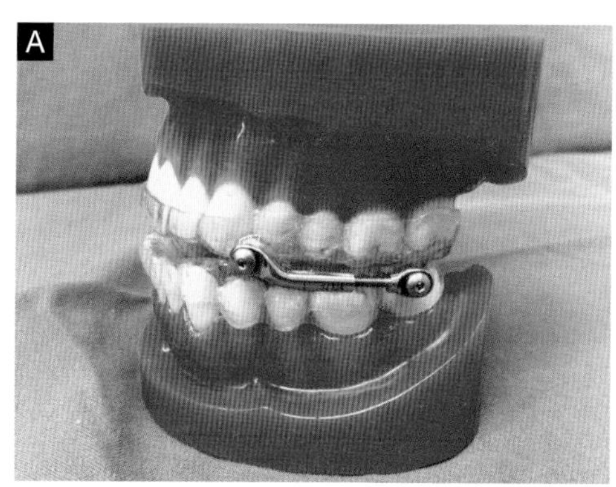
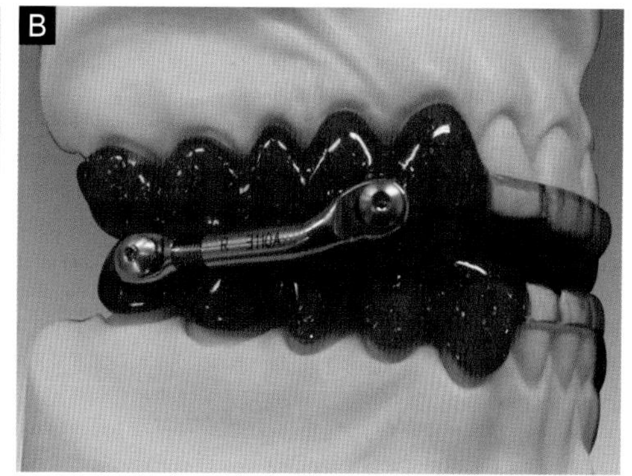

그림 19-4 Mandibular advancement device. A: Monobloc B: two-bloc.
출처: 연세대학교 김성택 교수 제공

표 19-8 CPAP과 비교한 구강내장치의 장점과 단점

장점	단점
소음 없음	PAP보다 고가
높은 이동성	구강안면의 불편함 유발 가능성
얼굴에 장치를 달지 않고 폐쇄공포증을 유발하지 않음	교합의 변화를 유발 가능성
전기식 전력 불필요	순응도 모니터링이 잘 안 이루어짐
PAP에 영향을 주지 않음	항상 효과적이지는 않음
일회용 부품이 없음	
PAP보다 순응도 높음	
공기 삼킴을 유발하지 않음	

감을 고려하여 전방이동량을 조절할 수 있다는 장점이 있다. 하악 전돌장치가 OSA에 작용을 나타내는 원리는 첫 번째로 하악의 전방위치를 통하여 기도의 직경이 증가되며 이로 인하여 흡기 시의 음압에 대한 기도의 협착저항성이 증가한다는 이론이다. 두부계측방사선촬영술을 이용한 실험 결과 하악전돌장치를 사용한 경우 구개수와 혀의 위치가 변화되어 혀와 연구개 후방의 공간이 증가한다는 결과가 보고되었다. 두 번째 이론은 하악의 전방이동으로 인하여 인두의 신장이 발생하며 이로 인한 인두운동체계(pharyngeal motor system)가 활성화가 된다는 이론이다. 인두운동체계가 활성화되는 경우 기도의 붕괴저항성이 증가하여 흡기 시의 음압으로 인하여 기도가 붕괴되어 협착되는 것이 방지되는 것으로 보인다. 근전도를 이용한 검사 결과 하악전돌장치를 착용한 경우 혀의 근전도가 증가되어 있는 소견이 관찰되었다.

하악전방이동장치는 경도, 중등도 OSA에서는 70–80%의 치료 성공률(AHI 10 이하 혹은 AHI 절반 이상 감소), 중증 OSA에서는 40% 정도의 성공률을 보인다. 구강내장치는 코골이의 빈도와 강도, AHI/RDI, 산소불포화의 빈도와 강도, 각성횟수 등의 감소를 가져오고, 하악전방이동장치는 서파와 렘수면을 증가시킨다. 하악전방이동장치는 자기공명영상(MRI)과 두부규격방사선사진(cephalogram)에서 관찰 시 하악평면각과 하악 전방의 안면고경을 줄이고, 설골은 상방으로 움직이게 하며, 전방 두개저와 상악장경은 증가시키는 방향으로 작용한다. 연구개는 짧아지게 되어 상대적으로 정상적인 기도직경과 연구개와 혀의 비율을 갖게 된다. 낮은 BMI와 작은 목둘레, 젊은 나이, 낮은 기저 AHI와 연관이 있으며, 성공적인 치료는 대부분 누워있는 상태에서의 기도폐쇄와 하악을 5 mm 이상 전방이동시킬 수 있는 환자에게서 보고되었다.

하악전방이동장치의 적응증으로는 단순 코골이, 경도에서 중등도의 OSA 환자(AHI <30회/1시간)에 있어서 CPAP 사용을 원하지 않는 경우, CPAP 치료에 실패한 경우에 쓰일 수 있으며, 비적응증으로는 심부전이나 호흡부전, 여러 가지 만성질환이 있는 경우, 심각한 치주질환이 있어서 치아 손실의 가능성이 있는 경우, 활성상태인 턱관절질환이 있는 경우, 심한 비폐쇄를 동반하는 비부비동질환, 이 장치를 유지하는데 필요한 치아가 불충분한 경우, 심각한 구역반사가 있는 경우 등이 있다.

6) 기타 장치: 호기성 양성기도 압력 및 비인강 기도삽관 스텐트

호기성 양성기도 압력(nasal expiratory positive airway pressure)은 잠자기 전에 콧구멍을 가리고 외비에 부착하는 1회용 장치이다. 흡기 시에는 저항이 거의

없으나 호기 시에는 음압이 형성되게 하여 기도가 무너지는 것을 막는 원리이다.

비인강 기도삽관(nasopharyngeal stent)은 콧구멍을 통해 비인강으로 삽입하여 상기도가 무너지지 않도록 도움을 준다. 대개 즉각적으로 airway patency를 유지해야 하는 경우에 사용된다. 아직 연구가 부족하고 사용이 불편하여 OSA 치료로 제한적으로 사용된다.

7) 소아 OSA 환자의 치료

수면 중에 비강이나 구강을 통해 지속적으로 공기를 주입하여 상기도가 폐쇄되지 않도록 유지해주는 CPAP은 성인 OSA에 가장 좋은 치료방법이다. 소아에서도 CPAP은 비교적 안전하며, 일부 영유아와 청소년에서는 성인만큼 효과적이라고 보고하는 연구결과도 있다. 마스크 자체로 인한 자극, 코막힘이나 콧물과 같은 문제점과 장기간 착용 시 안면골격성장장애(mid-face hypoplasia)가 발생할 수 있다는 보고도 있어 오랜 기간 착용하는 소아는 악골 성장에 대해 주기적으로 평가받는 것이 좋다.

내과적 약물치료 방법으로 하비갑개나 아데노이드 비후로 인한 상기도폐쇄로 경도의 OSA가 있는 소아에게 비강내 국소 스테로이드, 항류코트리엔제 등을 투여한 후 OSA 증상 및 수면다원검사상 이상소견이 개선되고 아데노이드의 크기가 감소했다는 보고가 있다.

(1) 급속상악팽창술(rapid maxillary expansion)

상악의 경구개가 좁아짐으로써 비강의 호흡에 문제가 있는 경우 급속상악팽창술(rapid maxillary expansion, RME)을 통하여 경구개를 넓혀주는 시술도 OSA의 개선에 효과가 있다. 특히 악궁이 좁고 높으며 양쪽 혹은 편측으로 반대교합이 있는 소아 OSA 환자에서 RME 치료는 효과적이다. RME는 구치부 치아에 연결되어 구강내 측방압력을 가하여 정중구개봉합(mid palatal suture)을 확장함으로써 경구개의 횡적 폭경을 증가시킨다(그림 19-5). RME는 악정형적 치료법으로 비강의 폭경을 증가시키고, 구호흡을 개선시키며 기도의 저항을 감소시킬 수 있다. 주로 구인두(oropharyngeal)의 전방부와 비강을 넓혀, 비인두 공간을 확장시키는 데 긍정적 영향을 미친다. RME는 구개봉합부의 연골이 골화되기 전인 5세에서 16세 사이의 소아 및 청소년기 환자에게 적절한 치료방법이다. 교정용 나사를 구개부에 식립하거나, 교정용 나사로도 확장이 어려운 경우에는 골절단술(osteotomy) 후 골신장술(distraction osteogenesis)을 진행하기도 한다. OSA를 동반하는 삐에르로빈증후군(Pierre Robin syndrome)이나 트리처콜린스증후군(Treacher Collins syndrome)과 같이 선천적으로 하악골이 작은 소악증(micrognathia) 소아 환자에서 특히 유용한 방법이다.

2. 수술적 치료

수술적 치료는 수면 중에 발생하는 기도폐쇄나 공기저항을 줄이되 정상적인 기능에는 장애가 없도록 해야 한다. 수술을 결정할 때 고려해야 할 요소는 다양한데 그중에서도 수면무호흡의 정도가 얼마나 심한지(수면다원검사 결과), 환자가 느끼는 증상의 심한 정도, 그리고 폐쇄가 발생하는 부위 등이 중요하다고 할 수 있다. 그 외에도 수술이나 전신마취에 적합한 건강상태인가, 환자의 비만도, 경제적 능력, 안모 변화에 대한 수용의 정도, 그리고 환자의 기대치 또한 중요한 고려 사항이라 할 수 있다. 일반적인 수술의 적응증으로는 중등도 이상의 OSA와 과도한 주간졸림을 호소하는 경우를 들 수 있으며 보존적 치료가 효과적이지 않을 경우도 수술적 치료를 고려해 볼 수 있다. 그러나 비만도가 높거나 심한 심호흡기계의 질환이 있는 경우, 고령, 불안정한 정신상태, 수술에 대한 비현실적인 기대를 가진 경우에는 수술을 피하는 것이 좋다.

수술적 치료를 하기 전에 보존적인 치료를 먼저 시행하는 것이 일반적인데 그 중에서도 지속적양압술(continuous positive airway pressure, CPAP)이 일반적으로 추천된다. 수술 전 CPAP의 사용은 수술을 통

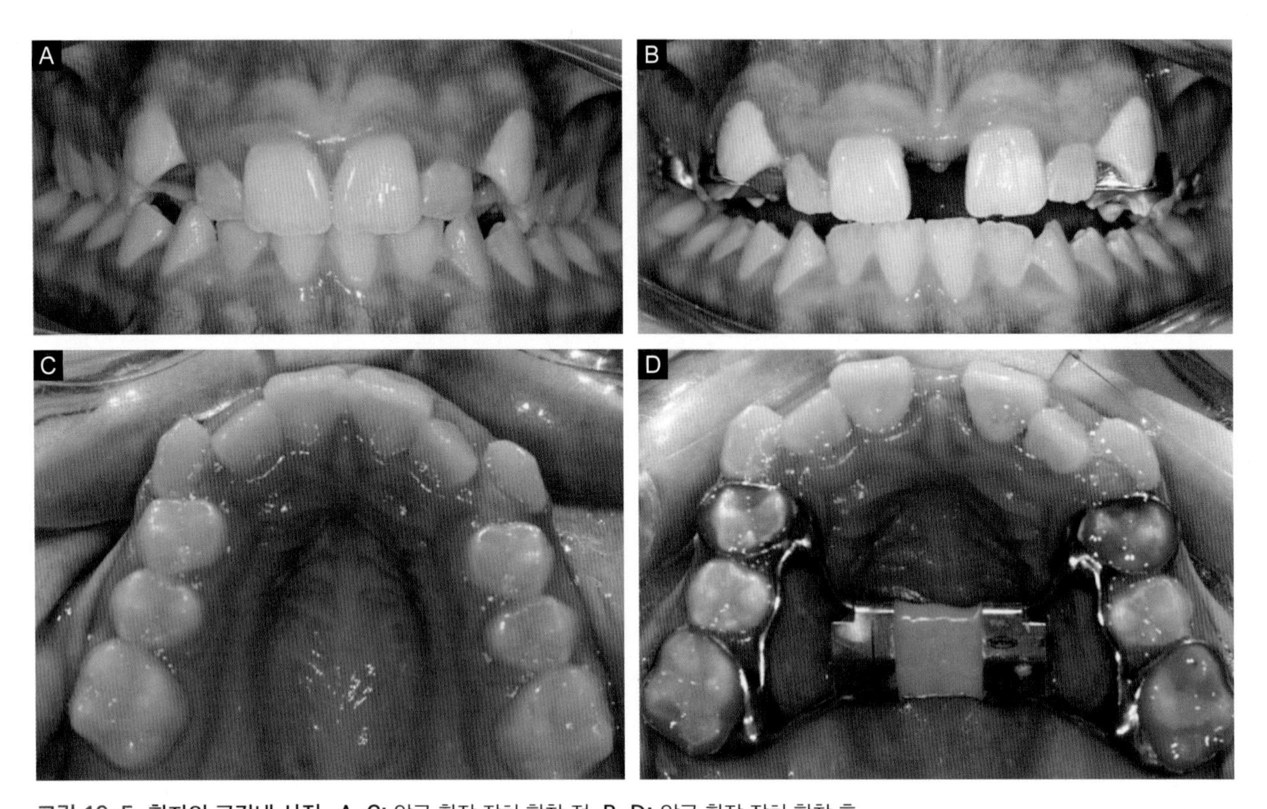

그림 19-5 환자의 구강내 사진. A, C: 악궁 확장 장치 합착 전 B, D: 악궁 확장 장치 합착 후.
출처: Open access journal: Alkhayer A et al. Evaluation of the Soft Tissue Changes after Rapid Maxillary Expansion Using a Handheld Three-Dimensional Scanner: A Prospective Study. Int. J. Environ. Res. Public Health. 2021;18(7), 3379.

해 기대해 볼 수 있는 증상의 해소 정도를 미리 예측해 본다는 측면에서도 도움이 될 수 있다. 소아의 경우 조기 진단을 통해 해부학적 구조의 문제를 빨리 해결해 주는 것이 가장 좋은데 수면무호흡을 가진 소아의 경우 구호흡을 보이는 경우가 많아 이로 인한 좁은 상악궁, 하악의 후퇴와 같은 부정교합을 동반할 때가 많으니 교합이나 골격적 문제도 함께 해소하는 방향으로 수술적 치료가 이루어져야 한다. 수술 전에 폐쇄 부위를 확인하기 위해 여러 가지 검사들이 이루어져야 하는데 신체검사, Müller maneuver, 수면내시경, PSG, 두부계측(cephalometry) 같은 다양한 방법을 통하여 적응증에 해당하는지, 적절한 수술방법, 기대되는 수술의 성공률, 술후 합병증과 같은 요소도 고려하여야 한다.

1) 비수술(Nasal surgery)

코막힘은 구호흡으로 이어지거나 수면무호흡과 관련이 많은 것으로 알려져 있다. 코는 전체 상기도 저항의 약 50%를 차지하며 비중격만곡(septal deviation), 비갑개 비후(turbinate hypertrophy), 만성 비울혈, 용종(polyp)과 같은 질환들이 비저항(nasal resistence)을 야기하여 수면무호흡을 일으킬 수 있기 때문에 비중격성형술(septoplasty), 내시경을 이용한 상악동 수술(Endoscopic sinus surgery, ESS), 비갑개 수술(turbinate surgery)과 같은 수술적 기법들이 수면무호흡의 해소에 도움이 되기도 한다. 그러나 대부분의 보고에서 AHI (Apnea Hypopnea Index)의 의미 있는 감소를 보이지는 않았으며 일부에서는 악화된 결과를 보고하기도 하였다. 이러한 의미에서 비수술은 단독으로 사용되기보다는 다면적 치료(multimodality treatmet)의 한 부분으로 사용되거나 CPAP의 순응도

(compliance)를 높이고 그 압력을 낮추고자 하는 목적으로 사용을 고려해 볼 수 있다.

2) 구개수술(Palatal surgery)

(1) Uvulopalatopharyngoplasty (UPPP)

UPPP는 수면무호흡의 외과적 치료 중에서 지금까지 가장 많이 사용된 방법이며 구개수술 중에서도 가장 대표적인 수술법이라고 말할 수 있다. 1964년 Ikematsu가 처음으로 사용했으며 1981년 Fujita 등이 UPPP라고 명명하였다. 연구개, 목젖, 편도 등을 절제하여 공기가 지나다니는 통로를 넓혀주는 수술로서 코골이나 중등도 이하의 심하지 않은 수면무호흡에서 주로 사용된다(그림 19-6). UPPP는 수면무호흡보다는 코골이에 더 효과적이며 수술 성공률도 코골이의 경우 70–90%에 이른다고 보고되고 있는 반면에 수면무호흡은 성공률이 40–60% 정도로 보고되고 있고 완치율(AHI <5/h)은 이보다 더 낮아서 16–24% 정도로 알려져 있다.

UPPP는 출혈, 감염과 같은 초기 합병증과 함께 장기적으로 인두부의 불편감과 함께 연하곤란, 감각저하와 같은 장기적인 합병증도 보고되고 있는데 그 중에서 비인두 협착(nasopharyngeal stenosis)이 가장 심각한 합병증이라 할 수 있으며 발생하면 치료가 매우 어렵다. UPPP는 다양한 변형법들이 있는데 편도제거(tonsillectomy)를 동시에 할 수도 있으며 목젖(uvula)을 제거하지 않고 연구개 부위에 봉합하는 방법인 Uvulopalatal flap surgery가 1986년 Powell에 의해 보고되기도 하였다(그림 19-7). 이 경우 UPPP보다 합병증의 발생이 적다고 알려져 있으며 장기적인 수술 성공률은 UPPP와 비슷한 결과를 보고하고 있다.

(2) Laser-assisted uvulopalatoplasty (LAUP)

LAUP는 CO_2 laser를 이용한 구개수술로 1986년 Kanami가 처음으로 도입하였고, 주로 코골이나 가벼운 수면무호흡에 사용되는 수술법이다. 목젖이 길거나 구개부가 두꺼운 환자들에게 사용하면 효과적이고 부분마취하에 구개 정중부에 두 개의 수직 절개를 한 후 목젖을 제거하거나 봉합하는 방식으로 수술이 이루어지는 외래에서도 가능한 수술법이라 할 수 있다(그림 19-8).

(3) Radiofrequency surgery of palate (RF)

RF 수술은 전자기파를 이용한 구개수술로 레이저에 비하여 온도가 낮아 위험성이 낮다는 장점이 있다. 적응증도 LAUP와 비슷하며 연구개부에 열을 가하면 창상 수축과 섬유화를 유발하여 구개부가 당겨지는 효과를 기대하는 수술로서 결과 또한 LAUP와 마찬가지로 수면무호흡에서는 그리 만족할 만한 결과를 보여주지 못하고 있어 주로 코골이를 줄이는 목적으로 사용된다(그림 19-9).

3) 혀수술(Tongue base surgery)

하인두부위(hypopharyngeal airway)의 폐쇄를 해결하고자 1999년 Powell에 의해 처음으로 고안된 수술법으로 수면 중에 일어나는 혀 기저부의 후방이동으로 발생하는 폐쇄를 막고자 고안되었다. 전자기파를 이용하여 혀의 부피를 축소시키고, 근육의 긴장도를 증가시켜 혀 후방부위의 폐쇄를 줄이는 것이 목적이다(그림 19-10). 국소마취를 하고 진행할 수도 있고 한 번이 아닌 여러 번 반복 시행할 수도 있으며 수면무호흡 해소를 위한 다른 수술과 함께 시행되기도 하는 수술법이다. AHI의 의미 있는 감소와 코골이 효과를 보고한 결과들이 있지만, 수면무호흡에서의 효과는 그리 크지 않아 앞서 말한 바와 같이 단독요법보다는 부가적인 수술법으로 많이 사용되고 있다.

4) 설골완충법(Hyoid suspension and myotomy, HS)

설골(hyoid bone)을 갑상연골(thyroid cartilage)에 고정하여 하인두부의 기도를 확장하는 수술법으로 1986년 Riley에 의해 처음 고안되었을 때에는 설골을 하악골에 고정하는 방법을 사용하였으나 이후 갑상연골

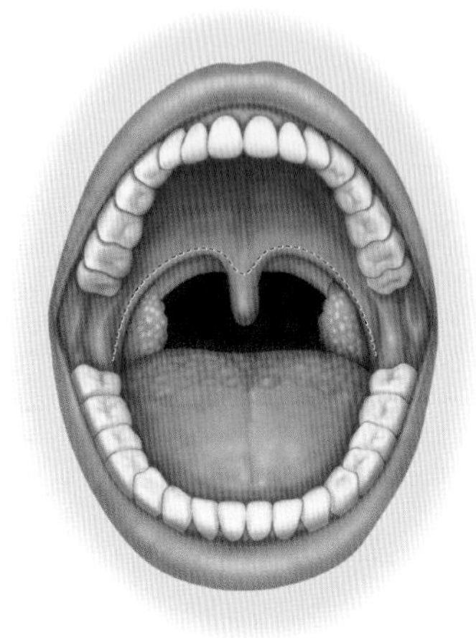
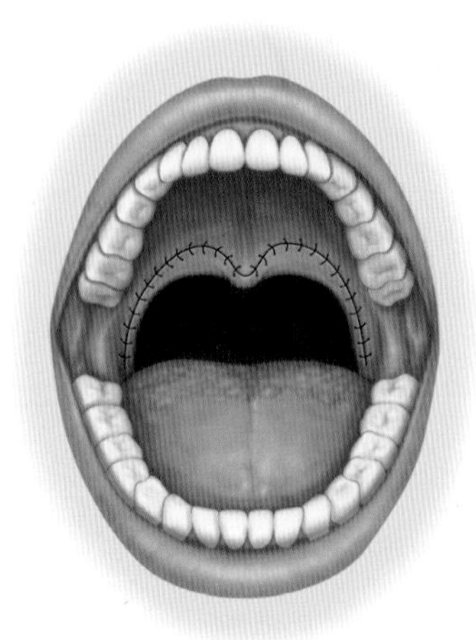

그림 19-6 Uvulopalatopharyngoplasty (UPPP).

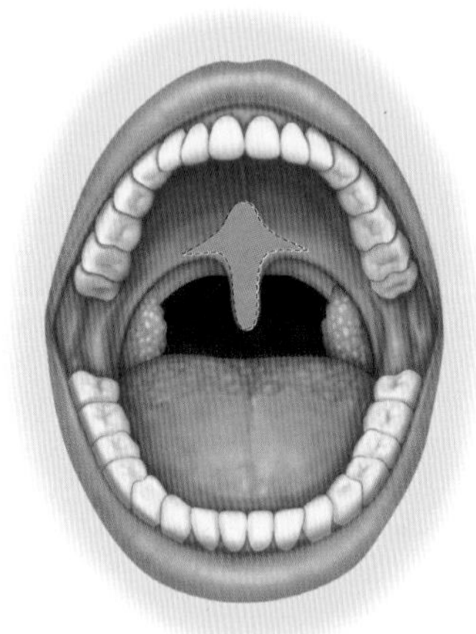
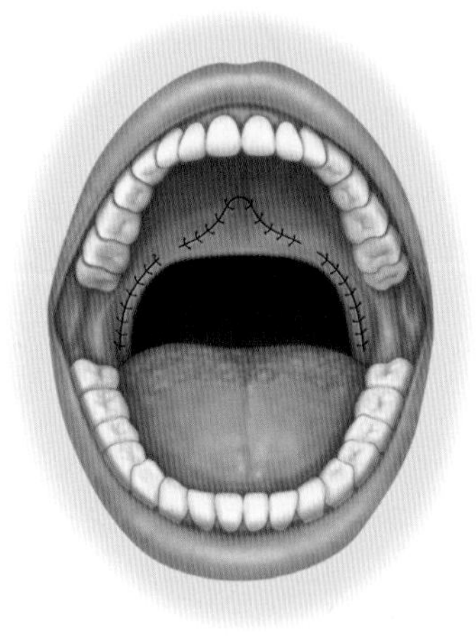

그림 19-7 Uvulopalatal flap.

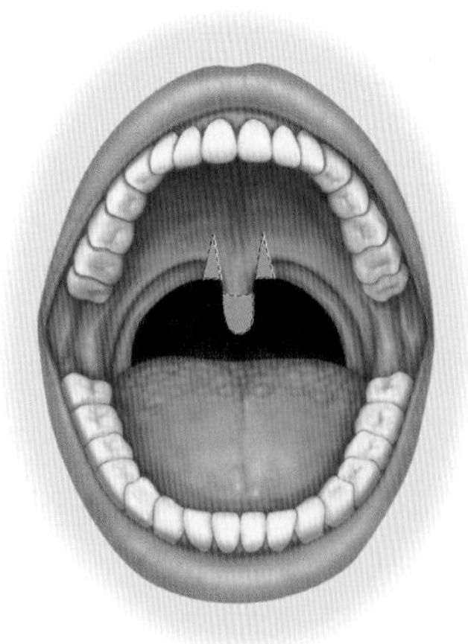
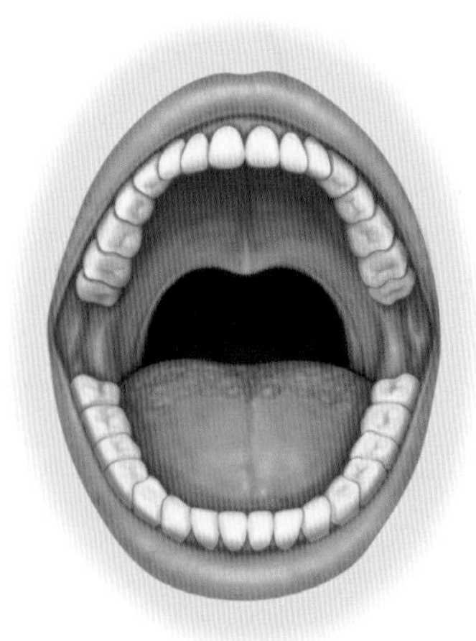

그림 19-8 Laser-assisted uvulopalatoplasty (LAUP).

에 고정하여 전하방으로 당기는 방법으로 변형하여 사용되었다(그림 19-11). 중등도 이상의 심한 수면무호흡이 주된 적응증이며 하인두부의 폐쇄가 명확하거나 multilevel surgery의 일부로 사용되고 있다. 수술의 효과로는 여러 연구에서 AHI의 호전을 보였으나 대부분의 연구가 UPPP, 편도절제술, RF surgery 등과 동시에 시행된 경우로 단독으로 시행된 결과는 부족한 상태이다. 수술 또한 단독요법보다는 다른 수술과 함께 사용되는 경우가 더 많다.

5) 이설근전진법(Genioglossus advancement, GGA)

이설근은 대표적인 인두부 확장근으로서 하인두부 폐쇄의 중요한 원인으로 생각되고 있다. 이 수술법은 1984년 Powell에 의해 고안된 방법으로, 하악골 이부를 골절단 후에 전진 이동시켜서 부착되어 있는 이설근과 이설골근을 전진시켜 하인두부의 기도를 확장시키는 원리이다(그림 19-12). 양악전진술(maxillomandibular advancement, MMA)과 함께 구강악안면외과에서 주로 시행하는 대표적인 수술법이

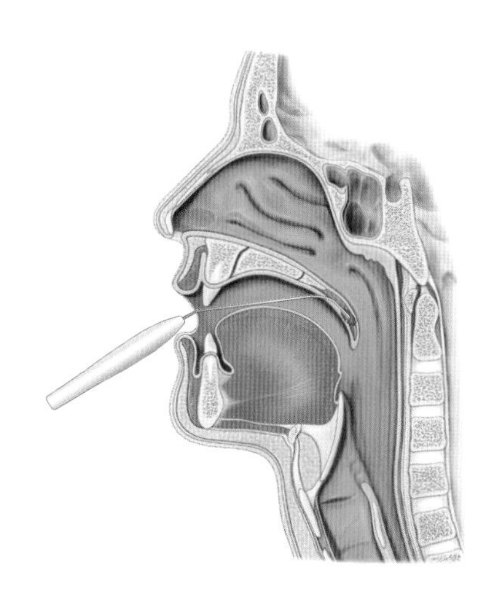

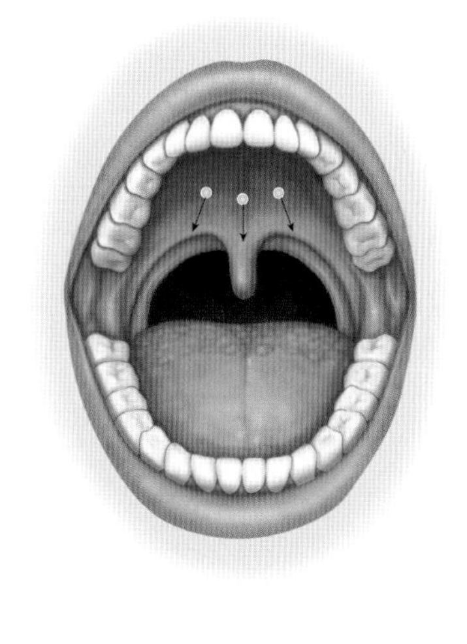

그림 19-9 Radiofrequency surgery (RF).

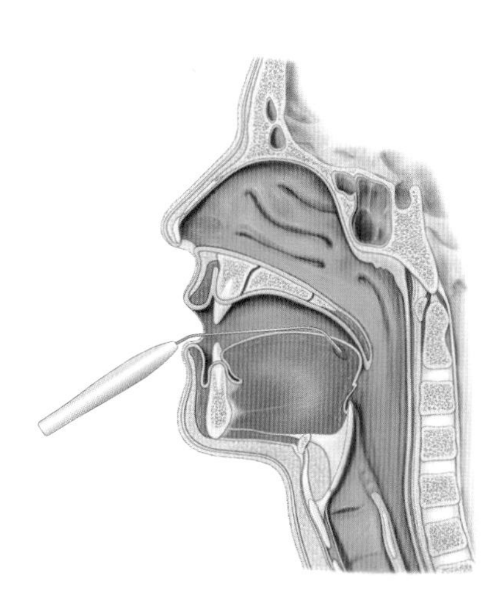

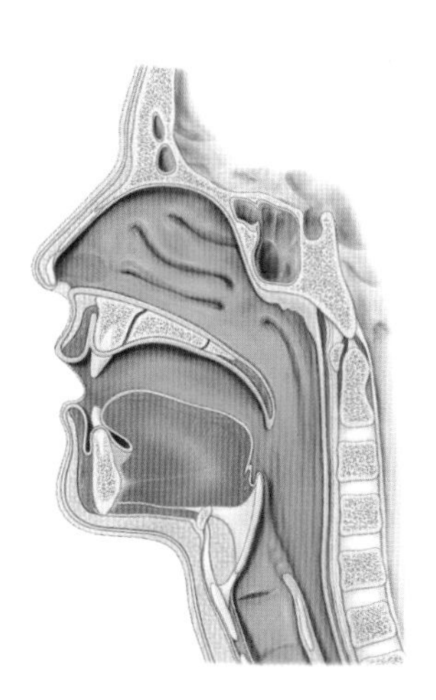

그림 19-10 혀수술(Tongue base surgery).

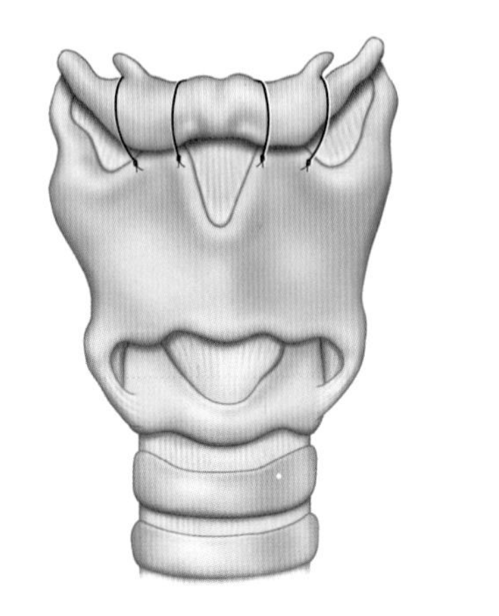
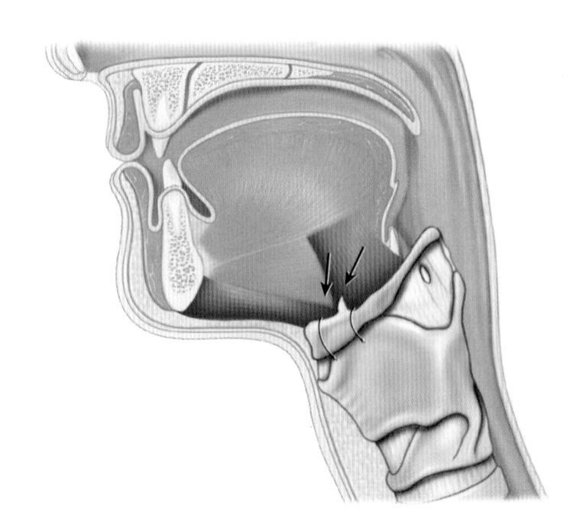

그림 19-11 설골완충법(Hyoid suspension).

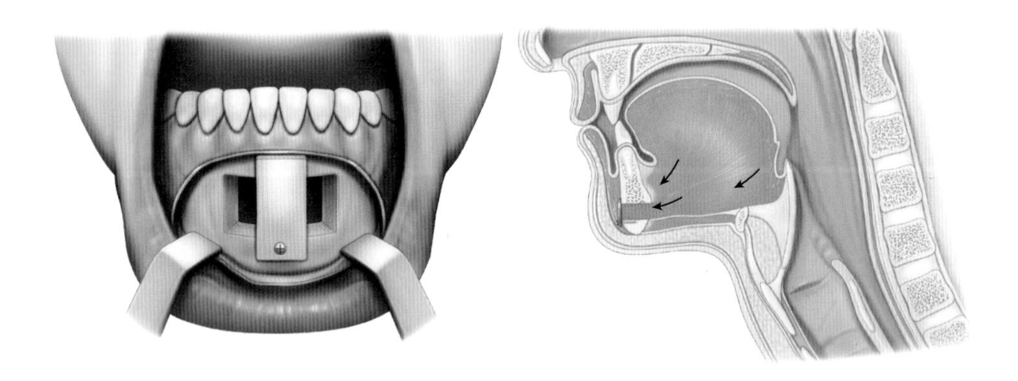

그림 19-12 이설근전진법(Genioglossus advancement, GGA).

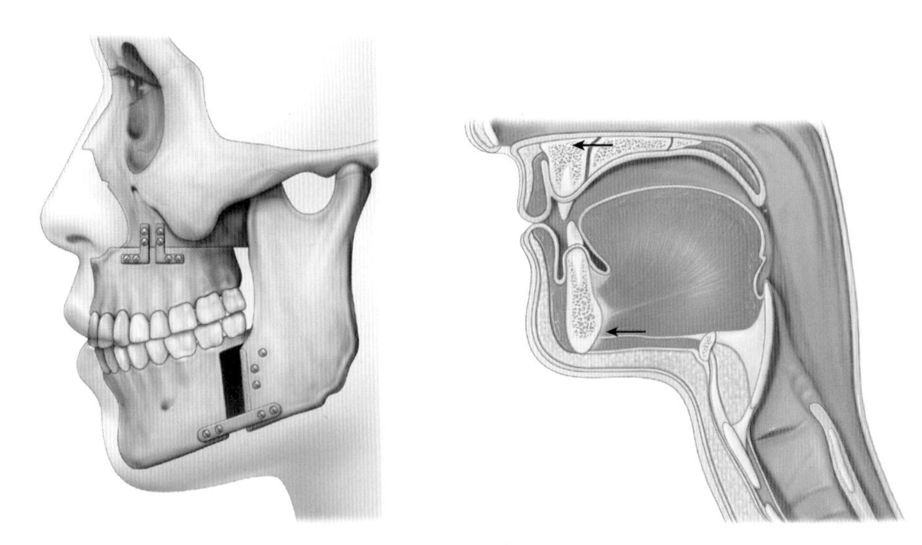

그림 19-13 양악전진술(Maxillomandibular advancement, MMA).

라 할 수 있으며 골절단이 이루어지는 주요 구조물에 대한 이해와 주의가 필요하다. 골절단은 약 1×2 cm 크기의 골편을 형성하는 데 하악전치에서 0.5 cm, 하악 하연으로부터 1 cm 이상 떨어뜨려 형성하는 것이 좋다. 골절단이 이루어지기 전에 골편에 나사를 고정하면 전진시키기에 용이하고, 근이완제를 투여하는 것도 고려해 볼 만하다. 골편을 전진시킬 때 후방에 부착되어 있는 근육이 떨어지지 않게 주의하여야 하며, 골편을 90° 회전시켜 고정하는 방법이 많이 사용된다. 합병증으로는 이신경의 손상으로 하순의 감각이상을 호소하는 경우가 있으며 하악 전치의 변색이 나타나는 경우도 있으니 주의하여야 한다. GGA는 심한 수면무호흡 환자에서 좋은 결과를 보고한 연구도 있으나 일반적으로 하인두부 폐쇄를 해소하기 위한 multilevel surgery의 일환으로 함께 사용되고 있다.

6) 양악전진술(Maxillomandibular advancement, MMA)

1979년 Kuo에 의해 무턱을 가진 수면무호흡 환자에게 하악전진술이 수면다원검사상 효과가 있었다는 보고 이후 교합을 변화시키지 않은 채 상하악을 동시에 전진시키는 MMA가 1980년대 이후 수면무호흡의 치료에 효과적이라는 결과가 보고되기 시작했다. 상악은 Le Fort I 골절단술을 하악은 시상분할골절단술(BSSRO)을 사용하여 분리시킨 후 교합을 유지한 채 전진시킬 경우 비인두와 구인두, 그리고 하인두 부위의 기도를 동시에 확장시킬 수 있다는 원리이다(그림 19-13). MMA의 수면무호흡 해소 효과도 매우 좋아서 AHI의 의미 있는 감소를 보여주는 보고가 많으며 수술 성공률이 86%에 달한다는 보고도 있다. 적응증은 중등도 이상의 심한 수면무호흡 환자에게서 사용되는데 이전에는 UPPP, GGA, HS과 같은 Phase I 수술을 시행하고 6개월 후 수면다원검사를 통해 무호흡의 개선 정도가 미약할 때 시행하는 것이 추천되었으나 요즘은 심한 수면무호흡 환자에게는 최우선으로 고려할 수 있다.

나이가 어리고 술전 AHI와 체질량지수(BMI)가 낮은 경우, 전진량이 많을 경우에 수술효과가 더 좋으며 다른 수술에 비해 수술효과의 지속기간이 길다는 장점 외에도 우울증, 주간졸림증, 기억력 감퇴, 고혈압과 같은 삶의 질을 개선한다는 장점도 가지는 것으로 알려져 있다. 부정교합을 가진 악안면기형 환자에게 사용되는 턱교정술과 같은 술식이므로 동일한 합병증을 가진다고 볼 수 있으며 교합을 유지한 채 전방이동량이 많을 경우 안모를 해칠 수 있다는 점을 고려하여 술전에 안모변화를 미리 예측해 보는 것이 필요하다. 교정치료를 동반하여 교합을 변화시키거나 상하악 복합체를 반시계 방향으로 회전시켜 과도한 상악돌출을 예방하고 안모를 개선시키기 위한 방법도 고려해 볼 수 있다.

7) 설하신경자극법(Hypoglossal nerve stimulation)

비교적 최근에 도입된 수술법으로 수면 중에 흉부에 이식된 전극(electrode)에서 무호흡을 인지하면 이식된 신경자극기(nerve stimulator)에서 파동을 일으켜 설하신경을 자극하면 혀를 전방으로 이동시켜 기도폐쇄를 해소한다는 원리이다(그림 19-14). 최근 연구에 따르면 5년 수술 성공률이 60%에 달한다는 보고가 있으며 다른 연구에서도 유의미한 AHI의 감소를 보고한 바 있다. 그러나 약 15-20%의 환자는 신경자극기에 순응하지 못하는 한계도 보고되고 있다.

8) 수술적 상악골확장술(SARPE/DOME)

Surgically assisted rapid palatal expansion (SARPE) 또는 distraction osteogenesis maxillary expansion (DOME)은 소아에서 시행하는 RME와 같은 원리이다. 상악 구개부의 수평적 확장을 통해 비강저를 넓힘으로써 OSA를 치료하는 방법이다. 소아에서는 봉합(suture)이 열려 있어서 교정적인 힘으로 상악골의 확장이 되었으나 성인에서는 절골 후 확장장치의 사용이 필요하다(그림 19-15).

9) 비만수술(Bariatric surgery)

비만은 수면무호흡과 밀접한 상관관계를 가지고 있어서 오래전부터 수술을 통하여 체중을 줄이는 시도들이 있었다. 비만수술은 위 일부를 절제하는 수술로서 체중감소의 효과는 높이고 합병증을 줄이고자 하는 노력으로 최근에는 비교적 안전한 수술법으로 인식되고 있다. 1991년 미국 NIH 가이드라인에 따르면 BMI가 40 이상이거나 수면무호흡을 동반한 BMI 35 이상인 경우가 적응증에 해당된다. 수술 이후 환자의 80% 이상이 수면무호흡의 개선을 보였다는 보고가 있어 현저한 개선을 기대한다기보다는 부가적인 수술법 정도로 인식되고 있다.

3. 중등도에 따른 치료의 분류(표 19-9)

1) Mild OSA

경증의 OSA 환자에서는 보존적인 치료를 선택할 수 있다. 특히 증상이 없는 환자에서는 보존적인 치료로 비충혈제, 체중감량, 옆으로 자는 방법이 있다. 체중감량은 시간이 걸리므로 증상이 있는 OSA에서는 2차적인 치료방법으로 생각할 수 있다. 경증의 OSA 환자에서는 구강내장치(OA)와 상기도수술(upper airway surgery)이 효과적이다. PAP도 매우 효과가 좋으나 중증의 환자보다 순응도가 낮은 편이다. 증상 있는 경증의 OSA 환자에서 추천되나 궁극적으로 환자의 선호도에 따라 결정하게 된다.

2) Moderate OSA

중등도의 OSA 환자에서는 PAP을 우선적으로 선택해야 한다. 중등도의 OSA 환자에서 OA, 상기도 수술은 AHI를 10/hr 이하로 줄이는데 PAP보다는 효과가 떨어진다. PAP의 순응도가 좋지 못한 환자에서는 효과가 더 있을 수 있지만, 순응도가 좋다면 PAP이 가장 효과적이고 OA는 50% 정도 "effective"했으며 Palatal surgery +/− genioglossus advancement는 30%로 더 효과가 떨어졌다.

3) Severe OSA

중증의 OSA 환자에서 PAP이 가장 효과적이며 안전하다. 그러나 순응도는 50%까지 낮을 수 있다. 양악전진술(MMA)은 중증 OSA 환자에서 효과적인 수술방법이다. 한 연구에서 AHI가 20/hr로 떨어진 경우가 90%, AHI가 10/hr 이하로 떨어진 경우가 30%로 보고했다. 다른 수술적인 방법들이 실패 했을 때 MMA를 선택할 수 있지만, AHI가 매우 높은 경우, 상하악골의 부조화가 있는 경우에는 우선적으로 MMA를 먼저 시행할 수 있다.

표 19-9 성인 OSA에서 중증도에 따른 치료 선택 옵션

	Snoring	Mild	Moderate	Severe
Primary	Treat nasal congestions/ Lateral positioning	Oral appliance/ Upper airway surgery	PAP	PAP
Secondary	Oral appliance/ Upper airway surgery	PAP (if symptomatic)	Oral appliance/ Upper airway surgery	Oral appliance/ Upper airway surgery
Adjunctive	Weight loss	Weight loss/ Lateral positioning	Weight loss/ Lateral positioning	Weight loss/ Lateral positioning

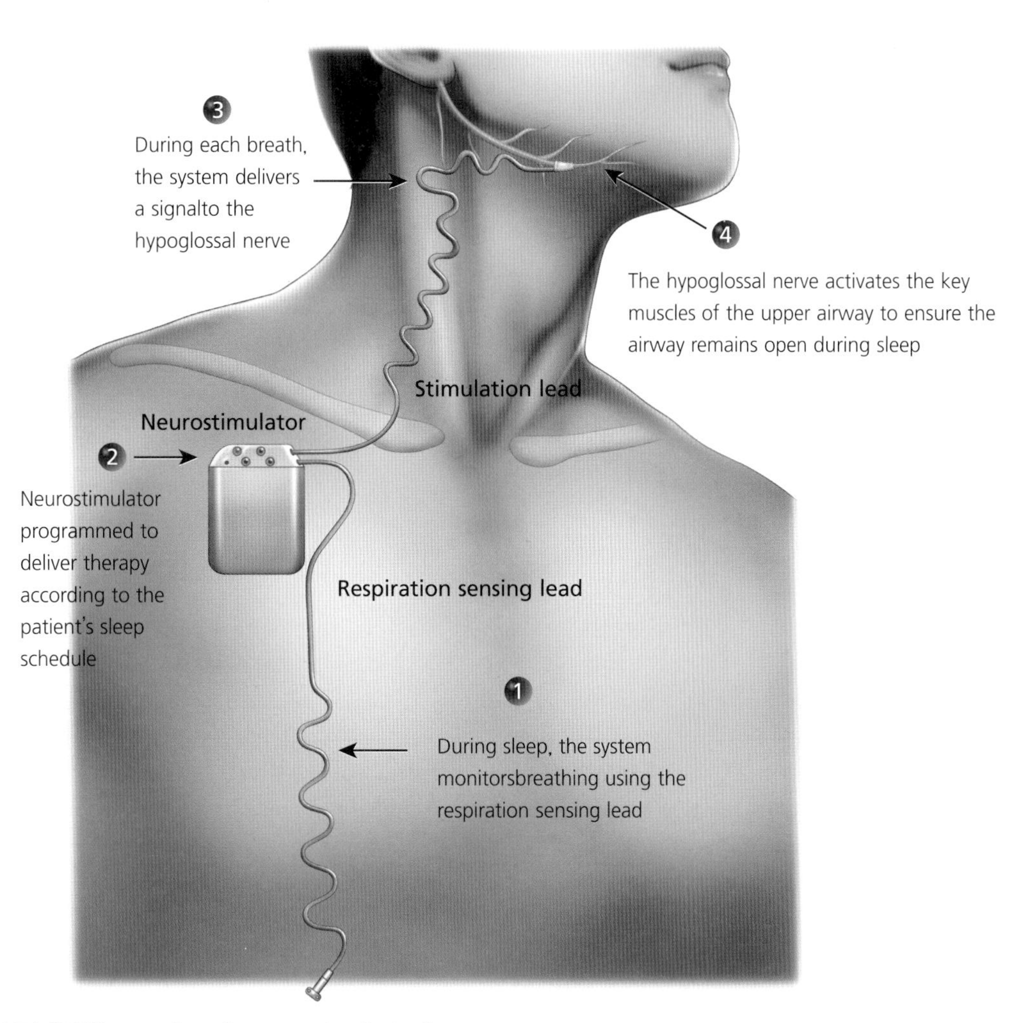

그림 19-14 설하신경자극법(Hypoglossal nerve stimulation).

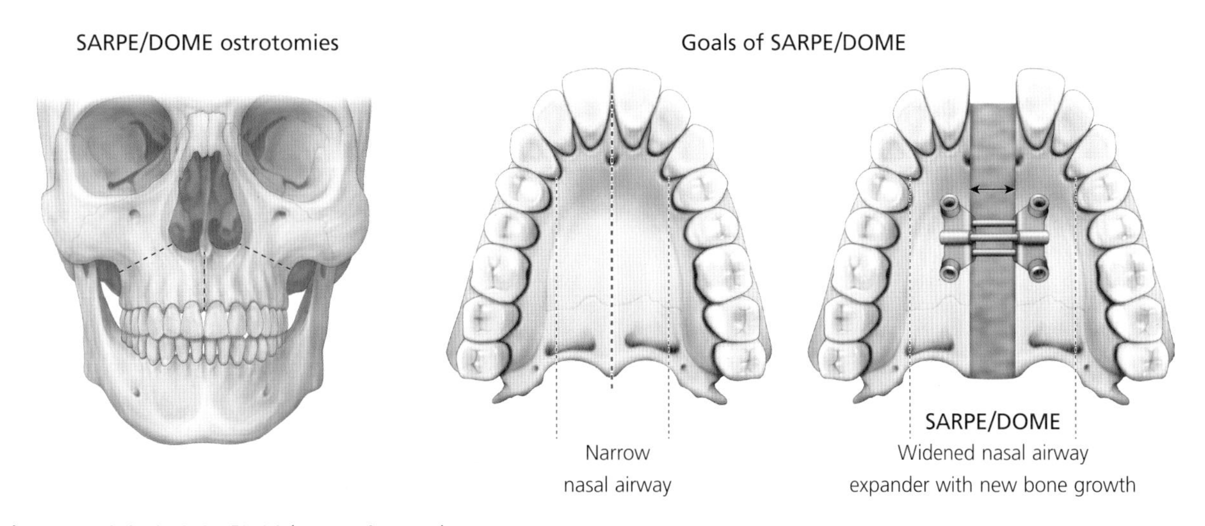

그림 19-15 수술적 상악골확장술(SARPE/DOME).

참고문헌

Alkhayer A, Becsei R, Hegedűs L, et al. Evaluation of the Soft Tissue Changes after Rapid Maxillary Expansion Using a Handheld Three-Dimensional Scanner: A Prospective Study. Int J Environ Res Public Health 2021;18(7):3379.

Altree TJ, Chung F, Chan MT, et al. Vulnerability to postoperative complications in obstructive sleep apnea: importance of phenotypes. Anesth Analg 2021;132(5):1328-1337.

American Academy of Sleep. International classification of sleep disorders: Diagnostic and coding manual. 2nd ed. 2005.

Aurora RN, Casey KR, Kristo D, et al. Practice parameters for the surgical modifications of the upper airway for obstructive sleep apnea in adults. Sleep 2010;33(10):1408-1413.

Berry RB, Budhiraja R, Gottlieb DJ, et al. Rules for scoring respiratory events in sleep: update of the 2007 AASM Manual for the Scoring of Sleep and Associated Events. Deliberations of the Sleep Apnea Definitions Task Force of the American Academy of Sleep Medicine. J Clin Sleep Med 2012;8(5):597-619.

Bickelmann AG, Burwell CS, Robin ED, et al. Extreme obesity associated with alveolar hypoventilation; a Pickwickian syndrome. Am J Med 1956;21(5):811-818.

Bilici S, Yigit O, Celebi OO, et al. Relations between hyoid-related cephalometric measurements and severity of obstructive sleep apnea. J Craniofac Surg 2018;29(5):1276-1281.

Brodi KD, Goldberg AN. Obstructive sleep apnea: A surgeon's perspective. Med Clin North Am 2021;105(5):885-900.

Choi JH, Cho SH. Treatment of Obstructive Sleep Apnea with Positive Pressure Ventilation. Hanyang Medical Rev. 2013;33(4):239-245.

Epstein LJ, Kristo D, Strollo Jr PJ, et al. Clinical guideline for the evaluation, management and long-term care of obstructive sleep apnea in adults. J Clin Sleep Med 2009;5(3):263-276.

Epstein LJ, Kristo D, Strollo Jr PJ; AOSATFotAAoS Medicine. Clinical guideline for the evaluation, management and long-term care of obstructive sleep apnea in adults. J Clin Sleep Med 2009;5(3):263-276.

Faizal WM, Ghazali NNN, Khor CY, et al. Computational fluid dynamics modelling of human upper airway: A review. Comput Methods Programs Biomed 2020;196:105627.

Ferguson KA, Cartwright R, Rogers R, et al. Oral appliances for snoring and obstructive sleep apnea: a review. Sleep 2006;29(2):244-262.

Giralt-Hernando M, Valls-Ontañón A, Guijarro-Martínez R, et al. Impact of surgical maxillomandibular advancement upon pharyngeal airway volume and the apnoea-hypopnoea index in the treatment of obstructive sleep apnoea: systematic review and meta-analysis. BMJ Open Respir Res 2019;6(1):e000402.

Gottlieb DJ, Punjabi NM. Diagnosis and management of obstructive sleep apnea: a review. Jama 2020;323(14):1389-1400.

Guilleminault C, Eldridge FL, Dement WC. Insomnia with sleep apnea: a new syndrome. Science 1973;181(4102):856-858.

Guilleminault C. Obstructive sleep apnea. The clinical syndrome and historical perspective. Med Clin North Am 1985;69(6):1187-1203.

Holty JE, Guilleminault C. Surgical options for the treatment of obstructive sleep apnea. Med Clin North Am 2010;94(3):479-515.

Johns MW. A new method for measuring daytime sleepiness: the Epworth sleepiness scale. sleep 1991;14(6):540-545.

Kim JK, In KH, Kim JH, et al. Prevalence of sleep-disordered breathing in middle-aged Korean men and women. Am J Respir Crit Care Med 2004;170(10):1108-1113.

Kushida CA, Littner MR, Morgenthaler T, et al. Practice parameters for the indications for polysomnography and related procedures: an update for 2005. Sleep 2005;28(4):499-521.

Liu SYC, Riley RW, Pogrel A, et al. Sleep Surgery in the Era of Precision Medicine. Atlas Oral Maxillofac Surg Clin North Am 2019;27(1):1-5.

Miloro M, Ghali G, Larsen PE, et al. Peterson's principles of oral and maxillofacial surgery. Vol 1. Springer; 2004.

Park JH, Kim HS, Choi SH, et al. Changes in position of the hyoid bone and volume of the pharyngeal airway after mandibular setback: three-dimensional analysis. Br J Oral and Maxillofac Surg 2019;57(1):29-35.

Ryu HH, Kim CH, Cheon SM, et al. The usefulness of cephalometric measurement as a diagnostic tool for obstructive sleep apnea syndrome: a retrospective study. Oral Surg Oral Med Oral Pathol Oral Radiol 2015;119(1):20-31.

Sateia MJ. International Classification of Sleep disorders-third edition: highlights and modifications. Chest 2014;146(5):1387-1394.

Sunwoo JS, Hwangbo Y, Kim WJ, et al. Prevalence, sleep characteristics, and comorbidities in a population at high risk for obstructive sleep apnea: A nationwide questionnaire study in South Korea. PLoS One 2018;13(2):e0193549.

Villa MP, Malagola C, Pagani J, et al. Rapid maxillary expansion in children with obstructive sleep apnea syndrome: 12-month follow-up. Sleep Med 2007;8(2):128-134.

Walia HK, Li H, Rueschman M, et al. Association of severe obstructive sleep apnea and elevated blood pressure despite antihypertensive medication use. J Clin Sleep Med

2014;10(8):835-843.

Woo HG, Yang KI, Song TJ. Association Between Obstructive Sleep Apnea and Stroke and Contributory Risk Factors. J Sleep Med 2021;18(3):119-126.

Yeom SH, Na JS, Jung HD, et al. Computational analysis of airflow dynamics for predicting collapsible sites in the upper airways: machine learning approach. J Appl Physiol 2019;127(4):959-973.

Young T, Palta M, Dempsey J, et al. The occurrence of sleep disordered breathing among middle-aged adults. N Engl J Med 1993;328(17):1230-1235.

Zimmerman JN, Vora SR, Pliska BT. Reliability of upper airway assessment using CBCT. Eur J Orthod 2019;41(1):101-108.

입원환자 관리와 응급처치

구강악안면외과 시술은 주로 수술로 이루어져 있기 때문에 환자의 전신적 상태가 수술로 인한 외상과 전신적인 변화를 감당할 수 있는지 평가해 보아야 하며, 동통 억제를 위한 마취술과 진정술은 필수 요소이다.

특히 전신마취는 개체에 미치는 영향이 크고 사용되는 약물도 많기 때문에 구강악안면외과의는 전신마취술과 전신마취제의 약리작용을 이해하고, 전신마취 시 환자의 호흡계, 심혈관계, 위장관, 비뇨기계, 내분비계의 변화를 파악하여 술후 환자관리에 만전을 기하고 이로 인한 합병증 발생 시 대처할 수 있어야 하며 마취의와 의사소통에 문제가 없어야 한다.

의식하진정술은 최근 입원 없이 수술을 시행하는 당일수술실의 운영과 함께 각광을 받고 있으며 구강악안면외과의 많은 시술에 적용할 수 있는 유용한 방법으로 이에 대한 숙달과 이해는 중요하다. 특히 전신질환자에서는 치과시술과 연관된 의학적 응급상황의 발생 우려도 높은 만큼, 심폐소생술 훈련 등 응급상황을 관리할 수 있는 능력을 배양하는 것이 필요하다.

CONTENTS

CHAPTER 20 입원환자 관리와 응급처치
Inpatient Management and Emergency First Aid

학습목적

구강악안면외과 영역의 질환으로 수술을 받기 위해 입원한 환자의 수술 전후 관리, 마취와 관련된 사항들을 이해하며, 치과외래에서나 응급실에서 직면 가능한 의학적 응급상황들에 대한 관리 내용을 숙지하여 임상에 응용하고 전신질환이 동반된 경우는 관련 의과와 긴밀한 협의진료를 이룰 수 있도록 한다.

기본 학습목표

- 수술 전 고려할 전신질환의 ASA 분류와 관련 질병상태를 파악할 수 있다.
- 입원환자의 의무기록 종류와 구성을 파악할 수 있다.
- 수술 직전의 처치내용을 설명할 수 있다.
- 전신마취에 대한 기본개념을 설명할 수 있다.
- 의식하진정요법을 수준별로 설명할 수 있다.
- 의식하진정에 사용되는 약물과 기본술기를 익힐 수 있다.
- 수술에 따른 신체반응과 그 처치법을 파악할 수 있다.
- 수술 후 환자관리의 주의할 점을 파악할 수 있다.
- 심정지 환자의 "생존사슬(chain of survival)"을 설명할 수 있다.
- 구강악안면외과와 관련된 의학적 응급상황들을 이해하고 그 처치법을 설명할 수 있다.
- 심폐소생술의 적응증과 시행방법을 설명할 수 있다.

심화 학습목표

- 전신마취 수술환자의 전신상태를 평가하여 선택적 수술에 필요한 요건을 평가할 수 있다.
- 입원환자의 식이와 전해질불균형을 조절할 수 있다.
- 의식하진정의 기본적인 약물을 이해하고 있을 수 있는 부작용에 대처할 수 있다.
- 수술이나 조직손상에 의한 신체반응을 이해하고 관리할 수 있다.
- 입원환자의 영양공급방법을 숙지하여 영양관리를 시행할 수 있다.
- 수술 후 환자의 회복기전을 이해하고 합병증에 대처할 수 있다.
- 심폐소생술 순서와 내용을 이해하고 기본소생술을 실시할 수 있다.
- 기도내 이물질을 제거하는 방법을 숙지하고 실행할 수 있다.
- 의료분쟁 시 주의사항과 분쟁해결 방법을 설명할 수 있다.
- 구강악안면영역에서의 장애등급 판정에 대해 설명할 수 있다.

Ⅰ. 수술 전 환자관리

수술 전 환자평가의 목적은 수술 및 마취팀 구성원들에게 적절한 정보를 제공하여 가장 적절한 수술 및 마취를 행하고자 하는 데 있다. 수술 전 환자의 평가는 다음과 같은 부분을 포함한다. ① 환자의 예전 의학적 기록을 검토, ② 예전의 병력이나 수술경험에 대한 환자 또는 믿을 만한 보호자와의 대화, ③ 전신마취 혹은 깊은 진정요법 시 환자의 기도확보에 영향을 줄 수 있는 심혈관 또는 호흡기질환을 특별히 주의하여 확인하는 진찰, ④ 의학적 검사결과의 검토와 필요시의 자문(consultation), ⑤ 수술 전 환자의 위험요소 확인, ⑥ 치료방법을 결정하고 승낙서를 받기 위하여 환자와 보호자와의 상담.

1. 환자의 평가

1) 신체적 평가

환자의 신체적 평가는 정확한 진단과 치료계획의 수립에 반드시 필요하다. 현대 외과영역에서 수술 환자의 사망률이 감소되고 입원 및 치유기간이 단축된 것은 수술기술의 개선과 발달에 기인할 뿐만 아니라 수술 전, 수술 중 및 수술 후의 처치를 적절히 하였기 때문이다. 입원 환자에 대한 올바른 신체적 평가는 질병의 종류, 진행 정도, 치료에 대한 반응 등을 분석하고 타질환과의 연계 상황에서 우선순위 결정에 도움을 주며 예후의 예측을 가능하게 한다. 특히 전신질환자의 경우 환자의 병력을 미리 조사하고, 투여되는 약물 등을 수술 전에 반드시 알아야 한다. 환자가 복용 중인 약물은 마취약제의 사용량에 변화를 줄 수 있고, 교감신경작용 약제에 대해 과도한 반응을 유도하는 등 다른 약제의 대사에 영향을 줄 수도 있다. 수술 전 이전에 진행 중이던 약물치료는 계속하여야 하나 가끔 용량을 변경하거나 혹은 작용시간이 짧은 약제로 교체 또는 일시적으로 약제투여를 중단하는 것이 바람직한 경우도 있다. 수술 및 마취와 관련된 부작용이나 합병증을 이전에 경험한 적이 있는지, 약물의 알레르기 반응을 보인 적이 없는지도 반드시 조사해야 한다. 충분한 시간적 여유를 갖고 환자의 상태를 파악하고 항상 술전 처치를 신중하게 함으로써 정규 수술(elective operation)이나, 긴급상황에서 처치를 요하는 응급수술(emergency operation) 어느 경우에도 최선을 다해 신체적 평가에 임해야 한다.

2) 심리적 평가

어떤 종류의 수술이든 환자가 이를 잘 이해하고 있어야 한다. 일반 환자는 질병의 치료와 관련해서 심리적 혹은 기능적인 반응을 보이며 이러한 심리현상은 질병에 영향을 주고 질병 자체가 정신적인 영향을 주기도 한다. 특히, 기능적 혹은 심미적 변화가 야기되는 수술인 경우 이로 인한 심리적 변화를 수술 전에 면밀하게 평가하고 필요에 따라 개선해야 하는 것은 매우 중요하다. 심리적 안정상태를 유지하는 것은 신체적 회복과 함께 매우 중요하고 때로 정신과적 치료를 요하는 환자의 경우 전문의와의 협조가 선행되어야 한다.

(1) 일반적 관리

병실 환경에 적응하도록 병원 구조, 방문시간, 병실 일과표 등을 적은 안내문을 주거나 설명한다. 또한 이화학적 검사, 특수촬영, 수술 등의 필요성을 설명하고 이해하도록 하며 환자의 질문에 충분히 응한다. 그리고 가족, 동료, 동일한 질병으로 수술을 성공적으로 받은 환자, 종교인들과 대화를 가짐으로써 심리적 안정을 얻게 한다.

(2) 약물치료

정신적 불안이나 정신질환장애를 치료하기 위한 약제로 항불안진정제(antianxiety-sedative agent), 정서안정제(moodstabilizing drugs), 항정신병 약물 또는 신경이완제(antipsychotic, neuroleptic drugs)로 나눌 수 있다. 긴장감과 불안을 감소시키고 수면을 유도하는 진정제에 속하는 약물과 항불안제에 속하는 약물은 공통점이 많으며 수술 전 처치에 많이 이용되고 있다.

2. 의무기록

1) 의무기록과 구성

의무기록은 지속적인 환자관리와 타 진료기관과의 기록 교환, 의학적 평가, 의료법적인 문제 발생 시 참고자료가 되므로 잘 보관하여야 한다(의료법 제22조, 의료법 시행규칙 제15조에 의하면 환자의 진료기록부와 수술기록은 10년, 환자명부와 검사내용 및 검사소견기록과 방사선사진 및 그 소견서는 5년, 진단서 등의 부본은 3년, 처방전은 2년 보존해야 한다 2016. 12. 29). 환자의 진료기록부는 전자서명이 기재된 전자문서(전자의무기록)로 작성 · 보관할 수 있으며 누구든지 정당한 사유 없이 전자의무기록에 저장된 개인정보를 탐지하거나 누출 · 변조 또는 훼손하여서는 안 된다고 법으로 규정되어 있다.

최근 종합병원 대부분의 경우 의무기록이 전자문서로 보관되고 있고, 이러한 전자문서의 경우 법적으로 안전하게 관리 · 보존하는 데에 필요한 시설과 장비를 갖추어야 할 뿐 아니라 전자의무기록의 생성과 전자서명을 검증하고, 전자서명이 있은 후 전자의무기록의 변경 여부를 확인할 수 있도록 되어있다. 따라서 진료기록이 환자의 상태를 제대로 의사가 파악하기 위한 것뿐만 아니라 의료법 시행규칙 제14조(진료기록부 등의 기재 사항)에 의한 진료 기록사항을 작성한다는 것을 알고 있어야 한다.

(1) 입원기록(admission note)(표 20-1)

① 신원사항(identification)

② 주소(chief complaint): 환자가 사용한 용어를 간결하게 기록하는 것이 좋다. 진단명을 쓰지 않아야 하며, 부정확하고 애매한 용어는 피한다.

③ 현증(present illness): 주소의 발현시기, 위치, 진행양상, 현재까지의 치료내용 등을 체계적으로 기술한다.

④ 과거병력(past medical & dental history)

⑤ 사회력(social history): 사회생활에 있어 질병과 관련된 이력이나 담배, 알코올 등의 섭취량과 빈도를 기술한다.

⑥ 가족력(familial history): 가족과 친척 중에 진단받은 질병이나, 마취 및 과거 수술과 관련하여 후유증 혹은 합병증이 발생한 적이 있는지 문진한다.

⑦ 계통문진(systemic review): 세밀하게 각 기관계를 문진한다. 질환과 관계없으나 진단, 치료과정에 필요한 경우가 있다.

⑧ 전신적 검사(physical examination)

⑨ 진단(assessment, impression, diagnosis): 주관적 증상, 객관적 징후를 포함한 신체진찰 결과에 대한 평가를 바탕으로 작성한다. 가능성 있는 질환이나 상황을 순서대로 기록하며 한 가지 이상의 진단을 감별해야 하는 경우에는 R/O(rule out) 이라는 용어를 사용할 수 있다.

⑩ 계획(plan): 불확실한 진단, 감별이 필요한 진단을 위해 혈액검사, 영상(치)의학 검사 등을 시행하며 진단된 질병 또는 상황에 대해 수술을 포함한 앞으로의 계획을 기술한다.

(2) 특수검사기록지

이화학적 검사, 방사선사진 촬영, 특수검사의 기록과 판독내용을 보관한다.

(3) 수술동의서(informed consent)(표 20-2)

의사는 외과적 수술과 특수시술을 함에 있어, 설명의 의무가 있으며 환자의 동의를 얻어야 한다.

(4) 타과 의뢰서(consultation, referral note)

타 질환의 병발, 합병증 등 타과의 진료경과를 기록하여 보관한다. 치료의 우선순위에 의해 전과를 할 수 있으며 이때에는 전과기록(transfer note)을 잘 정리하여 해당과 의사가 환자의 상태를 충분히 이해하도록 도와야 한다.

(5) 경과기록지(progress note)

입원 당시 주소(chief complaints)와 매일매일의 주소는 다를 수 있다. 경과 기록에는 환자의 주관적 자료, 객관적 자료, 자료의 평가, 진료계획이 포함된다.

(6) 수술기록지(표 20-3)

수술직후 수술 상황에 대한 간단한 기록이 요구된다. 수술 후 24시간 이내에 기록하도록 권장되며, 때로 정확한 도해의 삽입은 환자관리에 유용하다. 수술기록지에는 다음과 같은 내용을 포함한다.

① 술전 진단명

② 술후 진단명

③ 수술방법
④ 집도의, 보조의사
⑤ 수술과정 소견
⑥ 부작용
⑦ 제거된 조직
⑧ 사용된 드레인, 생체재료
⑨ 봉합방법
⑩ 실혈량
⑪ 수술 후 환자의 상태
⑫ 마취방법

(7) 의사지시서(doctor's order sheet)(표 20-4)

의사(주치의)는 특수한 상황에서 구두나 전화로 간호사나 담당의에게 지시하나 보통은 의사지시서에 의해 명령이 전달된다. 지시내용은 간결, 명료하여야 하며 지시사항에 대한 담당 책임자는 신속하게 이행하여야 하고, 명령에 대한 책임의 한계에 유의하여야 한다(예: 간호사에게 지시한 주사약 투입의 부작용에 대해 주치의는 감독, 주지의 의무가 있다).

■ 의사지시서에는 다음과 같은 내용을 포함한다

① 환자의 활력징후(vital signs)
② 병실에서의 양태(bed rest, ward rest, head up 등)
③ 식사방법(normal regular diet, N.P.O., low salt diet, DM diet 등)
④ 검사(lab test)
⑤ 치료내용(dressing)
⑥ 투약(fluid, drugs)
⑦ 환자와 관련된 제반 사항

(8) 간호일지(nursing note)

간호사는 간략하게 입원기록과 간호경과기록을 포함하는 간호일지를 쓴다. 환자 중에는 의사의 문진에서 밝히지 않은 내용을 간호사에게 알릴 수 있으며 24시간 교대로 근무하는 과정을 기록한 간호내역은 환자의 정보를 아는 데 도움을 준다.

표 20-1 입원기록

한국대학교병원

입 원 기 록

(경과일지)

병록일지	8 6 2 6 3 9		
성 명			
연 령	29	성 별	남
진료과	OMFS	병 동	41W

월	일	Admission Note	날인
10	8	C/C ; Painful swelling on Rt. midfacial, especially periorbital region	
		P/Hx ; n/s	
		Social History: Personality – introvert	
		Religion – Christian	
		Occupation – engineer	
		Smoking (–)	
		Drinking (+, 3 times/week)	
		Course ; This 29–year–old male patient was injured to face by	
		Autobike TA in 2013. 10. 7. Immediately he was admitted	
		to our Dept. of OMFS via ER for further evaluation and proper management.	
		P/Ex (Physical examination), S/R (systemic review) ; G/A–Hyposthenic appearance	
		M/S (mental status)–Orientation (+), Consciousness (+)	
		HEENT ;	
		Head – normocephalic, headache (+)	
		Eye – isocoric (+/+), icteric (–/–), anemic (–/–)	
		diplopia (+/–), light reflex (+/+)	
		Ear – tinnitus (–), vertigo (–), CSF otorrhea (+/–)	
		Nose – obstruction (–), epistaxis (+)	
		Throat – soreness (–)	
		Cardiovascular system – N/S	
		Neuromuscular system – Babinski (+)	
		Chest – RHB without m'	
		CBS without r'	
		Abdomen – Soft and flat	
		Musculoskeletal system – Rt. femur fx.	
		Oral and Maxillofacial features	

월	일	Admission Note	날인
		P/I: 1. Asymmetrical facial appearance due to swelling of the	
		Rt. midfacial, lower & periorbital region	
		2. Palpational tenderness on midfacial, Mn. border region	
		3. Ecchymosis on Rt. periorbital region	
		4. Bony step deformity on Rt. Mn. parasymphysis region	
		5. Floating Mx. on both side	
		6. Mouth opening limitation about 2 cm	
		7. Obvious bony step on Rt. mid and lower facial region	
		8. Intraoral findings	
		1) Laceration wound on the Rt. Mn parasymphysis region	
		2) Unstable occlusion	
		3) Occlusal step deformity	
		4) Mx. floating state	
		5) Tooth Fx. & avulsion on #12–22, tooth fx on #41	
		6) IMF state	
		7) Bluish contusion on Rt. cheek region	
		8) Sublingual hematoma formation	
		〈Tentative Diagnosis〉	
		R/O) Le Fort Ⅰ, Ⅱ Fx.	
		R/O) Zygoma tripod Fx & Arch Fx.	
		Mn. Parasymphysis Fx.	
		Plan: Diagnostic – C.T. taking	
		Therapeutic – Open reduction under G/A (General anesthesia)	
		Physical therapy	

표 20-2 수술동의서

수술동의서

병록번호:
성 명:
연 령:
성 별:
진 료 과:
병 동:

병 명:
수술/검사명:
주치의사:

1. 진단명(현재 상태)

귀하의 현재 상태는 ( ) 의 의심이 있습니다.

과거병력 유 / 무 / 미상
알레르기 유 / 무 / 미상
특이체질 유 / 무 / 미상
당뇨병 유 / 무 / 미상
고저혈압 유 / 무 / 미상
출혈소인 유 / 무 / 미상
심장병 유 / 무 / 미상
마약사고 유 / 무 / 미상
약으로 인한 사고 유 / 무 / 미상

2. 치료명(수술명, 시술명, 검사명 등)

치료명(수술명, 시술명, 검사명 등) ( ) 입니다.

3. 제안된 수술(시술 또는 검사)의 목적 및 방법, 환자 준수 사항

1) 목적
2) 방법
3) 수술 전, 후 환자 준수 사항

4. 수술과 관련하여 발생할 수 있는 문제(합병증 및 후유증)

1) 전신마취제 사용으로 인한 간독성, 신독성, 폐독성 등이 있을 수 있으며 수술 중 급성 호흡부전으로 급작스러운 심정지로 사망할 수도 있습니다.
2) 수술은 구강(내, 외)로 시행되며, 절개로 시행되고, 술후 약간의 지각이상이 있을 수 있으며 회복 후에 약간의 반흔조직이 있을 수 있습니다.
3) 수술 중 출혈에 의해 수혈의 필요성이 있으며, 수혈 시 고열과 감염(예: 간염, 에이즈)이 있을 수 있습니다.

4) 술후 약(1, 2, 3, 4, 5, 6)주간의 악간 고정이 있습니다.
5) 수술 후 2–3일간은 동통과 부종이 있습니다.
6) 구강외 수술 시 (좌, 우)측 우각부에 혈액 누출 유도관을 삽입할 수 있습니다.
7) 술후, 구강청결을 소홀히 하면 감염으로 인한 농양이나 골수염이 생길 수 있습니다.
8) 악관절수술 후 악관절강직증이 있을 수 있고, 개구장애가 있을 수 있습니다.
9) 우측 장골 자가골이식으로 인해 술후 약간의 보행장애가 있을 수 있습니다.
10) 환자가 현재 간기능 문제가 있다면 술후 간기능이 더욱 저하될 수 있고 간성혼수가 발생할 수 있습니다.
11) 환자가 현재 심장질환이 있다면 수술 중 심근경색, 심정지가 있을 가능성이 다른 환자에 비해 더욱 큽니다.
12) 경우에 따라서 기관절개술이 필요할 수 있습니다.
13) 이차적인 수술의 필요성이 발생할 수 있습니다.
14) 고정에 사용된 금속판은 수술 후에 유지되어도 무방하나 불편감이 있으면 약 6개월 후 제거할 수 있습니다.
15) 축농증 수술 후 해당부위의 혈액유도관을 삽입할 수 있습니다.
16) 광범위한 반흔이 발생 시 약 6개월 후 반흔제거술이 필요할 수 있습니다.

5. 치료를 받지 않았을 경우 발생 가능한 결과

6. 수술방법의 변경 또는 수술범위의 추가 가능성

수술 과정에서 환자의 상태에 따라 부득이하게 수술방법이 변경되거나 수술범위가 추가될 수 있습니다. 이 경우, 환자 또는 대리인에게 추가로 설명하여야 하는 사항이 있는 경우에는 수술의 시행 전에 이에 대하여 설명하고 동의를 얻도록 합니다. 다만, 수술의 시행 도중에 환자의 상태에 따라 미리 설명하고 동의를 얻을 수 없을 정도로 긴급한 수술방법의 변경 또는 수술범위의 추가가 요구되는 경우에는 이에 따른 수술의 시행 후에 지체 없이 그 변경 또는 추가의 사유 및 수술의 시행 결과를 환자 또는 대리인에게 설명하도록 합니다.

나는 다음의 사항을 확인하고 동의합니다.

1. 나(또는 환자)에 대한 수술의 목적, 효과, 과정, 예상되는 합병증, 후유증 등에 대한 설명을 의사로부터 들었음을 확인합니다.
2. 이 수술로서 불가항력적으로 야기될 수 있는 합병증 또는 환자의 특이체질로 예상치 못한 사고가 생길 수 있다는 점을 위 1번의 설명으로 이해했음을 확인합니다.
3. 이 수술에 협력하고, 이 동의서 제1조의 환자의 현재 상태에 대해 성실하게 고지할 것을 서약하며, 이에 따른 의학적 처리를 주치의의 판단에 위임하여 이 수술을 하는 데 동의합니다.
4. 수술방법의 변경 또는 수술범위의 추가 가능성에 대한 설명을 이 수술의 시행 전에 의사로부터 들었음을 확인합니다.

귀하의 증상과 치료 및 후유증에 관한 상세한 설명을 들었음.

20 년 월 일 시 분

상기환자 또는 대리인 (인)

※ 본 동의서는 본인의 서명이나 날인으로 유효하나 미성년자 또는 본인이 서명하기 어려운 신체적, 정신적 지장이 있을 때는 보호자 또는 가까운 가족이 이를 대리한다.

한국대학교병원장 귀하

표 20-3 수술기록지

HANKOOK NATIONAL UNIVERSITY HOSPITAL

<Operation Record>

Operator: Staff. OOO. D.D.S.

1st Assist. R3 OOO. D.D.S.   2nd Assist. R2 OOO. D.D.S.

Scrub Nurse___________   Circ. Nurse___________

Preop. Diagnosis : Le fort I Fx
Rt. Zygomatic Tripod Fx.
Rt. Mn. Parasymphysis Fx.

Postop. Diagnosis : Le fort I Fx
Rt. Zygomatic Tripod Fx.
Rt. Mn. Parasymphysis Fx.

Operation : ORIF with miniplate

Findings and Procedures :

Under the general anesthesia with nasotracheal intubation, the patient was placed with supine position. Routine skin preparation and draping was done. Local infiltration anesthesia was done on Rt. lower vestibular & both upper vestibular region. Incision and mucoperiosteal elevation was done on Rt. lower vestibular region. And the fx. site was appeared. The gap is about 4 mm. The bony step was reduced to original position with 4–H miniplate (2x). On Rt. infraorbital rim incision & muscle dissection, bony step deformity was detected. Bony step was reduced to original position with 4–H miniplate. And Lt. site was done, too. Rt. Mx. ant. wall was fractured, communited. L – shaped 4–H miniplate was applied on Mx. ant. wall region. On opposite was fixed with 4–H miniplate. We did intermaxillary fixation. On Mn. symphysis region, the fractured site was fixed to original position with 4–H miniplate (2x). Rt. infraorbital region. We sutured with 6–0 black silk on both infraorbital region. Intraoral suture was done with 3–0 black silk. Blood loss, about 200 cc. Pressure dressing was done.

Drains : No

Sponge count correct Yes

Typed by R1. Kim. J. S. D.D.S.

표 20-4 의사지시서

의 사 지 시 서

병록일지	○ ○ ○ ○ ○ ○		
성 명	○ ○ ○		
연 령	29	성 별	남
진료과	OMFS	병 동	41W

2013		지시내용	서 명		수행
월	일		의사	간호사	
10	1	<Admission 1st day>			
		1. Check the vital sign q 4 hr.			
		2. Bed Rest			
		3. High protein liquid diet			
		4. Mouth gargling with chlorhexidine solution			
		5. Cold pack application on midface			
		6. Dressing			
		7. Medication			
		1) H/S 1000 cc Sig : IV + VitC 500 mg			
		2) 5% D/S 1000 cc + KCL 20 mg Sig : IV			
		3) Clindamycin 1800 mg #3. Sig : IV (AST)			
		4) Amikin 300 mg # 3. Sig : IV			
		5) Piroxicam 200 mg # 2. Sig : IV			
		6) Rinitidine HCl 200 mg # 2. Sig : IV			
		7) Diclofenac sodium 100 mg Sig : IV			
		8. Check			
		1) CBC/DC, ESR			
		2) Admission battery, Electrolyte, BUN, LDH, Phosphorus, Triglyceride, Creatinine, CK			
		3) ABO & Rh typing			
		4) BT, CT, PT			
		5) U/A			
		6) EKG			
		7) Chest PA			
		8) Facial bone CT without enhancement			
		9) Brain CT			
		10) Skull PA / Panoramic view			
		11) Waters' view / Reverse Towne's view			

(9) **퇴원개요**(discharge summary)

입원한 환자가 최종진단을 얻어 적합한 수술을 받고 술후 치료를 받아 퇴원하기까지를 간략하게 기술한다.

2) 문제중심 의무기록(Problem oriented medical record, POMR)

문제중심의 의무기록은 모든 자료가 문제중심으로 정리되어 있어 체계적이고 신속한 치료에 임할 수 있다. 초기자료에서 문제목록을 작성하고 문제항목을 분석하여 최종진단이 나오지 않을 경우에는 최종진단을 위한 계획이 요구되고 진단적 계획을 완성하면 치료계획으로 이행된다.

경과기록과 치료의 평가과정에서 새롭게 얻게 되는 정보를 통해 이에 따른 새 계획이 추가될 수 있다. POMR과 경과기록의 방식인 SOAP (Subjective symptom, Objective symptom, Assessment, Plan)는 그림 20-1과 같은 방식으로 구성된다.

가설 연역적 추론에서는 기존의 이론에서 가설을 설정하고 실험하여 그 결과를 기각 또는 확정한다. POMR 또한 환자의 인적사항, 신체상태의 다양한 정보를 가지고 의사의 의학적 지식과 경험을 토대로 진단적 가설을 설정한다. POMR은 진료기록부를 검사하여 환자의 문제점을 파악하는 데 유리할 뿐 아니라 병원 내에서 수련과정의 의료인 사이에서도 교육적 자료로서 중요한 의미를 갖는다.

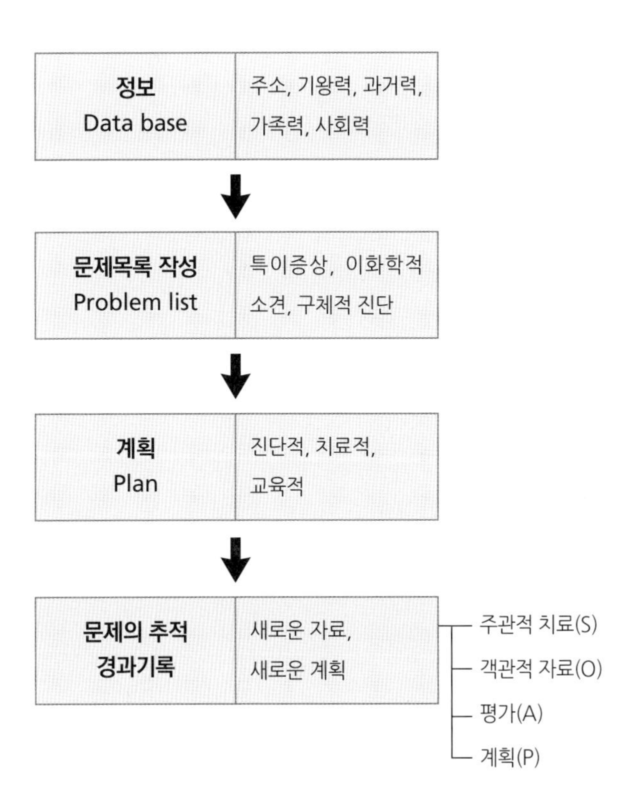

그림 20-1 바람직한 의무기록의 과정

3. 술전 처치

1) 술전 정규검사

환자의 주소에 의한 최종진단명을 얻기 위해 시행하는 다양한 검사 외에도 전신마취에 필요한 검사가 요구되는데 혈액검사, 뇨검사, 간기능검사, 흉부방사선사진, 심전도 등과 수술의 특성에 따라 특수검사가 요구될 때가 있다. 술전 정규검사의 목적은 수술 중 또는 수술 후 환자의 양호한 전신상태 유지와 수술 외에 타 질환과 관련된 신체이상에 대처하기 위함이다.

2) 술전 환자의 신체조건 개선

(1) **환자의 영양상태**

수술이 예정된 환자는 수술로 인한 조직손상이나 수술 후 섭취제한 또는 장애 때문에 방치할 경우 체중감소와 영양결핍이 예상된다. 적절한 영양치료로 전신상태를 개선하고 식이에 유의함으로써 술후 합병증 발생을 많이 줄일 수 있다. 건강한 성인은 1일에 2,500–3,000 kcal를 요하며 최근에 체중이 25% 이상 감소되었다면 약 2주간 1일에 4,500–5,000 kcal의 영양을 공급해 주어야 한다. 말기 암환자, 장기 입원환자, 영양결핍 환자 등 정상적인 체중(ideal body weight) 유지가 어려운 환자들이 이에 해당되며 충분한 영양의 섭취로 술후에 대비하여야 한다. 혈장단백치(serum albumin)가 2 g/dl 미만이면 염증기의 지속, 신생혈관형성의 저해, 콜라겐 합성의 저하, 창상치유의 지연 등이 나타난다. 혈장단백치는 6.0 g/dl (albumin 3.0 g/

dl) 이상 유지시켜 술후 창상치유를 유리하게 한다.

(2) 수분, 전해질 균형유지

체중을 기본으로 할 때 몸에 있어서 수분은 가장 중요한 구성 성분이다. 모든 조직에 존재하며 우리 몸무게의 55%를 차지한다(45–60% 사이, 신생아에서는 75% 이상). 몇 가지 인자가 사람마다 몸의 수분의 양이 다른 것에 영향을 미친다. 조직마다 수분의 양도 다양한데, 근육은 수분이 많고 지방과 골은 비교적 수분이 적다. 결국 마르고 근육질인 사람은 수분의 함량이 많고, 뚱뚱한 사람은 수분의 함량이 적다. 이상적인 몸무게에서 남자보다 여자는 지방이 근육보다 많은 비율을 차지하므로 수분의 비율이 절반에 가깝다. 부가적으로 신생아나 소아는 성인보다 수분의 함량이 더 많다. 수분은 세포의 내외 구획에 분포되어 있다. 세포내 수분은 총 신체수분의 2/3(40%)를 차지한다. 세포외 수분은 간질내 수분(세포외 수분의 3/4, 몸무게의 15%)과 혈관내 수분(세포외 수분의 1/4, 몸무게의 5%)으로 나뉜다.

대사성 질환이나 염증질환, 외상환자, 장기입원환자의 체내 수분, 전해질 불균형은 수술 전에 회복시켜 주어야 한다. 수분, 전해질 이상에 대한 생리적 반응을 점검하고 필요에 따라 전해질 검사를 실시하여 대사의 불균형을 교정한다. 체액치료의 목적은 섭취와 소실의 균형을 맞추어 탈수나 과잉수분의 존재를 막는 데 있다. 특히, 신장질환과 심질환은 신체의 항상성을 해치며 수액치료가 잘못된다면 심각한 결과를 초래할 수도 있다.

신장질환은 신부전(renal failure)과 신증후군(nephrotic syndrome)이 대표적이다. 신부전은 신장의 체액 내 부산물 청소 능력이 상실되는 질환으로 사구체여과율(glomerular filtration rate)을 반영하는 크레아티닌청소율(creatinine clearance, CC)에 의해 측정된다. 환자가 소변을 매우 적게 배출하여 뇨량이 감소하면 신체는 수분조절능력을 소실하게 된다. 신증후군은 신장을 통해 단백질이 배설되며 수분도 같이 소실되는 질환으로, 이때도 역시 신체는 수분조절능력을 상실하게 된다. 마지막으로 심질환의 경우, 적절한 혈액의 충만을 유지시킬 수 없게 되어 volume과 rate가 부족해지면 정맥내의 체액이 저류하여 급성 울혈성 심장질환이 야기될 수 있다. 그렇기 때문에 신장질환이나 심질환을 가진 환자는 더욱 세심하고 조심스런 수액치료가 요구되며, 때때로 내과 전문의의 협진 또는 자문이 필요하다.

수액치료를 위해 모든 환자의 체액 수분상실을 정확하게 측정한다는 것은 불가능하며 사실 절대적으로 필요하지도 않다. 그 대신 많은 공식과 일반화를 통해 환자에게 필요한 양을 계산하여 체액을 보충하게 된다. 체액의 유지를 위한 계산법에서 기본단위는 체표면의 제곱이며, 가장 일반적인 추천은 1,500 ml/m^2이다. 하지만, 각각의 신체 표면적을 매번 측정하는 것이 사실 불가능하므로 이상적인 체중에 기초를 두고 체중과 관련된 체표면을 기준화시켜서 구하게 된다. 많은 임상가들은 몸무게나 필요한 열량을 기준으로 투여될 수액량을 계산한다. 이러한 공식은 대부분의 어린이와 성인에게 용이하게 적용될 수 있으나 신생아나 유아에게는 그 적용에 특별한 관심을 기울여야 한다.

① 몸무게에 기초를 둔 수액량 계산

첫 10 kg에 1,000 ml의 수액(100 ml/kg)
+ 두 번째 10 kg에 500 ml의 수액(50 ml/kg)
+ 다음 10 kg 이상의 각 kg에 대해 20 ml의 수액
= 투여될 수액량

예를 들어, 체중이 70 kg인 일반 성인의 경우 〈1,000 ml (100 ml × 10 kg) + 500 ml (50 ml × 10 kg) + 1,000 ml (20 ml × 50 kg) = 2,500 ml 〉이므로 매 24시간마다 2,500 ml의 수액을 정맥 내로 투여하여야 한다. 단, 50세 이상의 환자는 20 kg 이상에서 매 kg당 10 ml/kg로 수액량을 감소시켜 투여하게 된다. 예를 들어, 50세 이상 체중이 60 kg인 환자의 경우 〈1,000 ml (100 ml × 10 kg) + 500 ml (50 ml×10 kg) +

400 ml (10 ml×40 kg) = 1,900 ml 〉이므로 매 24시간마다 1,900 ml의 체액보충이 필요하다.

② 체중과 체표면적에 의한 계산

두 번째 공식은 "rule of six"라는 공식으로 nomogram의 사용에서부터 유래된 방법으로 체중과 체표면적이 관련된 60 pounds (pds) 이하의 아이를 위해 쓰인다. 첫 3 pds는 0.1 m^2와 같고, 다음 6 pds는 0.2 m^2로 그리고 나머지 체중에는 각 6 pds당 0.1 m^2를 더한다. 결과로 나온 체표면적을 기준 필요 수액량인 60 pds시 1,500 ml에 곱하여 24시간 동안 필요한 체액보충량을 계산한다. 예를 들면 33 pds의 소아는 〈0.1 m^2 (3 pds) + 0.2 m^2 (6 pds) + 0.4 m^2 (0.1 m^2 × (24 pds/6 pds)) = 0.7 m^2 〉로 계산되며 1,050 ml (1,500 ml × 0.7 m^2)가 매일 필요하다.

③ 필요열량에 의한 계산

세 번째 계산식은 필요열량에 의해 계산된다. 필수적으로 각 100 cal를 대사하는 데 100−110 ml의 물을 필요로 한다. 필요열량은 소아에서 55 cal/kg/day이고 성인에서 25−30 cal/kg/day로 다양하다. 침대에서 쉴 때의 대사율은 기초대사율보다 20−30% 정도 높다. 40 kg 이상인 환자는 35 ml/kg/day의 체액보충량을 공급해야 한다. 예를 들면 정상 70 kg인 남자는 2,450 ml (35 ml × 70 kg)를 매일 필요로 한다.

이러한 공식은 침대에서 휴식하는 환자를 기초로 하고 있다. 단, 발열은 더 높은 대사율과 인지할 수 없는 체액의 상실을 초래하므로 더 많은 수액보충이 필요할 수도 있다.

(3) 혈액상태 개선

외상으로 인한 대량출혈, 혈액질환으로 기인한 빈혈, 혈액응고장애 등 혈액과 관련된 이상을 점검하고 수술에 앞서 이를 개선하여야 한다. 특히, 빈혈환자의 경우 순환혈량의 부족으로 수술 중 저산소증, 술후 창상치유에 악영향이 예상되므로 적절한 수혈이 필요하다. 충분한 시간이 있는 경우 자가수혈의 대상자에게는 이를 권장하는 것이 좋으며 수술 직전 대량수혈은 수혈의 부작용이 예상되므로 피해야 한다.

(4) 전신질환의 고려

① **심질환**: 심질환 환자는 술전 심전도, 중심정맥압 측정 및 운동능력을 파악하고 고혈압 환자의 경우 혈압강하제 등 이뇨제의 사용으로 인한 전해질불균형에 대한 대비가 필요하다. 불안을 감소시키는 전처치 약물의 투여는 고혈압 환자에서 유용하다. 조절되지 않고 있는 고혈압 환자의 수술은 위험하므로 전문의의 처치가 필수적이며 과거 6개월 이내 심근허혈이나 심근경색이 있었던 환자나 현재 심전도 상에서 급성심부전 소견을 보이는 환자의 수술은 연기되어야 한다.

② **폐질환**: 기관지염이나 폐렴, 결핵 등 염증성 질환이 있으면 술전 항생제 사용 및 적절한 처치를 하여 상태를 개선해야 하며 천식, 기종, 폐충혈 등의 병력이 있으면 동맥혈가스분석, 폐활량검사를 시행하여 수술 중이나 수술 후 저산소증, 탄산과잉혈증에 대비해야 한다.

③ **간질환**: 간질환환자의 수술에 영향을 미치는 부분은 출혈성 경향과 저단백혈에 의한 부종 등이다. 수술 전 수일간 vitamin K 20−50 mg/day를 주입하여 저하된 프로트롬빈 수치를 회복시켜 준다. 급성간염이나 만성간염이 활동기에 있는 경우에는 긴급수술 이외의 전신마취를 하는 것은 금기이다. 심한 만성간염, 악성종양의 경우 이의 치료에 효과가 없을 때 신선혈액을 주어 출혈성 경향에 대비하며 저단백혈증에 대해서는 알부민 주사로 대처한다.

④ **신질환**: 혈액요소질소(blood urea nitrogen, BUN), 크레아티닌으로 신기능을 평가하고 수술 과정에서의 적합 여부를 판단한다. 신질환 환자는 혈압강하, 수분 및 칼륨 등을 포함한 전해질 교정에 민감하므로 주의해야 한다. 신기능장애

환자에 대한 약물의 투여량은 건강한 사람의 50-70% 정도로 충분하다. 크레아티닌이 상승하는 질소혈증(azotemia)은 정도에 따라 인공신장, 투석으로 조절한 후 수술에 임할 수 있다.

⑤ **대사질환:** 당뇨병, 갑상선기능이상 등의 질환은 이미 조절되고 있는 경우 수술과정에 문제점은 없으나 치료받고 있지 않는 경우 당뇨성 혼수, 갑상선 급발증의 위험이 있으므로 해당과의 처치가 필요하다.

(5) 감염 예방

수술이 예정된 환자는 감염으로부터 보호되어야 하므로 병실내의 청결한 환경유지에 힘써야 하며 예정된 수술부위의 술전 처치는 중요하다. 병소가 구강내일 경우 치태조절, 치석제거, 병소와 관련된 보철물의 처치와 구강소독액의 사용으로 구강청결 유지에 힘써야 하며 피부인 경우 면도 또는 제모제 사용과 소독제의 적절한 사용으로 좋은 예후를 기대할 수 있다. 감염의 방지를 위해서는 환자에게 소독의 개념을 엄격하게 적용하여 불필요한 행위, 자극을 피하고 수술 전처치 약물에 항생제를 포함시켜 투여함으로써 수술과정에서 감염을 예방할 수 있다.

3) 수술 직전의 처치

(1) 공복유지

전신마취를 행하는 수술환자에서 위장관 내용물의 역류로 인한 호흡장애, 흡인성 폐렴 등 마취의 합병증을 예방하기 위해 고형음식은 최소 7-10시간 전, 수분은 4시간 전부터 금식(N. P. O. nothing by mouth)하는 것이 좋다. 소아나 당뇨병 환자는 금식기간이 연장되지 않도록 수술시간을 조정해야 한다.

(2) 피부관리

수술부위를 면도해야 하는 경우는 가능한 전날 면도를 하고, 수술 당일은 수술부위를 비누로 깨끗이 씻고, 칫솔질을 한 후 수술실로 들어가게 한다. 본인이 할 수 없는 경우는 보호자나 병원 담당자가 해주도록 한다.

(3) 충분한 수면유지

정서적 안정과 충분한 수면을 취하도록 해주고, 긴장과 불안으로 수면을 취하지 못하는 경우엔 수면제를 처방한다.

(4) 마취 전 환자방문

마취과 의사는 수술 전날 환자의 심폐기능을 확인하고 마취방법과 예후에 대해 환자에게 설명한다. 마취 전 환자방문은 수술 및 마취에 대한 공포를 억제하는 효과가 있음이 실험적으로 증명되었다.

(5) 정맥주사와 수액연결

수술일 아침에는 환자의 활력징후를 측정하고 정맥주사를 실시하며 필요에 따라 중심정맥압(CVP) 측정, 방광카테터 삽입을 한다.

(6) 전투약

수술에 대비한 전투약(premedication)은 환자의 불안을 해소하고 구강, 인두의 분비물 감소, 진통, 적절한 수술과정의 망각을 유도하기 위함이다. 노인과 14세 이하의 어린이, 의식불량환자, 두개강 질환자, 심한 만성호흡질환자들에게는 전투약을 생략하거나 최소한의 전투약을 시행하고 신체조건이 불량하여도 불안이 심한 경우에는 이를 조절할 필요가 있을 경우 전투약이 요구된다. 주로 benzodiazepine계 약물을 처방하며, barbiturate, 아편계, 항히스타민계 약물을 필요에 따라 처방하기도 한다.

(7) 술전 점검사항

① 수술 서약서
② 식이상태: 술전 금식 규정을 지켰는지 확인한다.
③ 수술부위: 세척, 탈모, 면도, 소독상태를 점검한다.
④ 장식물 제거, 의치, 안경, 콘택트렌즈, 보석류, 속옷, 매니큐어(청색증 점검 위해 nail bed유지) 제거

⑤ 건강상태: 활력징후, 흉부방사선사진, 심전도, 소변검사 점검
⑥ 특별 주문: Levin튜브, 배뇨관(foley catheter; 4시간 이상의 수술시간이 예상되는 경우 방광의 과팽창을 방지), 수혈제제 확인

(8) 수술실 이동

수술 전 투약으로 인해 진정상태인 환자를 너무 빠르게 이동시켜 오심, 현기증이 나지 않도록 조심스럽게 침대를 이용하여 이동시켜야 하며 담요, 안전띠 등을 점검한다.

II. 전신마취

전신마취 방법 및 과정에 대해 이해하고 투여되는 약물의 효능, 대사, 부작용을 인지하여 전신마취에 의한 합병증 및 부작용과 연관된 수술 중, 수술 후 환자의 상태를 평가하고 관리할 수 있어야 한다.

전신마취는 환자에게 유해한 자극을 가했을 때 환자가 이를 느끼지 못하게 하는 것이며, 이때 환자에게 투여된 전신마취 약제에 의한 인체의 생리학적인 변화를 최소화하기 위해 수술 전, 중, 후 지속적인 감시가 요구된다.

환자가 외래에 내원하여 당일 수술을 받은 후 퇴원하는 일일수술 시스템은 환자의 진료비 부담을 줄일 뿐 아니라 환자 본인의 편의성 및 보호자의 편리와 수술을 위하여 장기간 대기하는 불편감을 줄일 수 있다는 점에서 많은 호응을 얻고 있다.그러나 수술을 마치고 귀가 후 발생할 수 있는 합병증에 대한 응급처치가 어렵다는 문제점이 있어 수술 전 환자의 전신적인 건강상태를 충분히 파악하고 수술 종류에 따른 적절한 마취방법을 선택하여야 한다.

1. 전신마취를 위한 기관내삽관

전신마취를 안전하게 유도하고 전신마취 중 무의식 상태에 있는 수술환자의 심폐기능을 비롯한 조직의 적절한 기능을 유지하기 위해 대부분의 수술환자에서 기관내삽관(endotracheal intubation)을 시행한다.

1) 기관내삽관 목적

① 마취 중 수술환자의 기도확보
② 수술환자에서 위내용물의 기도흡인 방지
③ 기관내 이물질 제거를 용이하게 해준다.
④ 양압 인공호흡을 적절하게 유지시킨다.
⑤ 수술 환자의 다양한 체위에서 수술이 가능하게 한다.
⑥ 수술목적에 부합된 마취관리를 가능케 한다.
⑦ 심폐소생술 시

2) 기관내삽관 시 고려해야 할 사항

수술환자의 마취관리를 위한 기관내삽관은 오늘날 전신마취하에 수술하려는 수술환자에서 필수적인 사항으로 고려되어 대부분의 환자에서 시행되지만 기관내삽관은 항상 용이하게 시행되는 것이 아니라 때로는 매우 어렵고 환자에 따라서는 통상적으로 실시되는 후두경에 의한 기관내삽관이 도저히 불가능할 때도 있다. 이럴 경우 내시경을 이용한 기관내삽관을 시행하기도 한다. 안면부의 심한 외상이나 수술 후 호흡기능이 여의치 않을 경우, 기관절개술(tracheotomy)을 시행한다.

① **해부학적 고려사항:** 짧은 목, 하악 발육부전, 상악구개돌출, 큰 혀를 가지고 있는 수술환자에서는 기관내삽관이 용이하지 않다.
② **치아손상:** 상악/하악 전치가 치주질환에 이환되어 있는 경우에는 기관내삽관 시 치아손상에 더욱 유의하여야 한다.
③ **악관절장애:** 악관절장애 환자, 특히 악관절의 강직이 있는 환자에서는 개구장애로 인하여 통상적

인 방법으로는 삽관을 시행할 수 없는 경우도 흔히 발생한다.

④ **경추 운동장애:** 심한 경추장애나 경추손상 환자에서는 기관내삽관 자체가 경추손상을 더욱 악화시킬 뿐만 아니라 삽관행위도 방해하여 삽관 곤란을 야기할 수 있다.

⑤ **Modified Mallampati classification:** 기관내삽관의 어려움을 객관적으로 나타내기는 쉽지 않지만, Mallampati 등은 어떤 환자는 혀 기저부(tongue base)가 비정상적으로 커서 후두경을 직접사용하기 힘들다는 점에 착안하여 세 가지 분류를 제시하였다. 이 Mallampati의 분류에 한 가지가 더 첨가되어 네 번째 분류가 가장 삽관이 힘든 카테고리로 간주된다. Class I 환자의 경우 구개수(uvula), 연구개, 편도궁(faucial pillars)이 모두 잘 보이는 경우, Class II는 구개수, 연구개만 보이는 경우, Class III는 연구개만이 보이는 경우를 의미하며 Class IV는 연구개는 잘 보이지 않고 경구개만 보이는 경우를 의미한다. 삽관이 어렵다는 것이 마스크를 이용한 환기(mask ventilation)가 어렵다는 것과 동의어가 아니지만, modified Mallampati Classe III & IV의 경우 삽관하지 않은 깊은 진정이나 전신마취 시 기도확보가 되지 않을 위험성을 가지고 있다(그림 20-2).

3) 기관내삽관 방법

마취 전 필요한 기구를 준비하고 점검한다(그림 20-3). 환자의 체위는 눕힌 자세로 목을 굽히고 머리는 젖힌다. 호흡이 없거나 이완 상태인 환자를 제외하고는 근이완제를 주사한다. 삽관될 기관내관은 성인 남자의 경우 9 mm 직경, 여자는 8 mm 직경을 우선적으로 선택한다. 커프를 부풀려보아 새는 곳이 있는지를 확인한다. 튜브와 스타일렛(stylet)에 윤활제를 바른 후 스타일렛을 튜브 속에 밀어 넣고 적당하게 굽혀준다. 후두경을 펴서 라이트가 켜져 있는지 확인하고 환자의 입을 벌려서 치아와 블레이드 사이에 입술이 끼어들지 않도록 주의하여 블레이드를 밀어 넣어 설근과 후두 사이의 홈으로 진입시킨다. 후두경을 전상방으로 당겨 올리면 설근과 후두개가 들려 후두가 잘 보이게 된다. 튜브의 끝면(베벨)이 옆으로 향하도록 오른손으로 잡고 성문 사이로 들어가게 하고, 커프의 앞끝이 성대 바로 밑에 위치하도록 넣고 후두경을 뺀다. 튜브의 위치가 적절한지 확인 후 테이프로 고정한다(그림 20-4).

4) 비강을 통한 기관내삽관

구강악안면영역의 수술은 수술시야의 확보와 감염 방지를 위해 일부 수술을 제외하고는 비강을 통한 기관내삽관을 많이 이용하게 되며 이때 기관내관의 직경은 구강을 통한 삽관 시보다 더 작은 것을 사용하게 된다.

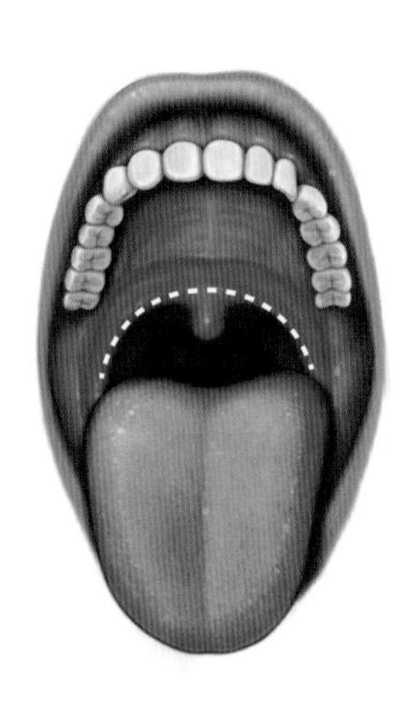
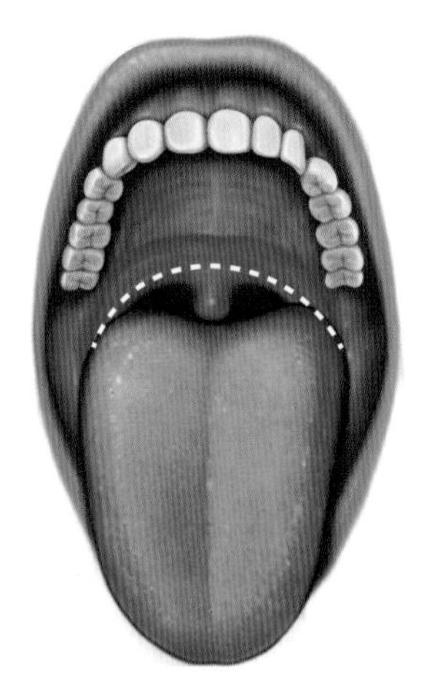
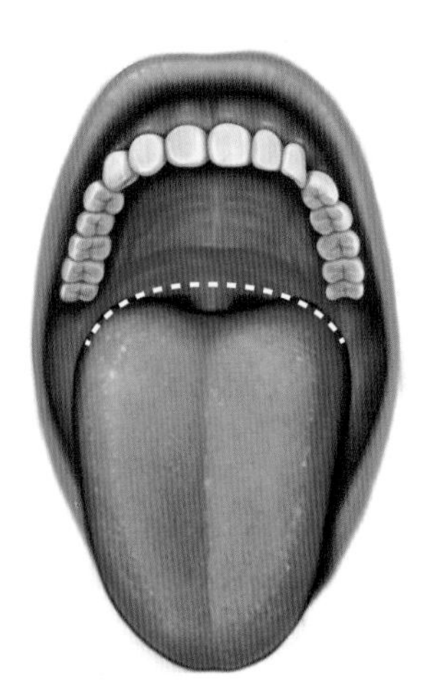
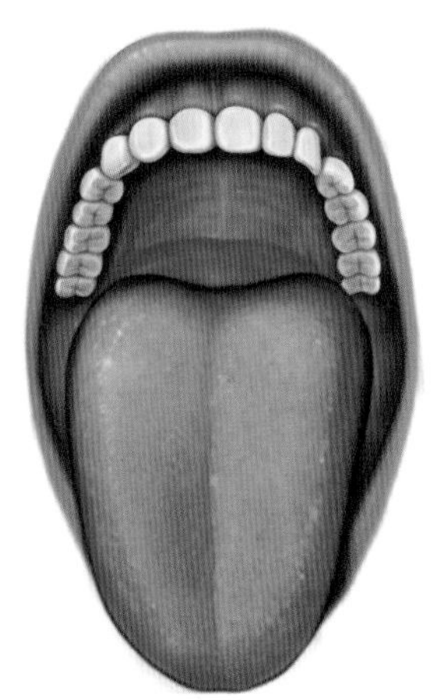

그림 20-2 Mallampati classification.

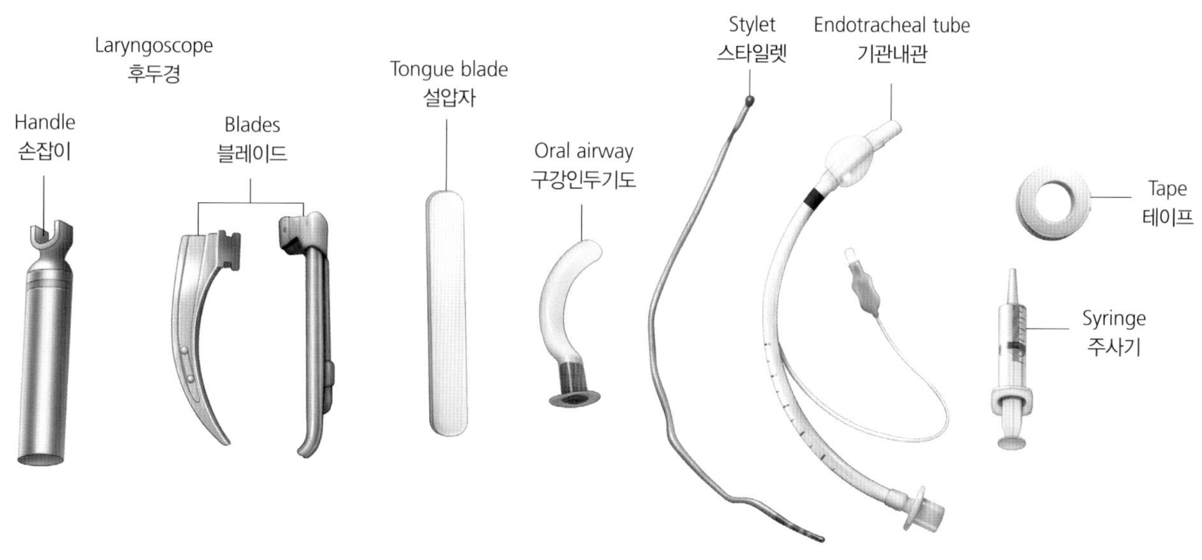

그림 20-3 기관내삽관 기구.

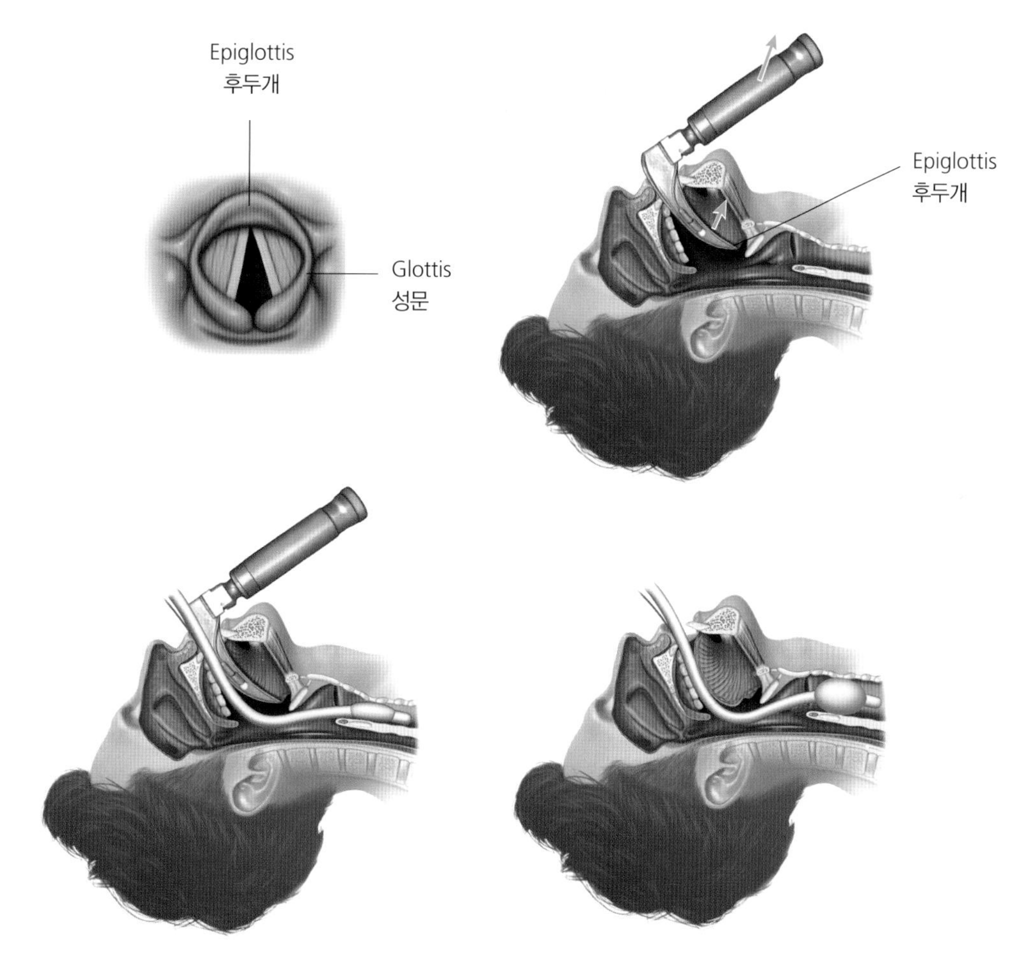

그림 20-4 기관내삽관 방법.

① 비강 삽관의 적응증

- 구강내 병변으로 인해 구강을 통한 삽관이 곤란할 때
- 구강 및 악안면 수술 시(효과적인 수술시야 확보 및 원활한 기구 조작을 위해서)
- 중환자 호흡관리 시(환자에게 구강 삽관보다 안락함을 준다)

② 비강 삽관의 장점

- 기관내관을 보다 안전하게 고정할 수 있다.
- 기관내관의 폐쇄 현상 발생 빈도가 낮다.
- 환자에게 보다 편안함을 제공한다.
- 기도자극이 적어 기도분비물의 분비가 적다.

③ 비강 삽관의 부작용 및 후유증

- 비출혈을 일으킬 수 있다.
- 아데노이드가 손상받을 수 있다.
- 이관(eustachian tube)의 폐쇄 현상이 일어날 수 있다.
- 상악동염을 일으킬 수 있다.
- 패혈증을 일으킬 수 있다.

2. 전신마취를 위한 마취제 및 근이완제

전신마취를 유도하고 유지하기 위한 마취제에는 흔히 흡입마취제와 정주용 마취제가 있다. 정주용 마취제는 마취제를 정맥내로 투여하여 마취를 유도, 유지하므로 투여 방법이 비교적 단순하나 마취제를 체외로 배출하려면 간의 대사와 더불어 신장을 통해 배출되므로 배출을 인위적으로 조절하지 못하는 단점이 있다. 반면에 흡입마취제는 폐를 통해 인체로 유입시켜 마취를 유지하고 인위적으로 조절이 가능한 장점이 있다. 근이완제는 전신마취 시 기관내삽관과 수술을 용이하게 하기 위해 사용된다.

1) 정맥마취제

정주용 마취제는 직접 정주에 의해서 혈액내로 유입되며 그 효과 발현 및 지속시간, 배출과정은 흡입마취제와 매우 상이하다. 특히 배설과정은 이들 약물의 체내 분포상황 및 정화작용에 의해 영향을 받게 된다. 일반적으로 약물의 혈장 농도가 시간경과에 따라 감소하는 비율은 약물의 체내 분포에 비례하고 체내 정화작용에 반비례한다. 체내에서 약물의 분포는 조직 간에 약물의 이동에 영향을 미치는 요인에 의해 영향을 받게 된다. 예컨대, 약물의 혈장단백과의 결합, 혈장내 약물의 이온화 정도, 약물의 지질용해도 등이 조직간 약물의 이동에 큰 영향을 미친다. 또한 약물의 정화작용은 체내의 대사활동과 신장기능에 의해 현저한 영향을 받게 된다. 임상적으로 사용하는 정주용 마취제는 직접 정맥으로 주입하므로 그 사용방법이 간단하며 주로 마취유도나 마취유지를 위해 흡입용 마취제와 함께 사용한다. Propofol은 효과 발현 및 의식회복이 매우 빨라 수술시간이 길지 않은 수술의 마취유도 및 유지에 많이 사용되고 있으며 오심, 구토 등의 부작용 발생빈도가 낮아 외래환자의 전신마취에 효과적으로 이용될 수 있다. 일반적으로 사용되는 정맥마취제의 분류와 유도용량 및 특성은 표 20-5, 6과 같다.

표 20-5 정맥마취제의 분류

Barbiturates	
Thiopental	
Thiamylal	
Methohexital	
Nonbarbiturates	
Nonopioids	Opioids
Benzodiazepines	Morphine
Ketamine	Meperidine
Etomidate	Fentanyl
Propofol	Sufentanil
	Alfentanil

표 20-6 정맥마취제의 유도용량 및 특성

종 류	유도용량(mg/kg)	작용발현(초)	작용시간(분)	주사 시 통증
Thiopental	3-6	<30	5-10	+
Thiamylal	3-6	<30	5-10	+
Methohexital	1-3	<30	5-10	++
Diazepam	0.3-0.6	45-60	15-30	+++
Lorazepam	0.03-0.06	60-120	60-120	++
Midazolam	0.2-0.4	30-60	15-30	0
Ketamin	1-2	45-60	10-20	0
Etomidate	0.2-0.3	15-45	3-12	+++
Propofol	1.5-3.0	15-45	5-10	++

2) 흡입마취제

(1) 흡입마취제의 인체유입

흡입마취제의 인체 유입과정에서 폐포의 마취제 농도는 마취유도 및 유지과정에서 혈액 및 뇌조직의 마취제의 분압을 결정하는 매우 중요한 역할을 한다. 뇌의 마취제 분압은 뇌조직의 마취제농도에 직접 비례하게 된다. 또한 마취기에서 공급되는 마취제의 농도와 폐포의 마취제 농도 사이의 차가 커질수록 마취유도 시간은 그만큼 지연되게 된다. 마취기에서 폐포내로 유입되는 마취제의 농도는 마취기에서 공급되는 가스의 유입량, 마취기 호흡회로의 용적 및 호흡회로에서의 마취제 흡수에 영향을 받는다. 폐포에서 마취제가 혈액내로 이행되는 과정은 마취제의 혈액에 대한 용해도, 폐포의 혈류량 및 폐포-정맥혈 마취제 분압차에 의해서 영향을 받게 된다. 마취제의 혈액에 대한 용해도가 클수록 더 많은 마취제가 혈액내로 이행되고 마취제의 폐포 농도 상승은 지연되어 그만큼 마취유도는 지연되게 된다. 또한 폐포 혈류량이 많거나 마취제의 폐포-정맥혈 분압차가 큰 경우에도 마취제의 혈액내 유입이 촉진되고 마취제의 폐포농도 상승률이 지연되어 마취유도가 지연된다. 마취제가 혈액을 비롯한 각 조직으로의 이행과정도 폐포에서 혈액으로 마취제가 이행되는 과정과 같이 마취제의 조직에 대한 용해도, 조직의 혈류량 및 동맥혈-조직 마취제 분압차에 의해서 주로 영향을 받게 된다.

(2) 흡입마취제의 배출 및 회복과정

전신마취로부터의 회복은 주로 뇌조직의 마취제 농도를 현저히 감소시켜줌으로써 발현된다. 뇌조직의 마취제 농도가 감소되려면 마취제가 체내에서 배출되어야 한다. 흡입마취제의 체내배출은 대부분 호기를 통해 이루어지며 대사활동을 통한 소변 및 피부를 통한 배출은 미미하다. 흡입마취제의 폐를 통한 배출은 마취유도 시와 같은 유사한 요인들에 영향을 받는다.

(3) 흡입마취제 배출과정과 저산소증

전신마취로부터 회복 시 N_2O의 배출은 마취유도 시와 같이 빠른 속도로 진행되며 다량의 N_2O가 폐포로 이행되어 폐포내 산소와 탄산가스를 희석하여 폐포내 산소분압을 현저하게 감소시킴으로써 저산소증 상태를 유발하게 된다. 이를 확산저산소증(diffusion hypoxia)이라 하며, 이 때문에 회복 시 N_2O 흡입을 중단한 상태에서 5-10분간 충분한 산소를 흡입시켜야 한다.

표 20-7 흡입마취제의 일반적 성질

	N_2O	Isoflurane	Enflurane	Halothane	Desflurane	Sevoflurane
분자량	44	184.5	184.5	197.4	168	218
비등점(℃)	-89	48.5	56.5	50.2	23.5	58.5
비중(25℃)	1.53*	1.5	1.52	1.86	1.45	1.50
증기압(20℃)	가스	238	172	243	664	160
알카리	안정	안정	안정	약간불안정	안정	매우불안정
자외선	안정	안정	안정	불안정		
금속	안정	안정	안정	부식	안정	안정
보존약제	없음	없음	없음	thymol	없음	없음
대사율	0.0	0.2	2.4	20	미정	1-2

* N_2O의 비중은 공기에 대한 것이며 다른 약제는 물에 대한 것임.

(4) 흡입마취제의 종류

흡입마취제로 많이 쓰이는 것은 N_2O, 엔플루란(enflurane), 아이소플루란(isoflurane)이 있으며, 각각의 일반적인 성질은 표 20-7과 같다.

3) 근이완제(Muscle relaxant)

근이완제는 전신마취 시 기관내삽관을 용이하게 할 뿐만 아니라 수술환자의 적절한 호흡관리를 가능하게 하며 수술 중 근이완이 되므로 양호한 수술시야를 확보하게 하여 수술 조작을 원활하게 해주는 장점이 있어 전신마취 관리 및 중환자 호흡관리를 위해서 통상적으로 사용되는 약제이다.

(1) 신경-근전달 및 근수축

근수축운동은 자극에 의해서 신경-근 접속부에서 신경말단부로부터 아세틸콜린이 분비되어 전압을 발생시키고(탈분극상태), 이와 같은 활동전압이 근막을 통해 전달되므로 근수축이 발생하게 된다. 또한 근말단부의 아세틸콜린이 아세틸콜린에스테라제에 의해서 쉽게 분해되어 아세테이트와 콜린으로 분해되면 근말단부의 이온통로는 닫히고 재분극이 발생하여 원래의 상태로 복귀하게 된다.

(2) 근이완제의 작용기전

근이완제는 탈분극성 근이완제와 비탈분극성 근이완제로 구분된다. 탈분극성 근이완제는 신경-근 접속부의 아세틸콜린 수용체와 결합하여 근말단부에서 탈분극상태를 유지하고 아세틸콜린의 작용에 영향을 받지 못하게 유지함으로써 근수축작용을 방해하여 근이완상태를 초래한다. 비탈분극성 근이완제는 아세틸콜린 수용체와 결합하여 아세틸콜린에 의한 탈분극현상을 방해하여 분극상태를 계속 유지하게 함으로써 근수축을 방해하여 근이완상태를 발생시킨다.

탈분극성 근이완제에는 석시닐콜린(succinylcholine)과 decamethonium이 있으며, 비탈분극성 근이완제에는 tubocurarine, metocurine, atracurium, pancuronium, vecuronium 등이 있다.

(3) 항콜린에스테라아제(anticholinesterase)

항콜린에스테라아제는 비탈분극성 근이완제의 체내 잔류효과로 인해 수술환자가 수술 후 정상적인 호흡을 유지하지 못할 때 이들 근이완제의 잔류효과를 역전시켜 환자의 호흡을 정상화시키기 위해서 사용하며, neostigmine, pyridostigmine, physostigmine, edrophonium 등이 있다. 항콜린에스테라아제는 부교감신경을 자극하여 서맥, 기관지 경련, 기도 분비물의 분비항진, 위장운동 항진과 같은 효과를 발현하며 이를 무수카린 효과라고 한다. 이와 같은 항콜린에스테라아제의 무수카린 효과를 방지하기 위해서 근이완제 효과 역전 시, 항콜린에스테라아제의 투여와 함께 아트로핀과 같은 항콜린 약물을 함께 투여한다.

Ⅲ. 의식하진정

1. 의식하진정(Conscious sedation)

의식하진정이란 환자가 의사의 지시에 따를 수 있고 타인의 도움 없이 본인의 기도를 유지할 수 있는 상태로 의식이 낮아진 상태(depressed level of consciousness)를 의미한다. 구강악안면외과 의사는 약제와 마취방법, 필요성에 따라 의식하진정 대신에 깊은 진정(deep sedation)을 사용할 수도 있다.

2. 환자의 신체적 및 정신적 평가

마취 전 환자의 평가는 진정 및 치료과정 중 발생할 수 있는 합병증이나 부작용을 줄이고 마취의 질을 높이기 위해 꼭 필요하다. 환자와의 면담 및 과거 차트를 통한 과거력 문진, 신체 및 정신상태에 대한 이학적 평가, 임상검사 소견으로 나누어 평가할 수 있으며 각각에 대해 주의 깊은 평가가 이루어져야 한다.

1) 환자의 과거력 평가

- 기본적 과거력: 과거 수술경험 여부, 마취 경험, 알레르기, 가족력, 생활습관, 약물복용
- 계통별 문진: 심혈관계, 호흡기계 및 기도평가, 간질환, 출혈성질환, 신장질환, 내분비질환, 신경학적 질환

2) 이학적 검사

- 연령, 성별, 신장, 체중
- 활력징후: 혈압, 심박수, 호흡수, 체온
- 기도평가: 비만, 두경부, 구강

3. 의식하진정 시 관찰사항

환자 감시에 있어 최우선의 목표는 안전이다. 진정제에 의한 심혈관계 억제나 호흡억제를 최소화하고 효과적으로 감시하여 이에 따른 합병증을 최소한으로 해야 하며, 이러한 상황이 발생하였을 때 보다 빨리 인지하고 적절히 대처하여 환자의 안전을 보장할 수 있어야 한다.

환자의 병력을 반드시 파악하고 검진 후 국소마취하의 아주 간단한 수술이 아닌 경우 가능한 수술 전 혈액검사(CBC)와 뇨검사를 시행하고 필요하면 흉부 방사선사진과 심전도검사 등을 시행하여야 한다. 환자는 수술 전날 자정부터 금식하고 수술 당일 보호자를 동반하는 것이 추천되며 감기, 발열 등과 같은 수술 전 전신 상태의 변화를 잘 관찰하여야 한다.

맥박산소측정기(pulse oximetry)와 혈압계는 사용 가능한 장비로 반드시 갖추고 있는 것이 추천되며, 호기말 이산화탄소분압측정기(capnometer)가 있다면 호흡을 보다 쉽게 감시할 수 있다. 이 외에 심전도, 체온계 등의 감시장치도 도움이 된다.

- 환자의 활력징후는 치료 전, 치료 도중, 치료 후 계속 관찰해야 한다.
- 치료하는 동안 계속 맥박산소측정이 체크되어야 한다.
- 병력 또는 검진을 통하여 심혈관계 질환이 확인된 경우 심전도를 사용하여야 한다.
- 이산화탄소 감시: 작은 흡입관을 환자의 콧구멍 입구에 위치시켜 호흡하는 공기를 지속적으로 수집해 이산화탄소농도를 분석한다.

4. 의식하진정의 수준별 정의

2007년 미국치과협회(American dental association, ADA)에서 치과에서 시행되는 진정법의 수준별 정의를 다음과 같이 발표하였다.

1) 최소 진정(Minimal sedation)

약물요법이나 비약물요법을 이용하여 환자의 의식수준이 최소한으로 억제된 상태를 말한다. 기도가 자발적이고, 지속적으로 유지되며, 물리적 자극이나, 구두명령에 적절히 반응을 할 수 있도록 의식이 최소로 억제된 상태를 말한다.

2) 중등도 진정(Moderate sedation)

의식수준이 약물에 의해 가벼운 접촉이나 구두명령에 적절히 반응할 수 있는 정도로 억제된 상태이다. 기도를 유지하기 위해 별다른 조치가 필요하지 않으며, 자발적 호흡이 적절하게 유지되며 심혈관계의 변화도 크지 않다. 중등도의 진정을 위해 사용되는 약제나 방법은 의도하지 않았던 의식상실이 발생하지 않도록 충분한 안전성을 확보해야 한다.

3) 깊은 진정(Deep sedation)

깊은 진정하에서 환자는 의식이 억제된 상태로 반복된 구두명령이나 통증자극에 쉽게 깨어나지는 않지만 시술자의 의도대로 반응할 수 있는 상태이다. 자발적 호흡이 저하될 수 있고, 기도유지를 위해 도움이 필요할 수 있다. 심혈관계의 기능은 일반적으로 유지된다. 깊은 진정하에서는 적절한 자발적 호흡이 불안정한 상태가 될 수 있으므로 환자의 기도유지와 호흡상태를 관찰하기 위한 환자 감시장치를 활용하는 것이 필수적이다.

5. 의식하진정의 종류

의식하진정은 약물을 투여하는 방법에 따라 경구진정, 흡입진정, 근주진정, 정주진정으로 나눌 수 있다. 이러한 의식하진정에 이용되는 약물의 작용기전은 표 20-8에 잘 나타나있다.

1) 경구진정(Oral sedation)

구강을 통한 약물의 투여는 환자 입장에서 정서적인 거부감이 적고 적응하기 쉬우면서도 어려서부터 이용해온 친숙한 방법이기 때문에 받아들이기 쉽다. 특히, 어린아이는 경구약물에 익숙해져 있으며 특별한 거부반응을 보이지 않는다. 단독사용으로 진정효과를 얻기도 하지만, 다른 진정법들을 사용하기 전 안정제 역할로 사용하는 경우가 많다. 많은 경구제제 중에서 diazepam (2–10 mg)은 수술 전 경구용 진정제로서 오

표 20-8 Common medication for intravenous sedation

Benzodiazepines		Barbiturates
Diazepam (Valium)	Midazolam (Versed)	Methohexital (Brevital)
1. 45분간 지속 2. Cardiovascular side effect 적음, anticonvulsant & antiemetic effect 있음 3. 잠재적 호흡억제 4. 임산부, 녹내장 환자 사용금지 5. Anterograde amnesia 6. 부작용: 오심, 딸꾹질, 작열감, 정맥염 7. Reversal agent: Flumazenil	1. Rapid–onset (1–2분), 1시간 지속 2. Diazepam과 유사하나 1.5배 더 강한 효과 3. Anterograde amnesia 4. 부작용: dizziness 5. Reversal agent : Flumazenil	1. 4–7분 지속 2. 회복 빠르고 비교적 안전 3. Porphyria, epilepsy, 간질환, 알레르기 환자는 사용금지 4. 부작용: 심호흡계 억제, 오심, 구토, 알레르기, 딸꾹질, 골격근 과긴장, laryngospasm, bronchospasm 5. Reversal drug: 없음

랫동안 사용되어 왔다. 약물의 특징은 진정작용, 불안의 감소, 선행성 기억상실, 근이완 작용, 항경련 작용 등이 있다. 그러나 약물분해의 반감기가 길고 흡수가 일정치 않아 외래에서 사용하기에는 별로 추천되지 않는다.

경구제제 중 흡수가 빠른 triazolam이 외래환자에게 추천되는 약이다. 성인용량 0.25-0.5 mg이면 현저한 진정작용과 기억상실을 유발한다. 30분에서 45분 사이에 진정작용이 관찰되며 30분에서 90분까지 지속된다. 현저한 진정작용이 있으므로 외래 진료실에서 진정시킨 후 보호관찰이 필요하다. Lorazepam도 사용이 가능하나 긴 작용시간으로 인해 사용이 제한적이다. 주로 술전 항불안제로 사용되며, 성인은 0.05 mg/kg을 사용하며 총 4 mg을 넘게 사용해선 안 된다(표 20-9).

표 20-9 경구진정에 사용되는 약물

항불안제(Antianxiety drug)
Benzodiazepine
Diazepam
Alprazolam
Lorazepam
Clorazepate
진정수면제(Sedative-hypnotics)
Benzodiazepine
Flurazepam
Triazolam
Non-Benzodiazepine
Zolpidem
Chloral derivative
Chlroral hydrate
항히스타민제(Antihistamines)
Promethazine
Hydroxyzine

2) 흡입진정(Inhalation sedation)

흡입진정제에는 N_2O (nitrous oxide)를 포함한 halothane, isoflurane, sevoflurane, desflurane의 종류가 있다. N_2O는 자극이 없고 달콤한 냄새가 나는 무색의 가스로 중추신경계를 억제하는 성질을 가진다. 통상적으로 N_2O와 산소를 20:80으로 혼합할 경우 10-15 mg의 morphine과 같은 진정효과를 나타낸다. 환자가 협조를 보이면서 진정효과를 나타내는 N_2O의 적절한 농도는 약 35%이다. N_2O를 이용한 진정은 다른 방법보다 약물의 작용이 빠르고 회복시간이 짧으며 심한 심혈관계 또는 호흡기계 억제를 초래하지 않는다는 장점이 있다. 하지만 단독으로는 외과적 수술에 필요한 마취심도를 얻기 어려운 단점이 있다. 내과적인 문제가 있는 환자에게는 산소의 추가적인 공급이 필요하다. 다른 중추신경억제제(CNS depressant)와 병용 투여하면 심도와 작용시간을 증진시킬 수 있으나 호흡억제가 동반된다.

N_2O를 이용하면 다른 약물의 용량을 줄일 수 있으며 다른 진정요법을 조절하기 쉽게 해 준다. 그러나 향이 있기 때문에 간혹 민감한 반응을 보이는 아이도 있으며, 마스크를 얌전히 착용하고 호흡해야 효과를 볼 수 있다는 단점도 있다. 따라서 상기도 감염 및 급성 호흡기계 감염, 만성 폐쇄성 호흡기질환, 심한 행동조절 장애를 가진 아동, 폐쇄공포증 환자, 임신 등이 상대적 금기증이다.

3) 근주진정(Intramuscular sedation)

근육주사를 통한 의식하진정 방법은 통상적으로 구강악안면외과 환자 중 IV line을 확보하기 어려운 경우로 한정된다. 그러나 심한 행동조절을 가진 소아환자에서는 외상이 적은 방법일 수도 있다. 근주진정을 위해서는 삼각근(deltoid muscle), 외측광근(vastus lateralis muscle), 둔부의 복면(ventrogluteal area), 대둔근(superior lateral gluteus maximus muscle) 중 한 곳에 자입하는 것을 원칙으로 한다. 치과시술 시에는 대개 1인치 23G 바늘이 투약에 적절하다. 가장 보편적으로 제안되는 21G 바늘은 대둔근에 근주 시나 페니실린과 같이 점도가 높은 용액을 투여할 때 사용한다. 비만 환자의 경우 피하투여 위험을 방지하기 위해 어떠한 부위에서는 더 긴 바늘이 추천된다. 약제의 약효는 근육내 흡수도에 따라 달라지며, 흡수는 이온화 및 주사침에 의해서도 영향을 받는다. Midazolam은 단독으로 또는 적은 용량으로 narcotics와 병용하여 사용될 수 있다. Diazepam도 사용이 가능하나 마취액 투여 시 통증이 심하며 흡수율도 예측하기 어렵다. 그 외에 적은 용량의 케타민을 사용할 수도 있다.

4) 정주진정(Intravenous sedation)

적은 용량의 진정제, 진통제, 항불안제를 각 환자들의 의식소실 직전 용량으로 섞어 투약할 수 있다는 것이 정맥내 주입의 장점이다. 또한 지속적인 정맥내 주입선을 확보하고 있기 때문에 응급약물의 투여가 용이하며 항콜린성 약제를 병용 투여하여 타액분비를 줄일 수 있다. 만일 흡입마취가 잘 적용되지 않았을 경우 정주진정으로 돌입할 수 있다. 정주진정의 단점으로 혈관확보를 위한 주사침의 자입에 따른 혈종, 정맥염, 동맥 내 주사 등의 합병증이 있을 수 있으며 reverse drug로 쓰이는 narcotic agent의 사용에 따른 부작용을 들 수 있다. 소아나 노인의 경우 정맥혈관의 확보가 더 어려운 점도 고려해야 한다.

근육주사나 흡입으로 진정을 했어도 추가적인 정맥로를 잡는 것이 응급상황에 대처하거나 추가적인 진정을 위해 유리하다. 응급상황에서 정맥로 확보가 어렵다면 중심정맥으로 대퇴정맥과 골내 접근이 있다. 대퇴정맥은 대개 20, 22G의 혈관카테터를 사용하는 것이 추천된다. 6세보다 어린 아이는 미성숙 골수가 있기 때문에 골내 주사바늘을 사용하는 것이 추천된다.

정주진정법 중 간헐주입은 환자의 의식수준을 관찰하며 간헐적으로 진정제를 주입하는 방법으로 진정제의 혈중내 농도 변화가 심한 단점이 있다. 이러한 단점을 극복하기 위한 지속주입법은 지속주입장치를 이용하여 일정한 속도로 진정제를 지속적으로 주입하는 방법이다. 목표농도 조절주입법(target-controlled infusion)은 정주진정제 조절의 용이성과 투여의 지속성을 위해 목표 혈중농도를 정하고 조절하는 방법으로 약물주입속도는 약동학적 표준(pharmacokinetic model)에 의해 자동적으로 바뀌게 된다. 현재 propofol 주입을 위한 여러 상업화된 목표농도 조절주입 시스템이 사용되고 있다.

정주진정법의 장점

- 별도의 마취기가 없어도 간편하게 시행할 수 있다.
- 환자의 거부감이 적다.
- 마취도입 및 각성이 원활하다.
- 심장의 피자극성을 높이지 않아 심혈관계의 영향이 비교적 적다.
- 독성이 적고 간장, 신장 및 내분비대사에 영향을 크게 미치지 않는다.
- 마취 후 구토의 발생빈도가 적다.
- 정흡입마취와는 달리 화기가 있는 곳에서도 시행할 수 있다.

정주진정법의 단점

- 흡입마취에 비해서 조절성(controllability)이 크게 떨어진다.
- 마취 후 각성이 지연될 수 있다.
- 마취의 깊이나 약제의 추가 투여를 결정하기가 어렵다.
- 근이완작용이 약하거나 거의 없다.
- 마취지속시간의 제약이 있다.

정주진정법의 주의사항

- 6세 이하나 65세 이상의 환자는 약물에 과도한 반응을 보일 수 있다.
- 임신상태에서 사용 시 약물이 태반을 통과하여 birth defect를 야기할 수 있다.
- 현저한 간 질환자에게는 사용하지 않는다.
- 갑상선 기능항진증의 경우 atropine 이나 scopolamine을 사용할 수 없고 갑상선 기능저하증의 경우 CNS depressant에 과민한 반응을 보인다.
- 부신기능저하: 장기적인 corticosteroid therapy를 받는 환자나 Addison's disease 환자에는 사용할 수 없다.
- MAO 억제제나 삼환계 항우울제를 복용 중인 경우 narcotics나 barbiturate 약물이 상승작용을 일으킬 수 있다.
- 정신과적인 문제가 있을 경우 정신과에 의뢰한다.
- 심한 비만으로 혈관을 찾기 어렵거나 심혈관, 호흡기 문제를 가진 환자이거나 적절한 혈관을 찾지 못한 경우 정주 진정을 할 수 없다.
- 약물에 대한 과민반응이나 알레르기가 있을 경우: narcotics–천식환자, barbiturate–천식 또는 porphyria, anticholinergic agent–녹내장

(1) Midazolam 정주진정

최근 N_2O를 동반하거나 또는 동반하지 않고, midazolam을 단독으로 또는 narcotics와 함께 정맥주사하는 방법이 널리 사용되고 있다. Midazolam은 비교적 작용 발현이 빠르며, 간에서 hydroxylation에 의해 세 가지 주요 대사산물이 생성되며 이들 주요 대사산물은 약물학적 활성을 갖지 않는다. 짧은 반감기 때문에 외래 진정과정에 적합하고, 비교적 빠르게 불활성화되고 분비되는 특성을 가지며 상대적으로 짧은 작용시간을 나타낸다. 활동적인 대사산물이 없으며 반감기가 짧고 회복 후 다시 진정이 되는 반동효과(rebound effect)가 없다. 작용시간은 전형적으로 1시간 정도가 소요되는 치과 또는 외과적 술식과정에 적합하다. 선행성 기억상실을 유발하므로 치료에 대한 공포와 통증에 대한 기억 소실은 계속적인 치료를 위해 긍정적이지만 시술 후 주의사항이나 귀가 및 술후 주의사항에 대한 설명에 환자의 반응이 정상적이지 않을 수 있으므로 주의를 요한다. Midazolam 투여 후 오히려 흥분과 불안을 보이며, 구두지시나 자극에 통제되지 않는 모순된 반응을 보이는 것을 모순반응(paradoxical reaction)이라고 하며 보통 투여된 용량이 많을 때 나타나는 현상이다. 가벼운 경우 조심스럽게 환자의 자세를 유지하면서 관찰할 수 있지만 심해지면 길항제인 flumazenil을 소량 투여할 수 있다. 또한 환자의 회복이 느리거나 즉시 회복이 필요한 경우에는 길항제인 flumazenil을 투여하여 환자의 각성을 유도할 수 있다.

(2) Diazepam 정주진정

Diazepam (Valium)을 단독으로 정주할 경우, 특히 노약자나 소모성 질환자에게서 나타날 수 있는 원치 않는 깊은 진정이나 호흡부전, 또는 다른 심한 부작용 등의 위험이 적은 의식하진정을 얻을 수 있다. 정맥내로 투여 시 1, 2분 후 최고 혈중농도에 이르고, 빠른 임상적 작용을 나타낸다. 약 45분 동안 환자는 진정상태를 유지하며 항불안효과와 선행성 기억상실 효과를 가진다.

(3) Propofol 정주진정

Propofol은 nonbarbiturate 계열의 마취제로 인체내에서 빠르고 완전하게 비활동성 물질로 대사되며, 물에 녹는 sulphate와 glucuronic acid conjugate로 신장을 통해 배설된다. 빠른 작용발현을 나타내고, 진정-수면효과의 회복도 빠르다. 반면 barbiturate와는 대조적으로 수술진정, 피로, 인지와 정신운동장애가 적은 것으로 알려져 있다. 이처럼 propofol은 짧은 작용기간, 빠른 회복, 최소의 부작용 등 다른 진정-수면제에

비해 많은 장점을 가지고 있어 의식하진정 영역에서 유용하게 사용되고 있다. 적정 후 subhypnotic 상태가 되면 최소의 호흡억제와 짧은 회복기간을 나타내는 훌륭한 진정을 유발한다.

그러나 의식하 정주진정의 방법은 예기치 않은 다양한 합병증이 많아 마취과 전문의의 협조하에 시행하는 것이 바람직하다. 또한 환자가 완전히 회복된 것으로 보일지라도 보호자와 함께 다시 한 번 주의사항을 설명 듣도록 하고, 보호자와 함께 귀가할 수 있도록 해야 한다.

Ⅳ. 수술 후 환자관리

구강악안면외과 환자 치료 시 고려해야 할 요소들이 많이 있다. 수술 중 훌륭한 치료를 했다고 하더라도, 수술 후 회복 시 수술이 환자에게 미치는 영향에 대해서 잘 알고 있어야 한다. 술전 평가, 술중 관찰, 술후 관리 모두 각각 환자의 상태에 알맞도록 이루어져야 한다.

1. 회복실(Recovery room) 제도

수술실에서 환자는 수술을 마치고 마취에서 완전히 깬 후 안정을 회복할 때까지 회복실에서 관리를 받게 된다. 회복실에는 기도확보를 유지하기 위한 구인두기도유지기(oral airway), 코인두기도유지기(nasopharyngeal airway), 기관내관(endotracheal tube), 인공호흡기, 산소통, 기관절개술에 필요한 기구, 흡인(suction) 장치 등과 술후 환자관리에 필요한 약제 및 저온에 대비한 hypothermic blanket, ECG, 제세동기 등이 구비되어 있다. 환자가 충분히 의식을 회복하기까지는 침대에서 추락하지 않게 주의 깊게 관리해야 하며 호흡의 유지에 적합한 자세가 되도록 주의해야 한다. 수술 후 회복실 처치 내용은 다음과 같다.

① 공복 유지
② 활력징후를 15분 간격으로 1시간, 그 후 안정될 때까지 30분 간격으로 2시간 동안 점검
③ 구강내 또는 비강내 흡인(필요할 때마다)
④ 정맥주입 유지 확인
⑤ 오심, 구토처치
⑥ 동통처치
⑦ 수액 주입량, 소변 배설량 측정
⑧ 기침, 심호흡 권장
⑨ 전해질, 혈색소측정
⑩ 배뇨 불능 시 카테터 이용
⑪ 환부 붕대 확인

2. 중환자실(Intensive care unit)

중환자실은 회복실보다 의료진과 의료장비가 잘 구비되어 있으며 중증의 환자나 치료 도중 합병증이 발생한 환자를 치료하기 위해 만들어진 제도이다. 대수술 후에 예상되는 합병증의 치료를 위해 중환자실 관리를 하는 것은 환자에게 유익하며 병실에 있더라도 심폐기능의 합병증, 급성신부전증, 패혈증이 발생할 경우 즉시 이곳에서 집중적인 관리를 받아야 한다. 질환의 정도에 따라 집중치료실(intensive care unit), 중증도치료실(intermediate care unit), 장기치료실(long term care unit)로 분류하고 질병관리에 따라 화상 중환자실, 외상 중환자실, 호흡관리 중환자실 등으로 구분한다. 중환자실은 수술실, 회복실, 각종 진단 및 치료실과 근접해 있어야 하며 적당한 수의 격리실과 공동실이 있고 중앙감시 테이블은 투명한 유리로 차단되어 간호사의 시선이 닿을 수 있어야 한다. 중환자실 전담의사에 의한 중환자관리가 이상적이며 간호사는 1:1의 비율로 환자를 간호해야 한다.

시설과 장비로는 심전도, 맥박, 호흡수, 혈압, 체온, 두강내압 등의 모니터, 이동식 X선 촬영기, 가습기, 산소 공급기, 마취기, 기관지경 등 호흡기기와 심폐소생 시술기, 제세동기, 경정맥심박동기 등 심혈관계 기구 외에 혈액투석기, 혈액가스분석기, 전해질검사기, 삼투압측정기, 혈당측정기가 필요하며 이 중 환자에 자주 사용되는 기구는 각 침상의 머리 부분에 wall panel system으로 밀집시켜 배치함으로써 효과적으로 이용 가능하게 한다.

3. 수술이나 조직손상에 의한 신체반응과 관리

1) 내분비 및 대사기전 변화

(1) 부신피질

수술이나 외상으로 인한 조직손상 후에는 뇌하수체 자극에 의해 코티솔(cortisol)과 알도스테론(aldosterone)이 분비된다. 코티솔은 외상이 장기화되거나 감염이 된 경우 높은 혈중 농도로 오랫동안 지속되며 간에서 당신생(gluconeogenesis)에 의한 고혈당 유발, 혈청 아미노산증가, 지방유리과정 촉진, 혈액순환개선, 항염작용, 면역억제작용을 한다. 알도스테론은 순환혈액량의 감소로 자극되거나 조직손상 후 K^+농도의 증가가 원인이 되어 분비된다. 알도스테론은 수술이나 외상으로 인해 혈류량이 감소하면 체내 Na^+를 보존하고 K^+를 배출하여 체액량을 유지시키며 혈압을 상승시킨다.

(2) 부신수질

카테콜아민은 뇌하수체를 자극하여 ACTH를 분비시키고 이로 인한 코티솔, 알데스테론과의 상호작용으로 조직손상에 대한 중요한 반응을 한다. 심근수축, 당원분해(glycogenolysis), 인슐린 분비억제 등 수술이나 외상 후 주요한 작용을 한다.

(3) 항이뇨호르몬(ADH)

수술이나 외상에 의한 실혈, 탈수 등이 강한 자극이 되며 수분을 보존하여 혈류량을 유지하는 데 기여한다. Na^+의 배설이 감소되나 수분의 재흡수로 혈중 Na^+가 낮아질 수 있으므로 수술 후 단순한 포도당 투여는 저나트륨혈증을 유발할 수 있음을 주의하여야 한다.

(4) 글루카곤

혈액량의 감소나 저혈당이 분비를 자극하며 포도당 신생합성, 당원질분해 등을 통해 혈중 포도당 농도를 높이고 심장수축, 심박출량을 증가시킨다.

(5) 대사변화

수술이나 조직손상의 회복을 위해 신체는 많은 에너지를 요구하게 되며 조직의 이화작용이 촉진된다. 골격근으로부터 체단백 분해가 이루어지며 음성 질소균형을 보인다. 그러나 내분비기능이 정상으로 돌아오고 외부 영양공급이 원활하게 이루어지면 단백의 동화작용과 근육의 복구가 이루어지는 동화기를 거쳐 회복하게 된다.

2) 수분과 전해질관리

(1) 수분공급

응급환자의 경우 혈액소실이나 탈수로 인한 체액부족이 자주 관찰되며 선택적 수술환자는 술전 금식으로 수분부족을 예측할 수 있다. 수술과정이나 술후 환자의 상태는 항이뇨호르몬(ADH), 알도스테론의 작용으로 체내 수분 배설을 억제하는 경향이 있으므로 신중하게 관리되어야 한다. 수분의 양은 혈압, 맥박, 중심정맥압, 시간당 요배설량, 혈액농축의 정도 등을 고려하여 투여한다. 일반적으로 1 kg당 30 ml를 투여하며 70 kg 성인은 1일 2,000 ml, 체온 1℃ 상승에 15% 증액 투여한다.

(2) 전해질 불균형

환자의 산-염기균형을 조절하는 것은 술후 매우 중

요한 부분이다. 동맥혈의 정상 pH는 7.4이고 ±0.05 사이에서 조절이 된다. 가장 주된 완충작용은 폐와 신장에서 이루어진다. 호흡성산증(respiratory acidosis)은 폐에서 CO_2가 적절히 환기되지 않을 때 일어난다. 이것은 폐기종이나 호흡의 저하를 나타내며, 과도한 중추신경계의 억제나 호흡저하 시에 발생한다. 반대로 호흡성알칼리증(respiratory alkalosis)은 CO_2의 생성에 비하여 과도한 폐포환기가 발생할 경우 일어난다. 호흡신경질환이나 호흡중추의 자극에 의해 일어난다.

대사성산증(metabolic acidosis)은 중탄산염이 감소된 상태를 의미한다. 정상적으로는 H_2CO_3와 $NaHCO_3$는 1:20의 비율로 존재하게 된다. 수소이온은 소변으로 배출되고, 중탄산염은 세뇨관에서 재흡수되어 정상 비율로 유지된다. 과도한 산이 존재하게 되면 중탄산염은 산과 결합해 버리고, 더 이상 완충역할을 하지 못하게 되어 산증을 유발한다. 근육에서 분비되는 젖산이나 혐기성 환경, 당뇨병성 케톤산증, 신부전 등이 모두 대사성산증의 원인이 될 수 있다. 대사성산증의 여부를 판단하는 방법은 음이온갭(anion gap)을 계산해 보는 것이다.

$$\text{Anion gap} = Na^+ - ([Cl^-] + [HCO_3^-])$$

정상 범위는 10–14 mEq/L 이며, 대사성알칼리증은 중탄산염의 상대적 증가가 원인이다. 이런 전해질 불균형은 구토, 비위관 흡입, 이뇨제 사용의 결과로 일어날 수 있다. 일차적으로 이것은 세포내의 포타슘을 이동시킨다. 저칼륨혈증은 심근의 흥분성, 자동성을 증가시켜, 부정맥의 위험성을 증가시킨다. 저마그네슘혈증은 세포내의 칼슘의 이동을 줄여서 이런 효과를 강력하게 한다. 그러므로 전해질을 평가하고, 교정하는 것이 매우 중요하다.

(3) 전해질 공급

① **Na^+:** 수술 후나 외상으로 인한 실혈 후에는 Na의 배설이 감소되어 정상인 경우 약 100 mEq/day에 이르나 저나트륨혈증에서는 Na의 배설이 1 mEq/day 미만으로 유지된다. 정상인의 경우 2–3일 후에 Na의 방출현상이 일어나 이뇨가 관찰된다. 수술 직후 강력한 항이뇨작용이 있으며 저나트륨혈증이 있으면 Na의 투여와 함께 만니톨(mannitol)이나 urea 등 삼투성이뇨제를 사용한다. 안정기의 경우 1일 100 mEq (5.9 g NaCl)의 Na를 투여한다.

② **K^+:** 수술 후 손상으로 K의 배설이 증가되는 경향이 있으며 흡인에 의한 위액 제거, 구토 등은 저칼륨혈증의 원인이 된다. K는 신체의 보존력이 약하여 부족하더라도 배뇨가 계속된다. 1일 60 mEq (4.5 g KCl)의 K를 투여하며 체온상승, 발한이 있으면 4 mEq를 더 투여한다.

③ **Mg^{2+}:** 1일 8–20 mg (1–3 g $MgSO_4$)을 투여한다. 탄수화물과 단백질대사에 중요하며 Na처럼 부족 시 배설이 억제된다.

④ **Ca^{2+}:** 1일 1–3 g 섭취하며 대부분 대변으로 배설되고 요배설은 200 mg 이내이다. 대량 수혈에서 구인산염(citrate)과 Ca^{2+}이 결합하여 저칼슘혈증을 유발할 수 있다. 수혈 시에 500 ml 당 200 mg의 10% calcium chloride를 투여한다.

⑤ **HCO_3^-:** 체내의 완충제인 인산염, 혈색소, 단백과 함께 중 탄산–탄산 완충계(HCO_3^- H2CO_3 system)는 그 영향이 매우 크다. 급성 대사성산증의 치료에 $NaHCO_3$를 투여하며 유산의 형태로 투여하면 체내에서 HCO_3^-로 치환된다. 호흡성산증의 경우 동맥 탄산가스분압의 교정이 신속히 이루어지지 못하거나 pH 7.2 이하일 때에 $NaHCO_3$를 쓰며 호흡기의 장애요소를 제거하여 교정하여야 한다.

(4) 정질액

나트륨을 주성분으로 하며 혈관내 공간뿐 아니라 세포간 공간을 확장하기 위한 용액으로 주입액의 20%만 혈관내에 남는다.

① **등장성 식염수:** 0.9% NaCl 용액으로 과염소혈증(hyperchloremia)을 유발할 수 있다.

② **고장성 식염수:** 3%, 5% NaCl 용액을 사용하며 수분이 부족하지 않은 저나트륨혈증에 사용한다.

③ **저장성 식염수:** 0.45%, 0.225% NaCl 용액으로 수분부족의 저나트륨 혈증에 유리하다.

④ **NH_4Cl 용액:** 2.14% NH_4Cl 용액으로 암모니아 이온은 간에서 urea로 치환되고 Cl^- 이온은 세포외액의 수소이온과 HCl을 형성해 대사성알칼리증을 교정한다. 구토로 인해 HCl 소실이 된 대사성알칼리증에 유효하며 간경화증, 과암모니아혈증, 질소혈증에는 피해야 한다

⑤ **링거액(Ringer's solution):** Triple chloride 용액으로 Na^+ 147.5, K^+ 4, Ca^{2+} 4.5, Cl^- 156 CmEq/L을 함유하고 있다.

⑥ **링거 유산액(Ringer's lactate solution):** 링거액에 HCO_3^- 이온이 첨가된 형태로서 Na^+ 102, K^+ 4, Ca^{2+} 3, HCO_3^- 28, Cl 109 CmEq/L의 등장액이다. 혈장의 주요 전해질과 함량이 유사하여 혈액소실의 중요한 대체 용액으로 사용되나 칼륨이 추가되므로 신부전 환자에서 주의를 요하며 칼슘과 결합하므로 pentothal, amphotericin, cefamandole, ampicillin, vibramycin, minocycline 등과 병용투여 시 주의를 요한다.

(5) 교질액

교질액은 분자량이 크므로 혈관벽을 통과하지 못하고 삼투압만 유발하여 혈액량을 보존하는 효과가 있다.

혈관용적을 유지하는 데 정질액보다 유리하며 심박출량, 산소운반 능력에 있어서도 탁월하다. 혈장용액을 교정하는 데는 유리하나 체액의 전공간을 교정하는 데 정질액이 보다 유리하며 두 액의 사용과 생존율에는 우열의 차이가 없다.

① **혈청알부민:** 혈장의 교질삼투압의 80%를 차지하며 5%, 20% 알부민을 주로 사용한다. 20% 알부민 100 ml는 500 ml의 혈장증가 효과가 있으며 이 효과는 24-36시간 유지된다.

② **Pentastarch:** 출혈, 수술, 패혈증, 화상 또는 기타 외상으로 인한 혈액량 부족에 사용되며, 1일 총 투여량은 28 ml/kg 이내로 급성 출혈성 쇼크의 경우 20 ml/kg.hr의 속도로 투여한다

③ **Dextran:** Dextran은 dextran 20, 40, 75(분자량 20,000, 40,000, 75,000)이 있으며 화상, 출혈, 외상 등의 실혈에 사용할 수 있다. 그러나 혈소판기능을 억제시켜 출혈성 경향이 있으므로 많은 용량을 투여할 때에는 항응고효과를 기대할 경우에 행한다.

3) 수혈

(1) 수혈의 원칙

환자의 심폐기능, 기저질환의 종류, 환자의 연령 및 체중 혹은 특수한 병태 등의 전신상태를 파악하여 수혈 필요성의 유무를 결정한다. 순환혈액량의 20-50%의 출혈량에 대해서는 정질액 또는 교질액 등을 투여하며 적혈구 부족에 의한 조직에의 산소공급 부족이 염려되는 경우에는 농축적혈구를 투여한다. ABO, RhD 혈액형 검사 및 불규칙항체 선별검사(antibody screening test)를 시행하며, 적혈구 성분의 수혈 시 항글로불린법을 포함한 주교차시험(cross matching)이 필수적이다. 즉각적으로 수혈이 요구되는 응급상황에서는 O형 적혈구제제가 사용되며, 부작용을 피하기 위해서 4 unit 이상이 투여되어서는 안 된다.

순환혈액량의 50-100% 출혈에는 적당한 등장알부민제제를 투여하며 또한 인공교질액을 1,000 mL 이상 필요로 하는 경우에도 등장알부민의 사용을 고려한다. 통상적으로 혈색소치가 7-8 g/dL 정도면 충분히 산소의 공급이 가능하지만 관상동맥질환 등의 심장질환, 폐기능이상 혹은 뇌순환이상이 있는 환자에서는 혈색소치를 10 g/dL로 유지하는 것이 좋다. 자가수혈의 적응증이 되는 환자에 있어서 수술 중 혈액희석법이나 수술 중 또는 수술 후 혈액회수법 등의 적용을 고려한다. 술후 1-2일간은 세포외액량과 혈청 알부민 농도의 감소를 보일 수 있지만 활력징후가 안정되어 있는 경우에는 보충액의 투여 이외에 농축적혈구, 등장알부민

표 20-10 성분수혈에 따른 혈액성분 제제

제제명	유효기간	용도
전혈	21일	대량실혈
적혈구 농축액	21일	빈혈
신선액상혈장	12시간	혈액응고인자부족
신선동결혈장	1년	혈액응고인자부족, 간질환
혈소판풍부혈장	6시간	혈액응고인자부족
혈소판농축액	6시간	혈액응고인자부족
동결침전제제	1년	혈우병

표 20-11 수혈의 부작용

일반적 수혈의 부작용	대량수혈의 부작용
1. 용혈반응 2. 비용혈성 발열 3. 비용혈성 과민반응 4. 세균감염 5. 소전색(microembolism) 6. 질환의 전염 7. 맥관계 과부담 8. 출혈성향	1. 저체온 2. 과칼륨혈증 3. citrate 중독증 4. 산혈증

제제나 신선동결혈장의 투여가 필요하게 되는 경우는 많지 않다.

(2) 전혈, 적혈구 농축액, 혈장수

전혈은 다량의 실혈이 있을 때 사용하며 적혈구 농축액은 혈액량의 보충이 불필요한 만성 빈혈환자에서, 혈장은 출혈성 소인을 갖는 환자 또는 간질환에 합병된 출혈성질환에 사용된다. 가능한 한 전혈수혈은 피하고 각 용도에 맞는 성분수혈(blood component transfusion)을 하는 것이 좋다. 성분수혈의 적응증은 표 20-10과 같으며 수혈의 부작용은 표 20-11과 같다.

4) 영양관리

(1) 영양상태 평가

수술이나 외상으로 단백질 분해가 발생하고 이로 인해 칼륨과 질소가 다량 배설된다는 것이 확인된 이래 이러한 환자에 있어서 소실된 체력을 보완해 줄 필요성이 높아졌다. 환자의 영양상태를 위해서는 양성 질소 균형을 이루도록 하기 위한 적당한 단백질 공급뿐 아니라 상처치유에 필요한 비타민 C를 포함한 필수 비타민, 미량원소를 포함한 충분한 에너지공급이 긴요하다. 이를 평가하기 위해 삼두근(triceps)의 피부주름측정, 상지 중간부 둘레 측정 creatine-신장계수 index 등의 인체계측과 혈색소, 혈청단백질, 혈청 transferrin, prealbumin농도 측정 등의 이화학적 검사, candida, mumps, purified protein derivative (PPD) 등의 피부검사를 통한 세포성 면역의 분석 등으로 환자의 영양을 평가할 수 있다. Harris-Benedict는 환자의 기초에너지 소비를 나타내는 공식을 발표하였으며 대사 정도에 따라 약간의 교정을 필요로 한다.

기초에너지 소비
[BEE: basal energy expenditure (kcal/day)]

- 남자: 66 + (13.8 × 체중) + (5 × 신장) − (6.8 × 연령)
- 여자: 65.5 + (9.6 × 체중) + (1.9 × 신장) − (4.7 × 연령)

(2) 신체에너지 소모

수술이나 외상 후 신체 손상에 대한 에너지 대사를 위하여 손상 후 수시간 내에는 체내 당원질(glycogen)이 이용되고 외부 영양공급이 24시간 이상 차단되면 당원질이 고갈되어 환자의 에너지 요구량의 대부분을 지방이 제공하고, 장기간의 금식이나 심한 조직손상에는 혈청단백과 근육단백이 에너지로 사용된다(표 20-12). 그러나 이 상황에서도 단백질 보존이 부적절한 경우 상처치유장애와 감염에 대한 저항력 약화, 근육쇠약, 호흡약화로 인한 무기폐, 폐렴의 가능성 등의 부작용이 나타나므로 포도당 100 g/day, 단백질 0.8 g/kg/day 외에 적절한 칼로리를 공급해 주어야 한다.

표 20-12 정상인의 체내 에너지 구성

	에너지 제공부위	양(g)	열량(kcal)
조직	당원질(간)	75	300
	당원질(근육)	150	600
	근육단백질	6,000	24,000
	지방	15,000	141,000
순환계	포도당(세포외액)	20	80
	지방산(혈장)	0.3	3
	단백질(혈장)	210	840
	트리글리세리드(혈장)	3	30

(3) 에너지 요구량

① 탄수화물

영양섭취가 안 되는 70 kg 성인남자의 경우 100 g/day 이상의 포도당 투여로 근육단백질 80 g/day의 체내 소모량을 반으로 줄일 수 있다. 다양한 농도의 포도당용액을 1,000–2,500 ml로 1,360 kcal까지 영양공급을 해줄 수 있으나 정맥염이나 혈전의 발생에 유의해야 한다.

과당혈증(hyperglycemia)이나 당뇨(glycosuria)의 예방을 위해 포도당 4 g당 1 unit 레귤러 인슐린(RI) 주입이 필요하다. 그러나 과다하게 탄수화물을 주면 지방조직과 간에서 지방산이 생성되어 지방간의 위험을 초래할 수 있으며 탄수화물 대사의 최종산물인 이산화탄소의 생성이 과다해져 폐부전 환자의 경우 과이산화탄산증을 유발할 수 있다. 2.5%, 5%, 10%, 20%, 25%, 50% 포도당용액이 사용된다.

② 지방

신체 지방은 조직손상으로 오는 에너지 요구를 충족하는 데 매우 중요하다. 대수술 후 지방소모율은 100–150 g/day이며 입원환자 에너지 공급의 30–50%를 차지한다. 필수지방산의 결핍으로 습진, 혈소판감소증, 호중구감소증이 나타날 수 있다. 필수지방산인 리노레인산의 정맥투여, 홍화유(safflower oil) 10–15 ml/day를 투여하면 치료된다. 비경구 투여로 5일 이상 수액요법을 받은 환자의 경우 지방수액을 투여하며 지방대사장애가 보이는 과지방혈증이나 급성 췌장염, 지방색전의 위험이 있는 경우 사용에 주의해야 한다. 10%, 20% fat emulsion 용액이 있으며 2.5 g/kg/day를 넘지 않아야 하며 1일 에너지 요구량의 60% 이상을 주면 안 된다.

③ 단백질

정상 성인의 단백질 섭취량은 50–120 g/day이며 조직손상 후에 소변을 통한 질소 배설량이 증가되기 때문에 외상과 관련된 단백질대사 변화를 확인할 수 있다. 음성질소평형(negative nitrogen balance)은 포도당과 단백의 적절한 투여로 바로 회복될 수 있다.

이때 비단백질 대사에 의한 칼로리가 부족하면 단백질이 칼로리로 이용되므로 영양공급을 25 kcal/kg/day 이상 공급하여 질소균형을 양성화시켜 공급되는 단백질을 저장하도록 할 수 있다. 최소권장량 0.54 g/kg/day, 이화상태에서 1.2–1.6 g/kg/day를 준다. 3.5%, 5% 아미노산 수액이 있으며 70 kg의 성인에게서 단백보존효과를 얻기 위한 단백질 1 g/kg/day에 해당하는 용량은 3.5% 등장액의 아미노산 수액 200 ml (70 g의 아미노산 함유)이다.

(4) 필수비타민, 미량원소

조직손상의 치유과정에서 비타민 C는 섬유아세포에

서 산출되는 proline이 hydroxyproline으로 전환되는데 필요하므로 건강한 교원질 형성과 장력증강에 불가결하고 상피세포 재생에도 중요하여 대수술 후나 중증외상 환자의 경우 500-1,000 mg/day의 투여가 필요하다. 또한 비경구투여에 의존하는 수액요법 환자의 경우 필수비타민이 적절히 공급되어야 한다.

패혈증이나 수술 후 엽산의 필요량이 증가되며, 충족되지 못하면 초기증상으로 혈소판 감소가 관찰된다. 티아민(thiamine)은 TPP (thiamine pyrophosphate) 효소의 구성성분으로 포도당대사에 관여한다. 과대사의 경우 요구량이 증가되고 포도당을 과량 투여해도 요구량이 증가될 수 있다. 만약, 이것이 부족하면 심맥관계 이상, 말초신경계 장애가 발생할 수 있다. 장기 입원환자의 경우에 필수미량원소(trace element)의 결핍이 생길 수 있으므로 조심하여야 한다. 인슐린의 작용에서 보조인자로 작용하는 크롬, 핵산합성이나 림프구 변환에 관여하는 아연, 혈구, 혈색소의 작용과 밀접한 구리, 글루타치온과 산화효소의 보조인자인 셀레니움 등은 주요한 미량원소들이다.

(5) 장관영양과 비장관영양(enteral nutrition, parenteral nutrition)

① 장관영양공급

정상적인 음식섭취가 불가능한 상태의 구강 및 그 인접부위 수술을 시행한 환자나 개구제한 장치가 있는 환자의 경우도 가능하면 위장계를 통해 음식을 투여하는 것이 좋다. 장기간 공복상태가 계속되면 장점막의 위축이 오고 장내세균의 전신혈류 유입을 차단하지 못하여 패혈증이 올 수 있다.

쇼크, 장폐쇄, 장경색, 장폐색 환자에서는 장관영양공급이 금기이며 5일 이상 경구섭취가 불가능한 영양결핍 환자, 7-10일 정도 영양이 부적절한 건강한 환자, 화상 등의 환자에서는 장관영양공급이 권장된다. 비위관(nasogastric tube, NG tube)은 14-16Fr (French No.14-16)의 크기를 가지며 튜브를 수술 없이 코를 통해 위장에 삽입한다. 삽입 후에 흉부촬영, 청진, 위의 산도측정을 시행하여 관의 위치를 확인한다. 위급식의 안전을 위하여 생리식염수를 주입한 후 흡인하여 남은 양을 평가한 다음, 초기에는 희석한 음식물을 소량 투여하고 점차 증가시켜 장관영양에 적응하도록 한다.

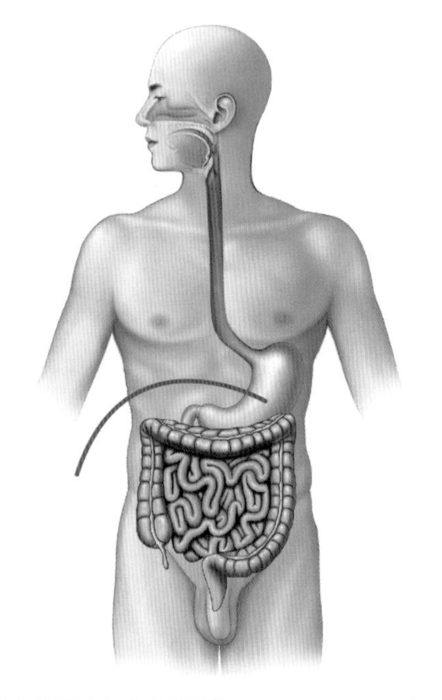

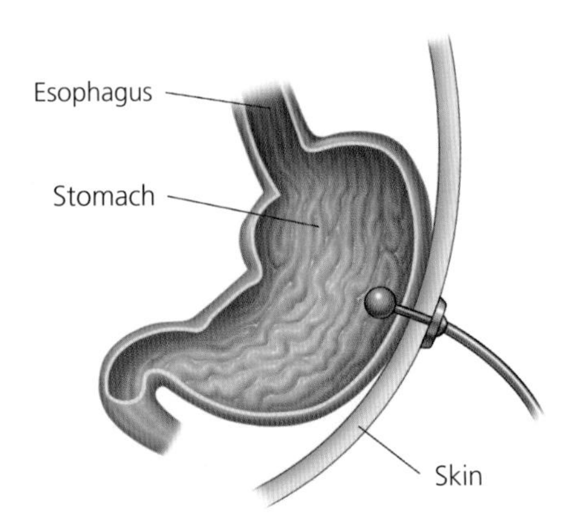

그림 20-5 경피적 위루술의 모식도(Percutaneous gastrostomy).

만일 환자가 비위관 삽입이 어려운 경우 경피적 내시경위루술(percutaneous endoscopic gastrostomy) 등에 의한 장관영양을 시행한다(그림 20-5). 두경부 암환자에 있어서 수술 후 환자의 정상적 음식 섭취가 불가능할 것이 예상되는 경우, 수술 직전 또는 수술 중에 경피적 내시경위루술을 시행하여 환자의 영양통로를 확보하는 경우도 많으며 이러한 술식의 부작용은 드문 것으로 보고되고 있다. 경피적 내시경위루술을 시행하였더라도 환자의 식도협착(esophageal stenosis)을 방지하기 위하여 경구로 약간의 유동식을 섭취하도록 하는 것이 추천된다.

② 비장관을 통한 영양공급

환자가 경구영양 혹은 장관영양공급을 견디지 못하거나(비위관 장착을 못 견디거나 하는 등) 불가능한 경우, 10일 이내 비장관 영양공급이 필요할 경우 말초정맥영양(peripheral parenteral nutrition, PPN)투여하고 장기간 10일 이상의 비장관을 통한 영양공급이 필요한 경우 중심정맥(central vein, superior vena cava 등)을 이용하는 영양, 즉 완전정맥영양 공급(total parenteral nutrition, TPN)을 이용하게 된다. 이때 사용하는 영양용액은 대사능력에 맞게 조절하여 24시간 지속적으로 주입한다. PPN은 정맥염의 방지를 위하여 비교적 저장액(lower osmolarity)를 사용하며, TPN의 경우 혈액의 수배에 해당하는 고장성 삼투압 용액을 사용하므로 직경이 큰정맥에 주입하거나 폴리에틸렌관을 큰정맥에 삽입하여 고정(cut-down)한 후 주입한다. 혈액검사, 혈당, BUN, 간기능검사, 신기능검사, 뇨검사, 체중측정 등을 통한 지속적이며 세심한 평가가 요구된다.

4. 수술 후 합병증

1) 호흡계 합병증

(1) 기도폐쇄

전신마취의 삽관 과정에서 후두손상을 주어 후두부종이 발생한다. 또는 경부, 인후부, 구강저 수술 후 혈종이나 부종이 직접적인 기도폐쇄의 원인이 된다. 치료는 기도확보를 위한 재삽관을 시행하거나 기관절개술을 시행한다, 경증의 경우에는 혈종을 제거하고 분비물, 혈액 등을 적절히 흡인하며 산소를 투여한다.

(2) 무기폐

술후 합병증의 다수를 차지하며 그 원인은 흡기의 불충분과 폐포의 표면장력을 감소시키는 계면활성제(surfactant)의 결핍으로 알려져 있다. 정상 이하의 자발적 일회 환기량으로 호흡을 계속하면 환기량이 감소되고, 폐포의 수적 감소를 의미하는 정맥 혼합혈이 증가되어 무기폐가 된다. 계면활성제는 적은 폐기량 상태에서 폐포를 안정시키는 화학물질로서 폐포내에서 가스, 액교환 부위에 막같이 존재하며 폐포용적이 감소될 때 표면장력을 감소시키는 기능을 하는데 폐순환의 국소적 변화가 계면활성제의 기능을 변화시킨다. 과환기와 기침을 유도하여 폐포를 팽창시킨다. 수술 전에 흡연을 삼가고 수술 후에는 조기활동과 체위의 변화를 준다.

(3) 폐렴

무기폐에서 이차적으로 발생하며 마취 중 또는 수술 후 보호벽 반사를 회복하기 전에, 위 내용물의 기도이입으로 흡인성 폐렴이 유발된다. 수술 후 심호흡과 기침을 권장하며 기도의 청결, 폐포의 회복을 도모하고 항생제를 투여하며 기도염증의 경감을 위해 스테로이드를 사용하기도 한다.

(4) 기흉(pneumothorax)

폐에 인접한 외과적 수술 및 흉부외과 수술에서 폐포파열, 늑막손상으로 인해 발생한다. 흉부도관을 삽입하고 폐를 팽창시키며 계속적인 흉부방사선사진을 촬영하여 회복과정을 확인한다.

(5) 폐기량 감소와 폐부전

마취제, 근육이완제의 사용으로 호흡의 깊이와 양이 제한을 받아 혈압의 변화, 불규칙한 맥박 이후 순환장애가 온다. 술후 진통제, 수면제를 가능한 제한하고 원인의 제거와 양압흡입 호흡을 시행한다. 동맥혈가스분석을 반복하며 40-50% 산소를 첨가하여 양압호흡을 실시한다.

2) 순환계 합병증

(1) 혈류장애

① **혈액량 부족:** 수술과정, 수술 후 충분한 수액이나 혈액을 보충받지 못한 경우 발생하며 저산소증에 의한 뇌손상, 척추마취, 심근경색, 폐전색, 부신기능 부전이 원인이 되어 저혈압을 유발할 수 있다. 단순한 혈액량 부족의 치료는 수액이나 수혈에 의한 혈압의 회복과 소변 배설량을 확보하는 것이다.

② **혈액량 과다:** 수술과 관련하여 과다한 혈액 또는 혈액대치용액의 투여로 혈압상승이 올 수 있으나 울혈성 심부전 등으로 이행되는 일은 드물다. 중심정맥압의 상승이 특징적이며 이뇨제를 투여하여 치료한다.

(2) 부정맥

수술 후 부정맥의 일반적인 원인으로 저산소증, 저혈압, 산염기불균형 등이 있다. 대개 일시적이며 자연적으로 소실되지만 과거력이 있는 술전 부정맥 환자의 경우는 주의를 요한다. 치료는 lidocaine, isoproterenol, potassium, digitalis 등을 부정맥의 형태에 따라 선택, 사용하며 특히 lidocaine은 심실성 부정맥에 효과가 좋다.

3) 급성 신부전

정상인은 대사물질의 배설을 위해 1일 900-1,500 cc의 소변량을 필요로 한다. 배설량이 500 cc 미만의 신부전현상이 수술과정에서 수혈의 과오나 혈액관류의 불충분으로 발생할 수 있다. 순환 혈류량의 감소는 신혈류량과 여과율의 감소를 가져와 원위부세뇨관 손상을 주며 기저막 손상에 이르면 비가역적 상태가 된다. 치료를 위하여 신부전이 회복될 때까지 단백질 흡수를 제한하고 감염으로 인한 이화작용을 방지해야 하며 칼륨혈, 저나트륨혈, 산혈증 등의 전해질불균형을 교정하는 것이다. 일반적으로 신부전의 사망원인이 울혈성 심부전, 폐부종이므로 수액의 제한이 필요하고 복막투석, 혈액투석은 산혈의 중증도 요량 감소의 정도를 고려하여 시행한다.

4) 고열(Postoperative fever)

(1) 악성 고열증(malignant hyperthermia)

악성고혈증은 전신마취 시 halothane, sevoflurane, enflurane 등의 흡입마취제 또는 succinylcholine 투여가 요인이 되어 골격근 세포에서 칼슘이 급속히 축적되어 발생하며, 일반적으로 전신마취 시작 후 1시간 이내에 급격한 체온상승과 근육강직을 나타낸다. 15,000명당 1명 정도 발병하는 것으로 알려져 있으며 dantrolene 도입 이전보다 치사율이 감소하였으나 약 10%의 환자가 사망에 이르게 된다. 절반 이상의 환자가 상염색체 우성유전의 경향을 지닌다. 환자가 척추만곡증(kyphoscoliosis), 근이영양증(myopathy), 이전의 악성고열증 등의 병력이 있을 경우 위험요소가 된다. 수술 중 악성 고혈증 증상이 나타날 경우 수술을 즉시 중단하고, 비특이적 근이완제인 dantrolene을 거의 full dose로 투여하며, 마취제 투여를 중지하며 체표면을 식혀야 한다.

(2) 갑상선중독증

보통 내분비 대사이상으로 발생하나 기전은 불분명하다. Hydrocortisone의 투여, sodium iodine의 정맥주입, 산소공급, 체표면 냉각으로 체온을 낮춘다.

(3) 술후 감염

창상감염은 술후 4-5일 체온상승을 유발하며 봉합

부위의 괴사 및 파열을 일으킬 수 있다. 배뇨장애나 요도관 장착 환자에서도 발생할 수 있는데 패혈증으로 이행되지 않도록 주의해야 한다. 적절한 항생제 투여와 환부에 대한 치료, 적절한 수액공급으로 산염기균형 및 영양공급을 돕는다.

5) 동통

술후 동통의 적절한 처치는 환자의 정서 및 환부의 안정을 위해 매우 중요하다, 수술부위의 심한 압박, 국소 순환장애, 근수축, 술후 종창 등은 잘 관찰하여 동통완화를 위한 처치를 하여야 한다. 마취에서 완전히 깨지 못한 상태에서 불안정한 환자의 조절을 위해 진통제를 투여하면 혈관운동신경계의 억제로 산소결핍이 올 수 있다. 또 순환 혈류량이 감소된 상태에서 진통제를 사용할 때 대상성 혈관수축기능이 상실되어 저혈압이 올 수 있으므로 주의해야 한다. 마취에서 완전히 깬 후 진통제 사용으로 인한 저혈압은 관찰되지 않는다. 국소적 처치로 술후 부종과 동통의 감소를 위한 냉찜질, meperidine, morphine 등 마약성진통제가 허용된다.

6) 지방색전

지방색전은 장골골절 등 정형외과적 치료와 관계가 있으나 심한 외상성 손상을 받은 환자의 경우에도 그 빈도가 높으며 골절과 관계없이 심한 화상, 당뇨병, 악성종양, 골수염, 수혈, 체외순환에서도 나타난다. 조직손상 시에 충격 및 압력으로 인해 골수의 지방이 골수정맥 내로 유입되어 발생되거나, 외상으로 lipid mobilizing hormone이 활성화되어 혈중 지질농도가 상승하고 미세혈관에서 fat droplet에 의한 저산소증을 유발하게 된다는 주장이 있다. 임상적으로 쇼크와 구별하기 어려우며 고열, 빈맥, 근육의 강직, 혼수에 이를 수 있다. 2-3일 후 피하출혈이 관찰되고 적혈구응집으로 인해 혈액검사 시 혈소판저하를 보인다. 치료는 산소를 공급하고 수액공급을 포함한 쇼크의 증상적 치료와 더불어, 필요시 항경련제, 진정제를 투여한다. 혈장의 경우 lipid 감소와 혈액응고를 막기 위해 heparin과 dextran을 투여하고 corticosteroid를 준다.

7) 오심, 구토, 딸꾹질(Post operative nausea, Vomiting, Hiccough)

전신마취나 척추마취에서 관찰되며 종래의 에테르 마취제를 fluothane으로 바꾼 뒤 감소되었으며 충분히 마취에서 깬 후에는 오심, 구토 증상은 드물다. 수술 중 위 내용물의 저류나 체질적인 특성이 원인이 된다. 구토과정에서 기관지로의 유입으로 흡인성 폐렴이 될 수 있으므로 주의해야 하며 항구토제로 chloropromazine, metoclopamide (Macperan, Mexolon) 등의 사용과 흡인기구를 준비하여 구토에 대비한다. 딸꾹질은 산혈증, 요독증이나 위확장 등의 원인으로 발현되므로 기질적인 변화로 기인한 것의 원인 제거와 5-10% 탄산가스 흡인, chloropromazine 등으로 조절한다.

8) 황달

수술 중 저산소증이나 관류부족으로 간의 저산소증이 지속되거나, 약물, 마취제의 독성, 용혈 등의 원인으로 황달이 나타난다 경미한 황달은 후유증 없이 자연 소실되나 빌리루빈이 10 mg/100 ml 이상 증가하면 간기능장애에 대한 치료를 하여야 한다. 포도당 용액의 충분한 공급과 심폐기능을 잘 유지해야 하며 transaminase, bilirubin 수치의 측정으로 지속적인 평가를 해야 한다.

5. 수술 후 환자의 전신상태에 따른 회복관리

1) 심혈관 환자에서의 술후 관리

(1) 관상동맥질환

초기 술후 단계에서 심장의 증가된 출력이 요구되나, 심혈관질환의 환자에서는 이로 인한 과부하로 허혈상태가 결과적으로 유발될 수 있다. 따라서 심혈관 및 호흡계의 신중한 관찰이 필요하며 활력징후, 소변 배출, 경정맥압, 전해질 등을 자세히 관찰해야 한다. 특히 저혈압이나, 실신의 경험이 있는 환자, 심부전, 부정맥, 협심증이 존재한다면 ECG의 지속적인 관찰이 필요하다. 술후 단계에서는 혈관 내액의 유지, 고혈압 및 저혈압을 피하고, 혈중 전해질의 분포가 정상범위에 있도록 유지하며 환자의 통증 및 불안조절, 필요시 산소의 공급 및 술전 처방을 유지하는 것이 중요하다.

(2) 울혈성 심부전

저용량 헤파린(low-dose heparin), 탄력양말(elastic stocking) 등을 이용하면 혈전색전증 및 폐색전증을 예방할 수 있으며 수동적인 하지운동과 빠른 걷기도 이러한 문제들을 해결해준다. 술후 초기에는 흉부방사선 사진을 촬영하여 진단하는 것이 유용하며 회복단계에서 환자의 신체적인 활동과 정신적인 스트레스 지수는 낮은 것이 좋다.

(3) 심장판막질환

승모판막폐쇄부전증이 있는 환자는 high pitch, holosystolic murmur 그리고 gallop rhythm와 같은 third hear sound를 보인다. 좌심실비대(LVH)와 심방세동(atrial fibrillation, AF)이 ECG상에 보이기도 하며 심장초음파를 이용하면 판막의 병변 정도, left ventricular end-systolic dimension 등을 파악할 수 있다. Initial regurgitation으로 인한 이차 failure 환자에서는 sodium의 제한, 디곡신, 이뇨제, 술전 및 술후 혈관수축제의 사용 시 주의해야 한다.

2) 호흡기 환자에서의 술후 관리

(1) 천식

술후 증가된 기도의 저항, 거친 호흡음, 기맥, 빈맥, 열, 저산소증, 과탄산혈증, 산증을 유심히 살펴보는 것이 필요하다. 무기폐란 어떤 원인에 의해 정상적으로 폐 안을 채우고 있어야 할 공기가 모두 빠져나가서 폐 일부가 바람 빠진 고무풍선처럼 된 상태로 천식환자에서 흔하며 세균성 폐렴을 유발시킬 확률이 높다. 회복단계에서는 호흡기 검사를 자주하는 것이 좋다.

(2) 만성폐쇄성폐질환(COPD)

술후에 합병증의 확률이 높다. 술전에 예방하는 것이 술후 합병증을 줄일 수 있다. 점액분비를 증가시키기 위해 수분섭취를 증가시켜야 하며, nebulizer나 meter-dosed inhaler로 beta agonist 또는, ipratropium의 흡입이 추천된다. 그 외에 좋은 영양상태 및 저칼륨혈증의 교정이 추천된다.

3) 신장 및 비뇨기계 환자에서의 술후 관리

(1) 만성 신부전증

술후 적당한 수액공급과 함께 전해질균형을 주의 깊게 살펴봐야 한다. 대부분 2-3일 후에 혈액투석을 시행하나, 구강과 비강의 수술에서는 환자가 삼키는 혈액의 양이 상당해서 혈중 nitrogen 수치를 올리므로 조기 투석이 추천된다. 이러한 환자에서 가장 큰 문제는 약물의 배출 및 약물독성이 신장에 미치는 영향이다. 피해야 하는 약물은 cephalosporin, penicillin, sulfa antibiotics, NSAIDs, nondepolarizing muscle relaxants와 enflurane 등이다.

(2) 고혈압

조절이 안 되는 고혈압환자에서 가장 큰 문제는 심장, 간, 그리고 뇌에서 볼 수 있다. 이완기 혈압이 110 mm/Hg 이하이면 크게 문제될 것은 없다. 고혈압 환자에서 다양한 치료약물의 합병증과 효능을 잘 숙지해야 한다.

(3) 당뇨

당뇨 환자는 1형, 2형으로 크게 나뉘며 술후 관리에도 약간의 차이점을 보인다. 1형 환자에서는 간단한 국소마취하의 수술에서는 아침에 금식을 지시해야 하며, 아침에 평상시 용량의 인슐린 투여량의 절반을 투여할 것을 지시해야 한다. 빈맥, 발한 같은 저혈당 증상을 술중에 지켜봐야 하고 술후에는 혈당 모니터링을 시행하는 것이 안전하며 3시간 내로 음식물 섭취할 것을 추천한다. 전신마취 환자에서는 수술 시 마취과 의사가 모니터링하는 것이 가장 효과적이므로 수술 당일에 아침 인슐린 섭취를 제한한다.

2형 당뇨환자에서는 혈당상승의 확률이 있어서 술후에는 일시적으로 인슐린의 보충이 필요하다.

4) 내분비 환자에서의 술후 관리

(1) 갑상선기능이상

① 에피네프린 등의 혈관수축제에 민감하여 갑상선기능항진을 악화시킬 수 있으며 고열, 빈맥, 고혈압, 신경과적 증상이 동반될 수 있다. 치료받지 않았거나, 부적절한 치료를 받은 갑상선중독증 환자는 갑상선중독위기(thyrotoxic crisis)를 일으킬 수 있으므로 주의한다.

② 치료받지 않은 갑상선기능저하증의 경미한 증상을 가진 환자는 치과치료 시 별다른 위험이 없다. 하지만 전신마취하 수술 시 호흡기를 제거하기 어려울 정도의 현저한 호흡억제를 나타낼 수 있으므로 수술 전 TSH를 검사하는 것이 좋다. 또한 중추신경억제제에 민감하므로 진정제, 마약제 복용 시 호흡기 억제 또는 심혈관계 억제 증상이 나타날 수 있음을 주의한다.

(2) 부신기능이상

부신은 코티솔, 알도스테론, 안드로젠(androgen)과 같은 호르몬 생성을 총괄한다. 코티솔의 일일 분비량은 15-17 mg이며 술후 19일까지도 상승된 수치를 보일 수 있다. 스테로이드제제를 장기간 투여받아온 환자들은 내인성 코티코스테로이드 수준을 상승시킬 수 있는 능력이 없어서 치과시술이나 정신적 스트레스에 의해 부신위기(adrenal crisis)와 같은 응급사태가 발생할 수 있다. 이러한 갑작스런 쇠약감, 의식의 변화, 저혈압 등이 특징인 부신위기를 방지하기 위하여 치료 약속 전에 담당의사와 상의하여 수술 전후에 부가적인 고용량의 코티코스테로이드 투여가 필요하다.

5) 비만 환자에서의 술후 관리

날씬한 환자와 달리 약물의 약동학이 다르게 작용한다. 술중에는 지용성인 마취제들은 일찍 시스템에서 제거해야 원하는 시간에 환자를 마취에서 깰 수 있다. 술후 환자의 머리는 거상되어야 하며, 폐활량계, 심부정맥혈전증이나 호흡기질환의 징후들을 잘 살펴봐야 한다.

V. 응급처치와 심폐소생술

적은 빈도이지만 치과진료 중에도 전신 응급상황이 야기될 수 있다. 구강내에서 여러 재료나 기구를 사용하는 치과진료의 특성상 정상적인 경우라도 목으로 넘어가 상기도의 일시적 폐쇄를 야기하는 질식의 가능성은 항상 내재되어 있으며, 외과적 시술과 연관된 출혈, 종창 혹은 심한 치성농양 환자들의 전신적 저하에 따른 쇼크형태의 합병증도 광범위한 의미에서는 전신응급상황의 범주에 모두 포함되기에, 대처할 수 있는 능력을 배양하는 것이 매우 중요하다.

치과진료에서 볼 수 있는 내과적 응급상황을 빈도순으로 보면 실신, 경미한 알레르기, 기립저혈압, 과환기, 저혈당, 간질발작, 협심증, 천식발작, 국소마취제 과다투여, 급성 심근경색, 아나필락시스, 심폐정지, 급성 신부전, 뇌혈관질환(뇌졸중), 급성 부신부전, 갑상선위기(thyroid storm) 등을 들 수 있으나 언제 어떤 위기상황이 나타날지 모르기 때문에 항상 대비하고 있어야 할 것이며, 치과의사, 특히 구강악안면외과 전문의들은 이러한 상황들을 보거나 다른 치과의사들을 도와주어야 할 기회가 많기 때문에 누구보다 더욱 완벽하게 숙지하고 있어야 할 것이다.

특히, 활력징후에 이상을 보이는 쇼크의 경우 생체의 중요기관으로의 혈류량 부족과 생체 기관세포의 산소이용 실패로 의식장애, 심박출량 감소, 조직 저산소증 등 생명에 큰 위협을 초래하는 악순환을 나타낼 수 있으므로 주의가 요망된다.

치과영역에서 응급상황을 야기하는 쇼크에는 저혈량성, 신경성, 패혈성 쇼크가 주류를 이루고 있지만 중증 심혈관질환을 가진 환자에서는 심장발생성 쇼크도 나타날 수 있으며, 적절히 관리되지 않으면 항상성(homeostasis) 보상이 이루어지지 못해 사망할 가능성도 있다.

1. 개요

심폐소생술(cardiopulmonary resuscitation)은 과거 수술실 또는 병원 내에서만 시행되었으나 1950년대 말 현대적인 응급소생술이 도입되고 1960년대 초 흉부압박으로 생명을 유지할 수 있는 최소한의 효과적인 혈액순환이 이루어질 수 있다는 사실이 증명된 이후로 환자가 발생한 장소에서부터 심폐소생술이 시행됨으로써 급성질환에 의한 심폐정지 환자의 소생에 중요한 발전이 이루어졌다.

1970년대에 들어서면서는 심폐소생뿐 아니라 뇌의 소생에 대한 연구가 진행되면서 심폐정지 시 발생하는 뇌손상을 경감시키기 위한 노력이 계속되고 있다. 하지만 심폐소생술에 대한 의학적인 진보에도 불구하고 병원 외에서 시행되는 CPR의 약 절반 정도에서만 심장소생에 의한 혈액순환을 회복할 수 있으며, 이들 생존자 중에서도 약 절반가량은 뇌손상이나 속발된 순환장애에 의해 사망하고 기껏해야 전체 환자의 약 20% 정도의 환자만이 생존하게 된다. 그러나 심폐정지 후 4분 이내에 목격자에 의해 심폐소생술이 시작되고 8분 이내에 제세동(defibrillation)이 시행된 경우는 약 40% 이상의 생존율을 보인다고 보고되고 있다. 또한 심폐소생술이 정확한 방법으로 시행될 경우 뇌혈류를 정상의 20% 정도로 유지할 수 있기에 심폐정지 환자에서 즉시 CPR이 시작된다면 수 시간 동안 심폐소생술이 계속된 후에도 뇌기능의 회복을 기대할 수 있다.

심폐소생술 및 심혈관 응급처치에 관한 2010 미국 심장학회(American Heart Association) 가이드라인에서는 성인, 아동 및 유아(신생아 제외)에서 기본소생술 시행순서를 "A−B−C"(기도, 호흡, 흉부압박)에서 "C−A−B"(흉부압박, 기도, 호흡)로 변경할 것을 권고하였다. A−B−C 순서의 기본소생술은 심정지의 초기에 가장 중요한 가슴압박까지의 시간을 지연시키는 것으로 나타났다. 또한 다수의 일반인 구조자는 구강−구강 인공호흡을 꺼려하는 경우가 있기 때문에 가슴압박보다 인공호흡을 먼저 하여야 하는 A−B−C 순서의 기본소생술을 아예 시행조차 하지 않는 경우가 있다. C−A−B 순서의 기본소생술은 심정지 발생으로부터 가슴압박까지의 시간을 줄이고, 일반인 구조자가 인공호흡에 대한 부담감으로 인하여 심폐소생술을 시도하지 않을 가능성을 줄이도록 하는 장점이 있어 2011년부터 대한심폐소생협회에서도 채택되었다. 다음의 내용은 2020 한국 심폐소생술 가이드라인과 심폐소생술 및 심혈관 응급처치에 관한 2020 미국심장학회(AHA) 가이드라인을 요약한 내용이다.

2. 생존사슬(Chain of survival)

생존사슬(chain of survival)은 심장정지가 발생한 사람의 생명을 구하기 위해 실행되어야 하는 가장 중요한 요소의 연결고리이다. 2020년 가이드라인에서는 병원밖 심장정지와 병원내 심장정지의 생존사슬을 분리하여 제시하였다.

1) 심장정지 인지(병원밖), 조기인지(병원내) 및 구조요청

구조요청은 목격자가 심장정지를 인지한 후 가장 먼

저 해야 하는 행위이다. 병원밖에서는 목격자가 주변 사람에게 구조를 요청하고 119에 전화를 함으로써 응급의료체계가 활성화된다. 병원내에서는 주변의료인에게 도움을 요청하고 (전문)소생팀을 호출함으로써 구조요청 과정이 수행된다.

2) 심폐소생술

병원밖 심장정지 구조 과정에서 목격자는 구조요청 후 즉시 심폐소생술을 시작해야 한다. 병원내에서도 심장정지를 인지한 직원은 즉시 기본소생술을 해야 한다.

3) 제세동

공공기관, 병원, 대형 빌딩 등에 비치된 자동제세동기(automated external defibrillator, AED)는 환자에게 패드를 붙여 놓기만 하면 환자의 심전도를 자체적으로 판독하여 자동으로 충전하는 의료장비이므로 적절한 훈련으로 일반인도 사용할 수 있다.

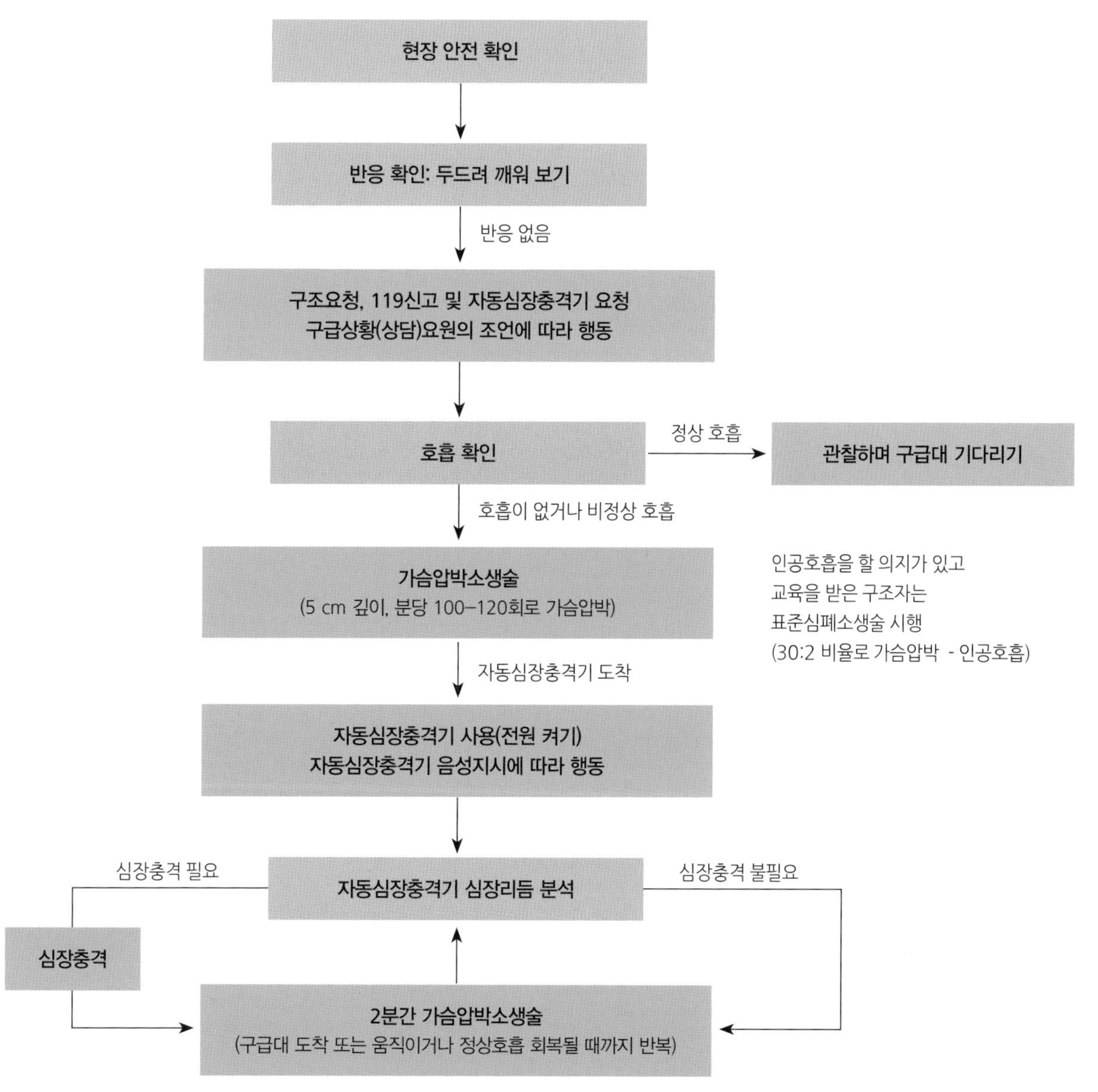

그림 20-6 2020년 성인 병원밖 심장정지 기본소생술 순서(일반인 구조자용).

4) 전문소생술

기본소생술에도 자발순환이 회복되지 않는 환자에게는 약물주사를 위한 투여로 확보, 혈관수축제(에피네프린), 항부정맥제(아미오다론 또는 리도카인)를 포함한 약물투여, 전문기도유지술을 포함한 전문소생술을 해야 한다.

5) 소생후 치료

자발순환이 회복된 모든 심장정지 환자는 집중치료시설에 입원하여 집중감시, 심장정지 원인규명을 위한 검사, 심장정지 후 증후군에 대한 치료를 포함한 소생후 치료를 받아야 한다.

3. 기본소생술(그림 20-6~8)

1) 현장 안전과 환자의 반응 확인

환자에게 접근하기 전에 구조자는 현장상황이 안전

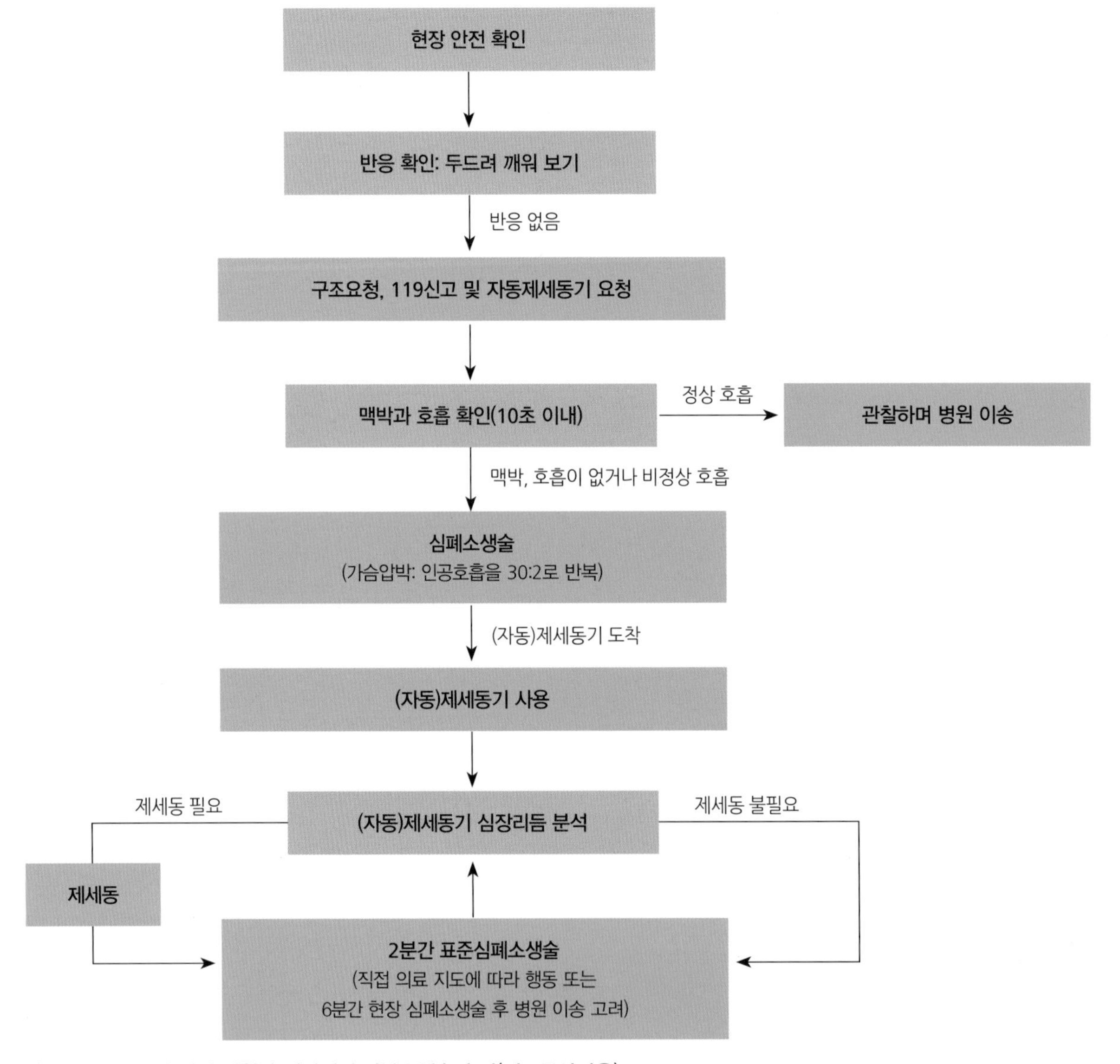

그림 20-7 2020년 성인 병원밖 심장정지 기본소생술 순서(의료종사자용).

한지, 감염의 가능성은 없는지를 우선 확인한다. 확인하는 동안에 쓰러져 있는 환자의 머리나 목의 외상이 의심되면 손상이 더 악화하지 않도록 불필요한 움직임을 최소화한다. 이때 환자의 반응이 없으면 119에 신고한다. 반응이 있고 진료가 필요한 상태이면 119에 연락을 한 다음 환자의 상태를 자주 확인하면서 구급상황(상담)요원의 지시를 따른다(그림 20-9).

2) 응급의료체계 신고

반응이 없는 사람을 발견했다면, 쓰러진 사람이 심장정지 상태라고 판단하고 즉시 119에 신고(혹은 원내 심장정지 코드 방송)하고 자동제세동기를 요청한다(그림 20-10).

(1) 나이와 관계없이 전화 우선(call first)

성인에게 발생하는 비외상성 심장정지의 주요 원인

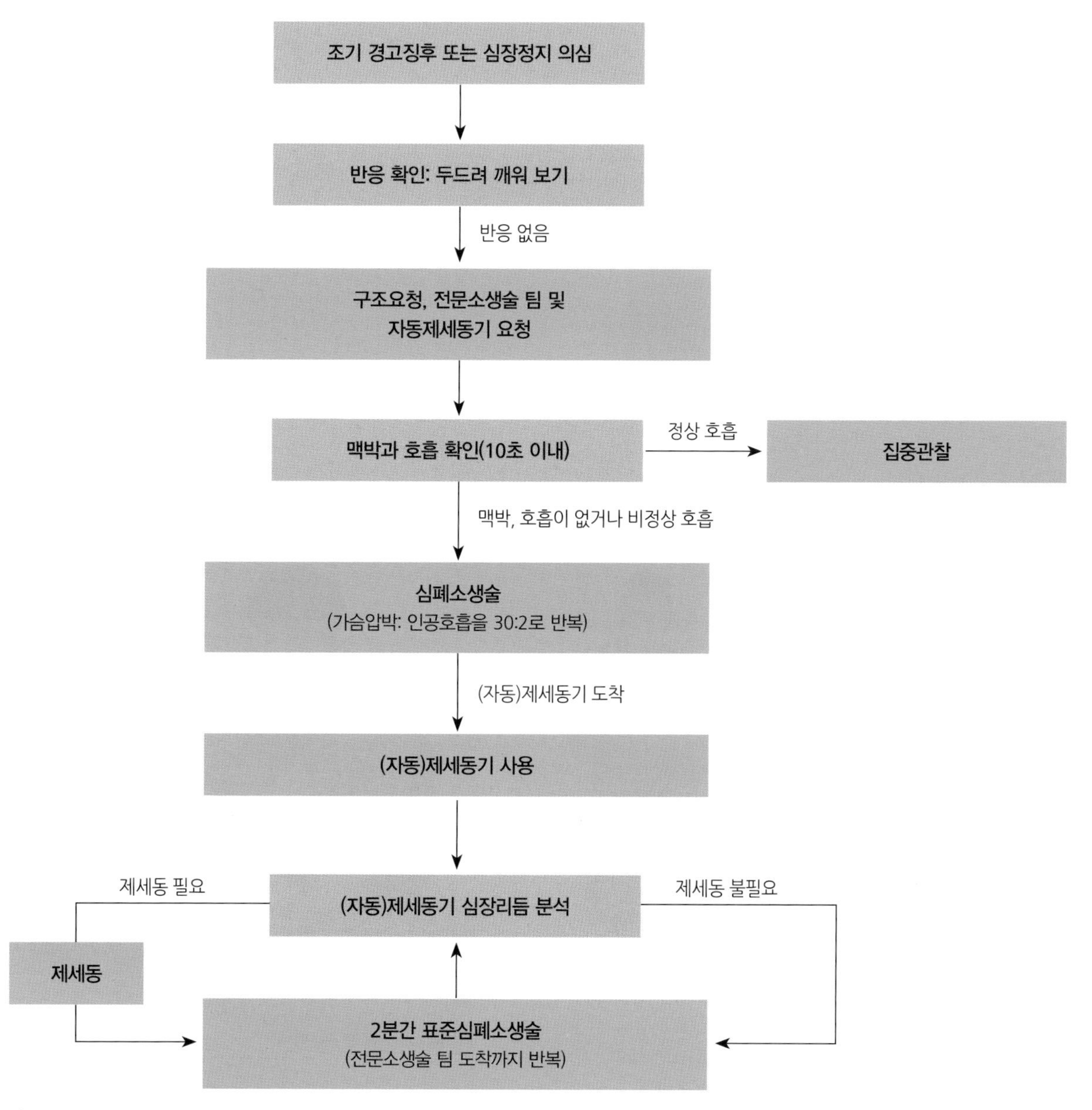

그림 20-8 2020년 성인 병원내 심장정지 기본소생술 순서.

은 심실세동이며, 심실세동의 가장 효과적인 치료는 제세동이다. 반면, 영아와 소아의 경우 기도나 환기의 문제로 인한 일차성 호흡정지가 심장정지의 가장 흔한 원인이다. 따라서 심장정지가 의심되는 성인을 발견한 목격자는 119에 전화 연락을 먼저 하여 자동제세동기가 현장에 일찍 도착할 수 있도록 한다(전화 우선).

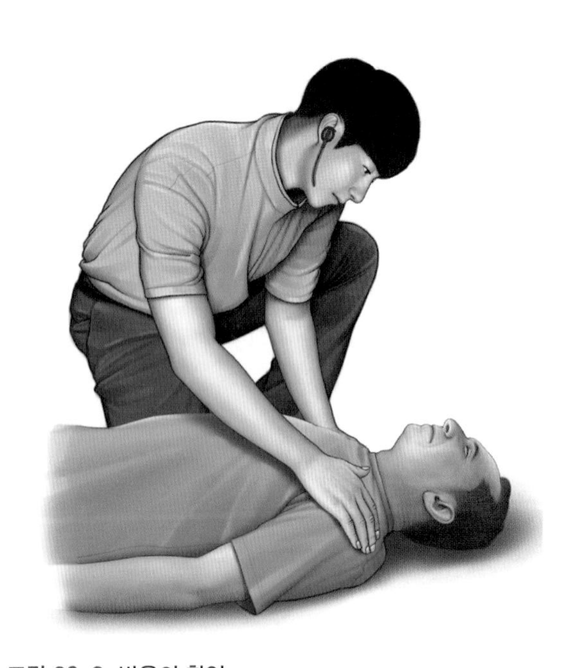

그림 20-9 반응의 확인.

(2) 119 신고

119에 신고할 때에는 환자 발생 장소, 발생 상황, 발생한 환자 수와 환자의 상태 그리고 하고 있던 응급처치에 대하여 설명해야 한다. 만약에 신고자가 심폐소생술을 전혀 배우지 않았거나 하는 방법을 잊은 경우라면 구급상황(상담)요원의 지시에 따라야 한다. 구급상황(상담)요원이 전화로 알려주는 사항을 효율적으로 시행하기 위해서는 스피커 통화를 시행하는 것이 바람직하다(그림 20-11).

(3) 구급상황(상담)요원의 심폐소생술 지도

구급상황(상담)요원은 심장정지 상태라고 판단되면 표준화되고 의학적으로 승인된 '전화 도움 심폐소생술'의 시행을 지도할 것을 권고하며, 이를 통해 현장의 일반인이 응급의료종사자가 도착하기 전까지 심폐소생술을 시행할 수 있도록 도와주어야 한다. 구급상황(상담)요원이 심장정지임을 판단하면 일반인 신고자에게는 가슴압박만 하는 가슴압박소생술을 시행하도록 지도할 것을 제안한다(그림 20-12).

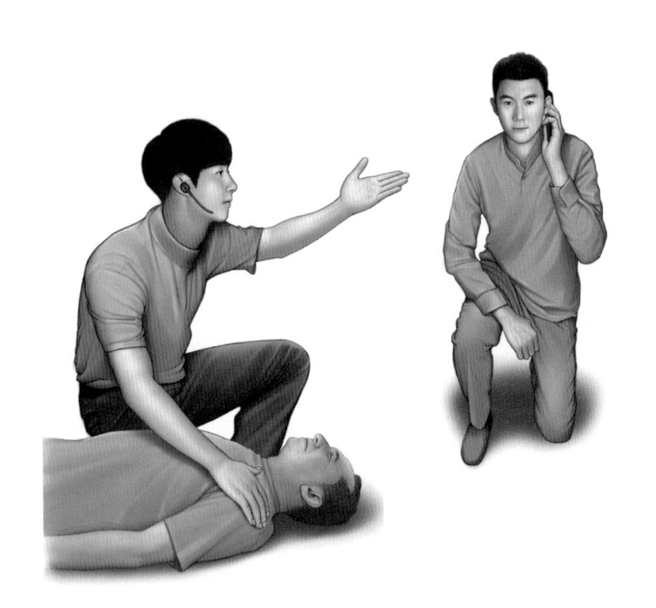

그림 20-10 119 신고.

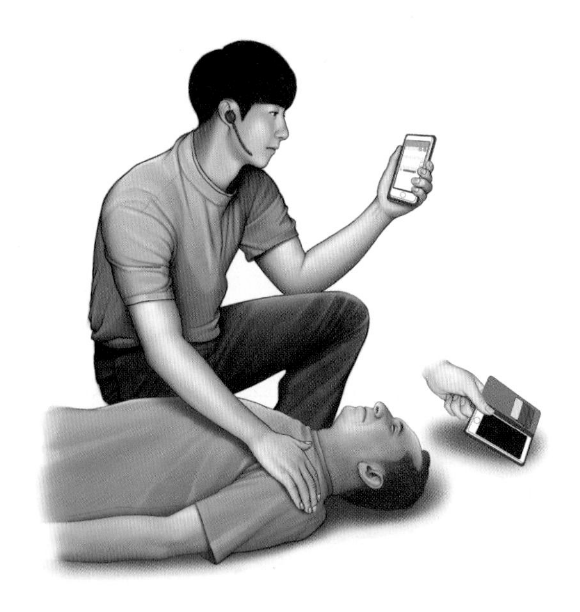

그림 20-11 스피커폰 또는 핸즈프리 기능의 활성화.

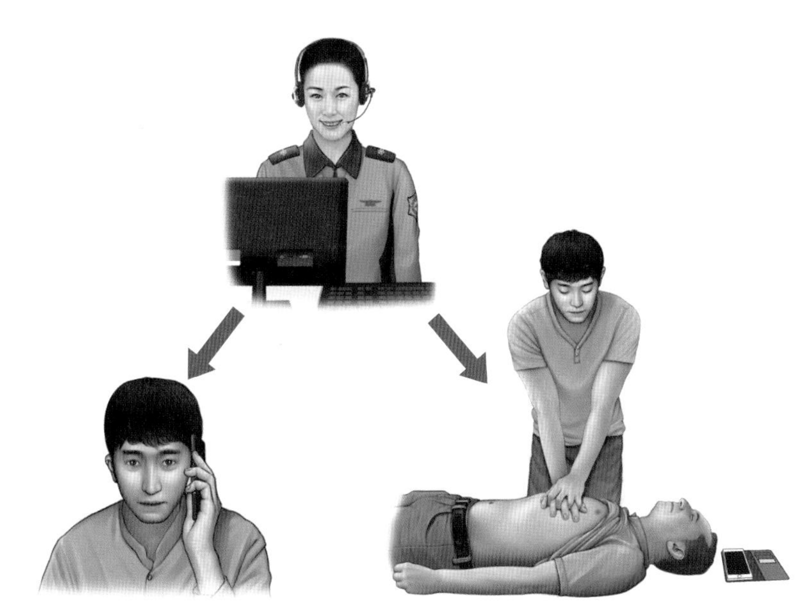

그림 20-12 구급상황(상담)요원 지시에 의한 심폐소생술.

3) 호흡과 맥박 확인

(1) 호흡 확인

일반인은 반응을 확인한 후 반응이 없으면 119에 신고하고 자동제세동기를 요청한 후 구급상황(상담)요원의 안내에 따라 호흡의 여부 및 비정상 여부를 판별해야 하며 호흡이 없거나 비정상이라고 판단되면 즉시 가슴압박을 시작한다. 의료종사자는 반응을 확인하고 반응이 없으면 119에 신고하고 자동제세동기를 요청한 후 맥박과 호흡의 여부 및 비정상 여부를 동시에 10초 이내에 판별해야 한다.

(2) 맥박 확인

심장정지 의심환자의 맥박 확인 과정은 일반인뿐 아니라 의료종사자에게도 어렵고 부정확한 것으로 알려졌다. 일반인들은 맥박 확인을 하지 않고 바로 가슴압박을 하도록 권고한다. 의료종사자는 맥박을 확인해야 하며, 성인 심장정지 환자의 목동맥을 확인하는 데 걸리는 시간이 10초가 넘지 않도록 하여야 한다.

4) 가슴압박

심폐소생술의 시작은 인공호흡보다는 가슴압박을 먼저 시작하기를 권고한다. 효과적인 가슴압박은 심폐소생술 동안 심장과 뇌로 충분한 혈류를 전달하기 위한 필수적 요소이다. 가슴의 중앙에 있는 복장뼈(흉골)를 이등분하였을 때 아래쪽 하부의 중간 부위를 강하게 규칙적으로, 그리고 빠르게 압박해야 한다. 즉, 가슴압박을 할 때 손의 위치는 '복장뼈의 아래쪽 1/2' 부위이다. 성인 심장정지의 경우 압박 깊이는 약 5 cm, 가슴압박의 속도는 분당 100–120회를 유지한다. 가슴압박 이후 다음 가슴압박을 위한 혈류가 심장으로 충분히 채워지도록 각각의 가슴압박 이후 가슴의 이완을 최대로 할 것을 제안한다. 성인 심장정지 환자에게 심폐소생술을 할 때 가슴압박과 인공호흡의 비율은 30:2로 시행하는 것을 제안한다(그림 20-13). 심폐소생술 시작 1.5–3분 사이부터 가슴압박의 깊이가 얕아지므로 2분마다 가슴압박을 교대해주는 것이 구조자의 피로도를 줄이고 고품질의 심폐소생술을 제공하는 데 도움이 될 수 있다.

(1) 가슴압박의 위치와 자세

가슴압박은 심장정지 환자의 가슴 정중앙(복장뼈의 아래쪽 1/2)에 한 손의 손바닥 뒤꿈치를 올려놓고 그

위에 다른 손을 올려서 겹친 뒤 깍지를 낀 자세로 시행할 것을 제안한다. 심폐소생술의 효과는 환자를 바로 누운 자세로 눕힌 뒤 구조자는 환자의 옆에서 무릎을 꿇은 자세로 시행할 때 극대화된다. 손의 손가락을 펴거나 깍지를 껴서, 압박할 때 손가락 끝이 심장정지 환자의 가슴에 닿지 않도록 한다. 팔꿈치는 펴서 수직방향으로 체중을 이용하여 압박한다(그림 20-14).

(2) 가슴압박 깊이와 속도

보통 체격의 성인 심장정지 환자에게 가슴압박의 깊이는 약 5 cm로 시행할 것을 권고한다. 압박 깊이가 6 cm를 넘을 때는 합병증의 발생 가능성이 높아진다. 성인 심장정지 환자에게 가슴압박을 시행할 때 분당 100–120회의 속도로 할 것을 제안한다.

(3) 가슴압박 후 이완

구조자는 심장정지 환자에게 가슴압박을 시행할 때 압박과 압박 사이 환자의 가슴에 기대지 않도록 하여 심장정지 환자의 가슴이 완전히 이완될 수 있도록 할 것을 제안한다. 이는 심장정지 환자의 가슴이 완전히 이완되지 못하면 흉강내 압력이 증가하기 때문에 심장동맥관류압이 감소하는 것으로 알려져 있기 때문이다.

(4) 가슴압박 중단의 최소화 및 교대

심폐소생술이 시행되는 모든 기간 동안, 특히 맥박 확인 및 심전도 리듬 분석을 위한 기간, 제세동 전후에 가슴압박의 중단을 최소화할 것이 권장된다. 가슴압박을 시작한 뒤 90–120초가 지나면 가슴압박 깊이가 감소하기 시작한다. 두 명 이상의 구조자가 있으면 가슴압박을 시행하는 구조자를 매 2분마다(또는 가슴압박과 인공호흡을 30:2의 비율로 시행할 경우 5주기의 심폐소생술마다) 교대하면서 심장리듬을 확인하도록 권고한다.

(5) 바닥 상태

매트리스처럼 부드러운 표면에서 심폐소생술을 시행할 경우, 가슴과 바닥이 함께 눌려 가슴압박의 깊이를 감소시킬 수 있다. 가능한 경우 단단한 표면에서 가슴압박을 수행하는 것이 좋지만 가슴압박 깊이를 개선하기 위해 환자를 침대에서 바닥으로 옮기지는 않도록 한다.

(6) 가슴압박에 의한 합병증

의식은 없으나 심장정지 상태는 아닌 환자에게 가슴압박을 시행하더라도 중대한 합병증을 초래할 가능성

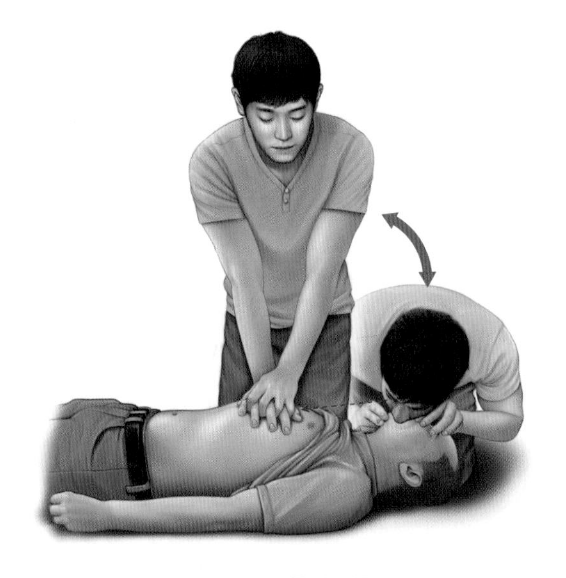

그림 20-13 가슴압박과 인공호흡의 비율.

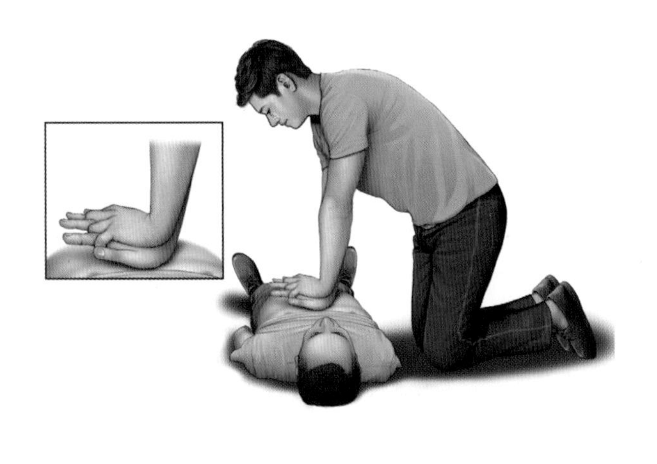

그림 20-14 가슴압박의 자세.

은 매우 낮다. 가슴압박을 시행한 부위의 통증(8.7%), 골절(늑골 및 쇄골 등) (1.7%), 횡문근융해증(0.3%) 등이 초래될 수 있으며, 복강내 장기손상은 보고되지 않았다. 따라서, 심장정지가 아닌 사람에게 심폐소생술을 하더라도 손상을 입힐 위험성이 적으므로, 심장정지가 의심되는 사람을 목격한 경우 즉시 심폐소생술을 시작할 것을 권고한다.

4. 기도유지 및 인공호흡

1) 기도유지 방법

기도확보는 소생처치 중 가장 중요하고 기본이 되는 처치로서 환자 발견 시 제일 먼저 실시하여야 한다. 이물질에 의한 기도폐쇄가 없는 경우에도 의식이 없는 환자에서는 혀와 경부근육이 이완되어 혀의 기저부와 후두개가 인후 후벽쪽으로 이완됨으로써 기도를 폐쇄하게 된다. 또한 의식이 없는 환자의 약 1/3에서는 연구개가 판막과 같은 역할을 하여 호기 시 기도를 폐쇄한다. 그 외에도 비강은 내부의 충혈, 혈액, 또는 분비물에 의하여 폐쇄되는 경우가 많으며, 흡기 시에는 혀와 후두개가 흡인됨으로써 기도폐쇄가 더욱 심화된다. 따라서 혀의 기저부와 후두개를 앞으로 당기는 시술을 해주어야 한다.

(1) 일반인 구조자에 의한 기도유지

가슴압박과 인공호흡을 자신 있게 수행할 수 있도록 훈련된 일반인 구조자는 머리젖히고-턱들기(head tilt-chin lift) 방법을 사용하여 기도를 개방한다(그림 20-15). 한 손을 심정지 환자의 이마에 대고 손바닥으로 압력을 가하여 환자의 머리가 뒤로 기울어지게 하면서, 다른 손의 손가락으로 아래턱의 뼈 부분을 머리 쪽으로 당겨 턱을 받쳐주어 머리를 뒤로 기울이는 것이다. 이때 턱 아래 부위의 연부조직을 깊게 누르면 오히려 기도를 막을 수 있기 때문에 주의한다. 기도가 열리면 심정지 환자의 입을 열어 입-입 인공호흡을 준비한다. 일반인 구조자에게는 턱 들어올리기(jaw thrust)를 권장하지 않는다.

(2) 기도유지(응급의료종사자)

의료종사자는 머리나 목에 외상의 증거가 없는 심정지 환자의 기도를 확보할 때, 반드시 머리젖히고-턱들기 방법으로 기도를 유지해야 한다. 척추손상 위험이 의심되는 경우에는 척추고정장치를 적용하는 것보다

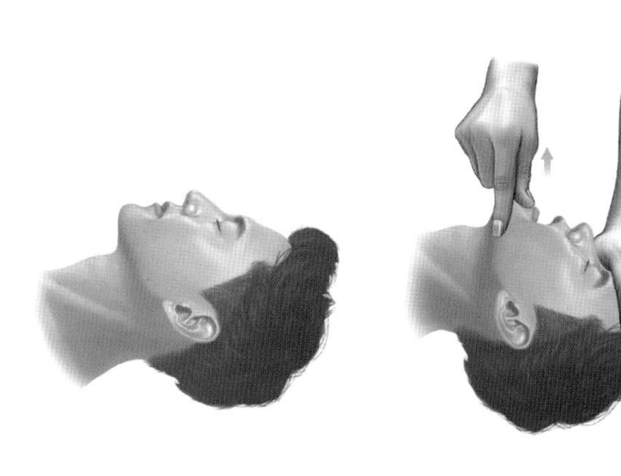

그림 20-15 머리젖히고-턱들기(head tilt-chin lift) 방법.

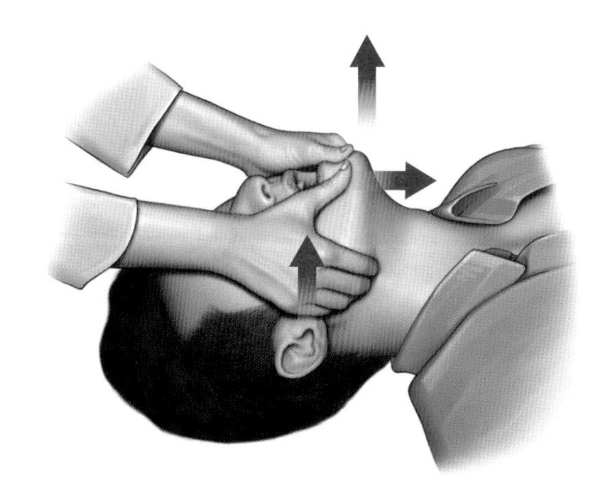

그림 20-16 턱 들어올리기 방법.

먼저 구조자의 손으로 척추의 움직임을 제한하는 것을 고려한다. 만약 경추손상이 의심되는 경우에는 머리를 신전시키지 않고 턱 들어올리기 방법을 사용하여 기도를 확보해야 한다(그림 20-16).

2) 인공호흡 방법

정상인은 공기 중 산소가 체내로 들어간 후 약 1/3 정도를 사용하고 2/3 정도가 호기로 배출되기에 이 호기를 이용하여 호흡마비 환자를 인공호흡하여도 적당하다는 사실이 알려진 이후로 구강대 구강 또는 구강대 비강법이 응급상황에서 가장 적합한 호흡보조 방법으로 자리하게 되었다. 구체적 방법은 이전의 심폐소생술 방법과 동일하다.

① 1초에 걸쳐 인공호흡을 한다.
② 가슴 상승이 눈으로 확인될 정도의 일회 호흡량으로 호흡한다.
③ 2인 구조자 상황에서 전문기도기(기관내관, 후두마스크기도기 등)가 삽관된 경우에는 6초마다 1회의 인공호흡(10회/분)을 시행한다.
④ 가슴압박 동안에 인공호흡이 동시에 이루어지지 않도록 주의한다.
⑤ 인공호흡을 과도하게 하여 과환기를 유발하지 않는다.

(1) 입-입 인공호흡

환자의 기도를 개방하고, 환자의 코를 막은 다음 구조자의 입을 환자의 입에 밀착시킨다. 인공호흡은 '보통 호흡'을 1초 동안 환자에게 불어넣는 것이다. 보통 호흡이란 구조자가 숨을 깊이 들이쉬는 것이 아니라 평상시 호흡과 같은 양을 들이쉬는 것이다. 인공호흡을 시도했을 때 환자의 가슴이 상승하지 않는다면 머리젖히고-턱들기를 다시 정확하게 시행한 다음에 두 번째 인공호흡을 시행한다. 만약 자발순환이 있는 환자에게 호흡보조가 필요한 경우에는 5-6초마다 한 번씩 인공호흡을 시행하거나 분당 10-12회의 인공호흡을 시행한다.

(2) 입-코 인공호흡

입-코 인공호흡은 환자의 입을 통해 인공호흡을 할 수 없거나 입을 열 수 없는 경우, 입과 입의 밀착이 어려운 경우나 환자가 물속에 있는 경우에 입-입 인공호흡 대신으로 권장한다.

(3) 백마스크 인공호흡

백마스크를 사용하여 인공호흡을 시행할 수 있다. 백마스크 인공호흡은 전문기도유지 없이 양압의 환기를 제공하므로 위 팽창과 이로 인한 합병증을 유발할 수 있다.

(4) 전문기도기(advanced airway) 삽관 후의 인공호흡

전문기도기가 삽관된 후에는 더 이상 30회 가슴압박과 2회 인공호흡의 주기를 유지할 필요가 없다. 가슴압박을 중단하지 않고 분당 100-120회의 속도로 가슴압박을 시행하며, 인공호흡은 6초마다 1회씩(분당 10회 속도) 시행한다.

5. 회복의 자세

회복자세는 환자가 반응은 없으나 정상적인 호흡과 효과적인 순환을 보이고 있는 경우 사용이 권장된다. 회복자세는 혀나 구토물로 인해 기도가 막히는 것을 예방하고 흡인의 위험성을 줄이기 위한 방법이다. 회복자세를 취해주는 방법은 몸 앞쪽으로 한쪽 팔을 바닥에 대고 다른 쪽 팔과 다리를 구부린 채로 환자를 옆으로 돌려 눕힌다(그림 20-17).

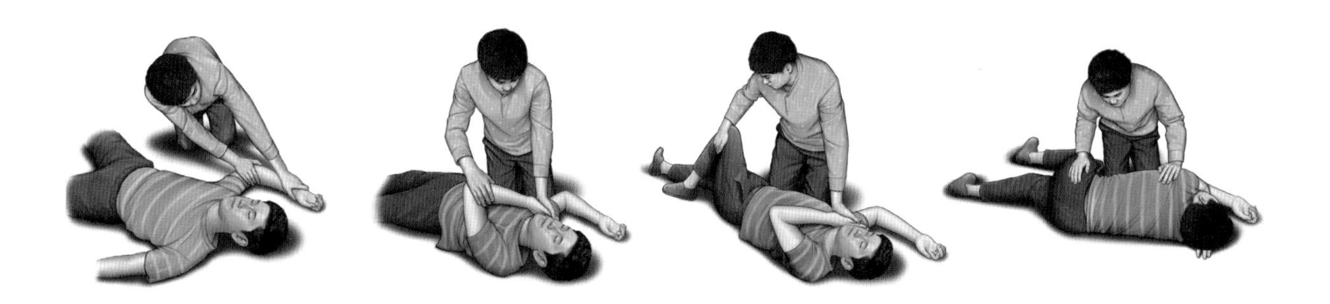

그림 20-17 회복자세.

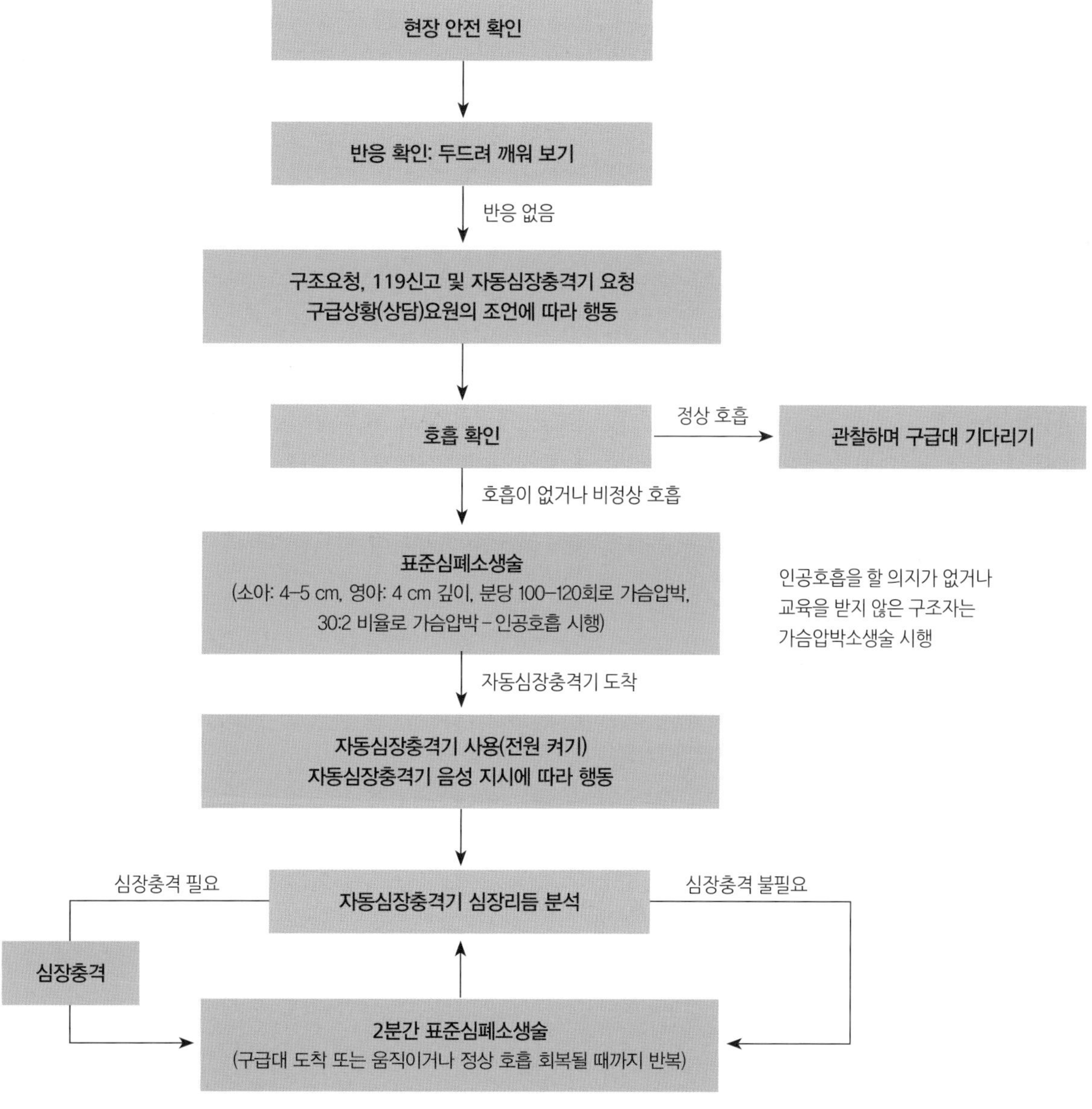

그림 20-18 소아 기본소생술의 순서.

6. 소아 기본소생술

소아와 성인의 심장정지 원인은 차이가 있으며 체구가 다르므로 심폐소생술 방법에도 약간의 차이가 있다. 소아의 체구가 커서 성인과의 구분이 어려울 때는 구조자의 판단에 따라 소아 또는 성인 심폐소생술을 적용하면 된다. 비록 구조자가 심장정지 환자의 나이를 잘못 판단하였더라도 환자에게 중대한 위해를 초래하지는 않는다. 심폐소생술에서 나이의 정의는 다음과 같다.

- 신생아: 출산한 때로부터 4주까지
- 영아: 만 1세 미만의 아기
- 소아: 만 1세부터 만 8세 미만까지
- 성인: 만 8세부터

일반인이나 의료제공자 구분 없이 소아에 대한 기본소생술은 영아와 만 8세 미만의 소아에 적용한다. 소아 기본소생술 순서는 그림 20-18과 같다(표 20-13).

7. 자동제세동

갑자기 발생한 심장정지 대부분은 심실세동에 의해 유발되며, 심실세동의 가장 중요한 치료는 전기적 제세동(electrical defibrillation)이다. 제세동 성공률은 심실세동 발생 직후부터 1분마다 7–10%씩 감소하므로, 제세동은 심장정지 현장에서 신속하게 시행되어야 한다. 자동제세동기(automated external defibrillator, AED)는 의료지식이 충분하지 않은 일반인이나 의료종사자들이 쉽게 사용할 수 있도록 환자의 심전도를 자동으로 분석하여 제세동이 필요한 심장정지를 구분해주며, 사용자가 제세동을 시행할 수 있도록 유도하는 장비이다. 우리나라에서는 공공보건의료기관, 구급차, 항공기, 철도차량, 20톤 이상인 선박, 500세대 이상의 공동주택, 다중이용시설에는 자동제세동기를 설치할 것을 법(응급의료에 관한 법률 제47조2, 응급의료에 관한 시행령 제26조의2, 2014. 7. 7. 개정)으로 규정하고 있다.

■ 사용방법

심폐소생술을 시행하고 있는 도중에 자동제세동기가 도착하면, 자동제세동기를 심폐소생술에 방해가 되지 않는 위치에 놓은 후에 전원 버튼을 누른다. 환자의 상의를 벗긴 후에, 두 개의 패드를 포장지에 그려져 있는 대로 환자의 가슴에 단단히 부착한다. 자동제세동기가 환자의 심전도를 분석하고 제세동이 필요한 경우라면 '제세동이 필요합니다'라는 음성 또는 화면 메시

표 20-13 소아 기본소생술 참고표

치료	내용
소생술이 필요한 호흡	호흡이 없거나 심장정지 호흡(헐떡임)을 보일 경우
가슴압박	압박 위치: 영아는 젖꼭지 연결선 바로 아래의 흉골, 소아는 흉골 아래쪽 1/2 압박 깊이: 가슴 전후 두께의 최소 1/3 이상 압박(영아 4 cm, 소아 4–5 cm) 압박 속도: 분당 100–120회
가슴압박과 인공호흡 비율	가슴압박:인공호흡 = 30:2 인공호흡을 할 의지가 없거나 교육받지 못한 구조자는 가슴압박소생술 시행 코로나19 유행 시에는 가슴압박소생술 시행
자동심장충격기	자동심장충격기가 도착하는 즉시 전원을 켜고 사용
심장리듬 분석	가슴압박을 중단한 상태에서 시행
심장충격 후 심폐소생술	심장충격 후 즉시 가슴압박을 다시 시작

지와 함께 자동제세동기가 스스로 제세동 에너지를 충전한다. 이후에 '제세동 버튼을 누르세요'라는 음성 또는 화면지시가 나오면, 제세동 버튼을 누른다. 구조자는 제세동 시행 직후에 즉시 심폐소생술을 다시 시작하여 가슴압박 중단시간을 최소화해야 한다. 자동제세동기가 '제세동이 필요하지 않습니다.'라고 분석한 때도 마찬가지로 심폐소생술을 다시 시작한다(그림 20-19). 구조자는 환자에게 자동제세동기를 적용한 상태로 119구급대가 현장에 도착하거나 환자가 회복되어 깨어날 때까지 심폐소생술과 제세동을 반복하여 시행한다.

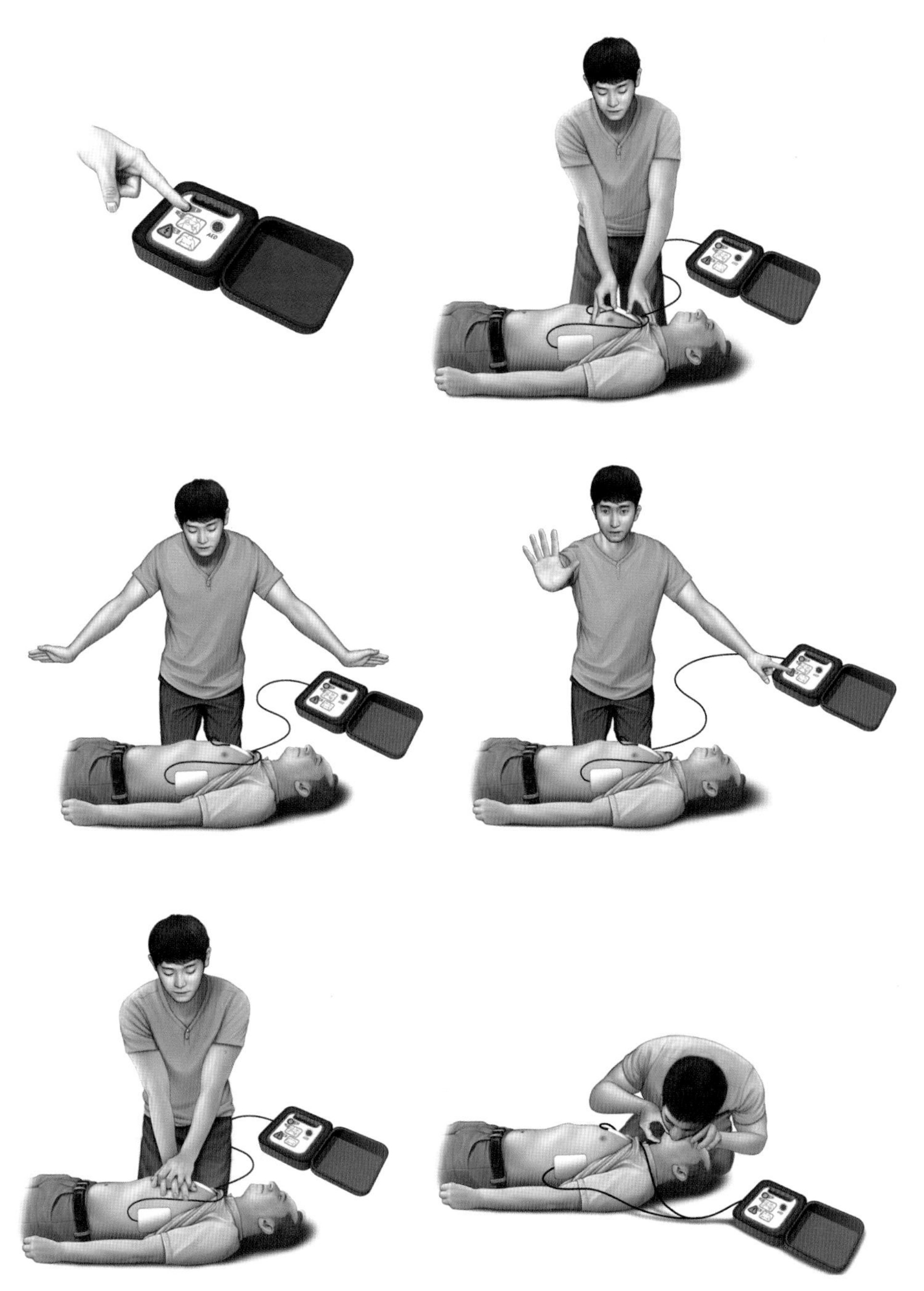

그림 20-19 자동제세동기 사용 순서.

8. 이물에 의한 기도폐쇄

1) 기도폐쇄의 확인방법

환자가 기침, 청색증, 말하거나 숨쉬기 힘든 호흡곤란 등의 증상을 보이거나 자신의 목을 움켜잡는 징후를 보이면 환자에게 "목에 뭐가 걸렸나요?"라고 물어보아, 환자가 말을 하지 못하고 고개를 끄덕인다면 심각한 상태의 기도폐쇄로 판단하고 즉각적으로 처치를 해야 한다.

2) 기도폐쇄의 치료방법

심각한 기도폐쇄의 징후를 보이며 효과적으로 기침을 하지 못하는 성인이나 1세 이상의 소아 환자를 발견하면 즉시 등 두드리기(back blow)를 시행한다(그림 20-20). 등 두드리기를 5회 연속 시행한 후에도 효과가 없다면 5회의 복부 밀어내기(abdominal thrust; 하임리히법)를 시행한다(그림 20-21). 기도폐쇄의 징후가 해소되거나 환자가 의식을 잃기 전까지 계속 등 두드리기와 복부 밀어내기를 5회씩 반복한다. 1세 미만의 영아는 복강내 장기손상이 우려되기 때문에 복부압박이 권고되지 않는다. 과거에는 심폐소생술 시행 전에 가슴 밀어내기(chest thrust) 방법을 권장하였으나, 가슴 밀어내기를 교육하기가 어렵고 가슴압박으로 이물의 배출을 기대할 수 있으므로 가슴 밀어내기는 추천되지 않는다. 다만, 임산부나 고도비만 환자의 경우에는 등 두드리기를 시행한 후 이물이 제거되지 않으면, 복부 밀어내기 대신 가슴 밀어내기(chest thrust)를 시행한다.

9. 코로나19 유행과 관련된 고려사항

심폐소생술을 시행할 때는 환자와 구조자가 접촉하게 되므로 감염전파의 가능성이 있다. 심폐소생술과 관련되어 구조자가 사스(SARS), 메르스(MERS), 중증열성혈소판감소증후군(SFTS) 등에 감염된 사례가 보고되었다. 하지만 심폐소생술에 포함된 술기의 종류에

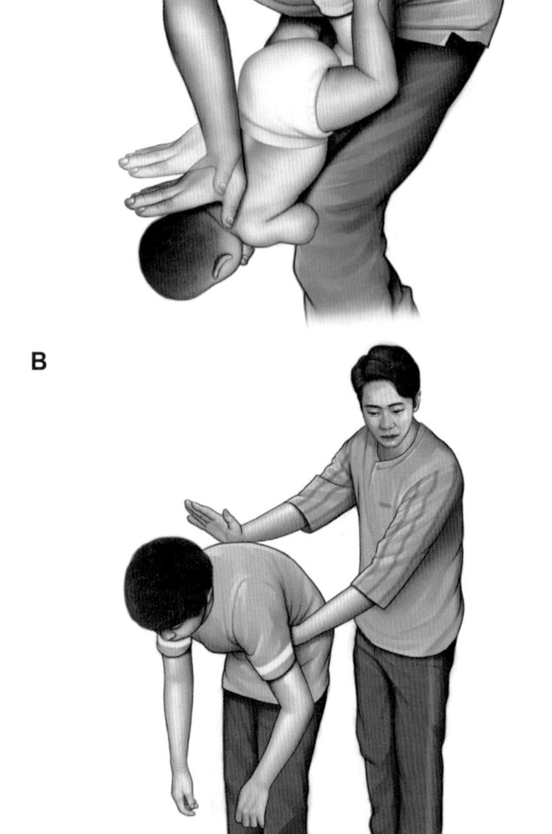

그림 20-20 등 두드리기. A: 소아의 경우 B: 성인의 경우.

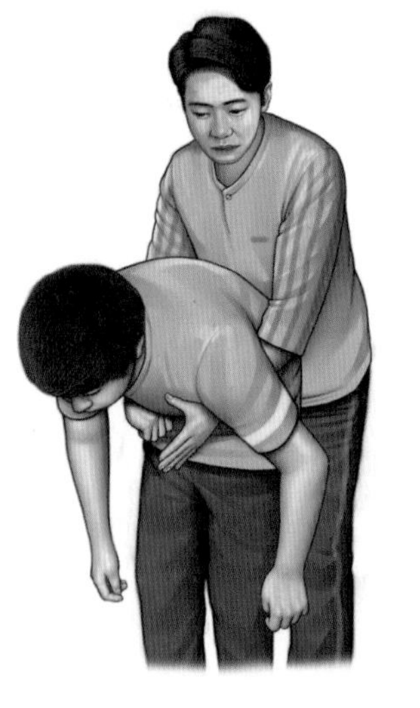

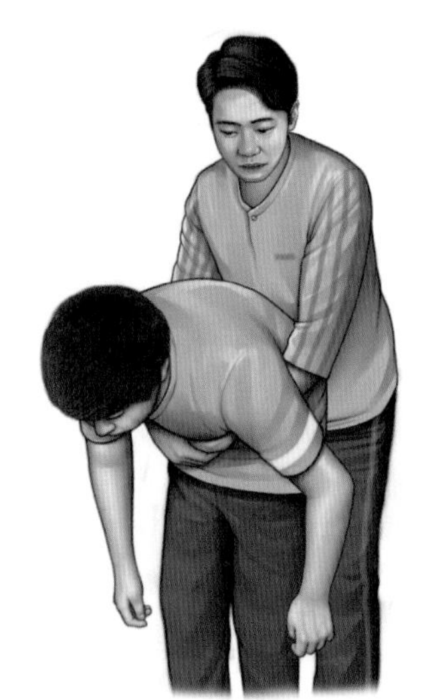

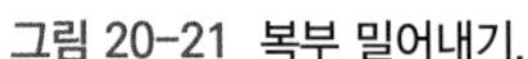

그림 20-21 복부 밀어내기.

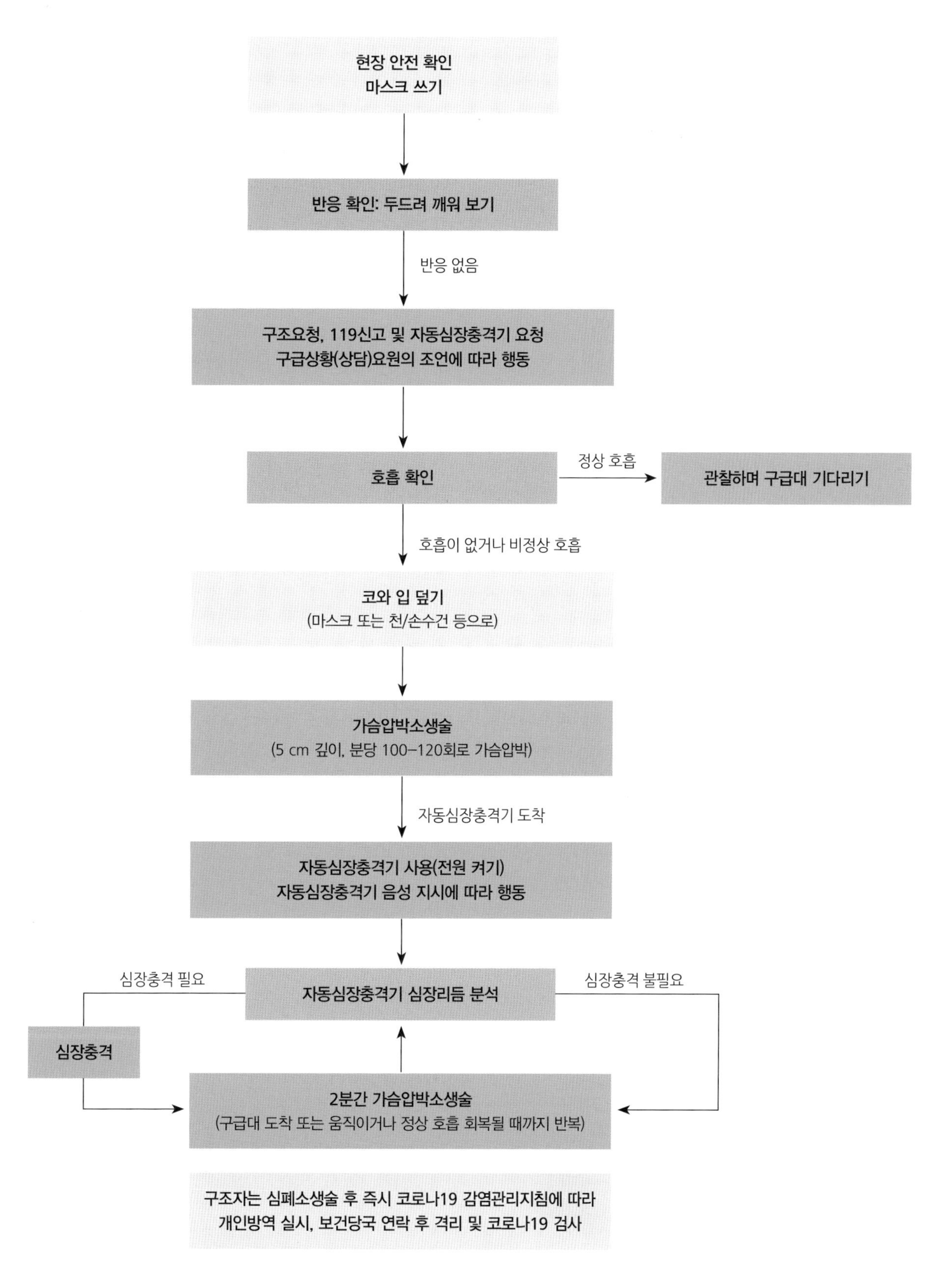

그림 20-22 감염 또는 감염 의심환자에 대한 기본소생술 순서(일반인 구조자).

따라 감염전파의 위험도는 차이가 있으며 적절한 보호장구를 착용하는 등의 예방조처를 한다면 감염에 대한 우려 없이 심장정지 환자의 생존을 보장할 수 있다.

1) 감염전파 기전과 보호장구

코로나19 바이러스인 SARS-Cov-2가 전파되는 주된 기전은 감염성 호흡기 분비물에 의한 것으로 환자로부터 직접 전파되거나 오염된 물체에 접촉하는 것이다. 호흡기 분비물은 지름 5-10 μm의 비말과 그 이하의 공기부유입자들을 말한다. 비말보다 작은 공기부유입자를 차단하기 위해서는 N95 마스크가 필요하다. 현재까지의 근거로는 가슴압박 또는 제세동 자체만으로는 감염전파의 위험을 증가시키지 않는다고 간주하는 경향이다. 그러나 인공호흡과 같이 환자의 입을 열어야 하는 술기는 비말생성이 가능한 술기로 생각해야 한다.

2) 감염 또는 감염의심 환자에 대한 기본소생술 순서(일반인 구조자)

일반인 구조자는 심폐소생술을 시작할 때 현장이 안전한지 확인하면서 감염차단을 위해 보건용마스크(가능한 KF94)를 착용하여야 한다(그림 20-22). 호흡을 확인하여 호흡이 없거나 정상이 아닌 경우에는 가슴압박을 시작하기 전에 환자의 호흡기에서 배출될 수 있는 분비물을 차단하기 위해 환자에게 마스크를 착용시키거나 코와 입을 천이나 수건 등으로 덮을 것을 권장한다(그림 20-23). 일반인의 경우 감염위험을 줄이기 위해 인공호흡은 시행하지 않고 가슴압박만 시행하도록 권장한다. 제세동이 필요한 경우에는 감염전파에 유의하면서 적극적으로 시행할 것을 권장한다.

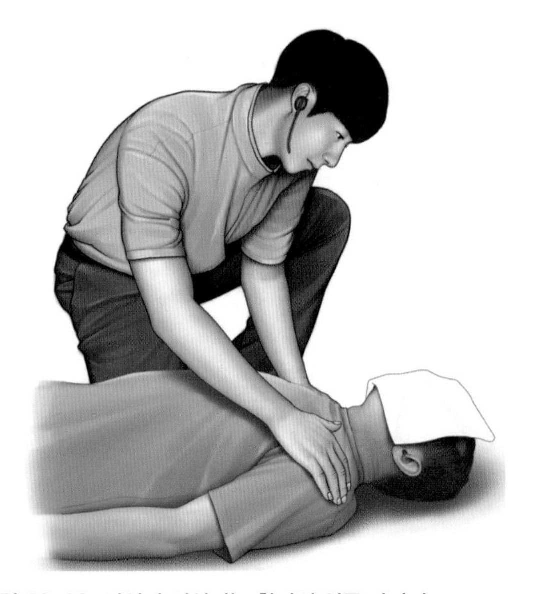

그림 20-23 감염이 의심되는 환자의 얼굴 가리기.

3) 감염 또는 감염 의심환자에 대한 기본소생술 순서(의료종사자)

의료종사자들은 코로나 유행 시기에도 가슴압박과 인공호흡을 30:2로 반복하는 표준심폐소생술을 시행하는 것을 권장하며 감염으로부터의 적절한 보호를 위해 공기전파를 차단할 수 있는 마스크(KF94 이상), 일회용 장갑, 일회용 방수성 긴팔가운, 고글(또는 안면마스크) 등을 포함한 개인보호장구를 착용할 것을 권장한다(그림 20-24). 인공호흡은 백마스크를 사용하되 가능하다면 헤파필터(high efficiency particulate air filter, HEPA)를 연결한다. 백마스크는 두 손을 이용하여 환자의 얼굴에 밀착시켜야 하며 이를 위해 두 명의 구조자가 인공호흡에 필요하다. 인공호흡을 할 때는 비말생성을 줄이기 위해 가슴압박을 멈추도록 한다. 백마스크 사용이 익숙하지 않거나 인공호흡의 시행을 원하지 않을 때는 산소마스크를 환자의 얼굴에 올려둔 상태로 가슴압박소생술을 시행할 수 있다.

10. 전문 심장소생술

전문 심장소생술은 기본소생술 중에도 전문 심장소생술을 할 수 있는 인력과 장비, 약물이 있다면 바로 시작한다. 효과적인 기본소생술은 목격자가 신속하게 '심정지'임을 확인하고 바로 도움을 요청하고, 제세동기를 요청하며, 수준 높은 심폐소생술을 하는 것으로 시작된다. 전문 심장소생술을 통한 심정지 치료의 가장 중요한 방법은 기본소생술에 기인한다는 점을 기억해야 한다. 심실세동/무맥성 심실빈맥의 발생이 목격된 경우에는 목격자의 신속한 심폐소생술과 조기 제세동으로 생존율을 높일 수 있다. 반면, 전문 기도유지술

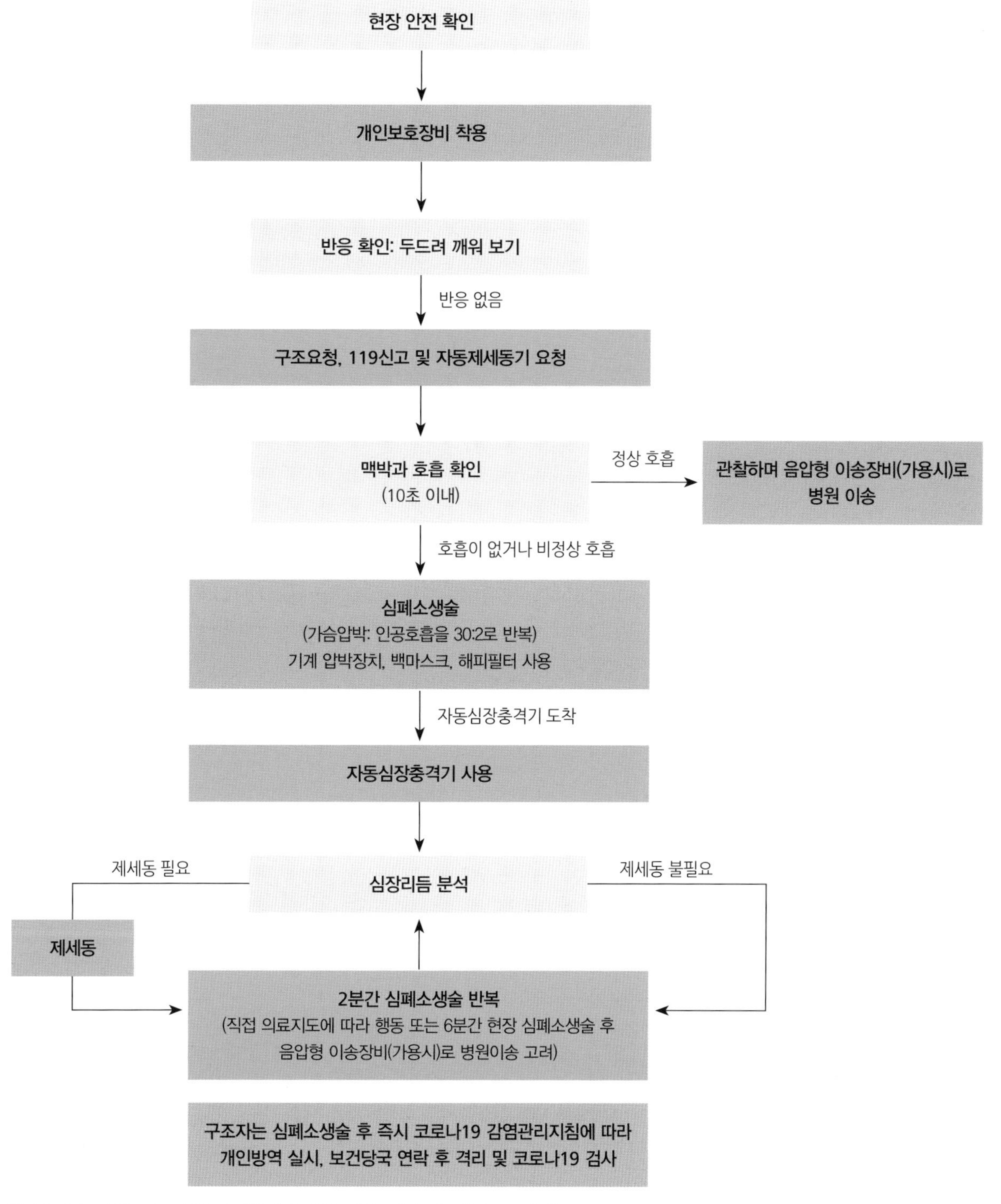

그림 20-24 감염 또는 감염 의심환자에 대한 기본소생술 순서(의료종사자).

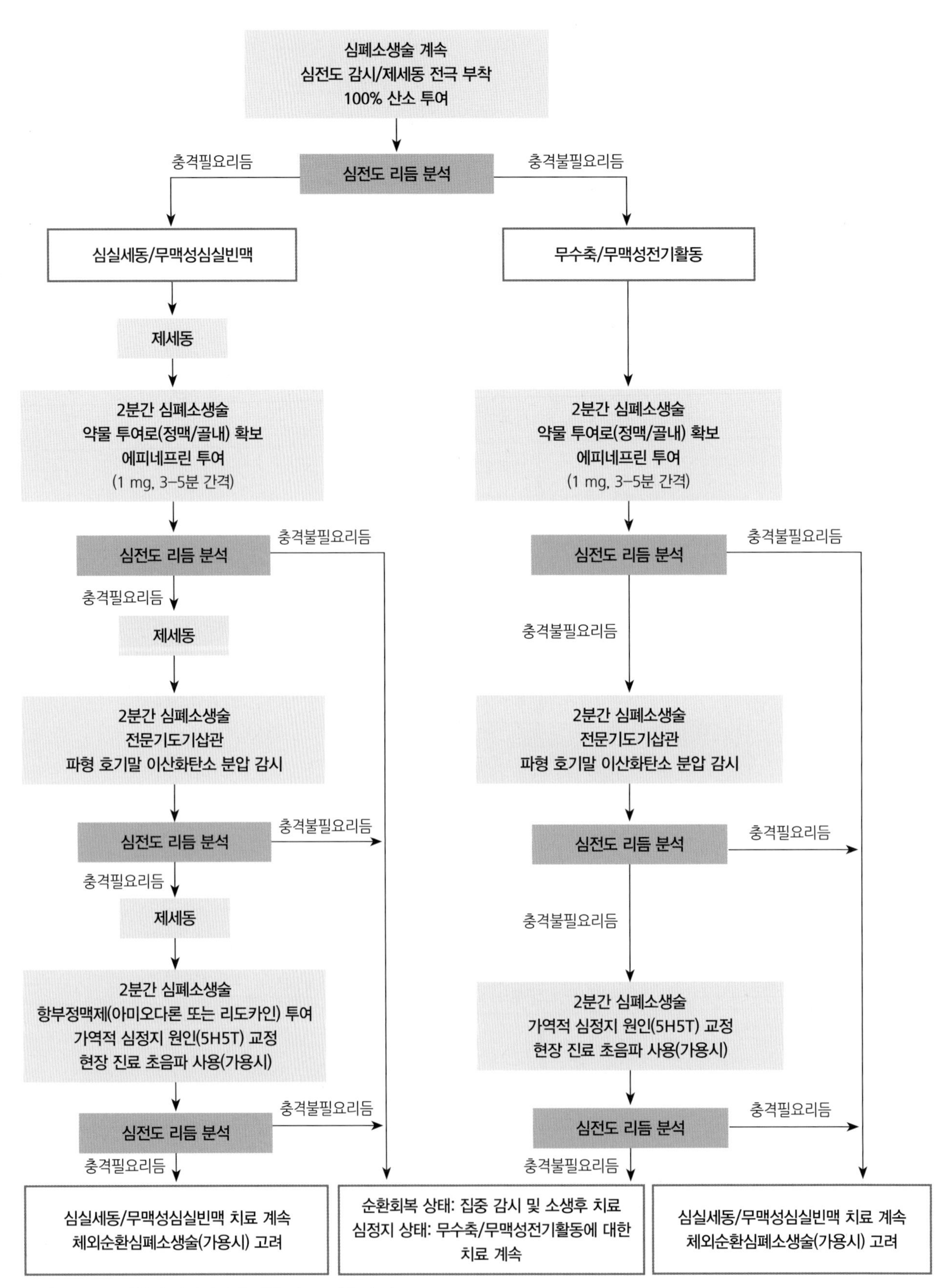

그림 20-25 병원내 심장정지에 대한 전문소생술 순서.

과 에피네프린(epinephrine), 바소프레신(vasopressin) 등 순환을 보조하는 약물의 사용은 자발순환 회복은 증가시켰으나 생존율을 증가시켰다는 증거는 없다. 따라서 심정지를 치료하는 과정에서는 기본소생술과 조기 제세동이 약물 치료와 전문 기도유지술보다 우선한다(그림 20-25).

1) 심정지 치료에 사용되는 약물

(1) 혈관수축제

심정지 환자에게 투여된 혈관수축제는 자발순환의 회복 가능성을 높인다.

① 에피네프린

에피네프린은 α-아드레날린 수용체에 작용하는 염산염이다. 에피네프린의 α-아드레날린 효과는 심폐소생술 중 관상동맥관류압과 뇌관류압을 증가시킨다. 성인 심장정지 환자의 심폐소생술 중 에피네프린은 매 3-5분마다 1 mg을 1:1,000 앰플 혹은 상품화된 1:10,000 정제주사 형태로 신속하고 정확하게 투여한다. 투여 경로는 정맥주사를 우선 고려하고 정맥주사가 어려운 경우 골내주사한다. 만약 정맥주사로와 골내주사로가 확보되지 않는 경우에는 기관으로 2-2.5 mg을 줄 수 있다.

② 바소프레신

바소프레신은 비-아드레날린성 말초혈관수축제로 관상동맥과 신장혈관의 수축을 유발한다. 심정지 시 바소프레신은 에피네프린 효과와 다르지 않아, 첫 번째나 두 번째 에피네프린 투여를 대신하여 바소프레신을 정맥주사 또는 골내주사로 투여할 수 있다.

(2) 항부정맥제

심정지 시 관례적으로 항부정맥제를 사용하는 것이 생존율을 높인다는 증거는 없다. 그러나 아미오다론은 위약이나 리도카인과 비교하여 단기간 퇴원 시 생존율을 높인다.

① 아미오다론

아미오다론은 나트륨, 칼륨, 칼슘 통로에 영향을 주어 α-, β- 아드레날린 차단 효과를 보인다. 아미오다론은 제세동과 심폐소생술, 혈관수축제에 반응이 없는 심실세동/무맥성 심실빈맥의 치료에 사용한다. 첫 용량은 300 mg을 정맥주사 또는 골내주사로 투여하며, 불응성인 경우 150 mg을 1회 추가 투여할 수 있다.

② 리도카인

불응성 심실세동/무맥성 심실빈맥 환자에게 리도카인 투여를 고려할 수 있다. 첫 용량은 1-1.5 mg/kg를 정맥주사하고, 5-10분 간격을 0.5-0.75 mg/kg를 투여할 수 있으며 최대 3 mg/kg까지 투여할 수 있다.

③ 황산 마그네슘

2015년 가이드라인부터는 성인 심장정지 환자에게 일상적인 마그네슘 사용을 권고하지 않는다.

11. 심정지 후 통합치료

심정지 후 발생하는 뇌손상, 심근기능부전, 전신 허혈/재관류 반응 등은 심정지후 증후군(post-cardiac arrest syndrome)의 주요 요소이다. 심정지 후 치료는 자발순환이 회복된 직후의 혈역학적 불안정으로 인한 조기 사망률을 감소시키고, 다발성 장기부전과 뇌손상으로 인한 후기 사망률을 낮추는 것이다. 자발순환 회복 후에는 심정지를 유발한 원인을 찾아 즉시 치료를 시작한다.

심정지로부터 소생된 후에는 여러 장기의 기능에 장애가 발생하므로 포괄적인 치료가 필요하다. 포괄적 치료란 단순히 혈압과 폐 환기상태를 유지하는 것을 의미하는 것이 아니라, 혈액의 적절한 산소화, 각 장기로의 적절한 관류압 유지, 체액보충, 혈관수축제 투여, 혈역학적 감시를 위한 침습적 술기, 저체온요법, 급성 관상동맥증후군의 중재술 등 심정지 유발원인의 치료,

혈당조절 등 심정지로부터 소생된 환자를 소생시키기 위한 모든 치료를 말한다.

따라서 심정지로부터 소생된 환자를 포괄적이고 전문적인 소생 후 치료가 가능한 병원으로 이송하도록 권장되며, 병원내에서는 소생 후 치료가 가능하도록 치료체계를 갖추도록 권장된다.

Ⅵ. 의료분쟁 시 고려사항

1. 의료과실

의료과실이란 현재의 의학 수준에 비추어 적절한 진료조치를 취하지 못했을 경우를 말한다. 대법원은 "의료사고에 있어서 의사의 과실을 인정하기 위해서는 의사가 결과발생을 예견할 수 있었음에도 불구하고 그 결과 발생을 예견하지 못하였고, 그 결과 발생을 회피할 수 있었음에도 불구하고 그 결과 발생을 회피하지 못한 과실이 검토되어야 하고, 그 과실의 유무를 판단함에는 같은 업무와 직무에 종사하는 일반적 보통인의 주의 정도를 표준으로 하여야 하며, 이에는 사고 당시의 일반적인 의학의 수준과 의료환경 및 조건, 의료행위의 특수성 등이 고려되어야 한다." 라고 판시한 적이 있다(대법원 1999. 12. 10. 선고 99도3711 판결). 또한 의료과실의 분쟁조정결정사례의 민사소송 결과를 보면 주의의무의 위반, 설명의무의 위반, 더 나아가 상급병원(또는 치과대학병원)으로의 전원의무 불이행 등의 의료과실이 주를 이룬다.

1) 주의의 의무 위반

치과의사는 환자에게 나쁜 결과가 발생하지 않도록 관련된 지식을 습득하고 주의하여야 할 의무가 있다. 따라서 주의 의무를 다하지 않은 것으로 판단한 환자는 의료인에게 손해배상을 청구할 수 있다. 최근 5년간 의료중재원에서 감정완료된 치과 의료분쟁 사례 중 임플란트 관련 의료분쟁이 전체 21.2%로 가장 높은 비율을 차지했으며, 이 중 신경손상이 18%로 가장 높은 비율을 차지했다. 또한 발치 관련 의료분쟁이 19.7%로 나타났다[한국의료분쟁조정중재원 의료사고예방 소식지 MAP(Medical Accident Prevention) 20호]. 이 감각이상의 대부분은 하악 제3대구치 발치수술과 하악 구치부의 임플란트 수술과 연관이 되어 발생하고 있어 그에 대한 지식을 습득하여 주의의 의무를 다하여야 한다.

(1) 하악 제3대구치 발치수술 시 주의사항

① 예방적 목적의 발치

예방적 목적의 발치를 너무 일찍 하는 경우 치근이 형성되지 않아 경우에 따라 외과적 위험성이 발생할 수 있다. 예방적 목적의 하악 제3대구치 발치는 10대 후반에서 30세 이전에 시술하는 것이 비교적 용이하며 나이가 들어 수술을 하는 것에 비하여 술후 회복이 빠른 것이 장점이라 할 수 있다. 하지만 예방적 목적의 하악 제3대구치의 발치수술은 그로 인한 합병증의 가능성을 염두에 두어야 하며 환자에게 과연 어떠한 것이 이익이 될 것인가를 잘 판단하여야 한다.

② 하치조신경 및 설신경의 해부학적 위치

하치조신경은 하악 제3대구치의 치근과 밀접한 관계가 있다. 설신경은 하악 제3대구치 부위에서 주행방향과 위치가 다양하다. 약 10%는 설측 치조정의 상방에 위치하며, 약 25%에서 설신경은 설측 치조골과 직접 접촉하며 주행한다. 그러므로 절개 시 설신경을 보호하기 위하여 치조정 절개 시 설측으로의 절개는 피해야 한다.

(2) 임플란트 시술 시 주의사항

임플란트로 인한 의료분쟁의 50% 정도가 하악구치부에 식립한 임플란트와 연관되어 발생한 하치조신경 손상에 의한 감각이상으로 발생한다. 따라서 하악구치부에 임플란트를 식립할 때에는 파노라마방사선사진 상 임플란트와 하치조 신경관과의 안전거리를 확보하는 것이 중요하다.

또한 이신경에 근접하여 임플란트를 식립하는 경우 이공과 이신경의 전방가지(anterior loop)가 이공보다 위로 돌아 나올 수 있다는 것을 임플란트 식립 시 주의하여야 한다.

(3) 신경손상 처치 가이드라인

신경손상의 치료방법으로는 신경감압술이나 미세신경문합술 등의 외과적 치료와 스테로이드, 소염진통제, 항경련제, 항우울제, 비타민제 등의 약물복용과 같은 보존적 치료로 나눌 수 있다. 개인치과에서 외과적 술식 후 신경손상이 의심이 되는 경우나 신경손상의 증상을 초기에 발견한 경우 의료인은 약물복용을 첫 번째 치료로 선택해야 한다. 먼저 스테로이드의 빠른 복용과 동시에 소염진통제등의 약물처방이 추천된다. 아래와 같은 약물을 투여하는 것은 증상적인 호전을 기대하는 것이며 신경자체를 재생하는 것을 기대하는 것이 아니라는 점을 유념하고 각 약물 투여할 때 아래의 약물이 하나의 참고사항이지 다양한 환자들에게 일괄적으로 적용될 수 있는 절대적인 가이드라인이 될 수 없음을 미리 밝혀둔다. 또한 초기 약물치료 후 증상이 호전되지 않거나, 증상이 심화될 경우는 즉시 상급병원으로의 전원을 시행하여야 한다.

① 보존적 약물치료

a. 손상 1-10일: prednisolone을 경구투여하며, 초기 30 mg/day 투여 후 5 mg씩 감량한다.

b. 손상 10일-3개월

- 항경련제: Neutopentin (gabapentin)을 800 mg (tid)까지 환자증상에 따라 서서히 증량한다.
- 항우울제: Etravil (nortriptyline), Sensival (amitriptyline) 10−40 mg (취침 전)을 환자증상에 따라 서서히 증량.

c. 손상 3-4개월: 필요시 상급병원으로 전원하여 평가를 의뢰한다.

d. 손상 4개월: 완전 무감각이 3개월 이상 지속되거나 감각이상이 4개월 경과 후에도 전혀 개선이 되지 않고 심화되어 있는 경우, 통증이 4개월 이상 지속되는 경우 미세현미경 수술을 고려한다.

e. 시기와 상관없이 극심한 통증 시: tramadol 1−2 T (tid 또는 IM)를 처방한다.

2) 설명의 의무 위반

진료 계약상의 의무 등에 대한 승낙을 얻기 위한 전제로서 당해 환자나 그 법정대리인에게 질병의 증상, 치료방법의 내용 및 필요성, 발생이 예상되는 위험들에 관하여 당시의 의료수준에 해당하는 사항을 설명하여 환자가 그 필요성이나 위험성을 충분히 비교해 보고 그 치료를 받을 것인가의 여부를 선택할 수 있도록 할 의무가 있다.

치과의사로서 환자에게 시술 후 신경손상으로 인한 감각이상의 발생 가능성에 대한 설명과 기록을 남기고 감각이상이 발생하더라도 적절한 대처와 적절한 설명 등을 통하여 환자와 신뢰관계를 유지하는 것이 중요하며 의료분쟁으로 진행되는 것을 최대한 줄일 수 있다. 이렇게 치과의사의 의무를 성실히 이행한 것이 진료기록지에 기록되어 있는 경우는 의료소송이 발생하더라도 치과의사의 의무를 성실히 노력한 것에 대한 인정을 받을 수 있다. 그러므로 치과의사는 근거를 바탕으로 하는 진료를 시행하고 동의서 획득, 합병증 발생 가능성이나 주의사항 설명 등에 최선을 다해야 함을 명심해야 한다.

2. 분쟁해결의 방법(그림 20-26)

1) 의료배상책임보험

개인개업의(동업자도 이에 준한다)가 보험기간 중 의료업무의 수행 또는 불이행으로 기간 상해로 인하여 환자에게 가한 손해에 대하여 배상책임을 지는 경우에 이를 전보하는 보험이다. 이는 상해자체가 있음을 인정하고, 보험회사의 손해 사정인이 손해 정도를 측정한다.

의사가 보험회사에 접수하고 환자가 동의하면, 보험회사가 환자와 대면하여 손해액을 산정하는데, 보험회사에 제출된 대학병원 치료비추정서를 바탕으로 보험금 산정처리 기준에 따라 환자에게 보상비가 지급된다. 이때, 치료비 추정서 및 진단서 위조사례가 있으므로 병원직원이 확인을 하여야 한다.

2) 한국소비자원(http://www.kca.go.kr/)

소비자(환자)는 한국 소비자원 소비자 상담을 통해 피해구제국에 피해구제 신청 접수를 하게 되며, 피해구제 신청일로부터 30일 이내에 원만한 합의가 이루어지지 않는 경우에 소비자분쟁조정위원회에 조정을 신청할 수 있고, 특별한 사안의 경우에는 90일까지 합의권고 기간연장이 가능하다. 조정위원회는 비공개를 원칙으로 하되, 필요한 경우에는 양 당사자가 참석하여 의견을 진술할 수 있으며 최종적으로 내린 조정결정에 대하여 15일 이내에 양당사자에게 수락여부를 확인하다. 조정결정에 대해 양당사자가 서명으로 수락 거부의사를 표시하지 않는 경우 조정은 성립되며, 성립된 조정결정 내용은 재판상 화해와 동일한 효력을 갖게 되나, 성립되지 않은 사건은 소비자가 소송 등 별도의 방법을 통해 해결해야 한다.

3) 의료사고 시 민사소송

환자가 의사를 상대로 민사소송을 제기하면, 판사가 양쪽 자료를 검토한 후에 추가적인 질의서를 보내올 수도 있고, 법원에서 최종 결정 후 통상적으로 보상액을 제시하며 합의를 권유한다. 만일, 의사가 받아들이지 않으면, 판사가 대학 병원 혹은 치과의사협회를 통해 신뢰 있는 기관이나 단체에 신체감정서를 의뢰하여, 이를 참고하여 최종판결을 하지만, 환자는 계속 항고할 수도 있다. 책임범위 산정은 소비자보호원이 결정하거나 민사소송 시 법원에서 참고하는 손해율을 기준으로 책정한다.

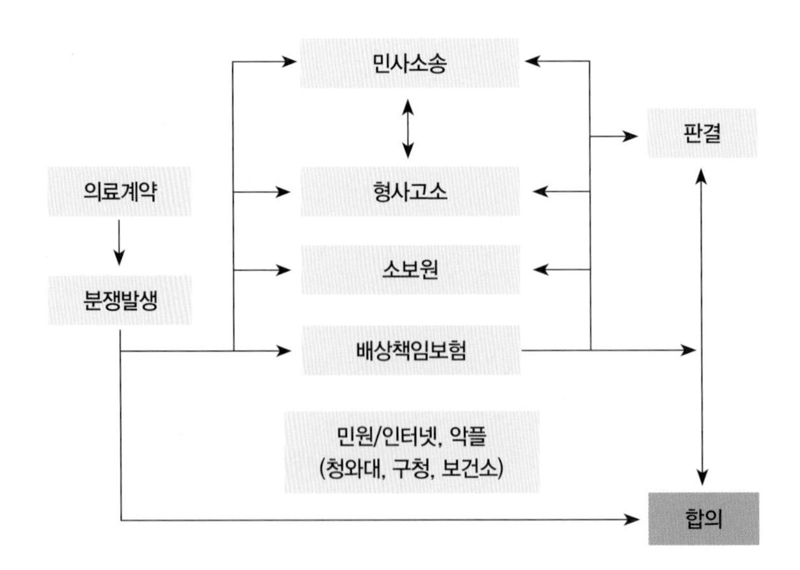

그림 20-26 분쟁해결 흐름도.

3. 의료분쟁조정법(의료사고 피해규제 및 의료분쟁 조정 등에 관한 법률)

1) 배경

의료분쟁 관련 소송이 2000년 519건에서 2009년 911건으로 9년간 2배 증가한 것과 같이 의료분쟁 관련 소송의 지속적인 증가와 그러한 관련 소송이 해외환자 유치 활성화의 걸림돌이 되어 의료분쟁조정법이 시행되었다. 최근에는 '사망, 1개월 이상 의식불명, 장애 등급 1급 중 일부'에 해당하는 중대한 의료사고의 경우 상대방의 동의가 없어도 조정절차를 자동개시토록 하는 법안이 개정 시행되고 있다.

2) 개요

(1) 형사처벌특례

업무상과실치상이나 중과실치상을 범한 보건의료인이 종합보험 등에 가입했을 경우 피해자의 의사에 반해 공소를 제기할 수 없도록 하는 '반의사 불벌제도'를 도입하였다.

(2) 무과실보상제도

의료인의 무과실 즉, 불가항력적인 결과로 판명되며, 의료행위로 인하여 환자가 사망하였거나 상해를 입은 경우, 환자의 기왕증이나 귀책사유가 존재하지 않을 경우에 국한하여 보상범위를 제한하도록 하였으며, 현대 의학수준으로의 의료의 한계로 인하여 불가피하게 발생한 의료사고 및 환자의 특이체질 또는 과민반응으로 인하여 발생한 의료사고, 분만에만 해당된다.

(3) 입증책임전환

의사 스스로 자신의 무과실을 입증해야만 손해배상책임에서 면책되도록 하는 조항은 법률에 담겨있지 않다.

(4) 한국의료분쟁조정 중재원의 설립

관리 및 감독 권한은 보건복지부에 있으며, 의료분쟁의 조정, 중재, 상담을 하고, 의료사고를 감정하며, 손해배상금을 대불한다. 또한 의료분쟁 관련제도에 대한 정책을 연구하고, 통계를 작성하며, 교육 및 홍보를 한다.

조정 신청부터 결정까지 1차적으로 90일 내 종료하며, 1회에 한해 그 기간을 30일까지 연장할 수 있어 최대 4개월이면 결론지어진다.

4. 구강악안면영역에서의 장애등급 판정

1) 장애의 정의

장애를 규정하는 정도는 장애출현율 및 국가정책과 관련된 복합적이고도 중요한 요인이다. 따라서 장애범주는 국가별 정치, 경제, 사회상황 등과 복지 및 재활 수준에 따라 각각 다르다.

UN의 장애인권리선언(1975)에는 장애인이 선천적이든 후천적이든 신체적, 정신적 능력의 불완전으로 인하여 일상의 개인적 또는 사회적 생활에서 필요한 것을 자기자신으로서는 완전히 또는 부분적으로 확보할 수 없는 사람으로 정의된다. WHO (1980)에서는 크게 세 가지로 분류하고 있다. 첫째는 지적, 정신적, 언어, 귀, 시각, 내장, 골격 등의 손상(impairment)이며 둘째는 행동, 의사소통, 개인생활보호, 운동, 신체자세 등의 불능(disability) 그리고 셋째는 신체적 자립성, 이동성, 사회통합 등의 불리(handicap)가 그것이다. 미국정신지체인협회(American Association of Mental Retardation, AAMR)에서는 장애개념을 확대시켰다. AAMR 분류는 지능적 기능과 적응능력의 차원Ⅰ, 심리적, 감정적 측면의 차원 Ⅱ, 신체적, 건강 병인학의 차원 Ⅲ, 환경적 측면의 차원 Ⅳ가 통합적으로 사용된다. 진단에서는 차원Ⅰ만이 적용되지만 서비스규정에는 차원Ⅰ, Ⅱ, Ⅲ, Ⅳ가 모두 사용된다. 특징적인 것은 분류가 진단 및 다차원적 사정은 물론 필요한 지지서비스로 연계되어 규정된다는 것이다.

한편 우리나라는 장애인복지법시행령 제2조에 지체장애인, 시각장애인, 청각장애인, 언어장애인, 정신지체인으로, 특수교육진흥법에서는 시각, 청각, 언어, 정신지체, 지체부 자유, 정서장애, 학습장애, 기타 교육부령이 정하는 장애로 정의하고 있다. 이러한 정의 방법에 따라 2012년 현재 규정되고 있는 구강악안면외과 의사가 판정하는 분야를 언어장애, 안면장애로 한정하고 있어 두경부 및 구강악안면영역에서의 장애판정에 한계를 보이고 있다. 향후 저작장애, 연하장애, 측두하악관절애 등을 포함하는 기준을 마련하는 것이 시급한 실정이다. 이 밖에도 우리나라 현행법 가운데 장애인의 복지증진을 목적으로 만들어진 법률은 위의 두 법률 이 외에 장애인 고용촉진 등에 관한 법률이 있으며 산업재해보상을 위한 근로기준법도 관련 법률 중 하나이다.

2) 구강악안면영역의 장애등급 판정

2004년도 이후 정부의 보건복지부에서 장애인에 대한 처우개선 및 복지향상을 목적으로 등급판정이라는 개념을 도입하게 되었고 도입 초기에 전문가적인 판정의 기준을 마련하기 위한 간이적인 평가방법 형태로 도입하였으나 최근에 국가적인 복지혜택이 증가함에 따라 장애율에 대한 판정과 장애율에 대한 평가목록 및 방법이 많은 변화를 일으켜왔다. 장애평가란 다양한 기능을 가진 신체의 각 기관들의 기능이상으로 인한 신체장애율과 노동능력 상실률이라는 추상적 개념을 정량화된 수치로 표현하는 것이다. 장애평가는 그 결과에 따라 금전적인 이해가 발생하게 되므로 매우 예민한 문제임에도 불구하고 의학적으로 장애율을 정량화시키기란 매우 어려운 것이 현실이며, 장애평가의 가이드라인으로 제시되어 있는 평가법들도 매우 다양하고 복잡하여 일목요연하게 이해하기는 힘들다. 각종 장애평가법에 대한 일반적 사항들을 정리하여 보면 다음과 같다.

국내법 중에 장애등급관련 별표를 정의해놓은 법들은 1. 근로기준법, 2. 산업재해보상보험법, 3. 자동차손해배상 보장법, 4. 국가배상법, 5. 장애인복지법, 6. 국민연금법, 7. 군인연금, 8. 국가유공자 등 예우 및 지원법, 9. 민주화운동 관련자 보상법, 10. 보험업법 등이 있다.

이렇게 많은 법에서 장애판정기준을 마련해 놓고 있지만 그 근간은 1927년 제정된 일본의 "공장법 시행령의 별표"이다. 국내의 경우 일부를 수정하여 사용하는 것이 대부분으로, 보통 1급부터 14급까지 14개 등급으로 분류되어 있다. 대부분의 국내판정법들은 전형적 사례를 예시 후 피재자에 해당되는 항목을 찾아 등급을 판단하는 방법을 사용한다. 이를 예시형 등급제라고 하는데, 매우 간편한 방법이기는 하나 모든 경우를 예시할 수는 없기 때문에 적합한 항목이 없으면 비슷한 항목에 준용을 해야 한다. 그러나 이와 같이 준용시에는 해석에 따라 다른 결과가 나올 수 있다는 단점이 있다. 위에 기술한 10개의 법에서 정해 놓은 각각의 장애판정 기준 별표들의 세부 내용은 2009년도 구강악안면외과학회에서 장애등급판정기준 마련을 위한 심포지엄에서 발표된 바가 있다(표 20-14).

치과와 관련된 장애평가는 악안면 영역의 신경손상, 치아손상, 턱관절손상에 의한 장애, 저작장애, 언어장애 등 다양한 형태의 장애가 존재한다. 하지만, 아직까지 이러한 장애에 대한 체계적인 평가기준이 없이 과거 통상적으로 시행된 감정에 의해서 평가가 이루어져 왔고, 그 평가들이 평가기관 및 장애평가를 시행한 감정의에 따라서 상이한 결과들이 산정되는 불합리한 점이 야기되는 문제점이 있다. 이러한 문제점을 해결하기 위한 노력들이 의학 관련 단체 등에서 시행되어 고용노동부, 법제처, 대한의학회 등 여러 기관에서 연구과제를 발주하여 정리하였지만, 치과 분야에 대한 연구들은 미진한 상태였다. 그러나 최근 이런 추세에 발맞춰 대한치의학회 치과의료정책연구소에서는 '치아 및 악안면영역의 장애평가기준 제정을 위한 연구'를 추진하여 저작장애(치아상실), 저작장애(턱관절장애, 연하장애), 안면장애(구강악안면영역 신경손상, 안면이상 · 안면추상), 언어장애(음성장애 · 발음장애)의 평가기준을 제시한 바 있다. 이러한 노력들이 모여 현재의 치의학 수준에 객관적으로 적용할 수 있는 타당한 장

표 20-14 장애인복지법시행령 제 2조에 따른 장애인의 분류 중 구강악안면외과 판정 영역

대분류	중분류	소분류	세분류
신체적 장애	외부 신체기능의 장애	지체장애	절단장애, 관절장애, 지체기능장애, 변형 등의 장애
		뇌병변장애	뇌의 손상으로 인한 복합적인 장애
		시각장애	시력장애, 시야결손장애
		청각장애	청력장애, 평형기능장애
		언어장애	언어장애, 음성장애, 구어장애
		안면장애	안면부의 추상, 함몰, 비후 등 변형으로 인한 장애
	내부기관의 장애	신장장애	투석치료중이거나 신장을 이식받은 경우
		심장장애	일상생활이 현저히 제한되는 심장기능 이상
		간장애	일상생활이 현저히 제한되는 만성 · 중증의 간기능 이상
		호흡기장애	일상생활이 현저히 제한되는 만성 · 중증의 호흡기기능 이상
		장루 · 요루장애	일상생활이 현저히 제한되는 장루 · 요루
		간질장애	일상생활이 현저히 제한되는 만성 · 중증의 간질
정신적 장애	발달장애	지적장애	지능지수와 사회성숙지수가 70 이하인 경우
		자폐성장애	소아청소년 자폐 등 자폐성 장애
	정신장애	정신장애	정신분열병, 분열형정동장애, 양극성정동장애, 반복성우울장애

애평가기준 정립이 필요하다 할 수 있다.

3) 장애등급 판정에 도움을 주는 판정방법들

(1) 맥브라이드 판정법

맥브라이드 장애판정법은 피재자의 장애에 해당하는 예시 등급을 찾고, 직업별 장애계수를 참조하여 장애율을 판단하는 방법이다. 이 방법은 간단하면서도 신체장애와 직업이 고려된 노동능력 손상률을 동시에 판정할 수 있으나, 현재 사용되는 맥브라이드법은 제6판이 1963년에 발간되고 그 이후로는 개정된 적이 없어, 최신판을 적용하여도 무려 반세기 전의 기준을 적용하고 있다는 문제가 있다. 그럼에도 불구하고 우리나라에서는 1986년 9월부터 자동차종합보험에 의한 피해자 배상을 맥브라이드방법에 따르도록 하고 있고, 법원의 신체감정도 맥브라이드방법으로 판정해 주기를 요구하고 있다.

(2) AMA 방법

미국의학협회(AMA, American medical association)에서 출판한 영구장애평가에 대한 지침서(guides to the evaluation of permanent impairment)에 나와 있는 내용에 따라 장애를 평가하는 방법이다. 이 방법은 미국의학협회의 공신력을 바탕으로 장기간 동안 수많은 인력을 투입하여 만들어졌으며, 장애의 분류는 물론 그 평가가 매우 세세하며, 통증에 대한 장애도 산출해 낼 수 있다.

장애등급 판정에는 이와 같은 평가방법들이 사용되고 있으나, 현재 국내 실정에 모든 부분을 만족시킬 만한 평가방법은 없는 상태이다. 그러므로 구강악안면외과의사는 다양하고 최선의 평가방법을 이용하여 장애에 대한 평가를 시행해야 한다(표 20-15, 16).

4) 장애등급 판정시기

구강악안면영역의 장애등급 판정시기는 각 판정방법에 따라 다르나 장애등급 판정에 대한 연구에 따르면 원인질환 등에 관하여 충분히 치료하여 장애가 고착되었을 때 판정하며, 그 기준시기는 원인질환 또는 부상 등의 발생 후 또는 수술 후 6개월 이상 지속적으

표 20-15 국내법에 따른 구강악안면영역의 장해등급 비교표

등급	노동능력 상실률	국가배상법 시행령	자동차손해배상 보장법 시행령	근로기준법 시행령	산업재해보상 보험법 시행령
제1급, 2호	100%	씹는 것과 언어의 기능이 전폐된 자	좌동	저작과 언어의 기능이 전폐된 자	말하는 기능과 음식물을 씹는 기능을 모두 영구적으로 완전히 잃은 사람
제3급, 2호	100%	씹는 것 또는 언어의 기능이 전폐된 자	좌동	저작 또는 언어의 기능이 전폐된 자	말하는 기능과 음식물을 씹는 기능을 영구적으로 완전히 잃은 사람
제4급, 2호	90%	씹는 것과 언어의 기능에 현저한 장해가 남은자	좌동	저작과 언어의 기능에 현저한 장해가 남은 자	말하는 기능과 음식물을 씹는 기능에 뚜렷한 장해가 남은 사람
제6급, 2호	70%	씹는 것 또는 언어의 기능에 현저한 장해가 남은 자	좌동	저작 또는 언어의 기능에 현저한 장해가 남은 자	말하는 기능 또는 음식물을 씹는 기능에 뚜렷한 장해가 남은 사람
제9급, 2호	40%	씹는 것과 언어의 기능에 장해가 남은 자	좌동	저작과 언어의 기능에 장해가 남은 자	말하는 기능과 음식물을 씹는 기능에 장해가 남은 사람
제10급, 2호	30%	씹는 것 또는 언어의 기능에 장해가 남은 자	좌동	저작 또는 언어의 기능에 장해가 남은 자	말하는 기능 또는 음식물을 씹는 기능에 장해가 남은 사람
제10급, 3호	30%	14개 이상의 치아에 대하여 치과보철을 가한 자	14개 이상의 치아에 대하여 치과보철을 가한 자	14개 이상의 치아에 대하여 치과보철을 가한 자	14개 이상의 치아에 대하여 치과보철을 가한 자
제11급, 10호	20%	없음	없음	없음	10개 이상의 치아에 대하여 치과보철을 한 사람
제12급, 3호	15%	7개 이상의 치아에 대하여 치과보철을 가한 자	7개 이상의 치아에 대하여 치과보철을 가한 자	7개 이상의 치아에 대하여 치과보철을 가한 자	7개 이상의 치아에 대하여 치과보철을 가한 자
제13급, 4호	10%	없음	없음	없음	5개 이상의 치아에 대하여 치과보철을 한 사람
제14급, 2호	5%	3개 이상의 치아에 대하여 치과보철을 가한 자	3개 이상의 치아에 대하여 치과보철을 가한 자	3개 이상의 치아에 대하여 치과보철을 가한 자	3개 이상의 치아에 대하여 치과보철을 가한 자

표 20-16 McBride식 신체장해 및 노동능력 상실률(구강악안면부)

치유종료기의 장해상태(육체노동자 30세)	전신기능에 대한 장해비율	노동능력상실률	
		옥내근로자	옥외근로자
안면			
I. 안면추형(disfigurement)을 포함한 악골골절			
A. 부정교합(malocclusion)을 수반한 상악골절	8	10	10
B. 부정교합을 수반한 하악골절	8	10	10
C. 하악골 관절돌기의 동통성 부정교합	8	10	10
II. 악관절의 강직(ankylosis of TMJ) 전치부 개구가 1/4–1/2인치로 제한된 것	10	17	17
III. 전 치아의 상실로 보철(prothesis)	15	19	19
IV. 혀(tongue)의 상실, 1/3	15	19	19
V. 이개(ear auricle)의 상실	5	7	7
VI. 호흡장애를 일으키는 코뼈(nose)의 손상	7	9	9
두부, 뇌, 척수			
II. 뇌손상이 합병된 골절: 명백한 기질적 손상과 지속적 뇌압상승 증상			
A.2. 제5뇌신경: 최고도(maximum). 안면통 또는 마비는 이 장해율을 감산하여 평가함	18	20	23
A.3. 제7뇌신경: 최고도(maximum). 안면추형, 언어기능장애는 이 장해율을 감산하여 평가함	16	18	21
A.7. 제12뇌신경: 혀놀림, 저작(씹는 것), 연하(삼키는 것)에 대한 평가	10	12	15
관절염			
II. 골관절염(osteoarthritis): 퇴행성(degenerative), 비후성(hypertrophic)			
A. 여러 관절 침범, 구축없음, 경도의 통증, 휴무는 불필요	5	11	11
B. 1개 이상의 주요관절에 중등도로 심한 동통의 악화, 매년 1–2회의 휴무를 요함	15	21	21

※ 전신기능에 대한 영구장해의 직종별등급(직업별 장해등급표의 1–9 숫자)을 "5"에 적용함

표 20-17 장애인복지법시행령 제2조에 따른 장애등급판정기준 중 언어장애 등급기준

장애등급	장 애 정 도
3급1호	발성이 불가능하거나 특수한 방법(식도발성, 인공후두기)으로 간단한 대화가 가능한 음성장애
3급2호	말의 흐름이 97% 이상 방해를 받는 말더듬
3급3호	자음정확도가 30% 미만인 조음장애
3급4호	의미 있는 말을 거의 못하는 표현언어지수가 25 미만인 경우로서 지적장애 또는 자폐성장애로 판정되지 아니하는 경우
3급5호	간단한 말이나 질문도 거의 이해하지 못하는 수용언어지수가 25 미만인 경우로서 지적장애 또는 자폐성장애로 판정되지 아니하는 경우
4급1호	발성(음도, 강도, 음질)이 부분적으로 가능한 음성장애
4급2호	말의 흐름이 방해받는 말더듬(아동 41–96%, 성인 24–96%)
4급3호	자음정확도 30–75% 정도의 부정확한 말을 사용하는 조음장애
4급4호	매우 제한된 표현만을 할 수 있는 표현언어지수가 25–65인 경우로서 지적장애 또는 자폐성장애로 판정되지 아니하는 경우
4급5호	매우 제한된 이해만을 할 수 있는 수용언어지수가 25–65인 경우로서 지적장애 또는 자폐성장애로 판정되지 아니하는 경우

표 20-18 장애인복지법시행령 제2조에 따른 장애등급판정기준 중 안면장애기준(보건복지부 고시)

장애등급	장 애 정 도
2급1호	노출된 안면부의 90% 이상의 변형이 있는 사람
2급2호	노출된 안면부의 60% 이상의 변형이 있고 코 형태의 2/3 이상이 없어진 사람
3급1호	노출된 안면부의 75% 이상의 변형이 있는 사람
3급2호	노출된 안면부의 50% 이상의 변형이 있고 코 형태의 2/3 이상이 없어진 사람
4급1호	노출된 안면부의 60% 이상의 변형이 있는 사람
4급2호	코 형태의 2/3 이상이 없어진 사람
4급3호	노출된 안면부의 45% 이상 변형이 있고 코 형태의 1/3 이상이 없어진 사람
5급1호	노출된 안면부의 45% 이상이 변형된 사람
5급2호	코 형태의 1/3 이상이 없어진 사람

로 치료한 후로 한다는 기준을 대부분 따르고 있다. 또한 수술 또는 치료 등 의료적 조치로 기능이 회복될 수 있다고 판단하는 경우에는 장애판정을 처치 후로 유보하여야 한다. 다만, 1년 이내에 국내 여건 또는 장애인의 건강상태 등으로 인하여 수술 등을 하지 못하는 경우는 예외로 하되, 필요한 시기를 지정하여 재판정을 받도록 하여야 한다. 향후 장애 정도의 변화가 예상되는 경우에는 반드시 재판정을 받도록 하여야 한다. 이 경우 재판정의 시기는 최초의 판정시기로부터 2년 이상 경과한 후로 한다. 2년 이내에 장애상태의 변화가 예상될 때에는 장애의 판정을 유보하여야 한다. 재판정이 필요한 경우 장애 판정의는 장애진단서에 재판정 시기와 필요성을 구체적으로 명시하여야 한다(표 20-17).

5) 장애인복지법에 따른 장애등급 판정 기준

현재 장애인복지법에 따른 구강악안면영역에서 판정할 수 있는 분야는 언어장애와 안모장애로 규정하고 있다. 향후 장애인 복지법의 개정에 따라 저작장애, 연하장애, 측두 하악관절운동장애 등에 대한 추가 설정이 필요한 상황이다. 언어장애에는 3급 1호에서 4급 5호에 따라 규정하고 있으며 안모장애의 경우 2급에서 5급으로 구분하여 규정하고 있다. 이에 대한 평가기준은 도표와 같다(표 20-18).

참고문헌

김영구. 진단서, 감정서 및 의료사고의 실례. 신흥인터내셔날; 1996.

김현태, 김영균, 박현식. 치과응급진료 및 장애도 산출해낼 수 있다. 후유증의 처치. 서울: 지성출판사; 1999.

대한치과마취과학회. 치과마취과학. 3판. 서울: 군자출판사; 2015.

대한치과이식임플란트학회. 임플란트 실패와 문제점 해결. 서울: 대한나래출판사; 2020.

질병관리본부. 수혈 가이드라인. 4판. 2016.

질병관리청 · 대한심폐소생협회. 2020년 한국심폐소생술 가이드라인. 2020.

한규섭, 박명희, 조한익. 수혈의학. 3판. 서울: 고려의학; 2006.

한성희. 하악 제3대구치 발치 후 발생한 하치조신경 및 설신경 손상에 관한 연구. 대한치과의사협회지. 2009;47(4):211-224.

황경균 외 4인. 치아 및 악안면 영역의 장애평가 기준 제정을 위한 연구. 대한치의학회 치과의료정책연구소.

British Committee for Standards in Haematology, Stainsby D, MacLennan S, et al. Guidelines on the management of massive blood loss. Br J Haematol 2006;135(5):634-41.

Cardiac Society of Australia and New Zealand. Guidelines for the management of antiplatelet therapy in patients with coronary stents undergoing non-cardiac surgery. Heart Lung Circ 2010;19(1):2-10. Epub 2009 Dec 31.

Falace DA. Emergency dental care. Williams & Wilkins; 1995. p. 227.

Fonseca. Oral and maxillofacial trauma. 3rd ed. Elsevier; 2005.

Hatano YK, Kurita K, Kuroiwa Y, et al. Clinical Evaluations of Coronectomy (Intentional Partial Odontectomy) for Mandibular Third Molars Using Dental Computed Tomography: A Case-Control StudyOriginal Research Article. J Oral Maxillofac Surg 2009;67(9):1806-14.

Hazinski MF, Nolan JP, Billi JE, et al. Part 1: Executive summary: 2010 International consensus on cardiopulmonary resuscitation and emergency cardiovascular care science with treatment recommendations. Circulation 2010;122:S250-S275.

Hershy SC, Hales RE. Psychophamacologic approach to the medically ill patient. Psychiatr Clin North Am 1984;7(4):803-16.

Knaus WA, Draper EA, Wagner DP, et al. APACHE II: A severity of disease classification system. Crit Care Med 1985;13(10):818-29.

Knaus WA, Draper EA, Wagner DP, et al. APACHE-acute physiology and chronic health evaluation: A physiologically based classification system. Crit Care Med 1981;9(8):519-7.

Koumans AJ. Psychiatric consultation in an intensive care unit. JAMA 1965;194(6):633-7.

Kruger GO. Textbook of oral and maxillofacial surgery. 6th ed. C.V. Mosby; 1984.

Little JW, Falace DA, Miller CS, et al. Dental management of the medically compromised patient. 5th ed. C.V. Mosby; 1997. p. 79.

Malamed SF, Robbins KS. Medical emergencies in dental office. 3rd ed. C.V. Mosby; 1993. p. 299.

Michael M, et al. Peterson's principles of oral and maxillofacial surgery. 3rd ed. People's medical publishing house; 2012.

Murphy MF, Wallington TB, Kelsey P, et al. British Committee for Standards in Haematology, Blood Transfusion Task Force. Guidelines for the clinical use of red cell transfusions. Br J Haematol 2001;113(1):24-31.

Peterson LI, Tucker MR, et al. Contemporary oral & maxillofacial surgery. C.V. Mosby; 1988. p. 3.

Rutkauskas JS. Practical considerations in special patient care. Dent Clin North Am 1994;38:425-82.

Sonis ST, Fazio RC, Fang L. Principles and practice of oral medicine. 2nd ed. WB Saunders; 1995. p. 537.

Weaver JM. Caution: Maintain anti-platelet therapy in patients with coronary artery stents. Anesth Prog 2007;54(4):161-162.

INDEX

찾아보기

국문

ㄱ

ㄴ

ㄷ

ㄹ

ㅁ

ㅂ

ㅅ

ㅇ

ㅈ

ㅊ

ㅋ

ㅌ

ㅍ

영문

A

B

C

D

E

F

G

H

I

J

K

L

M

N

O

P

Q

R

S

T

U

V

W

X

Y

Z

기타